CN00969556

COLLINS GERMAN COLLEGE DICTIONARY

COLLINS GERMAN COLLEGE DICTIONARY

GERMAN ▸ ENGLISH ENGLISH ▸ GERMAN

HarperCollins*Publishers*

second edition/zweite Auflage 1995

ISBN 0 00 470189 5 (Paperback)
ISBN 0 00 470727 3 (College)

---

first edition/erste Auflage
Dagmar Förtsch • Hildegard Pesch
Veronika Schnorr • Gisela Moohan • Ulrike Seeberger
Lorna Sinclair • Elspeth Anderson • Val McNulty

revised by/Bearbeitung
Eva Vennebusch
Horst Kopleck • Robin Sawers

editorial staff/Redaktion
Nicola Cooke • Joyce Littlejohn
Maree Airlie • Carol MacLeod • Anne Lindsay

computing staff/Datenverarbeitung
André Gautier • Raymund Carrick

series editor/Gesamtleitung
Lorna Sinclair Knight
editorial management/Redaktionsleitung
Vivian Marr

Typeset by Morton Word Processing Ltd, Scarborough

Printed in Great Britain by
HarperCollins Manufacturing, Glasgow

INHALT

CONTENTS

EINLEITUNG

Sie möchten Englisch lernen oder vielleicht bereits vorhandene Kenntnisse vertiefen. Sie möchten sich auf englisch ausdrücken, englische Texte lesen oder übersetzen, oder Sie möchten sich ganz einfach mit englischsprechenden Menschen unterhalten können. Ganz gleich, ob Sie nun Schülerin, Student, Tourist, Sekretärin oder geschäftlich tätig sind, Sie haben sich den richtigen Begleiter für Ihre Arbeit ausgesucht! Dieses Buch ist der ideale Helfer, wenn Sie sich in englischer Sprache ausdrücken und verständlich machen möchten, sei es schriftlich oder mündlich. Es ist ganz bewußt praktisch und modern, es räumt vor allem der Alltagssprache und der Sprache, wie sie Ihnen in Zeitungen und Nachrichten, im Geschäftsleben, im Büro und im Urlaub begegnet, großen Raum ein. Wie in allen unseren Wörterbüchern haben wir das Hauptgewicht auf aktuellen Sprachgebrauch und idiomatische Redewendungen gelegt.

WIE MAN DIESES BUCH BENUTZT

Wir möchten Ihnen im folgenden einige kurze Erklärungen über die Art und Weise geben, wie wir Ihnen die Informationen in Ihrem Wörterbuch präsentieren. Unser Ziel: wir wollen Ihnen soviel Information wie möglich bieten, ohne dabei an Klarheit und Verständlichkeit einzubüßen.

Die Wörterbucheinträge

Hier also die verschiedenen Grundelemente, aus denen sich ein typischer Eintrag in Ihrem Wörterbuch zusammensetzt:

Lautschrift

Wie die meisten modernen Wörterbücher geben wir die Aussprache mit Zeichen an, die zum "internationalen phonetischen Alphabet" gehören. Weiter unten (auf den Seiten xvi und xvii) finden Sie eine vollständige Liste der Zeichen, die in diesem System benutzt werden. Die Aussprache englischer Wörter geben wir auf der englisch-deutschen Seite unmittelbar hinter dem jeweiligen Wort in eckigen Klammern an. Die deutsche Aussprache erscheint im deutsch-englischen Teil ebenfalls auf diese Weise unmittelbar hinter den Worteinträgen. Allerdings wird sie nicht immer angegeben, zum Beispiel bei zusammengesetzten Wörtern wie etwa **Liebesbrief**, deren Bestandteile schon an anderer Stelle im Wörterbuch zu finden sind.

Grammatik-Information

Alle Wörter gehören zu einer der folgenden grammatischen Klassen: Substantiv, Verb, Adjektiv, Adverb, Pronomen, Artikel, Konjunktion, Präposition, Abkürzung. Substantive können im Deutschen männlich, weiblich oder sächlich sein; sie können im Singular oder Plural stehen. Verben können transitiv, intransitiv, reflexiv oder auch unpersönlich sein. Die grammatische Klasse der Wörter wird jeweils gleich hinter dem Wort in *Kursivschrift* angezeigt.

Es kommt oft vor, daß ein Wort in verschiedene grammatische Klassen unterteilt wird. So kann z.B. das englische Wort **next** ein Adjektiv (deutsch: "nächste") sein oder ein Adverb (deutsch: "dann"); und das deutsche Wort **gut** kann ein Adjektiv (englisch: "good") oder ein Adverb (englisch: "well") sein. Ebenso kann z.B. das Verb **rauchen** manchmal transitiv sein ("eine gute Zigarre rauchen"), manchmal intransitiv ("hier darf man nicht rauchen"). Damit Sie immer genau die Bedeutung finden, die Sie gerade suchen, und damit der Text leichter überschaubar wird, haben wir die verschiedenen grammatischen Kategorien durch eine schwarze Raute ♦ gegeneinander abgegrenzt. Alle Beispielsätze sowie zusammengesetzte Wörter werden gesammelt am Ende des Eintrags gegeben.

Bedeutungsunterschiede

Viele Wörter haben mehr als eine Bedeutung. So kann z.B. **Rad** einen Teil eines Autos oder Fahrrades bezeichnen, aber auch ein Wort für das ganze Fahrrad sein. Oder Wörter müssen je nach dem Zusammenhang, in dem sie gebraucht werden, anders übersetzt werden: so muß z.B. das englische Wort **to go** für Fußgänger mit "gehen", für Autofahrer mit "fahren" übersetzt werden. Damit Sie in jedem Zusammenhang immer die richtige Übersetzung finden, haben wir die Einträge nach Bedeutungen eingeteilt: jede Kategorie wird durch einen "Verwendungshinweis" bestimmt, der *kursiv* gedruckt ist und in Klammern steht. Die beiden Beispiele von oben sehen dann so aus:

> **Rad** *nt* wheel; (*Fahrrad*) bike
> **go** *vi* gehen; (*travel*) fahren

Außerdem haben manche Wörter eine andere Bedeutung und müssen im Englischen anders übersetzt werden, wenn sie in einem bestimmten Bereich verwendet werden. Ein Beispiel dafür wäre **Rezept**, das einmal die Anleitung sein kann, nach der Sie etwa einen Kuchen backen, in medizinischen Zusammenhängen jedoch angibt, welche Tabletten Ihnen ein Arzt verschreibt. Wir zeigen Ihnen, welche Übersetzung Sie auswählen sollten, indem wir wieder in Klammern solche Fachgebiete in kursiven Großbuchstaben angeben, im vorigen Fall *KOCH* als Abkürzung für *KOCHEN* und *MED* als Abkürzung für *MEDIZIN*:

> **Rezept** *nt* (*KOCH*) recipe; (*MED*) prescription

Sie finden eine Liste aller in diesem Wörterbuch benutzten Abkürzungen für solche Gebiete auf den Seiten xii bis xiv.

Übersetzungen

Die meisten deutschen Wörter können mit einem einzigen englischen Wort übersetzt werden und umgekehrt. Aber manchmal gibt es in der Zielsprache kein Wort, das dem Wort der Ausgangssprache genau entspricht. In solchen Fällen haben wir ein ungefähres Äquivalent angegeben, das durch das Zeichen ≈ gekennzeichnet ist. So z.B. beim deutschen Wort **Abitur**, dessen ungefähres englisches Äquivalent "A-levels" ist: hier handelt es sich aber nur um eine ungefähre Entsprechung, nicht um eine "echte" Übersetzung, weil die beiden Schulsysteme sich stark unterscheiden:

> **Abitur** *nt* ≈ A-levels *pl*

Manchmal kann man nicht einmal ein ungefähres Äquivalent finden. Besonders oft ist das der Fall beim Essen, insbesondere bei lokalen Gerichten wie z.B. bei der folgenden schottischen Spezialität:

> **haggis** *n Gericht aus gehackten Schafsinnereien und Haferschrot, im Schafsmagen gekocht*

Hier wird statt einer Übersetzung (die es einfach gar nicht gibt) eine Erklärung gegeben, die in *Kursivschrift* gesetzt ist.

Manchmal ist es auch wichtig, ein Wort nicht nur für sich allein, sondern auch in einem bestimmten Zusammenhang zu übersetzen. So wird z.B. das deutsche Wort **Hand** im Englischen mit "hand" übersetzt, aber **die Hand für jdn ins Feuer legen** nicht mit "to put one's hand in the fire for sb", sondern mit "to vouch for sb". Manchmal haben auch einfache Zusammensetzungen völlig andere Übersetzungen: so wird **Handschuh** eben nicht mit "hand shoe" übersetzt, sondern mit "glove". Gerade in diesen Bereichen werden Sie feststellen, daß Ihr Wörterbuch ganz besonders hilfreich und vollständig ist: wir haben uns nämlich bemüht, so viele zusammengesetzte Wörter, Redewendungen und idiomatische Ausdrücke aufzunehmen wie möglich.

Sprachniveau

Im Deutschen wissen Sie ganz genau, in welcher Situation Sie den Ausdruck **ich habe genug** verwenden, wann Sie **mir langt's** sagen und wann **ich hab' die Nase voll**. Aber wenn Sie versuchen, jemanden zu verstehen, der englisch redet, oder wenn Sie selbst versuchen, sich auf Englisch auszudrücken, dann sollten Sie wirklich gesagt bekommen, welcher Ausdruck höflich ist und welcher weniger höflich. Wir haben also bei Wörtern, die aus der Umgangssprache stammen, die Kennzeichnung (*umg*) oder (*inf*) hinzugefügt, bei ganz besonders groben Ausdrücken zur Warnung auch noch ein zusätzliches Ausrufungszeichen, (*umg!*) oder (*inf!*), und zwar sowohl in der Ausgangs- als auch in der Zielsprache, um Ihnen anzudeuten, daß diese Ausdrücke mit Vorsicht zu verwenden sind. Bitte beachten Sie ansonsten: Wenn das Sprachniveau der Übersetzung dem des übersetzten Ausdrucks entspricht, finden Sie die Kennzeichnungen (*umg*) und (*inf*) nur in der Ausgangssprache.

Schlüsselwörter

Als *SCHLÜSSELWÖRTER* hervorgehobene Einträge, wie z.B. **be** und **do** und ihre deutschen Entsprechungen **sein** und **machen**, werden besonders eingehend behandelt, da sie grundlegende Elemente der Sprache sind. Diese Sonderbehandlung gewährleistet, daß Sie die notwendige Sicherheit für die Benutzung dieser komplexen Wörter erhalten.

Landeskundliche Informationen

Besondere Einträge, vom restlichen Text durch horizontale Linien abgeteilt, erläutern bestimmte kulturelle Aspekte der deutschen und englischen Sprachräume. Themengebiete sind z.B. Politik, Erziehung, Medien und nationale Feiertage.

INTRODUCTION

You may be starting to learn German, or you may wish to extend your knowledge of the language. Perhaps you want to read and study German books, newspapers and magazines, or perhaps simply have a conversation with Geman speakers. Whatever the reason, whether you're a student, a tourist or want to use German for business, this is the ideal book to help you understand and communicate. This modern, user-friendly dictionary gives priority to everyday vocabulary and the language of current affairs, business and tourism. As in all Collins dictionaries, the emphasis is firmly placed on contemporary language and expressions.

HOW TO USE THE DICTIONARY

You will find below an outline of the way in which information is presented in your dictionary. Our aim is to give you the maximum amount of information whilst still providing a text which is clear and user-friendly.

Entries

A typical entry in your dictionary will be made up of the following elements:

Phonetic transcription

Phonetics appear in square brackets immediately after the headword. They are shown using the International Phonetic Alphabet (IPA), and a complete list of the symbols used in this system can be found on pages xvi and xvii.

Grammatical information

All words belong to one of the following parts of speech: noun, verb, adjective, adverb, pronoun, article, conjunction, preposition, abbreviation. Nouns can be singular or plural and, in German, masculine, feminine, or neuter. Verbs can be transitive, intransitive, reflexive or impersonal. Parts of speech appear in *italics* immediately after the phonetic spelling of the headword. The gender of the translation appears in *italics* immediately following the key element of the translation.

Often a word can have more than one part of speech. Just as the English word **next** can be an adjective or an adverb, the German word **gut** can be an adjective ("good") or an adverb ("well"). In the same way the verb **to walk** is sometimes transitive, ie it takes an object ("to walk the dog") and sometimes intransitive, ie it doesn't take an object ("to walk to school"). To help you find the meaning you are looking for quickly and for clarity of presentation, the different part of speech categories are separated by a black lozenge ♦.

Meaning divisions

Most words have more than one meaning. Take, for example, **punch** which can be, amongst other things, a blow with the fist or an object used for making holes. Other words are translated differently depending on the context in which they are used. The intransitive verb **to recede**, for example, can be translated by "zurückgehen" or "verschwinden" depending on *what* is receding. To help you select the most appropriate translation in every context, entries are divided according to meaning. Each different meaning is introduced by an "indicator" in *italics* and in brackets. Thus, the examples given above will be shown as follows:

punch *n* (*blow*) Schlag *m*; (*tool*) Locher *m*
recede *vi* (*tide*) zurückgehen; (*lights etc*) verschwinden

Likewise, some words can have a different meaning when used to talk about a specific subject area or field. For example, **bishop**, which in a religious context means a high-ranking clergyman, is also the name of a chess piece. To show English speakers which translation to use, we have added "subject field labels" in capitals and in brackets, in this case (*REL*) and (*CHESS*):

bishop *n* (*REL*) Bischof *m*; (*CHESS*) Läufer *m*

Field labels are often shortened to save space. You will find a complete list of abbreviations used in the dictionary on pages xii to xiv.

Translations

Most English words have a direct translation in German and vice versa, as shown in the examples given above. Sometimes, however, no exact equivalent exists in the target language. In such cases we have given an approximate equivalent, indicated by the sign ≈. Such is the case of **high school**, the German equivalent of which is "Oberschule *f*". This is not an exact translation since the systems of the two countries in question are quite different:

high school *n* ≈ Oberschule *f*

On occasion it is impossible to find even an approximate equivalent. This may be the case, for example, with the names of culinary specialities like this German cake:

Streuselkuchen *m cake with crumble topping*

Here the translation (which doesn't exist) is replaced by an explanation. For increased clarity the explanation, or "gloss", is shown in *italics*.

It is often the case that a word, or a particular meaning of a word, cannot be translated in isolation. The translation of **Dutch**, for example, is "holländisch, niederländisch". However, the phrase **to go Dutch** is rendered by "getrennte Kasse machen". Even an expression as simple as **cake shop** needs a separate translation since it translates as "Konditorei", not "Kuchengeschäft". This is where your dictionary will prove to be particularly informative and useful since it contains an abundance of compounds, phrases and idiomatic expressions.

Register

In English you instinctively know when to say **I'm broke** *or* **I'm a bit short of cash** and when to say **I don't have any money**. When you are trying to understand someone who is speaking German, however, or when you yourself try to speak German, it is especially important to know what is polite and what is less so. To help you with this, we have added the register labels (*umg*) and (*inf*) to colloquial or offensive expressions. Those expressions which are particularly vulgar are also given an exclamation mark (*umg!*) or (*inf!*), warning you to use them with extreme care. Please note that the register labels (*umg*) and (*inf*) are not repeated in the target language when the register of the translation matches that of the word or phrase being translated.

Keywords

Words labelled in the text as *KEYWORDS*, such as **be** and **do** or their German equivalents **sein** and **machen**, have been given special treatment because they form the basic elements of the language. This extra help will ensure that you know how to use these complex words with confidence.

Cultural information

Entries which appear separated from the main text by a line above and below them explain aspects of culture in German- and English-speaking countries. Subject areas covered include politics, education, media and national festivals, for example **Bundestag**, **Abitur**, **BBC** and **Hallowe'en**.

ABKÜRZUNGEN		ABBREVIATIONS
Abkürzung	***abk, abbr***	abbreviation
Adjektiv	***adj***	adjective
Verwaltung	***ADMIN***	administration
Adverb	***adv***	adverb
Agrarwirtschaft	***AGR***	agriculture
Akkusativ	***akk, acc***	accusative
Anatomie	***ANAT***	anatomy
Architektur	***ARCHIT***	architecture
Artikel	***art***	article
Kunst	***ART***	
Astrologie	***ASTROL***	astrology
Astronomie	***ASTRON***	astronomy
attributiv	***attrib***	attributive
Kraftfahrzeugwesen	***AUT***	automobiles
Hilfsverb	***aux***	auxiliary
Luftfahrt	***AVIAT***	aviation
Bergbau	***BERGB***	mining
besonders	***bes***	especially
Biologie	***BIOL***	biology
Botanik	***BOT***	botany
britisch	***BRIT***	British
Kartenspiel	***CARDS***	
Chemie	***CHEM***	chemistry
Film	***CINE***	cinema
Handel	***COMM***	commerce
Komparativ	***comp***	comparative
Computerwesen	***COMPUT***	computers
Konjunktion	***conj***	conjunction
Bauwesen	***CONSTR***	building
zusammengesetztes Wort	***cpd***	compound
Kochen und Backen	***CULIN***	cooking
Dativ	***dat***	dative
bestimmt	***def***	definite
diminutiv	***dimin***	diminutive
dekliniert	***dekl***	declined
kirchlich	***ECCL***	ecclesiastical
Volkswirtschaft	***ECON***	economics
Eisenbahnwesen	***EISENB***	railways
Elektrizität	***ELEK, ELEC***	electricity
besonders	***esp***	especially
und so weiter	***etc***	et cetera
etwas	***etw***	something
Euphemismus	***euph***	euphemism
Ausruf	***excl***	exclamation
Femininum	***f***	feminine
übertragen	***fig***	figurative
Film	***FILM***	cinema
Finanzwesen	***FIN***	finance
formell	***form***	formal
'phrasal verb', bei dem Partikel und Verb nicht getrennt werden können	***fus***	fused: phrasal verb where the particle cannot be separated from the verb
gehoben	***geh***	elevated
Genitiv	***gen***	genitive
Geographie	***GEOG***	geography

ABKÜRZUNGEN ABBREVIATIONS

Geologie	***GEOL***	geology
Geometrie	***GEOM***	geometry
Grammatik	***GRAM***	grammar
Geschichte	***HIST***	history
scherzhaft	***hum***	humorous
Imperfekt	***imperf***	imperfect
unpersönlich	***impers***	impersonal
unbestimmt	***indef***	indefinite
umgangssprachlich	***inf***	informal
untrennbares Verb	***insep***	inseparable
Interjektion	***interj***	interjection
interrogativ	***interrog***	interrogative
unveränderlich	***inv***	invariable
unregelmäßig	***irreg***	irregular
jemand	***jd***	somebody
jemandem	***jdm***	(to) somebody
jemanden	***jdn***	somebody
jemandes	***jds***	somebody's
Rechtswesen	***JUR***	law
Kartenspiel	***KARTEN***	cards
Kochen und Backen	***KOCH***	cooking
Komparativ	***komp***	comparative
Konjunktion	***konj***	conjunction
Rechtswesen	***LAW***	
Sprachwissenschaft	***LING***	linguistics
wörtlich	***lit***	literal
literarisch	***liter***	literary
Literatur	***LITER***	literature
Maskulinum	***m***	masculine
Mathematik	***MATH***	mathematics
Medizin	***MED***	medicine
Meteorologie	***MET***	meteorology
Militärwesen	***MIL***	military
Bergbau	***MIN***	mining
Musik	***MUS***	music
Substantiv	***n***	noun
nautisch	***NAUT***	nautical
Nominativ	***nom***	nominative
Norddeutschland	***NORDD***	North German
Neutrum	***nt***	neuter
Zahlwort	***num***	numeral
Objekt	***obj***	object
oder	***od***	or
veraltet	***old***	
sich	***o.s.***	oneself
Österreich	***ÖSTERR***	Austria
Parlament	***PARL***	parliament
pejorativ	***pej***	pejorative
Person/persönlich	***pers***	person/personal
Pharmazie	***PHARM***	pharmacy
Photographie	***PHOT***	photography
Physik	***PHYS***	physics
Physiologie	***PHYSIOL***	physiology
Plural	***pl***	plural
Politik	***POL***	politics

ABKÜRZUNGEN — ABBREVIATIONS

possessiv	***poss***	possessive
Partizip Perfekt	***pp***	past participle
Präfix	***präf, pref***	prefix
Präposition	***präp, prep***	preposition
Präsens	***präs, pres***	present
Typographie	***PRINT***	printing
Pronomen	***pron***	pronoun
Psychologie	***PSYCH***	psychology
Imperfekt	***pt***	past tense
Radio	***RADIO***	radio
Eisenbahn	***RAIL***	railways
Relativ-	***rel***	relative
Religion	***REL***	religion
Rundfunk	***RUNDF***	broadcasting
jemand (-en, -em)	***sb***	somebody
Schulwesen	***SCH***	school
Naturwissenschaft	***SCI***	science
Schulwesen	***SCOL***	teaching
schottisch	***SCOT***	Scottish
Singular	***sing***	singular
Skisport	***SKI***	skiing
etwas	***sth***	something
Süddeutschland	***SÜDD***	South German
Suffix	***suff***	suffix
Superlativ	***superl***	superlative
Technik	***TECH***	technology
Nachrichtentechnik	***TEL***	telecommunications
Theater	***THEAT***	theatre
Fernsehen	***TV***	television
Typographie	***TYP***	typography
umgangssprachlich	***umg***	colloquial
Universität	***UNIV***	university
unpersönlich	***unpers***	impersonal
unregelmäßig	***unreg***	irregular
untrennbar	***untr***	inseparable
unveränderlich	***unver***	invariable
(nord)amerikanisch	***US***	(North) American
gewöhnlich	***usu***	usually
und so weiter	***usw***	et cetera
Verb	***vb***	verb
intransitives Verb	***vi***	intransitive verb
reflexives Verb	***vr***	reflexive verb
transitives Verb	***vt***	transitive verb
vulgär	***vulg***	vulgar
Wirtschaft	***WIRTS***	economy
Zoologie	***ZOOL***	zoology
zusammengesetztes Wort	***zW***	compound
zwischen zwei Sprechern	-	change of speaker
ungefähre Entsprechung	≈	cultural equivalent
eingetragenes Warenzeichen	®	registered trademark

GERMAN NOUN ENDINGS

After many noun entries on the German-English side of the dictionary, you will find two pieces of grammatical information, separated by commas, to help you with the declension of the noun, e.g. **-, -n** or **-(e)s, -e**.

The first item shows you the genitive singular form, and the second gives the plural form. The hyphen stands for the word itself and the other letters are endings. Sometimes an umlaut is shown over the hyphen, which means an umlaut must be placed on the vowel of the word, e.g.:

dictionary entry	*genitive singular*	*plural*
Mann *m* **(e)s, ¨-er**	**Mannes** *or* **Manns**	**Männer**
Jacht *f* **-, -en**	**Jacht**	**Jachten**

This information is not given when the noun has one of the regular German noun endings below, and you should refer to this table in such cases.

Similarly, genitive and plural endings are not shown when the German entry is a compound consisting of two or more words which are to be found elsewhere in the dictionary, since the compound form takes the endings of the LAST word of which it is formed, e.g.:

for **Nebenstraße** *see* **Straße**
for **Schneeball** *see* **Ball**

Regular German Noun Endings

nom		**gen**	**pl**
-ant	*m*	-anten	-anten
-anz	*f*	-anz	-anzen
-ar	*m*	-ar(e)s	-are
-chen	*nt*	-chens	-chen
-ei	*f*	-ei	-eien
-elle	*f*	-elle	-ellen
-ent	*m*	-enten	-enten
-enz	*f*	-enz	-enzen
-ette	*f*	-ette	-etten
-eur	*m*	-eurs	-eure
-euse	*f*	-euse	-eusen
-heit	*f*	-heit	-heiten
-ie	*f*	-ie	-ien
-ik	*f*	-ik	-iken
-in	*f*	-in	-innen
-ine	*f*	-ine	-inen
-ion	*f*	-ion	-ionen
-ist	*m*	-isten	-isten
-ium	*nt*	-iums	-ien
-ius	*m*	-ius	-iusse
-ive	*f*	-ive	-iven
-keit	*f*	-keit	-keiten
-lein	*nt*	-leins	-lein
-ling	*m*	-lings	-linge
-ment	*nt*	-ments	-mente
-mus	*m*	-mus	-men
-schaft	*f*	-schaft	-schaften
-tät	*f*	-tät	-täten
-tor	*m*	-tors	-toren
-ung	*f*	-ung	-ungen
-ur	*f*	-ur	-uren

PHONETIC SYMBOLS *LAUTSCHRIFT*

NB: All vowels sounds are approximate only.

NB: Manche Laute sind nur ungefähre Entsprechungen.

Vowels		*Vokale*
matt	[a]	
Fahne	[aː]	
Vater	[ər]	
	[ɑː]	calm, part
	[æ]	sat
Rendezvous	[ã]	
Chance	[aː]	
	[ɑ̃ː]	*clientele*
Etage	[e]	
Seele, Mehl	[eː]	
Wäsche, Bett	[ɛ]	egg
zählen	[ɛː]	
Teint	[ɛ̃ː]	
mache	[ə]	above
	[əː]	burn, earn
Kiste	[ɪ]	pit, awfully
Vitamin	[i]	
Ziel	[iː]	peat
Oase	[o]	
oben	[oː]	
Champignon	[õ]	
Salon	[õː]	
Most	[ɔ]	cot
	[ɔː]	born, jaw
ökonomisch	[ø]	
blöd	[øː]	
Göttin	[œ]	
	[ʌ]	hut
zuletzt	[u]	put
Mut	[uː]	pool
Mutter	[ʊ]	
Physik	[y]	
Kübel	[yː]	
Sünde	[ʏ]	

NB: Vowels and consonants which are frequently elided (not spoken) are given in *italics*:

Vokale und Konsonanten, die häufig elidiert (nicht ausgesprochen) werden, sind *kursiv* dargestellt:

convention [kən'venʃən]
attempt [ə'tem*p*t]

Diphthongs		*Diphthonge*
Styling	[ai]	
weit	[aɪ]	buy, die, my
umbauen	[au]	house, now
Haus	[aʊ]	
	[eɪ]	pay, mate
	[ɛə]	pair, mare
	[əu]	no, boat
	[ɪə]	mere, shear
Heu, Häuser	[ɔʏ]	
	[ɔɪ]	boy, coin
	[uə]	tour, poor

Consonants		*Konsonanten*
Ball	[b]	ball
mich	[ç]	
	[tʃ]	child
fern	[f]	field
gern	[g]	good
Hand	[h]	hand
ja	[j]	yet, million
	[dʒ]	just
Kind	[k]	kind, catch
links, Pult	[l]	left, little
matt	[m]	mat
Nest	[n]	nest
lang	[ŋ]	long
Paar	[p]	put
rennen	[r]	run
fast, fassen	[s]	sit
Chef, Stein, Schlag	[ʃ]	shall
Tafel	[t]	tab
	[θ]	thing
	[ð]	this
wer	[v]	very
	[w]	wet
Loch	[x]	loch
fix	[ks]	box
singen	[z]	pods, zip
Zahn	[ts]	
genieren	[ʒ]	measure

Other signs		*Andere Zeichen*
glottal stop	|	Knacklaut
main stress	[']	Hauptton
long vowel	[ː]	Längezeichen

GERMAN IRREGULAR VERBS

* with 'sein'

Infinitive	Present Indicative *2nd pers sing ♦ 3rd pers sing*	Imperfect Indicative	Past Participle
aufschrecken*	schrickst auf ♦ schrickt auf	schrak *od* schreckte auf	aufgeschreckt
ausbedingen	bedingst aus ♦ bedingt aus	bedang *od* bedingte aus	ausbedungen
backen	bäckst ♦ bäckt	backte *od* buk	gebacken
befehlen	befiehlst ♦ befiehlt	befahl	befohlen
beginnen	beginnst ♦ beginnt	begann	begonnen
beißen	beißt ♦ beißt	biß	gebissen
bergen	birgst ♦ birgt	barg	geborgen
bersten*	birst ♦ birst	barst	geborsten
bescheißen*	bescheißt ♦ bescheißt	beschiß	beschissen
bewegen	bewegst ♦ bewegt	bewog	bewogen
biegen	biegst ♦ biegt	bog	gebogen
bieten	bietest ♦ bietet	bot	geboten
binden	bindest ♦ bindet	band	gebunden
bitten	bittest ♦ bittet	bat	gebeten
blasen	bläst ♦ bläst	blies	geblasen
bleiben*	bleibst ♦ bleibt	blieb	geblieben
braten	brätst ♦ brät	briet	gebraten
brechen*	brichst ♦ bricht	brach	gebrochen
brennen	brennst ♦ brennt	brannte	gebrannt
bringen	bringst ♦ bringt	brachte	gebracht
denken	denkst ♦ denkt	dachte	gedacht
dreschen	drisch(e)st ♦ drischt	drasch	gedroschen
dringen*	dringst ♦ dringt	drang	gedrungen
dürfen	darfst ♦ darf	durfte	gedurft
empfangen	empfängst ♦ empfängt	empfing	empfangen
empfehlen	empfiehlst ♦ empfiehlt	empfahl	empfohlen
erbleichen*	erbleichst ♦ erbleicht	erbleichte	erblichen
erlöschen*	erlischst ♦ erlischt	erlosch	erloschen
erschrecken*	erschrickst ♦ erschrickt	erschrak	erschrocken
essen	ißt ♦ ißt	aß	gegessen
fahren*	fährst ♦ fährt	fuhr	gefahren
fallen*	fällst ♦ fällt	fiel	gefallen
fangen	fängst ♦ fängt	fing	gefangen
fechten	fichtst ♦ ficht	focht	gefochten
finden	findest ♦ findet	fand	gefunden
flechten	flichtst ♦ flicht	flocht	geflochten
fliegen*	fliegst ♦ fliegt	flog	geflogen
fliehen*	fliehst ♦ flieht	floh	geflohen
fließen*	fließt ♦ fließt	floß	geflossen
fressen	frißt ♦ frißt	fraß	gefressen
frieren	frierst ♦ friert	fror	gefroren
gären*	gärst ♦ gärt	gor	gegoren
gebären	gebierst ♦ gebiert	gebar	geboren
geben	gibst ♦ gibt	gab	gegeben
gedeihen*	gedeihst ♦ gedeiht	gedieh	gediehen
gehen*	gehst ♦ geht	ging	gegangen

Infinitive	**Present Indicative** *2nd pers sing ♦ 3rd pers sing*	**Imperfect Indicative**	**Past Participle**
gelingen*	- ♦ gelingt	gelang	gelungen
gelten	giltst ♦ gilt	galt	gegolten
genesen*	gene(se)st ♦ genest	genas	genesen
genießen	genießt ♦ genießt	genoß	genossen
geraten*	gerätst ♦ gerät	geriet	geraten
geschehen*	- ♦ geschieht	geschah	geschehen
gewinnen	gewinnst ♦ gewinnt	gewann	gewonnen
gießen	gießt ♦ gießt	goß	gegossen
gleichen	gleichst ♦ gleicht	glich	geglichen
gleiten*	gleitest ♦ gleitet	glitt	geglitten
glimmen	glimmst ♦ glimmt	glomm	geglommen
graben	gräbst ♦ gräbt	grub	gegraben
greifen	greifst ♦ greift	griff	gegriffen
haben	hast ♦ hat	hatte	gehabt
halten	hältst ♦ hält	hielt	gehalten
hängen	hängst ♦ hängt	hing	gehangen
hauen	haust ♦ haut	hieb	gehauen
heben	hebst ♦ hebt	hob	gehoben
heißen	heißt ♦ heißt	hieß	geheißen
helfen	hilfst ♦ hilft	half	geholfen
kennen	kennst ♦ kennt	kannte	gekannt
klimmen*	klimmst ♦ klimmt	klomm	geklommen
klingen	klingst ♦ klingt	klang	geklungen
kneifen	kneifst ♦ kneift	kniff	gekniffen
kommen*	kommst ♦ kommt	kam	gekommen
können	kannst ♦ kann	konnte	gekonnt
kriechen*	kriechst ♦ kriecht	kroch	gekrochen
laden	lädst ♦ lädt	lud	geladen
lassen	läßt ♦ läßt	ließ	gelassen
laufen*	läufst ♦ läuft	lief	gelaufen
leiden	leidest ♦ leidet	litt	gelitten
leihen	leihst ♦ leiht	lieh	geliehen
lesen	liest ♦ liest	las	gelesen
liegen*	liegst ♦ liegt	lag	gelegen
lügen	lügst ♦ lügt	log	gelogen
mahlen	mahlst ♦ mahlt	mahlte	gemahlen
meiden	meidest ♦ meidet	mied	gemieden
melken	milkst ♦ milkt	molk	gemolken
messen	mißt ♦ mißt	maß	gemessen
mißlingen*	- ♦ mißlingt	mißlang	mißlungen
mögen	magst ♦ mag	mochte	gemocht
müssen	mußt ♦ muß	mußte	gemußt
nehmen	nimmst ♦ nimmt	nahm	genommen
nennen	nennst ♦ nennt	nannte	genannt
pfeifen	pfeifst ♦ pfeift	pfiff	gepfiffen
preisen	preist ♦ preist	pries	gepriesen
quellen*	quillst ♦ quillt	quoll	gequollen
raten	rätst ♦ rät	riet	geraten
reiben	reibst ♦ reibt	rieb	gerieben
reißen*	reißt ♦ reißt	riß	gerissen
reiten*	reitest ♦ reitet	ritt	geritten
rennen*	rennst ♦ rennt	rannte	gerannt
riechen	riechst ♦ riecht	roch	gerochen
ringen	ringst ♦ ringt	rang	gerungen

Infinitive	**Present Indicative** *2nd pers sing ♦ 3rd pers sing*	**Imperfect Indicative**	**Past Participle**
rinnen*	rinnst ♦ rinnt	rann	geronnen
rufen	rufst ♦ ruft	rief	gerufen
salzen	salzt ♦ salzt	salzte	gesalzen
saufen	säufst ♦ säuft	soff	gesoffen
saugen	saugst ♦ saugt	sog	gesogen *od* gesaugt
schaffen	schaffst ♦ schafft	schuf	geschaffen
schallen	schallst ♦ schallt	scholl	geschollen
scheiden*	scheidest ♦ scheidet	schied	geschieden
scheinen	scheinst ♦ scheint	schien	geschienen
scheißen	scheißt ♦ scheißt	schiß	geschissen
schelten	schiltst ♦ schilt	schalt	gescholten
scheren	scherst ♦ schert	schor	geschoren
schieben	schiebst ♦ schiebt	schob	geschoben
schießen	schießt ♦ schießt	schoß	geschossen
schinden	schindest ♦ schindet	schindete	geschunden
schlafen	schläfst ♦ schläft	schlief	geschlafen
schlagen	schlägst ♦ schlägt	schlug	geschlagen
schleichen*	schleichst ♦ schleicht	schlich	geschlichen
schleifen	schleifst ♦ schleift	schliff	geschliffen
schließen	schließt ♦ schließt	schloß	geschlossen
schlingen	schlingst ♦ schlingt	schlang	geschlungen
schmeißen	schmeißt ♦ schmeißt	schmiß	geschmissen
schmelzen*	schmilzt ♦ schmilzt	schmolz	geschmolzen
schneiden	schneidest ♦ schneidet	schnitt	geschnitten
schreiben	schreibst ♦ schreibt	schrieb	geschrieben
schreien	schreist ♦ schreit	schrie	geschrie(e)n
schreiten	schreitest ♦ schreitet	schritt	geschritten
schweigen	schweigst ♦ schweigt	schwieg	geschwiegen
schwellen*	schwillst ♦ schwillt	schwoll	geschwollen
schwimmen*	schwimmst ♦ schwimmt	schwamm	geschwommen
schwinden*	schwindest ♦ schwindet	schwand	geschwunden
schwingen	schwingst ♦ schwingt	schwang	geschwungen
schwören	schwörst ♦ schwört	schwor	geschworen
sehen	siehst ♦ sieht	sah	gesehen
sein*	bist ♦ ist	war	gewesen
senden	sendest ♦ sendet	sandte	gesandt
singen	singst ♦ singt	sang	gesungen
sinken*	sinkst ♦ sinkt	sank	gesunken
sinnen	sinnst ♦ sinnt	sann	gesonnen
sitzen*	sitzt ♦ sitzt	saß	gesessen
sollen	sollst ♦ soll	sollte	gesollt
speien	speist ♦ speit	spie	gespie(e)n
spinnen	spinnst ♦ spinnt	spann	gesponnen
sprechen	sprichst ♦ spricht	sprach	gesprochen
sprießen*	sprießt ♦ sprießt	sproß	gesprossen
springen*	springst ♦ springt	sprang	gesprungen
stechen	stichst ♦ sticht	stach	gestochen
stecken	steckst ♦ steckt	steckte *od* stak	gesteckt
stehen	stehst ♦ steht	stand	gestanden
stehlen	stiehlst ♦ stiehlt	stahl	gestohlen
steigen*	steigst ♦ steigt	stieg	gestiegen
sterben*	stirbst ♦ stirbt	starb	gestorben

Infinitive	**Present Indicative** *2nd pers sing ♦ 3rd pers sing*	**Imperfect Indicative**	**Past Participle**
stinken	stinkst ♦ stinkt	stank	gestunken
stoßen	stößt ♦ stößt	stieß	gestoßen
streichen	streichst ♦ streicht	strich	gestrichen
streiten	streitest ♦ streitet	stritt	gestritten
tragen	trägst ♦ trägt	trug	getragen
treffen	triffst ♦ trifft	traf	getroffen
treiben*	treibst ♦ treibt	trieb	getrieben
treten*	trittst ♦ tritt	trat	getreten
trinken	trinkst ♦ trinkt	trank	getrunken
trügen	trügst ♦ trügt	trog	getrogen
tun	tust ♦ tut	tat	getan
verderben	verdirbst ♦ verdirbt	verdarb	verdorben
verdrießen	verdrießt ♦ verdrießt	verdroß	verdrossen
vergessen	vergißt ♦ vergißt	vergaß	vergessen
verlieren	verlierst ♦ verliert	verlor	verloren
verschleißen	verschleißt ♦ verschleißt	verschliß	verschlissen
wachsen*	wächst ♦ wächst	wuchs	gewachsen
wägen	wägst ♦ wägt	wog	gewogen
waschen	wäschst ♦ wäscht	wusch	gewaschen
weben	webst ♦ webt	webte *od* wob	gewoben
weichen*	weichst ♦ weicht	wich	gewichen
weisen	weist ♦ weist	wies	gewiesen
wenden	wendest ♦ wendet	wendete	gewendet
werben	wirbst ♦ wirbt	warb	geworben
werden*	wirst ♦ wird	wurde	geworden
werfen	wirfst ♦ wirft	warf	geworfen
wiegen	wiegst ♦ wiegt	wog	gewogen
winden	windest ♦ windet	wand	gewunden
wissen	weißt ♦ weiß	wußte	gewußt
wollen	willst ♦ will	wollte	gewollt
wringen	wringst ♦ wringt	wrang	gewrungen
zeihen	zeihst ♦ zeiht	zieh	geziehen
ziehen*	ziehst ♦ zieht	zog	gezogen
zwingen	zwingst ♦ zwingt	zwang	gezwungen

UNREGELMÄSSIGE ENGLISCHE VERBEN

present	pt	pp
arise	arose	arisen
awake	awoke	awoken
be (am, is, are; being)	was, were	been
bear	bore	born(e)
beat	beat	beaten
become	became	become
befall	befell	befallen
begin	began	begun
behold	beheld	beheld
bend	bent	bent
beset	beset	beset
bet	bet, betted	bet, betted
bid *(at auction, cards)*	bid	bid
bid *(say)*	bade	bidden
bind	bound	bound
bite	bit	bitten
bleed	bled	bled
blow	blew	blown
break	broke	broken
breed	bred	bred
bring	brought	brought
build	built	built
burn	burnt, burned	burnt, burned
burst	burst	burst
buy	bought	bought
can	could	(been able)
cast	cast	cast
catch	caught	caught
choose	chose	chosen
cling	clung	clung
come	came	come
cost	cost	cost
cost *(work out price of)*	costed	costed
creep	crept	crept
cut	cut	cut
deal	dealt	dealt
dig	dug	dug
do (*3rd person:* **he/she/it does**)	did	done
draw	drew	drawn
dream	dreamed, dreamt	dreamed, dreamt
drink	drank	drunk
drive	drove	driven
dwell	dwelt	dwelt
eat	ate	eaten
fall	fell	fallen
feed	fed	fed
feel	felt	felt
fight	fought	fought
find	found	found
flee	fled	fled
fling	flung	flung
fly	flew	flown
forbid	forbad(e)	forbidden
forecast	forecast	forecast
forget	forgot	forgotten
forgive	forgave	forgiven
forsake	forsook	forsaken
freeze	froze	frozen
get	got	got, *(US)* gotten
give	gave	given
go (goes)	went	gone
grind	ground	ground
grow	grew	grown
hang	hung	hung
hang *(execute)*	hanged	hanged
have	had	had
hear	heard	heard
hide	hid	hidden
hit	hit	hit
hold	held	held
hurt	hurt	hurt
keep	kept	kept
kneel	knelt, kneeled	knelt, kneeled
know	knew	known
lay	laid	laid
lead	led	led
lean	leant, leaned	leant, leaned
leap	leapt, leaped	leapt, leaped
learn	learnt, learned	learnt, learned
leave	left	left
lend	lent	lent
let	let	let
lie (lying)	lay	lain
light	lit, lighted	lit, lighted
lose	lost	lost
make	made	made
may	might	—

present	pt	pp
mean	meant	meant
meet	met	met
mistake	mistook	mistaken
mow	mowed	mown, mowed
must	(had to)	(had to)
pay	paid	paid
put	put	put
quit	quit, quitted	quit, quitted
read	read	read
rid	rid	rid
ride	rode	ridden
ring	rang	rung
rise	rose	risen
run	ran	run
saw	sawed	sawed, sawn
say	said	said
see	saw	seen
seek	sought	sought
sell	sold	sold
send	sent	sent
set	set	set
sew	sewed	sewn
shake	shook	shaken
shear	sheared	shorn, sheared
shed	shed	shed
shine	shone	shone
shoot	shot	shot
show	showed	shown
shrink	shrank	shrunk
shut	shut	shut
sing	sang	sung
sink	sank	sunk
sit	sat	sat
slay	slew	slain
sleep	slept	slept
slide	slid	slid
sling	slung	slung
slit	slit	slit
smell	smelt, smelled	smelt, smelled
sow	sowed	sown, sowed
speak	spoke	spoken

present	pt	pp
speed	sped, speeded	sped, speeded
spell	spelt, spelled	spelt, spelled
spend	spent	spent
spill	spilt, spilled	spilt, spilled
spin	spun	spun
spit	spat	spat
spoil	spoiled, spoilt	spoiled, spoilt
spread	spread	spread
spring	sprang	sprung
stand	stood	stood
steal	stole	stolen
stick	stuck	stuck
sting	stung	stung
stink	stank	stunk
stride	strode	stridden
strike	struck	struck
strive	strove	striven
swear	swore	sworn
sweep	swept	swept
swell	swelled	swollen, swelled
swim	swam	swum
swing	swung	swung
take	took	taken
teach	taught	taught
tear	tore	torn
tell	told	told
think	thought	thought
throw	threw	thrown
thrust	thrust	thrust
tread	trod	trodden
wake	woke, waked	woken, waked
wear	wore	worn
weave	wove	woven
weave *(wind)*	weaved	weaved
wed	wedded, wed	wedded, wed
weep	wept	wept
win	won	won
wind	wound	wound
wring	wrung	wrung
write	wrote	written

ZAHLEN		*NUMBERS*
ein(s)	**1**	one
zwei	**2**	two
drei	**3**	three
vier	**4**	four
fünf	**5**	five
sechs	**6**	six
sieben	**7**	seven
acht	**8**	eight
neun	**9**	nine
zehn	**10**	ten
elf	**11**	eleven
zwölf	**12**	twelve
dreizehn	**13**	thirteen
vierzehn	**14**	fourteen
fünfzehn	**15**	fifteen
sechzehn	**16**	sixteen
siebzehn	**17**	seventeen
achtzehn	**18**	eighteen
neunzehn	**19**	nineteen
zwanzig	**20**	twenty
einundzwanzig	**21**	twenty-one
zweiundzwanzig	**22**	twenty-two
dreißig	**30**	thirty
vierzig	**40**	forty
fünfzig	**50**	fifty
sechzig	**60**	sixty
siebzig	**70**	seventy
achtzig	**80**	eighty
neunzig	**90**	ninety
hundert	**100**	a hundred
hunderteins	**101**	a hundred and one
zweihundert	**200**	two hundred
zweihunderteins	**201**	two hundred and one
dreihundert	**300**	three hundred
dreihunderteins	**301**	three hundred and one
tausend	**1000**	a thousand
tausend(und)eins	**1001**	a thousand and one
fünftausend	**5000**	five thousand
eine Million	**1000000**	a million

ZAHLEN			NUMBERS
erste(r, s)	**1.**	**1st**	first
zweite(r, s)	**2.**	**2nd**	second
dritte(r, s)	**3.**	**3rd**	third
vierte(r, s)	**4.**	**4th**	fourth
fünfte(r, s)	**5.**	**5th**	fifth
sechste(r, s)	**6.**	**6th**	sixth
siebte(r, s)	**7.**	**7th**	seventh
achte(r, s)	**8.**	**8th**	eighth
neunte(r, s)	**9.**	**9th**	ninth
zehnte(r, s)	**10.**	**10th**	tenth
elfte(r, s)	**11.**	**11th**	eleventh
zwölfte(r, s)	**12.**	**12th**	twelfth
dreizehnte(r, s)	**13.**	**13th**	thirteenth
vierzehnte(r, s)	**14.**	**14th**	fourteenth
fünfzehnte(r, s)	**15.**	**15th**	fifteenth
sechzehnte(r, s)	**16.**	**16th**	sixteenth
siebzehnte(r, s)	**17.**	**17th**	seventeenth
achtzehnte(r, s)	**18.**	**18th**	eighteenth
neunzehnte(r, s)	**19.**	**19th**	nineteenth
zwanzigste(r, s)	**20.**	**20th**	twentieth
einundzwanzigste(r, s)	**21.**	**21st**	twenty-first
dreißigste(r, s)	**30.**	**30th**	thirtieth
hundertste(r, s)	**100.**	**100th**	hundredth
hunderterste(r, s)	**101.**	**101st**	hundred-and-first
tausendste(r, s)	**1000.**	**1000th**	thousandth

UHRZEIT

TIME

wieviel Uhr ist es?, wie spät ist es?	*what time is it?*
es ist ...	*it is* or *it's ...*
Mitternacht, zwölf Uhr nachts	midnight
ein Uhr (morgens *or* früh)	one o'clock (in the morning), 1am
fünf nach eins, ein Uhr fünf	five (minutes) past one
zehn nach eins, ein Uhr zehn	ten (minutes) past one
Viertel nach eins, ein Uhr fünfzehn	quarter past, fifteen minutes past one
fünf vor halb zwei, ein Uhr fünfundzwanzig	twenty-five (minutes) past two
halb zwei, ein Uhr dreißig	half (past) one, one thirty
fünf nach halb zwei, ein Uhr fünfunddreißig	twenty-five (minutes) to two, one thirty-five
zwanzig vor zwei, ein Uhr vierzig	twenty (minutes) to two, one forty
Viertel vor zwei, ein Uhr fünfundvierzig	a quarter to two, one forty-five
zehn vor zwei, ein Uhr fünfzig	ten minutes to two, one fifty
zwölf Uhr (mittags), Mittag	twelve (o'clock) noon, midday
halb eins (mittags *or* nachmittags), zwölf Uhr dreißig	half (past) twelve *or* twelve thirty in (the afternoon), 12.30pm
zwei Uhr (nachmittags)	two o'clock (in the afternoon), 2pm
sieben Uhr (abends)	7 o'clock (in the evening), 7pm
um wieviel Uhr?	*at what time?*
um Mitternacht	at midnight
um sieben Uhr	at seven (o'clock)
in zwanzig Minuten	in twenty minutes
vor zehn Minuten	ten minutes ago

DATUM

DATES

heute	today
morgen	tomorrow
übermorgen	the day after tomorrow
gestern	yesterday
vorgestern	the day before yesterday
am Vortag	the day before, on the eve of
am nächsten Tag	the day after

morgens	in the morning
abends	in the evening
heute morgen	this morning
heute abend	this evening
heute nachmittag	this afternoon
gestern morgen	yesterday morning
gestern abend	yesterday evening
morgen vormittag	tomorrow morning
morgen abend	tomorrow evening
in der Nacht von Samstag auf Sonntag	Saturday night, Sunday morning
er kommt am Donnerstag	he's coming on Thursday
samstags	on Saturdays
jeden Samstag	every Saturday
letzten Samstag	last Saturday
nächsten Samstag	next Saturday
Samstag in einer Woche	a week on Saturday
Samstag in zwei Wochen	two weeks on Saturday
von Montag bis Samstag	from Monday to Saturday
jeden Tag	every day
einmal in der Woche	once a week
zweimal in der Woche	twice a week
einmal im Monat	once a month
vor einer Woche *or* acht Tagen	a week *or* seven days ago
vor zwei Wochen *or* vierzehn Tagen	two weeks *or* a fortnight ago
letztes Jahr	last year
in zwei Tagen	in two days time
in acht Tagen *or* einer Woche	in seven days *or* one week
in vierzehn Tagen *or* zwei Wochen	in a fortnight *or* two weeks
nächsten Monat	next month
nächstes Jahr	next year
den wievielten haben wir heute?, der wievielte ist heute?	what is today's date?, what date is it today?
der 1./22. Oktober 1995	the first/22nd October 1995
ich bin am 5 Juni 1991 geboren	I was born on the 5th of June 1991
1995	in 1995
neunzehnhundert(und)fünfundneunzig	nineteen (hundred and) ninety-five
44 v. Chr.	44 B.C.
14 n. Chr.	14 A.D.
im 19. Jahrhundert	in the 19th century
in den 30er Jahren	in the thirties
es war einmal	once upon a time

GERMAN HYPHENATION RULES

German hyphenation follows some basic general rules.

The fundamental rule is that a syllable should begin with a consonant,

eg. **Zei-tung, re-no-vieren**

If two or more consonants stand between vowels, usually only the last comes after the hyphen, eg.

Ver-wand-te, Was-ser, Klemp-ner

However, the consonantal groups ch, sch, ph, st and th cannot be split unless the letters belong to different syllables, eg.

Ta-sche, Phi-lo-so-phie, Mor-gen-stern

but **Häus-chen, Pump-hose, Donners-tag**

Compounds

Compounds can be split into their individual elements, eg.

Sonn-tag, Kranken-haus, Hand-schuh-fach

If necessary, the individual elements can be further split into syllables, following the general rules above.

Kran-ken-haus

NOTE: When three identical consonants come together in a compound, only two of them will appear in normal spelling (like in the word **Schiffahrt** which is made up of **Schiff** and **Fahrt**). However, if a compound like this is hyphenated, all three consonants must be shown.

Schiff-fahrt, Bett-tuch, voll-laufen

This is shown in the dictionary as follows:

Schiff- *zW:* **~(f)ahrt**

Words with prefixes

Prefixes can be split from the rest of the word.

be-treuen, auf-machen, pro-duzieren, dar-um

If necessary, the rest of the word can be split further into syllables, following the general rules above.

be-treu-en, auf-ma-chen, pro-du-zie-ren

Words with suffixes

Suffixes can be split from the rest of the word, eg.

Müdig-keit, Dunkel-heit, rund-lich, Zeug-nis, müh-sam

When the suffix starts with a vowel (eg. **-ei, -in, -ung**), the last consonant before the suffix comes after the hyphen.

Meiste-rin, Freun-din, Behand-lung, Bäcke-rei

If necessary, the rest of the word can be split further into syllables, following the basic rules above.

Mü-dig-keit, Dun-kel-heit, Mei-ste-rin, Be-hand-lung

The consonant combination ck may be split, but it is then spelt k-k.

drucken: druk-ken, Glocke: Glok-ke

Note that it is best to avoid splitting ck where correct spelling is important, in names for example.

Vowels

When splitting words into syllables, vowels may be split as follows:

Generally, vowels may be split as long as they are not pronounced as one sound.

zu-erst, An-schau-ung, Mu-se-um, En-zi-an, na-iv

Two vowels which are pronounced as one sound (like **aa, ee, oo, ie**) and diphthongs (like **au, ei, eu**) must <u>never</u> be split.

Haa-re, Boo-te, er-neu-ern, fei-ern, trau-en, Wie-se

If two vowels form a unit (although they are not pronounced as one sound) they should not be split.

Poe-sie, re-gio-nal, asia-tisch

When two i's are side by side, they can be split.

par-tei-isch, va-ri-ie-ren

Cases where hyphenation is not possible

Words of one syllable cannot be split.

hübsch, Freund, sein

Syllables which consist of one vowel only must not be split from the rest of the word.

Atem	not	**A-tem**
oder	not	**o-der**
edel	not	**e-del**

Deutsch–Englisch

German–English

A, a

A[1]**, a** [aː] *nt* A, a; ~ **wie Anton** ≈ A for Andrew, A for Able (*US*); **das ~ und O** the be-all and end-all; (*eines Wissensgebietes*) the basics *pl*; **wer ~ sagt, muß auch B sagen** (*Sprichwort*) in for a penny, in for a pound (*Sprichwort*).
A[2] *f abk* (= *Autobahn*) ≈ M (*BRIT*).
a. *abk* = **am.**
à [aː] *präp* (*bes COMM*) at.
AA *nt abk* (= *Auswärtiges Amt*) F.O. (*BRIT*).
Aachen ['aːxən] (**-s**) *nt* Aachen.
Aal [aːl] (**-(e)s, -e**) *m* eel.
aalen ['aːlən] (*umg*) *vr:* **sich in der Sonne ~** to bask in the sun.
a.a.O. *abk* (= *am angegebenen od angeführten Ort*) loc. cit.
Aas [aːs] (**-es, -e** *od* **Äser**) *nt* carrion; **~geier** *m* vulture.

SCHLÜSSELWORT

ab [ap] *präp +dat* from; **~ Werk** (*COMM*) ex works; **Kinder ~ 12 Jahren** children from the age of 12; **~ morgen** from tomorrow; **~ sofort** as of now
♦ *adv* **1** off; **links ~** to the left; **der Knopf ist ~** the button has come off; **~ nach Hause!** off home with you!; **~ durch die Mitte!** (*umg*) beat it!
2 (*zeitlich*): **von da ~** from then on; **von heute ~** from today, as of today
3 (*auf Fahrplänen*): **München ~ 12.20** leaving Munich 12.20
4: **~ und zu** *od* **an** now and then *od* again.

abändern ['ap|ɛndərn] *vt:* **~ (in** *+akk***)** to alter (to); (*Gesetzentwurf*) to amend (to); (*Strafe, Urteil*) to revise (to).
Abänderung *f* alteration; amendment; revision.
Abänderungsantrag *m* (*PARL*) proposed amendment.
abarbeiten ['ap|arbaɪtən] *vr* to slave away.
Abart ['ap|aːrt] *f* (*BIOL*) variety.
abartig *adj* abnormal.
Abb. *abk* (= *Abbildung*) illus.
Abbau ['apbaʊ] (**-(e)s**) *m (+gen)* dismantling; (*Verminderung*) reduction (in); (*Verfall*) decline (in); (*MIN*) mining; (*über Tage*) quarrying; (*CHEM*) decomposition.
abbaubar *adj:* **biologisch ~** biodegradable.
abbauen *vt* to dismantle; (*verringern*) to reduce; (*MIN*) to mine; to quarry; (*CHEM*) to break down; **Arbeitsplätze ~** to make job cuts.
Abbaurechte *pl* mineral rights *pl*.
abbeißen ['apbaɪsən] *unreg vt* to bite off.
abbekommen ['apbəkɔmən] *unreg vt:* **etwas ~** to get some (of it); (*beschädigt werden*) to get damaged; (*verletzt werden*) to get hurt.
abberufen ['apbəruːfən] *unreg vt* to recall.
Abberufung *f* recall.
abbestellen ['apbəʃtɛlən] *vt* to cancel.
abbezahlen ['apbətsaːlən] *vt* to pay off.
abbiegen ['apbiːgən] *unreg vi* to turn off; (*Straße*) to bend ♦ *vt* to bend; (*verhindern*) to ward off.
Abbiegespur *f* turning lane.
Abbild ['apbɪlt] *nt* portrayal; (*einer Person*) image, likeness; **a~en** ['apbɪldən] *vt* to portray; **~ung** *f* illustration; (*Schaubild*) diagram.
abbinden ['apbɪndən] *unreg vt* (*MED: Arm, Bein etc*) to ligature.
Abbitte ['apbɪtə] *f:* **~ leisten** *od* **tun (bei)** to make one's apologies (to).
abblasen ['apblaːzən] *unreg vt* to blow off; (*fig: umg*) to call off.
abblättern ['apblɛtərn] *vi* (*Putz, Farbe*) to flake (off).
abblenden ['apblɛndən] *vt* (*AUT*) to dip (*BRIT*), dim (*US*) ♦ *vi* to dip (*BRIT*) *od* dim (*US*) one's headlights.
Abblendlicht ['apblɛntlɪçt] *nt* dipped (*BRIT*) *od* dimmed (*US*) headlights *pl*.

abblitzen ['apblɪtsən] (*umg*) *vi*: **jdn ~ lassen** to send sb packing.

abbrechen ['apbrɛçən] *unreg vt* to break off; (*Gebäude*) to pull down; (*Zelt*) to take down; (*aufhören*) to stop; (*COMPUT*) to abort ♦ *vi* to break off; to stop; **sich** *dat* **einen ~** (*umg: sich sehr anstrengen*) to bust a gut.

abbrennen ['apbrɛnən] *unreg vt* to burn off; (*Feuerwerk*) to let off ♦ *vi* (*Hilfsverb sein*) to burn down; **abgebrannt sein** (*umg*) to be broke.

abbringen ['apbrɪŋən] *unreg vt*: **jdn von etw ~** to dissuade sb from sth; **jdn vom Weg ~** to divert sb; **ich bringe den Verschluß nicht ab** (*umg*) I can't get the top off.

abbröckeln ['apbrœkəln] *vi* to crumble off *od* away; (*BÖRSE: Preise*) to ease.

Abbruch ['apbrʊx] *m* (*von Verhandlungen etc*) breaking off; (*von Haus*) demolition; (*COMPUT*) abort; **jdm/etw ~ tun** to harm sb/sth; **~arbeiten** *pl* demolition work *sing*; **a~reif** *adj* only fit for demolition.

abbrühen ['apbryːən] *vt* to scald.

abbuchen ['apbuːxən] *vt* to debit; (*durch Dauerauftrag*): **~ (von)** to pay by standing order (from).

abbürsten ['apbʏrstən] *vt* to brush off.

abbüßen ['apbyːsən] *vt* (*Strafe*) to serve.

ABC-Waffen *pl abk* (= *atomare, biologische und chemische Waffen*) ABC weapons (= *atomic, biological and chemical weapons*).

abdampfen ['apdampfən] *vi* (*fig: umg: losgehen/-fahren*) to hit the road.

abdanken ['apdaŋkən] *vi* to resign; (*König*) to abdicate.

Abdankung *f* resignation; abdication.

abdecken ['apdɛkən] *vt* to uncover; (*Tisch*) to clear; (*Loch*) to cover.

abdichten ['apdɪçtən] *vt* to seal; (*NAUT*) to caulk.

abdrängen ['apdrɛŋən] *vt* to push off.

abdrehen ['apdreːən] *vt* (*Gas*) to turn off; (*Licht*) to switch off; (*Film*) to shoot ♦ *vi* (*Schiff*) to change course; **jdm den Hals ~** to wring sb's neck.

abdriften ['apdrɪftən] *vi* to drift (away).

abdrosseln ['apdrɔsəln] *vt* to throttle; (*AUT*) to stall; (*Produktion*) to cut back.

Abdruck ['apdrʊk] *m* (*Nachdrucken*) reprinting; (*Gedrucktes*) reprint; (*Gips~, Wachs~*) impression; (*Finger~*) print; **a~en** *vt* to print.

abdrücken ['apdrʏkən] *vt* to make an impression of; (*Waffe*) to fire; (*umg: Person*) to hug, squeeze ♦ *vr* to leave imprints; (*abstoßen*) to push o.s. away; **jdm die Luft ~** to squeeze all the breath out of sb.

abebben ['ap|ɛbən] *vi* to ebb away.

Abend ['aːbənt] (**-s, -e**) *m* evening; **gegen ~** towards (the) evening; **den ganzen ~ (über)** the whole evening; **zu ~ essen** to have dinner *od* supper; **a~** *adv*: **heute a~** this evening; **~anzug** *m* dinner jacket (*BRIT*), tuxedo (*US*); **~brot** *nt* supper; **~essen** *nt* supper; **a~füllend** *adj* taking up the whole evening; **~gymnasium** *nt* night school; **~kasse** *f* (*THEAT*) box office; **~kleid** *nt* evening gown; **~kurs** *m* evening classes *pl*; **~land** *nt* West; **a~lich** *adj* evening; **~mahl** *nt* Holy Communion; **~rot** *nt* sunset.

abends *adv* in the evening.

Abend- *zW*: **~vorstellung** *f* evening performance; **~zeitung** *f* evening paper.

Abenteuer ['aːbəntɔʏər] (**-s, -**) *nt* adventure; (*Liebes~*) affair; **a~lich** *adj* adventurous; **~spielplatz** *m* adventure playground.

Abenteurer (**-s, -**) *m* adventurer; **~in** *f* adventuress.

aber ['aːbər] *konj* but; (*jedoch*) however ♦ *adv*: **tausend und ~ tausend** thousands upon thousands; **oder ~** or else; **bist du ~ braun!** aren't you brown!; **das ist ~ schön** that's really nice; **nun ist ~ Schluß!** now that's enough!; **A~** *nt* but.

Aberglaube ['aːbərglaʊbə] *m* superstition.

abergläubisch ['aːbərglɔʏbɪʃ] *adj* superstitious.

aberkennen ['ap|ɛrkɛnən] *unreg vt*: **jdm etw ~** to deprive sb of sth, take sth (away) from sb.

Aberkennung *f* taking away.

abermalig *adj* repeated.

abermals *adv* once again.

Abf. *abk* (= *Abfahrt*) dep.

abfahren ['apfaːrən] *unreg vi* to leave, depart ♦ *vt* to take *od* cart away; (*Film*) to start; (*FILM, TV: Kamera*) to roll; (*Strecke*) to drive; (*Reifen*) to wear; (*Fahrkarte*) to use; **der Zug ist abgefahren** (*lit*) the train has left; (*fig*) we've/you've *etc* missed the boat; **der Zug fährt um 8.00 von Bremen ab** the train leaves Bremen at 8 o'clock; **jdn ~ lassen** (*umg: abweisen*) to tell sb to get lost; **auf jdn ~** (*umg*) to really go for sb.

Abfahrt ['apfaːrt] *f* departure; (*Autobahn~*) exit; (*SKI*) descent; (*Piste*) run; **Vorsicht bei der ~ des Zuges!** stand clear, the train is about to leave!

Abfahrts- *zW*: **~lauf** *m* (*SKI*) downhill; **~tag** *m* day of departure; **~zeit** *f* departure time.

Abfall ['apfal] *m* waste; (*von Speisen etc*) rubbish (*BRIT*), garbage (*US*); (*Neigung*) slope; (*Verschlechterung*) decline; **~eimer** *m* rubbish bin (*BRIT*), garbage can (*US*).

abfallen *unreg vi* (*lit, fig*) to fall *od* drop off; (*POL, vom Glauben*) to break away; (*sich neigen*) to fall *od* drop away; **wieviel fällt bei dem Geschäft für mich ab?** (*umg*) how much do I get out of the deal?

abfällig ['apfɛlɪç] *adj* disparaging, deprecatory.

Abfallprodukt *nt* (*lit, fig*) waste product.

abfangen ['apfaŋən] *unreg vt* to intercept; (*Person*) to catch; (*unter Kontrolle bringen*) to check; (*Aufprall*) to absorb; (*Kunden*) to lure away.

Abfangjäger *m* (*MIL*) interceptor.

abfärben ['apfɛrbən] *vi* (*lit*) to lose its colour; (*Wäsche*) to run; (*fig*) to rub off.

abfassen ['apfasən] *vt* to write, draft.

abfeiern ['apfaɪərn] (*umg*) *vt*: **Überstunden ~** to take time off in lieu of overtime pay.

abfertigen ['apfɛrtɪgən] *vt* to prepare for dispatch, process; (*an der Grenze*) to clear; (*Kundschaft*) to attend to; **jdn kurz ~** to give sb short shrift.

Abfertigung *f* preparing for dispatch, processing; clearance; (*Bedienung: von Kunden*) service; (: *von Antragstellern*): **~ von** dealing with.

abfeuern ['apfɔʏərn] *vt* to fire.

abfinden ['apfɪndən] *unreg vt* to pay off ♦ *vr* to come to terms; **sich mit jdm ~/nicht ~** to put up with/not to get on with sb; **er konnte sich nie damit ~, daß** ... he could never accept the fact that ...

Abfindung *f* (*von Gläubigern*) payment; (*Geld*) sum in settlement.

abflachen ['apflaxən] *vt* to level (off), flatten (out) ♦ *vi* (*fig: sinken*) to decline.

abflauen ['apflaʊən] *vi* (*Wind, Erregung*) to die away, subside; (*Nachfrage, Geschäft*) to fall *od* drop off.

abfliegen ['apfli:gən] *unreg vi* to take off ♦ *vt* (*Gebiet*) to fly over.

abfließen ['apfli:sən] *unreg vi* to drain away; **ins Ausland ~** (*Geld*) to flow out of the country.

Abflug ['apflu:k] *m* departure; (*Start*) take-off; **~zeit** *f* departure time.

Abfluß ['apflʊs] *m* draining away; (*Öffnung*) outlet; **~rohr** *nt* drainpipe; (*von sanitären Anlagen*) wastepipe.

abfragen ['apfra:gən] *vt* to test; (*COMPUT*) to call up; **jdn etw ~** to question sb on sth.

abfrieren ['apfri:rən] *unreg vi*: **ihm sind die Füße abgefroren** his feet got frostbitten, he got frostbite in his feet.

Abfuhr ['apfu:r] (-, **-en**) *f* removal; (*fig*) snub, rebuff; **sich** *dat* **eine ~ holen** to meet with a rebuff.

abführen ['apfy:rən] *vt* to lead away; (*Gelder, Steuern*) to pay ♦ *vi* (*MED*) to have a laxative effect.

Abführmittel *nt* laxative, purgative.

Abfüllanlage *f* bottling plant.

abfüllen ['apfʏlən] *vt* to draw off; (*in Flaschen*) to bottle.

Abgabe ['apga:bə] *f* handing in; (*von Ball*) pass; (*Steuer*) tax; (*einer Erklärung*) giving.

abgabenfrei *adj* tax-free.

abgabenpflichtig *adj* liable to tax.

Abgabetermin *m* closing date; (*für Dissertation etc*) submission date.

Abgang ['apgaŋ] *m* (*von Schule*) leaving; (*THEAT*) exit; (*MED: Ausscheiden*) passing; (: *Fehlgeburt*) miscarriage; (*Abfahrt*) departure; (*der Post, von Waren*) dispatch.

Abgangszeugnis *nt* leaving certificate.

Abgas ['apga:s] *nt* waste gas; (*AUT*) exhaust.

ABGB *nt abk* (*ÖSTERR: = Allgemeines Bürgerliches Gesetzbuch*) *Civil Code in Austria.*

abgeben ['apge:bən] *unreg vt* (*Gegenstand*) to hand *od* give in; (*Ball*) to pass; (*Wärme*) to give off; (*Amt*) to hand over; (*Schuß*) to fire; (*Erklärung, Urteil*) to give; (*darstellen*) to make ♦ *vr*: **sich mit jdm/etw ~** to associate with sb/bother with sth; **„Kinderwagen abzugeben"** "pram for sale"; **jdm etw ~** (*überlassen*) to let sb have sth.

abgebrannt ['apgəbrant] (*umg*) *adj* broke.

abgebrüht ['apgəbry:t] (*umg*) *adj* (*skrupellos*) hard-boiled, hardened.

abgedroschen ['apgədrɔʃən] *adj* trite; (*Witz*) corny.

abgefahren ['apgəfa:rən] *pp von* **abfahren**.

abgefeimt ['apgəfaɪmt] *adj* cunning.

abgegeben ['apgəge:bən] *pp von* **abgeben**.

abgegriffen ['apgəgrɪfən] *adj* (*Buch*) well-thumbed; (*Redensart*) trite.

abgehackt ['apgəhakt] *adj* clipped.

abgehalftert ['apgəhalftərt] *adj* (*fig: umg*) run-down, dead beat.

abgehangen ['apgəhaŋən] *pp von* **abhängen** ♦ *adj*: **(gut) ~** (*Fleisch*) well-hung.

abgehärtet ['apgəhɛrtət] *adj* tough, hardy; (*fig*) hardened.

abgehen ['apge:ən] *unreg vi* to go away, leave; (*THEAT*) to exit; (*POST*) to go; (*MED*) to be passed; (*sterben*) to die; (*Knopf etc*) to come off; (*abgezogen werden*) to be taken off; (*Straße*) to branch off; (*abweichen*): **von einer Forderung ~** to give up a demand ♦ *vt* (*Strecke*) to go *od* walk along; (*MIL: Gelände*) to patrol; **von seiner Meinung ~** to change one's opinion; **davon gehen 5% ab** 5% is taken off that; **etw geht jdm ab** (*fehlt*) sb lacks sth.

abgekämpft ['apgəkɛmpft] *adj* exhausted.

abgekartet ['apgəkartət] *adj*: **ein ~es Spiel** a rigged job.

abgeklärt ['apgəklɛ:rt] *adj* serene, tranquil.

abgelegen ['apgəle:gən] *adj* remote.

abgelten ['apgɛltən] *unreg vt* (*Ansprüche*) to satisfy.

abgemacht ['apgəmaxt] *adj* fixed; **~!** done!

abgemagert ['apgəma:gərt] *adj* (*sehr dünn*) thin; (*ausgemergelt*) emaciated.

abgeneigt ['apgənaɪkt] *adj* averse.

abgenutzt ['apgənʊtst] *adj* worn, shabby; (*Reifen*) worn; (*fig: Klischees*) well-worn.

Abgeordnete(r) ['apgə|ɔrdnətə(r)] *f(m)* elected representative; (*von Parlament*) member of parliament.

Abgesandte(r) ['apgəzantə(r)] *f(m)* delegate; (*POL*) envoy.

abgeschieden ['apgəʃi:dən] *adj* (*einsam*):

~ **leben/wohnen** to live in seclusion.
abgeschlagen ['apgəʃla:gən] *adj* (*besiegt*) defeated; (*erschöpft*) exhausted, worn-out.
abgeschlossen ['apgəʃlɔsən] *pp von* **abschließen** ♦ *adj attrib* (*Wohnung*) self-contained.
abgeschmackt ['apgəʃmakt] *adj* tasteless; **A~heit** *f* lack of taste; (*Bemerkung*) tasteless remark.
abgesehen ['apgəze:ən] *adj:* **es auf jdn/etw ~ haben** to be after sb/sth; ~ **von** ... apart from ...
abgespannt ['apgəʃpant] *adj* tired out.
abgestanden ['apgəʃtandən] *adj* stale; (*Bier*) flat.
abgestorben ['apgəʃtɔrbən] *adj* numb; (*BIOL, MED*) dead.
abgestumpft ['apgəʃtʊmpft] *adj* (*gefühllos: Person*) insensitive; (*Gefühle, Gewissen*) dulled.
abgetakelt ['apgəta:kəlt] *adj* (*fig*) decrepit, past it.
abgetan ['apgəta:n] *adj:* **damit ist die Sache ~** that settles the matter.
abgetragen ['apgətra:gən] *adj* worn.
abgewinnen ['apgəvɪnən] *unreg vt:* **jdm Geld ~** to win money from sb; **einer Sache etw/Geschmack ~** to get sth/pleasure from sth.
abgewogen ['apgəvo:gən] *adj* (*Urteil, Worte*) balanced.
abgewöhnen ['apgəvø:nən] *vt:* **jdm/sich etw ~** to cure sb of sth/give sth up.
abgießen ['apgi:sən] *unreg vt* (*Flüssigkeit*) to pour off.
Abglanz ['apglants] *m* (*auch fig*) reflection.
abgleiten ['apglaɪtən] *unreg vi* to slip, slide.
Abgott ['apgɔt] *m* idol.
abgöttisch ['apgœtɪʃ] *adj:* ~ **lieben** to idolize.
abgrasen ['apgra:zən] *vt* (*Feld*) to graze; (*umg: Thema*) to do to death.
abgrenzen ['apgrɛntsən] *vt* (*lit, fig*) to mark off; (*Gelände*) to fence off ♦ *vr:* **sich ~ (gegen)** to dis(as)sociate o.s. (from).
Abgrund ['apgrʊnt] *m* (*lit, fig*) abyss.
abgründig ['apgrʏndɪç] *adj* unfathomable; (*Lächeln*) cryptic.
abgrundtief *adj* (*Haß, Verachtung*) profound.
abgucken ['apgʊkən] *vt, vi* to copy.
Abguß ['apgʊs] *m* (*KUNST, METALLURGIE: Vorgang*) casting; (*: Form*) cast.
abhaben ['apha:bən] *unreg* (*umg*) *vt* (*abbekommen*): **willst du ein Stück ~?** do you want a bit?
abhacken ['aphakən] *vt* to chop off.
abhaken ['apha:kən] *vt* to tick off (*BRIT*), check off (*US*).
abhalten ['aphaltən] *unreg vt* (*Versammlung*) to hold; **jdn von etw ~** (*fernhalten*) to keep sb away from sth; (*hindern*) to keep sb from sth.
abhandeln ['aphandəln] *vt* (*Thema*) to deal with; **jdm die Waren/8 Mark ~** to do a deal with sb for the goods/beat sb down 8 marks.
abhanden [ap'handən] *adj:* ~ **kommen** to get lost.
Abhandlung ['aphandlʊŋ] *f* treatise, discourse.
Abhang ['aphaŋ] *m* slope.
abhängen ['aphɛŋən] *unreg vt* (*Bild*) to take down; (*Anhänger*) to uncouple; (*Verfolger*) to shake off ♦ *vi* (*Fleisch*) to hang; **von jdm/etw ~** to depend on sb/sth; **das hängt ganz davon ab** it all depends; **er hat abgehängt** (*TEL: umg*) he hung up (on me *etc*).
abhängig ['aphɛŋɪç] *adj:* ~ **(von)** dependent (on); **A~keit** *f:* **A~keit (von)** dependence (on).
abhärten ['aphɛrtən] *vt* to toughen up ♦ *vr* to toughen (o.s.) up; **sich gegen etw ~** to harden o.s. to sth.
abhauen ['aphaʊən] *unreg vt* to cut off; (*Baum*) to cut down ♦ *vi* (*umg*) to clear off *od* out; **hau ab!** beat it!
abheben ['aphe:bən] *unreg vt* to lift (up); (*Karten*) to cut; (*Masche*) to slip; (*Geld*) to withdraw, take out ♦ *vi* (*Flugzeug*) to take off; (*Rakete*) to lift off; (*KARTEN*) to cut ♦ *vr:* **sich ~ von** to stand out from, contrast with.
abheften ['aphɛftən] *vt* (*Rechnungen etc*) to file away; (*NÄHEN*) to tack, baste.
abhelfen ['aphɛlfən] *unreg vi +dat* to remedy.
abhetzen ['aphɛtsən] *vr* to wear *od* tire o.s. out.
Abhilfe ['aphɪlfə] *f* remedy; ~ **schaffen** to put things right.
Abholmarkt *m* cash and carry.
abholen ['apho:lən] *vt* (*Gegenstand*) to fetch, collect; (*Person*) to call for; (*am Bahnhof etc*) to pick up, meet.
abholzen ['aphɔltsən] *vt* (*Wald*) to clear, deforest.
abhorchen ['aphɔrçən] *vt* (*MED*) to listen to, sound.
abhören ['aphø:rən] *vt* (*Vokabeln*) to test; (*Telefongespräch*) to tap; (*Tonband etc*) to listen to; **abgehört werden** (*umg*) to be bugged.
Abhörgerät *nt* bug.
abhungern ['aphʊŋərn] *vr:* **sich** *dat* **10 Kilo ~** to lose 10 kilos by going on a starvation diet.
Abi ['abi] **(-s, -s)** *nt* (*SCH: umg*) = **Abitur**.
Abitur [abi'tu:r] **(-s, -e)** *nt German school-leaving examination,* ≈ A-levels *pl* (*BRIT*); **(das) ~ machen** to take one's school-leaving exam *od* A-levels.

The **Abitur** *is the German school-leaving examination which is taken at the age of 18 or 19, after 13 years of school, by pupils at a* **Gymnasium**. *It is taken in four subjects and is necessary for entry to a university education.*

Abiturient(in) [abitʊri'ɛnt(ɪn)] *m(f)* candidate

for school-leaving certificate.
abkämmen ['apkɛmən] *vt* (*Gegend*) to comb, scour.
abkanzeln ['apkantsəln] (*umg*) *vt*: **jdn** ~ to give sb a dressing-down.
abkapseln ['apkapsəln] *vr* to shut *od* cut o.s. off.
abkarten ['apkartən] (*umg*) *vt*: **die Sache war von vornherein abgekartet** the whole thing was a put-up job.
abkaufen ['apkaʊfən] *vt*: **jdm etw** ~ to buy sth from sb.
abkehren ['apke:rən] *vt* (*Blick*) to avert, turn away ♦ *vr* to turn away.
abklappern ['apklapərn] (*umg*) *vt* (*Kunden*) to call on; (: *Läden, Straße*): ~ **(nach)** to scour (for), comb (for).
abklären ['apklɛ:rən] *vt* (*klarstellen*) to clear up, clarify ♦ *vr* (*sich setzen*) to clarify.
Abklatsch ['apklatʃ] (**-es, -e**) *m* (*fig*) (poor) copy.
abklemmen ['apklɛmən] *vt* (*Leitung*) to clamp.
abklingen ['apklɪŋən] *unreg vi* to die away; (*RUNDF*) to fade out.
abknallen ['apknalən] (*umg*) *vt* to shoot down.
abknöpfen ['apknœpfən] *vt* to unbutton; **jdm etw** ~ (*umg*) to get sth off sb.
abkochen ['apkɔxən] *vt* to boil; (*keimfrei machen*) to sterilize (by boiling).
abkommandieren ['apkɔmandi:rən] *vt* (*MIL: zu Einheit*) to post; (*zu bestimmtem Dienst*): ~ **zu** to detail for.
abkommen ['apkɔmən] *unreg vi* to get away; **(vom Thema)** ~ to get off the subject, digress; **von der Straße/einem Plan** ~ to leave the road/give up a plan.
Abkommen (**-s, -**) *nt* agreement.
abkömmlich ['apkœmlɪç] *adj* available, free.
Abkömmling *m* (*Nachkomme*) descendant; (*fig*) adherent.
abkönnen ['apkœnən] *unreg* (*umg*) *vt* (*mögen*): **das kann ich nicht ab** I can't stand it.
abkratzen ['apkratsən] *vt* to scrape off ♦ *vi* (*umg*) to kick the bucket.
abkriegen ['apkri:gən] (*umg*) *vt* = **abbekommen.**
abkühlen ['apky:lən] *vt* to cool down ♦ *vr* (*Mensch*) to cool down *od* off; (*Wetter*) to get cool; (*Zuneigung*) to cool.
Abkunft ['apkʊnft] (-) *f* origin, birth.
abkürzen ['apkʏrtsən] *vt* to shorten; (*Wort*) to abbreviate; **den Weg** ~ to take a short cut.
Abkürzung *f* abbreviation; short cut.
abladen ['apla:dən] *unreg vi* to unload ♦ *vt* to unload; (*fig: umg*): **seinen Ärger (bei jdm)** ~ to vent one's anger (on sb).
Ablage ['apla:gə] *f* place to keep/put sth; (*Aktenordnung*) filing; (*für Akten*) tray.
ablagern ['apla:gərn] *vt* to deposit ♦ *vr* to be deposited ♦ *vi* to mature.
Ablagerung *f* (*abgelagerter Stoff*) deposit.
ablassen ['aplasən] *unreg vt* (*Wasser, Dampf*) to let out *od* off; (*vom Preis*) to knock off ♦ *vi*: **von etw** ~ to give sth up, abandon sth.
Ablauf *m* (*Abfluß*) drain; (*von Ereignissen*) course; (*einer Frist, Zeit*) expiry (*BRIT*), expiration (*US*); **nach** ~ **des Jahres/dieser Zeit** at the end of the year/this time.
ablaufen ['aplaʊfən] *unreg vi* (*abfließen*) to drain away; (*Ereignisse*) to happen; (*Frist, Zeit, Paß*) to expire ♦ *vt* (*Sohlen*) to wear (down *od* out); ~ **lassen** (*abspulen, abspielen: Platte, Tonband*) to play; (*Film*) to run; **sich** *dat* **die Beine** *od* **Hacken nach etw** ~ (*umg*) to walk one's legs off looking for sth; **jdm den Rang** ~ to steal a march on sb.
Ableben ['aple:bən] *nt* (*form*) demise (*form*).
ablegen ['aple:gən] *vt* to put *od* lay down; (*Kleider*) to take off; (*Gewohnheit*) to get rid of; (*Prüfung*) to take, sit (*BRIT*); (*Zeugnis*) to give; (*Schriftwechsel*) to file (away); (*nicht mehr tragen: Kleidung*) to discard, cast off; (*Schwur, Eid*) to swear ♦ *vi* (*Schiff*) to cast off.
Ableger (**-s, -**) *m* layer; (*fig*) branch, offshoot.
ablehnen ['aple:nən] *vt* to reject; (*mißbilligen*) to disapprove of; (*Einladung*) to decline, refuse ♦ *vi* to decline, refuse.
Ablehnung *f* rejection; refusal; **auf** ~ **stoßen** to meet with disapproval.
ableisten ['aplaɪstən] *vt* (*form: Zeit*) to serve.
ableiten ['aplaɪtən] *vt* (*Wasser*) to divert; (*deduzieren*) to deduce; (*Wort*) to derive.
Ableitung *f* diversion; deduction; derivation; (*Wort*) derivative.
ablenken ['aplɛŋkən] *vt* to turn away, deflect; (*zerstreuen*) to distract ♦ *vi* to change the subject; **das lenkt ab** (*zerstreut*) it takes your mind off things; (*stört*) it's distracting.
Ablenkung *f* deflection; distraction.
Ablenkungsmanöver *nt* diversionary tactic; (*um vom Thema abzulenken*) red herring.
ablesen ['aple:zən] *unreg vt* to read; **jdm jeden Wunsch von den Augen** ~ to anticipate sb's every wish.
ableugnen ['aplɔʏgnən] *vt* to deny.
ablichten ['aplɪçtən] *vt* to photocopy; (*fotografieren*) to photograph.
abliefern ['apli:fərn] *vt* to deliver; **etw bei jdm/einer Dienststelle** ~ to hand sth over to sb/in at an office.
Ablieferung *f* delivery.
abliegen ['apli:gən] *unreg vi* to be some distance away; (*fig*) to be far removed.
ablisten ['aplɪstən] *vt*: **jdm etw** ~ to trick *od* con sb out of sth.
ablösen ['aplø:zən] *vt* (*abtrennen*) to take off, remove; (*in Amt*) to take over from; (*FIN: Schuld, Hypothek*) to pay off, redeem; (*Methode, System*) to supersede ♦ *vr* (*auch*: **einander** ~) to take turns; (*Fahrer, Kollegen, Wachen*) to relieve each other.
Ablösung *f* removal; relieving.
abluchsen ['aplʊksən] (*umg*) *vt*: **jdm etw** ~ to

get *od* wangle sth out of sb.
Abluft *f* (*TECH*) used air.
ABM *pl abk* (= *Arbeitsbeschaffungsmaßnahmen*) *job-creation scheme.*
abmachen ['apmaxən] *vt* to take off; (*vereinbaren*) to agree; **etw mit sich allein ~** to sort sth out for o.s.
Abmachung *f* agreement.
abmagern ['apma:gərn] *vi* to get thinner, become emaciated.
Abmagerungskur *f* diet; **eine ~ machen** to go on a diet.
Abmarsch ['apmarʃ] *m* departure; **a~bereit** *adj* ready to start.
abmarschieren ['apmarʃi:rən] *vi* to march off.
abmelden ['apmɛldən] *vt* (*Auto*) to take off the road; (*Telefon*) to have disconnected; (*COMPUT*) to log off ♦ *vr* to give notice of one's departure; (*im Hotel*) to check out; **ein Kind von einer Schule ~** to take a child away from a school; **er/sie ist bei mir abgemeldet** (*umg*) I don't want anything to do with him/her; **jdn bei der Polizei ~** to register sb's departure with the police.
abmessen ['apmɛsən] *unreg vt* to measure.
Abmessung *f* measurement; (*Ausmaß*) dimension.
abmontieren ['apmɔnti:rən] *vt* to take off; (*Maschine*) to dismantle.
ABM-Stelle *f temporary post created as part of a job creation scheme.*
abmühen ['apmy:ən] *vr* to wear o.s. out.
abnabeln ['apna:bəln] *vt:* **jdn ~** (*auch fig*) to cut sb's umbilical cord.
abnagen ['apna:gən] *vt* to gnaw off; (*Knochen*) to gnaw.
Abnäher ['apnɛ:ər] (**-s, -**) *m* dart.
Abnahme ['apna:mə] *f* (*+gen*) removal; (*COMM*) buying; (*Verringerung*) decrease (in).
abnehmen ['apne:mən] *unreg vt* to take off, remove; (*Führerschein*) to take away; (*Prüfung*) to hold; (*Maschen*) to decrease; (*Hörer*) to lift, pick up; (*begutachten: Gebäude, Auto*) to inspect ♦ *vi* to decrease; (*schlanker werden*) to lose weight; **jdm etw ~** (*Geld*) to get sth out of sb; (*kaufen: auch umg: glauben*) to buy sth from sb; **kann ich dir etwas ~?** (*tragen*) can I take something for you?; **jdm Arbeit ~** to take work off sb's shoulders; **jdm ein Versprechen ~** to make sb promise sth.
Abnehmer (**-s, -**) *m* purchaser, customer; **viele/wenige ~ finden** (*COMM*) to sell well/badly.
Abneigung ['apnaɪgʊŋ] *f* aversion, dislike.
abnorm [ap'nɔrm] *adj* abnormal.
abnötigen ['apnø:tɪgən] *vt:* **jdm etw/Respekt ~** to force sth from sb/gain sb's respect.
abnutzen ['apnʊtsən] *vt* to wear out.
Abnutzung *f* wear (and tear).
Abo ['abo] (**-s, -s**) (*umg*) *nt* = **Abonnement.**
Abonnement [abɔn(ə)'mã:] (**-s, -s** *od* **-e**) *nt* subscription; (*Theater~*) season ticket.
Abonnent(in) [abɔ'nɛnt(ɪn)] *m(f)* subscriber.
abonnieren [abɔ'ni:rən] *vt* to subscribe to.
abordnen ['ap|ɔrdnən] *vt* to delegate.
Abordnung *f* delegation.
Abort [a'bɔrt] (**-(e)s, -e**) *m* (*veraltet*) lavatory.
abpacken ['appakən] *vt* to pack.
abpassen ['appasən] *vt* (*Person, Gelegenheit*) to wait for; (*warten auf*) to catch; (*jdm auflauern*) to waylay; **etw gut ~** to time sth well.
abpausen ['appaʊzən] *vt* to make a tracing of.
abpfeifen ['appfaɪfən] *unreg vt, vi* (*SPORT*): **(das Spiel) ~** to blow the whistle (for the end of the game).
Abpfiff ['appfɪf] *m* final whistle.
abplagen ['appla:gən] *vr* to struggle (away).
Abprall ['appral] *m* rebound; (*von Kugel*) ricochet.
abprallen ['appralən] *vi* to bounce off; to ricochet; **an jdm ~** (*fig*) to make no impression on sb.
abputzen ['appʊtsən] *vt* to clean; (*Nase etc*) to wipe.
abquälen ['apkvɛ:lən] *vr* to struggle (away).
abrackern ['aprakərn] (*umg*) *vr* to slave away.
abraten ['apra:tən] *unreg vi:* **jdm von etw ~** to advise sb against sth, warn sb against sth.
abräumen ['aprɔymən] *vt* to clear up *od* away; (*Tisch*) to clear ♦ *vi* to clear up *od* away.
abreagieren ['apreagi:rən] *vt:* **seinen Zorn (an jdm/etw) ~** to work one's anger off (on sb/sth) ♦ *vr* to calm down; **seinen Ärger an anderen ~** to take it out on others.
abrechnen ['aprɛçnən] *vt* to deduct, take off ♦ *vi* (*lit*) to settle up; (*fig*) to get even; **darf ich ~?** would you like your bill (*BRIT*) *od* check (*US*) now?
Abrechnung *f* settlement; (*Rechnung*) bill; (*Aufstellung*) statement; (*Bilanz*) balancing; (*fig: Rache*) revenge; **in ~ stellen** (*form: Abzug*) to deduct; **~ über** *+akk* bill/statement for.
Abrechnungszeitraum *m* accounting period.
Abrede ['apre:də] *f:* **etw in ~ stellen** to deny *od* dispute sth.
abregen ['apre:gən] (*umg*) *vr* to calm *od* cool down.
abreiben ['apraɪbən] *unreg vt* to rub off; (*säubern*) to wipe; **jdn mit einem Handtuch ~** to towel sb down.
Abreibung (*umg*) *f* (*Prügel*) hiding, thrashing.
Abreise ['apraɪzə] *f* departure.
abreisen *vi* to leave, set off.
abreißen ['apraɪsən] *unreg vt* (*Haus*) to tear down; (*Blatt*) to tear off ♦ *vi:* **den Kontakt nicht ~ lassen** to stay in touch.
abrichten ['aprɪçtən] *vt* to train.
abriegeln ['apri:gəln] *vt* (*Tür*) to bolt; (*Straße,*

Gebiet) to seal off.
abringen ['aprɪŋən] *unreg vt:* **sich** *dat* **ein Lächeln** ~ to force a smile.
Abriß ['aprɪs] (**-sses, -sse**) *m* (*Übersicht*) outline; (*Abbruch*) demolition.
abrollen ['aprɔlən] *vt* (*abwickeln*) to unwind ♦ *vi* (*vonstatten gehen: Programm*) to run; (: *Veranstaltung*) to go off; (: *Ereignisse*) to unfold.
Abruf ['apru:f] *m:* **auf** ~ on call.
abrufen *unreg vt* (*Mensch*) to call away; (*COMM: Ware*) to request delivery of; (*COMPUT*) to recall, retrieve.
abrunden ['aprʊndən] *vt* to round off.
abrüsten ['aprʏstən] *vi* to disarm.
Abrüstung *f* disarmament.
abrutschen ['aprʊtʃən] *vi* to slip; (*AVIAT*) to sideslip.
Abs. *abk* = **Absender;** (= *Absatz*) par., para.
absacken ['apzakən] *vi* (*sinken*) to sink; (*Boden, Gebäude*) to subside.
Absage ['apza:gə] (**-, -n**) *f* refusal; (*auf Einladung*) negative reply.
absagen *vt* to cancel, call off; (*Einladung*) to turn down ♦ *vi* to cry off; (*ablehnen*) to decline; **jdm** ~ to tell sb that one can't come.
absägen ['apzɛ:gən] *vt* to saw off.
absahnen ['apza:nən] *vt* (*lit*) to skim; **das beste für sich** ~ (*fig*) to take the cream.
Absatz ['apzats] *m* (*COMM*) sales *pl*; (*JUR*) section; (*Bodensatz*) deposit; (*neuer Abschnitt*) paragraph; (*Treppen~*) landing; (*Schuh~*) heel; ~**flaute** *f* slump in the market; ~**förderung** *f* sales promotion; ~**gebiet** *nt* (*COMM*) market; sales territory; ~**prognose** *f* sales forecast; ~**schwierigkeiten** *pl* sales problems *pl*; ~**ziffern** *pl* sales figures *pl*.
absaufen ['apzaʊfən] *unreg* (*umg*) *vi* (*ertrinken*) to drown; (: *Motor*) to flood; (: *Schiff etc*) to go down.
absaugen ['apzaʊgən] *vt* (*Flüssigkeit*) to suck out *od* off; (*Teppich, Sofa*) to hoover ®, vacuum.
abschaben ['apʃa:bən] *vt* to scrape off; (*Möhren*) to scrape.
abschaffen ['apʃafən] *vt* to abolish, do away with.
Abschaffung *f* abolition.
abschalten ['apʃaltən] *vt, vi* (*lit: umg*) to switch off.
abschattieren ['apʃati:rən] *vt* to shade.
abschätzen ['apʃɛtsən] *vt* to estimate; (*Lage*) to assess; (*Person*) to size up.
abschätzig ['apʃɛtsɪç] *adj* disparaging, derogatory.
Abschaum ['apʃaʊm] (**-(e)s**) *m* scum.
Abscheu ['apʃɔʏ] (**-(e)s**) *m* loathing, repugnance; **a~erregend** *adj* repulsive, loathsome; **a~lich** *adj* abominable.
abschicken ['apʃɪkən] *vt* to send off.
abschieben ['apʃi:bən] *unreg vt* to push away; (*Person*) to pack off; (*ausweisen: Ausländer*) to deport; (*fig: Verantwortung, Schuld*): ~ **(auf** *+akk***)** to shift (onto).
Abschied ['apʃi:t] (**-(e)s, -e**) *m* parting; (*von Armee*) discharge; **(von jdm)** ~ **nehmen** to say goodbye (to sb), take one's leave (of sb); **seinen** ~ **nehmen** (*MIL*) to apply for discharge; **zum** ~ on parting.
Abschiedsbrief *m* farewell letter.
Abschiedsfeier *f* farewell party.
abschießen ['apʃi:sən] *unreg vt* (*Flugzeug*) to shoot down; (*Geschoß*) to fire; (*umg: Minister*) to get rid of.
abschirmen ['apʃɪrmən] *vt* to screen; (*schützen*) to protect ♦ *vr* (*sich isolieren*): **sich** ~ **(gegen)** to cut o.s. off (from).
abschlaffen ['apʃlafən] (*umg*) *vi* to flag.
abschlagen ['apʃla:gən] *unreg vt* (*abhacken, COMM*) to knock off; (*ablehnen*) to refuse; (*MIL*) to repel.
abschlägig ['apʃlɛ:gɪç] *adj* negative; **jdn/etw** ~ **bescheiden** (*form*) to turn sb/sth down.
Abschlagszahlung *f* interim payment.
abschleifen ['apʃlaɪfən] *unreg vt* to grind down; (*Holzboden*) to sand (down) ♦ *vr* to wear off.
Abschleppdienst *m* (*AUT*) breakdown service (*BRIT*), towing company (*US*).
abschleppen ['apʃlɛpən] *vt* to (take in) tow.
Abschleppseil *nt* towrope.
abschließen ['apʃli:sən] *unreg vt* (*Tür*) to lock; (*beenden*) to conclude, finish; (*Vertrag, Handel*) to conclude; (*Versicherung*) to take out; (*Wette*) to place ♦ *vr* (*sich isolieren*) to cut o.s. off; **mit abgeschlossenem Studium** with a degree; **mit der Vergangenheit** ~ to break with the past.
abschließend *adj* concluding ♦ *adv* in conclusion, finally.
Abschluß ['apʃlʊs] *m* (*Beendigung*) close, conclusion; (*COMM: Bilanz*) balancing; (*von Vertrag, Handel*) conclusion; **zum** ~ in conclusion; ~**feier** *f* (*SCH*) school-leavers' ceremony; ~**prüfer** *m* accountant; ~**prüfung** *f* (*SCH*) final examination; (*UNIV*) finals *pl*; ~**rechnung** *f* final account; ~**zeugnis** *nt* (*SCH*) leaving certificate, diploma (*US*).
abschmecken ['apʃmɛkən] *vt* (*kosten*) to taste; (*würzen*) to season.
abschmieren ['apʃmi:rən] *vt* (*AUT*) to grease, lubricate.
abschminken ['apʃmɪŋkən] *vt:* **sich** ~ to remove one's make-up.
abschmirgeln ['apʃmɪrgəln] *vt* to sand down.
abschnallen ['apʃnalən] *vr* to unfasten one's seat belt ♦ *vi* (*umg: nicht mehr folgen können*) to give up; (: *fassungslos sein*) to be staggered.
abschneiden ['apʃnaɪdən] *unreg vt* to cut off ♦ *vi* to do, come off; **bei etw gut/schlecht** ~ (*umg*) to come off well/badly in sth.
Abschnitt ['apʃnɪt] *m* section; (*MIL*) sector;

(*Kontroll~*) counterfoil (*BRIT*), stub (*US*); (*MATH*) segment; (*Zeit~*) period.
abschnüren ['apʃny:rən] *vt* to constrict.
abschöpfen ['apʃœpfən] *vt* to skim off.
abschrauben ['apʃraʊbən] *vt* to unscrew.
abschrecken ['apʃrɛkən] *vt* to deter, put off; (*mit kaltem Wasser*) to plunge into cold water.
abschreckend *adj* deterrent; **~es Beispiel** warning; **eine ~e Wirkung haben, ~ wirken** to act as a deterrent.
abschreiben ['apʃraɪbən] *unreg vt* to copy; (*verlorengeben*) to write off; (*COMM*) to deduct; **er ist bei mir abgeschrieben** I'm finished with him.
Abschreibung *f* (*COMM*) deduction; (*Wertverminderung*) depreciation.
Abschrift ['apʃrɪft] *f* copy.
abschuften ['apʃʊftən] (*umg*) *vr* to slog one's guts out (*umg*).
abschürfen ['apʃʏrfən] *vt* to graze.
Abschuß ['apʃʊs] *m* (*eines Geschützes*) firing; (*Herunterschießen*) shooting down; (*Tötung*) shooting.
abschüssig ['apʃʏsɪç] *adj* steep.
Abschußliste *f*: **er steht auf der ~** (*umg*) his days are numbered.
Abschußrampe *f* launch(ing) pad.
abschütteln ['apʃʏtəln] *vt* to shake off.
abschütten ['apʃʏtən] *vt* (*Flüssigkeit etc*) to pour off.
abschwächen ['apʃvɛçən] *vt* to lessen; (*Behauptung, Kritik*) to tone down ♦ *vr* to lessen.
abschweifen ['apʃvaɪfən] *vi* to wander; (*Redner*) to digress.
Abschweifung *f* digression.
abschwellen ['apʃvɛlən] *unreg vi* (*Geschwulst*) to go down; (*Lärm*) to die down.
abschwenken ['apʃvɛŋkən] *vi* to turn away.
abschwören ['apʃvø:rən] *unreg vi +dat* to renounce.
absehbar ['apze:ba:r] *adj* foreseeable; **in ~er Zeit** in the foreseeable future; **das Ende ist ~** the end is in sight.
absehen *unreg vt* (*Ende, Folgen*) to foresee ♦ *vi*: **von etw ~** to refrain from sth; (*nicht berücksichtigen*) to leave sth out of consideration; **jdm etw ~** (*erlernen*) to copy sth from sb.
abseilen ['apzaɪlən] *vt* to lower down on a rope ♦ *vr* (*Bergsteiger*) to abseil (down).
Abseits ['apzaɪts] *nt* (*SPORT*) offside; **im ~ stehen** to be offside; **im ~ leben** (*fig*) to live in the shadows.
abseits *adv* out of the way ♦ *präp +gen* away from.
absenden ['apzɛndən] *unreg vt* to send off, dispatch.
Absender *m* sender.
Absendung *f* dispatch.
absetzbar ['apzɛtsba:r] *adj* (*Beamter*) dismissible; (*Waren*) saleable; (*von Steuer*) deductible.
absetzen ['apzɛtsən] *vt* (*niederstellen, aussteigen lassen*) to put down; (*abnehmen; auch Theaterstück*) to take off; (*COMM: verkaufen*) to sell; (*FIN: abziehen*) to deduct; (*entlassen*) to dismiss; (*König*) to depose; (*streichen*) to drop; (*Fußballspiel, Termin*) to cancel; (*hervorheben*) to pick out ♦ *vi*: **er trank das Glas aus, ohne abzusetzen** he emptied his glass in one ♦ *vr* (*sich entfernen*) to clear off; (*sich ablagern*) to be deposited; **das kann man ~** that is tax-deductible.
Absetzung *f* (*FIN: Abzug*) deduction; (*Entlassung*) dismissal; (*von König*) deposing; (*Streichung*) dropping.
absichern ['apzɪçərn] *vt* to make safe; (*schützen*) to safeguard ♦ *vr* to protect o.s.
Absicht ['apzɪçt] *f* intention; **mit ~** on purpose; **a~lich** *adj* intentional, deliberate.
absichtslos *adj* unintentional.
absinken ['apzɪŋkən] *unreg vi* to sink; (*Temperatur, Geschwindigkeit*) to decrease.
absitzen ['apzɪtsən] *unreg vi* to dismount ♦ *vt* (*Strafe*) to serve.
absolut [apzo'lu:t] *adj* absolute.
Absolutheitsanspruch *m* claim to absolute right.
Absolutismus [apzolu:'tɪsmʊs] *m* absolutism.
Absolvent(in) *m(f)*: **die ~en eines Lehrgangs** the students who have completed a course.
absolvieren [apzɔl'vi:rən] *vt* (*SCH*) to complete.
absonderlich [ap'zɔndərlɪç] *adj* odd, strange.
absondern *vt* to separate; (*ausscheiden*) to give off, secrete ♦ *vr* to cut o.s. off.
Absonderung *f* separation; (*MED*) secretion.
absorbieren [apzɔr'bi:rən] *vt* (*lit, fig*) to absorb.
abspalten ['apʃpaltən] *vt* to split off.
Abspannung ['apʃpanʊŋ] *f* (*Ermüdung*) exhaustion.
absparen ['apʃpa:rən] *vt*: **sich** *dat* **etw ~** to scrimp and save for sth.
abspecken ['apʃpɛkən] (*umg*) *vt* to shed ♦ *vi* to lose weight.
abspeisen ['apʃpaɪzən] *vt* (*fig*) to fob off.
abspenstig ['apʃpɛnstɪç] *adj*: **(jdm) ~ machen** to lure away (from sb).
absperren ['apʃpɛrən] *vt* to block *od* close off; (*Tür*) to lock.
Absperrung *f* (*Vorgang*) blocking *od* closing off; (*Sperre*) barricade.
abspielen ['apʃpi:lən] *vt* (*Platte, Tonband*) to play; (*SPORT: Ball*) to pass ♦ *vr* to happen; **vom Blatt ~** (*MUS*) to sight-read.
absplittern ['apʃplɪtərn] *vt, vi* to chip off.
Absprache ['apʃpra:xə] *f* arrangement; **ohne vorherige ~** without prior consultation.
absprechen ['apʃprɛçən] *unreg vt* (*vereinbaren*) to arrange ♦ *vr*: **die beiden hatten sich vorher abgesprochen** they had agreed on what to

do/say *etc* in advance; **jdm etw** ~ to deny sb sth; (*in Abrede stellen: Begabung*) to dispute sb's sth.
abspringen ['apʃprɪŋən] *unreg vi* to jump down/off; (*Farbe, Lack*) to flake off; (*AVIAT*) to bale out; (*sich distanzieren*) to back out.
Absprung ['apʃprʊŋ] *m* jump; **den ~ schaffen** (*fig*) to make the break (*umg*).
abspulen ['apʃpu:lən] *vt* (*Kabel, Garn*) to unwind.
abspülen ['apʃpy:lən] *vt* to rinse; **Geschirr** ~ to wash up (*BRIT*), do the dishes.
abstammen ['apʃtamən] *vi* to be descended; (*Wort*) to be derived.
Abstammung *f* descent; derivation; **französischer** ~ of French extraction *od* descent.
Abstand ['apʃtant] *m* distance; (*zeitlich*) interval; **davon ~ nehmen, etw zu tun** to refrain from doing sth; ~ **halten** (*AUT*) to keep one's distance; ~ **von etw gewinnen** (*fig*) to distance o.s. from sth; **mit großem ~ führen** to lead by a wide margin; **mit ~ der beste** by far the best.
Abstandssumme *f* compensation.
abstatten ['apʃtatən] *vt* (*form: Dank*) to give; (*: Besuch*) to pay.
abstauben ['apʃtaubən] *vt, vi* to dust; (*umg: mitgehen lassen*) to help oneself to, pinch; **(den Ball)** ~ (*SPORT*) to tuck the ball away.
Abstauber(in) ['apʃtaubər(ɪn)] (**-s, -**) (*umg*) *m(f)* (*Person*) somebody on the make.
abstechen ['apʃtɛçən] *unreg vt* to cut; (*Tier*) to cut the throat of ♦ *vi:* ~ **gegen** *od* **von** to contrast with.
Abstecher (**-s, -**) *m* detour.
abstecken ['apʃtɛkən] *vt* (*Fläche*) to mark out; (*Saum*) to pin.
abstehen ['apʃte:ən] *unreg vi* (*Ohren, Haare*) to stick out; (*entfernt sein*) to stand away.
Absteige *f* cheap hotel.
absteigen ['apʃtaɪgən] *unreg vi* (*vom Rad etc*) to get off, dismount; **in einem Gasthof** ~ to put up at an inn; **(in die zweite Liga)** ~ to be relegated (to the second division); **auf dem ~den Ast sein** (*umg*) to be going downhill, be on the decline.
abstellen ['apʃtɛlən] *vt* (*niederstellen*) to put down; (*entfernt stellen*) to pull out; (*hinstellen: Auto*) to park; (*ausschalten*) to turn *od* switch off; (*Mißstand, Unsitte*) to stop; (*abkommandieren*) to order off; (*ausrichten*): ~ **auf** *+akk* to gear to; **das läßt sich nicht/läßt sich** ~ nothing/something can be done about that.
Abstellgleis *nt* siding; **jdn aufs ~ schieben** (*fig*) to cast sb aside.
Abstellraum *m* storeroom.
abstempeln ['apʃtɛmpəln] *vt* to stamp; (*fig*): ~ **zu** *od* **als** to brand as.
absterben ['apʃtɛrbən] *unreg vi* to die; (*Körperteil*) to go numb.
Abstieg ['apʃti:k] (**-(e)s, -e**) *m* descent; (*SPORT*) relegation; (*fig*) decline.
abstimmen ['apʃtɪmən] *vi* to vote ♦ *vt:* ~ **(auf** *+akk***)** (*Instrument*) to tune (to); (*Interessen*) to match (with); (*Termine, Ziele*) to fit in (with) ♦ *vr* to agree.
Abstimmung *f* vote; (*geheime* ~) ballot.
abstinent [apsti'nɛnt] *adj* (*von Alkohol*) teetotal.
Abstinenz [apsti'nɛnts] *f* teetotalism.
Abstinenzler(in) (**-s, -**) *m(f)* teetotaller.
abstoßen ['apʃto:sən] *unreg vt* to push off *od* away; (*anekeln*) to repel; (*COMM: Ware, Aktien*) to sell off.
abstoßend *adj* repulsive.
abstottern ['apʃtɔtərn] (*umg*) *vt* to pay off in instalments.
abstrahieren [apstra'hi:rən] *vt, vi* to abstract.
abstrakt [ap'strakt] *adj* abstract ♦ *adv* abstractly, in the abstract.
Abstraktion [apstraktsi'o:n] *f* abstraction.
Abstraktum [ap'straktʊm] (**-s, Abstrakta**) *nt* abstract concept; (*GRAM*) abstract noun.
abstrampeln ['apʃtrampəln] *vr* (*fig: umg*) to sweat (away).
abstreifen ['apʃtraɪfən] *vt* (*abtreten: Schuhe, Füße*) to wipe; (*abziehen: Schmuck*) to take off, slip off.
abstreiten ['apʃtraɪtən] *unreg vt* to deny.
Abstrich ['apʃtrɪç] *m* (*Abzug*) cut; (*MED*) smear; **~e machen** to lower one's sights.
abstufen ['apʃtu:fən] *vt* (*Hang*) to terrace; (*Farben*) to shade; (*Gehälter*) to grade.
abstumpfen ['apʃtʊmpfən] *vt* (*lit, fig*) to dull, blunt ♦ *vi* to become dulled.
Absturz ['apʃtʊrts] *m* fall; (*AVIAT*) crash.
abstürzen ['apʃtʏrtsən] *vi* to fall; (*AVIAT*) to crash.
absuchen ['apzu:xən] *vt* to scour, search.
absurd [ap'zʊrt] *adj* absurd.
Abszeß [aps'tsɛs] (**-sses, -sse**) *m* abscess.
Abt [apt] (**-(e)s, ⸚e**) *m* abbot.
Abt. *abk* (= *Abteilung*) dept.
abtasten ['aptastən] *vt* to feel, probe; (*ELEK*) to scan; (*bei Durchsuchung*): ~ **(auf** *+akk***)** to frisk (for).
abtauen ['aptauən] *vt, vi* to thaw; (*Kühlschrank*) to defrost.
Abtei [ap'taɪ] (**-, -en**) *f* abbey.
Abteil [ap'taɪl] (**-(e)s, -e**) *nt* compartment.
abteilen ['aptaɪlən] *vt* to divide up; (*abtrennen*) to divide off.
Abteilung *f* (*in Firma, Kaufhaus*) department; (*MIL*) unit; (*in Krankenhaus, JUR*) section.
Abteilungsleiter(in) *m(f)* head of department; (*in Kaufhaus*) department manager(ess).
abtelefonieren ['aptelefoni:rən] (*umg*) *vi* to telephone to say one can't make it.
Äbtissin [ɛp'tɪsɪn] *f* abbess.
abtönen ['aptø:nən] *vt* (*PHOT*) to tone down.
abtöten ['aptøtən] *vt* (*lit, fig*) to destroy, kill

(off); (*Nerv*) to deaden.
abtragen ['aptra:gən] *unreg vt* (*Hügel, Erde*) to level down; (*Essen*) to clear away; (*Kleider*) to wear out; (*Schulden*) to pay off.
abträglich ['aptrɛ:klıç] *adj (+dat)* harmful (to).
Abtragung *f* (*GEOL*) erosion.
Abtransport **(-(e)s, -e)** *m* transportation; (*aus Katastrophengebiet*) evacuation.
abtransportieren ['aptranspɔrti:rən] *vt* to transport; to evacuate.
abtreiben ['aptraıbən] *unreg vt* (*Boot, Flugzeug*) to drive off course; (*Kind*) to abort ♦ *vi* to be driven off course; (*Frau*) to have an abortion.
Abtreibung *f* abortion.
Abtreibungsparagraph *m* abortion law.
Abtreibungsversuch *m* attempted abortion.
abtrennen ['aptrɛnən] *vt* (*lostrennen*) to detach; (*entfernen*) to take off; (*abteilen*) to separate off.
abtreten ['aptre:tən] *unreg vt* to wear out; (*überlassen*) to hand over, cede; (*Rechte, Ansprüche*) to transfer ♦ *vi* to go off; (*zurücktreten*) to step down; **sich** *dat* **die Füße** ~ to wipe one's feet; ~! (*MIL*) dismiss!
Abtritt ['aptrıt] *m* (*Rücktritt*) resignation.
abtrocknen ['aptrɔknən] *vt* to dry ♦ *vi* to do the drying-up.
abtropfen ['aptrɔpfən] *vi*: **etw ~ lassen** to let sth drain.
abtrünnig ['aptrʏnıç] *adj* renegade.
abtun ['aptu:n] *unreg vt* to take off; (*fig*) to dismiss; **etw kurz** ~ to brush sth aside.
aburteilen ['ap|ʊrtaılən] *vt* to condemn.
abverlangen ['apfɛrlaŋən] *vt*: **jdm etw** ~ to demand sth from sb.
abwägen ['apvɛ:gən] *unreg vt* to weigh up.
abwählen ['apvɛ:lən] *vt* to vote out (of office); (*SCH: Fach*) to give up.
abwälzen ['apvɛltsən] *vt*: ~ **(auf** *+akk***)** (*Schuld, Verantwortung*) to shift (onto); (*Arbeit*) to unload (onto); (*Kosten*) to pass on (to).
abwandeln ['apvandəln] *vt* to adapt.
abwandern ['apvandərn] *vi* to move away.
Abwärme ['apvɛrmə] *f* waste heat.
abwarten ['apvartən] *vt* to wait for ♦ *vi* to wait; **das Gewitter** ~ to wait till the storm is over; ~ **und Tee trinken** (*umg*) to wait and see; **eine ~de Haltung einnehmen** to play a waiting game.
abwärts ['apvɛrts] *adv* down; **~gehen** *vi unpers* (*fig*): **mit ihm/dem Land geht es** ~ he/the country is going downhill.
Abwasch ['apvaʃ] **(-(e)s)** *m* washing-up; **du kannst das auch machen, das ist (dann) ein** ~ (*umg*) you could do that as well and kill two birds with one stone.
abwaschen *unreg vt* (*Schmutz*) to wash off; (*Geschirr*) to wash (up).
Abwasser ['apvasər] **(-s, -wässer)** *nt* sewage; **~aufbereitung** *f* sewage treatment; **~kanal** *m* sewer.
abwechseln ['apvɛksəln] *vi, vr* to alternate; (*Personen*) to take turns.
abwechselnd *adj* alternate.
Abwechslung *f* change; (*Zerstreuung*) diversion; **für ~ sorgen** to provide entertainment.
abwechslungsreich *adj* varied.
Abweg ['apve:k] *m*: **auf ~e geraten/führen** to go/lead astray.
abwegig ['apve:gıç] *adj* wrong; (*Verdacht*) groundless.
Abwehr ['apve:r] (-) *f* defence; (*Schutz*) protection; (*~dienst*) counter-intelligence (service); **auf ~ stoßen** to be repulsed; **a~en** *vt* to ward off; (*Ball*) to stop; **a~ende Geste** dismissive gesture; **~reaktion** *f* (*PSYCH*) defence (*BRIT*) *od* defense (*US*) reaction; **~stoff** *m* antibody.
abweichen ['apvaıçən] *unreg vi* to deviate; (*Meinung*) to differ; **vom rechten Weg** ~ (*fig*) to wander off the straight and narrow.
abweichend *adj* deviant; differing.
Abweichler **(-s, -)** *m* (*POL*) maverick.
Abweichung *f* (*zeitlich, zahlenmäßig*) allowance; **zulässige** ~ (*TECH*) tolerance.
abweisen ['apvaızən] *unreg vt* to turn away; (*Antrag*) to turn down; **er läßt sich nicht** ~ he won't take no for an answer.
abweisend *adj* (*Haltung*) cold.
abwenden ['apvɛndən] *unreg vt* to avert ♦ *vr* to turn away.
abwerben ['apvɛrbən] *unreg vt*: **(jdm)** ~ to woo away (from sb).
abwerfen ['apvɛrfən] *unreg vt* to throw off; (*Profit*) to yield; (*aus Flugzeug*) to drop; (*Spielkarte*) to discard.
abwerten ['apvɛrtən] *vt* (*FIN*) to devalue.
abwertend *adj* pejorative.
Abwertung *f* devaluation.
abwesend ['apve:zənt] *adj* absent; (*zerstreut*) far away.
Abwesenheit ['apve:zənhaıt] *f* absence; **durch ~ glänzen** (*ironisch*) to be conspicuous by one's absence.
abwickeln ['apvıkəln] *vt* to unwind; (*Geschäft*) to transact, conclude; (*fig: erledigen*) to deal with.
Abwicklungskosten ['apvıklʊŋzkɔstən] *pl* transaction costs *pl*.
abwiegen ['apvi:gən] *unreg vt* to weigh out.
abwimmeln ['apvıməln] (*umg*) *vt* (*Person*) to get rid of; (: *Auftrag*) to get out of.
abwinken ['apvıŋkən] *vi* to wave it/him *etc* aside; (*fig: ablehnen*) to say no.
abwirtschaften ['apvırtʃaftən] *vi* to go downhill.
abwischen ['apvıʃən] *vt* to wipe off *od* away; (*putzen*) to wipe.
abwracken ['apvrakən] *vt* (*Schiff*) to break (up); **ein abgewrackter Mensch** a wreck (of a person).
Abwurf ['apvʊrf] *m* throwing off; (*von Bomben*

etc) dropping; (*von Reiter, SPORT*) throw.
abwürgen ['apvʏrgən] (*umg*) *vt* to scotch; (*Motor*) to stall; **etw von vornherein ~** to nip sth in the bud.
abzahlen ['aptsaːlən] *vt* to pay off.
abzählen ['aptsɛːlən] *vt* to count (up); **abgezähltes Fahrgeld** exact fare.
Abzählreim ['aptsɛːlraɪm] *m* counting rhyme (*e.g. eeny meeny miney mo*).
Abzahlung *f* repayment; **auf ~ kaufen** to buy on hire purchase (*BRIT*) *od* the installment plan (*US*).
abzapfen ['aptsapfən] *vt* to draw off; **jdm Blut ~** to take blood from sb.
abzäunen ['aptsɔʏnən] *vt* to fence off.
Abzeichen ['aptsaɪçən] *nt* badge; (*Orden*) decoration.
abzeichnen ['aptsaɪçnən] *vt* to draw, copy; (*unterschreiben*) to initial ♦ *vr* to stand out; (*fig: bevorstehen*) to loom.
Abziehbild *nt* transfer.
abziehen ['aptsiːən] *unreg vt* to take off; (*Tier*) to skin; (*Bett*) to strip; (*Truppen*) to withdraw; (*subtrahieren*) to take away, subtract; (*kopieren*) to run off; (*Schlüssel*) to take out, remove ♦ *vi* to go away; (*Truppen*) to withdraw; (*abdrücken*) to pull the trigger, fire.
abzielen ['aptsiːlən] *vi*: **~ auf** *+akk* to be aimed at.
Abzug ['aptsuːk] *m* departure; (*von Truppen*) withdrawal; (*Kopie*) copy; (*Subtraktion*) subtraction; (*Betrag*) deduction; (*Rauch~*) flue; (*von Waffen*) trigger; (*Rabatt*) discount; (*Korrekturfahne*) proof; (*PHOT*) print; **jdm freien ~ gewähren** to grant sb safe passage.
abzüglich ['aptsyːklɪç] *präp +gen* less.
abzweigen ['aptsvaɪgən] *vi* to branch off ♦ *vt* to set aside.
Abzweigung *f* junction.
Accessoires [aksɛso'aːrs] *pl* accessories *pl*.
ach [ax] *interj* oh; **~ so!** I see!; **mit A~ und Krach** by the skin of one's teeth; **~ was** *od* **wo, das ist doch nicht so schlimm!** come on now, it's not that bad!
Achillesferse [a'xɪlɛsfɛrzə] *f* Achilles heel.
Achse ['aksə] (**-, -n**) *f* axis; (*AUT*) axle; **auf ~ sein** (*umg*) to be on the move.
Achsel ['aksəl] (**-, -n**) *f* shoulder; **~höhle** *f* armpit; **~zucken** *nt* shrug (of one's shoulders).
Achsenbruch *m* (*AUT*) broken axle.
Achsenkreuz *nt* coordinate system.
Acht[1] [axt] (**-, -en**) *f* eight; (*beim Eislaufen etc*) figure (of) eight.
Acht[2] (-) *f* attention; **hab a~** (*MIL*) attention!; **sich in a~ nehmen (vor** *+dat*) to be careful (of), watch out (for); **etw außer a~ lassen** to disregard sth.
acht *num* eight; **~ Tage** a week.
achtbar *adj* worthy.
achte(r, s) *adj* eighth.
Achteck *nt* octagon.
Achtel *nt* eighth; **~note** *f* quaver, eighth note (*US*).
achten *vt* to respect ♦ *vi*: **~ (auf** *+akk*) to pay attention (to); **darauf ~, daß** ... to be careful that ...
ächten ['ɛçtən] *vt* to outlaw, ban.
Achterbahn *f* roller coaster.
Achterdeck *nt* (*NAUT*) afterdeck.
achtfach *adj* eightfold.
achtgeben *unreg vi*: **~ (auf** *+akk*) to take care (of); (*aufmerksam sein*) to pay attention (to).
achtlos *adj* careless; **viele gehen ~ daran vorbei** many people just pass by without noticing.
achtmal *adv* eight times.
achtsam *adj* attentive.
Achtstundentag *m* eight-hour day.
Achtung ['axtʊŋ] *f* attention; (*Ehrfurcht*) respect ♦ *interj* look out!; (*MIL*) attention!; **alle ~!** good for you/him *etc*!; **~, fertig, los!** ready, steady, go!; **„~ Hochspannung!"** "danger, high voltage"; **„~ Lebensgefahr/Stufe!"** "danger/mind the step!".
Achtungserfolg *m* reasonable success.
achtzehn *num* eighteen.
achtzig *num* eighty; **A~er(in)** (**-s, -**) *m(f)* octogenarian.
ächzen ['ɛçtsən] *vi*: **~ (vor** *+dat*) to groan (with).
Acker ['akər] (**-s, ¨-**) *m* field; **~bau** *m* agriculture; **~bau und Viehzucht** farming.
ackern *vi* to plough; (*umg*) to slog away.
a conto [a 'kɔnto] *adv* (*COMM*) on account.
A.D. *abk* (= *Anno Domini*) A.D.
a.D. *abk* = **außer Dienst.**
a.d. *abk* = **an der** (*bei Ortsnamen*).
ad absurdum [at ap'zʊrdʊm] *adv*: **~ führen** (*Argument etc*) to reduce to absurdity.
ADAC (-) *m abk* (= *Allgemeiner Deutscher Automobilclub*) German motoring organization, ≈ AA (*BRIT*), AAA (*US*).
ad acta [at 'akta] *adv*: **etw ~ legen** (*fig*) to consider sth finished; (*Frage, Problem*) to consider sth closed.
Adam ['aːdam] *m*: **bei ~ und Eva anfangen** (*umg*) to start right from scratch *od* from square one.
adaptieren [adap'tiːrən] *vt* to adapt.
adäquat [adɛ'kvaːt] *adj* (*Belohnung, Übersetzung*) adequate; (*Stellung, Verhalten*) suitable.
addieren [a'diːrən] *vt* to add (up).
Addis Abeba ['adɪs'aːbeba] (**-, -s**) *nt* Addis Ababa.
Addition [aditsi'oːn] *f* addition.
ade *interj* bye!
Adel ['aːdəl] (**-s**) *m* nobility; **~ verpflichtet** noblesse oblige.
adelig *adj* noble.
Adelsstand *m* nobility.
Ader ['aːdər] (**-, -n**) *f* vein; (*fig: Veranlagung*)

bent.
Adhäsionsverschluß [athɛzi'oːnsfɛrʃlʊs] *m* adhesive seal.
Adjektiv ['atjɛktiːf] (**-s, -e**) *nt* adjective.
Adler ['aːdlər] (**-s, -**) *m* eagle.
adlig *adj* = **adelig.**
Admiral [atmi'raːl] (**-s, -e**) *m* admiral.
Admiralität *f* admiralty.
adoptieren [adɔp'tiːrən] *vt* to adopt.
Adoption [adɔptsi'oːn] *f* adoption.
Adoptiveltern *pl* adoptive parents *pl.*
Adoptivkind *nt* adopted child.
Adr. *abk* (= *Adresse*) add.
Adressant [adre'sant] *m* sender.
Adressat [adrɛ'saːt] (**-en, -en**) *m* addressee.
Adreßbuch *nt* directory; (*privat*) address book.
Adresse [a'drɛsə] (**-, -n**) *f* (*auch COMPUT*) address; **an der falschen ~ sein** (*umg*) to have gone/come to the wrong person; **absolute ~** absolute address; **relative ~** relative address.
adressieren [adrɛ'siːrən] *vt:* ~ **(an** *+akk***)** to address (to).
Adria ['aːdria] (**-**) *f* Adriatic Sea.
Adriatisches Meer [adri'aːtɪʃəs meːr] *nt* (*form*) Adriatic Sea.
Advent [at'vɛnt] (**-(e)s, -e**) *m* Advent; **der erste/zweite ~** the first/second Sunday in Advent.
Advents- *zW:* **~kalender** *m* Advent calendar; **~kranz** *m* Advent wreath.
Adverb [at'vɛrp] *nt* adverb.
adverbial [atvɛrbi'aːl] *adj* adverbial.
aero- [aero] *präf* aero-.
Aerobic [ae'roːbik] (**-s**) *nt* aerobics *sing.*
Affäre [a'fɛːrə] (**-, -n**) *f* affair; **sich aus der ~ ziehen** (*umg*) to get (o.s.) out of it.
Affe ['afə] (**-n, -n**) *m* monkey; (*umg: Kerl*) berk (*BRIT*).
Affekt (**-(e)s, -e**) *m:* **im ~ handeln** to act in the heat of the moment.
affektiert [afɛk'tiːrt] *adj* affected.
Affen- *zW:* **a~artig** *adj* like a monkey; **mit a~artiger Geschwindigkeit** (*umg*) like a flash; **a~geil** (*umg*) *adj* magic, fantastic; **~hitze** (*umg*) *f* incredible heat; **~liebe** *f:* **~liebe (zu)** blind adoration (of); **~schande** (*umg*) *f* crying shame; **~tempo** (*umg*) *nt:* **in** *od* **mit einem ~tempo** at breakneck speed; **~theater** (*umg*) *nt:* **ein ~theater aufführen** to make a fuss.
affig ['afɪç] *adj* affected.
Afghane [af'gaːnə] (**-n, -n**) *m* Afghan.
Afghanin [af'gaːnɪn] *f* Afghan.
afghanisch *adj* Afghan.
Afghanistan [af'gaːnɪstaːn] (**-s**) *nt* Afghanistan.
Afrika ['aːfrika] (**-s**) *nt* Africa.
Afrikaans [afri'kaːns] (**-**) *nt* Afrikaans.
Afrikaner(in) [afri'kaːnər(ɪn)] (**-s, -**) *m(f)* African.
afrikanisch *adj* African.
afro-amerikanisch ['aːfro|ameri'kaːnɪʃ] *adj* Afro-American.
After ['aftər] (**-s, -**) *m* anus.
AG (**-**) *f abk* (= *Aktiengesellschaft*) ≈ plc (*BRIT*), corp., inc. (*US*).
Ägäis [ɛ'gɛːɪs] (**-**) *f* Aegean (Sea).
Ägäisches Meer *nt* Aegean Sea.
Agent(in) [a'gɛnt(ɪn)] *m(f)* agent.
Agententätigkeit *f* espionage.
Agentur [agɛn'tuːr] *f* agency; **~bericht** *m* (news) agency report.
Aggregat [agre'gaːt] (**-(e)s, -e**) *nt* aggregate; (*TECH*) unit; **~zustand** *m* (*PHYS*) state.
Aggression [agrɛsi'oːn] *f* aggression.
aggressiv [agrɛ'siːf] *adj* aggressive.
Aggressivität [agrɛsivi'tɛːt] *f* aggressiveness.
Aggressor [a'grɛsoːr] (**-s, -en**) *m* aggressor.
Agitation [agitatsi'oːn] *f* agitation.
Agrarpolitik *f* agricultural policy.
Agrarstaat *m* agrarian state.
AGV *f abk* (= *Arbeitsgemeinschaft der Verbraucherverbände*) *consumer groups' association.*
Ägypten [ɛ'gʏptən] (**-s**) *nt* Egypt.
Ägypter(in) (**-s, -**) *m(f)* Egyptian.
ägyptisch *adj* Egyptian.
aha [a'haː] *interj* aha!
Aha-Erlebnis *nt* sudden insight.
ahd. *abk* (= *althochdeutsch*) OHG.
Ahn [aːn] (**-en, -en**) *m* forebear.
ahnden ['aːndən] *vt* (*geh: Freveltat, Verbrechen*) to avenge; (*Übertretung, Verstoß*) to punish.
ähneln ['ɛːnəln] *vi +dat* to be like, resemble ♦ *vr* to be alike *od* similar.
ahnen ['aːnən] *vt* to suspect; (*Tod, Gefahr*) to have a presentiment of; **nichts Böses ~** to be unsuspecting; **du ahnst es nicht!** you have no idea!; **davon habe ich nichts geahnt** I didn't have the slightest inkling of it.
Ahnenforschung *f* genealogy.
ähnlich ['ɛːnlɪç] *adj (+dat)* similar (to); **das sieht ihm (ganz) ~!** (*umg*) that's just like him!, that's him all over!; **Ä~keit** *f* similarity.
Ahnung ['aːnʊŋ] *f* idea, suspicion; (*Vorgefühl*) presentiment.
ahnungslos *adj* unsuspecting.
Ahorn ['aːhɔrn] (**-s, -e**) *m* maple.
Ähre ['ɛːrə] (**-, -n**) *f* ear.
Aids [eːdz] (**-**) *nt* Aids.
Akademie [akade'miː] *f* academy.
Akademiker(in) [aka'deːmikər(ɪn)] (**-s, -**) *m(f)* university graduate.
akademisch *adj* academic.
Akazie [a'kaːtsiə] (**-, -n**) *f* acacia.
Akk. *abk* = **Akkusativ.**
akklimatisieren [aklimati'ziːrən] *vr* to become acclimatized.
Akkord [a'kɔrt] (**-(e)s, -e**) *m* (*MUS*) chord; **im ~ arbeiten** to do piecework; **~arbeit** *f* piecework.

Akkordeon [a'kɔrdeɔn] (**-s, -s**) *nt* accordion.
Akkordlohn *m* piece wages *pl*, piece rate.
Akkreditiv [akredi'ti:f] (**-s, -e**) *nt* (*COMM*) letter of credit.
Akku ['aku] (**-s, -s**) (*umg*) *m* (*Akkumulator*) battery.
akkurat [aku'ra:t] *adj* precise; (*sorgfältig*) meticulous.
Akkusativ ['akuzati:f] (**-s, -e**) *m* accusative (case); ~**objekt** *nt* accusative *od* direct object.
Akne ['aknə] (**-, -n**) *f* acne.
Akribie [akri'bi:] *f* (*geh*) meticulousness.
Akrobat(in) [akro'ba:t(ɪn)] (**-en, -en**) *m(f)* acrobat.
Akt [akt] (**-(e)s, -e**) *m* act; (*KUNST*) nude.
Akte ['aktə] (**-, -n**) *f* file; **etw zu den ~n legen** (*lit, fig*) to file sth away.
Akten- *zW:* ~**deckel** *m* folder; ~**koffer** *m* attaché case; **a~kundig** *adj* on record; ~**notiz** *f* memo(randum); ~**ordner** *m* file; ~**schrank** *m* filing cabinet; ~**tasche** *f* briefcase; ~**zeichen** *nt* reference.
Aktie ['aktsiə] (**-, -n**) *f* share; **wie stehen die ~n?** (*hum: umg*) how are things?
Aktien- *zW:* ~**bank** *f* joint-stock bank; ~**emission** *f* share issue; ~**gesellschaft** *f* joint-stock company; ~**index** *m* share index; ~**kapital** *nt* share capital; ~**kurs** *m* share price.
Aktion [aktsi'o:n] *f* campaign; (*Polizei~, Such~*) action.
Aktionär(in) [aktsio'nɛ:r(ɪn)] (**-s, -e**) *m(f)* shareholder.
Aktionismus [aktsio'nɪsmʊs] *m* (*POL*) actionism.
Aktionsradius [aktsi'o:nzra:diʊs] (**-, -ien**) *m* (*AVIAT, NAUT*) range; (*fig: Wirkungsbereich*) scope.
aktiv [ak'ti:f] *adj* active; (*MIL*) regular; **A~** (**-s**) *nt* (*GRAM*) active (voice).
Aktiva [ak'ti:va] *pl* assets *pl*.
aktivieren [akti'vi:rən] *vt* to activate; (*fig: Arbeit, Kampagne*) to step up; (*Mitarbeiter*) to get moving.
Aktivität [aktivi'tɛ:t] *f* activity.
Aktivposten *m* (*lit, fig*) asset.
Aktivsaldo *m* (*COMM*) credit balance.
aktualisieren [aktuali'zi:rən] *vt* (*COMPUT*) to update.
Aktualität [aktuali'tɛ:t] *f* topicality; (*einer Mode*) up-to-dateness.
aktuell [aktu'ɛl] *adj* topical; up-to-date; **eine ~e Sendung** (*RUNDF, TV*) a current affairs programme.
Akupunktur [akupʊŋk'tu:ər] *f* acupuncture.
Akustik [a'kʊstɪk] *f* acoustics *pl*.
akustisch [a'kʊstɪʃ] *adj* acoustic; **ich habe dich rein ~ nicht verstanden** I simply didn't catch what you said (properly).
akut [a'ku:t] *adj* acute; (*Frage*) pressing, urgent.
AKW *nt abk* = **Atomkraftwerk**.
Akzent [ak'tsɛnt] (**-(e)s, -e**) *m* accent; (*Betonung*) stress; ~**e setzen** (*fig*) to bring out *od* emphasize the main points; ~**verschiebung** *f* (*fig*) shift of emphasis.
Akzept (**-(e)s, -e**) *nt* (*COMM: Wechsel*) acceptance.
akzeptabel [aktsɛp'ta:bl] *adj* acceptable.
akzeptieren [aktsɛp'ti:rən] *vt* to accept.
AL *f abk* (= *Alternative Liste*) *siehe* **alternativ**.
Alarm [a'larm] (**-(e)s, -e**) *m* alarm; (*Zustand*) alert; ~ **schlagen** to give *od* raise the alarm; ~**anlage** *f* alarm system; **a~bereit** *adj* standing by; ~**bereitschaft** *f* stand-by.
alarmieren [alar'mi:rən] *vt* to alarm.
Alaska [a'laska] (**-s**) *nt* Alaska.
Albaner(in) [al'ba:nər(ɪn)] (**-s, -**) *m(f)* Albanian.
Albanien [al'ba:niən] (**-s**) *nt* Albania.
albanisch *adj* Albanian.
albern ['albərn] *adj* silly.
Album ['albʊm] (**-s, Alben**) *nt* album.
Aleuten [ale'u:tən] *pl* Aleutian Islands *pl*.
Alg (*umg*) *abk* = **Arbeitslosengeld**.
Alge ['algə] (**-, -n**) *f* alga.
Algebra ['algebra] (**-**) *f* algebra.
Algerien [al'ge:riən] (**-s**) *nt* Algeria.
Algerier(in) (**-s, -**) *m(f)* Algerian.
algerisch [al'ge:rɪʃ] *adj* Algerian.
Algier ['alʒi:ər] (**-s**) *nt* Algiers.
ALGOL ['algɔl] (**-(s)**) *nt* (*COMPUT*) ALGOL.
Algorithmus [algo'rɪtmʊs] *m* (*COMPUT*) algorithm.
alias ['a:lias] *adv* alias.
Alibi ['a:libi] (**-s, -s**) *nt* alibi.
Alimente [ali'mɛntə] *pl* alimony *sing*.
Alkohol ['alkohɔl] (**-s, -e**) *m* alcohol; **unter ~ stehen** to be under the influence (of alcohol); **a~arm** *adj* low alcohol; **a~frei** *adj* non-alcoholic; ~**gehalt** *m* proof.
Alkoholika [alko'ho:lika] *pl* alcoholic drinks *pl*, liquor (*US*).
Alkoholiker(in) [alko'ho:likər(ɪn)] (**-s, -**) *m(f)* alcoholic.
alkoholisch *adj* alcoholic.
Alkoholverbot *nt* ban on alcohol.
All [al] (**-s**) *nt* universe; (*RAUMFAHRT*) space; (*außerhalb unseres Sternsystems*) outer space.
allabendlich *adj* every evening.
allbekannt *adj* universally known.
alle *adj siehe* **alle(r, s)**.
alledem ['alәde:m] *pron:* **bei/trotz** *etc* ~ with/in spite of *etc* all that; **zu** ~ moreover.
Allee [a'le:] (**-, -n**) *f* avenue.
allein [a'laɪn] *adj, adv* alone; (*ohne Hilfe*) on one's own, by oneself ♦ *konj* (*geh*) but, only; **von** ~ by oneself/itself; **nicht** ~ (*nicht nur*) not only; ~ **schon der Gedanke** the very *od* mere thought ..., the thought alone ...; ~**erziehend** *adj* single-parent; **A~erziehende(r)** *f(m)* single parent; **A~gang** *m:* **im A~gang** on one's own; **A~herrscher(in)** *m(f)*

autocrat; **A~hersteller(in)** *m(f)* sole manufacturer.

alleinig [a'laɪnɪç] *adj* sole.

allein- *zW:* **A~sein** *nt* being on one's own; (*Einsamkeit*) loneliness; **~stehend** *adj* single; **A~unterhalter(in)** *m(f)* solo entertainer; **A~vertretung** *f* (*COMM*) sole agency; **A~vertretungsvertrag** *m* (*COMM*) exclusive agency agreement.

allemal ['alə'ma:l] *adv* (*jedesmal*) always; (*ohne weiteres*) with no bother; **ein für ~** once and for all.

allenfalls ['alən'fals] *adv* at all events; (*höchstens*) at most.

SCHLÜSSELWORT

alle(r, s) *adj* **1** (*sämtliche*) all; **wir ~** all of us; **~ Kinder waren da** all the children were there; **~ Kinder mögen ...** all children like ...; **~ beide** both of us/them; **sie kamen ~** they all came; **~s Gute** all the best; **~s in ~m** all in all; **vor ~m** above all; **das ist ~s andere als ...** that's anything but ...; **es hat ~s keinen Sinn mehr** nothing makes sense any more; **was habt ihr ~s gemacht?** what did you get up to?

2 (*mit Zeit- oder Maßangaben*) every; **~ vier Jahre** every four years; **~ fünf Meter** every five metres

♦ *pron* everything; **~s was er sagt** everything he says, all that he says; **trotz ~m** in spite of everything

♦ *adv* (*zu Ende, aufgebraucht*) finished; **die Milch is ~** the milk's all gone, there's no milk left; **etw ~ machen** to finish sth up.

allerbeste(r, s) ['alər'bɛstə(r, s)] *adj* very best.

allerdings ['alər'dɪŋs] *adv* (*zwar*) admittedly; (*gewiß*) certainly.

Allergie [alɛr'gi:] *f* allergy.

allergisch [a'lɛrgɪʃ] *adj* allergic; **auf etw** *akk* **~ reagieren** to be allergic to sth.

allerhand (*umg*) *adj inv* all sorts of; **das ist doch ~!** that's a bit much!; **~!** (*lobend*) good show!

Allerheiligen *nt* All Saints' Day.

> **Allerheiligen** *(All Saints' Day) is a public holiday in Germany and in Austria. It is a day in honour of all the saints.* **Allerseelen** *(All Souls' Day) is celebrated on November 2nd in the Roman Catholic Church. It is customary to visit cemeteries and place lighted candles on the graves of deceased relatives and friends.*

aller- *zW:* **~höchste(r, s)** *adj* very highest; **es wird ~höchste Zeit, daß ...** it's really high time that ...; **~höchstens** *adv* at the very most; **~lei** *adj inv* all sorts of; **~letzte(r, s)** *adj* very last; **der/das ist das ~letzte** (*umg*) he's/it's the absolute end!; **~neu(e)ste(r, s)** *adj* very latest; **~seits** *adv* on all sides; **prost ~seits!** cheers everyone!

Allerseelen (**-s**) *nt* All Soul's Day; *siehe auch* **Allerheiligen.**

Allerwelts- *in zW* (*Durchschnitts-*) common; (*nichtssagend*) commonplace.

allerwenigste(r, s) *adj* very least; **die ~n Menschen wissen das** very few people know that.

Allerwerteste(r) *m* (*hum*) posterior (*hum*).

alles *pron* everything; *siehe auch* **alle(r, s).**

allesamt *adv* all (of them/us *etc*).

Alleskleber (**-s, -**) *m* all-purpose adhesive.

Allgäu ['algɔʏ] *nt part of the alpine region of Bavaria.*

allgegenwärtig *adj* omnipresent, ubiquitous.

allgemein ['algəmaɪn] *adj* general ♦ *adv:* **es ist ~ üblich** it's the general rule; **im ~en Interesse** in the common interest; **auf ~en Wunsch** by popular request; **A~bildung** *f* general *od* all-round education; **~gültig** *adj* generally accepted; **A~heit** *f* (*Menschen*) general public; **Allgemeinheiten** *pl* (*Redensarten*) general remarks *pl*; **~verständlich** *adj* generally intelligible; **A~wissen** *nt* general knowledge.

Allheilmittel [al'haɪlmɪtəl] *nt* cure-all, panacea (*bes fig*).

Alliierte(r) [ali'i:rtə(r)] *f(m)* ally.

all- *zW:* **~jährlich** *adj* annual; **~mächtig** *adj* all-powerful, omnipotent; **~mählich** *adv* gradually; **es wird ~mählich Zeit** (*umg*) it's about time; **A~radantrieb** *m* all-wheel drive; **~seitig** *adj* (*allgemein*) general; (*ausnahmslos*) universal; **A~tag** *m* everyday life; **~täglich** *adj* daily; (*gewöhnlich*) commonplace; **~tags** *adv* on weekdays.

Allüren [a'ly:rən] *pl* odd behaviour (*BRIT*) *od* behavior (*US*) *sing*; (*eines Stars etc*) airs and graces *pl*.

all- *zW:* **~wissend** *adj* omniscient; **~zu** *adv* all too; **~zugern** *adv* (*mögen*) only too much; (*bereitwillig*) only too willingly; **~zuoft** *adv* all too often; **~zuviel** *adv* too much.

Allzweck- ['altsvɛk-] *in zW* all-purpose.

Alm [alm] (**-, -en**) *f* alpine pasture.

Almosen ['almo:zən] (**-s, -**) *nt* alms *pl*.

Alpen ['alpən] *pl* Alps *pl*; **~blume** *f* alpine flower; **~veilchen** *nt* cyclamen; **~vorland** *nt* foothills *pl* of the Alps.

Alphabet [alfa'be:t] (**-(e)s, -e**) *nt* alphabet.

alphabetisch *adj* alphabetical.

alphanumerisch [alfanu'me:rɪʃ] *adj* (*COMPUT*) alphanumeric.

Alptraum ['alptraʊm] *m* nightmare.

SCHLÜSSELWORT

als [als] *konj* **1** (*zeitlich*) when; (*gleichzeitig*) as; **damals, ~ ...** (in the days) when ...; **gerade, ~ ...** just as ...

2 (*in der Eigenschaft*) than; **~ Antwort** as an answer; **~ Kind** as a child

3 (*bei Vergleichen*) than; **ich kam später ~ er**

I came later than he (did) *od* later than him; **lieber** ... ~ ... rather ... than ...; **alles andere** ~ anything but; **nichts** ~ **Ärger** nothing but trouble; **soviel/soweit** ~ **möglich** (*bei Vergleichen*) as much/far as possible **4**: ~ **ob/wenn** as if.

alsbaldig [als'baldɪç] *konj*: **„zum ~en Verbrauch bestimmt"** "for immediate use only".
also ['alzoː] *konj* so; (*folglich*) therefore; ~ **wie ich schon sagte** well (then), as I said before; **ich komme** ~ **morgen** so I'll come tomorrow; ~ **gut** *od* **schön!** okay then; ~**, so was!** well really!; **na** ~! there you are then!
Alt [alt] (**-s, -e**) *m* (*MUS*) alto.
alt *adj* old; **ich bin nicht mehr der ~e** I am not the man I was; **alles beim ~en lassen** to leave everything as it was; **ich werde heute nicht** ~ **(werden)** (*umg*) I won't last long today/tonight *etc*; ~ **aussehen** (*fig: umg*) to be in a pickle.
Altar [al'taːr] (**-(e)s, -äre**) *m* altar.
alt- *zW*: **A~bau** *m* old building; **A~bauwohnung** *f* flat (*BRIT*) *od* apartment (*US*) in an old building; **~bekannt** *adj* well-known; **~bewährt** *adj* (*Methode etc*) well-tried; (*Tradition etc*) long-standing; **A~bier** *nt top-fermented German dark beer*; **~eingesessen** *adj* old-established; **A~eisen** *nt* scrap iron.
Altenheim *nt* old people's home.
Altenteil ['altəntaɪl] *nt*: **sich aufs** ~ **setzen** *od* **zurückziehen** (*fig*) to retire from public life.
Alter ['altər] (**-s, -**) *nt* age; (*hohes*) old age; **er ist in deinem** ~ he's your age; **im** ~ **von** at the age of.
älter ['ɛltər] *adj* (*comp*) older; (*Bruder, Schwester*) elder; (*nicht mehr jung*) elderly.
altern ['altərn] *vi* to grow old, age.
Alternativ- [altɛrna'tiːf] *in zW* alternative.
alternativ *adj*: **A~e Liste** *electoral pact between the Greens and alternative parties*; ~ **leben** to live an alternative way of life.
Alternative [altɛrna'tiːvə] *f* alternative.
Alternativ- *zW*: **~medizin** *f* alternative medicine; **~szene** *f* alternative scene; **~-Technologie** *f* alternative technology.
alters ['altərs] *adv* (*geh*): **von** *od* **seit** ~ **(her)** from time immemorial.
Alters- *zW*: **a~bedingt** *adj* related to a particular age; caused by old age; **~grenze** *f* age limit; **flexible ~grenze** flexible retirement age; **~heim** *nt* old people's home; **~rente** *f* old age pension; **~ruhegeld** *nt* retirement benefit; **a~schwach** *adj* (*Mensch*) old and infirm; (*Auto, Möbel*) decrepit; **~versorgung** *f* provision for old age.
Altertum ['altərtuːm] *nt* antiquity.
altertümlich *adj* (*aus dem Altertum*) ancient; (*veraltet*) antiquated.
alt- *zW*: **~gedient** *adj* long-serving; **A~glas** *nt* used glass (*for recycling*), scrap glass; **A~glascontainer** *m* bottle bank; **~hergebracht** *adj* traditional; **A~herrenmannschaft** *f* (*SPORT*) *team of players over thirty*; **~klug** *adj* precocious; **A~lasten** *pl* legacy *sing* of dangerous waste; **A~material** *nt* scrap; **A~metall** *nt* scrap metal; **~modisch** *adj* old-fashioned; **A~papier** *nt* waste paper; **A~stadt** *f* old town.
Altstimme *f* alto.
Altwarenhändler *m* second-hand dealer.
Altweibersommer *m* Indian summer.
Alu ['aːlu] *abk* = **Arbeitslosenunterstützung; Aluminium.**
Alufolie ['aːlufoːliə] *f* tinfoil.
Aluminium [alu'miːniʊm] (**-s**) *nt* aluminium, aluminum (*US*); **~folie** *f* tinfoil.
Alzheimer-Krankheit ['altshaɪmər'kraŋkhaɪt] *f* Alzheimer's disease.
am [am] = **an dem;** ~ **Sterben** on the point of dying; ~ **15. März** on March 15th; ~ **letzten Sonntag** last Sunday; ~ **Morgen/Abend** in the morning/evening; ~ **besten/schönsten** best/most beautiful.
Amalgam [amal'gaːm] (**-s, -e**) *nt* amalgam.
Amateur [ama'tøːr] *m* amateur.
Amazonas [ama'tsoːnas] (**-**) *m* Amazon (river).
Ambiente [ambi'ɛntə] (**-**) *nt* ambience.
Ambition [ambitsi'oːn] *f*: **~en auf etw** *akk* **haben** to have ambitions of getting sth.
Amboß ['ambɔs] (**-sses, -sse**) *m* anvil.
ambulant [ambu'lant] *adj* outpatient.
Ameise ['aːmaɪzə] (**-, -n**) *f* ant.
Ameisenhaufen *m* anthill.
Amerika [a'meːrika] (**-s**) *nt* America.
Amerikaner [ameri'kaːnər] (**-s, -**) *m* American; (*Gebäck*) *flat iced cake*; **~in** *f* American.
amerikanisch *adj* American.
Ami ['ami] (**-s, -s**) (*umg*) *m* Yank; (*Soldat*) GI.
Amme ['amə] (**-, -n**) *f* (*veraltet*) foster mother; (*Nährmutter*) wet nurse.
Ammenmärchen ['amənmɛːrçən] *nt* fairy tale *od* story.
Amok ['aːmɔk] *m*: ~ **laufen** to run amok *od* amuck.
Amortisation [amɔrtizatsi'oːn] *f* amortization.
amortisieren [amɔrti'ziːrən] *vr* to pay for itself.
Ampel ['ampəl] (**-, -n**) *f* traffic lights *pl*.
amphibisch [am'fiːbɪʃ] *adj* amphibious.
Ampulle [am'pʊlə] (**-, -n**) *f* (*Behälter*) ampoule.
amputieren [ampu'tiːrən] *vt* to amputate.
Amsel ['amzəl] (**-, -n**) *f* blackbird.
Amsterdam [amstər'dam] *nt* (**-s**) Amsterdam.
Amt [amt] (**-(e)s, ¨er**) *nt* office; (*Pflicht*) duty; (*TEL*) exchange; **zum zuständigen** ~ **gehen**

to go to the relevant authority; **von ~s wegen** (*auf behördliche Anordnung hin*) officially.

amtieren [am'tiːrən] *vi* to hold office; (*fungieren*): **als ... ~** to act as ...

amtierend *adj* incumbent.

amtlich *adj* official; **~es Kennzeichen** registration (number), license number (*US*).

Amtmann (**-(e)s**, *pl* **-männer** *od* **-leute**) *m* (*VERWALTUNG*) senior civil servant.

Amtmännin *f* (*VERWALTUNG*) senior civil servant.

Amts- *zW:* **~arzt** *m* medical officer; **a~ärztlich** *adj:* **a~ärztlich untersucht werden** to have an official medical examination; **~deutsch(e)** *nt* officialese; **~eid** *m:* **den ~eid ablegen** to be sworn in, take the oath of office; **~geheimnis** *nt* (*geheime Sache*) official secret; (*Schweigepflicht*) official secrecy; **~gericht** *nt* county (*BRIT*) *od* district (*US*) court; **~mißbrauch** *m* abuse of one's position; **~periode** *f* term of office; **~person** *f* official; **~richter** *m* district judge; **~schimmel** *m* (*hum*) officialdom; **~sprache** *f* official language; **~stunden** *pl* office hours *pl*; **~träger** *m* office bearer; **~weg** *m:* **auf dem ~weg** through official channels; **~zeit** *f* period of office.

amüsant [amy'zant] *adj* amusing.

Amüsement [amyzə'mãː] *nt* amusement.

amüsieren [amy'ziːrən] *vt* to amuse ♦ *vr* to enjoy o.s.; **sich über etw** *akk* **~** to find sth funny; (*unfreundlich*) to make fun of sth.

SCHLÜSSELWORT

an [an] *präp +dat* **1** (*räumlich: wo?*) at; (*auf, bei*) on; (*nahe bei*) near; **~ diesem Ort** at this place; **~ der Wand** on the wall; **zu nahe ~ etw** too near to sth; **unten am Fluß** down by the river; **Köln liegt am Rhein** Cologne is on the Rhine; **~ der gleichen Stelle** at *od* on the same spot; **jdn ~ der Hand nehmen** to take sb by the hand; **sie wohnen Tür ~ Tür** they live next door to one another; **es ~ der Leber** *etc* **haben** (*umg*) to have liver *etc* trouble
2 (*zeitlich: wann?*) on; **~ diesem Tag** on this day; **~ Ostern** at Easter
3: **arm ~ Fett** low in fat; **jung ~ Jahren sein** to be young in years; **~ der ganzen Sache ist nichts** there is nothing in it; **~ etw sterben** to die of sth; **~ (und für) sich** actually ♦ *präp +akk* **1** (*räumlich: wohin?*) to; **er ging ~s Fenster** he went (over) to the window; **etw ~ die Wand hängen/schreiben** to hang/write sth on the wall; **~ die Arbeit gehen** to get down to work
2 (*zeitlich: woran?*): **~ etw denken** to think of sth
3 (*gerichtet an*) to; **ein Gruß/eine Frage ~ dich** greetings/a question to you
♦ *adv* **1** (*ungefähr*) about; **~ die hundert** about a hundred; **~ die 5 DM** around 5 marks
2 (*auf Fahrplänen*): **Frankfurt ~ 18.30** arriving Frankfurt 18.30
3 (*ab*): **von dort/heute ~** from there/today onwards
4 (*angeschaltet, angezogen*) on; **das Licht is ~** the light is on; **ohne etwas ~** with nothing on; *siehe auch* **am**.

analog [ana'loːk] *adj* analogous.

Analogie [analo'giː] *f* analogy.

Analogrechner [ana'loːkrɛçnər] *m* analog computer.

Analphabet(in) [an|alfa'beːt(ɪn)] (**-en, -en**) *m(f)* illiterate (person).

Analyse [ana'lyːzə] (**-, -n**) *f* analysis.

analysieren [analy'ziːrən] *vt* to analyse (*BRIT*), analyze (*US*).

Anämie [anɛ'miː] (**-, -n**) *f* anaemia (*BRIT*), anemia (*US*).

Ananas ['ananas] (**-, -** *od* **-se**) *f* pineapple.

Anarchie [anar'çiː] *f* anarchy.

anarchisch [a'narçɪʃ] *adj* anarchic.

Anarchist(in) [anar'çɪst(ɪn)] *m(f)* (**-en, -en**) anarchist.

Anästhesist(in) [an|ɛste'zɪst(ɪn)] (**-en, -en**) *m(f)* anaesthetist (*BRIT*), anesthesiologist (*US*).

Anatomie [anato'miː] *f* anatomy.

anbahnen ['anbaːnən] *vr* to open up; (*sich andeuten*) to be in the offing; (*Unangenehmes*) to be looming ♦ *vt* to initiate.

Anbahnung *f* initiation.

anbändeln ['anbɛndəln] (*umg*) *vi* to flirt.

Anbau ['anbaʊ] *m* (*AGR*) cultivation; (*Gebäude*) extension.

anbauen *vt* (*AGR*) to cultivate; (*Gebäudeteil*) to build on.

Anbaugebiet *nt:* **ein gutes ~ für etw** a good area for growing sth.

Anbaumöbel *pl* unit furniture *sing*.

anbehalten ['anbəhaltən] *unreg vt* to keep on.

anbei [an'baɪ] *adv* enclosed (*form*); **~ schicken wir Ihnen** ... please find enclosed ...

anbeißen ['anbaɪsən] *unreg vt* to bite into ♦ *vi* (*lit*) to bite; (*fig*) to swallow the bait; **zum A~ aussehen** (*umg*) to look good enough to eat.

anbelangen ['anbəlaŋən] *vt* to concern; **was mich anbelangt** as far as I am concerned.

anberaumen ['anbəraʊmən] *vt* (*form*) to fix, arrange.

anbeten ['anbeːtən] *vt* to worship.

Anbetracht ['anbətraxt] *m:* **in ~** *+gen* in view of.

Anbetung *f* worship.

anbiedern ['anbiːdərn] (*pej*) *vr:* **sich ~ (bei)** to curry favour (with).

anbieten ['anbiːtən] *unreg vt* to offer ♦ *vr* to volunteer; **das bietet sich als Lösung an** that would provide a solution.

anbinden ['anbɪndən] *unreg vt* to tie up; (*verbinden*) to connect.
Anblick ['anblɪk] *m* sight.
anblicken *vt* to look at.
anbraten ['anbraːtən] *unreg vt* (*Fleisch*) to brown.
anbrechen ['anbrɛçən] *unreg vt* to start; (*Vorräte*) to break into ♦ *vi* to start; (*Tag*) to break; (*Nacht*) to fall.
anbrennen ['anbrɛnən] *unreg vi* to catch fire; (*KOCH*) to burn.
anbringen ['anbrɪŋən] *unreg vt* to bring; (*Ware*) to sell; (*festmachen*) to fasten; (*Telefon etc*) to install.
Anbruch ['anbrʊx] *m* beginning; ~ **des Tages** dawn; ~ **der Nacht** nightfall.
anbrüllen ['anbrʏlən] *vt* to roar at.
Andacht ['andaxt] (**-, -en**) *f* devotion; (*Versenkung*) rapt interest; (*Gottesdienst*) prayers *pl*; (*Ehrfurcht*) reverence.
andächtig ['andɛçtɪç] *adj* devout.
andauern ['andaʊərn] *vi* to last, go on.
andauernd *adj* continual.
Anden ['andən] *pl*: **die** ~ the Andes *pl*.
Andenken ['andɛŋkən] (**-s, -**) *nt* memory; (*Reise~*) souvenir; (*Erinnerungsstück*): **ein** ~ **(an** *+akk*) a memento (of), a keepsake (from).
andere(r, s) *adj* other; (*verschieden*) different; **am ~n Tage** the next day; **ein ~s Mal** another time; **kein ~r** nobody else; **alles** ~ **als zufrieden** anything but pleased, far from pleased; **von etwas ~m sprechen** to talk about something else; **es blieb mir nichts ~s übrig, als selbst hinzugehen** I had no alternative but to go myself; **unter ~m** among other things; **von einem Tag zum ~n** overnight; **sie hat einen ~n** she has someone else.
andererseits *adv* on the other hand.
andermal *adv*: **ein** ~ some other time.
ändern ['ɛndərn] *vt* to alter, change ♦ *vr* to change.
andernfalls *adv* otherwise.
andernorts ['andərn'ɔrts] *adv* elsewhere.
anders *adv*: ~ **(als)** differently (from); **wer ~?** who else?; **niemand** ~ no-one else; **wie nicht** ~ **zu erwarten** as was to be expected; **wie könnte es** ~ **sein?** how could it be otherwise?; **ich kann nicht** ~ (*kann es nicht lassen*) I can't help it; (*muß leider*) I have no choice; ~ **ausgedrückt** to put it another way; **jemand/irgendwo** ~ somebody/ somewhere else; ~ **aussehen/klingen** to look/sound different.
andersartig *adj* different.
Andersdenkende(r) *f(m)* dissident, dissenter.
anderseits ['andər'zaɪts] *adv* = **andererseits.**
anders- *zW*: **~farbig** *adj* of a different colour; **~gläubig** *adj* of a different faith; **~herum** *adv* the other way round; **~lautend** *adj attrib* (*form*): **~lautende Berichte** reports to the contrary; **~wo** *adv* elsewhere; **~woher** *adv* from elsewhere; **~wohin** *adv* elsewhere.
anderthalb ['andərt'halp] *adj* one and a half.
Änderung ['ɛndərʊŋ] *f* alteration, change.
Änderungsantrag ['ɛndərʊŋs|antraːk] *m* (*PARL*) amendment.
anderweitig ['andər'vaɪtɪç] *adj* other ♦ *adv* otherwise; (*anderswo*) elsewhere.
andeuten ['andɔʏtən] *vt* to indicate; (*Wink geben*) to hint at.
Andeutung *f* indication; hint.
andeutungsweise *adv* (*als Anspielung, Anzeichen*) by way of a hint; (*als flüchtiger Hinweis*) in passing.
andichten ['andɪçtən] *vt*: **jdm etw** ~ (*umg: Fähigkeiten*) to credit sb with sth.
Andorra [an'dɔra] (**-s**) *nt* Andorra.
Andorraner(in) [andɔ'raːnər(ɪn)] *m(f)* Andorran.
Andrang ['andraŋ] *m* crush.
andrehen ['andreːən] *vt* to turn *od* switch on; **jdm etw** ~ (*umg*) to unload sth onto sb.
androhen ['androːən] *vt*: **jdm etw** ~ to threaten sb with sth.
Androhung *f*: **unter** ~ **von Gewalt** with the threat of violence.
anecken ['an|ɛkən] (*umg*) *vi*: **(bei jdm/allen)** ~ to rub (sb/everyone) up the wrong way.
aneignen ['an|aɪgnən] *vt*: **sich** *dat* **etw** ~ to acquire sth; (*widerrechtlich*) to appropriate sth; (*sich mit etw vertraut machen*) to learn sth.
aneinander [an|aɪ'nandər] *adv* at/on/to *etc* one another *od* each other; **~fügen** *vt* to put together; **~geraten** *unreg vi* to clash; **~legen** *vt* to put together.
anekeln ['an|eːkəln] *vt* to disgust.
Anemone [ane'moːnə] (**-, -n**) *f* anemone.
anerkannt ['an|ɛrkant] *adj* recognized, acknowledged.
anerkennen ['an|ɛrkɛnən] *unreg vt* to recognize, acknowledge; (*würdigen*) to appreciate; **das muß man** ~ (*zugeben*) you can't argue with that; (*würdigen*) one has to appreciate that.
anerkennend *adj* appreciative.
anerkennenswert *adj* praiseworthy.
Anerkennung *f* recognition, acknowledgement; appreciation.
anerzogen ['an|ɛrtsoːgən] *adj* acquired.
anfachen ['anfaxən] *vt* (*lit*) to fan into flame; (*fig*) to kindle.
anfahren ['anfaːrən] *unreg vt* to deliver; (*fahren gegen*) to hit; (*Hafen*) to put into; (*umg*) to bawl at ♦ *vi* to drive up; (*losfahren*) to drive off.
Anfahrt ['anfaːrt] *f* (*~sweg, ~szeit*) journey; (*Zufahrt*) approach.
Anfall ['anfal] *m* (*MED*) attack; **in einem** ~ **von** (*fig*) in a fit of.
anfallen *unreg vt* to attack ♦ *vi* (*Arbeit*) to come

up; (*Produkt, Nebenprodukte*) to be obtained; (*Zinsen*) to accrue; (*sich anhäufen*) to accumulate; **die ~den Kosten/Reparaturen** the costs/repairs incurred.

anfällig ['anfɛlɪç] *adj* delicate; ~ **für etw** prone to sth.

Anfang ['anfaŋ] (**-(e)s, -fänge**) *m* beginning, start; **von ~ an** right from the beginning; **zu ~** at the beginning; ~ **Fünfzig** in one's early fifties; ~ **Mai/1994** at the beginning of May/1994.

anfangen ['anfaŋən] *unreg vt* to begin, start; (*machen*) to do ♦ *vi* to begin, start; **damit kann ich nichts ~** (*nützt mir nichts*) that's no good to me; (*verstehe ich nicht*) it doesn't mean a thing to me; **mit dir ist heute (aber) gar nichts anzufangen!** you're no fun at all today!; **bei einer Firma ~** to start working for a firm.

Anfänger(in) ['anfɛŋər(ɪn)] (**-s, -**) *m(f)* beginner.

anfänglich ['anfɛŋlɪç] *adj* initial.

anfangs *adv* at first; **wie ich schon ~ erwähnte** as I mentioned at the beginning; **A~buchstabe** *m* initial *od* first letter; **A~gehalt** *nt* starting salary; **A~stadium** *nt* initial stages *pl*.

anfassen ['anfasən] *vt* to handle; (*berühren*) to touch ♦ *vi* to lend a hand ♦ *vr* to feel.

anfechtbar ['anfɛçtbaːr] *adj* contestable.

anfechten ['anfɛçtən] *unreg vt* to dispute; (*Meinung, Aussage*) to challenge; (*Urteil*) to appeal against; (*beunruhigen*) to trouble.

anfeinden ['anfaɪndən] *vt* to treat with hostility.

anfertigen ['anfɛrtɪgən] *vt* to make.

anfeuchten ['anfɔʏçtən] *vt* to moisten.

anfeuern ['anfɔʏərn] *vt* (*fig*) to spur on.

anflehen ['anfleːən] *vt* to implore.

anfliegen ['anfliːgən] *unreg vt* to fly to ♦ *vi* to fly up.

Anflug ['anfluːk] *m* (*AVIAT*) approach; (*Spur*) trace.

anfordern ['anfɔrdərn] *vt* to demand; (*COMM*) to requisition.

Anforderung *f* (*+gen*) demand (for); (*COMM*) requisition.

Anfrage ['anfraːgə] *f* inquiry; (*PARL*) question.

anfragen ['anfraːgən] *vi* to inquire.

anfreunden ['anfrɔʏndən] *vr* to make friends; **sich mit etw ~** (*fig*) to get to like sth.

anfügen ['anfyːgən] *vt* to add; (*beifügen*) to enclose.

anfühlen ['anfyːlən] *vt, vr* to feel.

anführen ['anfyːrən] *vt* to lead; (*zitieren*) to quote; (*umg: betrügen*) to lead up the garden path.

Anführer(in) (**-s, -**) *m(f)* leader.

Anführung *f* leadership; (*Zitat*) quotation.

Anführungszeichen *pl* quotation marks *pl*, inverted commas *pl* (*BRIT*).

Angabe ['angaːbə] *f* statement; (*TECH*) specification; (*umg: Prahlerei*) boasting; (*SPORT*) service; **Angaben** *pl* (*Auskunft*) particulars *pl*; **ohne ~ von Gründen** without giving any reasons; **~n zur Person** (*form*) personal details *od* particulars.

angeben ['angeːbən] *unreg vt* to give; (*anzeigen*) to inform on; (*bestimmen*) to set ♦ *vi* (*umg*) to boast; (*SPORT*) to serve.

Angeber(in) (**-s, -**) (*umg*) *m(f)* show-off.

Angeberei [angeːbəˈraɪ] (*umg*) *f* showing off.

angeblich ['angeːplɪç] *adj* alleged.

angeboren ['angəboːrən] *adj* (*+dat*) inborn, innate (in); (*MED, fig*): ~ **(bei)** congenital (to).

Angebot ['angəboːt] *nt* offer; (*COMM*): ~ **(an** *+dat*) supply (of); **im ~** (*umg*) on special offer.

angeboten ['angəboːtən] *pp von* **anbieten**.

Angebotspreis *m* offer price.

angebracht ['angəbraxt] *adj* appropriate.

angebrannt ['angəbrant] *adj*: **es riecht hier so ~** there's a smell of burning here.

angebrochen ['angəbrɔxən] *adj* (*Packung, Flasche*) open(ed); **was machen wir mit dem ~en Abend?** (*umg*) what shall we do with the rest of the evening?

angebunden ['angəbʊndən] *adj*: **kurz ~ sein** (*umg*) to be abrupt *od* curt.

angefangen *pp von* **anfangen**.

angegeben *pp von* **angeben**.

angegossen ['angəgɔsən] *adj*: **wie ~ sitzen** to fit like a glove.

angegriffen ['angəgrɪfən] *adj*: **er wirkt ~** he looks as if he's under a lot of strain.

angehalten ['angəhaltən] *pp von* **anhalten** ♦ *adj*: ~ **sein, etw zu tun** to be required *od* obliged to do sth.

angehaucht ['angəhaʊxt] *adj*: **links/rechts ~ sein** to have left-/right-wing tendencies *od* leanings.

angeheiratet ['angəhaɪratət] *adj* related by marriage.

angeheitert ['angəhaɪtərt] *adj* tipsy.

angehen ['angeːən] *unreg vt* to concern; (*angreifen*) to attack; (*bitten*): **jdn ~ (um)** to approach sb (for) ♦ *vi* (*Feuer*) to light; (*umg: beginnen*) to begin; **das geht ihn gar nichts an** that's none of his business; **gegen jdn ~** (*entgegentreten*) to fight sb; **gegen etw ~** (*entgegentreten*) to fight sth; (*Mißstände, Zustände*) to take measures against sth.

angehend *adj* prospective; (*Musiker, Künstler*) budding.

angehören ['angəhøːrən] *vi +dat* to belong to.

Angehörige(r) *f(m)* relative.

Angeklagte(r) ['angəklaːktə(r)] *f(m)* accused, defendant.

angeknackst ['angəknakst] (*umg*) *adj* (*Mensch*) uptight; (*: Selbstbewußtsein*) weakened.

angekommen ['angəkɔmən] *pp von*

ankommen.
Angel ['aŋəl] (-, -n) *f* fishing rod; (*Tür~*) hinge; **die Welt aus den ~n heben** (*fig*) to turn the world upside down.
Angelegenheit ['angəle:gənhaɪt] *f* affair, matter.
angelernt ['angəlɛrnt] *adj* (*Arbeiter*) semi-skilled.
Angelhaken *m* fish hook.
angeln ['aŋəln] *vt* to catch ♦ *vi* to fish; **A~ (-s)** *nt* angling, fishing.
Angelpunkt *m* crucial *od* central point; (*Frage*) key *od* central issue.
Angelrute *f* fishing rod.
Angelsachse ['aŋəlzaksə] (-n, -n) *m* Anglo-Saxon.
Angelsächsin ['aŋəlzɛksɪn] *f* Anglo-Saxon.
angelsächsisch ['aŋəlzɛksɪʃ] *adj* Anglo-Saxon.
Angelschein *m* fishing permit.
angemessen ['angəmɛsən] *adj* appropriate, suitable; **eine der Leistung ~e Bezahlung** payment commensurate with the input.
angenehm ['angəne:m] *adj* pleasant; **~!** (*bei Vorstellung*) pleased to meet you; **das A~e mit dem Nützlichen verbinden** to combine business with pleasure.
angenommen ['angənɔmən] *pp von* **annehmen** ♦ *adj* assumed; (*Kind*) adopted; **~, wir ...** assuming we ...
angepaßt ['angəpast] *adj* conformist.
angerufen ['angəru:fən] *pp von* **anrufen.**
angesäuselt ['angəzɔʏzəlt] *adj* tipsy, merry.
angeschlagen ['angəʃla:gən] (*umg*) *adj* (*Mensch, Aussehen, Nerven*) shattered; (: *Gesundheit*) poor.
angeschlossen ['angəʃlɔsən] *adj* (*+dat*) affiliated (to *od* with), associated (with).
angeschmiert ['angəʃmi:rt] (*umg*) *adj* in trouble; **der/die A~e sein** to have been had.
angeschrieben ['angəʃri:bən] (*umg*) *adj:* **bei jdm gut/schlecht ~ sein** to be in sb's good/bad books.
angesehen ['angəze:ən] *pp von* **ansehen** ♦ *adj* respected.
Angesicht ['angəzɪçt] *nt* (*geh*) face.
angesichts ['angəzɪçts] *präp +gen* in view of, considering.
angespannt ['angəʃpant] *adj* (*Aufmerksamkeit*) close; (*Nerven, Lage*) tense, strained; (*COMM: Markt*) tight, overstretched; (*Arbeit*) hard.
Angest. *abk* = **Angestellte(r).**
angestammt ['angəʃtamt] *adj* (*überkommen*) traditional; (*ererbt: Rechte*) hereditary; (: *Besitz*) inherited.
Angestellte(r) ['angəʃtɛltə(r)] *f(m)* employee; (*Büro~*) white-collar worker.
angestrengt ['angəʃtrɛŋt] *adv* as hard as one can.
angetan ['angəta:n] *adj:* **von jdm/etw ~ sein** to be taken with sb/sth; **es jdm ~ haben** to appeal to sb.
angetrunken ['angətrʊŋkən] *adj* inebriated.
angewiesen ['angəvi:zən] *adj:* **auf jdn/etw ~ sein** to be dependent on sb/sth; **auf sich selbst ~ sein** to be left to one's own devices.
angewöhnen ['angəvø:nən] *vt:* **jdm/sich etw ~** to accustom sb/become accustomed to sth.
Angewohnheit ['angəvo:nhaɪt] *f* habit.
angewurzelt ['angəvʊrtsəlt] *adj:* **wie ~ dastehen** to be rooted to the spot.
angiften ['angɪftən] (*pej: umg*) *vt* to snap at.
angleichen ['anglaɪçən] *unreg vt, vr* to adjust.
Angler ['aŋlər] (-s, -) *m* angler.
angliedern ['angli:dərn] *vt:* **~ (an** *+akk***)** (*Verein, Partei*) to affiliate (to *od* with); (*Land*) to annex (to).
Anglist(in) [aŋ'glɪst(ɪn)] (-en, -en) *m(f)* English specialist; (*Student*) English student; (*Professor etc*) English lecturer/professor.
Angola [aŋ'go:la] (-s) *nt* Angola.
angolanisch [aŋgo'la:nɪʃ] *adj* Angolan.
angreifen ['angraɪfən] *unreg vt* to attack; (*anfassen*) to touch; (*Arbeit*) to tackle; (*beschädigen*) to damage.
Angreifer(in) (-s, -) *m(f)* attacker.
angrenzen ['angrɛntsən] *vi:* **an etw** *akk* **~** to border on sth, adjoin sth.
Angriff ['angrɪf] *m* attack; **etw in ~ nehmen** to make a start on sth.
Angriffsfläche *f:* **jdm/etw eine ~ bieten** (*lit, fig*) to provide sb/sth with a target.
angriffslustig *adj* aggressive.
Angst [aŋst] (-, ¨-e) *f* fear; **~ haben (vor** *+dat***)** to be afraid *od* scared (of); **~ um jdn/etw haben** to be worried about sb/sth; **jdm ~ einflößen** *od* **einjagen** to frighten sb; **nur keine ~!** don't be scared; **a~** *adj:* **jdm ist a~** sb is afraid *od* scared; **jdm a~ machen** to scare sb; **a~frei** *adj* free of fear; **~hase** (*umg*) *m* chicken, scaredy-cat.
ängstigen ['ɛŋstɪgən] *vt* to frighten ♦ *vr:* **sich ~ (vor** *+dat* *od* **um)** to worry (o.s.) (about).
ängstlich *adj* nervous; (*besorgt*) worried; (*schüchtern*) timid; **Ä~keit** *f* nervousness.
Angstschweiß *m:* **mir brach der ~ aus** I broke out in a cold sweat.
angurten ['angʊrtən] *vt, vr* = **anschnallen.**
Anh. *abk* (= *Anhang*) app.
anhaben ['anha:bən] *unreg vt* to have on; **er kann mir nichts ~** he can't hurt me.
anhaften ['anhaftən] *vi* (*lit*): **~ (an** *+dat***)** to stick (to); (*fig*): **~** *+dat* to stick to, stay with.
anhalten ['anhaltən] *unreg vt* to stop ♦ *vi* to stop; (*andauern*) to persist; (*werben*): **um die Hand eines Mädchens ~** to ask for a girl's hand in marriage; **(jdm) etw ~** to hold sth up (against sb); **jdn zur Arbeit/Höflichkeit ~** to get sb to work/teach sb to be polite.
anhaltend *adj* persistent.
Anhalter(in) (-s, -) *m(f)* hitch-hiker; **per ~ fahren** to hitch-hike.
Anhaltspunkt *m* clue.

anhand [an'hant] *präp +gen* with.
Anhang ['anhaŋ] *m* appendix; (*Leute*) family; (*Anhängerschaft*) supporters *pl*.
anhängen ['anhɛŋən] *unreg vt* to hang up; (*Wagen*) to couple up; (*Zusatz*) to add (on); (*COMPUT*) to append; **sich an jdn ~** to attach o.s. to sb; **jdm etw ~** (*umg: nachsagen, anlasten*) to blame sb for sth, blame sth on sb; (*: Verdacht, Schuld*) to pin sth on sb.
Anhänger (**-s, -**) *m* supporter; (*AUT*) trailer; (*am Koffer*) tag; (*Schmuck*) pendant; **~schaft** *f* supporters *pl*.
Anhängeschloß *nt* padlock.
anhängig *adj* (*JUR*) sub judice; **etw ~ machen** to start legal proceedings over sth.
anhänglich *adj* devoted; **A~keit** *f* devotion.
Anhängsel (**-s, -**) *nt* appendage.
anhauen ['anhaʊən] (*umg*) *vt* (*ansprechen*): **jdn ~ (um)** to accost sb (for).
anhäufen ['anhɔʏfən] *vt* to accumulate, amass ♦ *vr* to accrue.
Anhäufung ['anhɔʏfʊŋ] *f* accumulation.
anheben ['anhe:bən] *unreg vt* to lift up; (*Preise*) to raise.
anheimelnd ['anhaɪməlnt] *adj* comfortable, cosy.
anheimstellen [an'haɪmʃtɛlən] *vt*: **jdm etw ~** to leave sth up to sb.
anheizen ['anhaɪtsən] *vt* (*Ofen*) to light; (*fig: umg: Wirtschaft*) to stimulate; (*verschlimmern: Krise*) to aggravate.
anheuern ['anhɔʏərn] *vt, vi* (*NAUT, fig*) to sign on *od* up.
Anhieb ['anhi:b] *m*: **auf ~** straight off, first go; **es klappte auf ~** it was an immediate success.
anhimmeln ['anhɪməln] (*umg*) *vt* to idolize, worship.
Anhöhe ['anhø:ə] *f* hill.
anhören ['anhø:rən] *vt* to listen to; (*anmerken*) to hear ♦ *vr* to sound.
Anhörung *f* hearing.
Animierdame [ani'mi:rda:mə] *f* nightclub/bar hostess.
animieren [ani'mi:rən] *vt* to encourage, urge on.
Anis [a'ni:s] (**-es, -e**) *m* aniseed.
Ank. *abk* (= *Ankunft*) arr.
ankämpfen ['ankɛmpfən] *vi*: **gegen etw ~** to fight (against) sth; (*gegen Wind, Strömung*) to battle against sth.
Ankara ['aŋkara] (**-s**) *nt* Ankara.
Ankauf ['ankaʊf] *m*: **~ und Verkauf von ...** we buy and sell ...; **a~en** *vt* to purchase, buy.
Anker ['aŋkər] (**-s, -**) *m* anchor; **vor ~ gehen** to drop anchor.
ankern *vt, vi* to anchor.
Ankerplatz *m* anchorage.
Anklage ['ankla:gə] *f* accusation; (*JUR*) charge; **gegen jdn ~ erheben** (*JUR*) to bring *od* prefer charges against sb; **~bank** *f* dock.
anklagen ['ankla:gən] *vt* to accuse; **jdn (eines Verbrechens) ~** (*JUR*) to charge sb (with a crime).
Anklagepunkt *m* charge.
Ankläger(in) ['anklɛ:gər(ɪn)] (**-s, -**) *m(f)* accuser.
Anklageschrift *f* indictment.
anklammern ['anklamərn] *vt* to clip, staple ♦ *vr*: **sich an etw** *akk od dat* **~** to cling to sth.
Anklang ['anklaŋ] *m*: **bei jdm ~ finden** to meet with sb's approval.
ankleben ['ankle:bən] *vt*: **„Plakate ~ verboten!"** "stick no bills".
Ankleidekabine *f* changing cubicle.
ankleiden ['anklaɪdən] *vt, vr* to dress.
anklingen ['anklɪŋən] *vi* (*angeschnitten werden*) to be touched (up)on; (*erinnern*): **~ an** *+akk* to be reminiscent of.
anklopfen ['anklɔpfən] *vi* to knock.
anknipsen ['anknɪpsən] *vt* to switch on; (*Schalter*) to flick.
anknüpfen ['anknʏpfən] *vt* to fasten *od* tie on; (*Beziehungen*) to establish; (*Gespräch*) to start up ♦ *vi* (*anschließen*): **~ an** *+akk* to refer to.
Anknüpfungspunkt *m* link.
ankommen ['ankɔmən] *unreg vi* to arrive; (*näherkommen*) to approach; (*Anklang finden*): **bei jdm (gut) ~** to go down well with sb ♦ *vi unpers*: **er ließ es auf einen Streit/einen Versuch ~** he was prepared to argue about it/to give it a try; **es kommt darauf an** it depends; (*wichtig sein*) that is what matters; **es kommt auf ihn an** it depends on him; **es darauf ~ lassen** to let things take their course; **gegen jdn/etw ~** to cope with sb/sth; **damit kommst du bei ihm nicht an!** you won't get anywhere with him like that.
ankreiden ['ankraɪdən] *vt* (*fig*): **jdm etw (dick** *od* **übel) ~** to hold sth against sb.
ankreuzen ['ankrɔʏtsən] *vt* to mark with a cross.
ankündigen ['ankʏndɪgən] *vt* to announce.
Ankündigung *f* announcement.
Ankunft ['ankʊnft] (**-, -künfte**) *f* arrival.
Ankunftszeit *f* time of arrival.
ankurbeln ['ankʊrbəln] *vt* (*AUT*) to crank; (*fig*) to boost.
Anl. *abk* (= *Anlage*) enc(l).
anlachen ['anlaxən] *vt* to smile at; **sich** *dat* **jdn ~** (*umg*) to pick sb up.
Anlage ['anla:gə] *f* disposition; (*Begabung*) talent; (*Park*) gardens *pl*; (*Beilage*) enclosure; (*TECH*) plant; (*Einrichtung: MIL, ELEK*) installation(s *pl*); (*Sport~ etc*) facilities *pl*; (*umg: Stereo~*) (stereo) system; (*FIN*) investment; (*Entwurf*) layout; **als ~** *od* **in der ~ erhalten Sie ...** please find enclosed ...; **~berater(in)** *m(f)* investment consultant; **~kapital** *nt* fixed capital.
Anlagenabschreibung *f* capital allowance.
Anlagevermögen *nt* capital assets *pl*, fixed

assets *pl.*
anlangen ['anlaŋən] *vi* (*ankommen*) to arrive.
Anlaß ['anlas] (**-sses, -lässe**) *m:* ~ **(zu)** cause (for); (*Ereignis*) occasion; **aus** ~ *+gen* on the occasion of; ~ **zu etw geben** to give rise to sth; **beim geringsten/bei jedem** ~ for the slightest reason/at every opportunity; **etw zum** ~ **nehmen** to take the opportunity of sth.
anlassen *unreg vt* to leave on; (*Motor*) to start ♦ *vr* (*umg*) to start off.
Anlasser (**-s, -**) *m* (*AUT*) starter.
anläßlich ['anlɛslɪç] *präp +gen* on the occasion of.
anlasten ['anlastən] *vt:* **jdm etw** ~ to blame sb for sth.
Anlauf ['anlaʊf] *m* run-up; (*fig: Versuch*) attempt, try.
anlaufen *unreg vi* to begin; (*Film*) to be showing; (*SPORT*) to run up; (*Fenster*) to mist up; (*Metall*) to tarnish ♦ *vt* to call at; **rot** ~ to turn *od* go red; **gegen etw** ~ to run into *od* up against sth; **angelaufen kommen** to come running up.
Anlauf- *zW:* ~**stelle** *f* place to go (with one's problems); ~**zeit** *f* (*fig*) time to get going *od* started.
anläuten ['anlɔʏtən] *vi* to ring.
anlegen ['anle:gən] *vt* to put; (*anziehen*) to put on; (*gestalten*) to lay out; (*Kartei, Akte*) to start; (*COMPUT: Datei*) to create; (*Geld*) to invest ♦ *vi* to dock; (*NAUT*) to berth; **etw an etw** *akk* ~ to put sth against *od* on sth; **ein Gewehr** ~ **(auf** *+akk***)** to aim a weapon (at); **es auf etw** *akk* ~ to be out for sth/to do sth; **strengere Maßstäbe** ~ **(bei)** to lay down *od* impose stricter standards (in); **sich mit jdm** ~ (*umg*) to quarrel with sb.
Anlegeplatz *m* landing place.
Anleger(in) (**-s, -**) *m(f)* (*FIN*) investor.
Anlegestelle *f* landing place.
anlehnen ['anle:nən] *vt* to lean; (*Tür*) to leave ajar; **(sich) an etw** *akk* ~ to lean on *od* against sth.
Anlehnung *f* (*Imitation*): **in** ~ **an jdn/etw** following sb/sth.
Anlehnungsbedürfnis *nt* need of loving care.
anleiern ['anlaɪərn] (*umg*) *vt* to get going.
Anleihe ['anlaɪə] (**-, -n**) *f* (*FIN*) loan; (*Wertpapier*) bond.
anleiten ['anlaɪtən] *vt* to instruct.
Anleitung *f* instructions *pl.*
anlernen ['anlɛrnən] *vt* to teach, instruct.
anlesen ['anle:zən] *unreg vt* (*aneignen*): **sich** *dat* **etw** ~ to learn sth by reading.
Anliegen ['anli:gən] (**-s, -**) *nt* matter; (*Wunsch*) wish.
anliegen *unreg vi* (*Kleidung*) to cling.
anliegend *adj* adjacent; (*beigefügt*) enclosed.
Anlieger (**-s, -**) *m* resident; ~ **frei** no thoroughfare - residents only.
anlocken ['anlɔkən] *vt* to attract; (*Tiere*) to lure.
anlügen ['anly:gən] *unreg vt* to lie to.
Anm. *abk* (= *Anmerkung*) n.
anmachen ['anmaxən] *vt* to attach; (*Elektrisches*) to put on; (*Salat*) to dress; **jdn** ~ (*umg*) to try and pick sb up.
anmalen ['anma:lən] *vt* to paint ♦ *vr* (*pej: schminken*) to paint one's face *od* o.s.
Anmarsch ['anmarʃ] *m:* **im** ~ **sein** to be advancing; (*hum*) to be on the way; **im** ~ **sein auf** *+akk* to be advancing on.
anmaßen ['anma:sən] *vt:* **sich** *dat* **etw** ~ to lay claim to sth.
anmaßend *adj* arrogant.
Anmaßung *f* presumption.
Anmeldeformular ['anmɛldəfɔrmʊla:r] *nt* registration form.
anmelden *vt* to announce; (*geltend machen: Recht, Ansprüche, zu Steuerzwecken*) to declare; (*COMPUT*) to log on ♦ *vr* (*sich ankündigen*) to make an appointment; (*polizeilich, für Kurs etc*) to register; **ein Gespräch nach Deutschland** ~ (*TEL*) to book a call to Germany.
Anmeldung *f* announcement; appointment; registration; **nur nach vorheriger** ~ by appointment only.
anmerken ['anmɛrkən] *vt* to observe; (*anstreichen*) to mark; **jdm seine Verlegenheit** *etc* ~ to notice sb's embarrassment *etc*; **sich** *dat* **nichts** ~ **lassen** not to give anything away.
Anmerkung *f* note.
Anmut ['anmu:t] (**-**) *f* grace.
anmuten *vt* (*geh*): **jdn** ~ to appear *od* seem to sb.
anmutig *adj* charming.
annähen ['annɛ:ən] *vt* to sew on.
annähern ['annɛ:ərn] *vr* to get closer.
annähernd *adj* approximate; **nicht** ~ **soviel** not nearly as much.
Annäherung *f* approach.
Annäherungsversuch *m* advances *pl.*
Annahme ['anna:mə] (**-, -n**) *f* acceptance; (*Vermutung*) assumption; ~**stelle** *f* counter; (*für Reparaturen*) reception; ~**verweigerung** *f* refusal.
annehmbar ['anne:mba:r] *adj* acceptable.
annehmen *unreg vt* to accept; (*Namen*) to take; (*Kind*) to adopt; (*vermuten*) to suppose, assume ♦ *vr* (*+gen*) to take care (of); **jdn an Kindes Statt** ~ to adopt sb; **angenommen, das ist so** assuming that is so.
Annehmlichkeit *f* comfort.
annektieren [anɛk'ti:rən] *vt* to annex.
anno ['ano] *adj:* **von** ~ **dazumal** (*umg*) from the year dot.
Annonce [a'nõ:sə] (**-, -n**) *f* advertisement.
annoncieren [anõ'si:rən] *vt, vi* to advertise.
annullieren [anʊ'li:rən] *vt* to annul.
Anode [a'no:də] (**-, -n**) *f* anode.

anöden ['an|øːdən] (*umg*) *vt* to bore stiff.
anomal [ano'maːl] *adj* (*regelwidrig*) unusual, abnormal; (*nicht normal*) strange, odd.
anonym [ano'nyːm] *adj* anonymous.
Anorak ['anorak] (**-s, -s**) *m* anorak.
anordnen ['an|ɔrdnən] *vt* to arrange; (*befehlen*) to order.
Anordnung *f* arrangement; order; **~en treffen** to give orders.
anorganisch ['an|ɔrgaːnɪʃ] *adj* (*CHEM*) inorganic.
anpacken ['anpakən] *vt* to grasp; (*fig*) to tackle; **mit ~** to lend a hand.
anpassen ['anpasən] *vt* (*Kleidung*) to fit; (*fig*) to adapt ♦ *vr* to adapt.
Anpassung *f* fitting; adaptation.
Anpassungsdruck *m* pressure to conform (*to society*).
anpassungsfähig *adj* adaptable.
anpeilen ['anpaɪlən] *vt* (*mit Radar, Funk etc*) to take a bearing on; **etw ~** (*fig: umg*) to have one's sights on sth.
Anpfiff ['anpfɪf] *m* (*SPORT*) (starting) whistle; (*Spielbeginn: Fußball etc*) kick-off; **einen ~ bekommen** (*umg*) to get a rocket (*BRIT*).
anpöbeln ['anpøːbəln] *vt* to abuse; (*umg*) to pester.
Anprall ['anpral] *m*: **~ gegen** *od* **an** *+akk* impact on *od* against.
anprangern ['anpraŋərn] *vt* to denounce.
anpreisen ['anpraɪzən] *unreg vt* to extol; **sich ~ (als)** to sell o.s. (as); **etw ~** to extol (the virtues of) sth; **seine Waren ~** to cry one's wares.
Anprobe ['anproːbə] *f* trying on.
anprobieren ['anprobiːrən] *vt* to try on.
anpumpen ['anpʊmpən] (*umg*) *vt* to borrow from.
anquatschen ['ankvatʃən] (*umg*) *vt* to speak to; (: *Mädchen*) to try to pick up.
Anrainer ['anraɪnər] (**-s, -**) *m* neighbour (*BRIT*), neighbor (*US*).
anranzen ['anrantsən] (*umg*) *vt*: **jdn ~** to tick sb off.
anraten ['anraːtən] *unreg vt* to recommend; **auf A~ des Arztes** *etc* on the doctor's *etc* advice *od* recommendation.
anrechnen ['anrɛçnən] *vt* to charge; (*fig*) to count; **jdm etw hoch ~** to think highly of sb for sth.
Anrecht ['anrɛçt] *nt*: **~ auf** *+akk* right (to); **ein ~ auf etw haben** to be entitled to sth, have a right to sth.
Anrede ['anreːdə] *f* form of address.
anreden *vt* to address.
anregen ['anreːgən] *vt* to stimulate; **angeregte Unterhaltung** lively discussion.
anregend *adj* stimulating.
Anregung *f* stimulation; (*Vorschlag*) suggestion.
anreichern ['anraɪçərn] *vt* to enrich.
Anreise ['anraɪzə] *f* journey there/here.
anreisen *vi* to arrive.
anreißen ['anraɪsən] *unreg vt* (*kurz zur Sprache bringen*) to touch on.
Anreiz ['anraɪts] *m* incentive.
anrempeln ['anrɛmpəln] *vt* (*anstoßen*) to bump into; (*absichtlich*) to jostle.
anrennen ['anrɛnən] *unreg vi*: **gegen etw ~** (*gegen Wind etc*) to run against sth; (*MIL*) to storm sth.
Anrichte ['anrɪçtə] (**-, -n**) *f* sideboard.
anrichten *vt* to serve up; **Unheil ~** to make mischief; **da hast du aber etwas angerichtet!** (*umg: verursacht*) you've started something there all right!; (: *angestellt*) you've really made a mess there!
anrüchig ['anrʏçɪç] *adj* dubious.
anrücken ['anrʏkən] *vi* to approach; (*MIL*) to advance.
Anruf ['anruːf] *m* call; **~beantworter** *m* (telephone) answering machine, answerphone.
anrufen *unreg vt* to call out to; (*bitten*) to call on; (*TEL*) to ring up, phone, call.
anrühren ['anryːrən] *vt* to touch; (*mischen*) to mix.
ans [ans] = **an das.**
Ansage ['anzaːgə] *f* announcement.
ansagen *vt* to announce ♦ *vr* to say one will come.
Ansager(in) (**-s, -**) *m(f)* announcer.
ansammeln ['anzaməln] *vt* to collect ♦ *vr* to accumulate; (*fig: Wut, Druck*) to build up.
Ansammlung *f* collection; (*Leute*) crowd.
ansässig ['anzɛsɪç] *adj* resident.
Ansatz ['anzats] *m* start; (*Haar~*) hairline; (*Hals~*) base; (*Verlängerungsstück*) extension; (*Veranschlagung*) estimate; **die ersten Ansätze zu etw** the beginnings of sth; **~punkt** *m* starting point; **~stück** *nt* (*TECH*) attachment.
anschaffen ['anʃafən] *vt* to buy, purchase ♦ *vi*: **~ gehen** (*umg: durch Prostitution*) to be on the game; **sich** *dat* **Kinder ~** (*umg*) to have children.
Anschaffung *f* purchase.
anschalten ['anʃaltən] *vt* to switch on.
anschauen ['anʃaʊən] *vt* to look at.
anschaulich *adj* illustrative.
Anschauung *f* (*Meinung*) view; **aus eigener ~** from one's own experience.
Anschauungsmaterial *nt* illustrative material.
Anschein ['anʃaɪn] *m* appearance; **allem ~ nach** to all appearances; **den ~ haben** to seem, appear.
anscheinend *adj* apparent.
anschieben ['anʃiːbən] *unreg vt* (*Fahrzeug*) to push.
Anschiß ['anʃɪs] (*umg*) *m*: **einen ~ bekommen** to get a telling-off *od* ticking-off (*bes BRIT*).
Anschlag ['anʃlaːk] *m* notice; (*Attentat*) attack; (*COMM*) estimate; (*auf Klavier*) touch; (*auf*

Schreibmaschine) keystroke; **einem ~ zum Opfer fallen** to be assassinated; **ein Gewehr im ~ haben** (*MIL*) to have a rifle at the ready; **~brett** *nt* notice board (*BRIT*), bulletin board (*US*).

anschlagen ['anʃla:gən] *unreg vt* to put up; (*beschädigen*) to chip; (*Akkord*) to strike; (*Kosten*) to estimate ♦ *vi* to hit; (*wirken*) to have an effect; (*Glocke*) to ring; (*Hund*) to bark; **einen anderen Ton ~** (*fig*) to change one's tune; **an etw** *akk* **~** to hit against sth.

anschlagfrei *adj*: **~er Drucker** non-impact printer.

Anschlagzettel *m* notice.

anschleppen ['anʃlɛpən] (*umg*) *vt* (*unerwünscht mitbringen*) to bring along.

anschließen ['anʃli:sən] *unreg vt* to connect up; (*Sender*) to link up; (*in Steckdose*) to plug in; (*fig: hinzufügen*) to add ♦ *vi*: **an etw** *akk* **~** (*zeitlich*) to follow sth ♦ *vr*: **sich jdm/etw ~** to join sb/sth; (*beipflichten*) to agree with sb/sth; **sich an etw** *akk* **~** (*angrenzen*) to adjoin sth.

anschließend *adj* adjacent; (*zeitlich*) subsequent ♦ *adv* afterwards; **~ an** *+akk* following.

Anschluß ['anʃlʊs] *m* (*ELEK, EISENB, TEL*) connection; (*weiterer Apparat*) extension; (*von Wasser etc*) supply; (*COMPUT*) port; **im ~ an** *+akk* following; **~ finden** to make friends; **~ bekommen** to get through; **kein ~ unter dieser Nummer** number unobtainable; **den ~ verpassen** (*EISENB etc*) to miss one's connection; (*fig*) to miss the boat.

anschmiegen ['anʃmi:gən] *vr*: **sich an jdn/etw ~** (*Kind, Hund*) to snuggle *od* nestle up to *od* against sb/sth.

anschmiegsam ['anʃmi:kza:m] *adj* affectionate.

anschmieren ['anʃmi:rən] *vt* to smear; (*umg*) to take in.

anschnallen ['anʃnalən] *vt* to buckle on ♦ *vr* to fasten one's seat belt.

Anschnallpflicht *f*: **für Kinder besteht ~** children must wear seat belts.

anschnauzen ['anʃnaʊtsən] (*umg*) *vt* to yell at.

anschneiden ['anʃnaɪdən] *unreg vt* to cut into; (*Thema*) to introduce.

Anschnitt ['anʃnɪt] *m* first slice.

anschreiben ['anʃraɪbən] *unreg vt* to write (up); (*COMM*) to charge up; (*benachrichtigen*) to write to; **bei jdm gut/schlecht angeschrieben sein** to be well/badly thought of by sb, be in sb's good/bad books.

anschreien ['anʃraɪən] *unreg vt* to shout at.

Anschrift ['anʃrɪft] *f* address.

Anschriftenliste *f* mailing list.

Anschuldigung ['anʃʊldɪgʊŋ] *f* accusation.

anschwärzen ['anʃvɛrtsən] *vt* (*fig: umg*): **jdn ~ (bei)** to blacken sb's name (with).

anschwellen ['anʃvɛlən] *unreg vi* to swell (up).

anschwemmen ['anʃvɛmən] *vt* to wash ashore.

anschwindeln ['anʃvɪndəln] (*umg*) *vt* to lie to.

ansehen ['anze:ən] *unreg vt* to look at; **jdm etw ~** to see sth (from sb's face); **jdn/etw als etw ~** to look on sb/sth as sth; **~ für** to consider; **(sich** *dat***) etw ~** to (have a) look at sth; (*Fernsehsendung*) to watch sth; (*Film, Stück, Sportveranstaltung*) to see sth; **etw (mit) ~** to watch sth, see sth happening.

Ansehen (**-s**) *nt* respect; (*Ruf*) reputation; **ohne ~ der Person** (*JUR*) without respect of person.

ansehnlich ['anze:nlɪç] *adj* fine-looking; (*beträchtlich*) considerable.

anseilen ['anzaɪlən] *vt*: **jdn/sich ~** to rope sb/o.s. up.

ansein ['anzaɪn] *unreg* (*umg*) *vi* to be on.

ansetzen ['anzɛtsən] *vt* (*festlegen*) to fix; (*entwickeln*) to develop; (*Fett*) to put on; (*Blätter*) to grow; (*zubereiten*) to prepare ♦ *vi* (*anfangen*) to start, begin; (*Entwicklung*) to set in; (*dick werden*) to put on weight ♦ *vr* (*Rost etc*) to start to develop; **~ an** *+akk* (*anfügen*) to fit on to; (*anlegen, an Mund etc*) to put to; **zu etw ~** to prepare to do sth; **jdn/etw auf jdn/etw ~** to set sb/sth on sb/sth.

Ansicht ['anzɪçt] *f* (*Anblick*) sight; (*Meinung*) view, opinion; **zur ~** on approval; **meiner ~ nach** in my opinion.

Ansichtskarte *f* picture postcard.

Ansichtssache *f* matter of opinion.

ansiedeln ['anzi:dəln] *vt* to settle; (*Tierart*) to introduce ♦ *vr* to settle; (*Industrie etc*) to get established.

ansonsten [an'zɔnstən] *adv* otherwise.

anspannen ['anʃpanən] *vt* to harness; (*Muskel*) to strain.

Anspannung *f* strain.

Anspiel ['anʃpi:l] *nt* (*SPORT*) start of play.

anspielen *vt* (*SPORT*) to play the ball *etc* to ♦ *vi*: **auf etw** *akk* **~** to refer *od* allude to sth.

Anspielung *f*: **~ (auf** *+akk***)** reference (to), allusion (to).

Ansporn ['anʃpɔrn] (**-(e)s**) *m* incentive.

Ansprache ['anʃpra:xə] *f* (*Rede*) address.

ansprechen ['anʃprɛçən] *unreg vt* to speak to; (*bitten, gefallen*) to appeal to; (*Eindruck machen auf*) to make an impression on ♦ *vi*: **~ (auf** *+akk***)** (*Patient*) to respond (to); (*Meßgerät*) to react (to); **jdn auf etw** *akk* **(hin) ~** to ask sb about sth.

ansprechend *adj* attractive.

Ansprechpartner *m* contact.

anspringen ['anʃprɪŋən] *unreg vi* (*AUT*) to start ♦ *vt* (*anfallen*) to jump; (*Raubtier*) to pounce (up)on; (*Hund: hochspringen*) to jump up at.

Anspruch ['anʃprʊx] (**-s, -sprüche**) *m* (*Recht*): **~ (auf** *+akk***)** claim (to); **den Ansprüchen gerecht werden** to meet the requirements; **hohe Ansprüche stellen/haben** to demand/

expect a lot; **jdn/etw in ~ nehmen** to occupy sb/take up sth.
anspruchslos *adj* undemanding.
anspruchsvoll *adj* demanding; (*COMM*) upmarket.
anspucken ['anʃpʊkən] *vt* to spit at.
anstacheln ['anʃtaxəln] *vt* to spur on.
Anstalt ['anʃtalt] (**-, -en**) *f* institution; **~en machen, etw zu tun** to prepare to do sth.
Anstand ['anʃtant] *m* decency; (*Manieren*) (good) manners *pl.*
anständig ['anʃtɛndɪç] *adj* decent; (*umg*) proper; (*groß*) considerable; **A~keit** *f* propriety, decency.
anstandshalber ['anʃtantshalbər] *adv* out of politeness.
anstandslos *adv* without any ado.
anstarren ['anʃtarən] *vt* to stare at.
anstatt [an'ʃtat] *präp +gen* instead of ♦ *konj:* **~ etw zu tun** instead of doing sth.
anstauen ['anʃtaʊən] *vr* to accumulate; (*Blut in Adern etc*) to congest; (*fig: Gefühle*) to build up.
anstechen ['anʃtɛçən] *unreg vt* to prick; (*Faß*) to tap.
anstecken ['anʃtɛkən] *vt* to pin on; (*Ring*) to put *od* slip on; (*MED*) to infect; (*Pfeife*) to light; (*Haus*) to set fire to ♦ *vr:* **ich habe mich bei ihm angesteckt** I caught it from him ♦ *vi* (*fig*) to be infectious.
ansteckend *adj* infectious.
Ansteckung *f* infection.
anstehen ['anʃte:ən] *unreg vi* to queue (up) (*BRIT*), line up (*US*); (*Verhandlungspunkt*) to be on the agenda.
ansteigen ['anʃtaɪgən] *unreg vi* to rise; (*Straße*) to climb.
anstelle [an'ʃtɛlə] *präp +gen* in place of.
anstellen ['anʃtɛlən] *vt* (*einschalten*) to turn on; (*Arbeit geben*) to employ; (*umg: Unfug treiben*) to get up to; (*: machen*) to do ♦ *vr* to queue (up) (*BRIT*), line up (*US*); (*umg*) to act; (*: sich zieren*) to make a fuss, act up.
Anstellung *f* employment; (*Posten*) post, position; **~ auf Lebenszeit** tenure.
ansteuern ['anʃtɔʏərn] *vt* to make *od* steer *od* head for.
Anstich ['anʃtɪç] *m* (*von Faß*) tapping, broaching.
Anstieg ['anʃti:k] (**-(e)s, -e**) *m* climb; (*fig: von Preisen etc*) increase.
anstiften ['anʃtɪftən] *vt* (*Unglück*) to cause; **jdn zu etw ~** to put sb up to sth.
Anstifter (**-s, -**) *m* instigator.
Anstiftung *f* (*von Tat*) instigation; (*von Mensch*): **~ (zu)** incitement (to).
anstimmen ['anʃtɪmən] *vt* (*Lied*) to strike up (with); (*Geschrei*) to set up ♦ *vi* to strike up.
Anstoß ['anʃto:s] *m* impetus; (*Ärgernis*) offence (*BRIT*), offense (*US*); (*SPORT*) kick-off; **der erste ~** the initiative; **ein Stein des ~es** (*umstrittene Sache*) a bone of contention; **~ nehmen an** *+dat* to take offence at.
anstoßen *unreg vt* to push; (*mit Fuß*) to kick ♦ *vi* to knock, bump; (*mit der Zunge*) to lisp; (*mit Gläsern*) to drink a toast; **an etw** *akk* **~** (*angrenzen*) to adjoin sth; **~ auf** *+akk* to drink (a toast) to.
anstößig ['anʃtø:sɪç] *adj* offensive, indecent; **A~keit** *f* indecency, offensiveness.
anstrahlen ['anʃtra:lən] *vt* to floodlight; (*strahlend ansehen*) to beam at.
anstreben ['anʃtre:bən] *vt* to strive for.
anstreichen ['anʃtraɪçən] *unreg vt* to paint; **(jdm) etw als Fehler ~** to mark sth wrong.
Anstreicher(in) (**-s, -**) *m(f)* painter.
anstrengen ['anʃtrɛŋən] *vt* to strain; (*strapazieren: jdn*) to tire out; (*: Patienten*) to fatigue; (*JUR*) to bring ♦ *vr* to make an effort; **eine Klage ~ (gegen)** (*JUR*) to initiate *od* institute proceedings (against).
anstrengend *adj* tiring.
Anstrengung *f* effort.
Anstrich ['anʃtrɪç] *m* coat of paint.
Ansturm ['anʃtʊrm] *m* rush; (*MIL*) attack.
Ansuchen ['anzu:xən] (**-s, -**) *nt* request.
ansuchen ['anzu:xən] *vi:* **um etw ~** to apply for sth.
Antagonismus [antago'nɪsmʊs] *m* antagonism.
antanzen ['antantsən] (*umg*) *vi* to turn *od* show up.
Antarktis [ant'|arktɪs] (**-**) *f* Antarctic.
antarktisch *adj* Antarctic.
antasten ['antastən] *vt* to touch; (*Recht*) to infringe upon; (*Ehre*) to question.
Anteil ['antaɪl] (**-s, -e**) *m* share; (*Mitgefühl*) sympathy; **~ nehmen an** *+dat* to share in; (*sich interessieren*) to take an interest in; **~ an etw** *dat* **haben** (*beitragen*) to contribute to sth; (*teilnehmen*) to take part in sth.
anteilig *adj* proportionate, proportional.
anteilmäßig *adj* pro rata.
Anteilnahme (**-**) *f* sympathy.
Antenne [an'tɛnə] (**-, -n**) *f* aerial; (*ZOOL*) antenna; **eine/keine ~ für etw haben** (*fig: umg*) to have a/no feeling for sth.
Anthrazit [antra'tsi:t] (**-s, -e**) *m* anthracite.
Anthropologie [antropolo'gi:] (**-**) *f* anthropology.
Anti- ['anti] *in zW* anti; **~alkoholiker** *m* teetotaller; **a~autoritär** *adj* anti-authoritarian; **~babypille** *f* (contraceptive) pill; **~biotikum** (**-s, -ka**) *nt* antibiotic; **~held** *m* antihero.
antik [an'ti:k] *adj* antique.
Antike (**-, -n**) *f* (*Zeitalter*) ancient world; (*Kunstgegenstand*) antique.
Antikörper *m* antibody.
Antillen [an'tɪlən] *pl* Antilles *pl.*
Antilope [anti'lo:pə] (**-, -n**) *f* antelope.
Antipathie [antipa'ti:] *f* antipathy.
antippen ['antɪpən] *vt* to tap; (*Pedal, Bremse*) to touch; (*fig: Thema*) to touch on.

Antiquariat [antikvari'a:t] (**-(e)s, -e**) *nt* secondhand bookshop; **modernes ~** remainder bookshop/department.
antiquiert [anti'kvi:rt] (*pej*) *adj* antiquated.
Antiquitäten [antikvi'tɛ:tən] *pl* antiques *pl*; **~handel** *m* antique business; **~händler(in)** *m(f)* antique dealer.
Antisemitismus [antizemi'tɪsmʊs] *m* anti-semitism.
antiseptisch [anti'zɛptɪʃ] *adj* antiseptic.
Antlitz ['antlɪts] (**-es, -e**) *nt* (*liter*) countenance (*liter*), face.
antörnen ['antœrnən] *vt, vi* = **anturnen.**
Antrag ['antra:k] (**-(e)s, -träge**) *m* proposal; (*PARL*) motion; (*Gesuch*) application; **einen ~ auf etw** *akk* **stellen** to make an application for sth; (*JUR etc*) to file a petition/claim for sth.
Antragsformular *nt* application form.
Antragsgegner(in) *m(f)* (*JUR*) respondent.
Antragsteller(in) (**-s, -**) *m(f)* claimant; (*für Kredit etc*) applicant.
antreffen ['antrɛfən] *unreg vt* to meet.
antreiben ['antraɪbən] *unreg vt* to drive on; (*Motor*) to drive; (*anschwemmen*) to wash up ♦ *vi* to be washed up; **jdn zur Eile/Arbeit ~** to urge sb to hurry up/to work.
Antreiber (**-s, -**) (*pej*) *m* slave-driver (*pej*).
antreten ['antre:tən] *unreg vt* (*Amt*) to take up; (*Erbschaft*) to come into; (*Beweis*) to offer; (*Reise*) to start, begin ♦ *vi* (*MIL*) to fall in; (*SPORT*) to line up; (*zum Dienst*) to report; **gegen jdn ~** to play/fight against sb.
Antrieb ['antri:p] *m* (*lit, fig*) drive; **aus eigenem ~** of one's own accord.
Antriebskraft *f* (*TECH*) power.
antrinken ['antrɪŋkən] *unreg vt* (*Flasche, Glas*) to start to drink from; **sich** *dat* **Mut/einen Rausch ~** to give o.s. Dutch courage/get drunk; **angetrunken sein** to be tipsy.
Antritt ['antrɪt] *m* beginning, commencement; (*eines Amts*) taking up.
antun ['antu:n] *unreg vt*: **jdm etw ~** to do sth to sb; **sich** *dat* **Zwang ~** to force o.s.
anturnen ['antœrnən] (*umg*) *vt* (*Drogen, Musik*) to turn on ♦ *vi*: ... **turnt an** ... turns you on.
Antwerpen [ant'vɛrpən] (**-s**) *nt* Antwerp.
Antwort ['antvɔrt] (**-, -en**) *f* answer, reply; **um ~ wird gebeten** RSVP.
antworten *vi* to answer, reply.
anvertrauen ['anfertrauən] *vt*: **jdm etw ~** to entrust sb with sth; **sich jdm ~** to confide in sb.
anvisieren ['anvizi:rən] *vt* (*fig*) to set one's sights on.
anwachsen ['anvaksən] *unreg vi* to grow; (*Pflanze*) to take root.
Anwalt ['anvalt] (**-(e)s, -wälte**) *m* solicitor; lawyer; (*fig: Fürsprecher*) advocate; (*: der Armen etc*) champion.
Anwältin ['anvɛltɪn] *f siehe* **Anwalt.**
Anwalts- *zW*: **~honorar** *nt* retainer, retaining fee; **~kammer** *f professional association of lawyers*, ≈ Law Society (*BRIT*); **~kosten** *pl* legal expenses *pl*.
Anwandlung ['anvandlʊŋ] *f* caprice; **eine ~ von etw** a fit of sth.
anwärmen ['anvɛrmən] *vt* to warm up.
Anwärter(in) ['anvɛrtər(ɪn)] *m(f)* candidate.
anweisen ['anvaɪzən] *unreg vt* to instruct; (*zuteilen*) to assign.
Anweisung *f* instruction; (*COMM*) remittance; (*Post~, Zahlungs~*) money order.
anwendbar ['anvɛntba:r] *adj* practicable, applicable.
anwenden ['anvɛndən] *unreg vt* to use, employ; (*Gesetz, Regel*) to apply.
Anwenderprogramm *nt* (*COMPUT*) application program.
Anwendersoftware *f* application package.
Anwendung *f* use; application.
anwerfen ['anvɛrfən] *unreg vt* (*TECH*) to start up.
anwesend ['anve:zənt] *adj* present; **die A~en** those present.
Anwesenheit *f* presence.
Anwesenheitsliste *f* attendance register.
anwidern ['anvi:dərn] *vt* to disgust.
Anwohner(in) ['anvo:nər(ɪn)] (**-s, -**) *m(f)* resident.
Anwuchs ['anvu:ks] *m* growth.
Anzahl ['antsa:l] *f*: **~ (an** *+dat***)** number (of).
anzahlen *vt* to pay on account.
Anzahlung *f* deposit, payment on account.
anzapfen ['antsapfən] *vt* to tap.
Anzeichen ['antsaɪçən] *nt* sign, indication; **alle ~ deuten darauf hin, daß** ... all the signs are that ...
Anzeige ['antsaɪgə] (**-, -n**) *f* (*Zeitungs~*) announcement; (*Werbung*) advertisement; (*COMPUT*) display; (*bei Polizei*) report; **gegen jdn ~ erstatten** to report sb (to the police).
anzeigen *vt* (*zu erkennen geben*) to show; (*bekanntgeben*) to announce; (*bei Polizei*) to report.
Anzeigenteil *m* advertisements *pl*.
anzeigepflichtig *adj* notifiable.
Anzeiger *m* indicator.
anzetteln ['antsɛtəln] (*umg*) *vt* to instigate.
anziehen ['antsi:ən] *unreg vt* to attract; (*Kleidung*) to put on; (*Mensch*) to dress; (*Schraube, Seil*) to pull tight; (*Knie*) to draw up; (*Feuchtigkeit*) to absorb ♦ *vr* to get dressed.
anziehend *adj* attractive.
Anziehung *f* (*Reiz*) attraction.
Anziehungskraft *f* power of attraction; (*PHYS*) force of gravitation.
Anzug ['antsu:k] *m* suit; **im ~ sein** to be approaching.
anzüglich ['antsy:klɪç] *adj* personal; (*anstößig*) offensive; **A~keit** *f* offensiveness; (*Bemerkung*) personal remark.

anzünden ['antsʏndən] *vt* to light.
Anzünder *m* lighter.
anzweifeln ['antsvaɪfəln] *vt* to doubt.
AOK (-) *f abk* (= *Allgemeine Ortskrankenkasse*) *siehe* **Ortskrankenkasse.**

> *The* **AOK** *(Allgemeine Ortskrankenkasse) forms part of a compulsory medical insurance scheme for people who are not members of a private scheme. The AOK has an office in every large town.*

APA *f abk* (= *Austria Presse-Agentur*) *Austrian news agency.*
apart [a'part] *adj* distinctive.
Apartheid [a'pa:rthaɪt] *f* apartheid.
Apartment [a'partmənt] (**-s, -s**) *nt* flat (*BRIT*), apartment (*bes US*).
Apathie [apa'ti:] *f* apathy.
apathisch [a'pa:tɪʃ] *adj* apathetic.
Apenninen [apɛ'ni:nən] *pl* Apennines *pl.*
Apfel ['apfəl] (**-s, ⸚**) *m* apple; **in den sauren ~ beißen** (*fig: umg*) to swallow the bitter pill; **etw für einen ~ und ein Ei kaufen** (*umg*) to buy sth dirt cheap *od* for a song; **~mus** *nt* apple purée; (*als Beilage*) apple sauce; **~saft** *m* apple juice.
Apfelsine [apfəl'zi:nə] (**-, -n**) *f* orange.
Apfeltasche *f* apple turnover.
Apfelwein *m* strong cider.
apl. *abk* = **außerplanmäßig.**
APO, Apo ['a:po] (-) *f abk* (= *außerparlamentarische Opposition*) *extraparliamentary opposition.*

> *The* **APO** *was an extraparliamentary opposition group formed in West Germany in the late 1960s by those who felt that their interests were not being sufficiently represented in parliament. It was disbanded in the 1970s. Some of its members then formed the RAF, a terrorist organisation. Some formed the Green Party (***die Grünen***).*

apolitisch ['apoli:tɪʃ] *adj* non-political, apolitical.
Apostel [a'pɔstəl] (**-s, -**) *m* apostle.
Apostroph [apo'stro:f] (**-s, -e**) *m* apostrophe.
Apotheke [apo'te:kə] (**-, -n**) *f* chemist's (shop) (*BRIT*), drugstore (*US*).

> *The* **Apotheke** *is a pharmacy selling medicines only available on prescription. It also sells toiletries. The pharmacist is qualified to give advice on medicines and treatment.*

Apotheker(in) (**-s, -**) *m(f)* pharmacist, (dispensing) chemist (*BRIT*), druggist (*US*).
Appalachen [apa'laxən] *pl* Appalachian Mountains *pl.*
Apparat [apa'ra:t] (**-(e)s, -e**) *m* piece of apparatus; (*Foto~*) camera; (*Telefon*) telephone; (*RUNDF, TV*) set; (*Verwaltungs~, Partei~*) machinery, apparatus; **am ~** on the phone; (*als Antwort*) speaking; **am ~ bleiben** to hold the line.
Apparatur [apara'tu:r] *f* apparatus.
Appartement [apart(ə)'mã:] (**-s, -s**) *nt* flat (*BRIT*), apartment (*bes US*).
Appell [a'pɛl] (**-s, -e**) *m* (*MIL*) muster, parade; (*fig*) appeal; **zum ~ antreten** to line up for roll call.
appellieren [apɛ'li:rən] *vi:* **~ (an** *+akk***)** to appeal (to).
Appetit [ape'ti:t] (**-(e)s, -e**) *m* appetite; **guten ~!** enjoy your meal; **a~lich** *adj* appetizing; **~losigkeit** *f* lack of appetite.
Applaus [ap'laʊs] (**-es, -e**) *m* applause.
Appretur [apre'tu:r] *f* finish; (*Wasserundurchlässigkeit*) waterproofing.
approbiert [apro'bi:rt] *adj* (*Arzt*) registered, certified.
Apr. *abk* (= *April*) Apr.
Aprikose [apri'ko:zə] (**-, -n**) *f* apricot.
April [a'prɪl] (**-(s), -e**) (*pl selten*) *m* April; **jdn in den ~ schicken** to make an April fool of sb; *siehe auch* **September; ~wetter** *nt* April showers *pl.*
apropos [apro'po:] *adv* by the way, that reminds me.
Aquaplaning [akva'pla:nɪŋ] (**-(s)**) *nt* aquaplaning.
Aquarell [akva'rɛl] (**-s, -e**) *nt* watercolour (*BRIT*), watercolor (*US*).
Aquarium [a'kva:riʊm] *nt* aquarium.
Äquator [ɛ'kva:tɔr] (**-s**) *m* equator.
Äquivalent [ɛkviva'lɛnt] (**-(e)s, -e**) *nt* equivalent.
Ar [a:r] (**-s, -e**) *nt od m* (*Maß*) are (*100 m²*).
Ära ['ɛ:ra] (**-, Ären**) *f* era.
Araber(in) ['a:rabər(ɪn)] (**-s, -**) *m(f)* Arab.
Arabien [a'ra:biən] (**-s**) *nt* Arabia.
arabisch *adj* Arab; (*Arabien betreffend*) Arabian; (*Sprache*) Arabic; **A~er Golf** Arabian Gulf; **A~es Meer** Arabian Sea; **A~e Wüste** Arabian Desert.
Arbeit ['arbaɪt] (**-, -en**) *f* work *no art*; (*Stelle*) job; (*Erzeugnis*) piece of work; (*wissenschaftliche*) dissertation; (*Klassen~*) test; **Tag der ~** Labour (*BRIT*) *od* Labor (*US*) Day; **sich an die ~ machen, an die ~ gehen** to get down to work, start working; **jdm ~ machen** (*Mühe*) to put sb to trouble; **das war eine ~** that was a hard job.
arbeiten *vi* to work ♦ *vt* to make ♦ *vr:* **sich nach oben/an die Spitze ~** (*fig*) to work one's way up/to the top.
Arbeiter(in) (**-s, -**) *m(f)* worker; (*ungelernt*) labourer (*BRIT*), laborer (*US*).
Arbeiter- *zW:* **~familie** *f* working-class family; **~kind** *nt* child from a working-class family; **~mitbestimmung** *f* employee participation; **~schaft** *f* workers *pl*, labour (*BRIT*) *od* labor (*US*) force; **~selbstkontrolle**

f workers' control; **~-und-Bauern-Staat** *m* (*DDR*) workers' and peasants' state; **~wohlfahrt** *f* workers' welfare association.

Arbeit- *zW:* **~geber (-s, -)** *m* employer; **~nehmer (-s, -)** *m* employee; **a~sam** *adj* industrious.

Arbeits- *in zW* labour (*BRIT*), labor (*US*); **~amt** *nt* employment exchange, Job Centre (*BRIT*); **~aufwand** *m* expenditure of energy; (*INDUSTRIE*) use of labour (*BRIT*) *od* labor (*US*); **~bedingungen** *pl* working conditions *pl*; **~beschaffung** *f* (*~platzbeschaffung*) job creation; **~erlaubnis** *f* work permit; **a~fähig** *adj* fit for work, able-bodied; **~gang** *m* operation; **~gemeinschaft** *f* study group; **~gericht** *nt* industrial tribunal; **a~intensiv** *adj* labour-intensive (*BRIT*), labor-intensive (*US*); **~konflikt** *m* industrial dispute; **~kraft** *f* worker; **~kräfte** *pl* workers *pl*, labour (*BRIT*), labor (*US*); **a~los** *adj* unemployed, out-of-work; **~losengeld** *nt* unemployment benefit; **~losenhilfe** *f* supplementary benefit; **~losenunterstützung** *f* unemployment benefit; **~losenversicherung** *f* *compulsory insurance against unemployment*; **~losigkeit** *f* unemployment; **~markt** *m* job market; **~moral** *f* attitude to work; (*in Betrieb*) work climate; **~niederlegung** *f* walkout; **~platte** *f* (*Küche*) work-top, work surface; **~platz** *m* place of work; (*Stelle*) job; **~platzrechner** *m* (*COMPUT*) work station; **~recht** *nt* industrial law; **a~scheu** *adj* workshy; **~schutz** *m* *maintenance of health and safety standards at work*; **~tag** *m* work(ing) day; **~teilung** *f* division of labour (*BRIT*) *od* labor (*US*); **~tier** *nt* (*fig: umg*) glutton for work, workaholic; **a~unfähig** *adj* unfit for work; **~unfall** *m* industrial accident; **~verhältnis** *nt* employee-employer relationship; **~vermittlung** *f* (*Amt*) employment exchange; (*privat*) employment agency; **~vertrag** *m* contract of employment; **~zeit** *f* working hours *pl*; **~zeitverkürzung** *f* reduction in working hours; **~zimmer** *nt* study.

Archäologe [arçɛo'loːgə] **(-n, -n)** *m* arch(a)eologist.

Archäologin [arçɛo'loːgɪn] *f* arch(a)eologist.

Arche ['arçə] **(-, -n)** *f*: **die ~ Noah** Noah's Ark.

Architekt(in) [arçi'tɛkt(ɪn)] **(-en, -en)** *m(f)* architect.

architektonisch [arçitɛk'toːnɪʃ] *adj* architectural.

Architektur [arçitɛk'tuːr] *f* architecture.

Archiv [ar'çiːf] **(-s, -e)** *nt* archive.

The **ARD** *(Arbeitsgemeinschaft der öffentlich-rechtlichen Rundfunkanstalten der Bundesrepublik Deutschland) is the name of the German broadcasting corporation founded as a result of several mergers after 1945. It is financed by licence fees and advertising and transmits the First and Third Programmes nationwide as well as regional programmes. News and educational programmes make up about a third of its transmissions.*

Arena [a're:na] **(-, Arenen)** *f* (*lit, fig*) arena; (*Zirkus~, Stierkampf~*) ring.

arg [ark] *adj* bad, awful ♦ *adv* awfully, very; **es zu ~ treiben** to go too far.

Argentinien [argɛn'tiːniən] **(-s)** *nt* Argentina, the Argentine.

Argentinier(in) **(-s, -)** *m(f)* Argentine, Argentinian (*BRIT*), Argentinean (*US*).

argentinisch [argɛn'tiːnɪʃ] *adj* Argentine, Argentinian (*BRIT*), Argentinean (*US*).

Ärger ['ɛrgər] **(-s)** *m* (*Wut*) anger; (*Unannehmlichkeit*) trouble; **jdm ~ machen** *od* **bereiten** to cause sb a lot of trouble *od* bother; **ä~lich** *adj* (*zornig*) angry; (*lästig*) annoying, aggravating.

ärgern *vt* to annoy ♦ *vr* to get annoyed.

Ärgernis **(-ses, -se)** *nt* annoyance; (*Anstoß*) offence (*BRIT*), offense (*US*), outrage; **öffentliches ~ erregen** to be a public nuisance.

arg- *zW:* **~listig** *adj* cunning, insidious; **~listige Täuschung** fraud; **~los** *adj* guileless, innocent; **A~losigkeit** *f* guilelessness, innocence.

Argument [argu'mɛnt] *nt* argument.

argumentieren [argumɛn'tiːrən] *vi* to argue.

Argusauge ['argʊs|aʊgə] *nt* (*geh*): **mit ~n** eagle-eyed.

Argwohn *m* suspicion.

argwöhnisch *adj* suspicious.

Arie ['aːriə] *f* aria.

Aristokrat(in) [arɪsto'kraːt(ɪn)] **(-en, -en)** *m(f)* aristocrat.

Aristokratie [arɪstokraː'tiː] *f* aristocracy.

aristokratisch *adj* aristocratic.

arithmetisch [arɪt'meːtɪʃ] *adj* arithmetical; **~es Mittel** arithmetic mean.

Arkaden [ar'kaːdən] *pl* (*Bogengang*) arcade *sing*.

Arktis ['arktɪs] **(-)** *f* Arctic.

arktisch *adj* Arctic.

arm [arm] *adj* poor; **~ dran sein** (*umg*) to have a hard time of it.

Arm **(-(e)s, -e)** *m* arm; (*Fluß~*) branch; **jdn auf den ~ nehmen** (*fig: umg*) to pull sb's leg; **jdm unter die ~e greifen** (*fig*) to help sb out; **einen langen/den längeren ~ haben** (*fig*) to have a lot of/more pull (*umg*) *od* influence.

Armatur [arma'tuːr] *f* (*ELEK*) armature.

Armaturenbrett *nt* instrument panel; (*AUT*) dashboard.

Armband *nt* bracelet; **~uhr** *f* (wrist) watch.

Arme(r) *f(m)* poor man/woman; **die ~n** the poor.

Armee [ar'meː] **(-, -n)** *f* army; **~korps** *nt* army corps.

Ärmel ['ɛrməl] **(-s, -)** *m* sleeve; **etw aus dem**

~ **schütteln** (*fig*) to produce sth just like that.
Ärmelkanal *m* (English) Channel.
Armenien [ar'me:niən] (**-s**) *nt* Armenia.
Armenier(in) [ar'me:niər(ɪn)] (**-s, -**) *m(f)* Armenian.
armenisch [ar'me:nɪʃ] *adj* Armenian.
Armenrecht *nt* (*JUR*) legal aid.
Armer *m siehe* **Arme(r)**.
Armlehne *f* armrest.
Armleuchter (*pej: umg*) *m* (*Dummkopf*) twit (*BRIT*), fool.
ärmlich ['ɛrmlɪç] *adj* poor; **aus ~en Verhältnissen** from a poor family.
armselig *adj* wretched, miserable; (*mitleiderregend*) pathetic, pitiful.
Armut ['armu:t] (-) *f* poverty.
Armutsgrenze *f* poverty line.
Armutszeugnis *nt* (*fig*): **jdm/sich ein ~ ausstellen** to show sb's/one's shortcomings.
Aroma [a'ro:ma] (**-s, Aromen**) *nt* aroma; **~therapie** *f* aromatherapy.
aromatisch [aro'ma:tɪʃ] *adj* aromatic.
arrangieren [arã:'ʒi:rən] *vt* to arrange ♦ *vr* to come to an arrangement.
Arrest [a'rɛst] (**-(e)s, -e**) *m* detention.
arretieren [are'ti:rən] *vt* (*TECH*) to lock (in place).
arrogant [aro'gant] *adj* arrogant.
Arroganz *f* arrogance.
Arsch [arʃ] (**-es, ⸚e**) (*umg!*) *m* arse (*!*); **leck mich am ~!** (*laß mich in Ruhe*) get stuffed! (*!*), fuck off! (*!*); **am ~ der Welt** (*umg*) in the back of beyond; **~kriecher** (*umg!*) *m* arse licker (*!*), crawler; **~loch** (*umg!*) *nt* (*Mensch*) bastard (*!*).
Arsen [ar'ze:n] (**-s**) *nt* arsenic.
Art [a:rt] (**-, -en**) *f* (*Weise*) way; (*Sorte*) kind, sort; (*BIOL*) species; **eine ~ (von) Frucht** a kind of fruit; **Häuser aller ~** houses of all kinds; **einzig in seiner ~ sein** to be the only one of its kind, be unique; **auf diese ~ und Weise** in this way; **das ist doch keine ~!** that's no way to behave!; **es ist nicht seine ~, das zu tun** it's not like him to do that; **ich mache das auf meine ~** I do that my (own) way; **Schnitzel nach ~ des Hauses** chef's special escalope.
arten *vi*: **nach jdm ~** to take after sb; **der Mensch ist so geartet, daß** ... human nature is such that ...
Artenschutz *m* protection of endangered species.
Arterie [ar'te:riə] *f* artery.
Arterienverkalkung *f* arteriosclerosis.
Artgenosse ['a:rtgənɔsə] *m* animal/plant of the same species; (*Mensch*) person of the same type.
Arthritis [ar'tri:tɪs] (**-, -ritiden**) *f* arthritis.
artig ['a:rtɪç] *adj* good, well-behaved.
Artikel [ar'ti:kəl] (**-s, -**) *m* article.
Artillerie [artɪlə'ri:] *f* artillery.
Artischocke [arti'ʃɔkə] (**-, -n**) *f* artichoke.
Artistik [ar'tɪstɪk] (-) *f* artistry; (*Zirkus-/Varietékunst*) circus/variety performing.
Arznei [a:rts'naɪ] *f* medicine; **~mittel** *nt* medicine, medicament.
Arzt [a:rtst] (**-es, ⸚e**) *m* doctor; **praktischer ~** general practitioner, GP.
Ärztekammer *f* ≈ General Medical Council (*BRIT*), State Medical Board of Registration (*US*).
Arzthelferin *f* doctor's assistant.
Ärztin ['ɛ:rtstɪn] *f* woman doctor; *siehe auch* **Arzt**.
ärztlich ['ɛ:rtstlɪç] *adj* medical.
Arztpraxis *f* doctor's practice; (*Räume*) doctor's surgery (*BRIT*) *od* office (*US*).
As [as] (**-ses, -se**) *nt* ace; (*MUS*) A flat.
Asbest [as'bɛst] (**-(e)s, -e**) *m* asbestos.
Asche ['aʃə] (**-, -n**) *f* ash.
Aschen- *zW*: **~bahn** *f* cinder track; **~becher** *m* ashtray; **~brödel** *nt* (*LITER, fig*) Cinderella; **~puttel** *nt* (*LITER, fig*) Cinderella.
Aschermittwoch *m* Ash Wednesday.
Aserbaidschan [azɛrbaɪ'dʒa:n] (**-s**) *nt* Azerbaijan.
aserbaidschanisch *adj* Azerbaijani.
Asiat(in) [azi'a:t(ɪn)] (**-en, -en**) *m(f)* Asian.
asiatisch *adj* Asian, Asiatic.
Asien ['a:ziən] (**-s**) *nt* Asia.
asozial ['azotsia:l] *adj* antisocial; (*Familie*) asocial.
Asoziale(r) (*pej*) *f(m)* antisocial person; **Asoziale** *pl* antisocial elements.
Aspekt [as'pɛkt] (**-(e)s, -e**) *m* aspect.
Asphalt [as'falt] (**-(e)s, -e**) *m* asphalt.
asphaltieren [asfal'ti:rən] *vt* to asphalt.
Asphaltstraße *f* asphalt road.
aß *etc* [a:s] *vb siehe* **essen**.
Ass. *abk* = **Assessor**.
Assekurant(in) [aseku'rant(ɪn)] (**-en, -en**) *m(f)* underwriter.
Assemblersprache [ə'sɛmblərʃpra:xə] *f* (*COMPUT*) assembly language.
Assessor(in) [a'sɛsɔr(ɪn)] (**-s, -en**) *m(f)* *graduate civil servant who has completed his/her traineeship.*
Assistent(in) [asɪs'tɛnt(ɪn)] *m(f)* assistant.
Assistenzarzt [asɪs'tɛntsa:rtst] *m* houseman (*BRIT*), intern (*US*).
Assoziation [asotsiatsi'o:n] *f* association.
assoziieren [asotsi'i:rən] *vt* (*geh*) to associate.
Ast [ast] (**-(e)s, ⸚e**) *m* branch; **sich** *dat* **einen ~ lachen** (*umg*) to double up (with laughter).
AStA ['asta] (**-(s), -(s)**) *m abk* (= *Allgemeiner Studentenausschuß*) *students' association.*
Aster ['astər] (**-, -n**) *f* aster.
ästhetisch [ɛs'te:tɪʃ] *adj* aesthetic (*BRIT*), esthetic (*US*).
Asthma ['astma] (**-s**) *nt* asthma.
Asthmatiker(in) [ast'ma:tikər(ɪn)] (**-s, -**) *m(f)*

asthmatic.
astrein ['astraɪn] *adj* (*fig: umg: moralisch einwandfrei*) straight, on the level; (*: echt*) genuine; (*prima*) fantastic.
Astrologe [astro'lo:gə] (**-n, -n**) *m* astrologer.
Astrologie [astrolo'gi:] *f* astrology.
Astrologin *f* astrologer.
Astronaut(in) [astro'naʊt(ɪn)] (**-en, -en**) *m(f)* astronaut.
Astronautik *f* astronautics.
Astronom(in) [astro'no:m(ɪn)] (**-en, -en**) *m(f)* astronomer.
Astronomie [astrono'mi:] *f* astronomy.
ASU *f abk* (= *Arbeitsgemeinschaft selbständiger Unternehmer*) *association of private traders*; (= *Abgassonderuntersuchung*) exhaust emission test.
ASW *f abk* (= *außersinnliche Wahrnehmung*) ESP.
Asyl [a'zy:l] (**-s, -e**) *nt* asylum; (*Heim*) home; (*Obdachlosen~*) shelter.
Asylant(in) [azy'lant(ɪn)] (**-en, -en**) *m(f)* person seeking (political) asylum.
Asylrecht *nt* (*POL*) right of (political) asylum.
A.T. *abk* (= *Altes Testament*) O.T.
Atelier [atəli'e:] (**-s, -s**) *nt* studio.
Atem ['a:təm] (**-s**) *m* breath; **den ~ anhalten** to hold one's breath; **außer ~** out of breath; **jdn in ~ halten** to keep sb in suspense *od* on tenterhooks; **das verschlug mir den ~** it took my breath away; **einen langen/den längeren ~ haben** to have a lot of staying power; **a~beraubend** *adj* breathtaking; **a~los** *adj* breathless; **~pause** *f* breather; **~wege** *pl* (*ANAT*) respiratory tract; **~zug** *m* breath.
Atheismus [ate'ɪsmʊs] *m* atheism.
Atheist(in) *m(f)* atheist; **a~isch** *adj* atheistic.
Athen [a'te:n] (**-s**) *nt* Athens.
Athener(in) (**-s, -**) *m(f)* Athenian.
Äther ['ɛ:tər] (**-s, -**) *m* ether.
Äthiopien [ɛti'o:piən] (**-s**) *nt* Ethiopia.
Äthiopier(in) (**-s, -**) *m(f)* Ethiopian.
äthiopisch *adj* Ethiopian.
Athlet(in) [at'le:t(ɪn)] (**-en, -en**) *m(f)* athlete.
Athletik *f* athletics *sing*.
Atlanten *pl von* **Atlas**.
Atlantik [at'lantɪk] (**-s**) *m* Atlantic.
atlantisch *adj* Atlantic; **der A~e Ozean** the Atlantic Ocean.
Atlas ['atlas] (**-** *od* **-ses, -se** *od* **Atlanten**) *m* atlas; **~gebirge** *nt* Atlas Mountains *pl*.
atmen ['a:tmən] *vt, vi* to breathe.
Atmosphäre [atmo'sfɛ:rə] (**-, -n**) *f* atmosphere.
atmosphärisch *adj* atmospheric.
Atmung ['a:tmʊŋ] *f* respiration.
Ätna ['ɛ:tna] (**-(s)**) *m* Etna.
Atom [a'to:m] (**-s, -e**) *nt* atom.
atomar [ato'ma:r] *adj* atomic, nuclear; (*Drohung*) nuclear.
Atom- *zW:* **~bombe** *f* atom bomb; **~energie** *f* nuclear *od* atomic energy; **~kern** *m* atomic nucleus; **~kraft** *f* nuclear power; **~kraftwerk** *nt* nuclear power station; **~krieg** *m* nuclear *od* atomic war; **~lobby** *f* nuclear lobby; **~macht** *f* nuclear *od* atomic power; **~meiler** *m* nuclear reactor; **~müll** *m* nuclear waste; **~physik** *f* nuclear physics *sing*; **~pilz** *m* mushroom cloud; **~sperrvertrag** *m* (*POL*) nuclear non-proliferation treaty; **~sprengkopf** *m* nuclear *od* atomic warhead; **~strom** *m* *electricity generated by nuclear power*; **~test** *m* nuclear test; **~testgelände** *nt* nuclear testing range; **~waffen** *pl* nuclear *od* atomic weapons *pl*; **a~waffenfrei** *adj* (*Zone*) nuclear-free; **~wirtschaft** *f* nuclear industry; **~zeitalter** *nt* atomic age.
Attacke [a'takə] (**-, -n**) *f* (*Angriff*) attack.
Attentat [atɛn'ta:t] (**-(e)s, -e**) *nt:* **~ (auf** *+akk***)** (attempted) assassination (of).
Attentäter(in) [atɛn'tɛ:tər(ɪn)] (**-s, -**) *m(f)* (would-be) assassin.
Attest [a'tɛst] (**-(e)s, -e**) *nt* certificate.
Attraktion [atraktsi'o:n] *f* attraction.
attraktiv [atrak'ti:f] *adj* attractive.
Attrappe [a'trapə] (**-, -n**) *f* dummy; **bei ihr ist alles ~** everything about her is false.
Attribut [atri'bu:t] (**-(e)s, -e**) *nt* (*GRAM*) attribute.
ätzen ['ɛtsən] *vi* to be caustic.
ätzend *adj* (*lit: Säure*) corrosive; (*Geruch*) pungent; (*fig: umg: furchtbar*) dreadful, horrible; (*: toll*) magic.

SCHLÜSSELWORT

auch [aʊx] *adv* **1** (*ebenfalls*) also, too, as well; **das ist ~ schön** that's nice too *od* as well; **er kommt - ich ~** he's coming - so am I, me too; **~ nicht** not ... either; **ich ~ nicht** nor I, me neither; **oder ~** or; **~ das noch!** not that as well!; **nicht nur ..., sondern ~** ... not only ... but also ...
2 (*selbst, sogar*) even; **~ wenn das Wetter schlecht ist** even if the weather is bad; **ohne ~ nur zu fragen** without even asking
3 (*wirklich*) really; **du siehst müde aus - bin ich ~** you look tired - (so) I am; **so sieht es ~ aus** (and) that's what it looks like
4 (**~** *immer*): **wer ~** whoever; **was ~** whatever; **wozu ~?** (*emphatisch*) whatever for?; **wie dem ~ sei** be that as it may; **wie sehr er sich ~ bemühte** however much he tried.

Audienz [aʊdi'ɛnts] (**-, -en**) *f* (*bei Papst, König etc*) audience.
Audimax [aʊdi'maks] *nt* (*UNIV: umg*) main lecture hall.
audiovisuell [aʊdiovizu'ɛl] *adj* audiovisual.
Auditorium [aʊdi'to:riʊm] *nt* (*Hörsaal*) lecture hall; (*geh: Zuhörerschaft*) audience.

SCHLÜSSELWORT

auf [aʊf] *präp +dat* (*wo?*) on; ~ **dem Tisch** on the table; ~ **der Reise** on the way; ~ **der Post/dem Fest** at the post office/party; ~ **der Straße** on the road; ~ **dem Land/der ganzen Welt** in the country/the whole world; **was hat es damit** ~ **sich?** what does it mean?

♦ *präp +akk* **1** (*wohin?*) on(to); ~ **den Tisch** on(to) the table; ~ **die Post gehen** to go to the post office; ~ **das Land** into the country; **etw** ~ **einen Zettel schreiben** to write sth on a piece of paper; ~ **eine Tasse Kaffee/eine Zigarette(nlänge)** for a cup of coffee/a smoke; **die Nacht (von Montag)** ~ **Dienstag** Monday night; ~ **einen Polizisten kommen 1.000 Bürger** there is one policeman to every 1,000 citizens

2: ~ **deutsch** in German; ~ **Lebenszeit** for my/his lifetime; **bis** ~ **ihn** except for him; ~ **einmal** at once; ~ **seinen Vorschlag (hin)** at his suggestion

♦ *adv* **1** (*offen*) open; **das Fenster ist** ~ the window is open

2 (*hinauf*) up; ~ **und ab** up and down; ~ **und davon** up and away; ~! (*los!*) come on!; **von klein** ~ from childhood onwards

3 (*aufgestanden*) up; **ist er schon** ~**?** is he up yet?

♦ *konj:* ~ **daß** (so) that.

aufarbeiten ['aʊf|arbaɪtən] *vt* (*erledigen: Korrespondenz etc*) to catch up with.

aufatmen ['aʊf|a:tmən] *vi* to heave a sigh of relief.

aufbahren ['aʊfba:rən] *vt* to lay out.

Aufbau ['aʊfbaʊ] *m* (*Bauen*) building, construction; (*Struktur*) structure; (*aufgebautes Teil*) superstructure.

aufbauen ['aʊfbaʊən] *vt* to erect, build (up); (*Existenz*) to make; (*gestalten*) to construct; (*gründen*): ~ **(auf** *+dat***)** to found (on), base (on) ♦ *vr:* **sich vor jdm** ~ to draw o.s. up to one's full height in front of sb.

aufbäumen ['aʊfbɔʏmən] *vr* to rear; (*fig*) to revolt, rebel.

aufbauschen ['aʊfbaʊʃən] *vt* to puff out; (*fig*) to exaggerate.

aufbegehren ['aʊfbəge:rən] *vi* (*geh*) to rebel.

aufbehalten ['aʊfbəhaltən] *unreg vt* to keep on.

aufbekommen ['aʊfbəkɔmən] *unreg* (*umg*) *vt* (*öffnen*) to get open; (*: Hausaufgaben*) to be given.

aufbereiten ['aʊfbəraɪtən] *vt* to process; (*Trinkwasser*) to purify; (*Text etc*) to work up.

Aufbereitungsanlage *f* processing plant.

aufbessern ['aʊfbɛsərn] *vt* (*Gehalt*) to increase.

aufbewahren ['aʊfbəva:rən] *vt* to keep; (*Gepäck*) to put in the left-luggage office.

Aufbewahrung *f* (safe)keeping; (*Gepäck*~) left-luggage office (*BRIT*), baggage check (*US*); **jdm etw zur** ~ **geben** to give sb sth for safekeeping.

Aufbewahrungsort *m* storage place.

aufbieten ['aʊfbi:tən] *unreg vt* (*Kraft*) to summon (up); (*Armee, Polizei*) to mobilize.

Aufbietung *f*: **unter** ~ **aller Kräfte ...** summoning (up) all his/her *etc* strength ...

aufbinden ['aʊfbɪndən] *unreg vt:* **laß dir doch so etwas nicht** ~ (*fig*) don't fall for that.

aufblähen ['aʊfblɛ:ən] *vr* to blow out; (*Segel*) to billow out; (*MED*) to become swollen; (*fig: pej*) to puff o.s. up.

aufblasen ['aʊfbla:zən] *unreg vt* to blow up, inflate ♦ *vr* (*umg*) to become big-headed.

aufbleiben ['aʊfblaɪbən] *unreg vi* (*Laden*) to remain open; (*Person*) to stay up.

aufblenden ['aʊfblɛndən] *vt* (*Scheinwerfer*) to turn on full beam.

aufblicken ['aʊfblɪkən] *vi* to look up; ~ **zu** (*lit*) to look up at; (*fig*) to look up to.

aufblühen ['aʊfbly:ən] *vi* to blossom; (*fig*) to blossom, flourish.

aufblühend *adj* (*COMM*) booming.

aufbocken ['aʊfbɔkən] *vt* (*Auto*) to jack up.

aufbrauchen ['aʊfbraʊxən] *vt* to use up.

aufbrausen ['aʊfbraʊzən] *vi* (*fig*) to flare up.

aufbrausend *adj* hot-tempered.

aufbrechen ['aʊfbrɛçən] *unreg vt* to break open, to prise (*BRIT*) *od* pry (*US*) open ♦ *vi* to burst open; (*gehen*) to start, set off.

aufbringen ['aʊfbrɪŋən] *unreg vt* (*öffnen*) to open; (*in Mode*) to bring into fashion; (*beschaffen*) to procure; (*FIN*) to raise; (*ärgern*) to irritate; **Verständnis für etw** ~ to be able to understand sth.

Aufbruch ['aʊfbrʊx] *m* departure.

aufbrühen ['aʊfbry:ən] *vt* (*Tee*) to make.

aufbrummen ['aʊfbrʊmən] (*umg*) *vt:* **jdm die Kosten** ~ to land sb with the costs.

aufbürden ['aʊfbʏrdən] *vt:* **jdm etw** ~ to burden sb with sth.

aufdecken ['aʊfdɛkən] *vt* to uncover; (*Spielkarten*) to show.

aufdrängen ['aʊfdrɛŋən] *vt:* **jdm etw** ~ to force sth on sb ♦ *vr:* **sich jdm** ~ to intrude on sb.

aufdrehen ['aʊfdre:ən] *vt* (*Wasserhahn etc*) to turn on; (*Ventil*) to open; (*Schraubverschluß*) to unscrew; (*Radio etc*) to turn up; (*Haar*) to put in rollers.

aufdringlich ['aʊfdrɪŋlɪç] *adj* pushy; (*Benehmen*) obtrusive; (*Parfüm*) powerful.

aufeinander [aʊf|aɪ'nandər] *adv* on top of one another; (*schießen*) at each other; (*warten*) for one another; (*vertrauen*) each other; **A~folge** *f* succession, series; **~folgen** *vi* to follow one another; **~folgend** *adj* consecutive; **~legen** *vt* to lay on top of one another; **~prallen** *vi* (*Autos etc*) to collide; (*Truppen, Meinungen*) to clash.

Aufenthalt ['aʊf|ɛnthalt] *m* stay; (*Verzögerung*)

delay; (*EISENB: Halten*) stop; (*Ort*) haunt.
Aufenthalts- *zW:* **~erlaubnis** *f*, **~genehmigung** *f* residence permit; **~raum** *m* day room; (*in Betrieb*) recreation room.
auferlegen ['aʊf|ɛrle:gən] *vt:* **(jdm)** ~ to impose (upon sb).
auferstehen ['aʊf|ɛrʃte:ən] *unreg vi untr* to rise from the dead.
Auferstehung *f* resurrection.
aufessen ['aʊf|ɛsən] *unreg vt* to eat up.
auffahren ['aʊffa:rən] *unreg vi* (*herankommen*) to draw up; (*hochfahren*) to jump up; (*wütend werden*) to flare up; (*in den Himmel*) to ascend ♦ *vt* (*Kanonen, Geschütz*) to bring up; ~ **auf** *+akk* (*Auto*) to run *od* crash into.
auffahrend *adj* hot-tempered.
Auffahrt *f* (*Haus~*) drive; (*Autobahn~*) slip road (*BRIT*), entrance ramp (*US*).
Auffahrunfall *m* pile-up.
auffallen ['aʊffalən] *unreg vi* to be noticeable; **angenehm/unangenehm** ~ to make a good/bad impression; **jdm** ~ (*bemerkt werden*) to strike sb.
auffallend *adj* striking.
auffällig ['aʊffɛlɪç] *adj* conspicuous, striking.
auffangen ['aʊffaŋən] *unreg vt* to catch; (*Funkspruch*) to intercept; (*Preise*) to peg; (*abfangen: Aufprall etc*) to cushion, absorb.
Auffanglager *nt* reception camp.
auffassen ['aʊffasən] *vt* to understand, comprehend; (*auslegen*) to see, view.
Auffassung *f* (*Meinung*) opinion; (*Auslegung*) view, conception; (*auch:* **~sgabe**) grasp.
auffindbar ['aʊffɪntba:r] *adj* to be found.
aufflammen ['aʊfflamən] *vi* (*lit, fig: Feuer, Unruhen etc*) to flare up.
auffliegen ['aʊffli:gən] *unreg vi* to fly up; (*umg: Rauschgiftring etc*) to be busted.
auffordern ['aʊffɔrdərn] *vt* to challenge; (*befehlen*) to call upon, order; (*bitten*) to ask.
Aufforderung *f* (*Befehl*) order; (*Einladung*) invitation.
aufforsten ['aʊffɔrstən] *vt* (*Gebiet*) to reafforest; (*Wald*) to restock.
auffrischen ['aʊffrɪʃən] *vt* to freshen up; (*Kenntnisse*) to brush up; (*Erinnerungen*) to reawaken ♦ *vi* (*Wind*) to freshen.
aufführen ['aʊffy:rən] *vt* (*THEAT*) to perform; (*in einem Verzeichnis*) to list, specify ♦ *vr* (*sich benehmen*) to behave; **einzeln** ~ to itemize.
Aufführung *f* (*THEAT*) performance; (*Liste*) specification.
auffüllen ['aʊffʏlən] *vt* to fill up; (*Vorräte*) to replenish; (*Öl*) to top up.
Aufgabe ['aʊfga:bə] **(-, -n)** *f* task; (*SCH*) exercise; (*Haus~*) homework; (*Verzicht*) giving up; (*von Gepäck*) registration; (*von Post*) posting; (*von Inserat*) insertion; **sich** *dat* **etw zur ~ machen** to make sth one's job *od* business.
aufgabeln ['aʊfga:bəln] *vt* (*fig: umg: jdn*) to pick up; (*: Sache*) to get hold of.
Aufgabenbereich *m* area of responsibility.
Aufgang ['aʊfgaŋ] *m* ascent; (*Sonnen~*) rise; (*Treppe*) staircase.
aufgeben ['aʊfge:bən] *unreg vt* (*verzichten auf*) to give up; (*Paket*) to send, post; (*Gepäck*) to register; (*Bestellung*) to give; (*Inserat*) to insert; (*Rätsel, Problem*) to set ♦ *vi* to give up.
aufgeblasen ['aʊfgəbla:zən] *adj* (*fig*) puffed up, self-important.
Aufgebot ['aʊfgəbo:t] *nt* supply; (*von Kräften*) utilization; (*Ehe~*) banns *pl.*
aufgedonnert ['aʊfgədɔnərt] (*pej: umg*) *adj* tarted up.
aufgedreht ['aʊfgədre:t] (*umg*) *adj* excited.
aufgedunsen ['aʊfgedʊnzən] *adj* swollen, puffed up.
aufgegeben ['aʊfgəge:bən] *pp von* **aufgeben.**
aufgehen ['aʊfge:ən] *unreg vi* (*Sonne, Teig*) to rise; (*sich öffnen*) to open; (*THEAT: Vorhang*) to go up; (*Knopf, Knoten etc*) to come undone; (*klarwerden*) to become clear; (*MATH*) to come out exactly; ~ **(in** *+dat*) (*sich widmen*) to be absorbed (in); **in Rauch/Flammen** ~ to go up in smoke/flames.
aufgeilen ['aʊfgaɪlən] (*umg*) *vt* to turn on ♦ *vr* to be turned on.
aufgeklärt ['aʊfgəklɛ:rt] *adj* enlightened; (*sexuell*) knowing the facts of life.
aufgekratzt ['aʊfgəkratst] (*umg*) *adj* in high spirits, full of beans.
aufgelaufen ['aʊfgəlaʊfən] *adj:* **~e Zinsen** *pl* accrued interest *sing.*
Aufgeld *nt* premium.
aufgelegt ['aʊfgəle:kt] *adj:* **gut/schlecht** ~ **sein** to be in a good/bad mood; **zu etw** ~ **sein** to be in the mood for sth.
aufgenommen ['aʊfgənɔmən] *pp von* **aufnehmen.**
aufgeregt ['aʊfgəre:kt] *adj* excited.
aufgeschlossen ['aʊfgəʃlɔsən] *adj* open, open-minded.
aufgeschmissen ['aʊfgəʃmɪsən] (*umg*) *adj* in a fix, stuck.
aufgeschrieben ['aʊfgəʃri:bən] *pp von* **aufschreiben.**
aufgestanden ['aʊfgəʃtandən] *pp von* **aufstehen.**
aufgetakelt ['aʊfgəta:kəlt] *adj* (*fig: umg*) dressed up to the nines.
aufgeweckt ['aʊfgəvɛkt] *adj* bright, intelligent.
aufgießen ['aʊfgi:sən] *unreg vt* (*Wasser*) to pour over; (*Tee*) to infuse.
aufgliedern ['aʊfgli:dərn] *vr:* **sich** ~ **(in** *+akk*) to (sub)divide (into), break down (into).
aufgreifen ['aʊfgraɪfən] *unreg vt* (*Thema*) to take up; (*Verdächtige*) to pick up, seize.
aufgrund [aʊf'grʊnt] *präp +gen* on the basis of; (*wegen*) because of.
Aufgußbeutel ['aʊfgʊsbɔʏtəl] *m* sachet (containing coffee/herbs *etc*) for brewing;

(*Teebeutel*) tea bag.
aufhaben ['aʊfha:bən] *unreg vt* (*Hut etc*) to have on; (*Arbeit*) to have to do.
aufhalsen ['aʊfhalzən] (*umg*) *vt*: **jdm etw** ~ to saddle *od* lumber sb with sth.
aufhalten ['aʊfhaltən] *unreg vt* (*Person*) to detain; (*Entwicklung*) to check; (*Tür, Hand*) to hold open; (*Augen*) to keep open ♦ *vr* (*wohnen*) to live; (*bleiben*) to stay; **jdn (bei etw)** ~ (*abhalten, stören*) to hold *od* keep sb back (from sth); **sich über etw/jdn** ~ to go on about sth/sb; **sich mit etw** ~ to waste time over sth; **sich bei etw** ~ (*sich befassen*) to dwell on sth.
aufhängen ['aʊfhɛŋən] *unreg vt* (*Wäsche*) to hang up; (*Menschen*) to hang ♦ *vr* to hang o.s.
Aufhänger (-s, -) *m* (*am Mantel*) hook; (*fig*) peg.
Aufhängung *f* (*TECH*) suspension.
aufheben ['aʊfhe:bən] *unreg vt* (*hochheben*) to raise, lift; (*Sitzung*) to wind up; (*Urteil*) to annul; (*Gesetz*) to repeal, abolish; (*aufbewahren*) to keep; (*ausgleichen*) to offset, make up for ♦ *vr* to cancel itself out; **viel A~(s) machen (von)** to make a fuss (about); **bei jdm gut aufgehoben sein** to be well looked after at sb's.
aufheitern ['aʊfhaɪtərn] *vt, vr* (*Himmel, Miene*) to brighten; (*Mensch*) to cheer up.
Aufheiterungen *pl* (*MET*) bright periods *pl*.
aufheizen ['aʊfhaɪtsən] *vt*: **die Stimmung** ~ to stir up feelings.
aufhelfen ['aʊfhɛlfən] *unreg vi* (*lit: beim Aufstehen*): **jdm** ~ to help sb up.
aufhellen ['aʊfhɛlən] *vt, vr* to clear up; (*Farbe, Haare*) to lighten.
aufhetzen ['aʊfhɛtsən] *vt* to stir up.
aufheulen ['aʊfhɔʏlən] *vi* to howl; (*Sirene*) to (start to) wail; (*Motor*) to (give a) roar.
aufholen ['aʊfho:lən] *vt* to make up ♦ *vi* to catch up.
aufhorchen ['aʊfhɔrçən] *vi* to prick up one's ears.
aufhören ['aʊfhø:rən] *vi* to stop; ~, **etw zu tun** to stop doing sth.
aufkaufen ['aʊfkaʊfən] *vt* to buy up.
aufklappen ['aʊfklapən] *vt* to open; (*Verdeck*) to fold back.
aufklären ['aʊfklɛ:rən] *vt* (*Geheimnis etc*) to clear up; (*Person*) to enlighten; (*sexuell*) to tell the facts of life to; (*MIL*) to reconnoitre ♦ *vr* to clear up.
Aufklärung *f* (*von Geheimnis*) clearing up; (*Unterrichtung, Zeitalter*) enlightenment; (*sexuell*) sex education; (*MIL, AVIAT*) reconnaissance.
Aufklärungsarbeit *f* educational work.
aufkleben ['aʊfkle:bən] *vt* to stick on.
Aufkleber (-s, -) *m* sticker.
aufknöpfen ['aʊfknœpfən] *vt* to unbutton.
aufkochen ['aʊfkɔxən] *vt* to bring to the boil.
aufkommen ['aʊfkɔmən] *unreg vi* (*Wind*) to come up; (*Zweifel, Gefühl*) to arise; (*Mode*) to start; **für jdn/etw** ~ to be liable *od* responsible for sb/sth; **für den Schaden** ~ to pay for the damage; **endlich kam Stimmung auf** at last things livened up.
aufkreuzen ['aʊfkrɔʏtsən] (*umg*) *vi* (*erscheinen*) to turn *od* show up.
aufkündigen ['aʊfkʏndɪgən] *vt* (*Vertrag etc*) to terminate.
aufladen ['aʊfla:dən] *unreg vt* to load ♦ *vr* (*Batterie etc*) to be charged; (*neu* ~) to be recharged; **jdm/sich etw** ~ (*fig*) to saddle sb/o.s. with sth.
Auflage ['aʊfla:gə] *f* edition; (*Zeitung*) circulation; (*Bedingung*) condition; **jdm etw zur** ~ **machen** to make sth a condition for sb.
Auflage(n)höhe *f* (*von Buch*) number of copies published; (*von Zeitung*) circulation.
auflassen ['aʊflasən] *unreg* (*umg*) *vt* (*offen*) to leave open; (: *aufgesetzt*) to leave on; **die Kinder länger** ~ to let the children stay up (longer).
auflauern ['aʊflaʊərn] *vi*: **jdm** ~ to lie in wait for sb.
Auflauf ['aʊflaʊf] *m* (*KOCH*) pudding; (*Menschen~*) crowd.
auflaufen *unreg vi* (*auf Grund laufen: Schiff*) to run aground; **jdn** ~ **lassen** (*umg*) to drop sb in it.
Auflaufform *f* (*KOCH*) ovenproof dish.
aufleben ['aʊfle:bən] *vi* to revive.
auflegen ['aʊfle:gən] *vt* to put on; (*Hörer*) to put down; (*TYP*) to print ♦ *vi* (*TEL*) to hang up.
auflehnen ['aʊfle:nən] *vt* to lean on ♦ *vr* to rebel.
Auflehnung *f* rebellion.
auflesen ['aʊfle:zən] *unreg vt* to pick up.
aufleuchten ['aʊflɔʏçtən] *vi* to light up.
aufliegen ['aʊfli:gən] *unreg vi* to lie on; (*COMM*) to be available.
auflisten ['aʊflɪstən] *vt* (*auch COMPUT*) to list.
auflockern ['aʊflɔkərn] *vt* to loosen; (*fig: Eintönigkeit etc*) to liven up; (*entspannen, zwangloser machen*) to make relaxed; (*Atmosphäre*) to make more relaxed, ease.
auflösen ['aʊflø:zən] *vt* to dissolve; (*Mißverständnis*) to sort out; (*Konto*) to close; (*Firma*) to wind up; (*Haushalt*) to break up; **in Tränen aufgelöst sein** to be in tears.
Auflösung *f* dissolving; (*fig*) solution; (*Bildschirm*) resolution.
aufmachen ['aʊfmaxən] *vt* to open; (*Kleidung*) to undo; (*zurechtmachen*) to do up ♦ *vr* to set out.
Aufmacher *m* (*PRESSE*) lead.
Aufmachung *f* (*Kleidung*) outfit, get-up; (*Gestaltung*) format.
aufmerksam ['aʊfmɛrkza:m] *adj* attentive; **auf etw** *akk* ~ **werden** to become aware of sth; **jdn auf etw** *akk* ~ **machen** to point sth out to

sb; **(das ist) sehr ~ von Ihnen** (*zuvorkommend*) (that's) most kind of you; **A~keit** *f* attention, attentiveness; (*Geschenk*) token (gift).

aufmöbeln ['aufmøːbəln] (*umg*) *vt* (*Gegenstand*) to do up; (: *beleben*) to buck up, pep up.

aufmucken ['aufmukən] (*umg*) *vi:* **~ gegen** to protest at *od* against.

aufmuntern ['aufmuntərn] *vt* (*ermutigen*) to encourage; (*erheitern*) to cheer up.

aufmüpfig ['aufmʏpfɪç] (*umg*) *adj* rebellious.

Aufnahme ['aufnaːmə] **(-, -n)** *f* reception; (*Beginn*) beginning; (*in Verein etc*) admission; (*in Liste etc*) inclusion; (*Notieren*) taking down; (*PHOT*) shot; (*auf Tonband etc*) recording; **~antrag** *m* application for membership *od* admission; **a~fähig** *adj* receptive; **~leiter** *m* (*FILM*) production manager; (*RUNDF, TV*) producer; **~prüfung** *f* entrance test; **~stopp** *m* (*für Flüchtlinge etc*) freeze on immigration.

aufnehmen ['aufneːmən] *unreg vt* to receive; (*hochheben*) to pick up; (*beginnen*) to take up; (*in Verein etc*) to admit; (*in Liste etc*) to include; (*fassen*) to hold; (*begreifen*) to take in, grasp; (*beim Stricken: Maschen*) to increase, make; (*notieren*) to take down; (*fotografieren*) to photograph; (*auf Tonband, Platte*) to record; (*FIN: leihen*) to take out; **es mit jdm ~ können** to be able to compete with sb.

aufnötigen ['aufnøːtɪgən] *vt:* **jdm etw ~** to force sth on sb.

aufoktroyieren ['auf|ɔktroajiːrən] *vt:* **jdm etw ~** (*geh*) to impose *od* force sth on sb.

aufopfern ['auf|ɔpfərn] *vt* to sacrifice ♦ *vr* to sacrifice o.s.

aufopfernd *adj* selfless.

aufpassen ['aufpasən] *vi* (*aufmerksam sein*) to pay attention; **auf jdn/etw ~** to look after *od* watch sb/sth; **aufgepaßt!** look out!

Aufpasser(in) **(-s, -)** (*pej*) *m(f)* (*Aufseher, Spitzel*) spy, watchdog; (*Beobachter*) supervisor; (*Wächter*) guard.

aufpflanzen ['aufpflantsən] *vr:* **sich vor jdm ~** to plant o.s. in front of sb.

aufplatzen ['aufplatsən] *vi* to burst open.

aufplustern ['aufpluːstərn] *vr* (*Vogel*) to ruffle (up) its feathers; (*Mensch*) to puff o.s. up.

aufprägen ['aufprɛːgən] *vt:* **jdm/etw seinen Stempel ~** (*fig*) to leave one's mark on sb/ sth.

Aufprall ['aufpral] **(-(e)s, -e)** *m* impact.

aufprallen *vi* to hit, strike.

Aufpreis ['aufprais] *m* extra charge.

aufpumpen ['aufpumpən] *vt* to pump up.

aufputschen ['aufputʃən] *vt* (*aufhetzen*) to inflame; (*erregen*) to stimulate.

Aufputschmittel *nt* stimulant.

aufraffen ['aufrafən] *vr* to rouse o.s.

aufräumen ['aufrɔymən] *vt, vi* (*Dinge*) to clear away; (*Zimmer*) to tidy up.

Aufräumungsarbeiten *pl* clearing-up operations *pl*.

aufrecht ['aufrɛçt] *adj* (*lit, fig*) upright.

aufrechterhalten *unreg vt* to maintain.

aufregen ['aufreːgən] *vt* to excite; (*ärgerlich machen*) to irritate, annoy; (*nervös machen*) to make nervous; (*beunruhigen*) to disturb ♦ *vr* to get excited.

aufregend *adj* exciting.

Aufregung *f* excitement.

aufreiben ['aufraibən] *unreg vt* (*Haut*) to rub raw; (*erschöpfen*) to exhaust; (*MIL: völlig vernichten*) to wipe out, annihilate.

aufreibend *adj* strenuous.

aufreihen ['aufraiən] *vt* (*in Linie*) to line up; (*Perlen*) to string.

aufreißen ['aufraisən] *unreg vt* (*Umschlag*) to tear open; (*Augen*) to open wide; (*Tür*) to throw open; (*Straße*) to take up; (*umg: Mädchen*) to pick up.

Aufreißer **(-s, -)** *m* (*Person*) smooth operator.

aufreizen ['aufraitsən] *vt* to incite, stir up.

aufreizend *adj* exciting, stimulating.

aufrichten ['aufrɪçtən] *vt* to put up, erect; (*moralisch*) to console ♦ *vr* to rise; (*moralisch*): **sich ~ (an** *+dat***)** to take heart (from); **sich im Bett ~** to sit up in bed.

aufrichtig ['aufrɪçtɪç] *adj* sincere; honest; **A~keit** *f* sincerity.

aufrollen ['aufrɔlən] *vt* (*zusammenrollen*) to roll up; (*Kabel*) to coil *od* wind up; **einen Fall/Prozeß wieder ~** to reopen a case/trial.

aufrücken ['aufrʏkən] *vi* to move up; (*beruflich*) to be promoted.

Aufruf ['aufruːf] *m* summons; (*zur Hilfe*) call; (*des Namens*) calling out.

aufrufen *unreg vt* (*Namen*) to call out; (*auffordern*): **jdn ~ (zu)** to call upon sb (for); **einen Schüler ~** to ask a pupil (to answer) a question.

Aufruhr ['aufruːr] **(-(e)s, -e)** *m* uprising, revolt; **in ~ sein** to be in uproar.

Aufrührer(in) **(-s, -)** *m(f)* rabble-rouser.

aufrührerisch ['aufryːrərɪʃ] *adj* rebellious.

aufrunden ['aufrundən] *vt* (*Summe*) to round up.

aufrüsten ['aufrʏstən] *vt, vi* to arm.

Aufrüstung *f* rearmament.

aufrütteln ['aufrʏtəln] *vt* (*lit, fig*) to shake up.

aufs [aufs] = **auf das**.

aufsagen ['aufzaːgən] *vt* (*Gedicht*) to recite; (*geh: Freundschaft*) to put an end to.

aufsammeln ['aufzaməln] *vt* to gather up.

aufsässig ['aufzɛsɪç] *adj* rebellious.

Aufsatz ['aufzats] *m* (*Geschriebenes*) essay, composition; (*auf Schrank etc*) top.

aufsaugen ['aufzaugən] *unreg vt* to soak up.

aufschauen ['aufʃauən] *vi* to look up.

aufscheuchen ['aufʃɔyçən] *vt* to scare, startle.

aufschichten ['aufʃɪçtən] *vt* to stack, pile up.

aufschieben ['aʊfʃiːbən] *unreg vt* to push open; (*verzögern*) to put off, postpone.
Aufschlag ['aʊfʃlaːk] *m* (*Ärmel~*) cuff; (*Jacken~*) lapel; (*Hosen~*) turn-up (*BRIT*), cuff (*US*); (*Aufprall*) impact; (*Preis~*) surcharge; (*TENNIS*) service.
aufschlagen ['aʊfʃlaːgən] *unreg vt* (*öffnen*) to open; (*verwunden*) to cut; (*hochschlagen*) to turn up; (*aufbauen: Zelt, Lager*) to pitch, erect; (*Wohnsitz*) to take up ♦ *vi* (*aufprallen*) to hit; (*teurer werden*) to go up; (*TENNIS*) to serve; **schlagt Seite 111 auf** open your books at page 111.
aufschließen ['aʊfʃliːsən] *unreg vt* to open up, unlock ♦ *vi* (*aufrücken*) to close up.
Aufschluß ['aʊfʃlʊs] *m* information.
aufschlüsseln ['aʊfʃlʏsəln] *vt:* ~ **(nach)** to break down (into); (*klassifizieren*) to classify (according to).
aufschlußreich *adj* informative, illuminating.
aufschnappen ['aʊfʃnapən] *vt* (*umg*) to pick up ♦ *vi* to fly open.
aufschneiden ['aʊfʃnaɪdən] *unreg vt* to cut open; (*Brot*) to cut up; (*MED: Geschwür*) to lance ♦ *vi* (*umg*) to brag.
Aufschneider (**-s, -**) *m* boaster, braggart.
Aufschnitt ['aʊfʃnɪt] *m* (slices of) cold meat.
aufschnüren ['aʊfʃnyːrən] *vt* to unlace; (*Paket*) to untie.
aufschrauben ['aʊfʃraʊbən] *vt* (*fest~*) to screw on; (*lösen*) to unscrew.
aufschrecken ['aʊfʃrɛkən] *vt* to startle ♦ *vi* (*unreg*) to start up.
Aufschrei ['aʊfʃraɪ] *m* cry.
aufschreiben ['aʊfʃraɪbən] *unreg vt* to write down.
aufschreien *unreg vi* to cry out.
Aufschrift ['aʊfʃrɪft] *f* (*Inschrift*) inscription; (*Etikett*) label.
Aufschub ['aʊfʃuːp] (**-(e)s, -schübe**) *m* delay, postponement; **jdm ~ gewähren** to grant sb an extension.
aufschürfen ['aʊfʃʏrfən] *vt:* **sich** *dat* **die Haut/ das Knie ~** to graze *od* scrape o.s./one's knee.
aufschütten ['aʊfʃʏtən] *vt* (*Flüssigkeit*) to pour on; (*Kohle*) to put on (the fire); (*Damm, Deich*) to throw up; **Kaffee ~** to make coffee.
aufschwatzen ['aʊfʃvatsən] (*umg*) *vt:* **jdm etw ~** to talk sb into (getting/having *etc*) sth.
Aufschwung ['aʊfʃvʊŋ] *m* (*Elan*) boost; (*wirtschaftlich*) upturn, boom; (*SPORT: an Gerät*) mount.
aufsehen ['aʊfzeːən] *unreg vi* to look up; **~ zu** (*lit*) to look up at; (*fig*) to look up to; **A~** (**-s**) *nt* sensation, stir.
aufsehenerregend *adj* sensational.
Aufseher(in) (**-s, -**) *m(f)* guard; (*im Betrieb*) supervisor; (*Museums~*) attendant; (*Park~*) keeper.
aufsein ['aʊfzaɪn] *unreg* (*umg*) *vi* to be open; (*Person*) to be up.
aufsetzen ['aʊfzɛtsən] *vt* to put on; (*Flugzeug*) to put down; (*Dokument*) to draw up ♦ *vr* to sit upright ♦ *vi* (*Flugzeug*) to touch down.
Aufsicht ['aʊfzɪçt] *f* supervision; **die ~ haben** to be in charge; **bei einer Prüfung ~ führen** to invigilate (*BRIT*) *od* supervise an exam.
Aufsichtsrat *m* board (of directors).
aufsitzen ['aʊfzɪtsən] *unreg vi* (*aufgerichtet sitzen*) to sit up; (*aufs Pferd, Motorrad*) to mount, get on; (*Schiff*) to run aground; **jdn ~ lassen** (*umg*) to stand sb up; **jdm ~** (*umg*) to be taken in by sb.
aufspalten ['aʊfʃpaltən] *vt* to split.
aufspannen ['aʊfʃpanən] *vt* (*Netz, Sprungtuch*) to stretch *od* spread out; (*Schirm*) to put up, open.
aufsparen ['aʊfʃpaːrən] *vt* to save (up).
aufsperren ['aʊfʃpɛrən] *vt* to unlock; (*Mund*) to open wide; **die Ohren ~** (*umg*) to prick up one's ears.
aufspielen ['aʊfʃpiːlən] *vr* to show off; **sich als etw ~** to try to come on as sth.
aufspießen ['aʊfʃpiːsən] *vt* to spear.
aufspringen ['aʊfʃprɪŋən] *unreg vi* (*hochspringen*) to jump up; (*sich öffnen*) to spring open; (*Hände, Lippen*) to become chapped; **~ auf** *+akk* to jump onto.
aufspüren ['aʊfʃpyːrən] *vt* to track down, trace.
aufstacheln ['aʊfʃtaxəln] *vt* to incite.
aufstampfen ['aʊfʃtampfən] *vi:* **mit dem Fuß ~** to stamp one's foot.
Aufstand ['aʊfʃtant] *m* insurrection, rebellion.
aufständisch ['aʊfʃtɛndɪʃ] *adj* rebellious, mutinous.
aufstauen ['aʊfʃtaʊən] *vr* to collect; (*fig: Ärger*) to be bottled up.
aufstechen ['aʊfʃtɛçən] *unreg vt* to prick open, puncture.
aufstecken ['aʊfʃtɛkən] *vt* to stick on; (*mit Nadeln*) to pin up; (*umg*) to give up.
aufstehen ['aʊfʃteːən] *unreg vi* to get up; (*Tür*) to be open; **da mußt du früher** *od* **eher ~!** (*fig: umg*) you'll have to do better than that!
aufsteigen ['aʊfʃtaɪgən] *unreg vi* (*hochsteigen*) to climb; (*Rauch*) to rise; **~ auf** *+akk* to get onto; **in jdm ~** (*Haß, Verdacht, Erinnerung etc*) to well up in sb.
Aufsteiger (**-s,**) *m* (*SPORT*) promoted team; **(sozialer) ~** social climber.
aufstellen ['aʊfʃtɛlən] *vt* (*aufrecht stellen*) to put up; (*Maschine*) to install; (*aufreihen*) to line up; (*Kandidaten*) to nominate; (*Forderung, Behauptung*) to put forward; (*formulieren: Programm etc*) to draw up; (*leisten: Rekord*) to set up.
Aufstellung *f* (*SPORT*) line-up; (*Liste*) list.
Aufstieg ['aʊfʃtiːk] (**-(e)s, -e**) *m* (*auf Berg*) ascent; (*Fortschritt*) rise; (*beruflich, SPORT*) promotion.

Aufstiegschance *f* prospect of promotion.
aufstöbern ['aʊfʃtøːbərn] *vt* (*Wild*) to start, flush; (*umg: entdecken*) to run to earth.
aufstocken ['aʊfʃtɔkən] *vt* (*Vorräte*) to build up.
aufstoßen ['aʊfʃtoːsən] *unreg vt* to push open ♦ *vi* to belch.
aufstrebend ['aʊfʃtreːbənd] *adj* ambitious; (*Land*) striving for progress.
Aufstrich ['aʊfʃtrɪç] *m* spread.
aufstülpen ['aʊfʃtʏlpən] *vt* (*Ärmel*) to turn up; (*Hut*) to put on.
aufstützen ['aʊfʃtʏtsən] *vt* (*Körperteil*) to prop, lean; (*Person*) to prop up ♦ *vr*: **sich ~ auf** *+akk* to lean on.
aufsuchen ['aʊfzuːxən] *vt* (*besuchen*) to visit; (*konsultieren*) to consult.
auftakeln ['aʊftaːkəln] *vt* (*NAUT*) to rig (out) ♦ *vr* (*pej: umg*) to deck o.s. out.
Auftakt ['aʊftakt] *m* (*MUS*) upbeat; (*fig*) prelude.
auftanken ['aʊftaŋkən] *vi* to get petrol (*BRIT*) *od* gas (*US*) ♦ *vt* to refuel.
auftauchen ['aʊftaʊxən] *vi* to appear; (*gefunden werden, kommen*) to turn up; (*aus Wasser etc*) to emerge; (*U-Boot*) to surface; (*Zweifel*) to arise.
auftauen ['aʊftaʊən] *vt* to thaw ♦ *vi* to thaw; (*fig*) to relax.
aufteilen ['aʊftaɪlən] *vt* to divide up; (*Raum*) to partition.
Aufteilung *f* division; partition.
auftischen ['aʊftɪʃən] *vt* to serve (up); (*fig*) to tell.
Auftr. *abk* = **Auftrag.**
Auftrag ['aʊftraːk] (**-(e)s, -träge**) *m* order; (*Anweisung*) commission; (*Aufgabe*) mission; **etw in ~ geben (bei)** to order/commission sth (from); **im ~ von** on behalf of; **im ~** *od* **i.A. J. Burnett** pp J. Burnett.
auftragen ['aʊftraːgən] *unreg vt* (*Essen*) to serve; (*Farbe*) to put on; (*Kleidung*) to wear out ♦ *vi* (*dick machen*): **die Jacke trägt auf** the jacket makes one look fat; **jdm etw ~** to tell sb sth; **dick ~** (*umg*) to exaggerate.
Auftraggeber(in) (**-s, -**) *m(f)* client; (*COMM*) customer.
Auftragsbestätigung *f* confirmation of order.
auftreiben ['aʊftraɪbən] *unreg* (*umg*) *vt* (*beschaffen*) to raise.
auftrennen ['aʊftrɛnən] *vt* to undo.
auftreten ['aʊftreːtən] *unreg vt* to kick open ♦ *vi* to appear; (*mit Füßen*) to tread; (*sich verhalten*) to behave; (*fig: eintreten*) to occur; (*Schwierigkeiten etc*) to arise; **als Vermittler** *etc* ~ to act as intermediary *etc*; **geschlossen ~** to put up a united front.
Auftreten (**-s**) *nt* (*Vorkommen*) appearance; (*Benehmen*) behaviour (*BRIT*), behavior (*US*).
Auftrieb ['aʊftriːp] *m* (*PHYS*) buoyancy, lift; (*fig*) impetus.
Auftritt ['aʊftrɪt] *m* (*des Schauspielers*) entrance; (*lit, fig: Szene*) scene.
auftrumpfen ['aʊftrʊmpfən] *vi* to show how good one is; (*mit Bemerkung*) to crow.
auftun ['aʊftuːn] *unreg vt* to open ♦ *vr* to open up.
auftürmen ['aʊftʏrmən] *vr* (*Gebirge etc*) to tower up; (*Schwierigkeiten*) to pile *od* mount up.
aufwachen ['aʊfvaxən] *vi* to wake up.
aufwachsen ['aʊfvaksən] *unreg vi* to grow up.
Aufwand ['aʊfvant] (**-(e)s**) *m* expenditure; (*Kosten*) expense; (*Luxus*) show; **bitte, keinen ~!** please don't go out of your way.
Aufwandsentschädigung *f* expense allowance.
aufwärmen ['aʊfvɛrmən] *vt* to warm up; (*alte Geschichten*) to rake up.
aufwarten ['aʊfvartən] *vi* (*zu bieten haben*): **mit etw ~** to offer sth.
aufwärts ['aʊfvɛrts] *adv* upwards; **A~entwicklung** *f* upward trend; **~gehen** *unreg vi* to look up.
aufwecken ['aʊfvɛkən] *vt* to wake(n) up.
aufweichen ['aʊfvaɪçən] *vt* to soften; (*Brot*) to soak.
aufweisen ['aʊfvaɪzən] *unreg vt* to show.
aufwenden ['aʊfvɛndən] *unreg vt* to expend; (*Geld*) to spend; (*Sorgfalt*) to devote.
aufwendig *adj* costly.
aufwerfen ['aʊfvɛrfən] *unreg vt* (*Fenster etc*) to throw open; (*Probleme*) to throw up, raise ♦ *vr*: **sich zu etw ~** to make o.s. out to be sth.
aufwerten ['aʊfvɛrtən] *vt* (*FIN*) to revalue; (*fig*) to raise in value.
Aufwertung *f* revaluation.
aufwickeln ['aʊfvɪkəln] *vt* (*aufrollen*) to roll up; (*umg: Haar*) to put in curlers; (*lösen*) to untie.
aufwiegeln ['aʊfviːgəln] *vt* to stir up, incite.
aufwiegen ['aʊfviːgən] *unreg vt* to make up for.
Aufwind ['aʊfvɪnt] *m* up-current; **neuen ~ bekommen** (*fig*) to get new impetus.
aufwirbeln ['aʊfvɪrbəln] *vt* to whirl up; **Staub ~** (*fig*) to create a stir.
aufwischen ['aʊfvɪʃən] *vt* to wipe up.
aufwühlen ['aʊfvyːlən] *vt* (*lit: Erde, Meer*) to churn (up); (*Gefühle*) to stir.
aufzählen ['aʊftsɛːlən] *vt* to count out.
aufzeichnen ['aʊftsaɪçnən] *vt* to sketch; (*schriftlich*) to jot down; (*auf Band*) to record.
Aufzeichnung *f* (*schriftlich*) note; (*Tonband~, Film~*) recording.
aufzeigen ['aʊftsaɪgən] *vt* to show, demonstrate.
aufziehen ['aʊftsiːən] *unreg vt* (*hochziehen*) to raise, draw up; (*öffnen*) to pull open; (*: Reißverschluß*) to undo; (*Gardinen*) to draw (back); (*Uhr*) to wind; (*großziehen: Kinder*) to raise, bring up; (*Tiere*) to rear; (*umg: necken*) to tease; (*: veranstalten*) to set up; (*: Fest*) to arrange ♦ *vi* (*Gewitter, Wolken*) to gather.

Aufzucht ['aʊftsʊxt] *f* (*das Großziehen*) rearing, raising.
Aufzug ['aʊftsu:k] *m* (*Fahrstuhl*) lift (*BRIT*), elevator (*US*); (*Aufmarsch*) procession, parade; (*Kleidung*) get-up; (*THEAT*) act.
aufzwingen ['aʊftsvɪŋən] *unreg vt:* **jdm etw ~** to force sth upon sb.
Aug. *abk* (= *August*) Aug.
Augapfel ['aʊk|apfəl] *m* eyeball; (*fig*) apple of one's eye.
Auge ['aʊgə] (**-s, -n**) *nt* eye; (*Fett~*) globule of fat; **unter vier ~n** in private; **vor aller ~n** in front of everybody, for all to see; **jdn/etw mit anderen ~n (an)sehen** to see sb/sth in a different light; **ich habe kein ~ zugetan** I didn't sleep a wink; **ein ~/beide ~n zudrücken** (*umg*) to turn a blind eye; **jdn/etw aus den ~n verlieren** to lose sight of sb/sth; (*fig*) to lose touch with sb/sth; **etw ins ~ fassen** to contemplate sth; **das kann leicht ins ~ gehen** (*fig: umg*) it might easily go wrong.
Augenarzt *m* eye specialist, ophthalmologist.
Augenblick *m* moment; **im ~** at the moment; **im ersten ~** for a moment; **a~lich** *adj* (*sofort*) instantaneous; (*gegenwärtig*) present.
Augen- *zW:* **~braue** *f* eyebrow; **~höhe** *f:* **in ~höhe** at eye level; **~merk** *nt* (*Aufmerksamkeit*) attention; **~schein** *m:* **jdn/etw in ~schein nehmen** to have a close look at sb/sth; **a~scheinlich** *adj* obvious; **~weide** *f* sight for sore eyes; **~wischerei** *f* (*fig*) eye-wash; **~zeuge** *m* eye witness; **~zeugin** *f* eye witness.
August [aʊ'gʊst] (**-(e)s** *od* **-, -e**) (*pl selten*) *m* August; *siehe auch* **September**.
Auktion [aʊktsi'o:n] *f* auction.
Auktionator [aʊktsio'na:tɔr] *m* auctioneer.
Aula ['aʊla] (**-, Aulen** *od* **-s**) *f* assembly hall.
Aus [aʊs] (**-**) *nt* (*SPORT*) outfield; **ins ~ gehen** to go out.

SCHLÜSSELWORT

aus [aʊs] *präp +dat* **1** (*räumlich*) out of; (*von ... her*) from; **er ist ~ Berlin** he's from Berlin; **~ dem Fenster** out of the window
2 (*gemacht/hergestellt ~*) made of; **ein Herz ~ Stein** a heart of stone
3 (*auf Ursache deutend*) out of; **~ Mitleid** out of sympathy; **~ Erfahrung** from experience; **~ Spaß** for fun
4: **~ ihr wird nie etwas** she'll never get anywhere
♦ *adv* **1** (*zu Ende*) finished, over; **~ und vorbei** over and done with
2 (*ausgeschaltet, ausgezogen*) off; **Licht ~!** lights out!
3 (*in Verbindung mit von*): **von Rom ~** from Rome; **vom Fenster ~** out of the window; **von sich ~** (*selbständig*) of one's own accord; **von mir ~** as far as I'm concerned
4 ~ und ein gehen to come and go; (*bei jdm*) to visit frequently; **weder ~ noch ein wissen** to be at one's wits' end; **auf etw** *akk* **~ sein** to be after sth.

ausarbeiten ['aʊs|arbaɪtən] *vt* to work out.
ausarten ['aʊs|artən] *vi* to degenerate; (*Kind*) to become overexcited.
ausatmen ['aʊs|a:tmən] *vi* to breathe out.
ausbaden ['aʊsba:dən] (*umg*) *vt:* **etw ~ müssen** to carry the can for sth.
Ausbau ['aʊsbaʊ] *m* extension, expansion; removal.
ausbauen *vt* to extend, expand; (*herausnehmen*) to take out, remove.
ausbaufähig *adj* (*fig*) worth developing.
ausbedingen ['aʊsbədɪŋən] *unreg vt:* **sich** *dat* **etw ~** to insist on sth.
ausbeißen ['aʊsbaɪsən] *unreg vr:* **sich** *dat* **an etw** *dat* **die Zähne ~** (*fig*) to have a tough time of it with sth.
ausbessern ['aʊsbɛsərn] *vt* to mend, repair.
Ausbesserungsarbeiten *pl* repair work *sing*.
ausbeulen ['aʊsbɔʏlən] *vt* to beat out.
Ausbeute ['aʊsbɔʏtə] *f* yield; (*Gewinn*) profit, gain; (*Fische*) catch.
ausbeuten *vt* to exploit; (*MIN*) to work.
ausbezahlen ['aʊsbətsa:lən] *vt* (*Geld*) to pay out.
ausbilden ['aʊsbɪldən] *vt* to educate; (*Lehrling, Soldat*) to instruct, train; (*Fähigkeiten*) to develop; (*Geschmack*) to cultivate.
Ausbilder(in) (**-s, -**) *m(f)* instructor, instructress.
Ausbildung *f* education; training, instruction; development; cultivation; **er ist noch in der ~** he's still a trainee; he hasn't finished his education.
Ausbildungs- *zW:* **~förderung** *f* (provision of) grants for students and trainees; (*Stipendium*) grant; **~platz** *m* (*Stelle*) training vacancy.
ausbitten ['aʊsbɪtən] *unreg vt:* **sich** *dat* **etw ~** (*geh: erbitten*) to ask for sth; (*verlangen*) to insist on sth.
ausblasen ['aʊsbla:zən] *unreg vt* to blow out; (*Ei*) to blow.
ausbleiben ['aʊsblaɪbən] *unreg vi* (*Personen*) to stay away, not come; (*Ereignisse*) to fail to happen, not happen; **es konnte nicht ~, daß** ... it was inevitable that ...
ausblenden ['aʊsblɛndən] *vt, vi* (*TV etc*) to fade out.
Ausblick ['aʊsblɪk] *m* (*lit, fig*) prospect, outlook, view.
ausbomben ['aʊsbɔmbən] *vt* to bomb out.
ausbooten ['aʊsbo:tən] (*umg*) *vt* (*jdn*) to kick *od* boot out.
ausbrechen ['aʊsbrɛçən] *unreg vi* to break out ♦ *vt* to break off; **in Tränen/Gelächter ~** to burst into tears/out laughing.
Ausbrecher(in) (**-s, -**) (*umg*) *m(f)* (*Gefangener*)

escaped prisoner, escapee.
ausbreiten ['aʊsbraɪtən] *vt* to spread (out); (*Arme*) to stretch out ♦ *vr* to spread; **sich über ein Thema ~** to expand *od* enlarge on a topic.
ausbrennen ['aʊsbrɛnən] *unreg vt* to scorch; (*Wunde*) to cauterize ♦ *vi* to burn out.
ausbringen ['aʊsbrɪŋən] *unreg vt* (*ein Hoch*) to propose.
Ausbruch ['aʊsbrʊx] *m* outbreak; (*von Vulkan*) eruption; (*Gefühls~*) outburst; (*von Gefangenen*) escape.
ausbrüten ['aʊsbry:tən] *vt* (*lit, fig*) to hatch.
Ausbuchtung ['aʊsbʊxtʊŋ] *f* bulge; (*Küste*) cove.
ausbügeln ['aʊsby:gəln] *vt* to iron out; (*umg: Fehler, Verlust*) to make good.
ausbuhen ['aʊsbu:ən] *vt* to boo.
Ausbund ['aʊsbʊnt] *m:* **ein ~ an** *od* **von Tugend/Sparsamkeit** a paragon of virtue/a model of thrift.
ausbürgern ['aʊsbʏrgərn] *vt* to expatriate.
ausbürsten ['aʊsbʏrstən] *vt* to brush out.
Ausdauer ['aʊsdaʊər] *f* stamina; (*Beharrlichkeit*) perseverance.
ausdauernd *adj* persevering.
ausdehnen ['aʊsde:nən] *vt, vr* (*räumlich*) to expand; (*zeitlich, auch Gummi*) to stretch; (*Nebel, fig: Macht*) to extend.
ausdenken ['aʊsdɛŋkən] *unreg vt* (*zu Ende denken*) to think through; **sich** *dat* **etw ~** to think sth up; **das ist nicht auszudenken** (*unvorstellbar*) it's inconceivable.
ausdiskutieren ['aʊsdɪskuti:rən] *vt* to talk out.
ausdrehen ['aʊsdre:ən] *vt* to turn *od* switch off.
Ausdruck ['aʊsdrʊk] **(-s, -drücke)** *m* expression, phrase; (*Kundgabe, Gesichts~*) expression; (*Fach~*) term; (*COMPUT*) hard copy; **mit dem ~ des Bedauerns** (*form*) expressing regret.
ausdrucken *vt* (*Text*) to print out.
ausdrücken ['aʊsdrʏkən] *vt* (*auch vr: formulieren, zeigen*) to express; (*Zigarette*) to put out; (*Zitrone*) to squeeze.
ausdrücklich *adj* express, explicit.
Ausdrucks- *zW:* **~fähigkeit** *f* expressiveness; (*Gewandtheit*) articulateness; **a~los** *adj* expressionless, blank; **a~voll** *adj* expressive; **~weise** *f* mode of expression.
Ausdünstung ['aʊsdʏnstʊŋ] *f* (*Dampf*) vapour (*BRIT*), vapor (*US*); (*Geruch*) smell.
auseinander [aʊs|aɪ'nandər] *adv* (*getrennt*) apart; **weit ~** far apart; **~ schreiben** to write as separate words; **~bringen** *unreg vt* to separate; **~fallen** *unreg vi* to fall apart; **~gehen** *unreg vi* (*Menschen*) to separate; (*Meinungen*) to differ; (*Gegenstand*) to fall apart; (*umg: dick werden*) to put on weight; **~halten** *unreg vt* to tell apart; **~klaffen** *vi* to gape open; (*fig: Meinungen*) to be far apart, diverge (wildly); **~laufen** *unreg* (*umg*) *vi* (*sich trennen*) to break up; (*Menge*) to disperse; **~leben** *vr* to drift apart; **~nehmen** *unreg vt* to take to pieces, dismantle; **~setzen** *vt* (*erklären*) to set forth, explain ♦ *vr* (*sich verständigen*) to come to terms, settle; (*sich befassen*) to concern o.s.; **sich mit jdm ~setzen** to talk with sb; (*sich streiten*) to argue with sb; **A~setzung** *f* argument.
auserkoren ['aʊs|ɛrko:rən] *adj* (*liter*) chosen, selected.
auserlesen ['aʊs|ɛrle:zən] *adj* select, choice.
ausersehen ['aʊs|ɛrze:ən] *unreg vt* (*geh*): **dazu ~ sein, etw zu tun** to be chosen to do sth.
ausfahrbar *adj* extendable; (*Antenne, Fahrgestell*) retractable.
ausfahren ['aʊsfa:rən] *unreg vi* to drive out; (*NAUT*) to put out (to sea) ♦ *vt* to take out; (*AUT*) to drive flat out; (*ausliefern: Waren*) to deliver; **ausgefahrene Wege** rutted roads.
Ausfahrt *f* (*des Zuges etc*) leaving, departure; (*Autobahn~, Garagen~*) exit, way out; (*Spazierfahrt*) drive, excursion.
Ausfall ['aʊsfal] *m* loss; (*Nichtstattfinden*) cancellation; (*das Versagen: TECH, MED*) failure; (*von Motor*) breakdown; (*Produktionsstörung*) stoppage; (*MIL*) sortie; (*Fechten*) lunge; (*radioaktiv*) fallout.
ausfallen ['aʊsfalən] *unreg vi* (*Zähne, Haare*) to fall *od* come out; (*nicht stattfinden*) to be cancelled; (*wegbleiben*) to be omitted; (*Person*) to drop out; (*Lohn*) to be stopped; (*nicht funktionieren*) to break down; (*Resultat haben*) to turn out; **wie ist das Spiel ausgefallen?** what was the result of the game?; **die Schule fällt morgen aus** there's no school tomorrow.
ausfallend *adj* impertinent.
Ausfallstraße *f* arterial road.
Ausfallzeit *f* (*Maschine*) downtime.
ausfegen ['aʊsfe:gən] *vt* to sweep out.
ausfeilen ['aʊsfaɪlən] *vt* to file out; (*Stil*) to polish up.
ausfertigen ['aʊsfɛrtɪgən] *vt* (*form*) to draw up; (*Rechnung*) to make out; **doppelt ~** to duplicate.
Ausfertigung *f* (*form*) drawing up; making out; (*Exemplar*) copy; **in doppelter/dreifacher ~** in duplicate/triplicate.
ausfindig ['aʊsfɪndɪç] *adj:* **~ machen** to discover.
ausfliegen ['aʊsfli:gən] *unreg vi* to fly away ♦ *vt* to fly out; **sie sind ausgeflogen** (*umg*) they're out.
ausfließen ['aʊsfli:sən] *unreg vi:* **~ (aus)** (*herausfließen*) to flow out (of); (*auslaufen: Öl etc*) to leak (out of); (*Eiter etc*) to be discharged (from).
ausflippen ['aʊsflɪpən] (*umg*) *vi* to freak out.
Ausflucht ['aʊsflʊxt] **(-, -flüchte)** *f* excuse.
Ausflug ['aʊsflu:k] *m* excursion, outing.
Ausflügler(in) ['aʊsfly:klər(ɪn)] **(-s, -)** *m(f)* tripper (*BRIT*), excursionist (*US*).

Ausfluß ['aʊsflʊs] *m* outlet; (*MED*) discharge.
ausfragen ['aʊsfra:gən] *vt* to interrogate, question.
ausfransen ['aʊsfranzən] *vi* to fray.
ausfressen ['aʊsfrɛsən] *unreg* (*umg*) *vt* (*anstellen*) to be up to.
Ausfuhr ['aʊsfu:r] (**-, -en**) *f* export, exportation; (*Ware*) export ♦ *in zW* export.
ausführbar ['aʊsfy:rba:r] *adj* feasible; (*COMM*) exportable.
ausführen ['aʊsfy:rən] *vt* (*verwirklichen*) to carry out; (*Person*) to take out; (*Hund*) to take for a walk; (*COMM*) to export; (*erklären*) to give details of; **die ~de Gewalt** (*POL*) the executive.
Ausfuhrgenehmigung *f* export licence.
ausführlich *adj* detailed ♦ *adv* in detail; **A~keit** *f* detail.
Ausführung *f* execution, performance; (*von Waren*) design; (*von Thema*) exposition; (*Durchführung*) completion; (*Herstellungsart*) version; (*Erklärung*) explanation.
Ausfuhrzoll *m* export duty.
ausfüllen ['aʊsfʏlən] *vt* to fill up; (*Fragebogen etc*) to fill in; (*Beruf*) to be fulfilling for; **jdn (ganz)** ~ (*Zeit in Anspruch nehmen*) to take (all) sb's time.
Ausg. *abk* (= *Ausgabe*) ed.
Ausgabe ['aʊsga:bə] *f* (*Geld*) expenditure, outlay; (*Aushändigung*) giving out; (*Schalter*) counter; (*Ausführung*) version; (*Buch*) edition; (*Nummer*) issue.
Ausgang ['aʊsgaŋ] *m* way out, exit; (*Ende*) end; (*~spunkt*) starting point; (*Ergebnis*) result; (*Ausgehtag*) free time, time off; **ein Unfall mit tödlichem** ~ a fatal accident; **kein** ~ no exit.
Ausgangs- *zW*: **~basis** *f* starting point; **~punkt** *m* starting point; **~sperre** *f* curfew.
ausgeben ['aʊsge:bən] *unreg vt* (*Geld*) to spend; (*austeilen*) to issue, distribute; (*COMPUT*) to output ♦ *vr*: **sich für etw/jdn** ~ to pass o.s. off as sth/sb; **ich gebe heute abend einen aus** (*umg*) it's my treat this evening.
ausgebeult ['aʊsgəbɔʏlt] *adj* (*Kleidung*) baggy; (*Hut*) battered.
ausgebucht ['aʊsgəbu:xt] *adj* fully booked.
Ausgeburt ['aʊsgəbu:rt] (*pej*) *f* (*der Phantasie etc*) monstrous product *od* invention.
ausgedehnt ['aʊsgəde:nt] *adj* (*breit, groß, fig: weitreichend*) extensive; (*Spaziergang*) long; (*zeitlich*) lengthy.
ausgedient ['aʊsgədi:nt] *adj* (*Soldat*) discharged; (*verbraucht*) no longer in use; ~ **haben** to have come to the end of its useful life.
ausgefallen ['aʊsgəfalən] *adj* (*ungewöhnlich*) exceptional.
ausgefuchst ['aʊsgəfʊkst] (*umg*) *adj* clever; (*: listig*) crafty.
ausgegangen ['aʊsgəgaŋən] *pp von* **ausgehen.**
ausgeglichen ['aʊsgəglɪçən] *adj* (well-)balanced; **A~heit** *f* balance; (*von Mensch*) even-temperedness.
Ausgehanzug *m* good suit.
ausgehen ['aʊsge:ən] *unreg vi* (*auch Feuer, Ofen, Licht*) to go out; (*zu Ende gehen*) to come to an end; (*Benzin*) to run out; (*Haare, Zähne*) to fall *od* come out; (*Strom*) to go off; (*Resultat haben*) to turn out; (*spazierengehen*) to go (out) for a walk; (*abgeschickt werden: Post*) to be sent off; **mir ging das Benzin aus** I ran out of petrol (*BRIT*) *od* gas (*US*); **auf etw** *akk* ~ to aim at sth; **von etw** ~ (*wegführen*) to lead away from sth; (*herrühren*) to come from sth; (*zugrunde legen*) to proceed from sth; **wir können davon ~, daß** ... we can proceed from the assumption that ..., we can take as our starting point that ...; **leer** ~ to get nothing; **schlecht** ~ to turn out badly.
ausgehungert ['aʊsgəhʊŋərt] *adj* starved; (*abgezehrt: Mensch etc*) emaciated.
Ausgehverbot *nt* curfew.
ausgeklügelt ['aʊsgəkly:gəlt] *adj* ingenious.
ausgekocht ['aʊsgəkɔxt] (*pej: umg*) *adj* (*durchtrieben*) cunning; (*fig*) out-and-out.
ausgelassen ['aʊsgəlasən] *adj* boisterous, high-spirited, exuberant; **A~heit** *f* boisterousness, high spirits *pl*, exuberance.
ausgelastet ['aʊsgəlastət] *adj* fully occupied.
ausgeleiert ['aʊsgəlaɪərt] *adj* worn; (*Gummiband*) stretched.
ausgelernt ['aʊsgəlɛrnt] *adj* trained, qualified.
ausgemacht ['aʊsgəmaxt] *adj* settled; (*umg: Dummkopf etc*) out-and-out, downright; **es gilt als ~, daß** ... it is settled that ...; **es war eine ~e Sache, daß** ... it was a foregone conclusion that ...
ausgemergelt ['aʊsgəmɛrgəlt] *adj* (*Gesicht*) emaciated, gaunt.
ausgenommen ['aʊsgənɔmən] *konj* except; **Anwesende sind** ~ present company excepted.
ausgepowert ['aʊsgəpo:vərt] *adj*: ~ **sein** (*umg*) to be tired, be exhausted.
ausgeprägt ['aʊsgəprɛ:kt] *adj* prominent; (*Eigenschaft*) distinct.
ausgerechnet ['aʊsgərɛçnət] *adv* just, precisely; ~ **du** you of all people; ~ **heute** today of all days.
ausgeschlossen ['aʊsgəʃlɔsən] *pp von* **ausschließen** ♦ *adj* (*unmöglich*) impossible, out of the question; **es ist nicht ~, daß** ... it cannot be ruled out that ...
ausgeschnitten ['aʊsgəʃnɪtən] *adj* (*Kleid*) low-necked.
ausgesehen ['aʊsgəze:ən] *pp von* **aussehen.**
ausgesprochen ['aʊsgəʃprɔxən] *adj* (*Faulheit, Lüge etc*) out-and-out; (*unverkennbar*) marked ♦ *adv* decidedly.
ausgestorben ['aʊsgəʃtɔrbən] *adj* (*Tierart*) extinct; (*fig*) deserted.
ausgewogen ['aʊsgəvo:gən] *adj* balanced; (*Maß*) equal.

ausgezeichnet ['aʊsgətsaɪçnət] *adj* excellent.
ausgiebig ['aʊsgiːbɪç] *adj* (*Gebrauch*) full, good; (*Essen*) generous, lavish; ~ **schlafen** to have a good sleep.
ausgießen ['aʊsgiːsən] *unreg vt* (*aus einem Behälter*) to pour out; (*Behälter*) to empty; (*weggießen*) to pour away.
Ausgleich ['aʊsglaɪç] (**-(e)s, -e**) *m* balance; (*von Fehler, Mangel*) compensation; (*SPORT*): **den ~ erzielen** to equalize; **zum ~** *+gen* in order to offset sth; **das ist ein guter ~** (*entspannend*) that's very relaxing.
ausgleichen ['aʊsglaɪçən] *unreg vt* to balance (out); (*Konflikte*) to reconcile; (*Höhe*) to even up ♦ *vi* (*SPORT*) to equalize; **~de Gerechtigkeit** poetic justice.
Ausgleichssport *m* keep-fit activity.
Ausgleichstor *nt* equalizer.
ausgraben ['aʊsgraːbən] *unreg vt* to dig up; (*Leichen*) to exhume; (*fig*) to unearth.
Ausgrabung *f* excavation.
ausgrenzen ['aʊsgrɛntsən] *vt* to shut out, separate.
Ausgrenzung *f* shut-out, separation.
Ausguck ['aʊsgʊk] *m* look-out.
Ausguß ['aʊsgʊs] *m* (*Spüle*) sink; (*Abfluß*) outlet; (*Tülle*) spout.
aushaben ['aʊshaːbən] *unreg* (*umg*) *vt* (*Kleidung*) to have taken off; (*Buch*) to have finished.
aushalten ['aʊshaltən] *unreg vt* to bear, stand; (*umg: Geliebte*) to keep ♦ *vi* to hold out; **das ist nicht zum A~** that is unbearable; **sich von jdm ~ lassen** to be kept by sb.
aushandeln ['aʊshandəln] *vt* to negotiate.
aushändigen ['aʊshɛndɪgən] *vt*: **jdm etw ~** to hand sth over to sb.
Aushang ['aʊshaŋ] *m* notice.
aushängen ['aʊshɛŋən] *unreg vt* (*Meldung*) to put up; (*Fenster*) to take off its hinges ♦ *vi* to be displayed ♦ *vr* to hang out.
Aushängeschild *nt* (shop) sign; (*fig*): **als ~ für etw dienen** to promote sth.
ausharren ['aʊsharən] *vi* to hold out.
aushäusig ['aʊshɔʏzɪç] *adj* gallivanting around, on the tiles.
ausheben ['aʊsheːbən] *unreg vt* (*Erde*) to lift out; (*Grube*) to hollow out; (*Tür*) to take off its hinges; (*Diebesnest*) to clear out; (*MIL*) to enlist.
aushecken ['aʊshɛkən] (*umg*) *vt* to concoct, think up.
aushelfen ['aʊshɛlfən] *unreg vi*: **jdm ~** to help sb out.
Aushilfe ['aʊshɪlfə] *f* help, assistance; (*Person*) (temporary) worker.
Aushilfs- *zW*: **~kraft** *f* temporary worker; **~lehrer(in)** *m(f)* supply teacher; **a~weise** *adv* temporarily, as a stopgap.
aushöhlen ['aʊshøːlən] *vt* to hollow out; (*fig: untergraben*) to undermine.
ausholen ['aʊshoːlən] *vi* to swing one's arm back; (*zur Ohrfeige*) to raise one's hand; (*beim Gehen*) to take long strides; **zum Gegenschlag ~** (*lit, fig*) to prepare for a counter-attack.
aushorchen ['aʊshɔrçən] *vt* to sound out, pump.
aushungern ['aʊshʊŋərn] *vt* to starve out.
auskennen ['aʊskɛnən] *unreg vr* to know a lot; (*an einem Ort*) to know one's way about; (*in Fragen etc*) to be knowledgeable; **man kennt sich bei ihm nie aus** you never know where you are with him.
auskippen ['aʊskɪpən] *vt* to empty.
ausklammern ['aʊsklamərn] *vt* (*Thema*) to exclude, leave out.
Ausklang ['aʊsklaŋ] *m* (*geh*) end.
ausklappbar ['aʊsklapbaːr] *adj*: **dieser Tisch ist ~** this table can be opened out.
auskleiden ['aʊsklaɪdən] *vr* (*geh*) to undress ♦ *vt* (*Wand*) to line.
ausklingen ['aʊsklɪŋən] *unreg vi* to end; (*Ton, Lied*) to die away; (*Fest*) to come to an end.
ausklinken ['aʊsklɪŋkən] *vt* (*Bomben*) to release ♦ *vi* (*umg*) to flip one's lid.
ausklopfen ['aʊsklɔpfən] *vt* (*Teppich*) to beat; (*Pfeife*) to knock out.
auskochen ['aʊskɔxən] *vt* to boil; (*MED*) to sterilize.
auskommen ['aʊskɔmən] *unreg vi*: **mit jdm ~** to get on with sb; **mit etw ~** to get by with sth; **A~ (-s)** *nt*: **sein A~ haben** to get by; **mit ihr ist kein A~** she's impossible to get on with.
auskosten ['aʊskɔstən] *vt* to enjoy to the full.
auskramen ['aʊskraːmən] (*umg*) *vt* to dig out, unearth; (*fig: alte Geschichten etc*) to bring up.
auskratzen ['aʊskratsən] *vt* (*auch MED*) to scrape out.
auskugeln ['aʊskuːgəln] *vr*: **sich** *dat* **den Arm ~** to dislocate one's arm.
auskundschaften ['aʊskʊntʃaftən] *vt* to spy out; (*Gebiet*) to reconnoitre (*BRIT*), reconnoiter (*US*).
Auskunft ['aʊskʊnft] (**-, -künfte**) *f* information; (*nähere*) details *pl*, particulars *pl*; (*Stelle*) information office; (*TEL*) inquiries; **jdm ~ erteilen** to give sb information.
auskuppeln ['aʊskʊpəln] *vi* to disengage the clutch.
auskurieren ['aʊskuriːrən] (*umg*) *vt* to cure.
auslachen ['aʊslaxən] *vt* to laugh at, mock.
ausladen ['aʊslaːdən] *unreg vt* to unload; (*umg: Gäste*) to cancel an invitation to ♦ *vi* (*Äste*) to spread.
ausladend *adj* (*Gebärden, Bewegung*) sweeping.
Auslage ['aʊslaːgə] *f* shop window (display).
Auslagen *pl* outlay *sing*, expenditure *sing*.
Ausland ['aʊslant] *nt* foreign countries *pl*; **im ~** abroad; **ins ~** abroad.

Ausländer(in) ['aʊslɛndər(ɪn)] (**-s, -**) *m(f)* foreigner.
Ausländerfeindlichkeit *f* hostility to foreigners, xenophobia.
ausländisch *adj* foreign.
Auslands- *zW:* ~**aufenthalt** *m* stay abroad; ~**gespräch** *nt* international call; ~**korrespondent(in)** *m(f)* foreign correspondent; ~**reise** *f* trip abroad; ~**schutzbrief** *m* international travel cover; ~**vertretung** *f* agency abroad; (*von Firma*) foreign branch.
auslassen ['aʊslasən] *unreg vt* to leave out; (*Wort etc*) to omit; (*Fett*) to melt; (*Kleidungsstück*) to let out ♦ *vr:* **sich über etw** *akk* ~ to speak one's mind about sth; **seine Wut** *etc* **an jdm** ~ to vent one's rage *etc* on sb.
Auslassung *f* omission.
Auslassungszeichen *nt* apostrophe.
auslasten ['aʊslastən] *vt* (*Fahrzeug*) to make full use of; (*Maschine*) to use to capacity; (*jdn*) to occupy fully.
Auslauf ['aʊslaʊf] *m* (*für Tiere*) run; (*Ausfluß*) outflow, outlet.
auslaufen *unreg vi* to run out; (*Behälter*) to leak; (*NAUT*) to put out (to sea); (*langsam aufhören*) to run down.
Ausläufer ['aʊslɔʏfər] *m* (*von Gebirge*) spur; (*Pflanze*) runner; (*MET: von Hoch*) ridge; (*: von Tief*) trough.
ausleeren ['aʊsle:rən] *vt* to empty.
auslegen ['aʊsle:gən] *vt* (*Waren*) to lay out; (*Köder*) to put down; (*Geld*) to lend; (*bedecken*) to cover; (*Text etc*) to interpret.
Ausleger (**-s, -**) *m* (*von Kran etc*) jib, boom.
Auslegung *f* interpretation.
Ausleihe ['aʊslaɪə] (**-, -n**) *f* issuing; (*Stelle*) issue desk.
ausleihen ['aʊslaɪən] *unreg vt* (*verleihen*) to lend; **sich** *dat* **etw** ~ to borrow sth.
auslernen ['aʊslɛrnən] *vi* (*Lehrling*) to finish one's apprenticeship; **man lernt nie aus** (*Sprichwort*) you live and learn.
Auslese ['aʊsle:zə] (**-, -n**) *f* selection; (*Elite*) elite; (*Wein*) choice wine.
auslesen ['aʊsle:zən] *unreg vt* to select; (*umg: zu Ende lesen*) to finish.
ausliefern ['aʊsli:fərn] *vt* to hand over; (*COMM*) to deliver ♦ *vr:* **sich jdm** ~ to give o.s. up to sb; ~ **(an** *+akk***)** to deliver (up) (to), hand over (to); (*an anderen Staat*) to extradite (to); **jdm/etw ausgeliefert sein** to be at the mercy of sb/sth.
Auslieferungsabkommen *nt* extradition treaty.
ausliegen ['aʊsli:gən] *unreg vi* (*zur Ansicht*) to be displayed; (*Zeitschriften etc*) to be available (to the public); (*Liste*) to be up.
auslöschen ['aʊslœʃən] *vt* to extinguish; (*fig*) to wipe out, obliterate.
auslosen ['aʊslo:zən] *vt* to draw lots for.
auslösen ['aʊslø:zən] *vt* (*Explosion, Schuß*) to set off; (*hervorrufen*) to cause, produce; (*Gefangene*) to ransom; (*Pfand*) to redeem.
Auslöser (**-s, -**) *m* trigger; (*PHOT*) release; (*Anlaß*) cause.
ausloten ['aʊslo:tən] *vt* (*NAUT: Tiefe*) to sound; (*fig geh*) to plumb.
ausmachen ['aʊsmaxən] *vt* (*Licht, Radio*) to turn off; (*Feuer*) to put out; (*entdecken*) to make out; (*vereinbaren*) to agree; (*beilegen*) to settle; (*Anteil darstellen, betragen*) to represent; (*bedeuten*) to matter; **das macht ihm nichts aus** it doesn't matter to him; **macht es Ihnen etwas aus, wenn ...?** would you mind if ...?
ausmalen ['aʊsma:lən] *vt* to paint; (*fig*) to describe; **sich** *dat* **etw** ~ to imagine sth.
Ausmaß ['aʊsma:s] *nt* dimension; (*fig*) scale.
ausmerzen ['aʊsmɛrtsən] *vt* to eliminate.
ausmessen ['aʊsmɛsən] *unreg vt* to measure.
ausmisten ['aʊsmɪstən] *vt* (*Stall*) to muck out; (*fig: umg: Schrank etc*) to tidy out; (*: Zimmer*) to clean out.
ausmustern ['aʊsmʊstərn] *vt* (*Maschine, Fahrzeug etc*) to take out of service; (*MIL: entlassen*) to invalid out.
Ausnahme ['aʊsna:mə] (**-, -n**) *f* exception; **eine ~ machen** to make an exception; ~**erscheinung** *f* exception, one-off example; ~**fall** *m* exceptional case; ~**zustand** *m* state of emergency.
ausnahmslos *adv* without exception.
ausnahmsweise *adv* by way of exception, for once.
ausnehmen ['aʊsne:mən] *unreg vt* to take out, remove; (*Tier*) to gut; (*Nest*) to rob; (*umg: Geld abnehmen*) to clean out; (*ausschließen*) to make an exception of ♦ *vr* to look, appear.
ausnehmend *adj* exceptional.
ausnüchtern ['aʊsnʏçtərn] *vt, vi* to sober up.
Ausnüchterungszelle *f* drying-out cell.
ausnutzen ['aʊsnʊtsən] *vt* (*Zeit, Gelegenheit*) to use, turn to good account; (*Einfluß*) to use; (*Mensch, Gutmütigkeit*) to exploit.
auspacken ['aʊspakən] *vt* to unpack ♦ *vi* (*umg: alles sagen*) to talk.
auspfeifen ['aʊspfaɪfən] *unreg vt* to hiss/boo at.
ausplaudern ['aʊsplaʊdərn] *vt* (*Geheimnis*) to blab.
ausposaunen ['aʊspozaʊnən] (*umg*) *vt* to tell the world about.
ausprägen ['aʊsprɛ:gən] *vr* (*Begabung, Charaktereigenschaft*) to reveal *od* show itself.
auspressen ['aʊsprɛsən] *vt* (*Saft, Schwamm etc*) to squeeze out; (*Zitrone etc*) to squeeze.
ausprobieren ['aʊsprobi:rən] *vt* to try (out).
Auspuff ['aʊspʊf] (**-(e)s, -e**) *m* (*TECH*) exhaust; ~**rohr** *nt* exhaust (pipe); ~**topf** *m* (*AUT*) silencer (*BRIT*), muffler (*US*).
ausquartieren ['aʊskvarti:rən] *vt* to move out.
ausquetschen ['aʊskvɛtʃən] *vt* (*Zitrone etc*) to

squeeze; (*umg: ausfragen*) to grill; (: *aus Neugier*) to pump.
ausradieren ['aʊsradiːrən] *vt* to erase, rub out.
ausrangieren ['aʊsrãʒiːrən] (*umg*) *vt* to chuck out; (*Maschine, Auto*) to scrap.
ausrauben ['aʊsraʊbən] *vt* to rob.
ausräumen ['aʊsrɔʏmən] *vt* (*Dinge*) to clear away; (*Schrank, Zimmer*) to empty; (*Bedenken*) to put aside.
ausrechnen ['aʊsrɛçnən] *vt* to calculate, reckon.
Ausrechnung *f* calculation, reckoning.
Ausrede ['aʊsreːdə] *f* excuse.
ausreden ['aʊsreːdən] *vi* to have one's say ♦ *vt*: **jdm etw ~** to talk sb out of sth; **er hat mich nicht mal ~ lassen** he didn't even let me finish (speaking).
ausreichen ['aʊsraɪçən] *vi* to suffice, be enough.
ausreichend *adj* sufficient, adequate; (*SCH*) adequate.
Ausreise ['aʊsraɪzə] *f* departure; **bei der ~** when leaving the country; **~erlaubnis** *f* exit visa.
ausreisen ['aʊsraɪzən] *vi* to leave the country.
ausreißen ['aʊsraɪsən] *unreg vt* to tear *od* pull out ♦ *vi* (*Riß bekommen*) to tear; (*umg*) to make off, scram; **er hat sich** *dat* **kein Bein ausgerissen** (*umg*) he didn't exactly overstrain himself.
ausrenken ['aʊsrɛŋkən] *vt* to dislocate.
ausrichten ['aʊsrɪçtən] *vt* (*Botschaft*) to deliver; (*Gruß*) to pass on; (*Hochzeit etc*) to arrange; (*in gerade Linie bringen*) to get in a straight line; (*angleichen*) to bring into line; (*TYP etc*) to justify; **etwas/nichts bei jdm ~** to get somewhere/nowhere with sb; **jdm etw ~** to take a message for sb; **ich werde es ihm ~** I'll tell him.
ausrotten ['aʊsrɔtən] *vt* to stamp out, exterminate.
ausrücken ['aʊsrʏkən] *vi* (*MIL*) to move off; (*Feuerwehr, Polizei*) to be called out; (*umg: weglaufen*) to run away.
Ausruf ['aʊsruːf] *m* (*Schrei*) cry, exclamation; (*Verkünden*) proclamation.
ausrufen *unreg vt* to cry out, exclaim; to call out; **jdn ~ (lassen)** (*über Lautsprecher etc*) to page sb.
Ausrufezeichen *nt* exclamation mark.
ausruhen ['aʊsruːən] *vt, vi, vr* to rest.
ausrüsten ['aʊsrʏstən] *vt* to equip, fit out.
Ausrüstung *f* equipment.
ausrutschen ['aʊsrʊtʃən] *vi* to slip.
Ausrutscher (**-s, -**) (*umg*) *m* (*lit, fig*) slip.
Aussage ['aʊszaːgə] (**-, -n**) *f* (*JUR*) statement; **der Angeklagte/Zeuge verweigerte die ~** the accused/witness refused to give evidence.
aussagekräftig *adj* expressive, full of expression.
aussagen ['aʊszaːgən] *vt* to say, state ♦ *vi* (*JUR*) to give evidence.
Aussatz ['aʊszats] (**-es**) *m* (*MED*) leprosy.
aussaugen ['aʊszaʊgən] *vt* (*Saft etc*) to suck out; (*Wunde*) to suck the poison out of; (*fig: ausbeuten*) to drain dry.
ausschalten ['aʊsʃaltən] *vt* to switch off; (*fig*) to eliminate.
Ausschank ['aʊsʃaŋk] (**-(e)s, -schänke**) *m* dispensing, giving out; (*COMM*) selling; (*Theke*) bar.
Ausschankerlaubnis *f* licence (*BRIT*), license (*US*).
Ausschau ['aʊsʃaʊ] *f*: **~ halten (nach)** to look out (for), watch (for).
ausschauen *vi*: **~ (nach)** to look out (for), be on the look-out (for).
ausscheiden ['aʊsʃaɪdən] *unreg vt* (*aussondern*) to take out; (*MED*) to excrete ♦ *vi*: **~ (aus)** to leave; (*aus einem Amt*) to retire (from); (*SPORT*) to be eliminated (from), be knocked out (of); **er scheidet für den Posten aus** he can't be considered for the job.
Ausscheidung *f* (*Aussondern*) removal; (*MED*) excretion; (*SPORT*) elimination.
ausschenken ['aʊsʃɛŋkən] *vt* to pour out; (*am Ausschank*) to serve.
ausscheren ['aʊsʃeːrən] *vi* (*Fahrzeug*) to leave the line *od* convoy; (*zum Überholen*) to pull out.
ausschildern ['aʊsʃɪldərn] *vt* to signpost.
ausschimpfen ['aʊsʃɪmpfən] *vt* to scold, tell off.
ausschlachten ['aʊsʃlaxtən] *vt* (*Auto*) to cannibalize; (*fig*) to make a meal of.
ausschlafen ['aʊsʃlaːfən] *unreg vi, vr* to sleep late ♦ *vt* to sleep off; **ich bin nicht ausgeschlafen** I didn't have *od* get enough sleep.
Ausschlag ['aʊsʃlaːk] *m* (*MED*) rash; (*Pendel~*) swing; (*von Nadel*) deflection; **den ~ geben** (*fig*) to tip the balance.
ausschlagen ['aʊsʃlaːgən] *unreg vt* to knock out; (*auskleiden*) to deck out; (*verweigern*) to decline ♦ *vi* (*Pferd*) to kick out; (*BOT*) to sprout; (*Zeiger*) to be deflected.
ausschlaggebend *adj* decisive.
ausschließen ['aʊsʃliːsən] *unreg vt* to shut *od* lock out; (*SPORT*) to disqualify; (*Fehler, Möglichkeit etc*) to rule out; (*fig*) to exclude; **ich will mich nicht ~** myself not excepted.
ausschließlich *adj* exclusive ♦ *adv* exclusively ♦ *präp +gen* excluding, exclusive of.
ausschlüpfen ['aʊsʃlʏpfən] *vi* to slip out; (*aus Ei, Puppe*) to hatch out.
Ausschluß ['aʊsʃlʊs] *m* exclusion; **unter ~ der Öffentlichkeit stattfinden** to be closed to the public; (*JUR*) to be held in camera.
ausschmücken ['aʊsʃmʏkən] *vt* to decorate; (*fig*) to embellish.
ausschneiden ['aʊsʃnaɪdən] *unreg vt* to cut out; (*Büsche*) to trim.

Ausschnitt ['aʊsʃnɪt] *m* (*Teil*) section; (*von Kleid*) neckline; (*Zeitungs~*) cutting (*BRIT*), clipping (*US*); (*aus Film etc*) excerpt.
ausschöpfen ['aʊsʃœpfən] *vt* to ladle out; (*fig*) to exhaust; **Wasser** *etc* **aus etw** ~ to ladle water *etc* out of sth.
ausschreiben ['aʊsʃraɪbən] *unreg vt* (*ganz schreiben*) to write out (in full); (*Scheck, Rechnung etc*) to write (out); (*Stelle, Wettbewerb etc*) to announce, advertise.
Ausschreibung *f* (*Bekanntmachung: von Wahlen*) calling; (: *von Stelle*) advertising.
Ausschreitung ['aʊsʃraɪtʊŋ] *f* excess.
Ausschuß ['aʊsʃʊs] *m* committee, board; (*Abfall*) waste, scraps *pl*; (*COMM: auch:* ~**ware**) reject.
ausschütten ['aʊsʃʏtən] *vt* to pour out; (*Eimer*) to empty; (*Geld*) to pay ♦ *vr* to shake (with laughter).
Ausschüttung *f* (*FIN*) distribution.
ausschwärmen ['aʊsʃvɛrmən] *vi* (*Bienen, Menschen*) to swarm out; (*MIL*) to fan out.
ausschweifend ['aʊsʃvaɪfənt] *adj* (*Leben*) dissipated, debauched; (*Phantasie*) extravagant.
Ausschweifung *f* excess.
ausschweigen ['aʊsʃvaɪgən] *unreg vr* to keep silent.
ausschwitzen ['aʊsʃvɪtsən] *vt* to sweat out.
aussehen ['aʊszeːən] *unreg vi* to look; **gut** ~ to look good/well; **wie sieht's aus?** (*umg: wie steht's?*) how's things?; **das sieht nach nichts aus** that doesn't look anything special; **es sieht nach Regen aus** it looks like rain; **es sieht schlecht aus** things look bad; **A~** (**-s**) *nt* appearance.
aussein ['aʊssaɪn] *unreg* (*umg*) *vi* to be out; (*zu Ende*) to be over ♦ *vi unpers:* **es ist aus mit ihm** he is finished, he has had it.
außen ['aʊsən] *adv* outside; (*nach* ~) outwards; ~ **ist es rot** it's red (on the) outside.
Außen- *zW:* ~**antenne** *f* outside aerial; ~**arbeiten** *pl* work *sing* on the exterior; ~**aufnahme** *f* outdoor shot; ~**bezirk** *m* outlying district; ~**bordmotor** *m* outboard motor.
aussenden ['aʊszɛndən] *unreg vt* to send out, emit.
Außen- *zW:* ~**dienst** *m* outside *od* field service; (*von Diplomat*) foreign service; ~**handel** *m* foreign trade; ~**minister** *m* foreign minister; ~**ministerium** *nt* foreign office; ~**politik** *f* foreign policy; ~**seite** *f* outside; ~**seiter(in)** (**-s, -**) *m(f)* outsider; ~**spiegel** *m* (*AUT*) outside mirror; ~**stände** *pl* (*bes COMM*) outstanding debts *pl*, arrears *pl*; ~**stehende(r)** *f(m)* outsider; ~**stelle** *f* branch; ~**welt** *f* outside world.
außer ['aʊsər] *präp +dat* (*räumlich*) out of; (*abgesehen von*) except ♦ *konj* (*ausgenommen*) except; ~ **Gefahr sein** to be out of danger; ~ **Zweifel** beyond any doubt; ~ **Betrieb** out of order; ~ **sich** *dat* **sein/geraten** to be beside o.s.; ~ **Dienst** retired; ~ **Landes** abroad; ~ **wenn** unless; ~ **daß** except; ~**amtlich** *adj* unofficial, private.
außerdem *konj* besides, in addition ♦ *adv* anyway.
außerdienstlich *adj* private.
äußere(r, s) ['ɔʏsərə(r, s)] *adj* outer, external; **Ä~(s)** *nt* exterior; (*fig: Aussehen*) outward appearance.
außer- *zW:* ~**ehelich** *adj* extramarital; ~**gewöhnlich** *adj* unusual; ~**halb** *präp +gen* outside ♦ *adv* outside; ~**irdisch** *adj* extraterrestrial; **A~kraftsetzung** *f* repeal.
äußerlich *adj* external; **rein** ~ **betrachtet** on the face of it; **Ä~keit** *f* (*fig*) triviality; (*Oberflächlichkeit*) superficiality; (*Formalität*) formality.
äußern *vt* to utter, express; (*zeigen*) to show ♦ *vr* to give one's opinion; (*sich zeigen*) to show itself.
außer- *zW:* ~**ordentlich** *adj* extraordinary; ~**planmäßig** *adj* unscheduled; ~**sinnlich** *adj:* ~**sinnliche Wahrnehmung** extrasensory perception.
äußerst ['ɔʏsərst] *adv* extremely, most.
außerstande [aʊsər'ʃtandə] *adv* (*nicht in der Lage*) not in a position; (*nicht fähig*) unable.
Äußerste(s) *nt:* **bis zum** ~**n gehen** to go to extremes.
äußerste(r, s) *adj* utmost; (*räumlich*) farthest; (*Termin*) last possible; (*Preis*) highest; **mein** ~**s Angebot** my final offer.
äußerstenfalls *adv* if the worst comes to the worst.
Äußerung *f* (*Bemerkung*) remark, comment; (*Behauptung*) statement; (*Zeichen*) expression.
aussetzen ['aʊszɛtsən] *vt* (*Kind, Tier*) to abandon; (*Boote*) to lower; (*Belohnung*) to offer; (*Urteil, Verfahren*) to postpone ♦ *vi* (*aufhören*) to stop; (*Pause machen*) to have a break; **jdn/sich einer Sache** *dat* ~ to lay sb/o.s. open to sth; **jdm/etw ausgesetzt sein** to be exposed to sb/sth; **was haben Sie daran auszusetzen?** what's your objection to it?; **an jdm/etw etwas** ~ to find fault with sb/sth.
Aussicht ['aʊszɪçt] *f* view; (*in Zukunft*) prospect; **in** ~ **sein** to be in view; **etw in** ~ **haben** to have sth in view; **jdm etw in** ~ **stellen** to promise sb sth.
Aussichts- *zW:* **a~los** *adj* hopeless; ~**punkt** *m* viewpoint; **a~reich** *adj* promising; ~**turm** *m* observation tower.
Aussiedler(in) ['aʊsziːdlər(ɪn)] (**-s, -**) *m(f)* (*Auswanderer*) emigrant.

Aussiedler *are people of German origin from East and South-East Europe who have resettled in Germany. Many come from the former Soviet Union. They are given free*

German language tuition for 6 months and receive financial help for 15 months. The number of Aussiedler increased dramatically in the early 1990s.

aussöhnen ['aʊszøːnən] *vt* to reconcile ♦ *vr* (*einander*) to become reconciled; **sich mit jdm/etw** ~ to reconcile o.s. with sb/to sth.
Aussöhnung *f* reconciliation.
aussondern ['aʊszɔndərn] *vt* to separate off, select.
aussorgen ['aʊszɔrgən] *vi*: **ausgesorgt haben** to have no more money worries.
aussortieren ['aʊszɔrtiːrən] *vt* to sort out.
ausspannen ['aʊsʃpanən] *vt* to spread *od* stretch out; (*Pferd*) to unharness; (*umg: Mädchen*): **jdm jdn** ~ to steal sb from sb ♦ *vi* to relax.
aussparen ['aʊsʃpaːrən] *vt* to leave open.
aussperren ['aʊsʃpɛrən] *vt* to lock out.
Aussperrung *f* (*INDUSTRIE*) lock-out.
ausspielen ['aʊsʃpiːlən] *vt* (*Karte*) to lead; (*Geldprämie*) to offer as a prize ♦ *vi* (*KARTEN*) to lead; **ausgespielt haben** to be finished; **jdn gegen jdn** ~ to play sb off against sb.
Ausspielung *f* (*im Lotto*) draw.
ausspionieren ['aʊsʃpioniːrən] *vt* (*Pläne etc*) to spy out; (*Person*) to spy on.
Aussprache ['aʊsʃpraːxə] *f* pronunciation; (*Unterredung*) (frank) discussion.
aussprechen ['aʊsʃprɛçən] *unreg vt* to pronounce; (*zu Ende sprechen*) to speak; (*äußern*) to say, express ♦ *vr* (*sich äußern*): **sich** ~ **(über** *+akk***)** to speak (about); (*sich anvertrauen*) to unburden o.s. (about *od* on); (*diskutieren*) to discuss ♦ *vi* (*zu Ende sprechen*) to finish speaking; **der Regierung das Vertrauen** ~ to pass a vote of confidence in the government.
Ausspruch ['aʊsʃprʊx] *m* remark; (*geflügeltes Wort*) saying.
ausspucken ['aʊsʃpʊkən] *vt* to spit out ♦ *vi* to spit.
ausspülen ['aʊsʃpyːlən] *vt* to wash out; (*Mund*) to rinse.
ausstaffieren ['aʊsʃtafiːrən] *vt* to equip, kit out; (*Zimmer*) to furnish.
Ausstand ['aʊsʃtant] *m* strike; **in den** ~ **treten** to go on strike; **seinen** ~ **geben** to hold a leaving party.
ausstatten ['aʊsʃtatən] *vt* (*Zimmer etc*) to furnish; **jdn mit etw** ~ to equip sb *od* kit sb out with sth.
Ausstattung *f* (*Ausstatten*) provision; (*Kleidung*) outfit; (*Aussteuer*) dowry; (*Aufmachung*) make-up; (*Einrichtung*) furnishing.
ausstechen ['aʊsʃtɛçən] *unreg vt* (*Torf, Kekse*) to cut out; (*Augen*) to gouge out; (*übertreffen*) to outshine.
ausstehen ['aʊsʃteːən] *unreg vt* to stand, endure ♦ *vi* (*noch nicht dasein*) to be outstanding.
aussteigen ['aʊsʃtaɪgən] *unreg vi* to get out, alight; **alles** ~! (*von Schaffner*) all change!; **aus der Gesellschaft** ~ to drop out (of society).
Aussteiger(in) (*umg*) *m(f)* dropout.
ausstellen ['aʊsʃtɛlən] *vt* to exhibit, display; (*umg: ausschalten*) to switch off; (*Rechnung etc*) to make out; (*Paß, Zeugnis*) to issue.
Aussteller(in) *m(f)* (*auf Messe*) exhibitor; (*von Scheck*) drawer.
Ausstellung *f* exhibition; (*FIN*) drawing up; (*einer Rechnung*) making out; (*eines Passes etc*) issuing.
Ausstellungsdatum *nt* date of issue.
Ausstellungsstück *nt* (*in Ausstellung*) exhibit; (*in Schaufenster etc*) display item.
aussterben ['aʊsʃtɛrbən] *unreg vi* to die out; **A~** *nt* extinction.
Aussteuer ['aʊsʃtɔʏər] *f* dowry.
aussteuern ['aʊsʃtɔʏərn] *vt* (*Verstärker*) to adjust.
Ausstieg ['aʊsʃtiːk] **(-(e)s, -e)** *m* (*Ausgang*) exit; ~ **aus der Atomenergie** abandonment of nuclear energy.
ausstopfen ['aʊsʃtɔpfən] *vt* to stuff.
ausstoßen ['aʊsʃtoːsən] *unreg vt* (*Luft, Rauch*) to give off, emit; (*aus Verein etc*) to expel, exclude; (*herstellen: Teile, Stückzahl*) to turn out, produce.
ausstrahlen ['aʊsʃtraːlən] *vt, vi* to radiate; (*RUNDF*) to broadcast.
Ausstrahlung *f* radiation; (*fig*) charisma.
ausstrecken ['aʊsʃtrɛkən] *vt, vr* to stretch out.
ausstreichen ['aʊsʃtraɪçən] *unreg vt* to cross out; (*glätten*) to smooth out.
ausstreuen ['aʊsʃtrɔʏən] *vt* to scatter; (*fig: Gerücht*) to spread.
ausströmen ['aʊsʃtrøːmən] *vi* (*Gas*) to pour out, escape ♦ *vt* to give off; (*fig*) to radiate.
aussuchen ['aʊszuːxən] *vt* to select, pick out.
Austausch ['aʊstaʊʃ] *m* exchange; **a~bar** *adj* exchangeable.
austauschen *vt* to exchange, swop.
Austauschmotor *m* replacement engine; (*gebraucht*) factory-reconditioned engine.
Austauschstudent(in) *m(f)* exchange student.
austeilen ['aʊstaɪlən] *vt* to distribute, give out.
Auster ['aʊstər] **(-, -n)** *f* oyster.
austoben ['aʊstoːbən] *vr* (*Kind*) to run wild; (*Erwachsene*) to let off steam; (*sich müde machen*) to tire o.s. out.
austragen ['aʊstraːgən] *unreg vt* (*Post*) to deliver; (*Streit etc*) to decide; (*Wettkämpfe*) to hold; **ein Kind** ~ (*nicht abtreiben*) to have a child.
Austräger ['aʊstrɛːgər] *m* delivery boy; (*Zeitungs~*) newspaper boy.
Austragungsort *m* (*SPORT*) venue.

Australien [aʊs'tra:liən] (**-s**) *nt* Australia.
Australier(in) (**-s, -**) *m(f)* Australian.
australisch *adj* Australian.
austreiben ['aʊstraɪbən] *unreg vt* to drive out, expel; (*Teufel etc*) to exorcize; **jdm etw** ~ to cure sb of sth; (*bes durch Schläge*) to knock sth out of sb.
austreten ['aʊstre:tən] *unreg vi* (*zur Toilette*) to be excused ♦ *vt* (*Feuer*) to tread out, trample; (*Schuhe*) to wear out; (*Treppe*) to wear down; **aus etw** ~ to leave sth.
austricksen ['aʊstrɪksən] (*umg*) *vt* (*SPORT, fig*) to trick.
austrinken ['aʊstrɪŋkən] *unreg vt* (*Glas*) to drain; (*Getränk*) to drink up ♦ *vi* to finish one's drink, drink up.
Austritt ['aʊstrɪt] *m* emission; (*aus Verein, Partei etc*) retirement, withdrawal.
austrocknen ['aʊstrɔknən] *vt, vi* to dry up.
austüfteln ['aʊstʏftəln] (*umg*) *vt* to work out; (*ersinnen*) to think up.
ausüben ['aʊs|y:bən] *vt* (*Beruf*) to practise (*BRIT*), practice (*US*), carry out; (*innehaben: Amt*) to hold; (*Funktion*) to perform; (*Einfluß*) to exert; **einen Reiz auf jdn** ~ to hold an attraction for sb; **eine Wirkung auf jdn** ~ to have an effect on sb.
Ausübung *f* practice, exercise; **in** ~ **seines Dienstes/seiner Pflicht** (*form*) in the execution of his duty.
ausufern ['aʊs|u:fərn] *vi* (*fig*) to get out of hand; (*Konflikt etc*): ~ (**zu**) to escalate (into).
Ausverkauf ['aʊsfɛrkaʊf] *m* sale; (*fig: Verrat*) sell-out.
ausverkaufen *vt* to sell out; (*Geschäft*) to sell up.
ausverkauft *adj* (*Karten, Artikel*) sold out; (*THEAT: Haus*) full.
auswachsen ['aʊsvaksən] *unreg vi*: **das ist (ja) zum A~** (*umg*) it's enough to drive you mad.
Auswahl ['aʊsva:l] *f*: **eine** ~ **(an** *+dat*) a selection (of), a choice (of).
auswählen ['aʊsvɛ:lən] *vt* to select, choose.
Auswahlmöglichkeit *f* choice.
Auswanderer ['aʊsvandərər] (**-s, -**) *m* emigrant.
Auswanderin ['aʊsvandərɪn] *f* emigrant.
auswandern *vi* to emigrate.
Auswanderung *f* emigration.
auswärtig ['aʊsvɛrtɪç] *adj* (*nicht am/vom Ort*) out-of-town; (*ausländisch*) foreign; **das A~e Amt** the Foreign Office (*BRIT*), the State Department (*US*).
auswärts ['aʊsvɛrts] *adv* outside; (*nach außen*) outwards; ~ **essen** to eat out; **A~spiel** *nt* away game.
auswaschen ['aʊsvaʃən] *unreg vt* to wash out; (*spülen*) to rinse (out).
auswechseln ['aʊsvɛksəln] *vt* to change, substitute.
Ausweg ['aʊsve:k] *m* way out; **der letzte** ~ the last resort; **a~los** *adj* hopeless.
ausweichen ['aʊsvaɪçən] *unreg vi*: **jdm/etw** ~ (*lit*) to move aside *od* make way for sb/sth; (*fig*) to sidestep sb/sth; **jdm/einer Begegnung** ~ to avoid sb/a meeting.
ausweichend *adj* evasive.
Ausweichmanöver *nt* evasive action.
ausweinen ['aʊsvaɪnən] *vr* to have a (good) cry.
Ausweis ['aʊsvaɪs] (**-es, -e**) *m* identity card; passport; (*Mitglieds~, Bibliotheks~ etc*) card; ~**, bitte** your papers, please.
ausweisen ['aʊsvaɪzən] *unreg vt* to expel, banish ♦ *vr* to prove one's identity.
Ausweis- *zW*: ~**karte** *f* identity papers *pl*; ~**kontrolle** *f* identity check; ~**papiere** *pl* identity papers *pl*.
Ausweisung *f* expulsion.
ausweiten ['aʊsvaɪtən] *vt* to stretch.
auswendig ['aʊsvɛndɪç] *adv* by heart; ~ **lernen** to learn by heart.
auswerfen ['aʊsvɛrfən] *unreg vt* (*Anker, Netz*) to cast.
auswerten ['aʊsvɛrtən] *vt* to evaluate.
Auswertung *f* evaluation, analysis; (*Nutzung*) utilization.
auswickeln ['aʊsvɪkəln] *vt* (*Paket, Bonbon etc*) to unwrap.
auswirken ['aʊsvɪrkən] *vr* to have an effect.
Auswirkung *f* effect.
auswischen ['aʊsvɪʃən] *vt* to wipe out; **jdm eins** ~ (*umg*) to put one over on sb.
Auswuchs ['aʊsvu:ks] *m* (out)growth; (*fig*) product; (*Mißstand, Übersteigerung*) excess.
auswuchten ['aʊsvʊxtən] *vt* (*AUT*) to balance.
auszacken ['aʊstsakən] *vt* (*Stoff etc*) to pink.
auszahlen ['aʊstsa:lən] *vt* (*Lohn, Summe*) to pay out; (*Arbeiter*) to pay off; (*Miterben*) to buy out ♦ *vr* (*sich lohnen*) to pay.
auszählen ['aʊstsɛ:lən] *vt* (*Stimmen*) to count; (*BOXEN*) to count out.
auszeichnen ['aʊstsaɪçnən] *vt* to honour (*BRIT*), honor (*US*); (*MIL*) to decorate; (*COMM*) to price ♦ *vr* to distinguish o.s.; **der Wagen zeichnet sich durch ... aus** one of the car's main features is ...
Auszeichnung *f* distinction; (*COMM*) pricing; (*Ehrung*) awarding of decoration; (*Ehre*) honour (*BRIT*), honor (*US*); (*Orden*) decoration; **mit** ~ with distinction.
ausziehen ['aʊstsi:ən] *unreg vt* (*Kleidung*) to take off; (*Haare, Zähne, Tisch etc*) to pull out ♦ *vr* to undress ♦ *vi* (*aufbrechen*) to leave; (*aus Wohnung*) to move out.
Auszubildende(r) ['aʊstsʊbɪldəndə(r)] *f(m)* trainee; (*als Handwerker*) apprentice.
Auszug ['aʊstsu:k] *m* (*aus Wohnung*) removal; (*aus Buch etc*) extract; (*Konto~*) statement; (*Ausmarsch*) departure.
autark [aʊ'tark] *adj* self-sufficient (*auch fig*); (*COMM*) autarkical.
Auto ['aʊto] (**-s, -s**) *nt* (motor-)car, automobile (*US*); **mit dem** ~ **fahren** to go by car;

~ **fahren** to drive.
Autoatlas *m* road atlas.
Autobahn *f* motorway (*BRIT*), expressway (*US*).

> **Autobahn** *is the German for a motorway. In the former West Germany there is a widespread network but in the former* **DDR** *the motorways are somewhat less extensive. There is no overall speed limit but a limit of 130 km per hour is recommended and there are lower mandatory limits on certain stretches of road. As yet there are no tolls payable on German Autobahnen.*

Autobahndreieck *nt* motorway (*BRIT*) *od* expressway (*US*) junction.
Autobahnkreuz *nt* motorway (*BRIT*) *od* expressway (*US*) intersection.
Autobahnzubringer *m* motorway feeder *od* access road.
Autobiographie [autobiogra'fiː] *f* autobiography.
Auto- *zW:* ~**bombe** *f* car bomb; ~**bus** *m* bus; (*Reisebus*) coach (*BRIT*), bus (*US*); ~**fähre** *f* car ferry; ~**fahrer(in)** *m(f)* motorist, driver; ~**fahrt** *f* drive; ~**friedhof** (*umg*) *m* car dump.
autogen [auto'geːn] *adj* autogenous; ~**es Training** (*PSYCH*) relaxation through self-hypnosis.
Autogramm [auto'gram] *nt* autograph.
Automat (**-en, -en**) *m* machine.
Automatik [auto'maːtɪk] *f* automatic mechanism (*auch fig*); (*Gesamtanlage*) automatic system; (*AUT*) automatic transmission.
automatisch *adj* automatic.
Automatisierung [automati'ziːrʊŋ] *f* automation.
Automobilausstellung [automo'biːlausʃtɛlʊŋ] *f* motor show.
autonom [auto'noːm] *adj* autonomous.
Autopsie [autɔ'psiː] *f* post-mortem, autopsy.
Autor ['autɔr] (**-s, -en**) *m* author.
Auto- *zW:* ~**radio** *nt* car radio; ~**reifen** *m* car tyre (*BRIT*) *od* tire (*US*); ~**reisezug** *m* motorail train; ~**rennen** *nt* motor race; (*Sportart*) motor racing.
Autorin [au'toːrɪn] *f* authoress.
autoritär [autori'tɛːr] *adj* authoritarian.
Autorität *f* authority.
Auto- *zW:* ~**schalter** *m* drive-in bank (counter); ~**telefon** *nt* car phone; ~**unfall** *m* car *od* motor accident; ~**verleih** *m*, ~**vermietung** *f* car hire (*BRIT*) *od* rental (*US*).
AvD (-) *m abk* (= *Automobilclub von Deutschland*) *German motoring organization*, ≈ AA (*BRIT*), AAA (*US*).
Axt [akst] (**-, ⸚e**) *f* axe (*BRIT*), ax (*US*).
AZ, Az. *abk* (= *Aktenzeichen*) ref.
Azoren [a'tsoːrən] *pl* (*GEOG*) Azores *pl*.
Azteke [ats'teːkə] (**-n, -n**) *m* Aztec.
Aztekin *f* Aztec.
Azubi [a'tsuːbi] (**-s, -s**) (*umg*) *f(m) abk* = **Auszubildende(r)**.

B, b

B[1], **b** [beː] *nt* (*letter*) B, b; ~ **wie Bertha** ≈ B for Benjamin, B for Baker (*US*); **B-Dur/b-Moll** (the key of) B flat major/minor.
B[2] [beː] *f abk* = **Bundesstraße.**
Baby ['beːbi] (**-s, -s**) *nt* baby; ~**ausstattung** *f* layette; ~**raum** *m* (*Flughafen etc*) nursing room; ~**sitter** ['beːbisɪtər] (**-s, -**) *m* baby-sitter; ~**speck** (*umg*) *m* puppy fat.
Bach [bax] (**-(e)s, ⸚e**) *m* stream, brook.
Backblech *nt* baking tray.
Backbord (**-(e)s, -e**) *nt* (*NAUT*) port.
Backe (**-, -n**) *f* cheek.
backen ['bakən] *unreg vt, vi* to bake; **frisch/knusprig gebackenes Brot** fresh/crusty bread.
Backenbart *m* sideboards *pl*.
Backenzahn *m* molar.
Bäcker(in) ['bɛkər(ɪn)] (**-s, -**) *m(f)* baker.
Bäckerei [bɛkə'raɪ] *f* bakery; (*Bäckerladen*) baker's (shop).
Bäckerjunge *m* (*Lehrling*) baker's apprentice.
Back- *zW:* ~**fisch** *m* fried fish; (*veraltet*) teenager; ~**form** *f* baking tin (*BRIT*) *od* pan (*US*); ~**hähnchen** *nt* fried chicken in breadcrumbs; ~**obst** *nt* dried fruit; ~**ofen** *m* oven; ~**pflaume** *f* prune; ~**pulver** *nt* baking powder; ~**stein** *m* brick.
bäckt [bɛkt] *vb siehe* **backen.**
Bad [baːt] (**-(e)s, ⸚er**) *nt* bath; (*Schwimmen*) bathing; (*Ort*) spa.
Bade- *zW:* ~**anstalt** *f* swimming pool; ~**anzug** *m* bathing suit; ~**hose** *f* bathing *od* swimming trunks *pl*; ~**kappe** *f* bathing cap; ~**mantel** *m* bath(ing) robe; ~**meister** *m* swimming pool attendant.
baden ['baːdən] *vi* to bathe, have a bath ♦ *vt* to bath; ~ **gehen** (*fig: umg*) to come a cropper.
Baden-Württemberg ['baːdən'vʏrtəmbɛrk] *nt* Baden-Württemberg.
Bade- *zW:* ~**ort** *m* spa; ~**sachen** *pl* swimming things *pl*; ~**tuch** *nt* bath towel; ~**wanne** *f* bath(tub); ~**zimmer** *nt* bathroom.
baff [baf] *adj:* ~ **sein** (*umg*) to be flabbergasted.
BAföG, Bafög [ ] *nt abk* (= *Bundesausbildungsförderungsgesetz*) *German student grants system.*

> **Bafög** *is the system which awards grants for living expenses to students at universities and certain training colleges. The amount is based on parental income. Part of the grant must be paid back a few years after graduating.*

BAG (-) *nt abk* (= *Bundesarbeitsgericht*) *German industrial tribunal.*
Bagatelle [baga'tɛlə] (-, -n) *f* trifle.
Bagdad ['bakdat] (-s) *nt* Baghdad.
Bagger ['bagər] (-s, -) *m* excavator; (*NAUT*) dredger.
baggern *vt, vi* to excavate; (*NAUT*) to dredge.
Baggersee *m* (flooded) gravel pit.
Bahamas [ba'ha:mas] *pl:* **die** ~ the Bahamas *pl.*
Bahn [ba:n] (-, -en) *f* railway (*BRIT*), railroad (*US*); (*Weg*) road, way; (*Spur*) lane; (*Renn~*) track; (*ASTRON*) orbit; (*Stoff~*) length; **mit der** ~ by train *od* rail/tram; **frei** ~ (*COMM*) carriage free to station of destination; **jdm/etw die ~ frei machen** (*fig*) to clear the way for sb/sth; **von der rechten ~ abkommen** to stray from the straight and narrow; **jdn aus der ~ werfen** (*fig*) to shatter sb; **~beamte(r)** *m* railway (*BRIT*) *od* railroad (*US*) official; **b~brechend** *adj* pioneering; **~brecher(in)** (-s, -) *m(f)* pioneer; **~damm** *m* railway embankment.
bahnen *vt:* **sich einen Weg** ~ to clear a way.
Bahnfahrt *f* railway (*BRIT*) *od* railroad (*US*) journey.
Bahnhof *m* station; **auf dem** ~ at the station; **ich verstehe nur** ~ (*hum: umg*) it's all Greek to me.
Bahnhofshalle *f* station concourse.
Bahnhofsmission *f* *charitable organization for helping rail travellers.*

> *The* **Bahnhofsmission** *is a charitable organization set up by and run jointly by various churches. At railway stations in most big cities they have an office to which people in need of advice and help can go.*

Bahnhofswirtschaft *f* station restaurant.
Bahn- *zW:* **b~lagernd** *adj* (*COMM*) to be collected from the station; **~linie** *f* (railway (*BRIT*) *od* railroad (*US*)) line; **~schranke** *f* level (*BRIT*) *od* grade (*US*) crossing barrier; **~steig** *m* platform; **~steigkarte** *f* platform ticket; **~strecke** *f* railway (*BRIT*) *od* railroad (*US*) line; **~übergang** *m* level (*BRIT*) *od* grade (*US*) crossing; **beschrankter ~übergang** crossing with gates; **unbeschrankter ~übergang** unguarded crossing; **~wärter** *m* signalman.
Bahrain [ba'raɪn] (-s) *nt* Bahrain.
Bahre ['ba:rə] (-, -n) *f* stretcher.
Baiser [bɛ'ze:] (-s, -s) *nt* meringue.
Baisse ['bɛ:sə] (-, -n) *f* (*Börse*) fall; (*plötzlich*) slump.
Bajonett [bajo'nɛt] (-(e)s, -e) *nt* bayonet.
Bakelit ® [bake'li:t] (-s) *nt* Bakelite ®.
Bakterien [bak'te:riən] *pl* bacteria *pl.*
Balance [ba'lã:sə] (-, -n) *f* balance, equilibrium.
balancieren *vt, vi* to balance.
bald [balt] *adv* (*zeitlich*) soon; (*beinahe*) almost; ~ ... ~ ... now ... now ...; ~ **darauf** soon afterwards; **bis** ~! see you soon.
baldig ['baldɪç] *adj* early, speedy.
baldmöglichst *adv* as soon as possible.
Baldrian ['baldria:n] (-s, -e) *m* valerian.
Balearen [bale'a:rən] *pl:* **die** ~ the Balearics *pl.*
Balg [balk] (-(e)s, ¨-er) (*pej: umg*) *m od nt* (*Kind*) brat.
balgen ['balgən] *vr:* **sich** ~ **(um)** to scrap (over).
Balkan ['balka:n] *m:* **der** ~ the Balkans *pl.*
Balken ['balkən] (-s, -) *m* beam; (*Trag~*) girder; (*Stütz~*) prop.
Balkon [bal'kõ:] (-s, -s *od* -e) *m* balcony; (*THEAT*) (dress) circle.
Ball [bal] (-(e)s, ¨-e) *m* ball; (*Tanz*) dance, ball.
Ballade [ba'la:də] (-, -n) *f* ballad.
Ballast ['balast] (-(e)s, -e) *m* ballast; (*fig*) weight, burden; **~stoffe** *pl* (*MED*) roughage *sing.*
Ballen ['balən] (-s, -) *m* bale; (*ANAT*) ball.
ballen *vt* (*formen*) to make into a ball; (*Faust*) to clench ♦ *vr* to build up; (*Menschen*) to gather.
ballern ['balərn] (*umg*) *vi* to shoot, fire.
Ballett [ba'lɛt] (-(e)s, -e) *nt* ballet; **~(t)änzer(in)** *m(f)* ballet dancer.
Ballistik [ba'lɪstɪk] *f* ballistics *sing.*
Balljunge *m* ball boy.
Ballkleid *nt* evening dress.
Ballon [ba'lõ:] (-s, -s *od* -e) *m* balloon.
Ballspiel *nt* ball game.
Ballung ['balʊŋ] *f* concentration; (*von Energie*) build-up.
Ballungs- *zW:* **~gebiet** *nt,* **~raum** *m* conurbation; **~zentrum** *nt* centre (*BRIT*) *od* center (*US*) (*of population, industry etc*).
Balsam ['balza:m] (-s, -e) *m* balsam; (*fig*) balm.
Balte ['baltə] (-n, -n) *m* Balt; **er ist** ~ he comes from the Baltic.
Baltikum ['baltikʊm] (-s) *nt:* **das** ~ the Baltic States *pl.*
Baltin ['baltɪn] *f siehe* **Balte.**
baltisch *adj* Baltic *attrib.*
Balz [balts] (-, -en) *f* (*Paarungsspiel*) courtship display; (*Paarungszeit*) mating season.
Bambus ['bambʊs] (-ses, -se) *m* bamboo; **~rohr** *nt* bamboo cane.
Bammel ['baməl] (-s) (*umg*) *m:* **(einen)** ~ **vor jdm/etw haben** to be scared of sb/sth.
banal [ba'na:l] *adj* banal.
Banalität [banali'tɛ:t] *f* banality.
Banane [ba'na:nə] (-, -n) *f* banana.

Bananenschale *f* banana skin.
Bananenstecker *m* jack plug.
Banause [ba'naʊzə] (**-n, -n**) *m* philistine.
Band[1] [bant] (**-(e)s, ⸚e**) *m* (*Buchband*) volume; **das spricht Bände** that speaks volumes.
Band[2] (**-(e)s, ⸚er**) *nt* (*Stoff~*) ribbon, tape; (*Fließ~*) production line; (*Faß~*) hoop; (*Ziel~, Ton~*) tape; (*ANAT*) ligament; **etw auf ~ aufnehmen** to tape sth; **am laufenden ~** (*umg*) non-stop.
Band[3] (**-(e)s, -e**) *nt* (*Freundschafts~ etc*) bond.
Band[4] [bɛnt] (**-, -s**) *f* band, group.
band *etc* [bant] *vb siehe* **binden.**
Bandage [banda:ʒə] (**-, -n**) *f* bandage.
bandagieren *vt* to bandage.
Bandbreite *f* (*von Meinungen etc*) range.
Bande ['bandə] (**-, -n**) *f* band; (*Straßen~*) gang.
bändigen ['bɛndɪgən] *vt* (*Tier*) to tame; (*Trieb, Leidenschaft*) to control, restrain.
Bandit [ban'di:t] (**-en, -en**) *m* bandit.
Band- *zW:* **~maß** *nt* tape measure; **~nudeln** *pl* tagliatelle *pl*; **~säge** *f* band saw; **~scheibe** *f* (*ANAT*) disc; **~scheibenschaden** *m* slipped disc; **~wurm** *m* tapeworm.
bange ['baŋə] *adj* scared; (*besorgt*) anxious; **jdm wird es ~** sb is becoming scared; **jdm ~ machen** to scare sb; **B~macher** (**-s, -**) *m* scaremonger.
bangen *vi:* **um jdn/etw ~** to be anxious *od* worried about sb/sth.
Bangkok ['baŋkɔk] (**-s**) *nt* Bangkok.
Bangladesch [baŋgla'dɛʃ] (**-s**) *nt* Bangladesh.
Banjo ['banjo, 'bɛndʒo] (**-s, -s**) *nt* banjo.
Bank[1] [baŋk] (**-, ⸚e**) *f* (*Sitz~*) bench; (*Sand~ etc*) (sand)bank, (sand)bar; **etw auf die lange ~ schieben** (*umg*) to put sth off.
Bank[2] (**- , -en**) *f* (*Geld~*) bank; **bei der ~** at the bank; **Geld auf der ~ haben** to have money in the bank; **~anweisung** *f* banker's order; **~automat** *m* cash dispenser; **~beamte(r)** *m* bank clerk; **~einlage** *f* (bank) deposit.
Bankett [baŋ'kɛt] (**-(e)s, -e**) *nt* (*Essen*) banquet; (*Straßenrand*) verge (*BRIT*), shoulder (*US*).
Bank- *zW:* **~fach** *nt* (*Schließfach*) safe-deposit box; **~gebühr** *f* bank charge; **~geheimnis** *nt* confidentiality in banking.
Bankier [baŋki'e:] (**-s, -s**) *m* banker.
Bank- *zW:* **~konto** *nt* bank account; **~leitzahl** *f* bank code number; **~note** *f* banknote; **~raub** *m* bank robbery.
bankrott [baŋ'krɔt] *adj* bankrupt; **B~** (**-(e)s, -e**) *m* bankruptcy; **B~ machen** to go bankrupt; **den B~ anmelden** *od* **erklären** to declare o.s. bankrupt; **B~erklärung** *f* (*lit*) declaration of bankruptcy; (*fig: umg*) declaration of failure.
Banküberfall *m* bank raid.
Bann [ban] (**-(e)s, -e**) *m* (*HIST*) ban; (*Kirchen~*) excommunication; (*fig: Zauber*) spell; **b~en** *vt* (*Geister*) to exorcize; (*Gefahr*) to avert; (*bezaubern*) to enchant; (*HIST*) to banish.
Banner (**-s, -**) *nt* banner, flag.
Bar [ba:r] (**-, -s**) *f* bar.
bar *adj (+gen)* (*unbedeckt*) bare; (*frei von*) lacking (in); (*offenkundig*) utter, sheer; **~e(s) Geld** cash; **etw (in) ~ bezahlen** to pay sth (in) cash; **etw für ~e Münze nehmen** (*fig*) to take sth at face value; **~ aller Hoffnung** (*liter*) devoid of hope, completely without hope.
Bär [bɛ:r] (**-en, -en**) *m* bear; **jdm einen ~en aufbinden** (*umg*) to have sb on.
Baracke [ba'rakə] (**-, -n**) *f* hut.
barbarisch [bar'ba:rɪʃ] *adj* barbaric, barbarous.
Barbestand *m* money in hand.
Bardame *f* barmaid.
Bärenhunger (*umg*) *m:* **einen ~ haben** to be famished.
bärenstark (*umg*) *adj* strapping, strong as an ox; (*fig*) terrific.
barfuß *adj* barefoot.
barg *etc* [bark] *vb siehe* **bergen.**
Bargeld *nt* cash, ready money.
bargeldlos *adj* non-cash; **~er Zahlungsverkehr** non-cash *od* credit transactions *pl.*
barhäuptig *adj* bareheaded.
Barhocker *m* bar stool.
Bariton ['ba:ritɔn] *m* baritone.
Barkauf *m* cash purchase.
Barkeeper ['ba:rki:pər] (**-s, -**) *m* barman, bartender.
Barkredit *m* cash loan.
Barmann (**-(e)s,** *pl* **-männer**) *m* barman.
barmherzig [barm'hɛrtsɪç] *adj* merciful, compassionate; **B~keit** *f* mercy, compassion.
Barock [ba'rɔk] (**-s** *od* **-**) *nt od m* baroque.
Barometer [baro'me:tər] (**-s, -**) *nt* barometer; **das ~ steht auf Sturm** (*fig*) there's a storm brewing.
Baron [ba'ro:n] (**-s, -e**) *m* baron.
Baronesse [baro'nɛsə] (**-, -n**) *f* baroness.
Baronin *f* baroness.
Barren ['barən] (**-s, -**) *m* parallel bars *pl*; (*Gold~*) ingot.
Barriere [bari'ɛ:rə] (**-, -n**) *f* barrier.
Barrikade [bari'ka:də] (**-, -n**) *f* barricade.
Barsch [barʃ] (**-(e)s, -e**) *m* perch.
barsch [barʃ] *adj* brusque, gruff; **jdn ~ anfahren** to snap at sb.
Barschaft *f* ready money.
Barscheck *m* open *od* uncrossed cheque (*BRIT*), open check (*US*).
barst *etc* [barst] *vb siehe* **bersten.**
Bart [ba:rt] (**-(e)s, ⸚e**) *m* beard; (*Schlüssel~*) bit.
bärtig ['bɛ:rtɪç] *adj* bearded.
Barvermögen *nt* liquid assets *pl.*
Barzahlung *f* cash payment.

Basar [ba'za:r] (**-s, -e**) *m* bazaar.
Base ['ba:zə] (**-, -n**) *f* (*CHEM*) base; (*Kusine*) cousin.
Basel ['ba:zəl] (**-s**) *nt* Basle.
Basen *pl von* **Base, Basis.**
basieren [ba'zi:rən] *vt* to base ♦ *vi* to be based.
Basilikum [ba'zi:likʊm] (**-s**) *nt* basil.
Basis ['ba:zɪs] (**-**, *pl* **Basen**) *f* basis; (*ARCHIT, MIL, MATH*) base; **~ und Überbau** (*POL, SOZIOLOGIE*) foundation and superstructure; **die ~** (*umg*) the grass roots.
basisch ['ba:zɪʃ] *adj* (*CHEM*) alkaline.
Basisgruppe *f* action group.
Baske ['baskə] (**-n, -n**) *m* Basque.
Baskenland *nt* Basque region.
Baskenmütze *f* beret.
Baskin *f* Basque.
Baß [bas] (**Basses,** *pl* **Bässe**) *m* bass.
Bassin [ba'sɛ̃:] (**-s, -s**) *nt* pool.
Bassist [ba'sɪst] *m* bass.
Baßschlüssel *m* bass clef.
Baßstimme *f* bass voice.
Bast [bast] (**-(e)s, -e**) *m* raffia.
basta ['basta] *interj:* **(und damit) ~!** (and) that's that!
basteln ['bastəln] *vt* to make ♦ *vi* to do handicrafts; **an etw** *dat* **~** (*an etw herum~*) to tinker with sth.
Bastler ['bastlər] (**-s, -**) *m* do-it-yourselfer; (*handwerklich*) handicrafts enthusiast.
BAT *m abk* (= *Bundesangestelltentarif*) *German salary scale for employees.*
bat *etc* [ba:t] *vb siehe* **bitten.**
Bataillon [batal'jo:n] (**-s, -e**) *nt* battalion.
Batist [ba'tɪst] (**-(e)s, -e**) *m* batiste.
Batterie [batə'ri:] *f* battery.
Bau [baʊ] (**-(e)s**) *m* (*~en*) building, construction; (*Auf~*) structure; (*Körper~*) frame; (*~stelle*) building site; (*pl ~e: Tier~*) hole, burrow; (: *MIN*) working(s); (*pl ~ten: Gebäude*) building; **sich im ~ befinden** to be under construction; **~arbeiten** *pl* (*Straßen~*) roadworks *pl* (*BRIT*), roadwork *sing* (*US*); building *od* construction work *sing*; **~arbeiter** *m* building worker.
Bauch [baʊx] (**-(e)s, Bäuche**) *m* belly; (*ANAT*) stomach, abdomen; **sich** *dat* **(vor Lachen) den ~ halten** (*umg*) to split one's sides (laughing); **mit etw auf den ~ fallen** (*umg*) to come a cropper with sth; **~ansatz** *m* beginning of a paunch; **~fell** *nt* peritoneum.
bauchig *adj* bulging.
Bauch- *zW:* **~landung** *f:* **eine ~landung machen** (*fig*) to experience a failure, to flop; **~muskel** *m* abdominal muscle; **~nabel** *m* navel, belly-button (*umg*); **~redner** *m* ventriloquist; **~schmerzen** *pl* stomachache *sing*; **~speicheldrüse** *f* pancreas; **~tanz** *m* belly dance; belly dancing; **~weh** *nt* stomachache.
Baud-Rate [baʊt'ra:tə] *f* (*COMPUT*) baud rate.
bauen ['baʊən] *vt* to build; (*TECH*) to construct; (*umg: verursachen: Unfall*) to cause ♦ *vi* to build; **auf jdn/etw ~** to depend *od* count upon sb/sth; **da hast du Mist gebaut** (*umg*) you really messed that up.
Bauer[1] ['baʊər] (**-n** *od* **-s, -n**) *m* farmer; (*SCHACH*) pawn.
Bauer[2] (**-s, -**) *nt od m* (*Vogel~*) cage.
Bäuerchen ['bɔʏərçən] *nt* (*Kindersprache*) burp.
Bäuerin ['bɔʏərɪn] *f* farmer; (*Frau des Bauern*) farmer's wife.
bäuerlich *adj* rustic.
Bauern- *zW:* **~brot** *nt* black bread; **~fänge'rei** *f* deception, confidence trick(s); **~frühstück** *nt* bacon and potato omelette (*BRIT*) *od* omelet (*US*); **~haus** *nt* farmhouse; **~hof** *m* farm; **~schaft** *f* farming community; **~schläue** *f* native cunning, craftiness, shrewdness.
Bau- *zW:* **b~fällig** *adj* dilapidated; **~fälligkeit** *f* dilapidation; **~firma** *f* construction firm; **~führer** *m* site foreman; **~gelände** *nt* building site; **~genehmigung** *f* building permit; **~gerüst** *nt* scaffolding; **~herr** *m* client (*of construction firm*); **~ingenieur** *m* civil engineer.
Bauj. *abk* = **Baujahr.**
Bau- *zW:* **~jahr** *nt* year of construction; (*von Auto*) year of manufacture; **~kasten** *m* box of bricks; **~klötzchen** *nt* (building) block; **~kosten** *pl* construction costs *pl*; **~land** *nt* building land; **~leute** *pl* building workers *pl*; **b~lich** *adj* structural; **~löwe** *m* building speculator; **~lücke** *f* undeveloped building plot.
Baum [baʊm] (**-(e)s,** *pl* **Bäume**) *m* tree; **heute könnte ich Bäume ausreißen** I feel full of energy today.
Baumarkt *m* DIY superstore.
baumeln ['baʊməln] *vi* to dangle.
bäumen ['bɔʏmən] *vr* to rear (up).
Baum- *zW:* **~grenze** *f* tree line; **~schule** *f* nursery; **~stamm** *m* tree trunk; **~stumpf** *m* tree stump; **~wolle** *f* cotton.
Bau- *zW:* **~plan** *m* architect's plan; **~platz** *m* building site; **~sachverständige(r)** *f(m)* quantity surveyor; **~satz** *m* construction kit.
Bausch [baʊʃ] (**-(e)s,** *pl* **Bäusche**) *m* (*Watte~*) ball, wad; **in ~ und Bogen** (*fig*) lock, stock, and barrel.
bauschen *vt, vi, vr* to puff out.
bauschig *adj* baggy, wide.
Bau- *zW:* **b~sparen** *vi untr* to save with a building society (*BRIT*) *od a* building and loan association (*US*); **~sparkasse** *f* building society (*BRIT*), building and loan association (*US*); **~sparvertrag** *m* savings contract with a building society (*BRIT*) *od* building and loan association (*US*); **~stein** *m* building stone, freestone; **~stelle** *f* building site; **~stil** *m* architectural style;

b~technisch *adj* in accordance with building *od* construction methods; **~teil** *nt* prefabricated part (of building); **~ten** *pl von* **Bau**; **~unternehmer** *m* contractor, builder; **~weise** *f* (method of) construction; **~werk** *nt* building; **~zaun** *m* hoarding.

b.a.w. *abk* (= *bis auf weiteres*) until further notice.

Bayer(in) ['baɪər(ɪn)] (**-n, -n**) *m(f)* Bavarian.

bay(e)risch *adj* Bavarian.

Bayern *nt* Bavaria.

Bazillus [ba'tsɪlʊs] (-, *pl* **Bazillen**) *m* bacillus.

Bd. *abk* (= *Band*) vol.

Bde. *abk* (= *Bände*) vols.

beabsichtigen [bə'|apzɪçtɪgən] *vt* to intend.

beachten [bə'|axtən] *vt* to take note of; (*Vorschrift*) to obey; (*Vorfahrt*) to observe.

beachtenswert *adj* noteworthy.

beachtlich *adj* considerable.

Beachtung *f* notice, attention, observation; **jdm keine ~ schenken** to take no notice of sb.

Beamte(r) [bə'|amtə(r)] (**-n, -n**) *m* official; (*Staats~*) civil servant; (*Bank~ etc*) employee.

Beamtenlaufbahn *f*: **die ~ einschlagen** to enter the civil service.

Beamtenverhältnis *nt*: **im ~ stehen** to be a civil servant.

beamtet *adj* (*form*) appointed on a permanent basis (*by the state*).

Beamtin *f siehe* **Beamte(r)**.

beängstigend [bə'|ɛŋstɪgənt] *adj* alarming.

beanspruchen [bə'|anʃpruxən] *vt* to claim; (*Zeit, Platz*) to take up, occupy; **jdn ~** to take up sb's time; **etw stark ~** to put sth under a lot of stress.

beanstanden [bə'|anʃtandən] *vt* to complain about, object to; (*Rechnung*) to query.

Beanstandung *f* complaint.

beantragen [bə'|antra:gən] *vt* to apply for, ask for.

beantworten [bə'|antvɔrtən] *vt* to answer.

Beantwortung *f* reply.

bearbeiten [bə'|arbaɪtən] *vt* to work; (*Material*) to process; (*Thema*) to deal with; (*Land*) to cultivate; (*CHEM*) to treat; (*Buch*) to revise; (*umg: beeinflussen wollen*) to work on.

Bearbeitung *f* processing; cultivation; treatment; revision; **die ~ meines Antrags hat lange gedauert** it took a long time to deal with my claim.

Bearbeitungsgebühr *f* handling charge.

beatmen [bə'|a:tmən] *vt*: **jdn künstlich ~** to give sb artificial respiration.

Beatmung [bə'|a:tmʊŋ] *f* respiration.

beaufsichtigen [bə'|aʊfzɪçtɪgən] *vt* to supervise.

Beaufsichtigung *f* supervision.

beauftragen [bə'|aʊftra:gən] *vt* to instruct; **jdn mit etw ~** to entrust sb with sth.

Beauftragte(r) *f(m)* representative.

bebauen [bə'baʊən] *vt* to build on; (*AGR*) to cultivate.

beben ['be:bən] *vi* to tremble, shake; **B~** (**-s -**) *nt* earthquake.

bebildern [bə'bɪldərn] *vt* to illustrate.

Becher ['bɛçər] (**-s, -**) *m* mug; (*ohne Henkel*) tumbler.

bechern ['bɛçərn] (*umg*) *vi* (*trinken*) to have a few (drinks).

Becken ['bɛkən] (**-s, -**) *nt* basin; (*MUS*) cymbal; (*ANAT*) pelvis.

Bedacht [bə'daxt] *m*: **mit ~** (*vorsichtig*) prudently, carefully; (*absichtlich*) deliberately.

bedacht *adj* thoughtful, careful; **auf etw** *akk* **~ sein** to be concerned about sth.

bedächtig [bə'dɛçtɪç] *adj* (*umsichtig*) thoughtful, reflective; (*langsam*) slow, deliberate.

bedanken [bə'daŋkən] *vr*: **sich (bei jdm) ~** to say thank you (to sb); **ich bedanke mich herzlich** thank you very much.

Bedarf [bə'darf] (**-(e)s**) *m* need; (*~smenge*) requirements *pl*; (*COMM*) demand; supply; **alles für den häuslichen ~** all household requirements; **je nach ~** according to demand; **bei ~** if necessary; **~ an etw** *dat* **haben** to be in need of sth.

Bedarfs- *zW*: **~artikel** *m* requisite; **~deckung** *f* satisfaction of sb's needs; **~fall** *m* case of need; **~haltestelle** *f* request stop.

bedauerlich [bə'daʊərlɪç] *adj* regrettable.

bedauern [bə'daʊərn] *vt* to be sorry for; (*bemitleiden*) to pity; **wir ~, Ihnen mitteilen zu müssen, ...** we regret to have to inform you ...; **B~** (**-s**) *nt* regret.

bedauernswert *adj* (*Zustände*) regrettable; (*Mensch*) pitiable, unfortunate.

bedecken [bə'dɛkən] *vt* to cover.

bedeckt *adj* covered; (*Himmel*) overcast.

bedenken [bə'dɛŋkən] *unreg vt* to think over, consider; **ich gebe zu ~, daß ...** (*geh*) I would ask you to consider that ...; **B~** (**-s, -**) *nt* (*Überlegen*) consideration; (*Zweifel*) doubt; (*Skrupel*) scruple; **mir kommen B~** I am having second thoughts.

bedenklich *adj* doubtful; (*bedrohlich*) dangerous, risky.

Bedenkzeit *f* time to consider; **zwei Tage ~** two days to think about it.

bedeuten [bə'dɔʏtən] *vt* to mean; to signify; (*wichtig sein*) to be of importance; **das bedeutet nichts Gutes** that means trouble.

bedeutend *adj* important; (*beträchtlich*) considerable.

bedeutsam *adj* significant; (*vielsagend*) meaningful.

Bedeutung *f* meaning; significance; (*Wichtigkeit*) importance.

bedeutungslos *adj* insignificant, unimportant.

bedeutungsvoll *adj* momentous, significant.

bedienen [bə'di:nən] *vt* to serve; (*Maschine*) to work, operate ♦ *vr* (*beim Essen*) to help o.s.; (*gebrauchen*): **sich jds/einer Sache ~** to make use of sb/sth; **werden Sie schon bedient?** are you being served?; **damit sind Sie sehr gut bedient** that should serve you very well; **ich bin bedient!** (*umg*) I've had enough.

Bedienung *f* service; (*Kellner etc*) waiter/ waitress; (*Zuschlag*) service (charge); (*von Maschinen*) operation.

Bedienungsanleitung *f* operating instructions *pl*.

bedingen [bə'dɪŋən] *vt* (*voraussetzen*) to demand, involve; (*verursachen*) to cause, occasion.

bedingt *adj* limited; (*Straferlaß*) conditional; (*Reflex*) conditioned; **(nur) ~ gelten** to be (only) partially valid; **~ geeignet** suitable up to a point.

Bedingung *f* condition; (*Voraussetzung*) stipulation; **mit** *od* **unter der ~, daß ...** on condition that ...; **zu günstigen ~en** (*COMM*) on favourable (*BRIT*) *od* favorable (*US*) terms.

Bedingungsform *f* (*GRAM*) conditional.

bedingungslos *adj* unconditional.

bedrängen [bə'drɛŋən] *vt* to pester, harass.

Bedrängnis [bə'drɛŋnɪs] *f* (*seelisch*) distress, torment.

Bedrängung *f* trouble.

bedrohen [bə'dro:ən] *vt* to threaten.

bedrohlich *adj* ominous, threatening.

Bedrohung *f* threat, menace.

bedrucken [bə'drʊkən] *vt* to print on.

bedrücken [bədrʏkən] *vt* to oppress, trouble.

bedürfen [bə'dʏrfən] *unreg vi +gen* (*geh*) to need, require; **ohne daß es eines Hinweises bedurft hätte,** ... without having to be asked ...

Bedürfnis [bə'dʏrfnɪs] **(-ses, -se)** *nt* need; **das ~ nach etw haben** to need sth; **~anstalt** *f* (*form*) public convenience (*BRIT*), comfort station (*US*); **b~los** *adj* frugal, modest.

bedürftig *adj* in need, poor, needy.

Beefsteak ['bi:fste:k] **(-s, -s)** *nt* steak; **deutsches ~** hamburger.

beehren [bə'|e:rən] *vt* (*geh*) to honour (*BRIT*), honor (*US*); **wir ~ uns** ... we have pleasure in ...

beeilen [bə'|aɪlən] *vr* to hurry.

beeindrucken [bə'|aɪndrʊkən] *vt* to impress, make an impression on.

beeinflussen [bə'|aɪnflʊsən] *vt* to influence.

Beeinflussung *f* influence.

beeinträchtigen [bə'|aɪntrɛçtɪgən] *vt* to affect adversely; (*Sehvermögen*) to impair; (*Freiheit*) to infringe upon.

beend(ig)en [bə'|ɛnd(ɪg)ən] *vt* to end, finish, terminate.

Beend(ig)ung *f* end(ing), finish(ing).

beengen [bə'|ɛŋən] *vt* to cramp; (*fig*) to hamper, inhibit; **~de Kleidung** restricting clothing.

beengt *adj* cramped; (*fig*) stifled.

beerben [bə'|ɛrbən] *vt* to inherit from.

beerdigen [bə'|e:rdɪgən] *vt* to bury.

Beerdigung *f* funeral, burial.

Beerdigungsunternehmer *m* undertaker.

Beere ['be:rə] **(-, -n)** *f* berry; (*Trauben~*) grape.

Beerenauslese *f wine made from specially selected grapes*.

Beet [be:t] **(-(e)s, -e)** *nt* (*Blumen~*) bed.

befähigen [bə'fɛ:ɪgən] *vt* to enable.

befähigt *adj* (*begabt*) talented; (*fähig*): **~ (für)** capable (of).

Befähigung *f* capability; (*Begabung*) talent, aptitude; **die ~ zum Richteramt** the qualifications to become a judge.

befahl *etc* [bə'fa:l] *vb siehe* **befehlen**.

befahrbar [bə'fa:rba:r] *adj* passable; (*NAUT*) navigable; **nicht ~ sein** (*Straße, Weg*) to be closed (to traffic); (*wegen Schnee etc*) to be impassable.

befahren [bə'fa:rən] *unreg vt* to use, drive over; (*NAUT*) to navigate ♦ *adj* used.

befallen [bə'falən] *unreg vt* to come over.

befangen [bə'faŋən] *adj* (*schüchtern*) shy, self-conscious; (*voreingenommen*) bias(s)ed; **B~heit** *f* shyness; bias.

befassen [bə'fasən] *vr* to concern o.s.

Befehl [bə'fe:l] **(-(e)s, -e)** *m* command, order; (*COMPUT*) command; **auf ~ handeln** to act under orders; **zu ~, Herr Hauptmann!** (*MIL*) yes, sir; **den ~ haben** *od* **führen (über** *+akk***)** to be in command (of).

befehlen *unreg vt* to order ♦ *vi* to give orders; **jdm etw ~** to order sb to do sth; **du hast mir gar nichts zu ~** I won't take orders from you.

befehligen *vt* to be in command of.

Befehls- *zW*: **~empfänger** *m* subordinate; **~form** *f* (*GRAM*) imperative; **~haber (-s, -)** *m* commanding officer; **~notstand** *m* (*JUR*) obligation to obey orders; **~verweigerung** *f* insubordination.

befestigen [bə'fɛstɪgən] *vt* to fasten; (*stärken*) to strengthen; (*MIL*) to fortify; **~ an** *+dat* to fasten to.

Befestigung *f* fastening; strengthening; (*MIL*) fortification.

Befestigungsanlage *f* fortification.

befeuchten [bə'fɔʏçtən] *vt* to damp(en), moisten.

befinden [bə'fɪndən] *unreg vr* to be; (*sich fühlen*) to feel ♦ *vt*: **jdn/etw für** *od* **als etw ~** to deem sb/sth to be sth ♦ *vi*: **~ (über** *+akk***)** to decide (on), adjudicate (on).

Befinden (-s) *nt* health, condition; (*Meinung*) view, opinion.

beflecken [bə'flɛkən] *vt* (*lit*) to stain; (*fig geh: Ruf, Ehre*) to besmirch.

befliegen [bə'fli:gən] *unreg vt* (*Strecke*) to fly.

beflügeln [bə'fly:gəln] *vt* (*geh*) to inspire.
befohlen [bə'fo:lən] *pp von* **befehlen.**
befolgen [bə'fɔlgən] *vt* to comply with, follow.
befördern [bə'fœrdərn] *vt* (*senden*) to transport, send; (*beruflich*) to promote; **etw mit der Post/per Bahn** ~ to send sth by post/by rail.
Beförderung *f* transport; promotion.
Beförderungskosten *pl* transport costs *pl.*
befragen [bə'fra:gən] *vt* to question; (*um Stellungnahme bitten*): ~ **(über** *+akk***)** to consult (about).
Befragung *f* poll.
befreien [bə'fraɪən] *vt* to set free; (*erlassen*) to exempt.
Befreier(in) (**-s, -**) *m(f)* liberator.
befreit *adj* (*erleichtert*) relieved.
Befreiung *f* liberation, release; (*Erlassen*) exemption.
Befreiungs- *zW:* ~**bewegung** *f* liberation movement; ~**kampf** *m* struggle for liberation; ~**versuch** *m* escape attempt.
befremden [bə'frɛmdən] *vt* to surprise; (*unangenehm*) to disturb; **B**~ (**-s**) *nt* surprise, astonishment.
befreunden [bə'frɔʏndən] *vr* to make friends; (*mit Idee etc*) to acquaint o.s.
befreundet *adj* friendly; **wir sind schon lange (miteinander)** ~ we have been friends for a long time.
befriedigen [bə'fri:dɪgən] *vt* to satisfy.
befriedigend *adj* satisfactory.
Befriedigung *f* satisfaction, gratification.
befristet [bə'frɪstət] *adj* limited; (*Arbeitsverhältnis, Anstellung*) temporary.
befruchten [bə'frʊxtən] *vt* to fertilize; (*fig*) to stimulate.
Befruchtung *f:* **künstliche** ~ artificial insemination.
Befugnis [bə'fu:knɪs] (**-, -se**) *f* authorization, powers *pl.*
befugt *adj* authorized, entitled.
befühlen [bə'fy:lən] *vt* to feel, touch.
Befund [bə'fʊnt] (**-(e)s, -e**) *m* findings *pl*; (*MED*) diagnosis; **ohne** ~ (*MED*) (results) negative.
befürchten [bə'fʏrçtən] *vt* to fear.
Befürchtung *f* fear, apprehension.
befürworten [bə'fy:rvɔrtən] *vt* to support, speak in favour (*BRIT*) *od* favor (*US*) of.
Befürworter(in) (**-s, -**) *m(f)* supporter, advocate.
Befürwortung *f* support(ing), favouring (*BRIT*), favoring (*US*).
begabt [bə'ga:pt] *adj* gifted.
Begabung [bə'ga:bʊŋ] *f* talent, gift.
begann *etc* [bə'gan] *vb siehe* **beginnen.**
begatten [bə'gatən] *vr* to mate ♦ *vt* to mate *od* pair (with).
begeben [bə'ge:bən] *unreg vr* (*gehen*) to proceed; (*geschehen*) to occur; **sich** ~ **nach** *od* **zu** to proceed to(wards); **sich in ärztliche Behandlung** ~ to undergo medical treatment; **sich in Gefahr** ~ to expose o.s. to danger; **B**~**heit** *f* occurrence.
begegnen [bə'ge:gnən] *vi:* **jdm** ~ to meet sb; (*behandeln*) to treat; **Blicke** ~ **sich** eyes meet.
Begegnung *f* meeting; (*SPORT*) match.
begehen [bə'ge:ən] *unreg vt* (*Straftat*) to commit; (*Weg etc*) to use, negotiate; (*geh: feiern*) to celebrate.
begehren [bə'ge:rən] *vt* to desire.
begehrenswert *adj* desirable.
begehrt *adj* in demand; (*Junggeselle*) eligible.
begeistern [bə'gaɪstərn] *vt* to fill with enthusiasm; (*inspirieren*) to inspire ♦ *vr:* **sich für etw** ~ to get enthusiastic about sth; **er ist für nichts zu** ~ he's not interested in doing anything.
begeistert *adj* enthusiastic.
Begeisterung *f* enthusiasm.
Begierde [bə'gi:rdə] (**-, -n**) *f* desire, passion.
begierig [bə'gi:rɪç] *adj* eager, keen; (*voll Verlangen*) hungry, greedy.
begießen [bə'gi:sən] *unreg vt* to water; (*mit Fett: Braten etc*) to baste; (*mit Alkohol*) to drink to.
Beginn [bə'gɪn] (**-(e)s**) *m* beginning; **zu** ~ at the beginning.
beginnen *unreg vt, vi* to start, begin.
beglaubigen [bə'glaʊbɪgən] *vt* to countersign; (*Abschrift*) to authenticate; (*Echtheit, Übersetzung*) to certify.
Beglaubigung *f* countersignature.
Beglaubigungsschreiben *nt* credentials *pl.*
begleichen [bə'glaɪçən] *unreg vt* to settle, pay; **mit Ihnen habe ich noch eine Rechnung zu** ~ (*fig*) I've a score to settle with you.
begleiten [bə'glaɪtən] *vt* to accompany; (*MIL*) to escort.
Begleiter(in) (**-s, -**) *m(f)* companion; (*zum Schutz*) escort; (*MUS*) accompanist.
Begleit- *zW:* ~**erscheinung** *f* side effect; ~**musik** *f* accompaniment; ~**papiere** *pl* (*COMM*) accompanying documents *pl*; ~**schiff** *nt* escort vessel; ~**schreiben** *nt* covering letter; ~**umstände** *pl* attendant circumstances.
Begleitung *f* company; (*MIL*) escort; (*MUS*) accompaniment.
beglücken [bə'glʏkən] *vt* to make happy, delight.
beglückwünschen [bə'glʏkvʏnʃən] *vt:* ~ **(zu)** to congratulate (on).
begnadet [bə'gna:dət] *adj* gifted.
begnadigen [bə'gna:dɪgən] *vt* to pardon.
Begnadigung *f* pardon.
begnügen [bə'gny:gən] *vr:* **sich** ~ **mit** to be satisfied with, content o.s. with.
Begonie [bə'go:niə] *f* begonia.
begonnen [bə'gɔnən] *pp von* **beginnen.**
begossen [bə'gɔsən] *pp von* **begießen** ♦ *adj:* **er stand da wie ein** ~**er Pudel** (*umg*) he looked so sheepish.

begraben [bə'gra:bən] *unreg vt* to bury; (*aufgeben: Hoffnung*) to abandon; (*beenden: Streit etc*) to end; **dort möchte ich nicht ~ sein** (*umg*) I wouldn't like to be stuck in that hole.
Begräbnis [bə'grɛ:pnɪs] (**-ses, -se**) *nt* burial, funeral.
begradigen [bə'gra:dɪgən] *vt* to straighten (out).
begreifen [bə'graɪfən] *unreg vt* to understand, comprehend.
begreiflich [bə'graɪflɪç] *adj* understandable; **ich kann mich ihm nicht ~ machen** I can't make myself clear to him.
begrenzen [bə'grɛntsən] *vt* (*beschränken*): **~ (auf** *+akk***)** to restrict (to), limit (to).
Begrenztheit [bə'grɛntsthaɪt] *f* limitation, restriction; (*fig*) narrowness.
Begriff [bə'grɪf] (**-(e)s, -e**) *m* concept, idea; **im ~ sein, etw zu tun** to be about to do sth; **sein Name ist mir ein/kein ~** his name means something/doesn't mean anything to me; **du machst dir keinen ~ (davon)** you've no idea; **für meine ~e** in my opinion; **schwer von ~** (*umg*) slow on the uptake.
Begriffsbestimmung *f* definition.
begriffsstutzig *adj* slow-witted, dense.
begrub *etc* [bə'gru:p] *vb siehe* **begraben.**
begründen [bə'grʏndən] *vt* (*Gründe geben*) to justify; **etw näher ~** to give specific reasons for sth.
Begründer(in) (**-s, -**) *m(f)* founder.
begründet *adj* well-founded, justified; **sachlich ~** founded on fact.
Begründung *f* justification, reason.
begrünen [bə'gry:nən] *vt* to plant with greenery.
begrüßen [bə'gry:sən] *vt* to greet, welcome.
begrüßenswert *adj* welcome.
Begrüßung *f* greeting, welcome.
begünstigen [bə'gʏnstɪgən] *vt* (*Person*) to favour (*BRIT*), favor (*US*); (*Sache*) to further, promote.
Begünstigte(r) *f(m)* beneficiary.
begutachten [bə'gu:t|axtən] *vt* to assess; (*umg: ansehen*) to have a look at.
begütert [bə'gy:tərt] *adj* wealthy, well-to-do.
begütigend *adj* (*Worte etc*) soothing; **~ auf jdn einreden** to calm sb down.
behaart [bə'ha:rt] *adj* hairy.
behäbig [bə'hɛ:bɪç] *adj* (*dick*) portly, stout; (*geruhsam*) comfortable.
behaftet [bə'haftət] *adj*: **mit etw ~ sein** to be afflicted by sth.
behagen [bə'ha:gən] *vi*: **das behagt ihm nicht** he does not like it; **B~** (**-s**) *nt* comfort, ease; **mit B~ essen** to eat with relish.
behaglich [bə'ha:klɪç] *adj* comfortable, cosy; **B~keit** *f* comfort, cosiness.
behält [bə'hɛlt] *vb siehe* **behalten.**
behalten [bə'haltən] *unreg vt* to keep, retain; (*im Gedächtnis*) to remember; **~ Sie (doch) Platz!** please don't get up!
Behälter [bə'hɛltər] (**-s, -**) *m* container, receptacle.
behämmert [bə'hɛmərt] (*umg*) *adj* screwy, crazy.
behandeln [bə'handəln] *vt* to treat; (*Thema*) to deal with; (*Maschine*) to handle; **der ~de Arzt** the doctor in attendance.
Behandlung *f* treatment; (*von Maschine*) handling.
behängen [bə'hɛŋən] *vt* to decorate.
beharren [bə'harən] *vi*: **auf etw** *dat* ~ to stick *od* keep to sth.
beharrlich [bə'harlɪç] *adj* (*ausdauernd*) steadfast, unwavering; (*hartnäckig*) tenacious, dogged; **B~keit** *f* steadfastness; tenacity.
behaupten [bə'hauptən] *vt* to claim, assert, maintain; (*sein Recht*) to defend ♦ *vr* to assert o.s.; **von jdm ~, daß** ... to say (of sb) that ...; **sich auf dem Markt ~** to establish itself on the market.
Behauptung *f* claim, assertion.
Behausung [bə'hauzʊŋ] *f* dwelling, abode; (*armselig*) hovel.
beheben [bə'he:bən] *unreg vt* (*beseitigen*) to remove; (*Mißstände*) to remedy; (*Schaden*) to repair; (*Störung*) to clear.
beheimatet [bə'haɪma:tət] *adj*: **~ (in** *+dat***)** domiciled (at/in); (*Tier, Pflanze*) native (to).
beheizen [bə'haɪtsən] *vt* to heat.
Behelf [bə'hɛlf] (**-(e)s, -e**) *m* expedient, makeshift; **b~en** *unreg vr*: **sich mit etw b~en** to make do with sth.
behelfsmäßig *adj* improvised, makeshift; (*vorübergehend*) temporary.
behelligen [bə'hɛlɪgən] *vt* to trouble, bother.
Behendigkeit [bə'hɛndɪçkaɪt] *f* agility, quickness.
beherbergen [bə'hɛrbɛrgən] *vt* (*lit, fig*) to house.
beherrschen [bə'hɛrʃən] *vt* (*Volk*) to rule, govern; (*Situation*) to control; (*Sprache, Gefühle*) to master ♦ *vr* to control o.s.
beherrscht *adj* controlled; **B~heit** *f* self-control.
Beherrschung *f* rule; control; mastery; **die ~ verlieren** to lose one's temper.
beherzigen [bə'hɛrtsɪgən] *vt* to take to heart.
beherzt *adj* spirited, brave.
behielt *etc* [bə'hi:lt] *vb siehe* **behalten.**
behilflich [bə'hɪlflɪç] *adj* helpful; **jdm ~ sein (bei)** to help sb (with).
behindern [bə'hɪndərn] *vt* to hinder, impede.
Behinderte(r) *f(m)* disabled person.
Behinderung *f* hindrance; (*Körperbehinderung*) handicap.
Behörde [bə'hø:rdə] (**-, -n**) *f* authorities *pl*; (*Amtsgebäude*) office(s *pl*).
behördlich [bə'hø:rtlɪç] *adj* official.
behüten [bə'hy:tən] *vt* to guard; **jdn vor etw** *dat* **~** to preserve sb from sth.

behütet *adj* (*Jugend etc*) sheltered.
behutsam [bə'hu:tza:m] *adj* cautious, careful; **man muß es ihr ~ beibringen** it will have to be broken to her gently; **B~keit** *f* caution, carefulness.

SCHLÜSSELWORT

bei [baɪ] *präp +dat* **1** (*nähe ~*) near; (*zum Aufenthalt*) at, with; (*unter, zwischen*) among; **~ München** near Munich; **~ uns** at our place; **~m Friseur** at the hairdresser's; **~ seinen Eltern wohnen** to live with one's parents; **~ einer Firma arbeiten** to work for a firm; **etw ~ sich haben** to have sth on one; **jdn ~ sich haben** to have sb with one; **~ Goethe** in Goethe; **~m Militär** in the army **2** (*zeitlich*) at, on; (*während*) during; (*Zustand, Umstand*) in; **~ Nacht** at night; **~ Nebel** in fog; **~ Regen** if it rains; **~ solcher Hitze** in such heat; **~ meiner Ankunft** on my arrival; **~ der Arbeit** when I'm *etc* working; **~m Fahren** while driving; **~ offenem Fenster schlafen** to sleep with the window open; **~ Feuer Scheibe einschlagen** in case of fire break glass; **~ seinem Talent** with his talent.

beibehalten ['baɪbəhaltən] *unreg vt* to keep, retain.
Beibehaltung *f* keeping, retaining.
Beiblatt ['baɪblat] *nt* supplement.
beibringen ['baɪbrɪŋən] *unreg vt* (*Beweis, Zeugen*) to bring forward; (*Gründe*) to adduce; **jdm etw ~** (*zufügen*) to inflict sth on sb; (*zu verstehen geben*) to make sb understand sth; (*lehren*) to teach sb sth.
Beichte ['baɪçtə] *f* confession.
beichten *vt* to confess ♦ *vi* to go to confession.
Beichtgeheimnis *nt* secret of the confessional.
Beichtstuhl *m* confessional.
beide ['baɪdə] *pron, adj* both; **meine ~n Brüder** my two brothers, both my brothers; **die ersten ~n** the first two; **wir ~** we two; **einer von ~n** one of the two; **alles ~s** both (of them); **~mal** *adv* both times.
beider- *zW:* **~lei** *adj inv* of both; **~seitig** *adj* mutual, reciprocal; **~seits** *adv* mutually ♦ *präp +gen* on both sides of.
beidhändig ['baɪthɛndɪç] *adj* ambidextrous.
beidrehen ['baɪdre:ən] *vi* to heave to.
beidseitig ['baɪtzaɪtɪç] *adj* (*auf beiden Seiten*) on both sides.
beieinander [baɪ|aɪ'nandər] *adv* together; **~sein** *unreg vi:* **gut ~sein** (*umg: gesundheitlich*) to be in good shape; (*: geistig*) to be all there.
Beifahrer(in) ['baɪfa:rər(ɪn)] **(-s, -)** *m(f)* passenger; **~sitz** *m* passenger seat.
Beifall ['baɪfal] **(-(e)s)** *m* applause; (*Zustimmung*) approval.
beifallheischend ['baɪfalhaɪʃənt] *adj* fishing for applause/approval.
beifällig ['baɪfɛlɪç] *adj* approving; (*Kommentar*) favourable (*BRIT*), favorable (*US*).
Beifilm ['baɪfɪlm] *m* supporting film.
beifügen ['baɪfy:gən] *vt* to enclose.
Beigabe ['baɪga:bə] *f* addition.
beige ['be:ʒ] *adj* beige.
beigeben ['baɪge:bən] *unreg vt* (*zufügen*) to add; (*mitgeben*) to give ♦ *vi:* **klein ~** (*nachgeben*) to climb down.
Beigeschmack ['baɪgeʃmak] *m* aftertaste.
Beihilfe ['baɪhɪlfə] *f* aid, assistance; (*Studienbeihilfe*) grant; (*JUR*) aiding and abetting; **wegen ~ zum Mord** (*JUR*) because of being an accessory to the murder.
beikommen ['baɪkɔmən] *unreg vi +dat* to get at; (*einem Problem*) to deal with.
Beil [baɪl] **(-(e)s, -e)** *nt* axe (*BRIT*), ax (*US*), hatchet.
Beilage ['baɪla:gə] *f* (*Buch~ etc*) supplement; (*KOCH*) accompanying vegetables; (*getrennt serviert*) side dish.
beiläufig ['baɪlɔʏfɪç] *adj* casual, incidental ♦ *adv* casually, by the way.
beilegen ['baɪle:gən] *vt* (*hinzufügen*) to enclose, add; (*beimessen*) to attribute, ascribe; (*Streit*) to settle.
beileibe [baɪ'laɪbə] *adv:* **~ nicht** by no means.
Beileid ['baɪlaɪt] *nt* condolence, sympathy; **herzliches ~** deepest sympathy.
beiliegend ['baɪli:gənt] *adj* (*COMM*) enclosed.
beim [baɪm] = **bei dem.**
beimessen ['baɪmɛsən] *unreg vt* to attribute, ascribe.
Bein [baɪn] **(-(e)s, -e)** *nt* leg; **jdm ein ~ stellen** (*lit, fig*) to trip sb up; **wir sollten uns auf die ~e machen** (*umg*) we ought to be making tracks; **jdm ~e machen** (*umg: antreiben*) to make sb get a move on; **die ~e in die Hand nehmen** (*umg*) to take to one's heels; **sich** *dat* **die ~e in den Bauch stehen** (*umg*) to stand about until one is fit to drop; **etw auf die ~e stellen** (*fig*) to get sth off the ground.
beinah(e) [baɪ'na:(ə)] *adv* almost, nearly.
Beinbruch *m* fracture of the leg; **das ist kein ~** (*fig: umg*) it could be worse.
beinhalten [bə'|ɪnhaltən] *vt* to contain.
beipflichten ['baɪpflɪçtən] *vi:* **jdm/etw ~** to agree with sb/sth.
Beiprogramm ['baɪprogram] *nt* supporting programme (*BRIT*) *od* program (*US*).
Beirat ['baɪra:t] *m* advisory council; (*Eltern~*) parents' council.
beirren [bə'|ɪrən] *vt* to confuse, muddle; **sich nicht ~ lassen** not to let o.s. be confused.
Beirut [baɪ'ru:t] **(-s)** *nt* Beirut.
beisammen [baɪ'zamən] *adv* together; **~haben** *unreg vt:* **er hat (sie) nicht alle ~** (*umg*) he's not all there; **B~sein (-s)** *nt* get-together.
Beischlaf ['baɪʃla:f] *m* (*JUR*) sexual intercourse.

Beisein ['baɪzaɪn] (**-s**) *nt* presence.
beiseite [baɪ'zaɪtə] *adv* to one side, aside; (*stehen*) on one side, aside; **Spaß ~!** joking apart!; **etw ~ legen** (*sparen*) to put sth by; **jdn/etw ~ schaffen** to get rid of sb/sth.
beisetzen ['baɪzɛtsən] *vt* to bury.
Beisetzung *f* funeral.
Beisitzer(in) ['baɪzɪtsər(ɪn)] (**-s, -**) *m(f)* (*JUR*) assessor; (*bei Prüfung*) observer.
Beispiel ['baɪʃpi:l] (**-(e)s, -e**) *nt* example; **mit gutem ~ vorangehen** to set a good example; **sich** *dat* **an jdm ein ~ nehmen** to take sb as an example; **zum ~** for example; **b~haft** *adj* exemplary; **b~los** *adj* unprecedented.
beispielsweise *adv* for instance, for example.
beispringen ['baɪʃprɪŋən] *unreg vi +dat* to come to the aid of.
beißen ['baɪsən] *unreg vt, vi* to bite; (*stechen: Rauch, Säure*) to burn ♦ *vr* (*Farben*) to clash.
beißend *adj* biting, caustic; (*Geruch*) pungent, sharp; (*fig*) sarcastic.
Beißzange ['baɪstsaŋgə] *f* pliers *pl*.
Beistand ['baɪʃtant] (**-(e)s, ¨-e**) *m* support, help; (*JUR*) adviser; **jdm ~ leisten** to give sb assistance/one's support.
beistehen ['baɪʃte:ən] *unreg vi*: **jdm ~** to stand by sb.
Beistelltisch ['baɪʃtɛltɪʃ] *m* occasional table.
beisteuern ['baɪʃtɔʏərn] *vt* to contribute.
beistimmen ['baɪʃtɪmən] *vi +dat* to agree with.
Beistrich ['baɪʃtrɪç] *m* comma.
Beitrag ['baɪtra:k] (**-(e)s, ¨-e**) *m* contribution; (*Zahlung*) fee, subscription; (*Versicherungs~*) premium; **einen ~ zu etw leisten** to make a contribution to sth.
beitragen ['baɪtra:gən] *unreg vt, vi*: **~ (zu)** to contribute (to); (*mithelfen*) to help (with).
Beitrags- *zW*: **b~frei** *adj* non-contributory; **b~pflichtig** *adj* contributory; **b~pflichtig sein** (*Mensch*) to have to pay contributions; **~zahlende(r)** *f(m)* fee-paying member.
beitreten ['baɪtre:tən] *unreg vi +dat* to join.
Beitritt ['baɪtrɪt] *m* joining; membership.
Beitrittserklärung *f* declaration of membership.
Beiwagen ['baɪva:gən] *m* (*Motorrad~*) sidecar; (*Straßenbahn~*) extra carriage.
beiwohnen ['baɪvo:nən] *vi* (*geh*): **einer Sache** *dat* **~** to attend *od* be present at sth.
Beiwort ['baɪvɔrt] *nt* adjective.
Beize ['baɪtsə] (**-, -n**) *f* (*Holz~*) stain; (*KOCH*) marinade.
beizeiten [baɪ'tsaɪtən] *adv* in time.
bejahen [bə'ja:ən] *vt* (*Frage*) to say yes to, answer in the affirmative; (*gutheißen*) to agree with.
bejahrt [bə'ja:rt] *adj* elderly, advanced in years.
bejammern [bə'jamərn] *vt* to lament, bewail.
bejammernswert *adj* lamentable.
bekakeln [bə'ka:kəln] (*umg*) *vt* to discuss.
bekam *etc* [bə'kam] *vb siehe* **bekommen.**
bekämpfen [bə'kɛmpfən] *vt* (*Gegner*) to fight; (*Seuche*) to combat ♦ *vr* to fight.
Bekämpfung *f*: **~** (*+gen*) fight (against), struggle (against).
bekannt [bə'kant] *adj* (well-)known; (*nicht fremd*) familiar; **mit jdm ~ sein** to know sb; **jdn mit jdm ~ machen** to introduce sb to sb; **sich mit etw ~ machen** to familiarize o.s. with sth; **das ist mir ~** I know that; **es/sie kommt mir ~ vor** it/she seems familiar; **durch etw ~ werden** to become famous because of sth.
Bekannte(r) *f(m)* friend, acquaintance.
Bekanntenkreis *m* circle of friends.
bekanntermaßen *adv* as is known.
bekannt- *zW*: **B~gabe** *f* announcement; **~geben** *unreg vt* to announce publicly; **B~heitsgrad** *m* degree of fame; **~lich** *adv* as is well known, as you know; **~machen** *vt* to announce; **B~machung** *f* publication; (*Anschlag etc*) announcement; **B~schaft** *f* acquaintance.
bekehren [bə'ke:rən] *vt* to convert ♦ *vr* to be *od* become converted.
Bekehrung *f* conversion.
bekennen [bə'kɛnən] *unreg vt* to confess; (*Glauben*) to profess ♦ *vr*: **sich zu jdm/etw ~** to declare one's support for sb/sth; **Farbe ~** (*umg*) to show where one stands.
Bekenntnis [bə'kɛntnɪs] (**-ses, -se**) *nt* admission, confession; (*Religion*) confession, denomination; **ein ~ zur Demokratie ablegen** to declare one's belief in democracy; **~schule** *f* denominational school.
beklagen [bə'kla:gən] *vt* to deplore, lament ♦ *vr* to complain.
beklagenswert *adj* lamentable, pathetic; (*Mensch*) pitiful; (*Zustand*) deplorable; (*Unfall*) terrible.
beklatschen [bə'klatʃən] *vt* to applaud, clap.
bekleben [bə'kle:bən] *vt*: **etw mit Bildern ~** to stick pictures onto sth.
bekleckern [bə'klɛkərn] (*umg*) *vt* to stain.
bekleiden [bə'klaɪdən] *vt* to clothe; (*Amt*) to occupy, fill.
Bekleidung *f* clothing; (*form: eines Amtes*) tenure.
Bekleidungsindustrie *f* clothing industry, rag trade (*umg*).
beklemmen [bə'klɛmən] *vt* to oppress.
Beklemmung *f* oppressiveness; (*Gefühl der Angst*) feeling of apprehension.
beklommen [bə'klɔmən] *adj* anxious, uneasy; **B~heit** *f* anxiety, uneasiness.
bekloppt [bə'klɔpt] (*umg*) *adj* (*Mensch*) crazy; (*: Sache*) lousy.
beknackt [bə'knakt] (*umg*) *adj* = **bekloppt.**
beknien [bə'kni:ən] (*umg*) *vt* (*jdn*) to beg.
bekommen [bə'kɔmən] *unreg vt* to get, receive; (*Kind*) to have; (*Zug*) to catch, get

♦ *vi:* **jdm** ~ to agree with sb; **es mit jdm zu tun** ~ to get into trouble with sb; **wohl bekomm's!** your health!

bekömmlich [bə'kœmlıç] *adj* easily digestible.

beköstigen [bə'kœstıgən] *vt* to cater for.

bekräftigen [bə'krɛftıgən] *vt* to confirm, corroborate.

Bekräftigung *f* corroboration.

bekreuzigen [bə'krɔʏtsıgən] *vr* to cross o.s.

bekritteln [bə'krıtəln] *vt* to criticize, pick holes in.

bekümmern [bə'kʏmərn] *vt* to worry, trouble.

bekunden [bə'kʊndən] *vt* (*sagen*) to state; (*zeigen*) to show.

belächeln [bə'lɛçəln] *vt* to laugh at.

beladen [bə'la:dən] *unreg vt* to load.

Belag [bə'la:k] (**-(e)s, ⸚e**) *m* covering, coating; (*Brot~*) spread; (*auf Pizza, Brot*) topping; (*auf Tortenboden, zwischen Brotscheiben*) filling; (*Zahn~*) tartar; (*auf Zunge*) fur; (*Brems~*) lining.

belagern [bə'la:gərn] *vt* to besiege.

Belagerung *f* siege.

Belagerungszustand *m* state of siege.

Belang [bə'laŋ] (**-(e)s**) *m* importance.

Belange *pl* interests *pl*, concerns *pl*.

belangen *vt* (*JUR*) to take to court.

belanglos *adj* trivial, unimportant.

Belanglosigkeit *f* triviality.

belassen [bə'lasən] *unreg vt* (*in Zustand, Glauben*) to leave; (*in Stellung*) to retain; **es dabei** ~ to leave it at that.

Belastbarkeit *f* (*von Brücke, Aufzug*) load-bearing capacity; (*von Menschen, Nerven*) ability to take stress.

belasten [bə'lastən] *vt* (*lit*) to burden; (*fig: bedrücken*) to trouble, worry; (*COMM: Konto*) to debit; (*JUR*) to incriminate ♦ *vr* to weigh o.s. down; (*JUR*) to incriminate o.s.; **etw (mit einer Hypothek)** ~ to mortgage sth.

belastend *adj* (*JUR*) incriminating.

belästigen [bə'lɛstıgən] *vt* to annoy, pester.

Belästigung *f* annoyance, pestering; (*körperlich*) molesting.

Belastung [bə'lastʊŋ] *f* (*lit*) load; (*fig: Sorge etc*) weight; (*COMM*) charge, debit(ing); (*mit Hypothek*): ~ (*+gen*) mortgage (on); (*JUR*) incriminating evidence.

Belastungs- *zW:* **~material** *nt* (*JUR*) incriminating evidence; **~probe** *f* capacity test; (*fig*) test; **~zeuge** *m* witness for the prosecution.

belaubt [bə'laʊpt] *adj:* **dicht ~ sein** to have thick foliage.

belaufen [bə'laʊfən] *unreg vr:* **sich ~ auf** *+akk* to amount to.

belauschen [bə'laʊʃən] *vt* to eavesdrop on.

beleben [bə'le:bən] *vt* (*anregen*) to liven up; (*Konjunktur, jds Hoffnungen*) to stimulate.

belebt [bə'le:pt] *adj* (*Straße*) crowded.

Beleg [bə'le:k] (**-(e)s, -e**) *m* (*COMM*) receipt; (*Beweis*) documentary evidence, proof; (*Beispiel*) example.

belegen [bə'le:gən] *vt* to cover; (*Kuchen, Brot*) to spread; (*Platz*) to reserve, book; (*Kurs, Vorlesung*) to register for; (*beweisen*) to verify, prove.

Belegschaft *f* personnel, staff.

belegt *adj* (*Zunge*) furred; (*Stimme*) hoarse; (*Zimmer*) occupied; **~e Brote** open sandwiches.

belehren [bə'le:rən] *vt* to instruct, teach; **jdn eines Besseren** ~ to teach sb better; **er ist nicht zu** ~ he won't be told.

Belehrung *f* instruction.

beleibt [bə'laıpt] *adj* stout, corpulent.

beleidigen [bə'laıdıgən] *vt* to insult; to offend.

beleidigt *adj* insulted; (*gekränkt*) offended; **die ~e Leberwurst spielen** (*umg*) to be in a huff.

Beleidigung *f* insult; (*JUR*) slander; (*: schriftlich*) libel.

beleihen [bə'laıən] *unreg vt* (*COMM*) to lend money on.

belemmert [bə'lɛmərt] (*umg*) *adj* sheepish.

belesen [bə'le:zən] *adj* well-read.

beleuchten [bə'lɔʏçtən] *vt* to light, illuminate; (*fig*) to throw light on.

Beleuchter(in) (**-s, -**) *m(f)* lighting technician.

Beleuchtung *f* lighting, illumination.

beleumdet [bə'lɔʏmdət] *adj:* **gut/schlecht ~ sein** to have a good/bad reputation.

beleumundet [bə'lɔʏmʊndət] *adj* = **beleumdet**.

Belgien ['bɛlgiən] (**-s**) *nt* Belgium.

Belgier(in) (**-s, -**) *m(f)* Belgian.

belgisch *adj* Belgian.

Belgrad ['bɛlgra:t] (**-s**) *nt* Belgrade.

belichten [bə'lıçtən] *vt* to expose.

Belichtung *f* exposure.

Belichtungsmesser *m* exposure meter.

Belieben [bə'li:bən] *nt:* **(ganz) nach** ~ (just) as you wish.

belieben *vi unpers* (*geh*): **wie es Ihnen beliebt** as you wish.

beliebig [bə'li:bıç] *adj* any you like, as you like; ~ **viel** as much as you like; **in ~er Reihenfolge** in any order whatever; **ein ~es Thema** any subject you like *od* want.

beliebt [bə'li:pt] *adj* popular; **sich bei jdm ~ machen** to make o.s. popular with sb; **B~heit** *f* popularity.

beliefern [bə'li:fərn] *vt* to supply.

Belize [bɛ'li:z] (**-s**) *nt* Belize.

bellen ['bɛlən] *vi* to bark.

Belletristik [bɛle'trıstık] *f* fiction and poetry.

belohnen [bə'lo:nən] *vt* to reward.

Belohnung *f* reward.

Belüftung [bə'lʏftʊŋ] *f* ventilation.

belügen [bə'ly:gən] *unreg vt* to lie to, deceive.

belustigen [bə'lʊstıgən] *vt* to amuse.

Belustigung *f* amusement.

bemächtigen [bə'mɛçtıgən] *vr:* **sich einer Sache** *gen* ~ to take possession of sth, seize sth.

bemalen [bə'ma:lən] *vt* to paint ♦ *vr* (*pej:*

schminken) to put on one's war paint (*umg*).
bemängeln [bə'mɛŋəln] *vt* to criticize.
bemannen [bə'manən] *vt* to man.
Bemannung *f* manning; (*NAUT, AVIAT etc*) crew.
bemänteln [bə'mɛntəln] *vt* to cloak, hide.
bemerkbar *adj* perceptible, noticeable; **sich ~ machen** (*Person*) to make *od* get o.s. noticed; (*Unruhe*) to become noticeable.
bemerken [bə'mɛrkən] *vt* (*wahrnehmen*) to notice, observe; (*sagen*) to say, mention; **nebenbei bemerkt** by the way.
bemerkenswert *adj* remarkable, noteworthy.
Bemerkung *f* remark, comment; (*schriftlich*) comment, note.
bemitleiden [bə'mɪtlaɪdən] *vt* to pity.
bemittelt [bə'mɪtəlt] *adj* well-to-do, well-off.
bemühen [bə'my:ən] *vr* to take trouble *od* pains; **sich um eine Stelle ~** to try to get a job.
bemüht *adj*: **(darum) ~ sein, etw zu tun** to endeavour (*BRIT*) *od* endeavor (*US*) *od* be at pains to do sth.
Bemühung *f* trouble, pains *pl*, effort.
bemüßigt [bə'my:sɪçt] *adj*: **sich ~ fühlen/sehen** (*geh*) to feel called upon.
bemuttern [bə'mʊtərn] *vt* to mother.
benachbart [bə'naxba:rt] *adj* neighbouring (*BRIT*), neighboring (*US*).
benachrichtigen [bə'na:xrɪçtɪgən] *vt* to inform.
Benachrichtigung *f* notification.
benachteiligen [bə'na:xtaɪlɪgən] *vt* to (put at a) disadvantage, victimize.
benehmen [bə'ne:mən] *unreg vr* to behave; **B~** (**-s**) *nt* behaviour (*BRIT*), behavior (*US*); **kein B~ haben** not to know how to behave.
beneiden [bə'naɪdən] *vt* to envy.
beneidenswert *adj* enviable.
Beneluxländer ['be:nelʊkslɛndər] *pl* Benelux (countries *pl*).
Beneluxstaaten *pl* Benelux (countries *pl*).
benennen [bə'nɛnən] *unreg vt* to name.
Bengel ['bɛŋəl] (**-s, -**) *m* (little) rascal *od* rogue.
Benimm [bə'nɪm] (**-s**) (*umg*) *m* manners *pl*.
Benin [be'ni:n] (**-s**) *nt* Benin.
benommen [bə'nɔmən] *adj* dazed.
benoten [bə'no:tən] *vt* to mark.
benötigen [bə'nø:tɪgən] *vt* to need.
benutzen [bə'nʊtsən] *vt* to use.
benützen [bə'nʏtsən] *vt* to use.
Benutzer(in) (**-s, -**) *m(f)* user; **b~freundlich** *adj* user-friendly.
Benutzung *f* utilization, use; **jdm etw zur ~ überlassen** to put sth at sb's disposal.
Benzin [bɛnt'si:n] (**-s, -e**) *nt* (*AUT*) petrol (*BRIT*), gas(oline) (*US*); **~einspritzanlage** *f* (*AUT*) fuel injection system; **~kanister** *m* petrol (*BRIT*) *od* gas (*US*) can; **~tank** *m* petrol (*BRIT*) *od* gas (*US*) tank; **~uhr** *f* petrol (*BRIT*) *od* gas (*US*) gauge.
beobachten [bə'|o:baxtən] *vt* to observe.
Beobachter(in) (**-s, -**) *m(f)* observer; (*eines Unfalls*) witness; (*PRESSE, TV*) correspondent.
Beobachtung *f* observation.
beordern [bə'|ɔrdərn] *vt*: **jdn zu sich ~** to send for sb.
bepacken [bə'pakən] *vt* to load, pack.
bepflanzen [bə'pflantsən] *vt* to plant.
bequatschen [bə'kvatʃən] (*umg*) *vt* (*überreden*) to persuade; **etw ~** to talk sth over.
bequem [bə'kve:m] *adj* comfortable; (*Ausrede*) convenient; (*Person*) lazy, indolent.
bequemen [bə'kve:mən] *vr*: **sich ~, etw zu tun** to condescend to do sth.
Bequemlichkeit *f* convenience, comfort; (*Faulheit*) laziness, indolence.
Ber. *abk* = **Bericht; Beruf.**
berät [bə'rɛ:t] *vb siehe* **beraten.**
beraten [bə'ra:tən] *unreg vt* to advise; (*besprechen*) to discuss, debate ♦ *vr* to consult; **gut/schlecht ~ sein** to be well/ill advised; **sich ~ lassen** to get advice.
beratend *adj* consultative; **jdm ~ zur Seite stehen** to act in an advisory capacity to sb.
Berater(in) (**-s, -**) *m(f)* adviser; **~vertrag** *m* consultancy contract.
beratschlagen [bə'ra:tʃla:gən] *vi* to deliberate, confer ♦ *vt* to deliberate on, confer about.
Beratung *f* advice; (*Besprechung*) consultation.
Beratungsstelle *f* advice centre (*BRIT*) *od* center (*US*).
berauben [bə'raʊbən] *vt* to rob.
berauschen [bə'raʊʃən] *vt* (*lit, fig*) to intoxicate.
berauschend *adj*: **das war nicht sehr ~** (*ironisch*) that wasn't very exciting.
berechenbar [bə'rɛçənba:r] *adj* calculable; (*Verhalten*) predictable.
berechnen [bə'rɛçnən] *vt* to calculate; (*COMM: anrechnen*) to charge.
berechnend *adj* (*Mensch*) calculating, scheming.
Berechnung *f* calculation; (*COMM*) charge.
berechtigen [bə'rɛçtɪgən] *vt* to entitle; (*bevollmächtigen*) to authorize; (*fig*) to justify.
berechtigt [bə'rɛçtɪçt] *adj* justifiable, justified.
Berechtigung *f* authorization; (*fig*) justification.
bereden [bə're:dən] *vt* (*besprechen*) to discuss; (*überreden*) to persuade ♦ *vr* to discuss.
beredt [bə're:t] *adj* eloquent.
Bereich [bə'raɪç] (**-(e)s, -e**) *m* (*Bezirk*) area; (*Ressort, Gebiet*) sphere; **im ~ des Möglichen liegen** to be within the bounds of possibility.
bereichern [bə'raɪçərn] *vt* to enrich ♦ *vr* to get

rich; **sich auf Kosten anderer** ~ to feather one's nest at the expense of other people.
Bereifung [bə'raɪfʊŋ] *f* (set of) tyres (*BRIT*) *od* tires (*US*) *pl*; (*Vorgang*) fitting with tyres (*BRIT*) *od* tires (*US*).
bereinigen [bə'raɪnɪgən] *vt* to settle.
bereisen [bə'raɪzən] *vt* to travel through; (*COMM: Gebiet*) to travel, cover.
bereit [bə'raɪt] *adj* ready, prepared; **zu etw ~ sein** to be ready for sth; **sich ~ erklären** to declare o.s. willing.
bereiten *vt* to prepare, make ready; (*Kummer, Freude*) to cause; **einer Sache** *dat* **ein Ende ~** to put an end to sth.
bereit- *zW:* **~halten** *unreg vt* to keep in readiness; **~legen** *vt* to lay out; **~machen** *vt, vr* to prepare, get ready.
bereits *adv* already.
bereit- *zW:* **B~schaft** *f* readiness; (*Polizei*) alert; **in B~schaft sein** to be on the alert *od* on stand-by; **B~schaftsarzt** *m* doctor on call; (*im Krankenhaus*) duty doctor; **B~schaftsdienst** *m* emergency service; **~stehen** *unreg vi* (*Person*) to be prepared; (*Ding*) to be ready; **~stellen** *vt* (*Kisten, Pakete etc*) to put ready; (*Geld etc*) to make available; (*Truppen, Maschinen*) to put at the ready.
Bereitung *f* preparation.
bereitwillig *adj* willing, ready; **B~keit** *f* willingness, readiness.
bereuen [bə'rɔʏən] *vt* to regret.
Berg [bɛrk] (**-(e)s, -e**) *m* mountain; (*kleiner*) hill; **mit etw hinterm ~ halten** (*fig*) to keep quiet about sth; **über alle ~e sein** to be miles away; **da stehen einem ja die Haare zu ~e** it's enough to make your hair stand on end; **b~ab** *adv* downhill; **b~an** *adv* uphill; **~arbeiter** *m* miner; **b~auf** *adv* uphill; **~bahn** *f* mountain railway (*BRIT*) *od* railroad (*US*); **~bau** *m* mining.
bergen ['bɛrgən] *unreg vt* (*retten*) to rescue; (*Ladung*) to salvage; (*enthalten*) to contain.
Bergführer *m* mountain guide.
Berggipfel *m* mountain top, peak, summit.
bergig ['bɛrgɪç] *adj* mountainous, hilly.
Berg- *zW:* **~kamm** *m* crest, ridge; **~kette** *f* mountain range; **~kristall** *m* rock crystal; **~mann** (**-(e)s,** *pl* **~leute**) *m* miner; **~not** *f*: **in ~not sein/geraten** to be in/get into difficulties while climbing; **~predigt** *f* (*REL*) Sermon on the Mount; **~rettungsdienst** *m* mountain rescue service; **~rutsch** *m* landslide; **~schuh** *m* walking boot; **~steigen** *nt* mountaineering; **~steiger(in)** *m(f)* mountaineer, climber; **~-und-Tal-Bahn** *f* big dipper, roller-coaster.
Bergung ['bɛrgʊŋ] *f* (*von Menschen*) rescue; (*von Material*) recovery; (*NAUT*) salvage.
Bergwacht *f* mountain rescue service.
Bergwerk *nt* mine.
Bericht [bə'rɪçt] (**-(e)s, -e**) *m* report, account; **b~en** *vt, vi* to report; **~erstatter** (**-s, -**) *m* reporter, (newspaper) correspondent; **~erstattung** *f* reporting.
berichtigen [bə'rɪçtɪgən] *vt* to correct.
Berichtigung *f* correction.
berieseln [bə'ri:zəln] *vt* to spray with water *etc.*
Berieselung *f* watering; **die dauernde ~ mit Musik** ... (*fig*) the constant stream of music.
Berieselungsanlage *f* sprinkler (system).
Beringmeer ['be:rɪŋme:r] *nt* Bering Sea.
beritten [bə'rɪtən] *adj* mounted.
Berlin [bɛr'li:n] (**-s**) *nt* Berlin.
Berliner[1] *adj attrib* Berlin.
Berliner[2] (**-s, -**) *m* (*Person*) Berliner; (*KOCH*) jam doughnut.
Berlinerin *f* Berliner.
berlinerisch (*umg*) *adj* (*Dialekt*) Berlin *attr.*
Bermudas [bɛr'mu:das] *pl:* **auf den ~** in Bermuda.
Bern [bɛrn] (**-s**) *nt* Berne.
Bernhardiner [bɛrnhar'di:nər] (**-s, -**) *m* Saint Bernard (dog).
Bernstein ['bɛrnʃtaɪn] *m* amber.
bersten ['bɛrstən] *unreg vi* to burst, split.
berüchtigt [bə'rʏçtɪçt] *adj* notorious, infamous.
berücksichtigen [bə'rʏkzɪçtɪgən] *vt* to consider, bear in mind.
Berücksichtigung *f* consideration; **in** *od* **unter ~ der Tatsache, daß** ... in view of the fact that ...
Beruf [bə'ru:f] (**-(e)s, -e**) *m* occupation, profession; (*Gewerbe*) trade; **was sind Sie von ~?** what is your occupation *etc*?, what do you do for a living?; **seinen ~ verfehlt haben** to have missed one's vocation.
berufen *unreg vt* (*in Amt*): **jdn in etw** *akk* **~** to appoint sb to sth ♦ *vr:* **sich auf jdn/etw ~** to refer *od* appeal to sb/sth ♦ *adj* competent, qualified; (*ausersehen*): **zu etw ~ sein** to have a vocation for sth.
beruflich *adj* professional; **er ist ~ viel unterwegs** he is away a lot on business.
Berufs- *zW:* **~ausbildung** *f* vocational *od* professional training; **b~bedingt** *adj* occupational; **~berater** *m* careers adviser; **~beratung** *f* vocational guidance; **~bezeichnung** *f* job description; **~erfahrung** *f* (professional) experience; **~feuerwehr** *f* fire service; **~geheimnis** *nt* professional secret; **~krankheit** *f* occupational disease; **~kriminalität** *f* professional crime; **~leben** *nt* professional life; **im ~leben stehen** to be working *od* in employment; **b~mäßig** *adj* professional; **~risiko** *nt* occupational hazard; **~schule** *f* vocational *od* trade school; **~soldat** *m* professional soldier, regular; **~sportler** *m* professional (sportsman); **b~tätig** *adj* employed; **b~unfähig** *adj* unable to work (at one's profession); **~unfall** *m* occupational

accident; ~**verbot** *nt*: **jdm ~verbot erteilen** to ban sb from his/her profession; (*einem Arzt, Anwalt*) to strike sb off; ~**verkehr** *m* commuter traffic; ~**wahl** *f* choice of a job.
Berufung *f* vocation, calling; (*Ernennung*) appointment; (*JUR*) appeal; ~ **einlegen** to appeal; **unter ~ auf etw** *akk* (*form*) with reference to sth.
Berufungsgericht *nt* appeal court, court of appeal.
beruhen [bəˈruːən] *vi*: **auf etw** *dat* ~ to be based on sth; **etw auf sich ~ lassen** to leave sth at that; **das beruht auf Gegenseitigkeit** the feeling is mutual.
beruhigen [bəˈruːɪgən] *vt* to calm, pacify, soothe ♦ *vr* (*Mensch*) to calm (o.s.) down; (*Situation*) to calm down.
beruhigend *adj* (*Gefühl, Wissen*) reassuring; (*Worte*) comforting; (*Mittel*) tranquillizing.
Beruhigung *f* reassurance; (*der Nerven*) calming; **zu jds ~** to reassure sb.
Beruhigungsmittel *nt* sedative.
Beruhigungspille *f* tranquillizer.
berühmt [bəˈryːmt] *adj* famous; **das war nicht ~** (*umg*) it was nothing to write home about; ~**-berüchtigt** *adj* infamous, notorious; **B~heit** *f* (*Ruf*) fame; (*Mensch*) celebrity.
berühren [bəˈryːrən] *vt* to touch; (*gefühlsmäßig bewegen*) to affect; (*flüchtig erwähnen*) to mention, touch on ♦ *vr* to meet, touch; **von etw peinlich berührt sein** to be embarrassed by sth.
Berührung *f* contact.
Berührungspunkt *m* point of contact.
bes. *abk* (= *besonders*) esp.
besagen [bəˈzaːgən] *vt* to mean.
besagt *adj* (*form: Tag etc*) in question.
besaiten [bəˈzaɪtən] *vt*: **neu ~** (*Instrument*) to restring.
besänftigen [bəˈzɛnftɪgən] *vt* to soothe, calm.
besänftigend *adj* soothing.
Besänftigung *f* soothing, calming.
besaß *etc* [bəˈzaːs] *vb siehe* **besitzen.**
besät [bəˈzɛːt] *adj* covered; (*mit Blättern etc*) strewn.
Besatz [bəˈzats] (**-es, ⸚e**) *m* trimming, edging.
Besatzung *f* garrison; (*NAUT, AVIAT*) crew.
Besatzungsmacht *f* occupying power.
Besatzungszone *f* occupied zone.
besaufen [bəˈzaʊfən] *unreg* (*umg*) *vr* to get drunk *od* stoned.
beschädigen [bəˈʃɛːdɪgən] *vt* to damage.
Beschädigung *f* damage; (*Stelle*) damaged spot.
beschaffen [bəˈʃafən] *vt* to get, acquire ♦ *adj* constituted; **so ~ sein wie** ... to be the same as ...; **B~heit** *f* constitution, nature; **je nach B~heit der Lage** according to the situation.
Beschaffung *f* acquisition.
beschäftigen [bəˈʃɛftɪgən] *vt* to occupy; (*beruflich*) to employ; (*innerlich*): **jdn ~** to be on sb's mind ♦ *vr* to occupy *od* concern o.s.
beschäftigt *adj* busy, occupied; (*angestellt*): **(bei einer Firma) ~** employed (by a firm).
Beschäftigung *f* (*Beruf*) employment; (*Tätigkeit*) occupation; (*geistige* ~) preoccupation; **einer ~ nachgehen** (*form*) to be employed.
Beschäftigungsprogramm *nt* employment scheme.
Beschäftigungstherapie *f* occupational therapy.
beschämen [bəˈʃɛːmən] *vt* to put to shame.
beschämend *adj* shameful; (*Hilfsbereitschaft*) shaming.
beschämt *adj* ashamed.
beschatten [bəˈʃatən] *vt* to shade; (*Verdächtige*) to shadow.
beschaulich [bəˈʃaʊlɪç] *adj* contemplative; (*Leben, Abend*) quiet, tranquil.
Bescheid [bəˈʃaɪt] (**-(e)s, -e**) *m* information; (*Weisung*) directions *pl*; **~ wissen (über** *+akk*) to be well-informed (about); **ich weiß ~** I know; **jdm ~ geben** *od* **sagen** to let sb know; **jdm ordentlich ~ sagen** (*umg*) to tell sb where to go.
bescheiden [bəˈʃaɪdən] *unreg vr* to content o.s. ♦ *vt*: **etw abschlägig ~** (*form*) to turn sth down ♦ *adj* modest; **B~heit** *f* modesty.
bescheinen [bəˈʃaɪnən] *unreg vt* to shine on.
bescheinigen [bəˈʃaɪnɪgən] *vt* to certify; (*bestätigen*) to acknowledge; **hiermit wird bescheinigt, daß** ... this is to certify that ...
Bescheinigung *f* certificate; (*Quittung*) receipt.
bescheißen [bəˈʃaɪsən] *unreg* (*umg!*) *vt* to cheat.
beschenken [bəˈʃɛŋkən] *vt* to give presents to.
bescheren [bəˈʃeːrən] *vt*: **jdm etw ~** to give sb sth as a present; **jdn ~** to give presents to sb.
Bescherung *f* giving of presents; (*umg*) mess; **da haben wir die ~!** (*umg*) what did I tell you!
bescheuert [bəˈʃɔʏərt] (*umg*) *adj* stupid.
beschichten [bəˈʃɪçtən] *vt* (*TECH*) to coat, cover.
beschießen [bəˈʃiːsən] *unreg vt* to shoot *od* fire at.
beschildern [bəˈʃɪldərn] *vt* to signpost.
beschimpfen [bəˈʃɪmpfən] *vt* to abuse.
Beschimpfung *f* abuse, insult.
beschirmen [bəˈʃɪrmən] *vt* (*geh: beschützen*) to shield.
Beschiß [bəˈʃɪs] (**-sses**) (*umg*) *m*: **das ist ~** that is a cheat.
beschiß *etc vb siehe* **bescheißen.**
beschissen *pp von* **bescheißen** ♦ *adj* (*umg!*) bloody awful, lousy.
Beschlag [bəˈʃlaːk] (**-(e)s, ⸚e**) *m* (*Metallband*) fitting; (*auf Fenster*) condensation; (*auf Metall*) tarnish; finish; (*Hufeisen*) horseshoe; **jdn/etw in ~ nehmen** *od* **mit ~ belegen** to

monopolize sb/sth.
beschlagen [bəˈʃlaːgən] *unreg vt* to cover; (*Pferd*) to shoe; (*Fenster, Metall*) to cover ♦ *vi, vr* (*Fenster etc*) to mist over; ~ **sein (in** *od* **auf** *+dat***)** to be well versed (in).
beschlagnahmen *vt* to seize, confiscate.
Beschlagnahmung *f* confiscation.
beschleunigen [bəˈʃlɔʏnɪgən] *vt* to accelerate, speed up ♦ *vi* (*AUT*) to accelerate.
Beschleunigung *f* acceleration.
beschließen [bəˈʃliːsən] *unreg vt* to decide on; (*beenden*) to end, close.
beschlossen [bəˈʃlɔsən] *pp von* **beschließen** ♦ *adj* (*entschieden*) decided, agreed; **das ist ~e Sache** that's been settled.
Beschluß [bəˈʃlʊs] (**-sses, -schlüsse**) *m* decision, conclusion; (*Ende*) close, end; **einen ~ fassen** to pass a resolution.
beschlußfähig *adj:* ~ **sein** to have a quorum.
beschmieren [bəˈʃmiːrən] *vt* (*Wand*) to bedaub.
beschmutzen [bəˈʃmʊtsən] *vt* to dirty, soil.
beschneiden [bəˈʃnaɪdən] *unreg vt* to cut; (*stutzen*) to trim; (: *Strauch*) to prune; (*REL*) to circumcise.
beschnuppern [bəˈʃnʊpərn] *vr* (*Hunde*) to sniff each other; (*fig: umg*) to size each other up.
beschönigen [bəˈʃøːnɪgən] *vt* to gloss over; **~der Ausdruck** euphemism.
beschränken [bəˈʃrɛŋkən] *vt, vr:* **(sich) ~ (auf** *+akk***)** to limit *od* restrict (o.s.) (to).
beschrankt [bəˈʃraŋkt] *adj* (*Bahnübergang*) with barrier.
beschränkt [bəˈʃrɛŋkt] *adj* confined, narrow; (*Mensch*) limited, narrow-minded; (*pej: geistig*) dim; **Gesellschaft mit ~er Haftung** limited company (*BRIT*), corporation (*US*); **B~heit** *f* narrowness.
Beschränkung *f* limitation.
beschreiben [bəˈʃraɪbən] *unreg vt* to describe; (*Papier*) to write on.
Beschreibung *f* description.
beschrieb *etc* [bəˈʃriːp] *vb siehe* **beschreiben**.
beschrieben [bəˈʃriːbən] *pp von* **beschreiben**.
beschriften [bəˈʃrɪftən] *vt* to mark, label.
Beschriftung *f* lettering.
beschuldigen [bəˈʃʊldɪgən] *vt* to accuse.
Beschuldigung *f* accusation.
beschummeln [bəˈʃʊməln] (*umg*) *vt, vi* to cheat.
Beschuß [bəˈʃʊs] *m:* **jdn/etw unter ~ nehmen** (*MIL*) to (start to) bombard *od* shell sb/sth; (*fig*) to attack sb/sth; **unter ~ geraten** (*lit, fig*) to come into the firing line.
beschützen [bəˈʃʏtsən] *vt:* ~ **(vor** *+dat***)** to protect (from).
Beschützer(in) (**-s, -**) *m(f)* protector.
Beschützung *f* protection.
beschwatzen [bəˈʃvatsən] (*umg*) *vt* (*überreden*) to talk over.
Beschwerde [bəˈʃveːrdə] (**-, -n**) *f* complaint; (*Mühe*) hardship; (*INDUSTRIE*) grievance; **Beschwerden** *pl* (*Leiden*) trouble; ~ **einlegen** (*form*) to lodge a complaint; **b~frei** *adj* fit and healthy; **~frist** *f* (*JUR*) *period of time during which an appeal may be lodged.*
beschweren [bəˈʃveːrən] *vt* to weight down; (*fig*) to burden ♦ *vr* to complain.
beschwerlich *adj* tiring, exhausting.
beschwichtigen [bəˈʃvɪçtɪgən] *vt* to soothe, pacify.
Beschwichtigung *f* soothing, calming.
beschwindeln [bəˈʃvɪndəln] *vt* (*betrügen*) to cheat; (*belügen*) to fib to.
beschwingt [bəˈʃvɪŋt] *adj* cheery, in high spirits.
beschwipst [bəˈʃvɪpst] *adj* tipsy.
beschwören [bəˈʃvøːrən] *unreg vt* (*Aussage*) to swear to; (*anflehen*) to implore; (*Geister*) to conjure up.
beseelen [bəˈzeːlən] *vt* to inspire.
besehen [bəˈzeːən] *unreg vt* to look at; **genau ~** to examine closely.
beseitigen [bəˈzaɪtɪgən] *vt* to remove.
Beseitigung *f* removal.
Besen [ˈbeːzən] (**-s, -**) *m* broom; (*pej: umg: Frau*) old bag; **ich fresse einen ~, wenn das stimmt** (*umg*) if that's right, I'll eat my hat; **~stiel** *m* broomstick.
besessen [bəˈzɛsən] *adj* possessed; (*von einer Idee etc*): ~ **(von)** obsessed (with).
besetzen [bəˈzɛtsən] *vt* (*Haus, Land*) to occupy; (*Platz*) to take, fill; (*Posten*) to fill; (*Rolle*) to cast; (*mit Edelsteinen*) to set.
besetzt *adj* full; (*TEL*) engaged, busy; (*Platz*) taken; (*WC*) engaged; **B~zeichen** *nt* engaged tone (*BRIT*), busy signal (*US*).
Besetzung *f* occupation; (*von Stelle*) filling; (*von Rolle*) casting; (*die Schauspieler*) cast; **zweite ~** (*THEAT*) understudy.
besichtigen [bəˈzɪçtɪgən] *vt* to visit, look at.
Besichtigung *f* visit.
besiedeln *vt:* **dicht/dünn besiedelt** densely/thinly populated.
Besied(e)lung [bəˈziːd(ə)lʊŋ] *f* population.
besiegeln [bəˈziːgəln] *vt* to seal.
besiegen [bəˈziːgən] *vt* to defeat, overcome.
Besiegte(r) [bəˈziːktə(r)] *f(m)* loser.
besinnen [bəˈzɪnən] *unreg vr* (*nachdenken*) to think, reflect; (*erinnern*) to remember; **sich anders ~** to change one's mind.
besinnlich *adj* contemplative.
Besinnung *f* consciousness; **bei/ohne ~ sein** to be conscious/unconscious; **zur ~ kommen** to recover consciousness; (*fig*) to come to one's senses.
besinnungslos *adj* unconscious; (*fig*) blind.
Besitz [bəˈzɪts] (**-es**) *m* possession; (*Eigentum*) property; **~anspruch** *m* claim of ownership; (*JUR*) title; **b~anzeigend** *adj* (*GRAM*) possessive.
besitzen *unreg vt* to possess, own; (*Eigenschaft*) to have.

Besitzer(in) (**-s, -**) *m(f)* owner, proprietor.
Besitz- *zW:* **~ergreifung** *f* seizure; **~nahme** *f* seizure; **~tum** *nt* (*Grundbesitz*) estate(s *pl*), property; **~urkunde** *f* title deeds *pl*.
besoffen [bə'zɔfən] (*umg*) *adj* sozzled.
besohlen [bə'zo:lən] *vt* to sole.
Besoldung [bə'zɔldʊŋ] *f* salary, pay.
besondere(r, s) [bə'zɔndərə(r, s)] *adj* special; (*eigen*) particular; (*gesondert*) separate; (*eigentümlich*) peculiar.
Besonderheit *f* peculiarity.
besonders *adv* especially, particularly; (*getrennt*) separately; **das Essen/der Film war nicht ~** the food/film was nothing special *od* out of the ordinary; **wie geht's dir? - nicht ~** how are you? - not too hot.
besonnen [bə'zɔnən] *adj* sensible, level-headed; **B~heit** *f* level-headedness.
besorgen [bə'zɔrgən] *vt* (*beschaffen*) to acquire; (*kaufen*) to purchase; (*erledigen: Geschäfte*) to deal with; (*sich kümmern um*) to take care of; **es jdm ~** (*umg*) to sort sb out.
Besorgnis (**-, -se**) *f* anxiety, concern; **b~erregend** *adj* alarming, worrying.
besorgt [bə'zɔrkt] *adj* anxious, worried; **B~heit** *f* anxiety, worry.
Besorgung *f* acquisition; (*Kauf*) purchase; (*Einkauf*): **~en machen** to do some shopping.
bespannen [bə'ʃpanən] *vt* (*mit Saiten, Fäden*) to string.
bespielbar *adj* (*Rasen etc*) playable.
bespielen [bə'ʃpi:lən] *vt* (*Tonband, Kassette*) to make a recording on.
bespitzeln [bə'ʃpɪtsəln] *vt* to spy on.
besprechen [bə'ʃprɛçən] *unreg vt* to discuss; (*Tonband etc*) to record, speak onto; (*Buch*) to review ♦ *vr* to discuss, consult.
Besprechung *f* meeting, discussion; (*von Buch*) review.
bespringen [bə'ʃprɪŋən] *unreg vt* (*Tier*) to mount, cover.
bespritzen [bə'ʃprɪtsən] *vt* to spray; (*beschmutzen*) to spatter.
besser ['bɛsər] *adj* better; **nur ein ~er ...** just a glorified ...; **~e Leute** a better class of people; **~gehen** *unreg vi unpers:* **es geht ihm ~** he feels better.
bessern *vt* to make better, improve ♦ *vr* to improve; (*Mensch*) to reform.
besserstehen *unreg* (*umg*) *vr* to be better off.
Besserung *f* improvement; **auf dem Weg(e) der ~ sein** to be getting better, be improving; **gute ~!** get well soon!
Besserwisser(in) (**-s, -**) *m(f)* know-all (*BRIT*), know-it-all (*US*).
Bestand [bə'ʃtant] (**-(e)s, ¨-e**) *m* (*Fortbestehen*) duration, continuance; (*Kassenbestand*) amount, balance; (*Vorrat*) stock; **eiserner ~** iron rations *pl*; **~ haben, von ~ sein** to last long, endure.
bestand *etc vb siehe* **bestehen.**
bestanden *pp von* **bestehen** ♦ *adj:* **nach ~er Prüfung** after passing the exam.
beständig [bə'ʃtɛndɪç] *adj* (*ausdauernd*) constant (*auch fig*); (*Wetter*) settled; (*Stoffe*) resistant; (*Klagen etc*) continual.
Bestandsaufnahme *f* stocktaking.
Bestandsüberwachung *f* stock control, inventory control.
Bestandteil *m* part, component; (*Zutat*) ingredient; **sich in seine ~e auflösen** to fall to pieces.
bestärken [bə'ʃtɛrkən] *vt:* **jdn in etw** *dat* **~** to strengthen *od* confirm sb in sth.
bestätigen [bə'ʃtɛ:tɪgən] *vt* to confirm; (*anerkennen, COMM*) to acknowledge; **jdn (im Amt) ~** to confirm sb's appointment.
Bestätigung *f* confirmation; acknowledgement.
bestatten [bə'ʃtatən] *vt* to bury.
Bestatter (**-s, -**) *m* undertaker.
Bestattung *f* funeral.
Bestattungsinstitut *nt* undertaker's (*BRIT*), mortician's (*US*).
bestäuben [bə'ʃtɔʏbən] *vt* to powder, dust; (*Pflanze*) to pollinate.
beste(r, s) ['bɛstə(r, s)] *adj* best; **sie singt am ~n** she sings best; **so ist es am ~n** it's best that way; **am ~n gehst du gleich** you'd better go at once; **jdn zum ~n haben** to pull sb's leg; **einen Witz** *etc* **zum ~n geben** to tell a joke *etc*; **aufs ~** in the best possible way; **zu jds B~n** for the benefit of sb; **es steht nicht zum ~n** it does not look too promising.
bestechen [bə'ʃtɛçən] *unreg vt* to bribe ♦ *vi* (*Eindruck machen*): **(durch etw) ~** to be impressive (because of sth).
bestechend *adj* (*Schönheit, Eindruck*) captivating; (*Angebot*) tempting.
bestechlich *adj* corruptible; **B~keit** *f* corruptibility.
Bestechung *f* bribery, corruption.
Bestechungsgelder *pl* bribe *sing*.
Bestechungsversuch *m* attempted bribery.
Besteck [bə'ʃtɛk] (**-(e)s, -e**) *nt* knife, fork and spoon, cutlery; (*MED*) set of instruments; **~kasten** *m* cutlery canteen.
bestehen [bə'ʃte:ən] *unreg vi* to exist; (*andauern*) to last ♦ *vt* (*Probe, Prüfung*) to pass; (*Kampf*) to win; **die Schwierigkeit/das Problem besteht darin, daß ...** the difficulty/problem lies in the fact that ..., the difficulty/problem is that ...; **~ auf** *+dat* to insist on; **~ aus** to consist of; **B~** *nt:* **seit B~ der Firma** ever since the firm came into existence *od* has existed.
bestehenbleiben *unreg vi* to last, endure; (*Frage, Hoffnung*) to remain.
bestehlen [bə'ʃte:lən] *unreg vt* to rob.
besteigen [bə'ʃtaɪgən] *unreg vt* to climb, ascend; (*Pferd*) to mount; (*Thron*) to ascend.
Bestellbuch *nt* order book.
bestellen [bə'ʃtɛlən] *vt* to order; (*kommen*

lassen) to arrange to see; (*nominieren*) to name; (*Acker*) to cultivate; (*Grüße, Auftrag*) to pass on; **wie bestellt und nicht abgeholt** (*hum: umg*) like orphan Annie; **er hat nicht viel/nichts zu ~** he doesn't have much/any say here; **ich bin für 10 Uhr bestellt** I have an appointment for *od* at 10 o'clock; **es ist schlecht um ihn bestellt** (*fig*) he is in a bad way.

Bestell- *zW:* **~formular** *nt* purchase order; **~nummer** *f* order number; **~schein** *m* order coupon.

Bestellung *f* (*COMM*) order; (*Bestellen*) ordering; (*Ernennung*) nomination, appointment.

bestenfalls ['bɛstən'fals] *adv* at best.

bestens ['bɛstəns] *adv* very well.

besteuern [bə'ʃtɔʏərn] *vt* to tax.

bestialisch [bɛsti'aːlɪʃ] (*umg*) *adj* awful, beastly.

besticken [bə'ʃtɪkən] *vt* to embroider.

Bestie ['bɛstiə] *f* (*lit, fig*) beast.

bestimmen [bə'ʃtɪmən] *vt* (*Regeln*) to lay down; (*Tag, Ort*) to fix; (*prägen*) to characterize; (*ausersehen*) to mean; (*ernennen*) to appoint; (*definieren*) to define; (*veranlassen*) to induce ♦ *vi:* **du hast hier nicht zu ~** you don't make the decisions here; **er kann über sein Geld allein ~** it is up to him what he does with his money.

bestimmend *adj* (*Faktor, Einfluß*) determining, decisive.

bestimmt *adj* (*entschlossen*) firm; (*gewiß*) certain, definite; (*Artikel*) definite ♦ *adv* (*gewiß*) definitely, for sure; **suchen Sie etwas B~es?** are you looking for anything in particular?; **B~heit** *f* certainty; **in** *od* **mit aller B~heit** quite categorically.

Bestimmung *f* (*Verordnung*) regulation; (*Festsetzen*) determining; (*Verwendungszweck*) purpose; (*Schicksal*) fate; (*Definition*) definition.

Bestimmungs- *zW:* **~bahnhof** *m* (*EISENB*) destination; **b~gemäß** *adj* as agreed; **~hafen** *m* (port of) destination; **~ort** *m* destination.

Bestleistung *f* best performance.

bestmöglich *adj* best possible.

Best.-Nr. *abk* = **Bestellnummer.**

bestrafen [bə'ʃtraːfən] *vt* to punish.

Bestrafung *f* punishment.

bestrahlen [bə'ʃtraːlən] *vt* to shine on; (*MED*) to treat with X-rays.

Bestrahlung *f* (*MED*) X-ray treatment, radiotherapy.

Bestreben [bə'ʃtreːbən] (**-s**) *nt* endeavour (*BRIT*), endeavor (*US*), effort.

bestrebt [bə'ʃtreːpt] *adj:* **~ sein, etw zu tun** to endeavour (*BRIT*) *od* endeavor (*US*) to do sth.

Bestrebung [bə'ʃtreːbʊŋ] *f* = **Bestreben.**

bestreichen [bə'ʃtraɪçən] *unreg vt* (*Brot*) to spread.

bestreiken [bə'ʃtraɪkən] *vt* (*INDUSTRIE*) to black; **die Fabrik wird zur Zeit bestreikt** there's a strike on in the factory at the moment.

bestreiten [bə'ʃtraɪtən] *unreg vt* (*abstreiten*) to dispute; (*finanzieren*) to pay for, finance; **er hat das ganze Gespräch allein bestritten** he did all the talking.

bestreuen [bə'ʃtrɔʏən] *vt* to sprinkle, dust; (*Straße*) to (spread with) grit.

Bestseller [bɛst'sɛlər] (**-s, -**) *m* best-seller.

bestürmen [bə'ʃtʏrmən] *vt* (*mit Fragen, Bitten etc*) to overwhelm, swamp.

bestürzen [bə'ʃtʏrtsən] *vt* to dismay.

bestürzt *adj* dismayed.

Bestürzung *f* consternation.

Bestzeit *f* (*bes SPORT*) best time.

Besuch [bə'zuːx] (**-(e)s, -e**) *m* visit; (*Person*) visitor; **einen ~ bei jdm machen** to pay sb a visit *od* call; **~ haben** to have visitors; **bei jdm auf** *od* **zu ~ sein** to be visiting sb.

besuchen *vt* to visit; (*SCH etc*) to attend; **gut besucht** well-attended.

Besucher(in) (**-s, -**) *m(f)* visitor, guest.

Besuchserlaubnis *f* permission to visit.

Besuchszeit *f* visiting hours *pl.*

besudeln [bə'zuːdəln] *vt* (*Wände*) to smear; (*fig: Namen, Ehre*) to sully.

betagt [bə'taːkt] *adj* aged.

betasten [bə'tastən] *vt* to touch, feel.

betätigen [bə'tɛːtɪgən] *vt* (*bedienen*) to work, operate ♦ *vr* to involve o.s.; **sich politisch ~** to be involved in politics; **sich als etw ~** to work as sth.

Betätigung *f* activity; (*beruflich*) occupation; (*TECH*) operation.

betäuben [bə'tɔʏbən] *vt* to stun; (*fig: Gewissen*) to still; (*MED*) to anaesthetize (*BRIT*), anesthetize (*US*); **ein ~der Duft** an overpowering smell.

Betäubung *f* (*Narkose*): **örtliche ~** local anaesthetic (*BRIT*) *od* anesthetic (*US*).

Betäubungsmittel *nt* anaesthetic (*BRIT*), anesthetic (*US*).

Bete ['beːtə] (**-, -n**) *f:* **rote ~** beetroot (*BRIT*), beet (*US*).

beteiligen [bə'taɪlɪgən] *vr:* **sich (an etw** *dat***) ~** to take part (in sth), participate (in sth); (*an Geschäft: finanziell*) to have a share (in sth) ♦ *vt:* **jdn (an etw** *dat***) ~** to give sb a share *od* interest (in sth); **sich an den Unkosten ~** to contribute to the expenses.

Beteiligung *f* participation; (*Anteil*) share, interest; (*Besucherzahl*) attendance.

Beteiligungsgesellschaft *f* associated company.

beten ['beːtən] *vi* to pray ♦ *vt* (*Rosenkranz*) to say.

beteuern [bə'tɔʏərn] *vt* to assert; (*Unschuld*) to protest; **jdm etw ~** to assure sb of sth.

Beteuerung *f* assertion; protestation;

assurance.
Beton [be'tõː] (**-s, -s**) *m* concrete.
betonen [bə'toːnən] *vt* to stress.
betonieren [beto'niːrən] *vt* to concrete.
Betonmischmaschine *f* concrete mixer.
betont [bə'toːnt] *adj* (*Höflichkeit*) emphatic, deliberate; (*Kühle, Sachlichkeit*) pointed.
Betonung *f* stress, emphasis.
betören [bə'tøːrən] *vt* to beguile.
Betr. *abk* = **Betreff.**
betr. *abk* (= *betreffend, betreffs*) re.
Betracht [bə'traxt] *m*: **in ~ kommen** to be concerned *od* relevant; **nicht in ~ kommen** to be out of the question; **etw in ~ ziehen** to consider sth; **außer ~ bleiben** not to be considered.
betrachten *vt* to look at; (*fig*) to consider, look at.
Betrachter(in) (**-s, -**) *m(f)* onlooker.
beträchtlich [bə'trɛçtlɪç] *adj* considerable.
Betrachtung *f* (*Ansehen*) examination; (*Erwägung*) consideration; **über etw** *akk* **~en anstellen** to reflect on *od* contemplate sth.
betraf *etc* [bə'traːf] *vb siehe* **betreffen.**
Betrag [bə'traːk] (**-(e)s, ¨-e**) *m* amount, sum; **~ erhalten** (*COMM*) sum received.
betragen [bə'traːgən] *unreg vt* to amount to ♦ *vr* to behave.
Betragen (**-s**) *nt* behaviour (*BRIT*), behavior (*US*); (*bes in Zeugnis*) conduct.
beträgt [bə'trɛːkt] *vb siehe* **betragen.**
betrat *etc* [bə'traːt] *vb siehe* **betreten.**
betrauen [bə'trauən] *vt*: **jdn mit etw ~** to entrust sb with sth.
betrauern [bə'trauərn] *vt* to mourn.
beträufeln [bə'trɔyfəln] *vt*: **den Fisch mit Zitrone ~** to sprinkle lemon juice on the fish.
Betreff *m*: **~: Ihr Schreiben vom ...** re *od* reference your letter of ...
betreffen [bə'trɛfən] *unreg vt* to concern, affect; **was mich betrifft** as for me.
betreffend *adj* relevant, in question.
betreffs [bə'trɛfs] *präp +gen* concerning, regarding.
betreiben [bə'traɪbən] *unreg vt* (*ausüben*) to practise (*BRIT*), practice (*US*); (*Politik*) to follow; (*Studien*) to pursue; (*vorantreiben*) to push ahead; (*TECH: antreiben*) to drive; **auf jds B~** *akk* **hin** (*form*) at sb's instigation.
betreten [bə'treːtən] *unreg vt* to enter; (*Bühne etc*) to step onto ♦ *adj* embarrassed; **„B~ verboten"** "keep off/out".
betreuen [bə'trɔyən] *vt* to look after.
Betreuer(in) (**-s, -**) *m(f)* carer; (*Kinderbetreuer*) child-minder.
Betreuung *f*: **er wurde mit der ~ der Gruppe beauftragt** he was put in charge of the group.
Betrieb (**-(e)s, -e**) *m* (*Firma*) firm, concern; (*Anlage*) plant; (*Tätigkeit*) operation; (*Treiben*) bustle; (*Verkehr*) traffic; **außer ~ sein** to be out of order; **in ~ sein** to be in operation; **eine Maschine in/außer ~ setzen** to start a machine up/stop a machine; **eine Maschine/Fabrik in ~ nehmen** to put a machine/factory into operation; **in den Geschäften herrscht großer ~** the shops are very busy; **er hält den ganzen ~ auf** (*umg*) he's holding everything up.
betrieb *etc* [bə'triːp] *vb siehe* **betreiben.**
betrieben [bə'triːbən] *pp von* **betreiben.**
betrieblich *adj* company *attr* ♦ *adv* (*regeln*) within the company.
Betriebs- *zW*: **~anleitung** *f* operating instructions *pl*; **~ausflug** *m* firm's outing; **~ausgaben** *pl* revenue expenditure *sing*; **b~eigen** *adj* company *attr*; **~erlaubnis** *f* operating permission/licence (*BRIT*) *od* license (*US*); **b~fähig** *adj* in working order; **~ferien** *pl* company holidays *pl* (*BRIT*) *od* vacation *sing* (*US*); **~führung** *f* management; **~geheimnis** *nt* trade secret; **~kapital** *nt* capital employed; **~klima** *nt* (working) atmosphere; **~kosten** *pl* running costs; **~leitung** *f* management; **~rat** *m* workers' council; **~rente** *f* company pension; **b~sicher** *adj* safe, reliable; **~stoff** *m* fuel; **~störung** *f* breakdown; **~system** *nt* (*COMPUT*) operating system; **~unfall** *m* industrial accident; **~wirt** *m* management expert; **~wirtschaft** *f* business management.
betrifft [bə'trɪft] *vb siehe* **betreffen.**
betrinken [bə'trɪŋkən] *unreg vr* to get drunk.
betritt [bə'trɪt] *vb siehe* **betreten.**
betroffen [bə'trɔfən] *pp von* **betreffen** ♦ *adj* (*bestürzt*) amazed, perplexed; **von etw ~ werden** *od* **sein** to be affected by sth.
betrüben [bə'tryːbən] *vt* to grieve.
betrübt [bə'tryːpt] *adj* sorrowful, grieved.
Betrug (**-(e)s**) *m* deception; (*JUR*) fraud.
betrug *etc* [bə'truːk] *vb siehe* **betragen.**
betrügen [bə'tryːgən] *unreg vt* to cheat; (*JUR*) to defraud; (*Ehepartner*) to be unfaithful to ♦ *vr* to deceive o.s.
Betrüger(in) (**-s, -**) *m(f)* cheat, deceiver.
betrügerisch *adj* deceitful; (*JUR*) fraudulent; **in ~er Absicht** with intent to defraud.
betrunken [bə'trʊŋkən] *adj* drunk.
Betrunkene(r) *f(m)* drunk.
Bett [bɛt] (**-(e)s, -en**) *nt* bed; **im ~** in bed; **ins** *od* **zu ~ gehen** to go to bed; **~bezug** *m* duvet cover; **~decke** *f* blanket; (*Daunenbettdecke*) quilt; (*Überwurf*) bedspread.
bettelarm ['bɛtəl|arm] *adj* very poor, destitute.
Bettelei [bɛtə'laɪ] *f* begging.
Bettelmönch *m* mendicant *od* begging monk.
betteln *vi* to beg.
betten *vt* to make a bed for.
Bett- *zW*: **~hupferl** (*SÜDD*) *nt* bedtime sweet; **b~lägerig** *adj* bedridden; **~laken** *nt* sheet;

~**lektüre** *f* bedtime reading.
Bettler(in) ['bɛtlər(ɪn)] (**-s, -**) *m(f)* beggar.
Bett- *zW:* ~**nässer** (**-s, -**) *m* bedwetter; ~**schwere** (*umg*) *f:* **die nötige ~schwere haben/bekommen** to be/get tired enough to sleep; ~**(t)uch** *nt* sheet; ~**vorleger** *m* bedside rug; ~**wäsche** *f* bedclothes *pl*, bedding; ~**zeug** *nt* = **Bettwäsche.**
betucht [bə'tu:xt] (*umg*) *adj* well-to-do.
betulich [bə'tu:lɪç] *adj* (*übertrieben besorgt*) fussing *attr*; (*Redeweise*) twee.
betupfen [bə'tʊpfən] *vt* to dab; (*MED*) to swab.
Beugehaft ['bɔʏgəhaft] *f* (*JUR*) coercive detention.
beugen ['bɔʏgən] *vt* to bend; (*GRAM*) to inflect ♦ *vr* (*+dat*) (*sich fügen*) to bow (to).
Beule ['bɔʏlə] (**-, -n**) *f* bump.
beunruhigen [bə'|ʊnru:ɪgən] *vt* to disturb, alarm ♦ *vr* to become worried.
Beunruhigung *f* worry, alarm.
beurkunden [bə'|u:rkʊndən] *vt* to attest, verify.
beurlauben [bə'|u:rlaʊbən] *vt* to give leave *od* holiday to (*BRIT*), grant vacation to (*US*); **beurlaubt sein** to have leave of absence; (*suspendiert sein*) to have been relieved of one's duties.
beurteilen [bə'|ʊrtaɪlən] *vt* to judge; (*Buch etc*) to review.
Beurteilung *f* judgement; (*von Buch etc*) review; (*Note*) mark.
Beute ['bɔʏtə] (**-**) *f* booty, loot; (*von Raubtieren etc*) prey.
Beutel (**-s, -**) *m* bag; (*Geld~*) purse; (*Tabaks~*) pouch.
bevölkern [bə'fœlkərn] *vt* to populate.
Bevölkerung *f* population.
Bevölkerungs- *zW:* ~**explosion** *f* population explosion; ~**schicht** *f* social stratum; ~**statistik** *f* vital statistics *pl*.
bevollmächtigen [bə'fɔlmɛçtɪgən] *vt* to authorize.
Bevollmächtigte(r) *f(m)* authorized agent.
Bevollmächtigung *f* authorization.
bevor [bə'fo:r] *konj* before; ~**munden** *vt untr* to dominate; ~**stehen** *unreg vi:* **(jdm) ~stehen** to be in store (for sb); ~**stehend** *adj* imminent, approaching; ~**zugen** *vt untr* to prefer; ~**zugt** [bə'fo:rtsu:kt] *adv:* **etw ~zugt abfertigen** *etc* to give sth priority; **B~zugung** *f* preference.
bewachen [bə'vaxən] *vt* to watch, guard.
bewachsen [bə'vaksən] *adj* overgrown.
Bewachung *f* (*Bewachen*) guarding; (*Leute*) guard, watch.
bewaffnen [bə'vafnən] *vt* to arm.
Bewaffnung *f* (*Vorgang*) arming; (*Ausrüstung*) armament, arms *pl*.
bewahren [bə'va:rən] *vt* to keep; **jdn vor jdm/etw ~** to save sb from sb/sth; **(Gott) bewahre!** (*umg*) heaven *od* God forbid!
bewähren [bə'vɛ:rən] *vr* to prove o.s.; (*Maschine*) to prove its worth.
bewahrheiten [bə'va:rhaɪtən] *vr* to come true.
bewährt *adj* reliable.
Bewährung *f* (*JUR*) probation; **ein Jahr Gefängnis mit ~** a suspended sentence of one year with probation.
Bewährungs- *zW:* ~**frist** *f* (period of) probation; ~**helfer** *m* probation officer; ~**probe** *f:* **etw einer ~probe** *dat* **unterziehen** to put sth to the test.
bewaldet [bə'valdət] *adj* wooded.
bewältigen [bə'vɛltɪgən] *vt* to overcome; (*Arbeit*) to finish; (*Portion*) to manage; (*Schwierigkeiten*) to cope with.
bewandert [bə'vandərt] *adj* expert, knowledgeable.
Bewandtnis [bə'vantnɪs] *f:* **damit hat es folgende ~** the fact of the matter is this.
bewarb *etc* [bə'varp] *vb siehe* **bewerben.**
bewässern [bə'vɛsərn] *vt* to irrigate.
Bewässerung *f* irrigation.
bewegen [bə've:gən] *vt, vr* to move; **der Preis bewegt sich um die 50 Mark** the price is about 50 marks; **jdn zu etw ~** to induce sb to do sth.
Beweggrund *m* motive.
beweglich *adj* movable, mobile; (*flink*) quick.
bewegt [bə've:kt] *adj* (*Leben*) eventful; (*Meer*) rough; (*ergriffen*) touched.
Bewegung *f* movement, motion; (*innere*) emotion; (*körperlich*) exercise; **sich** *dat* **~ machen** to take exercise.
Bewegungsfreiheit *f* freedom of movement; (*fig*) freedom of action.
bewegungslos *adj* motionless.
Beweis [bə'vaɪs] (**-es, -e**) *m* proof; (*Zeichen*) sign; ~**aufnahme** *f* (*JUR*) taking *od* hearing of evidence; **b~bar** *adj* provable.
beweisen *unreg vt* to prove; (*zeigen*) to show; **was zu ~ war** QED.
Beweis- *zW:* ~**führung** *f* reasoning; (*JUR*) presentation of one's case; ~**kraft** *f* weight, conclusiveness; **b~kräftig** *adj* convincing, conclusive; ~**last** *f* (*JUR*) onus, burden of proof; ~**mittel** *nt* evidence; ~**not** *f* (*JUR*) lack of evidence; ~**stück** *nt* exhibit.
bewenden [bə'vɛndən] *vi:* **etw dabei ~ lassen** to leave sth at that.
bewerben [bə'vɛrbən] *unreg vr:* **sich ~ (um)** to apply (for).
Bewerber(in) (**-s, -**) *m(f)* applicant.
Bewerbung *f* application.
Bewerbungsunterlagen *pl* application documents.
bewerkstelligen [bə'vɛrkʃtɛlɪgən] *vt* to manage, accomplish.
bewerten [bə've:rtən] *vt* to assess.
bewies *etc* [bə'vi:s] *vb siehe* **beweisen.**
bewiesen [bə'vi:zən] *pp von* **beweisen.**
bewilligen [bə'vɪlɪgən] *vt* to grant, allow.
Bewilligung *f* granting.
bewirbt [bə'vɪrpt] *vb siehe* **bewerben.**

bewirken [bə'vɪrkən] *vt* to cause, bring about.
bewirten [bə'vɪrtən] *vt* to entertain.
bewirtschaften [bə'vɪrtʃaftən] *vt* to manage.
Bewirtung *f* hospitality; **die ~ so vieler Gäste** catering for so many guests.
bewog *etc* [bə'vo:k] *vb siehe* **bewegen.**
bewogen [bə'vo:gən] *pp von* **bewegen.**
bewohnbar *adj* inhabitable.
bewohnen [bə'vo:nən] *vt* to inhabit, live in.
Bewohner(in) (**-s, -**) *m(f)* inhabitant; (*von Haus*) resident.
bewölkt [bə'vœlkt] *adj* cloudy, overcast.
Bewölkung *f* clouds *pl.*
Bewölkungsauflockerung *f* break-up of the cloud.
beworben [bə'vɔrbən] *pp von* **bewerben.**
Bewunderer(in) (**-s, -**) *m(f)* admirer.
bewundern [bə'vʊndərn] *vt* to admire.
bewundernswert *adj* admirable, wonderful.
Bewunderung *f* admiration.
bewußt [bə'vʊst] *adj* conscious; (*absichtlich*) deliberate; **sich** *dat* **einer Sache** *gen* **~ sein** to be aware of sth; **~los** *adj* unconscious; **B~losigkeit** *f* unconsciousness; **bis zur B~losigkeit** (*umg*) ad nauseam; **~machen** *vt:* **jdm etw ~machen** to make sb conscious of sth; **sich** *dat* **etw ~machen** to realize sth; **B~sein** *nt* consciousness; **bei B~sein** conscious; **im B~sein, daß** ... in the knowledge that ...
Bewußtseins- *zW:* **~bildung** *f* (*POL*) shaping of political ideas; **b~erweiternd** *adj:* **b~erweiternde Drogen** mind-expanding drugs; **~erweiterung** *f* consciousness raising.
Bez. *abk* = **Bezirk.**
bez. *abk* (= *bezüglich*) re.
bezahlen [bə'tsa:lən] *vt* to pay (for); **es macht sich bezahlt** it will pay.
Bezahlung *f* payment; **ohne/gegen** *od* **für ~** without/for payment.
bezaubern [bə'tsaʊbərn] *vt* to enchant, charm.
bezeichnen [bə'tsaɪçnən] *vt* (*kennzeichnen*) to mark; (*nennen*) to call; (*beschreiben*) to describe; (*zeigen*) to show, indicate.
bezeichnend *adj:* **~ (für)** characteristic (of), typical (of).
Bezeichnung *f* (*Zeichen*) mark, sign; (*Beschreibung*) description; (*Ausdruck*) expression, term.
bezeugen [bə'tsɔʏgən] *vt* to testify to.
bezichtigen [bə'tsɪçtɪgən] *vt (+gen)* to accuse (of).
Bezichtigung *f* accusation.
beziehen [bə'tsi:ən] *unreg vt* (*mit Überzug*) to cover; (*Haus, Position*) to move into; (*Standpunkt*) to take up; (*erhalten*) to receive; (*Zeitung*) to subscribe to, take ♦ *vr* (*Himmel*) to cloud over; **die Betten frisch ~** to change the beds; **etw auf jdn/etw ~** to relate sth to sb/sth; **sich ~ auf** *+akk* to refer to.
Beziehung *f* (*Verbindung*) connection; (*Zusammenhang*) relation; (*Verhältnis*) relationship; (*Hinsicht*) respect; **diplomatische ~en** diplomatic relations; **seine ~en spielen lassen** to pull strings; **in jeder ~** in every respect; **~en haben** (*vorteilhaft*) to have connections *od* contacts.
Beziehungskiste (*umg*) *f* relationship.
beziehungsweise *adv* or; (*genauer gesagt*) that is, or rather; (*im anderen Fall*) and ... respectively.
beziffern [bə'tsɪfərn] *vt* (*angeben*): **~ auf** *+akk od* **mit** to estimate at.
Bezirk [bə'tsɪrk] (**-(e)s, -e**) *m* district.
bezirzen [bə'tsɪrtsən] (*umg*) *vt* to bewitch.
bezogen [bə'tso:gən] *pp von* **beziehen.**
Bezogene(r) [bə'tso:gənə(r)] *f(m)* (*von Scheck etc*) drawee.
Bezug [bə'tsu:k] (**-(e)s, ¨-e**) *m* (*Hülle*) covering; (*COMM*) ordering; (*Gehalt*) income, salary; (*Beziehung*): **~ (zu)** relationship (to); **in b~ auf** *+akk* with reference to; **mit** *od* **unter ~ auf** *+akk* regarding; (*form*) with reference to; **~ nehmen auf** *+akk* to refer to.
bezüglich [bə'tsy:klɪç] *präp +gen* concerning, referring to ♦ *adj* concerning; (*GRAM*) relative.
Bezugnahme *f:* **~ (auf** *+akk***)** reference (to).
Bezugs- *zW:* **~person** *f:* **die wichtigste ~person des Kleinkindes** the person to whom the small child relates most closely; **~preis** *m* retail price; **~quelle** *f* source of supply.
bezuschussen [bə'tsu:ʃʊsən] *vt* to subsidize.
bezwecken [bə'tsvɛkən] *vt* to aim at.
bezweifeln [bə'tsvaɪfəln] *vt* to doubt.
bezwingen [bə'tsvɪŋən] *unreg vt* to conquer; (*Feind*) to defeat, overcome.
bezwungen [bə'tsvʊŋən] *pp von* **bezwingen.**
Bf. *abk* = **Bahnhof; Brief.**
BfA (**-**) *f abk* (= *Bundesversicherungsanstalt für Angestellte*) *Federal insurance company for employees.*
BfV (**-**) *nt abk* (= *Bundesamt für Verfassungsschutz*) *Federal Office for Protection of the Constitution.*
BG (**-**) *f abk* (= *Berufsgenossenschaft*) *professional association.*
BGB (**-**) *nt abk* (= *Bürgerliches Gesetzbuch*) *siehe* **bürgerlich.**
BGH (**-**) *m abk* (= *Bundesgerichtshof*) *Federal Supreme Court.*
BGS (**-**) *m abk* = **Bundesgrenzschutz.**
BH (**-s, -(s)**) *m abk* (= *Büstenhalter*) bra.
Bhf. *abk* = **Bahnhof.**
BI *f abk* = **Bürgerinitiative.**
Biathlon ['bi:atlɔn] (**-s, -s**) *nt* biathlon.
bibbern ['bɪbərn] (*umg*) *vi* (*vor Kälte*) to shiver.
Bibel ['bi:bəl] (**-, -n**) *f* Bible.
bibelfest *adj* well versed in the Bible.
Biber ['bi:bər] (**-s, -**) *m* beaver.
Biberbettuch *nt* flannelette sheet.
Bibliographie [bibliogra'fi:] *f* bibliography.

Bibliothek [biblio'te:k] (-, **-en**) *f* (*auch COMPUT*) library.
Bibliothekar(in) [bibliote'ka:r(ɪn)] (**-s, -e**) *m(f)* librarian.
biblisch ['bi:blɪʃ] *adj* biblical.
bieder ['bi:dər] *adj* upright, worthy; (*pej*) conventional; (*Kleid etc*) plain.
Biedermann (**-(e)s**, *pl* **-männer**) (*pej*) *m* (*geh*) petty bourgeois.
biegbar ['bi:kba:r] *adj* flexible.
Biege *f*: **die ~ machen** (*umg*) to buzz off, split.
biegen ['bi:gən] *unreg vt, vr* to bend ♦ *vi* to turn; **sich vor Lachen ~** (*fig*) to double up with laughter; **auf B~ oder Brechen** (*umg*) by hook or by crook.
biegsam ['bi:kza:m] *adj* supple.
Biegung *f* bend, curve.
Biene ['bi:nə] (**-, -n**) *f* bee; (*veraltet: umg: Mädchen*) bird (*BRIT*), chick (*bes US*).
Bienen- *zW*: **~honig** *m* honey; **~korb** *m* beehive; **~stich** *m* (*KOCH*) *sugar-and-almond coated cake filled with custard or cream*; **~stock** *m* beehive; **~wachs** *nt* beeswax.
Bier [bi:r] (**-(e)s, -e**) *nt* beer; **zwei ~, bitte!** two beers, please.
Bier- *zW*: **~bauch** (*umg*) *m* beer belly; **~brauer** *m* brewer; **~deckel** *m* beer mat; **~filz** *m* beer mat; **~krug** *m* beer mug; **~schinken** *m* ham sausage; **~seidel** *nt* beer mug; **~wurst** *f* ham sausage.
Biest [bi:st] (**-(e)s, -er**) (*pej: umg*) *nt* (*Mensch*) (little) wretch; (*Frau*) bitch (*!*).
biestig *adj* beastly.
bieten ['bi:tən] *unreg vt* to offer; (*bei Versteigerung*) to bid ♦ *vr* (*Gelegenheit*): **sich jdm ~** to present itself to sb; **sich** *dat* **etw ~ lassen** to put up with sth.
Bigamie [biga'mi:] *f* bigamy.
Bikini [bi'ki:ni] (**-s, -s**) *m* bikini.
Bilanz [bi'lants] *f* balance; (*fig*) outcome; **eine ~ aufstellen** to draw up a balance sheet; **~ ziehen (aus)** to take stock (of); **~prüfer** *m* auditor.
bilateral ['bi:latera:l] *adj* bilateral; **~er Handel** bilateral trade; **~es Abkommen** bilateral agreement.
Bild [bɪlt] (**-(e)s, -er**) *nt* (*lit, fig*) picture; photo; (*Spiegel~*) reflection; (*fig: Vorstellung*) image, picture; **ein ~ machen** to take a photo *od* picture; **im ~e sein (über** *+akk*) to be in the picture (about); **~auflösung** *f* (*TV, COMPUT*) resolution; **~band** *m* illustrated book; **~bericht** *m* pictorial report; **~beschreibung** *f* (*SCH*) description of a picture.
bilden ['bɪldən] *vt* to form; (*erziehen*) to educate; (*ausmachen*) to constitute ♦ *vr* to arise; (*durch Lesen etc*) to improve one's mind; (*erziehen*) to educate o.s.
bildend *adj*: **die ~e Kunst** art.
Bilderbuch *nt* picture book.
Bilderrahmen *m* picture frame.
Bild- *zW*: **~fläche** *f* screen; (*fig*) scene; **von der ~fläche verschwinden** (*fig: umg*) to disappear (from the scene); **b~haft** *adj* (*Sprache*) vivid; **~hauer** *m* sculptor; **b~hübsch** *adj* lovely, pretty as a picture; **b~lich** *adj* figurative; pictorial; **sich** *dat* **etw b~lich vorstellen** to picture sth in one's mind's eye.
Bildnis ['bɪltnɪs] *nt* (*liter*) portrait.
Bild- *zW*: **~platte** *f* videodisc; **~röhre** *f* (*TV*) cathode ray tube; **~schirm** *m* (*TV, COMPUT*) screen; **~schirmgerät** *nt* (*COMPUT*) visual display unit, VDU; **~schirmtext** *m* teletext; ≈ Ceefax®, Oracle®; **b~schön** *adj* lovely.
Bildtelefon *nt* videophone.
Bildung ['bɪldʊŋ] *f* formation; (*Wissen, Benehmen*) education.
Bildungs- *zW*: **~gang** *m* school (and university/college) career; **~gut** *nt* cultural heritage; **~lücke** *f* gap in one's education; **~politik** *f* educational policy; **~roman** *m* (*LITER*) Bildungsroman, *novel relating hero's intellectual/spiritual development*; **~urlaub** *m* educational holiday; **~weg** *m*: **auf dem zweiten ~weg** through night school/ the Open University *etc*; **~wesen** *nt* education system.
Bildweite *f* (*PHOT*) distance.
Bildzuschrift *f* reply enclosing photograph.
Billard ['bɪljart] (**-s, -e**) *nt* billiards; **~ball** *m* billiard ball; **~kugel** *f* billiard ball.
billig ['bɪlɪç] *adj* cheap; (*gerecht*) fair, reasonable; **~e Handelsflagge** flag of convenience; **~es Geld** cheap/easy money.
billigen ['bɪlɪgən] *vt* to approve of; **etw stillschweigend ~** to condone sth.
billigerweise *adv* (*veraltet*) in all fairness, reasonably.
Billigladen *m* discount store.
Billigpreis *m* low price.
Billigung *f* approval.
Billion [bɪli'o:n] *f* billion (*BRIT*), trillion (*US*).
bimmeln ['bɪməln] *vi* to tinkle.
Bimsstein ['bɪmsʃtaɪn] *m* pumice stone.
bin [bɪn] *vb siehe* **sein**.
binär [bi'nɛ:r] *adj* binary; **B~zahl** *f* binary number.
Binde ['bɪndə] (**-, -n**) *f* bandage; (*Armbinde*) band; (*MED*) sanitary towel (*BRIT*) *od* napkin (*US*); **sich** *dat* **einen hinter die ~ gießen** *od* **kippen** (*umg*) to put a few drinks away.
Binde- *zW*: **~glied** *nt* connecting link; **~hautentzündung** *f* conjunctivitis; **~mittel** *nt* binder.
binden *unreg vt* to bind, tie ♦ *vr* (*sich verpflichten*): **sich ~ (an** *+akk*) to commit o.s. (to).
bindend *adj* binding; (*Zusage*) definite; **~ für** binding on.
Bindestrich *m* hyphen.
Bindewort *nt* conjunction.
Bindfaden *m* string; **es regnet Bindfäden**

(*umg*) it's sheeting down.
Bindung *f* bond, tie; (*SKI*) binding.
binnen ['bɪnən] *präp* (*+dat od gen*) within; **B~hafen** *m* inland harbour (*BRIT*) *od* harbor (*US*); **B~handel** *m* internal trade; **B~markt** *m* home market; **Europäischer B~markt** single European market.
Binse ['bɪnzə] (**-, -n**) *f* rush, reed; **in die ~n gehen** (*fig: umg: mißlingen*) to be a wash-out.
Binsenwahrheit *f* truism.
Biographie [biogra'fiː] *f* biography.
Bioladen ['biolaːdən] *m* health food shop (*BRIT*) *od* store (*US*).

> *A* **Bioladen** *is a shop which specializes in selling environmentally-friendly products such as phosphate-free washing powders, recycled paper and organically-grown vegetables.*

Biologe [bio'loːgə] (**-n, -n**) *m* biologist.
Biologie [biolo'giː] *f* biology.
Biologin *f* biologist.
biologisch [bio'loːgɪʃ] *adj* biological; **~e Vielfalt** biodiversity; **~e Uhr** biological clock.
Bio- [bio-] *zW*: **~sphäre** *f* biosphere; **~technik** [bio'tɛçnɪk] *f* biotechnology; **~treibstoff** ['biːotraipʃtɔf] *m* biofuel.
birgt [bɪrkt] *vb siehe* **bergen.**
Birke ['bɪrkə] (**-, -n**) *f* birch.
Birma ['bɪrma] (**-s**) *nt* Burma.
Birnbaum *m* pear tree.
Birne ['bɪrnə] (**-, -n**) *f* pear; (*ELEK*) (light) bulb.
birst [bɪrst] *vb siehe* **bersten.**

SCHLÜSSELWORT

bis [bɪs] *präp +akk, adv* **1** (*zeitlich*) till, until; (*~ spätestens*) by; **Sie haben ~ Dienstag Zeit** you have until *od* till Tuesday; **~ zum Wochenende** up to *od* until the weekend; (*spätestens*) by the weekend; **~ Dienstag muß es fertig sein** it must be ready by Tuesday; **~ wann ist das fertig?** when will that be finished?; **~ auf weiteres** until further notice; **~ in die Nacht** into the night; **~ bald!/gleich!** see you later/soon
2 (*räumlich*) (up) to; **ich fahre ~ Köln** I'm going as far as Cologne; **~ an unser Grundstück** (right *od* up) to our plot; **~ hierher** this far; **~ zur Straße kommen** to get as far as the road
3 (*bei Zahlen, Angaben*) up to; **~ zu** up to; **Gefängnis ~ zu 8 Jahren** a maximum of 8 years' imprisonment
4 ~ auf etw *akk* (*außer*) except sth; (*einschließlich*) including sth
♦ *konj* **1** (*mit Zahlen*) to; **10 ~ 20** 10 to 20
2 (*zeitlich*) till, until; **~ es dunkel wird** till *od* until it gets dark; **von ... ~ ...** from ... to ...

Bisamratte ['biːzamratə] *f* muskrat (beaver).
Bischof ['bɪʃɔf] (**-s, ⸚e**) *m* bishop.
bischöflich ['bɪʃøːflɪç] *adj* episcopal.
bisexuell [bizɛksu'ɛl] *adj* bisexual.
bisher [bɪs'heːr] *adv* till now, hitherto.
bisherig [bɪs'heːrɪç] *adj* till now.
Biskaya [bɪs'kaːya] *f*: **Golf von ~** Bay of Biscay.
Biskuit [bɪs'kviːt] (**-(e)s, -s** *od* **-e**) *m od nt* biscuit; **~gebäck** *nt* sponge cake(s); **~teig** *m* sponge mixture.
bislang [bɪs'laŋ] *adv* hitherto.
Biß (**-sses, -sse**) *m* bite.
biß *etc* [bɪs] *vb siehe* **beißen.**
bißchen ['bɪsçən] *adj, adv* bit.
Bissen ['bɪsən] (**-s, -**) *m* bite, morsel; **sich** *dat* **jeden ~ vom** *od* **am Munde absparen** to watch every penny one spends.
bissig ['bɪsɪç] *adj* (*Hund*) snappy; vicious; (*Bemerkung*) cutting, biting; **„Vorsicht, ~er Hund"** "beware of the dog".
bist [bɪst] *vb siehe* **sein.**
Bistum ['bɪstuːm] *nt* bishopric.
bisweilen [bɪs'vaɪlən] *adv* at times, occasionally.
Bit [bɪt] (**-(s), -(s)**) *nt* (*COMPUT*) bit.
Bittbrief *m* petition.
Bitte ['bɪtə] (**-, -n**) *f* request; **auf seine ~ hin** at his request; **b~** *interj* please; (*als Antwort auf Dank*) you're welcome; **wie b~?** (I beg your) pardon?; **b~ schön!** it was a pleasure; **b~ schön?** (*in Geschäft*) can I help you?; **na b~!** there you are!
bitten *unreg vt* to ask ♦ *vi* (*einladen*): **ich lasse ~** would you ask him/her *etc* to come in now?; **~ um** to ask for; **aber ich bitte dich!** not at all; **ich bitte darum** (*form*) if you wouldn't mind; **ich muß doch (sehr) ~!** well I must say!
bittend *adj* pleading, imploring.
bitter ['bɪtər] *adj* bitter; (*Schokolade*) plain; **etw ~ nötig haben** to be in dire need of sth; **~böse** *adj* very angry; **~ernst** *adj*: **damit ist es mir ~ernst** I am deadly serious *od* in deadly earnest; **B~keit** *f* bitterness; **~lich** *adj* bitter ♦ *adv* bitterly.
Bittsteller(in) (**-s, -**) *m(f)* petitioner.
Biwak ['biːvak] (**-s, -s** *od* **-e**) *nt* bivouac.
Bj. *abk* = **Baujahr.**
Blabla [blaː'blaː] (**-s**) (*umg*) *nt* waffle.
blähen ['blɛːən] *vt, vr* to swell, blow out ♦ *vi* (*Speisen*) to cause flatulence *od* wind.
Blähungen *pl* (*MED*) wind *sing.*
blamabel [bla'maːbəl] *adj* disgraceful.
Blamage [bla'maːʒə] (**-, -n**) *f* disgrace.
blamieren [bla'miːrən] *vr* to make a fool of o.s., disgrace o.s. ♦ *vt* to let down, disgrace.
blank [blaŋk] *adj* bright; (*unbedeckt*) bare; (*sauber*) clean, polished; (*umg: ohne Geld*) broke; (*offensichtlich*) blatant.
blanko ['blaŋko] *adv* blank; **B~scheck** *m* blank cheque (*BRIT*) *od* check (*US*); **B~vollmacht** *f* carte blanche.

Bläschen ['blɛːsçən] *nt* bubble; (*MED*) small blister.
Blase ['blaːzə] **(-, -n)** *f* bubble; (*MED*) blister; (*ANAT*) bladder.
Blasebalg *m* bellows *pl.*
blasen *unreg vt, vi* to blow; **zum Aufbruch ~** (*fig*) to say it's time to go.
Blasenentzündung *f* cystitis.
Bläser(in) ['blɛːzər(ɪn)] **(-s, -)** *m(f)* (*MUS*) wind player; **die ~** the wind (section).
blasiert [bla'ziːrt] (*pej*) *adj* (*geh*) blasé.
Blas- *zW:* **~instrument** *nt* wind instrument; **~kapelle** *f* brass band; **~musik** *f* brass band music.
blaß [blas] *adj* pale; (*Ausdruck*) weak, insipid; (*fig: Ahnung, Vorstellung*) faint, vague; **~ vor Neid werden** to go green with envy.
Blässe ['blɛsə] **(-)** *f* paleness, pallor.
Blatt [blat] **(-(e)s, ¨-er)** *nt* leaf; (*von Papier*) sheet; (*Zeitung*) newspaper; (*KARTEN*) hand; **vom ~ singen/spielen** to sight-read; **kein ~ vor den Mund nehmen** not to mince one's words.
blättern ['blɛtərn] *vi:* **in etw** *dat* **~** to leaf through sth.
Blätterteig *m* flaky *od* puff pastry.
Blattlaus *f* greenfly, aphid.
blau [blaʊ] *adj* blue; (*umg*) drunk, stoned; (*KOCH*) boiled; (*Auge*) black; **~er Fleck** bruise; **mit einem ~en Auge davonkommen** (*fig*) to get off lightly; **~er Brief** (*SCH*) *letter telling parents a child may have to repeat a year*; **er wird sein ~es Wunder erleben** (*umg*) he won't know what's hit him; **~äugig** *adj* blue-eyed; **B~beere** *f* bilberry.
Blaue *nt:* **Fahrt ins ~** mystery tour; **das ~ vom Himmel (herunter) lügen** (*umg*) to tell a pack of lies.
blau- *zW:* **B~helm** (*umg*) *m* UN Soldier; **B~kraut** *nt* red cabbage; **B~licht** *nt* flashing blue light; **~machen** (*umg*) *vi* to skive off work; **B~pause** *f* blueprint; **B~säure** *f* prussic acid; **B~strumpf** *m* (*fig*) bluestocking.
Blech [blɛç] **(-(e)s, -e)** *nt* tin, sheet metal; (*Back~*) baking tray; **~ reden** (*umg*) to talk rubbish *od* nonsense; **~bläser** *pl* the brass (section); **~büchse** *f* tin, can; **~dose** *f* tin, can.
blechen (*umg*) *vt, vi* to pay.
Blechschaden *m* (*AUT*) damage to bodywork.
Blechtrommel *f* tin drum.
blecken ['blɛkən] *vt:* **die Zähne ~** to bare *od* show one's teeth.
Blei [blaɪ] **(-(e)s, -e)** *nt* lead.
Bleibe **(-, -n)** *f* roof over one's head.
bleiben *unreg vi* to stay, remain; **bitte, ~ Sie doch sitzen** please don't get up; **wo bleibst du so lange?** (*umg*) what's keeping you?; **das bleibt unter uns** (*fig*) that's (just) between ourselves; **~lassen** *unreg vt* (*aufgeben*) to give up; **etw ~lassen** (*unterlassen*) to give sth a miss.
bleich [blaɪç] *adj* faded, pale; **~en** *vt* to bleach; **B~gesicht** (*umg*) *nt* (*blasser Mensch*) pasty-face.
bleiern *adj* leaden.
Blei- *zW:* **b~frei** *adj* lead-free; **~gießen** *nt New Year's Eve fortune-telling using lead shapes*; **b~haltig** *adj:* **b~haltig sein** to contain lead; **~stift** *m* pencil; **~stiftabsatz** *m* stiletto heel (*BRIT*), spike heel (*US*); **~stiftspitzer** *m* pencil sharpener; **~vergiftung** *f* lead poisoning.
Blende ['blɛndə] **(-, -n)** *f* (*PHOT*) aperture; (: *Einstellungsposition*) f-stop.
blenden *vt* to blind, dazzle; (*fig*) to hoodwink.
blendend (*umg*) *adj* grand; **~ aussehen** to look smashing.
Blender **(-s, -)** *m* con-man.
blendfrei ['blɛntfraɪ] *adj* (*Glas*) non-reflective.
Blick [blɪk] **(-(e)s, -e)** *m* (*kurz*) glance, glimpse; (*Anschauen*) look, gaze; (*Aussicht*) view; **Liebe auf den ersten ~** love at first sight; **den ~ senken** to look down; **den bösen ~ haben** to have the evil eye; **einen (guten) ~ für etw haben** to have an eye for sth; **mit einem ~** at a glance.
blicken *vi* to look; **das läßt tief ~** that's very revealing; **sich ~ lassen** to put in an appearance.
Blick- *zW:* **~fang** *m* eye-catcher; **~feld** *nt* range of vision (*auch fig*); **~kontakt** *m* visual contact; **~punkt** *m:* **im ~punkt der Öffentlichkeit stehen** to be in the public eye.
blieb *etc* [bliːp] *vb siehe* **bleiben.**
blies *etc* [bliːs] *vb siehe* **blasen.**
blind [blɪnt] *adj* blind; (*Glas etc*) dull; (*Alarm*) false; **~er Passagier** stowaway.
Blinddarm *m* appendix; **~entzündung** *f* appendicitis.
Blindekuh ['blɪndəkuː] *f:* **~ spielen** to play blind man's buff.
Blindenhund *m* guide dog.
Blindenschrift *f* braille.
Blind- *zW:* **~gänger** *m* (*MIL, fig*) dud; **~heit** *f* blindness; **mit ~heit geschlagen sein** (*fig*) to be blind; **b~lings** *adv* blindly; **~schleiche** *f* slow worm; **b~schreiben** *unreg vi* to touch-type.
blinken ['blɪŋkən] *vi* to twinkle, sparkle; (*Licht*) to flash, signal; (*AUT*) to indicate ♦ *vt* to flash, signal.
Blinker **(-s, -)** *m* (*AUT*) indicator.
Blinklicht *nt* (*AUT*) indicator.
blinzeln ['blɪntsəln] *vi* to blink, wink.
Blitz [blɪts] **(-es, -e)** *m* (flash of) lightning; **wie ein ~ aus heiterem Himmel** (*fig*) like a bolt from the blue; **~ableiter** *m* lightning conductor; (*fig*) vent *od* safety valve for feelings; **b~en** *vi* (*aufleuchten*) to glint, shine; **es b~t** (*MET*) there's a flash of lightning; **~gerät** *nt* (*PHOT*) flash(gun);

~**licht** *nt* flashlight; **b~sauber** *adj* spick and span; **b~schnell** *adj, adv* as quick as a flash; ~**würfel** *m* (*PHOT*) flashcube.

Block [blɔk] (**-(e)s, ⸚e**) *m* (*lit, fig*) block; (*von Papier*) pad; (*POL: Staaten~*) bloc; (*Fraktion*) faction.

Blockade [blɔ'ka:də] (**-, -n**) *f* blockade.

Block- *zW:* ~**buchstabe** *m* block letter *od* capital; ~**flöte** *f* recorder; **b~frei** *adj* (*POL*) non-aligned; ~**haus** *nt* log cabin; ~**hütte** *f* log cabin.

blockieren [blɔ'ki:rən] *vt* to block ♦ *vi* (*Räder*) to jam.

Block- *zW:* ~**schokolade** *f* cooking chocolate; ~**schrift** *f* block letters *pl*; ~**stunde** *f* double period.

blöd [blø:t] *adj* silly, stupid.

blödeln ['blø:dəln] (*umg*) *vi* to fool around.

Blödheit *f* stupidity.

Blödian ['blø:dian] (**-(e)s, -e**) (*umg*) *m* idiot.

blöd- *zW:* **B~mann** (**-(e)s,** *pl* **-männer**) (*umg*) *m* idiot; **B~sinn** *m* nonsense; ~**sinnig** *adj* silly, idiotic.

blöken ['blø:kən] *vi* (*Schaf*) to bleat.

blond [blɔnt] *adj* blond(e), fair-haired.

Blondine [blɔn'di:nə] *f* blonde.

SCHLÜSSELWORT

bloß [blo:s] *adj* **1** (*unbedeckt*) bare; (*nackt*) naked; **mit der ~en Hand** with one's bare hand; **mit ~em Auge** with the naked eye
2 (*alleinig: nur*) mere; **der ~e Gedanke** the very thought; ~**er Neid** sheer envy
♦ *adv* only, merely; **laß das ~!** just don't do that!; **wie ist das ~ passiert?** how on earth did that happen?

Blöße ['blø:sə] (**-, -n**) *f* bareness; nakedness; (*fig*) weakness; **sich** *dat* **eine ~ geben** (*fig*) to lay o.s. open to attack.

bloßlegen *vt* to expose.

bloßstellen *vt* to show up.

blühen ['bly:ən] *vi* (*lit*) to bloom, be in bloom; (*fig*) to flourish; (*umg: bevorstehen*): **(jdm) ~** to be in store (for sb).

blühend *adj:* **wie das ~e Leben aussehen** to look the very picture of health.

Blume ['blu:mə] (**-, -n**) *f* flower; (*von Wein*) bouquet; **jdm etw durch die ~ sagen** to say sth in a roundabout way to sb.

Blumen- *zW:* ~**geschäft** *nt* flower shop, florist's; ~**kasten** *m* window box; ~**kohl** *m* cauliflower; ~**strauß** *m* bouquet, bunch of flowers; ~**topf** *m* flowerpot; ~**zwiebel** *f* bulb.

Bluse ['blu:zə] (**-, -n**) *f* blouse.

Blut [blu:t] (**-(e)s**) *nt* (*lit, fig*) blood; **(nur) ruhig ~** keep your shirt on (*umg*); **jdn/sich bis aufs ~ bekämpfen** to fight sb/fight bitterly; **b~arm** *adj* anaemic (*BRIT*), anemic (*US*); (*fig*) penniless; ~**bahn** *f* bloodstream; ~**bank** *f* blood bank; **b~befleckt** *adj* bloodstained; ~**bild** *nt* blood count; ~**buche** *f* copper beech; ~**druck** *m* blood pressure.

Blüte ['bly:tə] (**-, -n**) *f* blossom; (*fig*) prime.

Blutegel ['blu:t|e:gəl] *m* leech.

bluten *vi* to bleed.

Blütenstaub *m* pollen.

Bluter (**-s, -**) *m* (*MED*) haemophiliac (*BRIT*), hemophiliac (*US*).

Bluterguß *m* haemorrhage (*BRIT*), hemorrhage (*US*); (*auf Haut*) bruise.

Blütezeit *f* flowering period; (*fig*) prime.

Blutgerinnsel *nt* blood clot.

Blutgruppe *f* blood group.

blutig *adj* bloody; (*umg: Anfänger*) absolute; (*: Ernst*) deadly.

Blut- *zW:* **b~jung** *adj* very young; ~**konserve** *f* unit *od* pint of stored blood; ~**körperchen** *nt* blood corpuscle; ~**probe** *f* blood test; **b~rünstig** *adj* bloodthirsty; ~**schande** *f* incest; ~**senkung** *f* (*MED*): **eine ~senkung machen** to test the sedimentation rate of the blood; ~**spender** *m* blood donor; **b~stillend** *adj* styptic; ~**sturz** *m* haemorrhage (*BRIT*), hemorrhage (*US*).

blutsverwandt *adj* related by blood.

Blutübertragung *f* blood transfusion.

Blutung *f* bleeding, haemorrhage (*BRIT*), hemorrhage (*US*).

Blut- *zW:* **b~unterlaufen** *adj* suffused with blood; (*Augen*) bloodshot; ~**vergießen** *nt* bloodshed; ~**vergiftung** *f* blood poisoning; ~**wurst** *f* black pudding; ~**zuckerspiegel** *m* blood sugar level.

BLZ *abk* = **Bankleitzahl.**

BMX-Rad *nt* BMX.

BND (**-s, -**) *m abk* = **Bundesnachrichtendienst.**

Bö (**-, -en**) *f* squall.

Boccia ['bɔtʃa] *nt od f* bowls *sing*.

Bock [bɔk] (**-(e)s, ⸚e**) *m* buck, ram; (*Gestell*) trestle, support; (*SPORT*) buck; **alter ~** (*umg*) old goat; **den ~ zum Gärtner machen** (*fig*) to choose the worst possible person for the job; **einen ~ schießen** (*fig: umg*) to (make a) boob; **~ haben, etw zu tun** (*umg: Lust*) to fancy doing sth.

Bockbier *nt* bock (beer) (*type of strong beer*).

bocken ['bɔkən] (*umg*) *vi* (*Auto, Mensch*) to play up.

Bocksbeutel *m wide, rounded (dumpy) bottle containing Franconian wine.*

Bockshorn *nt:* **sich von jdm ins ~ jagen lassen** to let sb upset one.

Bocksprung *m* leapfrog; (*SPORT*) vault.

Bockwurst *f* bockwurst (*large frankfurter*).

Boden ['bo:dən] (**-s, ⸚**) *m* ground; (*Fuß~*) floor; (*Meeres~, Faß~*) bottom; (*Speicher*) attic; **den ~ unter den Füßen verlieren** (*lit*) to lose one's footing; (*fig: in Diskussion*) to get out of one's depth; **ich hätte (vor Scham) im ~ versinken können** (*fig*) I was so ashamed, I wished the ground would swallow me up; **am ~ zerstört sein** (*umg*) to be shattered;

etw aus dem ~ stampfen (*fig*) to conjure sth up out of nothing; (*Häuser*) to build overnight; **auf dem ~ der Tatsachen bleiben** (*fig: Grundlage*) to stick to the facts; **zu ~ fallen** to fall to the ground; **festen ~ unter den Füßen haben** to be on firm ground, be on terra firma; **~kontrolle** *f* (*RAUMFAHRT*) ground control; **b~los** *adj* bottomless; (*umg*) incredible; **~personal** *nt* (*AVIAT*) ground personnel *pl*, ground staff; **~satz** *m* dregs *pl*, sediment; **~schätze** *pl* mineral wealth *sing*.

Bodensee ['bo:dənze:] *m*: **der ~** Lake Constance.

Bodenturnen *nt* floor exercises *pl*.

Böe (-, -n) *f* squall.

bog *etc* [bo:k] *vb siehe* **biegen**.

Bogen ['bo:gən] (**-s, -**) *m* (*Biegung*) curve; (*ARCHIT*) arch; (*Waffe, MUS*) bow; (*Papier*) sheet; **den ~ heraushaben** (*umg*) to have got the hang of it; **einen großen ~ um jdn/etw machen** (*meiden*) to give sb/sth a wide berth; **jdn in hohem ~ hinauswerfen** (*umg*) to fling sb out; **~gang** *m* arcade; **~schütze** *m* archer.

Bohle ['bo:lə] (**-, -n**) *f* plank.

Böhme ['bø:mə] (**-n, -n**) *m* Bohemian.

Böhmen (**-s**) *nt* Bohemia.

Böhmin *f* Bohemian woman.

böhmisch ['bø:mɪʃ] *adj* Bohemian; **das sind für mich ~e Dörfer** (*umg*) that's all Greek to me.

Bohne ['bo:nə] (**-, -n**) *f* bean; **blaue ~** (*umg*) bullet; **nicht die ~** not one little bit.

Bohnen- *zW*: **~kaffee** *m* real coffee; **~stange** *f* (*fig: umg*) beanpole; **~stroh** *nt*: **dumm wie ~stroh** (*umg*) (as) thick as two (short) planks.

bohnern *vt* to wax, polish.

Bohnerwachs *nt* floor polish.

bohren ['bo:rən] *vt* to bore; (*Loch*) to drill ♦ *vi* to drill; (*fig: drängen*) to keep on; (*peinigen: Schmerz, Zweifel etc*) to gnaw; **nach Öl/Wasser ~** drill for oil/water; **in der Nase ~** to pick one's nose.

Bohrer (**-s, -**) *m* drill.

Bohr- *zW*: **~insel** *f* oil rig; **~maschine** *f* drill; **~turm** *m* derrick.

Boiler ['bɔylər] (**-s, -**) *m* water heater.

Boje ['bo:jə] (**-, -n**) *f* buoy.

Bolivianer(in) [bolivi'a:nər(ɪn)] (**-s, -**) *m(f)* Bolivian.

Bolivien [bo'li:viən] *nt* Bolivia.

bolivisch [bo'li:vɪʃ] *adj* Bolivian.

Bollwerk ['bɔlvɛrk] *nt* (*lit, fig*) bulwark.

Bolschewismus [bɔlʃe'vɪsmʊs] (**-**) *m* Bolshevism.

Bolzen ['bɔltsən] (**-s, -**) *m* bolt.

bombardieren [bɔmbar'di:rən] *vt* to bombard; (*aus der Luft*) to bomb.

Bombe ['bɔmbə] (**-, -n**) *f* bomb; **wie eine ~ einschlagen** to come as a (real) bombshell.

Bomben- *zW*: **~alarm** *m* bomb scare; **~angriff** *m* bombing raid; **~anschlag** *m* bomb attack; **~erfolg** (*umg*) *m* huge success; **~geschäft** (*umg*) *nt*: **ein ~geschäft machen** to do a roaring trade; **b~sicher** (*umg*) *adj* dead certain.

bombig (*umg*) *adj* great, super.

Bon [bɔŋ] (**-s, -s**) *m* voucher; (*Kassenzettel*) receipt.

Bonbon [bõ'bõ:] (**-s, -s**) *nt od m* sweet.

Bonn [bɔn] (**-s**) *nt* Bonn.

Bonze ['bɔntsə] (**-n, -n**) *m* big shot (*umg*).

Bonzenviertel (*umg*) *nt* posh quarter (*of town*).

Boot [bo:t] (**-(e)s, -e**) *nt* boat.

Bord [bɔrt] (**-(e)s, -e**) *m* (*AVIAT, NAUT*) board ♦ *nt* (*Brett*) shelf; **über ~ gehen** to go overboard; (*fig*) to go by the board; **an ~** on board.

Bordell [bɔr'dɛl] (**-s, -e**) *nt* brothel.

Bordfunkanlage *f* radio.

Bordstein *m* kerb(stone) (*BRIT*), curb(stone) (*US*).

borgen ['bɔrgən] *vt* to borrow; **jdm etw ~** to lend sb sth.

Borneo ['bɔrneo] (**-s**) *nt* Borneo.

borniert [bɔr'ni:rt] *adj* narrow-minded.

Börse ['bœrzə] (**-, -n**) *f* stock exchange; (*Geld~*) purse.

Börsen- *zW*: **~makler** *m* stockbroker; **b~notiert** *adj*: **b~notierte Firma** listed company; **~notierung** *f* quotation (on the stock exchange).

Borste ['bɔrstə] (**-, -n**) *f* bristle.

Borte ['bɔrtə] (**-, -n**) *f* edging; (*Band*) trimming.

bös [bø:s] *adj* = **böse**; **~artig** *adj* malicious; (*MED*) malignant.

Böschung ['bœʃʊŋ] *f* slope; (*Ufer~ etc*) embankment.

böse ['bø:zə] *adj* bad, evil; (*zornig*) angry; **das war nicht ~ gemeint** I/he *etc* didn't mean it nastily.

Bösewicht (*umg*) *m* baddy.

boshaft ['bo:shaft] *adj* malicious, spiteful.

Bosheit *f* malice, spite.

Bosnien ['bɔsniən] (**-s**) *nt* Bosnia.

Bosnien-Herzegowina ['bɔsniənhɛrtsə'go:vi:na] (**-s**) *nt* Bosnia-Herzegovina.

Bosnier(in) (**-s, -**) *m(f)* Bosnian.

bosnisch *adj* Bosnian.

Boß [bɔs] (**-sses, -sse**) (*umg*) *m* boss.

böswillig ['bø:svɪlɪç] *adj* malicious.

bot *etc* [bo:t] *vb siehe* **bieten**.

Botanik [bo'ta:nɪk] *f* botany.

botanisch [bo'ta:nɪʃ] *adj* botanical.

Bote ['bo:tə] (**-n, -n**) *m* messenger.

Botengang *m* errand.

Botenjunge *m* errand boy.

Botin ['bo:tɪn] *f* messenger.

Botschaft *f* message, news; (*POL*) embassy;

die Frohe ~ the Gospel; **~er** (**-s, -**) *m* ambassador.
Botswana [bɔ'tsva:na] (**-s**) *nt* Botswana.
Bottich ['bɔtıç] (**-(e)s, -e**) *m* vat, tub.
Bouillon [bu'ljõ:] (**-, -s**) *f* consommé.
Boulevard- [bulə'va:r] *zW:* **~blatt** (*umg*) *nt* tabloid; **~presse** *f* tabloid press; **~stück** *nt* light play/comedy.
Boutique [bu'ti:k] (**-, -n**) *f* boutique.
Bowle ['bo:lə] (**-, -n**) *f* punch.
Bowlingbahn ['bo:lıŋba:n] *f* bowling alley.
Box [bɔks] *f* (*Lautsprecher~*) speaker.
boxen *vi* to box.
Boxer (**-s, -**) *m* boxer.
Boxhandschuh *m* boxing glove.
Boxkampf *m* boxing match.
Boykott [bɔy'kɔt] (**-(e)s, -s**) *m* boycott.
boykottieren [bɔykɔ'ti:rən] *vt* to boycott.
BR *abk* (= *Bayerischer Rundfunk*) *German radio station.*
brach *etc* [bra:x] *vb siehe* **brechen.**
brachial [braxi'a:l] *adj:* **mit ~er Gewalt** by brute force.
brachliegen ['bra:xli:gən] *unreg vi* (*lit, fig*) to lie fallow.
brachte *etc* ['braxtə] *vb siehe* **bringen.**
Branche ['brã:ʃə] (**-, -n**) *f* line of business.
Branchenverzeichnis *nt* trade directory.
Brand [brant] (**-(e)s, ⸚e**) *m* fire; (*MED*) gangrene.
Brandanschlag *m* arson attack.
branden ['brandən] *vi* to surge; (*Meer*) to break.
Brandenburg ['brandənburk] (**-s**) *nt* Brandenburg.
Brandherd *m* source of the fire.
brandmarken *vt* to brand; (*fig*) to stigmatize.
brandneu (*umg*) *adj* brand-new.
Brand- *zW:* **~salbe** *f* ointment for burns; **~satz** *m* incendiary device; **~stifter** *m* arsonist, fire-raiser; **~stiftung** *f* arson.
Brandung *f* surf.
Brandwunde *f* burn.
brannte *etc* ['brantə] *vb siehe* **brennen.**
Branntwein ['brantvaın] *m* brandy; **~steuer** *f* tax on spirits.
Brasilianer(in) [brazili'a:nər(ın)] (**-s, -**) *m(f)* Brazilian.
brasilianisch *adj* Brazilian.
Brasilien [bra'zi:liən] *nt* Brazil.
brät [brɛt] *vb siehe* **braten.**
Bratapfel *m* baked apple.
braten ['bra:tən] *unreg vt* to roast; (*in Pfanne*) to fry; **B~** (**-s, -**) *m* roast, joint; **den B~ riechen** (*umg*) to smell a rat, suss something.
Brat- *zW:* **~hähnchen** *nt* (*SÜDD, ÖSTERR*) roast chicken; **~hendl** *nt* roast chicken; **~huhn** *nt* roast chicken; **~kartoffeln** *pl* fried/roast potatoes *pl*; **~pfanne** *f* frying pan; **~rost** *m* grill.
Bratsche ['bra:tʃə] (**-, -n**) *f* viola.
Bratspieß *m* spit.
Bratwurst *f* grilled sausage.
Brauch [braux] (**-(e)s,** *pl* **Bräuche**) *m* custom.
brauchbar *adj* usable, serviceable; (*Person*) capable.
brauchen *vt* (*bedürfen*) to need; (*müssen*) to have to; (*verwenden*) to use; **wie lange braucht man, um ...?** how long does it take to ...?
Brauchtum *nt* customs *pl*, traditions *pl*.
Braue ['brauə] (**-, -n**) *f* brow.
brauen ['brauən] *vt* to brew.
Brauerei [brauə'raı] *f* brewery.
braun [braun] *adj* brown; (*von Sonne*) tanned; (*pej*) Nazi.
Bräune ['brɔynə] (**-, -n**) *f* brownness; (*Sonnen~*) tan.
bräunen *vt* to make brown; (*Sonne*) to tan.
braungebrannt *adj* tanned.
Braunkohle *f* brown coal.
Braunschweig ['braunʃvaık] (**-s**) *nt* Brunswick.
Brause ['brauzə] (**-, -n**) *f* shower; (*von Gießkanne*) rose; (*Getränk*) lemonade.
brausen *vi* to roar; (*auch vr: duschen*) to take a shower.
Brausepulver *nt* lemonade powder.
Brausetablette *f* lemonade tablet.
Braut [braut] (**-,** *pl* **Bräute**) *f* bride; (*Verlobte*) fiancée.
Bräutigam ['brɔytıgam] (**-s, -e**) *m* bridegroom; (*Verlobter*) fiancé.
Braut- *zW:* **~jungfer** *f* bridesmaid; **~kleid** *nt* wedding dress; **~paar** *nt* bride and bridegroom, bridal pair.
brav [bra:f] *adj* (*artig*) good; (*ehrenhaft*) worthy, honest; (*bieder: Frisur, Kleid*) plain; **sei schön ~!** be a good boy/girl.
BRD (**-**) *f abk* (= *Bundesrepublik Deutschland*) FRG; **die alte ~** former West Germany.

The **BRD** *(Bundesrepublik Deutschland) is the official name for the Federal Republic of Germany. It comprises 16* **Länder** *(see* **Land**). *It was originally the name given to the former West Germany as opposed to East Germany (the* **DDR**). *The two Germanies were reunited on 3rd October 1990.*

Brechbohne *f* French bean.
Brecheisen *nt* crowbar.
brechen *unreg vt, vi* to break; (*Licht*) to refract; (*speien*) to vomit; **die Ehe ~** to commit adultery; **mir bricht das Herz** it breaks my heart; **~d voll sein** to be full to bursting.
Brechmittel *nt:* **er/das ist das reinste ~** (*umg*) he/it makes me feel ill.
Brechreiz *m* nausea.
Brechung *f* (*des Lichts*) refraction.
Brei [braı] (**-(e)s, -e**) *m* (*Masse*) pulp; (*KOCH*) gruel; (*Hafer~*) porridge (*BRIT*), oatmeal (*US*); (*für Kinder, Kranke*) mash; **um den heißen ~ herumreden** (*umg*) to beat about

the bush.

breit [braɪt] *adj* broad; (*bei Maßangabe*) wide; **die ~e Masse** the masses *pl*; **~beinig** *adj* with one's legs apart.

Breite (-, -n) *f* breadth; (*bei Maßangabe*) width; (*GEOG*) latitude.

breiten *vt*: **etw über etw** *akk* ~ to spread sth over sth.

Breitengrad *m* degree of latitude.

Breitensport *m* popular sport.

breit- *zW*: **~gefächert** *adj*: **ein ~gefächertes Angebot** a wide range; **~machen** *vr* to spread o.s. out; **~schlagen** *unreg* (*umg*) *vt*: **sich ~schlagen lassen** to let o.s. be talked round; **~schult(e)rig** *adj* broad-shouldered; **~treten** *unreg* (*umg*) *vt* to go on about; **B~wandfilm** *m* wide-screen film.

Bremen ['bre:mən] (-s) *nt* Bremen.

Bremsbelag *m* brake lining.

Bremse ['brɛmzə] (-, -n) *f* brake; (*ZOOL*) horsefly.

bremsen *vi* to brake, apply the brakes ♦ *vt* (*Auto*) to brake; (*fig*) to slow down ♦ *vr*: **ich kann mich** ~ (*umg*) not likely!

Brems- *zW*: **~flüssigkeit** *f* brake fluid; **~licht** *nt* brake light; **~pedal** *nt* brake pedal; **~schuh** *m* brake shoe; **~spur** *f* tyre (*BRIT*) *od* tire (*US*) marks *pl*; **~weg** *m* braking distance.

brennbar *adj* inflammable; **leicht** ~ highly inflammable.

Brennelement *nt* fuel element.

brennen ['brɛnən] *unreg vi* to burn, be on fire; (*Licht, Kerze etc*) to burn ♦ *vt* (*Holz etc*) to burn; (*Ziegel, Ton*) to fire; (*Kaffee*) to roast; (*Branntwein*) to distil; **wo brennt's denn?** (*fig: umg*) what's the panic?; **darauf ~, etw zu tun** to be dying to do sth.

Brenn- *zW*: **~material** *nt* fuel; **~(n)essel** *f* nettle; **~ofen** *m* kiln; **~punkt** *m* (*MATH, OPTIK*) focus; **~spiritus** *m* methylated spirits *pl*; **~stoff** *m* liquid fuel.

brenzlig ['brɛntslɪç] *adj* smelling of burning, burnt; (*fig*) precarious.

Bresche ['brɛʃə] (-, -n) *f*: **in die ~ springen** (*fig*) to step into the breach.

Bretagne [bre'tanjə] *f*: **die** ~ Brittany.

Bretone [bre'to:nə] (-n, -n) *m* Breton.

Bretonin [bre'to:nɪn] *f* Breton.

Brett [brɛt] (-(e)s, -er) *nt* board, plank; (*Bord*) shelf; (*Spiel~*) board; **Bretter** *pl* (*SKI*) skis *pl*; (*THEAT*) boards *pl*; **Schwarzes** ~ notice board; **er hat ein ~ vor dem Kopf** (*umg*) he's really thick.

brettern (*umg*) *vi* to speed.

Bretterzaun *m* wooden fence.

Brezel ['bre:tsəl] (-, -n) *f* pretzel.

bricht [brɪçt] *vb siehe* **brechen**.

Brief [bri:f] (-(e)s, -e) *m* letter; **~beschwerer** (-s, -) *m* paperweight; **~drucksache** *f* circular; **~freund(in)** *m(f)* pen friend, pen-pal; **~kasten** *m* letter box; (*COMPUT*) mailbox; **~kopf** *m* letterhead; **b~lich** *adj, adv* by letter; **~marke** *f* postage stamp; **~öffner** *m* letter opener; **~papier** *nt* notepaper; **~qualität** *f* (*COMPUT*) letter quality; **~tasche** *f* wallet; **~taube** *f* carrier pigeon; **~träger** *m* postman; **~umschlag** *m* envelope; **~wahl** *f* postal vote; **~wechsel** *m* correspondence.

briet *etc* [bri:t] *vb siehe* **braten**.

Brigade [bri'ga:də] (-, -n) *f* (*MIL*) brigade; (*DDR*) (work) team *od* group.

Brikett [bri'kɛt] (-s, -s) *nt* briquette.

brillant [brɪl'jant] *adj* (*fig*) sparkling, brilliant; **B~** (-en, -en) *m* brilliant, diamond.

Brille ['brɪlə] (-, -n) *f* spectacles *pl*; (*Schutz~*) goggles *pl*; (*Toiletten~*) (toilet) seat.

Brillenschlange *f* (*hum*) four-eyes.

Brillenträger(in) *m(f)*: **er ist** ~ he wears glasses.

bringen ['brɪŋən] *unreg vt* to bring; (*mitnehmen, begleiten*) to take; (*einbringen: Profit*) to bring in; (*veröffentlichen*) to publish; (*THEAT, FILM*) to show; (*RUNDF, TV*) to broadcast; (*in einen Zustand versetzen*) to get; (*umg: tun können*) to manage; **jdn dazu ~, etw zu tun** to make sb do sth; **jdn zum Lachen/Weinen** ~ to make sb laugh/cry; **es weit** ~ to do very well, get far; **jdn nach Hause** ~ to take sb home; **jdn um etw** ~ to make sb lose sth; **jdn auf eine Idee** ~ to give sb an idea.

brisant [bri'zant] *adj* (*fig*) controversial.

Brisanz [bri'zants] *f* (*fig*) controversial nature.

Brise ['bri:zə] (-, -n) *f* breeze.

Brite ['bri:tə] (-n, -n) *m* Briton, Britisher (*US*); **die ~n** the British.

Britin *f* Briton, Britisher (*US*).

britisch ['bri:tɪʃ] *adj* British; **die B~en Inseln** the British Isles.

bröckelig ['brœkəlɪç] *adj* crumbly.

Brocken ['brɔkən] (-s, -) *m* piece, bit; (*Felsbrocken*) lump of rock; **ein paar ~ Spanisch** a smattering of Spanish; **ein harter** ~ (*umg*) a tough nut to crack.

brodeln ['bro:dəln] *vi* to bubble.

Brokat [bro'ka:t] (-(e)s, -e) *m* brocade.

Brokkoli ['brɔkoli] *pl* broccoli.

Brombeere ['brɔmbe:rə] *f* blackberry, bramble (*BRIT*).

bronchial [brɔnçi'a:l] *adj* bronchial.

Bronchien ['brɔnçiən] *pl* bronchial tubes *pl*.

Bronchitis [brɔn'çi:tɪs] (-, -tiden) *f* bronchitis.

Bronze ['brõ:sə] (-, -n) *f* bronze.

Brosame ['bro:za:mə] (-, -n) *f* crumb.

Brosche ['brɔʃə] (-, -n) *f* brooch.

Broschüre [brɔ'ʃy:rə] (-, -n) *f* pamphlet.

Brot [bro:t] (-(e)s, -e) *nt* bread; (*~laib*) loaf; **das ist ein hartes** ~ (*fig*) that's a hard way to earn one's living.

Brötchen ['brø:tçən] *nt* roll; **kleine ~ backen** (*fig*) to set one's sights lower; **~geber** *m* (*hum*) employer, provider (*hum*).

brotlos ['bro:tlo:s] *adj* (*Person*) unemployed; (*Arbeit etc*) unprofitable.
Brotzeit (*SÜDD*) *f* (*Pause*) ≈ tea break.
BRT *abk* (= *Bruttoregistertonne*) GRT.
Bruch [brʊx] (**-(e)s, ⸚e**) *m* breakage; (*zerbrochene Stelle*) break; (*fig*) split, breach; (*MED: Eingeweide~*) rupture, hernia; (*Bein~ etc*) fracture; (*MATH*) fraction; **zu ~ gehen** to get broken; **sich einen ~ heben** to rupture o.s.; **~bude** (*umg*) *f* shack.
brüchig ['brʏçɪç] *adj* brittle, fragile.
Bruch- *zW*: **~landung** *f* crash landing; **~schaden** *m* breakage; **~stelle** *f* break; (*von Knochen*) fracture; **~strich** *m* (*MATH*) line; **~stück** *nt* fragment; **~teil** *m* fraction.
Brücke ['brʏkə] (**-, -n**) *f* bridge; (*Teppich*) rug; (*Turnen*) crab.
Bruder ['bru:dər] (**-s, ⸚**) *m* brother; **unter Brüdern** (*umg*) between friends.
brüderlich *adj* brotherly; **B~keit** *f* fraternity.
Brudermord *m* fratricide.
Brüderschaft *f* brotherhood, fellowship; **~ trinken** to agree to use the familiar "du" (*over a drink*).
Brühe ['bry:ə] (**-, -n**) *f* broth, stock; (*pej*) muck.
brühwarm ['bry:'varm] (*umg*) *adj*: **er hat das sofort ~ weitererzählt** he promptly spread it around.
Brühwürfel *m* stock cube (*BRIT*), bouillon cube (*US*).
brüllen ['brʏlən] *vi* to bellow, roar.
Brummbär *m* grumbler.
brummeln ['brʊməln] *vt, vi* to mumble.
brummen *vi* (*Bär, Mensch etc*) to growl; (*Insekt, Radio*) to buzz; (*Motor*) to roar; (*murren*) to grumble ♦ *vt* to growl; **jdm brummt der Kopf** sb's head is buzzing.
Brummer ['brʊmər] (**-s, -**) (*umg*) *m* (*Lastwagen*) juggernaut.
Brummi ['brʊmi] (*umg*) *m* lorry, juggernaut.
brummig (*umg*) *adj* grumpy.
Brummschädel (*umg*) *m* thick head.
brünett [brʏ'nɛt] *adj* brunette, brown-haired.
Brunnen ['brʊnən] (**-s, -**) *m* fountain; (*tief*) well; (*natürlich*) spring; **~kresse** *f* watercress.
Brunst [brʊnst] *f* (*von männlichen Tieren*) rut; (*von weiblichen Tieren*) heat; **~zeit** *f* rutting season.
brüsk [brʏsk] *adj* abrupt, brusque.
brüskieren [brʏs'ki:rən] *vt* to snub.
Brüssel ['brʏsəl] (**-s**) *nt* Brussels.
Brust [brʊst] (**-, ⸚e**) *f* breast; (*Männer~*) chest; **einem Kind die ~ geben** to breast-feed (*BRIT*) *od* nurse (*US*) a baby.
brüsten ['brʏstən] *vr* to boast.
Brust- *zW*: **~fellentzündung** *f* pleurisy; **~kasten** *m* chest; **~korb** *m* (*ANAT*) thorax; **~schwimmen** *nt* breast-stroke; **~ton** *m*: **im ~ton der Überzeugung** in a tone of utter conviction.
Brüstung ['brʏstʊŋ] *f* parapet.
Brustwarze *f* nipple.
Brut [bru:t] (**-, -en**) *f* brood; (*Brüten*) hatching.
brutal [bru'ta:l] *adj* brutal; **B~ität** *f* brutality.
Brutapparat *m* incubator.
brüten ['bry:tən] *vi* (*auch fig*) to brood; **~de Hitze** oppressive *od* stifling heat.
Brüter (**-s, -**) *m* (*TECH*): **schneller ~** fast-breeder (reactor).
Brutkasten *m* incubator.
Brutstätte *f* (*+gen*) (*lit, fig*) breeding ground (for).
brutto ['brʊto] *adv* gross; **B~einkommen** *nt* gross salary; **B~gehalt** *nt* gross salary; **B~gewicht** *nt* gross weight; **B~gewinn** *m* gross profit; **B~inlandsprodukt** *nt* gross domestic product; **B~lohn** *m* gross wages *pl*; **B~sozialprodukt** *nt* gross national product.
brutzeln ['brʊtsəln] (*umg*) *vi* to sizzle away ♦ *vt* to fry (up).
Btx *abk* = **Bildschirmtext.**
Bub [bu:p] (**-en, -en**) *m* boy, lad.
Bube ['bu:bə] (**-n, -n**) *m* (*Schurke*) rogue; (*KARTEN*) jack.
Bubikopf *m* bobbed hair.
Buch [bu:x] (**-(e)s, ⸚er**) *nt* book; (*COMM*) account book; **er redet wie ein ~** (*umg*) he never stops talking; **ein ~ mit sieben Siegeln** (*fig*) a closed book; **über etw** *akk* **~ führen** to keep a record of sth; **zu ~(e) schlagen** to make a significant difference, tip the balance; **~binder** *m* bookbinder; **~drucker** *m* printer.
Buche (**-, -n**) *f* beech tree.
buchen *vt* to book; (*Betrag*) to enter; **etw als Erfolg ~** to put sth down as a success.
Bücherbord ['by:çər-] *nt* bookshelf.
Bücherbrett *nt* bookshelf.
Bücherei [by:çə'raɪ] *f* library.
Bücherregal *nt* bookshelves *pl*, bookcase.
Bücherschrank *m* bookcase.
Bücherwurm (*umg*) *m* bookworm.
Buchfink ['bu:xfɪŋk] *m* chaffinch.
Buch- *zW*: **~führung** *f* book-keeping, accounting; **~halter(in)** (**-s, -**) *m(f)* book-keeper; **~handel** *m* book trade; **im ~handel erhältlich** available in bookshops; **~händler(in)** *m(f)* bookseller; **~handlung** *f* bookshop; **~prüfung** *f* audit; **~rücken** *m* spine.
Büchse ['bʏksə] (**-, -n**) *f* tin, can; (*Holz~*) box; (*Gewehr*) rifle.
Büchsenfleisch *nt* tinned meat.
Büchsenöffner *m* tin *od* can opener.
Buchstabe (**-ns, -n**) *m* letter (of the alphabet).
buchstabieren [bu:xʃta'bi:rən] *vt* to spell.
buchstäblich ['bu:xʃtɛ:plɪç] *adj* literal.
Buchstütze *f* book end.
Bucht ['bʊxt] (**-, -en**) *f* bay.
Buchung ['bu:xʊŋ] *f* booking; (*COMM*) entry.

Buchweizen *m* buckwheat.
Buchwert *m* book value.
Buckel ['bʊkəl] (**-s, -**) *m* hump; **er kann mir den ~ runterrutschen** (*umg*) he can (go and) take a running jump.
buckeln (*pej*) *vi* to bow and scrape.
bücken ['bʏkən] *vr* to bend; **sich nach etw ~** to bend down *od* stoop to pick sth up.
Bückling ['bʏklɪŋ] *m* (*Fisch*) kipper; (*Verbeugung*) bow.
Budapest ['buːdapɛst] (**-s**) *nt* Budapest.
buddeln ['bʊdəln] (*umg*) *vi* to dig.
Bude ['buːdə] (**-, -n**) *f* booth, stall; (*umg*) digs *pl* (*BRIT*) *od* place (*US*); **jdm die ~ einrennen** (*umg*) to pester sb.
Budget [bʏ'dʒeː] (**-s, -s**) *nt* budget.
Büfett [bʏ'fɛt] (**-s, -s**) *nt* (*Anrichte*) sideboard; (*Geschirrschrank*) dresser; **kaltes ~** cold buffet.
Büffel ['bʏfəl] (**-s, -**) *m* buffalo.
büffeln ['bʏfəln] (*umg*) *vi* to swot, cram ♦ *vt* (*Lernstoff*) to swot up.
Bug [buːk] (**-(e)s, -e**) *m* (*NAUT*) bow; (*AVIAT*) nose.
Bügel ['byːgəl] (**-s, -**) *m* (*Kleider~*) hanger; (*Steig~*) stirrup; (*Brillen~*) arm; **~brett** *nt* ironing board; **~eisen** *nt* iron; **~falte** *f* crease; **b~frei** *adj* non-iron; (*Hemd*) drip-dry.
bügeln *vt, vi* to iron.
Buhmann ['buːman] (*umg*) *m* bogeyman.
Bühne ['byːnə] (**-, -n**) *f* stage.
Bühnenbild *nt* set, scenery.
Buhruf ['buːruːf] *m* boo.
buk *etc* [buːk] *vb* (*veraltet*) *siehe* **backen.**
Bukarest ['buːkarɛst] (**-s**) *nt* Bucharest.
Bulette [bu'lɛtə] *f* meatball.
Bulgare [bʊl'gaːrə] (**-n, -n**) *m* Bulgarian.
Bulgarien (**-s**) *nt* Bulgaria.
Bulgarin *f* Bulgarian.
bulgarisch *adj* Bulgarian.
Bulimie [buli'miː] *f* (*MED*) bulimia.
Bull- *zW*: **~auge** *nt* (*NAUT*) porthole; **~dogge** *f* bulldog; **~dozer** ['bʊldoːzər] (**-s, -**) *m* bulldozer.
Bulle (**-n, -n**) *m* bull; **die ~n** (*pej: umg*) the fuzz *sing*, the cops.
Bullenhitze (*umg*) *f* sweltering heat.
Bummel ['bʊməl] (**-s, -**) *m* stroll; (*Schaufenster~*) window-shopping (expedition).
Bummelant [bʊmə'lant] *m* slowcoach.
Bummelei [bʊmə'laɪ] *f* wandering; dawdling; skiving.
bummeln *vi* to wander, stroll; (*trödeln*) to dawdle; (*faulenzen*) to skive (*BRIT*), loaf around.
Bummelstreik *m* go-slow (*BRIT*), slowdown (*US*).
Bummelzug *m* slow train.
Bummler(in) ['bʊmlər(ɪn)] (**-s, -**) *m(f)* (*langsamer Mensch*) dawdler (*BRIT*), slowpoke (*US*); (*Faulenzer*) idler, loafer.
bumsen ['bʊmzən] *vi* (*schlagen*) to thump; (*prallen, stoßen*) to bump, bang; (*umg: koitieren*) to bonk, have it off (*BRIT*).
Bund[1] [bʊnt] (**-(e)s, ¨-e**) *m* (*Freundschafts~ etc*) bond; (*Organisation*) union; (*POL*) confederacy; (*Hosen~, Rock~*) waistband; **den ~ fürs Leben schließen** to take the marriage vows.
Bund[2] (**-(e)s, -e**) *nt* bunch; (*Stroh~*) bundle.
Bündchen ['bʏntçən] *nt* ribbing; (*Ärmel~*) cuff.
Bündel (**-s, -**) *nt* bundle, bale.
bündeln *vt* to bundle.
Bundes- ['bʊndəs] *in zW* Federal; **~bahn** *f*: **die Deutsche ~bahn** German Federal Railways *pl*; **~bank** *f* Federal Bank, Bundesbank; **~bürger** *m* German citizen; (*vor 1990*) West German citizen; **~gerichtshof** *m* Federal Supreme Court; **~grenzschutz** *m* Federal Border Guard; **~hauptstadt** *f* Federal capital; **~haushalt** *m* (*POL*) National Budget; **~kanzler** *m* Federal Chancellor.

The **Bundeskanzler,** *head of the German government, is elected for 4 years and determines government guidelines. He is formally proposed by the* **Bundespräsident** *but needs a majority in parliament to be elected to office.*

Bundes- *zW*: **~land** *nt* state, Land; **~liga** *f* (*SPORT*) national league; **~nachrichtendienst** *m* Federal Intelligence Service; **~post** *f*: **die (Deutsche) ~post** the (German) Federal Post (Office).

The **Bundespräsident** *is the head of state of the Federal Republic of Germany who is elected every 5 years by the members of the* **Bundestag** *and by delegates of the Landtage (regional parliaments). His role is that of a figurehead who represents Germany at home and abroad. No one can be elected more than twice.*
The **Bundesrat** *is the Upper House of the German Parliament whose 68 members are not elected but nominated by the parliaments of the individual* **Länder**. *Its most important function is the approval of federal laws which concern jurisdiction of the Länder. It can raise objections to all other laws but can be outvoted by the Bundestag.*

Bundes- *zW*: **~regierung** *f* Federal Government; **~republik** *f* Federal Republic (of Germany); **~staat** *m* Federal state; **~straße** *f* Federal Highway, main road.

The **Bundestag** *is the Lower House of the German Parliament, elected by the people. There are 646 MPs, half of them elected directly from the first vote (***Erststimme***), and half from the regional list of parliamentary* *candidates resulting from the second vote (**Zweitstimme**), and giving proportional representation to the parties. The Bundestag exercises parliamentary control over the government.*

Bundes- *zW:* **~tagsabgeordnete(r)** *f(m)* member of the German Parliament; **~tagswahl** *f* (Federal) parliamentary elections *pl*; **~verfassungsgericht** *nt* Federal Constitutional Court; **~wehr** *f* German *od* (*vor 1990*) West German Armed Forces *pl*.

*The **Bundeswehr** is the name for the German armed forces. It was established in 1955, first of all for volunteers, but since 1956 there has been compulsory military service for all able-bodied young men of 18 (see **Wehrdienst**). In peacetime the Defence Minister is the head of the Bundeswehr, but in wartime, the **Bundeskanzler** takes over. The Bundeswehr comes under the jurisdiction of NATO.*

Bundfaltenhose *f* pleated trousers *pl*.
Bundhose *f* knee breeches *pl*.
bündig ['bʏndɪç] *adj* (*kurz*) concise.
Bündnis ['bʏntnɪs] (**-ses, -se**) *nt* alliance.
Bunker ['bʊŋkər] (**-s, -**) *m* bunker; (*Luftschutzbunker*) air-raid shelter.
bunt [bʊnt] *adj* coloured (*BRIT*), colored (*US*); (*gemischt*) mixed; **jdm wird es zu ~** it's getting too much for sb; **B~stift** *m* coloured (*BRIT*) *od* colored (*US*) pencil, crayon.
Bürde ['bʏrdə] (**-, -n**) *f* (*lit, fig*) burden.
Burg [bʊrk] (**-, -en**) *f* castle, fort.
Bürge ['bʏrgə] (**-n, -n**) *m* guarantor.
bürgen *vi* to vouch; **für jdn ~** (*fig*) to vouch for sb; (*FIN*) to stand surety for sb.
Bürger(in) (**-s, -**) *m(f)* citizen; member of the middle class; **~initiative** *f* citizen's initiative; **~krieg** *m* civil war; **b~lich** *adj* (*Rechte*) civil; (*Klasse*) middle-class; (*pej*) bourgeois; **gut b~liche Küche** good home cooking; **b~liches Gesetzbuch** Civil Code; **~meister** *m* mayor; **~recht** *nt* civil rights *pl*; **~rechtler(in)** *m(f)* civil rights campaigner; **~schaft** *f* population, citizens *pl*; **~schreck** *m* bogey of the middle classes; **~steig** *m* pavement (*BRIT*), sidewalk (*US*); **~tum** *nt* citizens *pl*; **~wehr** *f* vigilantes *pl*.
Burgfriede(n) *m* (*fig*) truce.
Bürgin *f* guarantor.
Bürgschaft *f* surety; **~ leisten** to give security.
Burgund [bʊr'gʊnt] (**-(s)**) *nt* Burgundy.
Burgunder (**-s, -**) *m* (*Wein*) burgundy.
Büro [by'ro:] (**-s, -s**) *nt* office; **~angestellte(r)** *f(m)* office worker; **~klammer** *f* paper clip; **~kraft** *f* (office) clerk.
Bürokrat [byro'kra:t] (**-en, -en**) *m* bureaucrat.
Bürokratie [byrokra'ti:] *f* bureaucracy.
bürokratisch *adj* bureaucratic.
Bürokratismus *m* red tape.
Büroschluß *m* office closing time.
Bursch ['bʊrʃ(ə)] (**-en, -en**) *m* = **Bursche**.
Bursche (**-n, -n**) *m* lad, fellow; (*Diener*) servant.
Burschenschaft *f* student fraternity.
burschikos [bʊrʃi'ko:s] *adj* (*jungenhaft*) (tom)boyish; (*unbekümmert*) casual.
Bürste ['bʏrstə] (**-, -n**) *f* brush.
bürsten *vt* to brush.
Bus [bʊs] (**-ses, -se**) *m* bus.
Busch [bʊʃ] (**-(e)s, ¨-e**) *m* bush, shrub; **bei jdm auf den ~ klopfen** (*umg*) to sound sb out.
Büschel ['bʏʃəl] (**-s, -**) *nt* tuft.
buschig *adj* bushy.
Busen ['bu:zən] (**-s, -**) *m* bosom; (*Meer~*) inlet, bay; **~freund(in)** *m(f)* bosom friend.
Bushaltestelle *f* bus stop.
Bussard ['bʊsart] (**-s, -e**) *m* buzzard.
Buße ['bu:sə] (**-, -n**) *f* atonement, penance; (*Geld*) fine.
büßen ['by:sən] *vi* to do penance, atone ♦ *vt* to atone for.
Bußgeld *nt* fine.
Buß- und Bettag *m* day of prayer and repentance.
Büste ['bʏstə] (**-, -n**) *f* bust.
Büstenhalter *m* bra.
Butan [bu'ta:n] (**-s**) *nt* butane.
Büttenrede ['bʏtənre:də] *f* carnival speech.
Butter ['bʊtər] (**-**) *f* butter; **alles (ist) in ~** (*umg*) everything is fine *od* hunky-dory; **~berg** (*umg*) *m* butter mountain; **~blume** *f* buttercup; **~brot** *nt* (piece of) bread and butter; **~brotpapier** *nt* greaseproof paper; **~cremetorte** *f* gateau with buttercream filling; **~dose** *f* butter dish; **~keks** *m* ≈ Rich Tea ® biscuit; **~milch** *f* buttermilk; **b~weich** *adj* soft as butter; (*fig: umg*) soft.
Butzen ['bʊtsən] (**-s, -**) *m* core.
BVG *nt abk* (= *Betriebsverfassungsgesetz*) ≈ Industrial Relations Act; = **Bundesverfassungsgericht**.
b.w. *abk* (= *bitte wenden*) p.t.o.
Byte [baɪt] (**-s, -s**) *nt* (*COMPUT*) byte.
Bz. *abk* = **Bezirk**.
bzgl. *abk* (= *bezüglich*) re.
bzw. *abk* = **beziehungsweise**.

C, c

C¹, c [tseː] *nt* C, c; ~ **wie Cäsar** ≈ C for Charlie.
C² [tseː] *abk* (= *Celsius*) C.
ca. [ka] *abk* (= *circa*) approx.
Cabriolet [kabrio'leː] (**-s, -s**) *nt* (*AUT*) convertible.
Café [ka'feː] (**-s, -s**) *nt* café.
Cafeteria [kafete'riːa] (**-, -s**) *f* cafeteria.
cal *abk* (= *Kalorie*) cal.
Calais [ka'lɛː] (**-'**) *nt*: **die Straße von** ~ the Straits of Dover.
Camcorder (**-s, -**) *m* camcorder.
campen ['kɛmpən] *vi* to camp.
Camper(in) (**-s, -**) *m(f)* camper.
Camping ['kɛmpɪŋ] (**-s**) *nt* camping; ~**bus** *m* camper; ~**platz** *m* camp(ing) site.
Caravan ['karavan] (**-s, -s**) *m* caravan.
Carnet [kar'nɛ] (**-s**) *nt* (*COMM*) international customs pass, carnet.
Cäsium ['tsɛːziʊm] *nt* caesium (*BRIT*), cesium (*US*).
ccm *abk* (= *Kubikzentimeter*) cc, cm³.
CD *f abk* (= *Compact Disc*) CD; ~**-ROM** (**-, -s**) *f* CD-ROM; ~**-Spieler** *m* CD player.
CDU [tseːdeː'|uː] (**-**) *f abk* (= *Christlich-Demokratische Union (Deutschlands)*) Christian Democratic Union.

The **CDU** *(Christlich-Demokratische Union) is a Christian and conservative political party founded in 1945. It operates in all the* **Länder** *apart from Bavaria where its sister party the* **CSU** *is active. In the* **Bundestag** *the two parties form a coalition. It is the second largest party in Germany after the* **SPD**, *the Social Democratic Party.*

Celli *pl von* **Cello**.
Cellist(in) [tʃɛ'lɪst(ɪn)] *m(f)* cellist.
Cello ['tʃɛlo] (**-s, -s** *od* **Celli**) *nt* cello.
Celsius ['tsɛlziʊs] *m* Celsius.
Cembalo ['tʃɛmbalo] (**-s, -s**) *nt* cembalo, harpsichord.
Ces [tsɛs] (**-, -**) *nt* (*MUS*) C flat.
ces [tsɛs] (**-, -**) *nt* (*MUS*) C flat.
Ceylon ['tsaɪlɔn] (**-s**) *nt* Ceylon.
Chamäleon [ka'mɛːleɔn] (**-s, -s**) *nt* chameleon.
Champagner [ʃam'panjər] (**-s, -**) *m* champagne.
Champignon ['ʃampɪnjõ] (**-s, -s**) *m* button mushroom.
Chance ['ʃãːs(ə)] (**-, -n**) *f* chance, opportunity.
Chancengleichheit *f* equality of opportunity.
Chaos ['kaːɔs] (**-**) *nt* chaos.
Chaot(in) [ka'oːt(ɪn)] (**-en, -en**) *m(f)* (*POL: pej*) anarchist (*pej*).
chaotisch [ka'oːtɪʃ] *adj* chaotic.
Charakter [ka'raktər] (**-s, -e**) *m* character; **c~fest** *adj* of firm character.
charakterisieren [karakteri'ziːrən] *vt* to characterize.
Charakteristik [karakte'rɪstɪk] *f* characterization.
charakteristisch [karakte'rɪstɪʃ] *adj*: ~ **(für)** characteristic (of), typical (of).
Charakter- *zW*: **c~los** *adj* unprincipled; ~**losigkeit** *f* lack of principle; ~**schwäche** *f* weakness of character; ~**stärke** *f* strength of character; ~**zug** *m* characteristic, trait.
charmant [ʃar'mant] *adj* charming.
Charme [ʃarm] (**-s**) *m* charm.
Charta ['karta] (**-, -s**) *f* charter.
Charterflug ['tʃartərfluːk] *m* charter flight.
Chartermaschine ['tʃartərmaʃiːnə] *f* charter plane.
chartern ['tʃartərn] *vt* to charter.
Chassis [ʃa'siː] (**-, -**) *nt* chassis.
Chauffeur [ʃɔ'føːr] *m* chauffeur.
Chaussee [ʃo'seː] (**-, -n**) *f* (*veraltet*) high road.
Chauvi ['ʃovi] (**-s, -s**) (*umg*) *m* male chauvinist.
Chauvinismus [ʃovi'nɪsmʊs] *m* chauvinism.
Chauvinist [ʃovi'nɪst] *m* chauvinist.
checken ['tʃɛkən] *vt* (*überprüfen*) to check; (*umg: verstehen*) to get.
Chef(in) [ʃɛf(ɪn)] (**-s, -s**) *m(f)* head; (*umg*) boss; ~**arzt** *m* senior consultant; ~**etage** *f* executive floor; ~**redakteur** *m* editor-in-chief; ~**sekretärin** *f* personal assistant/ secretary; ~**visite** *f* (*MED*) consultant's round.
Chemie [çe'miː] (**-**) *f* chemistry; ~**faser** *f* man-made fibre (*BRIT*) *od* fiber (*US*).
Chemikalie [çemi'kaːliə] *f* chemical.
Chemiker(in) ['çeːmikər(ɪn)] (**-s, -**) *m(f)* (industrial) chemist.
chemisch ['çeːmɪʃ] *adj* chemical; ~**e Reinigung** dry cleaning.
Chemotherapie [çemotera'piː] *f* chemotherapy.
Chicorée [ʃiko'reː] (**-s**) *f od m* chicory.
Chiffre ['ʃɪfrə] (**-, -n**) *f* (*Geheimzeichen*) cipher; (*in Zeitung*) box number.
Chiffriermaschine [ʃɪ'friːrmaʃiːnə] *f* cipher machine.
Chile ['tʃiːle] (**-s**) *nt* Chile.
Chilene [tʃi'leːnə] (**-n, -n**) *m* Chilean.
Chilenin [tʃi'leːnɪn] *f* Chilean.
chilenisch *adj* Chilean.
China ['çiːna] (**-s**) *nt* China.
Chinakohl *m* Chinese leaves *pl*.
Chinese [çi'neːzə] (**-n, -n**) *m* Chinaman, Chinese.

Chinesin *f* Chinese woman.
chinesisch *adj* Chinese.
Chinin [çi'ni:n] (**-s**) *nt* quinine.
Chipkarte ['tʃɪpkartə] *f* smart card.
Chips [tʃɪps] *pl* crisps *pl* (*BRIT*), chips *pl* (*US*).
Chirurg(in) [çi'rʊrg(ɪn)] (**-en, -en**) *m(f)* surgeon.
Chirurgie [çirʊr'gi:] *f* surgery.
chirurgisch *adj* surgical; **ein ~er Eingriff** surgery.
Chlor [klo:r] (**-s**) *nt* chlorine.
Chloroform [kloro'fɔrm] (**-s**) *nt* chloroform.
chloroformieren [klorofor'mi:rən] *vt* to chloroform.
Chlorophyll [kloro'fʏl] (**-s**) *nt* chlorophyll.
Cholera ['ko:lera] (-) *f* cholera.
Choleriker(in) [ko'le:rikər(ɪn)] (**-s, -**) *m(f)* hot-tempered person.
cholerisch [ko'le:rɪʃ] *adj* choleric.
Cholesterin [kolɛste'ri:n] (**-s**) *nt* cholesterol; **~spiegel** [kolɛste'ri:nʃpigəl] *m* cholesterol level.
Chor [ko:r] (**-(e)s, ¨-e**) *m* choir; (*Musikstück, THEAT*) chorus.
Choral [ko'ra:l] (**-s, -äle**) *m* chorale.
Choreograph(in) [koreo'gra:f(ɪn)] (**-en, -en**) *m(f)* choreographer.
Choreographie [koreogra'fi:] *f* choreography.
Chorgestühl *nt* choir stalls *pl*.
Chorknabe *m* choirboy.
Chose ['ʃo:zə] (**-, -n**) (*umg*) *f* (*Angelegenheit*) thing.
Chr. *abk* = **Christus; Chronik.**
Christ [krɪst] (**-en, -en**) *m* Christian; **~baum** *m* Christmas tree.
Christenheit *f* Christendom.
Christentum (**-s**) *nt* Christianity.
Christin *f* Christian.
Christkind *nt* ≈ Father Christmas; (*Jesus*) baby Jesus.
christlich *adj* Christian; **C~er Verein Junger Männer** Young Men's Christian Association.
Christus (**Christi**) *m* Christ; **Christi Himmelfahrt** Ascension Day.
Chrom [kro:m] (**-s**) *nt* (*CHEM*) chromium; chrome.
Chromosom [kromo'zo:m] (**-s, -en**) *nt* (*BIOL*) chromosome.
Chronik ['kro:nɪk] *f* chronicle.
chronisch *adj* chronic.
Chronologie [kronolo'gi:] *f* chronology.
chronologisch *adj* chronological.
Chrysantheme [kryzan'te:mə] (**-, -n**) *f* chrysanthemum.
CIA ['si:aɪ'eɪ] (-) *f od m abk* (= *Central Intelligence Agency*) CIA.
circa ['tsɪrka] *adv* (round) about.
Cis [tsɪs] (**-, -**) *nt* (*MUS*) C sharp.
cis [tsɪs] (**-, -**) *nt* (*MUS*) C sharp.
City ['sɪti] (**-, -s**) *f* city centre (*BRIT*); **in der ~** in the city centre (*BRIT*), downtown (*US*); **die ~ von Berlin** the (city) centre of Berlin (*BRIT*), downtown Berlin (*US*).
clean [kli:n] *adj* (*DROGEN: umg*) off drugs.
clever ['klɛvər] *adj* clever; (*gerissen*) crafty.
Clique ['klɪkə] (**-, -n**) *f* set, crowd.
Clou [klu:] (**-s, -s**) *m* (*von Geschichte*) (whole) point; (*von Show*) highlight, high spot.
Clown [klaʊn] (**-s, -s**) *m* clown.
cm *abk* (= *Zentimeter*) cm.
COBOL ['ko:bɔl] *nt* COBOL.
Cockpit ['kɔkpɪt] (**-s, -s**) *nt* cockpit.
Cocktail ['kɔkte:l] (**-s, -s**) *m* cocktail.
Cola ['ko:la] (**-(s), -s**) *nt od f* Coke ®.
Comicheft ['kɔmɪkhɛft] *nt* comic.
Computer [kɔm'pju:tər] (**-s, -**) *m* computer; **c~gesteuert** *adj* computer-controlled; **~kriminalität** *f* computer crime; **~spiel** *nt* computer game; **~technik** *f* computer technology.
Conférencier [kõferãsi'e:] (**-s, -s**) *m* compère.
Container [kɔn'te:nər] (**-s, -**) *m* container; **~schiff** *nt* container ship.
Contergankind [kɔntɛr'gankɪnt] (*umg*) *nt* thalidomide child.
cool [ku:l] (*umg*) *adj* (*gefaßt*) cool.
Cord [kɔrt] (**-(e)s, -e** *od* **-s**) *m* corduroy.
Cornichon [kɔrni'ʃõ:] (**-s, -s**) *nt* gherkin.
Costa Rica ['kɔsta 'ri:ka] (**-s**) *nt* Costa Rica.
Couch [kaʊtʃ] (**-, -es** *od* **-en**) *f* couch; **~garnitur** ['kaʊtʃgarni'tu:r] *f* three-piece suite.
Couleur [ku'lø:r] (**-s, -s**) *f* (*geh*) kind, sort.
Coupé [ku'pe:] (**-s, -s**) *nt* (*AUT*) coupé, sports version.
Coupon [ku'põ:] (**-s, -s**) *m* coupon, voucher; (*Stoff~*) length of cloth.
Courage [ku'ra:zə] (-) *f* courage.
Cousin [ku'zɛ̃:] (**-s, -s**) *m* cousin.
Cousine [ku'zi:nə] (**-, -n**) *f* cousin.
Crack [krɛk] (-) *nt* (*Droge*) crack.
Creme [krɛ:m] (**-, -s**) *f* (*lit, fig*) cream; (*Schuh~*) polish; (*KOCH*) mousse; **c~farben** *adj* cream(-coloured (*BRIT*) *od* -colored (*US*)).
cremig ['kre:mɪç] *adj* creamy.
Crux [krʊks] (-) *f* (*Schwierigkeit*) trouble, problem.
CSU [tse:|ɛs'|u:] (-) *f abk* (= *Christlich-Soziale Union*) Christian Social Union.

> *The* **CSU** *(Christlich-Soziale Union) is a party founded in 1945 in Bavaria. Like its sister party the* **CDU** *it is a Christian, right-wing party.*

CT-Scanner [tse:'te:skɛnər] *m* CT scanner.
Curriculum [ku'ri:kulʊm] (**-s, -cula**) *nt* (*geh*) curriculum.
Curry ['kari] (**-s**) *m od nt* curry powder; **~pulver** ['karipʊlfər] *nt* curry powder; **~wurst** *f* curried sausage.
Cursor ['kø:rsər] (**-s**) *m* (*COMPUT*) cursor.
Cutter(in) ['katər(ɪn)] (**-s, -**) *m(f)* (*FILM*) editor.
CVJM [tse:faʊjɔt'|ɛm] (-) *m abk* (= *Christlicher*

Verein Junger Männer) YMCA.

D, d

D, d [deː] *nt* D, d; ~ **wie Dora** ≈ D for David, D for Dog (*US*).
D. *abk* = **Doktor** (*der evangelischen Theologie*).

SCHLÜSSELWORT

da [daː] *adv* **1** (*örtlich*) there; (*hier*) here; ~ **draußen** out there; ~ **bin ich** here I am; ~ **hast du dein Geld** (there you are,) there's your money; ~**, wo** where; **ist noch Milch ~?** is there any milk left?
2 (*zeitlich*) then; (*folglich*) so; **es war niemand im Zimmer, ~ habe ich** ... there was nobody in the room, so I ...
3: ~ **haben wir Glück gehabt** we were lucky there; **was gibt's denn ~ zu lachen?** what's so funny about that?; ~ **kann man nichts machen** there's nothing one can do (in a case like that)
♦ *konj* (*weil*) as, since.

d.Ä. *abk* (= *der Ältere*) Sen., sen.
DAAD (-) *m abk* (= *Deutscher Akademischer Austauschdienst*) *German Academic Exchange Service.*
dabehalten *unreg vt* to keep.
dabei [da'baɪ] *adv* (*räumlich*) close to it; (*noch dazu*) besides; (*zusammen mit*) with them/it *etc*; (*zeitlich*) during this; (*obwohl doch*) but, however; **was ist schon ~?** what of it?; **es ist doch nichts ~, wenn** ... it doesn't matter if ...; **bleiben wir ~** let's leave it at that; **es soll nicht ~ bleiben** this isn't the end of it; **es bleibt ~** that's settled; **das Dumme/Schwierige ~** the stupid/difficult part of it; **er war gerade ~, zu gehen** he was just leaving; **hast du ~ etwas gelernt?** did you learn anything from it?; ~ **darf man nicht vergessen, daß** ... it shouldn't be forgotten that ...; **die ~ entstehenden Kosten** the expenses arising from this; **es kommt doch nichts ~ heraus** nothing will come of it; **ich finde gar nichts ~** I don't see any harm in it; **~sein** *unreg vi* (*anwesend*) to be present; (*beteiligt*) to be involved; **ich bin ~!** count me in!; **~stehen** *unreg vi* to stand around.
Dach [dax] (**-(e)s, ¨er**) *nt* roof; **unter ~ und Fach sein** (*abgeschlossen*) to be in the bag (*umg*); (*Vertrag, Geschäft*) to be signed and sealed; (*in Sicherheit*) to be safe; **jdm eins aufs ~ geben** (*umg: ausschimpfen*) to give sb a (good) talking to; **~boden** *m* attic, loft; **~decker** (**-s, -**) *m* slater, tiler; **~fenster** *nt* skylight; (*ausgestellt*) dormer window; **~first** *m* ridge of the roof; **~gepäckträger** *m* (*AUT*) roof rack; **~geschoß** *nt* attic storey (*BRIT*) *od* story (*US*); (*oberster Stock*) top floor *od* storey (*BRIT*) *od* story (*US*); **~luke** *f* skylight; **~pappe** *f* roofing felt; **~rinne** *f* gutter.
Dachs [daks] (**-es, -e**) *m* badger.
Dachschaden (*umg*) *m*: **einen ~ haben** to have a screw loose.
dachte *etc* ['daxtə] *vb siehe* **denken**.
Dach- *zW*: **~terrasse** *f* roof terrace; **~verband** *m* umbrella organization; **~ziegel** *m* roof tile.
Dackel ['dakəl] (**-s, -**) *m* dachshund.
dadurch [da'dʊrç] *adv* (*räumlich*) through it; (*durch diesen Umstand*) thereby, in that way; (*deshalb*) because of that, for that reason ♦ *konj*: **~, daß** because.
dafür [da'fyːr] *adv* for it; (*anstatt*) instead; (*zum Ausgleich*): **in Latein ist er schlecht, ~ kann er gut Fußball spielen** he's bad at Latin but he makes up for it at football; **er ist bekannt ~** he is well-known for that; **was bekomme ich ~?** what will I get for it?; **~ ist er immer zu haben** he never says no to that; **~ bin ich ja hier** that's what I'm here for; **D~halten** (**-s**) *nt* (*geh*): **nach meinem D~halten** in my opinion; **~können** *unreg vt*: **er kann nichts ~ (, daß ...)** he can't help it (that ...).
DAG *f abk* (= *Deutsche Angestellten-Gewerkschaft*) *Clerical and Administrative Workers' Union.*
dagegen [da'geːgən] *adv* against it; (*im Vergleich damit*) in comparison with it; (*bei Tausch*) for it ♦ *konj* however; **haben Sie etwas ~, wenn ich rauche?** do you mind if I smoke?; **ich habe nichts ~** I don't mind; **ich war ~** I was against it; **ich hätte nichts ~ (einzuwenden)** that's okay by me; **~ kann man nichts tun** one can't do anything about it; **~halten** *unreg vt* (*vergleichen*) to compare with it; (*entgegnen*) to put forward as an objection.
dagewesen ['daːgəveːzən] *pp von* **dasein**.
daheim [da'haɪm] *adv* at home; **bei uns ~** back home; **D~** (**-s**) *nt* home.
daher [da'heːr] *adv* (*räumlich*) from there; (*Ursache*) from that ♦ *konj* (*deshalb*) that's why; **das kommt ~, daß** ... that is because ...; **~ kommt er auch** that's where he comes from too; **~ die Schwierigkeiten** that's what is causing the difficulties; **~gelaufen** *adj*: **jeder ~gelaufene Kerl** any Tom, Dick or Harry; **~reden** *vi* to talk away ♦ *vt* to say without thinking.
dahin [da'hɪn] *adv* (*räumlich*) there; (*zeitlich*) then; (*vergangen*) gone; **ist es noch weit bis ~?** is there still far to go?; **das tendiert ~** it is tending towards that; **er bringt es noch ~, daß ich** ... he'll make me ...; **~gegen** *konj* on

the other hand; **~gehen** *unreg vi* (*Zeit*) to pass; **~gehend** *adv* on this matter; **~gestellt** *adv*: **~gestellt bleiben** to remain to be seen; **etw ~gestellt sein lassen** to leave sth open *od* undecided; **~schleppen** *vr* (*lit: sich fortbewegen*) to drag o.s. along; (*fig: Verhandlungen, Zeit*) to drag on; **~schmelzen** *vi* to be enthralled.

dahinten [da'hɪntən] *adv* over there.

dahinter [da'hɪntər] *adv* behind it; **~klemmen** (*umg*) *vr* to put one's back into it; **~knien** (*umg*) *vr* to put one's back into it; **~kommen** *unreg* (*umg*) *vi* to find out.

dahinvegetieren [da'hɪnvege'tiːrən] *vi* to vegetate.

Dahlie ['daːliə] (**-, -n**) *f* dahlia.

DAK (-) *f abk* (= *Deutsche Angestellten-Krankenkasse*) *health insurance company for employees*.

Dakar ['dakar] (**-s**) *nt* Dakar.

dalassen ['daːlasən] *unreg vt* to leave (behind).

dalli ['dali] (*umg*) *adv*: **~, ~!** on (*BRIT*) *od* at (*US*) the double!

damalig ['daːmaːlɪç] *adj* of that time, then.

damals ['daːmaːls] *adv* at that time, then.

Damaskus [da'maskʊs] *nt* Damascus.

Damast [da'mast] (**-(e)s, -e**) *m* damask.

Dame ['daːmə] (**-, -n**) *f* lady; (*SCHACH, KARTEN*) queen; (*Spiel*) draughts (*BRIT*), checkers (*US*).

Damen- *zW*: **~besuch** *m* lady visitor *od* visitors; **~binde** *f* sanitary towel (*BRIT*) *od* napkin (*US*); **d~haft** *adj* ladylike; **~sattel** *m*: **im ~sattel reiten** to ride side-saddle; **~wahl** *f* ladies' excuse-me.

Damespiel *nt* draughts (*BRIT*), checkers (*US*).

damit [da'mɪt] *adv* with it; (*begründend*) by that ♦ *konj* in order that *od* to; **was meint er ~?** what does he mean by that?; **was soll ich ~?** what am I meant to do with that?; **muß er denn immer wieder ~ ankommen?** must he keep on about it?; **was ist ~?** what about it?; **genug ~!** that's enough!; **~ basta!** and that's that!; **~ eilt es nicht** there's no hurry.

dämlich ['dɛːmlɪç] (*umg*) *adj* silly, stupid.

Damm [dam] (**-(e)s, ⸚e**) *m* dyke (*BRIT*), dike (*US*); (*Stau~*) dam; (*Hafen~*) mole; (*Bahn~, Straßen~*) embankment.

dämmen ['dɛmən] *vt* (*Wasser*) to dam up; (*Schmerzen*) to keep back.

dämmerig *adj* dim, faint.

Dämmerlicht *nt* twilight; (*abends*) dusk; (*Halbdunkel*) half-light.

dämmern ['dɛmərn] *vi* (*Tag*) to dawn; (*Abend*) to fall; **es dämmerte ihm, daß ...** (*umg*) it dawned on him that ...

Dämmerung *f* twilight; (*Morgen~*) dawn; (*Abend~*) dusk.

Dämmerzustand *m* (*Halbschlaf*) dozy state; (*Bewußtseinstrübung*) semi-conscious state.

Dämmung *f* insulation.

Dämon ['dɛːmɔn] (**-s, -en**) *m* demon.

dämonisch [dɛ'moːnɪʃ] *adj* demonic.

Dampf [dampf] (**-(e)s, ⸚e**) *m* steam; (*Dunst*) vapour (*BRIT*), vapor (*US*); **jdm ~ machen** (*umg*) to make sb get a move on; **~ ablassen** (*lit, fig*) to let off steam; **d~en** *vi* to steam.

dämpfen ['dɛmpfən] *vt* (*KOCH*) to steam; (*bügeln*) to iron with a damp cloth; (*mit Dampfbügeleisen*) to steam iron; (*fig*) to dampen, subdue.

Dampfer ['dampfər] (**-s, -**) *m* steamer; **auf dem falschen ~ sein** (*fig*) to have got the wrong idea.

Dämpfer (**-s, -**) *m* (*MUS: bei Klavier*) damper; (*bei Geige, Trompete*) mute; **er hat einen ~ bekommen** (*fig*) it dampened his spirits.

Dampf- *zW*: **~kochtopf** *m* pressure cooker; **~maschine** *f* steam engine; **~schiff** *nt* steamship; **~walze** *f* steamroller.

Damwild ['damvɪlt] *nt* fallow deer.

danach [da'naːx] *adv* after that; (*zeitlich*) afterwards; (*gemäß*) accordingly; (*laut diesem*) according to which *od* that; **mir war nicht ~ (zumute)** I didn't feel like it; **er griff schnell ~** he grabbed at it; **~ kann man nicht gehen** you can't go by that; **er sieht ~ aus** he looks it.

Däne ['dɛːnə] (**-n, -n**) *m* Dane, Danish man/boy.

daneben [da'neːbən] *adv* beside it; (*im Vergleich*) in comparison; **~benehmen** *unreg vr* to misbehave; **~gehen** *unreg vi* to miss; (*Plan*) to fail; **~greifen** *unreg vi* to miss; (*fig: mit Schätzung etc*) to be wide of the mark; **~sein** *unreg* (*umg*) *vi* (*verwirrt sein*) to be completely confused.

Dänemark ['dɛːnəmark] (**-s**) *nt* Denmark.

Dänin ['dɛːnɪn] *f* Dane, Danish woman *od* girl.

dänisch *adj* Danish.

Dank [daŋk] (**-(e)s**) *m* thanks *pl*; **vielen** *od* **schönen ~** many thanks; **jdm ~ sagen** to thank sb; **mit (bestem) ~ zurück!** many thanks for the loan; **d~** *präp* (*+dat od gen*) thanks to; **d~bar** *adj* grateful; (*Aufgabe*) rewarding; (*haltbar*) hard-wearing; **~barkeit** *f* gratitude.

danke *interj* thank you, thanks.

danken *vi +dat* to thank; **nichts zu ~!** don't mention it; **~d erhalten/ablehnen** to receive/decline with thanks.

dankenswert *adj* (*Arbeit*) worthwhile; rewarding; (*Bemühung*) kind.

Dank- *zW*: **~gottesdienst** *m* service of thanksgiving; **d~sagen** *vi* to express one's thanks; **~schreiben** *nt* letter of thanks.

dann [dan] *adv* then; **~ und wann** now and then; **~ eben nicht** well, in that case (there's no more to be said); **erst ~, wenn ...** only when ...; **~ erst recht nicht!** in that case no way (*umg*).

dannen ['danən] *adv*: **von ~** (*liter: weg*) away.

daran [da'ran] *adv* on it; (*stoßen*) against it; **es**

liegt ~, **daß** ... the cause of it is that ...; **gut/schlecht** ~ **sein** to be well/badly off; **das Beste/Dümmste** ~ the best/stupidest thing about it; **ich war nahe** ~, **zu** ... I was on the point of ...; **im Anschluß** ~ (*zeitlich: danach anschließend*) following that *od* this; **wir können nichts** ~ **machen** we can't do anything about it; **es ist nichts** ~ (*ist nicht fundiert*) there's nothing in it; (*ist nichts Besonderes*) it's nothing special; **er ist** ~ **gestorben** he died from *od* of it; ~**gehen** *unreg vi* to start; ~**machen** (*umg*) *vr:* **sich** ~**machen, etw zu tun** to set about doing sth; ~**setzen** *vt* to stake; **er hat alles** ~**gesetzt, von Glasgow wegzukommen** he has done his utmost to get away from Glasgow.

darauf [da'raʊf] *adv* (*räumlich*) on it; (*zielgerichtet*) towards it; (*danach*) afterwards; **es kommt ganz** ~ **an, ob** ... it depends whether ...; **seine Behauptungen stützen sich** ~, **daß** ... his claims are based on the supposition that ...; **wie kommst du** ~? what makes you think that?; **die Tage** ~ the days following *od* thereafter; **am Tag** ~ the next day; ~**folgend** *adj* (*Tag, Jahr*) next, following; ~**hin** *adv* (*im Hinblick* ~) in this respect; (*aus diesem Grund*) as a result; **wir müssen es** ~**hin prüfen, ob** ... we must test it to see whether ...; ~**legen** *vt* to lay *od* put on top.

daraus [da'raʊs] *adv* from it; **was ist** ~ **geworden?** what became of it?; ~ **geht hervor, daß** ... this means that ...

darbieten ['da:rbi:tən] *vt* (*vortragen: Lehrstoff*) to present ♦ *vr* to present itself.

Darbietung *f* performance.

Dardanellen [darda'nɛlən] *pl* Dardanelles *pl*.

darein- *präf* = **drein-**.

Daressalam [darɛsa'la:m] *nt* Dar-es-Salaam.

darf [darf] *vb siehe* **dürfen.**

darin [da'rɪn] *adv* in (there), in it; **der Unterschied liegt** ~, **daß** ... the difference is that ...

darlegen ['da:rle:gən] *vt* to explain, expound, set forth.

Darlegung *f* explanation.

Darleh(e)n (-**s**, -) *nt* loan.

Darm [darm] (-**(e)s,** ⸚**e**) *m* intestine; (*Wurst*~) skin; ~**ausgang** *m* anus; ~**grippe** *f* gastric influenza; ~**saite** *f* gut string; ~**trägheit** *f* under-activity of the intestines.

darstellen ['da:rʃtɛlən] *vt* (*abbilden, bedeuten*) to represent; (*THEAT*) to act; (*beschreiben*) to describe ♦ *vr* to appear to be.

Darsteller(in) (-**s**, -) *m(f)* actor, actress.

darstellerisch *adj:* **eine** ~**e Höchstleistung** a magnificent piece of acting.

Darstellung *f* portrayal, depiction.

darüber [da'ry:bər] *adv* (*räumlich*) over/above it; (*fahren*) over it; (*mehr*) more; (*währenddessen*) meanwhile; (*sprechen, streiten*) about it; ~ **hinweg sein** (*fig*) to have got over it; ~ **hinaus** over and above that; ~ **geht nichts** there's nothing like it; **seine Gedanken** ~ his thoughts about *od* on it; ~**liegen** *unreg vi* (*fig*) to be higher.

darum [da'rʊm] *adv* (*räumlich*) round it ♦ *konj* that's why; ~ **herum** round about (it); **er bittet** ~ he is pleading for it; **es geht** ~, **daß** ... the thing is that ...; ~ **geht es mir/geht es mir nicht** that's my point/that's not the point for me; **er würde viel** ~ **geben, wenn** ... he would give a lot to ...; *siehe auch* **drum.**

darunter [da'rʊntər] *adv* (*räumlich*) under it; (*dazwischen*) among them; (*weniger*) less; **ein Stockwerk** ~ one floor below (it); **was verstehen Sie** ~? what do you understand by that?; ~ **kann ich mir nichts vorstellen** that doesn't mean anything to me; ~**fallen** *unreg vi* to be included; ~**mischen** *vt* (*Mehl*) to mix in ♦ *vr* to mingle; ~**setzen** *vt* (*Unterschrift*) to put to it.

das [das] *pron* that ♦ *def art* the; *siehe auch* **der;** ~ **heißt** that is; ~ **und** ~ such and such.

Dasein ['da:zaɪn] (-**s**) *nt* (*Leben*) life; (*Anwesenheit*) presence; (*Bestehen*) existence.

dasein *unreg vi* to be there; **ein Arzt, der immer für seine Patienten da ist** a doctor who always has time for his patients.

Daseinsberechtigung *f* right to exist.

Daseinskampf *m* struggle for survival.

daß [das] *konj* that.

dasselbe [das'zɛlbə] *nt pron* the same.

dastehen ['da:ʃte:ən] *unreg vi* to stand there; (*fig*): **gut/schlecht** ~ to be in a good/bad position; **allein** ~ to be on one's own.

Dat. *abk* = **Dativ.**

Datei [da'taɪ] *f* (*COMPUT*) file; ~**name** *m* file name; ~**verwaltung** *f* file management.

Daten ['da:tən] *pl* (*COMPUT*) data; (*Angaben*) data *pl*, particulars; *siehe auch* **Datum;** ~**autobahn** *f* information (super)highway; ~**bank** *f* data base; ~**erfassung** *f* data capture; ~**satz** *m* record; ~**schutz** *m* data protection; ~**sichtgerät** *nt* visual display unit, VDU; ~**träger** *m* data carrier; ~**typist(in)** *m(f)* keyboard operator, keyboarder; ~**übertragung** *f* data transmission; ~**verarbeitung** *f* data processing; ~**verarbeitungsanlage** *f* data processing equipment, DP equipment.

datieren [da'ti:rən] *vt* to date.

Dativ ['da:ti:f] (-**s**, -**e**) *m* dative; ~**objekt** *nt* (*GRAM*) indirect object.

dato ['da:to] *adv:* **bis** ~ (*COMM: umg*) to date.

Dattel ['datəl] (-, -**n**) *f* date.

Datum ['da:tʊm] (-**s, Daten**) *nt* date; **das heutige** ~ today's date.

Datumsgrenze *f* (*GEOG*) (international) date line.

Dauer ['daʊər] (-, -**n**) *f* duration; (*gewisse Zeitspanne*) length; (*Bestand, Fortbestehen*) permanence; **es war nur von kurzer** ~ it

didn't last long; **auf die** ~ in the long run; (*auf längere Zeit*) indefinitely; ~**auftrag** *m* standing order; **d~haft** *adj* lasting, durable; ~**haftigkeit** *f* durability; ~**karte** *f* season ticket; ~**lauf** *m* long-distance run.
dauern *vi* to last; **es hat sehr lang gedauert, bis er** ... it took him a long time to ...
dauernd *adj* constant.
Dauer- *zW:* ~**obst** *nt* fruit suitable for storing; ~**redner** (*pej*) *m* long-winded speaker; ~**regen** *m* continuous rain; ~**schlaf** *m* prolonged sleep; ~**stellung** *f* permanent position; ~**welle** *f* perm, permanent wave; ~**wurst** *f* German salami; ~**zustand** *m* permanent condition.
Daumen ['daumən] (**-s, -**) *m* thumb; **jdm die** ~ **drücken** *od* **halten** to keep one's fingers crossed for sb; **über den** ~ **peilen** to guess roughly; ~**lutscher** *m* thumb-sucker.
Daune ['daunə] (**-, -n**) *f* down.
Daunendecke *f* down duvet.
davon [da'fɔn] *adv* of it; (*räumlich*) away; (*weg von*) away from it; (*Grund*) because of it; (*mit Passiv*) by it; **das kommt** ~! that's what you get; ~ **abgesehen** apart from that; **wenn wir einmal** ~ **absehen, daß** ... if for once we overlook the fact that ...; ~ **sprechen/wissen** to talk/know of *od* about it; **was habe ich** ~**?** what's the point?; ~ **betroffen werden** to be affected by it; ~**gehen** *unreg vi* to leave, go away; ~**kommen** *unreg vi* to escape; ~**lassen** *unreg vt:* **die Finger** ~**lassen** (*umg*) to keep one's hands *od* fingers off (it); ~**laufen** *unreg vi* to run away; ~**machen** *vr* to make off; ~**tragen** *unreg vt* to carry off; (*Verletzung*) to receive.
davor [da'fo:r] *adv* (*räumlich*) in front of it; (*zeitlich*) before (that); ~ **warnen** to warn about it.
dazu [da'tsu:] *adv* (*legen, stellen*) by it; (*essen*) with it; **und** ~ **noch** and in addition; **ein Beispiel/seine Gedanken** ~ one example for/his thoughts on this; **wie komme ich denn** ~**?** why should I?; ... **aber ich bin nicht** ~ **gekommen** ... but I didn't get around to it; **das Recht** ~ the right to do it; ~ **bereit sein, etw zu tun** to be prepared to do sth; ~ **fähig sein** to be capable of it; **sich** ~ **äußern** to say something on it; ~**gehören** *vi* to belong to it; **das gehört** ~ (*versteht sich von selbst*) it's all part of it; **es gehört schon einiges** ~**, das zu tun** it takes a lot to do that; ~**gehörig** *adj* appropriate; ~**kommen** *unreg vi* (*Ereignisse*) to happen too; (*an einen Ort*) to come along; **kommt noch etwas** ~**?** will there be anything else?; ~**lernen** *vt:* **schon wieder was** ~**gelernt!** you learn something (new) every day!; ~**mal** ['da:tsuma:l] *adv* in those days; ~**tun** *unreg vt* to add; **er hat es ohne dein D~tun geschafft** he managed it without your doing *etc* anything.
dazwischen [da'tsvɪʃən] *adv* in between; (*zusammen mit*) among them; **der Unterschied** ~ the difference between them; ~**fahren** *unreg vi* (*eingreifen*) to intervene; ~**funken** (*umg*) *vi* (*eingreifen*) to put one's oar in; ~**kommen** *unreg vi* (*hineingeraten*) to get caught in it; **es ist etwas** ~**gekommen** something (has) cropped up; ~**reden** *vi* (*unterbrechen*) to interrupt; (*sich einmischen*) to interfere; ~**treten** *unreg vi* to intervene.
DB *f abk* (= *Deutsche Bahn*) *German railways.*
DBP *f abk* = **Deutsche Bundespost.**
DDR (-) *f abk* (*früher:* = *Deutsche Demokratische Republik*) GDR.

> *The* **DDR** *(Deutsche Demokratische Republik) was the name by which the former Communist German Democratic Republic was known. It was founded in 1949 from the Soviet-occupied zone. After the building of the Berlin Wall in 1961 it was virtually sealed off from the West until mass demonstrations and demands for reform forced the opening of the borders in 1989. It then merged in 1990 with the* **BRD**.

DDT ® *nt abk* DDT.
Dealer(in) ['di:lər(ɪn)] (**-s, -**) (*umg*) *m(f)* pusher.
Debatte [de'batə] (**-, -n**) *f* debate; **das steht hier nicht zur** ~ that's not the issue.
debattieren [deba'ti:rən] *vt* to debate.
Debet ['de:bɛt] (**-s, -s**) *nt* (*FIN*) debits *pl.*
Debüt [de'by:] (**-s, -s**) *nt* debut.
dechiffrieren [deʃɪ'fri:rən] *vt* to decode; (*Text*) to decipher.
Deck [dɛk] (**-(e)s, -s** *od* **-e**) *nt* deck; **an** ~ **gehen** to go on deck.
Deckbett *nt* feather quilt.
Deckblatt *nt* (*Schutzblatt*) cover.
Decke (**-, -n**) *f* cover; (*Bett~*) blanket; (*Tisch~*) tablecloth; (*Zimmer~*) ceiling; **unter einer** ~ **stecken** to be hand in glove; **an die** ~ **gehen** to hit the roof; **mir fällt die** ~ **auf den Kopf** (*fig*) I feel really claustrophobic.
Deckel (**-s, -**) *m* lid; **du kriegst gleich eins auf den** ~ (*umg*) you're going to catch it.
decken *vt* to cover ♦ *vr* to coincide ♦ *vi* to lay the table; **mein Bedarf ist gedeckt** I have all I need; (*fig*) I've had enough; **sich an einen gedeckten Tisch setzen** (*fig*) to be handed everything on a plate.
Deckmantel *m:* **unter dem** ~ **von** under the guise of.
Deckname *m* assumed name.
Deckung *f* (*das Schützen*) covering; (*Schutz*) cover; (*SPORT*) defence (*BRIT*), defense (*US*); (*Übereinstimmen*) agreement; **zur** ~ **seiner Schulden** to meet his debts.
deckungsgleich *adj* congruent.
Decoder *m* (*TV*) decoder.
de facto [de: 'fakto] *adv* de facto.
Defekt [de'fɛkt] (**-(e)s, -e**) *m* fault, defect; **d~** *adj* faulty.

defensiv [defɛn'si:f] *adj* defensive.
Defensive *f*: **jdn in die ~ drängen** to force sb onto the defensive.
definieren [defi'ni:rən] *vt* to define.
Definition [definitsi'o:n] *f* definition.
definitiv [defini'ti:f] *adj* definite.
Defizit ['de:fitsɪt] (**-s, -e**) *nt* deficit.
defizitär [defitsi'tɛ:r] *adj*: **eine ~e Haushaltspolitik führen** to follow an economic policy which can only lead to deficit.
Deflation [deflatsi'o:n] *f* (*ECON*) deflation.
deflationär [deflatsio'nɛ:r] *adj* deflationary.
deftig ['dɛftɪç] *adj* (*Essen*) large; (*Witz*) coarse.
Degen ['de:gən] (**-s, -**) *m* sword.
degenerieren [degene'ri:rən] *vi* to degenerate.
degradieren [degra'di:rən] *vt* to degrade.
dehnbar ['de:nba:r] *adj* elastic; (*fig: Begriff*) loose; **D~keit** *f* elasticity; looseness.
dehnen *vt, vr* to stretch.
Dehnung *f* stretching.
Deich [daɪç] (**-(e)s, -e**) *m* dyke (*BRIT*), dike (*US*).
Deichsel ['daɪksəl] (**-, -n**) *f* shaft.
deichseln *vt* (*fig: umg*) to wangle.
dein [daɪn] *pron* (*in Briefen: D~*) your; (*adjektivisch*): **herzliche Grüße, D~e Elke** with best wishes, yours *od* (*herzlicher*) love, Elke.
deine(r, s) *poss pron* yours.
deiner *gen von* **du** ♦ *pron* of you.
deinerseits *adv* on your part.
deinesgleichen *pron* people like you.
deinetwegen ['daɪnət've:gən] *adv* (*für dich*) for your sake; (*wegen dir*) on your account.
deinetwillen ['daɪnət'vɪlən] *adv*: **um ~ = deinetwegen.**
deinige *pron*: **der/die/das ~** yours.
dekadent [deka'dɛnt] *adj* decadent.
Dekadenz *f* decadence.
Dekan [de'ka:n] (**-s, -e**) *m* dean.
deklassieren [dekla'si:rən] *vt* (*SOZIOLOGIE: herabsetzen*) to downgrade; (*SPORT: übertreffen*) to outclass.
Deklination [deklinatsi'o:n] *f* declension.
deklinieren [dekli'ni:rən] *vt* to decline.
Dekolleté [dekɔl'te:] (**-s, -s**) *nt* low neckline.
Dekor [de'ko:r] (**-s, -s** *od* **-e**) *m od nt* decoration.
Dekorateur(in) [dekora'tø:r(ɪn)] *m(f)* window dresser.
Dekoration [dekoratsi'o:n] *f* decoration; (*in Laden*) window dressing.
dekorativ [dekora'ti:f] *adj* decorative.
dekorieren [deko'ri:rən] *vt* to decorate; (*Schaufenster*) to dress.
Dekostoff ['de:koʃtɔf] *m* (*TEXTIL*) furnishing fabric.
Dekret [de'kre:t] (**-(e)s, -e**) *nt* decree.
Delegation [delegatsi'o:n] *f* delegation.
delegieren [dele'gi:rən] *vt*: **~ (an** *+akk***)** to delegate (to).
Delegierte(r) *f(m)* delegate.
Delhi ['de:lɪ] (**-s**) *nt* Delhi.
delikat [deli'ka:t] *adj* (*zart, heikel*) delicate; (*köstlich*) delicious.
Delikatesse [delika'tɛsə] (**-, -n**) *f* delicacy.
Delikatessengeschäft *nt* delicatessen (shop).
Delikt [de'lɪkt] (**-(e)s, -e**) *nt* (*JUR*) offence (*BRIT*), offense (*US*).
Delinquent [delɪŋ'kvɛnt] *m* (*geh*) offender.
Delirium [de'li:riʊm] *nt*: **im ~ sein** to be delirious; (*umg: betrunken*) to be paralytic.
Delle ['dɛlə] (**-, -n**) (*umg*) *f* dent.
Delphin [dɛl'fi:n] (**-s, -e**) *m* dolphin.
Delphinschwimmen *nt* butterfly (stroke).
Delta ['dɛlta] (**-s, -s**) *nt* delta.
dem [de(:)m] *art dat von* **der, das; wie ~ auch sei** be that as it may.
Demagoge [dema'go:gə] (**-n, -n**) *m* demagogue.
Demarkationslinie [demarkatsi'o:nzli:niə] *f* demarcation line.
Dementi [de'mɛnti] (**-s, -s**) *nt* denial.
dementieren [demɛn'ti:rən] *vt* to deny.
dem- *zW*: **~entsprechend** *adj* appropriate ♦ *adv* correspondingly; (*demnach*) accordingly; **~gemäß** *adv* accordingly; **~nach** *adv* accordingly; **~nächst** *adv* shortly.
Demo ['de:mo] (**-s, -s**) (*umg*) *f* demo.
Demographie [demogra'fi:] *f* demography.
Demokrat(in) [demo'kra:t(ɪn)] (**-en, -en**) *m(f)* democrat.
Demokratie [demokra'ti:] *f* democracy; **~verständnis** *nt* understanding of (the meaning of) democracy.
demokratisch *adj* democratic.
demokratisieren [demokrati'zi:rən] *vt* to democratize.
demolieren [demo'li:rən] *vt* to demolish.
Demonstrant(in) [demɔn'strant(ɪn)] *m(f)* demonstrator.
Demonstration [demɔnstratsi'o:n] *f* demonstration.
demonstrativ [demɔnstra'ti:f] *adj* demonstrative; (*Protest*) pointed.
demonstrieren [demɔn'stri:rən] *vt, vi* to demonstrate.
Demontage [demɔn'ta:ʒə] (**-, -n**) *f* (*lit, fig*) dismantling.
demontieren [demɔn'ti:rən] *vt* (*lit, fig*) to dismantle; (*Räder*) to take off.
demoralisieren [demorali'zi:rən] *vt* to demoralize.
Demoskopie [demosko'pi:] *f* public opinion research.
demselben *dat von* **derselbe, dasselbe.**
Demut ['de:mu:t] (**-**) *f* humility.
demütig ['de:my:tɪç] *adj* humble.
demütigen ['de:my:tɪgən] *vt* to humiliate.
Demütigung *f* humiliation.
demzufolge ['de:mtsu'fɔlgə] *adv* accordingly.
den [de(:)n] *art akk von* **der.**
denen ['de:nən] *pron dat pl von* **der, die, das.**

Denk- *zW:* **~anstoß** *m:* **jdm ~anstöße geben** to give sb food for thought; **~art** *f* mentality; **d~bar** *adj* conceivable.

denken ['dɛŋkən] *unreg vi* to think ♦ *vt:* **für jdn/etw gedacht sein** to be intended *od* meant for sb/sth ♦ *vr* (*vorstellen*): **das kann ich mir ~** I can imagine; (*beabsichtigen*): **sich** *dat* **etw bei etw ~** to mean sth by sth; **wo ~ Sie hin!** what an idea!; **ich denke schon** I think so; **an jdn/etw ~** to think of sb/sth; **daran ist gar nicht zu ~** that's (quite) out of the question; **ich denke nicht daran, das zu tun** there's no way I'm going to do that (*umg*).

Denken (**-s**) *nt* thinking.

Denker(in) (**-s, -**) *m(f)* thinker; **das Volk der Dichter und ~** the nation of poets and philosophers.

Denk- *zW:* **~fähigkeit** *f* intelligence; **d~faul** *adj* mentally lazy; **~fehler** *m* logical error; **~horizont** *m* mental horizon.

Denkmal (**-s, ⸚er**) *nt* monument; **~schutz** *m:* **etw unter ~schutz stellen** to classify sth as a historical monument.

Denk- *zW:* **~pause** *f:* **eine ~pause einlegen** to have a break to think things over; **~schrift** *f* memorandum; **~vermögen** *nt* intellectual capacity; **d~würdig** *adj* memorable; **~zettel** *m:* **jdm einen ~zettel verpassen** to teach sb a lesson.

denn [dɛn] *konj* for; (*konzessiv*): **es sei ~, (daß)** unless ♦ *adv* then; (*nach Komparativ*) than.

dennoch ['dɛnnɔx] *konj* nevertheless ♦ *adv:* **und ~, ...** and yet ...

denselben *akk von* **derselbe** ♦ *dat von* **dieselben.**

Denunziant(in) [denʊntsi'ant(ɪn)] *m(f)* informer.

denunzieren [denʊn'tsiːrən] *vt* to inform against.

Deospray ['deːoʃpreɪ] *nt od m* deodorant spray.

Depesche [de'pɛʃə] (**-, -n**) *f* dispatch.

deplaziert [depla'tsiːrt] *adj* out of place.

Deponent(in) [depo'nɛnt(ɪn)] *m(f)* depositor.

Deponie *f* dump, disposal site.

deponieren [depo'niːrən] *vt* (*COMM*) to deposit.

deportieren [depɔr'tiːrən] *vt* to deport.

Depot [de'poː] (**-s, -s**) *nt* warehouse; (*Bus~, EISENB*) depot; (*Bank~*) strongroom (*BRIT*), safe (*US*).

Depp [dɛp] (**-en, -en**) *m* (*Dialekt: pej*) twit.

Depression [deprɛsi'oːn] *f* depression.

depressiv *adj* depressive; (*FIN*) depressed.

deprimieren [depri'miːrən] *vt* to depress.

SCHLÜSSELWORT

der [de(ː)r] (*f* **die,** *nt* **das**) (*gen* **des, der, des,** *dat* **dem, der, dem**) (*akk* **den**) *def art* the; **~ Rhein** the Rhine; **~ Klaus** (*umg*) Klaus; **die Frau** (*im allgemeinen*) women; **~ Tod/das Leben** death/life; **~ Fuß des Berges** the foot of the hill; **gib es ~ Frau** give it to the woman; **er hat sich** *dat* **die Hand verletzt** he has hurt his hand

♦ *rel pron* (*bei Menschen*) who, that; (*bei Tieren, Sachen*) which, that; **~ Mann, den ich gesehen habe** the man who *od* whom *od* that I saw

♦ *demon pron* he/she/it; (*jener, dieser*) that; (*pl*) those; **~/die war es** it was him/her; **~ mit ~ Brille** the one with the glasses; **ich will den (da)** I want that one.

derart ['deːr'aːrt] *adv* (*Art und Weise*) in such a way; (*Ausmaß: vor adj*) so; (*: vor vb*) so much.

derartig *adj* such, this sort of.

derb [dɛrp] *adj* sturdy; (*Kost*) solid; (*grob*) coarse; **D~heit** *f* sturdiness; solidity; coarseness.

deren ['deːrən] *rel pron* (*gen sing von die*) whose; (*von Sachen*) of which; (*gen pl von der, die, das*) their; whose; of whom.

derentwillen ['deːrənt'vɪlən] *adv:* **um ~** (*rel*) for whose sake; (*von Sachen*) for the sake of which.

dergestalt *adv* (*geh*): **~, daß** ... in such a way that ...

der- *zW:* **~gleichen** *pron* such; (*substantivisch*): **er tat nichts ~gleichen** he did nothing of the kind; **und ~gleichen (mehr)** and suchlike; **~jenige** *pron* he; she; it; (*rel*) the one (who); that (which); **~maßen** *adv* to such an extent, so; **~selbe** *m pron* the same; **~weil(en)** *adv* in the meantime; **~zeit** *adv* (*jetzt*) at present, at the moment; **~zeitig** *adj* present, current; (*damalig*) then.

des [dɛs] *art gen von* **der.**

Des [dɛs] (-) *nt* (*MUS: auch:* **d~**) D flat.

Deserteur [dezɛr'tøːr] *m* deserter.

desertieren [dezɛr'tiːrən] *vi* to desert.

desgl. *abk* = **desgleichen.**

desgleichen ['dɛs'glaɪçən] *pron* the same.

deshalb ['dɛs'halp] *adv, konj* therefore, that's why.

Design [di'zaɪn] (**-s, -s**) *nt* design.

designiert [dezi'gniːrt] *adj attrib:* **der ~e Vorsitzende/Nachfolger** the chairman designate/prospective successor.

Desinfektion [dezɪnfɛktsi'oːn] *f* disinfection.

Desinfektionsmittel *nt* disinfectant.

desinfizieren [dezɪnfi'tsiːrən] *vt* to disinfect.

Desinteresse [dɛs|ɪntə'rɛsə] (**-s**) *nt:* **~ (an** *+dat***)** lack of interest (in).

desinteressiert [dɛs|ɪntərɛ'siːrt] *adj* uninterested.

desselben *gen von* **derselbe, dasselbe.**

dessen ['dɛsən] *pron gen von* **der, das; ~ungeachtet** *adv* nevertheless, regardless.

Dessert [dɛ'sɛːr] (**-s, -s**) *nt* dessert.

Dessin [dɛ'sɛ̃ː] (**-s, -s**) *nt* (*TEXTIL*) pattern, design.

Destillation [dɛstɪlatsi'oːn] *f* distillation.

destillieren [dɛstɪ'liːrən] *vt* to distil.

desto ['dɛsto] *adv* all *od* so much the; **~ besser** all the better.

destruktiv [destrʊk'ti:f] *adj* destructive.
deswegen ['dɛs've:gən] *konj* therefore, hence.
Detail [de'taɪ] (**-s, -s**) *nt* detail.
detaillieren [deta'ji:rən] *vt* to specify, give details of.
Detektiv [detɛk'ti:f] (**-s, -e**) *m* detective; **~roman** *m* detective novel.
Detektor [de'tɛktɔr] *m* (*TECH*) detector.
Detonation [detonatsi'o:n] *f* explosion, blast.
Deut *m*: **(um) keinen** ~ not one iota *od* jot.
deuten ['dɔʏtən] *vt* to interpret; (*Zukunft*) to read ♦ *vi*: ~ **(auf** *+akk*) to point (to *od* at).
deutlich *adj* clear; (*Unterschied*) distinct; **jdm etw ~ zu verstehen geben** to make sth perfectly clear *od* plain to sb; **D~keit** *f* clarity; distinctness.
deutsch [dɔʏtʃ] *adj* German; **~e Schrift** Gothic script; **auf ~** in German; **auf gut ~ (gesagt)** (*fig: umg*) ≈ in plain English; **D~e Demokratische Republik** (*HIST*) German Democratic Republic.
Deutsche(r) *f(m)*: **er ist ~r** he is (a) German.
Deutschland *nt* Germany; **~lied** *nt German national anthem*; **~politik** *f* home *od* domestic policy; (*von fremdem Staat*) policy towards Germany.
deutschsprachig *adj* (*Bevölkerung, Gebiete*) German-speaking; (*Zeitung, Ausgabe*) German-language; (*Literatur*) German.
deutschstämmig *adj* of German origin.
Deutung *f* interpretation.
Devise [de'vi:zə] (**-, -n**) *f* motto, device; **Devisen** *pl* (*FIN*) foreign currency *od* exchange.
Devisenausgleich *m* foreign exchange offset.
Devisenkontrolle *f* exchange control.
Dez. *abk* (= *Dezember*) Dec.
Dezember [de'tsɛmbər] (**-(s), -**) *m* December; *siehe auch* **September.**
dezent [de'tsɛnt] *adj* discreet.
Dezentralisation [detsɛntralizatsi'o:n] *f* decentralization.
Dezernat [detsɛr'na:t] (**-(e)s, -e**) *nt* (*VERWALTUNG*) department.
Dezibel [detsi'bɛl] (**-s, -**) *nt* decibel.
dezidiert [detsi'di:rt] *adj* firm, determined.
dezimal [detsi'ma:l] *adj* decimal; **D~bruch** *m* decimal (fraction); **D~system** *nt* decimal system.
dezimieren [detsi'mi:rən] *vt* (*fig*) to decimate ♦ *vr* to be decimated.
DFB *m abk* (= *Deutscher Fußball-Bund*) *German Football Association.*
DFG *f abk* (= *Deutsche Forschungsgemeinschaft*) *German Research Council.*
DGB *m abk* (= *Deutscher Gewerkschaftsbund*) ≈ TUC.
dgl. *abk* = **dergleichen.**
d.h. *abk* (= *das heißt*) i.e.
Dia ['di:a] (**-s, -s**) *nt* = **Diapositiv.**
Diabetes [dia'be:tɛs] (**-, -**) *m* (*MED*) diabetes.
Diabetiker(in) [dia'be:tikər(ɪn)] (**-s, -**) *m(f)* diabetic.
Diagnose [dia'gno:zə] (**-, -n**) *f* diagnosis.
diagnostizieren [diagnɔsti'tsi:rən] *vt, vi* (*MED, fig*) to diagnose.
diagonal [diago'na:l] *adj* diagonal.
Diagonale (**-, -n**) *f* diagonal.
Diagramm [dia'gram] *nt* diagram.
Diakonie [diako'ni:] *f* (*REL*) social welfare work.
Dialekt [dia'lɛkt] (**-(e)s, -e**) *m* dialect; **~ausdruck** *m* dialect expression *od* word; **d~frei** *adj* without an accent.
dialektisch *adj* dialectal; (*Logik*) dialectical.
Dialog [dia'lo:k] (**-(e)s, -e**) *m* dialogue.
Diamant [dia'mant] *m* diamond.
Diapositiv [diapozi'ti:f] (**-s, -e**) *nt* (*PHOT*) slide, transparency.
Diaprojektor *m* slide projector.
Diät [di'ɛ:t] (**-**) *f* diet; **Diäten** *pl* (*POL*) allowance *sing*; **d~** *adv* (*kochen, essen*) according to a diet; (*leben*) on a special diet.
dich [dɪç] *akk von* **du** ♦ *pron* you ♦ *refl pron* yourself.
dicht [dɪçt] *adj* dense; (*Nebel*) thick; (*Gewebe*) close; (*undurchlässig*) (water)tight; (*fig*) concise; (*umg: zu*) shut, closed ♦ *adv*: **~ an/bei** close to; **er ist nicht ganz ~** (*umg*) he's crackers; **~ machen** to make watertight/airtight; (*Person*) to close one's mind; **~ hintereinander** right behind one another; **~bevölkert** *adj* densely *od* heavily populated.
Dichte (**-, -n**) *f* density; thickness; closeness; (water)tightness; (*fig*) conciseness.
dichten *vt* (*dicht machen*) to make watertight; to seal; (*NAUT*) to caulk; (*LITER*) to compose, write ♦ *vi* (*LITER*) to compose, write.
Dichter(in) (**-s, -**) *m(f)* poet; (*Autor*) writer; **d~isch** *adj* poetical; **d~ische Freiheit** poetic licence (*BRIT*) *od* license (*US*).
dichthalten *unreg* (*umg*) *vi* to keep one's mouth shut.
dichtmachen (*umg*) *vt* (*Geschäft*) to wind up.
Dichtung *f* (*TECH*) washer; (*AUT*) gasket; (*Gedichte*) poetry; (*Prosa*) (piece of) writing; **~ und Wahrheit** (*fig*) fact and fantasy.
dick [dɪk] *adj* thick; (*fett*) fat; **durch ~ und dünn** through thick and thin; **D~darm** *m* (*ANAT*) colon.
Dicke (**-, -n**) *f* thickness; fatness.
dickfellig *adj* thick-skinned.
dickflüssig *adj* viscous.
Dickicht (**-s, -e**) *nt* thicket.
dick- *zW*: **D~kopf** *m* mule; **D~milch** *f* soured milk; **D~schädel** *m* = **Dickkopf.**
die [di:] *def art* the; *siehe auch* **der.**
Dieb(in) [di:p, 'di:bɪn] (**-(e)s, -e**) *m(f)* thief; **haltet den ~!** stop thief!; **d~isch** *adj* thieving; (*umg*) immense; **~stahl** *m* theft; **d~stahlsicher** *adj* theft-proof.
diejenige ['di:je:nɪgə] *pron siehe* **derjenige.**

Diele ['di:lə] (-, -n) *f* (*Brett*) board; (*Flur*) hall, lobby; (*Eis~*) ice-cream parlour (*BRIT*) *od* parlor (*US*).
dienen ['di:nən] *vi:* **(jdm)** ~ to serve (sb); **womit kann ich Ihnen** ~? what can I do for you?; (*in Geschäft*) can I help you?
Diener (-s, -) *m* servant; (*umg: Verbeugung*) bow; **~in** *f* (maid)servant.
dienern *vi* (*fig*): ~ **(vor** *+dat*) to bow and scrape (to).
Dienerschaft *f* servants *pl*.
dienlich *adj* useful, helpful.
Dienst [di:nst] (-(e)s, -e) *m* service; (*Arbeit, Arbeitszeit*) work; ~ **am Kunden** customer service; **jdm zu ~en stehen** to be at sb's disposal; **außer** ~ retired; ~ **haben** to be on duty; **der öffentliche** ~ the civil service.
Dienstag *m* Tuesday; **am** ~ on Tuesday; ~ **in acht Tagen** *od* **in einer Woche** a week on Tuesday, Tuesday week; ~ **vor einer Woche** *od* **acht Tagen** a week (ago) last Tuesday.
dienstags *adv* on Tuesdays.
Dienst- *zW:* **~alter** *nt* length of service; **d~beflissen** *adj* zealous; **~bote** *m* servant; **~boteneingang** *m* tradesmen's *od* service entrance; **d~eifrig** *adj* zealous; **d~frei** *adj* off duty; **~gebrauch** *m* (*MIL, VERWALTUNG*): **nur für den ~gebrauch** for official use only; **~geheimnis** *nt* professional secret; **~gespräch** *nt* business call; **~grad** *m* rank; **d~habend** *adj* (*Arzt, Offizier*) on duty; **~leistung** *f* service; **~leistungsbetrieb** *m* service industry business; **~leistungsgewerbe** *nt* service industries *pl*; **d~lich** *adj* official; (*Angelegenheiten*) business *attrib*; **~mädchen** *nt* domestic servant; **~plan** *m* duty rota; **~reise** *f* business trip; **~stelle** *f* office; **d~tuend** *adj* on duty; **~vorschrift** *f* service regulations *pl*; **~wagen** *m* (*von Beamten*) official car; **~weg** *m* official channels *pl*; **~zeit** *f* office hours *pl*; (*MIL*) period of service.
diesbezüglich *adj* (*Frage*) on this matter.
diese(r, s) *pron* this (one) ♦ *adj* this; ~ **Nacht** tonight.
Diesel ['di:zəl] (-s) *m* (*Kraftstoff*) diesel fuel; **~öl** ['di:zəlø:l] *nt* diesel oil.
dieselbe [di:'zɛlbə] *f pron* the same.
dieselben [di:'zɛlbən] *pl pron* the same.
diesig *adj* drizzly.
dies- *zW:* **~jährig** *adj* this year's; **~mal** *adv* this time; **D~seits** (-) *nt* this life; **~seits** *präp +gen* on this side.
Dietrich ['di:trɪç] (-s, -e) *m* picklock.
Diffamierungskampagne [dɪfa'mi:rʊŋskampanjə] *f* smear campaign.
differential [dɪferɛntsi'a:l] *adj* differential; **D~getriebe** *nt* differential gear; **D~rechnung** *f* differential calculus.
Differenzbetrag *m* difference, balance.
differenzieren [dɪferɛn'tsi:rən] *vt* to make distinctions in ♦ *vi:* ~ **(bei)** to make distinctions (in).
differenziert *adj* complex.
diffus [dɪ'fu:s] *adj* (*Gedanken etc*) confused.
Digital- [digi'ta:l-] *zW:* **~anzeige** *f* digital display; **~rechner** *m* digital computer; **~uhr** *f* digital watch.
Diktaphon [dɪkta'fo:n] *nt* dictaphone ®.
Diktat [dɪk'ta:t] (-(e)s, -e) *nt* dictation; (*fig: Gebot*) dictate; (*POL*) diktat, dictate.
Diktator [dɪk'ta:tɔr] *m* dictator; **d~isch** [-a'to:rɪʃ] *adj* dictatorial.
Diktatur [dɪkta'tu:r] *f* dictatorship.
diktieren [dɪk'ti:rən] *vt* to dictate.
Diktion [dɪktsi'o:n] *f* style.
Dilemma [di'lɛma] (-s, -s *od* -ta) *nt* dilemma.
Dilettant [dilɛ'tant] *m* dilettante, amateur; **d~isch** *adj* dilettante.
Dimension [dimɛnzi'o:n] *f* dimension.
DIN *f abk* (= *Deutsche Industrie-Norm*) *German Industrial Standard*; ~ **A4** A4.
Ding [dɪŋ] (-(e)s, -e) *nt* thing; object; **das ist ein** ~ **der Unmöglichkeit** that is totally impossible; **guter ~e sein** to be in good spirits; **so wie die ~e liegen, nach Lage der ~e** as things are; **es müßte nicht mit rechten ~en zugehen, wenn** ... it would be more than a little strange if ...; **ein krummes** ~ **drehen** to commit a crime; to do something wrong; **d~fest** *adj:* **jdn d~fest machen** to arrest sb; **d~lich** *adj* real, concrete.
Dings (-) (*umg*) *nt* thingummyjig (*BRIT*).
Dingsbums ['dɪŋsbʊms] (-) (*umg*) *nt* thingummybob (*BRIT*).
Dingsda (-) (*umg*) *nt* thingummyjig (*BRIT*).
Dinosaurier [dino'zaʊriər] *m* dinosaur.
Diözese [diø'tse:zə] (-, -n) *f* diocese.
Diphtherie [dɪfte'ri:] *f* diphtheria.
Dipl.-Ing. *abk* = **Diplomingenieur**.
Diplom [di'plo:m] (-(e)s, -e) *nt* diploma; (*Hochschulabschluß*) degree; **~arbeit** *f* dissertation.
Diplomat [diplo'ma:t] (-en, -en) *m* diplomat.
Diplomatie [diploma'ti:] *f* diplomacy.
diplomatisch [diplo'ma:tɪʃ] *adj* diplomatic.
Diplomingenieur *m* academically qualified engineer.
dir [di:r] *dat von* **du** ♦ *pron* (to) you.
direkt [di'rɛkt] *adj* direct; ~ **fragen** to ask outright *od* straight out.
Direktion [dirɛktsi'o:n] *f* management; (*Büro*) manager's office.
Direktmandat *nt* (*POL*) direct mandate.
Direktor(in) *m(f)* director; (*von Hochschule*) principal; (*von Schule*) principal, head (teacher) (*BRIT*).
Direktorium [direk'to:riʊm] *nt* board of directors.
Direktübertragung *f* live broadcast.
Direktverkauf *m* direct selling.
Dirigent(in) [diri'gɛnt(ɪn)] *m(f)* conductor.
dirigieren [diri'gi:rən] *vt* to direct; (*MUS*) to

conduct.
Dirne ['dɪrnə] (-, **-n**) *f* prostitute.
Dis [dɪs] (-, -) *nt* (*MUS*) D sharp.
dis [dɪs] (-, -) *nt* (*MUS*) D sharp.
Disco ['dɪsko] (**-s, -s**) *f* disco.
Disharmonie [dɪsharmo'niː] *f* (*lit, fig*) discord.
Diskette [dɪs'kɛtə] *f* disk, diskette.
Diskettenlaufwerk *nt* disk drive.
Diskont [dɪs'kɔnt] (**-s, -e**) *m* discount; **~satz** *m* rate of discount.
Diskothek [dɪsko'teːk] (-, **-en**) *f* disco(theque).
diskreditieren [dɪskredi'tiːrən] *vt* (*geh*) to discredit.
Diskrepanz [dɪskre'pants] *f* discrepancy.
diskret [dɪs'kreːt] *adj* discreet.
Diskretion [dɪskretsi'oːn] *f* discretion; **strengste ~ wahren** to preserve the strictest confidence.
diskriminieren [dɪskrimi'niːrən] *vt* to discriminate against.
Diskriminierung *f*: **~ (von)** discrimination (against).
Diskussion [dɪskusi'oːn] *f* discussion; **zur ~ stehen** to be under discussion.
Diskussionsbeitrag *m* contribution to the discussion.
Diskuswerfen ['dɪskusvɛrfən] *nt* throwing the discus.
diskutabel [dɪsku'taːbəl] *adj* debatable.
diskutieren [dɪsku'tiːrən] *vt, vi* to discuss; **darüber läßt sich ~** that sounds like something we could talk about.
disponieren [dɪspo'niːrən] *vi* (*geh: planen*) to make arrangements.
Disposition [dɪspozitsi'oːn] *f* (*geh: Verfügung*): **jdm zur** *od* **zu jds ~ stehen** to be at sb's disposal.
disqualifizieren [dɪskvalifi'tsiːrən] *vt* to disqualify.
Dissertation [dɪsɛrtatsi'oːn] *f* dissertation; doctoral thesis.
Dissident(in) [dɪsi'dɛnt(ɪn)] *m(f)* dissident.
Distanz [dɪs'tants] *f* distance; (*fig: Abstand, Entfernung*) detachment; (*Zurückhaltung*) reserve.
distanzieren [dɪstan'tsiːrən] *vr*: **sich von jdm/etw ~** to dissociate o.s. from sb/sth.
distanziert *adj* (*Verhalten*) distant.
Distel ['dɪstəl] (-, **-n**) *f* thistle.
Disziplin [dɪstsi'pliːn] (-, **-en**) *f* discipline.
Disziplinarverfahren [dɪstsipli'narfɛrfaːrən] *nt* disciplinary proceedings *pl*.
dito ['diːto] *adv* (*COMM, hum*) ditto.
Diva ['diːva] (-, **-s**) *f* star; (*FILM*) screen goddess.
divers [di'vɛrs] *adj* various.
Diverses *pl* sundries *pl*; **„~"** "miscellaneous".
Dividende [divi'dɛndə] (-, **-n**) *f* dividend.
dividieren [divi'diːrən] *vt*: **~ (durch)** to divide (by).
d.J. *abk* (= *der Jüngere*) jun.
Djakarta [dʒa'karta] *nt* Jakarta.
DJH *nt abk* (= *Deutsches Jugendherbergswerk*) German Youth Hostel Association.
DKP *f abk* (= *Deutsche Kommunistische Partei*) German Communist Party.
DLRG *f abk* (= *Deutsche Lebens-Rettungs-Gesellschaft*) German lifesaving association.
DLV *m abk* (= *Deutscher Leichtathletik-Verband*) German track and field associaton.
DM *f abk* (= *Deutsche Mark*) DM.
d.M. *abk* (= *dieses Monats*) inst.
D-Mark ['deːmark] (-, -) *f* deutschmark, German mark.
DNS *f abk* (= *Desoxyribo(se)nukleinsäure*) DNA.

SCHLÜSSELWORT

doch [dɔx] *adv* **1** (*dennoch*) after all; (*sowieso*) anyway; **er kam ~ noch** he came after all; **du weißt es ja ~ besser** you know more about it (than I do) anyway; **es war ~ ganz interessant** it was actually quite interesting; **und ~, ...** and yet ...
2 (*als bejahende Antwort*) yes I do/it does *etc*; **das ist nicht wahr - ~!** that's not true - yes it is!
3 (*auffordernd*): **komm ~** do come; **laß ihn ~** just leave him; **nicht ~!** oh no!
4: **sie ist ~ noch so jung** but she's still so young; **Sie wissen ~, wie das ist** you know how it is(, don't you?); **wenn ~** if only
♦ *konj* (*aber*) but; (*trotzdem*) all the same; **und ~ hat er es getan** but still he did it.

Docht [dɔxt] (**-(e)s, -e**) *m* wick.
Dock [dɔk] (**-s, -s** *od* **-e**) *nt* dock; **~gebühren** *pl* dock dues *pl*.
Dogge ['dɔgə] (-, **-n**) *f* bulldog; **deutsche ~** Great Dane.
Dogma ['dɔgma] (**-s, -men**) *nt* dogma.
dogmatisch [dɔ'gmaːtɪʃ] *adj* dogmatic.
Dohle ['doːlə] (-, **-n**) *f* jackdaw.
Doktor ['dɔktɔr] (**-s, -en**) *m* doctor; **den ~ machen** (*umg*) to do a doctorate *od* Ph.D.
Doktorand(in) [dɔktɔ'rant (-dɪn)] (**-en, -en**) *m(f)* Ph.D. student.
Doktor- *zW*: **~arbeit** *f* doctoral thesis; **~titel** *m* doctorate; **~vater** *m* supervisor.
doktrinär [dɔktri'nɛːr] *adj* doctrinal; (*stur*) doctrinaire.
Dokument [doku'mɛnt] *nt* document.
Dokumentar- *zW*: **~bericht** *m* documentary; **~film** *m* documentary (film); **d~isch** *adj* documentary; **~spiel** *nt* docudrama.
dokumentieren [dokumɛn'tiːrən] *vt* to document; (*fig: zu erkennen geben*) to reveal, show.
Dolch [dɔlç] (**-(e)s, -e**) *m* dagger; **~stoß** *m* (*bes fig*) stab.
dolmetschen ['dɔlmɛtʃən] *vt, vi* to interpret.
Dolmetscher(in) (**-s, -**) *m(f)* interpreter.
Dolomiten [dolo'miːtən] *pl* (*GEOG*): **die ~** the

Dolomites *pl.*

Dom [doːm] (**-(e)s, -e**) *m* cathedral.

Domäne [do'mɛːnə] (**-, -n**) *f* (*fig*) domain, province.

dominieren [domi'niːrən] *vt* to dominate ♦ *vi* to predominate.

Dominikanische Republik [domini'kaːnɪʃərepu'bliːk] *f* Dominican Republic.

Dompfaff ['doːmpfaf] (**-en, -en**) *m* bullfinch.

Dompteur [dɔmp'tøːr] *m* (*Zirkus*) trainer.

Dompteuse [dɔmp'tøːzə] *f* (*Zirkus*) trainer.

Donau ['doːnaʊ] *f*: **die** ~ the Danube.

Donner ['dɔnər] (**-s, -**) *m* thunder; **wie vom ~ gerührt** (*fig*) thunderstruck.

donnern *vi unpers* to thunder ♦ *vt* (*umg*) to slam, crash.

Donnerschlag *m* thunderclap.

Donnerstag *m* Thursday; *siehe auch* **Dienstag**.

Donnerwetter *nt* thunderstorm; (*fig*) dressing-down ♦ *interj* good heavens!; (*anerkennend*) my word!

doof [doːf] (*umg*) *adj* daft, stupid.

Dopingkontrolle ['dɔpɪŋkɔntrɔlə] *f* (*SPORT*) dope check.

Doppel ['dɔpəl] (**-s, -**) *nt* duplicate; (*SPORT*) doubles; **~band** *m* (*von doppeltem Umfang*) double-sized volume; (*zwei Bände*) two volumes *pl*; **~bett** *nt* double bed; **d~bödig** *adj* (*fig*) ambiguous; **d~deutig** *adj* ambiguous; **~fenster** *nt* double glazing; **~gänger(in)** (**-s, -**) *m(f)* double; **~korn** *m type of schnapps*; **~punkt** *m* colon; **d~seitig** *adj* (*auch COMPUT: Diskette*) double-sided; (*Lungenentzündung*) double; **d~seitige Anzeige** double-page advertisement; **d~sinnig** *adj* ambiguous; **~stecker** *m* two-way adaptor; **~stunde** *f* (*SCH*) double period.

doppelt *adj* double; (*COMM: Buchführung*) double-entry; (*Staatsbürgerschaft*) dual ♦ *adv*: **die Karte habe ich ~** I have two of these cards; **~ gemoppelt** (*umg*) saying the same thing twice over; **in ~er Ausführung** in duplicate.

Doppel- *zW*: **~verdiener** *pl* two-income family; **~zentner** *m* 100 kilograms; **~zimmer** *nt* double room.

Dorf [dɔrf] (**-(e)s, ⸚er**) *nt* village; **~bewohner** *m* villager.

dörflich ['dœrflɪç] *adj* village *attrib*.

Dorn[1] [dɔrn] (**-(e)s, -en**) *m* (*BOT*) thorn; **das ist mir ein ~ im Auge** (*fig*) it's a thorn in my flesh.

Dorn[2] [dɔrn] (**-(e)s, -e**) *m* (*Schnallen~*) tongue, pin.

dornig *adj* thorny.

Dornröschen *nt* Sleeping Beauty.

dörren ['dœrən] *vt* to dry.

Dörrobst ['dœroːpst] *nt* dried fruit.

Dorsch [dɔrʃ] (**-(e)s, -e**) *m* cod.

dort [dɔrt] *adv* there; **~ drüben** over there; **~her** *adv* from there; **~hin** *adv* (to) there; **~hinaus** *adv*: **frech bis ~hinaus** (*umg*) really cheeky.

dortig *adj* of that place; in that town.

Dose ['doːzə] (**-, -n**) *f* box; (*Blech~*) tin, can; **in ~n** (*Konserven*) canned, tinned (*BRIT*).

Dosen *pl von* **Dose, Dosis**.

dösen ['døːzən] (*umg*) *vi* to doze.

Dosenmilch *f* evaporated milk.

Dosenöffner *m* tin (*BRIT*) *od* can opener.

dosieren [do'ziːrən] *vt* (*lit, fig*) to measure out.

Dosis ['doːzɪs] (**-, Dosen**) *f* dose.

Dotierung [do'tiːrʊŋ] *f* endowment; (*von Posten*) remuneration.

Dotter ['dɔtər] (**-s, -**) *m* egg yolk.

Double ['duːbəl] (**-s, -s**) *nt* (*FILM etc*) stand-in.

Down-Syndrom *nt no pl* (*MED*) Down's Syndrome.

Doz. *abk* = **Dozent(in)**.

Dozent(in) [do'tsɛnt(ɪn)] (**-en, -en**) *m(f)*: **~ (für)** lecturer (in), professor (of) (*US*).

dpa (**-**) *f abk* (= *Deutsche Presse-Agentur*) *German Press Agency*.

Dr. *abk* = **Doktor**.

Drache ['draxə] (**-n, -n**) *m* (*Tier*) dragon.

Drachen (**-s, -**) *m* kite; **einen ~ steigen lassen** to fly a kite; **d~fliegen** *vi* to hang-glide; **~fliegen** *nt* (*SPORT*) hang-gliding.

Dragée [dra'ʒeː] (**-s, -s**) *nt* (*PHARM*) dragee, sugar-coated pill.

Draht [draːt] (**-(e)s, ⸚e**) *m* wire; **auf ~ sein** to be on the ball; **~esel** *m* (*hum*) trusty bicycle; **~gitter** *nt* wire grating; **d~los** *adj* cordless; (*Telefon*) mobile; **~seil** *nt* cable; **Nerven wie ~seile** (*umg*) nerves of steel; **~seilbahn** *f* cable railway; **~zange** *f* pliers *pl*; **~zieher(in)** *m(f)* (*fig*) wire-puller.

Drall *m* (*fig: Hang*) tendency; **einen ~ nach links haben** (*AUT*) to pull to the left.

drall [dral] *adj* strapping; (*Frau*) buxom.

Drama ['draːma] (**-s, Dramen**) *nt* drama.

Dramatiker(in) [dra'maːtikər(ɪn)] (**-s, -**) *m(f)* dramatist.

dramatisch [dra'maːtɪʃ] *adj* dramatic.

Dramaturg(in) [drama'tʊrk (-gɪn)] (**-en, -en**) *m(f)* artistic director; (*TV*) drama producer.

dran [dran] (*umg*) *adv* (*an der Reihe*): **jetzt bist du ~** it's your turn now; **früh/spät ~ sein** to be early/late; **ich weiß nicht, wie ich (bei ihm) ~ bin** I don't know where I stand (with him); *siehe auch* **daran; ~bleiben** *unreg* (*umg*) *vi* to stay close; (*am Apparat*) to hang on.

Drang (**-(e)s, ⸚e**) *m* (*Trieb*) urge, yearning; (*Druck*) pressure; **~ nach** urge *od* yearning for.

drang *etc* [draŋ] *vb siehe* **dringen**.

drängeln ['drɛŋəln] *vt, vi* to push, jostle.

drängen ['drɛŋən] *vt* (*schieben*) to push, press; (*antreiben*) to urge ♦ *vi* (*eilig sein*) to be urgent; (*Zeit*) to press; **auf etw** *akk* **~** to press for sth.

drangsalieren [draŋza'liːrən] *vt* to pester, plague.

dranhalten (*umg*) *vr* to get a move on.
drankommen (*umg*) *unreg vi* (*an die Reihe kommen*) to have one's turn; (*SCH: beim Melden*) to be called; (*Frage, Aufgabe etc*) to come up.
drannehmen (*umg*) *unreg vt* (*Schüler*) to ask.
drasch *etc* [draːʃ] *vb siehe* **dreschen.**
drastisch ['drastɪʃ] *adj* drastic.
drauf [draʊf] (*umg*) *adv:* ~ **und dran sein, etw zu tun** to be on the point of doing sth; **etw ~ haben** (*können*) to be able to do sth just like that; (*Kenntnisse*) to be well up on sth; *siehe auch* **darauf; D~gänger (-s, -)** *m* daredevil; **~gehen** *unreg vi* (*verbraucht werden*) to be used up; (*kaputtgehen*) to be smashed up; **~zahlen** *vi* (*fig: Einbußen erleiden*) to pay the price.
draußen ['draʊsən] *adv* outside, out-of-doors.
Drechsler(in) ['drɛkslər(ɪn)] **(-s, -)** *m(f)* (wood) turner.
Dreck [drɛk] **(-(e)s)** *m* mud, dirt; ~ **am Stecken haben** (*fig*) to have a skeleton in the cupboard; **das geht ihn einen ~ an** (*umg*) that's none of his business.
dreckig *adj* dirty, filthy; **es geht mir ~** (*umg*) I'm in a bad way.
Dreckskerl (*umg!*) *m* dirty swine (*!*).
Dreh [dreː] *m:* **den ~ raushaben** *od* **weghaben** (*umg*) to have got the hang of it.
Dreh- *zW:* **~achse** *f* axis of rotation; **~arbeiten** *pl* (*FILM*) shooting *sing*; **~bank** *f* lathe; **d~bar** *adj* revolving; **~buch** *nt* (*FILM*) script.
drehen *vt* to turn, rotate; (*Zigaretten*) to roll; (*Film*) to shoot ♦ *vi* to turn, rotate ♦ *vr* to turn; (*handeln von*): **sich um etw ~** to be about sth; **ein Ding ~** (*umg*) to play a prank.
Dreher(in) **(-s, -)** *m(f)* lathe operator.
Dreh- *zW:* **~orgel** *f* barrel organ; **~ort** *m* (*FILM*) location; **~scheibe** *f* (*EISENB*) turntable; **~tür** *f* revolving door.
Drehung *f* (*Rotation*) rotation; (*Um~, Wendung*) turn.
Dreh- *zW:* **~wurm** (*umg*) *m:* **einen ~wurm haben/bekommen** to be/become dizzy; **~zahl** *f* rate of revolution; **~zahlmesser** *m* rev(olution) counter.
drei [draɪ] *num* three; **aller guten Dinge sind ~!** (*Sprichwort*) all good things come in threes!; (*nach zwei mißglückten Versuchen*) third time lucky!; **D~eck** *nt* triangle; **~eckig** *adj* triangular; **D~ecksverhältnis** *nt* eternal triangle; **~einhalb** *num* three and a half; **D~einigkeit** [-'|aɪnɪçkaɪt] *f* Trinity.
dreierlei *adj inv* of three kinds.
drei- *zW:* **~fach** *adj* triple, treble ♦ *adv* three times; **die ~fache Menge** three times the amount; **D~faltigkeit** *f* trinity; **D~fuß** *m* tripod; (*Schemel*) three-legged stool; **D~gangschaltung** *f* three-speed gear; **~hundert** *num* three hundred; **D~käsehoch** (*umg*) *m* tiny tot; **D~königsfest** *nt* Epiphany; **~mal** *adv* three times, thrice; **~malig** *adj* three times.
dreinblicken ['draɪnblɪkən] *vi:* **traurig** *etc* ~ to look sad *etc.*
dreinreden ['draɪnreːdən] *vi:* **jdm ~** (*dazwischenreden*) to interrupt sb; (*sich einmischen*) to interfere with sb.
Dreirad *nt* tricycle.
Dreisprung *m* triple jump.
dreißig ['draɪsɪç] *num* thirty.
dreist [draɪst] *adj* bold, audacious.
Dreistigkeit *f* boldness, audacity.
drei- *zW:* **~viertel** *num* three-quarters; **D~viertelstunde** *f* three-quarters of an hour; **D~vierteltakt** *m:* **im D~vierteltakt** in three-four time; **~zehn** *num* thirteen; **jetzt schlägt's ~zehn!** (*umg*) that's a bit much.
dreschen ['drɛʃən] *unreg vt* to thresh; **Skat ~** (*umg*) to play skat.
Dresden ['dreːsdən] **(-s)** *nt* Dresden.
dressieren [drɛ'siːrən] *vt* to train.
Dressur [drɛ'suːr] *f* training; (*für ~reiten*) dressage.
Dr.h.c. *abk* (= *Doktor honoris causa*) honorary doctor.
driften ['drɪftən] *vi* (*NAUT, fig*) to drift.
Drillbohrer *m* light drill.
drillen ['drɪlən] *vt* (*bohren*) to drill, bore; (*MIL*) to drill; (*fig*) to train; **auf etw** *akk* **gedrillt sein** (*fig: umg*) to be practised (*BRIT*) *od* practiced (*US*) at doing sth.
Drilling *m* triplet.
drin [drɪn] (*umg*) *adv:* **bis jetzt ist noch alles ~** everything is still quite open; *siehe auch* **darin.**
dringen ['drɪŋən] *unreg vi* (*Wasser, Licht, Kälte*): **~ (durch/in** *+akk***)** to penetrate (through/into); **auf etw** *akk* ~ to insist on sth; **in jdn ~** (*geh*) to entreat sb.
dringend ['drɪŋənt] *adj* urgent; ~ **empfehlen** to recommend strongly.
dringlich ['drɪŋlɪç] *adj* = **dringend.**
Dringlichkeit *f* urgency.
Dringlichkeitsstufe *f* priority; ~ **1** top priority.
drinnen ['drɪnən] *adv* inside, indoors.
drinstecken ['drɪnʃtɛkən] (*umg*) *vi:* **da steckt eine Menge Arbeit drin** a lot of work has gone into it.
drischt [drɪʃt] *vb siehe* **dreschen.**
dritt *adv:* **wir kommen zu ~** three of us are coming together.
dritte(r, s) *adj* third; **D~ Welt** Third World; **im Beisein D~r** in the presence of a third party.
Drittel **(-s, -)** *nt* third.
drittens *adv* thirdly.
drittklassig *adj* third-rate, third-class.
Dr.jur. *abk* (= *Doktor der Rechtswissenschaften*) ≈ L.L.D.
DRK (-) *nt abk* (= *Deutsches Rotes Kreuz*) ≈ R.C.
Dr.med. *abk* (= *Doktor der Medizin*) ≈ M.D.

droben ['dro:bən] *adv* above, up there.
Droge ['dro:gə] (-, **-n**) *f* drug.
dröge ['drøgə] (*NORDD*) *adj* boring.
Drogen- *zW:* **d~abhängig** *adj* addicted to drugs; **~händler(in)** *m(f)* peddler, pusher; **d~süchtig** *adj* addicted to drugs.
Drogerie [drogə'ri:] *f* chemist's shop (*BRIT*), drugstore (*US*).

> *The* **Drogerie** *as opposed to the* **Apotheke** *sells medicines not requiring a prescription. It tends to be cheaper and also sells cosmetics, perfume and toiletries.*

Drogist(in) [dro'gɪst(ɪn)] *m(f)* pharmacist, chemist (*BRIT*).
Drohbrief *m* threatening letter.
drohen ['dro:ən] *vi:* **(jdm)** ~ to threaten (sb).
Drohgebärde *f* (*lit, fig*) threatening gesture.
Drohne ['dro:nə] (-, **-n**) *f* drone.
dröhnen ['drø:nən] *vi* (*Motor*) to roar; (*Stimme, Musik*) to ring, resound.
Drohung ['dro:ʊŋ] *f* threat.
drollig ['drɔlɪç] *adj* droll.
Drops [drɔps] (-, -) *m od nt* fruit drop.
drosch *etc* [drɔʃ] *vb siehe* **dreschen**.
Droschke ['drɔʃkə] (-, **-n**) *f* cab.
Droschkenkutscher *m* cabman.
Drossel ['drɔsəl] (-, **-n**) *f* thrush.
drosseln ['drɔsəln] *vt* (*Motor etc*) to throttle; (*Heizung*) to turn down; (*Strom, Tempo, Produktion etc*) to cut down.
Dr.phil. *abk* (= *Doktor der Geisteswissenschaften*) ≈ Ph.D.
Dr.theol. *abk* (= *Doktor der Theologie*) ≈ D.D.
drüben ['dry:bən] *adv* over there, on the other side.
drüber ['dry:bər] (*umg*) *adv* = **darüber**.
Druck [drʊk] (**-(e)s, -e**) *m* (*PHYS, Zwang*) pressure; (*TYP: Vorgang*) printing; (: *Produkt*) print; (*fig: Belastung*) burden, weight; ~ **hinter etw** *akk* **machen** to put some pressure on sth; **~buchstabe** *m* block letter; **in ~buchstaben schreiben** to print.
Drückeberger ['drʏkəbɛrgər] (**-s,** -) *m* shirker, dodger.
drucken ['drʊkən] *vt, vi* (*TYP, COMPUT*) to print.
drücken ['drʏkən] *vt* (*Knopf, Hand*) to press; (*zu eng sein*) to pinch; (*fig: Preise*) to keep down; (: *belasten*) to oppress, weigh down ♦ *vi* to press; to pinch ♦ *vr:* **sich vor etw** *dat* ~ to get out of (doing) sth; **jdm etw in die Hand** ~ to press sth into sb's hand.
drückend *adj* oppressive; (*Last, Steuern*) heavy; (*Armut*) grinding; (*Wetter, Hitze*) oppressive, close.
Drucker (**-s,** -) *m* printer.
Drücker (**-s,** -) *m* button; (*Tür~*) handle; (*Gewehr~*) trigger; **am ~ sein** *od* **sitzen** (*fig: umg*) to be the key person; **auf den letzten** ~ (*fig: umg*) at the last minute.
Druckerei [drʊkə'raɪ] *f* printing works, press.
Druckerschwärze *f* printer's ink.
Druck- *zW:* **~fahne** *f* galley(-proof); **~fehler** *m* misprint; **~knopf** *m* press stud (*BRIT*), snap fastener; **~kopf** *m* printhead; **~luft** *f* compressed air; **~mittel** *nt* leverage; **d~reif** *adj* ready for printing, passed for press; (*fig*) polished; **~sache** *f* printed matter; **~schrift** *f* printing; (*gedrucktes Werk*) pamphlet; **~taste** *f* push button; **~welle** *f* shock wave.
drum [drʊm] (*umg*) *adv* around; **mit allem D~ und Dran** with all the bits and pieces *pl*; (*Mahlzeit*) with all the trimmings *pl*.
Drumherum *nt* trappings *pl*.
drunten ['drʊntən] *adv* below, down there.
Drüse ['dry:zə] (-, **-n**) *f* gland.
DSB (-) *m abk* (= *Deutscher Sportbund*) *German Sports Association.*
Dschungel ['dʒʊŋəl] (**-s,** -) *m* jungle.
DSD [ ] *nt abk* (= *Duales System Deutschland*) *German waste collection and recycling service.*

> *The* **DSD** *(Duales System Deutschland) is a scheme introduced in Germany for separating domestic refuse into two types so as to reduce environmental damage. Normal refuse is disposed of in the usual way by burning or dumping at land-fill sites; packets and containers with a green spot (***grüner Punkt***) imprinted on them are kept separate and are then collected for recycling.*

dt. *abk* = **deutsch**.
DTC (-) *m abk* (= *Deutscher Touring-Automobil-Club*) *German motoring organization.*
DTP (-) *nt abk* (= *Desktop publishing*) DTP.
Dtzd. *abk* (= *Dutzend*) doz.
du [du:] *pron* (*D~ in Briefen*) you; **mit jdm per ~ sein** to be on familiar terms with sb; **D~** *nt:* **jdm das D~ anbieten** to suggest that sb uses "du", suggest that sb uses the familiar form of address.
Dübel ['dy:bəl] (**-s,** -) *m* plug; (*Holz~*) dowel.
dübeln ['dy:bəln] *vt, vi* to plug.
Dublin ['dablɪn] *nt* Dublin.
ducken ['dʊkən] *vt* (*Kopf*) to duck; (*fig*) to take down a peg or two ♦ *vr* to duck.
Duckmäuser ['dʊkmɔʏzər] (**-s,** -) *m* yes-man.
Dudelsack ['du:dəlzak] *m* bagpipes *pl*.
Duell [du'ɛl] (**-s, -e**) *nt* duel.
Duett [du'ɛt] (**-(e)s, -e**) *nt* duet.
Duft [dʊft] (**-(e)s, ¨-e**) *m* scent, odour (*BRIT*), odor (*US*); **d~en** *vi* to smell, be fragrant.
duftig *adj* (*Stoff, Kleid*) delicate, diaphanous; (*Muster*) fine.
Duftnote *f* (*von Parfüm*) scent.
dulden ['dʊldən] *vt* to suffer; (*zulassen*) to tolerate ♦ *vi* to suffer.
duldsam *adj* tolerant.
dumm [dʊm] *adj* stupid; **das wird mir zu ~**

that's just too much; **der D~e sein** to be the loser; **der ~e August** (*umg*) the clown; **du willst mich wohl für ~ verkaufen** you must think I'm stupid; **sich ~ und dämlich reden** (*umg*) to talk till one is blue in the face; **so etwas D~es** how stupid; what a nuisance; **~dreist** *adj* impudent.
dummerweise *adv* stupidly.
Dummheit *f* stupidity; (*Tat*) blunder, stupid mistake.
Dummkopf *m* blockhead.
dumpf [dʊmpf] *adj* (*Ton*) hollow, dull; (*Luft*) close; (*Erinnerung, Schmerz*) vague; **D~heit** *f* hollowness, dullness; closeness; vagueness.
dumpfig *adj* musty.
Dumpingpreis ['dampɪŋpraɪs] *m* give-away price.
Düne ['dy:nə] (**-, -n**) *f* dune.
Dung [dʊŋ] (**-(e)s**) *m* manure.
düngen ['dʏŋən] *vt* to fertilize.
Dünger (**-s, -**) *m* fertilizer; (*Dung*) manure.
dunkel ['dʊŋkəl] *adj* dark; (*Stimme*) deep; (*Ahnung*) vague; (*rätselhaft*) obscure; (*verdächtig*) dubious, shady; **im ~n tappen** (*fig*) to grope in the dark.
Dünkel ['dʏŋkəl] (**-s**) *m* self-conceit; **d~haft** *adj* conceited.
Dunkelheit *f* darkness; (*fig*) obscurity; **bei Einbruch der ~** at nightfall.
Dunkelkammer *f* (*PHOT*) dark room.
dunkeln *vi unpers* to grow dark.
Dunkelziffer *f* estimated number of unnotified cases.
dünn [dʏn] *adj* thin; **D~darm** *m* small intestine; **~flüssig** *adj* watery, thin; **~gesät** *adj* scarce; **D~heit** *f* thinness; **~machen** (*umg*) *vr* to make o.s. scarce; **D~schiß** (*umg*) *m* the runs.
Dunst [dʊnst] (**-es, ¨-e**) *m* vapour (*BRIT*), vapor (*US*); (*Wetter*) haze; **~abzugshaube** *f* extractor hood.
dünsten ['dʏnstən] *vt* to steam.
Dunstglocke *f* haze; (*Smog*) pall of smog.
dunstig ['dʊnstɪç] *adj* vaporous; (*Wetter*) hazy, misty.
düpieren [dy'pi:rən] *vt* to dupe.
Duplikat [dupli'ka:t] (**-(e)s, -e**) *nt* duplicate.
Dur [du:r] (**-, -**) *nt* (*MUS*) major.

SCHLÜSSELWORT

durch [dʊrç] *präp +akk* **1** (*hindurch*) through; **~ den Urwald** through the jungle; **~ die ganze Welt reisen** to travel all over the world
2 (*mittels*) through, by (means of); (*aufgrund*) due to, owing to; **Tod ~ Herzschlag/den Strang** death from a heart attack/by hanging; **~ die Post** by post; **~ seine Bemühungen** through his efforts
♦ *adj* **1** (*hin~*) through; **die ganze Nacht ~** all through the night; **den Sommer ~** during the summer; **8 Uhr ~** past 8 o'clock; **~ und ~** completely; **das geht mir ~ und ~** that goes right through me
2 (*KOCH: umg: durchgebraten*) done; **(gut) ~** well-done.

durcharbeiten *vt, vi* to work through ♦ *vr:* **sich durch etw ~** to work one's way through sth.
durchatmen *vi* to breathe deeply.
durchaus [dʊrç'aʊs] *adv* completely; (*unbedingt*) definitely; **~ nicht** (*in verneinten Sätzen: als Verstärkung*) by no means; (*: als Antwort*) not at all; **das läßt sich ~ machen** that sounds feasible; **ich bin ~ Ihrer Meinung** I quite *od* absolutely agree with you.
durchbeißen *unreg vt* to bite through ♦ *vr* (*fig*) to battle on.
durchblättern *vt* to leaf through.
Durchblick ['dʊrçblɪk] *m* view; (*fig*) comprehension; **den ~ haben** (*fig: umg*) to know what's what.
durchblicken *vi* to look through; (*umg: verstehen*): **(bei etw) ~** to understand (sth); **etw ~ lassen** (*fig*) to hint at sth.
Durchblutung [dʊrç'blu:tʊŋ] *f* circulation (of blood).
durchbohren *vt untr* to bore through, pierce.
durchboxen ['dʊrçbɔksən] *vr* (*fig: umg*): **sich (durch etw) ~** to fight one's way through (sth).
durchbrechen¹ ['dʊrçbrɛçən] *unreg vt, vi* to break.
durchbrechen² [dʊrç'brɛçən] *unreg vt untr* (*Schranken*) to break through.
durchbrennen *unreg vi* (*Draht, Sicherung*) to burn through; (*umg*) to run away.
durchbringen *unreg vt* to get through; (*Geld*) to squander ♦ *vr* to make a living.
Durchbruch ['dʊrçbrʊx] *m* (*Öffnung*) opening; (*MIL*) breach; (*von Gefühlen etc*) eruption; (*der Zähne*) cutting; (*fig*) breakthrough; **zum ~ kommen** to break through.
durchdacht [dʊrç'daxt] *adj* well thought-out.
durchdenken *unreg vt untr* to think out.
durch- *zW:* **~diskutieren** *vt* to talk over, discuss; **~drängen** *vr* to force one's way through; **~drehen** *vt* (*Fleisch*) to mince ♦ *vi* (*umg*) to crack up.
durchdringen¹ ['dʊrçdrɪŋən] *unreg vi* to penetrate, get through.
durchdringen² [dʊrç'drɪŋən] *unreg vt untr* to penetrate.
durchdringend *adj* piercing; (*Kälte, Wind*) biting; (*Geruch*) pungent.
durchdrücken ['dʊrçdrʏkən] *vt* (*durch Presse*) to press through; (*Creme, Teig*) to pipe; (*fig: Gesetz, Reformen etc*) to push through; (*seinen Willen*) to get; (*Knie, Kreuz etc*) to straighten.
durcheinander [dʊrç|aɪ'nandər] *adv* in a mess, in confusion; (*verwirrt*) confused; **~ trinken** to mix one's drinks; **D~ (-s)** *nt* (*Verwirrung*)

confusion; (*Unordnung*) mess; **~bringen** *unreg vt* to mess up; (*verwirren*) to confuse; **~reden** *vi* to talk at the same time; **~werfen** *unreg vt* to muddle up.

durch- *zW:* **~fahren** *unreg vi:* **er ist bei Rot ~gefahren** he jumped the lights ♦ *vt:* **die Nacht ~fahren** to travel through the night; **D~fahrt** *f* transit; (*Verkehr*) thoroughfare; **D~fahrt bitte freihalten!** please keep access free; **D~fahrt verboten!** no through road; **D~fall** *m* (*MED*) diarrhoea (*BRIT*), diarrhea (*US*); **~fallen** *unreg vi* to fall through; (*in Prüfung*) to fail; **~finden** *unreg vr* to find one's way through; **~fliegen** *unreg* (*umg*) *vi* (*in Prüfung*): **(durch etw** *od* **in etw** *dat*) **~fliegen** to fail (sth); **D~flug** *m:* **Passagiere auf dem D~flug** transit passengers.

durchforschen *vt untr* to explore.

durchforsten [dʊrç'fɔrstən] *vt untr* (*fig: Akten etc*) to go through.

durchfragen *vr* to find one's way by asking.

durchfressen *unreg vr* to eat one's way through.

durchführbar *adj* feasible, practicable.

durchführen ['dʊrçfy:rən] *vt* to carry out; (*Gesetz*) to implement; (*Kursus*) to run.

Durchführung *f* execution, performance.

Durchgang ['dʊrçgaŋ] *m* passage(way); (*bei Produktion, Versuch*) run; (*SPORT*) round; (*bei Wahl*) ballot; ~ **verboten** no thoroughfare.

durchgängig ['dʊrçgɛŋɪç] *adj* universal, general.

Durchgangs- *zW:* **~handel** *m* transit trade; **~lager** *nt* transit camp; **~stadium** *nt* transitory stage; **~verkehr** *m* through traffic.

durchgeben ['dʊrçge:bən] *unreg vt* (*RUNDF, TV: Hinweis, Wetter*) to give; (*Lottozahlen*) to announce.

durchgefroren ['dʊrçgəfro:rən] *adj* (*See*) completely frozen; (*Mensch*) frozen stiff.

durchgehen ['dʊrçge:ən] *unreg vt* (*behandeln*) to go over *od* through ♦ *vi* to go through; (*ausreißen: Pferd*) to break loose; (*Mensch*) to run away; **mein Temperament ging mit mir durch** my temper got the better of me; **jdm etw ~ lassen** to let sb get away with sth.

durchgehend *adj* (*Zug*) through; (*Öffnungszeiten*) continuous.

durchgeschwitzt ['dʊrçgəʃvɪtst] *adj* soaked in sweat.

durch- *zW:* **~greifen** *unreg vi* to take strong action; **~halten** *unreg vi* to last out ♦ *vt* to keep up; **D~haltevermögen** *nt* staying power; **~hängen** *unreg vi* (*lit, fig*) to sag; **~hecheln** (*umg*) *vt* to gossip about; **~kommen** *unreg vi* to get through; (*überleben*) to pull through.

durchkreuzen *vt untr* to thwart, frustrate.

durchlassen *unreg vt* (*Person*) to let through; (*Wasser*) to let in.

durchlässig *adj* leaky.

Durchlaucht ['dʊrçlaʊxt] (-, **-en**) *f:* **(Euer)** ~ Your Highness.

Durchlauf ['dʊrçlaʊf] *m* (*COMPUT*) run.

durchlaufen *unreg vt untr* (*Schule, Phase*) to go through.

Durchlauferhitzer (**-s**, -) *m* continuous-flow water heater.

Durchlaufzeit *f* (*COMPUT*) length of the run.

durch- *zW:* **~leben** *vt untr* (*Zeit*) to live *od* go through; (*Jugend, Gefühl*) to experience; **~lesen** *unreg vt* to read through; **~leuchten** *vt untr* to X-ray; **~löchern** *vt untr* to perforate; (*mit Löchern*) to punch holes in; (*mit Kugeln*) to riddle; **~machen** *vt* to go through; **die Nacht ~machen** to make a night of it.

Durchmarsch *m* march through.

Durchmesser (**-s**, -) *m* diameter.

durchnässen *vt untr* to soak (through).

durch- *zW:* **~nehmen** *unreg vt* to go over; **~numerieren** *vt* to number consecutively; **~organisieren** *vt* to organize down to the last detail; **~pausen** *vt* to trace; **~peitschen** *vt* (*lit*) to whip soundly; (*fig: Gesetzentwurf, Reform*) to force through.

durchqueren [dʊrç'kve:rən] *vt untr* to cross.

durch- *zW:* **~rechnen** *vt* to calculate; **~regnen** *vi unpers:* **es regnet durchs Dach** ~ the rain is coming through the roof; **D~reiche** (**-, -n**) *f* (serving) hatch, pass-through (*US*); **D~reise** *f* transit; **auf der D~reise** passing through; (*Güter*) in transit; **D~reisevisum** *nt* transit visa; **~ringen** *unreg vr* to make up one's mind finally; **~rosten** *vi* to rust through; **~rutschen** *vi:* **(durch etw) ~rutschen** (*lit*) to slip through (sth); (*bei Prüfung*) to scrape through (sth).

durchs [dʊrçs] = **durch das.**

Durchsage ['dʊrçza:gə] *f* intercom *od* radio announcement.

Durchsatz ['dʊrçzats] *m* (*COMPUT, Produktion*) throughput.

durchschauen[1] ['dʊrçʃaʊən] *vt, vi* (*lit*) to look *od* see through.

durchschauen[2] [dʊrç'ʃaʊən] *vt untr* (*Person, Lüge*) to see through.

durchscheinen ['dʊrçʃaɪnən] *unreg vi* to shine through.

durchscheinend *adj* translucent.

durchschlafen ['dʊrçʃla:fən] *unreg vi* to sleep through.

Durchschlag ['dʊrçʃla:k] *m* (*Doppel*) carbon copy; (*Sieb*) strainer.

durchschlagen *unreg vt* (*entzweischlagen*) to split (in two); (*sieben*) to sieve ♦ *vi* (*zum Vorschein kommen*) to emerge, come out ♦ *vr* to get by.

durchschlagend *adj* resounding; **(eine) ~e Wirkung haben** to be totally effective.

Durchschlagpapier *nt* flimsy; (*Kohlepapier*) carbon paper.

Durchschlagskraft *f* (*von Geschoß*) penetration; (*fig: von Argument*)

decisiveness.
durch- *zW:* **~schlängeln** *vr* (*durch etw: Mensch*) to thread one's way through; **~schlüpfen** *vi* to slip through; **~schneiden** *unreg vt* to cut through.
Durchschnitt ['dʊrçʃnɪt] *m* (*Mittelwert*) average; **über/unter dem ~** above/below average; **im ~** on average; **d~lich** *adj* average ♦ *adv* on average; **d~lich begabt/groß** *etc* of average ability/height *etc.*
Durchschnitts- *zW:* **~geschwindigkeit** *f* average speed; **~mensch** *m* average man, man in the street; **~wert** *m* average.
durch- *zW:* **D~schrift** *f* copy; **D~schuß** *m* (*Loch*) bullet hole; **~schwimmen** *unreg vt untr* to swim across; **~segeln** (*umg*) *vi* (*nicht bestehen*): **durch** *od* **bei etw ~segeln** to fail *od* flunk (*umg*) (sth); **~sehen** *unreg vt* to look through.
durchsetzen[1] ['dʊrçzɛtsən] *vt* to enforce ♦ *vr* (*Erfolg haben*) to succeed; (*sich behaupten*) to get one's way; **seinen Kopf ~** to get one's own way.
durchsetzen[2] [dʊrç'zɛtsən] *vt untr* to mix.
Durchsicht ['dʊrçzɪçt] *f* looking through, checking.
durchsichtig *adj* transparent; **D~keit** *f* transparency.
durch- *zW:* **~sickern** *vi* to seep through; (*fig*) to leak out; **~sieben** *vt* to sieve; **~sitzen** *unreg vt* (*Sessel etc*) to wear out (the seat of); **~spielen** *vt* to go *od* run through; **~sprechen** *unreg vt* to talk over; **~stehen** *unreg vt* to live through; **D~stehvermögen** *nt* endurance, staying power; **~stellen** *vt* (*TEL*) to put through; **~stöbern** [-'ʃtøːbərn] *vt untr* to ransack, search through; **~stoßen** *unreg vt, vi* to break through (*auch MIL*); **~streichen** *unreg vt* to cross out; **~stylen** *vt* to ponce up (*umg*); **~suchen** *vt untr* to search; **D~suchung** *f* search; **D~suchungsbefehl** *m* search warrant; **~trainieren** *vt* (*Sportler, Körper*): **gut ~trainiert** in superb condition; **~tränken** *vt untr* to soak; **~treten** *unreg vt* (*Pedal*) to step on; (*Starter*) to kick; **~trieben** *adj* cunning, wily; **~wachsen** *adj* (*lit: Speck*) streaky; (*fig: mittelmäßig*) so-so.
Durchwahl ['dʊrçvaːl] *f* (*TEL*) direct dialling; (*bei Firma*) extension.
durch- *zW:* **~weg** *adv* throughout, completely; **~wursteln** (*umg*) *vr* to muddle through; **~zählen** *vt* to count ♦ *vi* to count *od* number off; **~zechen** *vt untr:* **eine ~zechte Nacht** a night of drinking; **~ziehen** *unreg vt* (*Faden*) to draw through ♦ *vi* to pass through; **eine Sache ~ziehen** to finish off sth; **~zucken** *vt untr* to shoot *od* flash through; **D~zug** *m* (*Luft*) draught (*BRIT*), draft (*US*); (*von Truppen, Vögeln*) passage; **~zwängen** *vt, vr* to squeeze *od* force through.

SCHLÜSSELWORT

dürfen ['dʏrfən] *unreg vi* **1** (*Erlaubnis haben*) to be allowed to; **ich darf das** I'm allowed to (do that); **darf ich?** may I?; **darf ich ins Kino?** can *od* may I go to the cinema?; **es darf geraucht werden** you may smoke
2 (*in Verneinungen*): **er darf das nicht** he's not allowed to (do that); **das darf nicht geschehen** that must not happen; **da darf sie sich nicht wundern** that shouldn't surprise her; **das darf doch nicht wahr sein!** that can't be true!
3 (*in Höflichkeitsformeln*): **darf ich Sie bitten, das zu tun?** may *od* could I ask you to do that?; **wir freuen uns, Ihnen mitteilen zu ~** we are pleased to be able to tell you; **was darf es sein?** what can I get for you?
4 (*können*): **das ~ Sie mir glauben** you can believe me
5 (*Möglichkeit*): **das dürfte genug sein** that should be enough; **es dürfte Ihnen bekannte sein, daß** ... as you will probably know ...

durfte *etc* ['dʊrftə] *vb siehe* **dürfen.**
dürftig ['dʏrftɪç] *adj* (*ärmlich*) needy, poor; (*unzulänglich*) inadequate.
dürr [dʏr] *adj* dried-up; (*Land*) arid; (*mager*) skinny.
Dürre (-, **-n**) *f* aridity; (*Zeit*) drought.
Durst [dʊrst] (**-(e)s**) *m* thirst; **~ haben** to be thirsty; **einen über den ~ getrunken haben** (*umg*) to have had one too many.
durstig *adj* thirsty.
Durststrecke *f* hard times *pl.*
Dusche ['dʊʃə] (**-, -n**) *f* shower; **das war eine kalte ~** (*fig*) that really brought him/her *etc* down with a bump.
duschen *vi, vr* to have a shower.
Duschgelegenheit *f* shower facilities *pl.*
Düse ['dyːzə] (-, **-n**) *f* nozzle; (*Flugzeug~*) jet.
Dusel ['duːzəl] (*umg*) *m:* **da hat er (einen) ~ gehabt** he was lucky.
Düsen- *zW:* **~antrieb** *m* jet propulsion; **~flugzeug** *nt* jet (plane); **~jäger** *m* jet fighter.
Dussel ['dʊsəl] (**-s,** -) (*umg*) *m* twit, berk.
Düsseldorf ['dʏsəldɔrf] *nt* Dusseldorf.
dusselig ['dʊsəlɪç] (*umg*) *adj* stupid.
dußlig ['dʊslɪç] (*umg*) *adj* stupid.
düster ['dyːstər] *adj* dark; (*Gedanken, Zukunft*) gloomy; **D~keit** *f* darkness, gloom; gloominess.
Dutzend ['dʊtsənt] (**-s, -e**) *nt* dozen; **d~(e)mal** *adv* a dozen times; **~ware** (*pej*) *f* (cheap) mass-produced item; **d~weise** *adv* by the dozen.
duzen ['duːtsən] *vt* to address with the familiar "du" form ♦ *vr* to address each other with the familiar "du" form; *siehe auch* **siezen.**

There are two different forms of address in German: du and Sie. **Duzen** *means addressing someone as 'du' and* **siezen** *means addressing someone as 'Sie'. 'Du' is used to address children, family and close friends. Students almost always use 'du' to each other. 'Sie' is used for all grown-ups and older teenagers.*

Duzfreund *m* good friend.
Dynamik [dy'na:mɪk] *f* (*PHYS*) dynamics; (*fig: Schwung*) momentum; (*von Mensch*) dynamism.
dynamisch [dy'na:mɪʃ] *adj* (*lit, fig*) dynamic; (*renten~*) index-linked.
Dynamit [dyna'mi:t] (**-s**) *nt* dynamite.
Dynamo [dy'na:mo] (**-s, -s**) *m* dynamo.
dz *abk* = **Doppelzentner.**
D-Zug ['de:tsu:k] *m* through train; **ein alter Mann ist doch kein ~-~** (*umg*) I am going as fast as I can.

E, e

E[1]**, e** [e:] *nt* E, e; ~ **wie Emil** ≈ E for Edward, E for Easy (*US*).
E[2] [e:] *abk* = **Eilzug; Europastraße.**
Ebbe ['ɛbə] (**-, -n**) *f* low tide; ~ **und Flut** ebb and flow.
eben ['e:bən] *adj* level; (*glatt*) smooth ♦ *adv* just; (*bestätigend*) exactly; **das ist ~ so** that's just the way it is; **mein Bleistift war doch ~ noch da** my pencil was there (just) a minute ago; ~ **deswegen** just because of that.
Ebenbild *nt*: **das genaue ~ seines Vaters** the spitting image of his father.
ebenbürtig *adj*: **jdm ~ sein** to be sb's peer.
Ebene (**-, -n**) *f* plain; (*MATH, PHYS*) plane; (*fig*) level.
eben- *zW*: **~erdig** *adj* at ground level; **~falls** *adv* likewise; **E~heit** *f* levelness; (*Glätte*) smoothness; **E~holz** *nt* ebony; **~so** *adv* just as; **~sogut** *adv* just as well; **~sooft** *adv* just as often; **~soviel** *adv* just as much; **~soweit** *adv* just as far; **~sowenig** *adv* just as little.
Eber ['e:bər] (**-s, -**) *m* boar.
Eberesche *f* mountain ash, rowan.
ebnen ['e:bnən] *vt* to level; **jdm den Weg ~** (*fig*) to smooth the way for sb.
Echo ['ɛço] (**-s, -s**) *nt* echo; **(bei jdm) ein lebhaftes ~ finden** (*fig*) to meet with a lively response (from sb).
Echolot ['ɛçolo:t] *nt* (*NAUT*) echo-sounder, sonar.
Echse ['ɛksə] (**-, -n**) *f* (*ZOOL*) lizard.
echt [ɛçt] *adj* genuine; (*typisch*) typical; **ich hab' ~ keine Zeit** (*umg*) I really don't have any time; **E~heit** *f* genuineness.
Eckball ['ɛkbal] *m* corner (kick).
Ecke ['ɛkə] (**-, -n**) *f* corner; (*MATH*) angle; **gleich um die ~** just around the corner; **an allen ~n und Enden sparen** (*umg*) to pinch and scrape; **jdn um die ~ bringen** (*umg*) to bump sb off; **mit jdm um ein paar ~n herum verwandt sein** (*umg*) to be distantly related to sb, be sb's second cousin twice removed (*hum*).
eckig *adj* angular.
Eckzahn *m* eye tooth.
Eckzins *m* (*FIN*) minimum lending rate.
Ecstasy ['ɛkstəsɪ] *nt* (*Droge*) ecstasy.
ECU [e'ky:] (**-(s), -(s)**) *m* (*FIN*) ecu.
Ecuador [ekua'do:r] (**-s**) *nt* Ecuador.
edel ['e:dəl] *adj* noble; **E~ganove** *m* gentleman criminal; **E~gas** *nt* rare gas; **E~metall** *nt* rare metal; **E~stein** *m* precious stone.
Edinburg(h) ['e:dɪnbʊrk] *nt* Edinburgh.
EDV (**-**) *f abk* (= *elektronische Datenverarbeitung*) EDP.
EEG (**-**) *nt abk* (= *Elektroenzephalogramm*) EEG.
Efeu ['e:fɔʏ] (**-s**) *m* ivy.
Effeff [ɛf'|ɛf] (**-**) (*umg*) *nt*: **etw aus dem ~ können** to be able to do sth standing on one's head.
Effekt [ɛ'fɛkt] (**-(e)s, -e**) *m* effect.
Effekten [ɛ'fɛktən] *pl* stocks *pl*; **~börse** *f* Stock Exchange.
Effekthascherei [ɛfɛkthaʃə'raɪ] *f* sensationalism.
effektiv [ɛfɛk'ti:f] *adj* effective, actual.
Effet [ɛ'fe:] (**-s**) *m* spin.
EG (**-**) *f abk* (= *Europäische Gemeinschaft*) EC.
egal [e'ga:l] *adj* all the same; **das ist mir ganz ~** it's all the same to me.
egalitär [egali'tɛ:r] *adj* (*geh*) egalitarian.
Egge ['ɛgə] (**-, -n**) *f* (*AGR*) harrow.
Egoismus [ego'ɪsmʊs] *m* selfishness, egoism.
Egoist(in) *m(f)* egoist; **e~isch** *adj* selfish, egoistic.
egozentrisch [ego'tsɛntrɪʃ] *adj* egocentric, self-centred (*BRIT*), self-centered (*US*).
eh [e:] *adv*: **seit ~ und je** for ages, since the year dot (*umg*); **ich komme ~ nicht dazu** I won't get around to it anyway.
e.h. *abk* = **ehrenhalber.**
Ehe ['e:ə] (**-, -n**) *f* marriage; **die ~ eingehen** (*form*) to enter into matrimony; **sie leben in wilder ~** (*veraltet*) they are living in sin.
ehe *konj* before.
Ehe- *zW*: **~brecher** (**-s, -**) *m* adulterer; **~brecherin** *f* adulteress; **~bruch** *m* adultery; **~frau** *f* wife; **~leute** *pl* married couple *pl*; **e~lich** *adj* matrimonial; (*Kind*) legitimate.
ehemalig *adj* former.
ehemals *adv* formerly.

Ehe- *zW:* **~mann** *m* married man; (*Partner*) husband; **~paar** *nt* married couple; **~partner** *m* husband; **~partnerin** *f* wife.
eher ['e:ər] *adv* (*früher*) sooner; (*lieber*) rather, sooner; (*mehr*) more; **nicht ~ als** not before; **um so ~, als** the more so because.
Ehe- *zW:* **~ring** *m* wedding ring; **~scheidung** *f* divorce; **~schließung** *f* marriage; **~stand** *m:* **in den ~stand treten** (*form*) to enter into matrimony.
eheste(r, s) ['e:əstə(r, s)] *adj* (*früheste*) first, earliest; **am ~n** (*am liebsten*) soonest; (*meist*) most; (*am wahrscheinlichsten*) most probably.
Ehevermittlung *f* (*Büro*) marriage bureau.
Eheversprechen *nt* (*JUR*) promise to marry.
ehrbar ['e:rba:r] *adj* honourable (*BRIT*), honorable (*US*), respectable.
Ehre (-, -n) *f* honour (*BRIT*), honor (*US*); **etw in ~n halten** to treasure *od* cherish sth.
ehren *vt* to honour (*BRIT*), honor (*US*).
Ehren- *zW:* **e~amtlich** *adj* honorary; **~bürgerrecht** *nt:* **die Stadt verlieh ihr das ~bürgerrecht** she was given the freedom of the city; **~gast** *m* guest of honour (*BRIT*) *od* honor (*US*); **e~haft** *adj* honourable (*BRIT*), honorable (*US*); **e~halber** *adv:* **er wurde e~halber zum Vorsitzenden auf Lebenszeit ernannt** he was made honorary president for life; **~mann** *m* man of honour (*BRIT*) *od* honor (*US*); **~mitglied** *nt* honorary member; **~platz** *m* place of honour (*BRIT*) *od* honor (*US*); **~rechte** *pl* civic rights *pl*; **e~rührig** *adj* defamatory; **~runde** *f* lap of honour (*BRIT*) *od* honor (*US*); **~sache** *f* point of honour (*BRIT*) *od* honor (*US*); **~sache!** (*umg*) you can count on me; **~tag** *m* (*Geburtstag*) birthday; (*großer Tag*) big day; **e~voll** *adj* honourable (*BRIT*), honorable (*US*); **~wort** *nt* word of honour (*BRIT*) *od* honor (*US*); **Urlaub auf ~wort** parole.
Ehr- *zW:* **e~erbietig** *adj* respectful; **~furcht** *f* awe, deep respect; **e~furchtgebietend** *adj* awesome; (*Stimme*) authoritative; **~gefühl** *nt* sense of honour (*BRIT*) *od* honor (*US*); **~geiz** *m* ambition; **e~geizig** *adj* ambitious; **e~lich** *adj* honest; **e~lich verdientes Geld** hard-earned money; **e~lich gesagt** ... quite frankly *od* honestly ...; **~lichkeit** *f* honesty; **e~los** *adj* dishonourable (*BRIT*), dishonorable (*US*).
Ehrung *f* honour(ing) (*BRIT*), honor(ing) (*US*).
ehrwürdig *adj* venerable.
Ei [aɪ] (-(e)s, -er) *nt* egg; **Eier** *pl* (*umg!: Hoden*) balls *pl* (*!*); **jdn wie ein rohes ~ behandeln** (*fig*) to handle sb with kid gloves; **wie aus dem ~ gepellt aussehen** (*umg*) to look spruce.
ei *interj* well, well; (*beschwichtigend*) now, now.
Eibe ['aɪbə] (-, -n) *f* (*BOT*) yew.
Eichamt ['aɪç|amt] *nt* Office of Weights and Measures.
Eiche (-, -n) *f* oak (tree).
Eichel (-, -n) *f* acorn; (*KARTEN*) club; (*ANAT*) glans.
eichen *vt* to calibrate.
Eichhörnchen *nt* squirrel.
Eichmaß *nt* standard.
Eichung *f* standardization.
Eid ['aɪt] (-(e)s, -e) *m* oath; **eine Erklärung an ~es Statt abgeben** (*JUR*) to make a solemn declaration.
Eidechse ['aɪdɛksə] (-, -n) *f* lizard.
eidesstattlich *adj:* **~e Erklärung** affidavit.
Eid- *zW:* **~genosse** *m* Swiss; **~genossenschaft** *f:* **Schweizerische ~genossenschaft** Swiss Confederation; **e~lich** *adj* (sworn) upon oath.
Eidotter *nt* egg yolk.
Eier- *zW:* **~becher** *m* egg cup; **~kuchen** *m* pancake; (*Omelett*) omelette (*BRIT*), omelet (*US*); **~likör** *m* advocaat.
eiern ['aɪərn] (*umg*) *vi* to wobble.
Eier- *zW:* **~schale** *f* eggshell; **~stock** *m* ovary; **~uhr** *f* egg timer.
Eifel ['aɪfəl] (-) *f* Eifel (Mountains).
Eifer ['aɪfər] (-s) *m* zeal, enthusiasm; **mit großem ~ bei der Sache sein** to put one's heart into it; **im ~ des Gefechts** (*fig*) in the heat of the moment; **~sucht** *f* jealousy; **e~süchtig** *adj:* **e~süchtig (auf** *+akk*) jealous (of).
eifrig ['aɪfrɪç] *adj* zealous, enthusiastic.
Eigelb ['aɪgɛlp] (-(e)s, -e *od* -) *nt* egg yolk.
eigen ['aɪgən] *adj* own; (*~artig*) peculiar; (*ordentlich*) particular; (*übergenau*) fussy; **ich möchte kurz in ~er Sache sprechen** I would like to say something on my own account; **mit dem ihm ~en Lächeln** with that smile peculiar to him; **sich** *dat* **etw zu ~ machen** to make sth one's own; **E~art** *f* (*Besonderheit*) peculiarity; (*Eigenschaft*) characteristic; **~artig** *adj* peculiar; **E~bau** *m:* **er fährt ein Fahrrad Marke E~bau** (*hum: umg*) he rides a home-made bike; **E~bedarf** *m* one's own requirements *pl*; **E~brötler(in)** (-s, -) *m(f)* loner, lone wolf; (*komischer Kauz*) oddball (*umg*); **E~gewicht** *nt* dead weight; **~händig** *adj* with one's own hand; **E~heim** *nt* owner-occupied house; **E~heit** *f* peculiarity; **E~initiative** *f* initiative of one's own; **E~kapital** *nt* personal capital; (*von Firma*) company capital; **E~lob** *nt* self-praise; **~mächtig** *adj* high-handed; (*~verantwortlich*) taken/done *etc* on one's own authority; (*unbefugt*) unauthorized; **E~name** *m* proper name; **E~nutz** *m* self-interest.
eigens *adv* expressly, on purpose.
eigen- *zW:* **E~schaft** *f* quality, property, attribute; **E~schaftswort** *nt* adjective; **E~sinn** *m* obstinacy; **~sinnig** *adj* obstinate; **~ständig** *adj* independent; **E~ständigkeit** *f* independence.

eigentlich *adj* actual, real ♦ *adv* actually, really; **was willst du ~ hier?** what do you want here anyway?
eigen- *zW:* **E~tor** *nt* own goal; **E~tum** *nt* property; **E~tümer(in)** **(-s, -)** *m(f)* owner, proprietor; **~tümlich** *adj* peculiar; **E~tümlichkeit** *f* peculiarity.
Eigentumsdelikt *nt* (*JUR: Diebstahl*) theft.
Eigentumswohnung *f* freehold flat.
eigenwillig *adj* with a mind of one's own.
eignen ['aɪgnən] *vr* to be suited.
Eignung *f* suitability.
Eignungsprüfung *f* aptitude test.
Eignungstest **(-(e)s, -s** *od* **-e)** *m* aptitude test.
Eilbote *m* courier; **per** *od* **durch ~n** express.
Eilbrief *m* express letter.
Eile (-) *f* haste; **es hat keine ~** there's no hurry.
Eileiter ['aɪlaɪtər] *m* (*ANAT*) Fallopian tube.
eilen *vi* (*Mensch*) to hurry; (*dringend sein*) to be urgent.
eilends *adv* hastily.
Eilgut *nt* express goods *pl*, fast freight (*US*).
eilig *adj* hasty, hurried; (*dringlich*) urgent; **es ~ haben** to be in a hurry.
Eil- *zW:* **~tempo** *nt:* **etw im ~tempo machen** to do sth in a rush; **~zug** *m* fast stopping train; **~zustellung** *f* special delivery.
Eimer ['aɪmər] **(-s, -)** *m* bucket, pail; **im ~ sein** (*umg*) to be up the spout.
ein(e) ['aɪn(ə)] *num* one ♦ *indef art* a, an ♦ *adv:* **nicht ~ noch aus wissen** not to know what to do; **E~/Aus** (*an Geräten*) on/off; **er ist ihr ~ und alles** he means everything to her; **er geht bei uns ~ und aus** he is always round at our place.
einander [aɪ'nandər] *pron* one another, each other.
einarbeiten ['aɪn|arbaɪtən] *vr:* **sich (in etw** *akk***) ~** to familiarize o.s. (with sth).
Einarbeitungszeit *f* training period.
einarmig ['aɪn|armɪç] *adj* one-armed.
einäschern ['aɪn|ɛʃərn] *vt* (*Leichnam*) to cremate; (*Stadt etc*) to reduce to ashes.
einatmen ['aɪn|aːtmən] *vt, vi* to inhale, breathe in.
einäugig ['aɪn|ɔʏgɪç] *adj* one-eyed.
Einbahnstraße ['aɪnbaːnʃtrasə] *f* one-way street.
Einband ['aɪnbant] *m* binding, cover.
einbändig ['aɪnbɛndɪç] *adj* one-volume.
einbauen ['aɪnbaʊən] *vt* to build in; (*Motor*) to install, fit.
Einbau- *zW:* **~küche** *f* (fully-)fitted kitchen; **~möbel** *pl* built-in furniture *sing*; **~schrank** *m* fitted cupboard.
einbegriffen ['aɪnbəgrɪfən] *adj* included, inclusive.
einbehalten ['aɪnbəhaltən] *unreg vt* to keep back.
einberufen *unreg vt* to convene; (*MIL*) to call up (*BRIT*), draft (*US*).
Einberufung *f* convocation; call-up (*BRIT*), draft (*US*).
Einberufungsbefehl *m*, **Einberufungsbescheid** *m* (*MIL*) call-up (*BRIT*) *od* draft (*US*) papers *pl*.
einbetten ['aɪnbɛtən] *vt* to embed.
Einbettzimmer *nt* single room.
einbeziehen ['aɪnbətsiːən] *unreg vt* to include.
einbiegen ['aɪnbiːgən] *unreg vi* to turn.
einbilden ['aɪnbɪldən] *vr:* **sich** *dat* **etw ~** to imagine sth; **sich** *dat* **viel auf etw** *akk* **~** (*stolz sein*) to be conceited about sth.
Einbildung *f* imagination; (*Dünkel*) conceit.
Einbildungskraft *f* imagination.
einbinden ['aɪnbɪndən] *unreg vt* to bind (up).
einblenden ['aɪnblɛndən] *vt* to fade in.
einbleuen ['aɪnblɔʏən] (*umg*) *vt:* **jdm etw ~** to hammer sth into sb.
Einblick ['aɪnblɪk] *m* insight; **~ in die Akten nehmen** to examine the files; **jdm ~ in etw** *akk* **gewähren** to allow sb to look at sth.
einbrechen ['aɪnbrɛçən] *unreg vi* (*einstürzen*) to fall in; (*Einbruch verüben*) to break in; **bei ~der Dunkelheit** at nightfall.
Einbrecher **(-s, -)** *m* burglar.
einbringen ['aɪnbrɪŋən] *unreg vt* to bring in; (*Geld, Vorteil*) to yield; (*mitbringen*) to contribute; **das bringt nichts ein** (*fig*) it's not worth it.
einbrocken ['aɪnbrɔkən] (*umg*) *vt:* **jdm/sich etwas ~** to land sb/o.s. in it.
Einbruch ['aɪnbrʊx] *m* (*Haus~*) break-in, burglary; (*des Winters*) onset; (*Einsturz, FIN*) collapse; (*MIL: in Front*) breakthrough; **bei ~ der Nacht** at nightfall.
einbruchssicher *adj* burglar-proof.
Einbuchtung ['aɪnbʊxtʊŋ] *f* indentation; (*Bucht*) inlet, bay.
einbürgern ['aɪnbʏrgərn] *vt* to naturalize ♦ *vr* to become adopted; **das hat sich so eingebürgert** that's become a custom.
Einbürgerung *f* naturalization.
Einbuße ['aɪnbuːsə] *f* loss, forfeiture.
einbüßen ['aɪnbyːsən] *vt* to lose, forfeit.
einchecken ['aɪntʃɛkən] *vt, vi* to check in.
eincremen ['aɪnkreːmən] *vt* to put cream on.
eindämmen ['aɪndɛmən] *vt* (*Fluß*) to dam; (*fig*) to check, contain.
eindecken ['aɪndɛkən] *vr:* **sich ~ (mit)** to lay in stocks (of) ♦ *vt* (*umg: überhäufen*): **mit Arbeit eingedeckt sein** to be inundated with work.
eindeutig ['aɪndɔʏtɪç] *adj* unequivocal.
eindeutschen ['aɪndɔʏtʃən] *vt* (*Fremdwort*) to Germanize.
eindösen ['aɪndøːzən] (*umg*) *vi* to doze off.
eindringen ['aɪndrɪŋən] *unreg vi:* **~ (in +***akk***)** to force one's way in(to); (*in Haus*) to break in(to); (*in Land*) to invade; (*Gas, Wasser*) to penetrate; **auf jdn ~** (*mit Bitten*) to pester sb.
eindringlich *adj* forcible, urgent; **ich habe ihn ~ gebeten** ... I urged him ...
Eindringling *m* intruder.

Eindruck ['aɪndrʊk] *m* impression.
eindrücken ['aɪndrʏkən] *vt* to press in.
eindrucksfähig *adj* impressionable.
eindrucksvoll *adj* impressive.
eine(r, s) *pron* one; (*jemand*) someone; **wie kann ~r nur so dumm sein!** how could anybody be so stupid!; **es kam ~s zum anderen** it was (just) one thing after another; **sich** *dat* **~n genehmigen** (*umg*) to have a quick one.
einebnen ['aɪn|e:bnən] *vt* (*lit*) to level (off); (*fig*) to level out.
Einehe ['aɪn|e:ə] *f* monogamy.
eineiig ['aɪn|aɪɪç] *adj* (*Zwillinge*) identical.
eineinhalb ['aɪn|aɪn'halp] *num* one and a half.
einengen ['aɪn|ɛŋən] *vt* to confine, restrict.
Einer ['aɪnər] (-) *m* (*MATH*) unit; (*Ruderboot*) single scull.
Einerlei ['aɪnər'laɪ] (**-s**) *nt* monotony; **e~** *adj* (*gleichartig*) the same kind of; **es ist mir e~** it is all the same to me.
einerseits *adv* on the one hand.
einfach ['aɪnfax] *adj* simple; (*nicht mehrfach*) single ♦ *adv* simply; **E~heit** *f* simplicity.
einfädeln ['aɪnfɛ:dəln] *vt* (*Nadel*) to thread; (*fig*) to contrive.
einfahren ['aɪnfa:rən] *unreg vt* to bring in; (*Barriere*) to knock down; (*Auto*) to run in ♦ *vi* to drive in; (*Zug*) to pull in; (*MIN*) to go down.
Einfahrt *f* (*Vorgang*) driving in; pulling in; (*MIN*) descent; (*Ort*) entrance; (*von Autobahn*) slip road (*BRIT*), entrance ramp (*US*).
Einfall ['aɪnfal] *m* (*Idee*) idea, notion; (*Licht~*) incidence; (*MIL*) raid.
einfallen *unreg vi* (*einstürzen*) to fall in, collapse; (*Licht*) to fall; (*MIL*) to raid; (*einstimmen*): **~ (in** *+akk***)** to join in (with); **etw fällt jdm ein** sth occurs to sb; **das fällt mir gar nicht ein!** I wouldn't dream of it; **sich** *dat* **etwas ~ lassen** to have a good idea; **dabei fällt mir mein Onkel ein, der ...** that reminds me of my uncle who ...; **es fällt mir jetzt nicht ein** I can't think of it *od* it won't come to me at the moment.
einfallslos *adj* unimaginative.
einfallsreich *adj* imaginative.
einfältig ['aɪnfɛltɪç] *adj* simple(-minded).
Einfaltspinsel ['aɪnfaltspɪnzəl] (*umg*) *m* simpleton.
Einfamilienhaus [aɪnfa'mi:liənhaʊs] *nt* detached house.
einfangen ['aɪnfaŋən] *unreg vt* to catch.
einfarbig ['aɪnfarbɪç] *adj* all one colour (*BRIT*) *od* color (*US*); (*Stoff etc*) self-coloured (*BRIT*), self-colored (*US*).
einfassen ['aɪnfasən] *vt* (*Edelstein*) to set; (*Beet, Stoff*) to edge.
Einfassung *f* setting; border.
einfetten ['aɪnfɛtən] *vt* to grease.
einfinden ['aɪnfɪndən] *unreg vr* to come, turn up.
einfliegen ['aɪnfli:gən] *unreg vt* to fly in.
einfließen ['aɪnfli:sən] *unreg vi* to flow in.
einflößen ['aɪnflø:sən] *vt*: **jdm etw ~** (*lit*) to give sb sth; (*fig*) to instil sth into sb.
Einfluß ['aɪnflʊs] *m* influence; **~ nehmen** to bring an influence to bear; **~bereich** *m* sphere of influence; **e~reich** *adj* influential.
einflüstern ['aɪnflʏstərn] *vt*: **jdm etw ~** to whisper sth to sb; (*fig*) to insinuate sth to sb.
einförmig ['aɪnfœrmɪç] *adj* uniform; (*eintönig*) monotonous; **E~keit** *f* uniformity; monotony.
einfrieren ['aɪnfri:rən] *unreg vi* to freeze (in) ♦ *vt* to freeze; (*POL: Beziehungen*) to suspend.
einfügen ['aɪnfy:gən] *vt* to fit in; (*zusätzlich*) to add; (*COMPUT*) to insert.
einfühlen ['aɪnfy:lən] *vr*: **sich in jdn ~** to empathize with sb.
einfühlsam ['aɪnfy:lza:m] *adj* sensitive.
Einfühlungsvermögen *nt* empathy; **mit großem ~** with a great deal of sensitivity.
Einfuhr ['aɪnfu:r] (-) *f* import; **~artikel** *m* imported article.
einführen ['aɪnfy:rən] *vt* to bring in; (*Mensch, Sitten*) to introduce; (*Ware*) to import; **jdn in sein Amt ~** to install sb (in office).
Einfuhr- *zW*: **~genehmigung** *f* import permit; **~kontingent** *nt* import quota; **~sperre** *f* ban on imports; **~stopp** *m* ban on imports.
Einführung *f* introduction.
Einführungspreis *m* introductory price.
Einfuhrzoll *m* import duty.
einfüllen ['aɪnfʏlən] *vt* to pour in.
Eingabe ['aɪnga:bə] *f* petition; (*Daten~*) input; **~/Ausgabe** (*COMPUT*) input/output.
Eingang ['aɪngaŋ] *m* entrance; (*COMM: Ankunft*) arrival; (*Sendung*) post; **wir bestätigen den ~ Ihres Schreibens vom ...** we acknowledge receipt of your letter of the ...
eingängig ['aɪngɛŋɪç] *adj* catchy.
eingangs *adv* at the outset ♦ *präp +gen* at the outset of.
Eingangs- *zW*: **~bestätigung** *f* acknowledgement of receipt; **~halle** *f* entrance hall; **~stempel** *m* (*COMM*) receipt stamp.
eingeben ['aɪnge:bən] *unreg vt* (*Arznei*) to give; (*Daten etc*) to enter; (*Gedanken*) to inspire.
eingebettet ['aɪngəbɛtət] *adj*: **in** *od* **zwischen Hügeln ~** nestling among the hills.
eingebildet ['aɪngəbɪldət] *adj* imaginary; (*eitel*) conceited; **~er Kranker** hypochondriac.
Eingeborene(r) ['aɪngəbo:rənə(r)] *f(m)* native.
Eingebung *f* inspiration.
eingedenk ['aɪngədɛŋk] *präp +gen* bearing in mind.
eingefahren ['aɪngəfa:rən] *adj* (*Verhaltensweise*) well-worn.

eingefallen ['aɪngəfalən] *adj* (*Gesicht*) gaunt.
eingefleischt ['aɪngəflaɪʃt] *adj* inveterate; ~**er Junggeselle** confirmed bachelor.
eingefroren ['aɪngəfroːrən] *adj* frozen.
eingehen ['aɪngeːən] *unreg vi* (*Aufnahme finden*) to come in; (*Sendung, Geld*) to be received; (*Tier, Pflanze*) to die; (*Firma*) to fold; (*schrumpfen*) to shrink ♦ *vt* (*abmachen*) to enter into; (*Wette*) to make; **auf etw** *akk* ~ to go into sth; **auf jdn** ~ to respond to sb; **jdm** ~ (*verständlich sein*) to be comprehensible to sb; **auf einen Vorschlag/Plan** ~ (*zustimmen*) to go along with a suggestion/plan; **bei dieser Hitze/Kälte geht man ja ein!** (*umg*) this heat/cold is just too much.
eingehend *adj* in-depth, thorough.
eingekeilt ['aɪngəkaɪlt] *adj* hemmed in; (*fig*) trapped.
eingekesselt ['aɪngəkɛsəlt] *adj:* ~ **sein** to be encircled *od* surrounded.
Eingemachte(s) ['aɪngəmaːxtə(s)] *nt* preserves *pl*.
eingemeinden ['aɪngəmaɪndən] *vt* to incorporate.
eingenommen ['aɪngənɔmən] *adj:* ~ **(von)** fond (of), partial (to); ~ **(gegen)** prejudiced (against).
eingeschnappt ['aɪngəʃnapt] (*umg*) *adj* cross; ~ **sein** to be in a huff.
eingeschrieben ['aɪngəʃriːbən] *adj* registered.
eingeschworen ['aɪngəʃvoːrən] *adj* confirmed; (*Gemeinschaft*) close.
eingesessen ['aɪngəzɛsən] *adj* old-established.
eingespannt ['aɪngəʃpant] *adj* busy.
eingespielt ['aɪngəʃpiːlt] *adj:* **aufeinander** ~ **sein** to be in tune with each other.
Eingeständnis ['aɪngəʃtɛntnɪs] *nt* admission, confession.
eingestehen ['aɪngəʃteːən] *unreg vt* to confess.
eingestellt ['aɪngəʃtɛlt] *adj:* **ich bin im Moment nicht auf Besuch** ~ I'm not prepared for visitors.
eingetragen ['aɪngətraːgən] *adj* (*COMM*) registered; ~**er Gesellschaftssitz** registered office; ~**es Warenzeichen** registered trademark.
Eingeweide ['aɪngəvaɪdə] **(-s, -)** *nt* innards *pl*, intestines *pl*.
Eingeweihte(r) ['aɪngəvaɪtə(r)] *f(m)* initiate.
eingewöhnen ['aɪngəvøːnən] *vr:* **sich** ~ **(in** *+dat***)** to settle down (in).
eingezahlt ['aɪngətsaːlt] *adj:* ~**es Kapital** paid-up capital.
eingießen ['aɪngiːsən] *unreg vt* to pour (out).
eingleisig ['aɪnglaɪzɪç] *adj* single-track; **er denkt sehr** ~ (*fig*) he's completely single-minded.
eingliedern ['aɪngliːdərn] *vt:* ~ **(in** *+akk***)** to integrate (into) ♦ *vr:* **sich** ~ **(in** *+akk***)** to integrate o.s. (into).
eingraben ['aɪngraːbən] *unreg vt* to dig in ♦ *vr* to dig o.s. in; **dieses Erlebnis hat sich seinem Gedächtnis eingegraben** this experience has engraved itself on his memory.
eingreifen ['aɪngraɪfən] *unreg vi* to intervene, interfere; (*Zahnrad*) to mesh.
eingrenzen ['aɪngrɛntsən] *vt* to enclose; (*fig: Problem*) to delimit.
Eingriff ['aɪngrɪf] *m* intervention, interference; (*Operation*) operation.
einhaken ['aɪnhaːkən] *vt* to hook in ♦ *vr:* **sich bei jdm** ~ to link arms with sb ♦ *vi* (*sich einmischen*) to intervene.
Einhalt ['aɪnhalt] *m:* ~ **gebieten** *+dat* to put a stop to.
einhalten *unreg vt* (*Regel*) to keep ♦ *vi* to stop.
einhämmern ['aɪnhɛmərn] *vt:* **jdm etw** ~ (*fig*) to hammer sth into sb.
einhandeln ['aɪnhandəln] *vt:* **etw gegen** *od* **für etw** ~ to trade sth for sth.
einhändig ['aɪnhɛndɪç] *adj* one-handed.
einhändigen ['aɪnhɛndɪgən] *vt* to hand in.
einhängen ['aɪnhɛŋən] *vt* to hang; (*Telefon: auch vi*) to hang up; **sich bei jdm** ~ to link arms with sb.
einheimisch ['aɪnhaɪmɪʃ] *adj* native.
Einheimische(r) *f(m)* local.
einheimsen (*umg*) *vt* to bring home.
einheiraten ['aɪnhaɪraːtən] *vi:* **in einen Betrieb** ~ to marry into a business.
Einheit ['aɪnhaɪt] *f* unity; (*Maß, MIL*) unit; **eine geschlossene** ~ **bilden** to form an integrated whole; **e**~**lich** *adj* uniform.
Einheits- *zW:* ~**front** *f* (*POL*) united front; ~**liste** *f* (*POL*) single *od* unified list of candidates; ~**preis** *m* uniform price.
einheizen ['aɪnhaɪtsən] *vi:* **jdm (tüchtig)** ~ (*umg: die Meinung sagen*) to make things hot for sb.
einhellig ['aɪnhɛlɪç] *adj* unanimous ♦ *adv* unanimously.
einholen ['aɪnhoːlən] *vt* (*Tau*) to haul in; (*Fahne, Segel*) to lower; (*Vorsprung aufholen*) to catch up with; (*Verspätung*) to make up; (*Rat, Erlaubnis*) to ask ♦ *vi* (*einkaufen*) to buy, shop.
Einhorn ['aɪnhɔrn] *nt* unicorn.
einhüllen ['aɪnhʏlən] *vt* to wrap up.
einhundert ['aɪn'hʊndərt] *num* one hundred.
einig ['aɪnɪç] *adj* (*vereint*) united; **sich** *dat* ~ **sein** to be in agreement; ~ **werden** to agree.
einige(r, s) *adj, pron* some ♦ *pl* some; (*mehrere*) several; **mit Ausnahme** ~**r weniger** with a few exceptions; **vor** ~**n Tagen** the other day, a few days ago; **dazu ist noch** ~**s zu sagen** there are still one or two things to say about that.
einigemal *adv* a few times.
einigen *vt* to unite ♦ *vr:* **sich (auf etw** *akk***)** ~ to agree (on sth).
einigermaßen *adv* somewhat; (*leidlich*) reasonably.
einiges *pron siehe* **einige(r, s)**.

einiggehen *unreg vi* to agree.
Einigkeit *f* unity; (*Übereinstimmung*) agreement.
Einigung *f* agreement; (*Ver~*) unification.
einimpfen ['aɪn|ɪmpfən] *vt:* **jdm etw ~** to inoculate sb with sth; (*fig*) to impress sth upon sb.
einjagen ['aɪnja:gən] *vt:* **jdm Furcht/einen Schrecken ~** to give sb a fright.
einjährig ['aɪnjɛ:rɪç] *adj* of *od* for one year; (*Alter*) one-year-old; (*Pflanze*) annual.
einkalkulieren ['aɪnkalkuli:rən] *vt* to take into account, allow for.
einkassieren ['aɪnkasi:rən] *vt* (*Geld, Schulden*) to collect.
Einkauf ['aɪnkaʊf] *m* purchase; (*COMM: Abteilung*) purchasing (department).
einkaufen *vt* to buy ♦ *vi* to shop; **~ gehen** to go shopping.
Einkäufer(in) ['aɪnkɔʏfər(ɪn)] *m(f)* (*COMM*) buyer.
Einkaufs- *zW:* **~bummel** *m:* **einen ~bummel machen** to go on a shopping spree; **~ korb** *m* shopping basket; **~leiter(in)** *m(f)* (*COMM*) chief buyer; **~netz** *nt* string bag; **~preis** *m* cost price, wholesale price; **~wagen** *m* trolley (*BRIT*), cart (*US*); **~zentrum** *nt* shopping centre.
einkehren ['aɪnke:rən] *vi* (*geh: Ruhe, Frühling*) to come; **in einem Gasthof ~** to (make a) stop at an inn.
einkerben ['aɪnkɛrbən] *vt* to notch.
einklagen ['aɪnkla:gən] *vt* (*Schulden*) to sue for (the recovery of).
einklammern ['aɪnklamərn] *vt* to put in brackets, bracket.
Einklang ['aɪnklaŋ] *m* harmony.
einkleiden ['aɪnklaɪdən] *vt* to clothe; (*fig*) to express.
einklemmen ['aɪnklɛmən] *vt* to jam.
einknicken ['aɪnknɪkən] *vt* to bend in; (*Papier*) to fold ♦ *vi* (*Knie*) to give way.
einkochen ['aɪnkɔxən] *vt* to boil down; (*Obst*) to preserve, bottle.
Einkommen ['aɪnkɔmən] **(-s, -)** *nt* income.
einkommensschwach *adj* low-income *attrib.*
einkommensstark *adj* high-income *attrib.*
Einkommen(s)steuer *f* income tax; **~erklärung** *f* income tax return.
Einkommensverhältnisse *pl* (level of) income *sing.*
einkreisen ['aɪnkraɪzən] *vt* to encircle.
einkriegen ['aɪnkri:gən] (*umg*) *vr:* **sie konnte sich gar nicht mehr darüber ~, daß ...** she couldn't get over the fact that ...
Einkünfte ['aɪnkʏnftə] *pl* income *sing*, revenue *sing.*
einladen ['aɪnla:dən] *unreg vt* (*Person*) to invite; (*Gegenstände*) to load; **jdn ins Kino ~** to take sb to the cinema.
Einladung *f* invitation.
Einlage ['aɪnla:gə] *f* (*Programm~*) interlude; (*Spar~*) deposit; (*FIN: Kapital~*) investment; (*Schuh~*) insole; (*Fußstütze*) support; (*Zahn~*) temporary filling; (*KOCH*) *noodles, vegetables etc (in clear soup).*
einlagern ['aɪnla:gərn] *vt* to store.
Einlaß ['aɪnlas] **(-sses, -lässe)** *m* admission; **jdm ~ gewähren** to admit sb.
einlassen *unreg vt* to let in; (*einsetzen*) to set in ♦ *vr:* **sich mit jdm/auf etw** *akk* **~** to get involved with sb/sth; **sich auf einen Kompromiß ~** to agree to a compromise; **ich lasse mich auf keine Diskussion ein** I'm not having any discussion about it.
Einlauf ['aɪnlaʊf] *m* arrival; (*von Pferden*) finish; (*MED*) enema.
einlaufen *unreg vi* to arrive, come in; (*SPORT*) to finish; (*Wasser*) to run in; (*Stoff*) to shrink ♦ *vt* (*Schuhe*) to break in ♦ *vr* (*SPORT*) to warm up; (*Motor, Maschine*) to run in; **jdm das Haus ~** to invade sb's house; **in den Hafen ~** to enter the harbour.
einläuten ['aɪnlɔʏtən] *vt* (*neues Jahr*) to ring in; (*SPORT: Runde*) to sound the bell for.
einleben ['aɪnle:bən] *vr* to settle down.
Einlegearbeit *f* inlay.
einlegen ['aɪnle:gən] *vt* (*einfügen: Blatt, Sohle*) to insert; (*KOCH*) to pickle; (*in Holz etc*) to inlay; (*Geld*) to deposit; (*Pause*) to have; (*Protest*) to make; (*Veto*) to use; (*Berufung*) to lodge; **ein gutes Wort bei jdm ~** to put in a good word with sb.
Einlegesohle *f* insole.
einleiten ['aɪnlaɪtən] *vt* to introduce, start; (*Geburt*) to induce.
Einleitung *f* introduction; induction.
einlenken ['aɪnlɛŋkən] *vi* (*fig*) to yield, give way.
einlesen ['aɪnle:zən] *unreg vr:* **sich in ein Gebiet ~** to get into a subject ♦ *vt:* **etw in etw** *+akk* **~** (*Daten*) to feed sth into sth.
einleuchten ['aɪnlɔʏçtən] *vi:* **(jdm) ~** to be clear *od* evident (to sb).
einleuchtend *adj* clear.
einliefern ['aɪnli:fərn] *vt:* **~ (in** *+akk***)** to take (into); **jdn ins Krankenhaus ~** to admit sb to hospital.
Einlieferungsschein *m* certificate of posting.
einlochen ['aɪnlɔxən] (*umg*) *vt* (*einsperren*) to lock up.
einlösen ['aɪnlø:zən] *vt* (*Scheck*) to cash; (*Schuldschein, Pfand*) to redeem; (*Versprechen*) to keep.
einmachen ['aɪnmaxən] *vt* to preserve.
Einmachglas *nt* bottling jar.
einmal ['aɪnma:l] *adv* once; (*erstens*) first of all, firstly; (*später*) one day; **nehmen wir ~ an** just let's suppose; **noch ~** once more; **nicht ~** not even; **auf ~** all at once; **es war ~** once upon a time there was/were; **~ ist keinmal** (*Sprichwort*) once doesn't count; **waren Sie schon ~ in Rom?** have you ever

been to Rome?
Einmaleins *nt* multiplication tables *pl*; (*fig*) ABC, basics *pl*.
einmalig *adj* unique; (*einmal geschehend*) single; (*prima*) fantastic.
Einmannbetrieb *m* one-man business.
Einmannbus *m* one-man-operated bus.
Einmarsch ['aınmarʃ] *m* entry; (*MIL*) invasion.
einmarschieren *vi* to march in.
einmengen ['aınmɛŋən] *vr*: **sich (in etw** *+akk*) ~ to interfere (with sth).
einmieten ['aınmi:tən] *vr*: **sich bei jdm** ~ to take lodgings with sb.
einmischen ['aınmıʃən] *vr*: **sich (in etw** *+akk*) ~ to interfere (with sth).
einmotten ['aınmɔtən] *vt* (*Kleider etc*) to put in mothballs.
einmünden ['aınmʏndən] *vi*: ~ **in** *+akk* (*subj: Fluß*) to flow *od* run into, join; (: *Straße: in Platz*) to run into; (: : *in andere Straße*) to run into, join.
einmütig ['aınmy:tıç] *adj* unanimous.
einnähen ['aınnɛ:ən] *vt* (*enger machen*) to take in.
Einnahme ['aınna:mə] (-, -n) *f* (*Geld*) takings *pl*, revenue; (*von Medizin*) taking; (*MIL*) capture, taking; **~n und Ausgaben** income and expenditure; **~quelle** *f* source of income.
einnehmen ['aınne:mən] *unreg vt* to take; (*Stellung, Raum*) to take up; ~ **für/gegen** to persuade in favour of/against.
einnehmend *adj* charming.
einnicken ['aınnıkən] *vi* to nod off.
einnisten ['aınnıstən] *vr* to nest; (*fig*) to settle o.s.
Einöde ['aın|ø:də] (-, -n) *f* desert, wilderness.
einordnen ['aın|ɔrdnən] *vt* to arrange, fit in ♦ *vr* to adapt; (*AUT*) to get in(to) lane.
einpacken ['aınpakən] *vt* to pack (up).
einparken ['aınparkən] *vt, vi* to park.
einpauken ['aınpaʊkən] (*umg*) *vt*: **jdm etw** ~ to drum sth into sb.
einpendeln ['aınpɛndəln] *vr* to even out.
einpennen ['aınpɛnən] (*umg*) *vi* to drop off.
einpferchen ['aınpfɛrçən] *vt* to pen in; (*fig*) to coop up.
einpflanzen ['aınpflantsən] *vt* to plant; (*MED*) to implant.
einplanen ['aınpla:nən] *vt* to plan for.
einprägen ['aınprɛ:gən] *vt* to impress, imprint; (*beibringen*): **jdm etw** ~ to impress sth on sb; **sich** *dat* **etw** ~ to memorize sth.
einprägsam ['aınprɛ:kza:m] *adj* easy to remember; (*Melodie*) catchy.
einprogrammieren ['aınprogrami:rən] *vt* (*COMPUT*) to feed in.
einprügeln ['aınpry:gəln] (*umg*) *vt*: **jdm etw** ~ to din sth into sb.
einquartieren ['aınkvarti:rən] *vt* (*MIL*) to billet; **Gäste bei Freunden** ~ to put visitors up with friends.
einrahmen ['aınra:mən] *vt* to frame.
einrasten ['aınrastən] *vi* to engage.
einräumen ['aınrɔʏmən] *vt* (*ordnend*) to put away; (*überlassen: Platz*) to give up; (*zugestehen*) to admit, concede.
einrechnen ['aınrɛçnən] *vt* to include; (*berücksichtigen*) to take into account.
einreden ['aınre:dən] *vt*: **jdm/sich etw** ~ to talk sb/o.s. into believing sth ♦ *vi*: **auf jdn** ~ to keep on and on at sb.
Einreibemittel *nt* liniment.
einreiben ['aınraıbən] *unreg vt* to rub in.
einreichen ['aınraıçən] *vt* to hand in; (*Antrag*) to submit.
einreihen ['aınraıən] *vt* (*einordnen, einfügen*) to put in; (*klassifizieren*) to classify ♦ *vr* (*Auto*) to get in lane; **etw in etw** *akk* ~ to put sth into sth.
Einreise ['aınraızə] *f* entry; **~bestimmungen** *pl* entry regulations *pl*; **~erlaubnis** *f* entry permit; **~genehmigung** *f* entry permit.
einreisen ['aınraızən] *vi*: **in ein Land** ~ to enter a country.
Einreiseverbot *nt* refusal of entry.
Einreisevisum *nt* entry visa.
einreißen ['aınraısən] *unreg vt* (*Papier*) to tear; (*Gebäude*) to pull down ♦ *vi* to tear; (*Gewohnheit werden*) to catch on.
einrenken ['aınrɛŋkən] *vt* (*Gelenk, Knie*) to put back in place; (*fig: umg*) to sort out ♦ *vr* (*fig: umg*) to sort itself out.
einrichten ['aınrıçtən] *vt* (*Haus*) to furnish; (*schaffen*) to establish, set up; (*arrangieren*) to arrange; (*möglich machen*) to manage ♦ *vr* (*in Haus*) to furnish one's house; **sich** ~ **(auf** *+akk*) (*sich vorbereiten*) to prepare o.s. (for); (*sich anpassen*) to adapt (to).
Einrichtung *f* (*Wohnungs~*) furnishings *pl*; (*öffentliche Anstalt*) organization; (*Dienste*) service; (*Labor~ etc*) equipment; (*Gewohnheit*): **zur ständigen** ~ **werden** to become an institution.
Einrichtungsgegenstand *m* item of furniture.
einrosten ['aınrɔstən] *vi* to get rusty.
einrücken ['aınrʏkən] *vi* (*MIL: Soldat*) to join up; (: *in Land*) to move in ♦ *vt* (*Anzeige*) to insert; (*Zeile, Text*) to indent.
Eins [aıns] (-, -en) *f* one; **e~** *num* one; **es ist mir alles e~** it's all one to me; **e~ zu e~** (*SPORT*) one all; **e~ a** (*umg*) first-rate.
einsalzen ['aınzaltsən] *vt* to salt.
einsam ['aınza:m] *adj* lonely, solitary; **~e Klasse/Spitze** (*umg: hervorragend*) absolutely fantastic; **E~keit** *f* loneliness, solitude.
einsammeln ['aınzaməln] *vt* to collect.
Einsatz ['aınzats] *m* (*Teil*) insert; (*an Kleid*) insertion; (*Tisch~*) leaf; (*Verwendung*) use, employment; (*Spiel~*) stake; (*Risiko*) risk; (*MIL*) operation; (*MUS*) entry; **im** ~ in action; **etw unter** ~ **seines Lebens tun** to risk one's life to do sth; **~befehl** *m* order to

go into action; **e~bereit** *adj* ready for action; **~kommando** *nt* (*MIL*) task force.
einschalten ['aınʃaltən] *vt* (*ELEK*) to switch on; (*einfügen*) to insert; (*Pause*) to make; (*AUT: Gang*) to engage; (*Anwalt*) to bring in ♦ *vr* (*dazwischentreten*) to intervene.
Einschaltquote *f* (*TV*) viewing figures *pl*.
einschärfen ['aınʃɛrfən] *vt*: **jdm etw ~** to impress sth on sb.
einschätzen ['aınʃɛtsən] *vt* to estimate, assess ♦ *vr* to rate o.s.
einschenken ['aınʃɛŋkən] *vt* to pour out.
einscheren ['aınʃeːrən] *vi* to get back (into lane).
einschicken ['aınʃıkən] *vt* to send in.
einschieben ['aınʃiːbən] *unreg vt* to push in; (*zusätzlich*) to insert; **eine Pause ~** to have a break.
einschiffen ['aınʃıfən] *vt* to ship ♦ *vr* to embark, go on board.
einschl. *abk* (= *einschließlich*) inc.
einschlafen ['aınʃlaːfən] *unreg vi* to fall asleep, go to sleep; (*fig: Freundschaft*) to peter out.
einschläfern ['aınʃlɛːfərn] *vt* (*schläfrig machen*) to make sleepy; (*Gewissen*) to soothe; (*narkotisieren*) to give a soporific to; (*töten: Tier*) to put to sleep.
einschläfernd *adj* (*MED*) soporific; (*langweilig*) boring; (*Stimme*) lulling.
Einschlag ['aınʃlaːk] *m* impact; (*AUT*) lock; (*fig: Beimischung*) touch, hint.
einschlagen ['aınʃlaːgən] *unreg vt* to knock in; (*Fenster*) to smash, break; (*Zähne, Schädel*) to smash in; (*Steuer*) to turn; (*kürzer machen*) to take up; (*Ware*) to pack, wrap up; (*Weg, Richtung*) to take ♦ *vi* to hit; (*sich einigen*) to agree; (*Anklang finden*) to work, succeed; **es muß irgendwo eingeschlagen haben** something must have been struck by lightning; **gut ~** (*umg*) to go down well, be a big hit; **auf jdn ~** to hit sb.
einschlägig ['aınʃlɛːgıç] *adj* relevant; **er ist ~ vorbestraft** (*JUR*) he has a previous conviction for a similar offence.
einschleichen ['aınʃlaıçən] *unreg vr* (*in Haus, fig: Fehler*) to creep in, steal in; (*in Vertrauen*) to worm one's way in.
einschleppen ['aınʃlɛpən] *vt* (*fig: Krankheit etc*) to bring in.
einschleusen ['aınʃlɔʏzən] *vt*: **~ (in** *+akk***)** to smuggle in(to).
einschließen ['aınʃliːsən] *unreg vt* (*Kind*) to lock in; (*Häftling*) to lock up; (*Gegenstand*) to lock away; (*Bergleute*) to cut off; (*umgeben*) to surround; (*MIL*) to encircle; (*fig*) to include, comprise ♦ *vr* to lock o.s. in.
einschließlich *adv* inclusive ♦ *präp +gen* inclusive of, including.
einschmeicheln ['aınʃmaıçəln] *vr*: **sich (bei jdm) ~** to ingratiate o.s. (with sb).
einschmuggeln ['aınʃmʊgəln] *vt*: **~ (in** *+akk***)** to smuggle in(to).
einschnappen ['aınʃnapən] *vi* (*Tür*) to click to; (*fig*) to be touchy; **eingeschnappt sein** to be in a huff.
einschneidend ['aınʃnaıdənt] *adj* incisive.
einschneien ['aınʃnaıən] *vi*: **eingeschneit sein** to be snowed in.
Einschnitt ['aınʃnıt] *m* (*MED*) incision; (*im Tal, Gebirge*) cleft; (*im Leben*) decisive point.
einschnüren ['aınʃnyːrən] *vt* (*einengen*) to cut into; **dieser Kragen schnürt mir den Hals ein** this collar is strangling me.
einschränken ['aınʃrɛŋkən] *vt* to limit, restrict; (*Kosten*) to cut down, reduce ♦ *vr* to cut down (on expenditure); **~d möchte ich sagen, daß** ... I'd like to qualify that by saying ...
einschränkend *adj* restrictive.
Einschränkung *f* restriction, limitation; reduction; (*von Behauptung*) qualification.
Einschreib(e)brief *m* registered (*BRIT*) *od* certified (*US*) letter.
einschreiben ['aınʃraıbən] *unreg vt* to write in; (*POST*) to send by registered (*BRIT*) *od* certified mail (*US*) ♦ *vr* to register; (*UNIV*) to enrol; **E~** *nt* registered (*BRIT*) *od* certified (*US*) letter.
einschreiten ['aınʃraıtən] *unreg vi* to step in, intervene; **~ gegen** to take action against.
Einschub ['aınʃuːp] (**-(e)s, ⸚e**) *m* insertion.
einschüchtern ['aınʃʏçtərn] *vt* to intimidate.
Einschüchterung ['aınʃʏçtərʊŋ] *f* intimidation.
einschulen ['aınʃuːlən] *vt*: **eingeschult werden** (*Kind*) to start school.
einschweißen ['aınʃvaısən] *vt* (*in Plastik*) to shrink-wrap; (*TECH*): **etw in etw** *akk* **~** to weld sth into sth.
einschwenken ['aınʃvɛŋkən] *vi*: **~ (in** *+akk***)** to turn *od* swing in(to).
einsehen ['aınzeːən] *unreg vt* (*prüfen*) to inspect; (*Fehler etc*) to recognize; (*verstehen*) to see; **das sehe ich nicht ein** I don't see why; **E~ (-s)** *nt* understanding; **ein E~ haben** to show understanding.
einseifen ['aınzaıfən] *vt* to soap, lather; (*fig: umg*) to take in, con.
einseitig ['aınzaıtıç] *adj* one-sided; (*POL*) unilateral; (*Ernährung*) unbalanced; (*Diskette*) single-sided; **E~keit** *f* one-sidedness.
einsenden ['aınzɛndən] *unreg vt* to send in.
Einsender(in) (**-s, -**) *m(f)* sender, contributor.
Einsendeschluß *m* closing date (for entries).
Einsendung *f* sending in.
einsetzen ['aınzɛtsən] *vt* to put (in); (*in Amt*) to appoint, install; (*Geld*) to stake; (*verwenden*) to use; (*MIL*) to employ ♦ *vi* (*beginnen*) to set in; (*MUS*) to enter, come in ♦ *vr* to work hard; **sich für jdn/etw ~** to support sb/sth; **ich werde mich dafür ~, daß** ... I will do what I can to see that ...
Einsicht ['aınzıçt] *f* insight; (*in Akten*) look, inspection; **zu der ~ kommen, daß** ... to

come to the conclusion that ...
einsichtig *adj* (*Mensch*) judicious; **jdm etw ~ machen** to make sb understand *od* see sth.
Einsichtnahme (-, -n) *f* (*form*) perusal; **„zur ~"** "for attention".
einsichtslos *adj* unreasonable.
einsichtsvoll *adj* understanding.
Einsiedler ['aɪnzi:dlər] (-s, -) *m* hermit.
einsilbig ['aɪnzɪlbɪç] *adj* (*lit, fig*) monosyllabic; **E~keit** *f* (*fig*) taciturnity.
einsinken ['aɪnzɪŋkən] *unreg vi* to sink in.
Einsitzer ['aɪnzɪtsər] (-s, -) *m* single-seater.
einspannen ['aɪnʃpanən] *vt* (*Werkstück, Papier*) to put (in), insert; (*Pferde*) to harness; (*umg: Person*) to rope in; **jdn für seine Zwecke ~** to use sb for one's own ends.
einsparen ['aɪnʃpa:rən] *vt* to save, economize on; (*Kosten*) to cut down on; (*Posten*) to eliminate.
Einsparung *f* saving.
einspeichern ['aɪnʃpaɪçərn] *vt:* **etw (in etw** *+akk*) **~** (*COMPUT*) to feed sth in(to sth).
einsperren ['aɪnʃpɛrən] *vt* to lock up.
einspielen ['aɪnʃpi:lən] *vr* (*SPORT*) to warm up ♦ *vt* (*Film: Geld*) to bring in; (*Instrument*) to play in; **sich aufeinander ~** to become attuned to each other; **gut eingespielt** running smoothly.
einsprachig ['aɪnʃpra:xɪç] *adj* monolingual.
einspringen ['aɪnʃprɪŋən] *unreg vi* (*aushelfen*) to stand in; (*mit Geld*) to help out.
einspritzen ['aɪnʃprɪtsən] *vt* to inject.
Einspritzmotor *m* (*AUT*) injection engine.
Einspruch ['aɪnʃprʊx] *m* protest, objection; **~ einlegen** (*JUR*) to file an objection.
Einspruchsfrist *f* (*JUR*) period for filing an objection.
Einspruchsrecht *nt* veto.
einspurig ['aɪnʃpu:rɪç] *adj* single-lane; (*EISENB*) single-track.
einst [aɪnst] *adv* once; (*zukünftig*) one *od* some day.
Einstand ['aɪnʃtant] *m* (*TENNIS*) deuce; (*Antritt*) entrance (to office); **er hat gestern seinen ~ gegeben** yesterday he celebrated starting his new job.
einstechen ['aɪnʃtɛçən] *unreg vt* to pierce.
einstecken ['aɪnʃtɛkən] *vt* to stick in, insert; (*Brief*) to post, mail (*US*); (*ELEK: Stecker*) to plug in; (*Geld*) to pocket; (*mitnehmen*) to take; (*überlegen sein*) to put in the shade; (*hinnehmen*) to swallow.
einstehen ['aɪnʃte:ən] *unreg vi:* **für jdn ~** to vouch for sb; **für etw ~** to guarantee sth, vouch for sth; (*Ersatz leisten*) to make good sth.
einsteigen ['aɪnʃtaɪgən] *unreg vi* to get in *od* on; (*in Schiff*) to go on board; (*sich beteiligen*) to come in; (*hineinklettern*) to climb in; ~! (*EISENB etc*) all aboard!
Einsteiger (-s, -) (*umg*) *m* beginner.
einstellbar *adj* adjustable.
einstellen ['aɪnʃtɛlən] *vt* (*in Firma*) to employ, take on; (*aufhören*) to stop; (*Geräte*) to adjust; (*Kamera etc*) to focus; (*Sender, Radio*) to tune in to; (*unterstellen*) to put ♦ *vi* to take on staff/workers ♦ *vr* (*anfangen*) to set in; (*kommen*) to arrive; **Zahlungen ~** to suspend payment; **etw auf etw** *akk* **~** to adjust sth to sth; to focus sth on sth; **sich auf jdn/etw ~** to adapt to sb/prepare o.s. for sth.
einstellig *adj* (*Zahl*) single-digit.
Einstellplatz *m* (*auf Hof*) carport; (*in Großgarage*) (covered) parking space.
Einstellung *f* (*Aufhören*) suspension, cessation; (*von Gerät*) adjustment; (*von Kamera etc*) focusing; (*von Arbeiter etc*) appointment; (*Haltung*) attitude.
Einstellungsgespräch *nt* interview.
Einstellungsstopp *m* halt in recruitment.
Einstieg ['aɪnʃti:k] (-(e)s, -e) *m* entry; (*fig*) approach; (*von Bus, Bahn*) door; **kein ~** exit only.
einstig ['aɪnstɪç] *adj* former.
einstimmen ['aɪnʃtɪmən] *vi* to join in ♦ *vt* (*MUS*) to tune; (*in Stimmung bringen*) to put in the mood.
einstimmig *adj* unanimous; (*MUS*) for one voice; **E~keit** *f* unanimity.
einstmalig *adj* former.
einstmals *adv* once, formerly.
einstöckig ['aɪnʃtœkɪç] *adj* two-storeyed (*BRIT*), two-storied (*US*).
einstöpseln ['aɪnʃtœpsəln] *vt:* **etw (in etw** *+akk*) **~** (*ELEK*) to plug sth in(to sth).
einstudieren ['aɪnʃtudi:rən] *vt* to study, rehearse.
einstufen ['aɪnʃtu:fən] *vt* to classify.
Einstufung *f:* **nach seiner ~ in eine höhere Gehaltsklasse** after he was put on a higher salary grade.
einstündig ['aɪnʃtʏndɪç] *adj* one-hour *attrib*.
einstürmen ['aɪnʃtʏrmən] *vi:* **auf jdn ~** to rush at sb; (*Eindrücke*) to overwhelm sb.
Einsturz ['aɪnʃtʊrts] *m* collapse.
einstürzen ['aɪnʃtʏrtsən] *vi* to fall in, collapse; **auf jdn ~** (*fig*) to overwhelm sb.
Einsturzgefahr *f* danger of collapse.
einstweilen *adv* meanwhile; (*vorläufig*) temporarily, for the time being.
einstweilig *adj* temporary; **~e Verfügung** (*JUR*) temporary *od* interim injunction.
eintägig ['aɪntɛ:gɪç] *adj* one-day.
Eintagsfliege ['aɪnta:ksfli:gə] *f* (*ZOOL*) mayfly; (*fig*) nine-day wonder.
eintauchen ['aɪntaʊxən] *vt* to immerse, dip in ♦ *vi* to dive.
eintauschen ['aɪntaʊʃən] *vt* to exchange.
eintausend ['aɪn'taʊzənt] *num* one thousand.
einteilen ['aɪntaɪlən] *vt* (*in Teile*) to divide (up); (*Menschen*) to assign.
einteilig *adj* one-piece.
eintönig ['aɪntø:nɪç] *adj* monotonous; **E~keit** *f*

monotony.
Eintopf ['aɪntɔpf] *m* stew.
Eintopfgericht ['aɪntɔpfgərɪçt] *nt* stew.
Eintracht ['aɪntraxt] (-) *f* concord, harmony.
einträchtig ['aɪntrɛçtɪç] *adj* harmonious.
Eintrag ['aɪntra:k] (**-(e)s, ⸚e**) *m* entry; **amtlicher** ~ entry in the register.
eintragen ['aɪntra:gən] *unreg vt* (*in Buch*) to enter; (*Profit*) to yield ♦ *vr* to put one's name down; **jdm etw** ~ to bring sb sth.
einträglich ['aɪntrɛ:klɪç] *adj* profitable.
Eintragung *f*: ~ **(in** *+akk***)** entry (in).
eintreffen ['aɪntrɛfən] *unreg vi* to happen; (*ankommen*) to arrive; (*fig: wahr werden*) to come true.
eintreiben ['aɪntraɪbən] *unreg vt* (*Geldbeträge*) to collect.
eintreten ['aɪntre:tən] *unreg vi* (*hineingehen*) to enter; (*sich ereignen*) to occur ♦ *vt* (*Tür*) to kick open; **in etw** *akk* ~ to enter sth; (*in Club, Partei*) to join sth; **für jdn/etw** ~ to stand up for sb/sth.
eintrichtern ['aɪntrɪçtərn] (*umg*) *vt*: **jdm etw** ~ to drum sth into sb.
Eintritt ['aɪntrɪt] *m* (*Betreten*) entrance; (*in Club etc*) joining; ~ **frei** admission free; **„~ verboten"** "no admittance"; **bei ~ der Dunkelheit** at nightfall.
Eintritts- *zW*: **~geld** *nt* admission charge; **~karte** *f* (admission) ticket; **~preis** *m* admission charge.
eintrocknen ['aɪntrɔknən] *vi* to dry up.
eintrudeln ['aɪntru:dəln] (*umg*) *vi* to drift in.
eintunken ['aɪntʊŋkən] *vt* (*Brot*): **etw in etw** *akk* ~ to dunk sth in sth.
einüben ['aɪn|y:bən] *vt* to practise (*BRIT*), practice (*US*), drill.
einverleiben ['aɪnfɛrlaɪbən] *vt* to incorporate; (*Gebiet*) to annex; **sich** *dat* **etw** ~ (*fig: geistig*) to assimilate sth.
Einvernehmen ['aɪnfɛrne:mən] (**-s, -**) *nt* agreement, understanding.
einverstanden ['aɪnfɛrʃtandən] *interj* agreed ♦ *adj*: ~ **sein** to agree, be agreed; **sich mit etw ~ erklären** to give one's agreement to sth.
Einverständnis ['aɪnfɛrʃtɛntnɪs] (**-ses**) *nt* understanding; (*gleiche Meinung*) agreement; **im ~ mit jdm handeln** to act with sb's consent.
Einwand ['aɪnvant] (**-(e)s, ⸚e**) *m* objection; **einen ~ erheben** to raise an objection.
Einwanderer ['aɪnvandərər] *m* immigrant.
Einwanderin *f* immigrant.
einwandern *vi* to immigrate.
Einwanderung *f* immigration.
einwandfrei *adj* perfect; **etw ~ beweisen** to prove sth beyond doubt.
einwärts ['aɪnvɛrts] *adv* inwards.
einwecken ['aɪnvɛkən] *vt* to bottle, preserve.
Einwegflasche ['aɪnve:gflaʃə] *f* non-returnable bottle.
Einwegspritze *f* disposable (hypodermic) syringe.
einweichen ['aɪnvaɪçən] *vt* to soak.
einweihen ['aɪnvaɪən] *vt* (*Kirche*) to consecrate; (*Brücke*) to open; (*Gebäude*) to inaugurate; (*Person*): **in etw** *akk* ~ to initiate in sth; **er ist eingeweiht** (*fig*) he knows all about it.
Einweihung *f* consecration; opening; inauguration; initiation.
einweisen ['aɪnvaɪzən] *unreg vt* (*in Amt*) to install; (*in Arbeit*) to introduce; (*in Anstalt*) to send; (*in Krankenhaus*): ~ **(in** *+akk***)** to admit (to); (*AUT*): ~ **(in** *+akk***)** to guide in(to).
Einweisung *f* installation; introduction; sending.
einwenden ['aɪnvɛndən] *unreg vt*: **etwas ~ gegen** to object to, oppose.
einwerfen ['aɪnvɛrfən] *unreg vt* to throw in; (*Brief*) to post; (*Geld*) to put in, insert; (*Fenster*) to smash; (*äußern*) to interpose.
einwickeln ['aɪnvɪkəln] *vt* to wrap up; (*fig: umg*) to outsmart.
einwilligen ['aɪnvɪlɪgən] *vi*: **(in etw** *akk***)** ~ to consent (to sth), agree (to sth).
Einwilligung *f* consent.
einwirken ['aɪnvɪrkən] *vi*: **auf jdn/etw** ~ to influence sb/sth.
Einwirkung *f* influence.
Einwohner(in) ['aɪnvo:nər(ɪn)] (**-s, -**) *m(f)* inhabitant; **~meldeamt** *nt* registration office; **sich beim ~meldeamt (an)melden** ≈ to register with the police; **~schaft** *f* population, inhabitants *pl*.
Einwurf ['aɪnvʊrf] *m* (*Öffnung*) slot; (*Einwand*) objection; (*SPORT*) throw-in.
Einzahl ['aɪntsa:l] *f* singular.
einzahlen *vt* to pay in.
Einzahlung *f* payment; (*auf Sparkonto*) deposit.
einzäunen ['aɪntsɔʏnən] *vt* to fence in.
einzeichnen ['aɪntsaɪçnən] *vt* to draw in.
Einzel ['aɪntsəl] (**-s, -**) *nt* (*TENNIS*) singles *pl*.
Einzel- *zW*: **~aufstellung** *f* (*COMM*) itemized list; **~bett** *nt* single bed; **~blattzuführung** *f* sheet feed; **~fall** *m* single instance, individual case; **~gänger(in)** *m(f)* loner; **~haft** *f* solitary confinement; **~handel** *m* retail trade; **im ~handel erhältlich** available retail; **~handelsgeschäft** *nt* retail outlet; **~handelspreis** *m* retail price; **~händler** *m* retailer; **~heit** *f* particular, detail; **~kind** *nt* only child.
Einzeller ['aɪntsɛlər] (**-s, -**) *m* (*BIOL*) single-celled organism.
einzeln *adj* single; (*von Paar*) odd ♦ *adv* singly; ~ **angeben** to specify; **~e** some (people), a few (people); **der/die ~e** the individual; **das ~e** the particular; **ins ~e gehen** to go into detail(s); **etw im ~en besprechen** to discuss sth in detail; ~ **aufführen** to list separately *od* individually; **bitte ~ eintreten** please

come in one (person) at a time.
Einzelteil *nt* individual part; (*Ersatzteil*) spare part; **etw in seine ~e zerlegen** to take sth to pieces, dismantle sth.
Einzelzimmer *nt* single room.
einziehen ['aɪntsiːən] *unreg vt* to draw in, take in; (*Kopf*) to duck; (*Fühler, Antenne, Fahrgestell*) to retract; (*Steuern, Erkundigungen*) to collect; (*MIL*) to call up, draft (*US*); (*aus dem Verkehr ziehen*) to withdraw; (*konfiszieren*) to confiscate ♦ *vi* to move in; (*Friede, Ruhe*) to come; (*Flüssigkeit*): **~ (in** *+akk*) to soak in(to).
einzig ['aɪntsɪç] *adj* only; (*ohnegleichen*) unique ♦ *adv*: **~ und allein** solely; **das ~e** the only thing; **der/die ~e** the only one; **kein ~es Mal** not once, not one single time; **kein ~er** nobody, not a single person; **~artig** *adj* unique.
Einzug ['aɪntsuːk] *m* entry, moving in.
Einzugsauftrag *m* (*FIN*) direct debit.
Einzugsbereich *m* catchment area.
Einzugsverfahren *nt* (*FIN*) direct debit.
Eis [aɪs] (**-es, -**) *nt* ice; (*Speise~*) ice cream; **~ am Stiel** ice lolly (*BRIT*), popsicle ® (*US*); **~bahn** *f* ice *od* skating rink; **~bär** *m* polar bear; **~becher** *m* sundae; **~bein** *nt* pig's trotters *pl*; **~berg** *m* iceberg; **~beutel** *m* ice pack; **~café** *nt* = **Eisdiele.**
Eischnee ['aɪʃneː] *m* (*KOCH*) beaten white of egg.
Eisdecke *f* sheet of ice.
Eisdiele *f* ice-cream parlour (*BRIT*) *od* parlor (*US*).
Eisen ['aɪzən] (**-s, -**) *nt* iron; **zum alten ~ gehören** (*fig*) to be on the scrap heap.
Eisenbahn *f* railway, railroad (*US*); **es ist (aller)höchste ~** (*umg*) it's high time; **~er** (**-s, -**) *m* railwayman, railway employee, railroader (*US*); **~netz** *nt* rail network; **~schaffner** *m* railway guard, (railroad) conductor (*US*); **~überführung** *f* footbridge; **~übergang** *m* level crossing, grade crossing (*US*); **~wagen** *m* railway *od* railroad (*US*) carriage; **~waggon** *m* (*Güterwagen*) goods wagon.
Eisen- *zW*: **~erz** *nt* iron ore; **e~haltig** *adj* containing iron; **~mangel** *m* iron deficiency; **~warenhandlung** *f* ironmonger's (*BRIT*), hardware store (*US*).
eisern ['aɪzərn] *adj* iron; (*Gesundheit*) robust; (*Energie*) unrelenting; (*Reserve*) emergency; **der E~e Vorhang** the Iron Curtain; **in etw** *dat* **~ sein** to be adamant about sth; **er ist ~ bei seinem Entschluß geblieben** he stuck firmly to his decision.
Eis- *zW*: **~fach** *nt* freezer compartment, icebox; **e~frei** *adj* clear of ice; **e~gekühlt** *adj* chilled; **~hockey** *nt* ice hockey.
eisig ['aɪzɪç] *adj* icy.
Eis- *zW*: **~kaffee** *m* iced coffee; **e~kalt** *adj* icy cold; **~kunstlauf** *m* figure skating; **~laufen** *nt* ice-skating; **~läufer** *m* ice-skater; **~meer** *nt*: **Nördliches/Südliches ~meer** Arctic/Antarctic Ocean; **~pickel** *m* ice-axe (*BRIT*), ice-ax (*US*).
Eisprung ['aɪʃprʊŋ] *m* ovulation.
Eis- *zW*: **~schießen** *nt* ≈ curling; **~scholle** *f* ice floe; **~schrank** *m* fridge, icebox (*US*); **~stadion** *nt* ice *od* skating rink; **~würfel** *m* ice cube; **~zapfen** *m* icicle; **~zeit** *f* Ice Age.
eitel ['aɪtəl] *adj* vain; **E~keit** *f* vanity.
Eiter ['aɪtər] (**-s**) *m* pus.
eiterig *adj* suppurating.
eitern *vi* to suppurate.
Ei- *zW*: **~weiß** (**-es, -e**) *nt* white of an egg; (*CHEM*) protein; **~weißgehalt** *m* protein content; **~zelle** *f* ovum.
EKD *f abk* (= *Evangelische Kirche in Deutschland*) German Protestant Church.
Ekel[1] ['eːkəl] (**-s**) *m* nausea, disgust; **vor jdm/etw einen ~ haben** to loathe sb/sth.
Ekel[2] ['eːkəl] (**-s, -**) (*umg*) *nt* (*Mensch*) nauseating person.
ekelerregend *adj* nauseating, disgusting.
ekelhaft *adj*, **ekelig** *adj* = **ekelerregend.**
ekeln *vt* to disgust ♦ *vr*: **sich vor etw** *dat* **~** to loathe *od* be disgusted at sth; **es ekelt ihn** he is disgusted.
EKG (**-**) *nt abk* (= *Elektrokardiogramm*) ECG.
Eklat [e'klaː] (**-s**) *m* (*geh: Aufsehen*) sensation.
eklig *adj* nauseating, disgusting.
Ekstase [ɛk'staːzə] (**-, -n**) *f* ecstasy; **jdn in ~ versetzen** to send sb into ecstasies.
Ekzem [ɛk'tseːm] (**-s, -e**) *nt* (*MED*) eczema.
Elan [e'lãː] (**-s**) *m* élan.
elastisch [e'lastɪʃ] *adj* elastic.
Elastizität [elastitsi'tɛːt] *f* elasticity.
Elbe ['ɛlbə] *f* (*Fluß*) Elbe.
Elch [ɛlç] (**-(e)s, -e**) *m* elk.
Elefant [ele'fant] *m* elephant; **wie ein ~ im Porzellanladen** (*umg*) like a bull in a china shop.
elegant [ele'gant] *adj* elegant.
Eleganz [ele'gants] *f* elegance.
Elektrifizierung [elɛktrifi'tsiːrʊŋ] *f* electrification.
Elektriker [e'lɛktrikər] (**-s, -**) *m* electrician.
elektrisch [e'lɛktrɪʃ] *adj* electric.
elektrisieren [elɛktri'ziːrən] *vt* (*lit, fig*) to electrify; (*Mensch*) to give an electric shock to ♦ *vr* to get an electric shock.
Elektrizität [elɛktritsi'tɛːt] *f* electricity.
Elektrizitätswerk *nt* electric power station.
Elektroartikel [e'lɛktro|artɪkəl] *m* electrical appliance.
Elektrode [elɛk'troːdə] (**-, -n**) *f* electrode.
Elektro- *zW*: **~gerät** *nt* electrical appliance; **~herd** *m* electric cooker; **~kardiogramm** *nt* (*MED*) electrocardiogram.
Elektrolyse [elektro'lyːzə] (**-, -n**) *f* electrolysis.
Elektromotor *m* electric motor.
Elektron [e'lɛktrɔn] (**-s, -en**) *nt* electron.

Elektronen(ge)hirn *nt* electronic brain.
Elektronenrechner *m* computer.
Elektronik [elɛk'tro:nɪk] *f* electronics *sing*; (*Teile*) electronics *pl*.
elektronisch *adj* electronic; **~e Post** electronic mail.
Elektro- *zW*: **~rasierer (-s, -)** *m* electric razor; **~schock** *m* (*MED*) electric shock, electroshock; **~techniker** *m* electrician; (*Ingenieur*) electrical engineer.
Element [ele'mɛnt] **(-s, -e)** *nt* element; (*ELEK*) cell, battery.
elementar [elemɛn'ta:r] *adj* elementary; (*naturhaft*) elemental; **E~teilchen** *nt* (*PHYS*) elementary particle.
Elend ['e:lɛnt] **(-(e)s)** *nt* misery; **da kann man das heulende ~ kriegen** (*umg*) it's enough to make you scream; **e~** *adj* miserable; **mir ist ganz e~** I feel really awful.
elendiglich ['e:lɛndɪklɪç] *adv* miserably; **~ zugrunde gehen** to come to a wretched end.
Elendsviertel *nt* slum.
elf [ɛlf] *num* eleven; **E~ (-, en)** *f* (*SPORT*) eleven.
Elfe **(-, -n)** *f* elf.
Elfenbein *nt* ivory; **~küste** *f* Ivory Coast.
Elfmeter *m* (*SPORT*) penalty (kick).
Elfmeterschießen *nt* (*SPORT*) penalty shoot-out.
eliminieren [elimi'ni:rən] *vt* to eliminate.
elitär [eli'tɛ:r] *adj* elitist ♦ *adv* in an elitist fashion.
Elite [e'li:tə] **(-, -n)** *f* elite.
Elixier [elɪ'ksi:r] **(-s, -e)** *nt* elixir.
Ellbogen *m* = **Ellenbogen**.
Elle ['ɛlə] **(-, -n)** *f* ell; (*Maß*) ≈ yard.
Ellenbogen *m* elbow; **die ~ gebrauchen** (*umg*) to be pushy; **~freiheit** *f* (*fig*) elbow room; **~gesellschaft** *f* dog-eat-dog society.
Ellipse [ɛ'lɪpsə] **(-, -n)** *f* ellipse.
E-Lok ['e:lɔk] **(-)** *f abk* (= *elektrische Lokomotive*) electric locomotive *od* engine.
Elsaß ['ɛlzas] *nt*: **das ~** Alsace.
Elsässer ['ɛlzɛsər] *adj* Alsatian.
Elsässer(in) **(-s, -)** *m(f)* Alsatian, inhabitant of Alsace.
elsässisch *adj* Alsatian.
Elster ['ɛlstər] **(-, -n)** *f* magpie.
elterlich *adj* parental.
Eltern ['ɛltərn] *pl* parents *pl*; **nicht von schlechten ~ sein** (*umg*) to be quite something; **~abend** *m* (*SCH*) parents' evening; **~haus** *nt* home; **e~los** *adj* orphaned; **~sprechtag** *m* open day (for parents); **~teil** *m* parent.
Email [e'ma:j] **(-s, -s)** *nt* enamel.
emaillieren [ema'ji:rən] *vt* to enamel.
Emanze **(-, -n)** (*meist pej*) *f* women's libber (*umg*).
Emanzipation [emantsipatsi'o:n] *f* emancipation.
emanzipieren [emantsi'pi:rən] *vt* to emancipate.
Embargo [ɛm'bargo] **(-s, -s)** *nt* embargo.
Embryo ['ɛmbryo] **(-s, -s** *od* **-nen)** *m* embryo.
Emigrant(in) [emi'grant(ɪn)] *m(f)* emigrant.
Emigration [emigratsi'o:n] *f* emigration.
emigrieren [emi'gri:rən] *vi* to emigrate.
Emissionen *npl* emissions *pl*.
Emissionskurs [emɪsi'o:nskʊrs] *m* (*Aktien*) issued price.
EMNID *m abk* (= *Erforschung, Meinung, Nachrichten, Informationsdienst*) *opinion poll organization*.
emotional [emotsio'na:l] *adj* emotional; (*Ausdrucksweise*) emotive.
emotionsgeladen [emotsi'o:nsgəla:dən] *adj* emotionally-charged.
Empf. *abk* = **Empfänger**.
empfahl *etc* [ɛm'pfa:l] *vb siehe* **empfehlen**.
empfand *etc* [ɛm'pfant] *vb siehe* **empfinden**.
Empfang [ɛm'pfaŋ] **(-(e)s, ¨-e)** *m* reception; (*Erhalten*) receipt; **in ~ nehmen** to receive; **(zahlbar) nach** *od* **bei ~** *+gen* (payable) on receipt (of).
empfangen *unreg vt* to receive ♦ *vi* (*schwanger werden*) to conceive.
Empfänger(in) [ɛm'pfɛŋər(ɪn)] **(-s, -)** *m(f)* receiver; (*COMM*) addressee, consignee; **~ unbekannt** (*auf Briefen*) not known at this address.
empfänglich *adj* receptive, susceptible.
Empfängnis **(-, -se)** *f* conception; **e~verhütend** *adj*: **e~verhütende Mittel** contraceptives *pl*; **~verhütung** *f* contraception.
Empfangs- *zW*: **~bestätigung** *f* (acknowledgement of) receipt; **~chef** *m* (*von Hotel*) head porter; **~dame** *f* receptionist; **~schein** *m* receipt; **~störung** *f* (*RUNDF, TV*) interference; **~zimmer** *nt* reception room.
empfehlen [ɛm'pfe:lən] *unreg vt* to recommend ♦ *vr* to take one's leave.
empfehlenswert *adj* recommendable.
Empfehlung *f* recommendation; **auf ~ von** on the recommendation of.
Empfehlungsschreiben *nt* letter of recommendation.
empfiehlt [ɛm'pfi:lt] *vb siehe* **empfehlen**.
empfinden [ɛm'pfɪndən] *unreg vt* to feel; **etw als Beleidigung ~** to find sth insulting; **E~ (-s)** *nt*: **meinem E~ nach** to my mind.
empfindlich *adj* sensitive; (*Stelle*) sore; (*reizbar*) touchy; **deine Kritik hat ihn ~ getroffen** your criticism cut him to the quick; **E~keit** *f* sensitiveness; (*Reizbarkeit*) touchiness.
empfindsam *adj* sentimental; (*Mensch*) sensitive.
Empfindung *f* feeling, sentiment.
empfindungslos *adj* unfeeling, insensitive.
empfing *etc* [ɛm'pfɪŋ] *vb siehe* **empfangen**.

empfohlen [ɛm'pfo:lən] *pp von* **empfehlen** ♦ *adj:* ~**er Einzelhandelspreis** recommended retail price.
empfunden [ɛm'pfʊndən] *pp von* **empfinden.**
empor [ɛm'po:r] *adv* up, upwards.
emporarbeiten *vr* (*geh*) to work one's way up.
Empore [ɛm'po:rə] (-, -n) *f* (*ARCHIT*) gallery.
empören [ɛm'pø:rən] *vt* to make indignant; to shock ♦ *vr* to become indignant.
empörend *adj* outrageous.
emporkommen *unreg vi* to rise; (*vorankommen*) to succeed.
Emporkömmling *m* upstart, parvenu.
empört *adj:* ~ **(über** *+akk***)** indignant (at), outraged (at).
Empörung *f* indignation.
emsig ['ɛmzɪç] *adj* diligent, busy.
End- ['ɛnt] *in zW* final; ~**auswertung** *f* final analysis; ~**bahnhof** *m* terminus; ~**betrag** *m* final amount.
Ende ['ɛndə] **(-s, -n)** *nt* end; **am** ~ at the end; (*schließlich*) in the end; **am** ~ **sein** to be at the end of one's tether; ~ **Dezember** at the end of December; **zu** ~ **sein** to be finished; **zu** ~ **gehen** to come to an end; **zu** ~ **führen** to finish (off); **letzten** ~**s** in the end, at the end of the day; **ein böses** ~ **nehmen** to come to a bad end; **ich bin mit meiner Weisheit am** ~ I'm at my wits' end; **er wohnt am** ~ **der Welt** (*umg*) he lives at the back of beyond.
Endeffekt *m:* **im** ~ (*umg*) when it comes down to it.
enden *vi* to end.
Endergebnis *nt* final result.
endgültig *adj* final, definite.
Endivie [ɛn'di:viə] *f* endive.
End- *zW:* ~**lager** *nt* permanent waste disposal site; ~**lagerung** *f* permanent disposal; **e**~**lich** *adj* final; (*MATH*) finite ♦ *adv* finally; **e**~**lich**! at last!; **hör e**~**lich damit auf!** will you stop that!; **e**~**los** *adj* endless; ~**lospapier** *nt* continuous paper; ~**produkt** *nt* end *od* final product; ~**spiel** *nt* final(s); ~**spurt** *m* (*SPORT*) final spurt; ~**station** *f* terminus.
Endung *f* ending.
Endverbraucher *m* consumer, end-user.
Energie [enɛr'gi:] *f* energy; ~**aufwand** *m* energy expenditure; ~**bedarf** *m* energy requirement; ~**einsparung** *f* energy saving; ~**gewinnung** *f* generation of energy; **e**~**los** *adj* lacking in energy, weak; ~**quelle** *f* source of energy; ~**versorgung** *f* supply of energy; ~**wirtschaft** *f* energy industry.
energisch [e'nɛrgɪʃ] *adj* energetic; ~ **durchgreifen** to take vigorous *od* firm action.
eng [ɛŋ] *adj* narrow; (*Kleidung*) tight; (*fig: Horizont*) narrow, limited; (*Freundschaft, Verhältnis*) close; ~ **an etw** *dat* close to sth; **in die** ~**ere Wahl kommen** to be short-listed (*BRIT*).
Engadin ['ɛŋgadi:n] **(-s)** *nt:* **das** ~ the Engadine.
Engagement [ãgaʒə'mã:] **(-s, -s)** *nt* engagement; (*Verpflichtung*) commitment.
engagieren [ãga'ʒi:rən] *vt* to engage ♦ *vr* to commit o.s.; **ein engagierter Schriftsteller** a committed writer.
Enge ['ɛŋə] (-, -n) *f* (*lit, fig*) narrowness; (*Land*~) defile; (*Meer*~) straits *pl*; **jdn in die** ~ **treiben** to drive sb into a corner.
Engel ['ɛŋəl] (-s, -) *m* angel; **e**~**haft** *adj* angelic; ~**macher(in)** (-s, -) (*umg*) *m(f)* backstreet abortionist.
Engelsgeduld *f:* **sie hat eine** ~ she has the patience of a saint.
Engelszungen *pl:* **(wie) mit** ~ **reden** to use all one's own powers of persuasion.
engherzig *adj* petty.
engl. *abk* = **englisch.**
England ['ɛŋlant] *nt* England.
Engländer ['ɛŋlɛndər] (-s, -) *m* Englishman; English boy; **die Engländer** *pl* the English, the Britishers (*US*); ~**in** *f* Englishwoman; English girl.
englisch ['ɛŋlɪʃ] *adj* English.
engmaschig ['ɛŋmaʃɪç] *adj* close-meshed.
Engpaß *m* defile, pass; (*fig: Verkehr*) bottleneck.
en gros [ã'gro] *adv* wholesale.
engstirnig ['ɛŋʃtɪrnɪç] *adj* narrow-minded.
Enkel ['ɛŋkəl] (-s, -) *m* grandson; ~**in** *f* granddaughter; ~**kind** *nt* grandchild.
en masse [ã'mas] *adv* en masse.
enorm [e'nɔrm] *adj* enormous; (*umg: herrlich, kolossal*) tremendous.
en passant [ãpa'sã] *adv* en passant, in passing.
Ensemble [ã'sãbəl] **(-s, -s)** *nt* ensemble.
entarten [ɛnt'|a:rten] *vi* to degenerate.
entbehren [ɛnt'be:rən] *vt* to do without, dispense with.
entbehrlich *adj* superfluous.
Entbehrung *f* privation; ~**en auf sich** *akk* **nehmen** to make sacrifices.
entbinden [ɛnt'bɪndən] *unreg vt (+gen)* to release (from); (*MED*) to deliver ♦ *vi* (*MED*) to give birth.
Entbindung *f* release; (*MED*) delivery, birth.
Entbindungsheim *nt* maternity hospital.
Entbindungsstation *f* maternity ward.
entblößen [ɛnt'blø:sən] *vt* to denude, uncover; (*berauben*): **einer Sache** *gen* **entblößt** deprived of sth.
entbrennen [ɛnt'brɛnən] *unreg vi* (*liter: Kampf, Streit*) to flare up; (: *Liebe*) to be aroused.
entdecken [ɛnt'dɛkən] *vt* to discover; **jdm etw** ~ to disclose sth to sb.
Entdecker(in) (-s, -) *m(f)* discoverer.
Entdeckung *f* discovery.
Ente ['ɛntə] (-, -n) *f* duck; (*fig*) canard, false report; (*AUT*) Citroën 2CV, deux-chevaux.

entehren [ɛnt'|eːrən] *vt* to dishonour (*BRIT*), dishonor (*US*), disgrace.
enteignen [ɛnt'|aɪgnən] *vt* to expropriate; (*Besitzer*) to dispossess.
enteisen [ɛnt'|aɪzən] *vt* to de-ice; (*Kühlschrank*) to defrost.
enterben [ɛnt'|ɛrbən] *vt* to disinherit.
Enterhaken ['ɛntərhaːkən] *m* grappling iron *od* hook.
entfachen [ɛnt'faxən] *vt* to kindle.
entfallen [ɛnt'falən] *unreg vi* to drop, fall; (*wegfallen*) to be dropped; **jdm** ~ (*vergessen*) to slip sb's memory; **auf jdn** ~ to be allotted to sb.
entfalten [ɛnt'faltən] *vt* to unfold; (*Talente*) to develop ♦ *vr* to open; (*Mensch*) to develop one's potential.
Entfaltung *f* unfolding; (*von Talenten*) development.
entfernen [ɛnt'fɛrnən] *vt* to remove; (*hinauswerfen*) to expel ♦ *vr* to go away, retire, withdraw.
entfernt *adj* distant ♦ *adv*: **nicht im ~esten!** not in the slightest!; **weit davon ~ sein, etw zu tun** to be far from doing sth.
Entfernung *f* distance; (*Wegschaffen*) removal; **unerlaubte ~ von der Truppe** absence without leave.
Entfernungsmesser *m* (*PHOT*) rangefinder.
entfesseln [ɛnt'fɛsəln] *vt* (*fig*) to arouse.
entfetten [ɛnt'fɛtən] *vt* to take the fat from.
entflammen [ɛnt'flamən] *vt* (*fig*) to (a)rouse ♦ *vi* to burst into flames; (*fig: Streit*) to flare up; (*: Leidenschaft*) to be (a)roused *od* inflamed.
entfremden [ɛnt'frɛmdən] *vt* to estrange, alienate.
Entfremdung *f* estrangement, alienation.
entfrosten [ɛnt'frɔstən] *vt* to defrost.
Entfroster (**-s, -**) *m* (*AUT*) defroster.
entführen [ɛnt'fyːrən] *vt* to abduct, kidnap; (*Flugzeug*) to hijack.
Entführer (**-s, -**) *m* kidnapper (*BRIT*), kidnaper (*US*); hijacker.
Entführung *f* abduction, kidnapping (*BRIT*), kidnaping (*US*); hijacking.
entgegen [ɛnt'geːgən] *präp +dat* contrary to, against ♦ *adv* towards; **~bringen** *unreg vt* to bring; (*fig*): **jdm etw ~bringen** to show sb sth; **~gehen** *unreg vi +dat* to go to meet, go towards; **Schwierigkeiten ~gehen** to be heading for difficulties; **~gesetzt** *adj* opposite; (*widersprechend*) opposed; **~halten** *unreg vt* (*fig*): **einer Sache** *dat* **~halten, daß ...** to object to sth that ...; **E~kommen** *nt* obligingness; **~kommen** *unreg vi +dat* to come towards, approach; (*fig*): **jdm ~kommen** to accommodate sb; **das kommt unseren Plänen sehr ~** that fits in very well with our plans; **~kommend** *adj* obliging; **~laufen** *unreg vi +dat* to run towards *od* to meet; (*fig*) to run counter to; **E~nahme** *f* (*form: Empfang*) receipt; (*Annahme*) acceptance; **~nehmen** *unreg vt* to receive, accept; **~sehen** *unreg vi +dat* to await; **~setzen** *vt* to oppose; **dem habe ich ~zusetzen, daß ...** against that I'd like to say that ...; **jdm/etw Widerstand ~setzen** to put up resistance to sb/sth; **~stehen** *unreg vi*: **dem steht nichts ~** there's no objection to that; **~treten** *unreg vi +dat* (*lit*) to step up to; (*fig*) to oppose, counter; **~wirken** *vi +dat* to counteract.
entgegnen [ɛnt'geːgnən] *vt* to reply, retort.
Entgegnung *f* reply, retort.
entgehen [ɛnt'geːən] *unreg vi* (*fig*): **jdm ~** to escape sb's notice; **sich** *dat* **etw ~ lassen** to miss sth.
entgeistert [ɛnt'gaɪstərt] *adj* thunderstruck.
Entgelt [ɛnt'gɛlt] (**-(e)s, -e**) *nt* remuneration.
entgelten *unreg vt*: **jdm etw ~** to repay sb for sth.
entgleisen [ɛnt'glaɪzən] *vi* (*EISENB*) to be derailed; (*fig: Person*) to misbehave; **~ lassen** to derail.
Entgleisung *f* derailment; (*fig*) faux pas, gaffe.
entgleiten [ɛnt'glaɪtən] *unreg vi*: **jdm ~** to slip from sb's hand.
entgräten [ɛnt'grɛːtən] *vt* to fillet, bone.
Enthaarungsmittel [ɛnt'haːrʊŋsmɪtəl] *nt* depilatory.
enthält [ɛnt'hɛlt] *vb siehe* **enthalten.**
enthalten [ɛnt'haltən] *unreg vt* to contain ♦ *vr +gen* to abstain from, refrain from; **sich (der Stimme) ~** to abstain.
enthaltsam [ɛnt'haltzaːm] *adj* abstinent, abstemious; **E~keit** *f* abstinence.
enthärten [ɛnt'hɛrtən] *vt* (*Wasser*) to soften; (*Metall*) to anneal.
enthaupten [ɛnt'haʊptən] *vt* to decapitate; (*als Hinrichtung*) to behead.
enthäuten [ɛnt'hɔʏtən] *vt* to skin.
entheben [ɛnt'heːbən] *unreg vt*: **jdn einer Sache** *gen* ~ to relieve sb of sth.
enthemmen [ɛnt'hɛmən] *vt*: **jdn ~** to free sb from his/her inhibitions.
enthielt *etc* [ɛnt'hiːlt] *vb siehe* **enthalten.**
enthüllen [ɛnt'hʏlən] *vt* to reveal, unveil.
Enthüllung *f* revelation; (*von Skandal*) exposure.
Enthusiasmus [ɛntuzi'asmʊs] *m* enthusiasm.
entjungfern [ɛnt'jʊŋfərn] *vt* to deflower.
entkalken [ɛnt'kalkən] *vt* to decalcify.
entkernen [ɛnt'kɛrnən] *vt* (*Kernobst*) to core; (*Steinobst*) to stone.
entkleiden [ɛnt'klaɪdən] *vt, vr* (*geh*) to undress.
entkommen [ɛnt'kɔmən] *unreg vi* to get away, escape; **jdm/etw** *od* **aus etw ~** to get away *od* escape from sb/sth.
entkorken [ɛnt'kɔrkən] *vt* to uncork.
entkräften [ɛnt'krɛftən] *vt* to weaken, exhaust; (*Argument*) to refute.
entkrampfen [ɛnt'krampfən] *vt* (*fig*) to relax,

ease.

entladen [ɛnt'la:dən] *unreg vt* to unload; (*ELEK*) to discharge ♦ *vr* (*ELEK, Gewehr*) to discharge; (*Ärger etc*) to vent itself.

entlang [ɛnt'laŋ] *präp* (*+akk od dat*) along ♦ *adv* along; ~ **dem Fluß, den Fluß** ~ along the river; **hier** ~ this way; **~gehen** *unreg vi* to walk along.

entlarven [ɛnt'larfən] *vt* to unmask, expose.

entlassen [ɛnt'lasən] *unreg vt* to discharge; (*Arbeiter*) to dismiss; (*nach Stellenabbau*) to make redundant.

entläßt [ɛnt'lɛst] *vb siehe* **entlassen.**

Entlassung *f* discharge; dismissal; **es gab 20 ~en** there were 20 redundancies.

Entlassungszeugnis *nt* (*SCH*) school-leaving certificate.

entlasten [ɛnt'lastən] *vt* to relieve; (*Arbeit abnehmen*) to take some of the load off; (*Angeklagte*) to exonerate; (*Konto*) to clear.

Entlastung *f* relief; (*COMM*) crediting.

Entlastungszeuge *m* defence (*BRIT*) *od* defense (*US*) witness.

Entlastungszug *m* relief train.

entledigen [ɛnt'le:dɪgən] *vr:* **sich jds/einer Sache** ~ to rid o.s. of sb/sth.

entleeren [ɛnt'le:rən] *vt* to empty; (*Darm*) to evacuate.

entlegen [ɛnt'le:gən] *adj* remote.

entließ *etc* [ɛnt'li:s] *vb siehe* **entlassen.**

entlocken [ɛnt'lɔkən] *vt:* **jdm etw** ~ to elicit sth from sb.

entlohnen *vt* to pay; (*fig*) to reward.

entlüften [ɛnt'lʏftən] *vt* to ventilate.

entmachten [ɛnt'maxtən] *vt* to deprive of power.

entmenscht [ɛnt'mɛnʃt] *adj* inhuman, bestial.

entmilitarisiert [ɛntmilitari'zi:rt] *adj* demilitarized.

entmündigen [ɛnt'mʏndɪgən] *vt* to certify; (*JUR*) to (legally) incapacitate, declare incapable of managing one's own affairs.

entmutigen [ɛnt'mu:tɪgən] *vt* to discourage.

Entnahme [ɛnt'na:mə] (**-, -n**) *f* removal, withdrawal.

Entnazifizierung [ɛntnatsifi'tsi:rʊŋ] *f* denazification.

entnehmen [ɛnt'ne:mən] *unreg vt +dat* to take out of, take from; (*folgern*) to infer from; **wie ich Ihren Worten entnehme,** ... I gather from what you say that ...

entpuppen [ɛnt'pʊpən] *vr* (*fig*) to reveal o.s., turn out; **sich als etw** ~ to turn out to be sth.

entrahmen [ɛnt'ra:mən] *vt* to skim.

entreißen [ɛnt'raɪsən] *unreg vt:* **jdm etw** ~ to snatch sth (away) from sb.

entrichten [ɛnt'rɪçtən] *vt* (*form*) to pay.

entrosten [ɛnt'rɔstən] *vt* to derust.

entrüsten [ɛnt'rʏstən] *vt* to incense, outrage ♦ *vr* to be filled with indignation.

entrüstet *adj* indignant, outraged.

Entrüstung *f* indignation.

Entsafter [ɛnt'zaftər] (**-s, -**) *m* juice extractor.

entsagen [ɛnt'za:gən] *vi +dat* to renounce.

entschädigen [ɛnt'ʃɛ:dɪgən] *vt* to compensate.

Entschädigung *f* compensation.

entschärfen [ɛnt'ʃɛrfən] *vt* to defuse; (*Kritik*) to tone down.

Entscheid [ɛnt'ʃaɪt] (**-(e)s, -e**) *m* (*form*) decision.

entscheiden *unreg vt, vi, vr* to decide; **darüber habe ich nicht zu** ~ that is not for me to decide; **sich für jdn/etw** ~ to decide in favour of sb/sth; to decide on sb/sth.

entscheidend *adj* decisive; (*Stimme*) casting; **das E~e** the decisive *od* deciding factor.

Entscheidung *f* decision; **wie ist die ~ ausgefallen?** which way did the decision go?

Entscheidungs- *zW:* **~befugnis** *f* decision-making powers *pl*; **e~fähig** *adj* capable of deciding; **~spiel** *nt* play-off; **~träger** *m* decision-maker.

entschied *etc* [ɛnt'ʃi:t] *vb siehe* **entscheiden.**

entschieden [ɛnt'ʃi:dən] *pp von* **entscheiden** ♦ *adj* decided; (*entschlossen*) resolute; **das geht ~ zu weit** that's definitely going too far; **E~heit** *f* firmness, determination.

entschlacken [ɛnt'ʃlakən] *vt* (*MED: Körper*) to purify.

entschließen [ɛnt'ʃli:sən] *unreg vr* to decide; **sich zu nichts ~ können** to be unable to make up one's mind; **kurz entschlossen** straight away.

Entschließungsantrag *m* (*POL*) resolution proposal.

entschloß *etc* [ɛnt'ʃlɔs] *vb siehe* **entschließen.**

entschlossen [ɛnt'ʃlɔsən] *pp von* **entschließen** ♦ *adj* determined, resolute; **E~heit** *f* determination.

entschlüpfen [ɛnt'ʃlʏpfən] *vi* to escape, slip away; (*fig: Wort etc*) to slip out.

Entschluß [ɛnt'ʃlʊs] *m* decision; **aus eigenem ~ handeln** to act on one's own initiative; **es ist mein fester ~** it is my firm intention.

entschlüsseln [ɛnt'ʃlʏsəln] *vt* to decipher; (*Funkspruch*) to decode.

entschlußfreudig *adj* decisive.

Entschlußkraft *f* determination, decisiveness.

entschuldbar [ɛnt'ʃʊltba:r] *adj* excusable.

entschuldigen [ɛnt'ʃʊldɪgən] *vt* to excuse ♦ *vr* to apologize ♦ *vi:* ~ **Sie (bitte)!** excuse me; (*Verzeihung*) sorry; **jdn bei jdm** ~ to make sb's excuses *od* apologies to sb; **sich ~ lassen** to send one's apologies.

entschuldigend *adj* apologetic.

Entschuldigung *f* apology; (*Grund*) excuse; **jdn um ~ bitten** to apologize to sb; **~!** excuse me; (*Verzeihung*) sorry.

entschwefeln [ɛnt'ʃve:fəln] *vt* to desulphurize.

Entschwefelungsanlage *f* desulphur-

ization plant.
entschwinden [ɛnt'ʃvɪndən] *unreg vi* to disappear.
entsetzen [ɛnt'zɛtsən] *vt* to horrify ♦ *vr* to be horrified *od* appalled; **E~ (-s)** *nt* horror, dismay.
entsetzlich *adj* dreadful, appalling.
entsetzt *adj* horrified.
entsichern [ɛnt'zɪçərn] *vt* to release the safety catch of.
entsinnen [ɛnt'zɪnən] *unreg vr +gen* to remember.
entsorgen [ɛnt'zɔrgən] *vt*: **eine Stadt ~** to dispose of a town's refuse and sewage.
Entsorgung *f* waste disposal; (*von Chemikalien*) disposal.
entspannen [ɛnt'ʃpanən] *vt, vr* (*Körper*) to relax; (*POL: Lage*) to ease.
Entspannung *f* relaxation, rest; (*POL*) détente.
Entspannungspolitik *f* policy of détente.
Entspannungsübungen *pl* relaxation exercises *pl*.
entspr. *abk* = **entsprechend.**
entsprach *etc* [ɛnt'ʃprax] *vb siehe* **entsprechen.**
entsprechen [ɛnt'ʃprɛçən] *unreg vi +dat* to correspond to; (*Anforderungen, Wünschen*) to meet, comply with.
entsprechend *adj* appropriate ♦ *adv* accordingly ♦ *präp +dat*: **er wird seiner Leistung ~ bezahlt** he is paid according to output.
entspricht [ɛnt'ʃprɪçt] *vb siehe* **entsprechen.**
entspringen [ɛnt'ʃprɪŋən] *unreg vi (+dat)* to spring (from).
entsprochen [ɛnt'ʃprɔxən] *pp von* **entsprechen.**
entstaatlichen [ɛnt'ʃtaːtlɪçən] *vt* to denationalize.
entstammen [ɛnt'ʃtamən] *vi +dat* to stem *od* come from.
entstand *etc* [ɛnt'ʃtant] *vb siehe* **entstehen.**
entstanden [ɛnt'ʃtandən] *pp von* **entstehen.**
entstehen [ɛnt'ʃteːən] *unreg vi*: **~ (aus *od* durch)** to arise (from), result (from); **wir wollen nicht den Eindruck ~ lassen, ...** we don't want to give rise to the impression that ...; **für ~den *od* entstandenen Schaden** for damages incurred.
Entstehung *f* genesis, origin.
entstellen [ɛnt'ʃtɛlən] *vt* to disfigure; (*Wahrheit*) to distort.
Entstellung *f* distortion; disfigurement.
entstören [ɛnt'ʃtøːrən] *vt* (*RUNDF*) to eliminate interference from; (*AUT*) to suppress.
enttäuschen [ɛnt'tɔʏʃən] *vt* to disappoint.
Enttäuschung *f* disappointment.
entwachsen [ɛnt'vaksən] *unreg vi +dat* to outgrow, grow out of; (*geh: herauswachsen aus*) to spring from.
entwaffnen [ɛnt'vafnən] *vt* (*lit, fig*) to disarm.
entwaffnend *adj* disarming.
Entwarnung [ɛnt'varnʊŋ] *f* all clear (signal).
entwässern [ɛnt'vɛsərn] *vt* to drain.
Entwässerung *f* drainage.
entweder [ɛnt'veːdər] *konj* either; **~ ... oder ...** either ... or ...
entweichen [ɛnt'vaɪçən] *unreg vi* to escape.
entweihen [ɛnt'vaɪən] *unreg vt* to desecrate.
entwenden [ɛnt'vɛndən] *unreg vt* to purloin, steal.
entwerfen [ɛnt'vɛrfən] *unreg vt* (*Zeichnung*) to sketch; (*Modell*) to design; (*Vortrag, Gesetz etc*) to draft.
entwerten [ɛnt'veːrtən] *vt* to devalue; (*stempeln*) to cancel.
Entwerter (-s, -) *m* (ticket-)cancelling (*BRIT*) *od* canceling (*US*) machine.
entwickeln [ɛnt'vɪkəln] *vt* to develop (*auch PHOT*); (*Mut, Energie*) to show, display ♦ *vr* to develop.
Entwickler (-s, -) *m* developer.
Entwicklung [ɛnt'vɪklʊŋ] *f* development; (*PHOT*) developing; **in der ~** at the development stage; (*Jugendliche etc*) still developing.
Entwicklungs- *zW*: **~abschnitt** *m* stage of development; **~helfer(in)** *m(f)* VSO worker (*BRIT*), Peace Corps worker (*US*); **~hilfe** *f* aid for developing countries; **~jahre** *pl* adolescence *sing*; **~land** *nt* developing country; **~zeit** *f* period of development; (*PHOT*) developing time.
entwirren [ɛnt'vɪrən] *vt* to disentangle.
entwischen [ɛnt'vɪʃən] *vi* to escape.
entwöhnen [ɛnt'vøːnən] *vt* to wean; (*Süchtige*): **(einer Sache** *dat* ***od* von etw) ~** to cure (of sth).
Entwöhnung *f* weaning; cure, curing.
entwürdigend [ɛnt'vʏrdɪgənt] *adj* degrading.
Entwurf [ɛnt'vʊrf] *m* outline, design; (*Vertrags~, Konzept*) draft.
entwurzeln [ɛnt'vʊrtsəln] *vt* to uproot.
entziehen [ɛnt'tsiːən] *unreg vt (+dat)* to withdraw (from), take away (from); (*Flüssigkeit*) to draw (from), extract (from) ♦ *vr (+dat)* to escape (from); (*jds Kenntnis*) to be outside *od* beyond; (*der Pflicht*) to shirk (from); **sich jds Blicken ~** to be hidden from sight.
Entziehung *f* withdrawal.
Entziehungsanstalt *f* drug addiction/ alcoholism treatment centre (*BRIT*) *od* center (*US*).
Entziehungskur *f* treatment for drug addiction/alcoholism.
entziffern [ɛnt'tsɪfərn] *vt* to decipher; (*Funkspruch*) to decode.
entzücken [ɛnt'tsʏkən] *vt* to delight; **E~ (-s)** *nt* delight.
entzückend *adj* delightful, charming.
Entzug [ɛnt'tsuːk] **(-(e)s)** *m* (*einer Lizenz etc, MED*) withdrawal.
Entzugserscheinung *f* withdrawal

symptom.
entzündbar *adj:* **leicht** ~ highly inflammable; (*fig*) easily roused.
entzünden [ɛnt'tsʏndən] *vt* to light, set light to; (*fig, MED*) to inflame; (*Streit*) to spark off ♦ *vr* (*lit, fig*) to catch fire; (*Streit*) to start; (*MED*) to become inflamed.
Entzündung *f* (*MED*) inflammation.
entzwei [ɛnt'tsvaɪ] *adv* in two; broken; ~**brechen** *unreg vt, vi* to break in two.
entzweien *vt* to set at odds ♦ *vr* to fall out.
entzweigehen *unreg vi* to break (in two).
Enzian ['ɛntsiaːn] (**-s, -e**) *m* gentian.
Enzyklika [ɛn'tsyːklika] (**-, -liken**) *f* (*REL*) encyclical.
Enzyklopädie [ɛntsyklopɛ'diː] *f* encyclop(a)edia.
Enzym [ɛn'tsyːm] (**-s, -e**) *nt* enzyme.
Epen *pl von* **Epos.**
Epidemie [epide'miː] *f* epidemic.
Epilepsie [epile'psiː] *f* epilepsy.
episch ['eːpɪʃ] *adj* epic.
Episode [epi'zoːdə] (**-, -n**) *f* episode.
Epoche [e'pɔxə] (**-, -n**) *f* epoch; **e~machend** *adj* epoch-making.
Epos ['eːpɔs] (**-, Epen**) *nt* epic (poem).
Equipe [e'kɪp] (**-, -n**) *f* team.
er [eːr] *pron* he; it.
erachten [ɛr'|axtən] *vt* (*geh*): ~ **für** *od* **als** to consider (to be); **meines E~s** in my opinion.
erarbeiten [ɛr'|arbaɪtən] *vt* to work for, acquire; (*Theorie*) to work out.
Erbanlage ['ɛrp|anlaːgə] *f* hereditary factor(s *pl*).
erbarmen [ɛr'barmən] *vr (+gen)* to have pity *od* mercy (on) ♦ *vt:* **er sieht zum E~ aus** he's a pitiful sight; **Herr, erbarme dich (unser)!** Lord, have mercy (upon us)!; **E~ (-s)** *nt* pity.
erbärmlich [ɛr'bɛrmlɪç] *adj* wretched, pitiful; **E~keit** *f* wretchedness.
Erbarmungs- *zW:* **e~los** *adj* pitiless, merciless; **e~voll** *adj* compassionate; **e~würdig** *adj* pitiable, wretched.
erbauen [ɛr'baʊən] *vt* to build, erect; (*fig*) to edify; **er ist von meinem Plan nicht besonders erbaut** (*umg*) he isn't particularly enthusiastic about my plan.
Erbauer (**-s, -**) *m* builder.
erbaulich *adj* edifying.
Erbauung *f* construction; (*fig*) edification.
erbberechtigt *adj* entitled to inherit.
erbbiologisch *adj:* ~**es Gutachten** (*JUR*) blood test (*to establish paternity*).
Erbe[1] ['ɛrbə] (**-n, -n**) *m* heir; **jdn zum** *od* **als ~n einsetzen** to make sb one's/sb's heir.
Erbe[2] ['ɛrbə] (**-s**) *nt* inheritance; (*fig*) heritage.
erben *vt* to inherit; (*umg: geschenkt bekommen*) to get, be given.
erbeuten [ɛr'bɔʏtən] *vt* to carry off; (*MIL*) to capture.
Erb- *zW:* ~**faktor** *m* gene; ~**fehler** *m* hereditary defect; ~**feind** *m* traditional *od* arch enemy; ~**folge** *f* (line of) succession.
Erbin *f* heiress.
erbitten [ɛr'bɪtən] *unreg vt* to ask for, request.
erbittern [ɛr'bɪtərn] *vt* to embitter; (*erzürnen*) to incense.
erbittert [ɛr'bɪtərt] *adj* (*Kampf*) fierce, bitter.
erblassen [ɛr'blasən] *vi* to (turn) pale.
Erblasser(in) (**-s, -**) *m(f)* (*JUR*) *person who leaves an inheritance.*
erbleichen [ɛr'blaɪçən] *unreg vi* to (turn) pale.
erblich ['ɛrplɪç] *adj* hereditary; **er/sie ist ~ (vor)belastet** it runs in the family.
erblichen *pp von* **erbleichen.**
erblicken [ɛr'blɪkən] *vt* to see; (*erspähen*) to catch sight of.
erblinden [ɛr'blɪndən] *vi* to go blind.
Erbmasse ['ɛrpmasə] *f* estate; (*BIOL*) genotype.
erbosen [ɛr'boːzən] *vt* (*geh*) to anger ♦ *vr* to grow angry.
erbrechen [ɛr'brɛçən] *unreg vt, vr* to vomit.
Erbrecht *nt* hereditary right; (*Gesetze*) law of inheritance.
Erbschaft *f* inheritance, legacy.
Erbschaftssteuer *f* estate *od* death duties *pl.*
Erbschleicher(in) ['ɛrpʃlaɪçər(ɪn)] (**-s, -**) *m(f)* legacy-hunter.
Erbse ['ɛrpsə] (**-, -n**) *f* pea.
Erb- *zW:* ~**stück** *nt* heirloom; ~**sünde** *f* (*REL*) original sin; ~**teil** *nt* inherited trait; (*JUR*) (portion of) inheritance.
Erd- *zW:* ~**achse** *f* earth's axis; ~**apfel** (*ÖSTERR*) *m* potato; ~**atmosphäre** *f* earth's atmosphere; ~**bahn** *f* orbit of the earth; ~**beben** *nt* earthquake; ~**beere** *f* strawberry; ~**boden** *m* ground; **etw dem ~boden gleichmachen** to level sth, raze sth to the ground.
Erde (**-, -n**) *f* earth; **zu ebener ~** at ground level; **auf der ganzen ~** all over the world; **du wirst mich noch unter die ~ bringen** (*umg*) you'll be the death of me yet.
erden *vt* (*ELEK*) to earth.
erdenkbar [ɛr'dɛŋkbaːr] *adj* conceivable; **sich** *dat* **alle ~e Mühe geben** to take the greatest (possible) pains.
erdenklich [ɛr'dɛŋklɪç] *adj* = **erdenkbar.**
Erdg. *abk* = **Erdgeschoß.**
Erd- *zW:* ~**gas** *nt* natural gas; ~**geschoß** *nt* ground floor (*BRIT*), first floor (*US*); ~**kunde** *f* geography; ~**nuß** *f* peanut; ~**oberfläche** *f* surface of the earth; ~**öl** *nt* (mineral) oil; ~**ölfeld** *nt* oilfield; ~**ölindustrie** *f* oil industry; ~**reich** *nt* soil, earth.
erdreisten [ɛr'draɪstən] *vr* to dare, have the audacity (*to do sth*).
erdrosseln [ɛr'drɔsəln] *vt* to strangle, throttle.
erdrücken [ɛr'drʏkən] *vt* to crush; ~**de Übermacht/~des Beweismaterial** overwhelming superiority/evidence.
Erd- *zW:* ~**rutsch** *m* landslide; ~**stoß** *m*

(seismic) shock; ~**teil** *m* continent.
erdulden [ɛr'dʊldən] *vt* to endure, suffer.
ereifern [ɛr'|aɪfərn] *vr* to get excited.
ereignen [ɛr'|aɪgnən] *vr* to happen.
Ereignis [ɛr'|aɪgnɪs] (**-ses, -se**) *nt* event; **e~los** *adj* uneventful; **e~reich** *adj* eventful.
Eremit [ere'miːt] (**-en, -en**) *m* hermit.
erfahren [ɛr'faːrən] *unreg vt* to learn, find out; (*erleben*) to experience ♦ *adj* experienced.
Erfahrung *f* experience; ~**en sammeln** to gain experience; **etw in ~ bringen** to learn *od* find out sth.
Erfahrungsaustausch *m* exchange of experiences.
erfahrungsgemäß *adv* according to experience.
erfand *etc* [ɛr'fant] *vb siehe* **erfinden.**
erfassen [ɛr'fasən] *vt* to seize; (*fig: einbeziehen*) to include, register; (*verstehen*) to grasp.
erfinden [ɛr'fɪndən] *unreg vt* to invent; **frei erfunden** completely fictitious.
Erfinder(in) (**-s, -**) *m(f)* inventor; **e~isch** *adj* inventive.
Erfindung *f* invention.
Erfindungsgabe *f* inventiveness.
Erfolg [ɛr'fɔlk] (**-(e)s, -e**) *m* success; (*Folge*) result; **viel** ~! good luck!
erfolgen [ɛr'fɔlgən] *vi* to follow; (*sich ergeben*) to result; (*stattfinden*) to take place; (*Zahlung*) to be effected; **nach erfolgter Zahlung** when payment has been made.
Erfolg- *zW:* **e~los** *adj* unsuccessful; ~**losigkeit** *f* lack of success; **e~reich** *adj* successful.
Erfolgserlebnis *nt* feeling of success, sense of achievement.
erfolgversprechend *adj* promising.
erforderlich *adj* requisite, necessary.
erfordern [ɛr'fɔrdərn] *vt* to require, demand.
Erfordernis (**-ses, -se**) *nt* requirement, prerequisite.
erforschen [ɛr'fɔrʃən] *vt* (*Land*) to explore; (*Problem*) to investigate; (*Gewissen*) to search.
Erforscher(in) (**-s, -**) *m(f)* explorer; investigator.
Erforschung *f* exploration; investigation; searching.
erfragen [ɛr'fraːgən] *vt* to inquire, ascertain.
erfreuen [ɛr'frɔʏən] *vr:* **sich ~ an** *+dat* to enjoy ♦ *vt* to delight; **sich einer Sache** *gen* ~ (*geh*) to enjoy sth; **sehr erfreut!** (*form: bei Vorstellung*) pleased to meet you!
erfreulich [ɛr'frɔʏlɪç] *adj* pleasing, gratifying.
erfreulicherweise *adv* happily, luckily.
erfrieren [ɛr'friːrən] *unreg vi* to freeze (to death); (*Glieder*) to get frostbitten; (*Pflanzen*) to be killed by frost.
erfrischen [ɛr'frɪʃən] *vt* to refresh.
Erfrischung *f* refreshment.
Erfrischungsraum *m* snack bar, cafeteria.
erfüllen [ɛr'fʏlən] *vt* (*Raum etc*) to fill; (*fig: Bitte etc*) to fulfil (*BRIT*), fulfill (*US*) ♦ *vr* to come true; **ein erfülltes Leben** a full life.
Erfüllung *f:* **in ~ gehen** to be fulfilled.
erfunden [ɛr'fʊndən] *pp von* **erfinden.**
ergab *etc* [ɛr'gaːp] *vb siehe* **ergeben.**
ergänzen [ɛr'gɛntsən] *vt* to supplement, complete ♦ *vr* to complement one another.
Ergänzung *f* completion; (*Zusatz*) supplement.
ergattern [ɛr'gatərn] (*umg*) *vt* to get hold of, hunt up.
ergaunern [ɛr'gaʊnərn] (*umg*) *vt:* **sich** *dat* **etw** ~ to get hold of sth by underhand methods.
ergeben [ɛr'geːbən] *unreg vt* to yield, produce ♦ *vr* to surrender; (*folgen*) to result ♦ *adj* devoted; (*demütig*) humble; **sich einer Sache** *dat* ~ (*sich hingeben*) to give o.s. up to sth, yield to sth; **es ergab sich, daß unsere Befürchtungen ...** it turned out that our fears ...; **dem Trunk ~** addicted to drink; **E~heit** *f* devotion; humility.
Ergebnis [ɛr'geːpnɪs] (**-ses, -se**) *nt* result; **zu einem ~ kommen** to come to *od* reach a conclusion; **e~los** *adj* without result, fruitless; **e~los bleiben** *od* **verlaufen** to come to nothing.
ergehen [ɛr'geːən] *unreg vi* (*form*) to be issued, go out ♦ *vi unpers:* **es ergeht ihm gut/schlecht** he's faring *od* getting on well/badly ♦ *vr:* **sich in etw** *dat* ~ to indulge in sth; **etw über sich** *akk* **~ lassen** to put up with sth; **sich (in langen Reden) über ein Thema ~** (*fig*) to hold forth at length on sth.
ergiebig [ɛr'giːbɪç] *adj* productive.
ergo ['ɛrgo] *konj* therefore, ergo (*liter, hum*).
Ergonomie [ɛrgono'miː] *f* ergonomics *pl.*
ergötzen [ɛr'gœtsən] *vt* to amuse, delight.
ergrauen [ɛr'graʊən] *vi* to turn *od* go grey (*BRIT*) *od* gray (*US*).
ergreifen [ɛr'graɪfən] *unreg vt* (*lit, fig*) to seize; (*Beruf*) to take up; (*Maßnahmen*) to resort to; (*rühren*) to move; **er ergriff das Wort** he began to speak.
ergreifend *adj* moving, affecting.
ergriff *etc* [ɛr'grɪf] *vb siehe* **ergreifen.**
ergriffen *pp von* **ergreifen** ♦ *adj* deeply moved.
Ergriffenheit *f* emotion.
ergründen [ɛr'grʏndən] *vt* (*Sinn etc*) to fathom; (*Ursache, Motive*) to discover.
Erguß [ɛr'gʊs] (**-sses, ¨-sse**) *m* discharge; (*fig*) outpouring, effusion.
erhaben [ɛr'haːbən] *adj* (*lit*) raised, embossed; (*fig*) exalted, lofty; **über etw** *akk* **~ sein** to be above sth.
Erhalt *m:* **bei** *od* **nach** ~ on receipt.
erhält [ɛr'hɛlt] *vb siehe* **erhalten.**
erhalten [ɛr'haltən] *unreg vt* to receive; (*bewahren*) to preserve, maintain; **das Wort** ~ to receive permission to speak; **jdn am Leben** ~ to keep sb alive; **gut** ~ in good condition.
erhältlich [ɛr'hɛltlɪç] *adj* obtainable, available.

Erhaltung *f* maintenance, preservation.
erhängen [ɛr'hɛŋən] *vt, vr* to hang.
erhärten [ɛr'hɛrtən] *vt* to harden; (*These*) to substantiate, corroborate.
erhaschen [ɛr'haʃən] *vt* to catch.
erheben [ɛr'he:bən] *unreg vt* to raise; (*Protest, Forderungen*) to make; (*Fakten*) to ascertain ♦ *vr* to rise (up); **sich über etw** *akk* ~ to rise above sth.
erheblich [ɛr'he:plıç] *adj* considerable.
erheitern [ɛr'haıtərn] *vt* to amuse, cheer (up).
Erheiterung *f* exhilaration; **zur allgemeinen** ~ to everybody's amusement.
erhellen [ɛr'hɛlən] *vt* (*lit, fig*) to illuminate; (*Geheimnis*) to shed light on ♦ *vr* (*Fenster*) to light up; (*Himmel, Miene*) to brighten (up); (*Gesicht*) to brighten up.
erhielt *etc* [ɛr'hi:lt] *vb siehe* **erhalten.**
erhitzen [ɛr'hıtsən] *vt* to heat ♦ *vr* to heat up; (*fig*) to become heated *od* aroused.
erhoffen [ɛr'hɔfən] *vt* to hope for; **was erhoffst du dir davon?** what do you hope to gain from it?
erhöhen [ɛr'hø:ən] *vt* to raise; (*verstärken*) to increase; **erhöhte Temperatur haben** to have a temperature.
Erhöhung *f* (*Gehalt*) increment.
erholen [ɛr'ho:lən] *vr* to recover; (*entspannen*) to have a rest; (*fig: Preise, Aktien*) to rally, pick up.
erholsam *adj* restful.
Erholung *f* recovery; relaxation, rest.
erholungsbedürftig *adj* in need of a rest, run-down.
Erholungsgebiet *nt* holiday (*BRIT*) *od* vacation (*US*) area.
Erholungsheim *nt* convalescent home.
erhören [ɛr'hø:rən] *vt* (*Gebet etc*) to hear; (*Bitte etc*) to yield to.
Erika ['e:rika] (**-, Eriken**) *f* heather.
erinnern [ɛr'|ınərn] *vt:* ~ **(an** *+akk***)** to remind (of) ♦ *vr:* **sich (an etw** *akk***)** ~ to remember (sth).
Erinnerung *f* memory; (*Andenken*) reminder; **Erinnerungen** *pl* (*Lebens~*) reminiscences *pl*; (*LITER*) memoirs *pl*; **jdn/etw in guter** ~ **behalten** to have pleasant memories of sb/sth.
Erinnerungsschreiben *nt* (*COMM*) reminder.
Erinnerungstafel *f* commemorative plaque.
Eritrea [eri'tre:a] (**-s**) *nt* Eritrea.
erkalten [ɛr'kaltən] *vi* to go cold, cool (down).
erkälten [ɛr'kɛltən] *vr* to catch cold; **sich** *dat* **die Blase** ~ to catch a chill in one's bladder.
erkältet *adj* with a cold; ~ **sein** to have a cold.
Erkältung *f* cold.
erkämpfen [ɛr'kɛmpfən] *vt* to win, secure.
erkannt [ɛr'kant] *pp von* **erkennen.**
erkannte *etc vb siehe* **erkennen.**
erkennbar *adj* recognizable.
erkennen [ɛr'kɛnən] *unreg vt* to recognize; (*sehen, verstehen*) to see; **jdm zu** ~ **geben, daß** to give sb to understand that ...
erkenntlich *adj:* **sich** ~ **zeigen** to show one's appreciation; **E~keit** *f* gratitude; (*Geschenk*) token of one's gratitude.
Erkenntnis (**-, -se**) *f* knowledge; (*das Erkennen*) recognition; (*Einsicht*) insight; **zur** ~ **kommen** to realize.
Erkennung *f* recognition.
Erkennungsdienst *m* police records department.
Erkennungsmarke *f* identity disc.
Erker ['ɛrkər] (**-s, -**) *m* bay; **~fenster** *nt* bay window.
erklärbar *adj* explicable.
erklären [ɛr'klɛ:rən] *vt* to explain; (*Rücktritt*) to announce; (*Politiker, Pressesprecher etc*) to say; **ich kann mir nicht ~, warum ...** I can't understand why ...
erklärlich *adj* explicable; (*verständlich*) understandable.
erklärt *adj attrib* (*Gegner etc*) professed, avowed; (*Favorit, Liebling*) acknowledged.
Erklärung *f* explanation; (*Aussage*) declaration.
erklecklich [ɛr'klɛklıç] *adj* considerable.
erklimmen [ɛr'klımən] *unreg vt* to climb to.
erklingen [ɛr'klıŋən] *unreg vi* to resound, ring out.
erklomm *etc* [ɛr'klɔm] *vb siehe* **erklimmen.**
erklommen *pp von* **erklimmen.**
erkranken [ɛr'kraŋkən] *vi:* ~ **(an** *+dat***)** to be taken ill (with); (*Organ, Pflanze, Tier*) to become diseased (with).
Erkrankung *f* illness.
erkunden [ɛr'kʊndən] *vt* to find out, ascertain; (*bes MIL*) to reconnoitre (*BRIT*), reconnoiter (*US*).
erkundigen *vr:* **sich** ~ **(nach)** to inquire (about); **ich werde mich** ~ I'll find out.
Erkundigung *f* inquiry; **~en einholen** to make inquiries.
Erkundung *f* (*MIL*) reconnaissance, scouting.
erlahmen [ɛr'la:mən] *vi* to tire; (*nachlassen*) to flag, wane.
erlangen [ɛr'laŋən] *vt* to attain, achieve.
Erlaß [ɛr'las] (**-sses, ¨-sse**) *m* decree; (*Aufhebung*) remission.
erlassen *unreg vt* (*Verfügung*) to issue; (*Gesetz*) to enact; (*Strafe*) to remit; **jdm etw** ~ to release sb from sth.
erlauben [ɛr'laʊbən] *vt* to allow, permit ♦ *vr:* **sich** *dat* **etw** ~ (*Zigarette, Pause*) to permit o.s. sth; (*Bemerkung, Verschlag*) to venture sth; (*sich leisten*) to afford sth; **jdm etw** ~ to allow *od* permit sb (to do) sth; ~ **Sie?** may I?; ~ **Sie mal!** do you mind!; **was** ~ **Sie sich (eigentlich)!** how dare you!
Erlaubnis [ɛr'laʊpnıs] (**-, -se**) *f* permission.
erläutern [ɛr'lɔytərn] *vt* to explain.
Erläuterung *f* explanation; **zur** ~ in explanation.

Erle [ˈɛrlə] (**-, -n**) *f* alder.
erleben [ɛrˈleːbən] *vt* to experience; (*Zeit*) to live through; (*mit~*) to witness; (*noch mit~*) to live to see; **so wütend habe ich ihn noch nie erlebt** I've never seen *od* known him so furious.
Erlebnis [ɛrˈleːpnɪs] (**-ses, -se**) *nt* experience.
erledigen [ɛrˈleːdɪgən] *vt* to take care of, deal with; (*Antrag etc*) to process; (*umg: erschöpfen*) to wear out; (*ruinieren*) to finish; (*umbringen*) to do in ♦ *vr:* **das hat sich erledigt** that's all settled; **das ist erledigt** that's taken care of, that's been done; **ich habe noch einiges in der Stadt zu ~** I've still got a few things to do in town.
erledigt (*umg*) *adj* (*erschöpft*) shattered, done in; (*: ruiniert*) finished, ruined.
erlegen [ɛrˈleːgən] *vt* to kill.
erleichtern [ɛrˈlaɪçtərn] *vt* to make easier; (*fig: Last*) to lighten; (*lindern, beruhigen*) to relieve.
erleichtert *adj* relieved; ~ **aufatmen** to breathe a sigh of relief.
Erleichterung *f* facilitation; lightening; relief.
erleiden [ɛrˈlaɪdən] *unreg vt* to suffer, endure.
erlernbar *adj* learnable.
erlernen [ɛrˈlɛrnən] *vt* to learn, acquire.
erlesen [ɛrˈleːzən] *adj* select, choice.
erleuchten [ɛrˈlɔʏçtən] *vt* to illuminate; (*fig*) to inspire.
Erleuchtung *f* (*Einfall*) inspiration.
erliegen [ɛrˈliːgən] *unreg vi +dat* (*lit, fig*) to succumb to; (*einem Irrtum*) to be the victim of; **zum E~ kommen** to come to a standstill.
erlischt [ɛrˈlɪʃt] *vb siehe* **erlöschen.**
erlogen [ɛrˈloːgən] *adj* untrue, made-up.
Erlös [ɛrˈløːs] (**-es, -e**) *m* proceeds *pl.*
erlosch *etc* [ɛrˈlɔʃ] *vb siehe* **erlöschen.**
erlöschen [ɛrˈlœʃən] *unreg vi* (*Feuer*) to go out; (*Interesse*) to cease, die; (*Vertrag, Recht*) to expire; **ein erloschener Vulkan** an extinct volcano.
erlösen [ɛrˈløːzən] *vt* to redeem, save.
Erlöser (**-s, -**) *m* (*REL*) Redeemer; (*Befreier*) saviour (*BRIT*), savior (*US*).
Erlösung *f* release; (*REL*) redemption.
ermächtigen [ɛrˈmɛçtɪgən] *vt* to authorize, empower.
Ermächtigung *f* authorization.
ermahnen [ɛrˈmaːnən] *vt* to admonish, exhort.
Ermahnung *f* admonition, exhortation.
Ermang(e)lung [ɛrˈmaŋəlʊŋ] *f:* **in ~** *+gen* because of the lack of.
ermäßigen [ɛrˈmɛsɪgən] *vt* to reduce.
Ermäßigung *f* reduction.
ermessen [ɛrˈmɛsən] *unreg vt* to estimate, gauge; **E~** (**-s**) *nt* estimation; discretion; **in jds E~** *dat* **liegen** to lie within sb's discretion; **nach meinem E~** in my judgement.
Ermessensfrage *f* matter of discretion.
ermitteln [ɛrˈmɪtəln] *vt* to determine; (*Täter*) to trace ♦ *vi:* **gegen jdn ~** to investigate sb.
Ermittlung [ɛrˈmɪtlʊŋ] *f* determination; (*Polizei~*) investigation; **~en anstellen (über** *+akk***)** to make inquiries (about).
Ermittlungsverfahren *nt* (*JUR*) preliminary proceedings *pl.*
ermöglichen [ɛrˈmøːklɪçən] *vt* (*+dat*) to make possible (for).
ermorden [ɛrˈmɔrdən] *vt* to murder.
Ermordung *f* murder.
ermüden [ɛrˈmyːdən] *vt* to tire; (*TECH*) to fatigue ♦ *vi* to tire.
ermüdend *adj* tiring; (*fig*) wearisome.
Ermüdung *f* fatigue.
Ermüdungserscheinung *f* sign of fatigue.
ermuntern [ɛrˈmʊntərn] *vt* to rouse; (*ermutigen*) to encourage; (*beleben*) to liven up; (*aufmuntern*) to cheer up.
ermutigen [ɛrˈmuːtɪgən] *vt* to encourage.
ernähren [ɛrˈnɛːrən] *vt* to feed, nourish; (*Familie*) to support ♦ *vr* to support o.s., earn a living; **sich ~ von** to live on.
Ernährer(in) (**-s, -**) *m(f)* breadwinner.
Ernährung *f* nourishment; (*MED*) nutrition; (*Unterhalt*) maintenance.
ernennen [ɛrˈnɛnən] *unreg vt* to appoint.
Ernennung *f* appointment.
erneuern [ɛrˈnɔʏərn] *vt* to renew; (*restaurieren*) to restore; (*renovieren*) to renovate.
Erneuerung *f* renewal; restoration; renovation.
erneut *adj* renewed, fresh ♦ *adv* once more.
erniedrigen [ɛrˈniːdrɪgən] *vt* to humiliate, degrade.
Ernst [ɛrnst] (**-es**) *m* seriousness; **das ist mein ~** I'm quite serious; **im ~** in earnest; **~ machen mit etw** to put sth into practice; **e~** *adj* serious; **es steht e~ um ihn** things don't look too good for him; **~fall** *m* emergency; **e~gemeint** *adj* meant in earnest, serious; **e~haft** *adj* serious; **~haftigkeit** *f* seriousness; **e~lich** *adj* serious.
Ernte [ˈɛrntə] (**-, -n**) *f* harvest; **~dankfest** *nt* harvest festival.
ernten *vt* to harvest; (*Lob etc*) to earn.
ernüchtern [ɛrˈnʏçtərn] *vt* to sober up; (*fig*) to bring down to earth.
Ernüchterung *f* sobering up; (*fig*) disillusionment.
Eroberer [ɛrˈ|obərər] (**-s, -**) *m* conqueror.
erobern *vt* to conquer.
Eroberung *f* conquest.
eröffnen [ɛrˈ|œfnən] *vt* to open ♦ *vr* to present itself; **jdm etw ~** (*geh*) to disclose sth to sb.
Eröffnung *f* opening.
Eröffnungsansprache *f* inaugural *od* opening address.
Eröffnungsfeier *f* opening ceremony.
erogen [ɛroˈgeːn] *adj* erogenous.
erörtern [ɛrˈ|œrtərn] *vt* to discuss (in detail).
Erörterung *f* discussion.

Erotik [e'ro:tɪk] *f* eroticism.
erotisch *adj* erotic.
Erpel ['ɛrpəl] (-, -) *m* drake.
erpicht [ɛr'pɪçt] *adj:* ~ **(auf** *+akk***)** keen (on).
erpressen [ɛr'prɛsən] *vt* (*Geld etc*) to extort; (*jdn*) to blackmail.
Erpresser (**-s, -**) *m* blackmailer.
Erpressung *f* blackmail; extortion.
erproben [ɛr'pro:bən] *vt* to test; **erprobt** tried and tested.
erraten [ɛr'ra:tən] *unreg vt* to guess.
errechnen [ɛr'rɛçnən] *vt* to calculate, work out.
erregbar [ɛr're:kba:r] *adj* excitable; (*reizbar*) irritable; **E~keit** *f* excitability; irritability.
erregen [ɛr're:gən] *vt* to excite; (*sexuell*) to arouse; (*ärgern*) to infuriate; (*hervorrufen*) to arouse, provoke ♦ *vr* to get excited *od* worked up.
Erreger (**-s, -**) *m* causative agent.
Erregtheit *f* excitement; (*Beunruhigung*) agitation.
Erregung *f* excitement; (*sexuell*) arousal.
erreichbar *adj* accessible, within reach.
erreichen [ɛr'raɪçən] *vt* to reach; (*Zweck*) to achieve; (*Zug*) to catch; **wann kann ich Sie morgen ~?** when can I get in touch with you tomorrow?; **vom Bahnhof leicht zu ~** within easy reach of the station.
errichten [ɛr'rɪçtən] *vt* to erect, put up; (*gründen*) to establish, set up.
erringen [ɛr'rɪŋən] *unreg vt* to gain, win.
erröten [ɛr'rø:tən] *vi* to blush, flush.
Errungenschaft [ɛr'rʊŋənʃaft] *f* achievement; (*umg: Anschaffung*) acquisition.
Ersatz [ɛr'zats] (**-es**) *m* substitute; replacement; (*Schaden~*) compensation; (*MIL*) reinforcements *pl*; **als ~ für jdn einspringen** to stand in for sb; **~befriedigung** *f* vicarious satisfaction; **~dienst** *m* (*MIL*) alternative service; **~kasse** *f* private health insurance; **~mann** *m* replacement; (*SPORT*) substitute; **~mutter** *f* substitute mother; **e~pflichtig** *adj* liable to pay compensation; **~reifen** *m* (*AUT*) spare tyre (*BRIT*) *od* tire (*US*); **~teil** *nt* spare (part); **e~weise** *adv* as an alternative.
ersaufen [ɛr'zaʊfən] *unreg* (*umg*) *vi* to drown.
ersäufen [ɛr'zɔʏfən] *vt* to drown.
erschaffen [ɛr'ʃafən] *unreg vt* to create.
erscheinen [ɛr'ʃaɪnən] *unreg vi* to appear.
Erscheinung *f* appearance; (*Geist*) apparition; (*Gegebenheit*) phenomenon; (*Gestalt*) figure; **in ~ treten** (*Merkmale*) to appear; (*Gefühle*) to show themselves.
Erscheinungsform *f* manifestation.
Erscheinungsjahr *nt* (*von Buch*) year of publication.
erschien *etc* [ɛr'ʃi:n] *vb siehe* **erscheinen.**
erschienen *pp von* **erscheinen.**
erschießen [ɛr'ʃi:sən] *unreg vt* to shoot (dead).
erschlaffen [ɛr'ʃlafən] *vi* to go limp; (*Mensch*) to become exhausted.
erschlagen [ɛr'ʃla:gən] *unreg vt* to strike dead ♦ *adj* (*umg: todmüde*) worn out, dead beat (*umg*).
erschleichen [ɛr'ʃlaɪçən] *unreg vt* to obtain by stealth *od* dubious methods.
erschließen [ɛr'ʃli:sən] *unreg vt* (*Gebiet, Absatzmarkt*) to develop, open up; (*Bodenschätze*) to tap.
erschlossen [ɛr'ʃlɔsən] *adj* (*Gebiet*) developed.
erschöpfen [ɛr'ʃœpfən] *vt* to exhaust.
erschöpfend *adj* exhaustive, thorough.
erschöpft *adj* exhausted.
Erschöpfung *f* exhaustion.
erschossen [ɛr'ʃɔsən] (*umg*) *adj:* **(völlig) ~ sein** to be whacked, be dead (beat).
erschrak *etc* [ɛr'ʃra:k] *vb siehe* **erschrecken²**.
erschrecken¹ [ɛr'ʃrɛkən] *vt* to startle, frighten.
erschrecken² [ɛr'ʃrɛkən] *unreg vi* to be frightened *od* startled.
erschreckend *adj* alarming, frightening.
erschrickt [ɛr'ʃrɪkt] *vb siehe* **erschrecken²**.
erschrocken [ɛr'ʃrɔkən] *pp von* **erschrecken²** ♦ *adj* frightened, startled.
erschüttern [ɛr'ʃʏtərn] *vt* to shake; (*ergreifen*) to move deeply; **ihn kann nichts ~** he always keeps his cool (*umg*).
erschütternd *adj* shattering.
Erschütterung *f* (*des Bodens*) tremor; (*tiefe Ergriffenheit*) shock.
erschweren [ɛr'ʃve:rən] *vt* to complicate; **~de Umstände** (*JUR*) aggravating circumstances; **es kommt noch ~d hinzu, daß ...** to compound matters ...
erschwindeln [ɛr'ʃvɪndəln] *vt* to obtain by fraud.
erschwinglich *adj* affordable.
ersehen [ɛr'ze:ən] *unreg vt:* **aus etw ~, daß ...** to gather from sth that ...
ersehnt [ɛr'ze:nt] *adj* longed-for.
ersetzbar *adj* replaceable.
ersetzen [ɛr'zɛtsən] *vt* to replace; **jdm Unkosten** *etc* **~** to pay sb's expenses *etc.*
ersichtlich [ɛr'zɪçtlɪç] *adj* evident, obvious.
ersparen [ɛr'ʃpa:rən] *vt* (*Ärger etc*) to spare; (*Geld*) to save; **ihr blieb auch nichts erspart** she was spared nothing.
Ersparnis (**-, -se**) *f* saving.
ersprießlich [ɛr'ʃpri:slɪç] *adj* profitable, useful; (*angenehm*) pleasant.

SCHLÜSSELWORT

erst [e:rst] *adv* **1** first; **mach ~ (ein)mal die Arbeit fertig** finish your work first; **wenn du das ~ (ein)mal hinter dir hast** once you've got that behind you
2 (*nicht früher als, nur*) only; (*nicht bis*) not till; **~ gestern** only yesterday; **~ morgen** not until tomorrow; **~ als** only when, not until; **wir fahren ~ später** we're not going

until later; **er ist (gerade) ~ angekommen** he's only just arrived
3: **wäre er doch ~ zurück!** if only he were back!; **da fange ich ~ gar nicht an** I simply won't bother to begin; **jetzt ~ recht!** that just makes me all the more determined; **da ging's ~ richtig los** then things really got going.

erstarren [ɛr'ʃtarən] *vi* to stiffen; (*vor Furcht*) to grow rigid; (*Materie*) to solidify.
erstatten [ɛr'ʃtatən] *vt* (*Unkosten*) to refund; **Anzeige gegen jdn ~** to report sb; **Bericht ~** to make a report.
Erstattung *f* (*von Unkosten*) reimbursement.
Erstaufführung ['e:rst|aufy:rʊŋ] *f* first performance.
erstaunen [ɛr'ʃtaunən] *vt* to astonish ♦ *vi* to be astonished; **E~ (-s)** *nt* astonishment.
erstaunlich *adj* astonishing.
Erstausgabe *f* first edition.
erstbeste(r, s) *adj* first that comes along.
erste(r, s) *adj* first; **als ~s** first of all; **in ~r Linie** first and foremost; **fürs ~** for the time being; **E~ Hilfe** first aid.
erstechen [ɛr'ʃtɛçən] *unreg vt* to stab (to death).
erstehen [ɛr'ʃte:ən] *unreg vt* to buy ♦ *vi* to (a)rise.
ersteigen [ɛr'ʃtaigən] *unreg vt* to climb, ascend.
ersteigern [ɛr'ʃtaigərn] *vt* to buy at an auction.
erstellen [ɛr'ʃtɛlən] *vt* to erect, build.
erstemal *adv*: **das ~** the first time.
erstens *adv* firstly, in the first place.
erstere(r, s) *pron* (the) former.
ersticken [ɛr'ʃtɪkən] *vt* (*lit, fig*) to stifle; (*Mensch*) to suffocate; (*Flammen*) to smother ♦ *vi* (*Mensch*) to suffocate; (*Feuer*) to be smothered; **mit erstickter Stimme** in a choked voice; **in Arbeit ~** to be snowed under with work.
Erstickung *f* suffocation.
erst- *zW*: **~klassig** *adj* first-class; **E~kommunion** *f* first communion; **~malig** *adj* first; **~mals** *adv* for the first time; **~rangig** *adj* first-rate.
erstrebenswert [ɛr'ʃtre:bənsve:rt] *adj* desirable, worthwhile.
erstrecken [ɛr'ʃtrɛkən] *vr* to extend, stretch.
Erststimme *f* first vote.

The **Erststimme** *and* **Zweitstimme** *(first and second vote) system is used to elect MPs to the* **Bundestag**. *Each elector is given two votes. The first is to choose a candidate in his constituency; the candidate with the most votes is elected MP. The second is to choose a party. All the second votes in each* **Land** *are counted and a proportionate number of MPs from each party is sent to the Bundestag.*

Ersttagsbrief *m* first-day cover.
Ersttagsstempel *m* first-day (date) stamp.
erstunken [ɛr'ʃtʊŋkən] *adj*: **das ist ~ und erlogen** (*umg*) that's a pack of lies.
Erstwähler (-s, -) *m* first-time voter.
ersuchen [ɛr'zu:xən] *vt* to request.
ertappen [ɛr'tapən] *vt* to catch, detect.
erteilen [ɛr'tailən] *vt* to give.
ertönen [ɛr'tø:nən] *vi* to sound, ring out.
Ertrag [ɛr'tra:k] **(-(e)s, ¨-e)** *m* yield; (*Gewinn*) proceeds *pl*.
ertragen *unreg vt* to bear, stand.
erträglich [ɛr'trɛ:klɪç] *adj* tolerable, bearable.
ertragreich *adj* (*Geschäft*) profitable, lucrative.
ertrank *etc* [ɛr'traŋk] *vb siehe* **ertrinken.**
ertränken [ɛr'trɛŋkən] *vt* to drown.
erträumen [ɛr'trɔymən] *vt*: **sich** *dat* **etw ~** to dream of sth, imagine sth.
ertrinken [ɛr'trɪŋkən] *unreg vi* to drown; **E~ (-s)** *nt* drowning.
ertrunken [ɛr'trʊŋkən] *pp von* **ertrinken.**
erübrigen [ɛr'|y:brɪgən] *vt* to spare ♦ *vr* to be unnecessary.
erwachen [ɛr'vaxən] *vi* to awake; **ein böses E~** (*fig*) a rude awakening.
erwachsen [ɛr'vaksən] *adj* grown-up ♦ *unreg vi*: **daraus erwuchsen ihm Unannehmlichkeiten** that caused him some trouble.
Erwachsene(r) *f(m)* adult.
Erwachsenenbildung *f* adult education.
erwägen [ɛr'vɛ:gən] *unreg vt* to consider.
Erwägung *f* consideration; **etw in ~ ziehen** to take sth into consideration.
erwähnen [ɛr'vɛ:nən] *vt* to mention.
erwähnenswert *adj* worth mentioning.
Erwähnung *f* mention.
erwarb *etc* [ɛr'varp] *vb siehe* **erwerben.**
erwärmen [ɛr'vɛrmən] *vt* to warm, heat ♦ *vr* to get warm, warm up; **sich ~ für** to warm to.
erwarten [ɛr'vartən] *vt* to expect; (*warten auf*) to wait for; **etw kaum ~ können** to hardly be able to wait for sth.
Erwartung *f* expectation; **in ~ Ihrer baldigen Antwort** (*form*) in anticipation of your early reply.
erwartungsgemäß *adv* as expected.
erwartungsvoll *adj* expectant.
erwecken [ɛr'vɛkən] *vt* to rouse, awake; **den Anschein ~** to give the impression; **etw zu neuem Leben ~** to resurrect sth.
erwehren [ɛr've:rən] *vr +gen* (*geh*) to fend off, ward off; (*des Lachens etc*) to refrain from.
erweichen [ɛr'vaiçən] *vt* to soften; **sich nicht ~ lassen** to be unmoved.
erweisen [ɛr'vaizən] *unreg vt* to prove ♦ *vr*: **sich ~ als** to prove to be; **jdm einen Gefallen/Dienst ~** to do sb a favour/service; **sich jdm gegenüber dankbar ~** to show one's gratitude to sb.
erweitern [ɛr'vaitərn] *vt, vr* to widen, enlarge;

(*Geschäft*) to expand; (*MED*) to dilate; (*fig: Kenntnisse*) to broaden; (*Macht*) to extend.
Erweiterung *f* expansion.
Erwerb [ɛr'vɛrp] (**-(e)s, -e**) *m* acquisition; (*Beruf*) trade.
erwerben [ɛr'vɛrbən] *unreg vt* to acquire; **er hat sich** *dat* **große Verdienste um die Firma erworben** he has done great service for the firm.
Erwerbs- *zW:* **e~fähig** *adj* (*form*) capable of gainful employment; **~gesellschaft** *f* acquisitive society; **e~los** *adj* unemployed; **~quelle** *f* source of income; **e~tätig** *adj* (gainfully) employed; **e~unfähig** *adj* unable to work.
erwidern [ɛr'viːdərn] *vt* to reply; (*vergelten*) to return.
Erwiderung *f:* **in ~ Ihres Schreibens vom ...** (*form*) in reply to your letter of the ...
erwiesen [ɛr'viːzən] *adj* proven.
erwirbt [ɛr'vɪrpt] *vb siehe* **erwerben**.
erwirtschaften [ɛr'vɪrtʃaftən] *vt* (*Gewinn etc*) to make by good management.
erwischen [ɛr'vɪʃən] (*umg*) *vt* to catch, get; **ihn hat's erwischt!** (*umg: verliebt*) he's got it bad; (*: krank*) he's got it; **kalt ~** (*umg*) to catch off-balance.
erworben [ɛr'vɔrbən] *pp von* **erwerben.**
erwünscht [ɛr'vʏnʃt] *adj* desired.
erwürgen [ɛr'vʏrgən] *vt* to strangle.
Erz [eːrts] (**-es, -e**) *nt* ore.
erzählen [ɛr'tsɛːlən] *vt, vi* to tell; **dem werd' ich was ~!** (*umg*) I'll have something to say to him; **~de Dichtung** narrative fiction.
Erzähler(in) (**-s, -**) *m(f)* narrator.
Erzählung *f* story, tale.
Erzbischof *m* archbishop.
Erzengel *m* archangel.
erzeugen [ɛr'tsɔʏgən] *vt* to produce; (*Strom*) to generate.
Erzeuger (**-s, -**) *m* producer; **~preis** *m* manufacturer's price.
Erzeugnis (**-ses, -se**) *nt* product, produce.
Erzeugung *f* production; generation.
Erzfeind *m* arch enemy.
erziehbar *adj:* **ein Heim für schwer ~e Kinder** a home for difficult children.
erziehen [ɛr'tsiːən] *unreg vt* to bring up; (*bilden*) to educate, train.
Erzieher(in) (**-s, -**) *m(f)* educator; (*in Kindergarten*) nursery school teacher.
Erziehung *f* bringing up; (*Bildung*) education.
Erziehungs- *zW:* **~berechtigte(r)** *f(m)* parent, legal guardian; **~geld** *nt* payment for new parents; **~heim** *nt* community home; **~urlaub** *m* leave for a new parent.
erzielen [ɛr'tsiːlən] *vt* to achieve, obtain; (*Tor*) to score.
erzkonservativ ['ɛrtskɔnzɛrva'tiːf] *adj* ultraconservative.
erzog *etc* [ɛr'tsoːk] *vb siehe* **erziehen**.
erzogen [ɛr'tsoːgən] *pp von* **erziehen.**
erzürnen [ɛr'tsʏrnən] *vt* (*geh*) to anger, incense.
erzwingen [ɛr'tsvɪŋən] *unreg vt* to force, obtain by force.
Es [ɛs] (**-**) *nt* (*MUS: Dur*) E flat.
es [ɛs] *nom, akk pron* it.
Esche ['ɛʃə] (**-, -n**) *f* ash.
Esel ['eːzəl] (**-s, -**) *m* donkey, ass; **ich ~!** (*umg*) silly me!
Eselsbrücke *f* (*Gedächtnishilfe*) mnemonic, aide-mémoire.
Eselsohr *nt* dog-ear.
Eskalation [ɛskalatsi'oːn] *f* escalation.
eskalieren [ɛska'liːrən] *vt, vi* to escalate.
Eskimo ['ɛskimo] (**-s, -s**) *m* eskimo.
Eskorte [ɛs'kɔrtə] (**-, -n**) *f* (*MIL*) escort.
eskortieren [ɛskɔr'tiːrən] *vt* (*geh*) to escort.
Espenlaub ['ɛspənlaʊp] *nt:* **zittern wie ~** to shake like a leaf.
eßbar ['ɛsbaːr] *adj* eatable, edible.
Eßecke *f* dining area.
essen ['ɛsən] *unreg vt, vi* to eat; **~ gehen** (*auswärts*) to eat out; **~ Sie gern Äpfel?** do you like apples?; **E~** (**-s, -**) *nt* (*Mahlzeit*) meal; (*Nahrung*) food; **E~ auf Rädern** meals on wheels.
Essens- *zW:* **~ausgabe** *f* serving of meals; (*Stelle*) serving counter; **~marke** *f* meal voucher; **~zeit** *f* mealtime.
Eßgeschirr *nt* dinner service.
Essig ['ɛsɪç] (**-s, -e**) *m* vinegar; **damit ist es ~** (*umg*) it's all off; **~gurke** *f* gherkin.
Eßkastanie *f* sweet chestnut.
Eßl. *abk* (= *Eßlöffel*) tbsp.
Eß- *zW:* **~löffel** *m* tablespoon; **~tisch** *m* dining table; **~waren** *pl* foodstuffs *pl*; **~zimmer** *nt* dining room.
Establishment [ɪs'tæblɪʃmənt] (**-s, -s**) *nt* establishment.
Este ['eːstə] (**-n, -n**) *m*, **Estin** *f* Estonian.
Estland ['eːstlant] *nt* Estonia.
estnisch ['eːstnɪʃ] *adj* Estonian.
Estragon ['ɛstragɔn] (**-s**) *m* tarragon.
Estrich ['ɛstrɪç] (**-s, -e**) *m* stone/clay *etc* floor.
etablieren [eta'bliːrən] *vr* to establish o.s.; (*COMM*) to set up.
Etage [e'taːʒə] (**-, -n**) *f* floor, storey (*BRIT*), story (*US*).
Etagenbetten *pl* bunk beds *pl*.
Etagenwohnung *f* flat (*BRIT*), apartment (*US*).
Etappe [e'tapə] (**-, -n**) *f* stage.
etappenweise *adv* step by step, stage by stage.
Etat [e'taː] (**-s, -s**) *m* budget; **~jahr** *nt* financial year; **~posten** *m* budget item.
etc *abk* (= *et cetera*) etc.
etepetete [eːtəpe'teːtə] (*umg*) *adj* fussy.
Ethik ['eːtɪk] *f* ethics *sing*.
ethisch ['eːtɪʃ] *adj* ethical.
ethnisch ['ɛtnɪʃ] *adj* ethnic; **~e Säuberung**

ethnic cleansing.
Etikett [eti'kɛt] (**-(e)s, -e**) *nt* (*lit, fig*) label.
Etikette *f* etiquette, manners *pl*.
Etikettenschwindel *m* (*POL*): **es ist reinster ~, wenn** ... it is just playing *od* juggling with names if ...
etikettieren [etikɛ'ti:rən] *vt* to label.
etliche(r, s) ['ɛtlıçə(r, s)] *adj* quite a lot of ♦ *pron pl* some, quite a few; **~s** quite a lot.
Etüde [e'ty:də] (**-, -n**) *f* (*MUS*) étude.
Etui [ɛt'vi:] (**-s, -s**) *nt* case.
etwa ['ɛtva] *adv* (*ungefähr*) about; (*vielleicht*) perhaps; (*beispielsweise*) for instance; (*entrüstet, erstaunt*): **hast du ~ schon wieder kein Geld dabei?** don't tell me you haven't got any money again! ♦ *adv* (*zur Bestätigung*): **Sie kommen doch, oder ~ nicht?** you are coming, aren't you?; **nicht ~** by no means; **willst du ~ schon gehen?** (surely) you don't want to go already?
etwaig ['ɛtvaıç] *adj* possible.
etwas *pron* something; (*fragend, verneinend*) anything; (*ein wenig*) a little ♦ *adv* a little; **er kann ~** he's good; **E~** *nt*: **das gewisse E~** that certain something.
Etymologie [etymolo'gi:] *f* etymology.
EU (-) *f abk* (= *Europäische Union*) EU.
euch [ɔʏç] *pron* (*akk von ihr*) you; yourselves; (*dat von ihr*) (to/for) you ♦ *refl pron* yourselves.
euer ['ɔʏər] *pron gen von* **ihr** of you ♦ *adj* your.
Eule ['ɔʏlə] (**-, -n**) *f* owl.
Euphemismus [ɔʏfe'mısmʊs] *m* euphemism.
Eurasien [ɔʏ'ra:ziən] *nt* Eurasia.
Euratom [ɔʏra'to:m] *f abk* (= *Europäische Atomgemeinschaft*) Euratom.
eure(r, s) ['ɔʏrə(r, s)] *pron* yours.
eurerseits *adv* on your part.
euresgleichen *pron* people like you.
euretwegen ['ɔʏrət'vegən] *adv* (*für euch*) for your sakes; (*wegen euch*) on your account.
euretwillen ['ɔʏrət'vılən] *adv*: **um ~** = **euretwegen**.
eurige *pron*: **der/die/das ~** (*geh*) yours.
Eurokrat [ɔʏro'kra:t] (**-en, -en**) *m* eurocrat.
Europa [ɔʏ'ro:pa] (**-s**) *nt* Europe.
Europäer(in) [ɔʏro'pɛ:ər(ın)] (**-s, -**) *m(f)* European.
europäisch *adj* European; **das E~e Parlament** the European Parliament; **E~e Union** European Union; **E~e (Wirtschafts)gemeinschaft** European (Economic) Community, Common Market.
Europa- *zW*: **~meister** *m* European champion; **~rat** *m* Council of Europe; **~straße** *f* Euroroute.
Euroscheck [ɔʏro'ʃɛk] *m* Eurocheque.
Euter ['ɔʏtər] (**-s, -**) *nt* udder.
Euthanasie [ɔʏtana'zi:] *f* euthanasia.
E.V., e.V. *abk* (= *eingetragener Verein*) registered association.
ev. *abk* = **evangelisch**.
evakuieren [evaku'i:rən] *vt* to evacuate.
evangelisch [evaŋ'ge:lıʃ] *adj* Protestant.
Evangelium [evaŋ'ge:liʊm] *nt* Gospel.
Evaskostüm *nt*: **im ~** in her birthday suit.
eventuell [evɛntu'ɛl] *adj* possible ♦ *adv* possibly, perhaps.
Everest ['ɛvərɛst] (**-s**) *m* (Mount) Everest.
Evolution [evolutsi'o:n] *f* evolution.
Evolutionstheorie *f* theory of evolution.
evtl. *abk* = **eventuell**.
EWG [e:ve:'ge:] (-) *f abk* (= *Europäische Wirtschaftsgemeinschaft*) EC.
ewig ['e:vıç] *adj* eternal ♦ *adv*: **auf ~** forever; **ich habe Sie ~ lange nicht gesehen** (*umg*) I haven't seen you for ages; **E~keit** *f* eternity; **bis in alle E~keit** forever.
EWS (-) *nt abk* (= *Europäisches Währungssystem*) EMS.
EWU (-) *f abk* (= *Europäische Währungsunion*) EMU.
ex [ɛks] (*umg*) *adv*: **etw ~ trinken** to drink sth down in one.
exakt [ɛ'ksakt] *adj* exact.
exaltiert [ɛksal'ti:rt] *adj* exaggerated, effusive.
Examen [ɛ'ksa:mən] (**-s, -** *od* **Examina**) *nt* examination.
Examensangst *f* exam nerves *pl*.
Examensarbeit *f* dissertation.
Exekutionskommando [ɛksekutsi'o:nskɔmando] *nt* firing squad.
Exekutive [ɛkseku'ti:və] *f* executive.
Exempel [ɛ'ksɛmpəl] (**-s, -**) *nt* example; **die Probe aufs ~ machen** to put it to the test.
Exemplar [ɛksɛm'pla:r] (**-s, -e**) *nt* specimen; (*Buch~*) copy; **e~isch** *adj* exemplary.
exerzieren [ɛksɛr'tsi:rən] *vi* to drill.
Exhibitionist [ɛkshibitsio'nıst] *m* exhibitionist.
Exil [ɛ'ksi:l] (**-s, -e**) *nt* exile.
existentiell [ɛksıstɛntsi'ɛl] *adj*: **von ~er Bedeutung** of vital significance.
Existenz [ɛksıs'tɛnts] *f* existence; (*Unterhalt*) livelihood, living; (*pej: Mensch*) character; **~berechtigung** *f* right to exist; **~grundlage** *f* basis of one's livelihood; **~kampf** *m* struggle for existence; **~minimum (-s, -ma)** *nt* subsistence level.
existieren [ɛksıs'ti:rən] *vi* to exist.
exkl. *abk* = **exklusive**.
exklusiv [ɛksklu'zi:f] *adj* exclusive; **E~bericht** *m* (*PRESSE*) exclusive report.
exklusive [ɛksklu'zi:və] *präp +gen* exclusive of, not including ♦ *adv* exclusive of, excluding.
Exkursion [ɛkskʊrzi'o:n] *f* (study) trip.
Exmatrikulation [ɛksmatrikulatsi'o:n] *f* (*UNIV*): **bei seiner ~** when he left university.
exorzieren [ɛksɔr'tsi:rən] *vt* to exorcize.
exotisch [ɛ'kso:tıʃ] *adj* exotic.
expandieren [ɛkspan'di:rən] *vi* (*ECON*) to expand.
Expansion [ɛkspanzi'o:n] *f* expansion.

expansiv [ɛkspan'zi:f] *adj* expansionist; (*Wirtschaftszweige*) expanding.
Expedition [ɛkspeditsi'o:n] *f* expedition; (*COMM*) forwarding department.
Experiment [ɛksperi'mɛnt] *nt* experiment.
experimentell [ɛksperimɛn'tɛl] *adj* experimental.
experimentieren [ɛksperimɛn'ti:rən] *vi* to experiment.
Experte [ɛks'pɛrtə] (**-n, -n**) *m* expert, specialist.
Expertin [ɛks'pɛrtɪn] *f* expert, specialist.
explodieren [ɛksplo'di:rən] *vi* to explode.
Explosion [ɛksplozi'o:n] *f* explosion.
explosiv [ɛksplo'zi:f] *adj* explosive.
Exponent [ɛkspo'nɛnt] *m* exponent.
exponieren [ɛkspo'ni:rən] *vt*: **an exponierter Stelle stehen** to be in an exposed position.
Export [ɛks'pɔrt] (**-(e)s, -e**) *m* export.
Exportartikel *m* export.
Exporteur [ɛkspɔr'tø:r] *m* exporter.
Exporthandel *m* export trade.
Exporthaus *nt* export house.
exportieren [ɛkspɔr'ti:rən] *vt* to export.
Exportkaufmann *m* exporter.
Exportland *nt* exporting country.
Exportvertreter *m* export agent.
Expreßgut [ɛks'prɛsgut] *nt* express goods *pl od* freight.
Expressionismus [ɛksprɛsio'nɪsmʊs] *m* expressionism.
Expreßzug *m* express (train).
extra ['ɛkstra] *adj inv* (*umg: gesondert*) separate; (*besondere*) extra ♦ *adv* (*gesondert*) separately; (*speziell*) specially; (*absichtlich*) on purpose; (*vor Adjektiven, zusätzlich*) extra; **E~** (**-s, -s**) *nt* extra; **E~ausgabe** *f* special edition; **E~blatt** *nt* special edition.
Extrakt [ɛks'trakt] (**-(e)s, -e**) *m* extract.
Extratour *f* (*fig: umg*): **sich** *dat* **~en leisten** to do one's own thing.
extravagant [ɛkstrava'gant] *adj* extravagant; (*Kleidung*) flamboyant.
Extrawurst (*umg*) *f* (*Sonderwunsch*): **er will immer eine ~ (gebraten haben)** he always wants something different.
Extrem [ɛks'tre:m] (**-s, -e**) *nt* extreme; **e~** *adj* extreme; **~fall** *m* extreme (case).
Extremist(in) *m(f)* extremist.
Extremistenerlaß [ɛkstre'mɪstən|ɛrlas] *m* *law(s) governing extremism.*
extremistisch [ɛkstre'mɪstɪʃ] *adj* (*POL*) extremist.
Extremitäten [ɛkstremi'tɛ:tən] *pl* extremities *pl*.
extrovertiert [ɛkstrovɛr'ti:rt] *adj* extrovert.
Exzellenz [ɛkstsɛ'lɛnts] *f* excellency.
exzentrisch [ɛks'tsɛntrɪʃ] *adj* eccentric.
Exzeß [ɛks'tsɛs] (**-sses, -sse**) *m* excess.

F, f

F, f[1] [ɛf] (**-, -**) *nt* F, f; ~ **wie Friedrich** ≈ F for Frederick, F for Fox (*US*); **nach Schema F** (*umg*) in the usual old way.
f[2] *abk* (= *feminin*) fem.
Fa *abk* (= *Firma*) co.
Fabel ['fa:bəl] (**-, -n**) *f* fable; **f~haft** *adj* fabulous, marvellous (*BRIT*), marvelous (*US*).
Fabrik [fa'bri:k] *f* factory; **~anlage** *f* plant; (*Gelände*) factory premises *pl*.
Fabrikant [fabri:'kant] *m* (*Hersteller*) manufacturer; (*Besitzer*) industrialist.
Fabrikarbeiter(in) *m(f)* factory worker.
Fabrikat [fabri:'ka:t] (**-(e)s, -e**) *nt* product; (*Marke*) make.
Fabrikation [fabri:katsi'o:n] *f* manufacture, production.
Fabrikbesitzer *m* factory owner.
Fabrikgelände *nt* factory site.
fabrizieren [fabri'tsi:rən] *vt* (*geistiges Produkt*) to produce; (*Geschichte*) to concoct, fabricate.
Fach [fax] (**-(e)s, ¨-er**) *nt* compartment; (*in Schrank, Regal etc*) shelf; (*Sachgebiet*) subject; **ein Mann/eine Frau vom ~** an expert; **~arbeiter** *m* skilled worker; **~arzt** *m* (medical) specialist; **~ausdruck** *m* technical term; **~bereich** *m* (special) field; (*UNIV*) school, faculty; **~buch** *nt* reference book.
Fächer ['fɛçər] (**-s, -**) *m* fan.
Fach- *zW*: **~frau** *f* expert; **~gebiet** *nt* (special) field; **~geschäft** *nt* specialist shop (*BRIT*) *od* store (*US*); **~händler** *m* stockist; **~hochschule** *f* college; **~idiot** (*umg*) *m* narrow-minded specialist; **~kraft** *f* qualified employee; **~kreise** *pl*: **in ~kreisen** among experts; **f~kundig** *adj* expert, specialist; **~lehrer** *m* specialist subject teacher; **f~lich** *adj* technical; (*beruflich*) professional; **~mann** (**-(e)s,** *pl* **~leute**) *m* expert; **f~männisch** *adj* professional; **~richtung** *f* subject area; **~schule** *f* technical college; **f~simpeln** *vi* to talk shop; **f~spezifisch** *adj* technical; **~verband** *m* trade association; **~welt** *f* profession; **~werk** *nt* timber frame; **~werkhaus** *nt* half-timbered house.
Fackel ['fakəl] (**-, -n**) *f* torch.
fackeln (*umg*) *vi* to dither.
Fackelzug *m* torchlight procession.
fad(e) *adj* insipid; (*langweilig*) dull; (*Essen*) tasteless.

Faden ['faːdən] (**-s, ¨-**) *m* thread; **der rote ~** (*fig*) the central theme; **alle Fäden laufen hier zusammen** this is the nerve centre (*BRIT*) *od* center (*US*) of the whole thing; **~nudeln** *pl* vermicelli *sing*; **f~scheinig** *adj* (*lit, fig*) threadbare.

Fagott [fa'gɔt] (**-(e)s, -e**) *nt* bassoon.

fähig ['fɛːɪç] *adj*: **~ (zu** *od* **+gen)** capable (of); able (to); **zu allem ~ sein** to be capable of anything; **F~keit** *f* ability.

Fähnchen ['fɛːnçən] *nt* pennon, streamer.

fahnden ['faːndən] *vi*: **~ nach** to search for.

Fahndung *f* search.

Fahndungsliste *f* list of wanted criminals, wanted list.

Fahne ['faːnə] (**-, -n**) *f* flag; standard; **mit fliegenden ~n zu jdm/etw überlaufen** to go over to sb/sth; **eine ~ haben** (*umg*) to smell of drink.

Fahnenflucht *f* desertion.

Fahrausweis *m* (*form*) ticket.

Fahrbahn *f* carriageway (*BRIT*), roadway.

fahrbar *adj*: **~er Untersatz** (*hum*) wheels *pl*.

Fähre ['fɛːrə] (**-, -n**) *f* ferry.

fahren ['faːrən] *unreg vt* to drive; (*Rad*) to ride; (*befördern*) to drive, take; (*Rennen*) to drive in ♦ *vi* (*sich bewegen*) to go; (*Schiff*) to sail; (*ab~*) to leave; **mit dem Auto/Zug ~** to go *od* travel by car/train; **mit dem Aufzug ~** to take the lift, ride the elevator (*US*); **links/rechts ~** to drive on the left/right; **gegen einen Baum ~** to drive *od* go into a tree; **die U-Bahn fährt alle fünf Minuten** the underground goes *od* runs every five minutes; **mit der Hand ~ über** *+akk* to pass one's hand over; **(bei etw) gut/schlecht ~** (*zurechtkommen*) to do well/badly (with sth); **was ist (denn) in dich gefahren?** what's got (*BRIT*) *od* gotten (*US*) into you?; **einen ~ lassen** (*umg*) to fart (*!*).

fahrend *adj*: **~es Volk** travelling people.

Fahrer(in) ['faːrər(ɪn)] (**-s, -**) *m(f)* driver; **~flucht** *f* hit-and-run driving.

Fahr- *zW*: **~gast** *m* passenger; **~geld** *nt* fare; **~gelegenheit** *f* transport; **~gestell** *nt* chassis; (*AVIAT*) undercarriage.

fahrig ['faːrɪç] *adj* nervous; (*unkonzentriert*) distracted.

Fahr- *zW*: **~karte** *f* ticket; **~kartenausgabe** *f* ticket office; **~kartenautomat** *m* ticket machine; **~kartenschalter** *m* ticket office.

fahrlässig *adj* negligent; **~e Tötung** manslaughter; **F~keit** *f* negligence.

Fahr- *zW*: **~lehrer** *m* driving instructor; **~plan** *m* timetable; **f~planmäßig** *adj* (*EISENB*) scheduled; **~praxis** *f* driving experience; **~preis** *m* fare; **~prüfung** *f* driving test; **~rad** *nt* bicycle; **~radweg** *m* cycle path; **~rinne** *f* (*NAUT*) shipping channel, fairway; **~schein** *m* ticket; **~schule** *f* driving school; **~schüler** *m* learner (driver); **~spur** *f* lane; **~stuhl** *m* lift (*BRIT*), elevator (*US*); **~stunde** *f* driving lesson.

Fahrt [faːrt] (**-, -en**) *f* journey; (*kurz*) trip; (*AUT*) drive; (*Geschwindigkeit*) speed; **gute ~!** safe journey!; **volle ~ voraus!** (*NAUT*) full speed ahead!

fährt [fɛːrt] *vb siehe* **fahren**.

fahrtauglich ['faːrtaʊklɪç] *adj* fit to drive.

Fährte ['fɛːrtə] (**-, -n**) *f* track, trail; **jdn auf eine falsche ~ locken** (*fig*) to put sb off the scent.

Fahrtenschreiber *m* tachograph.

Fahrtkosten *pl* travelling expenses *pl*.

Fahrtrichtung *f* course, direction.

Fahr- *zW*: **f~tüchtig** ['faːrtʏçtɪç] *adj* fit to drive; **~verhalten** *nt* (*von Fahrer*) behaviour (*BRIT*) *od* behavior (*US*) behind the wheel; (*von Wagen*) road performance; **~zeug** *nt* vehicle; **~zeughalter** (**-s, -**) *m* owner of a vehicle; **~zeugpapiere** *pl* vehicle documents *pl*.

Faible ['fɛːbl] (**-s, -s**) *nt* (*geh*) liking; (*Schwäche*) weakness; (*Vorliebe*) penchant.

fair [fɛːr] *adj* fair.

Fäkalien [fɛ'kaːliən] *pl* faeces *pl*.

Faksimile [fak'ziːmile] (**-s, -s**) *nt* facsimile.

faktisch ['faktɪʃ] *adj* actual.

Faktor *m* factor.

Faktum (**-s, -ten**) *nt* fact.

fakturieren [faktu'riːrən] *vt* (*COMM*) to invoice.

Fakultät [fakʊl'tɛːt] *f* faculty.

Falke ['falkə] (**-n, -n**) *m* falcon.

Falklandinseln ['falklant'ɪnzəln] *pl* Falkland Islands, Falklands.

Fall [fal] (**-(e)s, ¨-e**) *m* (*Sturz*) fall; (*Sachverhalt, JUR, GRAM*) case; **auf jeden ~, auf alle Fälle** in any case; (*bestimmt*) definitely; **gesetzt den ~** assuming (that); **jds ~ sein** (*umg*) to be sb's cup of tea; **klarer ~!** (*umg*) sure thing!, you bet!; **das mache ich auf keinen ~** there's no way I'm going to do that.

Falle (**-, -n**) *f* trap; (*umg: Bett*) bed; **jdm eine ~ stellen** to set a trap for sb.

fallen *unreg vi* to fall; (*im Krieg*) to fall, be killed; **etw ~ lassen** to drop sth.

fällen ['fɛlən] *vt* (*Baum*) to fell; (*Urteil*) to pass.

fallenlassen *unreg vt* (*Bemerkung*) to make; (*Plan*) to abandon, drop.

fällig ['fɛlɪç] *adj* due; (*Wechsel*) mature(d); **längst ~** long overdue; **F~keit** *f* (*COMM*) maturity.

Fallobst *nt* fallen fruit, windfall.

falls *adv* in case, if.

Fall- *zW*: **~schirm** *m* parachute; **~schirmjäger** *m* paratrooper; **~schirmspringer(in)** *m(f)* parachutist; **~schirmtruppe** *f* paratroops *pl*; **~strick** *m* (*fig*) trap, snare; **~studie** *f* case study.

fällt [fɛlt] *vb siehe* **fallen**.

Falltür *f* trap door.

fallweise *adj* from case to case.

falsch [falʃ] *adj* false; (*unrichtig*) wrong; ~ **liegen (bei** *od* **in** *+dat*) (*umg*) to be wrong (about); ~ **liegen mit** to be wrong in; **ein ~es Spiel (mit jdm) treiben** to play (sb) false; **etw ~ verstehen** to misunderstand sth, get sth wrong.
fälschen ['fɛlʃən] *vt* to forge.
Fälscher(in) (**-s, -**) *m(f)* forger.
Falschgeld *nt* counterfeit money.
Falschheit *f* falsity, falseness; (*Unrichtigkeit*) wrongness.
fälschlich *adj* false.
fälschlicherweise *adv* mistakenly.
Falschmeldung *f* (*PRESSE*) false report.
Fälschung *f* forgery.
fälschungssicher *adj* forgery-proof.
Faltblatt *nt* leaflet; (*in Zeitschrift etc*) insert.
Fältchen ['fɛltçən] *nt* crease, wrinkle.
Falte ['faltə] (**-, -n**) *f* (*Knick*) fold, crease; (*Haut~*) wrinkle; (*Rock~*) pleat.
falten *vt* to fold; (*Stirn*) to wrinkle.
faltenlos *adj* without folds; without wrinkles.
Faltenrock *m* pleated skirt.
Falter ['faltər] (**-s,** -) *m* (*Tag~*) butterfly; (*Nacht~*) moth.
faltig ['faltɪç] *adj* (*Haut*) wrinkled; (*Rock usw*) creased.
falzen ['faltsən] *vt* (*Papierbogen*) to fold.
Fam. *abk* = **Familie.**
familiär [famili'ɛːr] *adj* familiar.
Familie [fa'miːliə] *f* family; ~ **Otto Francke** (*als Anschrift*) Mr. & Mrs. Otto Francke and family; **zur ~ gehören** to be one of the family.
Familien- *zW:* **~ähnlichkeit** *f* family resemblance; **~anschluß** *m:* **Unterkunft mit ~anschluß** *accommodation where one is treated as one of the family*; **~kreis** *m* family circle; **~mitglied** *nt* member of the family; **~name** *m* surname; **~packung** *f* family(-size) pack; **~planung** *f* family planning; **~stand** *m* marital status; **~vater** *m* head of the family; **~verhältnisse** *pl* family circumstances *pl.*
Fanatiker(in) [fa'naːtikər(ɪn)] (**-s, -**) *m(f)* fanatic.
fanatisch *adj* fanatical.
Fanatismus [fana'tɪsmʊs] *m* fanaticism.
fand *etc* [fant] *vb siehe* **finden.**
Fang [faŋ] (**-(e)s, ⸚e**) *m* catch; (*Jagen*) hunting; (*Kralle*) talon, claw.
fangen *unreg vt* to catch ♦ *vr* to get caught; (*Flugzeug*) to level out; (*Mensch: nicht fallen*) to steady o.s.; (*fig*) to compose o.s.; (*in Leistung*) to get back on form.
Fangfrage *f* catch *od* trick question.
Fanggründe *pl* fishing grounds *pl.*
fängt [fɛŋkt] *vb siehe* **fangen.**
Farb- *zW:* **~abzug** *m* coloured (*BRIT*) *od* colored (*US*) print; **~aufnahme** *f* colour (*BRIT*) *od* color (*US*) photograph; **~band** *nt* typewriter ribbon.
Farbe ['faːrbə] (**-, -n**) *f* colour (*BRIT*), color (*US*); (*zum Malen etc*) paint; (*Stoff~*) dye; (*KARTEN*) suit.
farbecht ['farp|ɛçt] *adj* colourfast (*BRIT*), colorfast (*US*).
färben ['fɛrbən] *vt* to colour (*BRIT*), color (*US*); (*Stoff, Haar*) to dye.
farben- *zW:* **~blind** *adj* colour-blind (*BRIT*), color-blind (*US*); **~froh** *adj* colourful (*BRIT*), colorful (*US*); **~prächtig** *adj* colourful (*BRIT*), colorful (*US*).
Farbfernsehen *nt* colour (*BRIT*) *od* color (*US*) television.
Farbfilm *m* colour (*BRIT*) *od* color (*US*) film.
Farbfoto *nt* colour (*BRIT*) *od* color (*US*) photo.
farbig *adj* coloured (*BRIT*), colored (*US*).
Farbige(r) *f(m)* coloured (*BRIT*) *od* colored (*US*) person.
Farb- *zW:* **~kasten** *m* paintbox; **f~los** *adj* colourless (*BRIT*), colorless (*US*); **~stift** *m* coloured (*BRIT*) *od* colored (*US*) pencil; **~stoff** *m* dye; (*Lebensmittel~*) (artificial) colouring (*BRIT*) *od* coloring (*US*); **~ton** *m* hue, tone.
Färbung ['fɛrbʊŋ] *f* colouring (*BRIT*), coloring (*US*); (*Tendenz*) bias.
Farn [farn] (**-(e)s, -e**) *m* fern; (*Adler~*) bracken.
Farnkraut [farn] *nt* = **Farn.**
Färöer [fɛ'røːər] *pl* Faeroe Islands *pl.*
Fasan [fa'zaːn] (**-(e)s, -e(n)**) *m* pheasant.
Fasching ['faʃɪŋ] (**-s, -e** *od* **-s**) *m* carnival.
Faschismus [fa'ʃɪsmʊs] *m* fascism.
Faschist(in) *m(f)* fascist.
faschistisch [fa'ʃɪstɪʃ] *adj* fascist.
faseln ['faːzəln] *vi* to talk nonsense, drivel.
Faser ['faːzər] (**-, -n**) *f* fibre.
fasern *vi* to fray.
Faß [fas] (**-sses, Fässer**) *nt* vat, barrel; (*für Öl*) drum; **Bier vom ~** draught beer; **ein ~ ohne Boden** (*fig*) a bottomless pit.
Fassade [fa'saːdə] *f* (*lit, fig*) façade.
faßbar *adj* comprehensible.
Faßbier *nt* draught beer.
fassen ['fasən] *vt* (*ergreifen*) to grasp, take; (*inhaltlich*) to hold; (*Entschluß etc*) to take; (*verstehen*) to understand; (*Ring etc*) to set; (*formulieren*) to formulate, phrase ♦ *vr* to calm down; **nicht zu ~** unbelievable; **sich kurz ~** to be brief.
faßlich ['faslɪç] *adj* comprehensible.
Fasson [fa'sõː] (**-, -s**) *f* style; (*Art und Weise*) way; **aus der ~ geraten** (*lit*) to lose its shape.
Fassung ['fasʊŋ] *f* (*Umrahmung*) mounting; (*Lampen~*) socket; (*Wortlaut*) version; (*Beherrschung*) composure; **jdn aus der ~ bringen** to upset sb; **völlig außer ~ geraten** to lose all self-control.
fassungslos *adj* speechless.
Fassungsvermögen *nt* capacity; (*Verständnis*) comprehension.
fast [fast] *adv* almost, nearly; ~ **nie** hardly ever.

fasten ['fastən] *vi* to fast; **F~** (**-s**) *nt* fasting; **F~zeit** *f* Lent.
Fastnacht *f* Shrovetide carnival.
faszinieren [fastsi'ni:rən] *vt* to fascinate.
fatal [fa'ta:l] *adj* fatal; (*peinlich*) embarrassing.
fauchen ['faʊxən] *vt, vi* to hiss.
faul [faʊl] *adj* rotten; (*Person*) lazy; (*Ausreden*) lame; **daran ist etwas ~** there's something fishy about it.
faulen *vi* to rot.
faulenzen ['faulɛntsən] *vi* to idle.
Faulenzer(in) (**-s, -**) *m(f)* idler, loafer.
Faulheit *f* laziness.
faulig *adj* putrid.
Fäulnis ['fɔʏlnɪs] (-) *f* decay, putrefaction.
Faulpelz (*umg*) *m* lazybones *sing*.
Faust ['faʊst] (**-, Fäuste**) *f* fist; **das paßt wie die ~ aufs Auge** (*paßt nicht*) it's all wrong; **auf eigene ~** (*fig*) on one's own initiative.
Fäustchen ['fɔʏstçən] *nt*: **sich** *dat* **ins ~ lachen** to laugh up one's sleeve.
faustdick (*umg*) *adj*: **er hat es ~ hinter den Ohren** he's a crafty one.
Fausthandschuh *m* mitten.
Faustregel *f* rule of thumb.
Favorit(in) [favo'ri:t(ɪn)] (**-en, -en**) *m(f)* favourite (*BRIT*), favorite (*US*).
Fax [faks] (**-, -e**) *nt* fax; **f~en** *vt* to fax.
Faxen ['faksən] *pl*: **~ machen** to fool around.
Fazit ['fa:tsɪt] (**-s, -s** *od* **-e**) *nt*: **wenn wir aus diesen vier Jahren das ~ ziehen** if we take stock of these four years.
FCKW (**-s, -s**) *m abk* (= *Fluorchlorkohlenwasserstoff*) CFC.
FdH (*umg*) *abk* (= *Friß die Hälfte*) eat less.
FDP, F.D.P. *f abk* (= *Freie Demokratische Partei*) Free Democratic Party.

The **FDP** *(Freie Demokratische Partei) was founded in 1948 and is Germany's centre party. It is a liberal party which has formed governing coalitions with both the* **SPD** *and the* **CDU/CSU** *at times, both in the regions and in the* **Bundestag**.

Feb. *abk* (= *Februar*) Feb.
Februar ['fe:brua:r] (**-(s), -e**) (*pl selten*) *m* February; *siehe auch* **September**.
fechten ['fɛçtən] *unreg vi* to fence.
Feder ['fe:dər] (**-, -n**) *f* feather; (*Schreib~*) pen nib; (*TECH*) spring; **in den ~n liegen** (*umg*) to be/stay in bed; **~ball** *m* shuttlecock; **~ballspiel** *nt* badminton; **~bett** *nt* continental quilt; **f~führend** *adj* (*Behörde*): **f~führend (für)** in overall charge (of); **~halter** *m* pen; **f~leicht** *adj* light as a feather; **~lesen** *nt*: **nicht viel ~lesens mit jdm/etw machen** to make short work of sb/sth.
federn *vi* (*nachgeben*) to be springy; (*sich bewegen*) to bounce ♦ *vt* to spring.
Federung *f* suspension.
Federvieh *nt* poultry.
Federweiße(r) *m* new wine.
Federzeichnung *f* pen-and-ink drawing.
Fee [fe:] (**-, -n**) *f* fairy.
feenhaft ['fe:ənhaft] *adj* (*liter*) fairylike.
Fegefeuer ['fe:gəfɔʏər] *nt* purgatory.
fegen ['fe:gən] *vt* to sweep.
fehl [fe:l] *adj*: **~ am Platz** *od* **Ort** out of place; **F~anzeige** (*umg*) *f* dead loss.
fehlen *vi* to be wanting *od* missing; (*abwesend sein*) to be absent ♦ *vi unpers*: **es fehlte nicht viel, und ich hätte ihn verprügelt** I almost hit him; **etw fehlt jdm** sb lacks sth; **du fehlst mir** I miss you; **was fehlt ihm?** what's wrong with him?; **der/das hat mir gerade noch gefehlt!** (*ironisch*) he/that was all I needed; **weit gefehlt!** (*fig*) you're way out! (*umg*); (*ganz im Gegenteil*) far from it!; **mir ~ die Worte** words fail me; **wo fehlt es?** what's the trouble?, what's up? (*umg*).
Fehlentscheidung *f* wrong decision.
Fehler (**-s, -**) *m* mistake, error; (*Mangel, Schwäche*) fault; **ihr ist ein ~ unterlaufen** she's made a mistake; **~beseitigung** *f* (*COMPUT*) debugging; **f~frei** *adj* faultless; without any mistakes; **f~haft** *adj* incorrect; faulty; **f~los** *adj* = **fehlerfrei**; **~meldung** *f* (*COMPUT*) error message; **~suchprogramm** *nt* (*COMPUT*) debugger.
fehl- *zW*: **F~geburt** *f* miscarriage; **~gehen** *unreg vi* to go astray; **F~griff** *m* blunder; **F~konstruktion** *f*: **eine F~konstruktion sein** to be badly designed; **F~leistung** *f*: **Freudsche F~leistung** Freudian slip; **F~schlag** *m* failure; **~schlagen** *unreg vi* to fail; **F~schluß** *m* wrong conclusion; **F~start** *m* (*SPORT*) false start; **F~tritt** *m* false move; (*fig*) blunder, slip; (: *Affäre*) indiscretion; **F~urteil** *nt* miscarriage of justice; **F~zündung** *f* (*AUT*) misfire, backfire.
Feier ['faɪər] (**-, -n**) *f* celebration; **~abend** *m* time to stop work; **~abend machen** to stop, knock off; **was machst du am ~abend?** what are you doing after work?; **jetzt ist ~abend!** that's enough!
feierlich *adj* solemn; **das ist ja nicht mehr ~** (*umg*) that's beyond a joke; **F~keit** *f* solemnity; **Feierlichkeiten** *pl* festivities *pl*.
feiern *vt, vi* to celebrate.
Feiertag *m* holiday.
feig *adj* cowardly.
Feige ['faɪgə] (**-, -n**) *f* fig.
feige *adj* cowardly.
Feigheit *f* cowardice.
Feigling *m* coward.
Feile ['faɪlə] (**-, -n**) *f* file.
feilen *vt, vi* to file.
feilschen ['faɪlʃən] *vi* to haggle.
fein [faɪn] *adj* fine; (*vornehm*) refined; (*Gehör etc*) keen; **~!** great!; **er ist ~ raus** (*umg*) he's sitting pretty; **sich ~ machen** to get all dressed up.

Feind(in) [faɪnt, 'faɪndɪn] (**-(e)s, -e**) *m(f)* enemy; **~bild** *nt* concept of an/the enemy; **f~lich** *adj* hostile; **~schaft** *f* enmity; **f~selig** *adj* hostile; **~seligkeit** *f* hostility.
Fein- *zW:* **f~fühlend** *adj* sensitive; **f~fühlig** *adj* sensitive; **~gefühl** *nt* delicacy, tact; **~heit** *f* fineness; refinement; keenness; **~kostgeschäft** *nt* delicatessen (shop), deli; **~schmecker** (**-s, -**) *m* gourmet; **~waschmittel** *nt* mild(-action) detergent.
feist [faɪst] *adj* fat.
feixen ['faɪksən] (*umg*) *vi* to smirk.
Feld [fɛlt] (**-(e)s, -er**) *nt* field; (*SCHACH*) square; (*SPORT*) pitch; **Argumente ins ~ führen** to bring arguments to bear; **das ~ räumen** (*fig*) to bow out; **~arbeit** *f* (*AGR*) work in the fields; (*GEOG etc*) fieldwork; **~blume** *f* wild flower; **~herr** *m* commander; **~jäger** *pl* (*MIL*) the military police; **~lazarett** *nt* (*MIL*) field hospital; **~salat** *m* lamb's lettuce; **~stecher** *m* (pair of) binoculars *pl od* field glasses *pl*.
Feld-Wald-und-Wiesen- (*umg*) *in zW* common-or-garden.
Feld- *zW:* **~webel** (**-s, -**) *m* sergeant; **~weg** *m* path; **~zug** *m* (*lit, fig*) campaign.
Felge ['fɛlgə] (**-, -n**) *f* (wheel) rim.
Felgenbremse *f* caliper brake.
Fell [fɛl] (**-(e)s, -e**) *nt* fur; coat; (*von Schaf*) fleece; (*von toten Tieren*) skin; **ein dickes ~ haben** to be thick-skinned, have a thick skin; **ihm sind die ~e weggeschwommen** (*fig*) all his hopes were dashed.
Fels [fɛls] (**-en, -en**) *m* = **Felsen**.
Felsen ['fɛlzən] (**-s, -**) *m* rock; (*Klippe*) cliff; **f~fest** *adj* firm.
felsig *adj* rocky.
Felsspalte *f* crevice.
Felsvorsprung *m* ledge.
feminin [femi'ni:n] *adj* feminine; (*pej*) effeminate.
Feministin [femi'nɪstɪn] *f* feminist.
Fenchel ['fɛnçəl] (**-s**) *m* fennel.
Fenster ['fɛnstər] (**-s, -**) *nt* window; **weg vom ~** (*umg*) out of the game, finished; **~brett** *nt* windowsill; **~laden** *m* shutter; **~leder** *nt* chamois, shammy (leather); **~platz** *m* window seat; **~putzer** (**-s, -**) *m* window cleaner; **~scheibe** *f* windowpane; **~sims** *m* windowsill.
Ferien ['fe:riən] *pl* holidays *pl*, vacation (*US*); **die großen ~** the summer holidays (*BRIT*), the long vacation (*US UNIV*); **~ haben** to be on holiday; **~kurs** *m* holiday course; **~reise** *f* holiday; **~wohnung** *f* holiday flat (*BRIT*), vacation apartment (*US*); **~zeit** *f* holiday period.
Ferkel ['fɛrkəl] (**-s, -**) *nt* piglet.
fern [fɛrn] *adj, adv* far-off, distant; **~ von hier** a long way (away) from here; **F~amt** *nt* (*TEL*) exchange; **F~bedienung** *f* remote control; **~bleiben** *unreg vi:* **~ bleiben (von** *od* **+dat)** to stay away (from).
Ferne (**-, -n**) *f* distance.
ferner *adj, adv* further; (*weiterhin*) in future; **unter „~ liefen" rangieren** (*umg*) to be an also-ran.
fern- *zW:* **F~fahrer** *m* long-distance lorry (*BRIT*) *od* truck driver; **F~flug** *m* long-distance flight; **F~gespräch** *nt* long-distance call (*BRIT*), toll call (*US*); **~gesteuert** *adj* remote-controlled; (*Rakete*) guided; **F~glas** *nt* binoculars *pl*; **~halten** *unreg vt, vr* to keep away; **F~kopie** *f* fax; **F~kopierer** *m* fax machine; **F~kurs(us)** *m* correspondence course; **F~lenkung** *f* remote control; **F~licht** *nt* (*AUT*): **mit F~licht fahren** to drive on full beam; **~liegen** *unreg vi:* **jdm ~liegen** to be far from sb's mind.
Fernmelde- *in zW* telecommunications; (*MIL*) signals.
fern- *zW:* **F~ost: aus/in F~ost** from/in the Far East; **~östlich** *adj* Far Eastern *attrib*; **F~rohr** *nt* telescope; **F~schreiben** *nt* telex; **F~schreiber** *m* teleprinter; **~schriftlich** *adj* by telex.
Fernsehapparat *m* television (set).
fernsehen ['fɛrnze:ən] *unreg vi* to watch television; **F~** (**-s**) *nt* television; **im F~** on television.
Fernseher (**-s, -**) *m* television (set).
Fernseh- *zW:* **~gebühr** *f* television licence (*BRIT*) *od* license (*US*) fee; **~gerät** *nt* television set; **~programm** *nt* (*Kanal*) channel, station (*US*); (*Sendung*) programme (*BRIT*), program (*US*); (*~zeitschrift*) (television) programme (*BRIT*) *od* program (*US*) guide; **~sendung** *f* television programme (*BRIT*) *od* program (*US*); **~überwachungsanlage** *f* closed-circuit television; **~zuschauer** *m* (television) viewer.
Fern- *zW:* **~sprecher** *m* telephone; **~sprechzelle** *f* telephone box (*BRIT*) *od* booth (*US*); **~steuerung** *f* remote control; **~studium** *nt* multimedia course, ≈ Open University course (*BRIT*); **~verkehr** *m* long-distance traffic; **~weh** *nt* wanderlust.

> **Fernstudium** *is a distance-learning degree course where students do not go to university but receive their tuition by letter, television or radio programmes. There is no personal contact between student and lecturer. The first Fernstudium was founded in 1974. Students are free to practise their career or to bring up a family at the same time as studying.*

Ferse ['fɛrzə] (**-, -n**) *f* heel.
Fersengeld *nt:* **~ geben** to take to one's heels.
fertig ['fɛrtɪç] *adj* (*bereit*) ready; (*beendet*) finished; (*gebrauchs~*) ready-made; **~ ausgebildet** fully qualified; **mit jdm/etw ~ werden** to cope with sb/sth; **mit den**

Nerven ~ sein to be at the end of one's tether; **~ essen/lesen** to finish eating/reading; **F~bau** *m* prefab(ricated house); **~bringen** *unreg vt* (*fähig sein*) to manage, be capable of; (*beenden*) to finish.

fertigen ['fɛrtɪgən] *vt* to manufacture.

fertig- *zW:* **F~gericht** *nt* ready-to-serve meal; **F~haus** *nt* prefab(ricated house); **F~keit** *f* skill; **~machen** *vt* (*beenden*) to finish; (*umg: Person*) to finish; (*: körperlich*) to exhaust; (*: moralisch*) to get down ♦ *vr* to get ready; **~stellen** *vt* to complete.

Fertigung *f* production.

Fertigungs- *in zW* production; **~straße** *f* production line.

Fertigware *f* finished product.

fesch [fɛʃ] (*umg*) *adj* (*modisch*) smart; (*: hübsch*) attractive.

Fessel ['fɛsəl] (**-, -n**) *f* fetter.

fesseln *vt* to bind; (*mit F~*) to fetter; (*fig*) to grip; **ans Bett gefesselt** (*fig*) confined to bed.

fesselnd *adj* gripping.

Fest [fɛst] (**-(e)s, -e**) *nt* (*Feier*) celebration; (*Party*) party; **man soll die ~e feiern, wie sie fallen** (*Sprichwort*) make hay while the sun shines.

fest *adj* firm; (*Nahrung*) solid; (*Gehalt*) regular; (*Gewebe, Schuhe*) strong, sturdy; (*Freund(in)*) steady ♦ *adv* (*schlafen*) soundly; **~ entschlossen sein** to be absolutely determined; **~e Kosten** (*COMM*) fixed costs *pl*.

festangestellt *adj* employed on a permanent basis.

Festbeleuchtung *f* illumination.

festbinden *unreg vt* to tie, fasten.

festbleiben *unreg vi* to stand firm.

Festessen *nt* banquet.

festfahren *unreg vr* to get stuck.

festhalten *unreg vt* to seize, hold fast; (*Ereignis*) to record ♦ *vr:* **sich ~ (an** *+dat***)** to hold on (to).

festigen *vt* to strengthen.

Festigkeit *f* strength.

fest- *zW:* **~klammern** *vr:* **sich ~klammern (an** *+dat***)** to cling on (to); **~klemmen** *vt* to wedge fast; **F~komma** *nt* (*COMPUT*) fixed point; **F~land** *nt* mainland; **~legen** *vt* to fix ♦ *vr* to commit o.s.; **jdn auf etw** *akk* **~legen** (*~nageln*) to tie sb (down) to sth; (*verpflichten*) to commit sb to sth.

festlich *adj* festive.

fest- *zW:* **~liegen** *unreg vi* (*FIN: Geld*) to be tied up; **~machen** *vt* to fasten; (*Termin etc*) to fix; **~nageln** *vt:* **jdn ~nageln (auf** *+akk***)** (*fig: umg*) to pin sb down (to); **F~nahme** (**-, -n**) *f* capture; **~nehmen** *unreg vt* to capture, arrest; **F~platte** *f* (*COMPUT*) hard disk; **F~preis** *m* (*COMM*) fixed price.

Festrede *f* speech, address.

festschnallen *vt* to strap down ♦ *vr* to fasten one's seat belt.

festsetzen *vt* to fix, settle.

Festspiel *nt* festival.

fest- *zW:* **~stehen** *unreg vi* to be certain; **~stellbar** *adj* (*herauszufinden*) ascertainable; **~stellen** *vt* to establish; (*sagen*) to remark; (*TECH*) to lock (fast); **F~stellung** *f*: **die F~stellung machen, daß ...** to realize that ...; (*bemerken*) to remark *od* observe that ...; **F~tag** *m* holiday; **~umrissen** *adj attrib* clear-cut.

Festung *f* fortress.

festverzinslich *adj* fixed-interest *attrib*.

Festwertspeicher *m* (*COMPUT*) read-only memory.

Festzelt *nt* marquee.

Fete ['fe:tə] (**-, -n**) *f* party.

Fett [fɛt] (**-(e)s, -e**) *nt* fat, grease; **f~** *adj* fat; (*Essen etc*) greasy; **f~arm** *adj* low fat; **f~en** *vt* to grease; **~fleck** *m* grease spot *od* stain; **f~frei** *adj* fat-free; **f~gedruckt** *adj* bold-type; **~gehalt** *m* fat content; **f~ig** *adj* greasy, fatty; **~näpfchen** *nt:* **ins ~näpfchen treten** to put one's foot in it; **~polster** *nt* (*hum: umg*): **~polster haben** to be well-padded.

Fetzen ['fɛtsən] (**-s, -**) *m* scrap; **..., daß die ~ fliegen** (*umg*) ... like mad.

feucht [fɔʏçt] *adj* damp; (*Luft*) humid; **~fröhlich** *adj* (*hum*) boozy.

Feuchtigkeit *f* dampness; humidity.

Feuchtigkeitscreme *f* moisturizer.

feudal [fɔy'da:l] *adj* (*POL, HIST*) feudal; (*umg*) plush.

Feuer ['fɔʏər] (**-s, -**) *nt* fire; (*zum Rauchen*) a light; (*fig: Schwung*) spirit; **für jdn durchs ~ gehen** to go through fire and water for sb; **~ und Flamme (für etw) sein** (*umg*) to be dead keen (on sth); **~ für etw/jdn fangen** (*fig*) to develop a great interest in sth/sb; **~alarm** *m* fire alarm; **~eifer** *m* zeal; **f~fest** *adj* fireproof; **~gefahr** *f* danger of fire; **bei ~gefahr** in the event of fire; **f~gefährlich** *adj* inflammable; **~leiter** *f* fire escape ladder; **~löscher** (**-s, -**) *m* fire extinguisher; **~melder** (**-s, -**) *m* fire alarm.

feuern *vt, vi* (*lit, fig*) to fire.

Feuer- *zW:* **f~polizeilich** *adj* (*Bestimmungen*) laid down by the fire authorities; **~probe** *f* acid test; **f~rot** *adj* fiery red.

Feuersbrunst *f* (*geh*) conflagration.

Feuer- *zW:* **~schlucker** *m* fire-eater; **~schutz** *m* (*Vorbeugung*) fire prevention; (*MIL: Deckung*) covering fire; **f~sicher** *adj* fireproof; **~stein** *m* flint; **~stelle** *f* fireplace; **~treppe** *f* fire escape; **~versicherung** *f* fire insurance; **~waffe** *f* firearm; **~wehr** *f* fire brigade; **~wehrauto** *nt* fire engine; **~werk** *nt* fireworks *pl*; **~werkskörper** *m* firework; **~zangenbowle** *f* *red wine punch containing rum which has been flamed off*; **~zeug** *nt* (cigarette) lighter.

Feuilleton [fœjə'tõ:] (**-s, -s**) *nt* (*PRESSE*) feature section; (*Artikel*) feature (article).

feurig ['fɔʏrɪç] *adj* fiery.
Fiche [fiːʃ] (**-s, -s**) *m od nt* (micro)fiche.
ficht [fɪçt] *vb siehe* **fechten.**
Fichte ['fɪçtə] (**-, -n**) *f* spruce.
ficken ['fɪkən] (*umg!*) *vt, vi* to fuck (*!*).
fick(e)rig ['fɪk(ə)rɪç] (*umg*) *adj* fidgety.
fidel [fi'deːl] (*umg*) *adj* jolly.
Fidschiinseln ['fɪdʒi|ɪnzəln] *pl* Fiji Islands.
Fieber ['fiːbər] (**-s, -**) *nt* fever, temperature; (*Krankheit*) fever; ~ **haben** to have a temperature; **f~haft** *adj* feverish; **~messer** *m* thermometer; **~thermometer** *nt* thermometer.
fiel *etc* [fiːl] *vb siehe* **fallen.**
fies [fiːs] (*umg*) *adj* nasty.
Figur [fi'guːr] (**-, -en**) *f* figure; (*Schach~*) chessman, chess piece; **eine gute/ schlechte/traurige ~ abgeben** to cut a good/ poor/sorry figure.
fiktiv [fɪk'tiːf] *adj* fictitious.
Filet [fi'leː] (**-s, -s**) *nt* (*KOCH*) fillet; (*Rinder~*) fillet steak; (*zum Braten*) piece of sirloin *od* tenderloin (*US*).
Filiale [fili'aːlə] (**-, -n**) *f* (*COMM*) branch.
Filipino [fili'piːno] (**-s, -s**) *m* Filipino.
Film [fɪlm] (**-(e)s, -e**) *m* film, movie (*bes US*); **da ist bei mir der ~ gerissen** (*umg*) I had a mental blackout; **~aufnahme** *f* shooting.
Filmemacher(in) *m(f)* film-maker.
filmen *vt, vi* to film.
Film- *zW:* **~festspiele** *pl* film festival *sing*; **~kamera** *f* cine-camera; **~riß** (*umg*) *m* mental blackout; **~schauspieler(in)** *m(f)* film *od* movie (*bes US*) actor, film *od* movie actress; **~verleih** *m* film distributors *pl*; **~vorführgerät** *nt* cine-projector.
Filter ['fɪltər] (**-s, -**) *m* filter; **~kaffee** *m* filter *od* drip (*US*) coffee; **~mundstück** *nt* filter tip.
filtern *vt* to filter.
Filterpapier *nt* filter paper.
Filterzigarette *f* tipped cigarette.
Filz [fɪlts] (**-es, -e**) *m* felt.
filzen *vt* (*umg*) to frisk ♦ *vi* (*Wolle*) to mat.
Filzstift *m* felt-tip (pen).
Fimmel ['fɪməl] (**-s, -**) (*umg*) *m:* **du hast wohl einen ~!** you're crazy!
Finale [fi'naːlə] (**-s, -(s)**) *nt* finale; (*SPORT*) final(s *pl*).
Finanz [fi'nants] *f* finance; **Finanzen** *pl* finances *pl*; **das übersteigt meine ~en** that's beyond my means; **~amt** *nt* ≈ Inland Revenue Office (*BRIT*), Internal Revenue Office (*US*); **~beamte(r)** *f(m)* revenue officer.
finanziell [finantsi'ɛl] *adj* financial.
finanzieren [finan'tsiːrən] *vt* to finance, to fund.
Finanzierung *f* financing, funding.
Finanz- *zW:* **~minister** *m* ≈ Chancellor of the Exchequer (*BRIT*), Minister of Finance; **f~schwach** *adj* financially weak; **~wesen** *nt* financial system; **~wirtschaft** *f* public finances *pl*.

finden ['fɪndən] *unreg vt* to find; (*meinen*) to think ♦ *vr* to be (found); (*sich fassen*) to compose o.s. ♦ *vi:* **ich finde schon allein hinaus** I can see myself out; **ich finde nichts dabei, wenn ...** I don't see what's wrong if ...; **das wird sich ~** things will work out.
Finder(in) (**-s, -**) *m(f)* finder; **~lohn** *m* reward (for the finder).
findig *adj* resourceful.
fing *etc* [fɪŋ] *vb siehe* **fangen.**
Finger ['fɪŋər] (**-s, -**) *m* finger; **mit ~n auf jdn zeigen** (*fig*) to look askance at sb; **das kann sich jeder an den (fünf) ~n abzählen** (*umg*) it sticks out a mile; **sich** *dat* **etw aus den ~n saugen** to conjure sth up; **lange ~ machen** (*umg*) to be light-fingered; **~abdruck** *m* fingerprint; **~handschuh** *m* glove; **~hut** *m* thimble; (*BOT*) foxglove; **~nagel** *m* fingernail; **~ring** *m* ring; **~spitze** *f* fingertip; **~spitzengefühl** *nt* sensitivity; **~zeig** (**-(e)s, -e**) *m* hint, pointer.
fingieren [fɪŋ'giːrən] *vt* to feign.
fingiert *adj* made-up, fictitious.
Fink ['fɪŋk] (**-en, -en**) *m* finch.
Finne ['fɪnə] (**-n, -n**) *m* Finn.
Finnin ['fɪnɪn] *f* Finn.
finnisch *adj* Finnish.
Finnland *nt* Finland.
finster ['fɪnstər] *adj* dark, gloomy; (*verdächtig*) dubious; (*verdrossen*) grim; (*Gedanke*) dark; **jdn ~ ansehen** to give sb a black look; **F~nis** (**-**) *f* darkness, gloom.
Finte ['fɪntə] (**-, -n**) *f* feint, trick.
Firlefanz ['fɪrləfants] (*umg*) *m* (*Kram*) frippery; (*Albernheit*): **mach keinen ~** don't clown around.
firm [fɪrm] *adj* well-up.
Firma (**-, -men**) *f* firm; **die ~ dankt** (*hum*) much obliged (to you).
Firmen- *zW:* **~inhaber** *m* proprietor (*of firm*); **~register** *nt* register of companies; **~schild** *nt* (shop) sign; **~übernahme** *f* takeover; **~wagen** *m* company car; **~zeichen** *nt* trademark.
Firmung *f* (*REL*) confirmation.
Firnis ['fɪrnɪs] (**-ses, -se**) *m* varnish.
Fis [fɪs] (**-, -**) *nt* (*MUS*) F sharp.
Fisch [fɪʃ] (**-(e)s, -e**) *m* fish; **Fische** *pl* (*ASTROL*) Pisces *sing*; **das sind kleine ~e** (*fig: umg*) that's child's play; **~bestand** *m* fish population.
fischen *vt, vi* to fish.
Fischer (**-s, -**) *m* fisherman.
Fischerei [fɪʃə'raɪ] *f* fishing, fishery.
Fisch- *zW:* **~fang** *m* fishing; **~geschäft** *nt* fishmonger's (shop); **~gräte** *f* fishbone; **~gründe** *pl* fishing grounds *pl*, fisheries *pl*; **~stäbchen** *nt* fish finger (*BRIT*), fish stick (*US*); **~zucht** *f* fish-farming; **~zug** *m* catch of fish.
Fisimatenten [fizima'tɛntən] (*umg*) *pl* (*Ausflüchte*) excuses *pl*; (*Umstände*) fuss *sing*.

Fiskus ['fɪskʊs] *m* (*fig: Staatskasse*) Treasury.
fit [fɪt] *adj* fit.
Fittich ['fɪtɪç] (**-(e)s, -e**) *m* (*liter*): **jdn unter seine ~e nehmen** (*hum*) to take sb under one's wing.
fix [fɪks] *adj* (*flink*) quick; (*Person*) alert, smart; **~e Idee** obsession, idée fixe; **~ und fertig** finished; (*erschöpft*) done in; **jdn ~ und fertig machen** (*nervös machen*) to drive sb mad.
fixen (*umg*) *vi* (*Drogen spritzen*) to fix.
fixieren [fɪ'ksi:rən] *vt* to fix; (*anstarren*) to stare at; **er ist zu stark auf seine Mutter fixiert** (*PSYCH*) he has a mother fixation.
Fixkosten *pl* (*COMM*) fixed costs *pl*.
FKK *abk* = **Freikörperkultur**.
flach [flax] *adj* flat; (*Gefäß*) shallow; **auf dem ~en Land** in the middle of the country.
Fläche ['flɛçə] (**-, -n**) *f* area; (*Ober~*) surface.
Flächeninhalt *m* surface area.
Flach- *zW*: **f~fallen** *unreg* (*umg*) *vi* to fall through; **~heit** *f* flatness; shallowness; **~land** *nt* lowland; **f~liegen** *unreg* (*umg*) *vi* to be laid up; **~mann** (**-(e)s,** *pl* **-männer**) (*umg*) *m* hip flask.
flachsen ['flaksən] (*umg*) *vi* to kid around.
flackern ['flakərn] *vi* to flare, flicker.
Fladen ['fla:dən] (**-s, -**) *m* (*KOCH*) round flat dough-cake; (*umg: Kuh~*) cowpat.
Flagge ['flagə] (**-, -n**) *f* flag; **~ zeigen** (*fig*) to nail one's colours to the mast.
flaggen *vi* to fly flags *od* a flag.
flagrant [fla'grant] *adj* flagrant; **in ~i** red-handed.
Flak [flak] (**-s, -**) *f* (= *Flug(zeug)abwehrkanone*) anti-aircraft gun; (*Einheit*) anti-aircraft unit.
flambieren [flam'bi:rən] *vt* (*KOCH*) to flambé.
Flame ['fla:mə] (**-n, -n**) *m* Fleming.
Flämin ['flɛ:mɪn] *f* Fleming.
flämisch ['flɛ:mɪʃ] *adj* Flemish.
Flamme ['flamə] (**-, -n**) *f* flame; **in ~n stehen/aufgehen** to be in/go up in flames.
Flandern ['flandərn] *nt* Flanders *sing*.
Flanell [fla'nɛl] (**-s, -e**) *m* flannel.
Flanke ['flaŋkə] (**-, -n**) *f* flank; (*SPORT: Seite*) wing.
Flasche ['flaʃə] (**-, -n**) *f* bottle; (*umg: Versager*) wash-out; **zur ~ greifen** (*fig*) to hit the bottle.
Flaschen- *zW*: **~bier** *nt* bottled beer; **~öffner** *m* bottle opener; **~wein** *m* bottled wine; **~zug** *m* pulley.
flatterhaft *adj* flighty, fickle.
flattern ['flatərn] *vi* to flutter.
flau [flaʊ] *adj* (*Brise, COMM*) slack; **jdm ist ~ (im Magen)** sb feels queasy.
Flaum [flaʊm] (**-(e)s**) *m* (*Feder*) down.
flauschig ['flaʊʃɪç] *adj* fluffy.
Flausen ['flaʊzən] *pl* silly ideas *pl*; (*Ausflüchte*) weak excuses *pl*.
Flaute ['flaʊtə] (**-, -n**) *f* calm; (*COMM*) recession.
Flechte ['flɛçtə] (**-, -n**) *f* (*MED*) dry scab; (*BOT*) lichen.
flechten *unreg vt* to plait; (*Kranz*) to twine.
Fleck [flɛk] (**-(e)s, -e**) *m* (*Schmutz~*) stain; (*Farb~*) patch; (*Stelle*) spot; **nicht vom ~ kommen** (*lit, fig*) not to get any further; **sich nicht vom ~ rühren** not to budge; **vom ~ weg** straight away.
Fleckchen *nt*: **ein schönes ~ (Erde)** a lovely little spot.
Flecken (**-s, -**) *m* = **Fleck; f~los** *adj* spotless; **~mittel** *nt* stain remover; **~wasser** *nt* stain remover.
fleckig *adj* marked; (*schmutzig*) stained.
Fledermaus ['fle:dərmaʊs] *f* bat.
Flegel ['fle:gəl] (**-s, -**) *m* flail; (*Person*) lout; **f~haft** *adj* loutish, unmannerly; **~jahre** *pl* adolescence *sing*.
flegeln *vr* to loll, sprawl.
flehen ['fle:ən] *vi* (*geh*) to implore.
flehentlich *adj* imploring.
Fleisch ['flaɪʃ] (**-(e)s**) *nt* flesh; (*Essen*) meat; **sich** *dat od akk* **ins eigene ~ schneiden** to cut off one's nose to spite one's face (*Sprichwort*); **es ist mir in ~ und Blut übergegangen** it has become second nature to me; **~brühe** *f* meat stock.
Fleischer (**-s, -**) *m* butcher.
Fleischerei [flaɪʃə'raɪ] *f* butcher's (shop).
fleischig *adj* fleshy.
Fleisch- *zW*: **~käse** *m* meat loaf; **f~lich** *adj* carnal; **~pastete** *f* meat pie; **~salat** *m* diced meat salad with mayonnaise; **~vergiftung** *f* food poisoning (*from meat*); **~wolf** *m* mincer; **~wunde** *f* flesh wound; **~wurst** *f* pork sausage.
Fleiß ['flaɪs] (**-es**) *m* diligence, industry; **ohne ~ kein Preis** (*Sprichwort*) success never comes easily.
fleißig *adj* diligent, industrious; **~ studieren/arbeiten** to study/work hard.
flektieren [flɛk'ti:rən] *vt* to inflect.
flennen ['flɛnən] (*umg*) *vi* to cry, blubber.
fletschen ['flɛtʃən] *vt* (*Zähne*) to show.
Fleurop® ['flɔʏrɔp] *f* ≈ Interflora®.
flexibel [flɛ'ksi:bəl] *adj* flexible.
Flexibilität [flɛksibili'tɛ:t] *f* flexibility.
flicht [flɪçt] *vb siehe* **flechten**.
Flicken ['flɪkən] (**-s, -**) *m* patch.
flicken *vt* to mend.
Flickschusterei ['flɪkʃu:stəraɪ] *f*: **das ist ~** that's a patch-up job.
Flieder ['fli:dər] (**-s, -**) *m* lilac.
Fliege ['fli:gə] (**-, -n**) *f* fly; (*Schlips*) bow tie; **zwei ~n mit einer Klappe schlagen** (*Sprichwort*) to kill two birds with one stone; **ihn stört die ~ an der Wand** every little thing irritates him.
fliegen *unreg vt, vi* to fly; **auf jdn/etw ~** (*umg*) to be mad about sb/sth; **aus der Kurve ~** to skid off the bend; **aus der Firma ~** (*umg*) to get the sack.
fliegend *adj attrib* flying; **~e Hitze** hot flushes

pl.
Fliegengewicht *nt* (*SPORT, fig*) flyweight.
Fliegenklatsche ['fli:gənklatʃə] *f* fly-swat.
Fliegenpilz *m* fly agaric.
Flieger (**-s, -**) *m* flier, airman; **~alarm** *m* air-raid warning.
fliehen ['fli:ən] *unreg vi* to flee.
Fliehkraft ['fli:kraft] *f* centrifugal force.
Fliese ['fli:zə] (**-, -n**) *f* tile.
Fließband ['fli:sbant] *nt* assembly *od* production line; **am ~ arbeiten** to work on the assembly *od* production line; **~arbeit** *f* production-line work; **~produktion** *f* assembly-line production.
fließen *unreg vi* to flow.
fließend *adj* flowing; (*Rede, Deutsch*) fluent; (*Übergang*) smooth.
Fließ- *zW:* **~heck** *nt* fastback; **~komma** *nt* (*COMPUT*) ≈ floating point; **~papier** *nt* blotting paper (*BRIT*), fleece paper (*US*).
Flimmerkasten (*umg*) *m* (*Fernsehen*) box.
Flimmerkiste (*umg*) *f* (*Fernsehen*) box.
flimmern ['flɪmərn] *vi* to glimmer; **es flimmert mir vor den Augen** my head's swimming.
flink [flɪŋk] *adj* nimble, lively; **mit etw ~ bei der Hand sein** to be quick (off the mark) with sth; **F~heit** *f* nimbleness, liveliness.
Flinte ['flɪntə] (**-, -n**) *f* shotgun; **die ~ ins Korn werfen** to throw in the sponge.
Flirt [flœrt] (**-s, -s**) *m* flirtation; **einen ~ (mit jdm) haben** flirt (with sb).
flirten ['flɪrtən] *vi* to flirt.
Flittchen (*pej: umg*) *nt* floozy.
Flitter (**-s, -**) *m* (*~schmuck*) sequins *pl.*
Flitterwochen *pl* honeymoon *sing.*
flitzen ['flɪtsən] *vi* to flit.
Flitzer (**-s, -**) (*umg*) *m* (*Auto*) sporty car.
floaten ['flo:tən] *vt, vi* (*FIN*) to float.
flocht *etc* [flɔxt] *vb siehe* **flechten.**
Flocke ['flɔkə] (**-, -n**) *f* flake.
flockig *adj* flaky.
flog *etc* [flo:k] *vb siehe* **fliegen.**
Floh [flo:] (**-(e)s, ⸚e**) *m* flea; **jdm einen ~ ins Ohr setzen** (*umg*) to put an idea into sb's head.
floh *etc vb siehe* **fliehen.**
Flohmarkt *m* flea market.
Flora ['flo:ra] (**-, -ren**) *f* flora.
Florenz [flo'rɛnts] *nt* Florence.
florieren [flo'ri:rən] *vi* to flourish.
Florist(in) *m(f)* florist.
Floskel ['flɔskəl] (**-, -n**) *f* set phrase; **f~haft** *adj* cliché-ridden, stereotyped.
Floß [flo:s] (**-es, ⸚e**) *nt* raft.
floß *etc* [flɔs] *vb siehe* **fließen.**
Flosse ['flɔsə] (**-, -n**) *f* fin; (*Taucher~*) flipper; (*umg: Hand*) paw.
Flöte ['flø:tə] (**-, -n**) *f* flute; (*Block~*) recorder.
flötengehen ['flø:təngeːən] (*umg*) *vi* to go for a burton.
Flötist(in) [flø'tɪst(ɪn)] *m(f)* flautist, flutist (*bes US*).
flott [flɔt] *adj* lively; (*elegant*) smart; (*NAUT*) afloat.
Flotte (**-, -n**) *f* fleet.
Flottenstützpunkt *m* naval base.
flottmachen *vt* (*Schiff*) to float off; (*Auto, Fahrrad etc*) to put back on the road.
Flöz [flø:ts] (**-es, -e**) *nt* layer, seam.
Fluch [flu:x] (**-(e)s, ⸚e**) *m* curse; **f~en** *vi* to curse, swear.
Flucht [flʊxt] (**-, -en**) *f* flight; (*Fenster~*) row; (*Reihe*) range; (*Zimmer~*) suite; (*geglückt*) flight, escape; **jdn/etw in die ~ schlagen** to put sb/sth to flight.
fluchtartig *adj* hasty.
flüchten ['flʏçtən] *vi* to flee ♦ *vr* to take refuge.
Fluchthilfe *f*: **~ leisten** to aid an escape.
flüchtig *adj* fugitive; (*CHEM*) volatile; (*oberflächlich*) cursory; (*eilig*) fleeting; **~er Speicher** (*COMPUT*) volatile memory; **jdn ~ kennen** to have met sb briefly; **F~keit** *f* transitoriness; volatility; cursoriness; **F~keitsfehler** *m* careless slip.
Flüchtling *m* refugee.
Flüchtlingslager *nt* refugee camp.
Flucht- *zW:* **~versuch** *m* escape attempt; **~weg** *m* escape route.
Flug [flu:k] (**-(e)s, ⸚e**) *m* flight; **im ~** airborne, in flight; **wie im ~(e)** (*fig*) in a flash; **~abwehr** *f* anti-aircraft defence; **~bahn** *f* flight path; (*Kreisbahn*) orbit; **~begleiter(in)** *m(f)* (*AVIAT*) flight attendant; **~blatt** *nt* pamphlet.
Flügel ['fly:gəl] (**-s, -**) *m* wing; (*MUS*) grand piano; **~tür** *f* double door.
flugfähig *adj* able to fly; (*Flugzeug: in Ordnung*) airworthy.
Fluggast *m* airline passenger.
flügge ['flʏgə] *adj* (fully-)fledged; **~ werden** (*lit*) to be able to fly; (*fig*) to leave the nest.
Flug- *zW:* **~geschwindigkeit** *f* flying *od* air speed; **~gesellschaft** *f* airline (company); **~hafen** *m* airport; **~höhe** *f* altitude (of flight); **~lotse** *m* air traffic *od* flight controller; **~plan** *m* flight schedule; **~platz** *m* airport; (*klein*) airfield; **~reise** *f* flight.
flugs [flʊks] *adv* speedily.
Flug- *zW:* **~sand** *m* drifting sand; **~schein** *m* pilot's licence (*BRIT*) *od* license (*US*); **~schreiber** *m* flight recorder; **~schrift** *f* pamphlet; **~steig** *m* gate; **~strecke** *f* air route; **~verkehr** *m* air traffic; **~wesen** *nt* aviation.
Flugzeug (**-(e)s, -e**) *nt* plane, aeroplane (*BRIT*), airplane (*US*); **~entführung** *f* hijacking of a plane; **~halle** *f* hangar; **~träger** *m* aircraft carrier.
fluktuieren [flʊktu'i:rən] *vi* to fluctuate.
Flunder ['flʊndər] (**-, -n**) *f* flounder.
flunkern ['flʊŋkərn] *vi* to fib, tell stories.
Fluor ['flu:ɔr] (**-s**) *nt* fluorine.
Flur[1] [flu:r] (**-(e)s, -e**) *m* hall; (*Treppen~*) staircase.

Flur[2] [fluːr] (-, **-en**) *f* (*geh*) open fields *pl*; **allein auf weiter ~ stehen** (*fig*) to be out on a limb.
Fluß [flʊs] (**-sses, ¨-sse**) *m* river; (*Fließen*) flow; **im ~ sein** (*fig*) to be in a state of flux; **etw in ~** *akk* **bringen** to get sth moving; **f~ab(wärts)** *adv* downstream; **f~auf(wärts)** *adv* upstream; **~diagramm** *nt* flow chart.
flüssig ['flʏsɪç] *adj* liquid; (*Stil*) flowing; **~es Vermögen** (*COMM*) liquid assets *pl*; **F~keit** *f* liquid; (*Zustand*) liquidity; **~machen** *vt* (*Geld*) to make available.
Flußmündung *f* estuary.
Flußpferd *nt* hippopotamus.
flüstern ['flʏstərn] *vt, vi* to whisper.
Flüsterpropaganda *f* whispering campaign.
Flut [fluːt] (-, **-en**) *f* (*lit, fig*) flood; (*Gezeiten*) high tide; **f~en** *vi* to flood; **~licht** *nt* floodlight.
flutschen ['flʊtʃən] (*umg*) *vi* (*rutschen*) to slide; (*funktionieren*) to go well.
Flutwelle *f* tidal wave.
fl.W. *abk* (= *fließendes Wasser*) running water.
focht *etc* [fɔxt] *vb siehe* **fechten.**
föderativ [fødera'tiːf] *adj* federal.
Fohlen ['foːlən] (**-s, -**) *nt* foal.
Föhn [føːn] (**-(e)s, -e**) *m* foehn, *warm dry alpine wind.*
Föhre ['føːrə] (**-, -n**) *f* Scots pine.
Folge ['fɔlgə] (**-, -n**) *f* series, sequence; (*Fortsetzung*) instalment (*BRIT*), installment (*US*); (*TV, RUNDF*) episode; (*Auswirkung*) result; **in rascher ~** in quick succession; **etw zur ~ haben** to result in sth; **~n haben** to have consequences; **einer Sache** *dat* **~ leisten** to comply with sth; **~erscheinung** *f* result, consequence.
folgen *vi +dat* to follow ♦ *vi* (*gehorchen*) to obey; **jdm ~ können** (*fig*) to follow *od* understand sb; **daraus folgt, daß** ... it follows from this that ...
folgend *adj* following; **im ~en** in the following; (*schriftlich*) below.
folgendermaßen ['fɔlgəndər'maːsən] *adv* as follows, in the following way.
folgenreich *adj* momentous.
folgenschwer *adj* momentous.
folgerichtig *adj* logical.
folgern *vt*: **~ (aus)** to conclude (from).
Folgerung *f* conclusion.
folgewidrig *adj* illogical.
folglich ['fɔlklɪç] *adv* consequently.
folgsam ['fɔlkzaːm] *adj* obedient.
Folie ['foːliə] (**-, -n**) *f* foil.
Folienschweißgerät *nt* shrink-wrap machine.
Folklore ['fɔlkloːər] (-) *f* folklore.
Folter ['fɔltər] (**-, -n**) *f* torture; (*Gerät*) rack; **jdn auf die ~ spannen** (*fig*) to keep sb on tenterhooks.
foltern *vt* to torture.
Fön ® [føːn] (**-(e)s, -e**) *m* hair dryer.
Fonds [fõː] (-, -) *m* (*lit, fig*) fund; (*FIN: Schuldverschreibung*) government bond.
fönen *vt* to blow-dry.
Fontäne [fɔn'tɛːnə] (**-, -n**) *f* fountain.
foppen ['fɔpən] *vt* to tease.
forcieren [fɔr'siːrən] *vt* to push; (*Tempo*) to force; (*Konsum, Produktion*) to push *od* force up.
Förderband ['fœrdərbant] *nt* conveyor belt.
Förderer (**-s, -**) *m* patron.
Fördergebiet *nt* development area.
Förderin *f* patroness.
Förderkorb *m* pit cage.
Förderleistung *f* (*MIN*) output.
förderlich *adj* beneficial.
fordern ['fɔrdərn] *vt* to demand; (*fig: kosten: Opfer*) to claim; (: *heraus~*) to challenge.
fördern ['fœrdərn] *vt* to promote; (*unterstützen*) to help; (*Kohle*) to extract; (*finanziell: Projekt*) to sponsor; (*jds Talent, Neigung*) to encourage, foster.
Förderplattform *f* production platform.
Förderstufe *f* (*SCH*) *first stage of secondary school where abilities are judged.*
Förderturm *m* (*MIN*) winding tower; (*auf Bohrstelle*) derrick.
Forderung ['fɔrdərʊŋ] *f* demand.
Förderung ['fœrdərʊŋ] *f* promotion; help; extraction.
Forelle [fo'rɛlə] *f* trout.
Form [fɔrm] (**-, -en**) *f* shape; (*Gestaltung*) form; (*Guß~*) mould; (*Back~*) baking tin; **in ~ von** in the shape of; **in ~ sein** to be in good form *od* shape; **die ~ wahren** to observe the proprieties; **in aller ~** formally.
formal [fɔr'maːl] *adj* formal; (*Besitzer, Grund*) technical.
formalisieren [fɔrmali'ziːrən] *vt* to formalize.
Formalität [fɔrmalɪ'tɛːt] *f* formality; **alle ~en erledigen** to go through all the formalities.
Format [fɔr'maːt] (**-(e)s, -e**) *nt* format; (*fig*) quality.
formatieren [fɔrma'tiːrən] *vt* (*Text, Diskette*) to format.
Formation [fɔrmatsi'oːn] *f* formation.
formbar *adj* malleable.
Formblatt *nt* form.
Formel (**-, -n**) *f* formula; (*von Eid etc*) wording; (*Floskel*) set phrase; **f~haft** *adj* (*Sprache, Stil*) stereotyped.
formell [fɔr'mɛl] *adj* formal.
formen *vt* to form, shape.
Formfehler *m* faux pas, gaffe; (*JUR*) irregularity.
formieren [fɔr'miːrən] *vt* to form ♦ *vr* to form up.
förmlich ['fœrmlɪç] *adj* formal; (*umg*) real; **F~keit** *f* formality.
formlos *adj* shapeless; (*Benehmen etc*) informal; (*Antrag*) unaccompanied by a form *od* any forms.
Formsache *f* formality.

Formular [fɔrmu'la:r] (**-s, -e**) *nt* form.
formulieren [fɔrmu'li:rən] *vt* to formulate.
Formulierung *f* wording.
formvollendet *adj* perfect; (*Vase etc*) perfectly formed.
forsch [fɔrʃ] *adj* energetic, vigorous.
forschen [fɔrʃən] *vi* to search; (*wissenschaftlich*) to (do) research; ~ **nach** to search for.
forschend *adj* searching.
Forscher (**-s, -**) *m* research scientist; (*Natur~*) explorer.
Forschung ['fɔrʃʊŋ] *f* research; ~ **und Lehre** research and teaching; ~ **und Entwicklung** research and development.
Forschungsreise *f* scientific expedition.
Forst [fɔrst] (**-(e)s, -e**) *m* forest; ~**arbeiter** *m* forestry worker.
Förster ['fœrstər] (**-s, -**) *m* forester; (*für Wild*) gamekeeper.
Forstwesen *nt* forestry.
Forstwirtschaft *f* forestry.
fort [fɔrt] *adv* away; (*verschwunden*) gone; (*vorwärts*) on; **und so** ~ and so on; **in einem** ~ incessantly; ~**bestehen** *unreg vi* to continue to exist; ~**bewegen** *vt, vr* to move away; ~**bilden** *vr* to continue one's education; **F~bildung** *f* further education; ~**bleiben** *unreg vi* to stay away; ~**bringen** *unreg vt* to take away; **F~dauer** *f* continuance; ~**dauernd** *adj* continuing; (*in der Vergangenheit*) continued ♦ *adv* constantly, continuously; ~**fahren** *unreg vi* to depart; (~*setzen*) to go on, continue; ~**führen** *vt* to continue, carry on; **F~gang** *m* (*Verlauf*) progress; (*Weggang*): **F~gang (aus)** departure (from); ~**gehen** *unreg vi* to go away; ~**geschritten** *adj* advanced; ~**kommen** *unreg vi* to get on; (*wegkommen*) to get away; ~**können** *unreg vi* to be able to get away; ~**lassen** *vt* (*auslassen*) to leave out, omit; (*weggehen lassen*): **jdn ~lassen** to let sb go; ~**laufend** *adj*: ~**laufend numeriert** consecutively numbered; ~**müssen** *unreg vi* to have to go; ~**pflanzen** *vr* to reproduce; **F~pflanzung** *f* reproduction.
FORTRAN ['fɔrtran] *nt* FORTRAN.
Forts. *abk* = **Fortsetzung.**
fortschaffen *vt* to remove.
fortschreiten *unreg vi* to advance.
Fortschritt ['fɔrtʃrɪt] *m* advance; ~**e machen** to make progress; **dem ~ dienen** to further progress; **f~lich** *adj* progressive.
fortschrittsgläubig *adj* believing in progress.
fort- *zW*: ~**setzen** *vt* to continue; **F~setzung** *f* continuation; (*folgender Teil*) instalment (*BRIT*), installment (*US*); **F~setzung folgt** to be continued; **F~setzungsroman** *m* serialized novel; ~**während** *adj* incessant, continual; ~**wirken** *vi* to continue to have an effect; ~**ziehen** *unreg vt* to pull away ♦ *vi* to move on; (*umziehen*) to move away.
Foto ['fo:to] (**-s, -s**) *nt* photo(graph); **ein ~ machen** to take a photo(graph); ~**album** *nt* photograph album; ~**apparat** *m* camera; ~**graf(in)** (**-en, -en**) *m(f)* photographer; ~**grafie** *f* photography; (*Bild*) photograph; **f~grafieren** *vt* to photograph ♦ *vi* to take photographs; ~**kopie** *f* photocopy; **f~kopieren** *vt* to photocopy; ~**kopierer** *m* photocopier; ~**kopiergerät** *nt* photocopier.
Foul [faʊl] (**-s, -s**) *nt* foul.
Foyer [foa'je:] (**-s, -s**) *nt* foyer; (*in Hotel*) lobby, foyer.
FPÖ (**-**) *f abk* (= *Freiheitliche Partei Österreichs*) Austrian Freedom Party.
Fr. *abk* (= *Frau*) Mrs, Ms.
Fracht [fraxt] (**-, -en**) *f* freight; (*NAUT*) cargo; (*Preis*) carriage; ~ **zahlt Empfänger** (*COMM*) carriage forward; ~**brief** *m* consignment note, waybill.
Frachter (**-s, -**) *m* freighter.
Fracht- *zW*: **f~frei** *adj* (*COMM*) carriage paid *od* free; ~**gut** *nt* freight; ~**kosten** *pl* (*COMM*) freight charges *pl*.
Frack [frak] (**-(e)s, ¨-e**) *m* tails *pl*, tail coat.
Frage ['fra:gə] (**-, -n**) *f* question; **etw in ~ stellen** to question sth; **jdm eine ~ stellen** to ask sb a question, put a question to sb; **das ist gar keine ~, das steht außer ~** there's no question about it; **in ~ kommend** possible; (*Bewerber*) worth considering; **nicht in ~ kommen** to be out of the question; ~**bogen** *m* questionnaire.
fragen *vt, vi* to ask ♦ *vr* to wonder; **nach Arbeit/Post** ~ to ask whether there is/was any work/mail; **da fragst du mich zuviel** (*umg*) I really couldn't say; **nach** *od* **wegen** *(umg)* **jdm** ~ to ask for sb; (*nach jds Befinden*) to ask after sb; **ohne lange zu** ~ without asking a lot of questions.
Fragerei [fra:gə'raɪ] *f* questions *pl*.
Fragestunde *f* (*PARL*) question time.
Fragezeichen *nt* question mark.
fraglich *adj* questionable, doubtful; (*betreffend*) in question.
fraglos *adv* unquestionably.
Fragment [fra'gmɛnt] *nt* fragment.
fragmentarisch [fragmɛn'ta:rɪʃ] *adj* fragmentary.
fragwürdig ['fra:kvʏrdɪç] *adj* questionable, dubious.
Fraktion [fraktsi'o:n] *f* parliamentary party.
Fraktionsvorsitzende(r) *f(m)* (*POL*) party whip.
Fraktionszwang *m* requirement to obey the party whip.
frank [fraŋk] *adj* frank, candid.
Franken[1] ['fraŋkən] *nt* Franconia.
Franken[2] ['fraŋkən] (**-, -**) *m*: **(Schweizer)** ~ (Swiss) Franc.
Frankfurt ['fraŋkfʊrt] (**-s**) *nt* Frankfurt.
Frankfurter(in) *m(f)* native of Frankfurt ♦ *adj*

Frankfurt; ~ **Würstchen** *pl* frankfurters.
frankieren [fraŋ'ki:rən] *vt* to stamp, frank.
Frankiermaschine *f* franking machine.
fränkisch ['fraŋkɪʃ] *adj* Franconian.
franko *adv* carriage paid; (*POST*) post-paid.
Frankreich ['fraŋkraɪç] (**-s**) *nt* France.
Franse ['franzə] (**-, -n**) *f* fringe.
fransen *vi* to fray.
franz. *abk* = **französisch.**
Franzbranntwein *m* alcoholic liniment.
Franzose [fran'tso:zə] (**-n, -n**) *m* Frenchman; French boy.
Französin [fran'tsø:zɪn] *f* Frenchwoman; French girl.
französisch *adj* French; ~**es Bett** double bed.
Fräse ['frɛ:zə] (**-, -n**) *f* (*Werkzeug*) milling cutter; (*für Holz*) moulding cutter.
Fraß (**-es, -e**) (*pej: umg*) *m* (*Essen*) muck.
fraß *etc* [fra:s] *vb siehe* **fressen.**
Fratze ['fratsə] (**-, -n**) *f* grimace; **eine ~ schneiden** to pull *od* make a face.
Frau [frau] (**-, -en**) *f* woman; (*Ehe~*) wife; (*Anrede*) Mrs, Ms; ~ **Doktor** Doctor.
Frauen- *zW:* ~**arzt** *m* gynaecologist (*BRIT*), gynecologist (*US*); ~**bewegung** *f* feminist movement; **f~feindlich** *adj* anti-women, misogynous; ~**haus** *nt* women's refuge; ~**quote** *f* recommended proportion of women (employed); ~**rechtlerin** *f* feminist; ~**zentrum** *nt* women's advice centre; ~**zimmer** (*pej*) *nt* female, broad (*US*).
Fräulein ['frɔylaɪn] *nt* young lady; (*Anrede*) Miss; (*Verkäuferin*) assistant (*BRIT*), sales clerk (*US*); (*Kellnerin*) waitress.
fraulich ['fraulɪç] *adj* womanly.
frech [frɛç] *adj* cheeky, impudent; ~ **wie Oskar sein** (*umg*) to be a little monkey; **F~dachs** *m* cheeky monkey; **F~heit** *f* cheek, impudence; **sich** *dat* **(einige) F~heiten erlauben** to be a bit cheeky (*bes BRIT*) *od* fresh (*bes US*).
Fregatte [fre'gatə] (**-, -n**) *f* frigate.
frei [fraɪ] *adj* free; (*Stelle*) vacant; (*Mitarbeiter*) freelance; (*Geld*) available; (*unbekleidet*) bare; **aus ~en Stücken** *od* **~em Willen** of one's own free will; ~ **nach** ... based on ...; **für etw ~e Fahrt geben** (*fig*) to give sth the go-ahead; **der Film ist ~ ab 16 (Jahren)** the film may be seen by people of 16 years (of age) and over; **unter ~em Himmel** in the open (air); **morgen/Mittwoch ist ~** tomorrow/Wednesday is a holiday; **„Zimmer ~"** "vacancies"; **auf ~er Strecke** (*EISENB*) between stations; (*AUT*) on the road; **sich ~ machen** (*beim Arzt*) to take one's clothes off, strip; **~er Wettbewerb** fair/open competition; ~ **Haus** (*COMM*) carriage paid; ~ **Schiff** (*COMM*) free on board; **~e Marktwirtschaft** free market economy; **sich** *dat* **einen Tag ~ nehmen** to take a day off; **von etw ~ sein** to be free of sth; **im F~en** in the open air; ~ **sprechen** to talk without notes; **F~bad** *nt* open-air swimming pool; ~**bekommen** *unreg vt:* **jdn/einen Tag ~bekommen** to get sb freed/get a day off; ~**beruflich** *adj* self-employed; **F~betrag** *m* tax allowance.
Freier (**-s, -**) *m* suitor.
Frei- *zW:* ~**exemplar** *nt* free copy; **f~geben** *unreg vt:* **etw zum Verkauf f~geben** to allow sth to be sold on the open market; **f~gebig** *adj* generous; ~**gebigkeit** *f* generosity; ~**hafen** *m* free port; **f~halten** *unreg vt* to keep free; (*bezahlen*) to pay for; ~**handel** *m* free trade; ~**handelszone** *f* free trade area; **f~händig** *adv* (*fahren*) with no hands.
Freiheit *f* freedom; **sich** *dat* **die ~ nehmen, etw zu tun** to take the liberty of doing sth; **f~lich** *adj* liberal; (*Verfassung*) based on the principle of liberty; (*Demokratie*) free.
Freiheits- *zW:* ~**beraubung** *f* (*JUR*) wrongful deprivation of personal liberty; ~**drang** *m* urge/desire for freedom; ~**kampf** *m* fight for freedom; ~**kämpfer(in)** *m(f)* freedom fighter; ~**rechte** *pl* civil liberties *pl*; ~**strafe** *f* prison sentence.
frei- *zW:* ~**heraus** *adv* frankly; **F~karte** *f* free ticket; ~**kaufen** *vt:* **jdn/sich ~kaufen** to buy sb's/one's freedom; ~**kommen** *unreg vi* to get free; **F~körperkultur** *f* nudism; ~**lassen** *unreg vt* to (set) free; **F~lauf** *m* freewheeling; ~**laufend** *adj* (*Hühner*) free-range; ~**legen** *vt* to expose; ~**lich** *adv* certainly, admittedly; **ja ~lich!** yes of course; **F~lichtbühne** *f* open-air theatre; ~**machen** *vt* (*POST*) to frank ♦ *vr* to arrange to be free; **Tage ~machen** to take days off; **F~maurer** *m* Mason, Freemason.
freimütig ['fraɪmy:tɪç] *adj* frank, honest.
Frei- *zW:* ~**raum** *m:* ~**raum (zu)** (*fig*) freedom (for); **f~schaffend** *adj attrib* freelance; ~**schärler** (**-s, -**) *m* guerrilla; **f~schwimmen** *vr* (*fig*) to learn to stand on one's own two feet; **f~setzen** *vt* (*Energien*) to release; **f~sinnig** *adj* liberal; **f~sprechen** *unreg vt:* **f~sprechen (von)** to acquit (of); ~**spruch** *m* acquittal; **f~stehen** *unreg vi:* **es steht dir f~, das zu tun** you are free to do so; **das steht Ihnen völlig f~** that is completely up to you; **f~stellen** *vt:* **jdm etw f~stellen** to leave sth (up) to sb; ~**stoß** *m* free kick; ~**stunde** *f* free hour; (*SCH*) free period.
Freitag *m* Friday; *siehe auch* **Dienstag.**
freitags *adv* on Fridays.
Frei- *zW:* ~**tod** *m* suicide; ~**übungen** *pl* (physical) exercises *pl*; ~**umschlag** *m* reply-paid envelope; ~**wild** *nt* (*fig*) fair game; **f~willig** *adj* voluntary; ~**willige(r)** *f(m)* volunteer; ~**zeichen** *nt* (*TEL*) ringing tone; ~**zeit** *f* spare *od* free time; ~**zeitgestaltung** *f* organization of one's leisure time; **f~zügig** *adj* liberal, broad-minded; (*mit Geld*) generous.
fremd [frɛmt] *adj* (*unvertraut*) strange;

(*ausländisch*) foreign; (*nicht eigen*) someone else's; **etw ist jdm ~** sth is foreign to sb; **ich bin hier ~** I'm a stranger here; **sich ~ fühlen** to feel like a stranger; **~artig** *adj* strange.
Fremde (-) *f* (*liter*): **die ~** foreign parts *pl*.
Fremde(r) *f(m)* stranger; (*Ausländer*) foreigner.
Fremden- *zW:* **~führer** *m* (tourist) guide; (*Buch*) guide (book); **~legion** *f* foreign legion; **~verkehr** *m* tourism; **~zimmer** *nt* guest room.
fremd- *zW:* **~gehen** *unreg* (*umg*) *vi* to be unfaithful; **F~kapital** *nt* loan capital; **F~körper** *m* foreign body; **~ländisch** *adj* foreign; **F~ling** *m* stranger; **F~sprache** *f* foreign language; **F~sprachenkorrespondentin** *f* bilingual secretary; **~sprachig** *adj attrib* foreign-language; **F~wort** *nt* foreign word.
frenetisch [fre'ne:tɪʃ] *adj* frenetic.
Frequenz [fre'kvɛnts] *f* (*RUNDF*) frequency.
Fresse (-, -n) (*umg!*) *f* (*Mund*) gob; (*Gesicht*) mug.
fressen ['frɛsən] *unreg vt, vi* to eat ♦ *vr:* **sich voll** *od* **satt ~** to gorge o.s.; **einen Narren an jdm/etw gefressen haben** to dote on sb/sth.
Freude ['frɔʏdə] (-, -n) *f* joy, delight; **~ an etw** *dat* **haben** to get *od* derive pleasure from sth; **jdm eine ~ machen** *od* **bereiten** to make sb happy.
Freudenhaus *nt* (*veraltet*) house of ill repute.
Freudentanz *m:* **einen ~ aufführen** to dance with joy.
freudestrahlend *adj* beaming with delight.
freudig *adj* joyful, happy.
freudlos *adj* joyless.
freuen ['frɔʏən] *vt unpers* to make happy *od* pleased ♦ *vr* to be glad *od* happy; **sich auf etw** *akk* **~** to look forward to sth; **sich über etw** *akk* **~** to be pleased about sth; **sich zu früh ~** to get one's hopes up too soon.
Freund ['frɔʏnt] (-(e)s, -e) *m* friend; (*Liebhaber*) boyfriend; **ich bin kein ~ von so etwas** I'm not one for that sort of thing; **~in** *f* friend; (*Liebhaberin*) girlfriend; **f~lich** *adj* kind, friendly; **bitte recht f~lich!** smile please!; **würden Sie bitte so f~lich sein und das tun?** would you be so kind as to do that?; **f~licherweise** *adv* kindly; **~lichkeit** *f* friendliness, kindness; **~schaft** *f* friendship; **f~schaftlich** *adj* friendly.
Frevel ['fre:fəl] (-s, -) *m:* **~ (an** *+dat***)** crime *od* offence (against); **f~haft** *adj* wicked.
Frhr. *abk* (= *Freiherr*) baron.
Frieden ['fri:dən] (-s, -) *m* peace; **im ~** in peacetime; **~ schließen** to make one's peace; (*POL*) to make peace; **um des lieben ~s willen** (*umg*) for the sake of peace and quiet; **ich traue dem ~ nicht** (*umg*) something (fishy) is going on.
Friedens- *zW:* **~bewegung** *f* peace movement; **~richter** *m* justice of the peace; **~schluß** *m* peace agreement; **~truppe** *f* peace-keeping force; **~verhandlungen** *pl* peace negotiations *pl*; **~vertrag** *m* peace treaty; **~zeit** *f* peacetime.
fried- *zW:* **~fertig** *adj* peaceable; **F~hof** *m* cemetery; **~lich** *adj* peaceful; **etw auf ~lichem Wege lösen** to solve sth by peaceful means.
frieren ['fri:rən] *unreg vi* to freeze ♦ *vt unpers* to freeze ♦ *vi unpers:* **heute nacht hat es gefroren** it was below freezing last night; **ich friere, es friert mich** I am freezing, I'm cold; **wie ein Schneider ~** (*umg*) to be *od* get frozen to the marrow.
Fries [fri:s] (-es, -e) *m* (*ARCHIT*) frieze.
Friese ['fri:zə] (-n, -n) *m* Fri(e)sian.
Friesin ['fri:zə] *f* Fri(e)sian.
frigid(e) *adj* frigid.
Frikadelle [frika'dɛlə] *f* meatball.
frisch [frɪʃ] *adj* fresh; (*lebhaft*) lively; **~ gestrichen!** wet paint!; **sich ~ machen** to freshen (o.s.) up; **jdn auf ~er Tat ertappen** to catch sb red-handed *od* in the act.
Frische (-) *f* freshness; liveliness; **in alter ~** (*umg*) as always.
Frischhaltebeutel *m* airtight bag.
Frischhaltefolie *f* clingfilm.
frischweg *adv* (*munter*) straight out.
Friseur [fri'zø:r] *m* hairdresser.
Friseuse [fri'zø:zə] *f* hairdresser.
frisieren [fri'zi:rən] *vt* (*Haar*) to do; (*fig: Abrechnung*) to fiddle, doctor ♦ *vr* to do one's hair; **jdn ~, jdm das Haar ~** to do sb's hair.
Frisiersalon *m* hairdressing salon.
Frisiertisch *m* dressing table.
Frisör [fri'zø:r] (-s, -e) *m* hairdresser.
frißt [frɪst] *vb siehe* **fressen**.
Frist [frɪst] (-, -en) *f* period; (*Termin*) deadline; **eine ~ einhalten/verstreichen lassen** to meet a deadline/let a deadline pass; (*bei Rechnung*) to pay/not to pay within the period stipulated; **jdm eine ~ von vier Tagen geben** to give sb four days' grace.
fristen *vt* (*Dasein*) to lead; (*kümmerlich*) to eke out.
Fristenlösung *f* abortion law (*permitting abortion in the first three months*).
fristgerecht *adj* within the period stipulated.
fristlos *adj* (*Entlassung*) instant.
Frisur [fri'zu:r] *f* hairdo, hairstyle.
Friteuse [fri'tø:zə] (-, -n) *f* chip pan (*BRIT*), deep fat fryer.
fritieren [fri'ti:rən] *vt* to deep fry.
frivol [fri'vo:l] *adj* frivolous.
Frl. *abk* (= *Fräulein*) Miss.
froh [fro:] *adj* happy, cheerful; **ich bin ~, daß** ... I'm glad that ...
fröhlich ['frø:lɪç] *adj* merry, happy; **F~keit** *f* merriment, gaiety.
frohlocken *vi* (*geh*) to rejoice; (*pej*) to gloat.
Frohsinn *m* cheerfulness.
fromm [frɔm] *adj* pious, good; (*Wunsch*) idle.

Frömmelei [frœmə'laɪ] *f* false piety.
Frömmigkeit *f* piety.
frönen ['frøːnən] *vi +dat* to indulge in.
Fronleichnam [froːn'laɪçnaːm] (**-(e)s**) *m* Corpus Christi.
Front [frɔnt] (**-, -en**) *f* front; **klare ~en schaffen** (*fig*) to clarify the position.
frontal [frɔn'taːl] *adj* frontal; **F~angriff** *m* frontal attack.
fror *etc* [froːr] *vb siehe* **frieren.**
Frosch [frɔʃ] (**-(e)s, ⸚e**) *m* frog; (*Feuerwerk*) squib; **sei kein ~!** (*umg*) be a sport!; **~mann** *m* frogman; **~perspektive** *f*: **etw aus der ~perspektive sehen** to get a worm's-eye view of sth; **~schenkel** *m* frog's leg.
Frost [frɔst] (**-(e)s, ⸚e**) *m* frost; **f~beständig** *adj* frost-resistant; **~beule** *f* chilblain.
frösteln ['frœstəln] *vi* to shiver.
frostig *adj* frosty.
Frostschutzmittel *nt* anti-freeze.
Frottee [frɔ'teː] (**-(s), -s**) *nt od m* towelling.
frottieren [frɔ'tiːrən] *vt* to rub, towel.
Frottierhandtuch *nt* towel.
Frottiertuch *nt* towel.
frotzeln ['frɔtsəln] (*umg*) *vt, vi* to tease.
Frucht [frʊxt] (**-, ⸚e**) *f* (*lit, fig*) fruit; (*Getreide*) corn; (*Embryo*) foetus; **f~bar** *adj* fruitful, fertile; **~barkeit** *f* fertility; **~becher** *m* fruit sundae.
Früchtchen ['frʏçtçən] (*umg*) *nt* (*Tunichtgut*) good-for-nothing.
fruchten *vi* to be of use.
fruchtlos *adj* fruitless.
Fruchtsaft *m* fruit juice.
früh [fryː] *adj, adv* early; **heute ~** this morning; **~auf** *adv*: **von ~auf** from an early age; **F~aufsteher** (**-s, -**) *m* early riser; **F~dienst** *m*: **F~dienst haben** to be on early shift.
Frühe (**-**) *f* early morning; **in aller ~** at the crack of dawn.
früher *adj* earlier; (*ehemalig*) former ♦ *adv* formerly; **~ war das anders** that used to be different; **~ oder später** sooner or later.
frühestens *adv* at the earliest.
Frühgeburt *f* premature birth; (*Kind*) premature baby.
Frühjahr *nt* spring.
Frühjahrsmüdigkeit *f* springtime lethargy.
Frühjahrsputz *m* spring-cleaning.
Frühling *m* spring; **im ~** in spring.
früh- *zW*: **~reif** *adj* precocious; **F~rentner** *m* *person who has retired early*; **F~schicht** *f* early shift; **F~schoppen** *m* morning/ lunchtime drink; **F~sport** *m* early morning exercise; **F~stück** *nt* breakfast; **~stücken** *vi* to (have) breakfast; **F~warnsystem** *nt* early warning system; **~zeitig** *adj* early; (*vorzeitig*) premature.
Frust (**-(e)s**) (*umg*) *m* frustration.
frustrieren [frʊs'triːrən] *vt* to frustrate.
frz. *abk* = **französisch.**
FSV *abk* (= *Fußball-Sportverein*) F.C.
FU (**-**) *f abk* (= *Freie Universität Berlin*) *Berlin University.*
Fuchs [fʊks] (**-es, ⸚e**) *m* fox.
fuchsen (*umg*) *vt* to rile, annoy ♦ *vr* to be annoyed.
Füchsin ['fʏksɪn] *f* vixen.
fuchsteufelswild *adj* hopping mad.
Fuchtel ['fʊxtl] (**-, -n**) *f* (*fig: umg*): **unter jds ~** under sb's control *od* thumb.
fuchteln ['fʊxtəln] *vi* to gesticulate wildly.
Fuge ['fuːgə] (**-, -n**) *f* joint; (*MUS*) fugue.
fügen ['fyːgən] *vt* to place, join ♦ *vr unpers* to happen ♦ *vr*: **sich ~ (in +akk)** to be obedient (to); (*anpassen*) to adapt o.s. (to).
fügsam ['fyːkzaːm] *adj* obedient.
fühlbar *adj* perceptible, noticeable.
fühlen ['fyːlən] *vt, vi, vr* to feel.
Fühler (**-s, -**) *m* feeler.
Fühlung *f*: **mit jdm in ~ bleiben/stehen** to stay/be in contact *od* touch with sb.
fuhr *etc* [fuːr] *vb siehe* **fahren.**
Fuhre (**-, -n**) *f* (*Ladung*) load.
führen ['fyːrən] *vt* to lead; (*Geschäft*) to run; (*Name*) to bear; (*Buch*) to keep; (*im Angebot haben*) to stock ♦ *vi* to lead ♦ *vr* to behave; **was führt Sie zu mir?** (*form*) what brings you to me?; **Geld/seine Papiere bei sich ~** (*form*) to carry money/one's papers on one's person; **das führt zu nichts** that will come to nothing.
Führer(in) ['fyːrər(ɪn)] (**-s, -**) *m(f)* leader; (*Fremden~*) guide; **~haus** *nt* cab; **~schein** *m* driving licence (*BRIT*), driver's license (*US*); **den ~schein machen** (*AUT*) to learn to drive; (*die Prüfung ablegen*) to take one's (driving) test; **~scheinentzug** *m* disqualification from driving.
Fuhrmann ['fuːrman] (**-(e)s,** *pl* **-leute**) *m* carter.
Führung ['fyːrʊŋ] *f* leadership; (*eines Unternehmens*) management; (*MIL*) command; (*Benehmen*) conduct; (*Museums~*) conducted tour.
Führungs- *zW*: **~kraft** *f* executive; **~stab** *m* (*MIL*) command; (*COMM*) top management; **~stil** *m* management style; **~zeugnis** *nt* certificate of good conduct.
Fuhrunternehmen *nt* haulage business.
Fuhrwerk *nt* cart.
Fülle ['fʏlə] (**-**) *f* wealth, abundance.
Füllen (**-s, -**) *nt* foal.
füllen *vt* to fill; (*KOCH*) to stuff ♦ *vr* to fill (up).
Füller (**-s, -**) *m* fountain pen.
Füllfederhalter *m* fountain pen.
Füllgewicht *nt* (*COMM*) weight at time of packing; (*auf Dosen*) net weight.
füllig ['fʏlɪç] *adj* (*Mensch*) corpulent, portly; (*Figur*) ample.
Füllung *f* filling; (*Holz~*) panel.
fummeln ['fʊməln] (*umg*) *vi* to fumble.
Fund [fʊnt] (**-(e)s, -e**) *m* find.
Fundament [fʊnda'mɛnt] *nt* foundation.

fundamental *adj* fundamental.
Fundamentalismus *m* fundamentalism.
Fundbüro *nt* lost property office, lost and found (*US*).
Fundgrube *f* (*fig*) treasure trove.
fundieren [fʊn'di:rən] *vt* to back up.
fundiert *adj* sound.
fündig ['fʏndɪç] *adj* (*MIN*) rich; ~ **werden** to make a strike; (*fig*) to strike it lucky.
Fundsachen *pl* lost property *sing*.
fünf [fʏnf] *num* five; **seine ~ Sinne beisammen haben** to have all one's wits about one; **~(e) gerade sein lassen** (*umg*) to turn a blind eye; **~hundert** *num* five hundred; **~jährig** *adj* (*Frist, Plan*) five-year; (*Kind*) five-year-old; **F~kampf** *m* pentathlon; **F~prozentklausel** *f* (*PARL*) *clause debarring parties with less than 5% of the vote from Parliament;* **F~tagewoche** *f* five-day week.

The **Fünfprozentklausel** *is a rule in German Federal elections whereby only those parties who collect at least 5% of the second vote (***Zweitstimme***) receive a parliamentary seat. This is to avoid the parliament being made up of a large number of very small parties which, in the Weimar Republic, led to political instability.*

fünfte(r, s) *adj* fifth.
Fünftel (-s, -) *nt* fifth.
fünfzehn *num* fifteen.
fünfzig *num* fifty.
fungieren [fʊŋ'gi:rən] *vi* to function; (*Person*) to act.
Funk [fʊŋk] (-s) *m* radio, wireless (*BRIT old*); **~ausstellung** *f* radio and television exhibition.
Funke (-ns, -n) *m* (*lit, fig*) spark.
funkeln *vi* to sparkle.
funkelnagelneu (*umg*) *adj* brand-new.
Funken (-s, -) *m* = **Funke.**
funken *vt* to radio.
Funker (-s, -) *m* radio operator.
Funk- *zW:* **~gerät** *nt* radio set; **~haus** *nt* broadcasting centre; **~kolleg** *nt* educational radio broadcasts *pl*; **~rufempfänger** *m* (*TELEC*) pager, paging device; **~spot** *m* advertisement on the radio; **~sprechgerät** *nt* radio telephone; **~spruch** *m* radio signal; **~station** *f* radio station; **~stille** *f* (*fig*) ominous silence; **~streife** *f* police radio patrol; **~taxi** *nt* radio taxi; **~telefon** *nt* cell phone.
Funktion [fʊŋktsi'o:n] *f* function; **in ~ treten/sein** to come into/be in operation.
Funktionär(in) [fʊŋktsio'nɛ:r(ɪn)] (-s, -e) *m(f)* functionary, official.
funktionieren [fʊŋktsio'ni:rən] *vi* to work, function.
Funktions- *zW:* **f~fähig** *adj* working; **~taste** *f* (*COMPUT*) function key; **f~tüchtig** *adj* in working order.
Funzel [funtsəl] (-, -n) (*umg*) *f* dim lamp.
für [fy:r] *präp +akk* for; **was ~** what kind *od* sort of; **~s erste** for the moment; **was Sie da sagen, hat etwas ~ sich** there's something in what you're saying; **Tag ~ Tag** day after day; **Schritt ~ Schritt** step by step; **das F~ und Wider** the pros and cons *pl*; **F~bitte** *f* intercession.
Furche ['fʊrçə] (-, -n) *f* furrow.
furchen *vt* to furrow.
Furcht [fʊrçt] (-) *f* fear; **f~bar** *adj* terrible, awful.
fürchten ['fʏrçtən] *vt* to be afraid of, fear ♦ *vr:* **sich ~ (vor** *+dat***)** to be afraid (of).
fürchterlich *adj* awful.
furchtlos *adj* fearless.
furchtsam *adj* timorous.
füreinander [fy:r|aɪ'nandər] *adv* for each other.
Furie ['fu:riə] (-, -n) *f* (*MYTHOLOGIE*) fury; (*fig*) hellcat.
Furnier [fʊr'ni:r] (-s, -e) *nt* veneer.
Furore [fu'ro:rə] *f od nt:* ~ **machen** (*umg*) to cause a sensation.
fürs [fy:rs] = **für das.**
Fürsorge ['fy:rzɔrgə] *f* care; (*Sozial~*) welfare; **von der ~ leben** to live on social security (*BRIT*) *od* welfare (*US*); **~amt** *nt* welfare office.
Fürsorger(in) (-s, -) *m(f)* welfare worker.
Fürsorgeunterstützung *f* social security (*BRIT*), welfare benefit (*US*).
fürsorglich *adj* caring.
Fürsprache *f* recommendation; (*um Gnade*) intercession.
Fürsprecher *m* advocate.
Fürst [fʏrst] (-en, -en) *m* prince.
Fürstentum *nt* principality.
Fürstin *f* princess.
fürstlich *adj* princely.
Furt [fʊrt] (-, -en) *f* ford.
Furunkel [fu'rʊŋkəl] (-s, -) *nt od m* boil.
Fürwort ['fy:rvɔrt] *nt* pronoun.
furzen ['fʊrtsən] (*umg!*) *vi* to fart (*!*).
Fusion [fuzi'o:n] *f* amalgamation; (*von Unternehmen*) merger; (*von Atomkernen, Zellen*) fusion.
fusionieren [fuzio'ni:rən] *vt* to amalgamate.
Fuß [fu:s] (-es, ⸚e) *m* foot; (*von Glas, Säule etc*) base; (*von Möbel*) leg; **zu ~** on foot; **bei ~!** heel!; **jdm etw vor die Füße werfen** (*lit*) to throw sth at sb; (*fig*) to tell sb to keep sth; **(festen) ~ fassen** (*lit, fig*) to gain a foothold; (*sich niederlassen*) to settle down; **mit jdm auf gutem ~ stehen** to be on good terms with sb; **auf großem ~ leben** to live the high life.
Fußball *m* football; **~platz** *m* football pitch; **~spiel** *nt* football match; **~spieler** *m* footballer (*BRIT*), football player (*US*); **~toto** *m od nt* football pools *pl*.

Fußboden *m* floor; ~**heizung** *f* underfloor heating.
Fußbremse *f* (*AUT*) foot brake.
fusselig ['fʊsəlɪç] *adj:* **sich** *dat* **den Mund ~ reden** (*umg*) to talk till one is blue in the face.
fusseln ['fʊsəln] *vi* (*Stoff, Kleid etc*) to go bobbly (*umg*).
fußen *vi:* ~ **auf** *+dat* to rest on, be based on.
Fuß- *zW:* ~**ende** *nt* foot; ~**gänger(in)** (**-s, -**) *m(f)* pedestrian; ~**gängerüberführung** *f* pedestrian bridge; ~**gängerzone** *f* pedestrian precinct; ~**leiste** *f* skirting board (*BRIT*), baseboard (*US*); ~**nagel** *m* toenail; ~**note** *f* footnote; ~**pfleger** *m* chiropodist; ~**pilz** *m* (*MED*) athlete's foot; ~**spur** *f* footprint; ~**stapfen** (**-s, -**) *m:* **in jds ~stapfen treten** (*fig*) to follow in sb's footsteps; ~**tritt** *m* kick; (*Spur*) footstep; ~**volk** *nt* (*fig*): **das ~volk** the rank and file; ~**weg** *m* footpath.
futsch [fʊtʃ] (*umg*) *adj* (*weg*) gone, vanished.
Futter ['fʊtər] (**-s, -**) *nt* fodder, feed; (*Stoff*) lining.
Futteral [fʊtə'ra:l] (**-s, -e**) *nt* case.
futtern ['fʊtərn] *vi* (*hum: umg*) to stuff o.s. ♦ *vt* to scoff.
füttern ['fʏtərn] *vt* to feed; (*Kleidung*) to line; **„F~ verboten"** "do not feed the animals".
Futur [fu'tu:r] (**-s, -e**) *nt* future.

G, g

G, g[1] [ge:] *nt* G, g; ~ **wie Gustav** ≈ G for George.
g[2] *abk* (*ÖSTERR*) = **Groschen**; (= *Gramm*) g.
gab *etc* [ga:p] *vb siehe* **geben**.
Gabe ['ga:bə] (**-, -n**) *f* gift.
Gabel ['ga:bəl] (**-, -n**) *f* fork; (*TEL*) rest, cradle; ~**frühstück** *nt* mid-morning light lunch; ~**stapler** (**-s, -**) *m* fork-lift truck.
gabeln *vr* to fork.
Gabelung *f* fork.
Gabentisch ['ga:bəntɪʃ] *m table for Christmas or birthday presents*.
Gabun [ga'bu:n] *nt* Gabon.
gackern ['gakərn] *vi* to cackle.
gaffen ['gafən] *vi* to gape.
Gag [gɛk] (**-s, -s**) *m* (*Film~*) gag; (*Werbe~*) gimmick.
Gage ['ga:ʒə] (**-, -n**) *f* fee.
gähnen ['gɛ:nən] *vi* to yawn; ~**de Leere** total emptiness.
GAL (-) *f abk* (= *Grün-Alternative Liste*) *electoral pact of Greens and alternative parties*.
Gala ['gala] (-) *f* formal dress.
galant [ga'lant] *adj* gallant, courteous.
Galavorstellung *f* (*THEAT*) gala performance.
Galerie [galə'ri:] *f* gallery.
Galgen ['galgən] (**-s, -**) *m* gallows *pl*; ~**frist** *f* respite; ~**humor** *m* macabre humour (*BRIT*) *od* humor (*US*); ~**strick** (*umg*) *m*, ~**vogel** (*umg*) *m* gallows bird.
Galionsfigur [gali'o:nsfigu:r] *f* figurehead.
gälisch ['gɛ:lɪʃ] *adj* Gaelic.
Galle ['galə] (**-, -n**) *f* gall; (*Organ*) gall bladder; **jdm kommt die ~ hoch** sb's blood begins to boil.
Galopp [ga'lɔp] (**-s, -s** *od* **-e**) *m* gallop; **im ~** (*lit*) at a gallop; (*fig*) at top speed.
galoppieren [galɔ'pi:rən] *vi* to gallop.
galt *etc* [galt] *vb siehe* **gelten**.
galvanisieren [galvani'zi:rən] *vt* to galvanize.
Gamasche [ga'maʃə] (**-, -n**) *f* gaiter; (*kurz*) spat.
Gameboy® ['ge:mbɔʏ] *m* (*COMPUT*) games console.
Gammastrahlen ['gamaʃtra:lən] *pl* gamma rays *pl*.
gamm(e)lig ['gam(ə)lɪç] (*umg*) *adj* (*Kleidung*) tatty.
gammeln ['gaməln] (*umg*) *vi* to loaf about.
Gammler(in) ['gamlər(ɪn)] (**-s, -**) *m(f)* dropout.
Gang[1] [gaŋ] (**-(e)s, ⸚e**) *m* walk; (*Boten~*) errand; (*~art*) gait; (*Abschnitt eines Vorgangs*) operation; (*Essens~, Ablauf*) course; (*Flur etc*) corridor; (*Durch~*) passage; (*AUT, TECH*) gear; (*THEAT, AVIAT, in Kirche*) aisle; **den ersten ~ einlegen** to engage first (gear); **einen ~ machen/tun** to go on an errand/for a walk; **den ~ nach Canossa antreten** (*fig*) to eat humble pie; **seinen gewohnten ~ gehen** (*fig*) to run its usual course; **in ~ bringen** to start up; (*fig*) to get off the ground; **in ~ sein** to be in operation; (*fig*) to be under way.
Gang[2] [gɛŋ] (**-, -s**) *f* gang.
gang *adj:* ~ **und gäbe** usual, normal.
Gangart *f* way of walking, walk, gait; (*von Pferd*) gait; **eine härtere ~ einschlagen** (*fig*) to apply harder tactics.
gangbar *adj* passable; (*Methode*) practicable.
Gängelband ['gɛŋəlbant] *nt:* **jdn am ~ halten** (*fig*) to spoon-feed sb.
gängeln *vt* to spoonfeed; **jdn ~** to treat sb like a child.
gängig ['gɛŋɪç] *adj* common, current; (*Ware*) in demand, selling well.
Gangschaltung *f* gears *pl*.
Gangway ['gæŋweɪ] *f* (*NAUT*) gangway; (*AVIAT*) steps *pl*.
Ganove [ga'no:və] (**-n, -n**) (*umg*) *m* crook.
Gans [gans] (**-, ⸚e**) *f* goose.
Gänse- *zW:* ~**blümchen** *nt* daisy; ~**braten** *m* roast goose; ~**füßchen** (*umg*) *pl* inverted

commas *pl* (*BRIT*), quotes *pl*; ~**haut** *f* goose pimples *pl*; ~**marsch** *m*: **im ~marsch** in single file.
Gänserich (-**s**, -**e**) *m* gander.
ganz [gants] *adj* whole; (*vollständig*) complete ♦ *adv* quite; (*völlig*) completely; (*sehr*) really; (*genau*) exactly; ~ **Europa** all Europe; **im (großen und) ~en genommen** on the whole, all in all; **etw wieder ~ machen** to mend sth; **sein ~es Geld** all his money; ~ **gewiß!** absolutely; **ein ~ klein wenig** just a tiny bit; **das mag ich ~ besonders gern(e)** I'm particularly fond of that; **sie ist ~ die Mutter** she's just *od* exactly like her mother; ~ **und gar nicht** not at all.
Ganze(s) *nt*: **es geht ums ~** everything's at stake; **aufs ~ gehen** to go for the lot.
Ganzheitsmethode ['gantshaɪtsmetoːdə] *f* (*SCH*) look-and-say method.
gänzlich ['gɛntslɪç] *adj* complete, entire ♦ *adv* completely, entirely.
ganztägig ['gantstɛːgɪç] *adj* all-day *attrib*.
ganztags *adv* (*arbeiten*) full time.
gar [gaːr] *adj* cooked, done ♦ *adv* quite; ~ **nicht/nichts/keiner** not/nothing/nobody at all; ~ **nicht schlecht** not bad at all; ~ **kein Grund** no reason whatsoever *od* at all; **er wäre ~ zu gern noch länger geblieben** he would really have liked to stay longer.
Garage [ga'raːʒə] (-, -**n**) *f* garage.
Garantie [garan'tiː] *f* guarantee; **das fällt noch unter die ~** that's covered by the guarantee.
garantieren *vt* to guarantee.
garantiert *adv* guaranteed; (*umg*) I bet.
Garantieschein *m* guarantee.
Garaus ['gaːraus] (*umg*) *m*: **jdm den ~ machen** to do sb in.
Garbe ['garbə] (-, -**n**) *f* sheaf; (*MIL*) burst of fire.
Garde ['gardə] (-, -**n**) *f* guard(s); **die alte ~** the old guard.
Garderobe [gardə'roːbə] (-, -**n**) *f* wardrobe; (*Abgabe*) cloakroom (*BRIT*), checkroom (*US*); (*Kleiderablage*) hall stand; (*THEAT: Umkleideraum*) dressing room.
Garderobenfrau *f* cloakroom attendant.
Garderobenständer *m* hall stand.
Gardine [gar'diːnə] (-, -**n**) *f* curtain.
Gardinenpredigt (*umg*) *f*: **jdm eine ~ halten** to give sb a talking-to.
Gardinenstange *f* curtain rail; (*zum Ziehen*) curtain rod.
garen ['gaːrən] *vt, vi* (*KOCH*) to cook.
gären ['gɛːrən] *unreg vi* to ferment.
Garn [garn] (-**(e)s**, -**e**) *nt* thread; (*Häkel~, fig*) yarn.
Garnele [gar'neːlə] (-, -**n**) *f* shrimp, prawn.
garnieren [gar'niːrən] *vt* to decorate; (*Speisen*) to garnish.
Garnison [garni'zoːn] (-, -**en**) *f* garrison.
Garnitur [garni'tuːr] *f* (*Satz*) set; (*Unterwäsche*) set of (matching) underwear; **erste ~** (*fig*) top rank; **zweite ~** second rate.
garstig ['garstɪç] *adj* nasty, horrid.
Garten ['gartən] (-**s**, ⸚) *m* garden; ~**arbeit** *f* gardening; ~**bau** *m* horticulture; ~**fest** *nt* garden party; ~**gerät** *nt* gardening tool; ~**haus** *nt* summerhouse; ~**kresse** *f* cress; ~**laube** *f* (~*häuschen*) summerhouse; ~**lokal** *nt* beer garden; ~**schere** *f* pruning shears *pl*; ~**tür** *f* garden gate; ~**zaun** *m* garden fence; ~**zwerg** *m* garden gnome; (*pej: umg*) squirt.
Gärtner(in) ['gɛrtnər(ɪn)] (-**s**, -) *m(f)* gardener.
Gärtnerei [gɛrtnə'raɪ] *f* nursery; (*Gemüse~*) market garden (*BRIT*), truck farm (*US*).
gärtnern *vi* to garden.
Gärung ['gɛːrʊŋ] *f* fermentation.
Gas [gaːs] (-**es**, -**e**) *nt* gas; ~ **geben** (*AUT*) to accelerate, step on the gas.
Gascogne [gas'kɔnjə] *f* Gascony.
Gas- *zW*: ~**flasche** *f* bottle of gas, gas canister; **g~förmig** *adj* gaseous; ~**hahn** *m* gas tap; ~**herd** *m* gas cooker; ~**kocher** *m* gas cooker; ~**leitung** *f* gas pipeline; ~**maske** *f* gas mask; ~**pedal** *nt* accelerator, gas pedal (*US*); ~**pistole** *f* gas pistol.
Gasse ['gasə] (-, -**n**) *f* lane, alley.
Gassenhauer (-**s**, -) (*veraltet: umg*) *m* popular melody.
Gassenjunge *m* street urchin.
Gast [gast] (-**es**, ⸚**e**) *m* guest; **bei jdm zu ~ sein** to be sb's guest(s); ~**arbeiter** *m* foreign worker.
Gäste- *zW*: ~**bett** *nt* spare bed; ~**buch** *nt* visitors' book; ~**zimmer** *nt* guest room.
Gast- *zW*: **g~freundlich** *adj* hospitable; ~**freundlichkeit** *f* hospitality; ~**freundschaft** *f* hospitality; ~**geber(in)** (-**s**, -) *m(f)* host(ess); ~**haus** *nt* hotel, inn; ~**hof** *m* hotel, inn; ~**hörer(in)** *m(f)* (*UNIV*) observer, auditor (*US*).
gastieren [gas'tiːrən] *vi* (*THEAT*) to (appear as a) guest.
Gast- *zW*: ~**land** *nt* host country; **g~lich** *adj* hospitable; ~**lichkeit** *f* hospitality; ~**rolle** *f* (*THEAT*) guest role; **eine ~rolle spielen** to make a guest appearance.
Gastronomie [gastrono'miː] *f* (*form: Gaststättengewerbe*) catering trade.
gastronomisch [gastro'noːmɪʃ] *adj* gastronomic(al).
Gast- *zW*: ~**spiel** *nt* (*SPORT*) away game; **ein ~spiel geben** (*THEAT*) to give a guest performance; (*fig*) to put in a brief appearance; ~**stätte** *f* restaurant; (*Trinklokal*) pub; ~**wirt** *m* innkeeper; ~**wirtschaft** *f* hotel, inn; ~**zimmer** *nt* guest room.
Gas- *zW*: ~**vergiftung** *f* gas poisoning; ~**versorgung** *f* (*System*) gas supply; ~**werk** *nt* gasworks *sing od pl*; ~**zähler** *m* gas meter.
Gatte ['gatə] (-**n**, -**n**) *m* (*form*) husband, spouse; **die ~n** husband and wife.

Gatter ['gatər] (**-s, -**) *nt* grating; (*Tür*) gate.
Gattin *f* (*form*) wife, spouse.
Gattung ['gatʊŋ] *f* (*BIOL*) genus; (*Sorte*) kind.
GAU [gaʊ] *m abk* (= *größter anzunehmender Unfall*) MCA, maximum credible accident.
Gaudi ['gaʊdi] (*SÜDD, ÖSTERR: umg*) *nt od f* fun.
Gaukler ['gaʊklər] (**-s, -**) *m* (*liter*) travelling entertainer; (*Zauberkünstler*) conjurer, magician.
Gaul [gaʊl] (**-(e)s, Gäule**) (*pej*) *m* nag.
Gaumen ['gaʊmən] (**-s, -**) *m* palate.
Gauner ['gaʊnər] (**-s, -**) *m* rogue.
Gaunerei [gaʊnə'raɪ] *f* swindle.
Gaunersprache *f* underworld jargon.
Gaze ['ga:zə] (**-, -n**) *f* gauze.
Geäst [gə|'ɛst] *nt* branches *pl*.
geb. *abk* = **geboren.**
Gebäck [gə'bɛk] (**-(e)s, -e**) *nt* (*Kekse*) biscuits *pl* (*BRIT*), cookies *pl* (*US*); (*Teilchen*) pastries *pl*.
gebacken [gə'bakən] *pp von* **backen.**
Gebälk [gə'bɛlk] (**-(e)s**) *nt* timberwork.
gebannt [gə'bant] *adj* spellbound.
gebar *etc* [gə'ba:r] *vb siehe* **gebären.**
Gebärde [gə'bɛ:rdə] (**-, -n**) *f* gesture.
gebärden *vr* to behave.
Gebaren [gə'ba:rən] (**-s**) *nt* behaviour (*BRIT*), behavior (*US*); (*Geschäfts~*) conduct.
gebären [gə'bɛ:rən] *unreg vt* to give birth to.
Gebärmutter *f* uterus, womb.
Gebäude [gə'bɔʏdə] (**-s, -**) *nt* building; **~komplex** *m* (building) complex; **~reinigung** *f* (*das Reinigen*) commercial cleaning; (*Firma*) cleaning contractors *pl*.
Gebein [gə'baɪn] (**-(e)s, -e**) *nt* bones *pl*.
Gebell [gə'bɛl] (**-(e)s**) *nt* barking.
geben ['ge:bən] *unreg vt, vi* to give; (*Karten*) to deal ♦ *vt unpers:* **es gibt** there is/are; there will be ♦ *vr* (*sich verhalten*) to behave, act; (*aufhören*) to abate; **jdm etw ~** to give sb sth *od* sth to sb; **in die Post ~** to post; **das gibt keinen Sinn** that doesn't make sense; **er gibt Englisch** he teaches English; **viel/nicht viel auf etw** *akk* **~** to set great store/not much store by sth; **etw von sich ~** (*Laute etc*) to utter; **ein Wort gab das andere** one angry word led to another; **ein gutes Beispiel ~** to set a good example; **~ Sie mir bitte Herrn Braun** (*TEL*) can I speak to Mr Braun please?; **ein Auto in Reparatur ~** to have a car repaired; **was gibt's?** what's the matter?, what's up?; **was gibt's zum Mittagessen?** what's for lunch?; **das gibt's doch nicht!** that's impossible!; **sich geschlagen ~** to admit defeat; **das wird sich schon ~** that'll soon sort itself out.
Gebet [gə'be:t] (**-(e)s, -e**) *nt* prayer; **jdn ins ~ nehmen** (*fig*) to take sb to task.
gebeten [gə'be:tən] *pp von* **bitten.**
gebeugt [gə'bɔʏkt] *adj* (*Haltung*) stooped; (*Kopf*) bowed; (*Schultern*) sloping.
gebiert [gə'bi:rt] *vb siehe* **gebären.**
Gebiet [gə'bi:t] (**-(e)s, -e**) *nt* area; (*Hoheits~*) territory; (*fig*) field.
gebieten *unreg vt* to command, demand.
Gebieter (**-s, -**) *m* master; (*Herrscher*) ruler; **~in** *f* mistress; **g~isch** *adj* imperious.
Gebietshoheit *f* territorial sovereignty.
Gebilde [gə'bɪldə] (**-s, -**) *nt* object, structure.
gebildet *adj* cultured, educated.
Gebimmel [gə'bɪməl] (**-s**) *nt* (continual) ringing.
Gebirge [gə'bɪrgə] (**-s, -**) *nt* mountains *pl*.
gebirgig *adj* mountainous.
Gebirgs- *zW:* **~bahn** *f* *railway crossing a mountain range*; **~kette** *f*, **~zug** *m* mountain range.
Gebiß [gə'bɪs] (**-sses, -sse**) *nt* teeth *pl*; (*künstlich*) dentures *pl*.
gebissen *pp von* **beißen.**
Gebläse [gə'blɛ:zə] (**-s, -**) *nt* fan, blower.
geblasen [gə'bla:zən] *pp von* **blasen.**
geblichen [gə'blɪçən] *pp von* **bleichen.**
geblieben [gə'bli:bən] *pp von* **bleiben.**
geblümt [gə'bly:mt] *adj* flowered; (*Stil*) flowery.
Geblüt [gə'bly:t] (**-(e)s**) *nt* blood, race.
gebogen [gə'bo:gən] *pp von* **biegen.**
geboren [gə'bo:rən] *pp von* **gebären** ♦ *adj* born; (*Frau*) née; **wo sind Sie ~?** where were you born?
geborgen [gə'bɔrgən] *pp von* **bergen** ♦ *adj* secure, safe.
geborsten [gə'bɔrstən] *pp von* **bersten.**
Gebot (**-(e)s, -e**) *nt* (*Gesetz*) law; (*REL*) commandment; (*bei Auktion*) bid; **das ~ der Stunde** the needs of the moment.
gebot *etc* [gə'bo:t] *vb siehe* **gebieten.**
geboten [gə'bo:tən] *pp von* **bieten, gebieten** ♦ *adj* (*geh: ratsam*) advisable; (*: notwendig*) necessary; (*: dringend ~*) imperative.
Gebr. *abk* (= *Gebrüder*) Bros., bros.
gebracht [gə'braxt] *pp von* **bringen.**
gebrannt [gə'brant] *pp von* **brennen** ♦ *adj:* **ein ~es Kind scheut das Feuer** (*Sprichwort*) once bitten twice shy (*Sprichwort*).
gebraten [gə'bra:tən] *pp von* **braten.**
Gebräu [gə'brɔʏ] (**-(e)s, -e**) *nt* brew, concoction.
Gebrauch [gə'braʊx] (**-(e)s, Gebräuche**) *m* use; (*Sitte*) custom; **zum äußerlichen/innerlichen ~** for external use/to be taken internally.
gebrauchen *vt* to use; **er/das ist zu nichts zu ~** he's/that's (of) no use to anybody.
gebräuchlich [gə'brɔʏçlɪç] *adj* usual, customary.
Gebrauchs- *zW:* **~anweisung** *f* directions *pl* for use; **~artikel** *m* article of everyday use; **g~fertig** *adj* ready for use; **~gegenstand** *m* commodity.
gebraucht [gə'braʊxt] *adj* used; **G~wagen** *m* second-hand *od* used car.
gebrechlich [gə'brɛçlɪç] *adj* frail; **G~keit** *f*

frailty.
gebrochen [gə'brɔxən] *pp von* **brechen.**
Gebrüder [gə'bry:dər] *pl* brothers *pl.*
Gebrüll [gə'brʏl] (**-(e)s**) *nt* (*von Mensch*) yelling; (*von Löwe*) roar.
gebückt [gə'bʏkt] *adj:* **eine ~e Haltung** a stoop.
Gebühr [gə'by:r] (**-, -en**) *f* charge; (*Post~*) postage *no pl*; (*Honorar*) fee; **zu ermäßigter ~** at a reduced rate; **~ (be)zahlt Empfänger** postage to be paid by addressee; **nach ~** suitably; **über ~** excessively.
gebühren *vi* (*geh*): **jdm ~** to be sb's due *od* due to sb ♦ *vr* to be fitting.
gebührend *adj* (*verdient*) due; (*angemessen*) suitable.
Gebühren- *zW:* **~einheit** *f* (*TEL*) tariff unit; **~erlaß** *m* remission of fees; **~ermäßigung** *f* reduction of fees; **g~frei** *adj* free of charge; **g~pflichtig** *adj* subject to charges; **g~pflichtige Verwarnung** (*JUR*) fine.
gebunden [gə'bʊndən] *pp von* **binden** ♦ *adj:* **vertraglich ~ sein** to be bound by contract.
Geburt [gə'bu:rt] (**-, -en**) *f* birth; **das war eine schwere ~!** (*fig: umg*) that took some doing.
Geburten- *zW:* **~kontrolle** *f* birth control; **~regelung** *f* birth control; **~rückgang** *m* drop in the birth rate; **g~schwach** *adj* (*Jahrgang*) with a low birth rate; **~ziffer** *f* birth rate.
gebürtig [gə'bʏrtɪç] *adj* born in, native of; **~e Schweizerin** native of Switzerland, Swiss-born woman.
Geburts- *zW:* **~anzeige** *f* birth notice; **~datum** *nt* date of birth; **~fehler** *m* congenital defect; **~helfer** *m* (*Arzt*) obstetrician; **~helferin** *f* (*Ärztin*) obstetrician; (*Hebamme*) midwife; **~hilfe** *f* (*als Fach*) obstetrics *sing*; (*von Hebamme*) midwifery; **~jahr** *nt* year of birth; **~ort** *m* birthplace; **~tag** *m* birthday; **herzlichen Glückwunsch zum ~tag!** happy birthday!, many happy returns (of the day)!; **~urkunde** *f* birth certificate.
Gebüsch [gə'bʏʃ] (**-(e)s, -e**) *nt* bushes *pl.*
gedacht [gə'daxt] *pp von* **denken, gedenken.**
gedachte *etc vb siehe* **gedenken.**
Gedächtnis [gə'dɛçtnɪs] (**-ses, -se**) *nt* memory; **wenn mich mein ~ nicht trügt** if my memory serves me right; **~feier** *f* commemoration; **~hilfe** *f* memory aid, mnemonic; **~schwund** *m* loss of memory; **~verlust** *m* amnesia.
gedämpft [gə'dɛmpft] *adj* (*Geräusch*) muffled; (*Farben, Instrument, Stimmung*) muted; (*Licht, Freude*) subdued.
Gedanke [gə'daŋkə] (**-ns, -n**) *m* thought; (*Idee, Plan, Einfall*) idea; (*Konzept*) concept; **sich über etw** *akk* **~n machen** to think about sth; **jdn auf andere ~n bringen** to make sb think about other things; **etw ganz in ~n** *dat* **tun** to do sth without thinking; **auf einen ~n kommen** to have *od* get an idea.
Gedanken- *zW:* **~austausch** *m* exchange of ideas; **~freiheit** *f* freedom of thought; **g~los** *adj* thoughtless; **~losigkeit** *f* thoughtlessness; **~sprung** *m* mental leap; **~strich** *m* dash; **~übertragung** *f* thought transference, telepathy; **g~verloren** *adj* lost in thought; **g~voll** *adj* thoughtful.
Gedärme [gə'dɛrmə] *pl* intestines *pl.*
Gedeck [gə'dɛk] (**-(e)s, -e**) *nt* cover(ing); (*Menü*) set meal; **ein ~ auflegen** to lay a place.
gedeckt *adj* (*Farbe*) muted.
Gedeih *m:* **auf ~ und Verderb** for better or for worse.
gedeihen [gə'daɪən] *unreg vi* to thrive, prosper; **die Sache ist so weit gediehen, daß ...** the matter has reached the point *od* stage where ...
gedenken [gə'dɛŋkən] *unreg vi +gen* (*geh: denken an*) to remember; (*beabsichtigen*) to intend; **G~** *nt:* **zum G~ an jdn** in memory *od* remembrance of sb.
Gedenk- *zW:* **~feier** *f* commemoration; **~minute** *f* minute's silence; **~stätte** *f* memorial; **~tag** *m* remembrance day.
Gedicht [gə'dɪçt] (**-(e)s, -e**) *nt* poem.
gediegen [gə'di:gən] *adj* (good) quality; (*Mensch*) reliable; (*rechtschaffen*) honest; **G~heit** *f* quality; reliability; honesty.
gedieh *etc* [gə'di:] *vb siehe* **gedeihen.**
gediehen *pp von* **gedeihen.**
gedr. *abk* = **gedruckt.**
Gedränge [gə'drɛŋə] (**-s**) *nt* crush, crowd; **ins ~ kommen** (*fig*) to get into difficulties.
gedrängt *adj* compressed; **~ voll** packed.
gedroschen [gə'drɔʃən] *pp von* **dreschen.**
gedruckt [gə'drʊkt] *adj* printed; **lügen wie ~** (*umg*) to lie right, left and centre.
gedrungen [gə'drʊŋən] *pp von* **dringen** ♦ *adj* thickset, stocky.
Geduld [gə'dʊlt] (**-**) *f* patience; **mir reißt die ~, ich verliere die ~** my patience is wearing thin, I'm losing my patience.
gedulden [gə'dʊldən] *vr* to be patient.
geduldig *adj* patient.
Geduldsprobe *f* trial of (one's) patience.
gedungen [gə'dʊŋən] (*pej*) *adj* (*geh: Mörder*) hired.
gedunsen [gə'dʊnzən] *adj* bloated.
gedurft [gə'dʊrft] *pp von* **dürfen.**
geehrt [gə'|e:rt] *adj:* **Sehr ~e Damen und Herren!** Ladies and Gentlemen!; (*in Briefen*) Dear Sir or Madam.
geeignet [gə'|aɪgnət] *adj* suitable; **im ~en Augenblick** at the right moment.
Gefahr [gə'fa:r] (**-, -en**) *f* danger; **~ laufen, etw zu tun** to run the risk of doing sth; **auf eigene ~** at one's own risk; **außer ~** (*nicht gefährdet*) not in danger; (*nicht mehr gefährdet*) out of danger; (*Patienten*) off the danger list.

gefährden [gə'fɛːrdən] *vt* to endanger.
gefahren [gə'faːrən] *pp von* **fahren.**
Gefahren- *zW:* ~**quelle** *f* source of danger; ~**schwelle** *f* threshold of danger; ~**stelle** *f* danger spot; ~**zulage** *f* danger money.
gefährlich [gə'fɛːrlɪç] *adj* dangerous.
Gefährte [gə'fɛːrtə] (**-n, -n**) *m* companion.
Gefährtin [gə'fɛːrtɪn] *f* companion.
Gefälle [gə'fɛlə] (**-s, -**) *nt* (*von Land, Straße*) slope; (*Neigungsgrad*) gradient; **starkes ~!** steep hill.
Gefallen[1] [gə'falən] (**-s, -**) *m* favour; **jdm etw zu ~ tun** to do sth to please sb.
Gefallen[2] [gə'falən] (**-s**) *nt* pleasure; **an etw** *dat* **~ finden** to derive pleasure from sth; **an jdm ~ finden** to take to sb.
gefallen *pp von* **fallen, gefallen** ♦ *vi* (*unreg*): **jdm ~** to please sb; **er/es gefällt mir** I like him/it; **das gefällt mir an ihm** that's one thing I like about him; **sich** *dat* **etw ~ lassen** to put up with sth.
Gefallene(r) *m* soldier killed in action.
gefällig [gə'fɛlɪç] *adj* (*hilfsbereit*) obliging; (*erfreulich*) pleasant; **sonst noch etwas ~?** (*veraltet, ironisch*) will there be anything else?; **G~keit** *f* favour (*BRIT*), favor (*US*); helpfulness; **etw aus G~keit tun** to do sth as a favour (*BRIT*) *od* favor (*US*).
gefälligst (*umg*) *adv* kindly; **sei ~ still!** will you kindly keep your mouth shut!
gefällt [gə'fɛlt] *vb siehe* **gefallen.**
gefangen [gə'faŋən] *pp von* **fangen** ♦ *adj* captured; (*fig*) captivated.
Gefangene(r) *f(m)* prisoner, captive.
Gefangenenlager *nt* prisoner-of-war camp.
gefangen- *zW:* ~**halten** *unreg vt* to keep prisoner; **G~nahme** (**-, -n**) *f* capture; ~**nehmen** *unreg vt* to capture; **G~schaft** *f* captivity.
Gefängnis [gə'fɛŋnɪs] (**-ses, -se**) *nt* prison; **zwei Jahre ~ bekommen** to get two years' imprisonment; ~**strafe** *f* prison sentence; ~**wärter** *m* prison warder (*BRIT*) *od* guard.
gefärbt [gə'fɛrpt] *adj* (*fig: Bericht*) biased; (*Lebensmittel*) coloured (*BRIT*), colored (*US*).
Gefasel [gə'faːzəl] (**-s**) *nt* twaddle, drivel.
Gefäß [gə'fɛːs] (**-es, -e**) *nt* vessel (*auch ANAT*), container.
gefaßt [gə'fast] *adj* composed, calm; **auf etw** *akk* **~ sein** to be prepared *od* ready for sth; **er kann sich auf etwas ~ machen** (*umg*) I'll give him something to think about.
Gefecht [gə'fɛçt] (**-(e)s, -e**) *nt* fight; (*MIL*) engagement; **jdn/etw außer ~ setzen** (*lit, fig*) to put sb/sth out of action.
gefedert [gə'feːdərt] *adj* (*Matratze*) sprung.
gefeiert [gə'faɪərt] *adj* celebrated.
gefeit [gə'faɪt] *adj:* **gegen etw ~ sein** to be immune to sth.
gefestigt [gə'fɛstɪçt] *adj* (*Charakter*) steadfast.
Gefieder [gə'fiːdər] (**-s, -**) *nt* plumage, feathers *pl.*
gefiedert *adj* feathered.
gefiel *etc* [gə'fiːl] *vb siehe* **gefallen.**
Geflecht [gə'flɛçt] (**-(e)s, -e**) *nt* (*lit, fig*) network.
gefleckt [gə'flɛkt] *adj* spotted; (*Blume, Vogel*) speckled.
Geflimmer [gə'flɪmər] (**-s**) *nt* shimmering; (*FILM, TV*) flicker(ing).
geflissentlich [gə'flɪsəntlɪç] *adj* intentional ♦ *adv* intentionally.
geflochten [gə'flɔxtən] *pp von* **flechten.**
geflogen [gə'floːgən] *pp von* **fliegen.**
geflohen [gə'floːən] *pp von* **fliehen.**
geflossen [gə'flɔsən] *pp von* **fließen.**
Geflügel [gə'flyːgəl] (**-s**) *nt* poultry.
geflügelt *adj:* **~e Worte** familiar quotations.
Geflüster [gə'flʏstər] (**-s**) *nt* whispering.
gefochten [gə'fɔxtən] *pp von* **fechten.**
Gefolge [gə'fɔlgə] (**-s, -**) *nt* retinue.
Gefolgschaft [gə'fɔlkʃaft] *f* following.
Gefolgsmann (**-(e)s,** *pl* **-leute**) *m* follower.
gefragt [ge'fraːkt] *adj* in demand.
gefräßig [gə'frɛːsɪç] *adj* voracious.
Gefreite(r) [gə'fraɪtə(r)] *m* (*MIL*) lance corporal (*BRIT*), private first class (*US*); (*NAUT*) able seaman (*BRIT*), seaman apprentice (*US*); (*AVIAT*) aircraftman (*BRIT*), airman first class (*US*).
gefressen [gə'frɛsən] *pp von* **fressen** ♦ *adj:* **den hab(e) ich ~** (*umg*) I'm sick of him.
gefrieren [gə'friːrən] *unreg vi* to freeze.
Gefrier- *zW:* ~**fach** *nt* freezer compartment; ~**fleisch** *nt* frozen meat; **g~getrocknet** *adj* freeze-dried; ~**punkt** *m* freezing point; ~**schutzmittel** *nt* antifreeze; ~**truhe** *f* deep-freeze.
gefror *etc* [gə'froːr] *vb siehe* **gefrieren.**
gefroren *pp von* **frieren, gefrieren.**
Gefüge [gə'fyːgə] (**-s, -**) *nt* structure.
gefügig *adj* submissive; (*gehorsam*) obedient.
Gefühl [gə'fyːl] (**-(e)s, -e**) *nt* feeling; **etw im ~ haben** to have a feel for sth; **g~los** *adj* unfeeling; (*Glieder*) numb.
Gefühls- *zW:* **g~betont** *adj* emotional; ~**duselei** [-duːzə'laɪ] (*pej*) *f* mawkishness; ~**leben** *nt* emotional life; **g~mäßig** *adj* instinctive; ~**mensch** *m* emotional person.
gefühlvoll *adj* (*empfindsam*) sensitive; (*ausdrucksvoll*) expressive; (*liebevoll*) loving.
gefüllt [gə'fʏlt] *adj* (*KOCH*) stuffed; (*Pralinen*) with soft centres.
gefunden [gə'fʊndən] *pp von* **finden** ♦ *adj:* **das war ein ~es Fressen für ihn** that was handing it to him on a plate.
gegangen [gə'gaŋən] *pp von* **gehen.**
gegeben [gə'geːbən] *pp von* **geben** ♦ *adj* given; **zu ~er Zeit** in due course.
gegebenenfalls [gə'geːbənənfals] *adv* if need be.

SCHLÜSSELWORT

gegen ['ge:gən] *präp +akk* **1** against; **nichts ~ jdn haben** to have nothing against sb; **X ~ Y** (*SPORT, JUR*) X versus Y; **ein Mittel ~ Schnupfen** something for colds
2 (*in Richtung auf*) towards; **~ Osten** to(wards) the east; **~ Abend** towards evening; **~ einen Baum fahren** to drive into a tree
3 (*ungefähr*) round about; **~ 3 Uhr** around 3 o'clock
4 (*gegenüber*) towards; (*ungefähr*) around; **gerecht ~ alle** fair to all
5 (*im Austausch für*) for; **~ bar** for cash; **~ Quittung** against a receipt
6 (*verglichen mit*) compared with.

Gegen- *zW:* **~angriff** *m* counter-attack; **~besuch** *m* return visit; **~beweis** *m* counter-evidence.

Gegend ['ge:gənt] (**-, -en**) *f* area, district.

Gegen- *zW:* **~darstellung** *f* (*PRESSE*) reply; **g~einander** *adv* against one another; **~fahrbahn** *f* opposite carriageway; **~frage** *f* counterquestion; **~gewicht** *nt* counterbalance; **~gift** *nt* antidote; **~kandidat** *m* rival candidate; **g~läufig** *adj* contrary; **~leistung** *f* service in return; **~lichtaufnahme** *f* back lit photograph; **~liebe** *f* requited love; (*fig: Zustimmung*) approval; **~maßnahme** *f* countermeasure; **~mittel** *nt:* **~mittel (gegen)** (*MED*) antidote (to); **~probe** *f* cross-check.

Gegensatz (**-es, ⸚e**) *m* contrast; **Gegensätze überbrücken** to overcome differences.

gegensätzlich *adj* contrary, opposite; (*widersprüchlich*) contradictory.

Gegen- *zW:* **~schlag** *m* counter-attack; **~seite** *f* opposite side; (*Rückseite*) reverse; **g~seitig** *adj* mutual, reciprocal; **sich g~seitig helfen** to help each other; **in g~seitigem Einverständnis** by mutual agreement; **~seitigkeit** *f* reciprocity; **~spieler** *m* opponent; **~sprechanlage** *f* (two-way) intercom; **~stand** *m* object; **g~ständlich** *adj* objective, concrete; (*KUNST*) representational; **g~standslos** *adj* (*überflüssig*) irrelevant; (*grundlos*) groundless; **~stimme** *f* vote against; **~stoß** *m* counterblow; **~stück** *nt* counterpart; **~teil** *nt* opposite; **im ~teil** on the contrary; **das ~teil bewirken** to have the opposite effect; (*Mensch*) to achieve the exact opposite; **ganz im ~teil** quite the reverse; **ins ~teil umschlagen** to swing to the other extreme; **g~teilig** *adj* opposite, contrary; **ich habe nichts ~teiliges gehört** I've heard nothing to the contrary.

gegenüber [ge:gən'|y:bər] *präp +dat* opposite; (*zu*) to(wards); (*in bezug auf*) with regard to; (*im Vergleich zu*) in comparison with; (*angesichts*) in the face of ♦ *adv* opposite; **mir ~ hat er das nicht geäußert** he didn't say that to me; **G~** (**-s, -**) *nt* person opposite; (*bei Kampf*) opponent; (*bei Diskussion*) opposite number; **~liegen** *unreg vr* to face each other; **~stehen** *unreg vr* to be opposed (to each other); **~stellen** *vt* to confront; (*fig*) to contrast; **G~stellung** *f* confrontation; (*fig*) contrast; (: *Vergleich*) comparison; **~treten** *unreg vi +dat* to face.

Gegen- *zW:* **~veranstaltung** *f* counter-meeting; **~verkehr** *m* oncoming traffic; **~vorschlag** *m* counterproposal.

Gegenwart ['ge:gənvart] *f* present; **in ~ von** in the presence of.

gegenwärtig *adj* present ♦ *adv* at present; **das ist mir nicht mehr ~** that has slipped my mind.

gegenwartsbezogen *adj* (*Roman etc*) relevant to present times.

Gegen- *zW:* **~wert** *m* equivalent; **~wind** *m* headwind; **~wirkung** *f* reaction; **g~zeichnen** *vt* to countersign; **~zug** *m* countermove; (*EISENB*) corresponding train in the other direction.

gegessen [gə'gɛsən] *pp von* **essen**.

geglichen [gə'glɪçən] *pp von* **gleichen**.

gegliedert [gə'gli:dərt] *adj* jointed; (*fig*) structured.

geglitten [gə'glɪtən] *pp von* **gleiten**.

geglommen [gə'glɔmən] *pp von* **glimmen**.

geglückt [gə'glʏkt] *adj* (*Feier*) successful; (*Überraschung*) real.

Gegner(in) ['ge:gnər(ɪn)] (**-s, -**) *m(f)* opponent; **g~isch** *adj* opposing; **~schaft** *f* opposition.

gegolten [gə'gɔltən] *pp von* **gelten**.

gegoren [gə'go:rən] *pp von* **gären**.

gegossen [gə'gɔsən] *pp von* **gießen**.

gegr. *abk* (= *gegründet*) estab.

gegraben [gə'gra:bən] *pp von* **graben**.

gegriffen [gə'grɪfən] *pp von* **greifen**.

Gehabe [gə'ha:bə] (**-s**) (*umg*) *nt* affected behaviour (*BRIT*) *od* behavior (*US*).

gehabt [gə'ha:pt] *pp von* **haben**.

Gehackte(s) [ge'haktə(s)] *nt* mince(d meat) (*BRIT*), ground meat (*US*).

Gehalt¹ [gə'halt] (**-(e)s, -e**) *m* content.

Gehalt² [gə'halt] (**-(e)s, ⸚er**) *nt* salary.

gehalten [gə'haltən] *pp von* **halten** ♦ *adj:* **~ sein, etw zu tun** (*form*) to be required to do sth.

Gehalts- *zW:* **~abrechnung** *f* salary statement; **~empfänger** *m* salary earner; **~erhöhung** *f* salary increase; **~klasse** *f* salary bracket; **~konto** *nt* current account (*BRIT*), checking account (*US*); **~zulage** *f* salary increment.

gehaltvoll [gə'haltfɔl] *adj* (*Speise, Buch*) substantial.

gehandikapt [gə'hɛndikɛpt] *adj* handicapped.

gehangen [gə'haŋən] *pp von* **hängen**.

geharnischt [gə'harnɪʃt] *adj* (*fig*) forceful, sharp.

gehässig [gə'hɛsıç] *adj* spiteful, nasty; **G~keit** *f* spite(fulness).
gehäuft [gə'hɔyft] *adj* (*Löffel*) heaped.
Gehäuse [gə'hɔyzə] (**-s, -**) *nt* case; (*Radio~, Uhr~*) casing; (*von Apfel etc*) core.
gehbehindert ['ge:behındərt] *adj* disabled.
Gehege [gə'he:gə] (**-s, -**) *nt* enclosure, preserve; **jdm ins ~ kommen** (*fig*) to poach on sb's preserve.
geheim [gə'haım] *adj* secret; (*Dokumente*) classified; **streng ~** top secret; **G~dienst** *m* secret service, intelligence service; **G~fach** *nt* secret compartment; **~halten** *unreg vt* to keep secret.
Geheimnis (**-ses, -se**) *nt* secret; (*rätselhaftes ~*) mystery; **~krämer** *m* mystery-monger; **g~voll** *adj* mysterious.
Geheim- *zW:* **~nummer** *f* (*TEL*) secret number; **~polizei** *f* secret police; **~rat** *m* privy councillor; **~ratsecken** *pl:* **er hat ~ratsecken** he is going bald at the temples; **~schrift** *f* code, secret writing; **~tip** *m* (personal) tip.
Geheiß [gə'haıs] (**-es**) *nt* (*geh*) command; **auf jds ~** *akk* at sb's bidding.
geheißen [gə'haısən] *pp von* **heißen**.
gehemmt [gə'hɛmt] *adj* inhibited.
gehen ['ge:ən] *unreg vi* (*auch Auto, Uhr*) to go; (*zu Fuß ~*) to walk; (*funktionieren*) to work; (*Teig*) to rise ♦ *vt* to go; to walk ♦ *vi unpers:* **wie geht es dir?** how are you *od* things?; **~ nach** (*Fenster*) to face; **in sich** *akk* **~** to think things over; **nach etw ~** (*urteilen*) to go by sth; **wieviele Leute ~ in deinen Wagen?** how many people can you get in your car?; **nichts geht über** *+akk* ... there's nothing to beat ..., there's nothing better than ...; **schwimmen/schlafen ~** to go swimming/to bed; **in die Tausende ~** to run into (the) thousands; **mir/ihm geht es gut** I'm/he's (doing) fine; **geht das?** is that possible?; **geht's noch?** can you manage?; **es geht** not too bad, O.K.; **das geht nicht** that's not on; **es geht um etw** it concerns sth, it's about sth; **laß es dir gut ~** look after yourself, take care of yourself; **so geht das, das geht so** that/this is how it's done; **darum geht es (mir) nicht** that's not the point; (*spielt keine Rolle*) that's not important to me; **morgen geht es nicht** tomorrow's no good; **wenn es nach mir ginge** ... if it were *od* was up to me ...
gehenlassen *unreg vr* to lose one's self-control; (*nachlässig sein*) to let o.s. go.
gehetzt [gə'hɛtst] *adj* harassed.
geheuer [gə'hɔyər] *adj:* **nicht ~** eerie; (*fragwürdig*) dubious.
Geheul [gə'hɔyl] (**-(e)s**) *nt* howling.
Gehilfe [gə'hılfə] (**-n, -n**) *m* assistant.
Gehilfin [gə'hılfın] *f* assistant.
Gehirn [gə'hırn] (**-(e)s, -e**) *nt* brain; **~erschütterung** *f* concussion; **~schlag** *m* stroke; **~wäsche** *f* brainwashing.
gehoben [gə'ho:bən] *pp von* **heben** ♦ *adj:* **~er Dienst** *professional and executive levels of the civil service.*
geholfen [gə'hɔlfən] *pp von* **helfen**.
Gehör [gə'hø:r] (**-(e)s**) *nt* hearing; **musikalisches ~** ear; **absolutes ~** perfect pitch; **~ finden** to gain a hearing; **jdm ~ schenken** to give sb a hearing.
gehorchen [gə'hɔrçən] *vi +dat* to obey.
gehören [gə'hø:rən] *vi* to belong ♦ *vr unpers* to be right *od* proper; **das gehört nicht zur Sache** that's irrelevant; **dazu gehört (schon) einiges** *od* **etwas** that takes some doing (*umg*); **er gehört ins Bett** he should be in bed.
gehörig *adj* proper; **~ zu** *od +dat* (*geh*) belonging to.
gehörlos *adj* (*form*) deaf.
gehorsam [gə'ho:rza:m] *adj* obedient; **G~ (-s)** *m* obedience.
Gehörsinn *m* sense of hearing.
Gehsteig ['ge:ʃtaık] *m*, **Gehweg** *m* pavement (*BRIT*), sidewalk (*US*).
Geier ['gaıər] (**-s, -**) *m* vulture; **weiß der ~!** (*umg*) God knows.
geifern ['gaıfərn] *vi* to slaver; (*fig*) to be bursting with venom.
Geige ['gaıgə] (**-, -n**) *f* violin; **die erste/zweite ~ spielen** (*lit*) to play first/second violin; (*fig*) to call the tune/play second fiddle.
Geiger(in) (**-s, -**) *m(f)* violinist.
Geigerzähler *m* geiger counter.
geil [gaıl] *adj* randy (*BRIT*), horny (*US*); (*pej: lüstern*) lecherous; (*umg: gut*) fantastic.
Geisel ['gaızəl] (**-, -n**) *f* hostage; **~nahme (-)** *f* taking of hostages.
Geißel ['gaısəl] (**-, -n**) *f* scourge, whip.
geißeln *vt* to scourge.
Geist [gaıst] (**-(e)s, -er**) *m* spirit; (*Gespenst*) ghost; (*Verstand*) mind; **von allen guten ~ern verlassen sein** (*umg*) to have taken leave of one's senses; **hier scheiden sich die ~er** this is the parting of the ways; **den** *od* **seinen ~ aufgeben** to give up the ghost.
Geister- *zW:* **~fahrer** (*umg*) *m* ghost-driver (*US*), *person driving in the wrong direction*; **g~haft** *adj* ghostly; **~hand** *f:* **wie von ~hand** as if by magic.
Geistes- *zW:* **g~abwesend** *adj* absent-minded; **~akrobat** *m* mental acrobat; **~blitz** *m* brain wave; **~gegenwart** *f* presence of mind; **g~gegenwärtig** *adj* quick-witted; **g~gestört** *adj* mentally disturbed; (*stärker*) (mentally) deranged; **~haltung** *f* mental attitude; **g~krank** *adj* mentally ill; **~kranke(r)** *f(m)* mentally ill person; **~krankheit** *f* mental illness; **~störung** *f* mental disturbance; **~verfassung** *f* frame of mind; **~wissenschaften** *pl* arts (subjects) *pl*; **~zustand** *m* state of mind; **jdn auf seinen ~zustand untersuchen** to give sb a

psychiatric examination.
geistig *adj* intellectual; (*PSYCH*) mental; (*Getränke*) alcoholic; ~ **behindert** mentally handicapped; ~**-seelisch** mental and spiritual.
geistlich *adj* spiritual; (*religiös*) religious; **G~e(r)** *m* clergyman; **G~keit** *f* clergy.
geist- *zW:* ~**los** *adj* uninspired, dull; ~**reich** *adj* intelligent; (*witzig*) witty; ~**tötend** *adj* soul-destroying; ~**voll** *adj* intellectual; (*weise*) wise.
Geiz [gaɪts] (**-es**) *m* miserliness, meanness; **g~en** *vi* to be miserly; ~**hals** *m* miser.
geizig *adj* miserly, mean.
Geizkragen *m* miser.
gekannt [gə'kant] *pp von* **kennen.**
Gekicher [gə'kɪçər] (**-s**) *nt* giggling.
Geklapper [gə'klapər] (**-s**) *nt* rattling.
Geklimper [gə'klɪmpər] (**-s**) (*umg*) *nt* (*Klavier~*) tinkling; (: *stümperhaft*) plonking; (*von Geld*) jingling.
geklungen [gə'klʊŋən] *pp von* **klingen.**
geknickt [gə'knɪkt] *adj* (*fig*) dejected.
gekniffen [gə'knɪfən] *pp von* **kneifen.**
gekommen [gə'kɔmən] *pp von* **kommen.**
gekonnt [gə'kɔnt] *pp von* **können** ♦ *adj* skilful (*BRIT*), skillful (*US*).
Gekritzel [gə'krɪtsəl] (**-s**) *nt* scrawl, scribble.
gekrochen [gə'krɔxən] *pp von* **kriechen.**
gekünstelt [ge'kʏnstəlt] *adj* artificial; (*Sprache, Benehmen*) affected.
Gel [ge:l] (**-s, -e**) *nt* gel.
Gelaber(e) [gə'la:bər(ə)] (**-s**) (*umg*) *nt* prattle.
Gelächter [gə'lɛçtər] (**-s, -**) *nt* laughter; **in ~ ausbrechen** to burst out laughing.
gelackmeiert [gə'lakmaɪərt] (*umg*) *adj* conned.
geladen [ge'la:dən] *pp von* **laden** ♦ *adj* loaded; (*ELEK*) live; (*fig*) furious.
Gelage [gə'la:gə] (**-s, -**) *nt* feast, banquet.
gelagert [gə'la:gərt] *adj:* **in anders/ähnlich ~en Fällen** in different/similar cases.
gelähmt [gə'lɛ:mt] *adj* paralysed.
Gelände [gə'lɛndə] (**-s, -**) *nt* land, terrain; (*von Fabrik, Sport~*) grounds *pl*; (*Bau~*) site; ~**fahrzeug** *nt* cross-country vehicle; **g~gängig** *adj* able to go cross-country; ~**lauf** *m* cross-country race.
Geländer [gə'lɛndər] (**-s, -**) *nt* railing; (*Treppen~*) banister(s).
gelang *etc vb siehe* **gelingen.**
gelangen [gə'laŋən] *vi:* ~ **an** *+akk od* **zu** to reach; (*erwerben*) to attain; **in jds Besitz** *akk* ~ to come into sb's possession; **in die richtigen/falschen Hände** ~ to fall into the right/wrong hands.
gelangweilt *adj* bored.
gelassen [gə'lasən] *pp von* **lassen** ♦ *adj* calm; (*gefaßt*) composed; **G~heit** *f* calmness; composure.
Gelatine [ʒela'ti:nə] *f* gelatine.
gelaufen [gə'laʊfən] *pp von* **laufen.**
geläufig [gə'lɔʏfɪç] *adj* (*üblich*) common; **das ist mir nicht** ~ I'm not familiar with that; **G~keit** *f* commonness; familiarity.
gelaunt [gə'laʊnt] *adj:* **schlecht/gut** ~ in a bad/good mood; **wie ist er ~?** what sort of mood is he in?
Geläut [gə'lɔʏt] (**-(e)s**) *nt* ringing; (*Läutwerk*) chime.
Geläute (**-s**) *nt* ringing.
gelb [gɛlp] *adj* yellow; (*Ampellicht*) amber (*BRIT*), yellow (*US*); **G~e Seiten** Yellow Pages; ~**lich** *adj* yellowish.
Gelbsucht *f* jaundice.
Geld [gɛlt] (**-(e)s, -er**) *nt* money; **etw zu ~ machen** to sell sth off; **er hat ~ wie Heu** (*umg*) he's stinking rich; **am ~ hängen** *od* **kleben** to be tight with money; **staatliche/öffentliche ~er** state/public funds *pl od* money; ~**adel** *m:* **der ~adel** the moneyed aristocracy; (*hum: die Reichen*) the rich; ~**anlage** *f* investment; ~**automat** *m* cash dispenser; ~**automatenkarte** *f* cash card; ~**beutel** *m* purse; ~**börse** *f* purse; ~**einwurf** *m* slot; ~**geber** (**-s, -**) *m* financial backer; **g~gierig** *adj* avaricious; ~**institut** *nt* financial institution; ~**mittel** *pl* capital *sing*, means *pl*; ~**quelle** *f* source of income; ~**schein** *m* banknote; ~**schrank** *m* safe, strongbox; ~**strafe** *f* fine; ~**stück** *nt* coin; ~**verlegenheit** *f:* **in ~verlegenheit sein/kommen** to be/run short of money; ~**verleiher** *m* moneylender; ~**wäsche** *f* money-laundering; ~**wechsel** *m* exchange (of money); **„~wechsel"** "bureau de change"; ~**wert** *m* cash value; (*FIN: Kaufkraft*) currency value.
geleckt [gə'lɛkt] *adj:* **wie ~ aussehen** to be neat and tidy.
Gelee [ʒe'le:] (**-s, -s**) *m or nt* jelly.
gelegen [gə'le:gən] *pp von* **liegen** ♦ *adj* situated; (*passend*) convenient, opportune; **etw kommt jdm** ~ sth is convenient for sb; **mir ist viel/nichts daran** ~ (*wichtig*) it matters a great deal/doesn't matter to me.
Gelegenheit [gə'le:gənhaɪt] *f* opportunity; (*Anlaß*) occasion; **bei** ~ some time (or other); **bei jeder** ~ at every opportunity.
Gelegenheits- *zW:* ~**arbeit** *f* casual work; ~**arbeiter** *m* casual worker; ~**kauf** *m* bargain.
gelegentlich [gə'le:gəntlɪç] *adj* occasional ♦ *adv* occasionally; (*bei Gelegenheit*) some time (or other) ♦ *präp +gen* on the occasion of.
gelehrig [gə'le:rɪç] *adj* quick to learn.
gelehrt *adj* learned; **G~e(r)** *f(m)* scholar; **G~heit** *f* scholarliness.
Geleise [gə'laɪzə] (**-s, -**) *nt* = **Gleis.**
Geleit [gə'laɪt] (**-(e)s, -e**) *nt* escort; **freies** *od* **sicheres** ~ safe conduct; **g~en** *vt* to escort; ~**schutz** *m* escort.
Gelenk [gə'lɛŋk] (**-(e)s, -e**) *nt* joint.
gelenkig *adj* supple.
gelernt [gə'lɛrnt] *adj* skilled.

gelesen [gə'le:zən] *pp von* **lesen**.
Geliebte *f* sweetheart; (*Liebhaberin*) mistress.
Geliebte(r) *m* sweetheart; (*Liebhaber*) lover.
geliefert [gə'li:fərt] *adj*: **ich bin ~** (*umg*) I've had it.
geliehen [gə'li:ən] *pp von* **leihen**.
gelind [gə'lɪnt] *adj* = **gelinde**.
gelinde [gə'lɪndə] *adj* (*geh*) mild; **~ gesagt** to put it mildly.
gelingen [gə'lɪŋən] *unreg vi* to succeed; **die Arbeit gelingt mir nicht** I'm not doing very well with this work; **es ist mir gelungen, etw zu tun** I succeeded in doing sth; **G~** *nt* (*geh: Glück*) success; (*: erfolgreiches Ergebnis*) successful outcome.
gelitten [gə'lɪtən] *pp von* **leiden**.
gellen ['gɛlən] *vi* to shrill.
gellend *adj* shrill, piercing.
geloben [gə'lo:bən] *vt, vi* to vow, swear; **das Gelobte Land** (*REL*) the Promised Land.
gelogen [gə'lo:gən] *pp von* **lügen**.
gelten ['gɛltən] *unreg vt* (*wert sein*) to be worth ♦ *vi* (*gültig sein*) to be valid; (*erlaubt sein*) to be allowed ♦ *vb unpers* (*geh*): **es gilt, etw zu tun** it is necessary to do sth; **was gilt die Wette?** do you want a bet?; **das gilt nicht!** that doesn't count!; (*nicht erlaubt*) that's not allowed; **etw gilt bei jdm viel/wenig** sb values sth highly/doesn't value sth very highly; **jdm viel/wenig ~** to mean a lot/not mean much to sb; **jdm ~** (*gemünzt sein auf*) to be meant for *od* aimed at sb; **etw ~ lassen** to accept sth; **für diesmal lasse ich's ~** I'll let it go this time; **als *od* für etw ~** to be considered to be sth; **jdm *od* für jdn ~** (*betreffen*) to apply to sb.
geltend *adj* (*Preise*) current; (*Gesetz*) in force; (*Meinung*) prevailing; **etw ~ machen** to assert sth; **sich ~ machen** to make itself/o.s. felt; **einen Einwand ~ machen** to raise an objection.
Geltung ['gɛltʊŋ] *f*: **~ haben** to have validity; **sich/etw** *dat* **~ verschaffen** to establish o.s./sth; **etw zur ~ bringen** to show sth to its best advantage; **zur ~ kommen** to be seen/heard *etc* to its best advantage.
Geltungsbedürfnis *nt* desire for admiration.
geltungssüchtig *adj* craving admiration.
Gelübde [gə'lʏpdə] (**-s, -**) *nt* vow.
gelungen [gə'lʊŋən] *pp von* **gelingen** ♦ *adj* successful.
Gem. *abk* = **Gemeinde**.
gemächlich [gə'mɛ:çlɪç] *adj* leisurely.
gemacht [gə'ma:xt] *adj* (*gewollt, gekünstelt*) false, contrived; **ein ~er Mann sein** to be made.
Gemahl [gə'ma:l] (**-(e)s, -e**) *m* (*geh, form*) spouse, husband.
gemahlen [gə'ma:lən] *pp von* **mahlen**.
Gemahlin *f* (*geh, form*) spouse, wife.
Gemälde [gə'mɛ:ldə] (**-s, -**) *nt* picture, painting.
gemasert [gə'ma:zərt] *adj* (*Holz*) grained.
gemäß [gə'mɛ:s] *präp +dat* in accordance with ♦ *adj +dat* appropriate to.
gemäßigt *adj* moderate; (*Klima*) temperate.
Gemauschel [gə'maʊʃəl] (**-s**) (*umg*) *nt* scheming.
Gemecker [gə'mɛkər] (**-s**) *nt* (*von Ziegen*) bleating; (*umg: Nörgelei*) moaning.
gemein [gə'maɪn] *adj* common; (*niederträchtig*) mean; **etw ~ haben (mit)** to have sth in common (with).
Gemeinde [gə'maɪndə] (**-, -n**) *f* district; (*Bewohner*) community; (*Pfarr~*) parish; (*Kirchen~*) congregation; **~abgaben** *pl* rates and local taxes *pl*; **~ordnung** *f* by(e) laws *pl*, ordinances *pl* (*US*); **~rat** *m* district council; (*Mitglied*) district councillor; **~schwester** *f* district nurse (*BRIT*); **~steuer** *f* local rates *pl*; **~verwaltung** *f* local administration; **~vorstand** *m* local council; **~wahl** *f* local election.
Gemein- *zW*: **~eigentum** *nt* common property; **g~gefährlich** *adj* dangerous to the public; **~gut** *nt* public property; **~heit** *f* (*Niedertracht*) meanness; **das war eine ~heit** that was a mean thing to do/to say; **g~hin** *adv* generally; **~kosten** *pl* overheads *pl*; **~nutz** *m* public good; **g~nützig** *adj* of benefit to the public; (*wohltätig*) charitable; **~platz** *m* commonplace, platitude; **g~sam** *adj* joint, common (*auch MATH*) ♦ *adv* together; **g~same Sache mit jdm machen** to be in cahoots with sb; **der g~same Markt** the Common Market; **g~sames Konto** joint account; **etw g~sam haben** to have sth in common; **~samkeit** *f* common ground; **~schaft** *f* community; **in ~schaft mit** jointly *od* together with; **eheliche ~schaft** (*JUR*) matrimony; **~schaft Unabhängiger Staaten** Commonwealth of Independent States; **g~schaftlich** *adj* = **gemeinsam**; **~schaftsantenne** *f* party aerial (*BRIT*) *od* antenna (*US*); **~schaftsarbeit** *f* teamwork; **~schaftsbesitz** *m* collective ownership; **~schaftserziehung** *f* coeducation; **~schaftskunde** *f* social studies *pl*; **~schaftsraum** *m* common room; **~sinn** *m* public spirit; **g~verständlich** *adj* generally comprehensible; **~wesen** *nt* community; **~wohl** *nt* common good.
Gemenge [gə'mɛŋə] (**-s, -**) *nt* mixture; (*Hand~*) scuffle.
gemessen [gə'mɛsən] *pp von* **messen** ♦ *adj* measured.
Gemetzel [gə'mɛtsəl] (**-s, -**) *nt* slaughter, carnage.
gemieden [gə'mi:dən] *pp von* **meiden**.
Gemisch [gə'mɪʃ] (**-es, -e**) *nt* mixture.
gemischt *adj* mixed.
gemocht [gə'mɔxt] *pp von* **mögen**.
gemolken [gə'mɔlkən] *pp von* **melken**.

Gemse ['gɛmzə] (-, -n) *f* chamois.
Gemunkel [gə'mʊŋkəl] (-s) *nt* gossip.
Gemurmel [gə'mʊrməl] (-s) *nt* murmur(ing).
Gemüse [gə'my:zə] (-s, -) *nt* vegetables *pl*; **~garten** *m* vegetable garden; **~händler** *m* greengrocer (*BRIT*), vegetable dealer (*US*); **~platte** *f* (*KOCH*): **eine ~platte** assorted vegetables.
gemußt [gə'mʊst] *pp von* **müssen.**
gemustert [gə'mʊstərt] *adj* patterned.
Gemüt [gə'my:t] (-(e)s, -er) *nt* disposition, nature; (*fig: Mensch*) person; **sich** *dat* **etw zu ~e führen** (*umg*) to indulge in sth; **die ~er erregen** to arouse strong feelings; **wir müssen warten, bis sich die ~er beruhigt haben** we must wait until feelings have cooled down.
gemütlich *adj* comfortable, cosy; (*Person*) good-natured; **wir verbrachten einen ~en Abend** we spent a very pleasant evening; **G~keit** *f* comfortableness, cosiness; amiability.
Gemüts- *zW*: **~bewegung** *f* emotion; **g~krank** *adj* emotionally disturbed; **~mensch** *m* sentimental person; **~ruhe** *f* composure; **in aller ~ruhe** (*umg*) (as) cool as a cucumber; (*gemächlich*) at a leisurely pace; **~zustand** *m* state of mind.
gemütvoll *adj* warm, tender.
Gen [ge:n] (-s, -e) *nt* gene.
Gen. *abk* = **Genossenschaft**; (= *Genitiv*) gen.
gen. *abk* (= *genannt*) named, called.
genannt [gə'nant] *pp von* **nennen.**
genas *etc* [gə'na:s] *vb siehe* **genesen.**
genau [gə'naʊ] *adj* exact, precise ♦ *adv* exactly, precisely; **etw ~ nehmen** to take sth seriously; **G~eres** further details *pl*; **etw ~ wissen** to know sth for certain; **~ auf die Minute, auf die Minute ~** exactly on time; **~genommen** *adv* strictly speaking.
Genauigkeit *f* exactness, accuracy.
genauso [gə'naʊzo:] *adv* (*vor Adjektiv*) just as; (*alleinstehend*) just *od* exactly the same.
Gen.-Dir. *abk* = **Generaldirektor.**
genehm [gə'ne:m] *adj* agreeable, acceptable.
genehmigen *vt* to approve, authorize; **sich** *dat* **etw ~** to indulge in sth.
Genehmigung *f* approval, authorization.
geneigt [gə'naɪkt] *adj* (*geh*) well-disposed, willing; **~ sein, etw zu tun** to be inclined to do sth.
Genera *pl von* **Genus.**
General [gene'ra:l] (-s, -e *od* ⸚e) *m* general; **~direktor** *m* chairman (*BRIT*), president (*US*); **~konsulat** *nt* consulate general; **~probe** *f* dress rehearsal; **~sekretär** *m* secretary-general; **~stabskarte** *f* ordnance survey map; **~streik** *m* general strike; **g~überholen** *vt* to overhaul thoroughly; **~vertretung** *f* sole agency.
Generation [generatsi'o:n] *f* generation.
Generationskonflikt *m* generation gap.
Generator [gene'ra:tɔr] *m* generator, dynamo.
generell [genə'rɛl] *adj* general.
genesen [ge'ne:zən] *unreg vi* (*geh*) to convalesce, recover.
Genesende(r) *f(m)* convalescent.
Genesung *f* recovery, convalescence.
Genetik [ge'ne:tɪk] *f* genetics.
genetisch [ge'ne:tɪʃ] *adj* genetic.
Genf ['gɛnf] (-s) *nt* Geneva.
Genfer *adj attrib*: **der ~ See** Lake Geneva; **die ~ Konvention** the Geneva Convention.
genial [geni'a:l] *adj* brilliant.
Genialität [geniali'tɛ:t] *f* brilliance, genius.
Genick [gə'nɪk] (-(e)s, -e) *nt* (back of the) neck; **jdm/etw das ~ brechen** (*fig*) to finish sb/sth; **~starre** *f* stiff neck.
Genie [ʒe'ni:] (-s, -s) *nt* genius.
genieren [ʒe'ni:rən] *vr* to be embarrassed ♦ *vt* to bother; **geniert es Sie, wenn ...?** do you mind if ...?
genießbar *adj* edible; (*trinkbar*) drinkable.
genießen [gə'ni:sən] *unreg vt* to enjoy; (*essen*) to eat; (*trinken*) to drink; **er ist heute nicht zu ~** (*umg*) he is unbearable today.
Genießer(in) (-s, -) *m(f)* connoisseur; (*des Lebens*) pleasure-lover; **g~isch** *adj* appreciative ♦ *adv* with relish.
Genitalien [geni'ta:liən] *pl* genitals *pl*.
Genitiv ['ge:niti:f] *m* genitive.
genommen [gə'nɔmən] *pp von* **nehmen.**
genoß *etc* [gə'nɔs] *vb siehe* **genießen.**
Genosse [gə'nɔsə] (-n, -n) *m* comrade (*bes POL*), companion.
genossen *pp von* **genießen.**
Genossenschaft *f* cooperative (association).
Genossin *f* comrade (*bes POL*), companion.
genötigt [gə'nø:tɪçt] *adj*: **sich ~ sehen, etw zu tun** to feel obliged to do sth.
Genre [ʒã:rə] (-s, -s) *nt* genre.
Gent [gɛnt] (-s) *nt* Ghent.
Gentechnik *f*, **Gentechnologie** *f* gene technology.
Genua ['ge:nua] (-s) *nt* Genoa.
genug [gə'nu:k] *adv* enough; **jetzt ist('s) aber ~!** that's enough!
Genüge [gə'ny:gə] *f*: **jdm/etw ~ tun** *od* **leisten** to satisfy sb/sth; **etw zur ~ kennen** to know sth well enough; (*abwertender*) to know sth only too well.
genügen *vi* to be enough; (*den Anforderungen etc*) to satisfy; **jdm ~** to be enough for sb.
genügend *adj* enough, sufficient; (*befriedigend*) satisfactory.
genügsam [gə'ny:kza:m] *adj* modest, easily satisfied; **G~keit** *f* moderation.
Genugtuung [gə'nu:ktu:ʊŋ] *f* satisfaction.
Genus ['ge:nʊs] (-, **Genera**) *nt* (*GRAM*) gender.
Genuß [gə'nʊs] (-sses, ⸚sse) *m* pleasure; (*Zusichnehmen*) consumption; **etw mit ~ essen** to eat sth with relish; **in den ~ von etw kommen** to receive the benefit of sth.

genüßlich [gə'nʏslɪç] *adv* with relish.
Genußmittel *pl* (semi-)luxury items *pl*.
geöffnet [gə'œfnət] *adj* open.
Geograph [geo'gra:f] (**-en, -en**) *m* geographer.
Geographie [geogra'fi:] *f* geography.
Geographin *f* geographer.
geographisch *adj* geographical.
Geologe [geo'lo:gə] (**-n, -n**) *m* geologist.
Geologie [geolo:'gi:] *f* geology.
Geologin *f* geologist.
Geometrie [geome'tri:] *f* geometry.
geordnet [gə'ɔrdnət] *adj*: **in ~en Verhältnissen leben** to live a well-ordered life.
Georgien [ge'ɔrgiən] (**-s**) *nt* Georgia.
Gepäck [gə'pɛk] (**-(e)s**) *nt* luggage, baggage; **mit leichtem ~ reisen** to travel light; **~abfertigung** *f* luggage desk/office; **~annahme** *f* (*Bahnhof*) baggage office; (*Flughafen*) baggage check-in; **~aufbewahrung** *f* left-luggage office (*BRIT*), baggage check (*US*); **~ausgabe** *f* (*Bahnhof*) baggage office; (*Flughafen*) baggage reclaim; **~netz** *nt* luggage rack; **~schein** *m* luggage *od* baggage ticket; **~stück** *nt* piece of baggage; **~träger** *m* porter; (*Fahrrad*) carrier; **~wagen** *m* luggage van (*BRIT*), baggage car (*US*).
Gepard ['ge:part] (**-(e)s, -e**) *m* cheetah.
gepfeffert [gə'pfɛfərt] (*umg*) *adj* (*Preise*) steep; (*Fragen, Prüfung*) tough; (*Kritik*) biting.
gepfiffen [gə'pfɪfən] *pp von* **pfeifen**.
gepflegt [gə'pfle:kt] *adj* well-groomed; (*Park etc*) well looked after; (*Atmosphäre*) sophisticated; (*Ausdrucksweise, Sprache*) cultured.
Gepflogenheit [gə'pflo:gənhaɪt] *f* (*geh*) custom.
Geplapper [gə'plapər] (**-s**) *nt* chatter.
Geplauder [gə'plaʊdər] (**-s**) *nt* chat(ting).
Gepolter [gə'pɔltər] (**-s**) *nt* din.
gepr. *abk* (= *geprüft*) tested.
gepriesen [gə'pri:zən] *pp von* **preisen**.
gequält [gə'kvɛ:lt] *adj* (*Lächeln*) forced; (*Miene, Ausdruck*) pained; (*Gesang, Stimme*) strained.
Gequatsche [gə'kvatʃə] (**-s**) (*pej: umg*) *nt* gabbing; (*Blödsinn*) twaddle.
gequollen [gə'kvɔlən] *pp von* **quellen**.
Gerade [gə'ra:də] (**-n, -n**) *f* straight line.

SCHLÜSSELWORT

gerade [gə'ra:də] *adj* straight; (*aufrecht*) upright; **eine ~ Zahl** an even number
♦ *adv* **1** (*genau*) just, exactly; (*speziell*) especially; **~ deshalb** that's just *od* exactly why; **das ist es ja ~!** that's just it; **~ du** you especially; **warum ~ ich?** why me (of all people)?; **jetzt ~ nicht!** not now!; **~ neben** right next to; **nicht ~ schön** not exactly beautiful
2 (*eben, soeben*) just; **er wollte ~ aufstehen** he was just about to get up; **da wir ~ von Geld sprechen** ... talking of money ...; **~ erst** only just; **~ noch** (only) just.

gerade- *zW*: **~aus** *adv* straight ahead; **~biegen** *unreg vt* (*lit, fig*) to straighten out; **~heraus** *adv* straight out, bluntly.
gerädert [gə'rɛ:dərt] *adj*: **wie ~ sein, sich wie ~ fühlen** to be *od* feel (absolutely) whacked (*umg*).
geradeso *adv* just so; **~ dumm** *etc* just as stupid *etc*; **~ wie** just as.
geradestehen *unreg vi* (*aufrecht stehen*) to stand up straight; **für jdn/etw ~** (*fig*) to answer *od* be answerable for sb/sth.
geradezu *adv* (*beinahe*) virtually, almost.
geradlinig *adj* straight.
gerammelt [gə'raməlt] *adv*: **~ voll** (*umg*) (jam-)packed.
Geranie [gɛ'ra:niə] *f* geranium.
gerannt [gə'rant] *pp von* **rennen**.
Gerät [gə'rɛ:t] (**-(e)s, -e**) *nt* device; (*Apparat*) gadget; (*elektrisches ~*) appliance; (*Werkzeug*) tool; (*SPORT*) apparatus; (*Zubehör*) equipment *no pl*.
gerät [gə'rɛ:t] *vb siehe* **geraten**.
geraten [gə'ra:tən] *unreg pp von* **raten, geraten** ♦ *vi* (*gedeihen*) to thrive; (*gelingen*): **(jdm) ~** to turn out well (for sb); (*zufällig gelangen*): **~ in** *+akk* to get into; **gut/schlecht ~** to turn out well/badly; **an jdn ~** to come across sb; **an den Richtigen/Falschen ~** to come to the right/wrong person; **in Angst ~** to get frightened; **nach jdm ~** to take after sb.
Geräteturnen *nt* apparatus gymnastics.
Geratewohl [gəra:tə'vo:l] *nt*: **aufs ~** on the off chance; (*bei Wahl*) at random.
geraum [gə'raʊm] *adj*: **seit ~er Zeit** for some considerable time.
geräumig [gə'rɔʏmɪç] *adj* roomy.
Geräusch [gə'rɔʏʃ] (**-(e)s, -e**) *nt* sound; (*unangenehm*) noise; **g~arm** *adj* quiet; **~kulisse** *f* background noise; (*FILM, RUNDF, TV*) sound effects *pl*; **g~los** *adj* silent; **~pegel** *m* sound level; **g~voll** *adj* noisy.
gerben ['gɛrbən] *vt* to tan.
Gerber (**-s, -**) *m* tanner.
Gerberei [gɛrbə'raɪ] *f* tannery.
gerecht [gə'rɛçt] *adj* just, fair; **jdm/etw ~ werden** to do justice to sb/sth; **~fertigt** *adj* justified.
Gerechtigkeit *f* justice, fairness.
Gerechtigkeits- *zW*: **~fanatiker** *m* justice fanatic; **~gefühl** *nt* sense of justice; **~sinn** *m* sense of justice.
Gerede [gə're:də] (**-s**) *nt* talk; (*Klatsch*) gossip.
geregelt [gə're:gəlt] *adj* (*Arbeit, Mahlzeiten*) regular; (*Leben*) well-ordered.
gereizt [gə'raɪtst] *adj* irritable; **G~heit** *f* irritation.
Gericht [gə'rɪçt] (**-(e)s, -e**) *nt* court; (*Essen*) dish; **jdn/einen Fall vor ~ bringen** to take sb/a case to court; **mit jdm ins ~ gehen** (*fig*)

to judge sb harshly; **über jdn zu ~ sitzen** to sit in judgement on sb; **das Jüngste ~** the Last Judgement; **g~lich** *adj* judicial, legal ♦ *adv* judicially, legally; **ein g~liches Nachspiel haben** to finish up in court; **g~lich gegen jdn vorgehen** to take legal proceedings against sb.

Gerichts- *zW:* **~akten** *pl* court records *pl*; **~barkeit** *f* jurisdiction; **~hof** *m* court (of law); **~kosten** *pl* (legal) costs *pl*; **g~medizinisch** *adj* forensic medical *attrib*; **~saal** *m* courtroom; **~stand** *m* court of jurisdiction; **~verfahren** *nt* legal proceedings *pl*; **~verhandlung** *f* court proceedings *pl*; **~vollzieher** *m* bailiff.

gerieben [gə'ri:bən] *pp von* **reiben** ♦ *adj* grated; (*umg: schlau*) smart, wily.

geriet *etc* [gə'ri:t] *vb siehe* **geraten.**

gering [gə'rɪŋ] *adj* slight, small; (*niedrig*) low; (*Zeit*) short; **~achten** *vt* to think little of; **~fügig** *adj* slight, trivial; **~schätzig** *adj* disparaging; **G~schätzung** *f* disdain.

geringste(r, s) *adj* slightest, least; **nicht im ~n** not in the least *od* slightest.

gerinnen [gə'rɪnən] *unreg vi* to congeal; (*Blut*) to clot; (*Milch*) to curdle.

Gerinnsel [gə'rɪnzəl] (**-s, -**) *nt* clot.

Gerippe [gə'rɪpə] (**-s, -**) *nt* skeleton.

gerissen [gə'rɪsən] *pp von* **reißen** ♦ *adj* wily, smart.

geritten [gə'rɪtən] *pp von* **reiten.**

geritzt [gə'rɪtst] (*umg*) *adj:* **die Sache ist ~** everything's fixed up *od* settled.

Germanist(in) [gɛrma'nɪst(ɪn)] *m(f)* Germanist, German specialist; (*Student*) German student.

Germanistik *f* German (studies *pl*).

gern [gɛrn] *adv* willingly, gladly; **(aber) ~!** of course!; **~ haben, ~ mögen** to like; **etw ~ tun** to like doing sth; **~ geschehen!** you're welcome!, not at all!; **ein ~ gesehener Gast** a welcome visitor; **ich hätte** *od* **möchte ~** ... I would like ...; **du kannst mich mal ~ haben!** (*umg*) (you can) go to hell!

gerne ['gɛrnə] *adv* = **gern.**

Gernegroß (**-, -e**) *m* show-off.

gerochen [gə'rɔxən] *pp von* **riechen.**

Geröll [gə'rœl] (**-(e)s, -e**) *nt* scree.

geronnen [gə'rɔnən] *pp von* **rinnen, gerinnen.**

Gerste ['gɛrstə] (**-, -n**) *f* barley.

Gerstenkorn *nt* (*im Auge*) stye.

Gerte ['gɛrtə] (**-, -n**) *f* switch, rod.

gertenschlank *adj* willowy.

Geruch [gə'rʊx] (**-(e)s, ⸚e**) *m* smell, odour (*BRIT*), odor (*US*); **g~los** *adj* odourless (*BRIT*), odorless (*US*).

Geruchssinn *m* sense of smell.

Gerücht [gə'rʏçt] (**-(e)s, -e**) *nt* rumour (*BRIT*), rumor (*US*).

geruchtilgend *adj* deodorant.

gerufen [gə'ru:fən] *pp von* **rufen.**

geruhen [gə'ru:ən] *vi* to deign.

geruhsam [gə'ru:za:m] *adj* peaceful; (*Spaziergang etc*) leisurely.

Gerümpel [gə'rʏmpəl] (**-s**) *nt* junk.

gerungen [gə'rʊŋən] *pp von* **ringen.**

Gerüst [gə'rʏst] (**-(e)s, -e**) *nt* (*Bau~*) scaffold(ing); (*fig*) framework.

Ges. *abk* (= *Gesellschaft*) Co., co.

gesalzen [gə'zaltsən] *pp von* **salzen** ♦ *adj* (*fig: umg: Preis, Rechnung*) steep, stiff.

gesamt [gə'zamt] *adj* whole, entire; (*Kosten*) total; (*Werke*) complete; **im ~en** all in all; **G~auflage** *f* gross circulation; **G~ausgabe** *f* complete edition; **G~betrag** *m* total (amount); **~deutsch** *adj* all-German; **G~eindruck** *m* general impression; **G~heit** *f* totality, whole.

Gesamthochschule *f* polytechnic (*BRIT*).

A **Gesamthochschule** *is an institution combining several different kinds of higher education organizations eg. a university, teacher training college and institute of applied science. Students can study for various degrees within the same subject area and it is easier to change course than it is in an individual institution.*

Gesamt- *zW:* **~masse** *f* (*COMM*) total assets *pl*; **~nachfrage** *f* (*COMM*) composite demand; **~schaden** *m* total damage.

Gesamtschule *f* ≈ comprehensive school.

The **Gesamtschule** *is a comprehensive school teaching pupils who have different aims. Traditionally pupils would go to one of three different schools, the* **Gymnasium, Realschule** *or* **Hauptschule**, *depending on ability. The Gesamtschule seeks to avoid the elitist element prevalent in many Gymnasien, but in Germany these schools are still very controversial. Many parents still prefer the traditional system.*

Gesamtwertung *f* (*SPORT*) overall placings *pl*.

gesandt *pp von* **senden.**

Gesandte(r) [gə'zantə(r)] *f(m)* envoy.

Gesandtschaft [gə'zantʃaft] *f* legation.

Gesang [gə'zaŋ] (**-(e)s, ⸚e**) *m* song; (*Singen*) singing; **~buch** *nt* (*REL*) hymn book; **~verein** *m* choral society.

Gesäß [gə'zɛ:s] (**-es, -e**) *nt* seat, bottom.

gesättigt [gə'zɛtɪçt] *adj* (*CHEM*) saturated.

gesch. *abk* (= *geschieden*) div.

Geschädigte(r) [gə'ʃɛ:dɪçtə(r)] *f(m)* victim.

geschaffen [gə'ʃafən] *pp von* **schaffen.**

Geschäft [gə'ʃɛft] (**-(e)s, -e**) *nt* business; (*Laden*) shop; (*~sabschluß*) deal; **mit jdm ins ~ kommen** to do business with sb; **dabei hat er ein ~ gemacht** he made a profit by it; **im ~** at work; (*im Laden*) in the shop; **sein**

~ **verrichten** to do one's business (*euph*).
Geschäftemacher *m* wheeler-dealer.
geschäftig *adj* active, busy; (*pej*) officious.
geschäftlich *adj* commercial ♦ *adv* on business; ~ **unterwegs** away on business.
Geschäfts- *zW:* ~**abschluß** *m* business deal *od* transaction; ~**aufgabe** *f* closure of a/the business; ~**auflösung** *f* closure of a/the business; ~**bedingungen** *pl* terms of business; ~**bereich** *m* (*PARL*) responsibilities *pl*; **Minister ohne ~bereich** minister without portfolio; ~**bericht** *m* financial report; ~**computer** *m* business computer; ~**essen** *nt* business lunch; ~**führer** *m* manager; (*Klub*) secretary; ~**geheimnis** *nt* trade secret; ~**inhaber** *m* owner; ~**jahr** *nt* financial year; ~**lage** *f* business conditions *pl*; ~**leitung** *f* management; ~**mann** (-(**e**)**s**, *pl* -**leute**) *m* businessman; **g~mäßig** *adj* businesslike; ~**ordnung** *f* standing orders *pl*; **eine Frage zur ~ordnung** a question on a point of order; ~**partner** *m* partner; ~**reise** *f* business trip; ~**schluß** *m* closing time; ~**sinn** *m* business sense; ~**stelle** *f* office(s *pl*), place of business; **g~tüchtig** *adj* business-minded; ~**viertel** *nt* shopping centre (*BRIT*) *od* center (*US*); (*Banken etc*) business quarter, commercial district; ~**wagen** *m* company car; ~**wesen** *nt* business; ~**zeit** *f* business hours *pl*; ~**zweig** *m* branch (of a business).
geschah *etc* [gəˈʃaː] *vb siehe* **geschehen**.
geschehen [gəˈʃeːən] *unreg vi* to happen; **das geschieht ihm (ganz) recht** it serves him (jolly well (*umg*)) right; **was soll mit ihm/damit ~?** what is to be done with him/it?; **es war um ihn ~** that was the end of him.
gescheit [gəˈʃaɪt] *adj* clever; (*vernünftig*) sensible.
Geschenk [gəˈʃɛŋk] (-(**e**)**s**, -**e**) *nt* present, gift; ~**artikel** *m* gift; ~**gutschein** *m* gift voucher; ~**packung** *f* gift pack; ~**sendung** *f* gift parcel.
Geschichte [gəˈʃɪçtə] (-, -**n**) *f* story; (*Sache*) affair; (*Historie*) history.
Geschichtenerzähler *m* storyteller.
geschichtlich *adj* historical; (*bedeutungsvoll*) historic.
Geschichtsfälschung *f* falsification of history.
Geschichtsschreiber *m* historian.
Geschick [gəˈʃɪk] (-(**e**)**s**, -**e**) *nt* skill; (*geh: Schicksal*) fate.
Geschicklichkeit *f* skill, dexterity.
Geschicklichkeitsspiel *nt* game of skill.
geschickt *adj* skilful (*BRIT*), skillful (*US*); (*taktisch*) clever; (*beweglich*) agile.
geschieden [gəˈʃiːdən] *pp von* **scheiden** ♦ *adj* divorced.
geschieht [gəˈʃiːt] *vb siehe* **geschehen**.
geschienen [gəˈʃiːnən] *pp von* **scheinen**.
Geschirr [gəˈʃɪr] (-(**e**)**s**, -**e**) *nt* crockery; (*Küchen~*) pots and pans *pl*; (*Pferde~*) harness; ~**spülmaschine** *f* dishwasher; ~**tuch** *nt* tea towel (*BRIT*), dishtowel (*US*).
geschissen [gəˈʃɪsən] *pp von* **scheißen**.
geschlafen [gəˈʃlaːfən] *pp von* **schlafen**.
geschlagen [gəˈʃlaːgən] *pp von* **schlagen**.
geschlaucht [gəˈʃlaʊxt] *adv:* ~ **sein** (*umg*) to be exhausted *od* knackered.
Geschlecht [gəˈʃlɛçt] (-(**e**)**s**, -**er**) *nt* sex; (*GRAM*) gender; (*Gattung*) race; (*Abstammung*) lineage; **g~lich** *adj* sexual.
Geschlechts- *zW:* ~**krankheit** *f* sexually-transmitted disease; **g~reif** *adj* sexually mature; **g~spezifisch** *adj* (*SOZIOLOGIE*) sex-specific; ~**teil** *nt od m* genitals *pl*; ~**verkehr** *m* sexual intercourse; ~**wort** *nt* (*GRAM*) article.
geschlichen [gəˈʃlɪçən] *pp von* **schleichen**.
geschliffen [gəˈʃlɪfən] *pp von* **schleifen**.
geschlossen [gəˈʃlɔsən] *pp von* **schließen** ♦ *adj:* ~**e Gesellschaft** (*Fest*) private party ♦ *adv:* ~ **hinter jdm stehen** to stand solidly behind sb; ~**e Ortschaft** built-up area.
geschlungen [gəˈʃlʊŋən] *pp von* **schlingen**.
Geschmack [gəˈʃmak] (-(**e**)**s**, **¨e**) *m* taste; **nach jds ~** to sb's taste; ~ **an etw** *dat* **finden** to (come to) like sth; **je nach ~** to one's own taste; **er hat einen guten ~** (*fig*) he has good taste; **g~los** *adj* tasteless; (*fig*) in bad taste.
Geschmacks- *zW:* ~**sache** *f* matter of taste; ~**sinn** *m* sense of taste; ~**verirrung** *f:* **unter ~verirrung leiden** (*ironisch*) to have no taste.
geschmackvoll *adj* tasteful.
Geschmeide [gəˈʃmaɪdə] (-**s**, -) *nt* jewellery (*BRIT*), jewelry (*US*).
geschmeidig *adj* supple; (*formbar*) malleable.
Geschmeiß *nt* vermin *pl*.
Geschmiere [gəˈʃmiːrə] (-**s**) *nt* scrawl; (*Bild*) daub.
geschmissen [gəˈʃmɪsən] *pp von* **schmeißen**.
geschmolzen [gəˈʃmɔltsən] *pp von* **schmelzen**.
Geschnetzelte(s) [gəˈʃnɛtsəltə(s)] *nt* (*KOCH*) *meat cut into strips and stewed to produce a thick sauce*.
geschnitten [gəˈʃnɪtən] *pp von* **schneiden**.
geschoben [gəˈʃoːbən] *pp von* **schieben**.
geschollen [gəˈʃɔlən] *pp von* **schallen**.
gescholten [gəˈʃɔltən] *pp von* **schelten**.
Geschöpf [gəˈʃœpf] (-(**e**)**s**, -**e**) *nt* creature.
geschoren [gəˈʃoːrən] *pp von* **scheren**.
Geschoß [gəˈʃɔs] (-**sses**, -**sse**) *nt* (*MIL*) projectile; (*Rakete*) missile; (*Stockwerk*) floor.
geschossen [gəˈʃɔsən] *pp von* **schießen**.
geschraubt [gəˈʃraʊpt] *adj* stilted, artificial.
Geschrei [gəˈʃraɪ] (-**s**) *nt* cries *pl*, shouting; (*fig: Aufheben*) noise, fuss.
geschrieben [gəˈʃriːbən] *pp von* **schreiben**.
geschrie(e)n [gəˈʃriː(ə)n] *pp von* **schreien**.
geschritten [gəˈʃrɪtən] *pp von* **schreiten**.
geschunden [gəˈʃʊndən] *pp von* **schinden**.

Geschütz [gəˈʃʏts] (**-es, -e**) *nt* gun, piece of artillery; **ein schweres ~ auffahren** (*fig*) to bring out the big guns; **~feuer** *nt* artillery fire, gunfire.
geschützt *adj* protected; (*Winkel, Ecke*) sheltered.
Geschw. *abk* = **Geschwister.**
Geschwader [gəˈʃvaːdər] (**-s, -**) *nt* (*NAUT*) squadron; (*AVIAT*) group.
Geschwafel [gəˈʃvaːfəl] (**-s**) *nt* silly talk.
Geschwätz [gəˈʃvɛts] (**-es**) *nt* chatter; (*Klatsch*) gossip.
geschwätzig *adj* talkative; **G~keit** *f* talkativeness.
geschweige [gəˈʃvaɪgə] *adv*: **~ (denn)** let alone, not to mention.
geschwiegen [gəˈʃviːgən] *pp von* **schweigen.**
geschwind [gəˈʃvɪnt] *adj* quick, swift.
Geschwindigkeit [gəˈʃvɪndɪçkaɪt] *f* speed, velocity.
Geschwindigkeits- *zW*: **~begrenzung** *f*, **~beschränkung** *f* speed limit; **~messer** *m* (*AUT*) speedometer; **~überschreitung** *f* speeding.
Geschwister [gəˈʃvɪstər] *pl* brothers and sisters *pl*.
geschwollen [gəˈʃvɔlən] *pp von* **schwellen** ♦ *adj* pompous.
geschwommen [gəˈʃvɔmən] *pp von* **schwimmen.**
geschworen [gəˈʃvoːrən] *pp von* **schwören.**
Geschworene(r) *f(m)* juror; **die Geschworenen** *pl* the jury.
Geschwulst [gəˈʃvʊlst] (**-, ⸚e**) *f* growth, tumour.
geschwunden [gəˈʃvʊndən] *pp von* **schwinden.**
geschwungen [gəˈʃvʊŋən] *pp von* **schwingen** ♦ *adj* curved.
Geschwür [gəˈʃvyːr] (**-(e)s, -e**) *nt* ulcer; (*Furunkel*) boil.
gesehen [gəˈzeːən] *pp von* **sehen.**
Geselle [gəˈzɛlə] (**-n, -n**) *m* fellow; (*Handwerks~*) journeyman.
gesellen *vr*: **sich zu jdm ~** to join sb.
Gesellenbrief *m* articles *pl*.
Gesellenprüfung *f* examination to become a journeyman.
gesellig *adj* sociable; **~es Beisammensein** get-together; **G~keit** *f* sociability.
Gesellschaft *f* society; (*Begleitung, COMM*) company; (*Abend~ etc*) party; (*pej*) crowd (*umg*); (*Kreis von Menschen*) group of people; **in schlechte ~ geraten** to get into bad company; **geschlossene ~** private party; **jdm ~ leisten** to keep sb company.
Gesellschafter(in) (**-s, -**) *m(f)* shareholder; (*Partner*) partner.
gesellschaftlich *adj* social.
Gesellschafts- *zW*: **~anzug** *m* evening dress; **g~fähig** *adj* socially acceptable; **~ordnung** *f* social structure; **~reise** *f* group tour; **~schicht** *f* social stratum; **~system** *nt* social system.
gesessen [gəˈzɛsən] *pp von* **sitzen.**
Gesetz [gəˈzɛts] (**-es, -e**) *nt* law; (*PARL*) act; (*Satzung, Regel*) rule; **vor dem ~** in (the eyes of the) law; **nach dem ~** under the law; **das oberste ~ (der Wirtschaft** *etc*) the golden rule (of industry *etc*); **~blatt** *nt* law gazette; **~buch** *nt* statute book; **~entwurf** *m* bill.
Gesetzeshüter *m* (*ironisch*) guardian of the law.
Gesetzesvorlage *f* bill.
Gesetz- *zW*: **g~gebend** *adj* legislative; **~geber** (**-s, -**) *m* legislator; **~gebung** *f* legislation; **g~lich** *adj* legal, lawful; **~lichkeit** *f* legality, lawfulness; **g~los** *adj* lawless; **g~mäßig** *adj* lawful.
gesetzt *adj* (*Mensch*) sedate ♦ *konj*: **~ den Fall** ... assuming (that) ...
gesetzwidrig *adj* illegal; (*unrechtmäßig*) unlawful.
ges. gesch. *abk* (= *gesetzlich geschützt*) reg.
Gesicht [gəˈzɪçt] (**-(e)s, -er**) *nt* face; **das Zweite ~** second sight; **das ist mir nie zu ~ gekommen** I've never laid eyes on that; **jdn zu ~ bekommen** to clap eyes on sb; **jdm etw ins ~ sagen** to tell sb sth to his face; **sein wahres ~ zeigen** to show (o.s. in) one's true colours; **jdm wie aus dem ~ geschnitten sein** to be the spitting image of sb.
Gesichts- *zW*: **~ausdruck** *m* (facial) expression; **~farbe** *f* complexion; **~packung** *f* face pack; **~punkt** *m* point of view; **~wasser** *nt* face lotion; **~züge** *pl* features *pl*.
Gesindel [gəˈzɪndəl] (**-s**) *nt* rabble.
gesinnt [gəˈzɪnt] *adj* disposed, minded.
Gesinnung [gəˈzɪnʊŋ] *f* disposition; (*Ansicht*) views *pl*.
Gesinnungs- *zW*: **~genosse** *m* like-minded person; **~losigkeit** *f* lack of conviction; **~schnüffelei** (*pej*) *f*: **~schnüffelei betreiben** to pry into people's political convictions; **~wandel** *m* change of opinion.
gesittet [gəˈzɪtət] *adj* well-mannered.
gesoffen [gəˈzɔfən] *pp von* **saufen.**
gesogen [gəˈzoːgən] *pp von* **saugen.**
gesollt [gəˈzɔlt] *pp von* **sollen.**
gesondert [gəˈzɔndərt] *adj* separate.
gesonnen [gəˈzɔnən] *pp von* **sinnen.**
gespalten [gəˈʃpaltən] *adj* (*Bewußtsein*) split; (*Lippe*) cleft.
Gespann [gəˈʃpan] (**-(e)s, -e**) *nt* team; (*umg*) couple.
gespannt *adj* tense, strained; (*neugierig*) curious; (*begierig*) eager; **ich bin ~, ob** I wonder if *od* whether; **auf etw/jdn ~ sein** to look forward to sth/to meeting sb; **ich bin ~ wie ein Flitzebogen** (*hum: umg*) I'm on tenterhooks.
Gespenst [gəˈʃpɛnst] (**-(e)s, -er**) *nt* ghost; (*fig: Gefahr*) spectre (*BRIT*), specter (*US*); **~er**

sehen (*fig: umg*) to imagine things.
gespensterhaft, gespenstisch *adj* ghostly.
gespie(e)n [gəʃpi:(ə)n] *pp von* **speien.**
gespielt [gə'ʃpi:lt] *adj* feigned.
gesponnen [gəʃpɔnən] *pp von* **spinnen.**
Gespött [gə'ʃpœt] (**-(e)s**) *nt* mockery; **zum ~ werden** to become a laughing stock.
Gespräch [gə'ʃprɛ:ç] (**-(e)s, -e**) *nt* conversation; (*Diskussion*) discussion; (*Anruf*) call; **zum ~ werden** to become a topic of conversation; **ein ~ unter vier Augen** a confidential *od* private talk; **mit jdm ins ~ kommen** to get into conversation with sb; (*fig*) to establish a dialogue with sb.
gesprächig *adj* talkative; **G~keit** *f* talkativeness.
Gesprächs- *zW:* **~einheit** *f* (*TEL*) unit; **~gegenstand** *m* topic; **~partner** *m:* **mein ~partner bei den Verhandlungen** my opposite number at the talks; **~stoff** *m* topics *pl*; **~thema** *nt* subject *od* topic (of conversation).
gesprochen [gə'ʃprɔxən] *pp von* **sprechen.**
gesprossen [gə'ʃprɔsən] *pp von* **sprießen.**
gesprungen [gə'ʃprʊŋən] *pp von* **springen.**
Gespür [gə'ʃpy:r] (**-s**) *nt* feeling.
gest. *abk* (= *gestorben*) dec.
Gestalt [gə'ʃtalt] (**-, -en**) *f* form, shape; (*Person*) figure; (*LITER: pej: Mensch*) character; **in ~ von** in the form of; **~ annehmen** to take shape.
gestalten *vt* (*formen*) to shape, form; (*organisieren*) to arrange, organize ♦ *vr:* **sich ~ (zu)** to turn out (to be); **etw interessanter** *etc* **~** to make sth more interesting *etc.*
Gestaltung *f* formation; organization.
gestanden [gəʃtandən] *pp von* **stehen, gestehen.**
geständig [gə'ʃtɛndɪç] *adj:* **~ sein** to have confessed.
Geständnis [gə'ʃtɛntnɪs] (**-ses, -se**) *nt* confession.
Gestank [gə'ʃtaŋk] (**-(e)s**) *m* stench.
gestatten [gə'ʃtatən] *vt* to permit, allow; **~ Sie?** may I?; **sich** *dat* **~, etw zu tun** to take the liberty of doing sth.
Geste ['gɛstə] (**-, -n**) *f* gesture.
Gesteck [gə'ʃtɛk] (**-(e)s, -e**) *nt* flower arrangement.
gestehen [gə'ʃte:ən] *unreg vt* to confess; **offen gestanden** quite frankly.
Gestein [gə'ʃtaɪn] (**-(e)s, -e**) *nt* rock.
Gestell [gə'ʃtɛl] (**-(e)s, -e**) *nt* stand; (*Regal*) shelf; (*Bett~, Brillen~*) frame.
gestellt *adj* (*unecht*) posed.
gestern ['gɛstərn] *adv* yesterday; **~ abend/morgen** yesterday evening/morning; **er ist nicht von ~** (*umg*) he wasn't born yesterday.
gestiefelt [gə'ʃti:fəlt] *adj:* **der G~e Kater** Puss-in-Boots.
gestiegen [gə'ʃti:gən] *pp von* **steigen.**
Gestik (-) *f* gestures *pl.*
gestikulieren [gɛstiku'li:rən] *vi* to gesticulate.
Gestirn [gə'ʃtɪrn] (**-(e)s, -e**) *nt* star.
gestoben [gə'ʃto:bən] *pp von* **stieben.**
Gestöber [gə'ʃtø:bər] (**-s, -**) *nt* flurry; (*länger*) blizzard.
gestochen [gə'ʃtɔxən] *pp von* **stechen** ♦ *adj* (*Handschrift*) clear, neat.
gestohlen [gə'ʃto:lən] *pp von* **stehlen** ♦ *adj:* **der/das kann mir ~ bleiben** (*umg*) he/it can go hang.
gestorben [gə'ʃtɔrbən] *pp von* **sterben.**
gestört [gə'ʃtø:rt] *adj* disturbed; (*Rundfunkempfang*) poor, with a lot of interference.
gestoßen [gə'ʃto:sən] *pp von* **stoßen.**
Gestotter [gə'ʃtɔtər] (**-s**) *nt* stuttering, stammering.
Gesträuch [gə'ʃtrɔʏç] (**-(e)s, -e**) *nt* shrubbery, bushes *pl.*
gestreift [gə'ʃtraɪft] *adj* striped.
gestrichen [gə'ʃtrɪçən] *pp von* **streichen** ♦ *adj:* **~ voll** (*genau voll*) level; (*sehr voll*) full to the brim; **ein ~er Teelöffel voll** a level teaspoon(ful).
gestrig ['gɛstrɪç] *adj* yesterday's.
gestritten [gə'ʃtrɪtən] *pp von* **streiten.**
Gestrüpp [gə'ʃtrʏp] (**-(e)s, -e**) *nt* undergrowth.
gestunken [gə'ʃtʊŋkən] *pp von* **stinken.**
Gestüt [gə'ʃty:t] (**-(e)s, -e**) *nt* stud farm.
Gesuch [gə'zu:x] (**-(e)s, -e**) *nt* petition; (*Antrag*) application.
gesucht *adj* (*begehrt*) sought after.
gesund [gə'zʊnt] *adj* healthy; **wieder ~ werden** to get better; **~ und munter** hale and hearty; **jdn ~ schreiben** to certify sb (as) fit; **G~heit** *f* health; (*Sportlichkeit, fig*) healthiness; **G~heit!** bless you!; **bei guter G~heit** in good health; **~heitlich** *adj* health *attrib*, physical ♦ *adv* physically; **wie geht es Ihnen ~heitlich?** how's your health?
Gesundheits- *zW:* **~amt** *nt* public health department; **~apostel** *m* (*ironisch*) health freak (*umg*); **~fürsorge** *f* health care; **~reform** *f* health service reforms *pl*; **~risiko** *nt* health hazard; **g~schädlich** *adj* unhealthy; **~wesen** *nt* health service; **~zeugnis** *nt* health certificate; **~zustand** *m* state of health.
gesungen [gə'zʊŋən] *pp von* **singen.**
gesunken [gə'zʊŋkən] *pp von* **sinken.**
getan [gə'ta:n] *pp von* **tun** ♦ *adj:* **nach ~er Arbeit** when the day's work is done.
Getier [gə'ti:ər] (**-(e)s, -e**) *nt* (*Tiere, bes Insekten*) creatures *pl*; (*einzelnes*) creature.
Getöse [gə'tø:zə] (**-s**) *nt* din, racket.
getragen [gə'tra:gən] *pp von* **tragen.**
Getränk [gə'trɛŋk] (**-(e)s, -e**) *nt* drink.
Getränkeautomat *m* drinks machine *od* dispenser.
Getränkekarte *f* (*in Café*) list of beverages; (*in Restaurant*) wine list.

getrauen [gə'trauən] *vr* to dare.
Getreide [gə'traɪdə] (**-s, -**) *nt* cereal, grain; **~speicher** *m* granary.
getrennt [gə'trɛnt] *adj* separate; **~ leben** to be separated, live apart.
getreten [gə'tre:tən] *pp von* **treten**.
getreu [gə'trɔʏ] *adj* faithful.
Getriebe [gə'tri:bə] (**-s, -**) *nt* (*Leute*) bustle; (*AUT*) gearbox.
getrieben *pp von* **treiben**.
Getriebeöl *nt* transmission oil.
getroffen [gə'trɔfən] *pp von* **treffen**.
getrogen [gə'tro:gən] *pp von* **trügen**.
getrost [gə'tro:st] *adv* confidently; **~ sterben** to die in peace; **du kannst dich ~ auf ihn verlassen** you need have no fears about relying on him.
getrunken [gə'trʊŋkən] *pp von* **trinken**.
Getto ['gɛto] (**-s, -s**) *nt* ghetto.
Getue [gə'tu:ə] (**-s**) *nt* fuss.
Getümmel [gə'tʏməl] (**-s**) *nt* turmoil.
geübt [gə'y:pt] *adj* experienced.
GEW (-) *f abk* (= *Gewerkschaft Erziehung und Wissenschaft*) *union of employees in education and science*.
Gew. *abk* = **Gewerkschaft**.
Gewächs [gə'vɛks] (**-es, -e**) *nt* growth; (*Pflanze*) plant.
gewachsen [gə'vaksən] *pp von* **wachsen** ♦ *adj*: **jdm/etw ~ sein** to be sb's equal/equal to sth.
Gewächshaus *nt* greenhouse.
gewagt [gə'va:kt] *adj* daring, risky.
gewählt [gə'vɛ:lt] *adj* (*Sprache*) refined, elegant.
gewahr [gə'va:r] *adj*: **eine** *od* **einer Sache** *gen* **~ werden** to become aware of sth.
Gewähr [gə'vɛ:r] (-) *f* guarantee; **keine ~ übernehmen für** to accept no responsibility for; **die Angabe erfolgt ohne ~** this information is supplied without liability.
gewähren *vt* to grant; (*geben*) to provide; **jdn ~ lassen** not to stop sb.
gewährleisten *vt* to guarantee.
Gewahrsam [gə'va:rza:m] (**-s, -e**) *m* safekeeping; (*Polizei~*) custody.
Gewährsmann *m* informant, source.
Gewährung *f* granting.
Gewalt [gə'valt] (**-, -en**) *f* power; (*große Kraft*) force; (*~taten*) violence; **mit aller ~** with all one's might; **die ausübende/ gesetzgebende/richterliche ~** the executive/legislature/judiciary; **elterliche ~** parental authority; **höhere ~** acts/an act of God; **~anwendung** *f* use of force.
Gewaltenteilung *f* separation of powers.
Gewaltherrschaft *f* tyranny.
gewaltig *adj* tremendous; (*Irrtum*) huge; **sich ~ irren** to be very much mistaken.
Gewalt- *zW*: **g~los** *adj* non-violent ♦ *adv* without force/violence; **~marsch** *m* forced march; **~monopol** *nt* monopoly on the use of force; **g~sam** *adj* forcible; **g~tätig** *adj* violent; **~verbrechen** *nt* crime of violence; **~verzicht** *m* non-aggression.
Gewand [gə'vant] (**-(e)s, ¨er**) *nt* garment.
gewandt [gə'vant] *pp von* **wenden** ♦ *adj* deft, skilful (*BRIT*), skillful (*US*); (*erfahren*) experienced; **G~heit** *f* dexterity, skill.
gewann *etc* [gə'van] *vb siehe* **gewinnen**.
gewaschen [gə'vaʃən] *pp von* **waschen**.
Gewässer [gə'vɛsər] (**-s, -**) *nt* waters *pl*.
Gewebe [gə've:bə] (**-s, -**) *nt* (*Stoff*) fabric; (*BIOL*) tissue.
Gewehr [gə've:r] (**-(e)s, -e**) *nt* (*Flinte*) rifle; (*Schrotbüchse*) shotgun; **~lauf** *m* rifle barrel; barrel of a shotgun.
Geweih [gə'vaɪ] (**-(e)s, -e**) *nt* antlers *pl*.
Gewerbe [gə'vɛrbə] (**-s, -**) *nt* trade, occupation; **Handel und ~** trade and industry; **fahrendes ~** mobile trade; **~aufsichtsamt** *nt* ≈ factory inspectorate; **~schein** *m* trading licence; **~schule** *f* technical school; **g~treibend** *adj* carrying on a trade.
gewerblich *adj* industrial.
gewerbsmäßig *adj* professional.
Gewerbszweig *m* line of trade.
Gewerkschaft [gə'vɛrkʃaft] *f* trade *od* labor (*US*) union.
Gewerkschaft(l)er(in) *m(f)* trade *od* labor (*US*) unionist.
gewerkschaftlich *adj*: **wir haben uns ~ organisiert** we organized ourselves into a union.
Gewerkschaftsbund *m* federation of trade *od* labor (*US*) unions, ≈ Trades Union Congress (*BRIT*), Federation of Labor (*US*).
gewesen [gə've:zən] *pp von* **sein**.
gewichen [gə'vɪçən] *pp von* **weichen**.
Gewicht [gə'vɪçt] (**-(e)s, -e**) *nt* weight; (*fig*) importance.
gewichten *vt* to evaluate.
Gewichtheben (**-s**) *nt* (*SPORT*) weight-lifting.
gewichtig *adj* weighty.
Gewichtsklasse *f* (*SPORT*) weight (category).
gewieft [gə'vi:ft] (*umg*) *adj* shrewd, cunning.
gewiesen [gə'vi:zən] *pp von* **weisen**.
gewillt [gə'vɪlt] *adj* willing, prepared.
Gewimmel [gə'vɪməl] (**-s**) *nt* swarm; (*Menge*) crush.
Gewinde [gə'vɪndə] (**-s, -**) *nt* (*Kranz*) wreath; (*von Schraube*) thread.
Gewinn [gə'vɪn] (**-(e)s, -e**) *m* profit; (*bei Spiel*) winnings *pl*; **etw mit ~ verkaufen** to sell sth at a profit; **aus etw ~ schlagen** (*umg*) to make a profit out of sth; **~anteil** *m* (*COMM*) dividend; **~ausschüttung** *f* prize draw; **~beteiligung** *f* profit-sharing; **g~bringend** *adj* profitable; **~chancen** *pl* (*beim Wetten*) odds *pl*.

gewinnen *unreg vt* to win; (*erwerben*) to gain; (*Kohle, Öl*) to extract ♦ *vi* to win; (*profitieren*) to gain; **jdn (für etw)** ~ to win sb over (to sth); **an etw** *dat* ~ to gain in sth.
gewinnend *adj* winning, attractive.
Gewinner(in) (**-s, -**) *m(f)* winner.
Gewinn- *zW:* ~**(n)ummer** *f* winning number; ~**spanne** *f* profit margin; ~**sucht** *f* love of gain; ~**- und Verlustrechnung** *f* profit and loss account.
Gewinnung *f* (*von Kohle etc*) mining; (*von Zucker etc*) extraction.
Gewirr [gəˈvɪr] (**-(e)s, -e**) *nt* tangle; (*von Straßen*) maze.
gewiß [gəˈvɪs] *adj* certain ♦ *adv* certainly; **in gewissem Maße** to a certain extent.
Gewissen [gəˈvɪsən] (**-s, -**) *nt* conscience; **jdm ins** ~ **reden** to have a serious talk with sb; **g~haft** *adj* conscientious; ~**haftigkeit** *f* conscientiousness; **g~los** *adj* unscrupulous.
Gewissens- *zW:* ~**bisse** *pl* pangs of conscience *pl*, qualms *pl*; ~**frage** *f* matter of conscience; ~**freiheit** *f* freedom of conscience; ~**konflikt** *m* moral conflict.
gewissermaßen [gəvɪsərˈmaːsən] *adv* more or less, in a way.
Gewißheit *f* certainty; **sich** *dat* ~ **verschaffen** to find out for certain.
gewißlich *adv* surely.
Gewitter [gəˈvɪtər] (**-s, -**) *nt* thunderstorm.
gewittern *vi unpers:* **es gewittert** there's a thunderstorm.
gewitterschwül *adj* sultry and thundery.
Gewitterwolke *f* thundercloud; (*fig: umg*) storm cloud.
gewitzt [gəˈvɪtst] *adj* shrewd, cunning.
gewoben [gəˈvoːbən] *pp von* **weben**.
gewogen [gəˈvoːgən] *pp von* **wiegen** ♦ *adj (+dat)* well-disposed (towards).
gewöhnen [gəˈvøːnən] *vt:* **jdn an etw** *akk* ~ to accustom sb to sth; (*erziehen zu*) to teach sb sth ♦ *vr:* **sich an etw** *akk* ~ to get used *od* accustomed to sth.
Gewohnheit [gəˈvoːnhaɪt] *f* habit; (*Brauch*) custom; **aus** ~ from habit; **zur** ~ **werden** to become a habit; **sich** *dat* **etw zur** ~ **machen** to make a habit of sth.
Gewohnheits- *in zW* habitual; ~**mensch** *m* creature of habit; ~**recht** *nt* common law; ~**tier** (*umg*) *nt* creature of habit.
gewöhnlich [gəˈvøːnlɪç] *adj* usual; (*durchschnittlich*) ordinary; (*pej*) common; **wie** ~ as usual.
gewohnt [gəˈvoːnt] *adj* usual; **etw** ~ **sein** to be used to sth.
Gewöhnung *f:* ~ **(an** *+akk***)** getting accustomed (to); (*das Angewöhnen*) training (in).
Gewölbe [gəˈvœlbə] (**-s, -**) *nt* vault.
gewollt [gəˈvɔlt] *pp von* **wollen** ♦ *adj* forced, artificial.
gewonnen [gəˈvɔnən] *pp von* **gewinnen**.
geworben [gəˈvɔrbən] *pp von* **werben**.
geworden [gəˈvɔrdən] *pp von* **werden**.
geworfen [gəˈvɔrfən] *pp von* **werfen**.
gewrungen [gəˈvrʊŋən] *pp von* **wringen**.
Gewühl [gəˈvyːl] (**-(e)s**) *nt* throng.
gewunden [gəˈvʊndən] *pp von* **winden**.
gewunken [gəˈvʊŋkən] *pp von* **winken**.
Gewürz [gəˈvʏrts] (**-es, -e**) *nt* spice; (*Pfeffer, Salz*) seasoning; ~**gurke** *f* pickled gherkin; ~**nelke** *f* clove.
gewußt [gəˈvʊst] *pp von* **wissen**.
gez. *abk* (= *gezeichnet*) signed.
gezackt [gəˈtsakt] *adj* (*Fels*) jagged; (*Blatt*) serrated.
gezähnt [gəˈtsɛːnt] *adj* serrated, toothed.
gezeichnet [gəˈtsaɪçnət] *adj* marked.
Gezeiten [gəˈtsaɪtən] *pl* tides *pl*.
Gezeter [gəˈtseːtər] (**-s**) *nt* nagging.
gezielt [gəˈtsiːlt] *adj* (*Frage, Maßnahme*) specific; (*Hilfe*) well-directed; (*Kritik*) pointed.
geziemen [gəˈtsiːmən] *vr unpers* to be fitting.
geziemend *adj* proper.
geziert [gəˈtsiːrt] *adj* affected; **G~heit** *f* affectation.
gezogen [gəˈtsoːgən] *pp von* **ziehen**.
Gezwitscher [gəˈtsvɪtʃər] (**-s**) *nt* twitter(ing), chirping.
gezwungen [gəˈtsvʊŋən] *pp von* **zwingen** ♦ *adj* forced; (*Atmosphäre*) strained.
gezwungenermaßen *adv* of necessity; **etw** ~ **tun** to be forced to do sth, do sth of necessity.
GG *abk* = **Grundgesetz**.
ggf. *abk* = **gegebenenfalls**.
Ghana [ˈgaːna] (**-s**) *nt* Ghana.
Ghettoblaster [ˈgɛtoblaːstər] (**-s, -s**) *m* ghettoblaster.
Gibraltar [giˈbraltar] (**-s**) *nt* Gibraltar.
gibst [giːpst] *vb siehe* **geben**.
gibt *vb siehe* **geben**.
Gicht [gɪçt] (**-**) *f* gout; **g~isch** *adj* gouty.
Giebel [ˈgiːbəl] (**-s, -**) *m* gable; ~**dach** *nt* gable(d) roof; ~**fenster** *nt* gable window.
Gier [giːr] (**-**) *f* greed.
gierig *adj* greedy.
Gießbach *m* torrent.
gießen [ˈgiːsən] *unreg vt* to pour; (*Blumen*) to water; (*Metall*) to cast; (*Wachs*) to mould ♦ *vi unpers:* **es gießt in Strömen** it's pouring down.
Gießerei [giːsəˈraɪ] *f* foundry.
Gießkanne *f* watering can.
Gift [gɪft] (**-(e)s, -e**) *nt* poison; **das ist** ~ **für ihn** (*umg*) that is very bad for him; **darauf kannst du** ~ **nehmen** (*umg*) you can bet your life on it; **g~grün** *adj* bilious green.
giftig *adj* poisonous; (*fig: boshaft*) venomous.
Gift- *zW:* ~**müll** *m* toxic waste; ~**pilz** *m* poisonous toadstool; ~**stoff** *m* toxic substance; ~**wolke** *f* poisonous cloud; ~**zahn** *m* fang; ~**zwerg** (*umg*) *m* spiteful

little devil.
Gigabyte ['gɪgabaɪt] *nt* (*COMPUT*) gigabyte.
Gilde ['gɪldə] (**-, -n**) *f* guild.
gilt [gɪlt] *vb siehe* **gelten.**
ging *etc* [gɪŋ] *vb siehe* **gehen.**
Ginseng ['gɪnzɛŋ] (**-s, -s**) *m* ginseng.
Ginster ['gɪnstər] (**-s, -**) *m* broom.
Gipfel ['gɪpfəl] (**-s, -**) *m* summit, peak; (*fig*) height; **das ist der ~!** (*umg*) that's the limit!; **~konferenz** *f* (*POL*) summit conference.
gipfeln *vi* to culminate.
Gipfeltreffen *nt* summit (meeting).
Gips [gɪps] (**-es, -e**) *m* plaster; (*MED*) plaster (of Paris); **~abdruck** *m* plaster cast; **~bein** (*umg*) *nt* leg in plaster; **g~en** *vt* to plaster; **~figur** *f* plaster figure; **~verband** *m* plaster (cast).
Giraffe [gi'rafə] (**-, -n**) *f* giraffe.
Girlande [gɪr'landə] (**-, -n**) *f* garland.
Giro ['ʒiːro] (**-s, -s**) *nt* giro; **~konto** *nt* current account (*BRIT*), checking account (*US*).
girren ['gɪrən] *vi* to coo.
Gis [gɪs] (**-, -**) *nt* (*MUS*) G sharp.
Gischt [gɪʃt] (**-(e)s, -e**) *m od f* spray, foam.
Gitarre [gi'tarə] (**-, -n**) *f* guitar.
Gitter ['gɪtər] (**-s, -**) *nt* grating, bars *pl*; (*für Pflanzen*) trellis; (*Zaun*) railing(s); **~bett** *nt* cot (*BRIT*), crib (*US*); **~fenster** *nt* barred window; **~zaun** *m* railing(s).
Glacéhandschuh [gla'seːhantʃuː] *m* kid glove.
Gladiole [gladi'oːlə] (**-, -n**) *f* gladiolus.
Glanz [glants] (**-es**) *m* shine, lustre (*BRIT*), luster (*US*); (*fig*) splendour (*BRIT*), splendor (*US*); **~abzug** *m* (*PHOT*) glossy *od* gloss print.
glänzen ['glɛntsən] *vi* to shine (*also fig*), gleam.
glänzend *adj* shining; (*fig*) brilliant; **wir haben uns ~ amüsiert** we had a marvellous *od* great time.
Glanz- *zW*: **~lack** *m* gloss (paint); **~leistung** *f* brilliant achievement; **g~los** *adj* dull; **~stück** *nt* pièce de résistance; **~zeit** *f* heyday.
Glas [glaːs] (**-es, ⸚er**) *nt* glass; (*Brillen~*) lens *sing*; **zwei ~ Wein** two glasses of wine; **~bläser** *m* glass blower; **~er** (**-s, -**) *m* glazier; **~faser** *f* fibreglass (*BRIT*), fiberglass (*US*); **~faserkabel** *nt* optical fibre (*BRIT*) *od* fiber (*US*) cable.
Glasgow ['glaːsgoʊ] *nt* Glasgow.
glasieren [gla'ziːrən] *vt* to glaze.
glasig *adj* glassy; (*Zwiebeln*) transparent.
glasklar *adj* crystal clear.
Glasscheibe *f* pane.
Glasur [gla'zuːr] *f* glaze; (*KOCH*) icing, frosting (*bes US*).
glatt [glat] *adj* smooth; (*rutschig*) slippery; (*Absage*) flat; (*Lüge*) downright; (*Haar*) straight; (*MED: Bruch*) clean; (*pej: allzu gewandt*) smooth, slick.
Glätte ['glɛtə] (**-, -n**) *f* smoothness; slipperiness.
Glatteis *nt* (black) ice; **„Vorsicht ~!"** "danger, black ice!"; **jdn aufs ~ führen** (*fig*) to take sb for a ride.
glätten *vt* to smooth out.
glatt- *zW*: **~gehen** *unreg vi* to go smoothly; **~rasiert** *adj* (*Mann, Kinn*) clean-shaven; **~streichen** *unreg vt* to smooth out.
Glatze ['glatsə] (**-, -n**) *f* bald head; **eine ~ bekommen** to go bald.
glatzköpfig *adj* bald.
Glaube ['glaʊbə] (**-ns, -n**) *m*: **~ (an** *+akk*) faith (in); (*Überzeugung*) belief (in); **den ~n an jdn/etw verlieren** to lose faith in sb/sth.
glauben *vt, vi* to believe; (*meinen*) to think; **jdm ~** to believe sb; **~ an** *+akk* to believe in; **jdm (etw) aufs Wort ~** to take sb's word (for sth); **wer's glaubt, wird selig** (*ironisch*) a likely story.
Glaubens- *zW*: **~bekenntnis** *nt* creed; **~freiheit** *f* religious freedom; **~gemeinschaft** *f* religious sect; (*christliche*) denomination.
glaubhaft ['glaʊbhaft] *adj* credible; **jdm etw ~ machen** to satisfy sb of sth.
Glaubhaftigkeit *f* credibility.
gläubig ['glɔʏbɪç] *adj* (*REL*) devout; (*vertrauensvoll*) trustful; **G~e(r)** *f(m)* believer; **die Gläubigen** *pl* the faithful.
Gläubiger(in) (**-s, -**) *m(f)* creditor.
glaubwürdig ['glaʊbvʏrdɪç] *adj* credible; (*Mensch*) trustworthy; **G~keit** *f* credibility; trustworthiness.
gleich [glaɪç] *adj* equal; (*identisch*) (the) same, identical ♦ *adv* equally; (*sofort*) straight away; (*bald*) in a minute; (*räumlich*): **~ hinter dem Haus** just behind the house; (*zeitlich*): **~ am Anfang** at the very beginning; **es ist mir ~** it's all the same to me; **zu ~en Teilen** in equal parts; **das ~e, aber nicht dasselbe Auto** a similar car, but not the same one; **ganz ~ wer/was** *etc* no matter who/what *etc*; **2 mal 2 ~ 4** 2 times 2 is *od* equals 4; **bis ~!** see you soon!; **wie war doch ~ Ihr Name?** what was your name again?; **es ist ~ drei Uhr** it's very nearly three o'clock; **sie sind ~ groß** they are the same size; **~ nach/an** right after/at; **~altrig** *adj* of the same age; **~artig** *adj* similar; **~bedeutend** *adj* synonymous; **~berechtigt** *adj* with equal rights; **G~berechtigung** *f* equal rights *pl*; **~bleibend** *adj* constant; **bei ~bleibendem Gehalt** when one's salary stays the same.
gleichen *unreg vi*: **jdm/etw ~** to be like sb/sth ♦ *vr* to be alike.
gleichermaßen *adv* equally.
gleich- *zW*: **~falls** *adv* likewise; **danke ~falls!** the same to you; **G~förmigkeit** *f* uniformity; **~gesinnt** *adj* like-minded; **~gestellt** *adj*: **rechtlich ~gestellt** equal in law; **G~gewicht** *nt* equilibrium, balance; **jdm aus dem G~gewicht bringen** to throw

sb off balance; ~**gültig** *adj* indifferent; (*unbedeutend*) unimportant; **G~gültigkeit** *f* indifference; **G~heit** *f* equality; (*Identität*) identity; (*INDUSTRIE*) parity; **G~heitsprinzip** *nt* principle of equality; **G~heitszeichen** *nt* (*MATH*) equals sign; ~**kommen** *unreg vi +dat* to be equal to; ~**lautend** *adj* identical; **G~macherei** *f* egalitarianism, levelling down (*pej*); ~**mäßig** *adj* even, equal; **G~mut** *m* equanimity.

Gleichnis (**-ses, -se**) *nt* parable.

gleich- *zW:* ~**rangig** *adj* (*Probleme etc*) equally important; ~**rangig (mit)** (*Beamte etc*) equal in rank (to), at the same level (as); ~**sam** *adv* as it were; ~**schalten** (*pej*) *vt* to bring into line; **G~schritt** *m:* **im G~schritt, marsch!** forward march!; ~**sehen** *unreg vi:* **jdm** ~**sehen** to be *od* look like sb; ~**stellen** *vt* (*rechtlich etc*) to treat as equal; **G~strom** *m* (*ELEK*) direct current; ~**tun** *unreg vi:* **es jdm** ~**tun** to match sb.

Gleichung *f* equation.

gleich- *zW:* ~**viel** *adv* no matter; ~**wertig** *adj* of the same value; (*Leistung, Qualität*) equal; (*Gegner*) evenly matched; ~**wohl** *adv* (*geh*) nevertheless; ~**zeitig** *adj* simultaneous.

Gleis [glaɪs] (**-es, -e**) *nt* track, rails *pl*; (*am Bahnhof*) platform (*BRIT*), track (*US*).

gleißend ['glaɪsənt] *adj* glistening, gleaming.

gleiten *unreg vi* to glide; (*rutschen*) to slide.

gleitend ['glaɪtənt] *adj:* ~**e Arbeitszeit** flexible working hours *pl*, flex(i)time.

Gleit- *zW:* ~**flug** *m* glide; ~**klausel** *f* (*COMM*) escalator clause; ~**komma** *nt* floating point; ~**zeit** *f* flex(i)time.

Gletscher ['glɛtʃər] (**-s, -**) *m* glacier; ~**spalte** *f* crevasse.

glich *etc* [glɪç] *vb siehe* **gleichen.**

Glied [gli:t] (**-(e)s, -er**) *nt* member; (*Arm, Bein*) limb; (*Penis*) penis; (*von Kette*) link; (*MIL*) rank(s); **der Schreck steckt ihr noch in den** ~**ern** she is still shaking with the shock.

gliedern *vt* to organize, structure.

Gliederreißen *nt* rheumatic pains *pl*.

Gliederschmerz *m* rheumatic pains *pl*.

Gliederung *f* structure, organization.

Gliedmaßen *pl* limbs *pl*.

glimmen ['glɪmən] *unreg vi* to glow.

Glimmer (**-s, -**) *m* (*MINERAL*) mica.

Glimmstengel (*umg*) *m* fag (*BRIT*), butt (*US*).

glimpflich ['glɪmpflɪç] *adj* mild, lenient; ~ **davonkommen** to get off lightly.

glitschig ['glɪtʃɪç] (*umg*) *adj* slippery, slippy.

glitt *etc* [glɪt] *vb siehe* **gleiten.**

glitzern ['glɪtsərn] *vi* to glitter; (*Stern*) to twinkle.

global [glo'ba:l] *adj* (*weltweit*) global, worldwide; (*ungefähr, pauschal*) general.

Globus ['glo:bʊs] (**-** *od* **-ses, Globen** *od* **-se**) *m* globe.

Glöckchen ['glœkçən] *nt* (little) bell.

Glocke ['glɔkə] (**-, -n**) *f* bell; **etw an die große** ~ **hängen** (*fig*) to shout sth from the rooftops.

Glocken- *zW:* ~**geläut** *nt* peal of bells; ~**schlag** *m* stroke (of the bell); (*von Uhr*) chime; ~**spiel** *nt* chime(s); (*MUS*) glockenspiel; ~**turm** *m* belfry, bell-tower.

glomm *etc* [glɔm] *vb siehe* **glimmen.**

Glorie ['glo:riə] *f* glory; (*von Heiligen*) halo.

glorreich ['glo:rraɪç] *adj* glorious.

Glossar [glɔ'sa:r] (**-s, -e**) *nt* glossary.

Glosse ['glɔsə] (**-, -n**) *f* comment.

Glotze (**-, -n**) (*umg*) *f* gogglebox (*BRIT*), TV set.

glotzen ['glɔtsən] (*umg*) *vi* to stare.

Glück [glʏk] (**-(e)s**) *nt* luck, fortune; (*Freude*) happiness; ~ **haben** to be lucky; **viel** ~ good luck; **zum** ~ fortunately; **ein** ~! how lucky!, what a stroke of luck!; **auf gut** ~ (*aufs Geratewohl*) on the off-chance; (*unvorbereitet*) trusting to luck; (*wahllos*) at random; **sie weiß noch nichts von ihrem** ~ (*ironisch*) she doesn't know anything about it yet; **er kann von** ~ **sagen, daß** ... he can count himself lucky that ...; ~**auf** *nt:* **„~auf"** (*Bergleute*) (cry of) "good luck".

Glucke (**-, -n**) *f* (*Bruthenne*) broody hen; (*mit Jungen*) mother hen.

glücken *vi* to succeed; **es glückte ihm, es zu bekommen** he succeeded in getting it.

gluckern ['glʊkərn] *vi* to glug.

glücklich *adj* fortunate; (*froh*) happy ♦ *adv* happily; (*umg: endlich, zu guter Letzt*) finally, eventually.

glücklicherweise *adv* fortunately.

glücklos *adj* luckless.

Glücksbringer (**-s, -**) *m* lucky charm.

glückselig [glʏk'ze:lɪç] *adj* blissful.

Glücks- *zW:* ~**fall** *m* stroke of luck; ~**kind** *nt* lucky person; ~**pilz** *m* lucky beggar (*umg*); ~**sache** *f* matter of luck; ~**spiel** *nt* game of chance; ~**stern** *m* lucky star; ~**strähne** *f* lucky streak.

glückstrahlend *adj* radiant (with happiness).

Glückszahl *f* lucky number.

Glückwunsch *m:* ~ **(zu)** congratulations *pl* (on), best wishes *pl* (on).

Glühbirne *f* light bulb.

glühen ['gly:ən] *vi* to glow.

glühend *adj* glowing; (*heiß~: Metall*) red-hot; (*Hitze*) blazing; (*fig: leidenschaftlich*) ardent; (*: Haß*) burning; (*Wangen*) flushed, burning.

Glüh- *zW:* ~**faden** *m* (*ELEK*) filament; ~**wein** *m* mulled wine; ~**würmchen** *nt* glow-worm.

Glut [glu:t] (**-, -en**) *f* (*Röte*) glow; (*Feuers~*) fire; (*Hitze*) heat; (*fig*) ardour (*BRIT*), ardor (*US*).

GmbH (**-, -s**) *f abk* (= *Gesellschaft mit beschränkter Haftung*) ≈ Ltd. (*BRIT*), plc (*BRIT*), Inc. (*US*).

Gnade ['gna:də] (**-, -n**) *f* (*Gunst*) favour (*BRIT*), favor (*US*); (*Erbarmen*) mercy; (*Milde*)

clemency; ~ **vor Recht ergehen lassen** to temper justice with mercy.
gnaden *vi:* **(dann) gnade dir Gott!** (then) God help you *od* heaven have mercy on you!
Gnaden- *zW:* **~brot** *nt:* **jdm/einem Tier das ~brot geben** to keep sb/an animal in his/her/its old age; **~frist** *f* reprieve; **~gesuch** *nt* petition for clemency; **g~los** *adj* merciless; **~stoß** *m* coup de grâce.
gnädig ['gnɛːdɪç] *adj* gracious; (*voll Erbarmen*) merciful; **~e Frau** (*form*) madam, ma'am.
Gockel ['gɔkəl] (**-s, -**) *m* (*bes SÜDD*) cock.
Gold [gɔlt] (**-(e)s**) *nt* gold; **nicht mit ~ zu bezahlen** *od* **aufzuwiegen sein** to be worth one's weight in gold; **g~en** *adj* golden; **g~ene Worte** words of wisdom; **der Tanz ums g~ene Kalb** (*fig*) the worship of Mammon; **~fisch** *m* goldfish; **~grube** *f* gold mine; **~hamster** *m* (golden) hamster.
goldig ['gɔldɪç] *adj* (*fig: umg: allerliebst*) sweet, cute.
Gold- *zW:* **~regen** *m* laburnum; (*fig*) riches *pl*; **g~richtig** (*umg*) *adj* dead right; **~schmied** *m* goldsmith; **~schnitt** *m* gilt edging; **~standard** *m* gold standard; **~stück** *nt* piece of gold; (*fig: umg*) treasure; **~waage** *f:* **jedes Wort auf die ~waage legen** (*fig*) to weigh one's words; **~währung** *f* gold standard.
Golf[1] [gɔlf] (**-(e)s, -e**) *m* gulf; **der (Persische) ~** the Gulf.
Golf[2] [gɔlf] (**-s**) *nt* golf; **~platz** *m* golf course; **~schläger** *m* golf club; **~spieler** *m* golfer.
Golfstaaten *pl:* **die ~** the Gulf States *pl.*
Golfstrom *m* (*GEOG*) Gulf Stream.
Gondel ['gɔndəl] (**-, -n**) *f* gondola; (*von Seilbahn*) cable car.
gondeln (*umg*) *vi:* **durch die Welt ~** to go globetrotting.
Gong [gɔŋ] (**-s, -s**) *m* gong; (*bei Boxkampf etc*) bell.
gönnen ['gœnən] *vt:* **jdm etw ~** not to begrudge sb sth; **sich** *dat* **etw ~** to allow o.s. sth.
Gönner (**-s, -**) *m* patron; **g~haft** *adj* patronizing; **~in** *f* patroness; **~miene** *f* patronizing air.
gor *etc* [goːr] *vb siehe* **gären.**
Gorilla [go'rɪla] (**-s, -s**) *m* gorilla; (*umg: Leibwächter*) heavy.
goß *etc* [gɔs] *vb siehe* **gießen.**
Gosse ['gɔsə] (**-, -n**) *f* gutter.
Gote ['goːtə] (**-n, -n**) *m* Goth.
Gotik ['goːtɪk] *f* (*KUNST*) Gothic (style); (*Epoche*) Gothic period.
Gotin ['goːtɪn] *f* Goth.
Gott [gɔt] (**-es, ⸚er**) *m* god; (*als Name*) God; **um ~es Willen!** for heaven's sake!; **~ sei Dank!** thank God!; **grüß ~!** (*bes SÜDD, ÖSTERR*) hello, good morning/afternoon/evening; **den lieben ~ einen guten Mann sein lassen** (*umg*) to take things as they come; **ein Bild für die Götter** (*hum: umg*) a sight for sore eyes; **das wissen die Götter** (*umg*) God (only) knows; **über ~ und die Welt reden** (*fig*) to talk about everything under the sun; **wie ~ in Frankreich leben** (*umg*) to be in clover.
Götterspeise *f* (*KOCH*) jelly (*BRIT*), jello (*US*).
Gottes- *zW:* **~dienst** *m* service; **g~fürchtig** *adj* god-fearing; **~haus** *nt* place of worship; **~lästerung** *f* blasphemy.
Gottheit *f* deity.
Göttin ['gœtɪn] *f* goddess.
göttlich *adj* divine.
Gott- *zW:* **g~lob** *interj* thank heavens!; **g~los** *adj* godless; **g~verdammt** *adj* goddamn(ed); **g~verlassen** *adj* godforsaken; **~vertrauen** *nt* trust in God.
Götze ['gœtsə] (**-n, -n**) *m* idol.
Grab [graːp] (**-(e)s, ⸚er**) *nt* grave.
grabbeln ['grabəln] (*NORDD: umg*) *vt* to rummage.
Graben ['graːbən] (**-s, ⸚**) *m* ditch; (*MIL*) trench.
graben *unreg vt* to dig.
Grabesstille *f* (*liter*) deathly hush.
Grab- *zW:* **~mal** *nt* monument; (*~stein*) gravestone; **~rede** *f* funeral oration; **~stein** *m* gravestone.
gräbt *vb siehe* **graben.**
Gracht [graxt] (**-, -en**) *f* canal.
Grad [graːt] (**-(e)s, -e**) *m* degree; **im höchsten ~(e)** extremely; **Verbrennungen ersten ~es** (*MED*) first-degree burns; **~einteilung** *f* graduation; **g~linig** *adj* straight; **g~weise** *adv* gradually.
Graf [graːf] (**-en, -en**) *m* count, earl (*BRIT*).
Grafik *f siehe* **Graphik.**
Grafiker(in) *m(f) siehe* **Graphiker(in).**
Gräfin ['grɛːfɪn] *f* countess.
grafisch *adj siehe* **graphisch.**
Grafschaft *f* county.
Grahambrot ['graːhambroːt] *nt* type of wholemeal (*BRIT*) *od* whole-wheat (*US*) bread.
Gralshüter ['graːlzhyːtər] (**-s, -**) *m* (*fig*) guardian.
Gram [graːm] (**-(e)s**) *m* (*geh*) grief, sorrow.
grämen ['grɛːmən] *vr* to grieve; **sich zu Tode ~** to die of grief *od* sorrow.
Gramm [gram] (**-s, -e**) *nt* gram(me).
Grammatik [gra'matɪk] *f* grammar.
grammatisch *adj* grammatical.
Grammophon [gramo'foːn] (**-s, -e**) *nt* gramophone.
Granat [gra'naːt] (**-(e)s, -e**) *m* (*Stein*) garnet; **~apfel** *m* pomegranate.
Granate (**-, -n**) *f* (*MIL*) shell; (*Hand~*) grenade.
grandios [gran'dioːs] *adj* magnificent, superb.
Granit [gra'niːt] (**-s, -e**) *m* granite; **auf ~ beißen (bei ...)** to bang one's head against a brick wall (with ...).
grantig ['grantɪç] (*umg*) *adj* grumpy.

Graphik ['gra:fɪk] *f* (*COMPUT, TECH*) graphics; (*ART*) graphic arts *pl*.
Graphiker(in) ['gra:fɪkər(ɪn)] (**-s, -**) *m(f)* graphic artist; (*Illustrator*) illustrator.
graphisch ['gra:fɪʃ] *adj* graphic; **~e Darstellung** graph.
grapschen ['grapʃən] (*umg*) *vt, vi* to grab; **(sich** *dat***) etw ~** to grab sth.
Gras [gra:s] (**-es, ¨-er**) *nt* (*auch umg: Marihuana*) grass; **über etw** *akk* **~ wachsen lassen** (*fig*) to let the dust settle on sth; **g~en** *vi* to graze; **~halm** *m* blade of grass.
grasig *adj* grassy.
Grasnarbe *f* turf.
grassieren [gra'si:rən] *vi* to be rampant, rage.
gräßlich ['grɛslɪç] *adj* horrible.
Grat [gra:t] (**-(e)s, -e**) *m* ridge.
Gräte ['grɛ:tə] (**-, -n**) *f* fish-bone.
Gratifikation [gratifikatsi'o:n] *f* bonus.
gratis ['gra:tɪs] *adj, adv* free (of charge); **G~probe** *f* free sample.
Grätsche ['grɛ:tʃə] (**-, -n**) *f* (*SPORT*) straddle.
Gratulant(in) [gratu'lant(ɪn)] *m(f)* well-wisher.
Gratulation [gratulatsi'o:n] *f* congratulation(s).
gratulieren [gratu'li:rən] *vi*: **jdm (zu etw) ~** to congratulate sb (on sth); **(ich) gratuliere!** congratulations!
Gratwanderung *f* (*fig*) tightrope walk.
grau [graʊ] *adj* grey (*BRIT*), gray (*US*); **der ~e Alltag** drab reality; **G~brot** *nt* = **Mischbrot**.
Grauen (**-s**) *nt* horror.
grauen *vi* (*Tag*) to dawn ♦ *vi unpers*: **es graut jdm vor etw** sb dreads sth, sb is afraid of sth ♦ *vr*: **sich ~ vor** to dread, have a horror of.
grauenhaft, grauenvoll *adj* horrible.
grauhaarig *adj* grey-haired (*BRIT*), gray-haired (*US*).
graumeliert *adj* grey-flecked (*BRIT*), gray-flecked (*US*).
Graupelregen ['graupəlre:gən] *m* sleet.
Graupelschauer *m* sleet.
Graupen ['graʊpən] *pl* pearl barley *sing*.
grausam ['graʊza:m] *adj* cruel; **G~keit** *f* cruelty.
Grausen ['graʊzən] (**-s**) *nt* horror; **da kann man das kalte ~ kriegen** (*umg*) it's enough to give you the creeps.
grausen *vb* = **grauen**.
Grauzone *f* (*fig*) grey (*BRIT*) *od* gray (*US*) area.
gravieren [gra'vi:rən] *vt* to engrave.
gravierend *adj* grave.
Grazie ['gra:tsiə] *f* grace.
graziös [gratsi'ø:s] *adj* graceful.
greifbar *adj* tangible, concrete; **in ~er Nähe** within reach.
greifen ['graɪfən] *unreg vt* (*nehmen*) to grasp; (*grapschen*) to seize, grab ♦ *vi* (*nicht rutschen, einrasten*) to grip; **nach etw ~** to reach for sth; **um sich ~** (*fig*) to spread; **zu etw ~** (*fig*) to turn to sth; **diese Zahl ist zu niedrig gegriffen** (*fig*) this figure is too low; **aus dem Leben gegriffen** taken from life.
Greifer (**-s, -**) *m* (*TECH*) grab.
Greifvogel *m* bird of prey.
Greis [graɪs] (**-es, -e**) *m* old man.
Greisenalter *nt* old age.
greisenhaft *adj* very old.
Greisin ['graɪzɪn] *f* old woman.
grell [grɛl] *adj* harsh.
Gremium ['gre:miʊm] *nt* body; (*Ausschuß*) committee.
Grenadier [grena'di:ər] (**-s, -e**) *m* (*MIL: Infanterist*) infantryman.
Grenzbeamte(r) *m* frontier official.
Grenze (**-, -n**) *f* border; (*zwischen Grundstücken, fig*) boundary; (*Staats~*) frontier; (*Schranke*) limit; **über die ~ gehen/fahren** to cross the border; **hart an der ~ des Erlaubten** bordering on the limits of what is permitted.
grenzen *vi*: **~ an** *+akk* to border on.
grenzenlos *adj* boundless.
Grenz- *zW*: **~fall** *m* borderline case; **~gänger** *m* (*Arbeiter*) international commuter (*across a local border*); **~gebiet** *nt* (*lit, fig*) border area; **~kosten** *pl* marginal cost *sing*; **~linie** *f* boundary; **~übergang** *m* frontier crossing; **~wert** *m* limit; **~zwischenfall** *m* border incident.
Gretchenfrage ['gre:tçənfra:gə] *f* (*fig*) crunch question, sixty-four-thousand-dollar question (*umg*).
Greuel ['grɔʏəl] (**-s, -**) *m* horror; (*~tat*) atrocity; **etw ist jdm ein ~** sb loathes sth; **~propaganda** *f* atrocity propaganda; **~tat** *f* atrocity.
greulich ['grɔʏlɪç] *adj* horrible.
Grieche ['gri:çə] (**-n, -n**) *m* Greek.
Griechenland *nt* Greece.
Griechin ['gri:çɪn] *f* Greek.
griechisch *adj* Greek.
griesgrämig ['gri:sgrɛ:mɪç] *adj* grumpy.
Grieß [gri:s] (**-es, -e**) *m* (*KOCH*) semolina; **~brei** *m* cooked semolina.
Griff [grɪf] (**-(e)s, -e**) *m* grip; (*Vorrichtung*) handle; (*das Greifen*): **der ~ nach etw** reaching for sth; **jdn/etw in den ~ bekommen** (*fig*) to gain control of sb/sth; **etw in den ~ bekommen** (*geistig*) to get a grasp of sth.
griff *etc vb siehe* **greifen**.
griffbereit *adj* handy.
Griffel ['grɪfəl] (**-s, -**) *m* slate pencil; (*BOT*) style.
griffig ['grɪfɪç] *adj* (*Fahrbahn etc*) that has a good grip; (*fig: Ausdruck*) useful, handy.
Grill [grɪl] (**-s, -s**) *m* grill; (*AUT*) grille.
Grille ['grɪlə] (**-, -n**) *f* cricket; (*fig*) whim.
grillen *vt* to grill.
Grimasse [gri'masə] (**-, -n**) *f* grimace; **~n schneiden** to make faces.

grimmig *adj* furious; (*heftig*) fierce, severe.
grinsen ['grɪnzən] *vi* to grin; (*höhnisch*) to smirk.
Grippe ['grɪpə] (**-, -n**) *f* influenza, flu.
Grips [grɪps] (**-es, -e**) (*umg*) *m* sense.
grob [gro:p] *adj* coarse, gross; (*Fehler, Verstoß*) gross; (*brutal, derb*) rough; (*unhöflich*) ill-mannered; ~ **geschätzt** at a rough estimate; **G~heit** *f* coarseness; (*Beschimpfung*) coarse expression.
Grobian ['gro:bia:n] (**-s, -e**) *m* ruffian.
grobknochig *adj* large-boned.
groggy ['grɔgɪ] *adj* (*BOXEN*) groggy; (*umg: erschöpft*) bushed.
grölen ['grø:lən] (*pej*) *vt, vi* to bawl.
Groll [grɔl] (**-(e)s**) *m* resentment; **g~en** *vi* (*Donner*) to rumble; **g~en (mit** *od* *+dat*) to bear ill will (towards).
Grönland ['grø:nlant] (**-s**) *nt* Greenland.
Grönländer(in) (**-s, -**) *m(f)* Greenlander.
Groschen ['grɔʃən] (**-s, -**) (*umg*) *m* 10-pfennig piece; (*ÖSTERR*) groschen; (*fig*) penny, cent (*US*); ~**roman** (*pej*) *m* cheap *od* dime (*US*) novel.
groß [gro:s] *adj* big, large; (*hoch*) tall; (*Freude, Werk*) great ♦ *adv* greatly; **im ~en und ganzen** on the whole; **wie ~ bist du?** how tall are you?; **die G~en** (*Erwachsene*) the grown-ups; **mit etw ~ geworden sein** to have grown up with sth; **die G~en Seen** the Great Lakes *pl*; ~**en Hunger haben** to be very hungry; ~**e Mode sein** to be all the fashion; ~ **und breit** (*fig: umg*) at great *od* enormous length; **ein Wort ~ schreiben** to write a word with a capital; **G~abnehmer** *m* (*COMM*) bulk buyer; **G~alarm** *m* red alert; ~**angelegt** *adj attrib* large-scale, on a large scale; ~**artig** *adj* great, splendid; **G~aufnahme** *f* (*FILM*) close-up; **G~britannien** (**-s**) *nt* (Great) Britain; **G~buchstabe** *m* capital (letter).
Größe ['grø:sə] (**-, -n**) *f* size; (*Länge*) height; (*fig*) greatness; **eine unbekannte ~** (*lit, fig*) an unknown quantity.
Groß- *zW:* ~**einkauf** *m* bulk purchase; ~**einsatz** *m:* ~**einsatz der Polizei** *etc* large-scale operation by the police *etc*; ~**eltern** *pl* grandparents *pl*.
Größenordnung *f* scale; (*Größe*) magnitude; (*MATH*) order (of magnitude).
großenteils *adv* for the most part.
Größen- *zW:* ~**unterschied** *m* difference in size; ~**wahn** *m*, ~**wahnsinn** *m* megalomania, delusions *pl* of grandeur.
Groß- *zW:* ~**format** *nt* large size; ~**handel** *m* wholesale trade; ~**handelspreisindex** *m* wholesale-price index; ~**händler** *m* wholesaler; **g~herzig** *adj* generous; ~**hirn** *nt* cerebrum; ~**industrielle(r)** *f(m)* major industrialist; **g~kotzig** (*umg*) *adj* show-offish, bragging; ~**kundgebung** *f* mass rally; ~**macht** *f* great power; ~**maul** *m* braggart; ~**mut** (**-**) *f* magnanimity; **g~mütig** *adj* magnanimous; ~**mutter** *f* grandmother; ~**raum** *m:* **der ~raum München** the Munich area *od* conurbation, Greater Munich; ~**raumbüro** *nt* open-plan office; ~**rechner** *m* mainframe; ~**reinemachen** *nt* thorough cleaning, ≈ spring cleaning; **g~schreiben** *unreg vt:* **g~geschrieben werden** (*umg*) to be stressed; ~**schreibung** *f* capitalization; **g~spurig** *adj* pompous; ~**stadt** *f* city.
größte(r, s) [grø:stə(r, s)] *adj superl von* **groß.**
größtenteils *adv* for the most part.
Groß- *zW:* ~**tuer** (**-s, -**) *m* boaster; **g~tun** *unreg vi* to boast; ~**vater** *m* grandfather; ~**verbraucher** *m* (*COMM*) heavy user; ~**verdiener** *m* big earner; ~**wild** *nt* big game; **g~ziehen** *unreg vt* to raise; **g~zügig** *adj* generous; (*Planung*) on a large scale.
grotesk [gro'tɛsk] *adj* grotesque.
Grotte ['grɔtə] (**-, -n**) *f* grotto.
grub *etc* [gru:p] *vb siehe* **graben.**
Grübchen ['gry:pçən] *nt* dimple.
Grube ['gru:bə] (**-, -n**) *f* pit; (*Bergwerk*) mine.
grübeln ['gry:bəln] *vi* to brood.
Grubenarbeiter *m* miner.
Grubengas *nt* firedamp.
Grübler ['gry:blər] (**-s, -**) *m* brooder; **g~isch** *adj* brooding, pensive.
Gruft [grʊft] (**-, ¨-e**) *f* tomb, vault.
grün [gry:n] *adj* green; (*ökologisch*) green; (*POL*): **die G~en** the Greens; **G~e Minna** (*umg*) Black Maria (*BRIT*), paddy wagon (*US*); ~**e Welle** phased traffic lights; ~**e Versicherungskarte** (*AUT*) green card; **sich ~ und blau** *od* **gelb ärgern** (*umg*) to be furious; **auf keinen ~en Zweig kommen** (*fig: umg*) to get nowhere; **jdm ~es Licht geben** to give sb the green light; **G~anlage** *f* park.
Grund [grʊnt] (**-(e)s, ¨-e**) *m* ground; (*von See, Gefäß*) bottom; (*fig*) reason; **von ~ auf** entirely, completely; **auf ~ von** on the basis of; **aus gesundheitlichen** *etc* **Gründen** for health *etc* reasons; **im ~e genommen** basically; **ich habe ~ zu der Annahme, daß** ... I have reason to believe that ...; **einer Sache** *dat* **auf den ~ gehen** (*fig*) to get to the bottom of sth; **in ~ und Boden** (*fig*) utterly, thoroughly; ~**ausbildung** *f* basic training; ~**bedeutung** *f* basic meaning; ~**bedingung** *f* fundamental condition; ~**begriff** *m* basic concept; ~**besitz** *m* land(ed property), real estate; ~**buch** *nt* land register; **g~ehrlich** *adj* thoroughly honest.
gründen [grʏndən] *vt* to found ♦ *vr:* **sich ~ auf** *+akk* to be based on; ~ **auf** *+akk* to base on.
Gründer(in) (**-s, -**) *m(f)* founder.
Grund- *zW:* **g~falsch** *adj* utterly wrong; ~**gebühr** *f* basic charge; ~**gedanke** *m* basic idea; ~**gesetz** *nt* constitution.
Grundierung [grʊn'di:rʊŋ] *f* (*Farbe*) primer.
Grund- *zW:* ~**kapital** *nt* nominal capital;

~**kurs** *m* basic course; ~**lage** *f* foundation; **jeder ~lage** *gen* **entbehren** to be completely unfounded; **g~legend** *adj* fundamental.

gründlich *adj* thorough; **jdm ~ die Meinung sagen** to give sb a piece of one's mind.

Grund- *zW:* **g~los** *adj* (*fig*) groundless; ~**mauer** *f* foundation wall; ~**nahrungsmittel** *nt* basic food(stuff).

Gründonnerstag *m* Maundy Thursday.

Grund- *zW:* ~**ordnung** *f:* **die freiheitlich-demokratische ~ordnung** (*BRD POL*) *the German constitution based on democratic liberty*; ~**rechenart** *f* basic arithmetical operation; ~**recht** *nt* basic *od* constitutional right; ~**regel** *f* basic *od* ground rule; ~**riß** *m* plan; (*fig*) outline; ~**satz** *m* principle; **g~sätzlich** *adj* fundamental; (*Frage*) of principle ♦ *adv* fundamentally; (*prinzipiell*) on principle; **das ist g~sätzlich verboten** it is absolutely forbidden; ~**satzurteil** *nt judgement that establishes a principle.*

Grundschule *f* primary (*BRIT*) *od* elementary school.

The **Grundschule** *is a primary school which children attend for 4 years from the age of 6 to 10. There are no formal examinations in the Grundschule but parents receive a report on their child's progress twice a year. Many children attend a* **Kindergarten** *from 3-6 years before going to the Grundschule, but no formal instruction takes place in the Kindergarten.*

Grund- *zW:* ~**stein** *m* foundation stone; ~**steuer** *f* rates *pl*; ~**stück** *nt* plot (of land); (*Anwesen*) estate; ~**stücksmakler** *m* estate agent (*BRIT*), realtor (*US*); ~**stufe** *f* first stage; (*SCH*) ≈ junior (*BRIT*) *od* grade (*US*) school.

Gründung *f* foundation.

Gründungsurkunde *f* (*COMM*) certificate of incorporation.

Gründungsversammlung *f* (*Aktiengesellschaft*) statutory meeting.

Grund- *zW:* **g~verschieden** *adj* utterly different; ~**wasser** *nt* ground water; ~**wasserspiegel** *m* water table, ground-water level; ~**zug** *m* characteristic; **etw in seinen ~zügen darstellen** to outline (the essentials of) sth.

Grüne (**-n**) *nt:* **im ~n** in the open air; **ins ~ fahren** to go to the country.

Grüne(r) *f(m)* (*POL*) Ecologist, Green; **die Grünen** *pl* (*als Partei*) the Greens.

Die Grünen *is the name given to the Green or ecological party in Germany which was founded in 1980. Since 1993 they have been allied with the originally East German party, Bündnis 90.*
The **grüner Punkt** *is the green spot symbol which appears on packaging that should not be thrown into the normal household refuse but kept separate to be recycled through the* **DSD** *system. The recycling is financed by licences bought by the manufacturer from the DSD and the cost of this is often passed on to the consumer.*

Grün- *zW:* ~**kohl** *m* kale; ~**schnabel** *m* greenhorn; ~**span** *m* verdigris; ~**streifen** *m* central reservation.

grunzen ['grʊntsən] *vi* to grunt.

Gruppe ['grʊpə] (**-, -n**) *f* group.

Gruppen- *zW:* ~**arbeit** *f* teamwork; ~**dynamik** *f* group dynamics *pl*; ~**therapie** *f* group therapy; **g~weise** *adv* in groups.

gruppieren [grʊ'pi:rən] *vt, vr* to group.

gruselig *adj* creepy.

gruseln ['gru:zəln] *vi unpers:* **es gruselt jdm vor etw** sth gives sb the creeps ♦ *vr* to have the creeps.

Gruß [gru:s] (**-es, ⸚e**) *m* greeting; (*MIL*) salute; **viele Grüße** best wishes; **Grüße an** *+akk* regards to; **einen (schönen) ~ an Ihre Frau!** my regards to your wife; **mit freundlichen Grüßen** (*als Briefformel*) Yours sincerely.

grüßen ['gry:sən] *vt* to greet; (*MIL*) to salute; **jdn von jdm ~** to give sb sb's regards; **jdn ~ lassen** to send sb one's regards.

Grütze ['grʏtsə] (**-, -n**) *f* (*Brei*) gruel; **rote ~** (type of) red fruit jelly.

Guatemala [guate'ma:la] (**-s**) *nt* Guatemala.

Guayana [gua'ja:na] (**-s**) *nt* Guyana.

gucken ['gʊkən] *vi* to look.

Guckloch *nt* peephole.

Guinea [gi'ne:a] (**-s**) *nt* Guinea.

Gulasch ['gu:laʃ] (**-(e)s, -e**) *nt* goulash; ~**kanone** *f* (*MIL: umg*) field kitchen.

gültig ['gʏltɪç] *adj* valid; **~ werden** to become valid; (*Gesetz, Vertrag*) to come into effect; (*Münze*) to become legal tender; **G~keit** *f* validity; **G~keitsdauer** *f* period of validity.

Gummi ['gʊmi] (**-s, -s**) *nt od m* rubber; (*~harze*) gum; (*umg: Kondom*) rubber, Durex ®; (*~band*) rubber *od* elastic band; (*Hosen~*) elastic; ~**band** *nt* rubber *od* elastic band; ~**bärchen** *nt* jelly baby; ~**geschoß** *nt* rubber bullet; ~**knüppel** *m* rubber truncheon; ~**paragraph** *m* ambiguous *od* meaningless law *od* statute; ~**stiefel** *m* rubber boot, wellington (boot) (*BRIT*); ~**strumpf** *m* elastic stocking; ~**zelle** *f* padded cell.

Gunst [gʊnst] (**-**) *f* favour (*BRIT*), favor (*US*).

günstig ['gʏnstɪç] *adj* favourable (*BRIT*), favorable (*US*); (*Angebot, Preis etc*) reasonable, good; **bei ~er Witterung** weather permitting; **im ~sten Fall(e)** with luck.

Gurgel ['gʊrgəl] (**-, -n**) *f* throat.

gurgeln *vi* to gurgle; (*im Rachen*) to gargle.

Gurke ['gʊrkə] (**-, -n**) *f* cucumber; **saure ~** pickled cucumber, gherkin.

Gurt [gʊrt] (**-(e)s, -e**) *m* belt.
Gurtanlegepflicht *f* (*form*) *obligation to wear a safety belt in vehicles.*
Gürtel ['gʏrtəl] (**-s, -**) *m* belt; (*GEOG*) zone; **~reifen** *m* radial tyre; **~rose** *f* shingles *sing od pl.*
GUS [geː|uː'|ɛs] *f abk* (= *Gemeinschaft Unabhängiger Staaten*) CIS.
Guß [gʊs] (**-sses, Güsse**) *m* casting; (*Regen~*) downpour; (*KOCH*) glazing; **~eisen** *nt* cast iron.
Gut [guːt] (**-(e)s, ¨-er**) *nt* (*Besitz*) possession; (*Landgut*) estate; **Güter** *pl* (*Waren*) goods *pl.*

SCHLÜSSELWORT

gut *adj* good; **das ist ~ gegen** *od* **für** (*umg*) **Husten** it's good for coughs; **sei so ~ (und) gib mir das** would you mind giving me that; **dafür ist er sich zu ~** he wouldn't stoop to that sort of thing; **das ist ja alles ~ und schön, aber** ... that's all very well but ...; **du bist ~!** (*umg*) you're a fine one!; **alles G~e** all the best; **also ~** all right then ♦ *adv* well; **du hast es ~!** you've got it made!; **~, aber** ... OK, but ...; **(na) ~, ich komme** all right, I'll come; **~ drei Stunden** a good three hours; **das kann ~ sein** that may well be; **~ und gern** easily; **laß es ~ sein** that'll do.

Gut- *zW:* **~achten** (**-s, -**) *nt* report; **~achter** (**-s, -**) *m* expert; **~achterkommission** *f* quango; **g~artig** *adj* good-natured; (*MED*) benign; **g~bürgerlich** *adj* (*Küche*) (good) plain; **~dünken** *nt:* **nach ~dünken** at one's discretion.
Güte ['gyːtə] (**-**) *f* goodness, kindness; (*Qualität*) quality; **ach du liebe** *od* **meine ~!** (*umg*) goodness me!; **~klasse** *f* (*COMM*) grade; **~klasseneinteilung** *f* (*COMM*) grading.
Güter- *zW:* **~abfertigung** *f* (*EISENB*) goods office; **~bahnhof** *m* goods station; **~trennung** *f* (*JUR*) separation of property; **~verkehr** *m* freight traffic; **~wagen** *m* goods waggon (*BRIT*), freight car (*US*); **~zug** *m* goods train (*BRIT*), freight train (*US*).
Gütesiegel *nt* (*COMM*) stamp of quality.
gut- *zW:* **~gehen** *unreg vi unpers* to work, come off; **es geht jdm ~** sb's doing fine; **das ist noch einmal ~gegangen** it turned out all right; **~gehend** *adj attrib* thriving; **~gelaunt** *adj* cheerful, in a good mood; **~gemeint** *adj* well meant; **~gläubig** *adj* trusting; **G~haben** (**-s**) *nt* credit; **~haben** *unreg vt:* **20 Mark (bei jdm) ~haben** to be in credit (with sb) to the tune of 20 marks; **~heißen** *unreg vt* to approve (of); **~herzig** *adj* kind(-hearted).
gütig ['gyːtɪç] *adj* kind.
gütlich ['gyːtlɪç] *adj* amicable.
gut- *zW:* **~machen** *vt* (*in Ordnung bringen: Fehler*) to put right, correct; (*Schaden*) to make good; **~mütig** *adj* good-natured; **G~mütigkeit** *f* good nature.
Gutsbesitzer(in) *m(f)* landowner.
Gut- *zW:* **~schein** *m* voucher; **g~schreiben** *unreg vt* to credit; **~schrift** *f* credit.
Gutsherr *m* squire.
Gutshof *m* estate.
gut- *zW:* **~situiert** *adj attrib* well-off; **~tun** *unreg vi:* **jdm ~tun** to do sb good; **~unterrichtet** *adj attrib* well-informed; **~willig** *adj* willing.
Gymnasiallehrer(in) [gʏmnazi'aːlleːrər(ɪn)] *m(f)* ≈ grammar school teacher (*BRIT*), high school teacher (*US*).
Gymnasium [gʏm'naːziʊm] *nt* ≈ grammar school (*BRIT*), high school (*US*).

The **Gymnasium** *is a selective secondary school. There are nine years of study at a Gymnasium leading to the* **Abitur** *which gives access to higher education. Pupils who successfully complete six years automatically gain the* **mittlere Reife**.

Gymnastik [gʏm'nastɪk] *f* exercises *pl*, keep-fit; **~ machen** to do keep-fit (exercises)/ gymnastics.
Gynäkologe [gynɛko'loːgə] (**-n, -n**) *m* gynaecologist (*BRIT*), gynecologist (*US*).
Gynäkologin [gynɛko'loːgɪn] *f* gynaecologist (*BRIT*), gynecologist (*US*).

H, h

H, h [haː] *nt* H, h; **~ wie Heinrich** ≈ H for Harry, H for How (*US*); (*MUS*) B.
ha *abk* = **Hektar.**
Haag [haːk] (**-s**) *m:* **Den ~** The Hague.
Haar [haːr] (**-(e)s, -e**) *nt* hair; **um ein ~** nearly; **~e auf den Zähnen haben** to be a tough customer; **sich die ~e raufen** (*umg*) to tear one's hair; **sich** *dat* **in die ~e kriegen** (*umg*) to quarrel; **das ist an den ~en herbeigezogen** that's rather far-fetched; **~ansatz** *m* hairline; **~bürste** *f* hairbrush.
haaren *vi, vr* to lose hair.
Haaresbreite *f:* **um ~** by a hair's-breadth.
Haarfestiger (**-s, -**) *m* setting lotion.
haargenau *adv* precisely.
haarig *adj* hairy; (*fig*) nasty.
Haar- *zW:* **~klammer** *f*, **~klemme** *f* hair grip (*BRIT*), barrette (*US*); **h~klein** *adv* in minute detail; **h~los** *adj* hairless; **~nadel** *f* hairpin; **h~scharf** *adv* (*beobachten*) very sharply; (*verfehlen*) by a hair's breadth; **~schnitt** *m* haircut; **~schopf** *m* head of hair; **~sieb** *nt* fine sieve; **~spalterei** *f* hair-splitting;

~**spange** *f* hair slide; **h~sträubend** *adj* hair-raising; ~**teil** *nt* hairpiece; ~**waschmittel** *nt* shampoo; ~**wasser** *nt* hair lotion.
Hab [ha:p] *nt:* ~ **und Gut** possessions *pl*, belongings *pl*, worldly goods *pl*.
Habe ['ha:bə] (-) *f* property.
haben ['ha:bən] *unreg vt, Hilfsverb* to have ♦ *vr unpers:* **und damit hat es sich** (*umg*) and that's that; **Hunger/Angst** ~ to be hungry/afraid; **da hast du 10 Mark** there's 10 Marks; **die ~'s (ja)** (*umg*) they can afford it; **Ferien** ~ to be on holiday; **es am Herzen** ~ (*umg*) to have heart trouble; **sie ist noch zu** ~ (*umg: nicht verheiratet*) she's still single; **für etw zu ~ sein** to be keen on sth; **sie werden schon merken, was sie an ihm** ~ they'll see how valuable he is; **haste was, biste was** (*Sprichwort*) money brings status; **wie gehabt!** some things don't change; **das hast du jetzt davon** now see what's happened; **woher hast du das?** where did you get that from?; **was hast du denn?** what's the matter (with you)?; **ich habe zu tun** I'm busy.
Haben (-s, -) *nt* (*COMM*) credit.
Habenseite *f* (*COMM*) credit side.
Habgier *f* avarice.
habgierig *adj* avaricious.
habhaft *adj:* **jds/einer Sache ~ werden** (*geh*) to get hold of sb/sth.
Habicht ['ha:bɪçt] (-(e)s, -e) *m* hawk.
Habilitation [habilitatsi'o:n] *f* (*Lehrberechtigung*) postdoctoral lecturing qualification.
Habseligkeiten ['ha:pze:lɪçkaɪtən] *pl* belongings *pl*.
Habsucht ['ha:pzʊxt] *f* greed.
Hachse ['haksə] (-, -n) *f* (*KOCH*) knuckle.
Hackbraten *m* meat loaf.
Hackbrett *nt* chopping board; (*MUS*) dulcimer.
Hacke ['hakə] (-, -n) *f* hoe; (*Ferse*) heel.
hacken *vt* to hack, chop; (*Erde*) to hoe.
Hacker ['hakər] (-s, -) *m* (*COMPUT*) hacker.
Hackfleisch *nt* mince, minced meat, ground meat (*US*).
Hackordnung *f* (*lit, fig*) pecking order.
Häcksel ['hɛksəl] (-s) *m od nt* chopped straw, chaff.
hadern ['ha:dərn] *vi* (*geh*): ~ **mit** to quarrel with; (*unzufrieden sein*) to be at odds with.
Hafen ['ha:fən] (-s, ¨) *m* harbour, harbor (*US*), port; (*fig*) haven; ~**anlagen** *pl* docks *pl*; ~**arbeiter** *m* docker; ~**damm** *m* jetty, mole; ~**gebühren** *pl* harbo(u)r dues *pl*; ~**stadt** *f* port.
Hafer ['ha:fər] (-s, -) *m* oats *pl*; **ihn sticht der** ~ (*umg*) he is feeling his oats; ~**brei** *m* porridge (*BRIT*), oatmeal (*US*); ~**flocken** *pl* rolled oats *pl* (*BRIT*), oatmeal (*US*); ~**schleim** *m* gruel.
Haff [haf] (-s, -s *od* -e) *nt* lagoon.
Haft [haft] (-) *f* custody; ~**anstalt** *f* detention centre (*BRIT*) *od* center (*US*); **h~bar** *adj* liable, responsible; ~**befehl** *m* warrant (for arrest); **einen ~befehl gegen jdn ausstellen** to issue a warrant for sb's arrest.
haften *vi* to stick, cling; ~ **für** to be liable *od* responsible for; **für Garderobe kann nicht gehaftet werden** all articles are left at owner's risk; ~**bleiben** *unreg vi:* ~**bleiben (an +dat)** to stick (to).
Häftling ['hɛftlɪŋ] *m* prisoner.
Haft- *zW:* ~**pflicht** *f* liability; ~**pflichtversicherung** *f* third party insurance; ~**richter** *m* magistrate.
Haftschalen *pl* contact lenses *pl*.
Haftung *f* liability.
Hagebutte ['ha:gəbʊtə] (-, -n) *f* rose hip.
Hagedorn *m* hawthorn.
Hagel ['ha:gəl] (-s) *m* hail; ~**korn** *nt* hailstone; (*MED*) eye cyst.
hageln *vi unpers* to hail.
Hagelschauer *m* (short) hailstorm.
hager ['ha:gər] *adj* gaunt.
Häher ['hɛ:ər] (-s, -) *m* jay.
Hahn [ha:n] (-(e)s, ¨e) *m* cock; (*Wasser~*) tap, faucet (*US*); (*Abzug*) trigger; ~ **im Korb sein** (*umg*) to be cock of the walk; **danach kräht kein ~ mehr** (*umg*) no one cares two hoots about that any more.
Hähnchen ['hɛ:nçən] *nt* cockerel; (*KOCH*) chicken.
Hai(fisch) ['haɪ(fɪʃ)] (-(e)s, -e) *m* shark.
Haiti [ha'i:ti] (-s) *nt* Haiti.
Häkchen ['hɛ:kçən] *nt* small hook.
Häkelarbeit *f* crochet work.
häkeln ['hɛ:kəln] *vt* to crochet.
Häkelnadel *f* crochet hook.
Haken ['ha:kən] (-s, -) *m* hook; (*fig*) catch; **einen ~ schlagen** to dart sideways; ~**kreuz** *nt* swastika; ~**nase** *f* hooked nose.
halb [halp] *adj* half ♦ *adv* (*beinahe*) almost; ~ **eins** half past twelve; **ein ~es Dutzend** half a dozen; **nichts H~es und nichts Ganzes** neither one thing nor the other; **(noch) ein ~es Kind sein** to be scarcely more than a child; **das ist ~ so schlimm** it's not as bad as all that; **mit jdm ~e-~e machen** (*umg*) to go halves with sb.
halb- *zW:* **H~blut** *nt* (*Tier*) crossbreed; **H~bruder** *m* half-brother; **H~dunkel** *nt* semi-darkness.
halber ['halbər] *präp +gen* (*wegen*) on account of; (*für*) for the sake of.
Halb- *zW:* **h~fett** *adj* medium fat; ~**finale** *nt* semi-final; ~**heit** *f* half-measure; **h~herzig** *adj* half-hearted.
halbieren [hal'bi:rən] *vt* to halve.
Halb- *zW:* ~**insel** *f* peninsula; **h~jährlich** *adj* half-yearly; ~**kreis** *m* semicircle; ~**kugel** *f* hemisphere; **h~lang** *adj:* **nun mach mal h~lang!** (*umg*) now wait a minute!; **h~laut** *adv* in an undertone; ~**leiter** *m* (*PHYS*)

semiconductor; **h~mast** *adv* at half-mast; **~mond** *m* half-moon; (*fig*) crescent; **h~offen** *adj* half-open; **~pension** *f* half-board (*BRIT*), European plan (*US*); **~schuh** *m* shoe; **~schwester** *f* half-sister; **h~seiden** *adj* (*lit*) fifty per cent silk; (*fig: Dame*) fast; (*: homosexuell*) gay; **h~seitig** *adj* (*Anzeige*) half-page; **~starke(r)** *f(m)* hooligan, rowdy; **h~tags** *adv*: **h~tags arbeiten** to work part-time; **~tagsarbeit** *f* part-time work; **~tagskraft** *f* part-time worker; **~ton** *m* half-tone; (*MUS*) semitone; **h~trocken** *adj* medium-dry; **~waise** *f* *child/person who has lost one parent*; **h~wegs** *adv* half-way; **h~wegs besser** more or less better; **~welt** *f* demimonde; **~wertzeit** *f* half-life; **~wüchsige(r)** *f(m)* adolescent; **~zeit** *f* (*SPORT*) half; (*Pause*) half-time.

Halde ['haldə] *f* tip; (*Schlacken~*) slag heap.

half *etc* [half] *vb siehe* **helfen.**

Hälfte ['hɛlftə] (-, **-n**) *f* half; **um die ~ steigen** to increase by half.

Halfter[1] ['halftər] (**-s, -**) *m od nt* (*für Tiere*) halter.

Halfter[2] ['halftər] (-, **-n** *od* **-s, -**) *f od nt* (*Pistolen~*) holster.

Hall [hal] (**-(e)s, -e**) *m* sound.

Halle ['halə] (-, **-n**) *f* hall; (*AVIAT*) hangar.

hallen *vi* to echo, resound.

Hallen- *in zW* indoor; **~bad** *nt* indoor swimming pool.

hallo [ha'loː] *interj* hallo.

Halluzination [halutsinatsi'oːn] *f* hallucination.

Halm ['halm] (**-(e)s, -e**) *m* blade, stalk.

Hals [hals] (**-es, ⸚e**) *m* neck; (*Kehle*) throat; **sich** *dat* **nach jdm/etw den ~ verrenken** (*umg*) to crane one's neck to see sb/sth; **jdm um den ~ fallen** to fling one's arms around sb's neck; **aus vollem ~(e)** at the top of one's voice; **~ über Kopf** in a rush; **jdn auf dem** *od* **am ~ haben** (*umg*) to be lumbered *od* saddled with sb; **das hängt mir zum ~ raus** (*umg*) I'm sick and tired of it; **sie hat es in den falschen ~ bekommen** (*falsch verstehen*) she took it wrongly; **~abschneider** (*pej: umg*) *m* shark; **~band** *nt* (*Hundehalsband*) collar; **h~brecherisch** *adj* (*Tempo*) breakneck; (*Fahrt*) hair-raising; **~kette** *f* necklace; **~krause** *f* ruff; **~-Nasen-Ohren-Arzt** *m* ear, nose and throat specialist; **~schlagader** *f* carotid artery; **~schmerzen** *pl* sore throat *sing*; **h~starrig** *adj* stubborn, obstinate; **~tuch** *nt* scarf; **~- und Beinbruch** *interj* good luck; **~weh** *nt* sore throat; **~wirbel** *m* cervical vertebra.

Halt [halt] (**-(e)s, -e**) *m* stop; (*fester ~*) hold; (*innerer ~*) stability; **h~!** stop!, halt!

hält [hɛlt] *vb siehe* **halten.**

Halt- *zW*: **h~bar** *adj* durable; (*Lebensmittel*) non-perishable; (*MIL, fig*) tenable; **h~bar bis 6.11.** use by 6 Nov.; **~barkeit** *f* durability; (non-)perishability; tenability; (*von Lebensmitteln*) shelf life; **~barkeitsdatum** *nt* best-before date.

halten ['haltən] *unreg vt* to keep; (*fest~*) to hold ♦ *vi* to hold; (*frisch bleiben*) to keep; (*stoppen*) to stop ♦ *vr* (*frisch bleiben*) to keep; (*sich behaupten*) to hold out; **den Mund ~** (*umg*) to keep one's mouth shut; **~ für** to regard as; **~ von** to think of; **das kannst du ~ wie du willst** that's completely up to you; **der Film hält nicht, was er verspricht** the film doesn't live up to expectations; **davon halt(e) ich nichts** I don't think much of it; **zu jdm ~** to stand *od* stick by sb; **an sich** *akk* **~** to restrain o.s.; **auf sich** *akk* **~** (*auf Äußeres achten*) to take a pride in o.s.; **er hat sich gut gehalten** (*umg*) he's well-preserved; **sich an ein Versprechen ~** to keep a promise; **sich rechts/links ~** to keep to the right/left.

Halter ['haltər] (**-s, -**) *m* (*Halterung*) holder.

Haltestelle *f* stop.

Halteverbot *nt*: **absolutes ~** no stopping; **eingeschränktes ~** no waiting; **hier ist ~** you cannot stop here.

Halt- *zW*: **h~los** *adj* unstable; **~losigkeit** *f* instability; **h~machen** *vi* to stop.

Haltung *f* posture; (*fig*) attitude; (*Selbstbeherrschung*) composure; **~ bewahren** to keep one's composure.

Halunke [ha'lʊŋkə] (**-n, -n**) *m* rascal.

Hamburg ['hambʊrk] (**-s**) *nt* Hamburg.

Hamburger (**-s, -**) *m* (*KOCH*) burger, hamburger.

Hamburger(in) (**-s, -**) *m(f)* native of Hamburg.

Hameln ['haːməln] *nt* Hamelin.

hämisch ['hɛːmɪʃ] *adj* malicious.

Hammel ['haməl] (**-s, ⸚** *od* **-**) *m* wether; **~fleisch** *nt* mutton; **~keule** *f* leg of mutton.

Hammelsprung *m* (*PARL*) division.

Hammer ['hamər] (**-s, ⸚**) *m* hammer; **das ist ein ~!** (*umg: unerhört*) that's absurd!

hämmern ['hɛmərn] *vt, vi* to hammer.

Hammondorgel ['hæmənd|ɔrgəl] *f* electric organ.

Hämorrhoiden [hɛmɔro'iːdən] *pl* piles *pl*, haemorrhoids *pl* (*BRIT*), hemorrhoids *pl* (*US*).

Hampelmann ['hampəlman] *m* (*lit, fig*) puppet.

Hamster ['hamstər] (**-s, -**) *m* hamster.

Hamsterei [hamstə'raɪ] *f* hoarding.

Hamsterer (**-s, -**) *m* hoarder.

hamstern *vi* to hoard.

Hand [hant] (-, **⸚e**) *f* hand; **etw zur ~ haben** to have sth to hand; (*Ausrede, Erklärung*) to have sth ready; **jdm zur ~ gehen** to lend sb a helping hand; **zu Händen von jdm** for the attention of sb; **in festen Händen sein** to be spoken for; **die ~ für jdn ins Feuer legen** to vouch for sb; **hinter vorgehaltener ~** on the quiet; **~ aufs Herz** cross your heart; **jdn auf Händen tragen** to cherish sb; **bei etw die** *od* **seine ~ im Spiel haben** to have a hand in sth; **eine ~ wäscht die andere** (*Sprichwort*) if you scratch my back I'll scratch yours; **das hat weder ~ noch Fuß** that doesn't make sense; **das liegt auf der ~** (*umg*) that's obvious; **an ~ eines Beispiels** by means of an example; **~arbeit** *f* manual work; (*Nadelarbeit*) needlework; **~arbeiter** *m* manual worker; **~ball** *m* handball; **~besen** *m* brush; **~betrieb** *m*: **mit ~betrieb** hand-operated; **~bewegung** *f* gesture; **~bibliothek** *f* (*in Bibliothek*) reference section; (*auf Schreibtisch*) reference books *pl*; **~bremse** *f* handbrake; **~buch** *nt* handbook, manual.

Händedruck *m* handshake.

Händeklatschen *nt* clapping, applause.

Handel[1] ['handəl] (**-s**) *m* trade; (*Geschäft*) transaction; **im ~ sein** to be on the market; **(mit jdm) ~ treiben** to trade (with sb); **etw in den ~ bringen/aus dem ~ ziehen** to put sth on/take sth off the market.

Handel[2] (**-s, ⸚**) *m* quarrel.

handeln ['handəln] *vi* to trade; (*tätig werden*) to act ♦ *vr unpers*: **sich ~ um** to be a question of, be about; **~ von** to be about; **ich lasse mit mir ~** I'm open to persuasion; (*in bezug auf Preis*) I'm open to offers.

Handeln (**-s**) *nt* action.

handelnd *adj*: **die ~en Personen in einem Drama** the characters in a drama.

Handels- *zW*: **~bank** *f* merchant bank (*BRIT*), commercial bank; **~bilanz** *f* balance of trade; **aktive/passive ~bilanz** balance of trade surplus/deficit; **~delegation** *f* trade mission; **h~einig** *adj*: **mit jdm h~einig werden** to conclude a deal with sb; **~gesellschaft** *f* commercial company; **~kammer** *f* chamber of commerce; **~klasse** *f* grade; **~marine** *f* merchant navy; **~marke** *f* trade name; **~name** *m* trade name; **~recht** *nt* commercial law; **~register** *nt* register of companies; **~reisende(r)** *f(m)* = **Handlungsreisende(r)** commercial traveller; **~sanktionen** *pl* trade sanctions *pl*; **~schule** *f* business school; **~spanne** *f* gross margin, mark-up; **~sperre** *f* trade embargo; **h~üblich** *adj* customary; **~vertreter** *m* sales representative; **~vertretung** *f* trade mission; **~ware** *f* commodity.

händeringend ['hɛndərɪŋənd] *adv* wringing one's hands; (*fig*) imploringly.

Hand- *zW*: **~feger** (**-s, -**) *m* brush; **~fertigkeit** *f* dexterity; **h~fest** *adj* hefty; **~fläche** *f* palm *od* flat (of one's hand); **h~gearbeitet** *adj* handmade; **~gelenk** *nt* wrist; **aus dem ~gelenk** (*umg: ohne Mühe*) effortlessly; (*: improvisiert*) off the cuff; **~gemenge** *nt* scuffle; **~gepäck** *nt* hand baggage *od* luggage; **h~geschrieben** *adj* handwritten; **~granate** *f* hand grenade; **h~greiflich** *adj* palpable; **h~greiflich werden** to become violent; **~griff** *m* flick of the wrist; **~habe** *f*: **ich habe gegen ihn keine ~habe** (*fig*) I have no hold on him; **h~haben** *unreg vt untr* to handle; **~karren** *m* handcart; **~käse** *m* *strong-smelling, round German cheese*; **~kuß** *m* kiss on the hand; **~langer** (**-s, -**) *m* odd-job man, handyman; (*fig: Untergeordneter*) dogsbody.

Händler ['hɛndlər] (**-s, -**) *m* trader, dealer.

handlich ['hantlɪç] *adj* handy.

Handlung ['handlʊŋ] *f* action; (*Tat*) act; (*in Buch*) plot; (*Geschäft*) shop.

Handlungs- *zW*: **~ablauf** *m* plot; **~bevollmächtigte(r)** *f(m)* authorized agent; **h~fähig** *adj* (*Regierung*) able to act; (*JUR*) empowered to act; **~freiheit** *f* freedom of action; **h~orientiert** *adj* action-orientated; **~reisende(r)** *f(m)* commercial traveller (*BRIT*), traveling salesman (*US*); **~vollmacht** *f* proxy; **~weise** *f* manner of dealing.

Hand- *zW*: **~pflege** *f* manicure; **~schelle** *f* handcuff; **~schlag** *m* handshake; **keinen ~schlag tun** not to do a stroke (of work); **~schrift** *f* handwriting; (*Text*) manuscript; **h~schriftlich** *adj* handwritten ♦ *adv* (*korrigieren, einfügen*) by hand; **~schuh** *m* glove; **~schuhfach** *nt* (*AUT*) glove compartment; **~tasche** *f* handbag (*BRIT*), pocket book (*US*), purse (*US*); **~tuch** *nt* towel; **~umdrehen** *nt*: **im ~umdrehen** (*fig*) in the twinkling of an eye.

Handwerk *nt* trade, craft; **jdm das ~ legen** (*fig*) to put a stop to sb's game.

Handwerker (**-s, -**) *m* craftsman, artisan; **wir haben seit Wochen die ~ im Haus** we've had workmen in the house for weeks.

Handwerkskammer *f* trade corporation.

Hand- *zW*: **~werkszeug** *nt* tools *pl*; **~wörterbuch** *nt* concise dictionary; **~zeichen** *nt* signal; (*Geste*) sign; (*bei Abstimmung*) show of hands; **~zettel** *m* leaflet, handbill.

Hanf [hanf] (**-(e)s**) *m* hemp.

Hang [haŋ] (**-(e)s, ⸚e**) *m* inclination; (*Ab~*) slope.

Hänge- ['hɛŋə] *in zW* hanging; **~brücke** *f* suspension bridge; **~matte** *f* hammock.

Hängen ['hɛŋən] *nt*: **mit ~ und Würgen** (*umg*) by the skin of one's teeth.

hängen *unreg vi* to hang ♦ *vt*: **~ (an +*akk*)** to hang (on(to)); **an jdm ~** (*fig*) to be attached to sb; **den Kopf ~ lassen** (*fig*) to be downcast; **die ganze Sache hängt an ihm** it all depends on him; **sich ~ an** +*akk* to hang on to, cling to.

hängenbleiben *unreg vi* to be caught; (*fig*) to remain, stick; **~ an** +*dat* to catch *od* get caught on; **es bleibt ja doch alles an mir hängen** (*fig: umg*) in the end it's all down to me anyhow.

hängend *adj*: **mit ~er Zunge kam er**

angelaufen (*fig*) he came running up panting.
hängenlassen *unreg vt* (*vergessen*) to leave behind ♦ *vr* to let o.s. go.
Hängeschloß *nt* padlock.
Hanglage *f*: **in ~** situated on a slope.
Hannover [ha'no:fər] **(-s)** *nt* Hanover.
Hannoveraner(in) [hanovə'ra:nər(ɪn)] **(-s, -)** *m(f)* Hanoverian.
hänseln ['hɛnzəln] *vt* to tease.
Hansestadt ['hanzəʃtat] *f* Hanseatic *od* Hanse town.
Hanswurst [hans'vʊrst] **(-(e)s, -e** *od* **-würste)** *m* clown.
Hantel ['hantəl] **(-, -n)** *f* (*SPORT*) dumb-bell.
hantieren [han'ti:rən] *vi* to work, be busy; **mit etw ~** to handle sth.
hapern ['ha:pərn] *vi unpers*: **es hapert an etw** *dat* there is a lack of sth.
Happen ['hapən] **(-s, -)** *m* mouthful.
happig ['hapɪç] (*umg*) *adj* steep.
Hardware ['ha:dwɛə] **(-, -s)** *f* hardware.
Harfe ['harfə] **(-, -n)** *f* harp.
Harke ['harkə] **(-, -n)** *f* rake.
harken *vt, vi* to rake.
harmlos ['harmlo:s] *adj* harmless.
Harmlosigkeit *f* harmlessness.
Harmonie [harmo'ni:] *f* harmony.
harmonieren *vi* to harmonize.
Harmonika [har'mo:nika] **(-, -s)** *f* (*Zieh~*) concertina.
harmonisch [har'mo:nɪʃ] *adj* harmonious.
Harmonium [har'mo:niʊm] **(-s, -nien** *od* **-s)** *nt* harmonium.
Harn ['harn] **(-(e)s, -e)** *m* urine; **~blase** *f* bladder.
Harnisch ['harnɪʃ] **(-(e)s, -e)** *m* armour, armor (*US*); **jdn in ~ bringen** to infuriate sb; **in ~ geraten** to become angry.
Harpune [har'pu:nə] **(-, -n)** *f* harpoon.
harren ['harən] *vi*: **~ auf** *+akk* to wait for.
Harsch [harʃ] **(-(e)s)** *m* frozen snow.
harschig *adj* (*Schnee*) frozen.
hart [hart] *adj* hard; (*fig*) harsh ♦ *adv*: **das ist ~ an der Grenze** that's almost going too far; **~e Währung** hard currency; **~ bleiben** to stand firm; **es geht ~ auf ~** it's a tough fight.
Härte ['hɛrtə] **(-, -n)** *f* hardness; (*fig*) harshness; **soziale ~n** social hardships; **~fall** *m* case of hardship; (*umg: Mensch*) hardship case; **~klausel** *f* hardship clause.
härten *vt, vr* to harden.
hart- *zW*: **H~faserplatte** *f* hardboard, fiberboard (*US*); **~gekocht** *adj* hard-boiled; **~gesotten** *adj* tough, hard-boiled; **~herzig** *adj* hard-hearted; **~näckig** *adj* stubborn; **H~näckigkeit** *f* stubbornness.
Harz[1] [ha:rts] **(-es, -e)** *nt* resin.
Harz[2] **(-es)** *m* (*GEOG*) Harz Mountains *pl*.
Haschee [ha'ʃe:] **(-s, -s)** *nt* hash.
haschen ['haʃən] *vt* to catch, snatch ♦ *vi* (*umg*) to smoke hash.
Haschisch ['haʃɪʃ] **(-)** *nt* hashish.
Hase ['ha:zə] **(-n, -n)** *m* hare; **falscher ~** (*KOCH*) meat loaf; **wissen, wie der ~ läuft** (*fig: umg*) to know which way the wind blows; **mein Name ist ~(, ich weiß von nichts)** I don't know anything about anything.
Haselnuß ['ha:zəlnʊs] *f* hazelnut.
Hasenfuß *m* coward.
Hasenscharte *f* harelip.
Haspel **(-, -n)** *f* reel, bobbin; (*Winde*) winch.
Haß [has] **(-sses)** *m* hate, hatred; **einen ~ (auf jdn) haben** (*umg: Wut*) to be really mad (with sb).
hassen ['hasən] *vt* to hate; **etw ~ wie die Pest** (*umg*) to detest sth.
hassenswert *adj* hateful.
häßlich ['hɛslɪç] *adj* ugly; (*gemein*) nasty; **H~keit** *f* ugliness; nastiness.
Haßliebe *f* love-hate relationship.
Hast [hast] **(-)** *f* haste.
hast *vb siehe* **haben.**
hasten *vi, vr* to rush.
hastig *adj* hasty.
hat [hat] *vb siehe* **haben.**
hätscheln ['hɛtʃəln] *vt* to pamper; (*zärtlich*) to cuddle.
hatte *etc* ['hatə] *vb siehe* **haben.**
hätte *etc* ['hɛtə] *vb siehe* **haben.**
Haube ['haʊbə] **(-, -n)** *f* hood; (*Mütze*) cap; (*AUT*) bonnet (*BRIT*), hood (*US*); **unter der ~ sein/unter die ~ kommen** (*hum*) to be/get married.
Hauch [haʊx] **(-(e)s, -e)** *m* breath; (*Luft~*) breeze; (*fig*) trace; **h~dünn** *adj* extremely thin; (*Scheiben*) wafer-thin; (*fig: Mehrheit*) extremely narrow; **h~en** *vi* to breathe; **h~fein** *adj* very fine.
Haue ['haʊə] **(-, -n)** *f* hoe; (*Pickel*) pick; (*umg*) hiding.
hauen *unreg vt* to hew, cut; (*umg*) to thrash.
Hauer ['hauər] **(-s, -)** *m* (*MIN*) face-worker.
Häufchen ['hɔyfçən] *nt*: **ein ~ Unglück** *od* **Elend** a picture of misery.
Haufen ['haʊfən] **(-s, -)** *m* heap; (*Leute*) crowd; **ein ~ (Bücher)** (*umg*) loads *od* a lot (of books); **auf einem ~** in one heap; **etw über den ~ werfen** (*umg: verwerfen*) to chuck sth out; **jdn über den ~ rennen** *od* **fahren** *etc* (*umg*) to knock sb down.
häufen ['hɔyfən] *vt* to pile up ♦ *vr* to accumulate.
haufenweise *adv* in heaps; in droves; **etw ~ haben** to have piles of sth.
häufig ['hɔyfɪç] *adj* frequent ♦ *adv* frequently; **H~keit** *f* frequency.
Haupt [haʊpt] **(-(e)s, Häupter)** *nt* head; (*Ober~*) chief ♦ *in zW* main; **~akteur** *m* (*lit, fig*) leading light; (*pej*) main figure; **~aktionär** *m* major shareholder; **~bahnhof** *m* central station; **h~beruflich** *adv* as one's main occupation;

~**buch** *nt* (*COMM*) ledger; ~**darsteller(in)** *m(f)* leading actor, leading actress; ~**eingang** *m* main entrance; ~**fach** *nt* (*SCH, UNIV*) main subject, major (*US*); **etw im ~fach studieren** to study sth as one's main subject, major in sth (*US*); ~**film** *m* main film; ~**gericht** *nt* main course; ~**geschäftsstelle** *f* head office; ~**geschäftszeit** *f* peak (shopping) period; ~**gewinn** *m* first prize; **einer der ~gewinne** one of the main prizes; ~**leitung** *f* mains *pl*.

Häuptling ['hɔʏptlɪŋ] *m* chief(tain).

Haupt- *zW:* ~**mahlzeit** *f* main meal; ~**mann** (**-(e)s,** *pl* **-leute**) *m* (*MIL*) captain; ~**nahrungsmittel** *nt* staple food; ~**person** *f* (*im Roman usw*) main character; (*fig*) central figure; ~**postamt** *nt* main post office; ~**quartier** *nt* headquarters *pl*; ~**rolle** *f* leading part; ~**sache** *f* main thing; **in der ~sache** in the main, mainly; **h~sächlich** *adj* chief ♦ *adv* chiefly; ~**saison** *f* peak *od* high season; ~**satz** *m* main clause; ~**schlagader** *f* aorta; ~**schlüssel** *m* master key.

Hauptschule *f* ≈ secondary modern (school) (*BRIT*), junior high (school) (*US*).

> *The* **Hauptschule** *is a non-selective school which pupils attend after the* **Grundschule**. *They complete five years of study and most go on to do some training in a practical subject or trade.*

Haupt- *zW:* ~**sendezeit** *f* (*TV*) prime time; ~**stadt** *f* capital; ~**straße** *f* main street; ~**verkehrsstraße** *f* (*in Stadt*) main street; (*Durchgangsstraße*) main thoroughfare; (*zwischen Städten*) main highway, trunk road (*BRIT*); ~**verkehrszeit** *f* rush hour; ~**versammlung** *f* general meeting; ~**wohnsitz** *m* main place of residence; ~**wort** *nt* noun.

hau ruck ['hau 'rʊk] *interj* heave-ho.

Haus [haʊs] (**-es, Häuser**) *nt* house; **nach ~e** home; **zu ~e** at home; **fühl dich wie zu ~e!** make yourself at home!; **ein Freund des ~es** a friend of the family; **wir liefern frei ~** (*COMM*) we offer free delivery; **das erste ~ am Platze** (*Hotel*) the best hotel in town; ~**angestellte** *f* domestic servant; ~**arbeit** *f* housework; (*SCH*) homework; ~**arrest** *m* (*im Internat*) detention; (*JUR*) house arrest; ~**arzt** *m* family doctor; ~**aufgabe** *f* (*SCH*) homework; ~**besetzung** *f* squat; ~**besitzer** *m* house-owner; ~**besuch** *m* home visit; (*von Arzt*) house call.

Häuschen ['hɔʏsçən] *nt:* **ganz aus dem ~ sein** (*fig: umg*) to be out of one's mind (with excitement/fear *etc*).

Hauseigentümer *m* house-owner.

hausen ['haʊzən] *vi* to live (in poverty); (*pej*) to wreak havoc.

Häuser- *zW:* ~**block** *m* block (of houses); ~**makler** *m* estate agent (*BRIT*), real estate agent (*US*); ~**reihe** *f*, ~**zeile** *f* row of houses; (*aneinandergebaut*) terrace (*BRIT*).

Haus- *zW:* ~**frau** *f* housewife; ~**freund** *m* family friend; (*umg*) lover; ~**friedensbruch** *m* (*JUR*) trespass (*in sb's house*); ~**gebrauch** *m:* **für den ~gebrauch** (*Gerät*) for domestic *od* household use; **h~gemacht** *adj* home-made; ~**gemeinschaft** *f* household (community); ~**halt** *m* household; (*POL*) budget; **h~halten** *unreg vi* to keep house; (*sparen*) to economize; ~**hälterin** *f* housekeeper.

Haushalts- *zW:* ~**auflösung** *f* dissolution of the household; ~**buch** *nt* housekeeping book; ~**debatte** *f* (*PARL*) budget debate; ~**geld** *nt* housekeeping (money); ~**gerät** *nt* domestic appliance; ~**hilfe** *f* domestic *od* home help; ~**jahr** *nt* (*POL, WIRTS*) financial *od* fiscal year; ~**periode** *f* budget period; ~**plan** *m* budget.

Haus- *zW:* ~**haltung** *f* housekeeping; ~**herr** *m* host; (*Vermieter*) landlord; **h~hoch** *adv:* **h~hoch verlieren** to lose by a mile.

hausieren [haʊ'ziːrən] *vi* to peddle.

Hausierer (**-s, -**) *m* pedlar (*BRIT*), peddler (*US*).

hausintern ['haus|ɪntɛrn] *adj* internal company *attrib*.

häuslich ['hɔʏslɪç] *adj* domestic; **sich irgendwo ~ einrichten** *od* **niederlassen** to settle in somewhere; **H~keit** *f* domesticity.

Hausmacherart ['hausmaxər|aːrt] *f:* **Wurst** *etc* **nach ~** home-made-style sausage *etc.*

Haus- *zW:* ~**mann** (**-(e)s,** *pl* **-männer**) *m* (*den Haushalt versorgender Mann*) househusband; ~**marke** *f* (*eigene Marke*) own brand; (*bevorzugte Marke*) favourite (*BRIT*) *od* favorite (*US*) brand; ~**meister** *m* caretaker, janitor; ~**mittel** *nt* household remedy; ~**nummer** *f* house number; ~**ordnung** *f* house rules *pl*; ~**putz** *m* house cleaning; ~**ratversicherung** *f* (household) contents insurance; ~**schlüssel** *m* front-door key; ~**schuh** *m* slipper; ~**schwamm** *m* dry rot.

Hausse ['hoːsə] (**-, -n**) *f* (*WIRTS*) boom; (*BÖRSE*) bull market; **~ an** *+dat* boom in.

Haus- *zW:* ~**segen** *m:* **bei ihnen hängt der ~segen schief** (*hum*) they're a bit short on domestic bliss; ~**stand** *m:* **einen ~stand gründen** to set up house *od* home; ~**suchung** *f* police raid; ~**suchungsbefehl** *m* search warrant; ~**tier** *nt* domestic animal; ~**tür** *f* front door; ~**verbot** *nt:* **jdm ~verbot erteilen** to ban sb from the house; ~**verwalter** *m* property manager; ~**verwaltung** *f* property management; ~**wirt** *m* landlord; ~**wirtschaft** *f* domestic science; **~-zu-~-Verkauf** *m* door-to-door selling.

Haut [haʊt] (**-, Häute**) *f* skin; (*Tier~*) hide; **mit ~ und Haar(en)** (*umg*) completely; **aus der ~ fahren** (*umg*) to go through the roof;

~**arzt** *m* skin specialist, dermatologist.
häuten ['hɔʏtən] *vt* to skin ♦ *vr* to shed one's skin.
hauteng *adj* skintight.
Hautfarbe *f* complexion.
Hautkrebs *m* (*MED*) skin cancer.
Havanna [ha'vana] (**-s**) *nt* Havana.
Havel ['ha:fəl] (-) *f* (*Fluß*) Havel.
Haxe ['haksə] (**-, -n**) *f* = **Hachse.**
Hbf. *abk* = **Hauptbahnhof.**
H-Bombe ['ha:bɔmbə] *f abk* H-bomb.
Hebamme ['he:p|amə] *f* midwife.
Hebel ['he:bəl] (**-s, -**) *m* lever; **alle ~ in Bewegung setzen** (*umg*) to move heaven and earth; **am längeren ~ sitzen** (*umg*) to have the whip hand.
heben ['he:bən] *unreg vt* to raise, lift; (*steigern*) to increase; **einen ~ gehen** (*umg*) to go for a drink.
Hebräer(in) [he'brɛ:ər(ɪn)] (**-s, -**) *m(f)* Hebrew.
hebräisch [he'brɛ:ɪʃ] *adj* Hebrew.
Hebriden [he'bri:dən] *pl*: **die ~** the Hebrides *pl*.
hecheln ['hɛçəln] *vi* (*Hund*) to pant.
Hecht [hɛçt] (**-(e)s, -e**) *m* pike; ~**sprung** *m* (*beim Schwimmen*) racing dive; (*beim Turnen*) forward dive; (*FUSSBALL: umg*) dive.
Heck [hɛk] (**-(e)s, -e**) *nt* stern; (*von Auto*) rear.
Hecke ['hɛkə] (**-, -n**) *f* hedge.
Heckenrose *f* dog rose.
Heckenschütze *m* sniper.
Heck- *zW*: ~**fenster** *nt* (*AUT*) rear window; ~**klappe** *f* tailgate; ~**motor** *m* rear engine.
heda ['he:da] *interj* hey there.
Heer [he:r] (**-(e)s, -e**) *nt* army.
Hefe ['he:fə] (**-, -n**) *f* yeast.
Heft ['hɛft] (**-(e)s, -e**) *nt* exercise book; (*Zeitschrift*) number; (*von Messer*) haft; **jdm das ~ aus der Hand nehmen** (*fig*) to seize control *od* power from sb.
Heftchen *nt* (*Fahrkarten~*) book of tickets; (*Briefmarken~*) book of stamps.
heften *vt*: **~ (an** *+akk*) to fasten (to); (*nähen*) to tack (on (to)); (*mit Heftmaschine*) to staple *od* fasten (to) ♦ *vr*: **sich an jds Fersen** *od* **Sohlen ~** (*fig*) to dog sb's heels.
Hefter (**-s, -**) *m* folder.
heftig *adj* fierce, violent; **H~keit** *f* fierceness, violence.
Heft- *zW*: ~**klammer** *f* staple; ~**maschine** *f* stapling machine; ~**pflaster** *nt* sticking plaster; ~**zwecke** *f* drawing pin (*BRIT*), thumb tack (*US*).
hegen ['he:gən] *vt* to nurse; (*fig*) to harbour (*BRIT*), harbor (*US*), foster.
Hehl [he:l] *m od nt*: **kein(en) ~ aus etw machen** to make no secret of sth.
Hehler (**-s, -**) *m* receiver (of stolen goods), fence.
Heide¹ ['haɪdə] (**-, -n**) *f* heath, moor; (*~kraut*) heather.
Heide² ['haɪdə] (**-n, -n**) *m* heathen, pagan.
Heidekraut *nt* heather.
Heidelbeere *f* bilberry.
Heiden- *zW*: ~**angst** (*umg*) *f*: **eine ~angst vor etw/jdm haben** to be scared stiff of sth/sb; ~**arbeit** (*umg*) *f* real slog; **h~mäßig** (*umg*) *adj* terrific; ~**tum** *nt* paganism.
Heidin *f* heathen, pagan.
heidnisch ['haɪdnɪʃ] *adj* heathen, pagan.
heikel ['haɪkəl] *adj* awkward, thorny; (*wählerisch*) fussy.
Heil [haɪl] (**-(e)s**) *nt* well-being; (*Seelen~*) salvation ♦ *interj* hail; **Ski/Petri ~!** good skiing/fishing!
heil *adj* in one piece, intact; **mit ~er Haut davonkommen** to escape unscathed; **die ~e Welt** an ideal world (*without problems etc*).
Heiland (**-(e)s, -e**) *m* saviour (*BRIT*), savior (*US*).
Heil- *zW*: ~**anstalt** *f* nursing home; (*für Sucht- oder Geisteskranke*) home; ~**bad** *nt* (*Bad*) medicinal bath; (*Ort*) spa; **h~bar** *adj* curable.
Heilbutt ['haɪlbʊt] (**-s, -e**) *m* halibut.
heilen *vt* to cure ♦ *vi* to heal; **als geheilt entlassen werden** to be discharged with a clean bill of health.
heilfroh *adj* very relieved.
Heilgymnastin *f* physiotherapist.
heilig ['haɪlɪç] *adj* holy; **jdm ~ sein** (*lit, fig*) to be sacred to sb; **die H~e Schrift** the Holy Scriptures *pl*; **es ist mein ~er Ernst** I am deadly serious; **H~abend** *m* Christmas Eve.
Heilige(r) *f(m)* saint.
heiligen *vt* to sanctify, hallow; **der Zweck heiligt die Mittel** the end justifies the means.
Heiligenschein *m* halo.
heilig- *zW*: **H~keit** *f* holiness; ~**sprechen** *unreg vt* to canonize; **H~tum** *nt* shrine; (*Gegenstand*) relic.
Heilkunde *f* medicine.
heillos *adj* unholy; (*Schreck*) terrible.
Heil- *zW*: ~**mittel** *nt* remedy; ~**praktiker(in)** (**-s, -**) *m(f)* non-medical practitioner; **h~sam** *adj* (*fig*) salutary.
Heilsarmee *f* Salvation Army.
Heilung *f* cure.
heim [haɪm] *adv* home.
Heim (**-(e), -e**) *nt* home; (*Wohn~*) hostel.
Heimarbeit *f* (*INDUSTRIE*) homework, outwork.
Heimat ['haɪma:t] (**-, -en**) *f* home (town/country *etc*); ~**film** *m sentimental film in idealized regional setting*; ~**kunde** *f* (*SCH*) local history; ~**land** *nt* homeland; **h~lich** *adj* native, home *attrib*; (*Gefühle*) nostalgic; **h~los** *adj* homeless; ~**museum** *nt* local history museum; ~**ort** *m* home town *od* area; ~**vertriebene(r)** *f(m)* displaced person.
heimbegleiten *vt* to accompany home.
Heimchen *nt*: **~ (am Herd)** (*pej: Frau*)

housewife.
Heimcomputer *m* home computer.
heimelig ['haɪməlɪç] *adj* homely.
Heim- *zW:* **h~fahren** *unreg vi* to drive *od* go home; **~fahrt** *f* journey home; **~gang** *m* return home; (*Tod*) decease; **h~gehen** *unreg vi* to go home; (*sterben*) to pass away; **h~isch** *adj* (*gebürtig*) native; **sich h~isch fühlen** to feel at home; **~kehr (-, -en)** *f* homecoming; **h~kehren** *vi* to return home; **~kind** *nt child brought up in a home*; **h~kommen** *unreg vi* to come home; **~leiter** *m* warden of a home/hostel.
heimlich *adj* secret ♦ *adv:* **~, still und leise** (*umg*) quietly, on the quiet; **H~keit** *f* secrecy; **H~tuerei** *f* secrecy.
Heim- *zW:* **~reise** *f* journey home; **~spiel** *nt* home game; **h~suchen** *vt* to afflict; (*Geist*) to haunt; **h~tückisch** *adj* malicious; **h~wärts** *adv* homewards; **~weg** *m* way home; **~weh** *nt* homesickness; **~weh haben** to be homesick; **~werker** *m* handyman; **h~zahlen** *vt:* **jdm etw h~zahlen** to pay back sb for sth.
Heini ['haɪni] **(-s, -s)** *m:* **blöder ~** (*umg*) silly idiot.
Heirat ['haɪraːt] **(-, -en)** *f* marriage; **h~en** *vt, vi* to marry.
Heirats- *zW:* **~antrag** *m* proposal (of marriage); **~anzeige** *f* (*Annonce*) advertisement for a marriage partner; **~schwindler** *m person who makes a marriage proposal under false pretences*; **~urkunde** *f* marriage certificate.
heiser ['haɪzər] *adj* hoarse; **H~keit** *f* hoarseness.
heiß [haɪs] *adj* hot; (*Thema*) hotly disputed; (*Diskussion, Kampf*) heated, fierce; (*Begierde, Liebe, Wunsch*) burning; **es wird nichts so ~ gegessen, wie es gekocht wird** (*Sprichwort*) things are never as bad as they seem; **~er Draht** hot line; **~es Eisen** (*fig: umg*) hot potato; **~es Geld** hot money; **jdn/etw ~ und innig lieben** to love sb/sth madly; **~blütig** *adj* hot-blooded.
heißen ['haɪsən] *unreg vi* to be called; (*bedeuten*) to mean ♦ *vt* to command; (*nennen*) to name ♦ *vi unpers:* **es heißt hier ...** it says here ...; **es heißt, daß ...** they say that ...; **wie ~ Sie?** what's your name?; **... und wie sie alle ~ ...** and the rest of them; **das will schon etwas ~** that's quite something; **jdn willkommen ~** to bid sb welcome; **das heißt** that is; (*mit anderen Worten*) that is to say.
Heiß- *zW:* **h~ersehnt** *adj* longed for; **~hunger** *m* ravenous hunger; **h~laufen** *unreg vi, vr* to overheat; **~luft** *f* hot air; **h~umstritten** *adj attrib* hotly debated; **~wasserbereiter** *m* water heater.
heiter ['haɪtər] *adj* cheerful; (*Wetter*) bright; **aus ~em Himmel** (*fig*) out of the blue; **H~keit** *f* cheerfulness; (*Belustigung*) amusement.
heizbar *adj* heated; (*Raum*) with heating; **leicht ~** easily heated.
Heizdecke *f* electric blanket.
heizen *vt* to heat.
Heizer (-s, -) *m* stoker.
Heiz- *zW:* **~gerät** *nt* heater; **~körper** *m* radiator; **~öl** *nt* fuel oil; **~sonne** *f* electric fire.
Heizung *f* heating.
Heizungsanlage *f* heating system.
Hektar [hɛk'taːr] **(-s, -e)** *nt od m* hectare.
Hektik ['hɛktɪk] *f* hectic rush; (*von Leben etc*) hectic pace.
hektisch ['hɛktɪʃ] *adj* hectic.
Hektoliter [hɛkto'liːtər] *m od nt* hectolitre (*BRIT*), hectoliter (*US*).
Held [hɛlt] **(-en, -en)** *m* hero; **h~enhaft** ['hɛldənhaft] *adj* heroic; **~in** *f* heroine.
helfen ['hɛlfən] *unreg vi* to help; (*nützen*) to be of use ♦ *vb unpers:* **es hilft nichts, du mußt ...** it's no use, you'll have to ...; **jdm (bei etw) ~** to help sb (with sth); **sich** *dat* **zu ~ wissen** to be resourceful; **er weiß sich** *dat* **nicht mehr zu ~** he's at his wits' end.
Helfer(in) (-s, -) *m(f)* helper, assistant.
Helfershelfer *m* accomplice.
Helgoland ['helgolant] **(-s)** *nt* Heligoland.
hell [hɛl] *adj* clear; (*Licht, Himmel*) bright; (*Farbe*) light; **~es Bier** ≈ lager; **von etw ~ begeistert sein** to be very enthusiastic about sth; **es wird ~** it's getting light; **~blau** *adj* light blue; **~blond** *adj* ash-blond.
Helle (-) *f* clearness; brightness.
Heller (-s, -) *m* farthing; **auf ~ und Pfennig** (down) to the last penny.
hellhörig *adj* keen of hearing; (*Wand*) poorly soundproofed.
hellicht ['hɛllɪçt] (*getrennt* **hell-licht**) *adj:* **am ~en Tage** in broad daylight.
Helligkeit *f* clearness; brightness; lightness.
hell- *zW:* **~sehen** *vi:* **~sehen können** to be clairvoyant; **H~seher(in)** *m(f)* clairvoyant; **~wach** *adj* wide-awake.
Helm ['hɛlm] **(-(e)s, -e)** *m* helmet.
Helsinki ['hɛlzɪŋki] **(-s)** *nt* Helsinki.
Hemd [hɛmt] **(-(e)s, -en)** *nt* shirt; (*Unter~*) vest; **~bluse** *f* blouse.
Hemdenknopf *m* shirt button.
hemdsärmelig *adj* shirt-sleeved; (*fig: umg: salopp*) pally; (*Ausdrucksweise*) casual.
Hemisphäre [hemi'sfɛːrə] *f* hemisphere.
hemmen ['hɛmən] *vt* to check, hold up; **gehemmt sein** to be inhibited.
Hemmschuh *m* (*fig*) impediment.
Hemmung *f* check; (*PSYCH*) inhibition; (*Bedenken*) scruple.
hemmungslos *adj* unrestrained, without restraint.
Hengst [hɛŋst] **(-es, -e)** *m* stallion.
Henkel ['hɛŋkəl] **(-s, -)** *m* handle; **~krug** *m* jug;

~**mann** (*umg*) *m* (*Gefäß*) canteen.
henken ['hɛŋkən] *vt* to hang.
Henker (**-s, -**) *m* hangman.
Henne ['hɛnə] (**-, -n**) *f* hen.
Hepatitis [hepa'tiːtɪs] *f* (**-, Hepatitiden**) hepatitis.

SCHLÜSSELWORT

her [heːr] *adv* **1** (*Richtung*): **komm ~ zu mir** come here (to me); **von England ~** from England; **von weit ~** from a long way away; **~ damit!** hand it over!; **wo bist du ~?** where do you come from?; **wo hat er das ~?** where did he get that from?
2 (*Blickpunkt*): **von der Form ~** as far as the form is concerned
3 (*zeitlich*): **das ist 5 Jahre ~** that was 5 years ago; **ich kenne ihn von früher ~** I know him from before.

herab [hɛ'rap] *adv* down, downward(s); ~**hängen** *unreg vi* to hang down; ~**lassen** *unreg vt* to let down ♦ *vr* to condescend; ~**lassend** *adj* condescending; **H~lassung** *f* condescension; ~**sehen** *unreg vi:* ~**sehen (auf** +*akk*) to look down (on); ~**setzen** *vt* to lower, reduce; (*fig*) to belittle, disparage; **zu stark ~gesetzten Preisen** at greatly reduced prices; **H~setzung** *f* reduction; disparagement; ~**stürzen** *vi* to fall off; (*Felsbrocken*) to fall down; **von etw ~stürzen** to fall off sth; to fall down from sth; ~**würdigen** *vt* to belittle, disparage.
heran [hɛ'ran] *adv:* **näher ~!** come closer!; **~ zu mir!** come up to me!; ~**bilden** *vt* to train; ~**bringen** *unreg vt:* ~**bringen (an** +*akk*) to bring up (to); ~**fahren** *unreg vi:* ~**fahren (an** +*akk*) to drive up (to); ~**gehen** *unreg vi:* **an etw** *akk* ~**gehen** (*an Problem, Aufgabe*) to tackle sth; ~**kommen** *unreg vi:* **(an jdn/etw) ~kommen** to approach (sb/sth), come near ((to) sb/sth); **er läßt alle Probleme an sich ~kommen** he always adopts a wait-and-see attitude; ~**machen** *vr:* **sich an jdn ~machen** to make up to sb; (*umg*) to approach sb; ~**wachsen** *unreg vi* to grow up; **H~wachsende(r)** *f(m)* adolescent; ~**winken** *vt* to beckon over; (*Taxi*) to hail; ~**ziehen** *unreg vt* to pull nearer; (*aufziehen*) to raise; (*ausbilden*) to train; (*zu Hilfe holen*) to call in; (*Literatur*) to consult; **etw zum Vergleich ~ziehen** to use sth by way of comparison; **jdn zu etw ~ziehen** to call upon sb to help in sth.
herauf [hɛ'raʊf] *adv* up, upward(s), up here; ~**beschwören** *unreg vt* to conjure up, evoke; ~**bringen** *unreg vt* to bring up; ~**setzen** *vt* to increase; ~**ziehen** *unreg vt* to draw *od* pull up ♦ *vi* to approach; (*Sturm*) to gather.
heraus [hɛ'raʊs] *adv* out; **nach vorn ~ wohnen** to live at the front (of the house); **~ mit der Sprache!** out with it!; ~**arbeiten** *vt* to work out; ~**bekommen** *unreg vt* to get out; (*fig*) to find *od* figure out; (*Wechselgeld*) to get back; ~**bringen** *unreg vt* to bring out; (*Geheimnis*) to elicit; **jdn/etw ganz groß ~bringen** (*umg*) to give sb/sth a big build-up; **aus ihm war kein Wort ~zubringen** they couldn't get a single word out of him; ~**finden** *unreg vt* to find out; ~**fordern** *vt* to challenge; (*provozieren*) to provoke; **H~forderung** *f* challenge; provocation; ~**geben** *unreg vt* to give up, surrender; (*Geld*) to give back; (*Buch*) to edit; (*veröffentlichen*) to publish ♦ *vi* (*Wechselgeld geben*): **können Sie (mir) ~geben?** can you give me change?; **H~geber** (**-s, -**) *m* editor; (*Verleger*) publisher; ~**gehen** *unreg vi:* **aus sich ~gehen** to come out of one's shell; ~**halten** *unreg vr:* **sich aus etw ~halten** to keep out of sth; ~**hängen** *unreg vt, vi* to hang out; ~**holen** *vt:* ~**holen (aus)** to get out (of); ~**hören** *vt* (*wahrnehmen*) to hear; (*fühlen*): ~**hören (aus)** to detect (in); ~**kehren** *vt* (*fig*): **den Vorgesetzten ~kehren** to act the boss; ~**kommen** *unreg vi* to come out; **dabei kommt nichts ~** nothing will come of it; **er kam aus dem Staunen nicht ~** he couldn't get over his astonishment; **es kommt auf dasselbe ~** it comes (down) to the same thing; ~**nehmen** *unreg vt* to take out; **sich** *dat* **Freiheiten ~nehmen** to take liberties; **Sie nehmen sich zuviel ~** you're going too far; ~**putzen** *vt:* **sich ~putzen** to get dressed up; ~**reden** *vr* to talk one's way out of it (*umg*); ~**reißen** *unreg vt* to tear out; (*Zahn, Baum*) to pull out; ~**rücken** *vt* (*Geld*) to fork out, hand over; **mit etw ~rücken** (*fig*) to come out with sth; ~**rutschen** *vi* to slip out; ~**schlagen** *unreg vt* to knock out; (*fig*) to obtain; ~**sein** *unreg vi:* **aus dem Gröbsten ~sein** to be over the worst; ~**stellen** *vr:* **sich ~stellen (als)** to turn out (to be); **das muß sich erst ~stellen** that remains to be seen; ~**strecken** *vt* to stick out; ~**suchen** *vt:* **sich** *dat* **jdn/etw ~suchen** to pick out sb/sth; ~**treten** *unreg vi:* ~**treten (aus)** to come out (of); ~**wachsen** *unreg vi:* ~**wachsen aus** to grow out of; ~**winden** *unreg vr* (*fig*): **sich aus etw ~winden** to wriggle out of sth; ~**wollen** *vi:* **nicht mit etw ~wollen** (*umg: sagen wollen*) to not want to come out with sth; ~**ziehen** *unreg vt* to pull out, extract.
herb [hɛrp] *adj* (slightly) bitter, acid; (*Wein*) dry; (*fig: schmerzlich*) bitter; (: *streng*) stern, austere.
herbei [hɛr'baɪ] *adv* (over) here; ~**führen** *vt* to bring about; ~**schaffen** *vt* to procure; ~**sehnen** *vt* to long for.
herbemühen ['heːrbəmyːən] *vr* to take the trouble to come.
Herberge ['hɛrbɛrgə] (**-, -n**) *f* (*Jugend~ etc*) hostel.
Herbergsmutter *f* warden.

Herbergsvater *m* warden.
herbitten *unreg vt* to ask to come (here).
herbringen *unreg vt* to bring here.
Herbst [hɛrpst] (**-(e)s, -e**) *m* autumn, fall (*US*); **im ~** in autumn, in the fall (*US*); **h~lich** *adj* autumnal.
Herd [heːrt] (**-(e)s, -e**) *m* cooker; (*fig, MED*) focus, centre (*BRIT*), center (*US*).
Herde ['heːrdə] (**-, -n**) *f* herd; (*Schaf~*) flock.
Herdentrieb *m* (*lit, fig: pej*) herd instinct.
Herdplatte *f* (*von Elektroherd*) hotplate.
herein [hɛ'raɪn] *adv* in (here), here; **~!** come in!; **~bitten** *unreg vt* to ask in; **~brechen** *unreg vi* to set in; **~bringen** *unreg vt* to bring in; **~dürfen** *unreg vi* to have permission to enter; **H~fall** *m* letdown; **~fallen** *unreg vi* to be caught, be taken in; **~fallen auf** *+akk* to fall for; **~kommen** *unreg vi* to come in; **~lassen** *unreg vt* to admit; **~legen** *vt*: **jdn ~legen** to take sb in; **~platzen** *vi* to burst in; **~schneien** (*umg*) *vi* to drop in; **~spazieren** *vi*: **~spaziert!** come right in!
her- *zW*: **H~fahrt** *f* journey here; **~fallen** *unreg vi*: **~fallen über** *+akk* to fall upon; **H~gang** *m* course of events, circumstances *pl*; **~geben** *unreg vt* to give, hand (over); **sich zu etw ~geben** to lend one's name to sth; **das Thema gibt viel/nichts ~** there's a lot/nothing to this topic; **~gebracht** *adj*: **in ~gebrachter Weise** in the traditional way; **~gehen** *unreg vi*: **hinter jdm ~gehen** to follow sb; **es geht hoch ~** there are a lot of goings-on; **~haben** *unreg* (*umg*) *vt*: **wo hat er das ~?** where did he get that from?; **~halten** *unreg vt* to hold out; **~halten müssen** (*umg*) to have to suffer; **~hören** *vi* to listen; **hör mal ~!** listen here!
Hering ['heːrɪŋ] (**-s, -e**) *m* herring; (*Zeltpflock*) (tent) peg.
herkommen *unreg vi* to come; **komm mal her!** come here!
herkömmlich *adj* traditional.
Herkunft (**-, -künfte**) *f* origin.
Herkunftsland *nt* (*COMM*) country of origin.
her- *zW*: **~laufen** *unreg vi*: **~laufen hinter** *+dat* to run after; **~leiten** *vr* to derive; **~machen** *vr*: **sich ~machen über** *+akk* to set about *od* upon ♦ *vt* (*umg*): **viel ~machen** to look impressive.
Hermelin [hɛrmə'liːn] (**-s, -e**) *m od nt* ermine.
hermetisch [hɛr'meːtɪʃ] *adj* hermetic; **~ abgeriegelt** completely sealed off.
her- *zW*: **~nach** *adv* afterwards; **~nehmen** *unreg vt*: **wo soll ich das ~nehmen?** where am I supposed to get that from?; **~nieder** *adv* down.
Heroin [hero'iːn] (**-s**) *nt* heroin.
heroisch [he'roːɪʃ] *adj* heroic.
Herold ['heːrɔlt] (**-(e)s, -e**) *m* herald.
Herpes ['hɛrpɛs] *m* (**-**) (*MED*) herpes.
Herr [hɛr] (**-(e)n, -en**) *m* master; (*Mann*) gentleman; (*adliger, REL*) Lord; (*vor Namen*) Mr.; **mein ~!** sir!; **meine ~en!** gentlemen!; **Lieber ~ A, Sehr geehrter ~ A** (*in Brief*) Dear Mr. A; **„~en"** (*Toilette*) "gentlemen" (*BRIT*), "men's room" (*US*); **die ~en der Schöpfung** (*hum: Männer*) the gentlemen.
Herrchen (*umg*) *nt* (*von Hund*) master.
Herren- *zW*: **~bekanntschaft** *f* gentleman friend; **~bekleidung** *f* menswear; **~besuch** *m* gentleman visitor *od* visitors; **~doppel** *nt* men's doubles; **~einzel** *nt* men's singles; **~haus** *nt* mansion; **h~los** *adj* ownerless; **~magazin** *nt* men's magazine.
Herrgott *m*: **~ noch mal!** (*umg*) damn it all!
Herrgottsfrühe *f*: **in aller ~** (*umg*) at the crack of dawn.
herrichten ['heːrrɪçtən] *vt* to prepare.
Herrin *f* mistress.
herrisch *adj* domineering.
herrje [hɛr'jeː] *interj* goodness gracious!
herrjemine [hɛr'jeːmine] *interj* goodness gracious!
herrlich *adj* marvellous (*BRIT*), marvelous (*US*), splendid; **H~keit** *f* splendour (*BRIT*), splendor (*US*), magnificence.
Herrschaft *f* power, rule; (*Herr und Herrin*) master and mistress; **meine ~en!** ladies and gentlemen!
herrschen ['hɛrʃən] *vi* to rule; (*bestehen*) to prevail, be; **hier ~ ja Zustände!** things are in a pretty state round here!
Herrscher(in) (**-s, -**) *m(f)* ruler.
Herrschsucht *f* domineeringness.
her- *zW*: **~rühren** *vi* to arise, originate; **~sagen** *vt* to recite; **~sehen** *unreg vi*: **hinter jdm/etw ~sehen** to follow sb/sth with one's eyes; **~sein** *unreg vi*: **das ist schon 5 Jahre ~** that was 5 years ago; **hinter jdm/etw ~sein** to be after sb/sth; **~stammen** *vi* to descend *od* come from; **~stellen** *vt* to make, manufacture; (*zustande bringen*) to establish; **H~steller** (**-s, -**) *m* manufacturer; **H~stellung** *f* manufacture; **H~stellungskosten** *pl* manufacturing costs *pl*; **~tragen** *unreg vt*: **etw hinter jdm ~tragen** to carry sth behind sb.
herüber [hɛ'ryːbər] *adv* over (here), across.
herum [hɛ'rʊm] *adv* about, (a)round; **um etw ~** around sth; **~ärgern** *vr*: **sich ~ärgern (mit)** to get annoyed (with); **~blättern** *vi*: **~blättern in** *+dat* to browse *od* flick through; **~doktern** (*umg*) *vi* to fiddle *od* tinker about; **~drehen** *vt*: **jdm das Wort im Mund ~drehen** to twist sb's words; **~drücken** *vr* (*vermeiden*): **sich um etw ~drücken** to dodge sth; **~fahren** *unreg vi* to travel around; (*mit Auto*) to drive around; (*sich rasch umdrehen*) to spin (a)round; **~führen** *vt* to show around; **~gammeln** (*umg*) *vi* to bum around; **~gehen** *unreg vi* (*~spazieren*) to walk about; **um etw ~gehen** to walk *od* go round sth; **etw ~gehen lassen** to circulate sth; **~hacken** *vi* (*fig: umg*): **auf jdm ~hacken** to pick on sb; **~irren** *vi* to wander about; **~kommen** *unreg*

(*umg*) *vi:* **um etw ~kommen** to get out of sth; **er ist viel ~gekommen** he has been around a lot; **~kriegen** *vt* to bring *od* talk round; **~lungern** *vi* to lounge about; (*umg*) to hang around; **~quälen** *vr:* **sich mit Rheuma ~quälen** to be plagued by rheumatism; **~reißen** *unreg vt* to swing around (hard); **~schlagen** *unreg vr:* **sich mit etw ~schlagen** (*umg*) to tussle with sth; **~schleppen** *vt:* **etw mit sich ~schleppen** (*Sorge, Problem*) to be troubled by sth; (*Krankheit*) to have sth; **~sprechen** *unreg vr* to get around, be spread; **~stochern** (*umg*) *vi:* **im Essen ~stochern** to pick at one's food; **~treiben** *unreg vi, vr* to drift about; **H~treiber(in)** (**-s, -**) (*pej*) *m(f)* tramp; **~ziehen** *unreg vi, vr* to wander about.

herunter [hɛ'rʊntər] *adv* downward(s), down (there); **~gekommen** *adj* run-down; **~handeln** (*umg*) *vt* (*Preis*) to beat down; **~hängen** *unreg vi* to hang down; **~holen** *vt* to bring down; **~kommen** *unreg vi* to come down; (*fig*) to come down in the world; **~leiern** (*umg*) *vt* to reel off; **~machen** *vt* to take down; (*schlechtmachen*) to run down, knock; **~putzen** (*umg*) *vt:* **jdn ~putzen** to tear sb off a strip; **~sein** *unreg* (*umg*) *vi:* **mit den Nerven/der Gesundheit ~sein** to be at the end of one's tether/be run-down; **~spielen** *vt* to play down; **~wirtschaften** (*umg*) *vt* to bring to the brink of ruin.

hervor [hɛr'foːr] *adv* out, forth; **~brechen** *unreg vi* to burst forth, break out; **~bringen** *unreg vt* to produce; (*Wort*) to utter; **~gehen** *unreg vi* to emerge, result; **daraus geht ~, daß ...** from this it follows that ...; **~heben** *unreg vt* to stress; (*als Kontrast*) to set off; **~ragend** *adj* excellent; (*lit*) projecting; **~rufen** *unreg vt* to cause, give rise to; **~stechen** *unreg vi* (*lit, fig*) to stand out; **~stoßen** *unreg vt* (*Worte*) to gasp (out); **~treten** *unreg vi* to come out; **~tun** *unreg vr* to distinguish o.s.; (*umg: sich wichtig tun*) to show off; **sich mit etw ~tun** to show off sth.

Herz [hɛrts] (**-ens, -en**) *nt* heart; (*KARTEN: Farbe*) hearts *pl*; **mit ganzem ~en** wholeheartedly; **etw auf dem ~en haben** to have sth on one's mind; **sich** *dat* **etw zu ~en nehmen** to take sth to heart; **du sprichst mir aus dem ~en** that's just what I feel; **es liegt mir am ~en** I am very concerned about it; **seinem ~en Luft machen** to give vent to one's feelings; **sein ~ an jdn/etw hängen** to commit o.s. heart and soul to sb/sth; **ein ~ und eine Seele sein** to be the best of friends; **jdn/etw auf ~ und Nieren prüfen** to examine sb/sth very thoroughly; **~anfall** *m* heart attack; **~beschwerden** *pl* heart trouble *sing*.

herzen *vt* to caress, embrace.

Herzenslust *f:* **nach ~** to one's heart's content.

Herz- *zW:* **h~ergreifend** *adj* heart-rending; **h~erweichend** *adj* heartrending; **~fehler** *m* heart defect; **h~haft** *adj* hearty.

herziehen ['heːrtsiːən] *vi:* **über jdn/etw ~** (*umg*) to pull sb/sth to pieces (*fig*).

Herz- *zW:* **~infarkt** *m* heart attack; **~klappe** *f* (heart) valve; **~klopfen** *nt* palpitation; **h~krank** *adj* suffering from a heart condition.

herzlich *adj* cordial ♦ *adv* (*sehr*): **~ gern!** with the greatest of pleasure!; **~en Glückwunsch** congratulations *pl*; **~e Grüße** best wishes; **H~keit** *f* cordiality.

herzlos *adj* heartless; **H~igkeit** *f* heartlessness.

Herzog ['hɛrtsoːk] (**-(e)s, ¨-e**) *m* duke; **~in** *f* duchess; **h~lich** *adj* ducal; **~tum** *nt* duchy.

Herz- *zW:* **~schlag** *m* heartbeat; (*MED*) heart attack; **~schrittmacher** *m* pacemaker; **h~zerreißend** *adj* heartrending.

Hesse ['hɛsə] (**-n, -n**) *m* Hessian.

Hessen ['hɛsən] (**-s**) *nt* Hesse.

Hessin *f* Hessian.

hessisch *adj* Hessian.

heterogen [hetero'geːn] *adj* heterogeneous.

heterosexuell [heterozɛ'ksuɛl] *adj* heterosexual.

Hetze ['hɛtsə] *f* (*Eile*) rush.

hetzen *vt* to hunt; (*verfolgen*) to chase ♦ *vi* (*eilen*) to rush; **jdn/etw auf jdn/etw ~** to set sb/sth on sb/sth; **~ gegen** to stir up feeling against; **~ zu** to agitate for.

Hetzerei [hɛtsə'raɪ] *f* agitation; (*Eile*) rush.

Hetzkampagne ['hɛtskampanjə] *f* smear campaign.

Heu [hɔʏ] (**-(e)s**) *nt* hay; **~boden** *m* hayloft.

Heuchelei [hɔʏçə'laɪ] *f* hypocrisy.

heucheln ['hɔʏçəln] *vt* to pretend, feign ♦ *vi* to be hypocritical.

Heuchler(in) [hɔʏçlər(ɪn)] (**-s, -**) *m(f)* hypocrite; **h~isch** *adj* hypocritical.

Heuer ['hɔʏər] (**-, -n**) *f* (*NAUT*) pay.

heuer *adv* this year.

heuern ['hɔʏərn] *vt* to sign on, hire.

Heugabel *f* pitchfork.

Heuhaufen *m* haystack.

heulen ['hɔʏlən] *vi* to howl; (*weinen*) to cry; **das ~de Elend bekommen** to get the blues.

heurig ['hɔʏrɪç] *adj* this year's.

Heuschnupfen *m* hay fever.

Heuschrecke *f* grasshopper; (*in heißen Ländern*) locust.

heute ['hɔʏtə] *adv* today; **~ abend/früh** this evening/morning; **~ morgen** this morning; **~ in einer Woche** a week today, today week; **von ~ auf morgen** (*fig: plötzlich*) overnight, from one day to the next; **das H~** today.

heutig ['hɔʏtɪç] *adj* today's; **unser ~es Schreiben** (*COMM*) our letter of today('s date).

heutzutage ['hɔʏttsutaːgə] *adv* nowadays.

Hexe ['hɛksə] (**-, -n**) *f* witch.

hexen *vi* to practise witchcraft; **ich kann**

doch nicht ~ I can't work miracles.
Hexen- *zW:* ~**häuschen** *nt* gingerbread house; ~**kessel** *m* (*lit, fig*) cauldron; ~**meister** *m* wizard; ~**schuß** *m* lumbago.
Hexerei [hɛksə'raɪ] *f* witchcraft.
HG *f abk* = **Handelsgesellschaft.**
Hg. *abk* (= *Herausgeber*) ed.
hg. *abk* (= *herausgegeben*) ed.
HGB (-) *nt abk* (= *Handelsgesetzbuch*) *statutes of commercial law.*
Hieb (**-(e)s, -e**) *m* blow; (*Wunde*) cut, gash; (*Stichelei*) cutting remark; ~**e bekommen** to get a thrashing.
hieb *etc* [hi:p] *vb* (*veraltet*) *siehe* **hauen.**
hieb- und stichfest *adj* (*fig*) watertight.
hielt *etc* [hi:lt] *vb siehe* **halten.**
hier [hi:r] *adv* here; ~ **spricht Dr. Müller** (*TEL*) this is Dr Müller (speaking); **er ist von** ~ he's a local (man).
Hierarchie [hierar'çi:] *f* hierarchy.
hier- *zW:* ~**auf** *adv* thereupon; (*danach*) after that; ~**aus** *adv:* ~**aus folgt, daß** ... from this it follows that ...; ~**behalten** *unreg vt* to keep here; ~**bei** *adv* (*bei dieser Gelegenheit*) on this occasion; ~**bleiben** *unreg vi* to stay here; ~**durch** *adv* by this means; (*örtlich*) through here; ~**her** *adv* this way, here; ~**hergehören** *vi* to belong here; (*fig: relevant sein*) to be relevant; ~**lassen** *unreg vt* to leave here; ~**mit** *adv* hereby; ~**mit erkläre ich** ... (*form*) I hereby declare ...; ~**nach** *adv* hereafter; ~**von** *adv* about this, hereof; ~**von abgesehen** apart from this; ~**zu** *adv* (*dafür*) for this; (*dazu*) with this; (*außerdem*) in addition to this, moreover; (*zu diesem Punkt*) about this; ~**zulande** *adv* in this country.
hiesig ['hi:zɪç] *adj* of this place, local.
hieß *etc* [hi:s] *vb siehe* **heißen.**
Hi-Fi-Anlage ['haɪfianla:gə] *f* hi-fi set *od* system.
High-Tech-Industrie ['haɪtɛkɪndʊs'tri:] *f* high tech *od* hi-tech industry.
Hilfe ['hɪlfə] (**-, -n**) *f* help; (*für Notleidende*) aid; **Erste** ~ first aid; **jdm** ~ **leisten** to help sb; ~! help!; ~**leistung** *f:* **unterlassene** ~**leistung** (*JUR*) denial of assistance; ~**stellung** *f* (*SPORT, fig*) support.
Hilf- *zW:* **h**~**los** *adj* helpless; ~**losigkeit** *f* helplessness; **h**~**reich** *adj* helpful.
Hilfs- *zW:* ~**aktion** *f* relief action, relief measures *pl*; ~**arbeiter** *m* labourer (*BRIT*), laborer (*US*); **h**~**bedürftig** *adj* needy; **h**~**bereit** *adj* ready to help; ~**kraft** *f* assistant, helper; ~**mittel** *nt* aid; ~**schule** *f* school for backward children; ~**zeitwort** *nt* auxiliary verb.
hilft [hɪlft] *vb siehe* **helfen.**
Himalaja [hi'ma:laja] (**-s**) *m:* **der** ~ the Himalayas *pl.*
Himbeere ['hɪmbe:rə] (**-, -n**) *f* raspberry.
Himmel ['hɪməl] (**-s, -**) *m* sky; (*REL, liter*) heaven; **um** ~**s willen** (*umg*) for Heaven's sake; **zwischen** ~ **und Erde** in midair; **h**~**angst** *adj:* **es ist mir h**~**angst** I'm scared to death; ~**bett** *nt* four-poster bed; **h**~**blau** *adj* sky-blue.
Himmelfahrt *f* Ascension.
Himmelfahrtskommando *nt* (*MIL: umg*) suicide squad; (*Unternehmen*) suicide mission.
Himmelreich *nt* (*REL*) Kingdom of Heaven.
himmelschreiend *adj* outrageous.
Himmelsrichtung *f* direction; **die vier** ~**en** the four points of the compass.
himmelweit *adj:* **ein** ~**er Unterschied** a world of difference.
himmlisch ['hɪmlɪʃ] *adj* heavenly.

SCHLÜSSELWORT

hin [hɪn] *adv* **1** (*Richtung*): ~ **und zurück** there and back; **einmal London** ~ **und zurück** a return to London (*BRIT*), a roundtrip ticket to London (*US*); ~ **und her** to and fro; **etw** ~ **und her überlegen** to turn sth over and over in one's mind; **bis zur Mauer** ~ up to the wall; **wo ist er** ~? where has he gone?; **nichts wie** ~! (*umg*) let's go then!; **nach außen** ~ (*fig*) outwardly; **Geld** ~**, Geld her** money or no money
2 (*auf ...* ~): **auf meine Bitte** ~ at my request; **auf seinen Rat** ~ on the basis of his advice; **auf meinen Brief** ~ on the strength of my letter
3: **mein Glück ist** ~ my happiness has gone; ~ **und wieder** (every) now and again.

hinab [hɪ'nap] *adv* down; ~**gehen** *unreg vi* to go down; ~**sehen** *unreg vi* to look down.
hinarbeiten ['hɪnarbaɪtən] *vi:* **auf etw** *akk* ~ (*auf Ziel*) to work towards sth.
hinauf [hɪ'naʊf] *adv* up; ~**arbeiten** *vr* to work one's way up; ~**steigen** *unreg vi* to climb.
hinaus [hɪ'naʊs] *adv* out; **hinten/vorn** ~ at the back/front; **darüber** ~ over and above this; **auf Jahre** ~ for years to come; ~**befördern** *vt* to kick *od* throw out; ~**fliegen** *unreg* (*umg*) *vi* to be kicked out; ~**führen** *vi:* **über etw** *akk* ~**führen** (*lit, fig*) to go beyond sth; ~**gehen** *unreg vi* to go out; ~**gehen über** *+akk* to exceed; ~**laufen** *unreg vi* to run out; ~**laufen auf** *+akk* to come to, amount to; ~**schieben** *unreg vt* to put off, postpone; ~**schießen** *unreg vi:* **über das Ziel** ~**schießen** (*fig*) to overshoot the mark; ~**wachsen** *unreg vi:* **er wuchs über sich selbst** ~ he surpassed himself; ~**werfen** *unreg vt* to throw out; ~**wollen** *vi* to want to go out; **hoch** ~**wollen** to aim high; ~**wollen auf** *+akk* to drive at, get at; ~**ziehen** *unreg vt* to draw out ♦ *vr* to be protracted; ~**zögern** *vt* to delay, put off ♦ *vr* to be delayed, be put off.
hinbekommen *unreg* (*umg*) *vt:* **das hast du gut** ~ you've made a good job of it.
hinblättern (*umg*) *vt* (*Geld*) to fork out.

Hinblick ['hɪnblɪk] *m*: **in** *od* **im** ~ **auf** *+akk* in view of.
hinderlich ['hɪndərlɪç] *adj* awkward; **jds Karriere** *dat* ~ **sein** to be a hindrance to sb's career.
hindern *vt* to hinder, hamper; **jdn an etw** *dat* ~ to prevent sb from doing sth.
Hindernis (-ses, -se) *nt* obstacle; **~lauf** *m*, **~rennen** *nt* steeplechase.
Hinderungsgrund *m* obstacle.
hindeuten ['hɪndɔʏtən] *vi*: ~ **auf** *+akk* to point to.
Hinduismus [hɪndu'ɪsmʊs] *m* Hinduism.
hindurch [hɪn'dʊrç] *adv* through; across; (*zeitlich*) over.
hindürfen [hɪn'dʏrfən] *unreg vi*: ~ **(zu)** to be allowed to go (to).
hinein [hɪ'naɪn] *adv* in; **bis tief in die Nacht** ~ well into the night; **~fallen** *unreg vi* to fall in; **~fallen in** *+akk* to fall into; **~finden** *unreg vr* (*fig: sich vertraut machen*) to find one's feet; (*sich abfinden*) to come to terms with it; **~gehen** *unreg vi* to go in; **~gehen in** *+akk* to go into, enter; **~geraten** *unreg vi*: **~geraten in** *+akk* to get into; **~knien** *vr* (*fig: umg*): **sich in etw** *akk* **~knien** to get into sth; **~lesen** *unreg vt*: **etw in etw** *akk* **~lesen** to read sth into sth; **~passen** *vi* to fit in; **~passen in** *+akk* to fit into; **~prügeln** *vt*: **etw in jdn ~prügeln** to cudgel sth into sb; **~reden** *vi*: **jdm ~reden** to interfere in sb's affairs; **~stecken** *vt*: **Geld/ Arbeit in etw** *akk* **~stecken** to put money/ some work into sth; **~steigern** *vr* to get worked up; **~versetzen** *vr*: **sich in jdn ~versetzen** to put o.s. in sb's position; **~ziehen** *unreg vt*: **~ziehen (in** *+akk*) to pull in (to); **jdn in etw ~ziehen** (*in Konflikt, Gespräch*) to draw sb into sth.
hin- *zW*: **~fahren** *unreg vi* to go; to drive ♦ *vt* to take; to drive; **H~fahrt** *f* journey there; **~fallen** *unreg vi* to fall down; **~fällig** *adj* frail, decrepit; (*Regel etc*) unnecessary; **~fliegen** *unreg vi* to fly there; (*umg: ~fallen*) to fall over; **H~flug** *m* outward flight.
hing *etc* [hɪŋ] *vb siehe* **hängen**.
hin- *zW*: **H~gabe** *f* devotion; **mit H~gabe tanzen/singen** *etc* (*fig*) to dance/sing *etc* with abandon; **~geben** *unreg vr +dat* to give o.s. up to, devote o.s. to; **~gebungsvoll** ['hɪnge:bʊŋsfɔl] *adv* (*begeistert*) with abandon; (*lauschen*) raptly.
hingegen [hɪn'ge:gən] *konj* however.
hin- *zW*: **~gehen** *unreg vi* to go; (*Zeit*) to pass; **gehst du auch ~?** are you going too?; **~gerissen** *adj*: **~gerissen sein** to be enraptured; **ich bin ganz ~- und hergerissen** (*ironisch*) that's absolutely great; **~halten** *unreg vt* to hold out; (*warten lassen*) to put off, stall; **H~haltetaktik** *f* stalling *od* delaying tactics *pl*.
hinhauen ['hɪnhaʊən] *unreg* (*umg*) *vi* (*klappen*) to work; (*ausreichen*) to do.
hinhören ['hɪnhø:rən] *vi* to listen.
hinken ['hɪŋkən] *vi* to limp; (*Vergleich*) to be unconvincing.
hin- *zW*: **~kommen** *unreg* (*umg*) *vi* (*auskommen*) to manage; (*: ausreichen, stimmen*) to be right; **~länglich** *adj* adequate ♦ *adv* adequately; **~legen** *vt* to put down ♦ *vr* to lie down; **sich der Länge nach ~legen** (*umg*) to fall flat; **~nehmen** *unreg vt* (*fig*) to put up with, take; **~reichen** *vi* to be adequate ♦ *vt*: **jdm etw ~reichen** to hand sb sth; **~reichend** *adj* adequate; (*genug*) sufficient; **H~reise** *f* journey out; **~reißen** *unreg vt* to carry away, enrapture; **sich ~reißen lassen, etw zu tun** to get carried away and do sth; **~reißend** *adj* (*Landschaft, Anblick*) enchanting; (*Schönheit, Mensch*) captivating; **~richten** *vt* to execute; **H~richtung** *f* execution; **~sehen** *unreg vi*: **bei genauerem H~sehen** on closer inspection.
hinsein ['hɪnzaɪn] *unreg* (*umg*) *vi* (*kaputt sein*) to have had it; (*Ruhe*) to be gone.
hin- *zW*: **~setzen** *vr* to sit down; **H~sicht** *f*: **in mancher** *od* **gewisser H~sicht** in some respects *od* ways; **~sichtlich** *präp +gen* with regard to; **~sollen** (*umg*) *vi*: **wo soll ich/das Buch ~?** where do I/does the book go?; **H~spiel** *nt* (*SPORT*) first leg; **~stellen** *vt* to put (down) ♦ *vr* to place o.s.
hintanstellen [hɪnt'|anʃtɛlən] *vt* (*fig*) to ignore.
hinten ['hɪntən] *adv* behind; (*rückwärtig*) at the back; ~ **und vorn** (*fig: betrügen*) left, right and centre; **das reicht ~ und vorn nicht** that's nowhere near enough; **~dran** (*umg*) *adv* at the back; **~herum** *adv* round the back; (*fig*) secretly.
hinter ['hɪntər] *präp* (*+dat od akk*) behind; (*: nach*) after; ~ **jdm hersein** to be after sb; ~ **die Wahrheit kommen** to get to the truth; **sich ~ jdn stellen** (*fig*) to support sb; **etw ~ sich** *dat* **haben** (*zurückgelegt haben*) to have got through sth; **sie hat viel ~ sich** she has been through a lot; **H~achse** *f* rear axle; **H~bänkler (-s, -)** *m* (*POL: pej*) backbencher; **H~bein** *nt* hind leg; **sich auf die H~beine stellen** to get tough; **H~bliebene(r)** *f(m)* surviving relative; **~drein** *adv* afterwards.
hintere(r, s) *adj* rear, back.
hinter- *zW*: **~'einander** *adv* one after the other; **zwei Tage ~einander** two days running; **~fotzig** (*umg*) *adj* underhanded; **~fragen** *vt untr* to analyse; **H~gedanke** *m* ulterior motive; **~gehen** *unreg vt untr* to deceive; **H~grund** *m* background; **~gründig** *adj* cryptic, enigmatic; **H~grundprogramm** *nt* (*COMPUT*) background program; **H~halt** *m* ambush; **etw im H~halt haben** to have sth in reserve; **~hältig** *adj* underhand, sneaky; **~her** *adv* afterwards, after; **~hersein** *unreg vi*: **er ist ~her, daß ...** (*fig*) he sees to it that ...; **H~hof** *m* back yard; **H~kopf** *m* back of one's

head; **H~land** *nt* hinterland; **~lassen** *unreg vt untr* to leave; **H~lassenschaft** *f* (testator's) estate; **~legen** *vt untr* to deposit; **H~legungsstelle** *f* depository; **H~list** *f* cunning, trickery; (*Handlung*) trick, dodge; **~listig** *adj* cunning, crafty; **H~mann** (**-(e)s**, *pl* **-männer**) *m* person behind; **die H~männer des Skandals** the men behind the scandal.

Hintern ['hıntərn] (**-s, -**) (*umg*) *m* bottom, backside; **jdm den ~ versohlen** to smack sb's bottom.

hinter- *zW:* **H~rad** *nt* back wheel; **H~radantrieb** *m* (*AUT*) rear-wheel drive; **~rücks** *adv* from behind; **H~teil** *nt* behind; **H~treffen** *nt:* **ins H~treffen kommen** to lose ground; **~treiben** *unreg vt untr* to prevent, frustrate; **H~treppe** *f* back stairs *pl*; **H~tür** *f* back door; (*fig: Ausweg*) escape, loophole; **H~wäldler** (**-s, -**) (*umg*) *m* backwoodsman, hillbilly (*bes US*); **~ziehen** *unreg vt untr* (*Steuern*) to evade (paying).

hintun ['hıntu:n] *unreg* (*umg*) *vt:* **ich weiß nicht, wo ich ihn ~ soll** (*fig*) I can't (quite) place him.

hinüber [hı'ny:bər] *adv* across, over; **~gehen** *unreg vi* to go over *od* across.

hinunter [hı'nʊntər] *adv* down; **~bringen** *unreg vt* to take down; **~schlucken** *vt* (*lit, fig*) to swallow; **~spülen** *vt* to flush away; (*Essen, Tablette*) to wash down; (*fig: Ärger*) to soothe; **~steigen** *unreg vi* to descend.

Hinweg ['hınve:k] *m* journey out.

hinweg- [hın'vɛk] *zW:* **~gehen** *unreg vi:* **über etw** *akk* **~gehen** (*fig*) to pass over sth; **~helfen** *unreg vi:* **jdm über etw** *akk* **~helfen** to help sb to get over sth; **~kommen** *unreg vi* (*fig*): **über etw** *akk* **~kommen** to get over sth; **~sehen** *unreg vi:* **darüber ~sehen, daß ...** to overlook the fact that ...; **~setzen** *vr:* **sich ~setzen über** *+akk* to disregard.

Hinweis ['hınvaıs] (**-es, -e**) *m* (*Andeutung*) hint; (*Anweisung*) instruction; (*Verweis*) reference; **sachdienliche ~e** relevant information.

hinweisen *unreg vi:* **~ auf** *+akk* to point to; (*verweisen*) to refer to; **darauf ~, daß ...** to point out that ...; (*anzeigen*) to indicate that ...

Hinweisschild *nt* sign.

Hinweistafel *f* sign.

hinwerfen *unreg vt* to throw down; **eine hingeworfene Bemerkung** a casual remark.

hinwirken *vi:* **auf etw** *akk* **~** to work towards sth.

Hinz [hınts] *m:* **~ und Kunz** (*umg*) every Tom, Dick and Harry.

hinziehen *unreg vr* (*fig*) to drag on.

hinzielen *vi:* **~ auf** *+akk* to aim at.

hinzu [hın'tsu:] *adv* in addition; **~fügen** *vt* to add; **H~fügung** *f:* **unter H~fügung von etw** (*form*) by adding sth; **~kommen** *unreg vi:* **es kommt noch ~, daß ...** there is also the fact that ...; **~ziehen** *unreg vt* to consult.

Hiobsbotschaft ['hi:ɔpsbo:tʃaft] *f* bad news.

Hirn [hırn] (**-(e)s, -e**) *nt* brain(s); **~gespinst** (**-(e)s, -e**) *nt* fantasy; **~hautentzündung** *f* (*MED*) meningitis; **h~tot** *adj* braindead; **h~verbrannt** *adj* (*umg*) harebrained.

Hirsch [hırʃ] (**-(e)s, -e**) *m* stag.

Hirse ['hırzə] (**-, -n**) *f* millet.

Hirt ['hırt] (**-en, -en**) *m*, **Hirte** (**-n, -n**) *m* herdsman; (*Schaf~, fig*) shepherd.

Hirtin *f* herdswoman; (*Schaf~*) shepherdess.

hissen ['hısən] *vt* to hoist.

Historiker [hıs'to:rikər] (**-s, -**) *m* historian.

historisch [hıs'to:rıʃ] *adj* historical.

Hit [hıt] (**-s, -s**) *m* (*MUS, fig: umg*) hit; **~parade** *f* hit parade.

Hitze ['hıtsə] (**-**) *f* heat; **h~beständig** *adj* heat-resistant; **h~frei** *adj:* **h~frei haben** *to have time off school/work because of excessive heat*; **~welle** *f* heat wave.

hitzig *adj* hot-tempered; (*Debatte*) heated.

Hitz- *zW:* **~kopf** *m* hothead; **h~köpfig** *adj* fiery, hot-headed; **~schlag** *m* heatstroke.

HIV-negativ *adj* HIV-negative.

HIV-positiv *adj* HIV-positive.

hl. *abk* = **heilig.**

H-Milch ['ha:mılç] *f* long-life milk, UHT milk.

HNO-Arzt *m* ENT specialist.

hob *etc* [ho:p] *vb siehe* **heben.**

Hobby ['hɔbi] (**-s, -s**) *nt* hobby.

Hobel ['ho:bəl] (**-s, -**) *m* plane; **~bank** *f* carpenter's bench.

hobeln *vt, vi* to plane.

Hobelspäne *pl* wood shavings *pl*.

hoch [ho:x] (*attrib* **hohe(r, s)**) *adj* high ♦ *adv:* **wenn es ~ kommt** (*umg*) at (the) most, at the outside; **das ist mir zu ~** (*umg*) that's above my head; **ein hohes Tier** (*umg*) a big fish; **es ging ~ her** (*umg*) we/they *etc* had a whale of a time; **~ und heilig versprechen** to promise faithfully.

Hoch (**-s, -s**) *nt* (*Ruf*) cheer; (*MET, fig*) high.

hoch- *zW:* **~achten** *vt* to respect; **H~achtung** *f* respect, esteem; **mit vorzüglicher H~achtung** (*form: Briefschluß*) yours faithfully; **~achtungsvoll** *adv* yours faithfully; **~aktuell** *adj* highly topical; **H~amt** *nt* high mass; **~arbeiten** *vr* to work one's way up; **~begabt** *adj* extremely gifted; **~betagt** *adj* very old, aged; **H~betrieb** *m* intense activity; (*COMM*) peak time; **H~betrieb haben** to be at one's *od* its busiest; **~bringen** *unreg vt* to bring up; **H~burg** *f* stronghold; **H~deutsch** *nt* High German; **~dotiert** *adj* highly paid; **H~druck** *m* high pressure; **H~ebene** *f* plateau; **~empfindlich** *adj* highly sensitive; (*Film*) high-speed; **~entwickelt** *adj attrib* (*Kultur, Land*) highly developed; (*Geräte, Methoden*) sophisticated; **~erfreut** *adj* highly delighted; **~fahren** *unreg vi* (*erschreckt*) to jump;

~**fliegend** *adj* ambitious; (*fig*) high-flown; **H~form** *f* top form; **H~gebirge** *nt* high mountains *pl*; **H~gefühl** *nt* elation; ~**gehen** *unreg* (*umg*) *vi* (*explodieren*) to blow up; (*Bombe*) to go off; **H~genuß** *m* great *od* special treat; (*großes Vergnügen*) great pleasure; ~**geschlossen** *adj* (*Kleid etc*) high-necked; ~**gestellt** *adj attrib* (*fig: Persönlichkeit*) high-ranking; **H~glanz** *m* high polish; (*PHOT*) gloss; ~**gradig** *adj* intense, extreme; ~**halten** *unreg vt* to hold up; (*fig*) to uphold, cherish; **H~haus** *nt* multi-storey building; ~**heben** *unreg vt* to lift (up); ~**kant** *adv*: **jdn ~kant hinauswerfen** (*fig: umg*) to chuck sb out on his/her ear; ~**kommen** *unreg vi* (*nach oben*) to come up; (*fig: gesund werden*) to get back on one's feet; (*beruflich, gesellschaftlich*) to come up in the world; **H~konjunktur** *f* boom; ~**krempeln** *vt* to roll up; **H~land** *nt* highlands *pl*; ~**leben** *vi*: **jdn ~leben lassen** to give sb three cheers; **H~leistungssport** *m* competitive sport; ~**modern** *adj* very modern, ultra-modern; **H~mut** *m* pride; ~**mütig** *adj* proud, haughty; ~**näsig** *adj* stuck-up, snooty; ~**nehmen** *unreg vt* to pick up; **jdn ~nehmen** (*umg: verspotten*) to pull sb's leg; **H~ofen** *m* blast furnace; ~**prozentig** *adj* (*Alkohol*) strong; **H~rechnung** *f* projected result; **H~saison** *f* high season; **H~schätzung** *f* high esteem.

Hochschulabschluß *m* degree.

Hochschulbildung *f* higher education.

Hochschule *f* college; (*Universität*) university.

Hochschulreife *f*: **er hat (die) ~** ≈ he's got his A-levels (*BRIT*), he's graduated from high school (*US*).

hoch- *zW*: ~**schwanger** *adj* heavily pregnant, well advanced in pregnancy; **H~seefischerei** *f* deep-sea fishing; **H~sitz** *m* (*Jagd*) (raised) hide; **H~sommer** *m* middle of summer; **H~spannung** *f* high tension; ~**spielen** *vt* (*fig*) to blow up; **H~sprache** *f* standard language; ~**springen** *unreg vi* to jump up; **H~sprung** *m* high jump.

höchst [hø:çst] *adv* highly, extremely.

Hochstapler ['ho:xsta:plər] (**-s, -**) *m* swindler.

höchste(r, s) *adj* highest; (*äußerste*) extreme; **die ~ Instanz** (*JUR*) the supreme court of appeal.

höchstens *adv* at the most.

Höchstgeschwindigkeit *f* maximum speed.

Höchstgrenze *f* upper limit.

Hochstimmung *f* high spirits *pl*.

Höchst- *zW*: ~**leistung** *f* best performance; (*bei Produktion*) maximum output; **h~persönlich** *adv* personally, in person; ~**preis** *m* maximum price; ~**stand** *m* peak; **h~wahrscheinlich** *adv* most probably.

Hoch- *zW*: ~**technologie** *f* high technology; **h~technologisch** *adj* high-tech; ~**temperatur-Reaktor** *m* high-temperature reactor; ~**tour** *f*: **auf ~touren laufen** *od* **arbeiten** to be working flat out; **h~trabend** *adj* pompous; ~**- und Tiefbau** *m* structural and civil engineering; ~**verrat** *m* high treason; ~**wasser** *nt* high water; (*Überschwemmung*) floods *pl*; **h~wertig** *adj* high-class, first-rate; ~**würden** *m* Reverend; ~**zahl** *f* (*MATH*) exponent.

Hochzeit ['hɔxtsaɪt] (**-, -en**) *f* wedding; **man kann nicht auf zwei ~en tanzen** (*Sprichwort*) you can't have your cake and eat it.

Hochzeitsreise *f* honeymoon.

Hochzeitstag *m* wedding day; (*Jahrestag*) wedding anniversary.

hochziehen *unreg vt* (*Rolladen, Hose*) to pull up; (*Brauen*) to raise.

Hocke ['hɔkə] (**-, -n**) *f* squatting position; (*beim Turnen*) squat vault; (*beim Skilaufen*) crouch.

hocken ['hɔkən] *vi, vr* to squat, crouch.

Hocker (**-s, -**) *m* stool.

Höcker ['hœkər] (**-s, -**) *m* hump.

Hockey ['hɔki] (**-s**) *nt* hockey.

Hoden ['ho:dən] (**-s, -**) *m* testicle.

Hodensack *m* scrotum.

Hof [ho:f] (**-(e)s, ⸚e**) *m* (*Hinter~*) yard; (*Bauern~*) farm; (*Königs~*) court; **einem Mädchen den ~ machen** (*veraltet*) to court a girl.

hoffen ['hɔfən] *vi*: **~ (auf** *+akk*) to hope (for).

hoffentlich *adv* I hope, hopefully.

Hoffnung ['hɔfnʊŋ] *f* hope; **jdm ~en machen** to raise sb's hopes; **sich** *dat* **~en machen** to have hopes; **sich** *dat* **keine ~en machen** not to hold out any hope(s).

Hoffnungs- *zW*: **h~los** *adj* hopeless; ~**losigkeit** *f* hopelessness; ~**schimmer** *m* glimmer of hope; **h~voll** *adj* hopeful.

höflich ['hø:flɪç] *adj* courteous, polite; **H~keit** *f* courtesy, politeness.

hohe(r, s) ['ho:ə(r, s)] *adj siehe* **hoch**.

Höhe ['hø:ə] (**-, -n**) *f* height; (*An~*) hill; **nicht auf der ~ sein** (*fig: umg*) to feel below par; **ein Scheck in ~ von ...** a cheque (*BRIT*) *od* check (*US*) for the amount of ...; **das ist doch die ~** (*fig: umg*) that's the limit; **er geht immer gleich in die ~** (*umg*) he always flares up; **auf der ~ der Zeit sein** to be up-to-date.

Hoheit ['ho:haɪt] *f* (*POL*) sovereignty; (*Titel*) Highness.

Hoheits- *zW*: ~**gebiet** *nt* sovereign territory; ~**gewalt** *f* (national) jurisdiction; ~**gewässer** *nt* territorial waters *pl*; ~**zeichen** *nt* national emblem.

Höhen- *zW*: ~**angabe** *f* altitude reading; (*auf Karte*) height marking; ~**flug** *m*: **geistiger ~flug** intellectual flight; ~**lage** *f* altitude; ~**luft** *f* mountain air; ~**messer** *m* altimeter; ~**sonne** *f* sun lamp; ~**unterschied** *m* difference in altitude; ~**zug** *m* mountain chain.

Höhepunkt *m* climax; (*des Lebens*) high

point.
höher *adj, adv* higher.
hohl [ho:l] *adj* hollow; (*umg: dumm*) hollow(-headed).
Höhle ['hø:lə] (-, -n) *f* cave; hole; (*Mund~*) cavity; (*fig, ZOOL*) den.
Hohl- *zW:* ~**heit** *f* hollowness; ~**kreuz** *nt* (*MED*) hollow back; ~**maß** *nt* measure of volume; ~**raum** *m* hollow space; (*Gebäude*) cavity; ~**saum** *m* hemstitch; ~**spiegel** *m* concave mirror.
Hohn [ho:n] (-(e)s) *m* scorn; **das ist der reinste** ~ it's sheer mockery.
höhnen ['hø:nən] *vt* to taunt, scoff at.
höhnisch *adj* scornful, taunting.
Hokuspokus [ho:kʊs'po:kʊs] (-) *m* (*Zauberformel*) hey presto; (*fig: Täuschung*) hocus-pocus.
hold [hɔlt] *adj* charming, sweet.
holen ['ho:lən] *vt* to get, fetch; (*Atem*) to take; **jdn/etw ~ lassen** to send for sb/sth; **sich** *dat* **eine Erkältung** ~ to catch a cold.
Holland ['hɔlant] (-s) *nt* Holland.
Holländer ['hɔlɛndər] (-s, -) *m* Dutchman.
Holländerin *f* Dutchwoman, Dutch girl.
holländisch *adj* Dutch.
Hölle ['hœlə] (-, -n) *f* hell; **ich werde ihm die ~ heiß machen** (*umg*) I'll give him hell.
Höllenangst *f:* **eine ~ haben** to be scared to death.
Höllenlärm *m* infernal noise (*umg*).
höllisch ['hœlɪʃ] *adj* hellish, infernal.
Hologramm [holo'gram] (-s, -e) *nt* hologram.
holperig ['hɔlpərɪç] *adj* rough, bumpy.
holpern ['hɔlpərn] *vi* to jolt.
Holunder [ho'lʊndər] (-s, -) *m* elder.
Holz [hɔlts] (-es, ¨-er) *nt* wood; **aus** ~ made of wood, wooden; **aus einem anderen/demselben ~ geschnitzt sein** (*fig*) to be cast in a different/the same mould; **gut ~!** (*Kegeln*) have a good game!; ~**bläser** *m* woodwind player.
hölzern ['hœltsərn] *adj* (*lit, fig*) wooden.
Holz- *zW:* ~**fäller** (-s, -) *m* lumberjack, woodcutter; ~**faserplatte** *f* (wood) fibreboard (*BRIT*) *od* fiberboard (*US*); **h~frei** *adj* (*Papier*) wood-free.
holzig *adj* woody.
Holz- *zW:* ~**klotz** *m* wooden block; ~**kohle** *f* charcoal; ~**kopf** *m* (*fig: umg*) blockhead, numbskull; ~**scheit** *nt* log; ~**schuh** *m* clog; ~**weg** *m* (*fig*) wrong track; ~**wolle** *f* fine wood shavings *pl*; ~**wurm** *m* woodworm.
Homecomputer ['hoʊmkɔm'pju:tər] (-s, -) *m* home computer.
homogen [homo'ge:n] *adj* homogenous.
Homöopath [homøo'pa:t] (-en, -en) *m* homeopath.
Homöopathie [homøopa'ti:] *f* homeopathy, homeopathic medicine.
homosexuell [homozɛksu'ɛl] *adj* homosexual.
Honduras [hɔn'du:ras] (-) *nt* Honduras.
Hongkong [hɔŋ'kɔŋ] (-s) *nt* Hong Kong.
Honig ['ho:nɪç] (-s, -e) *m* honey; ~**lecken** *nt* (*fig*): **das ist kein ~lecken** it's no picnic; ~**melone** *f* honeydew melon; ~**wabe** *f* honeycomb.
Honorar [hono'ra:r] (-s, -e) *nt* fee.
Honoratioren [honoratsi'o:rən] *pl* dignitaries *pl*.
honorieren [hono'ri:rən] *vt* to remunerate; (*Scheck*) to honour (*BRIT*), honor (*US*).
Hopfen ['hɔpfən] (-s, -) *m* hops *pl*; **bei ihm ist ~ und Malz verloren** (*umg*) he's a dead loss.
hoppla ['hɔpla] *interj* whoops.
hopsen ['hɔpsən] *vi* to hop.
Hörapparat *m* hearing aid.
hörbar *adj* audible.
horch [hɔrç] *interj* listen.
horchen *vi* to listen; (*pej*) to eavesdrop.
Horcher (-s, -) *m* listener; eavesdropper.
Horde ['hɔrdə] (-, -n) *f* horde.
hören ['hø:rən] *vt, vi* to hear; **auf jdn/etw** ~ to listen to sb/sth; **ich lasse von mir** ~ I'll be in touch; **etwas/nichts von sich ~ lassen** to get/not to get in touch; **H~** *nt:* **es verging ihm H~ und Sehen** (*umg*) he didn't know whether he was coming or going.
Hörensagen *nt:* **vom** ~ from hearsay.
Hörer (-s, -) *m* (*RUNDF*) listener; (*UNIV*) student; (*Telefon~*) receiver.
Hörfunk *m* radio.
Hörgerät *nt* hearing aid.
hörig ['hø:rɪç] *adj:* **sie ist ihm (sexuell)** ~ he has (sexual) power over her.
Horizont [hori'tsɔnt] (-(e)s, -e) *m* horizon; **das geht über meinen** ~ (*fig*) that is beyond me.
horizontal [horitsɔ'ta:l] *adj* horizontal.
Hormon [hɔr'mo:n] (-s, -e) *nt* hormone.
Hörmuschel *f* (*TEL*) earpiece.
Horn [hɔrn] (-(e)s, ¨-er) *nt* horn; **ins gleiche** *od* **in jds ~ blasen** to chime in; **sich** *dat* **die Hörner abstoßen** (*umg*) to sow one's wild oats; ~**brille** *f* horn-rimmed spectacles *pl*.
Hörnchen ['hœrnçən] *nt* (*Gebäck*) croissant.
Hornhaut *f* horny skin; (*des Auges*) cornea.
Hornisse [hɔr'nɪsə] (-, -n) *f* hornet.
Hornochs(e) *m* (*fig: umg*) blockhead, idiot.
Horoskop [horo'sko:p] (-s, -e) *nt* horoscope.
Hör- *zW:* ~**rohr** *nt* ear trumpet; (*MED*) stethoscope; ~**saal** *m* lecture room; ~**spiel** *nt* radio play.
Horst [hɔrst] (-(e)s, -e) *m* (*Nest*) nest; (*Adler~*) eyrie.
Hort [hɔrt] (-(e)s, -e) *m* hoard; (*SCH*) nursery school; **h~en** *vt* to hoard.
Hörweite *f:* **in/außer** ~ within/out of hearing *od* earshot.
Hose ['ho:ze] (-, -n) *f* trousers *pl*, pants *pl* (*US*); **in die ~ gehen** (*umg*) to be a complete flop.
Hosen- *zW:* ~**anzug** *m* trouser suit, pantsuit (*US*); ~**boden** *m:* **sich auf den ~boden setzen** (*umg*) to get stuck in; ~**rock** *m*

culottes *pl*; ~**tasche** *f* trouser pocket; ~**träger** *pl* braces *pl* (*BRIT*), suspenders *pl* (*US*).
Hostie ['hɔstiə] *f* (*REL*) host.
Hotel [ho'tɛl] (**-s, -s**) *nt* hotel; ~**fach** *nt* hotel management; ~ **garni** *nt* bed and breakfast hotel.
Hotelier [hotɛli'e:] (**-s, -s**) *m* hotelkeeper, hotelier.
HR *abk* (= *Hessischer Rundfunk*) Hessen Radio.
Hr. *abk* (= *Herr*) Mr.
Hrsg. *abk* (= *Herausgeber*) ed.
hrsg. *abk* (= *herausgegeben*) ed.
Hub [hu:p] (**-(e)s, ⸚e**) *m* lift; (*TECH*) stroke.
hüben ['hy:bən] *adv* on this side, over here; ~ **und drüben** on both sides.
Hubraum *m* (*AUT*) cubic capacity.
hübsch [hʏpʃ] *adj* pretty, nice; **immer ~ langsam!** (*umg*) nice and easy.
Hubschrauber (**-s, -**) *m* helicopter.
Hucke ['hʊkə] (**-, -n**) *f*: **jdm die ~ vollhauen** (*umg*) to give sb a good hiding.
huckepack ['hʊkəpak] *adv* piggy-back, pick-a-back.
hudeln ['hu:dəln] *vi* to be sloppy.
Huf ['hu:f] (**-(e)s, -e**) *m* hoof; ~**eisen** *nt* horseshoe; ~**nagel** *m* horseshoe nail.
Hüfte ['hʏftə] (**-, -n**) *f* hip.
Hüftgürtel *m* girdle.
Hüfthalter *m* girdle.
Huftier *nt* hoofed animal.
Hügel ['hy:gəl] (**-s, -**) *m* hill.
hüg(e)lig *adj* hilly.
Huhn [hu:n] (**-(e)s, ⸚er**) *nt* hen; (*KOCH*) chicken; **da lachen ja die Hühner** (*umg*) it's enough to make a cat laugh; **er sah aus wie ein gerupftes ~** (*umg*) he looked as if he'd been dragged through a hedge backwards.
Hühnchen ['hy:nçən] *nt* young chicken; **mit jdm ein ~ zu rupfen haben** (*umg*) to have a bone to pick with sb.
Hühner- *zW*: ~**auge** *nt* corn; ~**brühe** *f* chicken broth; ~**klein** *nt* (*KOCH*) chicken trimmings *pl*.
Huld [hʊlt] (**-**) *f* favour (*BRIT*), favor (*US*).
huldigen ['hʊldɪgən] *vi*: **jdm ~** to pay homage to sb.
Huldigung *f* homage.
Hülle ['hʏlə] (**-, -n**) *f* cover(ing); (*Zellophan~*) wrapping; **in ~ und Fülle** galore; **die ~n fallen lassen** (*fig*) to strip off.
hüllen *vt*: **~ (in +***akk***)** to cover (with); to wrap (in).
Hülse ['hʏlzə] (**-, -n**) *f* husk, shell.
Hülsenfrucht *f* pulse.
human [hu'ma:n] *adj* humane.
humanistisch [huma'nɪstɪʃ] *adj*: ~**es Gymnasium** *secondary school with bias on Latin and Greek.*
humanitär [humani'tɛ:r] *adj* humanitarian.
Humanität *f* humanity.
Humanmedizin *f* (human) medicine.
Hummel ['hʊməl] (**-, -n**) *f* bumblebee.
Hummer ['hʊmər] (**-s, -**) *m* lobster.
Humor [hu'mo:r] (**-s, -e**) *m* humour (*BRIT*), humor (*US*); ~ **haben** to have a sense of humo(u)r; ~**ist(in)** *m(f)* humorist; **h~istisch** *adj* humorous; **h~voll** *adj* humorous.
humpeln ['hʊmpəln] *vi* to hobble.
Humpen ['hʊmpən] (**-s, -**) *m* tankard.
Humus ['hu:mʊs] (**-**) *m* humus.
Hund [hʊnt] (**-(e)s, -e**) *m* dog; **auf den ~ kommen, vor die ~e gehen** (*fig: umg*) to go to the dogs; ~**e, die bellen, beißen nicht** (*Sprichwort*) empty vessels make most noise (*Sprichwort*); **er ist bekannt wie ein bunter ~** (*umg*) everybody knows him.
Hunde- *zW*: **h~elend** (*umg*) *adj*: **mir ist h~elend** I feel lousy; ~**hütte** *f* (dog) kennel; ~**kuchen** *m* dog biscuit; ~**marke** *f* dog licence disc, dog tag (*US*); **h~müde** (*umg*) *adj* dog-tired.
hundert ['hʊndərt] *num* hundred; **H~** (**-s, -e**) *nt* hundred; **H~e von Menschen** hundreds of people.
Hunderter (**-s, -**) *m* hundred; (*umg: Geldschein*) hundred (mark/pound/dollar *etc* note).
hundert- *zW*: **H~jahrfeier** *f* centenary; **H~meterlauf** *m* (*SPORT*): **der/ein H~meterlauf** the/a hundred metres (*BRIT*) *od* meters (*US*) *sing*; ~**prozentig** *adj, adv* one hundred per cent.
hundertste(r, s) *adj* hundredth; **von H~n ins Tausendste kommen** (*fig*) to get carried away.
Hundesteuer *f* dog licence (*BRIT*) *od* license (*US*) fee.
Hundewetter (*umg*) *nt* filthy weather.
Hündin ['hʏndɪn] *f* bitch.
Hüne ['hy:nə] (**-n, -n**) *m*: **ein ~ von Mensch** a giant of a man.
Hünengrab *nt* megalithic tomb.
Hunger ['hʊŋər] (**-s**) *m* hunger; ~ **haben** to be hungry; **ich sterbe vor ~** (*umg*) I'm starving; ~**lohn** *m* starvation wages *pl*.
hungern *vi* to starve.
Hungersnot *f* famine.
Hungerstreik *m* hunger strike.
Hungertuch *nt*: **am ~ nagen** (*fig*) to be starving.
hungrig ['hʊŋrɪç] *adj* hungry.
Hunsrück ['hʊnsrʏk] *m* Hunsruck (Mountains *pl*).
Hupe ['hu:pə] (**-, -n**) *f* horn.
hupen *vi* to hoot, sound one's horn.
hupfen ['hu:pfən] *vi* to hop, jump; **das ist gehupft wie gesprungen** (*umg*) it's six of one and half a dozen of the other.
hüpfen ['hʏpfən] *vi* = **hupfen.**
Hupkonzert (*umg*) *nt* hooting (of car horns).
Hürde ['hʏrdə] (**-, -n**) *f* hurdle; (*für Schafe*) pen.
Hürdenlauf *m* hurdling.

Hure ['hu:rə] (**-, -n**) *f* whore.
Hurensohn (*pej: umg!*) *m* bastard (*!*), son of a bitch (*!*).
hurra [hʊ'ra:] *interj* hurray, hurrah.
hurtig ['hʊrtɪç] *adj* brisk, quick ♦ *adv* briskly, quickly.
huschen ['hʊʃən] *vi* to flit, scurry.
Husten ['hu:stən] (**-s**) *m* cough; **h~** *vi* to cough; **auf etw** *akk* **h~** (*umg*) not to give a damn for sth; **~anfall** *m* coughing fit; **~bonbon** *m od nt* cough drop; **~saft** *m* cough mixture.
Hut¹ [hu:t] (**-(e)s, ¨-e**) *m* hat; **unter einen ~ bringen** (*umg*) to reconcile; (*Termine etc*) to fit in.
Hut² [hu:t] (-) *f* care; **auf der ~ sein** to be on one's guard.
hüten ['hy:tən] *vt* to guard ♦ *vr* to watch out; **das Bett/Haus ~** to stay in bed/indoors; **sich ~, zu** to take care not to; **sich ~ vor** *+dat* to beware of; **ich werde mich ~!** not likely!
Hutschnur *f*: **das geht mir über die ~** (*umg*) that's going too far.
Hütte ['hʏtə] (**-, -n**) *f* hut; (*Holz~, Block~*) cabin; (*Eisen~*) forge; (*umg: Wohnung*) pad; (*TECH: ~nwerk*) iron and steel works.
Hüttenindustrie *f* iron and steel industry.
Hüttenkäse *m* cottage cheese.
Hüttenwerk *nt* iron and steel works.
hutzelig ['hʊtsəlɪç] *adj* shrivelled.
Hyäne [hy'ɛ:nə] (**-, -n**) *f* hyena.
Hyazinthe [hya'tsɪntə] (**-, -n**) *f* hyacinth.
Hydrant [hy'drant] *m* hydrant.
hydraulisch [hy'draʊlɪʃ] *adj* hydraulic.
Hydrierung [hy'dri:rʊŋ] *f* hydrogenation.
Hygiene [hygi'e:nə] (-) *f* hygiene.
hygienisch [hygi'e:nɪʃ] *adj* hygienic.
Hymne ['hʏmnə] (**-, -n**) *f* hymn, anthem.
hyper- ['hypɛr] *präf* hyper-.
Hypnose [hʏp'no:zə] (**-, -n**) *f* hypnosis.
hypnotisch *adj* hypnotic.
Hypnotiseur [hʏpnoti'zø:r] *m* hypnotist.
hypnotisieren [hʏpnoti|zi:rən] *vt* to hypnotize.
Hypotenuse [hypote'nu:zə] (**-, -n**) *f* hypotenuse.
Hypothek [hypo'te:k] (**-, -en**) *f* mortgage; **eine ~ aufnehmen** to raise a mortgage; **etw mit einer ~ belasten** to mortgage sth.
Hypothese [hypo'te:zə] (**-, -n**) *f* hypothesis.
hypothetisch [hypo'te:tɪʃ] *adj* hypothetical.
Hysterie [hyste'ri:] *f* hysteria.
hysterisch [hʏs'te:riʃ] *adj* hysterical; **einen ~en Anfall bekommen** (*fig*) to have hysterics.

I, i

I, i [i:] *nt* I, i; **~ wie Ida** ≈ I for Isaac, I for Item (*US*); **das Tüpfelchen auf dem i** (*fig*) the final touch.
i. *abk* = **in, im.**
i.A. *abk* (= *im Auftrag*) p.p.
iberisch [i'be:rɪʃ] *adj* Iberian; **die ~e Halbinsel** the Iberian Peninsula.
IC (-) *m abk* = **Intercity-Zug.**
ICE *m abk* (= *Intercity-Expreßzug*) inter-city train.
ich [ɪç] *pron* I; **~ bin's!** it's me!; **I~** (**-(s), -(s)**) *nt* self; (*PSYCH*) ego; **I~form** *f* first person; **I~-Roman** *m* novel in the first person.
Ideal [ide'a:l] (**-s, -e**) *nt* ideal; **i~** *adj* ideal; **~fall** *m*: **im ~fall** ideally.
Idealismus [idea'lɪsmʊs] *m* idealism.
Idealist(in) *m(f)* idealist.
idealistisch *adj* idealistic.
Idealvorstellung *f* ideal.
Idee [i'de:] (**-, -n**) *f* idea; (*ein wenig*) shade, trifle; **jdn auf die ~ bringen, etw zu tun** to give sb the idea of doing sth.
ideell [ide'ɛl] *adj* ideal.
identifizieren [idɛntifi'tsi:rən] *vt* to identify.
identisch [i'dɛntɪʃ] *adj* identical.
Identität [idɛnti'tɛ:t] *f* identity.
Ideologe [ideo'lo:gə] (**-n, -n**) *m* ideologist.
Ideologie [ideolo'gi:] *f* ideology.
Ideologin [ideo'lo:gɪn] *f* ideologist.
ideologisch [ideo'lo:gɪʃ] *adj* ideological.
idiomatisch [idio'ma:tɪʃ] *adj* idiomatic.
Idiot [idi'o:t] (**-en, -en**) *m* idiot.
Idiotenhügel *m* (*hum: umg*) beginners' *od* nursery slope.
idiotensicher (*umg*) *adj* foolproof.
Idiotin *f* idiot.
idiotisch *adj* idiotic.
Idol [i'do:l] *nt* (**-s, -e**) idol.
idyllisch [i'dʏlɪʃ] *adj* idyllic.
IG *abk* (= *Industriegewerkschaft*) *industrial trade union.*
IGB (-) *m abk* (= *Internationaler Gewerkschaftsbund*) International Trades Union Congress.
Igel ['i:gəl] (**-s, -**) *m* hedgehog.
igitt(igitt) [i'gɪt(i'gɪt)] *interj* ugh!
Iglu ['i:glu] (**-s, -s**) *m od nt* igloo.
Ignorant [ɪgno'rant] (**-en, -en**) *m* ignoramus.
ignorieren [ɪgno'ri:rən] *vt* to ignore.
IHK *f abk* = **Industrie- und Handelskammer.**
ihm [i:m] *dat von er, es pers pron* (to) him, (to) it; **es ist ~ nicht gut** he doesn't feel well.

ihn [iːn] *akk von er pers pron* him; (*bei Tieren, Dingen*) it.
ihnen ['iːnən] *dat pl von sie pers pron* (to) them; (*nach Präpositionen*) them.
Ihnen *dat von Sie pers pron* (to) you; (*nach Präpositionen*) you.

SCHLÜSSELWORT

ihr [iːr] *pron* **1** (*nom pl*) you; ~ **seid es** it's you
2 (*dat von sie*) (to) her; (*bei Tieren, Dingen*) (to) it; **gib es** ~ give it to her; **er steht neben** ~ he is standing beside her
♦ *poss pron* **1** (*sing*) her; (: *bei Tieren, Dingen*) its; ~ **Mann** her husband
2 (*pl*) their; **die Bäume und ~e Blätter** the trees and their leaves.

Ihr *poss pron* your.
Ihre(r, s) *poss pron* yours; **tun Sie das** ~ (*geh*) you do your bit.
ihre(r, s) *poss pron* hers; (*eines Tieres*) its; (*von mehreren*) theirs; **sie taten das** ~ (*geh*) they did their bit.
ihrer ['iːrər] *gen von sie pers pron* (*sing*) of her; (*pl*) of them.
Ihrer *gen von Sie pers pron* of you.
Ihrerseits *adv* for your part.
ihrerseits *adv* for her/their part.
ihresgleichen *pron* people like her/them; (*von Dingen*) others like it; **eine Frechheit, die** ~ **sucht!** an incredible cheek!
ihretwegen *adv* (*für sie*) for her/its/their sake; (*wegen ihr, ihnen*) on her/its/their account; **sie sagte,** ~ **könnten wir gehen** she said that, as far as she was concerned, we could go.
ihretwillen *adv:* **um** ~ for her/its/their sake.
ihrige ['iːrɪgə] *pron:* **der/die/das** ~ hers; its; theirs.
i.J. *abk* (= *im Jahre*) in (the year).
Ikone [i'koːnə] (**-, -n**) *f* icon.
IKRK *nt abk* (= *Internationales Komitee vom Roten Kreuz*) ICRC.
illegal ['ɪlegaːl] *adj* illegal.
illegitim ['ɪlegitiːm] *adj* illegitimate.
Illusion [ɪluzi'oːn] *f* illusion; **sich** *dat* **~en machen** to delude o.s.
illusorisch [ɪlu'zoːrɪʃ] *adj* illusory.
Illustration [ɪlʊstratsi'oːn] *f* illustration.
illustrieren [ɪlʊs'triːrən] *vt* to illustrate.
Illustrierte (**-n, -n**) *f* picture magazine.
Iltis ['ɪltɪs] (**-ses, -se**) *m* polecat.
im [ɪm] = **in dem** ♦ *präp:* **etw** ~ **Liegen/Stehen tun** do sth lying down/standing up.
Image ['ɪmɪtʃ] (**-(s), -s**) *nt* image; **~pflege** ['ɪmɪtʃpfleːgə] (*umg*) *f* image-building.
imaginär [imagi'nɛːr] *adj* imaginary.
Imbiß ['ɪmbɪs] (**-sses, -sse**) *m* snack; **~halle** *f* snack bar; **~stube** *f* snack bar.
imitieren [imi'tiːrən] *vt* to imitate.
Imker ['ɪmkər] (**-s, -**) *m* beekeeper.
immanent [ɪma'nɛnt] *adj* inherent, intrinsic.
Immatrikulation [ɪmatrikulatsi'oːn] *f* (*UNIV*) registration.
immatrikulieren [ɪmatriku'liːrən] *vi, vr* to register.
immer ['ɪmər] *adv* always; ~ **wieder** again and again; **etw** ~ **wieder tun** to keep on doing sth; ~ **noch** still; ~ **noch nicht** still not; **für** ~ forever; ~ **wenn ich** ... every time I ...; ~ **schöner** more and more beautiful; **~trauriger** sadder and sadder; **was/wer (auch)** ~ whatever/whoever; **~hin** *adv* all the same; **~zu** *adv* all the time.
Immigrant(in) [ɪmi'grant(ɪn)] *m(f)* immigrant.
Immobilien [ɪmo'biːliən] *pl* real property (*BRIT*), real estate (*US*); (*in Zeitungsannoncen*) property *sing*; **~händler** *m*, **~makler** *m* estate agent (*BRIT*), realtor (*US*).
immun [ɪ'muːn] *adj* immune.
immunisieren [ɪmuni'ziːrən] *vt* to immunize.
Immunität [ɪmuːni'tɛːt] *f* immunity.
Immunschwäche *f* immunodeficiency.
Immunsystem *nt* immune system.
imperativ ['ɪmperatiːf] *adj:* **~es Mandat** imperative mandate.
Imperativ (**-s, -e**) *m* imperative.
Imperfekt ['ɪmpɛrfɛkt] (**-s, -e**) *nt* imperfect (tense).
Imperialismus [ɪmperia'lɪsmʊs] *m* imperialism.
Imperialist [ɪmperia'lɪst] *m* imperialist; **i~isch** *adj* imperialistic.
impfen ['ɪmpfən] *vt* to vaccinate.
Impf- *zW:* **~paß** *m* vaccination card; **~schutz** *m* protection given by vaccination; **~stoff** *m* vaccine; **~ung** *f* vaccination; **~zwang** *m* compulsory vaccination.
implizieren [ɪmpli'tsiːrən] *vt* to imply.
imponieren [ɪmpo'niːrən] *vi +dat* to impress.
Import [ɪm'pɔrt] (**-(e)s, -e**) *m* import.
Importeur [ɪmpɔr'tøːr] (**-s, -e**) *m* importer.
importieren [ɪmpɔr'tiːrən] *vt* to import.
imposant [ɪmpo'zant] *adj* imposing.
impotent ['ɪmpotɛnt] *adj* impotent.
Impotenz ['ɪmpotɛnts] *f* impotence.
imprägnieren [ɪmprɛ'gniːrən] *vt* to (water)proof.
Impressionismus [ɪmprɛsio'nɪsmʊs] *m* impressionism.
Impressum [ɪm'prɛsʊm] (**-s, -ssen**) *nt* imprint; (*von Zeitung*) masthead.
Improvisation [ɪmprovizatsi'oːn] *f* improvisation.
improvisieren [ɪmprovi'ziːrən] *vt, vi* to improvise.
Impuls [ɪm'pʊls] (**-es, -e**) *m* impulse; **etw aus einem** ~ **heraus tun** to do sth on impulse.
impulsiv [ɪmpʊl'ziːf] *adj* impulsive.
imstande [ɪm'ʃtandə] *adj:* ~ **sein** to be in a position; (*fähig*) to be able; **er ist zu allem** ~ he's capable of anything.

SCHLÜSSELWORT

in [ɪn] *präp +akk* **1** (*räumlich: wohin*) in, into; ~ **die Stadt** into town; ~ **die Schule gehen** to go to school; ~ **die Hunderte gehen** to run into (the) hundreds
2 (*zeitlich*): **bis ~s 20. Jahrhundert** into *od* up to the 20th century
♦ *präp +dat* **1** (*räumlich: wo*) in; ~ **der Stadt** in town; ~ **der Schule sein** to be at school; **es ~ sich haben** (*umg: Text*) to be tough; (*: Drink*) to have quite a kick
2 (*zeitlich: wann*): ~ **diesem Jahr** this year; (*in jenem Jahr*) in that year; **heute ~ zwei Wochen** two weeks today.

inaktiv ['ɪn|akti:f] *adj* inactive; (*Mitglied*) non-active.
Inangriffnahme [ɪn'|angrɪfna:mə] (**-, -n**) *f* (*form*) commencement.
Inanspruchnahme [ɪn'|anʃprʊxna:mə] (**-, -n**) *f*: ~ **(+gen)** demands *pl* (on); **im Falle einer ~ der Arbeitslosenunterstützung** (*form*) where unemployment benefit has been sought.
Inbegriff ['ɪnbəgrɪf] *m* embodiment, personification.
inbegriffen *adv* included.
Inbetriebnahme ['ɪnbətri:pna:mə] (**-, -n**) *f* (*form*) commissioning; (*von Gebäude, U-Bahn etc*) inauguration.
inbrünstig ['ɪnbrʏnstɪç] *adj* ardent.
indem [ɪn'de:m] *konj* while; ~ **man etw macht** (*dadurch*) by doing sth.
Inder(in) ['ɪndər(ɪn)] (**-s, -**) *m(f)* Indian.
indes(sen) [ɪn'dɛs(ən)] *adv* meanwhile ♦ *konj* while.
Index ['ɪndɛks] (**-(es), -e** *od* **Indizes**) *m*: **auf dem ~ stehen** (*fig*) to be banned; **~zahl** *f* index number.
Indianer(in) [ɪndi'a:nər(ɪn)] (**-s, -**) *m(f)* (Red *od* American) Indian.
indianisch *adj* (Red *od* American) Indian.
Indien ['ɪndiən] (**-s**) *nt* India.
indigniert [ɪndɪ'gni:rt] *adj* indignant.
Indikation [ɪndikatsi'o:n] *f*: **medizinische/soziale ~** medical/social grounds *pl* for the termination of pregnancy.
Indikativ ['ɪndikati:f] (**-s, -e**) *m* indicative.
indirekt ['ɪndirɛkt] *adj* indirect; **~e Steuer** indirect tax.
indisch ['ɪndɪʃ] *adj* Indian; **I~er Ozean** Indian Ocean.
indiskret ['ɪndɪskre:t] *adj* indiscreet.
Indiskretion [ɪndɪskretsi'o:n] *f* indiscretion.
indiskutabel ['ɪndɪskuta:bəl] *adj* out of the question.
indisponiert ['ɪndɪsponi:rt] *adj* (*geh*) indisposed.
Individualist [ɪndividua'lɪst] *m* individualist.
Individualität [ɪndividuali'tɛt] *f* individuality.
individuell [ɪndividu'ɛl] *adj* individual; **etw ~ gestalten** to give sth a personal note.
Individuum [ɪndi'vi:duʊm] (**-s, -duen**) *nt* individual.
Indiz [ɪn'di:ts] (**-es, -ien**) *nt* (*JUR*) clue; ~ **(für)** sign (of).
Indizes ['ɪnditse:z] *pl von* **Index**.
Indizienbeweis *m* circumstantial evidence.
indizieren [ɪndi'tsi:rən] *vt, vi* (*COMPUT*) to index.
Indochina ['ɪndo'çi:na] (**-s**) *nt* Indochina.
indogermanisch ['ɪndogɛr'ma:nɪʃ] *adj* Indo-Germanic, Indo-European.
indoktrinieren [ɪndɔktri'ni:rən] *vt* to indoctrinate.
Indonesien [ɪndo'ne:ziən] (**-s**) *nt* Indonesia.
Indonesier(in) (**-s, -**) *m(f)* Indonesian.
indonesisch [ɪndo'ne:zɪʃ] *adj* Indonesian.
Indossament [ɪndɔsa'mɛnt] *nt* (*COMM*) endorsement.
Indossant [ɪndɔ'sant] *m* endorser.
Indossat [ɪndɔ'sa:t] (**-en, -en**) *m* endorsee.
indossieren *vt* to endorse.
industrialisieren [ɪndʊstriali'zi:rən] *vt* to industrialize.
Industrialisierung *f* industrialization.
Industrie [ɪndʊs'tri:] *f* industry; **in der ~ arbeiten** to be in industry; **~gebiet** *nt* industrial area; **~gelände** *nt* industrial *od* trading estate; **~kaufmann** *m* industrial manager.
industriell [ɪndʊstri'ɛl] *adj* industrial; **~e Revolution** industrial revolution.
Industrielle(r) *f(m)* industrialist.
Industrie- *zW*: **~staat** *m* industrial nation; **~- und Handelskammer** *f* chamber of industry and commerce; **~zweig** *m* branch of industry.
ineinander [ɪn|aɪ'nandər] *adv* in(to) one another *od* each other; ~ **übergehen** to merge (into each other); **~greifen** *unreg vi* (*lit*) to interlock; (*Zahnräder*) to mesh; (*fig: Ereignisse etc*) to overlap.
Infanterie [ɪnfantə'ri:] *f* infantry.
Infarkt [ɪn'farkt] (**-(e)s, -e**) *m* coronary (thrombosis).
Infektion [ɪnfɛktsi'o:n] *f* infection.
Infektionsherd *m* focus of infection.
Infektionskrankheit *f* infectious disease.
Infinitiv ['ɪnfiniti:f] (**-s, -e**) *m* infinitive.
infizieren [ɪnfi'tsi:rən] *vt* to infect ♦ *vr*: **sich (bei jdm) ~** to be infected (by sb).
in flagranti [ɪn fla'granti] *adv* in the act, red-handed.
Inflation [ɪnflatsi'o:n] *f* inflation.
inflationär [ɪnflatsio'nɛ:r] *adj* inflationary.
Inflationsrate *f* rate of inflation.
inflatorisch [ɪnfla'to:rɪʃ] *adj* inflationary.
Info ['ɪnfo] (**-s, -s**) (*umg*) *nt* (information) leaflet.
infolge [ɪn'fɔlgə] *präp +gen* as a result of, owing to; **~dessen** *adv* consequently.
Informatik [ɪnfɔr'ma:tɪk] *f* information studies *pl*.

Informatiker(in) (**-s, -**) *m(f)* computer scientist.
Information [ɪnfɔrmatsi'o:n] *f* information *no pl*; **Informationen** *pl* (*COMPUT*) data; **zu Ihrer ~** for your information.
Informationsabruf *m* (*COMPUT*) information retrieval.
Informationstechnik *f* information technology.
informativ [ɪnfɔrma'ti:f] *adj* informative.
informieren [ɪnfɔr'mi:rən] *vt*: **~ (über** *+akk*) to inform (about) ♦ *vr*: **sich ~ (über** *+akk*) to find out (about).
Infrastruktur ['ɪnfraʃtrʊktu:r] *f* infrastructure.
Infusion [ɪnfuzi'o:n] *f* infusion.
Ing. *abk* = **Ingenieur**.
Ingenieur [ɪnʒeni'ø:r] *m* engineer; **~schule** *f* school of engineering.
Ingwer ['ɪŋvər] (**-s**) *m* ginger.
Inh. *abk* (= *Inhaber(in)*) prop.; (= *Inhalt*) cont.
Inhaber(in) ['ɪnha:bər(ɪn)] (**-s, -**) *m(f)* owner; (*COMM*) proprietor; (*Haus~*) occupier; (*Lizenz~*) licensee, holder; (*FIN*) bearer.
inhaftieren [ɪnhaf'ti:rən] *vt* to take into custody.
inhalieren [ɪnha'li:rən] *vt, vi* to inhale.
Inhalt ['ɪnhalt] (**-(e)s, -e**) *m* contents *pl*; (*eines Buchs etc*) content; (*MATH: Flächen~*) area; (*: Raum~*) volume; **i~lich** *adj* as regards content.
Inhalts- *zW*: **~angabe** *f* summary; **i~los** *adj* empty; **i~reich** *adj* full; **~verzeichnis** *nt* table of contents; (*COMPUT*) directory.
inhuman ['ɪnhuma:n] *adj* inhuman.
initialisieren [initsia:li'zi:rən] *vt* (*COMPUT*) to initialize.
Initialisierung *f* (*COMPUT*) initialization.
Initiative [initsia'ti:və] *f* initiative; **die ~ ergreifen** to take the initiative.
Initiator(in) [initsi'a:tɔr(ɪn)] *m(f)* (*geh*) initiator.
Injektion [ɪnjɛktsi'o:n] *f* injection.
injizieren [ɪnji'tsi:rən] *vt* to inject; **jdm etw ~** to inject sb with sth.
Inka ['ɪŋka] (**-(s), -s**) *f(m)* Inca.
Inkaufnahme [ɪn'kaʊfna:mə] *f* (*form*): **unter ~ finanzieller Verluste** accepting the inevitable financial losses.
inkl. *abk* (= *inklusive*) inc.
inklusive [ɪnklu'zi:və] *präp +gen* inclusive of ♦ *adv* inclusive.
Inklusivpreis *m* all-in rate.
inkognito [ɪn'kɔgnito] *adv* incognito.
inkonsequent ['ɪnkɔnzekvɛnt] *adj* inconsistent.
inkorrekt ['ɪnkɔrɛkt] *adj* incorrect.
Inkrafttreten [ɪn'krafttre:tən] (**-s**) *nt* coming into force.
Inkubationszeit [ɪnkubatsi'o:nstsaɪt] *f* (*MED*) incubation period.
Inland ['ɪnlant] (**-(e)s**) *nt* (*GEOG*) inland; (*POL, COMM*) home (country); **im ~ und Ausland** at home and abroad; **~flug** *m* domestic flight.
Inlandsporto *nt* inland postage.
inmitten [ɪn'mɪtən] *präp +gen* in the middle of; **~ von** amongst.
innehaben ['ɪnəha:bən] *unreg vt* to hold.
innehalten ['ɪnəhaltən] *unreg vi* to pause, stop.
innen ['ɪnən] *adv* inside; **nach ~** inwards; **von ~** from the inside; **I~architekt** *m* interior designer; **I~aufnahme** *f* indoor photograph; **I~bahn** *f* (*SPORT*) inside lane; **I~dienst** *m*: **im I~dienst sein** to work in the office; **I~einrichtung** *f* (interior) furnishings *pl*; **I~leben** *nt* (*seelisch*) emotional life; (*umg: körperlich*) insides *pl*; **I~minister** *m* minister of the interior, Home Secretary (*BRIT*); **I~politik** *f* domestic policy; **~politisch** *adj* relating to domestic policy, domestic; **I~stadt** *f* town *od* city centre (*BRIT*) *od* center (*US*).
innerbetrieblich *adj* in-house; **etw ~ regeln** to settle sth within the company.
innerdeutsch *adj*: **~e(r) Handel** domestic trade in Germany.
Innere(s) *nt* inside; (*Mitte*) centre (*BRIT*), center (*US*); (*fig*) heart.
innere(r, s) *adj* inner; (*im Körper, inländisch*) internal.
Innereien [ɪnə'raɪən] *pl* innards *pl*.
inner- *zW*: **~halb** *adv* within; (*räumlich*) inside ♦ *prep +dat* within; inside; **~lich** *adj* internal; (*geistig*) inward; **I~lichkeit** *f* (*LITER*) inwardness; **~parteilich** *adj*: **~parteiliche Demokratie** democracy (with)in the party structure.
Innerste(s) *nt* heart; **bis ins ~ getroffen** hurt to the quick.
innerste(r, s) *adj* innermost.
innewohnen ['ɪnəvo:nən] *vi +dat* (*geh*) to be inherent in.
innig ['ɪnɪç] *adj* profound; (*Freundschaft*) intimate; **mein ~ster Wunsch** my dearest wish.
Innung ['ɪnʊŋ] *f* (trade) guild; **du blamierst die ganze ~** (*hum: umg*) you are letting the whole side down.
inoffiziell ['ɪn|ofitsiɛl] *adj* unofficial.
ins [ɪns] = **in das**.
Insasse ['ɪnzasə] (**-n, -n**) *m*, **Insassin** *f* (*einer Anstalt*) inmate; (*AUT*) passenger.
insbesondere [ɪnsbə'zɔndərə] *adv* (e)specially.
Inschrift ['ɪnʃrɪft] *f* inscription.
Insekt [ɪn'zɛkt] (**-(e)s, -en**) *nt* insect.
Insektenvertilgungsmittel *nt* insecticide.
Insel ['ɪnzəl] (**-, -n**) *f* island.
Inserat [ɪnze'ra:t] (**-(e)s, -e**) *nt* advertisement.
Inserent [ɪnze'rɛnt] *m* advertiser.
inserieren [ɪnze'ri:rən] *vt, vi* to advertise.
insgeheim [ɪnsgə'haɪm] *adv* secretly.
insgesamt [ɪnsgə'zamt] *adv* altogether, all in

all.
Insiderhandel *m* insider dealing *od* trading.
insofern [ɪnzoˈfɛrn] *adv* in this respect ♦ *konj* if; (*deshalb*) (and) so; ~ **als** in so far as.
insolvent [ˈɪnzɔlvɛnt] *adj* bankrupt, insolvent.
Insolvenz *f* (*COMM*) insolvency.
insoweit *adv, konj* = **insofern.**
in spe [ɪnˈʃpeː] (*umg*) *adj:* **unser Schwiegersohn** ~ our son-in-law to be, our future son-in-law.
Inspektion [ɪnspɛktsiˈoːn] *f* inspection; (*AUT*) service.
Inspektor(in) [ɪnˈspɛktɔr, -ˈtoːrɪn] (**-s, -en**) *m(f)* inspector.
Inspiration [ɪnspiratsiˈoːn] *f* inspiration.
inspirieren [ɪnspiˈriːrən] *vt* to inspire; **sich von etw** ~ **lassen** to get one's inspiration from sth.
inspizieren [ɪnspiˈtsiːrən] *vt* to inspect.
Installateur [ɪnstalaˈtøːr] *m* plumber; (*Elektro~*) electrician.
installieren [ɪnstaˈliːrən] *vt* to install (*auch fig, COMPUT*).
Instandhaltung [ɪnˈʃtanthaltʊŋ] *f* maintenance.
inständig [ɪnˈʃtɛndɪç] *adj* urgent; ~ **bitten** to beg.
Instandsetzung *f* overhaul; (*eines Gebäudes*) restoration.
Instanz [ɪnˈstants] *f* authority; (*JUR*) court; **Verhandlung in erster/zweiter** ~ first/second court case.
Instanzenweg *m* official channels *pl*.
Instinkt [ɪnˈstɪŋkt] (**-(e)s, -e**) *m* instinct.
instinktiv [ɪnstɪŋkˈtiːf] *adj* instinctive.
Institut [ɪnstiˈtuːt] (**-(e)s, -e**) *nt* institute.
Institution [ɪnstitutsiˈoːn] *f* institution.
Instrument [ɪnstruˈmɛnt] *nt* instrument.
Insulin [ɪnzuˈliːn] (**-s**) *nt* insulin.
inszenieren [ɪnstseˈniːrən] *vt* to direct; (*fig*) to stage-manage.
Inszenierung *f* production.
intakt [ɪnˈtakt] *adj* intact.
Integralrechnung [ɪnteˈgraːlrɛçnʊŋ] *f* integral calculus.
Integration [ɪntegratsiˈoːn] *f* integration.
integrieren [ɪnteˈgriːrən] *vt* to integrate; **integrierte Gesamtschule** comprehensive school (*BRIT*).
Integrität [ɪntegriˈtɛːt] *f* integrity.
Intellekt [ɪntɛˈlɛkt] (**-(e)s**) *m* intellect.
intellektuell [ɪntɛlɛktuˈɛl] *adj* intellectual.
Intellektuelle(r) *f(m)* intellectual.
intelligent [ɪntɛliˈgɛnt] *adj* intelligent.
Intelligenz [ɪntɛliˈgɛnts] *f* intelligence; (*Leute*) intelligentsia *pl*; ~**quotient** *m* IQ, intelligence quotient.
Intendant [ɪntɛnˈdant] *m* director.
Intensität [ɪntɛnziˈtɛːt] *f* intensity.
intensiv [ɪntɛnˈziːf] *adj* intensive.
intensivieren [ɪntɛnziˈviːrən] *vt* to intensify.
Intensivkurs *m* intensive course.
Intensivstation *f* intensive care unit.
interaktiv *adj* (*COMPUT*) interactive.
Intercity-Zug [ɪntərˈsɪtitsuːk] *m* inter-city train.
interessant [ɪnterɛˈsant] *adj* interesting; **sich** ~ **machen** to attract attention.
interessanterweise *adv* interestingly enough.
Interesse [ɪnteˈrɛsə] (**-s, -n**) *nt* interest; ~ **haben an** *+dat* to be interested in.
Interessengebiet *nt* field of interest.
Interessengegensatz *m* clash of interests.
Interessent(in) [ɪnterɛˈsɛnt(ɪn)] *m(f)* interested party; **es haben sich mehrere** ~**en gemeldet** several people have shown interest.
Interessenvertretung *f* representation of interests; (*Personen*) group representing (one's) interests.
interessieren [ɪnterɛˈsiːrən] *vt:* **jdn (für etw** *od* **an etw** *dat*) ~ to interest sb (in sth) ♦ *vr:* **sich** ~ **für** to be interested in.
interessiert *adj:* **politisch** ~ interested in politics.
Interkontinentalrakete [ɪntərkɔntinɛnˈtaːlrakeːtə] *f* intercontinental missile.
intern [ɪnˈtɛrn] *adj* internal.
Internat [ɪntɛrˈnaːt] (**-(e)s, -e**) *nt* boarding school.
international [ɪntɛrnatsioˈnaːl] *adj* international.
Internatsschüler(in) *m(f)* boarder.
internieren [ɪntɛrˈniːrən] *vt* to intern.
Internierungslager *nt* internment camp.
Internist(in) *m(f)* internist.
Interpol [ˈɪntərpoːl] (**-**) *f abk* (= *Internationale Polizei*) Interpol.
Interpret [ɪntərˈpreːt] (**-en, -en**) *m:* **Lieder verschiedener** ~**en** songs by various singers.
Interpretation [ɪntərpretatsiˈoːn] *f* interpretation.
interpretieren [ɪntɛrpreˈtiːrən] *vt* to interpret.
Interpretin *f siehe* **Interpret.**
Interpunktion [ɪntɛrpʊŋktsiˈoːn] *f* punctuation.
Intervall [ɪntɛrˈval] (**-s, -e**) *nt* interval.
intervenieren [ɪntɛrveˈniːrən] *vi* to intervene.
Interview [ɪntərˈvjuː] (**-s, -s**) *nt* interview; **i~en** [-ˈvjuːən] *vt* to interview.
intim [ɪnˈtiːm] *adj* intimate; **I~bereich** *m* (*ANAT*) genital area.
Intimität [ɪntimiˈtɛːt] *f* intimacy.
Intimsphäre *f:* **jds** ~ **verletzen** to invade sb's privacy.
intolerant [ˈɪntolerant] *adj* intolerant.
intransitiv [ˈɪntranzitiːf] *adj* (*GRAM*) intransitive.
Intrige [ɪnˈtriːgə] (**-, -n**) *f* intrigue, plot.
intrinsisch [ɪnˈtrɪnzɪʃ] *adj:* ~**er Wert** intrinsic value.

introvertiert [ɪntrovɛr'tiːrt] *adj:* ~ **sein** to be an introvert.
intuitiv [ɪntui'tiːf] *adj* intuitive.
intus ['ɪntʊs] *adj:* **etw ~ haben** (*umg: Wissen*) to have got sth into one's head; (*Essen, Trinken*) to have got sth down one (*umg*).
Invalide [ɪnva'liːdə] (**-n, -n**) *m* disabled person, invalid.
Invalidenrente *f* disability pension.
Invasion [ɪnvazi'oːn] *f* invasion.
Inventar [ɪnvɛn'taːr] (**-s, -e**) *nt* inventory; (*COMM*) assets and liabilities *pl.*
Inventur [ɪnvɛn'tuːr] *f* stocktaking; ~ **machen** to stocktake.
investieren [ɪnvɛs'tiːrən] *vt* to invest.
investiert *adj:* ~**es Kapital** capital employed.
Investition [ɪnvɛstitsi'oːn] *f* investment.
Investitionszulage *f* investment grant.
Investmentgesellschaft [ɪn'vɛstməntgəzɛlʃaft] *f* unit trust.
inwiefern [ɪnvi'fɛrn] *adv* how far, to what extent.
inwieweit [ɪnvi'vaɪt] *adv* how far, to what extent.
Inzest [ɪn'tsɛst] (**-(e)s, -e**) *m* incest *no pl.*
inzwischen [ɪn'tsvɪʃən] *adv* meanwhile.
IOK *nt abk* (= *Internationales Olympisches Komitee*) IOC.
Ion [i'oːn] (**-s, -en**) *nt* ion.
ionisch [i'oːnɪʃ] *adj* Ionian; **I~es Meer** Ionian Sea.
IQ *m abk* (= *Intelligenzquotient*) IQ.
i.R. *abk* (= *im Ruhestand*) retd.
IRA *f abk* (= *Irisch-Republikanische Armee*) IRA.
Irak [i'raːk] (**-s**) *m:* **(der)** ~ Iraq.
Iraker(in) (**-s, -**) *m(f)* Iraqi.
irakisch *adj* Iraqi.
Iran [i'raːn] (**-s**) *m:* **(der)** ~ Iran.
Iraner(in) (**-s, -**) *m(f)* Iranian.
iranisch *adj* Iranian.
irdisch ['ɪrdɪʃ] *adj* earthly; **den Weg alles Irdischen gehen** to go the way of all flesh.
Ire ['iːrə] (**-n, -n**) *m* Irishman; Irish boy; **die ~n** the Irish.
irgend ['ɪrgənt] *adv* at all; **wann/was/wer ~** whenever/whatever/whoever; ~ **jemand/etwas** somebody/something; (*fragend, verneinend*) anybody/anything; **~ein(e, s)** *adj* some, any; **haben Sie (sonst) noch ~einen Wunsch?** is there anything else you would like?; **~eine(r, s)** *pron* (*Person*) somebody; (*Ding*) something; (*fragend, verneinend*) anybody/anything; **ich will nicht bloß ~ein(e)s** I don't want any old one; **~einmal** *adv* sometime or other; (*fragend*) ever; **~wann** *adv* sometime; **~wer** (*umg*) *pron* somebody; (*fragend, verneinend*) anybody; **~wie** *adv* somehow; **~wo** *adv* somewhere (*BRIT*), someplace (*US*); (*fragend, verneinend, bedingend*) anywhere (*BRIT*), any place (*US*); **~wohin** *adv* somewhere (*BRIT*), someplace (*US*); (*fragend, verneinend, bedingend*) anywhere (*BRIT*), any place (*US*).
Irin ['iːrɪn] *f* Irishwoman; Irish girl.
Iris ['iːrɪs] (**-, -**) *f* iris.
irisch *adj* Irish; **I~e See** Irish Sea.
IRK *nt abk* (= *Internationales Rotes Kreuz*) IRC.
Irland ['ɪrlant] (**-s**) *nt* Ireland; (*Republik ~*) Eire.
Irländer ['ɪrlɛndər(ɪn)] (**-s, -**) *m* = **Ire; ~in** *f* = **Irin.**
Ironie [iro'niː] *f* irony.
ironisch [i'roːnɪʃ] *adj* ironic(al).
irre ['ɪrə] *adj* crazy, mad; ~ **gut** (*umg*) way out (*umg*); **I~(r)** *f(m)* lunatic; **~führen** *vt* to mislead; **I~führung** *f* fraud.
irrelevant ['ɪrelevant] *adj:* ~ **(für)** irrelevant (for *od* to).
irremachen *vt* to confuse.
irren *vi* to be mistaken; (*umher~*) to wander, stray ♦ *vr* to be mistaken; **jeder kann sich mal ~** anyone can make a mistake; **I~anstalt** *f* (*veraltet*) lunatic asylum; **I~haus** *nt:* **hier geht es zu wie im I~haus** (*umg*) this place is an absolute madhouse.
Irrfahrt ['ɪrfaːrt] *f* wandering.
irrig ['ɪrɪç] *adj* incorrect, wrong.
irritieren [ɪri'tiːrən] *vt* (*verwirren*) to confuse, muddle; (*ärgern*) to irritate.
Irr- *zW:* **~licht** *nt* will-o'-the-wisp; **~sinn** *m* madness; **so ein ~sinn, das zu tun** what a crazy thing to do!; **i~sinnig** *adj* mad, crazy; (*umg*) terrific; **i~sinnig komisch** incredibly funny; **~tum** (**-s, -tümer**) *m* mistake, error; **im ~tum sein** to be wrong *od* mistaken; **~tum!** wrong!; **i~tümlich** *adj* mistaken.
ISBN *f abk* (= *Internationale Standardbuchnummer*) ISBN.
Ischias ['ɪʃias] (**-**) *m od nt* sciatica.
Islam ['ɪslam] (**-s**) *m* Islam.
islamisch [ɪs'laːmɪʃ] *adj* Islamic.
Island ['iːslant] (**-s**) *nt* Iceland.
Isländer(in) ['iːslɛndər(ɪn)] (**-s, -**) *m(f)* Icelander.
isländisch *adj* Icelandic.
Isolation [izolatsi'oːn] *f* isolation; (*ELEK*) insulation; (*von Häftlingen*) solitary confinement.
Isolator [izo'laːtɔr] *m* insulator.
Isolierband *nt* insulating tape.
isolieren [ɪzo'liːrən] *vt* to isolate; (*ELEK*) to insulate.
Isolierstation *f* (*MED*) isolation ward.
Isolierung *f* isolation; (*ELEK*) insulation.
Israel ['ɪsraeːl] (**-s**) *nt* Israel.
Israeli[1] [ɪsra'eːli] (**-(s), -s**) *m* Israeli.
Israeli[2] [ɪsra'eːli] (**-, -(s)**) *f* Israeli.
israelisch *adj* Israeli.
ißt [ɪst] *vb siehe* **essen.**
ist [ɪst] *vb siehe* **sein.**
Istanbul ['ɪstambuːl] (**-s**) *nt* Istanbul.
Ist-Bestand *m* (*Geld*) cash in hand; (*Waren*) actual stock.
Italien [i'taːliən] (**-s**) *nt* Italy.

Italiener(in) [itali'eːnər(ɪn)] (**-s, -**) *m(f)* Italian.
italienisch *adj* Italian; **die ~e Schweiz** Italian-speaking Switzerland.
i.V., I.V. *abk* (= *in Vertretung*) on behalf of; (= *in Vollmacht*) by proxy.
IWF *m abk* (= *Internationaler Währungsfonds*) IMF.

J, j

J, j [jɔt] *nt* J, j; ~ **wie Julius** ≈ J for Jack, J for Jig (*US*).

SCHLÜSSELWORT

ja [jaː] *adv* **1** yes; **haben Sie das gesehen? - ~** did you see it? - yes(, I did); **ich glaube ~** (yes) I think so; **zu allem ~ und amen sagen** (*umg*) to accept everything without question
2 (*fragend*) really; **ich habe gekündigt - ~?** I've quit - have you?; **du kommst, ~?** you're coming, aren't you?
3: **sei ~ vorsichtig** do be careful; **Sie wissen ~, daß** ... as you know, ...; **tu das ~ nicht!** don't do that!; **sie ist ~ erst fünf** (after all) she's only five; **Sie wissen ~, wie das so ist** you know how it is; **ich habe es ~ gewußt** I just knew it; **~, also** ... well you see ...

Jacht [jaxt] (**-, -en**) *f* yacht.
Jacke ['jakə] (**-, -n**) *f* jacket; (*Woll~*) cardigan.
Jacketkrone ['dʒɛkɪtkroːnə] *f* (*Zahnkrone*) jacket crown.
Jackett [ʒa'kɛt] (**-s, -s** *od* **-e**) *nt* jacket.
Jagd [jaːkt] (**-, -en**) *f* hunt; (*Jagen*) hunting; **~beute** *f* kill; **~flugzeug** *nt* fighter; **~gewehr** *nt* sporting gun; **~hund** *m* hunting dog; **~schein** *m* hunting licence (*BRIT*) *od* license (*US*); **~wurst** *f* smoked sausage.
jagen ['jaːgən] *vi* to hunt; (*eilen*) to race ♦ *vt* to hunt; (*weg~*) to drive (off); (*verfolgen*) to chase; **mit diesem Essen kannst du mich ~** (*umg*) I wouldn't touch that food with a barge pole (*BRIT*) *od* ten-foot pole (*US*).
Jäger ['jɛːgər] (**-s, -**) *m* hunter; **~in** *f* huntress, huntswoman; **~latein** (*umg*) *nt* hunters' tales *pl*; **~schnitzel** *nt* (*KOCH*) *cutlet served with mushroom sauce*.
jäh [jɛː] *adj* abrupt, sudden; (*steil*) steep, precipitous; **~lings** *adv* abruptly.
Jahr [jaːr] (**-(e)s, -e**) *nt* year; **im ~(e) 1066** in (the year) 1066; **die sechziger ~e** the sixties *pl*; **mit dreißig ~en** at the age of thirty; **in den besten ~en sein** to be in the prime of (one's) life; **nach ~ und Tag** after (many) years; **zwischen den ~en** (*umg*) between Christmas and New Year; **j~aus** *adv*: **j~aus, j~ein** year in, year out; **~buch** *nt* annual, year book.
jahrelang *adv* for years.
Jahres- *zW*: **~abonnement** *nt* annual subscription; **~abschluß** *m* end of the year; (*COMM*) annual statement of account; **~beitrag** *m* annual subscription; **~bericht** *m* annual report; **~hauptversammlung** *f* (*COMM*) annual general meeting, AGM; **~karte** *f* annual season ticket; **~tag** *m* anniversary; **~umsatz** *m* (*COMM*) yearly turnover; **~wechsel** *m* turn of the year; **~zahl** *f* date, year; **~zeit** *f* season.
Jahr- *zW*: **~gang** *m* age group; (*von Wein*) vintage; **er ist ~gang 1950** he was born in 1950; **~hundert** *nt* century; **~hundertfeier** *f* centenary; **~hundertwende** *f* turn of the century.
jährlich ['jɛːrlɪç] *adj, adv* yearly; **zweimal ~** twice a year.
Jahr- *zW*: **~markt** *m* fair; **~tausend** *nt* millennium; **~zehnt** *nt* decade.
Jähzorn ['jɛːtsɔrn] *m* hot temper.
jähzornig *adj* hot-tempered.
Jalousie [ʒalu'ziː] *f* venetian blind.
Jamaika [ja'maɪka] (**-s**) *nt* Jamaica.
Jammer ['jamər] (**-s**) *m* misery; **es ist ein ~, daß** ... it is a crying shame that ...
jämmerlich ['jɛmərlɪç] *adj* wretched, pathetic; **J~keit** *f* wretchedness.
jammern *vi* to wail ♦ *vt unpers*: **es jammert mich** it makes me feel sorry.
jammerschade *adj*: **es ist ~** it is a crying shame.
Jan. *abk* (= *Januar*) Jan.
Januar ['januaːr] (**-s, -e**) (*pl selten*) *m* January; *siehe auch* **September.**
Japan ['jaːpan] (**-s**) *nt* Japan.
Japaner(in) [ja'paːnər(ɪn)] (**-s, -**) *m(f)* Japanese.
japanisch *adj* Japanese.
Jargon [ʒar'gõː] (**-s, -s**) *m* jargon.
Jasager ['jaːzaːgər] (**-s, -**) (*pej*) *m* yes man.
Jastimme *f* vote in favour (*BRIT*) *od* favor (*US*) (of).
jäten ['jɛːtən] *vt, vi* to weed.
Jauche ['jaʊxə] *f* liquid manure; **~grube** *f* cesspool, cesspit.
jauchzen ['jaʊxtsən] *vi* to rejoice, shout (with joy).
Jauchzer (**-s, -**) *m* shout of joy.
jaulen ['jaʊlən] *vi* to howl.
Jause ['jaʊzə] (*ÖSTERR*) *f* snack.
jawohl *adv* yes (of course).
Jawort *nt* consent; **jdm das ~ geben** to consent to marry sb; (*bei Trauung*) to say "I do".
Jazz [dʒæz] (**-**) *m* jazz; **~keller** *m* jazz club.

SCHLÜSSELWORT

je [jeː] *adv* **1** (*jemals*) ever; **hast du so was ~ gesehen?** did you ever see anything like it?
2 (*jeweils*) every, each; **sie zahlten ~ 3 Mark** they paid 3 marks each
♦ *konj* **1**: **~ nach** depending on; **~ nachdem** it depends; **~ nachdem, ob ...** depending on whether ...
2: **~ eher, desto** *od* **um so besser** the sooner the better; **~ länger, ~ lieber** the longer the better.

Jeans [dʒiːnz] *pl* jeans *pl*; **~anzug** *m* denim suit.
jede(r, s) ['jeːdə(r, s)] *adj* (*einzeln*) each; (*von zweien*) either; (*~ von allen*) every ♦ *indef pron* (*einzeln*) each (one); (*~ von allen*) everyone, everybody; **ohne ~ Anstrengung** without any effort; **~r zweite** every other (one).
jedenfalls *adv* in any case.
jedermann *pron* everyone; **das ist nicht ~s Sache** it's not everyone's cup of tea.
jederzeit *adv* at any time.
jedesmal *adv* every time, each time.
jedoch [je'dɔx] *adv* however.
jeher ['jeːheːr] *adv*: **von ~** all along.
jein [jaɪn] *adv* (*hum*) yes no.
jemals ['jeːmaːls] *adv* ever.
jemand ['jeːmant] *indef pron* someone, somebody; (*bei Fragen, bedingenden Sätzen, Negation*) anyone, anybody.
Jemen ['jeːmən] (**-s**) *m* Yemen.
Jemenit(in) [jeme'niːt(ɪn)] (**-en, -en**) *m(f)* Yemeni.
jemenitisch *adj* Yemeni.
Jenaer Glas ® ['jeːnaərglaːs] *nt* heatproof glass, ≈ Pyrex ®.
jene(r, s) ['jeːnə(r, s)] *adj* that; (*pl*) those ♦ *pron* that one; (*pl*) those; (*der Vorherige, die Vorherigen*) the former.
jenseits ['jeːnzaɪts] *adv* on the other side ♦ *präp +gen* on the other side of, beyond; **J~** *nt*: **das J~** the hereafter, the beyond; **jdn ins J~ befördern** (*umg*) to send sb to kingdom come.
Jesus ['jeːzʊs] (**Jesu**) *m* Jesus; **~ Christus** Jesus Christ.
jetten ['dʒɛtən] (*umg*) *vi* to jet (*inf*).
jetzig ['jɛtsɪç] *adj* present.
jetzt [jɛtst] *adv* now; **~ gleich** right now.
jeweilig *adj* respective; **die ~e Regierung** the government of the day.
jeweils *adv*: **~ zwei zusammen** two at a time; **zu ~ 5 DM** at 5 marks each; **~ das erste** the first each time; **~ am Monatsletzten** on the last day of each month.
Jg. *abk* = **Jahrgang.**
Jh. *abk* (= *Jahrhundert*) cent.
jiddisch ['jɪdɪʃ] *adj* Yiddish.
Job [dʒɔp] (**-s, -s**) (*umg*) *m* job.
jobben ['dʒɔbən] (*umg*) *vi* to work, have a job.
Joch [jɔx] (**-(e)s, -e**) *nt* yoke.
Jochbein *nt* cheekbone.
Jockei ['dʒɔke] (**-s, -s**) *m* jockey.
Jod [joːt] (**-(e)s**) *nt* iodine.
jodeln ['joːdəln] *vi* to yodel.
joggen ['dʒɔgən] *vi* to jog.
Joghurt ['joːgʊrt] (**-s, -s**) *m od nt* yog(h)urt.
Johannisbeere [jo'hanɪsbeːrə] *f*: **rote ~** redcurrant; **schwarze ~** blackcurrant.
johlen ['joːlən] *vi* to yell.
Joint [dʒɔɪnt] (**-s, -s**) (*umg*) *m* joint.
Joint-venture ['dʒɔɪntventʃə*] (**-, -s**) *nt* joint venture.
Jolle ['jɔlə] (**-, -n**) *f* dinghy.
Jongleur [ʒõ'gløːr] (**-s, -e**) *m* juggler.
jonglieren [ʒõ'gliːrən] *vi* to juggle.
Joppe ['jɔpə] (**-, -n**) *f* jacket.
Jordanien [jɔr'daːniən] (**-s**) *nt* Jordan.
Jordanier(in) (**-s, -**) *m(f)* Jordanian.
jordanisch *adj* Jordanian.
Journalismus [ʒʊrna'lɪsmʊs] *m* journalism.
Journalist(in) [ʒʊrna'lɪst(ɪn)] *m(f)* journalist; **j~isch** *adj* journalistic.
Jubel ['juːbəl] (**-s**) *m* rejoicing; **~, Trubel, Heiterkeit** laughter and merriment; **~jahr** *nt*: **alle ~jahre (einmal)** (*umg*) once in a blue moon.
jubeln *vi* to rejoice.
Jubilar(in) [jubi'laːr(ɪn)] (**-s, -e**) *m(f)* *person celebrating an anniversary*.
Jubiläum [jubi'lɛːʊm] (**-s, Jubiläen**) *nt* jubilee; (*Jahrestag*) anniversary.
jucken ['jʊkən] *vi* to itch ♦ *vt*: **es juckt mich am Arm** my arm is itching; **das juckt mich** that's itchy; **das juckt mich doch nicht** (*umg*) I don't care.
Juckpulver *nt* itching powder.
Juckreiz *m* itch.
Judaslohn ['juːdasloːn] *m* (*liter*) blood money.
Jude ['juːdə] (**-n, -n**) *m* Jew.
Juden- *zW*: **~stern** *m* star of David; **~tum** (**-s**) *nt* (*die Juden*) Jewry; **~verfolgung** *f* persecution of the Jews.
Jüdin ['jyːdɪn] *f* Jewess.
jüdisch *adj* Jewish.
Judo ['juːdo] (**-(s)**) *nt* judo.
Jugend ['juːgənt] (**-**) *f* youth; **~amt** *nt* youth welfare department; **j~frei** *adj* suitable for young people; (*FILM*) U(-certificate), G (*US*); **~herberge** *f* youth hostel; **~hilfe** *f* youth welfare scheme; **~kriminalität** *f* juvenile crime; **j~lich** *adj* youthful; **~liche(r)** *f(m)* teenager, young person; **~liebe** *f* (*Geliebte(r)*) love of one's youth; **~richter** *m* juvenile court judge; **~schutz** *m* protection of children and young people; **~stil** *m* (*KUNST*) Art Nouveau; **~strafanstalt** *f* youth custody centre (*BRIT*); **~sünde** *f* youthful misdeed; **~zentrum** *nt* youth centre (*BRIT*) *od* center (*US*).
Jugoslawe [jugo'slaːvə] (**-n, -n**) *m* Yugoslav.

Jugoslawien [jugo'sla:viən] (**-s**) *nt* Yugoslavia.
Jugoslawin [jugo'sla:vɪn] *f* Yugoslav.
jugoslawisch *adj* Yugoslav(ian).
Juli ['ju:li] (**-(s), -s**) (*pl selten*) *m* July; *siehe auch* **September**.
jun. *abk* (= *junior*) jun.
jung [jʊŋ] *adj* young.
Junge (**-n, -n**) *m* boy, lad ♦ *nt* young animal; (*pl*) young *pl*.
Jünger ['jʏŋər] (**-s, -**) *m* disciple.
jünger *adj* younger.
Jungfer (**-, -n**) *f*: **alte ~** old maid.
Jungfernfahrt *f* maiden voyage.
Jung- *zW*: **~frau** *f* virgin; (*ASTROL*) Virgo; **~geselle** *m* bachelor; **~gesellin** *f* bachelor girl; (*älter*) single woman.
Jüngling ['jʏŋlɪŋ] *m* youth.
Jungsozialist *m* (*BRD POL*) Young Socialist.
jüngst [jʏŋst] *adv* lately, recently.
jüngste(r, s) *adj* youngest; (*neueste*) latest; **das J~ Gericht** the Last Judgement; **der J~ Tag** Doomsday, the Day of Judgement.
Jungwähler(in) *m(f)* young voter.
Juni ['ju:ni] (**-(s), -s**) (*pl selten*) *m* June; *siehe auch* **September**.
Junior ['ju:niɔr] (**-s, -en**) *m* junior.
Junta ['xʊnta] (**-, -ten**) *f* (*POL*) junta.
jur. *abk* = **juristisch**.
Jura ['ju:ra] *no art* (*UNIV*) law.
Jurist(in) [ju'rɪst(ɪn)] *m(f)* jurist, lawyer; (*Student*) law student; **j~isch** *adj* legal.
Juso ['ju:zo] (**-s, -s**) *m abk* = **Jungsozialist**.
just [jʊst] *adv* just.
Justiz [jʊs'ti:ts] (**-**) *f* justice; **~beamte(r)** *m* judicial officer; **~irrtum** *m* miscarriage of justice; **~minister** *m* minister of justice; **~mord** *m* judicial murder.
Juwel [ju've:l] (**-s, -en**) *m od nt* jewel.
Juwelier [juve'li:r] (**-s, -e**) *m* jeweller (*BRIT*), jeweler (*US*); **~geschäft** *nt* jeweller's (*BRIT*) *od* jeweler's (*US*) (shop).
Jux [jʊks] (**-es, -e**) *m* joke, lark; **etw aus ~ tun/sagen** (*umg*) to do/say sth in fun.
jwd [jɔtwe:'de:] *adv* (*hum*) in the back of beyond.

K, k

K, k [ka:] *nt* K, k; **~ wie Kaufmann** ≈ K for King.
Kabarett [kaba'rɛt] (**-s, -e** *od* **-s**) *nt* cabaret; **~ist(in)** [kabarɛ'tɪst(ɪn)] *m(f)* cabaret artiste.
Kabel ['ka:bəl] (**-s, -**) *nt* (*ELEK*) wire; (*stark*) cable; **~anschluß** *m*: **~anschluß haben** to have cable television; **~fernsehen** *nt* cable television.
Kabeljau ['ka:bəljaʊ] (**-s, -e** *od* **-s**) *m* cod.
kabeln *vt, vi* to cable.
Kabelsalat (*umg*) *m* tangle of cable.
Kabine [ka'bi:nə] *f* cabin; (*Zelle*) cubicle.
Kabinett [kabi'nɛt] (**-s, -e**) *nt* (*POL*) cabinet; (*kleines Zimmer*) small room ♦ *m high-quality German white wine*.
Kachel ['kaxəl] (**-, -n**) *f* tile.
kacheln *vt* to tile.
Kachelofen *m* tiled stove.
Kacke ['kakə] (**-, -n**) (*umg!*) *f* crap (*!*).
Kadaver [ka'da:vər] (**-s, -**) *m* carcass.
Kader ['ka:dər] (**-s, -**) *m* (*MIL, POL*) cadre; (*SPORT*) squad; (*DDR, SCHWEIZ: Fachleute*) group of specialists; **~schmiede** *f* (*POL: umg*) *institution for the training of cadre personnel*.
Kadett [ka'dɛt] (**-en, -en**) *m* cadet.
Käfer ['kɛ:fər] (**-s, -**) *m* beetle.
Kaff [kaf] (**-s, -s**) (*umg*) *nt* dump, hole.
Kaffee ['kafe] (**-s, -s**) *m* coffee; **zwei ~, bitte!** two coffees, please; **das ist kalter ~** (*umg*) that's old hat; **~kanne** *f* coffeepot; **~klatsch** *m*, **~kränzchen** *nt* coffee circle; **~löffel** *m* coffee spoon; **~maschine** *f* coffee maker; **~mühle** *f* coffee grinder; **~satz** *m* coffee grounds *pl*; **~tante** *f* (*hum*) coffee addict; (*in Café*) old biddy; **~wärmer** *m* cosy (*for coffeepot*).
Käfig ['kɛ:fɪç] (**-s, -e**) *m* cage.
kahl [ka:l] *adj* bald; **~fressen** *unreg vt* to strip bare; **~geschoren** *adj* shaven, shorn; **K~heit** *f* baldness; **~köpfig** *adj* bald-headed; **K~schlag** *m* (*in Wald*) clearing.
Kahn [ka:n] (**-(e)s, ¨-e**) *m* boat, barge.
Kai [kaɪ] (**-s, -e** *od* **-s**) *m* quay.
Kairo ['kaɪro] (**-s**) *nt* Cairo.
Kaiser ['kaɪzər] (**-s, -**) *m* emperor; **~in** *f* empress; **k~lich** *adj* imperial; **~reich** *nt* empire; **~schmarren** ['kaizərʃmarən] *m* (*KOCH*) *sugared, cut-up pancake with raisins*; **~schnitt** *m* (*MED*) Caesarean (*BRIT*) *od* Cesarean (*US*) (section).
Kajak ['ka:jak] (**-s, -s**) *m or nt* kayak.

Kajüte [ka'jy:tə] (-, -n) *f* cabin.
Kakao [ka'ka:o] (-s, -s) *m* cocoa; **jdn durch den ~ ziehen** (*umg: veralbern*) to make fun of sb; (*: boshaft reden*) to run sb down.
Kakerlak ['ka:kərlak] (-en, -en) *m* cockroach.
Kaktee [kak'te:ə] (-, -n) *f* cactus.
Kaktus ['kaktʊs] (-, -se) *m* cactus.
Kalabrien [ka'la:briən] (-s) *nt* Calabria.
Kalauer ['ka:laʊər] (-s, -) *m* corny joke; (*Wortspiel*) corny pun.
Kalb [kalp] (-(e)s, ¨-er) *nt* calf; **k~en** ['kalbən] *vi* to calve; **~fleisch** *nt* veal.
Kalbsleder *nt* calf(skin).
Kalender [ka'lɛndər] (-s, -) *m* calendar; (*Taschen~*) diary.
Kali ['ka:li] (-s, -s) *nt* potash.
Kaliber [ka'li:bər] (-s, -) *nt* (*lit, fig*) calibre (*BRIT*), caliber (*US*).
Kalifornien [kali'fɔrniən] (-s) *nt* California.
Kalk [kalk] (-(e)s, -e) *m* lime; (*BIOL*) calcium; **~stein** *m* limestone.
Kalkül [kal'ky:l] (-s, -e) *m od nt* (*geh*) calculation.
Kalkulation [kalkulatsi'o:n] *f* calculation.
Kalkulator [kalku'la:tɔr] *m* cost accountant.
kalkulieren [kalku'li:rən] *vt* to calculate.
kalkuliert *adj*: **~es Risiko** calculated risk.
Kalkutta [kal'kʊta] (-s) *nt* Calcutta.
Kalorie [kalo'ri:] (-, -n) *f* calorie.
kalorienarm *adj* low-calorie.
kalt [kalt] *adj* cold; **mir ist (es) ~** I am cold; **~e Platte** cold meat; **der K~e Krieg** the Cold War; **etw ~ stellen** to put sth to chill; **die Wohnung kostet ~ 980 DM** the flat costs 980 DM without heating; **~bleiben** *unreg vi* to be unmoved; **~blütig** *adj* cold-blooded; (*ruhig*) cool; **K~blütigkeit** *f* cold-bloodedness; coolness.
Kälte ['kɛltə] (-) *f* coldness; (*Wetter*) cold; **~einbruch** *m* cold spell; **~grad** *m* degree of frost *od* below zero; **~welle** *f* cold spell.
kalt- *zW*: **~herzig** *adj* cold-hearted; **~lächelnd** *adv* (*ironisch*) cool as you please; **~machen** (*umg*) *vt* to do in; **K~miete** *f* rent exclusive of heating; **K~schale** *f* (*KOCH*) *cold sweet soup*; **~schnäuzig** *adj* cold, unfeeling; **~stellen** *vt* to chill; (*fig*) to leave out in the cold.
Kalzium ['kaltsiʊm] (-s) *nt* calcium.
kam *etc* [ka:m] *vb siehe* **kommen.**
Kambodscha [kam'bɔdʒa] *nt* Cambodia.
Kamel [ka'me:l] (-(e)s, -e) *nt* camel.
Kamera ['kamera] (-, -s) *f* camera; **~-Recorder** *m* camcorder.
Kamerad(in) [kamə'ra:t,-'ra:dɪn] (-en, -en) *m(f)* comrade, friend; **~schaft** *f* comradeship; **k~schaftlich** *adj* comradely.
Kameraführung *f* camera work.
Kameramann (-(e)s, *pl* -männer) *m* cameraman.
Kamerun ['kaməru:n] (-s) *nt* Cameroon.
Kamille [ka'mɪlə] (-, -n) *f* camomile.
Kamillentee *m* camomile tea.
Kamin [ka'mi:n] (-s, -e) *m* (*außen*) chimney; (*innen*) fireside; (*Feuerstelle*) fireplace; **~feger** (-s, -) *m* chimney sweep; **~kehrer** (-s, -) *m* chimney sweep.
Kamm [kam] (-(e)s, ¨-e) *m* comb; (*Berg~*) ridge; (*Hahnen~*) crest; **alle/alles über einen ~ scheren** (*fig*) to lump everyone/ everything together.
kämmen ['kɛmən] *vt* to comb.
Kammer ['kamər] (-, -n) *f* chamber; (*Zimmer*) small bedroom; **~diener** *m* valet; **~jäger** *m* (*Schädlingsbekämpfer*) pest controller; **~musik** *f* chamber music; **~zofe** *f* chambermaid.
Kammstück *nt* (*KOCH*) shoulder.
Kampagne [kam'panjə] (-, -n) *f* campaign.
Kampf [kampf] (-(e)s, ¨-e) *m* fight, battle; (*Wettbewerb*) contest; (*fig: Anstrengung*) struggle; **jdm/etw den ~ ansagen** (*fig*) to declare war on sb/sth; **k~bereit** *adj* ready for action.
kämpfen ['kɛmpfən] *vi* to fight; **ich habe lange mit mir ~ müssen, ehe** ... I had a long battle with myself before ...
Kampfer ['kampfər] (-s) *m* camphor.
Kämpfer(in) (-s, -) *m(f)* fighter, combatant.
Kampf- *zW*: **~flugzeug** *nt* fighter (aircraft); **~geist** *m* fighting spirit; **~handlung** *f* action; **~kunst** *f* martial arts *pl*; **k~los** *adj* without a fight; **k~lustig** *adj* pugnacious; **~platz** *m* battlefield; (*SPORT*) arena, stadium; **~sport** *m* martial art; **~richter** *m* (*SPORT*) referee.
Kampuchea [kampu'tʃe:a] (-s) *nt* Kampuchea.
Kanada ['kanada] (-s) *nt* Canada.
Kanadier(in) [ka'na:diər(ɪn)] (-s, -) *m(f)* Canadian.
kanadisch [ka'na:dɪʃ] *adj* Canadian.
Kanal [ka'na:l] (-s, Kanäle) *m* (*Fluß*) canal; (*Rinne*) channel; (*für Abfluß*) drain; **der ~** (*auch*: **der Ärmelkanal**) the (English) Channel.
Kanalinseln *pl* Channel Islands *pl*.
Kanalisation [kanalizatsi'o:n] *f* sewage system.
kanalisieren [kanali'zi:rən] *vt* to provide with a sewage system; (*fig: Energie etc*) to channel.
Kanaltunnel *m* Channel Tunnel.
Kanarienvogel [ka'na:riənfo:gəl] *m* canary.
Kanarische Inseln [ka'na:rɪʃə'ɪnzəln] *pl* Canary Islands *pl*, Canaries *pl*.
Kandare [kan'da:rə] (-, -n) *f*: **jdn an die ~ nehmen** (*fig*) to take sb in hand.
Kandidat(in) [kandi'da:t(ɪn)] (-en, -en) *m(f)* candidate; **jdn als ~en aufstellen** to nominate sb.
Kandidatur [kandida'tu:r] *f* candidature, candidacy.
kandidieren [kandi'di:rən] *vi* (*POL*) to stand, run.

kandiert [kan'di:rt] *adj* (*Frucht*) candied.
Kandis(zucker) ['kandıs(tsʊkər)] (-) *m* rock candy.
Känguruh ['kɛŋguru] (**-s, -s**) *nt* kangaroo.
Kaninchen [ka'ni:nçən] *nt* rabbit.
Kanister [ka'nıstər] (**-s, -**) *m* can, canister.
kann [kan] *vb siehe* **können**.
Kännchen ['kɛnçən] *nt* pot; (*für Milch*) jug.
Kanne ['kanə] (-, **-n**) *f* (*Krug*) jug; (*Kaffee*~) pot; (*Milch*~) churn; (*Gieß*~) watering can.
Kannibale [kani'ba:lə] (**-n, -n**) *m* cannibal.
kannte *etc* ['kantə] *vb siehe* **kennen**.
Kanon ['ka:nɔn] (**-s, -s**) *m* canon.
Kanone [ka'no:nə] (-, **-n**) *f* gun; (*HIST*) cannon; (*fig: Mensch*) ace; **das ist unter aller** ~ (*umg*) that defies description.
Kanonenfutter (*umg*) *nt* cannon fodder.
Kant. *abk* = **Kanton**.
Kantate [kan'ta:tə] (-, **-n**) *f* cantata.
Kante ['kantə] (-, **-n**) *f* edge; **Geld auf die hohe** ~ **legen** (*umg*) to put money by.
kantig ['kantıç] *adj* (*Holz*) edged; (*Gesicht*) angular.
Kantine [kan'ti:nə] *f* canteen.
Kanton [kan'to:n] (**-s, -e**) *m* canton.
Kantor ['kantɔr] *m* choirmaster.
Kanu ['ka:nu] (**-s, -s**) *nt* canoe.
Kanzel ['kantsəl] (-, **-n**) *f* pulpit; (*AVIAT*) cockpit.
Kanzlei [kants'laı] *f* chancery; (*Büro*) chambers *pl*.
Kanzler ['kantslər] (**-s, -**) *m* chancellor.
Kap [kap] (**-s, -s**) *nt* cape; **das** ~ **der guten Hoffnung** the Cape of Good Hope.
Kapazität [kapatsi'tɛ:t] *f* capacity; (*Fachmann*) authority.
Kapelle [ka'pɛlə] *f* (*Gebäude*) chapel; (*MUS*) band.
Kapellmeister(in) *m(f)* director of music; (*MIL, von Tanzkapelle etc*) bandmaster, bandleader.
Kaper ['ka:pər] (-, **-n**) *f* caper.
kapern *vt* to capture.
kapieren [ka'pi:rən] (*umg*) *vt, vi* to understand.
Kapital [kapi'ta:l] (**-s, -e** *od* **-ien**) *nt* capital; **aus etw** ~ **schlagen** (*pej: lit, fig*) to make capital out of sth; ~**anlage** *f* investment; ~**aufwand** *m* capital expenditure; ~**ertrag** *m* capital gains *pl*; ~**ertragssteuer** *f* capital gains tax; ~**flucht** *f* flight of capital; ~**gesellschaft** *f* (*COMM*) joint-stock company; ~**güter** *pl* capital goods *pl*; **k**~**intensiv** *adj* capital-intensive.
Kapitalismus [kapita'lısmʊs] *m* capitalism.
Kapitalist [kapita'lıst] *m* capitalist.
kapitalistisch *adj* capitalist.
Kapital- *zW:* **k**~**kräftig** *adj* wealthy; ~**markt** *m* money market; ~**verbrechen** *nt* serious crime; (*mit Todesstrafe*) capital crime.
Kapitän [kapi'tɛ:n] (**-s, -e**) *m* captain.
Kapitel [ka'pıtəl] (**-s, -**) *nt* chapter; **ein trauriges** ~ (*Angelegenheit*) a sad story.
Kapitulation [kapitulatsi'o:n] *f* capitulation.
kapitulieren [kapitu'li:rən] *vi* to capitulate.
Kaplan [ka'pla:n] (**-s, Kapläne**) *m* chaplain.
Kappe ['kapə] (-, **-n**) *f* cap; (*Kapuze*) hood; **das nehme ich auf meine** ~ (*fig: umg*) I'll take the responsibility for that.
kappen *vt* to cut.
Kapsel ['kapsəl] (-, **-n**) *f* capsule.
Kapstadt ['kapʃtat] *nt* Cape Town.
kaputt [ka'pʊt] (*umg*) *adj* smashed, broken; (*Person*) exhausted, knackered; **der Fernseher ist** ~ the TV's not working; **ein** ~**er Typ** a bum; ~**gehen** *unreg vi* to break; (*Schuhe*) to fall apart; (*Firma*) to go bust; (*Stoff*) to wear out; (*sterben*) to cop it (*umg*); ~**lachen** *vr* to laugh o.s. silly; ~**machen** *vt* to break; (*Mensch*) to exhaust, wear out; ~**schlagen** *unreg vt* to smash.
Kapuze [ka'pu:tsə] (-, **-n**) *f* hood.
Karabiner [kara'bi:nər] (**-s, -**) *m* (*Gewehr*) carbine.
Karacho [ka'raxo] (**-s**) *nt:* **mit** ~ (*umg*) hell for leather.
Karaffe [ka'rafə] (-, **-n**) *f* carafe; (*geschliffen*) decanter.
Karambolage [karambo'la:ʒə] (-, **-n**) *f* (*Zusammenstoß*) crash.
Karamel [kara'mɛl] (**-s**) *m* caramel; ~**bonbon** *m od nt* toffee.
Karat [ka'ra:t] (**-(e)s, -e**) *nt* carat.
Karate (**-s**) *nt* karate.
Karawane [kara'va:nə] (-, **-n**) *f* caravan.
Kardinal [kardi'na:l] (**-s, Kardinäle**) *m* cardinal; ~**fehler** *m* cardinal error; ~**zahl** *f* cardinal number.
Karenzzeit [ka'rɛntstsaıt] *f* waiting period.
Karfreitag [ka:r'fraıta:k] *m* Good Friday.
karg [kark] *adj* scanty, poor; (*Mahlzeit*) meagre (*BRIT*), meager (*US*); **etw** ~ **bemessen** to be mean with sth; **K**~**heit** *f* poverty, scantiness; meagreness (*BRIT*), meagerness (*US*).
kärglich ['kɛrklıç] *adj* poor, scanty.
Kargo ['kargo] (**-s, -s**) *m* (*COMM*) cargo.
Karibik [ka'ri:bık] (-) *f:* **die** ~ the Caribbean.
karibisch *adj* Caribbean; **das K**~**e Meer** the Caribbean Sea.
kariert [ka'ri:rt] *adj* (*Stoff*) checked (*BRIT*), checkered (*US*); (*Papier*) squared; ~ **reden** (*umg*) to talk rubbish *od* nonsense.
Karies ['ka:riɛs] (-) *f* caries.
Karikatur [karika'tu:r] *f* caricature; ~**ist(in)** [karikatu:'rıst(ın)] *m(f)* cartoonist.
karikieren [kari'ki:rən] *vt* to caricature.
karitativ [karita'ti:f] *adj* charitable.
Karneval ['karnəval] (**-s, -e** *od* **-s**) *m* carnival.

Karneval *is the name given to the days immediately before Lent when people gather to sing, dance, eat, drink and generally make merry before the fasting begins.* **Rosenmontag,** *the day before Shrove Tuesday, is the most* *important day of Karneval on the Rhine. Most firms take a day's holiday on that day to enjoy the parades and revelry. In South Germany Karneval is called Fasching.*

Karnickel [kar'nɪkəl] (**-s, -**) (*umg*) *nt* rabbit.
Kärnten ['kɛrntən] (**-s**) *nt* Carinthia.
Karo ['ka:ro] (**-s, -s**) *nt* square; (*KARTEN*) diamonds; **~-As** *nt* ace of diamonds.
Karosse [ka'rɔsə] (**-, -n**) *f* coach, carriage.
Karosserie [karɔsə'ri:] *f* (*AUT*) body(work).
Karotte [ka'rɔtə] (**-, -n**) *f* carrot.
Karpaten [kar'pa:tən] *pl* Carpathians *pl*.
Karpfen ['karpfən] (**-s, -**) *m* carp.
Karre ['karə] (**-, -n**) *f* = **Karren.**
Karree [ka:'re:] (**-s, -s**) *nt*: **einmal ums ~ gehen** (*umg*) to walk around the block.
karren ['karən] *vt* to cart, transport; **K~** (**-s, -**) *m* cart, barrow; **den K~ aus dem Dreck ziehen** (*umg*) to get things sorted out.
Karriere [kari'ɛ:rə] (**-, -n**) *f* career; **~ machen** to get on, get to the top; **~macher(in)** *m(f)* careerist.
Karsamstag [ka:r'zamsta:k] *m* Easter Saturday.
Karst [karst] (**-s, -e**) *m* (*GEOG, GEOL*) karst, *barren landscape*.
Karte ['kartə] (**-, -n**) *f* card; (*Land~*) map; (*Speise~*) menu; (*Eintritts~, Fahr~*) ticket; **mit offenen ~n spielen** (*fig*) to put one's cards on the table; **alles auf eine ~ setzen** to put all one's eggs in one basket.
Kartei [kar'taɪ] *f* card index; **~karte** *f* index card; **~leiche** (*umg*) *f* sleeping *od* non-active member; **~schrank** *m* filing cabinet.
Kartell [kar'tɛl] (**-s, -e**) *nt* cartel; **~amt** *nt* monopolies commission; **~gesetzgebung** *f* anti-trust legislation.
Karten- *zW*: **~haus** *nt* (*lit, fig*) house of cards; **~legen** *nt* fortune-telling (*using cards*); **~spiel** *nt* card game; (*Karten*) pack (*BRIT*) *od* deck (*US*) of cards; **~telefon** *nt* cardphone; **~vorverkauf** *m* advance sale of tickets.
Kartoffel [kar'tɔfəl] (**-, -n**) *f* potato; **~brei** *m* mashed potatoes *pl*; **~chips** *pl* potato crisps *pl* (*BRIT*), potato chips *pl* (*US*); **~püree** *nt* mashed potatoes *pl*; **~salat** *m* potato salad.
Karton [kar'tõ:] (**-s, -s**) *m* cardboard; (*Schachtel*) cardboard box.
kartoniert [karto'ni:rt] *adj* hardback.
Karussell [karʊ'sɛl] (**-s, -s**) *nt* roundabout (*BRIT*), merry-go-round.
Karwoche ['ka:rvɔxə] *f* Holy Week.
Karzinom [kartsi'no:m] (**-s, -e**) *nt* (*MED*) carcinoma.
Kasachstan [kazaxs'ta:n] (**-s**) *nt* (*GEOG*) Kazakhstan.
Kaschemme [ka'ʃɛmə] (**-, -n**) *f* dive.
kaschieren [ka'ʃi:rən] *vt* to conceal, cover up.
Kaschmir ['kaʃmi:r] (**-s**) *nt* (*GEOG*) Kashmir.
Käse ['kɛ:zə] (**-s, -**) *m* cheese; (*umg: Unsinn*) rubbish, twaddle; **~blatt** (*umg*) *nt* (local) rag; **~glocke** *f* cheese cover; **~kuchen** *m* cheesecake.
Kaserne [ka'zɛrnə] (**-, -n**) *f* barracks *pl*.
Kasernenhof *m* parade ground.
käsig ['kɛ:zɪç] *adj* (*fig: umg: Gesicht, Haut*) pasty, pale; (*vor Schreck*) white; (*lit*) cheesy.
Kasino [ka'zi:no] (**-s, -s**) *nt* club; (*MIL*) officers' mess; (*Spiel~*) casino.
Kaskoversicherung ['kaskofɛrzɪçərʊŋ] *f* (*AUT: Teil~*) ≈ third party, fire and theft insurance; (*: Voll~*) fully comprehensive insurance.
Kasper ['kaspər] (**-s, -**) *m* Punch; (*fig*) clown.
Kasperl(e)theater ['kaspərl(ə)tea:tər] *nt* Punch and Judy (show).
Kaspisches Meer ['kaspɪʃəs'me:r] *nt* Caspian Sea.
Kasse ['kasə] (**-, -n**) *f* (*Geldkasten*) cashbox; (*in Geschäft*) till, cash register; (*Kino~, Theater~ etc*) box office; (*Kranken~*) health insurance; (*Spar~*) savings bank; **die ~ führen** to be in charge of the money; **jdn zur ~ bitten** to ask sb to pay up; **~ machen** to count the money; **getrennte ~ führen** to pay separately; **an der ~** (*in Geschäft*) at the (cash) desk; **gut bei ~ sein** to be in the money.
Kasseler ['kasələr] (**-s, -**) *nt lightly smoked pork loin*.
Kassen- *zW*: **~arzt** *m* ≈ National Health doctor (*BRIT*), panel doctor (*US*); **~bestand** *m* cash balance; **~führer** *m* (*COMM*) cashier; **~patient** *m* ≈ National Health patient (*BRIT*); **~prüfung** *f* audit; **~schlager** (*umg*) *m* (*THEAT etc*) box-office hit; (*: Ware*) big seller; **~sturz** *m*: **~sturz machen** to check one's money; **~wart** *m* (*von Klub etc*) treasurer; **~zettel** *m* sales slip.
Kasserolle [kasə'rɔlə] (**-, -n**) *f* casserole.
Kassette [ka'sɛtə] *f* small box; (*Tonband, PHOT*) cassette; (*COMPUT*) cartridge, cassette; (*Bücher~*) case.
Kassettenrecorder (**-s, -**) *m* cassette recorder.
Kassiber [ka'si:bər] (**-s, -**) *m* (*in Gefängnis*) secret message.
kassieren [ka'si:rən] *vt* (*Gelder etc*) to collect; (*umg: wegnehmen*) to take (away) ♦ *vi*: **darf ich ~?** would you like to pay now?
Kassierer(in) [ka'si:rər(ɪn)] (**-s, -**) *m(f)* cashier; (*von Klub*) treasurer.
Kastanie [kas'ta:niə] *f* chestnut.
Kastanienbaum *m* chestnut tree.
Kästchen ['kɛstçən] *nt* small box, casket.
Kaste ['kastə] (**-, -n**) *f* caste.
Kasten ['kastən] (**-s, ⸚**) *m* box (*auch SPORT*), case; (*Truhe*) chest; **er hat was auf dem ~** (*umg*) he's brainy; **~form** *f* (*KOCH*) (square) baking tin (*BRIT*) *od* pan (*US*); **~wagen** *m* van.
kastrieren [kas'tri:rən] *vt* to castrate.
Kat (**-, -s**) *m abk* (*AUT*) = **Katalysator.**

katalanisch [kata'la:nɪʃ] *adj* Catalan.
Katalog [kata'lo:k] (**-(e)s, -e**) *m* catalogue (*BRIT*), catalog (*US*).
katalogisieren [katalogi'zi:rən] *vt* to catalogue (*BRIT*), catalog (*US*).
Katalysator [kataly'za:tɔr] *m* (*lit, fig*) catalyst; (*AUT*) catalytic converter; **~-Auto** vehicle fitted with a catalytic converter.
Katapult [kata'pʊlt] (**-(e)s, -e**) *nt or m* catapult.
katapultieren [katapʊl'ti:rən] *vt* to catapult ♦ *vr* to catapult o.s.; (*Pilot*) to eject.
Katar ['ka:tar] *nt* Qatar.
Katarrh [ka'tar] (**-s, -e**) *m* catarrh.
Katasteramt [ka'tastəramt] *nt* land registry.
katastrophal [katastro'fa:l] *adj* catastrophic.
Katastrophe [kata'stro:fə] (**-, -n**) *f* catastrophe, disaster.
Katastrophen- *zW:* **~alarm** *m* emergency alert; **~gebiet** *nt* disaster area; **~medizin** *f* medical treatment in disasters; **~schutz** *m* disaster control.
Katechismus [katɛ'çɪsmʊs] *m* catechism.
Kategorie [katego'ri:] *f* category.
kategorisch [kate'go:rɪʃ] *adj* categorical.
kategorisieren [kategori'zi:rən] *vt* to categorize.
Kater ['ka:tər] (**-s, -**) *m* tomcat; (*umg*) hangover; **~frühstück** *nt breakfast (of pickled herring etc) to cure a hangover.*
kath. *abk* = **katholisch.**
Katheder [ka'te:dər] (**-s, -**) *nt* (*SCH*) teacher's desk; (*UNIV*) lectern.
Kathedrale [kate'dra:lə] (**-, -n**) *f* cathedral.
Katheter [ka'te:tər] (**-s, -**) *m* (*MED*) catheter.
Kathode [ka'to:də] (**-, -n**) *f* cathode.
Katholik(in) [kato'li:k(ɪn)] (**-en, -en**) *m(f)* Catholic.
katholisch [ka'to:lɪʃ] *adj* Catholic.
Katholizismus [katoli'tsɪsmʊs] *m* Catholicism.
katzbuckeln ['katsbʊkəln] (*pej: umg*) *vi* to bow and scrape.
Kätzchen ['kɛtsçən] *nt* kitten.
Katze ['katsə] (**-, -n**) *f* cat; **die ~ im Sack kaufen** to buy a pig in a poke; **für die Katz** (*umg*) in vain, for nothing.
Katzen- *zW:* **~auge** *nt* cat's-eye (*BRIT*); (*am Fahrrad*) rear light; **~jammer** (*umg*) *m* hangover; **~musik** *f* (*fig*) caterwauling; **~sprung** (*umg*) *m* stone's throw, short distance; **~tür** *f* cat flap; **~wäsche** *f* a lick and a promise.
Kauderwelsch ['kaʊdərvɛlʃ] (**-(s)**) *nt* jargon; (*umg*) double Dutch (*BRIT*).
kauen ['kaʊən] *vt, vi* to chew.
kauern ['kaʊərn] *vi* to crouch.
Kauf [kaʊf] (**-(e)s, Käufe**) *m* purchase, buy; (*~en*) buying; **ein guter ~** a bargain; **etw in ~ nehmen** to put up with sth.
kaufen *vt* to buy; **dafür kann ich mir nichts ~** (*ironisch*) what use is that to me!
Käufer(in) ['kɔʏfər(ɪn)] (**-s, -**) *m(f)* buyer.
Kauf- *zW:* **~frau** *f* businesswoman; (*Einzelhandelskauffrau*) shopkeeper; **~haus** *nt* department store; **~kraft** *f* purchasing power; **~laden** *m* shop, store.
käuflich ['kɔʏflɪç] *adj* purchasable, for sale; (*pej*) venal ♦ *adv:* **~ erwerben** to purchase.
Kauf- *zW:* **~lust** *f* desire to buy things; (*BÖRSE*) buying; **k~lustig** *adj* interested in buying; **~mann** (**-(e)s,** *pl* **-leute**) *m* businessman; (*Einzelhandelskaufmann*) shopkeeper; **k~männisch** *adj* commercial; **k~männischer Angestellter** clerk; **~preis** *m* purchase price; **~vertrag** *m* bill of sale; **~willige(r)** *f(m)* potential buyer; **~zwang** *m:* **kein/ohne ~zwang** no/without obligation.
Kaugummi ['kaʊgʊmi] *m* chewing gum.
Kaukasus ['kaʊkazʊs] *m:* **der ~** the Caucasus.
Kaulquappe ['kaʊlkvapə] (**-, -n**) *f* tadpole.
kaum [kaʊm] *adv* hardly, scarcely; **wohl ~, ich glaube ~** I hardly think so.
Kausalzusammenhang [kaʊ'za:l-tsuzamənhaŋ] *m* causal connection.
Kaution [kaʊtsi'o:n] *f* deposit; (*JUR*) bail.
Kautschuk ['kaʊtʃʊk] (**-s, -e**) *m* India rubber.
Kauz [kaʊts] (**-es, Käuze**) *m* owl; (*fig*) queer fellow.
Kavalier [kava'li:r] (**-s, -e**) *m* gentleman.
Kavaliersdelikt *nt* peccadillo.
Kavallerie [kavalə'ri:] *f* cavalry.
Kavallerist [kavalə'rɪst] *m* cavalryman.
Kaviar ['ka:viar] *m* caviar.
KB *nt abk* (= *Kilobyte*) KB, kbyte.
Kcal *abk* (= *Kilokalorie*) kcal.
keck [kɛk] *adj* daring, bold; **K~heit** *f* daring, boldness.
Kegel ['ke:gəl] (**-s, -**) *m* skittle; (*MATH*) cone; **~bahn** *f* skittle alley, bowling alley; **k~förmig** *adj* conical.
kegeln *vi* to play skittles.
Kehle ['ke:lə] (**-, -n**) *f* throat; **er hat das in die falsche ~ bekommen** (*lit*) it went down the wrong way; (*fig*) he took it the wrong way; **aus voller ~** at the top of one's voice.
Kehl- *zW:* **~kopf** *m* larynx; **~kopfkrebs** *m* cancer of the throat; **~laut** *m* guttural.
Kehre ['ke:rə] (**-, -n**) *f* turn(ing), bend.
kehren *vt, vi* (*wenden*) to turn; (*mit Besen*) to sweep; **sich an etw** *dat* **nicht ~** not to heed sth; **in sich** *akk* **gekehrt** (*versunken*) pensive; (*verschlossen*) introspective, introverted.
Kehricht (**-s**) *m* sweepings *pl.*
Kehr- *zW:* **~maschine** *f* sweeper; **~reim** *m* refrain; **~seite** *f* reverse, other side; (*ungünstig*) wrong *od* bad side; **die ~seite der Medaille** the other side of the coin.
kehrtmachen *vi* to turn about, about-turn.
Kehrtwendung *f* about-turn.
keifen ['kaɪfən] *vi* to scold, nag.
Keil [kaɪl] (**-(e)s, -e**) *m* wedge; (*MIL*) arrowhead; **k~en** *vt* to wedge ♦ *vr* to fight.
Keilerei [kaɪlə'raɪ] (*umg*) *f* punch-up.
Keilriemen *m* (*AUT*) fan belt.
Keim [kaɪm] (**-(e)s, -e**) *m* bud; (*MED, fig*) germ;

etw im ~ ersticken to nip sth in the bud.
keimen *vi* to germinate.
Keim- *zW:* **k~frei** *adj* sterile; **k~tötend** *adj* antiseptic, germicidal; **~zelle** *f* (*fig*) nucleus.
kein(e) ['kaın(ə)] *pron* none ♦ *adj* no, not any; **~ schlechte Idee** not a bad idea; **~ Stunde/drei Monate** (*nicht einmal*) less than an hour/three months.
keine(r, s) *indef pron* no one, nobody; (*von Gegenstand*) none.
keinerlei ['kaınər'laı] *adj attrib* no ... whatever.
keinesfalls *adv* on no account.
keineswegs *adv* by no means.
keinmal *adv* not once.
Keks [keːks] (**-es, -e**) *m od nt* biscuit (*BRIT*), cookie (*US*).
Kelch [kɛlç] (**-(e)s, -e**) *m* cup, goblet, chalice.
Kelle ['kɛlə] (**-, -n**) *f* ladle; (*Maurer~*) trowel.
Keller ['kɛlər] (**-s, -**) *m* cellar; **~assel** (**-, -n**) *f* woodlouse.
Kellerei [kɛlə'raı] *f* wine cellars *pl*; (*Firma*) wine producer.
Kellergeschoß *nt* basement.
Kellerwohnung *f* basement flat (*BRIT*) *od* apartment (*US*).
Kellner(in) ['kɛlnər(ın)] (**-s, -**) *m(f)* waiter, waitress.
kellnern (*umg*) *vi* to work as a waiter/waitress (*BRIT*), wait on tables (*US*).
Kelte ['kɛltə] (**-n, -n**) *m* Celt.
Kelter (**-, -n**) *f* winepress; (*Obst~*) press.
keltern ['kɛltərn] *vt* to press.
Keltin ['kɛltın] *f* (female) Celt.
keltisch *adj* Celtic.
Kenia ['keːnia] (**-s**) *nt* Kenya.
kennen ['kɛnən] *unreg vt* to know; **~ Sie sich schon?** do you know each other (already)?; **kennst du mich noch?** do you remember me?; **~lernen** *vt* to get to know; **sich ~lernen** to get to know each other; (*zum erstenmal*) to meet.
Kenner(in) (**-s, -**) *m(f)*: **~ (von** *od* *+gen***)** connoisseur (of); expert (on).
Kennkarte *f* identity card.
kenntlich *adj* distinguishable, discernible; **etw ~ machen** to mark sth.
Kenntnis (**-, -se**) *f* knowledge *no pl*; **etw zur ~ nehmen** to note sth; **von etw ~ nehmen** to take notice of sth; **jdn in ~ setzen** to inform sb; **über ~se von etw verfügen** to be knowledgeable about sth.
Kenn- *zW:* **~wort** *nt* (*Chiffre*) code name; (*Losungswort*) password, code word; **~zeichen** *nt* mark, characteristic; **(amtliches/polizeiliches) ~zeichen** (*AUT*) number plate (*BRIT*), license plate (*US*); **k~zeichnen** *vt untr* to characterize; **k~zeichnenderweise** *adv* characteristically; **~ziffer** *f* (code) number; (*COMM*) reference number.
kentern ['kɛntərn] *vi* to capsize.
Keramik [ke'raːmık] (**-, -en**) *f* ceramics *pl*, pottery; (*Gegenstand*) piece of ceramic work *od* pottery.
Kerbe ['kɛrbə] (**-, -n**) *f* notch, groove.
Kerbel (**-s, -**) *m* chervil.
kerben *vt* to notch.
Kerbholz *nt:* **etw auf dem ~ haben** to have done sth wrong.
Kerker ['kɛrkər] (**-s, -**) *m* prison.
Kerl [kɛrl] (**-s, -e**) (*umg*) *m* chap, bloke (*BRIT*), guy; **du gemeiner ~!** you swine!
Kern [kɛrn] (**-(e)s, -e**) *m* (*Obst~*) pip, stone; (*Nuß~*) kernel; (*Atom~*) nucleus; (*fig*) heart, core; **~energie** *f* nuclear energy; **~fach** *nt* (*SCH*) core subject; **~familie** *f* nuclear family; **~forschung** *f* nuclear research; **~frage** *f* central issue; **~fusion** *f* nuclear fusion; **~gehäuse** *nt* core; **k~gesund** *adj* thoroughly healthy, fit as a fiddle.
kernig *adj* robust; (*Ausspruch*) pithy.
Kern- *zW:* **~kraftwerk** *nt* nuclear power station; **k~los** *adj* seedless, pipless; **~physik** *f* nuclear physics *sing*; **~reaktion** *f* nuclear reaction; **~reaktor** *m* nuclear reactor; **~schmelze** *f* meltdown; **~seife** *f* washing soap; **~spaltung** *f* nuclear fission; **~stück** *nt* (*fig*) main item; (*von Theorie etc*) central part, core; **~waffen** *pl* nuclear weapons *pl*; **k~waffenfrei** *adj* nuclear-free; **~zeit** *f* core time.
Kerze ['kɛrtsə] (**-, -n**) *f* candle; (*Zünd~*) plug.
Kerzen- *zW:* **k~gerade** *adj* straight as a die; **~halter** *m* candlestick; **~ständer** *m* candle-holder.
keß [kɛs] *adj* saucy.
Kessel ['kɛsəl] (**-s, -**) *m* kettle; (*von Lokomotive etc*) boiler; (*Mulde*) basin; (*GEOG*) depression; (*MIL*) encirclement; **~stein** *m* scale, fur (*BRIT*); **~treiben** *nt* (*fig*) witch-hunt.
Kette ['kɛtə] (**-, -n**) *f* chain; **jdn an die ~ legen** (*fig*) to tie sb down.
ketten *vt* to chain.
Ketten- *zW:* **~fahrzeug** *nt* tracked vehicle; **~hund** *m* watchdog; **~karussell** *nt* merry-go-round (*with gondolas on chains*); **~laden** *m* chain store; **~rauchen** *nt* chain smoking; **~reaktion** *f* chain reaction.
Ketzer(in) ['kɛtsər(ın)] (**-s, -**) *m(f)* heretic; **~ei** [kɛtsə'raı] *f* heresy; **k~isch** *adj* heretical.
keuchen ['kɔʏçən] *vi* to pant, gasp.
Keuchhusten *m* whooping cough.
Keule ['kɔʏlə] (**-, -n**) *f* club; (*KOCH*) leg.
keusch [kɔʏʃ] *adj* chaste; **K~heit** *f* chastity.
Kfm. *abk* = **Kaufmann**.
kfm. *abk* = **kaufmännisch**.
Kfz (**-(s), -(s)**) *f abk* = **Kraftfahrzeug**.
KG (**-, -s**) *f abk* = **Kommanditgesellschaft**.
kg *abk* (= *Kilogramm*) kg.
kHz *abk* (= *Kilohertz*) kHz.
Kibbuz [kı'buːts] (**-, Kibbuzim** *od* **-e**) *m* kibbutz.

kichern ['kɪçərn] *vi* to giggle.
kicken ['kɪkən] *vt, vi* (*Fußball*) to kick.
kidnappen ['kɪtnɛpən] *vt* to kidnap.
Kidnapper(in) (**-s, -**) *m(f)* kidnapper.
Kiebitz ['ki:bɪts] (**-es, -e**) *m* peewit.
Kiefer[1] ['ki:fər] (**-s, -**) *m* jaw.
Kiefer[2] ['ki:fər] (**-, -n**) *f* pine.
Kiefernholz *nt* pine(wood).
Kiefernzapfen *m* pine cone.
Kieferorthopäde *m* orthodontist.
Kieker ['ki:kər] (**-s, -**) *m*: **jdn auf dem ~ haben** (*umg*) to have it in for sb.
Kiel [ki:l] (**-(e)s, -e**) *m* (*Feder~*) quill; (*NAUT*) keel; **~wasser** *nt* wake.
Kieme ['ki:mə] (**-, -n**) *f* gill.
Kies [ki:s] (**-es, -e**) *m* gravel; (*umg: Geld*) money, dough.
Kiesel ['ki:zəl] (**-s, -**) *m* pebble; **~stein** *m* pebble.
Kiesgrube *f* gravel pit.
Kiesweg *m* gravel path.
Kiew ['ki:ɛf] (**-s**) *nt* Kiev.
kiffen ['kɪfən] (*umg*) *vt* to smoke pot *od* grass.
Kilimandscharo [kiliman'dʒa:ro] (**-s**) *m* Kilimanjaro.
Killer ['kɪlər(ɪn)] (**-s, -**) (*umg*) *m* killer, murderer; (*gedungener*) hit man; **~in** (*umg*) *f* killer, female murderer, murderess.
Kilo ['ki:lo] (**-s, -(s)**) *nt* kilo; **~byte** [kilo'baɪt] *nt* (*COMPUT*) kilobyte; **~gramm** [kilo'gram] *nt* kilogram.
Kilometer [kilo'me:tər] *m* kilometre (*BRIT*), kilometer (*US*); **~fresser** (*umg*) *m* long-haul driver; **~geld** *nt* ≈ mileage (allowance); **~stand** *m* ≈ mileage; **~stein** *m* ≈ milestone; **~zähler** *m* ≈ mileometer.
Kilowatt [kilo'vat] *nt* kilowatt.
Kimme ['kɪmə] (**-, -n**) *f* notch; (*Gewehr*) back sight.
Kind [kɪnt] (**-(e)s, -er**) *nt* child; **sich freuen wie ein ~** to be as pleased as Punch; **mit ~ und Kegel** (*hum: umg*) with the whole family; **von ~ auf** from childhood.
Kinderarzt *m* paediatrician (*BRIT*), pediatrician (*US*).
Kinderbett *nt* cot (*BRIT*), crib (*US*).
Kinderei [kɪndə'raɪ] *f* childishness.
Kindererziehung *f* bringing up of children; (*durch Schule*) education of children.
kinderfeindlich *adj* anti-children; (*Architektur, Planung*) not catering for children.
Kinderfreibetrag *m* child allowance.
Kindergarten *m* nursery school.

> *A* **Kindergarten** *is a nursery school for children aged between 3 and 6 years. The children sing, play and do handicrafts. They are not taught the three Rs at this stage. Most Kindergärten are financed by the town or the church and not by the state. Parents pay a monthly contribution towards the cost.*

Kinder- *zW*: **~gärtner(in)** *m(f)* nursery-school teacher; **~geld** *nt* child benefit (*BRIT*); **~heim** *nt* children's home; **~krankheit** *f* childhood illness; **~laden** *m* (alternative) playgroup; **~lähmung** *f* polio(myelitis); **k~leicht** *adj* childishly easy; **k~lieb** *adj* fond of children; **~lied** *nt* nursery rhyme; **k~los** *adj* childless; **~mädchen** *nt* nursemaid; **~pflegerin** *f* child minder; **k~reich** *adj* with a lot of children; **~schuh** *m*: **es steckt noch in den ~schuhen** (*fig*) it's still in its infancy; **~spiel** *nt* child's play; **ein ~spiel sein** to be a doddle; **~stube** *f*: **eine gute ~stube haben** to be well-mannered; **~tagesstätte** *f* day-nursery; **~teller** *m* children's dish; **~wagen** *m* pram (*BRIT*), baby carriage (*US*); **~zimmer** *nt* child's/children's room; (*für Kleinkinder*) nursery.
Kindes- *zW*: **~alter** *nt* infancy; **~beine** *pl*: **von ~beinen an** from early childhood; **~mißhandlung** *f* child abuse.
Kind- *zW*: **k~gemäß** *adj* suitable for a child *od* children; **~heit** *f* childhood; **k~isch** *adj* childish; **k~lich** *adj* childlike.
kindsköpfig *adj* childish.
Kinkerlitzchen ['kɪŋkərlɪtsçən] (*umg*) *pl* knick-knacks *pl*.
Kinn [kɪn] (**-(e)s, -e**) *nt* chin; **~haken** *m* (*BOXEN*) uppercut; **~lade** *f* jaw.
Kino ['ki:no] (**-s, -s**) *nt* cinema (*BRIT*), movies (*US*); **~besucher** *m*, **~gänger** *m* cinema-goer (*BRIT*), movie-goer (*US*); **~programm** *nt* film programme (*BRIT*), movie program (*US*).
Kiosk [ki'ɔsk] (**-(e)s, -e**) *m* kiosk.
Kippe ['kɪpə] (**-, -n**) *f* (*umg*) cigarette end; **auf der ~ stehen** (*fig*) to be touch and go.
kippen *vi* to topple over, overturn ♦ *vt* to tilt.
Kipper ['kɪpər] (**-s, -**) *m* (*AUT*) tipper, dump(er) truck.
Kippschalter *m* rocker switch.
Kirche ['kɪrçə] (**-, -n**) *f* church.
Kirchen- *zW*: **~chor** *m* church choir; **~diener** *m* churchwarden; **~fest** *nt* church festival; **~lied** *nt* hymn; **~schiff** *nt* (*Längsschiff*) nave; (*Querschiff*) transept; **~steuer** *f* church tax; **~tag** *m* church congress.
Kirch- *zW*: **~gänger(in)** (**-s, -**) *m(f)* churchgoer; **~hof** *m* churchyard; **k~lich** *adj* ecclesiastical; **~turm** *m* church tower, steeple; **~weih** *f* fair, kermis (*US*).
Kirgistan ['kɪrgista:n] (**-s**) *nt* (*GEOG*) Kirghizia.
Kirmes ['kɪrmɛs] (**-, -sen**) *f* (*Dialekt*) fair, kermis (*US*).
Kirschbaum ['kɪrʃbaʊm] *m* cherry tree; (*Holz*) cherry (wood).
Kirsche ['kɪrʃə] (**-, -n**) *f* cherry; **mit ihm ist nicht gut ~n essen** (*fig*) it's best not to tangle with him.
Kirschtorte *f*: **Schwarzwälder ~** Black Forest Gateau.

Kirschwasser *nt* kirsch.
Kissen ['kɪsən] (**-s, -**) *nt* cushion; (*Kopf~*) pillow; **~bezug** *m* pillow case.
Kiste ['kɪstə] (**-, -n**) *f* box; (*Truhe*) chest; (*umg: Bett*) sack; (: *Fernsehen*) box (*BRIT*), tube (*US*).
Kita ['kɪta] *f abk* = **Kindertagesstätte.**
Kitsch [kɪtʃ] (**-(e)s**) *m* trash.
kitschig *adj* trashy.
Kitt [kɪt] (**-(e)s, -e**) *m* putty.
Kittchen (*umg*) *nt* clink.
Kittel (**-s, -**) *m* overall; (*von Arzt, Laborant etc*) (white) coat.
kitten *vt* to putty; (*fig*) to patch up.
Kitz [kɪts] (**-es, -e**) *nt* kid; (*Reh~*) fawn.
kitzelig ['kɪtsəlɪç] *adj* (*lit, fig*) ticklish.
kitzeln *vt, vi* to tickle.
Kiwi ['ki:vi] (**-, -s**) *f* kiwi fruit.
KKW (**-, -s**) *nt abk* = **Kernkraftwerk.**
Kl. *abk* (= *Klasse*) cl.
Klacks [klaks] (**-es, -e**) (*umg*) *m* (*von Kartoffelbrei, Sahne*) dollop; (*von Senf, Farbe etc*) blob.
Kladde ['kladə] (**-, -n**) *f* rough book; (*Block*) scribbling pad.
klaffen ['klafən] *vi* to gape.
kläffen ['klɛfən] *vi* to yelp.
Klage ['kla:gə] (**-, -n**) *f* complaint; (*JUR*) action; **eine ~ gegen jdn einreichen** *od* **erheben** to institute proceedings against sb; **~lied** *nt*: **ein ~lied über jdn/etw anstimmen** (*fig*) to complain about sb/sth; **~mauer** *f*: **die ~mauer** the Wailing Wall.
klagen *vi* (*weh~*) to lament, wail; (*sich beschweren*) to complain; (*JUR*) to take legal action; **jdm sein Leid/seine Not ~** to pour out one's sorrow/distress to sb.
Kläger(in) ['klɛ:gər(ɪn)] (**-s, -**) *m(f)* (*JUR: im Zivilrecht*) plaintiff; (: *im Strafrecht*) prosecuting party; (: *in Scheidung*) petitioner.
Klageschrift *f* (*JUR*) charge; (*bei Scheidung*) petition.
kläglich ['klɛ:klɪç] *adj* wretched.
Klamauk [kla'maʊk] (**-s**) (*umg*) *m* (*Alberei*) tomfoolery; (*im Theater*) slapstick.
Klamm [klam] (**-, -en**) *f* ravine.
klamm *adj* (*Finger*) numb; (*feucht*) damp.
Klammer ['klamər] (**-, -n**) *f* clamp; (*in Text*) bracket; (*Büro~*) clip; (*Wäsche~*) peg (*BRIT*), pin (*US*); (*Zahn~*) brace; **~ auf/zu** open/close brackets.
klammern *vr*: **sich ~ an** *+akk* to cling to.
klammheimlich [klam'haɪmlɪç] (*umg*) *adj* secret ♦ *adv* on the quiet.
Klamotte [kla'mɔtə] (**-, -n**) *f* (*pej: Film etc*) rubbishy old film *etc*; **Klamotten** *pl* (*umg: Kleider*) clothes *pl*; (: *Zeug*) stuff.
Klampfe ['klampfə] (**-, -n**) (*umg*) *f* guitar.
klang *etc* [klaŋ] *vb siehe* **klingen.**
Klang (**-(e)s, ¨-e**) *m* sound.
klangvoll *adj* sonorous.
Klappbett *nt* folding bed.
Klappe ['klapə] (**-, -n**) *f* valve; (*an Oboe etc*) key; (*FILM*) clapperboard; (*Ofen~*) damper; (*umg: Mund*) trap; **die ~ halten** to shut one's trap.
klappen *vi* (*Geräusch*) to click; (*Sitz etc*) to tip ♦ *vt* to tip ♦ *vi unpers* to work; **hat es mit den Karten/dem Job geklappt?** did you get the tickets/job O.K.?
Klappentext *m* blurb.
Klapper ['klapər] (**-, -n**) *f* rattle.
klapperig *adj* run-down, worn-out.
klappern *vi* to clatter, rattle.
Klapperschlange *f* rattlesnake.
Klapperstorch *m* stork; **er glaubt noch an den ~** he still thinks babies are found under the gooseberry bush.
Klapp- *zW*: **~messer** *nt* jackknife; **~rad** *nt* collapsible *od* folding bicycle; **~stuhl** *m* folding chair; **~tisch** *m* folding table.
Klaps [klaps] (**-es, -e**) *m* slap; **einen ~ haben** (*umg*) to have a screw loose; **k~en** *vt* to slap.
klar [kla:r] *adj* clear; (*NAUT*) ready to sail; (*MIL*) ready for action; **bei ~em Verstand sein** to be in full possession of one's faculties; **sich** *dat* **im ~en sein über** *+akk* to be clear about; **ins ~e kommen** to get clear.
Kläranlage *f* sewage plant; (*von Fabrik*) purification plant.
Klare(r) (*umg*) *m* schnapps.
klären *vt* (*Flüssigkeit*) to purify; (*Probleme*) to clarify ♦ *vr* to clear (itself) up.
Klarheit *f* clarity; **sich** *dat* **~ über etw** *akk* **verschaffen** to get sth straight.
Klarinette [klari'nɛtə] *f* clarinet.
klar- *zW*: **~kommen** *unreg* (*umg*) *vi*: **mit jdm/etw ~kommen** to be able to cope with sb/sth; **~legen** *vt* to clear up, explain; **~machen** *vt* (*Schiff*) to get ready for sea; **jdm etw ~machen** to make sth clear to sb; **~sehen** *unreg vi* to see clearly; **K~sichtfolie** *f* transparent film; **~stellen** *vt* to clarify; **K~text** *m*: **im K~text** in clear; (*fig: umg*) ≈ in plain English.
Klärung ['klɛ:rʊŋ] *f* purification; clarification.
klarwerden *unreg vr*: **sich** *dat* **über etw** *akk* **~** to get sth clear in one's mind.
Klasse ['klasə] (**-, -n**) *f* class; (*SCH*) class, form; (*auch*: **Steuer~**) bracket; (*Güter~*) grade.
klasse (*umg*) *adj* smashing.
Klassen- *zW*: **~arbeit** *f* test; **~bewußtsein** *nt* class-consciousness; **~buch** *nt* (*SCH*) (class) register; **~gesellschaft** *f* class society; **~kamerad(in)** *m(f)* classmate; **~kampf** *m* class conflict; **~lehrer(in)** *m(f)* class teacher; **k~los** *adj* classless; **~sprecher(in)** *m(f)* class spokesperson; **~ziel** *nt*: **das ~ziel nicht erreichen** (*SCH*) not to reach the required standard (for the year); (*fig*) not to make the grade; **~zimmer** *nt* classroom.
klassifizieren [klasifi'tsi:rən] *vt* to classify.

Klassifizierung *f* classification.
Klassik ['klasɪk] *f* (*Zeit*) classical period; (*Stil*) classicism; ~**er** (-**s**, -) *m* classic.
klassisch *adj* (*lit, fig*) classical.
Klassizismus [klasi'tsɪsmʊs] *m* classicism.
Klatsch [klatʃ] (-**(e)s**, -**e**) *m* smack, crack; (*Gerede*) gossip; ~**base** *f* gossip(monger).
klatschen *vi* (*tratschen*) to gossip; (*Beifall spenden*) to applaud, to clap ♦ *vt*: **(jdm) Beifall** ~ to applaud *od* clap (sb).
Klatsch- *zW*: ~**mohn** *m* (corn) poppy; **k**~**naß** *adj* soaking wet; ~**spalte** *f* gossip column; ~**tante** (*pej: umg*) *f* gossip(monger).
klauben ['klaʊbən] *vt* to pick.
Klaue ['klaʊə] (-, -**n**) *f* claw; (*umg: Schrift*) scrawl.
klauen *vt* to claw; (*umg*) to pinch.
Klause ['klaʊzə] (-, -**n**) *f* cell; (*von Mönch*) hermitage.
Klausel ['klaʊzəl] (-, -**n**) *f* clause; (*Vorbehalt*) proviso.
Klausur [klaʊ'zu:r] *f* seclusion; ~**arbeit** *f* examination paper.
Klaviatur [klavia'tu:r] *f* keyboard.
Klavier [kla'vi:r] (-**s**, -**e**) *nt* piano; ~**auszug** *m* piano score.
Klebeband *nt* adhesive tape.
Klebemittel *nt* glue.
kleben ['kle:bən] *vt, vi*: ~ **(an** +*akk*) to stick (to); **jdm eine** ~ (*umg*) to belt sb one.
Klebezettel *m* gummed label.
klebrig *adj* sticky.
Klebstoff *m* glue.
Klebstreifen *m* adhesive tape.
kleckern ['klɛkərn] *vi* to slobber.
Klecks [klɛks] (-**es**, -**e**) *m* blot, stain; **k**~**en** *vi* to blot; (*pej*) to daub.
Klee [kle:] (-**s**) *m* clover; **jdn/etw über den grünen** ~ **loben** (*fig*) to praise sb/sth to the skies; ~**blatt** *nt* cloverleaf; (*fig*) trio.
Kleid [klaɪt] (-**(e)s**, -**er**) *nt* garment; (*Frauen*~) dress; **Kleider** *pl* clothes *pl*.
kleiden ['klaɪdən] *vt* to clothe, dress ♦ *vr* to dress; **jdn** ~ to suit sb.
Kleider- *zW*: ~**bügel** *m* coat hanger; ~**bürste** *f* clothes brush; ~**schrank** *m* wardrobe; ~**ständer** *m* coat-stand.
kleidsam *adj* becoming.
Kleidung *f* clothing.
Kleidungsstück *nt* garment.
Kleie ['klaɪə] (-, -**n**) *f* bran.
klein [klaɪn] *adj* little, small; **haben Sie es nicht** ~**er?** haven't you got anything smaller?; **ein** ~**es Bier, ein K**~**es** (*umg*) ≈ half a pint, a half; **von** ~ **an** *od* **auf** (*von Kindheit an*) from childhood; (*von Anfang an*) from the very beginning; **das** ~**ere Übel** the lesser evil; **sein Vater war (ein)** ~**er Beamter** his father was a minor civil servant; ~ **anfangen** to start off in a small way; **ein Wort** ~ **schreiben** to write a word with a small initial letter; **K**~**anzeige** *f* small ad (*BRIT*), want ad (*US*); **Kleinanzeigen** *pl* classified advertising *sing*; **K**~**arbeit** *f*: **in zäher/mühseliger K**~**arbeit** with rigorous/painstaking attention to detail; **K**~**asien** *nt* Asia Minor; **K**~**bürgertum** *nt* petite bourgeoisie; **K**~**bus** *m* minibus.
Kleine(r) *f(m)* little one.
klein- *zW*: **K**~**familie** *f* small family, nuclear family (*SOZIOLOGIE*); **K**~**format** *nt* small size; **im K**~**format** small-scale; **K**~**gedruckte(s)** *nt* small print; **K**~**geld** *nt* small change; **das nötige K**~**geld haben** (*fig*) to have the wherewithal (*umg*); ~**gläubig** *adj* of little faith; ~**hacken** *vt* to chop up; **K**~**holz** *nt* firewood; **K**~**holz aus jdm machen** to make mincemeat of sb.
Kleinigkeit *f* trifle; **wegen** *od* **bei jeder** ~ for the slightest reason; **eine** ~ **essen** to have a bite to eat.
klein- *zW*: ~**kariert** *adj*: ~**kariert denken** to think small; **K**~**kind** *nt* infant; **K**~**kram** *m* details *pl*; **K**~**kredit** *m* personal loan; ~**kriegen** (*umg*) *vt* (*gefügig machen*) to bring into line; (*unterkriegen*) to get down; (*körperlich*) to tire out; ~**laut** *adj* dejected, quiet; ~**lich** *adj* petty, paltry; **K**~**lichkeit** *f* pettiness, paltriness; ~**mütig** *adj* fainthearted.
Kleinod ['klaɪno:t] (-**s**, -**odien**) *nt* gem, jewel; (*fig*) treasure.
klein- *zW*: **K**~**rechner** *m* minicomputer; ~**schneiden** *unreg vt* to chop up; ~**schreiben** *unreg vt*: ~**geschrieben werden** (*umg*) to count for (very) little; **K**~**schreibung** *f* use of small initial letters; **K**~**stadt** *f* small town; ~**städtisch** *adj* provincial.
kleinstmöglich *adj* smallest possible.
Kleinwagen *m* small car.
Kleister ['klaɪstər] (-**s**, -) *m* paste.
kleistern *vt* to paste.
Klemme ['klɛmə] (-, -**n**) *f* clip; (*MED*) clamp; (*fig*) jam; **in der** ~ **sitzen** *od* **sein** (*fig: umg*) to be in a fix.
klemmen *vt* (*festhalten*) to jam; (*quetschen*) to pinch, nip ♦ *vr* to catch o.s.; (*sich hineinzwängen*) to squeeze o.s. ♦ *vi* (*Tür*) to stick, jam; **sich hinter jdn/etw** ~ to get on to sb/get down to sth.
Klempner ['klɛmpnər] (-**s**, -) *m* plumber.
Kleptomanie [klɛptoma'ni:] *f* kleptomania.
Kleriker ['kle:rikər] (-**s**, -) *m* cleric.
Klerus ['kle:rʊs] (-) *m* clergy.
Klette ['klɛtə] (-, -**n**) *f* burr; **sich wie eine** ~ **an jdn hängen** to cling to sb like a limpet.
Kletterer ['klɛtərər] (-**s**, -) *m* climber.
Klettergerüst *nt* climbing frame.
klettern *vi* to climb.
Kletterpflanze *f* creeper.
Kletterseil *nt* climbing rope.
Klettverschluß *m* Velcro ® fastener.
klicken ['klɪkən] *vi* to click.
Klient(in) [kli'ɛnt(ɪn)] *m(f)* client.

Klima ['kli:ma] (**-s, -s** *od* **-te**) *nt* climate; **~anlage** *f* air conditioning.
klimatisieren [kli:mati'zi:rən] *vt* to air-condition.
klimatisiert *adj* air-conditioned.
Klimawechsel *m* change of air.
Klimbim [klɪm'bɪm] (**-s**) (*umg*) *m* odds and ends *pl*.
klimpern ['klɪmpərn] *vi* to tinkle; (*auf Gitarre*) to strum.
Klinge ['klɪŋə] (**-, -n**) *f* blade, sword; **jdn über die ~ springen lassen** (*fig: umg*) to allow sb to run into trouble.
Klingel ['klɪŋəl] (**-, -n**) *f* bell; **~beutel** *m* collection bag; **~knopf** *m* bell push.
klingeln *vi* to ring; **es hat geklingelt** (*an Tür*) somebody just rang the doorbell, the doorbell just rang.
klingen ['klɪŋən] *unreg vi* to sound; (*Gläser*) to clink.
Klinik ['kli:nɪk] *f* clinic.
klinisch ['kli:nɪʃ] *adj* clinical.
Klinke ['klɪŋkə] (**-, -n**) *f* handle.
Klinker ['klɪŋkər] (**-s, -**) *m* clinker.
Klippe ['klɪpə] (**-, -n**) *f* cliff; (*im Meer*) reef; (*fig*) hurdle.
klippenreich *adj* rocky.
klipp und klar ['klɪp|ʊntkla:r] *adj* clear and concise.
Klips [klɪps] (**-es, -e**) *m* clip; (*Ohr~*) earring.
klirren ['klɪrən] *vi* to clank, jangle; (*Gläser*) to clink; **~de Kälte** biting cold.
Klischee [klɪ'ʃe:] (**-s, -s**) *nt* (*Druckplatte*) plate, block; (*fig*) cliché; **~vorstellung** *f* stereotyped idea.
Klitoris ['kli:torɪs] (**-, -**) *f* clitoris.
Klo [klo:] (**-s, -s**) (*umg*) *nt* loo (*BRIT*), john (*US*).
Kloake [klo'a:kə] (**-, -n**) *f* sewer.
klobig ['klo:bɪç] *adj* clumsy.
Klon [klo:n] (**-s, -e**) *m* clone.
Klopapier (*umg*) *nt* toilet paper.
klopfen ['klɔpfən] *vi* to knock; (*Herz*) to thump ♦ *vt* to beat; **es klopft** somebody's knocking; **jdm auf die Finger ~** (*lit, fig*) to give sb a rap on the knuckles; **jdm auf die Schulter ~** to tap sb on the shoulder.
Klopfer (**-s, -**) *m* (*Teppich~*) beater; (*Tür~*) knocker.
Klöppel ['klœpəl] (**-s, -**) *m* (*von Glocke*) clapper.
klöppeln *vi* to make lace.
Klops [klɔps] (**-es, -e**) *m* meatball.
Klosett [klo'zɛt] (**-s, -e** *od* **-s**) *nt* lavatory, toilet; **~brille** *f* toilet seat; **~papier** *nt* toilet paper.
Kloß [klo:s] (**-es, ⸗e**) *m* (*Erd~*) clod; (*im Hals*) lump; (*KOCH*) dumpling.
Kloster ['klo:stər] (**-s, ⸗**) *nt* (*Männer~*) monastery; (*Frauen~*) convent; **ins ~ gehen** to become a monk/nun.
klösterlich ['klø:stərlɪç] *adj* monastic; convent *attr*.
Klotz [klɔts] (**-es, ⸗e**) *m* log; (*Hack~*) block; **jdm ein ~ am Bein sein** (*fig*) to be a millstone round sb's neck.
Klub [klʊp] (**-s, -s**) *m* club; **~jacke** *f* blazer; **~sessel** *m* easy chair.
Kluft [klʊft] (**-, ⸗e**) *f* cleft, gap; (*GEOG*) chasm; (*Uniform*) uniform; (*umg: Kleidung*) gear.
klug [klu:k] *adj* clever, intelligent; **ich werde daraus nicht ~** I can't make head or tail of it; **K~heit** *f* cleverness, intelligence; **K~scheißer** (*umg*) *m* smart-ass.
Klümpchen ['klʏmpçən] *nt* clot, blob.
klumpen ['klʊmpən] *vi* to go lumpy, clot.
Klumpen (**-s, -**) *m* (*KOCH*) lump; (*Erd~*) clod; (*Blut~*) clot; (*Gold~*) nugget.
Klumpfuß ['klʊmpfu:s] *m* club foot.
Klüngel ['klʏŋəl] (**-s, -**) (*umg*) *m* (*Clique*) clique.
Klunker ['klʊŋkər] (**-s, -**) (*umg*) *m* (*Schmuck*) rock(s *pl*).
km *abk* (= *Kilometer*) km.
km/h *abk* (= *Kilometer pro Stunde*) km/h.
knabbern ['knabərn] *vt, vi* to nibble; **an etw** *dat* **~** (*fig: umg*) to puzzle over sth.
Knabe ['kna:bə] (**-n, -n**) *m* boy.
knabenhaft *adj* boyish.
Knäckebrot ['knɛkəbro:t] *nt* crispbread.
knacken ['knakən] *vi* (*lit, fig*) to crack ♦ *vt* (*umg: Auto*) to break into.
knackfrisch (*umg*) *adj* oven-fresh, crispy-fresh.
knackig *adj* crisp.
Knacks [knaks] (**-es, -e**) *m*: **einen ~ weghaben** (*umg*) to be uptight about sth.
Knackwurst *f* *type of frankfurter*.
Knall [knal] (**-(e)s, -e**) *m* bang; (*Peitschen~*) crack; **~ auf Fall** (*umg*) just like that; **einen ~ haben** (*umg*) to be crazy *od* crackers; **~bonbon** *nt* cracker; **~effekt** *m* surprise effect, spectacular effect; **k~en** *vi* to bang; to crack ♦ *vt*: **jdm eine k~en** (*umg*) to clout sb; **~frosch** *m* jumping jack; **k~hart** (*umg*) *adj* really hard; (: *Worte*) hard-hitting; (: *Film*) brutal; (: *Porno*) hard-core; **~kopf** (*umg*) *m* dickhead; **k~rot** *adj* bright red.
knapp [knap] *adj* tight; (*Geld*) scarce; (*kurz*) short; (*Mehrheit, Sieg*) narrow; (*Sprache*) concise; **meine Zeit ist ~ bemessen** I am short of time; **mit ~er Not** only just.
Knappe (**-n, -n**) *m* (*Edelmann*) young knight.
knapphalten *unreg vt*: **jdn ~ (mit)** to keep sb short (of).
Knappheit *f* tightness; scarcity; conciseness.
Knarre ['knarə] (**-, -n**) (*umg*) *f* (*Gewehr*) shooter.
knarren *vi* to creak.
Knast [knast] (**-(e)s**) (*umg*) *m* clink, can (*US*).
Knatsch [knatʃ] (**-es**) (*umg*) *m* trouble.
knattern ['knatərn] *vi* to rattle; (*Maschinengewehr*) to chatter.

Knäuel ['knɔʏəl] (**-s, -**) *m od nt* (*Woll~*) ball; (*Menschen~*) knot.
Knauf [knaʊf] (**-(e)s, Knäufe**) *m* knob; (*Schwert~*) pommel.
Knauser ['knaʊzər] (**-s, -**) *m* miser.
knauserig *adj* miserly.
knausern *vi* to be mean.
knautschen ['knaʊtʃən] *vt, vi* to crumple.
Knebel ['kne:bəl] (**-s, -**) *m* gag.
knebeln *vt* to gag; (*NAUT*) to fasten.
Knecht [knɛçt] (**-(e)s, -e**) *m* servant; (*auf Bauernhof*) farm labourer (*BRIT*) *od* laborer (*US*).
knechten *vt* to enslave.
Knechtschaft *f* servitude.
kneifen ['knaɪfən] *unreg vt* to pinch ♦ *vi* to pinch; (*sich drücken*) to back out; **vor etw** *dat* ~ to dodge sth.
Kneifzange *f* pliers *pl*; (*kleine*) pincers *pl*.
Kneipe ['knaɪpə] (**-, -n**) (*umg*) *f* pub (*BRIT*), bar, saloon (*US*).
Kneippkur ['knaɪpku:r] *f* Kneipp cure, *type of hydropathic treatment combined with diet, rest etc*.
Knete ['kne:tə] (*umg*) *f* (*Geld*) dough.
kneten *vt* to knead; (*Wachs*) to mould (*BRIT*), mold (*US*).
Knetgummi *m od nt* Plasticine ®.
Knetmasse *f* Plasticine ®.
Knick [knɪk] (**-(e)s, -e**) *m* (*Sprung*) crack; (*Kurve*) bend; (*Falte*) fold.
knicken *vt, vi* (*springen*) to crack; (*brechen*) to break; (*Papier*) to fold; **„nicht ~!"** "do not bend"; **geknickt sein** to be downcast.
Knicks [knɪks] (**-es, -e**) *m* curts(e)y; **k~en** *vi* to curts(e)y.
Knie [kni:] (**-s, -**) *nt* knee; **in die ~ gehen** to kneel; (*fig*) to be brought to one's knees; **~beuge** (**-, -n**) *f* knee bend; **~fall** *m* genuflection; **~gelenk** *nt* knee joint; **~kehle** *f* back of the knee.
knien *vi* to kneel ♦ *vr*: **sich in die Arbeit ~** (*fig*) to get down to (one's) work.
Kniescheibe *f* kneecap.
Kniestrumpf *m* knee-length sock.
kniff *etc* [knɪf] *vb siehe* **kneifen.**
Kniff (**-(e)s, -e**) *m* (*Zwicken*) pinch; (*Falte*) fold; (*fig*) trick, knack.
kniffelig *adj* tricky.
knipsen ['knɪpsən] *vt* (*Fahrkarte*) to punch; (*PHOT*) to take a snap of, snap ♦ *vi* (*PHOT*) to take snaps/a snap.
Knirps [knɪrps] (**-es, -e**) *m* little chap; (®: *Schirm*) telescopic umbrella.
knirschen ['knɪrʃən] *vi* to crunch; **mit den Zähnen ~** to grind one's teeth.
knistern ['knɪstərn] *vi* to crackle; (*Papier, Seide*) to rustle.
Knitterfalte *f* crease.
knitterfrei *adj* non-crease.
knittern *vi* to crease.
knobeln ['kno:bəln] *vi* (*würfeln*) to play dice; (*um eine Entscheidung*) to toss for it.
Knoblauch ['kno:plaʊx] (**-(e)s**) *m* garlic.
Knöchel ['knœçəl] (**-s, -**) *m* knuckle; (*Fuß~*) ankle.
Knochen ['knɔxən] (**-s, -**) *m* bone; **~arbeit** (*umg*) *f* hard work; **~bau** *m* bone structure; **~bruch** *m* fracture; **~gerüst** *nt* skeleton; **~mark** *nt* bone marrow.
knöchern ['knœçərn] *adj* bone.
knochig ['knɔxɪç] *adj* bony.
Knödel ['knø:dəl] (**-s, -**) *m* dumpling.
Knolle ['knɔlə] (**-, -n**) *f* bulb.
Knopf [knɔpf] (**-(e)s, ⸚e**) *m* button; **~druck** *m* touch of a button.
knöpfen ['knœpfən] *vt* to button.
Knopfloch *nt* buttonhole.
Knorpel ['knɔrpəl] (**-s, -**) *m* cartilage, gristle.
knorpelig *adj* gristly.
knorrig ['knɔrɪç] *adj* gnarled, knotted.
Knospe ['knɔspə] (**-, -n**) *f* bud.
knospen *vi* to bud.
knoten ['kno:tən] *vt* to knot; **K~** (**-s, -**) *m* knot; (*Haar*) bun; (*BOT*) node; (*MED*) lump.
Knotenpunkt *m* junction.
knuffen ['knʊfən] (*umg*) *vt* to cuff.
Knüller ['knʏlər] (**-s, -**) (*umg*) *m* hit; (*Reportage*) scoop.
knüpfen ['knʏpfən] *vt* to tie; (*Teppich*) to knot; (*Freundschaft*) to form.
Knüppel ['knʏpəl] (**-s, -**) *m* cudgel; (*Polizei~*) baton, truncheon; (*AVIAT*) (joy)stick; **jdm ~ zwischen die Beine werfen** (*fig*) to put a spoke in sb's wheel; **k~dick** (*umg*) *adj* very thick; (*fig*) thick and fast; **~schaltung** *f* (*AUT*) floor-mounted gear change.
knurren ['knʊrən] *vi* (*Hund*) to snarl, growl; (*Magen*) to rumble; (*Mensch*) to mutter.
knusp(e)rig ['knʊsp(ə)rɪç] *adj* crisp; (*Keks*) crunchy.
knutschen ['knu:tʃən] (*umg*) *vt* to snog with ♦ *vi, vr* to snog.
k.o. *adj* (*SPORT*) knocked out; (*fig: umg*) whacked.
Koalition [koalitsi'o:n] *f* coalition.
Kobalt ['ko:balt] (**-s**) *nt* cobalt.
Kobold ['ko:bɔlt] (**-(e)s, -e**) *m* imp.
Kobra ['ko:bra] (**-, -s**) *f* cobra.
Koch [kɔx] (**-(e)s, ⸚e**) *m* cook; **~buch** *nt* cookery book, cookbook; **k~echt** *adj* (*Farbe*) fast.
kochen *vi* to cook; (*Wasser*) to boil ♦ *vt* (*Essen*) to cook; **er kochte vor Wut** (*umg*) he was seething; **etw auf kleiner Flamme ~** to simmer sth over a low heat.
Kocher (**-s, -**) *m* stove, cooker.
Köcher ['kœçər] (**-s, -**) *m* quiver.
Kochgelegenheit *f* cooking facilities *pl*.
Köchin ['kœçɪn] *f* cook.
Koch- *zW*: **~kunst** *f* cooking; **~löffel** *m* kitchen spoon; **~nische** *f* kitchenette; **~platte** *f* hotplate; **~salz** *nt* cooking salt; **~topf** *m* saucepan, pot; **~wäsche** *f* washing

that can be boiled.
Kode [ko:t] (**-s, -s**) *m* code.
Köder ['kø:dər] (**-s, -**) *m* bait, lure.
ködern *vt* to lure, entice.
Koexistenz [koɛksɪs'tɛnts] *f* coexistence.
Koffein [kɔfe'i:n] (**-s**) *nt* caffeine; **k~frei** *adj* decaffeinated.
Koffer ['kɔfər] (**-s, -**) *m* suitcase; (*Schrank~*) trunk; **die ~ packen** (*lit, fig*) to pack one's bags; **~kuli** *m* (luggage) trolley (*BRIT*), cart (*US*); **~radio** *nt* portable radio; **~raum** *m* (*AUT*) boot (*BRIT*), trunk (*US*).
Kognak ['kɔnjak] (**-s, -s**) *m* brandy, cognac.
Kohl [ko:l] (**-(e)s, -e**) *m* cabbage.
Kohldampf (*umg*) *m*: **~ haben** to be famished.
Kohle ['ko:lə] (**-, -n**) *f* coal; (*Holz~*) charcoal; (*CHEM*) carbon; (*umg: Geld*): **die ~n stimmen** the money's right; **~hydrat** (**-(e)s, -e**) *nt* carbohydrate; **~kraftwerk** *nt* coal-fired power station.
kohlen ['ko:lən] (*umg*) *vi* to tell white lies.
Kohlen- *zW*: **~bergwerk** *nt* coal mine, pit, colliery (*BRIT*); **~dioxyd** (**-(e)s, -e**) *nt* carbon dioxide; **~grube** *f* coal mine, pit; **~händler** *m* coal merchant, coalman; **~säure** *f* carbon dioxide; **ein Getränk ohne ~säure** a non-fizzy *od* still drink; **~stoff** *m* carbon.
Kohlepapier *nt* carbon paper.
Köhler ['kø:lər] (**-s, -**) *m* charcoal burner.
Kohlestift *m* charcoal pencil.
Kohlezeichnung *f* charcoal drawing.
Kohl- *zW*: **k~(pech)rabenschwarz** *adj* (*Haar*) jet-black; (*Nacht*) pitch-black; **~rübe** *f* turnip; **k~schwarz** *adj* coal-black.
Koitus ['ko:itʊs] (**-, -** *od* **-se**) *m* coitus.
Koje ['ko:jə] (**-, -n**) *f* cabin; (*Bett*) bunk.
Kokain [koka'i:n] (**-s**) *nt* cocaine.
kokett [ko'kɛt] *adj* coquettish, flirtatious.
kokettieren [kokɛ'ti:rən] *vi* to flirt.
Kokosnuß ['ko:kɔsnʊs] *f* coconut.
Koks [ko:ks] (**-es, -e**) *m* coke.
Kolben ['kɔlbən] (**-s, -**) *m* (*Gewehr~*) butt; (*Keule*) club; (*CHEM*) flask; (*TECH*) piston; (*Mais~*) cob.
Kolchose [kɔl'ço:zə] (**-, -n**) *f* collective farm.
Kolik ['ko:lɪk] *f* colic, gripe.
Kollaborateur(in) [kɔlabora'tø:r(ɪn)] *m(f)* (*POL*) collaborator.
Kollaps [kɔ'laps] (**-es, -e**) *m* collapse.
Kolleg [kɔl'e:k] (**-s, -s** *od* **-ien**) *nt* lecture course.
Kollege [kɔ'le:gə] (**-n, -n**) *m* colleague.
kollegial [kɔlegi'a:l] *adj* cooperative.
Kollegin [kɔ'le:gɪn] *f* colleague.
Kollegium *nt* board; (*SCH*) staff.
Kollekte [kɔ'lɛktə] (**-, -n**) *f* (*REL*) collection.
Kollektion [kɔlɛktsi'o:n] *f* collection; (*Sortiment*) range.
kollektiv [kɔlɛk'ti:f] *adj* collective.
Koller ['kɔlər] (**-s, -**) (*umg*) *m* (*Anfall*) funny mood; (*Wutanfall*) rage; (*Tropen~*, *Gefängnis~*) madness.
kollidieren [kɔli'di:rən] *vi* to collide; (*zeitlich*) to clash.
Kollier [kɔli'e:] (**-s, -s**) *nt* necklet, necklace.
Kollision [kɔlizi'o:n] *f* collision; (*zeitlich*) clash.
Kollisionskurs *m*: **auf ~ gehen** (*fig*) to be heading for trouble.
Köln [kœln] (**-s**) *nt* Cologne.
Kölnischwasser *nt* eau de Cologne.
kolonial [koloni'a:l] *adj* colonial; **K~macht** *f* colonial power; **K~warenhändler** *m* grocer.
Kolonie [kolo'ni:] *f* colony.
kolonisieren [koloni'zi:rən] *vt* to colonize.
Kolonist(in) [kolo'nɪst(ɪn)] *m(f)* colonist.
Kolonne [ko'lɔnə] (**-, -n**) *f* column; (*von Fahrzeugen*) convoy.
Koloß [ko'lɔs] (**-sses, -sse**) *m* colossus.
kolossal [kolɔ'sa:l] *adj* colossal.
Kolumbianer(in) [kolʊmbi'a:nər(ɪn)] *m(f)* Columbian.
kolumbianisch *adj* Columbian.
Kolumbien [ko'lʊmbiən] (**-s**) *nt* Columbia.
Koma ['ko:ma] (**-s, -s** *od* **-ta**) *nt* (*MED*) coma.
Kombi ['kɔmbi] (**-s, -s**) *m* (*AUT*) estate (car) (*BRIT*), station wagon (*US*).
Kombination [kɔmbinatsi'o:n] *f* combination; (*Vermutung*) conjecture; (*Hemdhose*) combinations *pl*; (*AVIAT*) flying suit.
Kombinationsschloß *nt* combination lock.
kombinieren [kɔmbi'ni:rən] *vt* to combine ♦ *vi* to deduce, work out; (*vermuten*) to guess.
Kombiwagen *m* (*AUT*) estate (car) (*BRIT*), station wagon (*US*).
Kombizange *f* (pair of) pliers.
Komet [ko'me:t] (**-en, -en**) *m* comet.
kometenhaft *adj* (*fig: Aufstieg*) meteoric.
Komfort [kɔm'fo:r] (**-s**) *m* luxury; (*von Möbel etc*) comfort; (*von Wohnung*) amenities *pl*; (*von Auto*) luxury features *pl*; (*von Gerät*) extras *pl*.
komfortabel [kɔmfɔr'ta:bəl] *adj* comfortable.
Komik ['ko:mɪk] *f* humour (*BRIT*), humor (*US*), comedy; **~er** (**-s, -**) *m* comedian.
komisch ['ko:mɪʃ] *adj* funny; **mir ist so ~** (*umg*) I feel funny *od* strange *od* odd; **~erweise** ['ko:mɪʃər'vaɪzə] *adv* funnily enough.
Komitee [komi'te:] (**-s, -s**) *nt* committee.
Komm. *abk* (= *Kommission*) comm.
Komma ['kɔma] (**-s, -s** *od* **-ta**) *nt* comma; (*MATH*) decimal point; **fünf ~ drei** five point three.
Kommandant [kɔman'dant] *m* commander, commanding officer.
Kommandeur [kɔman'dø:r] *m* commanding officer.
kommandieren [kɔman'di:rən] *vt* to command ♦ *vi* to command; (*Befehle geben*) to give orders.
Kommanditgesellschaft [kɔman'di:t-gəzɛlʃaft] *f* limited partnership.

Kommando [kɔ'mando] (**-s, -s**) *nt* command, order; (*Truppe*) detachment, squad; **auf ~** to order; **~brücke** *f* (*NAUT*) bridge; **~wirtschaft** *f* command economy.

kommen ['kɔmən] *unreg vi* to come; (*näher ~*) to approach; (*passieren*) to happen; (*gelangen, geraten*) to get; (*Blumen, Zähne, Tränen etc*) to appear; (*in die Schule, ins Gefängnis etc*) to go; **was kommt diese Woche im Kino?** what's on at the cinema this week? ♦ *vi unpers:* **es kam eins zum anderen** one thing led to another; **~ lassen** to send for; **in Bewegung ~** to start moving; **jdn besuchen ~** to come and visit sb; **das kommt davon!** see what happens?; **du kommst mir gerade recht** (*ironisch*) you're just what I need; **das kommt in den Schrank** that goes in the cupboard; **an etw** *akk* **~** (*berühren*) to touch sth; (*sich verschaffen*) to get hold of sth; **auf etw** *akk* **~** (*sich erinnern*) to think of sth; (*sprechen über*) to get onto sth; **das kommt auf die Rechnung** that goes onto the bill; **hinter etw** *akk* **~** (*herausfinden*) to find sth out; **zu sich ~** to come round *od* to; **zu etw ~** to acquire sth; **um etw ~** to lose sth; **nichts auf jdn/etw ~ lassen** to have nothing said against sb/sth; **jdm frech ~** to get cheeky with sb; **auf jeden vierten kommt ein Platz** there's one place to every fourth person; **mit einem Anliegen ~** to have a request (to make); **wer kommt zuerst?** who's first?; **wer zuerst kommt, mahlt zuerst** (*Sprichwort*) first come first served; **unter ein Auto ~** to be run over by a car; **das kommt zusammen auf 20 DM** that comes to 20 marks altogether; **und so kam es, daß** ... and that is how it happened that ...; **daher kommt es, daß** ... that's why ...

Kommen (**-s**) *nt* coming.

kommend *adj* (*Jahr, Woche, Generation*) coming; (*Ereignisse, Mode*) future; (*Trend*) upcoming; **(am) ~en Montag** next Monday.

Kommentar [kɔmɛn'ta:r] *m* commentary; **kein ~** no comment; **k~los** *adj* without comment.

Kommentator [kɔmɛn'ta:tɔr] *m* (*TV*) commentator.

kommentieren [kɔmɛn'ti:rən] *vt* to comment on; **kommentierte Ausgabe** annotated edition.

kommerziell [kɔmɛrtsi'ɛl] *adj* commercial.

Kommilitone [kɔmili'to:nə] (**-n, -n**) *m*, **Kommilitonin** *f* fellow student.

Kommiß [kɔ'mɪs] (**-sses**) *m* (life in the) army.

Kommissar [kɔmɪ'sa:r] *m* police inspector.

Kommißbrot *nt* army bread.

Kommission [kɔmɪsi'o:n] *f* (*COMM*) commission; (*Ausschuß*) committee; **in ~ geben** to give (to a dealer) for sale on commission.

Kommode [kɔ'mo:də] (**-, -n**) *f* (chest of) drawers.

kommunal [kɔmu'na:l] *adj* local; (*von Stadt*) municipal; **K~abgaben** *pl* local rates and taxes *pl*; **K~politik** *f* local government politics; **K~verwaltung** *f* local government; **K~wahlen** *pl* local (government) elections *pl*.

Kommune [kɔ'mu:nə] (**-, -n**) *f* commune.

Kommunikation [kɔmunɪkatsi'o:n] *f* communication.

Kommunion [kɔmuni'o:n] *f* communion.

Kommuniqué [kɔmyni'ke:] (**-s, -s**) *nt* communiqué.

Kommunismus [kɔmu'nɪsmʊs] *m* communism.

Kommunist(in) [kɔmu'nɪst(ɪn)] *m(f)* communist; **k~isch** *adj* communist.

kommunizieren [kɔmuni'tsi:rən] *vi* to communicate; (*ECCL*) to receive communion.

Komödiant [komødi'ant] *m* comedian; **~in** *f* comedienne.

Komödie [ko'mø:diə] *f* comedy; **~ spielen** (*fig*) to put on an act.

Kompagnon [kɔmpan'jõ:] (**-s, -s**) *m* (*COMM*) partner.

kompakt [kɔm'pakt] *adj* compact.

Kompaktanlage *f* (*RUNDF*) audio system.

Kompanie [kɔmpa'ni:] *f* company.

Komparativ ['kɔmparati:f] (**-s, -e**) *m* comparative.

Kompaß ['kɔmpas] (**-sses, -sse**) *m* compass.

kompatibel [kɔmpa'ti:bəl] *adj* (*auch COMPUT*) compatible.

Kompatibilität [kɔmpatibili'tɛ:t] *f* (*auch COMPUT*) compatibility.

kompensieren [kɔmpɛn'zi:rən] *vt* to compensate for, offset.

kompetent [kɔmpe'tɛnt] *adj* competent.

Kompetenz *f* competence, authority; **~streitigkeiten** *pl* dispute over respective areas of responsibility.

komplett [kɔm'plɛt] *adj* complete.

komplex [kɔm'plɛks] *adj* complex; **K~** (**-es, -e**) *m* complex.

Komplikation [kɔmplikatsi'o:n] *f* complication.

Kompliment [kɔmpli'mɛnt] *nt* compliment.

Komplize [kɔm'pli:tsə] (**-n, -n**) *m* accomplice.

komplizieren [kɔmpli'tsi:rən] *vt* to complicate.

kompliziert *adj* complicated; (*MED: Bruch*) compound.

Komplizin [kɔm'pli:tsɪn] *f* accomplice.

Komplott [kɔm'plɔt] (**-(e)s, -e**) *nt* plot.

komponieren [kɔmpo'ni:rən] *vt* to compose.

Komponist(in) [kɔmpo'nɪst(ɪn)] *m(f)* composer.

Komposition [kɔmpozitsi'o:n] *f* composition.

Kompost [kɔm'pɔst] (**-(e)s, -e**) *m* compost; **~haufen** *m* compost heap.

Kompott [kɔm'pɔt] (**-(e)s, -e**) *nt* stewed fruit.

Kompresse [kɔm'prɛsə] (**-, -n**) *f* compress.

Kompressor [kɔm'prɛsɔr] *m* compressor.
Kompromiß [kɔmpro'mɪs] (**-sses, -sse**) *m* compromise; **einen ~ schließen** to compromise; **k~bereit** *adj* willing to compromise; **~lösung** *f* compromise solution.
kompromittieren [kɔmpromɪ'tiːrən] *vt* to compromise.
Kondensation [kɔndɛnzatsi'oːn] *f* condensation.
Kondensator [kɔndɛn'zaːtɔr] *m* condenser.
kondensieren [kɔndɛn'ziːrən] *vt* to condense.
Kondensmilch *f* condensed milk.
Kondensstreifen *m* vapour (*BRIT*) *od* vapor (*US*) trail.
Kondition [kɔnditsi'oːn] *f* condition, shape; (*Durchhaltevermögen*) stamina.
Konditionalsatz [kɔnditsio'naːlzats] *m* conditional clause.
Konditionstraining *nt* fitness training.
Konditor [kɔn'diːtɔr] *m* pastry-cook.
Konditorei [kɔndito'raɪ] *f* cake shop; (*mit Café*) café.
kondolieren [kɔndo'liːrən] *vi*: **jdm ~** to condole with sb, offer sb one's condolences.
Kondom [kɔn'doːm] (**-s, -e**) *m or nt* condom.
Konfektion [kɔnfɛktsi'oːn] *f* (production of) ready-to-wear *od* off-the-peg clothing.
Konfektionsgröße *f* clothes size.
Konfektionskleidung *f* ready-to-wear *od* off-the-peg clothing.
Konferenz [kɔnfe'rɛnts] *f* conference; (*Besprechung*) meeting; **~schaltung** *f* (*TEL*) conference circuit; (*RUNDF, TV*) television *od* radio link-up.
konferieren [kɔnfe'riːrən] *vi* to confer; to have a meeting.
Konfession [kɔnfɛsi'oːn] *f* religion; (*christlich*) denomination; **k~ell** [-'nɛl] *adj* denominational.
Konfessions- *zW*: **k~gebunden** *adj* denominational; **k~los** *adj* non-denominational; **~schule** *f* denominational school.
Konfetti [kɔn'fɛti] (**-(s)**) *nt* confetti.
Konfiguration [kɔnfiguratsi'oːn] *f* (*COMPUT*) configuration.
Konfirmand(in) [kɔnfɪr'mant, -'mandɪn] *m(f)* candidate for confirmation.
Konfirmation [kɔnfɪrmatsi'oːn] *f* (*ECCL*) confirmation.
konfirmieren [kɔnfɪr'miːrən] *vt* to confirm.
konfiszieren [kɔnfɪs'tsiːrən] *vt* to confiscate.
Konfitüre [kɔnfi'tyːrə] (**-, -n**) *f* jam.
Konflikt [kɔn'flɪkt] (**-(e)s, -e**) *m* conflict; **~herd** *m* (*POL*) centre (*BRIT*) *od* center (*US*) of conflict; **~stoff** *m* cause of conflict.
konform [kɔn'fɔrm] *adj* concurring; **~ gehen** to be in agreement.
Konfrontation [kɔnfrɔntatsi'oːn] *f* confrontation.
konfrontieren [kɔnfrɔn'tiːrən] *vt* to confront.
konfus [kɔn'fuːs] *adj* confused.
Kongo ['kɔŋgo] (**-(s)**) *m* Congo.
Kongreß [kɔn'grɛs] (**-sses, -sse**) *m* congress.
Kongruenz [kɔngru'ɛnts] *f* agreement, congruence.
König ['køːnɪç] (**-(e)s, -e**) *m* king.
Königin ['køːnɪgɪn] *f* queen.
königlich *adj* royal ♦ *adv*: **sich ~ amüsieren** (*umg*) to have the time of one's life.
Königreich *nt* kingdom.
Königtum ['køːnɪçtuːm] (**-(e)s, -tümer**) *nt* kingship; (*Reich*) kingdom.
konisch ['koːnɪʃ] *adj* conical.
Konj. *abk* (= *Konjunktiv*) conj.
Konjugation [kɔnjugatsi'oːn] *f* conjugation.
konjugieren [kɔnju'giːrən] *vt* to conjugate.
Konjunktion [kɔnjʊŋktsi'oːn] *f* conjunction.
Konjunktiv ['kɔnjʊŋktiːf] (**-s, -e**) *m* subjunctive.
Konjunktur [kɔnjʊŋk'tuːr] *f* economic situation; (*Hoch~*) boom; **steigende/fallende ~** upward/downward economic trend; **~barometer** *nt* economic indicators *pl*; **~loch** *nt* temporary economic dip; **~politik** *f* *policies aimed at preventing economic fluctuations*.
konkav [kɔn'kaːf] *adj* concave.
konkret [kɔn'kreːt] *adj* concrete.
Konkurrent(in) [kɔnkʊ'rɛnt(ɪn)] *m(f)* competitor.
Konkurrenz [kɔnkʊ'rɛnts] *f* competition; **jdm ~ machen** (*COMM, fig*) to compete with sb; **k~fähig** *adj* competitive; **~kampf** *m* competition; (*umg*) rat race.
konkurrieren [kɔnkʊ'riːrən] *vi* to compete.
Konkurs [kɔn'kʊrs] (**-es, -e**) *m* bankruptcy; **in ~ gehen** to go into receivership; **~ machen** (*umg*) to go bankrupt; **~verfahren** *nt* bankruptcy proceedings *pl*; **~verwalter** *m* receiver; (*von Gläubigern bevollmächtigt*) trustee.

SCHLÜSSELWORT

können ['kœnən] (*pt* **konnte**, *pp* **gekonnt** *od (als Hilfsverb)* **können**) *vt, vi* **1** to be able to; **ich kann es machen** I can do it, I am able to do it; **ich kann es nicht machen** I can't do it, I'm not able to do it; **ich kann nicht** ... I can't ..., I cannot ...; **was ~ Sie?** what can you do?; **ich kann nicht mehr** I can't go on; **ich kann nichts dafür** I can't help it; **du kannst mich (mal)!** (*umg*) get lost!
2 (*wissen, beherrschen*) to know; **~ Sie Deutsch?** can you speak German?; **er kann gut Englisch** he speaks English well; **sie kann keine Mathematik** she can't do mathematics
3 (*dürfen*) to be allowed to; **kann ich gehen?** can I go?; **könnte ich ...?** could I ...?; **kann ich mit?** (*umg*) can I come with you?
4 (*möglich sein*): **Sie könnten recht haben** you may be right; **das kann sein** that's possible; **kann sein** maybe.

Können (-**s**) *nt* ability.
Könner (-**s**, -) *m* expert.
Konnossement [kɔnɔsə'mɛnt] *nt* (*Export*) bill of lading.
konnte *etc* ['kɔntə] *vb siehe* **können.**
konsequent [kɔnze'kvɛnt] *adj* consistent; **ein Ziel ~ verfolgen** to pursue an objective single-mindedly.
Konsequenz [kɔnze'kvɛnts] *f* consistency; (*Folgerung*) conclusion; **die ~en tragen** to take the consequences; **(aus etw) die ~en ziehen** to take the appropriate steps.
konservativ [kɔnzɛrva'tiːf] *adj* conservative.
Konservatorium [kɔnzɛrva'toːriʊm] *nt* academy of music, conservatory.
Konserve [kɔn'zɛrvə] (-, -**n**) *f* tinned (*BRIT*) *od* canned food.
Konservenbüchse *f*, **Konservendose** *f* tin (*BRIT*), can.
konservieren [kɔnzɛr'viːrən] *vt* to preserve.
Konservierung *f* preservation.
Konservierungsstoff *m* preservative.
Konsole [kɔnzoːlə] *f* games console.
konsolidiert [kɔnzoli'diːrt] *adj* consolidated.
Konsolidierung *f* consolidation.
Konsonant [kɔnzo'nant] *m* consonant.
Konsortium [kɔn'zɔrtsiʊm] *nt* consortium, syndicate.
konspirativ [kɔnspira'tiːf] *adj*: **~e Wohnung** conspirators' hideaway.
konstant [kɔn'stant] *adj* constant.
Konstellation [kɔnstɛlatsi'oːn] *f* constellation; (*fig*) line-up; (*von Faktoren etc*) combination.
Konstitution [kɔnstitutsi'oːn] *f* constitution.
konstitutionell [kɔnstitutsio'nɛl] *adj* constitutional.
konstruieren [kɔnstru'iːrən] *vt* to construct.
Konstrukteur(in) [kɔnstrʊk'tøːr(ɪn)] *m(f)* designer.
Konstruktion [kɔnstrʊktsi'on] *f* construction.
Konstruktionsfehler *m* (*im Entwurf*) design fault; (*im Aufbau*) structural defect.
konstruktiv [kɔnstrʊk'tiːf] *adj* constructive.
Konsul ['kɔnzʊl] (-**s**, -**n**) *m* consul.
Konsulat [kɔnzʊ'laːt] (-**(e)s**, -**e**) *nt* consulate.
konsultieren [kɔnzʊl'tiːrən] *vt* to consult.
Konsum[1] [kɔn'zuːm] (-**s**) *m* consumption.
Konsum[2] ['kɔnzuːm] (-**s**, -**s**) *m* (*Genossenschaft*) cooperative society; (*Laden*) cooperative store, co-op (*umg*).
Konsumartikel *m* consumer article.
Konsument [kɔnzu'mɛnt] *m* consumer.
Konsumgesellschaft *f* consumer society.
konsumieren [kɔnzu'miːrən] *vt* to consume.
Konsumterror *m* pressures *pl* of a materialistic society.
Konsumzwang *m* compulsion to buy.
Kontakt [kɔn'takt] (-**(e)s**, -**e**) *m* contact; **mit jdm ~ aufnehmen** to get in touch with sb; **~anzeige** *f* lonely hearts ad; **k~arm** *adj* unsociable; **k~freudig** *adj* sociable.
kontaktieren [kɔntak'tiːrən] *vt* to contact.
Kontakt- *zW*: **~linsen** *pl* contact lenses *pl*; **~mann** (-**(e)s**, *pl* -**männer**) *m* (*Agent*) contact; **~sperre** *f* ban on visits and letters (*to a prisoner*).
Konterfei ['kɔntərfaɪ] (-**s**, -**s**) *nt* likeness, portrait.
kontern ['kɔntərn] *vt, vi* to counter.
Konterrevolution ['kɔntərrevolutsioːn] *f* counter-revolution.
Kontinent [kɔnti'nɛnt] *m* continent.
Kontingent [kɔntɪŋ'gɛnt] (-**(e)s**, -**e**) *nt* quota; (*Truppen~*) contingent.
kontinuierlich [kɔntinu'iːrlɪç] *adj* continuous.
Kontinuität [kɔntinui'tɛːt] *f* continuity.
Konto ['kɔnto] (-**s**, **Konten**) *nt* account; **das geht auf mein ~** (*umg: ich bin schuldig*) I am to blame for this; (*ich zahle*) this is on me (*umg*); **~auszug** *m* statement (of account); **~inhaber(in)** *m(f)* account holder.
Kontor [kɔn'toːr] (-**s**, -**e**) *nt* office.
Kontorist(in) [kɔnto'rɪst(ɪn)] *m(f)* clerk, office worker.
Kontostand *m* bank balance.
kontra ['kɔntra] *präp +akk* against; (*JUR*) versus.
Kontra (-**s**, -**s**) *nt* (*KARTEN*) double; **jdm ~ geben** (*fig*) to contradict sb.
Kontrabaß *m* double bass.
Kontrahent [-'hɛnt] *m* contracting party; (*Gegner*) opponent.
Kontrapunkt *m* counterpoint.
Kontrast [kɔn'trast] (-**(e)s**, -**e**) *m* contrast.
Kontrollabschnitt *m* (*COMM*) counterfoil, stub.
Kontrollampe [kɔn'trɔllampə] (*getrennt: Kontroll-lampe*) *f* pilot lamp; (*AUT: für Ölstand etc*) warning light.
Kontrolle [kɔn'trɔlə] (-, -**n**) *f* control, supervision; (*Paß~*) passport control.
Kontrolleur [kɔntrɔ'løːr] *m* inspector.
kontrollieren [kɔntrɔ'liːrən] *vt* to control, supervise; (*nachprüfen*) to check.
Kontrollturm *m* control tower.
Kontroverse [kɔntro'vɛrzə] (-, -**n**) *f* controversy.
Kontur [kɔn'tuːr] *f* contour.
Konvention [kɔnvɛntsi'oːn] *f* convention.
Konventionalstrafe [kɔnvɛntsio'naːlʃtraːfə] *f* penalty *od* fine (*for breach of contract*).
konventionell [kɔnvɛntsio'nɛl] *adj* conventional.
Konversation [kɔnvɛrzatsi'oːn] *f* conversation.
Konversationslexikon *nt* encyclopaedia.
konvex [kɔn'vɛks] *adj* convex.
Konvoi ['kɔnvɔʏ] (-**s**, -**s**) *m* convoy.
Konzentrat [kɔntsɛn'traːt] (-**s**, -**e**) *nt* concentrate.
Konzentration [kɔntsɛntratsi'oːn] *f*

concentration.
Konzentrationsfähigkeit *f* power of concentration.
Konzentrationslager *nt* concentration camp.
konzentrieren [kɔntsɛn'triːrən] *vt, vr* to concentrate.
konzentriert *adj* concentrated ♦ *adv* (*zuhören, arbeiten*) intently.
Konzept [kɔn'tsɛpt] (**-(e)s, -e**) *nt* rough draft; (*Plan, Programm*) plan; (*Begriff, Vorstellung*) concept; **jdn aus dem ~ bringen** to confuse sb; **~papier** *nt* rough paper.
Konzern [kɔn'tsɛrn] (**-s, -e**) *m* combine.
Konzert [kɔn'tsɛrt] (**-(e)s, -e**) *nt* concert; (*Stück*) concerto; **~saal** *m* concert hall.
Konzession [kɔntsɛsi'oːn] *f* licence (*BRIT*), license (*US*); (*Zugeständnis*) concession; **die ~ entziehen** +*dat* (*COMM*) to disenfranchise.
Konzessionär [kɔntsɛsio'nɛːr] (**-s, -e**) *m* concessionaire.
konzessionieren [kɔntsɛsio'niːrən] *vt* to license.
Konzil [kɔn'tsiːl] (**-s, -e** *od* **-ien**) *nt* council.
konzipieren [kɔntsi'piːrən] *vt* to conceive; (*entwerfen*) to design.
kooperativ [ko|opera'tiːf] *adj* cooperative.
kooperieren [ko|ope'riːrən] *vi* to cooperate.
koordinieren [ko|ɔrdi'niːrən] *vt* to coordinate.
Kopenhagen [koːpən'haːgən] (**-s**) *nt* Copenhagen.
Kopf [kɔpf] (**-(e)s, ⸚e**) *m* head; **~ hoch!** chin up!; **~ an ~** shoulder to shoulder; (*SPORT*) neck and neck; **pro ~** per person *od* head; **~ oder Zahl?** heads or tails?; **jdm den ~ waschen** (*fig: umg*) to give sb a piece of one's mind; **jdm über den ~ wachsen** (*lit*) to outgrow sb; (*fig: Sorgen etc*) to be more than sb can cope with; **jdn vor den ~ stoßen** to antagonize sb; **sich** *dat* **an den ~ fassen** (*fig*) to be speechless; **sich** *dat* **über etw** *akk* **den ~ zerbrechen** to rack one's brains over sth; **sich** *dat* **etw durch den ~ gehen lassen** to think about sth; **sich** *dat* **etw aus dem ~ schlagen** to put sth out of one's mind; ... **und wenn du dich auf den ~ stellst!** (*umg*) ... no matter what you say/do!; **er ist nicht auf den ~ gefallen** he's no fool; **~bahnhof** *m* terminus station; **~bedeckung** *f* headgear.
Köpfchen ['kœpfçən] *nt*: **~ haben** to be brainy.
köpfen ['kœpfən] *vt* to behead; (*Baum*) to lop; (*Ei*) to take the top off; (*Ball*) to head.
Kopf- *zW*: **~ende** *nt* head; **~haut** *f* scalp; **~hörer** *m* headphone; **~kissen** *nt* pillow; **k~lastig** *adj* (*fig*) completely rational; **k~los** *adj* panic-stricken; **~losigkeit** *f* panic; **k~rechnen** *vi* to do mental arithmetic; **~salat** *m* lettuce; **k~scheu** *adj*: **jdn k~scheu machen** to intimidate sb; **~schmerzen** *pl* headache *sing*; **~sprung** *m* header, dive; **~stand** *m* headstand; **~steinpflaster** *nt*: **eine Straße mit ~steinpflaster** a cobbled street; **~stütze** *f* headrest; (*im Auto*) head restraint; **~tuch** *nt* headscarf; **k~über** *adv* head-first; **~weh** *nt* headache; **~zerbrechen** *nt*: **jdm ~zerbrechen machen** to give sb a lot of headaches.
Kopie [ko'piː] *f* copy.
kopieren [ko'piːrən] *vt* to copy.
Kopierer (**-s, -**) *m* (photo)copier.
Kopilot(in) ['koːpiloːt(ɪn)] *m(f)* co-pilot.
Koppel[1] ['kɔpəl] (**-, -n**) *f* (*Weide*) enclosure.
Koppel[2] ['kɔpəl] (**-s, -**) *nt* (*Gürtel*) belt.
koppeln *vt* to couple.
Koppelung *f* coupling.
Koppelungsmanöver *nt* docking manoeuvre (*BRIT*) *od* maneuver (*US*).
Koralle [ko'ralə] (**-, -n**) *f* coral.
Korallenkette *f* coral necklace.
Korallenriff *nt* coral reef.
Korb [kɔrp] (**-(e)s, ⸚e**) *m* basket; **jdm einen ~ geben** (*fig*) to turn sb down; **~ball** *m* basketball.
Körbchen ['kœrpçən] *nt* (*von Büstenhalter*) cup.
Korbstuhl *m* wicker chair.
Kord [kɔrt] (**-(e)s, -e**) *m* corduroy.
Kordel ['kɔrdəl] (**-, -n**) *f* cord, string.
Korea [ko'reːa] (**-s**) *nt* Korea.
Koreaner(in) (**-s, -**) *m(f)* Korean.
Korfu ['kɔrfu] (**-s**) *nt* Corfu.
Korinthe [ko'rɪntə] (**-, -n**) *f* currant.
Korinthenkacker [ko'rɪntənkakər] (**-s, -**) (*umg*) *m* fusspot, hair-splitter.
Kork [kɔrk] (**-(e)s, -e**) *m* cork.
Korken (**-s, -**) *m* stopper, cork; **~zieher** (**-s, -**) *m* corkscrew.
Korn[1] [kɔrn] (**-(e)s, ⸚er**) *nt* corn, grain; (*Gewehr*) sight; **etw aufs ~ nehmen** (*fig: umg*) to hit out at sth.
Korn[2] [kɔrn] (**-, -s**) *m* (*Kornbranntwein*) corn schnapps.
Kornblume *f* cornflower.
Körnchen ['kœrnçən] *nt* grain, granule.
körnig ['kœrniç] *adj* granular, grainy.
Kornkammer *f* granary.
Körnung ['kœrnʊŋ] *f* (*TECH*) grain size; (*PHOT*) granularity.
Körper ['kœrper] (**-s, -**) *m* body; **~bau** *m* build; **k~behindert** *adj* disabled; **~geruch** *m* body odour (*BRIT*) *od* odor (*US*); **~gewicht** *nt* weight; **~größe** *f* height; **~haltung** *f* carriage, deportment; **k~lich** *adj* physical; **k~liche Arbeit** manual work; **~pflege** *f* personal hygiene; **~schaft** *f* corporation; **~schaft des öffentlichen Rechts** public corporation *od* body; **~schaftssteuer** *f* corporation tax; **~sprache** *f* body language; **~teil** *m* part of the body; **~verletzung** *f* (*JUR*): **schwere ~verletzung** grievous bodily harm.
Korps [koːr] (**-, -**) *nt* (*MIL*) corps; (*UNIV*) students' club.
korpulent [kɔrpu'lɛnt] *adj* corpulent.
korrekt [kɔ'rɛkt] *adj* correct; **K~heit** *f*

correctness.
Korrektor(in) [kɔ'rɛktɔr, -'to:rɪn] (**-s, -**) *m(f)* proofreader.
Korrektur [kɔrɛk'tu:r] *f* (*eines Textes*) proofreading; (*Text*) proof; (*SCH*) marking, correction; **(bei etw) ~ lesen** to proofread (sth); **~fahne** *f* (*TYP*) proof.
Korrespondent(in) [kɔrɛspɔn'dɛnt(ɪn)] *m(f)* correspondent.
Korrespondenz [kɔrɛspɔn'dɛnts] *f* correspondence; **~qualität** *f* (*Drucker*) letter quality.
korrespondieren [kɔrɛspɔn'di:rən] *vi* to correspond.
Korridor ['kɔrido:r] (**-s, -e**) *m* corridor.
korrigieren [kɔri'gi:rən] *vt* to correct; (*Meinung, Einstellung*) to change.
Korrosion [kɔrozi'o:n] *f* corrosion.
Korrosionsschutz *m* corrosion protection.
korrumpieren [kɔrʊm'pi:rən] *vt* (*auch COMPUT*) to corrupt.
korrupt [kɔ'rʊpt] *adj* corrupt.
Korruption [kɔrʊptsi'o:n] *f* corruption.
Korsett [kɔr'zɛt] (**-(e)s, -e**) *nt* corset.
Korsika ['kɔrzika] (**-s**) *nt* Corsica.
Koseform ['ko:zəfɔrm] *f* pet form.
kosen *vt* to caress ♦ *vi* to bill and coo.
Kosename *m* pet name.
Kosewort *nt* term of endearment.
Kosmetik [kɔs'me:tɪk] *f* cosmetics *pl*.
Kosmetikerin *f* beautician.
kosmetisch *adj* cosmetic; (*Chirurgie*) plastic.
kosmisch ['kɔsmɪʃ] *adj* cosmic.
Kosmonaut [kɔsmo'naʊt] (**-en, -en**) *m* cosmonaut.
Kosmopolit [kɔsmopo'li:t] (**-en, -en**) *m* cosmopolitan; **k~isch** [-po'li:tiʃ] *adj* cosmopolitan.
Kosmos ['kɔsmɔs] (**-**) *m* cosmos.
Kost [kɔst] (**-**) *f* (*Nahrung*) food; (*Verpflegung*) board; **~ und Logis** board and lodging.
kostbar *adj* precious; (*teuer*) costly, expensive; **K~keit** *f* preciousness; costliness, expensiveness; (*Wertstück*) treasure.
Kosten *pl* cost(s); (*Ausgaben*) expenses *pl*; **auf ~ von** at the expense of; **auf seine ~ kommen** (*fig*) to get one's money's worth.
kosten *vt* to cost; (*versuchen*) to taste ♦ *vi* to taste; **koste es, was es wolle** whatever the cost.
Kosten- *zW*: **~anschlag** *m* estimate; **k~deckend** *adj* cost-effective; **~erstattung** *f* reimbursement of expenses; **~kontrolle** *f* cost control; **k~los** *adj* free (of charge); **~-Nutzen-Analyse** *f* cost-benefit analysis; **k~pflichtig** *adj*: **ein Auto k~pflichtig abschleppen** to tow away a car at the owner's expense; **~stelle** *f* (*COMM*) cost centre (*BRIT*) *od* center (*US*); **~voranschlag** *m* (costs) estimate.
Kostgeld *nt* board.
köstlich ['kœstlɪç] *adj* precious; (*Einfall*) delightful; (*Essen*) delicious; **sich ~ amüsieren** to have a marvellous time.
Kostprobe *f* taste; (*fig*) sample.
kostspielig *adj* expensive.
Kostüm [kɔs'ty:m] (**-s, -e**) *nt* costume; (*Damen~*) suit; **~fest** *nt* fancy-dress party.
kostümieren [kɔsty'mi:rən] *vt, vr* to dress up.
Kostümprobe *f* (*THEAT*) dress rehearsal.
Kostümverleih *m* costume agency.
Kot [ko:t] (**-(e)s**) *m* excrement.
Kotelett [kotə'lɛt] (**-(e)s, -e** *od* **-s**) *nt* cutlet, chop.
Koteletten *pl* sideboards *pl* (*BRIT*), sideburns *pl* (*US*).
Köter ['kø:tər] (**-s, -**) *m* cur.
Kotflügel *m* (*AUT*) wing.
kotzen ['kɔtsən] (*umg!*) *vi* to puke (*!*), throw up; **das ist zum K~** it makes you sick.
KP (**-, -s**) *f abk* (= *Kommunistische Partei*) C.P.
KPÖ (**-**) *f abk* (= *Kommunistische Partei Österreichs*) Austrian Communist Party.
Kr. *abk* = **Kreis.**
Krabbe ['krabə] (**-, -n**) *f* shrimp.
krabbeln *vi* to crawl.
Krach [krax] (**-(e)s, -s** *od* **-e**) *m* crash; (*andauernd*) noise; (*umg: Streit*) quarrel, argument; **~ schlagen** to make a fuss; **k~en** *vi* to crash; (*beim Brechen*) to crack ♦ *vr* (*umg*) to argue, quarrel.
krächzen ['krɛçtsən] *vi* to croak.
Kräcker ['krɛkər] (**-s, -**) *m* (*KOCH*) cracker.
kraft [kraft] *präp +gen* by virtue of.
Kraft (**-, ⸚e**) *f* strength; (*von Stimme, fig*) power, force; (*Arbeits~*) worker; **mit vereinten Kräften werden wir ...** if we combine our efforts we will ...; **nach (besten) Kräften** to the best of one's abilities; **außer ~ sein** (*JUR: Geltung*) to be no longer in force; **in ~ treten** to come into effect.
Kraft- *zW*: **~aufwand** *m* effort; **~ausdruck** *m* swearword; **~brühe** *f* beef tea.
Kräfteverhältnis ['krɛftəfɛrhɛltnɪs] *nt* (*POL*) balance of power; (*von Mannschaften etc*) relative strength.
Kraftfahrer *m* motor driver.
Kraftfahrzeug *nt* motor vehicle; **~brief** *m* (*AUT*) logbook (*BRIT*), motor-vehicle registration certificate (*US*); **~schein** *m* (*AUT*) car licence (*BRIT*) *od* license (*US*); **~steuer** *f* ≈ road tax.
kräftig ['krɛftɪç] *adj* strong; (*Suppe, Essen*) nourishing; **~en** ['krɛftɪgən] *vt* to strengthen.
Kraft- *zW*: **k~los** *adj* weak; powerless; (*JUR*) invalid; **~meierei** (*umg*) *f showing off of physical strength*; **~probe** *f* trial of strength; **~rad** *nt* motorcycle; **~stoff** *m* fuel; **~training** *nt* weight training; **k~voll** *adj* vigorous; **~wagen** *m* motor vehicle; **~werk** *nt* power station; **~werker** *m* power station worker.

Kragen ['kra:gən] (**-s, -**) *m* collar; **da ist mir der ~ geplatzt** (*umg*) I blew my top; **es geht ihm an den ~** (*umg*) he's in for it; **~weite** *f* collar size; **das ist nicht meine ~weite** (*fig: umg*) that's not my cup of tea.
Krähe ['krɛ:ə] (**-, -n**) *f* crow.
krähen *vi* to crow.
krakeelen [kra'ke:lən] (*umg*) *vi* to make a din.
krakelig ['kra:kəlɪç] (*umg*) *adj* (*Schrift*) scrawly, spidery.
Kralle ['kralə] (**-, -n**) *f* claw; (*Vogel~*) talon.
krallen *vt* to clutch; (*krampfhaft*) to claw.
Kram [kra:m] (**-(e)s**) *m* stuff, rubbish; **den ~ hinschmeißen** (*umg*) to chuck the whole thing; **k~en** *vi* to rummage; **~laden** (*pej*) *m* small shop.
Krampf [krampf] (**-(e)s, ¨-e**) *m* cramp; (*zuckend*) spasm; (*Unsinn*) rubbish; **~ader** *f* varicose vein; **k~haft** *adj* convulsive; (*fig: Versuche*) desperate.
Kran [kra:n] (**-(e)s, ¨-e**) *m* crane; (*Wasser~*) tap (*BRIT*), faucet (*US*).
Kranich ['kra:nɪç] (**-s, -e**) *m* (*ZOOL*) crane.
krank [kraŋk] *adj* ill, sick; **sich ~ melden** to let one's boss *etc* know that one is ill; (*telefonisch*) to phone in sick; (*bes MIL*) to report sick; **jdn ~ schreiben** to give sb a medical certificate; (*bes MIL*) to put sb on the sick list; **das macht mich ~!** (*umg*) it gets on my nerves!, it drives me round the bend!; **sich ~ stellen** to pretend to be ill, malinger.
Kranke(r) *f(m)* sick person, invalid; (*Patient*) patient.
kränkeln ['krɛŋkəln] *vi* to be in bad health.
kranken ['kraŋkən] *vi*: **an etw** *dat* **~** (*fig*) to suffer from sth.
kränken ['krɛŋkən] *vt* to hurt.
Kranken- *zW*: **~bericht** *m* medical report; **~besuch** *m* visit to a sick person; **~geld** *nt* sick pay; **~geschichte** *f* medical history; **~gymnastik** *f* physiotherapy; **~haus** *nt* hospital; **~kasse** *f* health insurance; **~pfleger** *m* orderly; (*mit Schwesternausbildung*) male nurse; **~pflegerin** *f* nurse; **~schein** *m* medical insurance certificate; **~schwester** *f* nurse; **~versicherung** *f* health insurance; **~wagen** *m* ambulance.
krankfeiern (*umg*) *vi* to be off sick; (*vortäuschend*) to skive (*BRIT*).
krankhaft *adj* diseased; (*Angst etc*) morbid; **sein Geiz ist schon ~** his meanness is almost pathological.
Krankheit *f* illness; disease; **nach langer schwerer ~** after a long serious illness.
Krankheitserreger *m* disease-causing agent.
kränklich ['krɛŋklɪç] *adj* sickly.
Kränkung *f* insult, offence (*BRIT*), offense (*US*).
Kranz [krants] (**-es, ¨-e**) *m* wreath, garland.
Kränzchen ['krɛntsçən] *nt* small wreath; (*fig: Kaffee~*) coffee circle.
Krapfen ['krapfən] (**-s, -**) *m* fritter; (*Berliner*) doughnut (*BRIT*), donut (*US*).
kraß [kras] *adj* crass; (*Unterschied*) extreme.
Krater ['kra:tər] (**-s, -**) *m* crater.
Kratzbürste ['kratsbʏrstə] *f* (*fig*) crosspatch.
Krätze ['krɛtsə] *f* (*MED*) scabies *sing*.
kratzen ['kratsən] *vt, vi* to scratch; (*ab~*): **etw von etw ~** to scrape sth off sth.
Kratzer (**-s, -**) *m* scratch; (*Werkzeug*) scraper.
Kraul [kraʊl] (**-s**) *nt* (*auch*: **~schwimmen**) crawl; **k~en** *vi* (*schwimmen*) to do the crawl ♦ *vt* (*streicheln*) to tickle.
kraus [kraʊs] *adj* crinkly; (*Haar*) frizzy; (*Stirn*) wrinkled.
Krause ['kraʊzə] (**-, -n**) *f* frill, ruffle.
kräuseln ['krɔʏzəln] *vt* (*Haar*) to make frizzy; (*Stoff*) to gather; (*Stirn*) to wrinkle ♦ *vr* (*Haar*) to go frizzy; (*Stirn*) to wrinkle; (*Wasser*) to ripple.
Kraut [kraʊt] (**-(e)s, Kräuter**) *nt* plant; (*Gewürz*) herb; (*Gemüse*) cabbage; **dagegen ist kein ~ gewachsen** (*fig*) there's nothing anyone can do about that; **ins ~ schießen** (*lit*) to run to seed; (*fig*) to get out of control; **wie ~ und Rüben** (*umg*) extremely untidy.
Kräutertee ['krɔytərte:] *m* herb tea.
Krawall [kra'val] (**-s, -e**) *m* row, uproar.
Krawatte [kra'vatə] (**-, -n**) *f* tie.
kreativ [krea'ti:f] *adj* creative.
Kreativität [kreativi'tɛ:t] *f* creativity.
Kreatur [krea'tu:r] *f* creature.
Krebs [kre:ps] (**-es, -e**) *m* crab; (*MED*) cancer; (*ASTROL*) Cancer; **k~erregend** *adj* carcinogenic; **k~krank** *adj* suffering from cancer; **k~krank sein** to have cancer; **~kranke(r)** *f(m)* cancer victim; (*Patient*) cancer patient; **k~rot** *adj* red as a lobster.
Kredit [kre'di:t] (**-(e)s, -e**) *m* credit; (*Darlehen*) loan; (*fig*) standing; **~drosselung** *f* credit squeeze; **k~fähig** *adj* creditworthy; **~grenze** *f* credit limit; **~hai** (*umg*) *m* loan-shark; **~karte** *f* credit card; **~konto** *nt* credit account; **~politik** *f* lending policy; **k~würdig** *adj* creditworthy; **~würdigkeit** *f* creditworthiness, credit status.
Kreide ['kraɪdə] (**-, -n**) *f* chalk; **bei jdm (tief) in der ~ stehen** to be (deep) in debt to sb; **k~bleich** *adj* as white as a sheet.
Kreis [kraɪs] (**-es, -e**) *m* circle; (*Stadt~ etc*) district; **im ~ gehen** (*lit, fig*) to go round in circles; **(weite) ~e ziehen** (*fig*) to have (wide) repercussions; **weite ~e der Bevölkerung** wide sections of the population; **eine Feier im kleinen ~e** a celebration for a few close friends and relatives.
kreischen ['kraɪʃən] *vi* to shriek, screech.
Kreisel ['kraɪzəl] (**-s, -**) *m* top; (*Verkehrs~*) roundabout (*BRIT*), traffic circle (*US*).
kreisen ['kraɪzən] *vi* to spin; (*fig: Gedanken, Gespräch*): **~ um** to revolve around.
Kreis- *zW*: **k~förmig** *adj* circular; **~lauf** *m*

(*MED*) circulation; (*fig: der Natur etc*) cycle; **~laufkollaps** *m* circulatory collapse; **~laufstörungen** *pl* circulation trouble *sing*; **~säge** *f* circular saw.

Kreißsaal ['kraɪszaːl] *m* delivery room.

Kreisstadt *f* ≈ county town.

Kreisverkehr *m* roundabout (*BRIT*), traffic circle (*US*).

Krematorium [krema'toːriʊm] *nt* crematorium.

Kreml ['kreːml] (**-s**) *m*: **der ~** the Kremlin.

Krempe ['krɛmpə] (**-, -n**) *f* brim.

Krempel (**-s**) (*umg*) *m* rubbish.

krepieren [kre'piːrən] (*umg*) *vi* (*sterben*) to die, kick the bucket.

Krepp [krɛp] (**-s, -s** *od* **-e**) *m* crêpe.

Kreppapier (*getrennt: Krepp-papier*) *nt* crêpe paper.

Kreppsohle *f* crêpe sole.

Kresse ['krɛsə] (**-, -n**) *f* cress.

Kreta ['kreːta] (**-s**) *nt* Crete.

Kreter(in) [kreːtər(ɪn)] (**-s, -**) *m(f)* Cretan.

kretisch *adj* Cretan.

kreuz [krɔʏts] *adj*: **~ und quer** all over.

Kreuz (**-es, -e**) *nt* cross; (*ANAT*) small of the back; (*KARTEN*) clubs; (*MUS*) sharp; (*Autobahn~*) intersection; **zu ~e kriechen** (*fig*) to eat humble pie, eat crow (*US*); **jdn aufs ~ legen** to throw sb on his back; (*fig: umg*) to take sb for a ride.

kreuzen *vt* to cross ♦ *vr* to cross; (*Meinungen etc*) to clash ♦ *vi* (*NAUT*) to cruise; **die Arme ~** to fold one's arms.

Kreuzer (**-s, -**) *m* (*Schiff*) cruiser.

Kreuz- *zW*: **~fahrt** *f* cruise; **~feuer** *nt* (*fig*): **im ~feuer stehen** to be caught in the crossfire; **~gang** *m* cloisters *pl*.

kreuzigen *vt* to crucify.

Kreuzigung *f* crucifixion.

Kreuzotter *f* adder.

Kreuzschmerzen *pl* backache *sing*.

Kreuzung *f* (*Verkehrs~*) crossing, junction; (*Züchtung*) cross.

Kreuz- *zW*: **k~unglücklich** *adj* absolutely miserable; **~verhör** *nt* cross-examination; **ins ~verhör nehmen** to cross-examine; **~weg** *m* crossroads; (*REL*) Way of the Cross; **~worträtsel** *nt* crossword puzzle; **~zeichen** *nt* sign of the cross; **~zug** *m* crusade.

kribb(e)lig ['krɪb(ə)lɪç] (*umg*) *adj* fidgety; (*kribbelnd*) tingly.

kribbeln ['krɪbəln] *vi* (*jucken*) to itch; (*prickeln*) to tingle.

kriechen ['kriːçən] *unreg vi* to crawl, creep; (*pej*) to grovel, crawl.

Kriecher (**-s, -**) *m* crawler.

kriecherisch *adj* grovelling (*BRIT*), groveling (*US*).

Kriechspur *f* crawler lane (*BRIT*).

Kriechtier *nt* reptile.

Krieg [kriːk] (**-(e)s, -e**) *m* war; **~ führen (mit** *od* **gegen)** to wage war (on).

kriegen ['kriːgən] (*umg*) *vt* to get.

Krieger (**-s, -**) *m* warrior; **~denkmal** *nt* war memorial; **k~isch** *adj* warlike.

Kriegführung *f* warfare.

Kriegs- *zW*: **~beil** *nt*: **das ~beil begraben** (*fig*) to bury the hatchet; **~bemalung** *f* war paint; **~dienstverweigerer** *m* conscientious objector; **~erklärung** *f* declaration of war; **~fuß** *m*: **mit jdm/etw auf ~fuß stehen** to be at loggerheads with sb/not to get on with sth; **~gefangene(r)** *f(m)* prisoner of war; **~gefangenschaft** *f* captivity; **~gericht** *nt* court-martial; **~rat** *m* council of war; **~recht** *nt* (*MIL*) martial law; **~schauplatz** *m* theatre (*BRIT*) *od* theater (*US*) of war; **~schiff** *nt* warship; **~schuld** *f* war guilt; **~verbrecher** *m* war criminal; **~versehrte(r)** *f(m)* person disabled in the war; **~zustand** *m* state of war.

Krim [krɪm] *f*: **die ~** the Crimea.

Krimi ['kriːmi] (**-s, -s**) (*umg*) *m* thriller.

kriminal [krimi'naːl] *adj* criminal; **K~beamte(r)** *m* detective; **K~film** *m* crime thriller *od* movie (*bes US*).

Kriminalität [kriminali'tɛːt] *f* criminality.

Kriminalpolizei *f* ≈ Criminal Investigation Department (*BRIT*), Federal Bureau of Investigation (*US*).

Kriminalroman *m* detective story.

kriminell [kriːmi'nɛl] *adj* criminal.

Kriminelle(r) *f(m)* criminal.

Krimskrams ['krɪmskrams] (**-es**) (*umg*) *m* odds and ends *pl*.

Kringel ['krɪŋəl] (**-s, -**) *m* (*der Schrift*) squiggle; (*KOCH*) ring.

kringelig *adj*: **sich ~ lachen** (*umg*) to kill o.s. laughing.

Kripo ['kriːpo] (**-, -s**) *f abk* (= *Kriminalpolizei*) ≈ CID (*BRIT*), ≈ FBI (*US*).

Krippe ['krɪpə] (**-, -n**) *f* manger, crib; (*Kinder~*) crèche.

Krippenspiel *nt* nativity play.

Krippentod *m* cot death.

Krise ['kriːzə] (**-, -n**) *f* crisis.

kriseln *vi*: **es kriselt** there's a crisis looming, there is trouble brewing.

Krisen- *zW*: **k~fest** *adj* stable; **~herd** *m* flash point; trouble spot; **~stab** *m* action *od* crisis committee.

Kristall[1] [krɪs'tal] (**-s, -e**) *m* crystal.

Kristall[2] (**-s**) *nt* (*Glas*) crystal; **~zucker** *m* refined sugar crystals *pl*.

Kriterium [kri'teːriʊm] *nt* criterion.

Kritik [kri'tiːk] *f* criticism; (*Zeitungs~*) review, write-up; **an jdm/etw ~ üben** to criticize sb/sth; **unter aller ~ sein** (*umg*) to be beneath contempt.

Kritiker(in) ['kriːtikər(ɪn)] (**-s, -**) *m(f)* critic.

kritiklos *adj* uncritical.

kritisch ['kriːtɪʃ] *adj* critical.

kritisieren [kriti'ziːrən] *vt, vi* to criticize.

kritteln ['krɪtəln] *vi* to find fault, carp.

kritzeln ['krıtsəln] *vt, vi* to scribble, scrawl.
Kroate [kro'a:tə] (**-n, -n**) *m* Croat.
Kroatien [kro'a:tsiən] (**-s**) *nt* Croatia.
Kroatin *f* Croat.
kroatisch *adj* Croatian.
kroch *etc* [krɔx] *vb siehe* **kriechen.**
Krokodil [kroko'di:l] (**-s, -e**) *nt* crocodile.
Krokodilstränen *pl* crocodile tears *pl.*
Krokus ['kro:kʊs] (**-,** - *od* **-se**) *m* crocus.
Krone ['kro:nə] (**-, -n**) *f* crown; (*Baum~*) top; **einen in der ~ haben** (*umg*) to be tipsy.
krönen ['krø:nən] *vt* to crown.
Kron- *zW:* **~korken** *m* bottle top; **~leuchter** *m* chandelier; **~prinz** *m* crown prince.
Krönung ['krø:nʊŋ] *f* coronation.
Kronzeuge *m* (*JUR*) person who turns Queen's/King's (*BRIT*) *od* State's (*US*) evidence; (*Hauptzeuge*) principal witness.
Kropf [krɔpf] (**-(e)s, ¨-e**) *m* (*MED*) goitre (*BRIT*), goiter (*US*); (*von Vogel*) crop.
Krösus ['krø:zʊs] (**-ses, -se**) *m:* **ich bin doch kein ~** (*umg*) I'm not made of money.
Kröte ['krø:tə] (**-, -n**) *f* toad; **Kröten** *pl* (*umg: Geld*) pennies *pl.*
Krs. *abk* = **Kreis.**
Krücke ['krʏkə] (**-, -n**) *f* crutch.
Krug [kru:k] (**-(e)s, ¨-e**) *m* jug; (*Bier~*) mug.
Krümel ['kry:məl] (**-s, -**) *m* crumb.
krümeln *vt, vi* to crumble.
krumm [krʊm] *adj* (*lit, fig*) crooked; (*kurvig*) curved; **sich ~ und schief lachen** (*umg*) to fall about laughing; **keinen Finger ~ machen** (*umg*) not to lift a finger; **ein ~es Ding drehen** (*umg*) to do something crooked; **~beinig** *adj* bandy-legged.
krümmen ['krʏm:ən] *vt* to bend ♦ *vr* to bend, curve.
krummlachen (*umg*) *vr* to laugh o.s. silly.
krummnehmen *unreg vt:* **jdm etw ~** (*umg*) to take sth amiss.
Krümmung *f* bend, curve.
Krüppel ['krʏpəl] (**-s, -**) *m* cripple.
Kruste ['krʊstə] (**-, -n**) *f* crust.
Kruzifix [krutsi'fıks] (**-es, -e**) *nt* crucifix.
Kt. *abk* = **Kanton.**
Kto. *abk* (= *Konto*) a/c.
Kuba ['ku:ba] (**-s**) *nt* Cuba.
Kubaner(in) [ku'ba:nər(ın)] (**-s, -**) *m(f)* Cuban.
kubanisch [ku'ba:nıʃ] *adj* Cuban.
Kübel ['ky:bəl] (**-s, -**) *m* tub; (*Eimer*) pail.
Kubik- [ku'bi:k] *in zW* cubic; **~meter** *m* cubic metre (*BRIT*) *od* meter (*US*).
Küche ['kʏçə] (**-, -n**) *f* kitchen; (*Kochen*) cooking, cuisine.
Kuchen ['ku:xən] (**-s, -**) *m* cake; **~blech** *nt* baking tray; **~form** *f* baking tin (*BRIT*) *od* pan (*US*); **~gabel** *f* pastry fork.
Küchen- *zW:* **~gerät** *nt* kitchen utensil; (*elektrisch*) kitchen appliance; **~herd** *m* cooker, stove; **~maschine** *f* food processor; **~messer** *nt* kitchen knife; **~schabe** *f* cockroach; **~schrank** *m* kitchen cabinet.
Kuchenteig *m* cake mixture.
Kuckuck ['kʊkʊk] (**-s, -e**) *m* cuckoo; (*umg: Siegel des Gerichtsvollziehers*) bailiff's seal (*for distraint of goods*); **das weiß der ~** heaven (only) knows.
Kuckucksuhr *f* cuckoo clock.
Kuddelmuddel ['kʊdəlmʊdəl] (**-s**) (*umg*) *m od nt* mess.
Kufe ['ku:fə] (**-, -n**) *f* (*Faß~*) vat; (*Schlitten~*) runner; (*AVIAT*) skid.
Kugel ['ku:gəl] (**-, -n**) *f* ball; (*MATH*) sphere; (*MIL*) bullet; (*Erd~*) globe; (*SPORT*) shot; **eine ruhige ~ schieben** (*umg*) to have a cushy number; **k~förmig** *adj* spherical; **~kopf** *m* (*Schreibmaschine*) golf ball; **~kopfschreibmaschine** *f* golf-ball typewriter; **~lager** *nt* ball bearing.
kugeln *vt* to roll; (*SPORT*) to bowl ♦ *vr* (*vor Lachen*) to double up.
Kugel- *zW:* **k~rund** *adj* (*Gegenstand*) round; (*umg: Person*) tubby; **~schreiber** *m* ball-point (pen), Biro ®; **k~sicher** *adj* bulletproof; **~stoßen** (**-s**) *nt* shot put.
Kuh [ku:] (**-, ¨-e**) *f* cow; **~dorf** (*pej: umg*) *nt* one-horse town; **~handel** (*pej: umg*) *m* horse-trading; **~haut** *f:* **das geht auf keine ~haut** (*fig: umg*) that's absolutely incredible.
kühl [ky:l] *adj* (*lit, fig*) cool; **K~anlage** *f* refrigeration plant.
Kühle (-) *f* coolness.
kühlen *vt* to cool.
Kühler (**-s, -**) *m* (*AUT*) radiator; **~haube** *f* (*AUT*) bonnet (*BRIT*), hood (*US*).
Kühl- *zW:* **~flüssigkeit** *f* coolant; **~haus** *nt* cold-storage depot; **~raum** *m* cold-storage chamber; **~schrank** *m* refrigerator; **~tasche** *f* cool bag; **~truhe** *f* freezer.
Kühlung *f* cooling.
Kühlwagen *m* (*EISENB, Lastwagen*) refrigerator van.
Kühlwasser *nt* coolant.
kühn [ky:n] *adj* bold, daring; **K~heit** *f* boldness.
Kuhstall *m* cow-shed.
k.u.k. *abk* (= *kaiserlich und königlich*) imperial and royal.
Küken ['ky:kən] (**-s, -**) *nt* chicken; (*umg: Nesthäkchen*) baby of the family.
kulant [ku'lant] *adj* obliging.
Kulanz [ku'lants] *f* accommodating attitude, generousness.
Kuli ['ku:li] (**-s, -s**) *m* coolie; (*umg: Kugelschreiber*) Biro ®.
kulinarisch [kuli'na:rıʃ] *adj* culinary.
Kulisse [ku'lısə] (**-, -n**) *f* scene.
Kulissenschieber(in) *m(f)* stagehand.
Kulleraugen ['kʊləraʊgən] (*umg*) *pl* wide eyes *pl.*
kullern ['kʊlərn] *vi* to roll.
Kult [kʊlt] (**-(e)s, -e**) *m* worship, cult; **mit etw ~ treiben** to make a cult out of sth.

kultivieren [kʊlti'viːrən] *vt* to cultivate.
kultiviert *adj* cultivated, refined.
Kultstätte *f* place of worship.
Kultur [kʊl'tuːr] *f* culture; (*Lebensform*) civilization; (*des Bodens*) cultivation; **~banause** (*umg*) *m* philistine, low-brow; **~betrieb** *m* culture industry; **~beutel** *m* toilet bag (*BRIT*), washbag.
kulturell [kʊltu'rɛl] *adj* cultural.
Kulturfilm *m* documentary film.
Kulturteil *m* (*von Zeitung*) arts section.
Kultusminister ['kʊltʊsmɪnɪstər] *m* minister of education and the arts.
Kümmel ['kʏməl] (**-s, -**) *m* caraway seed; (*Branntwein*) kümmel.
Kummer ['kʊmər] (**-s**) *m* grief, sorrow.
kümmerlich ['kʏmərlɪç] *adj* miserable, wretched.
kümmern *vr*: **sich um jdn ~** to look after sb ♦ *vt* to concern; **sich um etw ~** to see to sth; **das kümmert mich nicht** that doesn't worry me.
Kumpan(in) [kʊm'paːn(ɪn)] (**-s, -e**) *m(f)* mate; (*pej*) accomplice.
Kumpel ['kʊmpəl] (**-s, -**) (*umg*) *m* mate.
kündbar ['kʏntbaːr] *adj* redeemable, recallable; (*Vertrag*) terminable.
Kunde[1] ['kʊndə] (**-n, -n**) *m* customer.
Kunde[2] ['kʊndə] (**-, -n**) *f* (*Botschaft*) news.
Kunden- *zW*: **~beratung** *f* customer advisory service; **~dienst** *m* after-sales service; **~fang** (*pej*) *m*: **auf ~fang sein** to be touting for customers; **~fänger** *m* tout (*umg*); **~konto** *nt* charge account; **~kreis** *m* customers *pl*, clientele; **~werbung** *f* publicity (*aimed at attracting custom or customers*).
Kund- *zW*: **~gabe** *f* announcement; **k~geben** *unreg vt* to announce; **~gebung** *f* announcement; (*Versammlung*) rally.
kundig *adj* expert, experienced.
kündigen ['kʏndɪgən] *vi* to give in one's notice ♦ *vt* to cancel; **jdm ~** to give sb his notice; **zum 1. April ~** to give one's notice for April 1st; (*Mieter*) to give notice for April 1st; (*bei Mitgliedschaft*) to cancel one's membership as of April 1st; **(jdm) die Stellung ~** to give (sb) notice; **sie hat ihm die Freundschaft gekündigt** she has broken off their friendship.
Kündigung *f* notice.
Kündigungsfrist *f* period of notice.
Kündigungsschutz *m* protection against wrongful dismissal.
Kundin *f* customer.
Kundschaft *f* customers *pl*, clientele.
Kundschafter (**-s, -**) *m* spy; (*MIL*) scout.
künftig ['kʏnftɪç] *adj* future ♦ *adv* in future.
Kunst [kʊnst] (**-, ⸚e**) *f* (*auch SCH*) art; (*Können*) skill; **das ist doch keine ~** it's easy; **mit seiner ~ am Ende sein** to be at one's wits' end; **das ist eine brotlose ~** there's no money in that; **~akademie** *f* academy of art; **~druck** *m* art print; **~dünger** *m* artificial manure; **~erziehung** *f* (*SCH*) art; **~faser** *f* synthetic fibre (*BRIT*) *od* fiber (*US*); **~fehler** *m* professional error; (*weniger ernst*) slip; **~fertigkeit** *f* skilfulness (*BRIT*), skillfulness (*US*); **~flieger** *m* stunt flyer; **k~gerecht** *adj* skilful (*BRIT*), skillful (*US*); **~geschichte** *f* history of art; **~gewerbe** *nt* arts and crafts *pl*; **~griff** *m* trick, knack; **~händler** *m* art dealer; **~harz** *nt* artificial resin; **~leder** *nt* artificial leather.
Künstler(in) ['kʏnstlər(ɪn)] (**-s, -**) *m(f)* artist; **k~isch** *adj* artistic; **~name** *m* pseudonym; (*von Schauspieler*) stage name; **~pech** (*umg*) *nt* hard luck.
künstlich ['kʏnstlɪç] *adj* artificial; **~e Intelligenz** (*COMPUT*) artificial intelligence; **sich ~ aufregen** (*umg*) to get all worked up about nothing.
Kunst- *zW*: **~sammler** *m* art collector; **~seide** *f* artificial silk; **~stoff** *m* synthetic material; **~stopfen** (**-s**) *nt* invisible mending; **~stück** *nt* trick; **das ist kein ~stück** (*fig*) there's nothing to it; **~turnen** *nt* gymnastics *sing*; **k~voll** *adj* artistic; **~werk** *nt* work of art.
kunterbunt ['kʊntərbʊnt] *adj* higgledy-piggledy.
Kupfer ['kʊpfər] (**-s, -**) *nt* copper; **~geld** *nt* coppers *pl*.
kupfern *adj* copper ♦ *vt* (*fig: umg*) to plagiarize, copy, imitate.
Kupferstich *m* copperplate engraving.
Kuppe ['kʊpə] (**-, -n**) *f* (*Berg~*) top; (*Finger~*) tip.
Kuppel (**-, -n**) *f* cupola, dome.
Kuppelei [kʊpə'laɪ] *f* (*JUR*) procuring.
kuppeln *vi* (*JUR*) to procure; (*AUT*) to declutch ♦ *vt* to join.
Kuppler ['kʊplər] (**-s, -**) *m* procurer; **~in** *f* procuress.
Kupplung *f* (*auch TECH*) coupling; (*AUT etc*) clutch; **die ~ (durch)treten** to disengage the clutch.
Kur [kuːr] (**-, -en**) *f* (*im Kurort*) (health) cure, (course of) treatment; (*Schlankheitskur*) diet; **eine ~ machen** to take a cure (in a health resort).
Kür [kyːr] (**-, -en**) *f* (*SPORT*) free exercises *pl*.
Kuratorium [kura'toːriʊm] *nt* (*Vereinigung*) committee.
Kurbel ['kʊrbəl] (**-, -n**) *f* crank, winder; (*AUT*) starting handle; **~welle** *f* crankshaft.
Kürbis ['kʏrbɪs] (**-ses, -se**) *m* pumpkin; (*exotisch*) gourd.
Kurde ['kʊrdə] (**-n, -n**) *m*, **Kurdin** *f* Kurd.
Kurfürst ['kuːrfʏrst] *m* Elector, electoral prince.
Kurgast *m* visitor (to a health resort).
Kurier [ku'riːr] (**-s, -e**) *m* courier, messenger.
kurieren [ku'riːrən] *vt* to cure.
kurios [kuri'oːs] *adj* curious, odd.

Kuriosität [kuriozi'tɛːt] *f* curiosity.
Kur- *zW:* **~konzert** *nt* concert (*at a health resort*); **~ort** *m* health resort; **~pfuscher** *m* quack.
Kurs [kʊrs] (**-es, -e**) *m* course; (*FIN*) rate; **hoch im ~ stehen** (*fig*) to be highly thought of; **einen ~ besuchen** *od* **mitmachen** to attend a class; **harter/weicher ~** (*POL*) hard/soft line; **~änderung** *f* (*lit, fig*) change of course; **~buch** *nt* timetable.
Kürschner(in) ['kʏrʃnər(ɪn)] (**-s, -**) *m(f)* furrier.
kursieren [kʊr'ziːrən] *vi* to circulate.
kursiv *adv* in italics.
Kursnotierung *f* quotation.
Kursus ['kʊrzʊs] (**-, Kurse**) *m* course.
Kurswagen *m* (*EISENB*) through carriage.
Kurswert *m* (*FIN*) market value.
Kurtaxe *f* spa tax (*paid by visitors*).
Kurve ['kʊrvə] (**-, -n**) *f* curve; (*Straßen~*) bend; (*statistisch, Fieber~ etc*) graph; **die ~ nicht kriegen** (*umg*) not to get around to it.
kurvenreich *adj:* **„~e Strecke"** "bends".
kurvig *adj* (*Straße*) bendy.
kurz [kʊrts] *adj* short ♦ *adv:* **~ und bündig** concisely; **zu ~ kommen** to come off badly; **den kürzeren ziehen** to get the worst of it; **~ und gut** in short; **über ~ oder lang** sooner or later; **eine Sache ~ abtun** to dismiss sth out of hand; **sich ~ fassen** to be brief; **darf ich mal ~ stören?** could I just interrupt for a moment?
Kurzarbeit *f* short-time work.

> **Kurzarbeit** *is the term used to describe a shorter working week made necessary by a lack of work. It has been introduced in recent years as a preferable alternative to redundancy. It has to be approved by the* **Arbeitsamt**, *the job centre, which pays some compensation to the worker for loss of pay.*

kurzärm(e)lig *adj* short-sleeved.
kurzatmig *adj* (*fig*) feeble, lame; (*MED*) short-winded.
Kürze ['kʏrtsə] (**-, -n**) *f* shortness, brevity.
kürzen *vt* to cut short; (*in der Länge*) to shorten; (*Gehalt*) to reduce.
kurzerhand ['kʊrtsər'hant] *adv* without further ado; (*entlassen*) on the spot.
kurz- *zW:* **K~fassung** *f* shortened version; **~fristig** *adj* short-term; **~fristige Verbindlichkeiten** current liabilities *pl*; **~gefaßt** *adj* concise; **K~geschichte** *f* short story; **~halten** *unreg vt* to keep short; **~lebig** *adj* short-lived.
kürzlich ['kʏrtslɪç] *adv* lately, recently.
Kurz- *zW:* **~meldung** *f* news flash; **~parker** *m* short-stay parker; **~schluß** *m* (*ELEK*) short circuit; **~schlußhandlung** *f* (*fig*) rash action; **~schrift** *f* shorthand; **k~sichtig** *adj* short-sighted; **~strecken-** *in zW* short-range; **~streckenläufer(in)** *m(f)* sprinter; **k~treten** *unreg vi* (*fig: umg*) to go easy; **k~um** *adv* in a word.
Kürzung *f* cutback.
Kurzwaren *pl* haberdashery (*BRIT*), notions *pl* (*US*).
Kurzwelle *f* short wave.
kuschelig *adj* cuddly.
kuscheln ['kʊʃəln] *vr* to snuggle up.
kuschen ['kʊʃən] *vi, vr* (*Hund etc*) to get down; (*fig*) to knuckle under.
Kusine [ku'ziːnə] *f* cousin.
Kuß [kʊs] (**-sses, ¨-sse**) *m* kiss.
küssen ['kʏsən] *vt, vr* to kiss.
Küste ['kʏstə] (**-, -n**) *f* coast, shore.
Küsten- *zW:* **~gewässer** *pl* coastal waters *pl*; **~schiff** *nt* coaster; **~wache** *f* coastguard (station).
Küster ['kʏstər] (**-s, -**) *m* sexton, verger.
Kutsche ['kʊtʃə] (**-, -n**) *f* coach, carriage.
Kutscher (**-s, -**) *m* coachman.
kutschieren [kʊ'tʃiːrən] *vi:* **durch die Gegend ~** (*umg*) to drive around.
Kutte ['kʊtə] (**-, -n**) *f* cowl.
Kuvert [ku'vɛrt] (**-s, -e** *od* **-s**) *nt* envelope; (*Gedeck*) cover.
Kuwait [ku'vaɪt] (**-s**) *nt* Kuwait.
KV *abk* (*MUS: = Köchelverzeichnis*): **~ 280** K. (number) 280.
KW *abk* (*= Kurzwelle*) SW.
kW *abk* (*= Kilowatt*) kW.
Kybernetik [kybɛr'neːtɪk] *f* cybernetics *sing*.
kybernetisch [kybɛr'neːtɪʃ] *adj* cybernetic.
KZ (**-s, -s**) *nt abk* = **Konzentrationslager**.

L, l

L, l¹ [ɛl] *nt* L, l; **~ wie Ludwig** ≈ L for Lucy, L for Love (*US*).
l² [ɛl] *abk* (*= Liter*) l.
laben ['laːbən] *vt* to refresh ♦ *vr* to refresh o.s.; (*fig*): **sich an etw** *dat* ~ to relish sth.
labern ['laːbərn] (*umg*) *vi* to prattle (on) ♦ *vt* to talk.
labil [la'biːl] *adj* (*physisch: Gesundheit*) delicate; (*: Kreislauf*) poor; (*psychisch*) unstable.
Labor [la'boːr] (**-s, -e** *od* **-s**) *nt* lab(oratory).
Laborant(in) [labo'rant(ɪn)] *m(f)* lab(oratory) assistant.
Laboratorium [labora'toːriʊm] *nt* lab(oratory).
Labyrinth [laby'rɪnt] (**-s, -e**) *nt* labyrinth.
Lache ['laxə] (**-, -n**) *f* (*Wasser*) pool, puddle; (*umg: Gelächter*) laugh.
lächeln ['lɛçəln] *vi* to smile; **L~** (**-s**) *nt* smile.

lachen ['laxən] *vi* to laugh; **mir ist nicht zum L~ (zumute)** I'm in no laughing mood; **daß ich nicht lache!** (*umg*) don't make me laugh!; **das wäre doch gelacht** it would be ridiculous; **L~** *nt:* **dir wird das L~ schon noch vergehen!** you'll soon be laughing on the other side of your face.
Lacher (**-s, -**) *m:* **die ~ auf seiner Seite haben** to have the last laugh.
lächerlich ['lɛçərlɪç] *adj* ridiculous; **L~keit** *f* absurdity.
Lach- *zW:* **~gas** *nt* laughing gas; **l~haft** *adj* laughable; **~krampf** *m:* **einen ~krampf bekommen** to go into fits of laughter.
Lachs [laks] (**-es, -e**) *m* salmon.
Lachsalve ['laxzalvə] *f* burst *od* roar of laughter.
Lachsschinken *m smoked, rolled fillet of ham.*
Lack [lak] (**-(e)s, -e**) *m* lacquer, varnish; (*von Auto*) paint.
lackieren [la'ki:rən] *vt* to varnish; (*Auto*) to spray.
Lackierer [la'ki:rər] (**-s, -**) *m* varnisher.
Lackleder *nt* patent leather.
Lackmus ['lakmʊs] (**-**) *m od nt* litmus.
Lade ['la:də] (**-, -n**) *f* box, chest; **~baum** *m* derrick; **~fähigkeit** *f* load capacity; **~fläche** *f* load area; **~gewicht** *nt* tonnage; **~hemmung** *f:* **das Gewehr hat ~hemmung** the gun is jammed.
Laden ['la:dən] (**-s, ⸚**) *m* shop; (*Fenster~*) shutter; (*umg: Betrieb*) outfit; **der ~ läuft** (*umg*) business is good.
laden ['la:dən] *unreg vt* (*Lasten, COMPUT*) to load; (*JUR*) to summon; (*ein~*) to invite; **eine schwere Schuld auf sich** *akk* **~** to place o.s. under a heavy burden of guilt.
Laden- *zW:* **~aufsicht** *f* shopwalker (*BRIT*), floorwalker (*US*); **~besitzer** *m* shopkeeper; **~dieb** *m* shoplifter; **~diebstahl** *m* shoplifting; **~hüter** (**-s, -**) *m* unsaleable item; **~preis** *m* retail price; **~schluß** *m*, **~schlußzeit** *f* closing time; **~tisch** *m* counter.
Laderampe *f* loading ramp.
Laderaum *m* (*NAUT*) hold.
lädieren [lɛ'di:rən] *vt* to damage.
lädt [lɛ:t] *vb siehe* **laden.**
Ladung ['la:dʊŋ] *f* (*Last*) cargo, load; (*Beladen*) loading; (*JUR*) summons; (*Ein~*) invitation; (*Spreng~*) charge.
lag *etc* [la:k] *vb siehe* **liegen.**
Lage ['la:gə] (**-, -n**) *f* position, situation; (*Schicht*) layer; **in der ~ sein** to be in a position; **eine gute/ruhige ~ haben** to be in a good/peaceful location; **Herr der ~ sein** to be in control of the situation; **~bericht** *m* report; (*MIL*) situation report; **~beurteilung** *f* situation assessment.
lagenweise *adv* in layers.
Lager ['la:gər] (**-s, -**) *nt* camp; (*COMM*) warehouse; (*Schlaf~*) bed; (*von Tier*) lair; (*TECH*) bearing; **etw auf ~ haben** to have sth in stock; **~arbeiter** *m* storehand; **~bestand** *m* stocks *pl*; **~feuer** *nt* camp fire; **~geld** *nt* storage (charges *pl*); **~haus** *nt* warehouse, store.
Lagerist(in) [la:gə'rɪst(ɪn)] *m(f)* storeman, storewoman.
lagern ['la:gərn] *vi* (*Dinge*) to be stored; (*Menschen*) to camp; (*auch vr: rasten*) to lie down ♦ *vt* to store; (*betten*) to lay down; (*Maschine*) to bed.
Lager- *zW:* **~raum** *m* storeroom; (*in Geschäft*) stockroom; **~schuppen** *m* store shed; **~stätte** *f* resting place.
Lagerung *f* storage.
Lagune [la'gu:nə] (**-, -n**) *f* lagoon.
lahm [la:m] *adj* lame; (*umg: langsam, langweilig*) dreary, dull; (*Geschäftsgang*) slow, sluggish; **eine ~e Ente sein** (*umg*) to have no zip; **~arschig** ['la:m|arʃɪç] (*umg*) *adj* bloody *od* damn (*!*) slow.
lahmen *vi* to be lame, limp.
lähmen ['lɛ:mən], **lahmlegen** ['la:mle:gən] *vt* to paralyse (*BRIT*), paralyze (*US*).
Lähmung *f* paralysis.
Lahn [la:n] (**-**) *f* (*Fluß*) Lahn.
Laib [laɪp] (**-s, -e**) *m* loaf.
Laich [laɪç] (**-(e)s, -e**) *m* spawn; **l~en** *vi* to spawn.
Laie ['laɪə] (**-n, -n**) *m* layman; (*fig, THEAT*) amateur.
laienhaft *adj* amateurish.
Lakai [la'kaɪ] (**-en, -en**) *m* lackey.
Laken ['la:kən] (**-s, -**) *nt* sheet.
Lakritze [la'krɪtsə] (**-, -n**) *f* liquorice.
lala ['la'la] (*umg*) *adv:* **so ~** so-so, not too bad.
lallen ['lalən] *vt, vi* to slur; (*Baby*) to babble.
Lama ['la:ma] (**-s, -s**) *nt* llama.
Lamelle [la'mɛlə] *f* lamella; (*ELEK*) lamina; (*TECH*) plate.
lamentieren [lamɛn'ti:rən] *vi* to lament.
Lametta [la'mɛta] (**-s**) *nt* tinsel.
Lamm [lam] (**-(e)s, ⸚er**) *nt* lamb; **~fell** *nt* lambskin; **l~fromm** *adj* like a lamb; **~wolle** *f* lambswool.
Lampe ['lampə] (**-, -n**) *f* lamp.
Lampenfieber *nt* stage fright.
Lampenschirm *m* lampshade.
Lampion [lampi'õ:] (**-s, -s**) *m* Chinese lantern.
Land [lant] (**-(e)s, ⸚er**) *nt* land; (*Nation, nicht Stadt*) country; (*Bundes~*) state; **auf dem ~(e)** in the country; **an ~ gehen** to go ashore; **endlich sehe ich ~** (*fig*) at last I can see the light at the end of the tunnel; **einen Auftrag an ~ ziehen** (*umg*) to land an order; **aus aller Herren Länder** from all over the world.

A **Land** *(plural* **Länder***) is a member state of the* **BRD***. There are 16 Länder, namely Baden-Württemberg, Bayern, Berlin, Brandenburg,*

Bremen, Hamburg, Hessen, Mecklenburg-Vorpommern, Niedersachsen, Nordrhein-Westfalen, Rheinland-Pfalz, Saarland, Sachsen, Sachsen-Anhalt, Schleswig-Holstein and Thüringen. Each Land has its own parliament and constitution.

Landarbeiter *m* farm *od* agricultural worker.

Landbesitz *m* landed property.

Landbesitzer *m* landowner.

Landebahn *f* runway.

Landeerlaubnis *f* permission to land.

landeinwärts [lant'|aınvɛrts] *adv* inland.

landen ['landən] *vt, vi* to land; **mit deinen Komplimenten kannst du bei mir nicht ~** your compliments won't get you anywhere with me.

Ländereien [lɛndə'raıən] *pl* estates *pl.*

Länderspiel *nt* international (match).

Landes- *zW:* **~farben** *pl* national colours *pl* (*BRIT*) *od* colors *pl* (*US*); **~grenze** *f* (national) frontier; (*von Bundesland*) state boundary; **~innere(s)** *nt* inland region; **~kind** *nt native of a German state*; **~kunde** *f* regional studies *pl*; **~tracht** *f* national costume; **l~üblich** *adj* customary; **~verrat** *m* high treason; **~verweisung** *f* banishment; **~währung** *f* national currency; **l~weit** *adj* countrywide.

Landeverbot *nt* refusal of permission to land.

Land- *zW:* **~flucht** *f* emigration to the cities; **~gut** *nt* estate; **~haus** *nt* country house; **~karte** *f* map; **~kreis** *m* administrative region; **l~läufig** *adj* customary.

ländlich ['lɛntlıç] *adj* rural.

Land- *zW:* **~rat** *m head of administration of a Landkreis*; **~schaft** *f* countryside; (*KUNST*) landscape; **die politische ~schaft** the political scene; **l~schaftlich** *adj* scenic; (*Besonderheiten*) regional.

Landsmann (**-(e)s,** *pl* **-leute**) *m* compatriot, fellow countryman.

Landsmännin *f* compatriot, fellow countrywoman.

Land- *zW:* **~straße** *f* country road; **~streicher** (**-s, -**) *m* tramp; **~strich** *m* region; **~tag** *m* (*POL*) regional parliament.

Landung ['landʊŋ] *f* landing.

Landungs- *zW:* **~boot** *nt* landing craft; **~brücke** *f* jetty, pier; **~stelle** *f* landing place.

Landurlaub *m* shore leave.

Landvermesser *m* surveyor.

landw. *abk* (= *landwirtschaftlich*) agricultural.

Land- *zW:* **~wirt** *m* farmer; **~wirtschaft** *f* agriculture; **~wirtschaft betreiben** to farm; **~zunge** *f* spit.

lang [laŋ] *adj* long; (*umg: Mensch*) tall ♦ *adv:* **~ anhaltender Beifall** prolonged applause; **hier wird mir die Zeit nicht ~** I won't get bored here; **er machte ein ~es Gesicht** his face fell; **~ und breit** at great length; **~atmig** *adj* long-winded.

lange *adv* for a long time; (*dauern, brauchen*) a long time; **~ nicht so** ... not nearly as ...; **wenn der das schafft, kannst du das schon ~** if he can do it, you can do it easily.

Länge ['lɛŋə] (**-, -n**) *f* length; (*GEOG*) longitude; **etw der ~ nach falten** to fold sth lengthways; **etw in die ~ ziehen** to drag sth out (*umg*); **der ~ nach hinfallen** to fall flat (on one's face).

langen ['laŋən] *vi* (*ausreichen*) to do, suffice; (*fassen*): **~ nach** to reach for; **es langt mir** I've had enough; **jdm eine ~** (*umg*) to give sb a clip on the ear.

Längengrad *m* longitude.

Längenmaß *nt* linear measure.

langersehnt ['laŋ|ɛrze:nt] *adj attrib* longed-for.

Langeweile *f* boredom.

lang- *zW:* **~fristig** *adj* long-term ♦ *adv* in the long term; (*planen*) for the long term; **~fristige Verbindlichkeiten** long-term liabilities *pl*; **~jährig** *adj* (*Freundschaft, Gewohnheit*) long-standing; (*Erfahrung, Verhandlungen*) many years of; (*Mitarbeiter*) of many years' standing; **L~lauf** *m* (*SKI*) cross-country skiing; **~lebig** *adj* long-lived; **~lebige Gebrauchsgüter** consumer durables *pl.*

länglich *adj* longish.

Langmut *f* forbearance, patience.

langmütig *adj* forbearing.

längs [lɛŋs] *präp* (*+gen od dat*) along ♦ *adv* lengthways.

langsam *adj* slow; **immer schön ~!** (*umg*) easy does it!; **ich muß jetzt ~ gehen** I must be getting on my way; **~ (aber sicher) reicht es mir** I've just about had enough; **L~keit** *f* slowness.

Langschläfer *m* late riser.

Langspielplatte *f* long-playing record.

längsseit(s) *adv* alongside ♦ *präp +gen* alongside.

längst [lɛŋst] *adv:* **das ist ~ fertig** that was finished a long time ago, that has been finished for a long time.

längste(r, s) *adj* longest.

Langstrecken- *in zW* long-distance; **~flugzeug** *nt* long-range aircraft.

Languste [laŋ'gʊstə] (**-, -n**) *f* crayfish, crawfish (*US*).

lang- *zW:* **~weilen** *vt untr* to bore ♦ *vr untr* to be *od* get bored; **L~weiler** (**-s, -**) *m* bore; **~weilig** *adj* boring, tedious; **L~welle** *f* long wave; **~wierig** *adj* lengthy, long-drawn-out.

Lanze ['lantsə] (**-, -n**) *f* lance.

Lanzette [lan'tsɛtə] *f* lancet.

Laos ['la:ɔs] (**-**) *nt* Laos.

Laote [la'o:tə] (**-n, -n,**) *m,* **Laotin** *f* Laotian.

laotisch [la'o:tıʃ] *adj* Laotian.

lapidar [lapi'da:r] *adj* terse, pithy.

Lappalie [la'paːliə] *f* trifle.
Lappe ['lapə] (**-n, -n**) *m* Lapp, Laplander.
Lappen (**-s, -**) *m* cloth, rag; (*ANAT*) lobe; **jdm durch die ~ gehen** (*umg*) to slip through sb's fingers.
läppern ['lɛpərn] (*umg*) *vr unpers:* **es läppert sich zusammen** it (all) mounts up.
Lappin *f* Lapp, Laplander.
läppisch ['lɛpɪʃ] *adj* foolish.
Lappland ['laplant] (**-s**) *nt* Lapland.
Lappländer(in) ['laplɛndər(ɪn)] (**-s, -**) *m(f)* Lapp, Laplander.
lappländisch *adj* Lapp.
Lapsus ['lapsʊs] (**-, -**) *m* slip.
Laptop ['lɛptɔp] (**-s, -s**) *m* laptop.
Lärche ['lɛrçə] (**-, -n**) *f* larch.
Lärm [lɛrm] (**-(e)s**) *m* noise; **~belästigung** *f* noise nuisance; **l~en** *vi* to be noisy, make a noise.
Larve ['larfə] (**-, -n**) *f* mask; (*BIOL*) larva.
las *etc* [laːs] *vb siehe* **lesen.**
Lasagne [la'zanjə] *pl* lasagne *sing.*
lasch [laʃ] *adj* slack; (*Geschmack*) tasteless.
Lasche ['laʃə] (**-, -n**) *f* (*Schuh~*) tongue; (*EISENB*) fishplate.
Laser ['leːzər] (**-s, -**) *m* laser; **~drucker** *m* laser printer.

SCHLÜSSELWORT

lassen ['lasən] (*pt* **ließ,** *pp* **gelassen** *od (als Hilfsverb)* **lassen**) *vt* **1** (*unter~*) to stop; (*momentan*) to leave; **laß das (sein)!** don't (do it)!; (*hör auf*) stop it!; **laß mich!** leave me alone!; **~ wir das!** let's leave it; **er kann das Trinken nicht ~** he can't stop drinking; **tu, was du nicht ~ kannst!** if you must, you must!
2 (*zurück~*) to leave; **etw ~, wie es ist** to leave sth (just) as it is
3 (*erlauben*) to let, allow; **laß ihn doch** let him; **jdn ins Haus ~** to let sb into the house; **das muß man ihr ~** (*zugestehen*) you've got to grant her that
♦ *vi:* **laß mal, ich mache das schon** leave it, I'll do it
♦ *Hilfsverb* **1** (*veran~*): **etw machen ~** to have *od* get sth done; **jdn etw machen ~** to get sb to do sth; (*durch Befehl usw*) to make sb do sth; **er ließ mich warten** he kept me waiting; **mein Vater wollte mich studieren ~** my father wanted me to study; **sich** *dat* **etw schicken ~** to have sth sent (to one)
2 (*zu~*): **jdn etw wissen ~** to let sb know sth; **das Licht brennen ~** to leave the light on; **einen Bart wachsen ~** to grow a beard; **laß es dir gutgehen!** take care of yourself!
3: **laß uns gehen** let's go
♦ *vr:* **das läßt sich machen** that can be done; **es läßt sich schwer sagen** it's difficult to say.

lässig ['lɛsɪç] *adj* casual; **L~keit** *f* casualness.
läßlich ['lɛslɪç] *adj* pardonable, venial.
läßt [lɛst] *vb siehe* **lassen.**
Last [last] (**-, -en**) *f* load; (*Trag~*) burden; (*NAUT, AVIAT*) cargo; (*meist pl: Gebühr*) charge; **jdm zur ~ fallen** to be a burden to sb; **~auto** *nt* lorry (*BRIT*), truck.
lasten *vi:* **~ auf** *+dat* to weigh on.
Lastenaufzug *m* hoist, goods lift (*BRIT*) *od* elevator (*US*).
Lastenausgleichsgesetz *nt law on financial compensation for losses suffered in WWII.*
Laster ['lastər] (**-s, -**) *nt* vice ♦ *m* (*umg*) lorry (*BRIT*), truck.
Lästerer ['lɛstərər] (**-s, -**) *m* mocker; (*Gottes~*) blasphemer.
lasterhaft *adj* immoral.
lästerlich *adj* scandalous.
lästern ['lɛstərn] *vt, vi* (*Gott*) to blaspheme; (*schlecht sprechen*) to mock.
Lästerung *f* jibe; (*Gottes~*) blasphemy.
lästig ['lɛstɪç] *adj* troublesome, tiresome; **(jdm) ~ werden** to become a nuisance (to sb); (*zum Ärgernis werden*) to get annoying (to sb).
Last- *zW:* **~kahn** *m* barge; **~kraftwagen** *m* heavy goods vehicle; **~schrift** *f* debiting; (*Eintrag*) debit item; **~tier** *nt* beast of burden; **~träger** *m* porter; **~wagen** *m* lorry (*BRIT*), truck; **~zug** *m* truck and trailer.
Latein [la'taɪn] (**-s**) *nt* Latin; **mit seinem ~ am Ende sein** (*fig*) to be stumped (*umg*); **~amerika** *nt* Latin America; **l~amerikanisch** *adj* Latin-American; **l~isch** *adj* Latin.
latent [la'tɛnt] *adj* latent.
Laterne [la'tɛrnə] (**-, -n**) *f* lantern; (*Straßen~*) lamp, light.
Laternenpfahl *m* lamppost.
Latinum [la'tiːnʊm] (**-s**) *nt:* **kleines/großes ~** ≈ Latin O-/A-level exams (*BRIT*).
Latrine [la'triːnə] *f* latrine.
Latsche ['latʃə] (**-, -n**) *f* dwarf pine.
Latschen ['laːtʃən] (*umg*) *m* (*Hausschuh*) slipper; (*pej: Schuh*) worn-out shoe.
latschen (*umg*) *vi* (*gehen*) to wander, go; (*lässig*) to slouch.
Latte ['latə] (**-, -n**) *f* lath; (*SPORT*) goalpost; (*quer*) crossbar.
Lattenzaun *m* lattice fence.
Latz [lats] (**-es, ¨-e**) *m* bib; (*Hosen~*) front flap.
Lätzchen ['lɛtsçən] *nt* bib.
Latzhose *f* dungarees *pl.*
lau [laʊ] *adj* (*Nacht*) balmy; (*Wasser*) lukewarm; (*fig: Haltung*) half-hearted.
Laub [laʊp] (**-(e)s**) *nt* foliage; **~baum** *m* deciduous tree.
Laube ['laʊbə] (**-, -n**) *f* arbour (*BRIT*), arbor (*US*); (*Gartenhäuschen*) summerhouse.
Laub- *zW:* **~frosch** *m* tree frog; **~säge** *f* fretsaw; **~wald** *m* deciduous forest.
Lauch [laʊx] (**-(e)s, -e**) *m* leek.
Lauer ['laʊər] *f:* **auf der ~ sein** *od* **liegen** to lie in wait.

lauern *vi* to lie in wait; (*Gefahr*) to lurk.
Lauf [laʊf] (**-(e)s, Läufe**) *m* run; (*Wett~*) race; (*Entwicklung, ASTRON*) course; (*Gewehr~*) barrel; **im ~e des Gesprächs** during the conversation; **sie ließ ihren Gefühlen freien ~** she gave way to her feelings; **einer Sache** *dat* **ihren ~ lassen** to let sth take its course; **~bahn** *f* career; **eine ~bahn einschlagen** to embark on a career; **~bursche** *m* errand boy.
laufen ['laʊfən] *unreg vi* to run; (*umg: gehen*) to walk; (*Uhr*) to go; (*funktionieren*) to work; (*Elektrogerät: eingeschaltet sein*) to be on; (*gezeigt werden: Film, Stück*) to be on; (*Bewerbung, Antrag*) to be under consideration ♦ *vt* to run; **es lief mir eiskalt über den Rücken** a chill ran up my spine; **ihm läuft die Nase** he's got a runny nose; **die Dinge ~ lassen** to let things slide; **die Sache ist gelaufen** (*umg*) it's in the bag; **das Auto läuft auf meinen Namen** the car is in my name; **Ski/Schlittschuh/Rollschuh** *etc* **~** to ski/skate/rollerskate *etc*.
laufend *adj* running; (*Monat, Ausgaben*) current; **auf dem ~en sein/halten** to be/keep up to date; **am ~en Band** (*fig*) continuously; **~e Nummer** serial number; (*von Konto*) number; **~e Kosten** running costs *pl*.
laufenlassen *unreg vt* (*Person*) to let go.
Läufer ['lɔʏfər] (**-s, -**) *m* (*Teppich, SPORT*) runner; (*Fußball*) half-back; (*Schach*) bishop.
Lauferei [laʊfə'raɪ] (*umg*) *f* running about.
Läuferin *f* (*SPORT*) runner.
Lauf- *zW*: **~feuer** *nt*: **sich wie ein ~feuer verbreiten** to spread like wildfire; **~kundschaft** *f* passing trade; **~masche** *f* run, ladder (*BRIT*); **~paß** *m*: **jdm den ~paß geben** (*umg*) to give sb his/her marching orders; **~schritt** *m*: **im ~schritt** at a run; **~stall** *m* playpen; **~steg** *m* catwalk.
läuft [lɔʏft] *vb siehe* **laufen.**
Lauf- *zW*: **~werk** *nt* running gear; (*COMPUT*) drive; **~zeit** *f* (*von Wechsel, Vertrag*) period of validity; (*von Maschine*) life; **~zettel** *m* circular.
Lauge ['laʊgə] (**-, -n**) *f* soapy water; (*CHEM*) alkaline solution.
Laune ['laʊnə] (**-, -n**) *f* mood, humour (*BRIT*), humor (*US*); (*Einfall*) caprice; (*schlechte ~*) temper.
launenhaft *adj* capricious, changeable.
launisch *adj* moody.
Laus [laʊs] (**-, Läuse**) *f* louse; **ihm ist (wohl) eine ~ über die Leber gelaufen** (*umg*) something's biting him; **~bub** *m* rascal, imp.
Lauschangriff *m*: **~ (gegen)** bugging operation (on).
lauschen ['laʊʃən] *vi* to eavesdrop, listen in.
Lauscher(in) (**-s, -**) *m(f)* eavesdropper.
lauschig ['laʊʃɪç] *adj* snug.
Lausejunge (*umg*) *m* little devil; (*wohlwollend*) rascal.
lausen ['laʊzən] *vt* to delouse; **ich denk', mich laust der Affe!** (*umg*) well blow me down!
lausig ['laʊzɪç] (*umg*) *adj* lousy; (*Kälte*) perishing ♦ *adv* awfully.
laut [laʊt] *adj* loud ♦ *adv* loudly; (*lesen*) aloud ♦ *präp* (*+gen od dat*) according to.
Laut (**-(e)s, -e**) *m* sound.
Laute ['laʊtə] (**-, -n**) *f* lute.
lauten ['laʊtən] *vi* to say; (*Urteil*) to be.
läuten ['lɔʏtən] *vt, vi* to ring, sound; **er hat davon (etwas) ~ hören** (*umg*) he has heard something about it.
lauter ['laʊtər] *adj* (*Wasser*) clear, pure; (*Wahrheit, Charakter*) honest ♦ *adj inv* (*Freude, Dummheit etc*) sheer ♦ *adv* (*nur*) nothing but, only; **L~keit** *f* purity; honesty, integrity.
läutern ['lɔʏtərn] *vt* to purify.
Läuterung *f* purification.
laut- *zW*: **~hals** *adv* at the top of one's voice; **~los** *adj* noiseless, silent; **~malend** *adj* onomatopoeic; **L~schrift** *f* phonetics *pl*; **L~sprecher** *m* loudspeaker; **L~sprecheranlage** *f*: **öffentliche L~sprecheranlage** public-address *od* PA system; **L~sprecherwagen** *m* loudspeaker van; **~stark** *adj* vociferous; **L~stärke** *f* (*RUNDF*) volume.
lauwarm ['laʊvarm] *adj* (*lit, fig*) lukewarm.
Lava ['laːva] (**-, Laven**) *f* lava.
Lavendel [la'vɛndəl] (**-s, -**) *m* lavender.
Lawine [la'viːnə] *f* avalanche.
Lawinengefahr *f* danger of avalanches.
lax [laks] *adj* lax.
Layout ['leː|aʊt] (**-s, -s**) *nt* layout.
Lazarett [latsa'rɛt] (**-(e)s, -e**) *nt* (*MIL*) hospital, infirmary.
Ldkrs. *abk* = **Landkreis.**
leasen ['liːzən] *vt* to lease.
Leasing ['liːzɪŋ] (**-s, -s**) *nt* (*COMM*) leasing.
Lebehoch *nt* three cheers *pl*.
Lebemann (**-(e)s,** *pl* **-männer**) *m* man about town.
Leben ['leːbən] (**-s, -**) *nt* life; **am ~ sein/bleiben** to be/stay alive; **ums ~ kommen** to die; **etw ins ~ rufen** to bring sth into being; **seines ~s nicht mehr sicher sein** to fear for one's life; **etw für sein ~ gern tun** to love doing sth.
leben *vt, vi* to live.
lebend *adj* living; **~es Inventar** livestock.
lebendig [le'bɛndɪç] *adj* living, alive; (*lebhaft*) lively; **L~keit** *f* liveliness.
Lebens- *zW*: **~abend** *m* old age; **~alter** *nt* age; **~anschauung** *f* philosophy of life; **~art** *f* way of life; **l~bejahend** *adj* positive; **~dauer** *f* life (span); (*von Maschine*) life; **~erfahrung** *f* experience of life; **~erwartung** *f* life expectancy; **l~fähig** *adj* able to live; **l~froh** *adj* full of the joys of life; **~gefahr** *f*: **~gefahr!** danger!; **in ~gefahr** critically *od* dangerously ill; **l~gefährlich** *adj* dangerous; (*Krankheit, Verletzung*) critical; **~gefährte** *m*:

ihr ~gefährte the man she lives with; **~gefährtin** *f*: **seine ~gefährtin** the woman he lives with; **~größe** *f*: **in ~größe** life-size(d); **~haltungskosten** *pl* cost of living *sing*; **~inhalt** *m* purpose in life; **~jahr** *nt* year of life; **~künstler** *m* master in the art of living; **~lage** *f* situation in life; **l~länglich** *adj* (*Strafe*) for life; **~lauf** *m* curriculum vitae, CV; **l~lustig** *adj* cheerful, lively; **~mittel** *pl* food *sing*; **~mittelgeschäft** *nt* grocer's; **~mittelvergiftung** *f* food poisoning; **l~müde** *adj* tired of life; **~qualität** *f* quality of life; **~raum** *m* (*POL*) Lebensraum; (*BIOL*) biosphere; **~retter** *m* lifesaver; **~standard** *m* standard of living; **~stellung** *f* permanent post; **~stil** *m* life style; **~unterhalt** *m* livelihood; **~versicherung** *f* life insurance; **~wandel** *m* way of life; **~weise** *f* way of life, habits *pl*; **~weisheit** *f* maxim; (*~erfahrung*) wisdom; **~wichtig** *adj* vital; **~zeichen** *nt* sign of life; **~zeit** *f* lifetime; **Beamter auf ~zeit** permanent civil servant.

Leber ['le:bər] (-, **-n**) *f* liver; **frei** *od* **frisch von der ~ weg reden** (*umg*) to speak out frankly; **~fleck** *m* mole; **~käse** *m* ≈ meat loaf; **~tran** *m* cod-liver oil; **~wurst** *f* liver sausage.

Lebewesen *nt* creature.

Lebewohl *nt* farewell, goodbye.

leb- *zW*: **~haft** *adj* lively, vivacious; **L~haftigkeit** *f* liveliness, vivacity; **L~kuchen** *m* gingerbread; **~los** *adj* lifeless; **L~tag** *m* (*fig*): **das werde ich mein L~tag nicht vergessen** I'll never forget that as long as I live; **L~zeiten** *pl*: **zu jds L~zeiten** (*Leben*) in sb's lifetime.

lechzen ['lɛçtsən] *vi*: **nach etw ~** to long for sth.

leck [lɛk] *adj* leaky, leaking; **L~** (**-(e)s, -e**) *nt* leak.

lecken[1] *vi* (*Loch haben*) to leak.

lecken[2] *vt, vi* (*schlecken*) to lick.

lecker ['lɛkər] *adj* delicious, tasty; **L~bissen** *m* dainty morsel; **L~maul** *nt*: **ein L~maul sein** to enjoy one's food.

led. *abk* = **ledig**.

Leder ['le:dər] (**-s, -**) *nt* leather; (*umg: Fußball*) ball; **~hose** *f* leather trousers *pl*; (*von Tracht*) leather shorts *pl*.

ledern *adj* leather.

Lederwaren *pl* leather goods *pl*.

ledig ['le:dɪç] *adj* single; **einer Sache** *gen* **~ sein** to be free of sth; **~lich** *adv* merely, solely.

leer [le:r] *adj* empty; (*Blick*) vacant.

Leere (-) *f* emptiness; **(eine) gähnende ~** a gaping void.

leeren *vt* to empty ♦ *vr* to (become) empty.

leer- *zW*: **~gefegt** *adj* (*Straße*) deserted; **L~gewicht** *nt* unladen weight; **L~gut** *nt* empties *pl*; **L~lauf** *m* (*AUT*) neutral; **~stehend** *adj* empty; **L~taste** *f* (*Schreibmaschine*) space-bar.

Leerung *f* emptying; (*POST*) collection.

legal [le'ga:l] *adj* legal, lawful.

legalisieren [legali'zi:rən] *vt* to legalize.

Legalität [legali'tɛ:t] *f* legality; **(etwas) außerhalb der ~** (*euph*) (slightly) outside the law.

Legasthenie [legaste'ni:] *f* dyslexia.

Legastheniker(in) [legas'te:nikər(ɪn)] (**-s, -**) *m(f)* dyslexic.

Legebatterie *f* laying battery.

legen ['le:gən] *vt* to lay, put, place; (*Ei*) to lay ♦ *vr* to lie down; (*fig*) to subside; **sich ins Bett ~** to go to bed.

Legende [le'gɛndə] (**-, -n**) *f* legend.

leger [le'ʒɛ:r] *adj* casual.

legieren [le'gi:rən] *vt* to alloy.

Legierung *f* alloy.

Legislative [legɪsla'ti:və] *f* legislature.

Legislaturperiode [legɪsla'tu:rperio:də] *f* parliamentary (*BRIT*) *od* congressional (*US*) term.

legitim [legi'ti:m] *adj* legitimate.

Legitimation [legiti:matsi'o:n] *f* legitimation.

legitimieren [legiti:'mi:rən] *vt* to legitimate ♦ *vr* to prove one's identity.

Legitimität [legitimi'tɛ:t] *f* legitimacy.

Lehm [le:m] (**-(e)s, -e**) *m* loam.

lehmig *adj* loamy.

Lehne ['le:nə] (**-, -n**) *f* arm; (*Rücken~*) back.

lehnen *vt, vr* to lean.

Lehnstuhl *m* armchair.

Lehr- *zW*: **~amt** *nt* teaching profession; **~befähigung** *f* teaching qualification; **~brief** *m* indentures *pl*; **~buch** *nt* textbook.

Lehre ['le:rə] (**-, -n**) *f* teaching, doctrine; (*beruflich*) apprenticeship; (*moralisch*) lesson; (*TECH*) gauge; **bei jdm in die ~ gehen** to serve one's apprenticeship with sb.

lehren *vt* to teach.

Lehrer(in) (**-s, -**) *m(f)* teacher; **~ausbildung** *f* teacher training; **~kollegium** *nt* teaching staff; **~zimmer** *nt* staff room.

Lehr- *zW*: **~gang** *m* course; **~geld** *nt*: **~geld für etw zahlen müssen** (*fig*) to pay dearly for sth; **~jahre** *pl* apprenticeship *sing*; **~kraft** *f* (*form*) teacher; **~ling** *m* apprentice; trainee; **~mittel** *nt* teaching aid; **~plan** *m* syllabus; **~probe** *f* demonstration lesson, crit (*umg*); **l~reich** *adj* instructive; **~satz** *m* proposition; **~stelle** *f* apprenticeship; **~stuhl** *m* chair; **~zeit** *f* apprenticeship.

Leib [laɪp] (**-(e)s, -er**) *m* body; **halt ihn mir vom ~!** keep him away from me!; **etw am eigenen ~(e) spüren** to experience sth for o.s.

leiben ['laɪbən] *vi*: **wie er leibt und lebt** to a T (*umg*).

Leibes- *zW*: **~erziehung** *f* physical education; **~kraft** *f*: **aus ~kraft schreien** *etc* to shout *etc* with all one's might; **~übung** *f* physical exercise; **~visitation** *f* body search.

Leibgericht *nt* favourite (*BRIT*) *od* favorite (*US*) meal.

Leib- *zW:* **l~haftig** *adj* personified; (*Teufel*) incarnate; **l~lich** *adj* bodily; (*Vater etc*) natural; **~rente** *f* life annuity; **~wache** *f* bodyguard.

Leiche ['laiçə] (**-, -n**) *f* corpse; **er geht über ~n** (*umg*) he'd stick at nothing.

Leichen- *zW:* **~beschauer** (**-s, -**) *m* doctor conducting a post-mortem; **~halle** *f* mortuary; **~hemd** *nt* shroud; **~träger** *m* bearer; **~wagen** *m* hearse.

Leichnam ['laiçna:m] (**-(e)s, -e**) *m* corpse.

leicht [laiçt] *adj* light; (*einfach*) easy ♦ *adv:* **~ zerbrechlich** very fragile; **nichts ~er als das!** nothing (could be) simpler!; **L~athletik** *f* athletics *sing*; **~fallen** *unreg vi:* **jdm ~fallen** to be easy for sb; **~fertig** *adj* thoughtless; **~gläubig** *adj* gullible, credulous; **L~gläubigkeit** *f* gullibility, credulity; **~hin** *adv* lightly.

Leichtigkeit *f* easiness; **mit ~** with ease.

leicht- *zW:* **~lebig** *adj* easy-going; **~machen** *vt:* **es sich** *dat* **~machen** to make things easy for o.s.; (*nicht gewissenhaft sein*) to take the easy way out; **L~matrose** *m* ordinary seaman; **L~metall** *nt* light alloy; **~nehmen** *unreg vt* to take lightly; **L~sinn** *m* carelessness; **sträflicher L~sinn** criminal negligence; **~sinnig** *adj* careless; **~verletzt** *adj attrib* slightly injured.

Leid [lait] (**-(e)s**) *nt* grief, sorrow; **jdm sein ~ klagen** to tell sb one's troubles.

leid *adj:* **etw ~ haben** *od* **sein** to be tired of sth; **es tut mir/ihm ~** I am/he is sorry; **er/das tut mir ~** I am sorry for him/about it; **sie kann einem ~ tun** you can't help feeling sorry for her.

leiden ['laidən] *unreg vt* to suffer; (*erlauben*) to permit ♦ *vi* to suffer; **jdn/etw nicht ~ können** not to be able to stand sb/sth; **L~** (**-s, -**) *nt* suffering; (*Krankheit*) complaint.

Leidenschaft *f* passion; **l~lich** *adj* passionate.

Leidens- *zW:* **~genosse** *m,* **~genossin** *f* fellow sufferer; **~geschichte** *f:* **die ~geschichte (Christi)** (*REL*) Christ's Passion.

leider ['laidər] *adv* unfortunately; **ja, ~** yes, I'm afraid so; **~ nicht** I'm afraid not.

leidig ['laidiç] *adj* miserable, tiresome.

leidlich [laitliç] *adj* tolerable ♦ *adv* tolerably.

Leidtragende(r) *f(m)* bereaved; (*Benachteiligter*) one who suffers.

Leidwesen *nt:* **zu jds ~** to sb's dismay.

Leier ['laiər] (**-, -n**) *f* lyre; (*fig*) old story.

Leierkasten *m* barrel organ.

leiern *vt* (*Kurbel*) to turn; (*umg: Gedicht*) to rattle off ♦ *vi* (*drehen*): **~ an** *+dat* to crank.

Leiharbeit *f* subcontracted labour; **~arbeiter(in)** *m(f)* subcontracted worker; **~bibliothek** *f,* **~bücherei** *f* lending library.

leihen ['laiən] *unreg vt* to lend; **sich** *dat* **etw ~** to borrow sth.

Leih- *zW:* **~gabe** *f* loan; **~gebühr** *f* hire charge; **~haus** *nt* pawnshop; **~mutter** *f* surrogate mother; **~schein** *m* pawn ticket; (*in der Bibliothek*) borrowing slip; **~unternehmen** *nt* hire service; (*Arbeitsmarkt*) temp service; **~wagen** *m* hired car (*BRIT*), rental car (*US*); **~weise** *adv* on loan.

Leim [laim] (**-(e)s, -e**) *m* glue; **jdm auf den ~ gehen** to be taken in by sb; **l~en** *vt* to glue.

Leine ['lainə] (**-, -n**) *f* line, cord; (*Hunde~*) leash, lead; **~ ziehen** (*umg*) to clear out.

Leinen (**-s, -**) *nt* linen; (*grob, segeltuchartig*) canvas; (*als Bucheinband*) cloth.

leinen *adj* linen.

Lein- *zW:* **~samen** *m* linseed; **~tuch** *nt* linen cloth; (*Bettuch*) sheet; **~wand** *f* (*KUNST*) canvas; (*FILM*) screen.

leise ['laizə] *adj* quiet; (*sanft*) soft, gentle; **mit ~r Stimme** in a low voice; **nicht die ~ste Ahnung haben** not to have the slightest (idea).

Leisetreter (*pej: umg*) *m* pussyfoot(er).

Leiste ['laistə] (**-, -n**) *f* ledge; (*Zier~*) strip; (*ANAT*) groin.

leisten ['laistən] *vt* (*Arbeit*) to do; (*Gesellschaft*) to keep; (*Ersatz*) to supply; (*vollbringen*) to achieve; **sich** *dat* **etw ~** to allow o.s. sth; (*sich gönnen*) to treat o.s. to sth; **sich** *dat* **etw ~ können** to be able to afford sth.

Leistenbruch *m* (*MED*) hernia, rupture.

Leistung *f* performance; (*gute*) achievement; (*eines Motors*) power; (*von Krankenkasse etc*) benefit; (*Zahlung*) payment.

Leistungs- *zW:* **~abfall** *m* (*in bezug auf Qualität*) drop in performance; (*in bezug auf Quantität*) drop in productivity; **~beurteilung** *f* performance appraisal; **~druck** *m* pressure; **l~fähig** *adj* efficient; **~fähigkeit** *f* efficiency; **~gesellschaft** *f* meritocracy; **~kurs** *m* (*SCH*) set; **l~orientiert** *adj* performance-orientated; **~prinzip** *nt* achievement principle; **~sport** *m* competitive sport; **~zulage** *f* productivity bonus.

Leitartikel *m* leader.

Leitbild *nt* model.

leiten ['laitən] *vt* to lead; (*Firma*) to manage; (*in eine Richtung*) to direct; (*ELEK*) to conduct; **sich von jdm/etw ~ lassen** (*lit, fig*) to (let o.s.) be guided by sb/sth.

leitend *adj* leading; (*Gedanke, Idee*) dominant; (*Stellung, Position*) managerial; (*Ingenieur, Beamter*) in charge; (*PHYS*) conductive; **~er Angestellter** executive.

Leiter[1] ['laitər] (**-s, -**) *m* leader, head; (*ELEK*) conductor.

Leiter[2] ['laitər] (**-, -n**) *f* ladder.

Leiterin *f* leader, head.

Leiterplatte *f* (*COMPUT*) circuit board.

Leit- *zW:* **~faden** *m* guide; **~fähigkeit** *f*

conductivity; ~**gedanke** *m* central idea; ~**motiv** *nt* leitmotiv; ~**planke** *f* crash barrier; ~**spruch** *m* motto.
Leitung *f* (*Führung*) direction; (*FILM, THEAT etc*) production; (*von Firma*) management; directors *pl*; (*Wasser~*) pipe; (*Kabel*) cable; **eine lange ~ haben** to be slow on the uptake; **da ist jemand in der ~** (*umg*) there's somebody else on the line.
Leitungs- *zW*: ~**draht** *m* wire; ~**mast** *m* telegraph pole; ~**rohr** *nt* pipe; ~**wasser** *nt* tap water.
Leitwerk *nt* (*AVIAT*) tail unit.
Leitzins *m* (*FIN*) base rate.
Lektion [lɛktsi'o:n] *f* lesson; **jdm eine ~ erteilen** (*fig*) to teach sb a lesson.
Lektor(in) ['lɛktɔr, lɛk'to:rɪn] *m(f)* (*UNIV*) lector; (*Verlag*) editor.
Lektüre [lɛk'ty:rə] (-, -n) *f* (*Lesen*) reading; (*Lesestoff*) reading matter.
Lende ['lɛndə] (-, -n) *f* loin.
Lendenbraten *m* roast sirloin.
Lendenstück *nt* fillet.
lenkbar ['lɛŋkba:r] *adj* (*Fahrzeug*) steerable; (*Kind*) manageable.
lenken *vt* to steer; (*Kind*) to guide; (*Gespräch*) to lead; ~ **auf** +*akk* (*Blick, Aufmerksamkeit*) to direct at; (*Verdacht*) to throw on(to); (: *auf sich*) to draw onto.
Lenkrad *nt* steering wheel.
Lenkstange *f* handlebars *pl*.
Lenkung *f* steering; (*Führung*) direction.
Lenz [lɛnts] (-es, -e) *m* (*liter*) spring; **sich** *dat* **einen (faulen) ~ machen** (*umg*) to laze about, swing the lead.
Leopard [leo'part] (-en, -en) *m* leopard.
Lepra ['le:pra] (-) *f* leprosy; ~**kranke(r)** *f(m)* leper.
Lerche ['lɛrçə] (-, -n) *f* lark.
lernbegierig *adj* eager to learn.
lernbehindert *adj* educationally handicapped (*BRIT*) *od* handicaped (*US*).
lernen *vt* to learn ♦ *vi*: **er lernt bei der Firma Braun** he's training at Braun's.
Lernhilfe *f* educational aid.
lesbar ['le:sba:r] *adj* legible.
Lesbierin ['lɛsbiərɪn] *f* lesbian.
lesbisch *adj* lesbian.
Lese ['le:zə] (-, -n) *f* (*Wein~*) harvest.
Lesebuch *nt* reading book, reader.
lesen *unreg vt* to read; (*ernten*) to gather, pick ♦ *vi* to read; ~**/schreiben** (*COMPUT*) to read/write.
Leser(in) (-s, -) *m(f)* reader.
Leseratte ['le:zəratə] (*umg*) *f* bookworm.
Leser- *zW*: ~**brief** *m* reader's letter; **„~briefe"** "letters to the editor"; ~**kreis** *m* readership; **l~lich** *adj* legible.
Lese- *zW*: ~**saal** *m* reading room; ~**stoff** *m* reading material; ~**zeichen** *nt* bookmark; ~**zirkel** *m* magazine club.
Lesotho [le'zo:to] (-s) *nt* Lesotho.
Lesung ['le:zʊŋ] *f* (*PARL*) reading; (*ECCL*) lesson.
lethargisch [le'targɪʃ] *adj* (*MED, fig*) lethargic.
Lette ['lɛtə] (-n, -n) *m*, **Lettin** *f* Latvian.
lettisch *adj* Latvian.
Lettland ['lɛtlant] (-s) *nt* Latvia.
Letzt *f*: **zu guter ~** finally, in the end.
letzte(r, s) ['lɛtstə(r, s)] *adj* last; (*neueste*) latest; **der L~ Wille** the last will and testament; **bis zum ~n** to the utmost; **in ~r Zeit** recently.
Letzte(s) *nt*: **das ist ja das ~!** (*umg*) that really is the limit!
letztenmal *adv*: **zum ~** for the last time.
letztens *adv* lately.
letztere(r, s) *adj* the latter.
letztlich *adv* in the end.
Leuchte ['lɔʏçtə] (-, -n) *f* lamp, light; (*umg: Mensch*) genius.
leuchten *vi* to shine, gleam.
Leuchter (-s, -) *m* candlestick.
Leucht- *zW*: ~**farbe** *f* fluorescent colour (*BRIT*) *od* color (*US*); ~**feuer** *nt* beacon; ~**käfer** *m* glow-worm; ~**kugel** *f* flare; ~**pistole** *f* flare pistol; ~**rakete** *f* flare; ~**reklame** *f* neon sign; ~**röhre** *f* strip light; ~**turm** *m* lighthouse; ~**zifferblatt** *nt* luminous dial.
leugnen ['lɔʏgnən] *vt, vi* to deny.
Leugnung *f* denial.
Leukämie [lɔʏkɛ'mi:] *f* leukaemia (*BRIT*), leukemia (*US*).
Leukoplast ® [lɔʏko'plast] (-(e)s, -e) *nt* Elastoplast ®.
Leumund ['lɔʏmʊnt] (-(e)s, -e) *m* reputation.
Leumundszeugnis *nt* character reference.
Leute ['lɔʏtə] *pl* people *pl*; **kleine ~** (*fig*) ordinary people; **etw unter die ~ bringen** (*umg: Gerücht etc*) to spread sth around.
Leutnant ['lɔʏtnant] (-s, -s *od* -e) *m* lieutenant.
leutselig ['lɔʏtze:lɪç] *adj* affable; **L~keit** *f* affability.
Leviten [le'vi:tən] *pl*: **jdm die ~ lesen** (*umg*) to haul sb over the coals.
lexikalisch [lɛksi'ka:lɪʃ] *adj* lexical.
Lexikographie [lɛksikogra'fi:] *f* lexicography.
Lexikon ['lɛksikɔn] (-s, **Lexiken** *od* **Lexika**) *nt* encyclopedia.
lfd. *abk* = **laufend.**
Libanese [liba'ne:zə] (-n, -n) *m*, **Libanesin** *f* Lebanese.
libanesisch *adj* Lebanese.
Libanon ['li:banɔn] (-s) *m*: **der ~** the Lebanon.
Libelle [li'bɛlə] (-, -n) *f* dragonfly; (*TECH*) spirit level.
liberal [libe'ra:l] *adj* liberal.
Liberale(r) *f(m)* (*POL*) Liberal.
Liberalisierung [liberali'zi:rʊŋ] *f* liberalization.

Liberalismus [libera'lɪsmʊs] *m* liberalism.
Liberia [li'beːria] **(-s)** *nt* Liberia.
Liberianer(in) [liberi'aːnər(ɪn)] **(-s, -)** *m(f)* Liberian.
liberianisch *adj* Liberian.
Libero ['liːbero] **(-s, -s)** *m* (*FUSSBALL*) sweeper.
Libyen ['liːbyən] **(-s)** *nt* Libya.
Libyer(in) **(-s, -)** *m(f)* Libyan.
libyisch *adj* Libyan.
Licht [lɪçt] **(-(e)s, -er)** *nt* light; **~ machen** (*anschalten*) to turn on a light; (*anzünden*) to light a candle *etc*; **mir geht ein ~ auf** it's dawned on me; **jdn hinters ~ führen** (*fig*) to lead sb up the garden path.
licht *adj* light, bright.
Licht- *zW:* **~bild** *nt* photograph; (*Dia*) slide; **~blick** *m* cheering prospect; **l~empfindlich** *adj* sensitive to light.
lichten ['lɪçtən] *vt* to clear; (*Anker*) to weigh ♦ *vr* (*Nebel*) to clear; (*Haar*) to thin.
lichterloh ['lɪçtər'loː] *adv:* **~ brennen** to blaze.
Licht- *zW:* **~geschwindigkeit** *f* speed of light; **~griffel** *m* (*COMPUT*) light pen; **~hupe** *f* flashing of headlights; **~jahr** *nt* light year; **~maschine** *f* dynamo; **~meß** **(-)** *f* Candlemas; **~pause** *f* photocopy; (*bei Blaupausverfahren*) blueprint; **~schalter** *m* light switch; **l~scheu** *adj* averse to light; (*fig: Gesindel*) shady.
Lichtung *f* clearing, glade.
Lid [liːt] **(-(e)s, -er)** *nt* eyelid; **~schatten** *m* eyeshadow.
lieb [liːp] *adj* dear; **(viele) ~e Grüße, Deine Silvia** love, Silvia; **L~e Anna, ~er Klaus! ...** Dear Anna and Klaus, ...; **am ~sten lese ich Kriminalromane** best of all I like detective novels; **den ~en langen Tag** (*umg*) all the livelong day; **sich bei jdm ~ Kind machen** (*pej*) to suck up to sb (*umg*).
liebäugeln ['liːp|ɔʏgəln] *vi untr:* **mit dem Gedanken ~, etw zu tun** to toy with the idea of doing sth.
Liebe ['liːbə] **(-, -n)** *f* love; **l~bedürftig** *adj:* **l~bedürftig sein** to need love.
Liebelei *f* flirtation.
lieben ['liːbən] *vt* to love; (*weniger stark*) to like; **etw ~d gern tun** to love to do sth.
liebens- *zW:* **~wert** *adj* loveable; **~würdig** *adj* kind; **~würdigerweise** *adv* kindly; **L~würdigkeit** *f* kindness.
lieber ['liːbər] *adv* rather, preferably; **ich gehe ~ nicht** I'd rather not go; **ich trinke ~ Wein als Bier** I prefer wine to beer; **bleib ~ im Bett** you'd better stay in bed.
Liebes- *zW:* **~brief** *m* love letter; **~dienst** *m* good turn; **~kummer** *m:* **~kummer haben** to be lovesick; **~paar** *nt* courting couple, lovers *pl*; **~roman** *m* romantic novel.
liebevoll *adj* loving.
lieb- *zW:* **~gewinnen** *unreg vt* to get fond of; **~haben** *unreg vt* to love; (*weniger stark*) to be (very) fond of; **L~haber(in)** **(-s, -)** *m(f)* lover; (*Sammler*) collector; **L~haberei** *f* hobby; **~kosen** *vt untr* to caress; **~lich** *adj* lovely, charming; (*Duft, Wein*) sweet.
Liebling *m* darling.
Lieblings- *in zW* favourite (*BRIT*), favorite (*US*).
lieblos *adj* unloving.
Liebschaft *f* love affair.
Liechtenstein ['lɪçtənʃtaɪn] **(-s)** *nt* Liechtenstein.
Lied [liːt] **(-(e)s, -er)** *nt* song; (*ECCL*) hymn; **davon kann ich ein ~ singen** (*fig*) I could tell you a thing or two about that (*umg*).
Liederbuch *nt* songbook; (*REL*) hymn book.
liederlich ['liːdərlɪç] *adj* slovenly; (*Lebenswandel*) loose, immoral; **L~keit** *f* slovenliness; immorality.
lief *etc* [liːf] *vb siehe* **laufen.**
Lieferant [liːfə'rant] *m* supplier.
Lieferanteneingang *m* tradesmen's entrance; (*von Warenhaus etc*) goods entrance.
lieferbar *adj* (*vorrätig*) available.
Lieferbedingungen *pl* terms of delivery.
Lieferfrist *f* delivery period.
liefern ['liːfərn] *vt* to deliver; (*versorgen mit*) to supply; (*Beweis*) to produce.
Lieferschein *m* delivery note.
Liefertermin *m* delivery date.
Lieferung *f* delivery; (*Versorgung*) supply.
Lieferwagen *m* (delivery) van, panel truck (*US*).
Lieferzeit *f* delivery period; **~ 6 Monate** delivery six months.
Liege ['liːgə] **(-, -n)** *f* bed; (*Camping~*) camp bed (*BRIT*), cot (*US*); **~geld** *nt* (*Hafen, Flughafen*) demurrage.
liegen ['liːgən] *unreg vi* to lie; (*sich befinden*) to be (situated); **mir liegt nichts/viel daran** it doesn't matter to me/it matters a lot to me; **es liegt bei Ihnen, ob** ... it rests with you whether ...; **Sprachen ~ mir nicht** languages are not my line; **woran liegt es?** what's the cause?; **so, wie die Dinge jetzt ~** as things stand at the moment; **an mir soll es nicht ~, wenn die Sache schiefgeht** it won't be my fault if things go wrong; **~bleiben** *unreg vi* (*Person*) to stay in bed; (*nicht aufstehen*) to stay lying down; (*Ding*) to be left (behind); (*nicht ausgeführt werden*) to be left (undone); **~lassen** *unreg vt* (*vergessen*) to leave behind; **L~schaft** *f* real estate.
Liege- *zW:* **~platz** *m* (*auf Schiff, in Zug etc*) berth; (*Ankerplatz*) moorings *pl*; **~sitz** *m* (*AUT*) reclining seat; **~stuhl** *m* deck chair; **~stütz** *m* (*SPORT*) press-up (*BRIT*), push-up (*US*); **~wagen** *m* (*EISENB*) couchette car; **~wiese** *f* lawn (*for sunbathing*).
lieh *etc* [liː] *vb siehe* **leihen.**
ließ *etc* [liːs] *vb siehe* **lassen.**
liest [liːst] *vb siehe* **lesen.**

Lift [lɪft] (**-(e)s, -e** *od* **-s**) *m* lift.
Liga ['li:ga] (**-, Ligen**) *f* (*SPORT*) league.
liieren [li'i:rən] *vt:* **liiert sein** (*Firmen etc*) to be working together; (*ein Verhältnis haben*) to have a relationship.
Likör [li'kø:r] (**-s, -e**) *m* liqueur.
lila ['li:la] *adj inv* purple; **L~** (**-s, -s**) *nt* (*Farbe*) purple.
Lilie ['li:liə] *f* lily.
Liliputaner(in) [lilipu'ta:nər(ɪn)] (**-s, -**) *m(f)* midget.
Limit ['lɪmɪt] (**-s, -s** *od* **-e**) *nt* limit; (*FIN*) ceiling.
Limonade [limo'na:də] (**-, -n**) *f* lemonade.
lind [lɪnt] *adj* gentle, mild.
Linde ['lɪndə] (**-, -n**) *f* lime tree, linden.
lindern ['lɪndərn] *vt* to alleviate, soothe.
Linderung *f* alleviation.
lindgrün *adj* lime green.
Lineal [line'a:l] (**-s, -e**) *nt* ruler.
linear [line'a:r] *adj* linear.
Linguist(in) [lɪŋgu'ɪst(ɪn)] *m(f)* linguist.
Linguistik *f* linguistics *sing*.
Linie ['li:niə] *f* line; **in erster ~** first and foremost; **auf die ~ achten** to watch one's figure; **fahren Sie mit der ~ 2** take the number 2 (bus *etc*).
Linien- *zW:* **~blatt** *nt* ruled sheet; **~bus** *m* service bus; **~flug** *m* scheduled flight; **~richter** *m* (*SPORT*) linesman; **l~treu** *adj* loyal to the (party) line.
liniieren [lini'i:rən] *vt* to line.
Linke ['lɪŋkə] (**-, -n**) *f* left side; left hand; (*POL*) left.
Linke(r) *f(m)* (*POL*) left-winger, leftie (*pej*).
linke(r, s) *adj* left; **~ Masche** purl; **das mache ich mit der ~n Hand** (*umg*) I can do that with my eyes shut.
linkisch *adj* awkward, gauche.
links *adv* left; to *od* on the left; **~ von mir** on *od* to my left; **~ von der Mitte** left of centre; **jdn ~ liegenlassen** (*fig: umg*) to ignore sb; **L~abbieger** *m* motorist/vehicle turning left; **L~außen** (**-s, -**) *m* (*SPORT*) outside left; **L~händer(in)** (**-s, -**) *m(f)* left-handed person; **L~kurve** *f* left-hand bend; **~lastig** *adj:* **~lastig sein** to list *od* lean to the left; **~radikal** *adj* (*POL*) radically left-wing; **L~rutsch** *m* (*POL*) swing to the left; **L~steuerung** *f* (*AUT*) left-hand drive; **L~verkehr** *m* driving on the left.
Linoleum [li'no:leʊm] (**-s**) *nt* lino(leum).
Linse ['lɪnzə] (**-, -n**) *f* lentil; (*optisch*) lens.
linsen (*umg*) *vi* to peak.
Lippe ['lɪpə] (**-, -n**) *f* lip.
Lippenbekenntnis *nt* lip service.
Lippenstift *m* lipstick.
Liquidation [likvidatsi'o:n] *f* liquidation.
Liquidationswert *m* break-up value.
Liquidator [likvi'da:tɔr] *m* liquidator.
liquid(e) [lik'vi:t, lik'vi:də] *adj* (*Firma*) solvent.
liquidieren [likvi'di:rən] *vt* to liquidate.
Liquidität [likvidi'tɛ:t] *f* liquidity.
lispeln ['lɪspəln] *vi* to lisp.
Lissabon ['lɪsabɔn] *nt* Lisbon.
List [lɪst] (**-, -en**) *f* cunning; (*Plan*) trick, ruse; **mit ~ und Tücke** (*umg*) with a lot of coaxing.
Liste ['lɪstə] (**-, -n**) *f* list.
Listenplatz *m* (*POL*) place on the party list.
Listenpreis *m* list price.
listig *adj* cunning, sly.
Litanei [lita'naɪ] *f* litany.
Litauen ['li:taʊən] (**-s**) *nt* Lithuania.
Litauer(in) (**-s, -**) *m(f)* Lithuanian.
litauisch *adj* Lithuanian.
Liter ['li:tər] (**-s, -**) *m od nt* litre (*BRIT*), liter (*US*).
literarisch [lɪte'ra:rɪʃ] *adj* literary.
Literatur [lɪtera'tu:r] *f* literature; **~preis** *m* award *od* prize for literature; **~wissenschaft** *f* literary studies *pl*.
literweise ['li:tərvaɪzə] *adv* (*lit*) by the litre (*BRIT*) *od* liter (*US*); (*fig*) by the gallon.
Litfaßsäule ['lɪtfaszɔʏlə] *f* advertising (*BRIT*) *od* advertizing (*US*) pillar.
Lithographie [litogra'fi:] *f* lithography.
litt *etc* [lɪt] *vb siehe* **leiden**.
Liturgie [litʊr'gi:] *f* liturgy.
liturgisch [li'tʊrgɪʃ] *adj* liturgical.
Litze ['lɪtsə] (**-, -n**) *f* braid; (*ELEK*) flex.
live [laɪf] *adj, adv* (*RUNDF, TV*) live.
Livree [li'vre:] (**-, -n**) *f* livery.
Lizenz [li'tsɛnts] *f* licence (*BRIT*), license (*US*); **~ausgabe** *f* licensed edition; **~gebühr** *f* licence fee; (*im Verlagswesen*) royalty.
LKW, Lkw (**-(s), -(s)**) *m abk* = **Lastkraftwagen**.
l.M. *abk* (= *laufenden Monats*) inst.
Lob [lo:p] (**-(e)s**) *nt* praise.
Lobby ['lɔbi] (**-, -s** *od* **Lobbies**) *f* lobby.
loben ['lo:bən] *vt* to praise; **das lob ich mir** that's what I like (to see/hear *etc*).
lobenswert *adj* praiseworthy.
löblich ['lø:plɪç] *adj* praiseworthy, laudable.
Loblied *nt:* **ein ~ auf jdn/etw singen** to sing sb's/sth's praises.
Lobrede *f* eulogy.
Loch [lɔx] (**-(e)s, ⸚er**) *nt* hole; **l~en** *vt* to punch holes in; **~er** (**-s, -**) *m* punch.
löcherig ['lœçərɪç] *adj* full of holes.
löchern (*umg*) *vt:* **jdn ~** to pester sb with questions.
Loch- *zW:* **~karte** *f* punch card; **~streifen** *m* punch tape; **~zange** *f* punch.
Locke ['lɔkə] (**-, -n**) *f* lock, curl.
locken *vt* to entice; (*Haare*) to curl.
lockend *adj* tempting.
Lockenwickler (**-s, -**) *m* curler.
locker ['lɔkər] *adj* loose; (*Kuchen, Schaum*) light; (*umg*) cool; **~lassen** *unreg vi:* **nicht ~lassen** not to let up.
lockern *vt* to loosen ♦ *vr* (*Atmosphäre*) to get more relaxed.
Lockerungsübung *f* loosening-up exercise;

(*zur Warmwerden*) limbering-up exercise.
lockig ['lɔkɪç] *adj* curly.
Lockmittel *nt* lure.
Lockruf *m* call.
Lockung *f* enticement.
Lockvogel *m* decoy, bait; ~**angebot** *nt* (*COMM*) loss leader.
Lodenmantel ['lo:dənmantəl] *m* thick woollen coat.
lodern ['lo:dərn] *vi* to blaze.
Löffel ['lœfəl] (**-s**, **-**) *m* spoon.
löffeln *vt* to spoon.
löffelweise *adv* by the spoonful.
log *etc* [lo:k] *vb siehe* **lügen.**
Logarithmentafel [loga'rɪtmənta:fəl] *f* log(arithm) tables *pl*.
Logarithmus [loga'rɪtmʊs] *m* logarithm.
Loge ['lo:ʒə] (**-**, **-n**) *f* (*THEAT*) box; (*Freimaurer~*) (masonic) lodge; (*Pförtner~*) office.
logieren [lo'ʒi:rən] *vi* to lodge, stay.
Logik ['lo:gɪk] *f* logic.
Logis [lo'ʒi:] (**-**, **-**) *nt*: **Kost und** ~ board and lodging.
logisch ['lo:gɪʃ] *adj* logical; (*umg: selbstverständlich*): **gehst du auch hin? - ~** are you going too? - of course.
logo ['logo] (*umg*) *interj* obvious!
Logopäde [logo'pɛ:də] (**-n**, **-n**) *m* speech therapist.
Logopädin [logo'pɛ:dɪn] *f* speech therapist.
Lohn [lo:n] (**-(e)s**, **⸚e**) *m* reward; (*Arbeits~*) pay, wages *pl*; ~**abrechnung** *f* wages slip; ~**ausfall** *m* loss of earnings; ~**büro** *nt* wages office; ~**diktat** *nt* wage dictate; ~**empfänger** *m* wage earner.
lohnen ['lo:nən] *vt* (*liter*): **jdm etw** ~ to reward sb for sth ♦ *vr unpers* to be worth it.
lohnend *adj* worthwhile.
Lohn- *zW*: ~**erhöhung** *f* wage increase, pay rise; ~**forderung** *f* wage claim; ~**fortzahlung** *f* continued payment of wages; ~**fortzahlungsgesetz** *nt law on continued payment of wages*; ~**gefälle** *nt* wage differential; ~**kosten** *pl* labour (*BRIT*) *od* labor (*US*) costs; ~**politik** *f* wages policy; ~**runde** *f* pay round; ~**steuer** *f* income tax; ~**steuerjahresausgleich** *m* income tax return; ~**steuerkarte** *f* (income) tax card; ~**stopp** *m* pay freeze; ~**streifen** *m* pay slip; ~**tüte** *f* pay packet.
Lok [lɔk] (**-**, **-s**) *f abk* (= *Lokomotive*) loco (*umg*).
lokal [lo'ka:l] *adj* local.
Lokal (**-(e)s**, **-e**) *nt* pub(lic house) (*BRIT*).
Lokalblatt (*umg*) *nt* local paper.
lokalisieren [loka:li'zi:rən] *vt* to localize.
Lokalisierung *f* localization.
Lokalität [lokali'tɛ:t] *f* locality; (*Raum*) premises *pl*.
Lokal- *zW*: ~**presse** *f* local press; ~**teil** *m* (*Zeitung*) local section; ~**termin** *m* (*JUR*) visit to the scene of the crime.
Lokomotive [lokomo'ti:və] (**-**, **-n**) *f* locomotive.
Lokomotivführer *m* engine driver (*BRIT*), engineer (*US*).
Lombardei [lɔmbar'daɪ] *f* Lombardy.
London ['lɔndɔn] (**-s**) *nt* London.
Londoner *adj attrib* London.
Londoner(in) (**-s**, **-**) *m(f)* Londoner.
Lorbeer ['lɔrbe:r] (**-s**, **-en**) *m* (*lit, fig*) laurel; ~**blatt** *nt* (*KOCH*) bay leaf.
Lore ['lo:rə] (**-**, **-n**) *f* (*MIN*) truck.
Los [lo:s] (**-es**, **-e**) *nt* (*Schicksal*) lot, fate; (*in der Lotterie*) lottery ticket; **das große ~ ziehen** (*lit, fig*) to hit the jackpot; **etw durch das ~ entscheiden** to decide sth by drawing lots.
los *adj* loose ♦ *adv*: ~! go on!; **etw ~ sein** to be rid of sth; **was ist ~?** what's the matter?; **dort ist nichts/viel ~** there's nothing/a lot going on there; **ich bin mein ganzes Geld ~** (*umg*) I'm cleaned out; **irgendwas ist mit ihm ~** there's something wrong with him; **wir wollen früh ~** we want to be off early; **nichts wie ~!** let's get going; ~**binden** *unreg vt* to untie; ~**brechen** *unreg vi* (*Sturm, Gewitter*) to break.
losch *etc* [lɔʃ] *vb siehe* **löschen.**
Löschblatt ['lœʃblat] *nt* sheet of blotting paper.
löschen ['lœʃən] *vt* (*Feuer, Licht*) to put out, extinguish; (*Durst*) to quench; (*COMM*) to cancel; (*Tonband*) to erase; (*Fracht*) to unload; (*COMPUT*) to delete; (*Tinte*) to blot ♦ *vi* (*Feuerwehr*) to put out a fire; (*Papier*) to blot.
Lösch- *zW*: ~**fahrzeug** *nt* fire engine; ~**gerät** *nt* fire extinguisher; ~**papier** *nt* blotting paper; ~**taste** *f* (*COMPUT*) delete key.
Löschung *f* extinguishing; (*COMM*) cancellation; (*Fracht*) unloading.
lose ['lo:zə] *adj* loose.
Lösegeld *nt* ransom.
losen ['lo:zən] *vi* to draw lots.
lösen ['lø:zən] *vt* to loosen; (*Handbremse*) to release; (*Husten, Krampf*) to ease; (*Rätsel etc*) to solve; (*Verlobung*) to call off; (*CHEM*) to dissolve; (*Partnerschaft*) to break up; (*Fahrkarte*) to buy ♦ *vr* (*aufgehen*) to come loose; (*Schuß*) to go off; (*Zucker etc*) to dissolve; (*Problem, Schwierigkeit*) to (re)solve itself.
los- *zW*: ~**fahren** *unreg vi* to leave; ~**gehen** *unreg vi* to set out; (*anfangen*) to start; (*Bombe*) to go off; **jetzt geht's ~!** here we go!; **nach hinten ~gehen** (*umg*) to backfire; **auf jdn ~gehen** to go for sb; ~**kaufen** *vt* (*Gefangene, Geiseln*) to pay ransom for; ~**kommen** *unreg vi* (*sich befreien*) to free o.s.; **von etw ~kommen** to get away from sth; ~**lassen** *unreg vt* (*Seil etc*) to let go of; **der Gedanke läßt mich nicht mehr ~** the thought haunts

me; ~**laufen** *unreg vi* to run off; ~**legen** (*umg*) *vi:* **nun leg mal ~ und erzähl(e)** ... now come on and tell me/us ...
löslich ['lø:slɪç] *adj* soluble; **L~keit** *f* solubility.
loslösen *vt* to free ♦ *vr:* **sich (von etw) ~** to detach o.s. (from sth).
losmachen *vt* to loosen; (*Boot*) to unmoor ♦ *vr* to get free.
Losnummer *f* ticket number.
los- *zW:* ~**sagen** *vr:* **sich von jdm/etw ~sagen** to renounce sb/sth; ~**schießen** *unreg vi:* **schieß ~!** (*fig: umg*) fire away!; ~**schrauben** *vt* to unscrew; ~**sprechen** *unreg vt* to absolve; ~**stürzen** *vi:* **auf jdn/etw ~stürzen** to pounce on sb/sth.
Losung ['lo:zʊŋ] *f* watchword, slogan.
Lösung ['lø:zʊŋ] *f* (*Lockermachen*) loosening; (*eines Rätsels, CHEM*) solution.
Lösungsmittel *nt* solvent.
loswerden *unreg vt* to get rid of.
losziehen *unreg vi* (*sich aufmachen*) to set out; **gegen jdn ~** (*fig*) to run sb down.
Lot [lo:t] **(-(e)s, -e)** *nt* plumbline; (*MATH*) perpendicular; **im ~** vertical; (*fig*) on an even keel; **die Sache ist wieder im ~** things have been straightened out; **l~en** *vt* to plumb, sound.
löten ['lø:tən] *vt* to solder.
Lothringen ['lo:trɪŋən] **(-s)** *nt* Lorraine.
Lötkolben *m* soldering iron.
Lotse ['lo:tsə] **(-n, -n)** *m* pilot; (*AVIAT*) air traffic controller.
lotsen *vt* to pilot; (*umg*) to lure.
Lotterie [lɔtə'ri:] *f* lottery.
Lotterleben ['lɔtərle:bən] (*umg*) *nt* dissolute life.
Lotto ['lɔto] **(-s, -s)** *nt* ≈ National Lottery.
Lottozahlen *pl* winning Lotto numbers *pl.*
Löwe ['lø:və] **(-n, -n)** *m* lion; (*ASTROL*) Leo.
Löwen- *zW:* ~**anteil** *m* lion's share; ~**maul** *nt*, ~**mäulchen** *nt* antirrhinum, snapdragon; ~**zahn** *m* dandelion.
Löwin ['lø:vɪn] *f* lioness.
loyal [loa'ja:l] *adj* loyal.
Loyalität [loajali'tɛ:t] *f* loyalty.
LP (-, -s) *f abk* (= *Langspielplatte*) LP.
LSD (-(s)) *nt abk* (= *Lysergsäurediäthylamid*) LSD.
lt. *abk* = **laut.**
Luchs [lʊks] **(-es, -e)** *m* lynx.
Lücke ['lʏkə] **(-, -n)** *f* gap; (*Gesetzes~*) loophole; (*in Versorgung*) break.
Lücken- *zW:* ~**büßer (-s, -)** *m* stopgap; **l~haft** *adj* full of gaps; (*Versorgung*) deficient; **l~los** *adj* complete.
lud *etc* [lu:t] *vb siehe* **laden.**
Luder ['lu:dər] **(-s, -)** (*pej*) *nt* (*Frau*) hussy; (*bedauernswert*) poor wretch.
Luft [lʊft] **(-, ⸚e)** *f* air; (*Atem*) breath; **die ~ anhalten** (*lit*) to hold one's breath; **seinem Herzen ~ machen** to get everything off one's chest; **in der ~ liegen** to be in the air; **dicke ~** (*umg*) a bad atmosphere; **(frische) ~ schnappen** (*umg*) to get some fresh air; **in die ~ fliegen** (*umg*) to explode; **diese Behauptung ist aus der ~ gegriffen** this statement is (a) pure invention; **die ~ ist rein** (*umg*) the coast is clear; **jdn an die (frische) ~ setzen** (*umg*) to show sb the door; **er ist ~ für mich** I'm not speaking to him; **jdn wie ~ behandeln** to ignore sb; ~**angriff** *m* air raid; ~**aufnahme** *f* aerial photo; ~**ballon** *m* balloon; ~**blase** *f* air bubble; ~**brücke** *f* airlift; **l~dicht** *adj* airtight; ~**druck** *m* atmospheric pressure; **l~durchlässig** *adj* pervious to air.
lüften ['lʏftən] *vt* to air; (*Hut*) to lift, raise ♦ *vi* to let some air in.
Luft- *zW:* ~**fahrt** *f* aviation; ~**feuchtigkeit** *f* humidity; ~**fracht** *f* air cargo; **l~gekühlt** *adj* air-cooled; ~**gewehr** *nt* air rifle.
luftig *adj* (*Ort*) breezy; (*Raum*) airy; (*Kleider*) summery.
Luft- *zW:* ~**kissenfahrzeug** *nt* hovercraft; ~**krieg** *m* war in the air, aerial warfare; ~**kurort** *m* health resort; **l~leer** *adj:* **l~leerer Raum** vacuum; ~**linie** *f:* **in der ~linie** as the crow flies; ~**loch** *nt* air hole; (*AVIAT*) air pocket; ~**matratze** *f* Lilo ® (*BRIT*), air mattress; ~**pirat** *m* hijacker; ~**post** *f* airmail; ~**pumpe** *f* (*für Fahrrad*) (bicycle) pump; ~**raum** *m* air space; ~**röhre** *f* (*ANAT*) windpipe; ~**schlange** *f* streamer; ~**schloß** *nt* (*fig*) castle in the air; ~**schutz** *m* anti-aircraft defence (*BRIT*) *od* defense (*US*); ~**schutzbunker** *m*, ~**schutzkeller** *m* air-raid shelter; ~**sprung** *m* (*fig*): **einen ~sprung machen** to jump for joy.
Lüftung ['lʏftʊŋ] *f* ventilation.
Luft- *zW:* ~**veränderung** *f* change of air; ~**verkehr** *m* air traffic; ~**verschmutzung** *f* air pollution; ~**waffe** *f* air force; ~**weg** *m:* **etw auf dem ~weg befördern** to transport sth by air; ~**zufuhr** *f* air supply; ~**zug** *m* draught (*BRIT*), draft (*US*).
Lüge ['ly:gə] **(-, -n)** *f* lie; **jdn/etw ~n strafen** to give the lie to sb/sth.
lügen ['ly:gən] *unreg vi* to lie; **wie gedruckt ~** (*umg*) to lie like mad.
Lügendetektor ['ly:gəndetɛktɔr] *m* lie detector.
Lügner(in) (-s, -) *m(f)* liar.
Luke ['lu:kə] **(-, -n)** *f* hatch; (*Dach~*) skylight.
lukrativ [lukra'ti:f] *adj* lucrative.
Lümmel ['lʏməl] **(-s, -)** *m* lout.
lümmeln *vr* to lounge (about).
Lump [lʊmp] **(-en, -en)** *m* scamp, rascal.
lumpen ['lʊmpən] *vt:* **sich nicht ~ lassen** not to be mean.
Lumpen (-s, -) *m* rag.
Lumpensammler *m* rag and bone man.
lumpig ['lʊmpɪç] *adj* shabby; **~e 10 Mark** (*umg*) 10 measly marks.

Lüneburger Heide ['ly:nəbʊrgər 'haɪdə] *f* Lüneburg Heath.
Lunge ['lʊŋə] (**-, -n**) *f* lung.
Lungen- *zW:* **~entzündung** *f* pneumonia; **l~krank** *adj* suffering from a lung disease; **~krankheit** *f* lung disease.
lungern ['lʊŋərn] *vi* to hang about.
Lunte ['lʊntə] (**-, -n**) *f* fuse; **~ riechen** to smell a rat.
Lupe ['lu:pə] (**-, -n**) *f* magnifying glass; **unter die ~ nehmen** (*fig*) to scrutinize.
lupenrein *adj* (*lit: Edelstein*) flawless.
Lupine [lu'pi:nə] *f* lupin.
Lurch [lʊrç] (**-(e)s, -e**) *m* amphibian.
Lust [lʊst] (**-, ⸚e**) *f* joy, delight; (*Neigung*) desire; (*sexuell*) lust (*pej*); **~ haben zu** *od* **auf etw** *akk***/etw zu tun** to feel like sth/doing sth; **hast du ~?** how about it?; **er hat die ~ daran verloren** he has lost all interest in it; **je nach ~ und Laune** just depending on how I *od* you *etc* feel; **l~betont** *adj* pleasure-orientated.
lüstern ['lʏstərn] *adj* lustful, lecherous.
Lustgefühl *nt* pleasurable feeling.
Lustgewinn *m* pleasure.
lustig ['lʊstɪç] *adj* (*komisch*) amusing, funny; (*fröhlich*) cheerful; **sich über jdn/etw ~ machen** to make fun of sb/sth.
Lüstling *m* lecher.
Lust- *zW:* **l~los** *adj* unenthusiastic; **~mord** *m* sex(ual) murder; **~prinzip** *nt* (*PSYCH*) pleasure principle; **~spiel** *nt* comedy; **l~wandeln** *vi* to stroll about.
luth. *abk* =**lutherisch**
Lutheraner(in) [lʊtə'ra:nər(ɪn)] *m(f)* Lutheran.
lutherisch ['lʊtərɪʃ] *adj* Lutheran.
lutschen ['lʊtʃən] *vt, vi* to suck; **am Daumen ~** to suck one's thumb.
Lutscher (**-s, -**) *m* lollipop.
Luxemburg ['lʊksəmbʊrk] (**-s**) *nt* Luxembourg.
Luxemburger(in) ['lʊksəmburgər(ɪn)] (**-s, -**) *m(f)* citizen of Luxembourg, Luxembourger.
luxemburgisch *adj* Luxembourgian.
luxuriös [lʊksuri'ø:s] *adj* luxurious.
Luxus ['lʊksʊs] (**-**) *m* luxury; **~artikel** *pl* luxury goods *pl*; **~ausführung** *f* de luxe model; **~dampfer** *m* luxury cruise ship; **~hotel** *nt* luxury hotel; **~steuer** *f* tax on luxuries.
LVA (**-**) *f abk* (= *Landesversicherungsanstalt*) *county insurance company*.
LW *abk* (= *Langwelle*) LW.
Lycra ['ly:kra] (**-(s)**) *no pl nt* Lycra ®.
Lymphe ['lʏmfə] (**-, -n**) *f* lymph.
Lymphknoten *m* lymph(atic) gland.
lynchen ['lʏnçən] *vt* to lynch.
Lynchjustiz *f* lynch law.
Lyrik ['ly:rɪk] *f* lyric poetry; **~er(in)** (**-s, -**) *m(f)* lyric poet.
lyrisch ['ly:rɪʃ] *adj* lyrical.

M, m

M, m[1] [ɛm] *nt* M, m; **~ wie Martha** ≈ M for Mary, M for Mike (*US*).
m[2] *abk* (= *Meter*) m; (=*männlich*) m.
M. *abk* = **Monat.**
MA. *abk* = **Mittelalter.**
Maat [ma:t] (**-s, -e** *od* **-en**) *m* (*NAUT*) (ship's) mate.
Machart *f* make.
machbar *adj* feasible.
Mache (**-**) (*umg*) *f* show, sham; **jdn in der ~ haben** to be having a go at sb.

SCHLÜSSELWORT

machen ['maxən] *vt* **1** to do; **was machst du da?** what are you doing there?; **das ist nicht zu ~** that can't be done; **was ~ Sie (beruflich)?** what do you do for a living?; **mach, daß du hier verschwindest!** (you just) get out of here!; **mit mir kann man's ja ~!** (*umg*) the things I put up with!; **das läßt er nicht mit sich ~** he won't stand for that; **eine Prüfung ~** to take an exam
2 (*herstellen*) to make; **das Radio leiser ~** to turn the radio down; **aus Holz gemacht** made of wood; **das Essen ~** to get the meal; **Schluß ~** to finish (off)
3 (*verursachen, bewirken*) to make; **jdm Angst ~** to make sb afraid; **das macht die Kälte** it's the cold that does that
4 (*aus~*) to matter; **das macht nichts** that doesn't matter; **die Kälte macht mir nichts** I don't mind the cold
5 (*kosten: ergeben*) to be; **3 und 5 macht 8** 3 and 5 is *od* are 8; **was** *od* **wieviel macht das?** how much does that come to?
6: **was macht die Arbeit?** how's the work going?; **was macht dein Bruder?** how is your brother doing?; **das Auto ~ lassen** to have the car done; **mach's gut!** take care!; (*viel Glück*) good luck!
♦ *vi:* **mach schnell!** hurry up!; **mach schon!** come on!; **jetzt macht sie auf große Dame** (*umg*) she's playing the lady now; **laß mich mal ~** (*umg*) let me do it; (*ich bringe das in Ordnung*) I'll deal with it; **groß/klein ~** (*umg: Notdurft*) to do a big/little job; **sich** *dat* **in die Hose ~** to wet o.s.; **ins Bett ~** to wet one's bed; **das macht müde** it makes you tired; **in etw** *dat* **~** to be *od* deal in sth
♦ *vr* to come along (nicely); **sich an etw** *akk* **~** to set about sth; **sich verständlich ~** to make o.s. understood; **sich** *dat* **viel aus jdm/**

etw ~ to like sb/sth; **mach dir nichts daraus** don't let it bother you; **sich auf den Weg** ~ to get going; **sich an etw** *akk* ~ to set about sth.

Machenschaften *pl* wheelings and dealings *pl*.
Macher (-s, -) (*umg*) *m* man of action.
macho ['matʃo] (*umg*) *adj* macho.
Macho (-s, -s) (*umg*) *m* macho type.
Macht [maxt] (-, ⸚e) *f* power; **mit aller** ~ with all one's might; **an der** ~ **sein** to be in power; **alles in unserer** ~ **Stehende** everything in our power; ~**ergreifung** *f* seizure of power; ~**haber** (-s, -) *m* ruler.
mächtig ['mɛçtɪç] *adj* powerful, mighty; (*umg: ungeheuer*) enormous.
Macht- *zW:* **m~los** *adj* powerless; ~**probe** *f* trial of strength; ~**stellung** *f* position of power; ~**wort** *nt:* **ein** ~**wort sprechen** to lay down the law.
Machwerk *nt* work; (*schlechte Arbeit*) botched-up job.
Macke ['makə] (-, -n) (*umg*) *f* (*Tick, Knall*) quirk; (*Fehler*) fault.
Macker (-s, -) (*umg*) *m* fellow, guy.
MAD (-) *m abk* (= *Militärischer Abschirmdienst*) ≈ MI5 (*BRIT*), CIA (*US*).
Madagaskar [mada'gaskar] (-s) *nt* Madagascar.
Mädchen ['mɛːtçən] *nt* girl; **ein** ~ **für alles** (*umg*) a dogsbody; (*im Büro etc*) a girl Friday; **m~haft** *adj* girlish; ~**name** *m* maiden name.
Made ['maːdə] (-, -n) *f* maggot.
Madeira[1] [ma'deːra] (-s) *nt* (*GEOG*) Madeira.
Madeira[2] (-s, -s) *m* (*Wein*) Madeira.
Mädel ['mɛːdl] (-s, -(s)) *nt* (*Dialekt*) lass, girl.
madig ['maːdɪç] *adj* maggoty; **jdm etw** ~ **machen** to spoil sth for sb.
Madrid [ma'drɪt] (-s) *nt* Madrid.
mag [maːk] *vb siehe* **mögen**.
Mag. *abk* = **Magister**.
Magazin [maga'tsiːn] (-s, -e) *nt* (*Zeitschrift, am Gewehr*) magazine; (*Lager*) storeroom; (*Bibliotheks*~) stockroom.
Magd [maːkt] (-, ⸚e) *f* maid(servant).
Magen ['maːgən] (-s, - *od* ⸚) *m* stomach; **jdm auf den** ~ **schlagen** (*umg*) to upset sb's stomach; (*fig*) to upset sb; **sich** *dat* **den** ~ **verderben** to upset one's stomach; ~**bitter** *m* bitters *pl*; ~**geschwür** *nt* stomach ulcer; ~**schmerzen** *pl* stomach-ache *sing*; ~**verstimmung** *f* stomach upset.
mager ['maːgər] *adj* lean; (*dünn*) thin; **M~keit** *f* leanness; thinness; **M~milch** *f* skimmed milk; **M~quark** *m* low-fat soft cheese; **M~sucht** *f* (*MED*) anorexia; ~**süchtig** *adj* anorexic.
Magie [ma'giː] *f* magic.
Magier ['maːgiər] (-s, -) *m* magician.
magisch ['maːgɪʃ] *adj* magical.
Magister [ma'gɪstər] (-s, -) *m* (*UNIV*) M.A., Master of Arts.
Magistrat [magɪs'traːt] (-(e)s, -e) *m* municipal authorities *pl*.
Magnat [ma'gnaːt] (-en, -en) *m* magnate.
Magnet [ma'gneːt] (-s *od* -en, -en) *m* magnet; ~**bahn** *f* magnetic railway; ~**band** *nt* (*COMPUT*) magnetic tape; **m~isch** *adj* magnetic.
magnetisieren [magneti'ziːrən] *vt* to magnetize.
Magnetnadel *f* magnetic needle.
Magnettafel *f* magnetic board.
Mahagoni [maha'goːni] (-s) *nt* mahogany.
Mähdrescher (-s, -) *m* combine (harvester).
mähen ['mɛːən] *vt, vi* to mow.
Mahl [maːl] (-(e)s, -e) *nt* meal.
mahlen *unreg vt* to grind.
Mahlstein *m* grindstone.
Mahlzeit *f* meal ♦ *interj* enjoy your meal!
Mahnbrief *m* reminder.
Mähne ['mɛːnə] (-, -n) *f* mane.
mahnen ['maːnən] *vt* to remind; (*warnend*) to warn; (*wegen Schuld*) to demand payment from; **jdn zur Eile/Geduld** *etc* ~ (*auffordern*) to urge sb to hurry/be patient *etc*.
Mahn- *zW:* ~**gebühr** *f* reminder fee; ~**mal** *nt* memorial; ~**schreiben** *nt* reminder.
Mahnung *f* admonition, warning; (*Mahnbrief*) reminder.
Mähre ['mɛːrə] (-, -n) *f* mare.
Mähren ['mɛːrən] (-s) *nt* Moravia.
Mai [maɪ] (-(e)s, -e) (*pl selten*) *m* May; *siehe auch* **September**; ~**baum** *m* maypole; ~**bowle** *f* white wine punch (*flavoured with woodruff*); ~**glöckchen** *nt* lily of the valley; ~**käfer** *m* cockchafer.
Mailand ['maɪlant] (-s) *nt* Milan.
Main [maɪn] (-(e)s) *m* (*Fluß*) Main.
Mais [maɪs] (-es, -e) *m* maize, corn (*US*); ~**kolben** *m* corncob.
Majestät [majɛs'tɛːt] *f* majesty.
majestätisch *adj* majestic.
Majestätsbeleidigung *f* lese-majesty.
Major [ma'joːr] (-s, -e) *m* (*MIL*) major; (*AVIAT*) squadron leader.
Majoran [majo'raːn] (-s, -e) *m* marjoram.
makaber [ma'kaːbər] *adj* macabre.
Makedonien [make'doːniən] (-s) *nt* Macedonia.
makedonisch *adj* Macedonian.
Makel ['maːkəl] (-s, -) *m* blemish; (*moralisch*) stain; **ohne** ~ flawless; **m~los** *adj* immaculate, spotless.
mäkeln ['mɛːkəln] *vi* to find fault.
Make-up [meːk'|ap] (-s, -s) *nt* make-up; (*flüssig*) foundation.
Makkaroni [maka'roːni] *pl* macaroni *sing*.
Makler ['maːklər] (-s, -) *m* broker; (*Grundstücks*~) estate agent (*BRIT*), realtor (*US*); ~**gebühr** *f* broker's commission, brokerage.

Makrele [ma'kreːlə] (-, **-n**) *f* mackerel.
Makro- *in zW* macro-.
Makrone [ma'kroːnə] (-, **-n**) *f* macaroon.
Makroökonomie *f* macroeconomics *sing*.
Mal [maːl] (**-(e)s, -e**) *nt* mark, sign; (*Zeitpunkt*) time; **ein für alle** ~ once and for all; **mit einem** ~**(e)** all of a sudden.
mal *adv* times.
-mal *suff* -times.
Malaie [ma'laɪə] (**-n, -n**) *m*, **Malaiin** *f* Malay.
malaiisch *adj* Malayan.
Malawi [ma'laːvi] (**-s**) *nt* Malawi.
Malaysia [ma'laɪzia] (**-s**) *nt* Malaysia.
Malaysier(in) (**-s, -**) *m(f)* Malaysian.
malaysisch *adj* Malaysian.
Malediven [male'diːvən] *pl*: **die** ~ the Maldive Islands.
malen *vt, vi* to paint.
Maler (**-s, -**) *m* painter.
Malerei [maːlə'raɪ] *f* painting.
malerisch *adj* picturesque.
Malkasten *m* paintbox.
Mallorca [ma'lɔrka] (**-s**) *nt* Majorca.
Mallorquiner(in) [malɔr'kiːnər(ɪn)] (**-s, -**) *m(f)* Majorcan.
mallorquinisch *adj* Majorcan.
malnehmen *unreg vt, vi* to multiply.
Malta ['malta] (**-s**) *nt* Malta.
Malteser(in) [mal'teːzər(ɪn)] (**-s, -**) *m(f)* Maltese.
Malteser-Hilfsdienst *m* ≈ St. John's Ambulance Brigade (*BRIT*).
maltesisch *adj* Maltese.
malträtieren [maltrɛ'tiːrən] *vt* to ill-treat, maltreat.
Malz [malts] (**-es**) *nt* malt; ~**bonbon** *nt or m* cough drop; ~**kaffee** *m coffee substitute made from malt barley*.
Mama ['mamaː] (**-, -s**) (*umg*) *f* mum(my) (*BRIT*), mom(my) (*US*).
Mami ['mami] (**-, -s**) *f* = **Mama**.
Mammographie [mamɔgra'fiː] *f* (*MED*) mammography.
Mammut ['mamʊt] (**-s, -e** *od* **-s**) *nt* mammoth ♦ *in zW* mammoth, giant; ~**anlagen** *pl* (*INDUSTRIE*) mammoth plants.
mampfen ['mampfən] (*umg*) *vt, vi* to munch, chomp.
man [man] *pron* one, you, people *pl*; ~ **hat mir gesagt** ... I was told ...
managen ['mɛnɪdʒən] *vt* to manage; **ich manage das schon!** (*umg*) I'll fix it somehow!
Manager(in) (**-s, -**) *m(f)* manager.
manch [manç] *pron*: ~ **ein(e)** ... many a ...; ~ **eine(r)** many a person.
manche(r, s) *adj* many a; (*pl*) a number of ♦ *pron* some.
mancherlei [mançər'laɪ] *adj inv* various ♦ *pron* a variety of things.
manchmal *adv* sometimes.
Mandant(in) [man'dant(ɪn)] *m(f)* (*JUR*) client.
Mandarine [manda'riːnə] *f* mandarin, tangerine.
Mandat [man'daːt] (**-(e)s, -e**) *nt* mandate; **sein** ~ **niederlegen** (*PARL*) to resign one's seat.
Mandel ['mandəl] (**-, -n**) *f* almond; (*ANAT*) tonsil; ~**entzündung** *f* tonsillitis.
Mandschurei (-) [mandʒu'raɪ] *f*: **die** ~ Manchuria.
Manege [ma'nɛːʒə] (**-, -n**) *f* ring, arena.
Mangel[1] ['maŋəl] (**-, -n**) *f* mangle; **durch die** ~ **drehen** (*fig: umg*) to put through it; (*Prüfling etc*) to put through the mill.
Mangel[2] ['maŋəl] (**-s, ¨**) *m* lack; (*Knappheit*) shortage; (*Fehler*) defect, fault; ~ **an** *+dat* shortage of.
Mängelbericht ['mɛŋəlbərɪçt] *m* list of faults.
Mangelerscheinung *f* deficiency symptom.
mangelhaft *adj* poor; (*fehlerhaft*) defective, faulty; (*Schulnote*) unsatisfactory.
mangeln *vi unpers*: **es mangelt jdm an etw** *dat* sb lacks sth ♦ *vt* (*Wäsche*) to mangle.
mangels *präp +gen* for lack of.
Mangelware *f* scarce commodity.
Manie [ma'niː] *f* mania.
Manier [ma'niːr] (-) *f* manner; (*Stil*) style; (*pej*) mannerism.
Manieren *pl* manners *pl*; (*pej*) mannerisms *pl*.
manieriert [mani'riːrt] *adj* mannered, affected.
manierlich *adj* well-mannered.
Manifest [mani'fɛst] (**-es, -e**) *nt* manifesto.
Maniküre [mani'kyːrə] (**-, -n**) *f* manicure.
maniküren *vt* to manicure.
Manipulation [manipulatsi'oːn] *f* manipulation; (*Trick*) manoeuvre (*BRIT*), maneuver (*US*).
manipulieren [manipu'liːrən] *vt* to manipulate.
Manko ['maŋko] (**-s, -s**) *nt* deficiency; (*COMM*) deficit.
Mann [man] (**-(e)s, ¨er** *od* (*NAUT*) **Leute**) *m* man; (*Ehe*~) husband; (*NAUT*) hand; **pro** ~ per head; **mit** ~ **und Maus untergehen** to go down with all hands; (*Passagierschiff*) to go down with no survivors; **seinen** ~ **stehen** to hold one's own; **etw an den** ~ **bringen** (*umg*) to get rid of sth; **einen kleinen** ~ **im Ohr haben** (*hum: umg*) to be crazy.
Männchen ['mɛnçən] *nt* little man; (*Tier*) male; ~ **machen** (*Hund*) to (sit up and) beg.
Mannequin [manə'kɛ̃ː] (**-s, -s**) *nt* fashion model.
Männersache ['mɛnərzaxə] *f* (*Angelegenheit*) man's business; (*Arbeit*) man's job.
mannigfaltig ['manɪçfaltɪç] *adj* various, varied; **M~keit** *f* variety.
männlich ['mɛnlɪç] *adj* (*BIOL*) male; (*fig, GRAM*) masculine.
Mannsbild *nt* (*veraltet: pej*) fellow.
Mannschaft *f* (*SPORT, fig*) team; (*NAUT, AVIAT*) crew; (*MIL*) other ranks *pl*.
Mannschaftsgeist *m* team spirit.
Mannsleute (*umg*) *pl* menfolk *pl*.

Mannweib *(pej)* *nt* mannish woman.
Manometer [mano'meːtər] *nt* (*TECH*) pressure gauge; ~! (*umg*) wow!
Manöver [ma'nøːvər] (**-s, -**) *nt* manoeuvre (*BRIT*), maneuver (*US*).
manövrieren [manø'vriːrən] *vt, vi* to manoeuvre (*BRIT*), maneuver (*US*).
Mansarde [man'zardə] (**-, -n**) *f* attic.
Manschette [man'ʃɛtə] *f* cuff; (*Papier~*) paper frill; (*TECH*) sleeve.
Manschettenknopf *m* cufflink.
Mantel ['mantəl] (**-s, ¨**) *m* coat; (*TECH*) casing, jacket; **~tarif** *m* general terms of employment; **~tarifvertrag** *m* general agreement on conditions of employment.
Manuskript [manu'skrɪpt] (**-(e)s, -e**) *nt* manuscript.
Mappe ['mapə] (**-, -n**) *f* briefcase; (*Akten~*) folder.
Marathonlauf ['maːratɔnlaʊf] *m* marathon.
Märchen ['mɛːrçən] *nt* fairy tale; **m~haft** *adj* fabulous; **~prinz** *m* prince charming.
Marder ['mardər] (**-s, -**) *m* marten.
Margarine [marga'riːnə] *f* margarine.
Marge ['marʒə] (**-, -n**) *f* (*COMM*) margin.
Maria [ma'riːa] (**-**) *f* Mary.
Marienbild *nt* picture of the Virgin Mary.
Marienkäfer *m* ladybird.
Marihuana [marihu'aːna] (**-s**) *nt* marijuana.
Marinade [mari'naːdə] (**-, -n**) *f* (*KOCH*) marinade; (*Soße*) mayonnaise-based sauce.
Marine [ma'riːnə] *f* navy; **m~blau** *adj* navy-blue.
marinieren [mari'niːrən] *vt* to marinate.
Marionette [mario'nɛtə] *f* puppet.
Mark[1] [mark] (**-, -**) *f* (*Geld*) mark.
Mark[2] [mark] (**-(e)s**) *nt* (*Knochen~*) marrow; **jdn bis ins ~ treffen** (*fig*) to cut sb to the quick; **jdm durch ~ und Bein gehen** to go right through sb.
markant [mar'kant] *adj* striking.
Marke ['markə] (**-, -n**) *f* mark; (*Warensorte*) brand; (*Fabrikat*) make; (*Rabatt~, Brief~*) stamp; (*Essen(s)~*) luncheon voucher; (*aus Metall etc*) token, disc.
Marken- *zW:* **~artikel** *m* proprietary article; **~butter** *f* best quality butter; **~zeichen** *nt* trademark.
Marketing ['markətɪŋ] (**-s**) *nt* marketing.
markieren [mar'kiːrən] *vt* to mark; (*umg*) to act ♦ *vi* (*umg*) to act it.
Markierung *f* marking.
markig ['markɪç] *adj* (*fig*) pithy.
Markise [mar'kiːzə] (**-, -n**) *f* awning.
Markstück *nt* one-mark piece.
Markt [markt] (**-(e)s, ¨e**) *m* market; **~analyse** *f* market analysis; **~anteil** *m* market share; **m~fähig** *adj* marketable; **~forschung** *f* market research; **m~gängig** *adj* marketable; **m~gerecht** *adj* geared to market requirements; **~lücke** *f* gap in the market; **~platz** *m* market place; **~preis** *m* market price; **~wert** *m* market value; **~wirtschaft** *f* market economy; **m~wirtschaftlich** *adj* free enterprise.
Marmelade [marmə'laːdə] (**-, -n**) *f* jam.
Marmor ['marmɔr] (**-s, -e**) *m* marble.
marmorieren [marmo'riːrən] *vt* to marble.
Marmorkuchen *m* marble cake.
marmorn *adj* marble.
Marokkaner(in) [marɔ'kaːnər(ɪn)] (**-s, -**) *m(f)* Moroccan.
marokkanisch *adj* Moroccan.
Marokko [ma'rɔko] (**-s**) *nt* Morocco.
Marone [ma'roːnə] (**-, -n**) *f* chestnut.
Marotte [ma'rɔtə] (**-, -n**) *f* fad, quirk.
Marsch[1] [marʃ] (**-, -en**) *f* marsh.
Marsch[2] (**-(e)s, ¨e**) *m* march; **jdm den ~ blasen** (*umg*) to give sb a rocket ♦ **m~** *interj* march; **m~ ins Bett!** off to bed with you!
Marschbefehl *m* marching orders *pl*.
marschbereit *adj* ready to move.
marschieren [mar'ʃiːrən] *vi* to march.
Marschverpflegung *f* rations *pl*; (*MIL*) field rations *pl*.
Marseille [mar'sɛːj] (**-s**) *nt* Marseilles.
Marsmensch ['marsmɛnʃ] *m* Martian.
Marter ['martər] (**-, -n**) *f* torment.
martern *vt* to torture.
Martinshorn ['martiːnshɔrn] *nt* siren (*of police etc*).
Märtyrer(in) ['mɛrtyrər(ɪn)] (**-s, -**) *m(f)* martyr.
Martyrium [mar'tyːriʊm] *nt* (*fig*) ordeal.
Marxismus [mar'ksɪsmʊs] *m* Marxism.
März [mɛrts] (**-(es), -e**) (*pl selten*) *m* March; *siehe auch* **September**.
Marzipan [martsi'paːn] (**-s, -e**) *nt* marzipan.
Masche ['maʃə] (**-, -n**) *f* mesh; (*Strick~*) stitch; **das ist die neueste ~** that's the latest dodge; **durch die ~n schlüpfen** to slip through the net.
Maschendraht *m* wire mesh.
maschenfest *adj* runproof.
Maschine [ma'ʃiːnə] *f* machine; (*Motor*) engine.
maschinell [maʃi'nɛl] *adj* machine(-), mechanical.
Maschinen- *zW:* **~ausfallzeit** *f* machine downtime; **~bauer** *m* mechanical engineer; **~führer** *m* machinist; **m~geschrieben** *adj* typewritten; **~gewehr** *nt* machine gun; **m~lesbar** *adj* (*COMPUT*) machine-readable; **~pistole** *f* submachine gun; **~raum** *m* plant room; (*NAUT*) engine room; **~saal** *m* machine shop; **~schaden** *m* mechanical fault; **~schlosser** *m* fitter; **~schrift** *f* typescript; **~sprache** *f* (*COMPUT*) machine language.
Maschinerie [maʃinə'riː] *f* (*fig*) machinery.
maschineschreiben *unreg vi* to type.
Maschinist(in) [maʃi'nɪst(ɪn)] *m(f)* engineer.
Maser ['maːzər] (**-, -n**) *f* grain.
Masern *pl* (*MED*) measles *sing*.

Maserung *f* grain(ing).
Maske ['maskə] (**-, -n**) *f* mask.
Maskenball *m* fancy-dress ball.
Maskenbildner(in) *m(f)* make-up artist.
Maskerade [maskə'ra:də] *f* masquerade.
maskieren [mas'ki:rən] *vt* to mask; (*verkleiden*) to dress up ♦ *vr* to disguise o.s., dress up.
Maskottchen [mas'kɔtçən] *nt* (lucky) mascot.
Maskulinum [masku'li:nʊm] (**-s, Maskulina**) *nt* (*GRAM*) masculine noun.
Masochist [mazɔ'xɪst] (**-en, -en**) *m* masochist.
Maß[1] [ma:s] (**-es, -e**) *nt* measure; (*Mäßigung*) moderation; (*Grad*) degree, extent; **über alle ~en** (*liter*) extremely, beyond measure; **mit zweierlei ~ messen** (*fig*) to operate a double standard; **sich** *dat* **etw nach ~ anfertigen lassen** to have sth made to measure *od* order (*US*); **in besonderem ~e** especially; **das ~ ist voll** (*fig*) that's enough (of that).
Maß[2] (**-, -(e)**) *f* litre (*BRIT*) *od* liter (*US*) of beer.
maß *etc vb siehe* **messen.**
Massage [ma'sa:ʒə] (**-, -n**) *f* massage.
Massaker [ma'sa:kər] (**-s, -**) *nt* massacre.
Maßanzug *m* made-to-measure suit.
Maßarbeit *f* (*fig*) neat piece of work.
Masse ['masə] (**-, -n**) *f* mass; **eine ganze ~** (*umg*) a great deal.
Maßeinheit *f* unit of measurement.
Massen- *zW:* **~artikel** *m* mass-produced article; **~blatt** *nt* tabloid; **~grab** *nt* mass grave; **m~haft** *adj* masses of; **~medien** *pl* mass media *pl*; **~produktion** *f* mass production; **~veranstaltung** *f* mass meeting; **~vernichtungswaffen** *pl* weapons of mass destruction *od* extermination; **~ware** *f* mass-produced article; **m~weise** *adv* in huge numbers.
Masseur [ma'sø:r] *m* masseur.
Masseuse [ma'sø:zə] *f* masseuse.
Maß- *zW:* **m~gebend** *adj* authoritative; **m~gebende Kreise** influential circles; **m~geblich** *adj* definitive; **m~geschneidert** *adj* (*Anzug*) made-to-measure, made-to-order (*US*), custom *attrib* (*US*); **m~halten** *unreg vi* to exercise moderation.
massieren [ma'si:rən] *vt* to massage; (*MIL*) to mass.
massig ['masɪç] *adj* massive; (*umg*) a massive amount of.
mäßig ['mɛ:sɪç] *adj* moderate; **~en** ['mɛ:sɪgən] *vt* to restrain, moderate; **sein Tempo ~en** to slacken one's pace; **M~keit** *f* moderation.
massiv [ma'si:f] *adj* solid; (*fig*) heavy, rough; **~ werden** (*umg*) to turn nasty; **M~** (**-s, -e**) *nt* massif.
Maß- *zW:* **~krug** *m* tankard; **m~los** *adj* (*Verschwendung, Essen, Trinken*) excessive, immoderate; (*Enttäuschung, Ärger etc*) extreme; **~nahme** (**-, -n**) *f* measure, step; **m~regeln** *vt untr* to reprimand.
Maßstab *m* rule, measure; (*fig*) standard; (*GEOG*) scale; **als ~ dienen** to serve as a model.
maßstab(s)getreu *adj* (true) to scale.
maßvoll *adj* moderate.
Mast [mast] (**-(e)s, -e(n)**) *m* mast; (*ELEK*) pylon.
Mastdarm *m* rectum.
mästen ['mɛstən] *vt* to fatten.
masturbieren [mastʊr'bi:rən] *vi* to masturbate.
Material [materi'a:l] (**-s, -ien**) *nt* material(s); **~fehler** *m* material defect.
Materialismus [materia'lismus] *m* materialism.
Materialist(in) *m(f)* materialist; **m~isch** *adj* materialistic.
Materialkosten *pl* cost *sing* of materials.
Materialprüfung *f* material(s) control.
Materie [ma'te:riə] *f* matter, substance.
materiell [materi'ɛl] *adj* material.
Mathe ['matə] (**-**) *f* (*SCH: umg*) maths (*BRIT*), math (*US*).
Mathematik [matema'ti:k] *f* mathematics *sing*; **~er(in)** [mate'ma:tɪkər(ɪn)] (**-s, -**) *m(f)* mathematician.
mathematisch [mate'ma:tɪʃ] *adj* mathematical.
Matjeshering ['matjəshe:rɪŋ] (*umg*) *m* salted young herring.
Matratze [ma'tratsə] (**-, -n**) *f* mattress.
Matrixdrucker *m* dot-matrix printer.
Matrixzeichen *nt* matrix character.
Matrize [ma'tri:tsə] (**-, -n**) *f* matrix; (*zum Abziehen*) stencil.
Matrose [ma'tro:zə] (**-n, -n**) *m* sailor.
Matsch [matʃ] (**-(e)s**) *m* mud; (*Schnee~*) slush.
matschig *adj* muddy; slushy.
matt [mat] *adj* weak; (*glanzlos*) dull; (*PHOT*) matt; (*SCHACH*) mate; **jdn ~ setzen** (*auch fig*) to checkmate sb; **M~** (**-s, -s**) *nt* (*SCHACH*) checkmate.
Matte ['matə] (**-, -n**) *f* mat; **auf der ~ stehen** (*am Arbeitsplatz etc*) to be in.
Mattigkeit *f* weakness; dullness.
Mattscheibe *f* (*TV*) screen; **~ haben** (*umg*) to be not quite with it.
Matura [ma'tu:ra] (**-**) (*ÖSTERR, SCHWEIZ*) *f* = **Abitur.**
Mätzchen ['mɛtsçən] (*umg*) *nt* antics *pl*; **~ machen** to fool around.
mau [maʊ] (*umg*) *adj* poor, bad.
Mauer ['maʊər] (**-, -n**) *f* wall; **~blümchen** (*umg*) *nt* (*fig*) wallflower.
mauern *vi* to build, lay bricks ♦ *vt* to build.
Mauer- *zW:* **~schwalbe** *f* swift; **~segler** *m* swift; **~werk** *nt* brickwork; (*Stein*) masonry.
Maul [maʊl] (**-(e)s, Mäuler**) *nt* mouth; **ein loses** *od* **lockeres ~ haben** (*umg: frech sein*) to be an impudent so-and-so; (*: indiskret sein*) to be a blabbermouth; **halt's ~!** (*umg*) shut your face (*!*); **darüber werden sich die Leute das ~ zerreißen** (*umg*) that will start people's tongues wagging; **dem Volk** *od* **den Leuten**

aufs ~ schauen (*umg*) to listen to what ordinary people say; **m~en** (*umg*) *vi* to grumble; **~esel** *m* mule; **~korb** *m* muzzle; **~sperre** *f* lockjaw; **~tier** *nt* mule; **~- und Klauenseuche** *f* (*Tiere*) foot-and-mouth disease.
Maulwurf *m* mole.
Maulwurfshaufen *m* molehill.
Maurer ['maurər] (**-s, -**) *m* bricklayer; **pünktlich wie die ~** (*hum*) super-punctual.
Mauretanien [maurə'ta:niən] (**-s**) *nt* Mauritania.
Mauritius [mau'ri:tsius] (-) *nt* Mauritius.
Maus [maus] (**-, Mäuse**) *f* (*auch COMPUT*) mouse; **Mäuse** *pl* (*umg: Geld*) bread *sing*, dough *sing*.
mauscheln ['mauʃəln] (*umg*) *vt, vi* (*manipulieren*) to fiddle.
mäuschenstill ['mɔysçən'ʃtɪl] *adj* very quiet.
Mausefalle *f* mousetrap.
mausen *vt* (*umg*) to pinch ♦ *vi* to catch mice.
mausern *vr* to moult (*BRIT*), molt (*US*).
maus(e)tot *adj* stone dead.
Maut [maut] (**-, -en**) *f* toll.
max. *abk* (= *maximal*) max.
maximal [maksi'ma:l] *adj* maximum.
Maxime [ma'ksi:mə] (**-, -n**) *f* maxim.
maximieren [maksi'mi:rən] *vt* to maximize.
Maximierung *f* (*WIRTS*) maximization.
Maximum ['maksimum] (**-s, Maxima**) *nt* maximum.
Mayonnaise [majɔ'nɛ:zə] (**-, -n**) *f* mayonnaise.
Mazedonien [matse'do:niən] (**-s**) *nt* Macedonia.
Mäzen [mɛ'tse:n] (**-s, -e**) *m* (*gen*) patron, sponsor.
MdB *nt abk* (= *Mitglied des Bundestages*) *member of the Bundestag*, ≈ MP.
MdL *nt abk* (= *Mitglied des Landtages*) *member of the Landtag*.
m.E. *abk* (= *meines Erachtens*) in my opinion.
Mechanik [me'ça:nɪk] *f* mechanics *sing*; (*Getriebe*) mechanics *pl*; **~er** (**-s, -**) *m* mechanic, engineer.
mechanisch *adj* mechanical.
mechanisieren [meçani|zi:rən] *vt* to mechanize.
Mechanisierung *f* mechanization.
Mechanismus [meça'nɪsmus] *m* mechanism.
meckern ['mɛkərn] *vi* to bleat; (*umg*) to moan.
Mecklenburg ['me:klənburk] (**-s**) *nt* Mecklenburg.
Mecklenburg-Vorpommern (**-s**) *nt* (state of) Mecklenburg-Vorpommern.
Medaille [me'daljə] (**-, -n**) *f* medal.
Medaillon [medal'jõ:] (**-s, -s**) *nt* (*Schmuck*) locket.
Medien ['me:diən] *pl* media *pl*; **~forschung** *f* media research.
Medikament [medika'mɛnt] *nt* medicine.
Meditation [meditatsi'o:n] *f* meditation.
meditieren [medi'ti:rən] *vi* to meditate.
Medium ['me:dium] *nt* medium.
Medizin [medi'tsi:n] (**-, -en**) *f* medicine.
Mediziner(in) (**-s, -**) *m(f)* doctor; (*UNIV*) medic (*umg*).
medizinisch *adj* medical; **~-technische Assistentin** medical assistant.
Meer [me:r] (**-(e)s, -e**) *nt* sea; **am ~(e)** by the sea; **ans ~ fahren** to go to the sea(side); **~busen** *m* bay, gulf; **~enge** *f* straits *pl*.
Meeres- *zW*: **~früchte** *pl* seafood; **~klima** *nt* maritime climate; **~spiegel** *m* sea level.
Meer- *zW*: **~jungfrau** *f* mermaid; **~rettich** *m* horseradish; **~schweinchen** *nt* guinea pig; **~wasser** *nt* sea water.
Mega-, mega- [mɛga-] *in zW* mega-; **~byte** [mega'baɪt] *nt* megabyte; **~phon** [mega'fo:n] (**-s, -e**) *nt* megaphone; **~watt** [mɛga'vat] *nt* megawatt.
Mehl [m'e:l] (**-(e)s, -e**) *nt* flour.
mehlig *adj* floury.
Mehlschwitze *f* (*KOCH*) roux.
mehr [me:r] *adv* more; **nie ~** never again, nevermore (*liter*); **es war niemand ~ da** there was no one left; **nicht ~ lange** not much longer; **M~aufwand** *m* additional expenditure; **M~belastung** *f* excess load; (*fig*) additional burden; **~deutig** *adj* ambiguous.
mehrere *indef pron* several; (*verschiedene*) various; **~s** several things.
mehrfach *adj* multiple; (*wiederholt*) repeated.
Mehrheit *f* majority.
Mehrheitsprinzip *nt* principle of majority rule.
Mehrheitswahlrecht *nt* first-past-the-post voting system.
mehr- *zW*: **~jährig** *adj attrib* of several years; **M~kosten** *pl* additional costs *pl*; **~malig** *adj* repeated; **~mals** *adv* repeatedly; **M~parteiensystem** *nt* multi-party system; **M~platzsystem** *nt* (*COMPUT*) multi-user system; **M~programmbetrieb** *m* (*COMPUT*) multiprogramming; **~sprachig** *adj* multilingual; **~stimmig** *adj* for several voices; **~stimmig singen** to harmonize; **M~wegflasche** *f* returnable bottle; **M~wertsteuer** *f* value added tax, VAT; **M~zahl** *f* majority; (*GRAM*) plural.
Mehrzweck- *in zW* multipurpose.
meiden ['maɪdən] *unreg vt* to avoid.
Meile ['maɪlə] (**-, -n**) *f* mile; **das riecht man drei ~n gegen den Wind** (*umg*) you can smell that a mile off.
Meilenstein *m* milestone.
meilenweit *adj* for miles.
mein [maɪn] *pron* my.
meine(r, s) *poss pron* mine.
Meineid ['maɪn|aɪt] *m* perjury.
meinen ['maɪnən] *vt* to think; (*sagen*) to say; (*sagen wollen*) to mean ♦ *vi* to think; **wie Sie ~!** as you wish; **damit bin ich gemeint** that

refers to me; **das will ich** ~ I should think so.
meiner *gen von* **ich** ♦ *pron* of me.
meinerseits *adv* for my part.
meinesgleichen ['maɪnəs'glaɪçən] *pron* people like me.
meinetwegen ['maɪnət'veːgən] *adv* (*für mich*) for my sake; (*wegen mir*) on my account; (*von mir aus*) as far as I'm concerned; (*ich habe nichts dagegen*) I don't care *od* mind.
meinetwillen ['maɪnət'vɪlən] *adv:* **um** ~ = **meinetwegen.**
meinige *pron:* **der/die/das** ~ mine.
meins [maɪns] *pron* mine.
Meinung ['maɪnʊŋ] *f* opinion; **meiner** ~ **nach** in my opinion; **einer** ~ **sein** to think the same; **jdm die** ~ **sagen** to give sb a piece of one's mind.
Meinungs- *zW:* ~**austausch** *m* exchange of views; ~**forscher(in)** *m(f)* pollster; ~**forschungsinstitut** *nt* opinion research institute; ~**freiheit** *f* freedom of speech; ~**umfrage** *f* opinion poll; ~**verschiedenheit** *f* difference of opinion.
Meise ['maɪzə] (-, -n) *f* tit(mouse); **eine** ~ **haben** (*umg*) to be crackers.
Meißel ['maɪsəl] (-s, -) *m* chisel.
meißeln *vt* to chisel.
meist [maɪst] *adj* most ♦ *adv* mostly; **M~begünstigungsklausel** *f* (*COMM*) most-favoured-nation clause; ~**bietend** *adj:* ~**bietend versteigern** to sell to the highest bidder.
meiste(r, s) *superl von* **viel.**
meistens *adv* mostly.
Meister ['maɪstər] (-s, -) *m* master; (*SPORT*) champion; **seinen** ~ **machen** to take one's master craftsman's diploma; **es ist noch kein** ~ **vom Himmel gefallen** (*Sprichwort*) no one is born an expert; ~**brief** *m* master craftsman's diploma; **m~haft** *adj* masterly.
Meisterin *f* (*auf einem Gebiet*) master, expert; (*SPORT*) (woman) champion.
meistern *vt* to master; **sein Leben** ~ to come to grips with one's life.
Meister- *zW:* ~**schaft** *f* mastery; (*SPORT*) championship; ~**stück** *nt* masterpiece; ~**werk** *nt* masterpiece.
meistgekauft *adj attrib* best-selling.
Mekka ['mɛka] (-s, -s) *nt* (*GEOG, fig*) Mecca.
Melancholie [melaŋko'liː] *f* melancholy.
melancholisch [melaŋ'koːlɪʃ] *adj* melancholy.
Meldebehörde *f* registration authorities *pl.*
Meldefrist *f* registration period.
melden *vt* to report; (*registrieren*) to register ♦ *vr* to report; to register; (*SCH*) to put one's hand up; (*freiwillig*) to volunteer; (*auf etw, am Telefon*) to answer; **nichts zu** ~ **haben** (*umg*) to have no say; **wen darf ich** ~? who shall I say (is here)?; **sich** ~ **bei** to report to; to register with; **sich auf eine Anzeige** ~ to answer an advertisement; **es meldet sich niemand** there's no answer; **sich zu Wort** ~ to ask to speak.
Meldepflicht *f* obligation to register with the police.
Meldestelle *f* registration office.
Meldung ['mɛldʊŋ] *f* announcement; (*Bericht*) report.
meliert [me'liːrt] *adj* mottled, speckled.
melken ['mɛlkən] *unreg vt* to milk.
Melodie [melo'diː] *f* melody, tune.
melodisch [me'loːdɪʃ] *adj* melodious, tuneful.
melodramatisch [melodra'maːtɪʃ] *adj* (*auch fig*) melodramatic.
Melone [me'loːnə] (-, -n) *f* melon; (*Hut*) bowler (hat).
Membran [mem'braːn] (-, -en) *f* (*TECH*) diaphragm; (*ANAT*) membrane.
Memme ['mɛmə] (-, -n) (*umg*) *f* cissy, yellow-belly.
Memoiren [memo'aːrən] *pl* memoirs *pl.*
Menge ['mɛŋə] (-, -n) *f* quantity; (*Menschen*~) crowd; (*große Anzahl*) lot (of); **jede** ~ (*umg*) masses *pl*, loads *pl.*
mengen *vt* to mix ♦ *vr:* **sich** ~ **in** *+akk* to meddle with.
Mengen- *zW:* ~**einkauf** *m* bulk buying; ~**lehre** *f* (*MATH*) set theory; ~**rabatt** *m* bulk discount.
Menorca [me'nɔrka] (-s) *nt* Menorca.
Mensa ['mɛnza] (-, -s *od* **Mensen**) *f* (*UNIV*) refectory (*BRIT*), commons (*US*).
Mensch [mɛnʃ] (-en, -en) *m* human being, man; (*Person*) person; **kein** ~ nobody; **ich bin auch nur ein** ~! I'm only human; ~ **ärgere dich nicht** *nt* (*Spiel*) ludo.
Menschen- *zW:* ~**alter** *nt* generation; ~**feind** *m* misanthrope; **m~freundlich** *adj* philanthropical; ~**gedenken** *nt:* **der kälteste Winter seit** ~**gedenken** the coldest winter in living memory; ~**handel** *m* slave trade; (*JUR*) trafficking in human beings; ~**kenner** *m* judge of human nature; ~**kenntnis** *f* knowledge of human nature; **m~leer** *adj* deserted; ~**liebe** *f* philanthropy; ~**masse** *f* crowd (of people); ~**menge** *f* crowd (of people); **m~möglich** *adj* humanly possible; ~**rechte** *pl* human rights *pl*; **m~scheu** *adj* shy; ~**schlag** (*umg*) *m* kind of people; ~**seele** *f:* **keine** ~**seele** (*fig*) not a soul.
Menschenskind *interj* good heavens!
Menschen- *zW:* **m~unwürdig** *adj* degrading; ~**verachtung** *f* contempt for human beings *od* of mankind; ~**verstand** *m:* **gesunder** ~**verstand** common sense; ~**würde** *f* human dignity; **m~würdig** *adj* (*Behandlung*) humane; (*Unterkunft*) fit for human habitation.
Mensch- *zW:* ~**heit** *f* humanity, mankind; **m~lich** *adj* human; (*human*) humane; ~**lichkeit** *f* humanity.
Menstruation [mɛnstruatsi'oːn] *f* menstruation.

Mentalität [mɛntali'tɛːt] *f* mentality.
Menü [me'nyː] (**-s, -s**) *nt* (*auch COMPUT*) menu; **m~gesteuert** *adj* (*COMPUT*) menu-driven.
Merkblatt *nt* instruction sheet *od* leaflet.
merken ['mɛrkən] *vt* to notice; **sich** *dat* **etw** ~ to remember sth; **sich** *dat* **eine Autonummer** ~ to make a (mental) note of a licence (*BRIT*) *od* license (*US*) number.
merklich *adj* noticeable.
Merkmal *nt* sign, characteristic.
merkwürdig *adj* odd.
meschugge [me'ʃʊgə] (*umg*) *adj* nuts, meshuga (*US*).
Meß- *zW*: **~band** *nt* tape measure; **m~bar** *adj* measurable; **~becher** *m* measuring cup.
Meßbuch *nt* missal.
Meßdiener *m* (*REL*) server, acolyte (*form*).
Messe ['mɛsə] (**-, -n**) *f* fair; (*ECCL*) mass; (*MIL*) mess; **auf der** ~ at the fair; **~gelände** *nt* exhibition centre (*BRIT*) *od* center (*US*).
messen *unreg vt* to measure ♦ *vr* to compete.
Messer (**-s, -**) *nt* knife; **auf des ~s Schneide stehen** (*fig*) to hang in the balance; **jdm ins offene ~ laufen** (*fig*) to walk into a trap; **m~scharf** *adj* (*fig*): **m~scharf schließen** to conclude with incredible logic (*ironisch*); **~spitze** *f* knife point; (*in Rezept*) pinch; **~stecherei** *f* knife fight.
Messestadt *f* (town with an) exhibition centre (*BRIT*) *od* center (*US*).
Messestand *m* exhibition stand.
Meßgerät *nt* measuring device, gauge.
Meßgewand *nt* chasuble.
Messing ['mɛsɪŋ] (**-s**) *nt* brass.
Meßstab *m* (*AUT: Öl~ etc*) dipstick.
Messung *f* (*das Messen*) measuring; (*von Blutdruck*) taking; (*Meßergebnis*) measurement.
Meßwert *m* measurement; (*Ableseergebnis*) reading.
Metall [me'tal] (**-s, -e**) *nt* metal; **m~en** *adj* metallic; **m~isch** *adj* metallic; **m~verarbeitend** *adj*: **die m~verarbeitende Industrie** the metal-processing industry.
Metallurgie [metalʊr'giː] *f* metallurgy.
Metapher [me'tafər] (**-, -n**) *f* metaphor.
metaphorisch [meta'foːrɪʃ] *adj* metaphorical.
Metaphysik [metafy'ziːk] *f* metaphysics *sing*.
Metastase [meta'staːzə] (**-, -n**) *f* (*MED*) secondary growth.
Meteor [mete'oːr] (**-s, -e**) *m* meteor.
Meteorologe [meteoro'loːgə] (**-n, -n**) *m* meteorologist.
Meter ['meːtər] (**-s, -**) *m od nt* metre (*BRIT*), meter (*US*); **in 500 ~ Höhe** at a height of 500 metres; **~maß** *nt* tape measure; **~ware** *f* (*TEXTIL*) piece goods.
Methode [me'toːdə] (**-, -n**) *f* method.
Methodik [me'toːdɪk] *f* methodology.
methodisch [me'toːdɪʃ] *adj* methodical.
Metier [meti'eː] (**-s, -s**) *nt* (*hum*) job, profession.
metrisch ['meːtrɪʃ] *adj* metric, metrical.
Metropole [metro'poːlə] (**-, -n**) *f* metropolis.
Mettwurst ['mɛtvʊrst] *f* (smoked) pork/beef sausage.
Metzger ['mɛtsgər] (**-s, -**) *m* butcher.
Metzgerei [mɛtsgə'raɪ] *f* butcher's (shop).
Meuchelmord ['mɔʏçəlmɔrt] *m* assassination.
Meute ['mɔʏtə] (**-, -n**) *f* pack.
Meuterei [mɔʏtə'raɪ] *f* mutiny.
Meuterer (**-s, -**) *m* mutineer.
meutern *vi* to mutiny.
Mexikaner(in) [mɛksi'kaːnər(ɪn)] (**-s, -**) *m(f)* Mexican.
mexikanisch *adj* Mexican.
Mexiko ['mɛksiko] (**-s**) *nt* Mexico.
MEZ *abk* (= *mitteleuropäische Zeit*) C.E.T.
MFG *abk* = **Mitfahrgelegenheit**.
MG (**-(s), -(s)**) *nt abk* = **Maschinengewehr**.
mg *abk* (= *Milligramm*) mg.
mhd. *abk* (= *mittelhochdeutsch*) MHG.
MHz *abk* (= *Megahertz*) MHz.
miauen [mi'aʊən] *vi* to miaow.
mich [mɪç] *akk von* **ich** ♦ *pron* me; (*reflexiv*) myself.
mick(e)rig ['mɪk(ə)rɪç] (*umg*) *adj* pathetic; (*altes Männchen*) puny.
mied *etc* [miːt] *vb siehe* **meiden**.
Miederwaren ['miːdərvaːrən] *pl* corsetry *sing*.
Mief [miːf] (**-s**) (*umg*) *m* fug; (*muffig*) stale air; (*Gestank*) stink, pong (*BRIT*).
miefig (*umg*) *adj* smelly, pongy (*BRIT*).
Miene ['miːnə] (**-, -n**) *f* look, expression; **gute ~ zum bösen Spiel machen** to grin and bear it.
Mienenspiel *nt* facial expressions *pl*.
mies [miːs] (*umg*) *adj* lousy.
Miese ['miːzə] (*umg*) *pl*: **in den ~n sein** to be in the red.
Miesmacher(in) (*umg*) *m(f)* killjoy.
Mietauto *nt* hired car (*BRIT*), rental car (*US*).
Miete ['miːtə] (**-, -n**) *f* rent; **zur ~ wohnen** to live in rented accommodation *od* accommodations (*US*).
mieten *vt* to rent; (*Auto*) to hire (*BRIT*), rent.
Mieter(in) (**-s, -**) *m(f)* tenant; **~schutz** *m* rent control.
Mietshaus *nt* tenement, block of flats (*BRIT*) *od* apartments (*US*).
Miet- *zW*: **~verhältnis** *nt* tenancy; **~vertrag** *m* tenancy agreement; **~wagen** *m* = **~auto**; **~wucher** *m* the charging of exorbitant rent(s).
Mieze ['miːtsə] (**-, -n**) (*umg*) *f* (*Katze*) pussy; (*Mädchen*) chick, bird (*BRIT*).
Migräne [mi'grɛːnə] (**-, -n**) *f* migraine.
Mikado [mi'kaːdo] (**-s**) *nt* (*Spiel*) pick-a-stick.
Mikro- ['miːkro] *in zW* micro-.
Mikrobe [mi'kroːbə] (**-, -n**) *f* microbe.
Mikro- *zW*: **~chip** *m* microchip; **~computer** *m* microcomputer; **~fiche** *m od nt* microfiche; **~film** *m* microfilm.

Mikrofon [mikro'fo:n] (**-s, e**) *nt* microphone.
Mikroökonomie *f* microeconomics *pl*.
Mikrophon [mikro'fo:n] (**-s, -e**) *nt* microphone.
Mikroprozessor (**-s, -oren**) *m* microprocessor.
Mikroskop [mikro'sko:p] (**-s, -e**) *nt* microscope; **m~isch** *adj* microscopic.
Mikrowelle ['mi:krovɛlə] *f* microwave.
Mikrowellenherd *m* microwave (oven).
Milbe ['mɪlbə] (**-, -n**) *f* mite.
Milch [mɪlç] (**-**) *f* milk; (*Fisch~*) milt, roe; **~drüse** *f* mammary gland; **~glas** *nt* frosted glass.
milchig *adj* milky.
Milch- *zW:* **~kaffee** *m* white coffee; **~mixgetränk** *nt* milk shake; **~pulver** *nt* powdered milk; **~straße** *f* Milky Way; **~tüte** *f* milk carton; **~zahn** *m* milk tooth.
mild [mɪlt] *adj* mild; (*Richter*) lenient; (*freundlich*) kind, charitable.
Milde ['mɪldə] (**-, -n**) *f* mildness; leniency.
mildern *vt* to mitigate, soften; (*Schmerz*) to alleviate; **~de Umstände** extenuating circumstances.
Milieu [mili'ø:] (**-s, -s**) *nt* background, environment; **m~geschädigt** *adj* maladjusted.
militant [mili'tant] *adj* militant.
Militär [mili'tɛ:r] (**-s**) *nt* military, army; **~dienst** *m* military service; **~gericht** *nt* military court; **m~isch** *adj* military.
Militarismus [milita'rɪsmʊs] *m* militarism.
militaristisch *adj* militaristic.
Militärpflicht *f* (compulsory) military service.
Mill. *abk* (= *Million(en)*) m.
Milli- *in zW* milli-.
Milliardär(in) [mɪliar'dɛ:r(ɪn)] (**-s, -e**) *m(f)* multimillionaire.
Milliarde [mɪli'ardə] (**-, -n**) *f* milliard, billion (*bes US*).
Millimeter *m* millimetre (*BRIT*), millimeter (*US*); **~papier** *nt* graph paper.
Million [mɪli'o:n] (**-, -en**) *f* million.
Millionär(in) [mɪlio'nɛ:r(ɪn)] (**-s, -e**) *m(f)* millionaire.
millionenschwer (*umg*) *adj* worth a few million.
Milz [mɪlts] (**-, -en**) *f* spleen.
Mimik ['mi:mɪk] *f* mime.
Mimose [mi'mo:zə] (**-, -n**) *f* mimosa; (*fig*) sensitive person.
minder ['mɪndər] *adj* inferior ♦ *adv* less; **~begabt** *adj* less able; **~bemittelt** *adj:* **geistig ~bemittelt** (*ironisch*) intellectually challenged.
Minderheit *f* minority.
Minderheitsbeteiligung *f* (*Aktien*) minority interest.
Minderheitsregierung *f* minority government.
minderjährig *adj* minor; **M~jährige(r)** *f(m)* minor; **M~keit** *f* minority.
mindern *vt, vr* to decrease, diminish.
Minderung *f* decrease.
minder- *zW:* **~wertig** *adj* inferior; **M~wertigkeitsgefühl** *nt* inferiority complex; **M~wertigkeitskomplex** (**-es, -e**) *m* inferiority complex.
Mindestalter *nt* minimum age.
Mindestbetrag *m* minimum amount.
mindeste(r, s) *adj* least.
mindestens *adv* at least.
Mindest- *zW:* **~lohn** *m* minimum wage; **~maß** *nt* minimum; **~stand** *m* (*COMM*) minimum stock; **~umtausch** *m* minimum obligatory exchange.
Mine ['mi:nə] (**-, -n**) *f* mine; (*Bleistift~*) lead; (*Kugelschreiber~*) refill.
Minenfeld *nt* minefield.
Minensuchboot *nt* minesweeper.
Mineral [mine'ra:l] (**-s, -e** *od* **-ien**) *nt* mineral; **m~isch** *adj* mineral; **~ölsteuer** *f* tax on oil and petrol (*BRIT*) *od* gasoline (*US*); **~wasser** *nt* mineral water.
Miniatur [minia'tu:r] *f* miniature.
Minigolf ['mɪnigɔlf] *nt* miniature golf.
minimal [mini'ma:l] *adj* minimal.
Minimum ['mi:nimʊm] (**-s, Minima**) *nt* minimum.
Minirock ['mɪnirɔk] *m* miniskirt.
Minister(in) [mi'nɪstər(ɪn)] (**-s, -**) *m(f)* (*POL*) minister.
ministeriell [minɪsteri'ɛl] *adj* ministerial.
Ministerium [minɪs'te:riʊm] *nt* ministry.
Ministerpräsident(in) *m(f)* prime minister.
Minna ['mɪna] *f:* **jdn zur ~ machen** (*umg*) to give sb a piece of one's mind.
minus ['mi:nʊs] *adv* minus; **M~** (**-, -**) *nt* deficit; **M~pol** *m* negative pole; **M~zeichen** *nt* minus sign.
Minute [mi'nu:tə] (**-, -n**) *f* minute; **auf die ~ (genau** *od* **pünktlich)** (right) on the dot.
Minutenzeiger *m* minute hand.
Mio. *abk* (= *Million(en)*) m.
mir [mi:r] *dat von* **ich** ♦ *pron* (to) me; **von ~ aus!** I don't mind; **wie du ~, so ich dir** (*Sprichwort*) tit for tat (*umg*); (*als Drohung*) I'll get my own back; **~ nichts, dir nichts** just like that.
Mirabelle [mira'bɛlə] *f* mirabelle, *small yellow plum*.
Misch- *zW:* **~batterie** *f* mixer tap; **~brot** *nt* *bread made from more than one kind of flour*; **~ehe** *f* mixed marriage.
mischen *vt* to mix; (*COMPUT: Datei, Text*) to merge; (*Karten*) to shuffle ♦ *vi* (*Karten*) to shuffle.
Misch- *zW:* **~konzern** *m* conglomerate; **~ling** *m* half-caste; **~masch** (*umg*) *m* hotchpotch; (*Essen*) concoction; **~pult** *nt* (*RUNDF, TV*) mixing panel.
Mischung *f* mixture.

Mischwald *m* mixed (deciduous and coniferous) woodland.
miserabel [mizə'ra:bəl] (*umg*) *adj* lousy; (*Gesundheit*) wretched; (*Benehmen*) dreadful.
Misere [mi'ze:rə] (-, -n) *f* (*von Leuten, Wirtschaft etc*) plight; (*von Hunger, Krieg etc*) misery, miseries *pl*.
Miß- *zW:* **m~achten** *vt untr* to disregard; **~achtung** *f* disregard; **~behagen** *nt* uneasiness; (*~fallen*) discontent; **~bildung** *f* deformity; **m~billigen** *vt untr* to disapprove of; **~billigung** *f* disapproval; **~brauch** *m* abuse; (*falscher Gebrauch*) misuse; **m~brauchen** *vt untr* to abuse; to misuse; (*vergewaltigen*) to assault; **jdn zu** *od* **für etw m~brauchen** to use sb for *od* to do sth; **m~deuten** *vt untr* to misinterpret.
missen *vt* to do without; (*Erfahrung*) to miss.
Mißerfolg *m* failure.
Mißernte *f* crop failure.
Missetat ['mɪsəta:t] *f* misdeed.
Missetäter *m* criminal; (*umg*) scoundrel.
Miß- *zW:* **m~fallen** *unreg vi untr:* **jdm m~fallen** to displease sb; **~fallen (-s)** *nt* displeasure; **~geburt** *f* freak; (*fig*) failure; **~geschick** *nt* misfortune; **m~glücken** *vi untr* to fail; **jdm m~glückt etw** sb does not succeed with sth; **m~gönnen** *vt untr:* **jdm etw m~gönnen** to (be)grudge sb sth; **~griff** *m* mistake; **~gunst** *f* envy; **m~günstig** *adj* envious; **m~handeln** *vt untr* to ill-treat; **~handlung** *f* ill-treatment; **~helligkeit** *f:* **~helligkeiten haben** to be at variance.
Mission [mɪsi'o:n] *f* mission.
Missionar(in) [mɪsio'na:r(ɪn)] *m(f)* missionary.
Mißklang *m* discord.
Mißkredit *m* discredit.
mißlang *etc* [mɪs'laŋ] *vb siehe* **mißlingen.**
mißliebig *adj* unpopular.
mißlingen [mɪs'lɪŋən] *unreg vi untr* to fail; **M~ (-s)** *nt* failure.
mißlungen [mɪs'lʊŋən] *pp von* **mißlingen.**
Miß- *zW:* **~mut** *m* bad temper; **m~mutig** *adj* cross; **m~raten** *unreg vi untr* to turn out badly ♦ *adj* ill-bred; **~stand** *m* deplorable state of affairs; **~stimmung** *f* discord; (*~mut*) ill feeling.
mißt *vb siehe* **messen.**
Miß- *zW:* **m~trauen** *vi untr* to mistrust; **~trauen (-s)** *nt:* **~trauen (gegenüber)** distrust (of), suspicion (of); **~trauensantrag** *m* (*POL*) motion of no confidence; **~trauensvotum** *nt* (*POL*) vote of no confidence; **m~trauisch** *adj* distrustful, suspicious; **~verhältnis** *nt* disproportion; **m~verständlich** *adj* unclear; **~verständnis** *nt* misunderstanding; **m~verstehen** *unreg vt untr* to misunderstand.
Mißwahl, Misswahl ['mɪsva:l] *f* beauty contest.
Mißwirtschaft *f* mismanagement.
Mist [mɪst] (-(e)s) *m* dung; (*umg*) rubbish; ~! (*umg*) blast!; **das ist nicht auf seinem ~ gewachsen** (*umg*) he didn't think that up himself.
Mistel (-, -n) *f* mistletoe.
Mist- *zW:* **~gabel** *f* pitchfork (*used for shifting manure*); **~haufen** *m* dungheap; **~stück** (*umg!*) *nt*, **~vieh** (*umg!*) *nt* (*Mann*) bastard (*!*); (*Frau*) bitch (*!*).
mit [mɪt] *präp +dat* with; (*mittels*) by ♦ *adv* along, too; **~ der Bahn** by train; **~ dem nächsten Flugzeug/Bus kommen** to come on the next plane/bus; **~ Bleistift schreiben** to write in pencil; **~ Verlust** at a loss; **er ist ~ der Beste in der Gruppe** he is among the best in the group; **wie wär's ~ einem Bier?** (*umg*) how about a beer?; **~ 10 Jahren** at the age of 10; **wollen Sie ~?** do you want to come along?
Mitarbeit ['mit|arbaɪt] *f* cooperation; **m~en** *vi:* **m~en (an** *+dat***)** to cooperate (on), collaborate (on).
Mitarbeiter(in) *m(f)* (*an Projekt*) collaborator; (*Kollege*) colleague; (*Angestellter*) member of staff ♦ *pl* staff; **~stab** *m* staff.
mit- *zW:* **~bekommen** *unreg vt* to get *od* be given; (*umg: verstehen*) to get; **~bestimmen** *vi:* **(bei etw) ~bestimmen** to have a say (in sth) ♦ *vt* to have an influence on; **M~bestimmung** *f* participation in decision-making; (*POL*) determination; **~bringen** *unreg vt* to bring along; **M~bringsel** ['mɪtbrɪŋzəl] (-s, -) *nt* (*Geschenk*) small present; (*Andenken*) souvenir; **M~bürger(in)** *m(f)* fellow citizen; **~denken** *unreg vi* to follow; **du hast ja ~gedacht!** good thinking!; **~dürfen** *unreg vi:* **wir durften nicht ~** we weren't allowed to go along; **M~eigentümer** *m* joint owner.
miteinander [mɪt|aɪ'nandər] *adv* together, with one another.
miterleben *vt* to see, witness.
Mitesser ['mɪt|ɛsər] (-s, -) *m* blackhead.
mit- *zW:* **~fahren** *unreg vi:* **(mit jdm) ~fahren** to go (with sb); (*auf Reise auch*) to go *od* travel (with sb); **M~fahrerzentrale** *f* agency for arranging lifts; **M~fahrgelegenheit** *f* lift; **~fühlen** *vi:* **~ jdm/etw ~fühlen** to sympathize with sb/sth; **~fühlend** *adj* sympathetic; **~führen** *vt* (*Papiere, Ware etc*) to carry (with one); (*Fluß*) to carry along; **~geben** *unreg vt* to give; **M~gefühl** *nt* sympathy; **~gehen** *unreg vi* to go *od* come along; **etw ~gehen lassen** (*umg*) to pinch sth; **~genommen** *adj* done in, in a bad way; **M~gift** *f* dowry.
Mitglied ['mɪtgli:t] *nt* member.
Mitgliedsbeitrag *m* membership fee, subscription.
Mitgliedschaft *f* membership.
mit- *zW:* **~haben** *unreg vt:* **etw ~haben** to have sth (with one); **~halten** *unreg vi* to keep up;

~**helfen** *vi unreg* to help, lend a hand; **bei etw ~helfen** to help with sth; **M~hilfe** *f* help, assistance; ~**hören** *vt* to listen in to; ~**kommen** *unreg vi* to come along; (*verstehen*) to keep up, follow; **M~läufer** *m* hanger-on; (*POL*) fellow traveller.

Mitleid *nt* sympathy; (*Erbarmen*) compassion.

Mitleidenschaft *f*: **in ~ ziehen** to affect.

mitleidig *adj* sympathetic.

mitleidslos *adj* pitiless, merciless.

mit- *zW*: ~**machen** *vt* to join in, take part in; (*umg: einverstanden sein*): **da macht mein Chef nicht ~** my boss won't go along with that; **M~mensch** *m* fellow man; ~**mischen** (*umg*) *vi* (*sich beteiligen*): ~**mischen (in** *+dat od* **bei)** to be involved (in); (*sich einmischen*) to interfere (in); ~**nehmen** *unreg vt* to take along *od* away; (*anstrengen*) to wear out, exhaust; ~**genommen aussehen** to look the worse for wear; ~**reden** *vi* (*Meinung äußern*): **(bei etw) ~reden** to join in (sth); (*~bestimmen*) to have a say (in sth) ♦ *vt*: **Sie haben hier nichts ~zureden** this is none of your concern; ~**reißen** *vt unreg* to sweep away; (*fig: begeistern*) to carry away; ~**reißend** *adj* (*Rhythmus*) infectious; (*Reden*) rousing; (*Film, Fußballspiel*) thrilling, exciting.

mitsamt [mɪt'zamt] *präp +dat* together with.

mitschneiden *vt unreg* to record.

Mitschnitt ['mɪtʃnɪt] (**-(e)s, -e**) *m* recording.

mitschreiben *unreg vt* to write *od* take down ♦ *vi* to take notes.

Mitschuld *f* complicity.

mitschuldig *adj*: ~ **(an** *+dat***)** implicated (in); (*an Unfall*) partly responsible (for).

Mitschuldige(r) *f(m)* accomplice.

mit- *zW*: **M~schüler(in)** *m(f)* schoolmate; ~**spielen** *vi* to join in, take part; **er hat ihr übel** *od* **hart ~gespielt** (*Schaden zufügen*) he has treated her badly; **M~spieler(in)** *m(f)* partner; **M~spracherecht** *nt* voice, say.

Mittag ['mɪtaːk] (**-(e)s, -e**) *m* midday, noon, lunchtime; ~ **machen** to take one's lunch hour; **(zu) ~ essen** to have lunch; **m~** *adv* at lunchtime *od* noon; ~**essen** *nt* lunch, dinner.

mittags *adv* at lunchtime *od* noon.

Mittags- *zW*: ~**pause** *f* lunch break; ~**ruhe** *f* period of quiet (after lunch); (*in Geschäft*) midday closing; ~**schlaf** *m* early afternoon nap, siesta; ~**zeit** *f*: **während** *od* **in der ~zeit** at lunchtime.

Mittäter(in) ['mɪttɛːtər(ɪn)] *m(f)* accomplice.

Mitte ['mɪtə] (**-, -n**) *f* middle; **aus unserer ~** from our midst.

mitteilen ['mɪttaɪlən] *vt*: **jdm etw ~** to inform sb of sth, communicate sth to sb ♦ *vr*: **sich (jdm) ~** to communicate (with sb).

mitteilsam *adj* communicative.

Mitteilung *f* communication; **jdm (eine) ~ von etw machen** (*form*) to inform sb of sth; (*bekanntgeben*) to announce sth to sb.

Mitteilungsbedürfnis *nt* need to talk to other people.

Mittel ['mɪtəl] (**-s, -**) *nt* means; (*Methode*) method; (*MATH*) average; (*MED*) medicine; **kein ~ unversucht lassen** to try everything; **als letztes ~** as a last resort; **ein ~ zum Zweck** a means to an end; ~**alter** *nt* Middle Ages *pl*; **m~alterlich** *adj* medieval; ~**amerika** *nt* Central America (and the Caribbean); **m~amerikanisch** *adj* Central American; **m~bar** *adj* indirect; ~**ding** *nt* (*Mischung*) cross; ~**europa** *nt* Central Europe; ~**europäer(in)** *m(f)* Central European; **m~europäisch** *adj* Central European; **m~fristig** *adj* (*Finanzplanung, Kredite*) medium-term; ~**gebirge** *nt* low mountain range; **m~groß** *adj* medium-sized; **m~los** *adj* without means; ~**maß** *nt*: **das (gesunde) ~maß** the happy medium; **m~mäßig** *adj* mediocre, middling; ~**mäßigkeit** *f* mediocrity; ~**meer** *nt* Mediterranean (Sea); **m~prächtig** *adj* not bad; ~**punkt** *m* centre (*BRIT*), center (*US*); **im ~punkt stehen** to be centre-stage.

mittels *präp +gen* by means of.

Mittelschicht *f* middle class.

Mittelsmann (**-(e)s,** *pl* **Mittelsmänner** *od* **Mittelsleute**) *m* intermediary.

Mittel- *zW*: ~**stand** *m* middle class; ~**streckenrakete** *f* medium-range missile; ~**streifen** *m* central reservation (*BRIT*), median strip (*US*); ~**stufe** *f* (*SCH*) middle school (*BRIT*), junior high (*US*); ~**stürmer** *m* centre forward; ~**weg** *m* middle course; ~**welle** *f* (*RUNDF*) medium wave; ~**wert** *m* average value, mean.

mitten ['mɪtən] *adv* in the middle; ~ **auf der Straße/in der Nacht** in the middle of the street/night; ~**drin** *adv* (right) in the middle of it; ~**durch** *adv* (right) through the middle.

Mitternacht ['mɪtərnaxt] *f* midnight.

mittlere(r, s) ['mɪtlərə(r, s)] *adj* middle; (*durchschnittlich*) medium, average; **der Mittlere Osten** the Middle East; **mittleres Management** middle management.

The **mittlere Reife** *is the standard certificate achieved at a* **Realschule** *on successful completion of 6 years' education there. If a pupil at a Realschule attains good results in several subjects he is allowed to enter the 11th class of a Gymnasium to study for the* **Abitur**.

mittlerweile ['mɪtlər'vaɪlə] *adv* meanwhile.

Mittwoch ['mɪtvɔx] (**-(e)s, -e**) *m* Wednesday; *siehe auch* **Dienstag**.

mittwochs *adv* on Wednesdays.

mitunter [mɪt'|ʊntər] *adv* occasionally, sometimes.

mit- *zW*: ~**verantwortlich** *adj* also responsible; ~**verdienen** *vi* to (go out to) work as well;

M~verfasser *m* co-author; **M~verschulden** *nt* contributory negligence; **~wirken** *vi:* **(bei etw) ~wirken** to contribute (to sth); (*THEAT*) to take part (in sth); **M~wirkende(r)** *f(m):* **die M~wirkenden** (*THEAT*) the cast; **M~wirkung** *f* contribution; participation; **unter M~wirkung von** with the help of; **M~wisser** (**-s, -**) *m:* **M~wisser (einer Sache** *gen*) **sein** to be in the know (about sth); **jdn zum M~wisser machen** to tell sb (all) about it.

Mixer ['mɪksər] (**-s, -**) *m* (*Bar~*) cocktail waiter; (*Küchen~*) blender; (*Rührmaschine, RUNDF, TV*) mixer.

ml *abk* (= *Milliliter*) ml.

mm *abk* (= *Millimeter*) mm.

Mnemonik [mne'mo:nɪk] *f* (*auch COMPUT*) mnemonic.

Möbel ['mø:bəl] (**-s, -**) *nt* (piece of) furniture; **~packer** *m* removal man (*BRIT*), (furniture) mover (*US*); **~wagen** *m* furniture *od* removal van (*BRIT*), moving van (*US*).

mobil [mo'bi:l] *adj* mobile; (*MIL*) mobilized.

Mobilfunk *m* cellular telephone service.

Mobiliar [mobili'a:r] (**-s, -e**) *nt* movable assets *pl*.

mobilisieren [mobili'zi:rən] *vt* (*MIL*) to mobilize.

Mobilmachung *f* mobilization.

Mobiltelefon *nt* (*TELEC*) mobile phone.

möbl. *abk* = **möbliert.**

möblieren [mø'bli:rən] *vt* to furnish; **möbliert wohnen** to live in furnished accommodation.

mochte *etc* ['mɔxtə] *vb siehe* **mögen.**

Möchtegern- ['mœçtəgɛrn] *in zW* (*ironisch*) would-be.

Modalität [modali'tɛ:t] *f* (*von Plan, Vertrag etc*) arrangement.

Mode ['mo:də] (**-, -n**) *f* fashion; **~farbe** *f* in colour (*BRIT*) *od* color (*US*); **~heft** *nt* fashion magazine; **~journal** *nt* fashion magazine.

Modell [mo'dɛl] (**-s, -e**) *nt* model; **~eisenbahn** *f* model railway; (*als Spielzeug*) train set; **~fall** *m* textbook case.

modellieren [mode'li:rən] *vt* to model.

Modellversuch *m* (*bes SCH*) pilot scheme.

Modem ['mo:dɛm] (**-s, -s**) *nt* (*COMPUT*) modem.

Modenschau *f* fashion show.

Modepapst *m* high priest of fashion.

Moder ['mo:dər] (**-s**) *m* mustiness; (*Schimmel*) mildew.

moderat [mode'ra:t] *adj* moderate.

Moderator(in) [mode'ra:tɔr, -a'to:rɪn] *m(f)* presenter.

moderieren [mode'ri:rən] *vt, vi* (*RUNDF, TV*) to present.

modern [mo'dɛrn] *adj* modern; (*modisch*) fashionable.

modernisieren [modɛrni'zi:rən] *vt* to modernize.

Mode- *zW:* **~schmuck** *m* fashion jewellery (*BRIT*) *od* jewelry (*US*); **~schöpfer(in)** *m(f)* fashion designer; **~wort** *nt* fashionable word.

modifizieren [modifi'tsi:rən] *vt* to modify.

modisch ['mo:dɪʃ] *adj* fashionable.

Modul ['mo:dʊl] (**-s, -n**) *nt* (*COMPUT*) module.

Modus ['mo:dʊs] (**-, Modi**) *m* way; (*GRAM*) mood; (*COMPUT*) mode.

Mofa ['mo:fa] (**-s, -s**) *nt* (= *Motorfahrrad*) small moped.

Mogadischu (**-s**) [moga'dɪʃu] *nt* Mogadishu.

mogeln ['mo:gəln] (*umg*) *vi* to cheat.

SCHLÜSSELWORT

mögen ['mø:gən] (*pt* **mochte,** *pp* **gemocht** *od (als Hilfsverb)* **mögen**) *vt, vi* to like; **magst du/mögen Sie ihn?** do you like him?; **ich möchte ...** I would like ..., I'd like ...; **er möchte in die Stadt** he'd like to go into town; **ich möchte nicht, daß du ...** I wouldn't like you to ...; **ich mag nicht mehr** I've had enough; (*bin am Ende*) I can't take any more; **man möchte meinen, daß ...** you would think that ...

♦ *Hilfsverb* to like to; (*wollen*) to want; **möchtest du etwas essen?** would you like something to eat?; **sie mag nicht bleiben** she doesn't want to stay; **das mag wohl sein** that may very well be; **was mag das heißen?** what might that mean?; **Sie möchten zu Hause anrufen** could you please call home?

möglich ['mø:klɪç] *adj* possible; **er tat sein ~stes** he did his utmost.

möglicherweise *adv* possibly.

Möglichkeit *f* possibility; **nach ~** if possible.

möglichst *adv* as ... as possible.

Mohammedaner(in) [mohame'da:nər(ɪn)] (**-s, -**) *m(f)* Mohammedan, Muslim.

Mohikaner [mohi'ka:nər] (**-s, -**) *m:* **der letzte ~** (*hum: umg*) the very last one.

Mohn [mo:n] (**-(e)s, -e**) *m* (*~blume*) poppy; (*~samen*) poppy seed.

Möhre ['mø:rə] (**-, -n**) *f* carrot.

Mohrenkopf ['mo:rənkɔpf] *m chocolate-covered marshmallow.*

Mohrrübe *f* carrot.

mokieren [mo'ki:rən] *vr:* **sich über etw** *akk* **~** to make fun of sth.

Mokka ['mɔka] (**-s**) *m* mocha, *strong coffee.*

Moldau ['mɔldaʊ] *f:* **die ~** the Vltava.

Moldawien [mɔl'da:viən] (**-s**) *nt* Moldavia.

moldawisch *adj* Moldavian.

Mole ['mo:lə] (**-, -n**) *f* (*NAUT*) mole.

Molekül [mole'ky:l] (**-s, -e**) *nt* molecule.

molk *etc* [mɔlk] *vb siehe* **melken.**

Molkerei [mɔlkə'raɪ] *f* dairy; **~butter** *f* blended butter.

Moll [mɔl] (**-, -**) *nt* (*MUS*) minor (key).

mollig *adj* cosy; (*dicklich*) plump.

Molotowcocktail ['mo:lotɔfkɔkte:l] *m* Molotov cocktail.
Moment [mo'mɛnt] (**-(e)s, -e**) *m* moment ♦ *nt* factor, element; **im ~** at the moment; **~ mal!** just a minute!; **im ersten ~** for a moment.
momentan [momɛn'ta:n] *adj* momentary ♦ *adv* at the moment.
Monaco ['mo:nako] (**-s**) *nt* Monaco.
Monarch [mo'narç] (**-en, -en**) *m* monarch.
Monarchie [monar'çi:] *f* monarchy.
Monat ['mo:nat] (**-(e)s, -e**) *m* month; **sie ist im sechsten ~ (schwanger)** she's five months pregnant; **was verdient er im ~?** how much does he earn a month?
monatelang *adv* for months.
monatlich *adj* monthly.
Monats- *zW:* **~blutung** *f* menstrual period; **~karte** *f* monthly ticket; **~rate** *f* monthly instalment (*BRIT*) *od* installment (*US*).
Mönch [mœnç] (**-(e)s, -e**) *m* monk.
Mond [mo:nt] (**-(e)s, -e**) *m* moon; **auf** *od* **hinter dem ~ leben** (*umg*) to be behind the times; **~fähre** *f* lunar (excursion) module; **~finsternis** *f* eclipse of the moon; **m~hell** *adj* moonlit; **~landung** *f* moon landing; **~schein** *m* moonlight; **~sonde** *f* moon probe.
Monegasse [mone'gasə] (**-n, -n**) *m* Monegasque.
Monegassin [mone'gasın] *f* Monegasque.
monegassisch *adj* Monegasque.
Monetarismus [moneta'rısmus] *m* (*ECON*) monetarism.
Monetarist *m* monetarist.
Moneten [mo'ne:tən] (*umg*) *pl* (*Geld*) bread *sing*, dough *sing*.
Mongole [mɔŋ'go:lə] (**-n, -n**) *m* Mongolian, Mongol.
Mongolei [mɔŋgo'laı] *f*: **die ~** Mongolia.
Mongolin *f* Mongolian, Mongol.
mongolisch [mɔŋ'go:lıʃ] *adj* Mongolian.
mongoloid [mɔŋgolo'i:t] *adj* (*MED*) mongoloid.
monieren [mo'ni:rən] *vt* to complain about ♦ *vi* to complain.
Monitor ['mo:nitɔr] *m* (*Bildschirm*) monitor.
Mono- [mono] *in zW* mono.
monogam [mono'ga:m] *adj* monogamous.
Monogamie [monogs'mi:] *f* monogamy.
Monolog [mono'lo:k] (**-s, -e**) *m* monologue.
Monopol (**-s, -e**) *nt* monopoly.
monopolisieren [monopoli'zi:rən] *vt* to monopolize.
Monopolstellung *f* monopoly.
monoton [mono'to:n] *adj* monotonous.
Monotonie [monoto'ni:] *f* monotony.
Monstrum ['mɔnstrum] (**-s, Monstren**) *nt* (*lit, fig*) monster; **ein ~ von einem/einer ...** a hulking great ...
Monsun [mɔn'zu:n] (**-s, -e**) *m* monsoon.
Montag ['mo:nta:k] (**-(e)s, -e**) *m* Monday; *siehe auch* **Dienstag**.
Montage [mɔn'ta:ʒə] (**-, -n**) *f* (*PHOT etc*) montage; (*TECH*) assembly; (*Einbauen*) fitting.
montags *adv* on Mondays.
Montanindustrie [mɔn'ta:nındustri:] *f* coal and steel industry.
Montblanc [mõ'blã:] *m* Mont Blanc.
Monte Carlo ['mɔntə 'karlo] (**-s**) *nt* Monte Carlo.
Montenegro [mɔnte'ne:gro] (**-s**) *nt* Montenegro.
Monteur [mɔn'tø:r] *m* fitter, assembly man.
montieren [mɔn'ti:rən] *vt* to assemble, set up.
Montur [mɔn'tu:r] (*umg*) *f* (*Spezialkleidung*) gear, rig-out.
Monument [monu'mɛnt] *nt* monument.
monumental [monumɛn'ta:l] *adj* monumental.
Moor [mo:r] (**-(e)s, -e**) *nt* moor; **~bad** *nt* mud bath.
Moos [mo:s] (**-es, -e**) *nt* moss.
Moped ['mo:pɛt] (**-s, -s**) *nt* moped.
Mops [mɔps] (**-es, ¨-e**) *m* (*Hund*) pug.
Moral [mo'ra:l] (**-, -en**) *f* morality; (*einer Geschichte*) moral; (*Disziplin: von Volk, Soldaten*) morale; **~apostel** *m* upholder of moral standards; **m~isch** *adj* moral; **einen** *od* **den ~ischen haben** (*umg*) to have (a fit of) the blues.
Moräne [mo'rɛ:nə] (**-, -n**) *f* moraine.
Morast [mo'rast] (**-(e)s, -e**) *m* morass, mire.
morastig *adj* boggy.
Mord [mɔrt] (**-(e)s, -e**) *m* murder; **dann gibt es ~ und Totschlag** (*umg*) there'll be hell to pay; **~anschlag** *m* murder attempt.
Mörder ['mœrdər] (**-s, -**) *m* murderer; **~in** *f* murderess.
mörderisch *adj* (*fig: schrecklich*) dreadful, terrible; (*Preise*) exorbitant; (*Konkurrenzkampf*) cut-throat ♦ *adv* (*umg: entsetzlich*) dreadfully, terribly.
Mordkommission *f* murder squad.
Mords- *zW:* **~ding** (*umg*) *nt* whopper; **~glück** (*umg*) *nt* amazing luck; **~kerl** (*umg*) *m* (*verwegen*) hell of a guy; **m~mäßig** (*umg*) *adj* terrific, enormous; **~schreck** (*umg*) *m* terrible fright.
Mord- *zW:* **~verdacht** *m* suspicion of murder; **~versuch** *m* murder attempt; **~waffe** *f* murder weapon.
morgen ['mɔrgən] *adv* tomorrow; **bis ~!** see you tomorrow!; **~ in acht Tagen** a week (from) tomorrow; **~ um diese Zeit** this time tomorrow; **~ früh** tomorrow morning; **M~** (**-s, -**) *m* morning; (*Maß*) ≈ acre; **am M~** in the morning; **guten M~!** good morning!
Morgen- *zW:* **~grauen** *nt* dawn, daybreak; **~mantel** *m* dressing gown; **~rock** *m* dressing gown; **~rot** *nt*, **~röte** *f* dawn.
morgens *adv* in the morning; **von ~ bis abends** from morning to night.
Morgenstunde *f*: **Morgenstund(e) hat Gold**

im Mund(e) (*Sprichwort*) the early bird catches the worm (*Sprichwort*).

morgig ['mɔrgɪç] *adj* tomorrow's; **der ~e Tag** tomorrow.

Morphium ['mɔrfiʊm] *nt* morphine.

morsch [mɔrʃ] *adj* rotten.

Morsealphabet ['mɔrzə|alfabe:t] *nt* Morse code.

morsen *vi* to send a message by Morse code.

Mörser ['mœrzər] (-) *m* mortar (*auch MIL*).

Mörtel ['mœrtəl] (**-s, -**) *m* mortar.

Mosaik [moza'i:k] (**-s, -en** *od* **-e**) *nt* mosaic.

Mosambik [mosam'bi:k] (**-s**) *nt* Mozambique.

Moschee [mɔ'ʃe:] (**-, -n**) *f* mosque.

Mosel[1] ['mo:zəl] *f* (*GEOG*) Moselle.

Mosel[2] (**-s, -**) *m* (*auch*: **~wein**) Moselle (wine).

mosern ['mo:zərn] (*umg*) *vi* to gripe, bellyache.

Moskau ['mɔskaʊ] (**-s**) *nt* Moscow.

Moskauer *adj* Moscow *attrib.*

Moskauer(in) (**-s, -**) *m(f)* Muscovite.

Moskito [mɔs'ki:to] (**-s, -s**) *m* mosquito.

Moslem ['mɔslɛm] (**-s, -s**) *m* Muslim.

moslemisch [mɔs'le:mɪʃ] *adj* Muslim.

Most [mɔst] (**-(e)s, -e**) *m* (unfermented) fruit juice; (*Apfelwein*) cider.

Motel [mo'tel] (**-s, -s**) *nt* motel.

Motiv [mo'ti:f] (**-s, -e**) *nt* motive; (*MUS*) theme.

Motivation [motivatsi'o:n] *f* motivation.

motivieren [moti'vi:rən] *vt* to motivate.

Motivierung *f* motivation.

Motor ['mo:tɔr] (**-s, -en**) *m* engine; (*bes ELEK*) motor; **~boot** *nt* motorboat.

Motorenöl *nt* engine oil.

Motorhaube *f* (*AUT*) bonnet (*BRIT*), hood (*US*).

motorisch *adj* (*PHYSIOLOGIE*) motor *attrib.*

motorisieren [motori'zi:rən] *vt* to motorize.

Motor- *zW:* **~rad** *nt* motorcycle; **~radfahrer** *m* motorcyclist; **~roller** *m* motor scooter; **~schaden** *m* engine trouble *od* failure; **~sport** *m* motor sport.

Motte ['mɔtə] (**-, -n**) *f* moth.

Motten- *zW:* **m~fest** *adj* mothproof; **~kiste** *f*: **etw aus der ~kiste hervorholen** (*fig*) to dig sth out; **~kugel** *f* mothball.

Motto ['mɔto] (**-s, -s**) *nt* motto.

motzen ['mɔtsən] (*umg*) *vi* to grouse, beef.

Mountain-Bike *nt* mountain bike.

Möwe ['mø:və] (**-, -n**) *f* seagull.

MP (-) *f abk* = **Maschinenpistole.**

Mrd. *abk* = **Milliarde(n).**

MS *abk* (= *Motorschiff*) motor vessel, MV; (= *multiple Sklerose*) MS.

MTA (**-, -s**) *f abk* (= *medizinisch-technische Assistentin*) medical assistant.

mtl. *abk* = **monatlich.**

Mucke ['mʊkə] (**-, -n**) *f* (*meist pl*) caprice; (*von Ding*) snag, bug; **seine ~n haben** to be temperamental.

Mücke ['mʏkə] (**-, -n**) *f* midge, gnat; **aus einer ~ einen Elefanten machen** (*umg*) to make a mountain out of a molehill.

Muckefuck ['mʊkəfʊk] (**-s**) (*umg*) *m* coffee substitute.

mucken *vi:* **ohne zu ~** without a murmur.

Mückenstich *m* midge *od* gnat bite.

Mucks [mʊks] (**-es, e**) *m:* **keinen ~ sagen** not to make a sound; (*nicht widersprechen*) not to say a word.

mucksen (*umg*) *vr* to budge; (*Laut geben*) to open one's mouth.

mucksmäuschenstill ['mʊks'mɔʏsçənʃtɪl] (*umg*) *adj* (as) quiet as a mouse.

müde ['my:də] *adj* tired; **nicht ~ werden, etw zu tun** never to tire of doing something.

Müdigkeit ['my:dɪçkaɪt] *f* tiredness; **nur keine ~ vorschützen!** (*umg*) don't (you) tell me you're tired.

Muff [mʊf] (**-(e)s, -e**) *m* (*Handwärmer*) muff.

Muffel (**-s, -**) (*umg*) *m* killjoy, sourpuss.

muffig *adj* (*Luft*) musty.

Mühe ['my:ə] (**-, -n**) *f* trouble, pains *pl*; **mit Müh(e) und Not** with great difficulty; **sich** *dat* **~ geben** to go to a lot of trouble; **m~los** *adj* effortless, easy.

muhen ['mu:ən] *vi* to low, moo.

mühevoll *adj* laborious, arduous.

Mühle ['my:lə] (**-, -n**) *f* mill; (*Kaffee~*) grinder; (*~spiel*) nine men's morris.

Mühlrad *nt* millwheel.

Mühlstein *m* millstone.

Mühsal (**-, -e**) *f* tribulation.

mühsam *adj* arduous, troublesome ♦ *adv* with difficulty.

mühselig *adj* arduous, laborious.

Mulatte [mu'latə] (**-, -n**) *m* mulatto.

Mulattin *f* mulatto.

Mulde ['mʊldə] (**-, -n**) *f* hollow, depression.

Mull [mʊl] (**-(e)s, -e**) *m* thin muslin.

Müll [mʏl] (**-(e)s**) *m* refuse, rubbish, garbage (*US*); **~abfuhr** *f* refuse *od* garbage (*US*) collection; (*Leute*) dustmen *pl* (*BRIT*), garbage collectors *pl* (*US*); **~abladeplatz** *m* rubbish dump; **~beutel** *m* bin liner (*BRIT*), trashcan liner (*US*).

Mullbinde *f* gauze bandage.

Mülldeponie *f* waste disposal site, rubbish tip.

Mülleimer *m* rubbish bin (*BRIT*), garbage can (*US*).

Müller (**-s, -**) *m* miller.

Müll- *zW:* **~halde** *f*, **~haufen** *m* rubbish *od* garbage (*US*) heap; **~mann** (**-(e)s,** *pl* **~männer**) (*umg*) *m* dustman (*BRIT*), garbage collector (*US*); **~sack** *m* rubbish *od* garbage (*US*) bag; **~schlucker** *m* waste (*BRIT*) *od* garbage (*US*) disposal unit; **~tonne** *f* dustbin (*BRIT*), trashcan (*US*); **~verbrennung** *f* rubbish *od* garbage (*US*) incineration; **~verbrennungsanlage** *f* incinerator, incinerating plant; **~wagen** *m*

dustcart (*BRIT*), garbage truck (*US*).
mulmig ['mʊlmɪç] *adj* rotten; (*umg*) uncomfortable; **jdm ist** ~ sb feels funny.
Multi ['mʊlti] (**-s, -s**) (*umg*) *m* multinational (organization).
multi- *in zW* multi; ~**lateral** *adj*: ~**lateraler Handel** multilateral trade; ~**national** *adj* multinational; ~**nationaler Konzern** multinational organization.
multiple Sklerose [mʊl'ti:plə skle'ro:zə] *f* multiple sclerosis.
multiplizieren [mʊltipli'tsi:rən] *vt* to multiply.
Mumie ['mu:miə] *f* (*Leiche*) mummy.
Mumm [mʊm] (**-s**) (*umg*) *m* gumption, nerve.
Mumps [mʊmps] (-) *m od f* mumps *sing*.
München ['mʏnçən] *nt* Munich.
Münch(e)ner(in) (**-s, -**) *m(f)* person from Munich.
Mund [mʊnt] (**-(e)s, ¨er**) *m* mouth; **den** ~ **aufmachen** (*fig: seine Meinung sagen*) to speak up; **sie ist nicht auf den** ~ **gefallen** (*umg*) she's never at a loss for words; ~**art** *f* dialect.
Mündel ['mʏndəl] (**-s, -**) *nt* (*JUR*) ward.
münden ['mʏndən] *vi*: **in etw** *akk* ~ to flow into sth.
Mund- *zW*: **m**~**faul** *adj* uncommunicative; **m**~**gerecht** *adj* bite-sized; ~**geruch** *m* bad breath; ~**harmonika** *f* mouth organ.
mündig ['mʏndɪç] *adj* of age; **M**~**keit** *f* majority.
mündlich ['mʏntlɪç] *adj* oral; **mündliche Prüfung** oral (exam); ~**e Verhandlung** (*JUR*) hearing; **alles weitere** ~! let's talk about it more when I see you.
Mund- *zW*: ~**raub** *m* (*JUR*) theft of food for personal consumption; ~**stück** *nt* mouthpiece; (*von Zigarette*) tip; **m**~**tot** *adj*: **jdn m**~**tot machen** to muzzle sb.
Mündung ['mʏndʊŋ] *f* estuary; (*von Fluß, Rohr etc*) mouth; (*Gewehr*~) muzzle.
Mund- *zW*: ~**wasser** *nt* mouthwash; ~**werk** *nt*: **ein großes** ~**werk haben** to have a big mouth; ~**winkel** *m* corner of the mouth; ~**-zu-**~**-Beatmung** *f* mouth-to-mouth resuscitation.
Munition [munitsi'o:n] *f* ammunition.
Munitionslager *nt* ammunition dump.
munkeln ['mʊŋkəln] *vi* to whisper, mutter; **man munkelt, daß** ... there's a rumour (*BRIT*) *od* rumor (*US*) that ...
Münster ['mʏnstər] (**-s, -**) *nt* minster.
munter ['mʊntər] *adj* lively; (*wach*) awake; (*aufgestanden*) up and about; **M**~**keit** *f* liveliness.
Münzanstalt *f* mint.
Münzautomat *m* slot machine.
Münze ['mʏntsə] (**-, -n**) *f* coin.
münzen *vt* to coin, mint; **auf jdn gemünzt sein** to be aimed at sb.
Münzfernsprecher ['mʏntsfɛrnʃprɛçər] *m* callbox (*BRIT*), pay phone (*US*).
Münzwechsler *m* change machine.
mürb(e) *adj* (*Gestein*) crumbly; (*Holz*) rotten; (*Gebäck*) crisp; **jdn** ~ **machen** to wear sb down.
Mürb(e)teig *m* shortcrust pastry.
Murmel ['mʊrməl] (**-, -n**) *f* marble.
murmeln *vt, vi* to murmur, mutter.
Murmeltier ['mʊrməlti:r] *nt* marmot; **schlafen wie ein** ~ to sleep like a log.
murren ['mʊrən] *vi* to grumble, grouse.
mürrisch ['mʏrɪʃ] *adj* sullen.
Mus [mu:s] (**-es, -e**) *nt* purée.
Muschel ['mʊʃəl] (**-, -n**) *f* mussel; (~*schale*) shell; (*Telefon*~) receiver.
Muse ['mu:zə] (**-, -n**) *f* muse.
Museum [mu'ze:ʊm] (**-s, Museen**) *nt* museum.
museumsreif *adj*: ~ **sein** to be almost a museum piece.
Musik [mu'zi:k] *f* music; (*Kapelle*) band.
musikalisch [muzi:'ka:lɪʃ] *adj* musical.
Musikbox *f* jukebox.
Musiker(in) ['mu:zikər(ɪn)] (**-s, -**) *m(f)* musician.
Musik- *zW*: ~**hochschule** *f* music school; ~**instrument** *nt* musical instrument; ~**kapelle** *f* band; ~**stück** *nt* piece of music; ~**stunde** *f* music lesson.
musisch ['mu:zɪʃ] *adj* artistic.
musizieren [muzi'tsi:rən] *vi* to make music.
Muskat [mʊs'ka:t] (**-(e)s, -e**) *m* nutmeg.
Muskel ['mʊskəl] (**-s, -n**) *m* muscle; ~**dystrophie** *f* muscular dystrophy; ~**kater** *m*: **einen** ~**kater haben** to be stiff; ~**paket** (*umg*) *nt* muscleman; ~**zerrung** (*umg*) *f* pulled muscle.
Muskulatur [mʊskula'tu:r] *f* muscular system.
muskulös [mʊsku'lø:s] *adj* muscular.
Müsli ['my:sli] (**-s, -**) *nt* muesli.
Muß [mʊs] (-) *nt* necessity, must.
muß *vb siehe* **müssen**.
Muße ['mu:sə] (-) *f* leisure.

SCHLÜSSELWORT

müssen ['mʏsən] (*pt* **mußte**, *pp* **gemußt** *od* (*als Hilfsverb*) **müssen**) *vi* **1** (*Zwang*) must (*nur im Präsens*), to have to; **ich muß es tun** I must do it, I have to do it; **ich mußte es tun** I had to do it; **er muß es nicht tun** he doesn't have to do it; **muß ich?** must I?, do I have to?; **wann müßt ihr zur Schule?** when do you have to go to school?; **der Brief muß heute noch zur Post** the letter must be posted (*BRIT*) *od* mailed (*US*) today; **er hat gehen** ~ he (has) had to go; **muß das sein?** is that really necessary?; **wenn es (unbedingt) sein muß** if it's absolutely necessary; **ich muß mal** (*umg*) I need to go to the loo (*BRIT*) *od* bathroom (*US*)
2 (*sollen*): **das mußt du nicht tun!** you oughtn't to *od* shouldn't do that; **das müßtest du eigentlich wissen** you ought to

od you should know that; **Sie hätten ihn fragen** ~ you should have asked him
3: **es muß geregnet haben** it must have rained; **es muß nicht wahr sein** it needn't be true.

Mußheirat (*umg*) *f* shotgun wedding.
müßig ['my:sıç] *adj* idle; **M~gang** *m* idleness.
mußt [mʊst] *vb siehe* **müssen.**
mußte *etc* ['mʊstə] *vb siehe* **müssen.**
Muster ['mʊstər] (**-s, -**) *nt* model; (*Dessin*) pattern; (*Probe*) sample; ~ **ohne Wert** free sample; ~**beispiel** *nt* classic example; **m~gültig** *adj* exemplary; **m~haft** *adj* exemplary.
mustern *vt* (*betrachten, MIL*) to examine; (*Truppen*) to inspect.
Musterprozeß *m* test case.
Musterschüler *m* model pupil.
Musterung *f* (*von Stoff*) pattern; (*MIL*) inspection.
Mut [mu:t] *m* courage; **nur** ~! cheer up!; **jdm** ~ **machen** to encourage sb; ~ **fassen** to pluck up courage.
mutig *adj* courageous.
mutlos *adj* discouraged, despondent.
mutmaßen *vt untr* to conjecture ♦ *vi untr* to conjecture.
mutmaßlich ['mu:tma:slıç] *adj* presumed ♦ *adv* probably.
Mutprobe *f* test of courage.
Mutter¹ ['mʊtər] (**-, -n**) *f* (*Schrauben~*) nut.
Mutter² ['mʊtər] (**-, ¨**) *f* mother; ~**freuden** *pl* the joys *pl* of motherhood; ~**gesellschaft** *f* (*COMM*) parent company; ~**kuchen** *m* (*ANAT*) placenta; ~**land** *nt* mother country; ~**leib** *m* womb.
mütterlich ['mʏtərlıç] *adj* motherly.
mütterlicherseits *adv* on the mother's side.
Mutter- *zW*: ~**liebe** *f* motherly love; ~**mal** *nt* birthmark; ~**milch** *f* mother's milk.
Mutterschaft *f* motherhood.
Mutterschaftsgeld *nt* maternity benefit.
Mutterschaftsurlaub *m* maternity leave.
Mutter- *zW*: ~**schutz** *m* maternity regulations *pl*; **m~seelenallein** *adj* all alone; ~**sprache** *f* native language; ~**tag** *m* Mother's Day.
Mutti (**-, -s**) (*umg*) *f* mum(my) (*BRIT*), mom(my) (*US*).
mutwillig ['mu:tvılıç] *adj* malicious, deliberate.
Mütze ['mʏtsə] (**-, -n**) *f* cap.
MV *f abk* (= *Mitgliederversammlung*) general meeting.
MW *abk* (= *Mittelwelle*) MW.
MWSt, MwSt *abk* (= *Mehrwertsteuer*) VAT.
mysteriös [mʏsteri'ø:s] *adj* mysterious.
Mystik ['mʏstık] *f* mysticism.
Mystiker(in) (**-s, -**) *m(f)* mystic.
mystisch ['mʏstıʃ] *adj* mystical; (*rätselhaft*) mysterious.
Mythologie [mytolo'gi:] *f* mythology.
Mythos ['my:tɔs] (**-, Mythen**) *m* myth.

N, n

N¹, n [ɛn] *nt* N, n; ~ **wie Nordpol** ≈ N for Nellie, N for Nan (*US*).
N² [ɛn] *abk* (= *Norden*) N.
na [na] *interj* well; ~ **gut** (*umg*) all right, OK; ~ **also!** (well,) there you are (then)!; ~ **so was!** well, I never!; ~ **und?** so what?
Nabel ['na:bəl] (**-s, -**) *m* navel; **der** ~ **der Welt** (*fig*) the hub of the universe; ~**schnur** *f* umbilical cord.

SCHLÜSSELWORT

nach [na:x] *präp +dat* **1** (*örtlich*) to; ~ **Berlin** to Berlin; ~ **links/rechts** (to the) left/right; ~ **oben/hinten** up/back; **er ist schon** ~ **London abgefahren** he has already left for London
2 (*zeitlich*) after; **einer** ~ **dem anderen** one after the other; ~ **Ihnen!** after you!; **zehn (Minuten)** ~ **drei** ten (minutes) past *od* after (*US*) three
3 (*gemäß*) according to; ~ **dem Gesetz** according to the law; **die Uhr** ~ **dem Radio stellen** to put a clock right by the radio; **ihrer Sprache** ~ **(zu urteilen)** judging by her language; **dem Namen** ~ judging by his/her name; ~ **allem, was ich weiß** as far as I know
♦ *adv*: **ihm** ~! after him!; ~ **und** ~ gradually, little by little; ~ **wie vor** still.

nachäffen ['na:x|ɛfən] *vt* to ape.
nachahmen ['na:x|a:mən] *vt* to imitate.
nachahmenswert *adj* exemplary.
Nachahmung *f* imitation; **etw zur** ~ **empfehlen** to recommend sth as an example.
Nachbar(in) ['naxba:r(ın)] (**-s, -n**) *m(f)* neighbour (*BRIT*), neighbor (*US*); ~**haus** *nt*: **im** ~**haus** next door; **n~lich** *adj* neighbourly (*BRIT*), neighborly (*US*); ~**schaft** *f* neighbourhood (*BRIT*), neighborhood (*US*); ~**staat** *m* neighbouring (*BRIT*) *od* neighboring (*US*) state.
nach- *zW*: **N~behandlung** *f* (*MED*) follow-up treatment; ~**bestellen** *vt* to order again; **N~bestellung** *f* (*COMM*) repeat order; ~**beten** (*pej: umg*) *vt* to repeat parrot-fashion; ~**bezahlen** *vt* to pay; (*später*) to pay later; ~**bilden** *vt* to copy; **N~bildung** *f* imitation, copy; ~**blicken** *vi* to look *od* gaze after; ~**datieren** *vt* to postdate.

nachdem [naːx'deːm] *konj* after; (*weil*) since; **je ~ (ob)** it depends (whether).
nach- *zW:* **~denken** *unreg vi:* **über etw** *akk* **~denken** to think about sth; **darüber darf man gar nicht ~denken** it doesn't bear thinking about; **N~denken** *nt* reflection, meditation; **~denklich** *adj* thoughtful, pensive; **~denklich gestimmt sein** to be in a thoughtful mood.
Nachdruck ['naːxdrʊk] *m* emphasis; (*TYP*) reprint, reproduction; **besonderen ~ darauf legen, daß ...** to stress *od* emphasize particularly that ...
nachdrücklich ['naːxdrʏklɪç] *adj* emphatic; **~ auf etw** *dat* **bestehen** to insist firmly (up)on sth.
nacheifern ['naːx|aɪfərn] *vi:* **jdm ~** to emulate sb.
nacheinander [naːx|aɪ'nandər] *adv* one after the other; **kurz ~** shortly after each other; **drei Tage ~** three days running, three days on the trot (*umg*).
nachempfinden ['naːx|ɛmpfɪndən] *unreg vt:* **jdm etw ~** to feel sth with sb.
nacherzählen ['naːx|ɛrtsɛːlən] *vt* to retell.
Nacherzählung *f* reproduction (of a story).
Nachf. *abk* = **Nachfolger.**
Nachfahr ['naːxfaːr] **(-en, -en)** *m* descendant.
Nachfolge ['naːxfɔlgə] *f* succession; **die/jds ~ antreten** to succeed/succeed sb.
nachfolgen *vi* (*lit*): **jdm/etw ~** to follow sb/ sth.
nachfolgend *adj* following.
Nachfolger(in) **(-s, -)** *m(f)* successor.
nachforschen *vt, vi* to investigate.
Nachforschung *f* investigation; **~en anstellen** to make enquiries.
Nachfrage ['naːxfraːgə] *f* inquiry; (*COMM*) demand; **es besteht eine rege ~** (*COMM*) there is a great demand; **danke der ~** (*form*) thank you for your concern; (*umg*) nice of you to ask; **n~mäßig** *adj* according to demand.
nachfragen *vi* to inquire.
nach- *zW:* **~fühlen** *vt* = **nachempfinden; ~füllen** *vt* to refill; **~geben** *unreg vi* to give way, yield.
Nachgebühr *f* surcharge; (*POST*) excess postage.
Nachgeburt *f* afterbirth.
nachgehen ['naːxgeːən] *unreg vi (+dat)* to follow; (*erforschen*) to inquire (into); (*Uhr*) to be slow; **einer geregelten Arbeit ~** to have a steady job.
Nachgeschmack ['naːxgəʃmak] *m* aftertaste.
nachgiebig ['naːxgiːbɪç] *adj* soft, accommodating; **N~keit** *f* softness.
nachgrübeln ['naːxgryːbəln] *vi:* **über etw** *akk* **~** to think about sth; (*sich Gedanken machen*) to ponder on sth.
nachgucken ['naːxgʊkən] *vt, vi* = **nachsehen.**
nachhaken ['naːxhaːkən] (*umg*) *vi* to dig deeper.
Nachhall ['naːxhal] *m* resonance.
nachhallen *vi* to resound.
nachhaltig ['naːxhaltɪç] *adj* lasting; (*Widerstand*) persistent.
nachhängen ['naːxhɛŋən] *unreg vi:* **seinen Erinnerungen ~** to lose o.s. in one's memories.
Nachhauseweg [naːx'haʊzəveːk] *m* way home.
nachhelfen ['naːxhɛlfən] *unreg vi:* **jdm ~** to help *od* assist sb; **er hat dem Glück ein bißchen nachgeholfen** he engineered himself a little luck.
nachher [naːx'heːr] *adv* afterwards; **bis ~** see you later!
Nachhilfe ['naːxhɪlfə] *f* (*auch:* **~unterricht**) extra (private) tuition.
nachhinein ['naːxhɪnaɪn] *adv:* **im ~** afterwards; (*rückblickend*) in retrospect.
Nachholbedarf *m:* **einen ~ an etw** *dat* **haben** to have a lot of sth to catch up on.
nachholen ['naːxhoːlən] *vt* to catch up with; (*Versäumtes*) to make up for.
Nachkomme ['naːxkɔmə] **(-, -n)** *m* descendant.
nachkommen *unreg vi* to follow; (*einer Verpflichtung*) to fulfil; **Sie können Ihr Gepäck ~ lassen** you can have your luggage sent on (after).
Nachkommenschaft *f* descendants *pl.*
Nachkriegs- ['naːxkriːks] *in zW* postwar; **~zeit** *f* postwar period.
Nach- *zW:* **~laß (-lasses, -lässe)** *m* (*COMM*) discount, rebate; (*Erbe*) estate; **n~lassen** *unreg vt* (*Strafe*) to remit; (*Summe*) to take off; (*Schulden*) to cancel ♦ *vi* to decrease, ease off; (*Sturm*) to die down; (*schlechter werden*) to deteriorate; **er hat n~gelassen** he has got worse; **n~lässig** *adj* negligent, careless; **~lässigkeit** *f* negligence, carelessness; **~laßsteuer** *f* death duty; **~laßverwalter** *m* executor.
nachlaufen ['naːxlaʊfən] *unreg vi:* **jdm ~** to run after *od* chase sb.
nachliefern ['naːxliːfərn] *vt* (*später liefern*) to deliver at a later date; (*zuzüglich liefern*) to make a further delivery of.
nachlösen ['naːxløːzən] *vi* to pay on the train/ when one gets off; (*zur Weiterfahrt*) to pay the extra.
nachm. *abk* (= *nachmittags*) p.m.
nachmachen ['naːxmaxən] *vt* to imitate, copy; (*fälschen*) to counterfeit; **jdm etw ~** to copy sth from sb; **das soll erst mal einer ~!** I'd like to see anyone else do that!
Nachmieter(in) ['naːxmiːtər(ɪn)] *m(f):* **wir müssen einen ~ finden** we have to find someone to take over the flat *etc.*
Nachmittag ['naːxmɪtaːk] *m* afternoon; **am ~** in the afternoon; **n~** *adv:* **gestern/heute n~** yesterday/this afternoon.

nachmittags *adv* in the afternoon.
Nachmittagsvorstellung *f* matinée (performance).
Nachn. *abk* = **Nachnahme.**
Nachnahme (-, **-n**) *f* cash on delivery (*BRIT*), collect on delivery (*US*); **per** ~ C.O.D.
Nachname *m* surname.
Nachporto *nt* excess postage.
nachprüfbar ['na:xpry:fba:r] *adj* verifiable.
nachprüfen ['na:xpry:fən] *vt* to check, verify.
nachrechnen ['na:xrɛçnən] *vt* to check.
Nachrede ['na:xre:də] *f*: **üble** ~ (*JUR*) defamation of character.
nachreichen ['na:xraɪçən] *vt* to hand in later.
Nachricht ['na:xrɪçt] (-, **-en**) *f* (piece of) news *sing*; (*Mitteilung*) message.
Nachrichten *pl* news *sing*; ~**agentur** *f* news agency; ~**dienst** *m* (*MIL*) intelligence service; ~**satellit** *m* (tele)communications satellite; ~**sperre** *f* news blackout; ~**sprecher(in)** *m(f)* newsreader; ~**technik** *f* telecommunications *sing*.
nachrücken ['na:xrʏkən] *vi* to move up.
Nachruf ['na:xru:f] *m* obituary (notice).
nachrüsten ['na:xrʏstən] *vt* (*Kraftwerk etc*) to modernize; (*Auto etc*) to refit; (*Waffen*) to keep up to date ♦ *vi* (*MIL*) to deploy new arms.
nachsagen ['na:xza:gən] *vt* to repeat; **jdm etw** ~ to say sth of sb; **das lasse ich mir nicht** ~! I'm not having that said of me!
Nachsaison ['na:xzɛzõ:] *f* off season.
nachschenken ['na:xʃɛŋkən] *vt, vi*: **darf ich Ihnen noch (etwas)** ~**?** may I top up your glass?
nachschicken ['na:xʃɪkən] *vt* to forward.
nachschlagen ['na:xʃla:gən] *unreg vt* to look up ♦ *vi*: **jdm** ~ to take after sb.
Nachschlagewerk *nt* reference book.
Nachschlüssel *m* master key.
nachschmeißen ['na:xʃmaɪsən] *unreg* (*umg*) *vt*: **das ist ja nachgeschmissen!** it's a real bargain!
Nachschrift ['na:xʃrɪft] *f* postscript.
Nachschub ['na:xʃu:p] *m* supplies *pl*; (*Truppen*) reinforcements *pl*.
nachsehen ['na:xze:ən] *unreg vt* (*prüfen*) to check ♦ *vi* (*erforschen*) to look and see; **jdm etw** ~ to forgive sb sth; **jdm** ~ to gaze after sb.
Nachsehen *nt*: **das** ~ **haben** to be left empty-handed.
nachsenden ['na:xzɛndən] *unreg vt* to send on, forward.
Nachsicht ['na:xzɪçt] (-) *f* indulgence, leniency.
nachsichtig *adj* indulgent, lenient.
Nachsilbe ['na:xzɪlbə] *f* suffix.
nachsitzen ['na:xzɪtsən] *unreg vi* (*SCH*) to be kept in.
Nachsorge ['na:xzɔrgə] *f* (*MED*) aftercare.
Nachspann ['na:xʃpan] *m* credits *pl*.
Nachspeise ['na:xʃpaɪzə] *f* dessert, sweet (*BRIT*).
Nachspiel ['na:xʃpi:l] *nt* epilogue; (*fig*) sequel.
nachspionieren ['na:xʃpioni:rən] (*umg*) *vi*: **jdm** ~ to spy on sb.
nachsprechen ['na:xʃprɛçən] *unreg vt*: **(jdm)** ~ to repeat (after sb).
nächst [nɛ:çst] *präp +dat* (*räumlich*) next to; (*außer*) apart from; ~**beste(r, s)** *adj* first that comes along; (*zweitbeste*) next-best.
Nächste(r, s) *f(m)* neighbour (*BRIT*), neighbor (*US*).
nächste(r, s) *adj* next; (*nächstgelegen*) nearest; **aus** ~**r Nähe** from close by; (*betrachten*) at close quarters; **Ende** ~**n Monats** at the end of next month; **am** ~**n Tag** (the) next day; **bei** ~**r Gelegenheit** at the earliest opportunity; **in** ~**r Zeit** some time soon; **der** ~ **Angehörige** the next of kin.
nachstehen ['na:xʃte:ən] *unreg vi*: **jdm in nichts** ~ to be sb's equal in every way.
nachstehend *adj attrib* following.
nachstellen ['na:xʃtɛlən] *vi*: **jdm** ~ to follow sb; (*aufdringlich umwerben*) to pester sb.
Nächstenliebe *f* love for one's fellow men.
nächstens *adv* shortly, soon.
nächstliegend *adj* (*lit*) nearest; (*fig*) obvious.
nächstmöglich *adj* next possible.
nachsuchen ['na:xzu:xən] *vi*: **um etw** ~ to ask *od* apply for sth.
Nacht [naxt] (-, **¨-e**) *f* night; **gute** ~! good night!; **in der** ~ at night; **in der** ~ **auf Dienstag** during Monday night; **in der** ~ **vom 12. zum 13. April** during the night of April 12th to 13th; **über** ~ (*auch fig*) overnight; **bei** ~ **und Nebel** (*umg*) at dead of night; **sich** *dat* **die** ~ **um die Ohren schlagen** (*umg*) to stay up all night; (*mit Feiern, arbeiten*) to make a night of it.
nacht *adv*: **heute** ~ tonight.
Nachtdienst *m* night duty.
Nachteil ['na:xtaɪl] *m* disadvantage; **im** ~ **sein** to be at a disadvantage.
nachteilig *adj* disadvantageous.
Nachtfalter *m* moth.
Nachthemd *nt* (*Herren*~) nightshirt; nightdress (*BRIT*), nightgown.
Nachtigall ['naxtɪgal] (-, **-en**) *f* nightingale.
Nachtisch ['na:xtɪʃ] *m* = **Nachspeise.**
Nachtleben *nt* night life.
nächtlich ['nɛçtlɪç] *adj* nightly.
Nacht- *zW*: ~**lokal** *nt* night club; ~**mensch** ['naxtmɛnʃ] *m* night person; ~**portier** *m* night porter.
nach- *zW*: **N**~**trag** ['na:xtra:k] (**-(e)s, -träge**) *m* supplement; ~**tragen** *unreg vt* (*zufügen*) to add; **jdm etw** ~**tragen** to carry sth after sb; (*fig*) to hold sth against sb; ~**tragend** *adj* resentful; ~**träglich** *adj* later, subsequent; (*zusätzlich*) additional ♦ *adv* later, subsequently; (*zusätzlich*) additionally;

~**trauern** *vi:* **jdm/etw ~trauern** to mourn the loss of sb/sth.
Nachtruhe ['naxtruːə] *f* sleep.
nachts *adv* by night.
Nachtschicht *f* night shift.
Nachtschwester *f* night nurse.
nachtsüber *adv* during the night.
Nacht- *zW:* ~**tarif** *m* off-peak tariff; ~**tisch** *m* bedside table; ~**topf** *m* chamber pot; ~**wache** *f* night watch; (*im Krankenhaus*) night duty; ~**wächter** *m* night watchman.
Nach- *zW:* ~**untersuchung** *f* checkup; **n~vollziehen** *unreg vt* to understand, comprehend; **n~wachsen** *unreg vi* to grow again; ~**wahl** *f* ≈ by-election (*bes BRIT*); ~**wehen** *pl* afterpains *pl*; (*fig*) aftereffects *pl*; **n~weinen** *vi +dat* to mourn ♦ *vt:* **dieser Sache** *dat* **weine ich keine Träne n~** I won't shed any tears over that.
Nachweis ['naːxvaɪs] (**-es, -e**) *m* proof; **den ~ für etw erbringen** *od* **liefern** to furnish proof of sth; **n~bar** *adj* provable, demonstrable; **n~en** ['naːxvaɪzən] *unreg vt* to prove; **jdm etw n~en** to point sth out to sb; **n~lich** *adj* evident, demonstrable.
nach- *zW:* **N~welt** *f:* **die N~welt** posterity; ~**winken** *vi:* **jdm ~winken** to wave after sb; ~**wirken** *vi* to have aftereffects; **N~wirkung** *f* aftereffect; **N~wort** *nt* appendix; **N~wuchs** *m* offspring; (*beruflich etc*) new recruits *pl*; ~**zahlen** *vt, vi* to pay extra; ~**zählen** *vt* to count again; **N~zahlung** *f* additional payment; (*zurückdatiert*) back pay.
nachziehen ['naːxtsiːən] *unreg vt* (*Linie*) to go over; (*Lippen*) to paint; (*Augenbrauen*) to pencil in; (*hinterherziehen*): **etw ~** to drag sth behind one.
Nachzügler (**-s, -**) *m* straggler.
Nackedei ['nakədaɪ] (**-(e)s, -e** *od* **-s**) *m* (*hum: umg: Kind*) little bare monkey.
Nacken ['nakən] (**-s, -**) *m* nape of the neck; **jdm im ~ sitzen** (*umg*) to breathe down sb's neck.
nackt [nakt] *adj* naked; (*Tatsachen*) plain, bare; **N~heit** *f* nakedness; **N~kultur** *f* nudism.
Nadel ['naːdəl] (**-, -n**) *f* needle; (*Steck~*) pin; ~**baum** *m* conifer; ~**kissen** *nt* pincushion; ~**öhr** *nt* eye of a needle; ~**wald** *m* coniferous forest.
Nagel ['naːgəl] (**-s, ¨-**) *m* nail; **sich** *dat* **etw unter den ~ reißen** (*umg*) to pinch sth; **etw an den ~ hängen** (*fig*) to chuck sth in (*umg*); **Nägel mit Köpfen machen** (*umg*) to do the job properly; ~**bürste** *f* nailbrush; ~**feile** *f* nailfile; ~**haut** *f* cuticle; ~**lack** *m* nail varnish (*BRIT*) *od* polish; ~**lackentferner** (**-s, -**) *m* nail polish remover.
nageln *vt, vi* to nail.
nagelneu *adj* brand-new.
Nagelschere *f* nail scissors *pl*.
nagen ['naːgən] *vt, vi* to gnaw.
Nagetier ['naːgətiːr] *nt* rodent.
nah *adj* = **nahe.**
Nahaufnahme *f* close-up.
Nahe *f* (*Fluß*) Nahe.
nahe *adj* (*räumlich*) near(by); (*Verwandte*) near, close; (*Freunde*) close; (*zeitlich*) near, close ♦ *adv:* **von nah und fern** from near and far ♦ *präp +dat* near (to), close to; **von ~m** at close quarters; **der N~ Osten** the Middle East; **jdm zu ~ treten** (*fig*) to offend sb; **mit jdm ~ verwandt sein** to be closely related to sb.
Nähe ['nɛːə] (**-**) *f* nearness, proximity; (*Umgebung*) vicinity; **in der ~** close by; at hand; **aus der ~** from close to.
nahe- *zW:* ~**bei** *adv* nearby; ~**bringen** *unreg vt +dat* (*fig*): **jdm etw ~bringen** to bring sth home to sb; ~**gehen** *unreg vi:* **jdm ~gehen** to grieve sb; ~**kommen** *unreg vi:* **jdm ~kommen** to get close to sb; ~**legen** *vt:* **jdm etw ~legen** to suggest sth to sb; ~**liegen** *unreg vi* to be obvious; **der Verdacht liegt ~, daß ...** it seems reasonable to suspect that ...; ~**liegend** *adj* obvious.
nahen *vi, vr* to approach, draw near.
nähen ['nɛːən] *vt, vi* to sew.
näher *adj* nearer; (*Erklärung, Erkundigung*) more detailed ♦ *adv* nearer; in greater detail; **ich kenne ihn nicht ~** I don't know him well.
Nähere(s) *nt* details *pl*, particulars *pl*.
Näherei [nɛːə'raɪ] *f* sewing, needlework.
Naherholungsgebiet *nt* recreational area (*close to a centre of population*).
Näherin *f* seamstress.
näherkommen *unreg vi, vr* to get closer.
nähern *vr* to approach.
Näherungswert *m* approximate value.
nahe- *zW:* ~**stehen** *unreg vi:* **jdm ~stehen** to be close to sb; **einer Sache ~stehen** to sympathize with sth; ~**stehend** *adj* close; ~**zu** *adv* nearly.
Nähgarn *nt* thread.
Nahkampf *m* hand-to-hand fighting.
Nähkasten *m* workbox, sewing basket.
nahm *etc* [naːm] *vb siehe* **nehmen.**
Nähmaschine *f* sewing machine.
Nähnadel *f* (sewing) needle.
Nahost [naː'ɔst] *m:* **aus ~** from the Middle East.
Nährboden *m* (*lit*) fertile soil; (*fig*) breeding ground.
nähren ['nɛːrən] *vt* to feed ♦ *vr* (*Person*) to feed o.s.; (*Tier*) to feed; **er sieht gut genährt aus** he looks well fed.
Nährgehalt ['nɛːrgəhalt] *m* nutritional value.
nahrhaft ['naːrhaft] *adj* (*Essen*) nourishing.
Nährstoffe *pl* nutrients *pl*.
Nahrung ['naːrʊŋ] *f* food; (*fig*) sustenance.
Nahrungs- *zW:* ~**aufnahme** *f:* **die ~aufnahme verweigern** to refuse food; ~**kette** *f* food chain; ~**mittel** *nt* food(stuff); ~**mittelindustrie** *f* food industry; ~**suche** *f* search

for food.
Nährwert *m* nutritional value.
Naht [na:t] (**-, ⸗e**) *f* seam; (*MED*) suture; (*TECH*) join; **aus allen Nähten platzen** (*umg*) to be bursting at the seams; **n~los** *adj* seamless; **n~los ineinander übergehen** to follow without a gap.
Nahverkehr *m* local traffic.
Nahverkehrszug *m* local train.
Nähzeug *nt* sewing kit, sewing things *pl*.
Nahziel *nt* immediate objective.
naiv [na'i:f] *adj* naïve.
Naivität [naivi'tɛ:t] *f* naïveté, naïvety.
Name ['na:mə] (**-ns, -n**) *m* name; **im ~n von** on behalf of; **dem ~n nach müßte sie Deutsche sein** judging by her name she must be German; **die Dinge beim ~n nennen** (*fig*) to call a spade a spade; **ich kenne das Stück nur dem ~n nach** I've heard of the play but that's all.
namens *adv* by the name of.
Namensänderung *f* change of name.
Namenstag *m* name day, saint's day.

In catholic areas of Germany the **Namenstag** *is often a more important celebration than a birthday. It is the day dedicated to the saint after whom a person is called, and on that day the person receives presents and invites relatives and friends round to celebrate.*

namentlich ['na:məntlɪç] *adj* by name ♦ *adv* particularly, especially.
namhaft ['na:mhaft] *adj* (*berühmt*) famed, renowned; (*beträchtlich*) considerable; **~ machen** to name, identify.
Namibia [na'mi:bia] (**-s**) *nt* Namibia.
nämlich ['nɛ:mlɪç] *adv* that is to say, namely; (*denn*) since; **der/die/das ~e** the same.
nannte *etc* ['nantə] *vb siehe* **nennen**.
nanu [na'nu:] *interj* well I never!
Napalm ['na:palm] (**-s**) *nt* napalm.
Napf [napf] (**-(e)s, ⸗e**) *m* bowl, dish; **~kuchen** *m* ≈ ring-shaped pound cake.
Narbe ['narbə] (**-, -n**) *f* scar.
narbig ['narbɪç] *adj* scarred.
Narkose [nar'ko:ze] (**-, -n**) *f* anaesthetic (*BRIT*), anesthetic (*US*).
Narr [nar] (**-en, -en**) *m* fool; **jdn zum ~en halten** to make a fool of sb; **n~en** *vt* to fool.
Narrenfreiheit *f*: **sie hat bei ihm ~** he gives her (a) free rein.
Narrensicher *adj* foolproof.
Narrheit *f* foolishness.
Närrin ['nɛrɪn] *f* fool.
närrisch *adj* foolish, crazy; **die ~en Tage** *Fasching and the period leading up to it.*
Narzisse [nar'tsɪsə] (**-, -n**) *f* narcissus.
narzißtisch [nar'tsɪstɪʃ] *adj* narcissistic.
NASA ['na:za] (**-**) *f abk* (= *National Aeronautics and Space Administration*) NASA.
naschen ['naʃən] *vt* to nibble; (*heimlich*) to eat secretly ♦ *vi* to nibble sweet things; **~ von** *od* **an** *+dat* to nibble at.
naschhaft *adj* sweet-toothed.
Nase ['na:zə] (**-, -n**) *f* nose; **sich** *dat* **die ~ putzen** to wipe one's nose; (*sich schneuzen*) to blow one's nose; **jdm auf der ~ herumtanzen** (*umg*) to play sb up; **jdm etw vor der ~ wegschnappen** (*umg*) to just beat sb to sth; **die ~ voll haben** (*umg*) to have had enough; **jdm etw auf die ~ binden** (*umg*) to tell sb all about sth; **(immer) der ~ nachgehen** (*umg*) to follow one's nose; **jdn an der ~ herumführen** (*als Täuschung*) to lead sb by the nose; (*als Scherz*) to pull sb's leg.
Nasen- *zW*: **~bluten** (**-s**) *nt* nosebleed; **~loch** *nt* nostril; **~rücken** *m* bridge of the nose; **~tropfen** *pl* nose drops *pl*.
naseweis *adj* pert, cheeky; (*neugierig*) nosey.
Nashorn ['na:shɔrn] *nt* rhinoceros.
naß [nas] *adj* wet.
Nassauer ['nasaʊər] (**-s, -**) (*umg*) *m* scrounger.
Nässe ['nɛsə] (**-**) *f* wetness.
nässen *vt* to wet.
naßkalt *adj* wet and cold.
Naßrasur *f* wet shave.
Nation [natsi'o:n] *f* nation.
national [natsio'na:l] *adj* national; **N~elf** *f* international (football) team; **N~feiertag** *m* national holiday; **N~hymne** *f* national anthem.
nationalisieren [natsiona:li'zi:rən] *vt* to nationalize.
Nationalisierung *f* nationalization.
Nationalismus [natsiona:'lɪsmʊs] *m* nationalism.
nationalistisch [natsiona:'lɪstɪʃ] *adj* nationalistic.
Nationalität [natsionali'tɛ:t] *f* nationality.
National- *zW*: **~mannschaft** *f* international team; **~sozialismus** *m* National Socialism; **~sozialist** *m* National Socialist.
NATO, Nato ['na:to] (**-**) *f abk*: **die ~** NATO.
Natrium ['na:triʊm] (**-s**) *nt* sodium.
Natron ['na:trɔn] (**-s**) *nt* soda.
Natter ['natər] (**-, -n**) *f* adder.
Natur [na'tu:r] *f* nature; (*körperlich*) constitution; (*freies Land*) countryside; **das geht gegen meine ~** it goes against the grain.
Naturalien [natu'ra:liən] *pl* natural produce *sing*; **in ~** in kind.
Naturalismus [natu:ra'lɪsmʊs] *m* naturalism.
Naturell [natu'rɛl] (**-s, -e**) *nt* temperament, disposition.
Natur- *zW*: **~erscheinung** *f* natural phenomenon *od* event; **n~farben** *adj* natural-coloured (*BRIT*) *od* -colored (*US*); **~forscher** *m* natural scientist; **~freak** (**-s, -s**) (*umg*) *m* back-to-nature freak; **n~gemäß** *adj* natural; **~geschichte** *f* natural history; **~gesetz** *nt* law of nature; **n~getreu** *adj* true

to life; ~**heilverfahren** *nt* natural cure; ~**katastrophe** *f* natural disaster; ~**kostladen** *m* health food shop; ~**kunde** *f* natural history; ~**lehrpfad** *m* nature trail.

natürlich [na'ty:rlıç] *adj* natural ♦ *adv* naturally; **eines ~en Todes sterben** to die of natural causes.

natürlicherweise [na'ty:rlıçər'vaızə] *adv* naturally, of course.

Natürlichkeit *f* naturalness.

Natur- *zW:* ~**produkt** *nt* natural product; **n~rein** *adj* natural, pure; ~**schutz** *m:* **unter ~schutz stehen** to be legally protected; ~**schutzgebiet** *nt* nature reserve (*BRIT*), national park (*US*); ~**talent** *nt* natural prodigy; **n~verbunden** *adj* nature-loving; ~**wissenschaft** *f* natural science; ~**wissenschaftler** *m* scientist; ~**zustand** *m* natural state.

Nautik ['naʊtık] *f* nautical science, navigation.

nautisch ['naʊtıʃ] *adj* nautical.

Navelorange ['na:vəlorã:ʒə] *f* navel orange.

Navigation [navigatsi'o:n] *f* navigation.

Navigationsfehler *m* navigational error.

Navigationsinstrumente *pl* navigation instruments *pl*.

Nazi ['na:tsi] (**-s, -s**) *m* Nazi.

NB *abk* (= *nota bene*) NB.

n.Br. *abk* (= *nördlicher Breite*) northern latitude.

NC *m abk* (= *numerus clausus*) *siehe* **Numerus.**

Nchf. *abk* = **Nachfolger.**

n.Chr. *abk* (= *nach Christus*) A.D.

NDR (-) *m abk* (= *Norddeutscher Rundfunk*) North German Radio.

Neapel [ne'a:pəl] (**-s**) *nt* Naples.

Neapolitaner(in) [neapoli'ta:nər(ın)] (**-s, -**) *m(f)* Neapolitan.

neapolitanisch [neapoli'ta:nıʃ] *adj* Neapolitan.

Nebel ['ne:bəl] (**-s, -**) *m* fog, mist.

nebelig *adj* foggy, misty.

Nebel- *zW:* ~**leuchte** *f* (*AUT*) rear fog-light; ~**scheinwerfer** *m* fog-lamp; ~**schlußleuchte** *f* (*AUT*) rear fog-light.

neben ['ne:bən] *präp +akk* next to ♦ *präp +dat* next to; (*außer*) apart from, besides; ~**an** [ne:bən|'an] *adv* next door; **N~anschluß** *m* (*TEL*) extension; **N~ausgaben** *pl* incidental expenses *pl*; ~**bei** [ne:bən'baı] *adv* at the same time; (*außerdem*) additionally; (*beiläufig*) incidentally; ~**bei bemerkt** *od* **gesagt** by the way, incidentally; **N~beruf** *m* second occupation; **er ist im N~beruf ...** he has a second job as a ...; **N~beschäftigung** *f* sideline; (*Zweitberuf*) extra job; **N~buhler(in)** (**-s, -**) *m(f)* rival; ~**einander** [ne:bənaı'nandər] *adv* side by side; ~**einanderlegen** *vt* to put next to each other; **N~eingang** *m* side entrance; **N~einkünfte** *pl*, **N~einnahmen** *pl* supplementary income *sing*; **N~erscheinung** *f* side effect; **N~fach** *nt* subsidiary subject; **N~fluß** *m* tributary; **N~geräusch** *nt* (*RUNDF*) atmospherics *pl*, interference; **N~handlung** *f* (*LITER*) subplot; ~**her** [ne:bən'he:r] *adv* (*zusätzlich*) besides; (*gleichzeitig*) at the same time; (*daneben*) alongside; ~**herfahren** *unreg vi* to drive alongside; **N~kläger** *m* (*JUR*) joint plaintiff; **N~kosten** *pl* extra charges *pl*, extras *pl*; **N~mann** (**-(e)s,** *pl* **-männer**) *m:* **Ihr N~mann** the person next to you; **N~produkt** *nt* by-product; **N~rolle** *f* minor part; **N~sache** *f* trifle, side issue; ~**sächlich** *adj* minor, peripheral; **N~saison** *f* low season; **N~satz** *m* (*GRAM*) subordinate clause; ~**stehend** *adj:* ~**stehende Abbildung** illustration opposite; **N~straße** *f* side street; **N~strecke** *f* (*EISENB*) branch *od* local line; **N~verdienst** *m* secondary income; **N~zimmer** *nt* adjoining room.

neblig ['ne:blıç] *adj* = **nebelig.**

nebst [ne:pst] *präp +dat* together with.

Necessaire [nesɛ'sɛ:r] (**-s, -s**) *nt* (*Näh~*) needlework box; (*Nagel~*) manicure case.

Neckar ['nɛkar] (**-s**) *m* (*Fluß*) Neckar.

necken ['nɛkən] *vt* to tease.

Neckerei [nɛkə'raı] *f* teasing.

neckisch *adj* coy; (*Einfall, Lied*) amusing.

nee [ne:] (*umg*) *adv* no, nope.

Neffe ['nɛfə] (**-n, -n**) *m* nephew.

negativ ['ne:gati:f] *adj* negative; **N~** (**-s, -e**) *nt* (*PHOT*) negative.

Neger ['ne:gər] (**-s, -**) *m* negro; ~**in** *f* negress; ~**kuß** *m* *chocolate-covered marshmallow.*

negieren [ne'gi:rən] *vt* (*bestreiten*) to deny; (*verneinen*) to negate.

nehmen ['ne:mən] *unreg vt, vi* to take; **etw zu sich ~** to take sth, partake of sth (*liter*); **jdm etw ~** to take sth (away) from sb; **sich ernst ~** to take o.s. seriously; **~ Sie sich doch bitte** help yourself; **man nehme ...** (*KOCH*) take ...; **wie man's nimmt** depending on your point of view; **die Mauer nimmt einem die ganze Sicht** the wall blocks the whole view; **er ließ es sich** *dat* **nicht ~, es persönlich zu tun** he insisted on doing it himself.

Nehrung ['ne:rʊŋ] *f* (*GEOG*) spit (of land).

Neid [naıt] (**-(e)s**) *m* envy.

Neider ['naıdər] (**-s, -**) *m* envier.

Neidhammel (*umg*) *m* envious person.

neidisch *adj* envious, jealous.

Neige (**-, -n**) *f* (*geh: Ende*): **die Vorräte gehen zur ~** the provisions are fast becoming exhausted.

neigen ['naıgən] *vt* to incline, lean; (*Kopf*) to bow ♦ *vi:* **zu etw ~** to tend to sth.

Neigung *f* (*des Geländes*) slope; (*Tendenz*) tendency, inclination; (*Vorliebe*) liking; (*Zuneigung*) affection.

Neigungswinkel *m* angle of inclination.

nein [naın] *adv* no.

Nelke ['nɛlkə] (**-, -n**) *f* carnation, pink;

(*Gewürz~*) clove.
nennen ['nɛnən] *unreg vt* to name; (*mit Namen*) to call; **das nenne ich Mut!** that's what I call courage!
nennenswert *adj* worth mentioning.
Nenner (**-s, -**) *m* denominator; **etw auf einen ~ bringen** (*lit, fig*) to reduce sth to a common denominator.
Nennung *f* naming.
Nennwert *m* nominal value; (*COMM*) par.
Neon ['ne:ɔn] (**-s**) *nt* neon.
Neo-Nazi [neo'na:tsi] *m* Neonazi.
Neon- *zW:* **~licht** *nt* neon light; **~reklame** *f* neon sign; **~röhre** *f* neon tube.
Nepal ['ne:pal] (**-s**) *nt* Nepal.
Nepp [nɛp] (**-s**) (*umg*) *m:* **der reinste ~** daylight robbery, a rip-off.
Nerv [nɛrf] (**-s, -en**) *m* nerve; **die ~en sind mit ihm durchgegangen** he lost control, he snapped (*umg*); **jdm auf die ~en gehen** to get on sb's nerves.
nerven (*umg*) *vt:* **jdn ~** to get on sb's nerves.
Nerven- *zW:* **~aufreibend** *adj* nerve-racking; **~bündel** *nt* bundle of nerves; **~gas** *nt* (*MIL*) nerve gas; **~heilanstalt** *f* mental hospital; **~klinik** *f* psychiatric clinic; **n~krank** *adj* mentally ill; **~säge** (*umg*) *f* pain (in the neck); **~schwäche** *f* neurasthenia; **~system** *nt* nervous system; **~zusammenbruch** *m* nervous breakdown.
nervig ['nɛrvɪç] (*umg*) *adj* exasperating, annoying.
nervös [nɛr'vø:s] *adj* nervous.
Nervosität [nɛrvozi'tɛ:t] *f* nervousness.
nervtötend *adj* nerve-racking; (*Arbeit*) soul-destroying.
Nerz [nɛrts] (**-es, -e**) *m* mink.
Nessel ['nɛsəl] (**-, -n**) *f* nettle; **sich in die ~n setzen** (*fig: umg*) to put o.s. in a spot.
Nest [nɛst] (**-(e)s, -er**) *nt* nest; (*umg: Ort*) dump; (*fig: Bett*) bed; (: *Schlupfwinkel*) hide-out, lair; **da hat er sich ins warme ~ gesetzt** (*umg*) he's got it made; **~beschmutzung** (*pej*) *f* running-down (*umg*) *od* denigration (of one's family/country).
nesteln *vi:* **an etw** *+dat* **~** to fumble *od* fiddle about with sth.
Nesthäkchen ['nɛsthɛ:kçən] *nt* baby of the family.
nett [nɛt] *adj* nice; **sei so ~ und räum auf!** would you mind clearing up?
netterweise ['nɛtər'vaɪzə] *adv* kindly.
netto *adv* net; **N~einkommen** *nt* net income; **N~gewicht** *nt* net weight; **N~gewinn** *m* net profit; **N~gewinnspanne** *f* net margin; **N~lohn** *m* take-home pay.
Netz [nɛts] (**-es, -e**) *nt* net; (*Gepäck~*) rack; (*Einkaufs~*) string bag; (*Spinnen~*) web; (*System, auch COMPUT*) network; (*Strom~*) mains *sing od pl*; **das soziale ~** the social security network; **jdm ins ~ gehen** (*fig*) to fall into sb's trap; **~anschluß** *m* mains connection; **~haut** *f* retina; **~karte** *f* (*EISENB*) runabout ticket (*BRIT*); **~plantechnik** *f* network analysis; **~spannung** *f* mains voltage.
neu [nɔʏ] *adj* new; (*Sprache, Geschichte*) modern; **der/die N~e** the new person, the newcomer; **seit ~estem** (since) recently; **~ schreiben** to rewrite, write again; **auf ein ~es!** (*Aufmunterung*) let's try again; **was gibt's N~es?** (*umg*) what's the latest?; **von ~em** (*von vorn*) from the beginning; (*wieder*) again; **sich ~ einkleiden** to buy o.s. a new set of clothes; **N~ankömmling** *m* newcomer; **N~anschaffung** *f* new purchase *od* acquisition; **~artig** *adj* new kind of; **N~auflage** *f* new edition; **N~ausgabe** *f* new edition; **N~bau** (**-(e)s, -ten**) *m* new building; **N~bauwohnung** *f* newly-built flat; **N~bearbeitung** *f* revised edition; (*das Neubearbeiten*) revision, reworking; **N~druck** *m* reprint; **N~emission** *f* (*Aktien*) new issue.
neuerdings *adv* (*kürzlich*) (since) recently; (*von neuem*) again.
neueröffnet *adj attrib* newly-opened; (*wiedergeöffnet*) reopened.
Neuerscheinung *f* (*Buch*) new publication; (*Schallplatte*) new release.
Neuerung *f* innovation, new departure.
Neufassung *f* revised version.
Neufundland [nɔʏ'fʊntlant] *nt* Newfoundland; **Neufundländer(in)** (**-s, -**) *m(f)* Newfoundlander; **neufundländisch** *adj* Newfoundland *attrib*.
neugeboren *adj* newborn; **sich wie ~ fühlen** to feel (like) a new man/woman.
Neugier *f* curiosity.
Neugierde (**-**) *f:* **aus ~** out of curiosity.
neugierig *adj* curious.
Neuguinea [nɔʏgi'ne:a] (**-s**) *nt* New Guinea.
Neuheit *f* novelty; (*neuartige Ware*) new thing.
Neuigkeit *f* news *sing*.
neu- *zW:* **N~jahr** *nt* New Year; **N~land** *nt* virgin land; (*fig*) new ground; **~lich** *adv* recently, the other day; **N~ling** *m* novice; **~modisch** *adj* fashionable; (*pej*) newfangled; **N~mond** *m* new moon.
neun [nɔʏn] *num* nine; **N~** (**-, -en**) *f* nine; **ach du grüne N~e!** (*umg*) well I'm blowed!
neunmalklug *adj* (*ironisch*) smart-aleck *attrib*.
neunzehn *num* nineteen.
neunzig *num* ninety.
Neureg(e)lung *f* adjustment.
neureich *adj* nouveau riche; **N~e(r)** *f(m)* nouveau riche.
Neurologie [nɔʏrolo'gi:] *f* neurology.
neurologisch [nɔʏro'lo:gɪʃ] *adj* neurological.
Neurose [nɔʏ'ro:zə] (**-, -n**) *f* neurosis.
Neurotiker(in) [nɔʏ'ro:tikər(ɪn)] (**-s, -**) *m(f)* neurotic.
neurotisch *adj* neurotic.

Neu- *zW:* **~schnee** *m* fresh snow; **~seeland** [nɔʏ'ze:lant] *nt* New Zealand; **~seeländer(in)** (**-s, -**) *m(f)* New Zealander; **n~seeländisch** *adj* New Zealand *attrib*; **n~sprachlich** *adj:* **n~sprachliches Gymnasium** grammar school (*BRIT*) *od* high school (*bes US*) stressing modern languages.
neutral [nɔʏ'tra:l] *adj* neutral.
neutralisieren [nɔʏtrali'zi:rən] *vt* to neutralize.
Neutralität [nɔʏtrali'tɛ:t] *f* neutrality.
Neutron ['nɔʏtrɔn] (**-s, -en**) *nt* neutron.
Neutrum ['nɔʏtrʊm] (**-s, Neutra** *od* **Neutren**) *nt* neuter.
Neu- *zW:* **~wert** *m* purchase price; **n~wertig** *adj* as new; **~zeit** *f* modern age; **n~zeitlich** *adj* modern, recent.
N.H. *abk* (= *Normalhöhenpunkt*) normal peak (level).
nhd. *abk* (= *neuhochdeutsch*) NHG.
Nicaragua [nika'ra:gua] (**-s**) *nt* Nicaragua; **~ner(in)** [nikaragu'a:nər(ɪn)] (**-s, -**) *m(f)* Nicaraguan; **n~nisch** [nikaragu'a:nɪʃ] *adj* Nicaraguan.

SCHLÜSSELWORT

nicht [nɪçt] *adv* **1** (*Verneinung*) not; **er ist es ~** it's not him, it isn't him; **er raucht ~** (*gerade*) he isn't smoking; (*gewöhnlich*) he doesn't smoke; **ich kann das ~ - ich auch ~** I can't do it - neither *od* nor can I; **es regnet ~ mehr** it's not raining any more; **~ mehr als** no more than
2 (*Bitte, Verbot*): **~!** don't!, no!; **~ berühren!** do not touch!; **~ doch!** don't!
3 (*rhetorisch*): **du bist müde, ~ (wahr)?** you're tired, aren't you?; **das ist schön, ~ (wahr)?** it's nice, isn't it?
4: **was du ~ sagst!** the things you say!
♦ *präf* non-.

Nicht- *zW:* **~achtung** *f* disregard; **~anerkennung** *f* repudiation; **~angriffspakt** *m* non-aggression pact.
Nichte ['nɪçtə] (**-, -n**) *f* niece.
Nicht- *zW:* **~einhaltung** *f* (*+gen*) non-compliance (with); **~einmischung** *f* (*POL*) nonintervention; **~gefallen** *nt:* **bei ~gefallen (zurück)** if not satisfied (return).
nichtig ['nɪçtɪç] *adj* (*ungültig*) null, void; (*wertlos*) futile; **N~keit** *f* nullity, invalidity; (*Sinnlosigkeit*) futility.
Nichtraucher *m* nonsmoker; **ich bin ~** I don't smoke.
nichtrostend *adj* stainless.
nichts [nɪçts] *pron* nothing; **~ als** nothing but; **~ da!** (*ausgeschlossen*) nothing doing (*umg*); **~ wie raus/hin** *etc* (*umg*) let's get out/over there *etc* (on the double); **für ~ und wieder ~** for nothing at all; **N~** (**-s**) *nt* nothingness; (*pej: Person*) nonentity; **n~ahnend** *adj* unsuspecting.
Nichtschwimmer (**-s, -**) *m* nonswimmer.
nichts- *zW:* **~destotrotz** *adv* notwithstanding (*form*), nonetheless; **~destoweniger** *adv* nevertheless; **N~nutz** (**-es, -e**) *m* good-for-nothing; **~nutzig** *adj* worthless, useless; **~sagend** *adj* meaningless; **N~tun** (**-s**) *nt* idleness.
Nichtzutreffende(s) *nt:* **~ (bitte) streichen** (please) delete as applicable.
Nickel ['nɪkəl] (**-s**) *nt* nickel; **~brille** *f* metal-rimmed glasses *pl*.
nicken ['nɪkən] *vi* to nod.
Nickerchen ['nɪkərçən] *nt* nap; **ein ~ machen** (*umg*) to have forty winks.
Nicki ['nɪki] (**-s, -s**) *m* velours pullover.
nie [ni:] *adv* never; **~ wieder** *od* **mehr** never again; **~ und nimmer** never ever; **fast ~** hardly ever.
nieder ['ni:dər] *adj* low; (*gering*) inferior ♦ *adv* down; **~deutsch** *adj* (*LING*) Low-German; **N~gang** *m* decline; **~gedrückt** *adj* depressed; **~gehen** *unreg vi* to descend; (*AVIAT*) to come down; (*Regen*) to fall; (*Boxer*) to go down; **~geschlagen** *adj* depressed, dejected; **N~geschlagenheit** *f* depression, dejection; **N~kunft** *f* (*veraltet*) delivery, giving birth; **N~lage** *f* defeat.
Niederlande ['ni:dərlandə] *pl:* **die ~** the Netherlands *pl*.
Niederländer(in) ['ni:dərlɛndər(ɪn)] (**-s, -**) *m(f)* Dutchman, Dutchwoman.
niederländisch *adj* Dutch, Netherlands *attrib*.
nieder- *zW:* **~lassen** *unreg vr* (*sich setzen*) to sit down; (*an Ort*) to settle (down); (*Arzt, Rechtsanwalt*) to set up in practice; **N~lassung** *f* settlement; (*COMM*) branch; **~legen** *vt* to lay down; (*Arbeit*) to stop; (*Amt*) to resign; **~machen** *vt* to mow down; **N~österreich** *nt* Lower Austria; **N~rhein** *m* Lower Rhine; **~rheinisch** *adj* Lower Rhine *attrib*; **N~sachsen** *nt* Lower Saxony; **N~schlag** *m* (*CHEM*) precipitate; (*Bodensatz*) sediment; (*MET*) precipitation (*form*), rainfall; (*BOXEN*) knockdown; **radioaktiver N~schlag** (radioactive) fallout; **~schlagen** *unreg vt* (*Gegner*) to beat down; (*Gegenstand*) to knock down; (*Augen*) to lower; (*JUR: Prozeß*) to dismiss; (*Aufstand*) to put down ♦ *vr* (*CHEM*) to precipitate; **sich in etw** *dat* **~schlagen** (*Erfahrungen etc*) to find expression in sth; **~schlagsfrei** ['ni:dərʃla:ksfraɪ] *adj* dry, without precipitation (*form*); **~schmetternd** *adj* (*Nachricht, Ergebnis*) shattering; **~schreiben** *unreg vt* to write down; **N~schrift** *f* transcription; **~tourig** *adj* (*Motor*) low-revving; **~trächtig** *adj* base, mean; **N~trächtigkeit** *f* despicable *od* malicious behaviour.
Niederung *f* (*GEOG*) depression.
niederwalzen ['ni:dərvaltsən] *vt:* **jdn/etw ~**

(*umg*) to mow sb/sth down.
niederwerfen ['niːdərvɛrfən] *unreg vt* to throw down; (*fig*) to overcome; (*Aufstand*) to suppress.
niedlich ['niːtlɪç] *adj* sweet, nice, cute.
niedrig ['niːdrɪç] *adj* low; (*Stand*) lowly, humble; (*Gesinnung*) mean.
niemals ['niːmaːls] *adv* never.
niemand ['niːmant] *pron* nobody, no-one.
Niemandsland ['niːmantslant] *nt* no-man's-land.
Niere ['niːrə] (-, **-n**) *f* kidney; **künstliche ~** kidney machine.
Nierenentzündung *f* kidney infection.
nieseln ['niːzəln] *vi* to drizzle.
Nieselregen *m* drizzle.
niesen ['niːzən] *vi* to sneeze.
Niespulver *nt* sneezing powder.
Niet [niːt] (**-(e)s, -e**) *m* (*TECH*) rivet.
Niete ['niːtə] (-, **-n**) *f* (*TECH*) rivet; (*Los*) blank; (*Reinfall*) flop; (*Mensch*) failure.
nieten *vt* to rivet.
Nietenhose *f* (pair of) studded jeans *pl*.
niet- und nagelfest (*umg*) *adj* nailed down.
Niger¹ ['niːgər] (**-s**) *nt* (*Staat*) Niger.
Niger² ['niːgər] (**-s**) *m* (*Fluß*) Niger.
Nigeria [ni'geːria] (**-s**) *nt* Nigeria; **~ner(in)** [nigeri'aːnər(ɪn)] *m(f)* Nigerian; **n~nisch** [nigeːri'aːnɪʃ] *adj* Nigerian.
Nihilismus [nihi'lɪsmʊs] *m* nihilism.
Nihilist [nihi'lɪst] *m* nihilist; **n~isch** *adj* nihilistic.
Nikolaus ['niːkolaʊs] (-, **-e** *od (hum: umg)* **-läuse**) *m* ≈ Santa Claus, Father Christmas.
Nikosia [niko'ziːa] (**-s**) *nt* Nicosia.
Nikotin [niko'tiːn] (**-s**) *nt* nicotine; **n~arm** *adj* low-nicotine.
Nil [niːl] (**-s**) *m* Nile; **~pferd** *nt* hippopotamus.
Nimbus ['nɪmbʊs] (-, **-se**) *m* (*Heiligenschein*) halo; (*fig*) aura.
nimmersatt ['nɪmərzat] *adj* insatiable; **N~** (**-(e)s, -e**) *m* glutton.
Nimmerwiedersehen (*umg*) *nt*: **auf ~!** I never want to see you again.
nimmt [nɪmt] *vb siehe* **nehmen**.
nippen ['nɪpən] *vt, vi* to sip.
Nippes ['nɪpəs] *pl* knick-knacks *pl*, bric-a-brac *sing*.
Nippsachen ['nɪpzaxən] *pl* knick-knacks *pl*.
nirgends ['nɪrgənts] *adv* nowhere; **überall und ~** here, there and everywhere.
nirgendwo ['nɪrgəntvo] *adv* = **nirgends**.
nirgendwohin *adv* nowhere.
Nische ['niːʃə] (-, **-n**) *f* niche.
nisten ['nɪstən] *vi* to nest.
Nitrat [ni'traːt] (**-(e)s, -e**) *nt* nitrate.
Niveau [ni'voː] (**-s, -s**) *nt* level; **diese Schule hat ein hohes ~** this school has high standards; **unter meinem ~** beneath me.
Nivellierung [nivɛ'liːrʊŋ] *f* (*Ausgleichung*) levelling out.
nix [nɪks] (*umg*) *pron* = **nichts**.
Nixe ['nɪksə] (-, **-n**) *f* water nymph.
Nizza ['nɪtsa] (**-s**) *nt* Nice.
n.J. *abk* (= *nächsten Jahres*) next year.
n.M. *abk* (= *nächsten Monats*) next month.
NN *abk* (= *Normalnull*) m.s.l.
N.N. *abk* = **NN**.
NO *abk* (= *Nordost*) NE.
no. *abk* (= *netto*) net.
nobel ['noːbəl] *adj* (*großzügig*) generous; (*elegant*) posh (*umg*).
Nobelpreis [no'bɛlpraɪs] *m* Nobel prize; **~träger(in)** *m(f)* Nobel prize winner.

SCHLÜSSELWORT

noch [nɔx] *adv* **1** (*weiterhin*) still; **~ nicht** not yet; **~ nie** never (yet); **~ immer** *od* **immer ~** still; **bleiben Sie doch ~** stay a bit longer; **ich gehe kaum ~ aus** I hardly go out any more
2 (*in Zukunft*) still, yet; (*irgendwann einmal*) one day; **das kann ~ passieren** that might still happen; **er wird ~ kommen** he'll come (yet); **das wirst du ~ bereuen** you'll come to regret it (one day)
3 (*nicht später als*): **~ vor einer Woche** only a week ago; **~ am selben Tag** the very same day; **~ im 19. Jahrhundert** as late as the 19th century; **~ heute** today
4 (*zusätzlich*): **wer war ~ da?** who else was there?; **~ einmal** once more, again; **~ dreimal** three more times; **~ einer** another one; **und es regnete auch ~** and on top of that it was raining
5 (*bei Vergleichen*): **~ größer** even bigger; **das ist ~ besser** that's better still; **und wenn es ~ so schwer ist** however hard it is
6: **Geld ~ und ~** heaps (and heaps) of money; **sie hat ~ und ~ versucht, ...** she tried again and again to ...
♦ *konj*: **weder A ~ B** neither A nor B.

nochmal(s) *adv* again, once more.
nochmalig *adj* repeated.
Nockenwelle ['nɔkənvɛlə] *f* camshaft.
NOK *nt abk* (= *Nationales Olympisches Komitee*) National Olympic Committee.
Nom. *abk* = **Nominativ**.
Nominalwert [nomi'naːlveːrt] *m* (*FIN*) nominal *od* par value.
Nominativ ['noːminatiːf] (**-s, -e**) *m* nominative.
nominell [nomi'nɛl] *adj* nominal.
nominieren [nomi'niːrən] *vt* to nominate.
Nonne ['nɔnə] (-, **-n**) *f* nun.
Nonnenkloster *nt* convent.
Nonplusultra [nɔnplʊs'|ʊltra] (**-s**) *nt* ultimate.
Nord [nɔrt] (**-s**) *m* north; **~afrika** ['nɔrt'|aːfrika] *nt* North Africa; **~amerika** *nt* North America; **n~amerikanisch** ['nɔrt|ameri'kaːnɪʃ] *adj* North American.
nordd. *abk* = **norddeutsch**.
norddeutsch *adj* North German.

Norddeutschland *nt* North(ern) Germany.
Norden ['nɔrdən] *m* north.
Nord- *zW:* **~england** *nt* the North of England; **~irland** *nt* Northern Ireland, Ulster; **n~isch** *adj* northern; **n~ische Kombination** (*SKI*) nordic combination; **~kap** *nt* North Cape; **~korea** ['nɔrtko're:a] *nt* North Korea.
nördlich ['nœrtlɪç] *adj* northerly, northern ♦ *präp +gen* (to the) north of; **der ~e Polarkreis** the Arctic Circle; **N~es Eismeer** Arctic Ocean; ~ **von** north of.
Nord- *zW:* **~licht** *nt* northern lights *pl*, aurora borealis; **~-Ostsee-Kanal** *m* Kiel Canal; **~pol** *m* North Pole; **~polargebiet** *nt* Arctic (Zone).
Nordrhein-Westfalen ['nɔrtraɪnvɛst'fa:lən] **(-s)** *nt* North Rhine-Westphalia.
Nordsee *f* North Sea.
nordwärts *adv* northwards.
Nörgelei [nœrgə'laɪ] *f* grumbling.
nörgeln *vi* to grumble.
Nörgler(in) **(-s, -)** *m(f)* grumbler.
Norm [nɔrm] **(-, -en)** *f* norm; (*Leistungssoll*) quota; (*Größenvorschrift*) standard (specification).
normal [nɔr'ma:l] *adj* normal; **bist du noch ~?** (*umg*) have you gone mad?; **N~benzin** *nt* two-star petrol (*BRIT veraltet*), regular gas (*US*).
normalerweise *adv* normally.
Normalfall *m:* **im ~** normally.
Normalgewicht *nt* normal weight; (*genormt*) standard weight.
normalisieren [nɔrmali'zi:rən] *vt* to normalize ♦ *vr* to return to normal.
Normalzeit *f* (*GEOG*) standard time.
Normandie [nɔrman'di:] *f* Normandy.
normen *vt* to standardize.
Norwegen ['nɔrve:gən] **(-s)** *nt* Norway.
Norweger(in) **(-s, -)** *m(f)* Norwegian.
norwegisch *adj* Norwegian.
Nostalgie [nɔstal'gi:] *f* nostalgia.
Not [no:t] **(-, ¨-e)** *f* need; (*Mangel*) want; (*Mühe*) trouble; (*Zwang*) necessity; **zur ~** if necessary; (*gerade noch*) just about; **wenn ~ am Mann ist** if you/they *etc* are short (*umg*); (*im Notfall*) in an emergency; **er hat seine liebe ~ mit ihr/damit** he really has problems with her/it; **in seiner ~** in his hour of need.
Notar(in) [no'ta:r(ɪn)] **(-s, -e)** *m(f)* notary; **n~iell** *adj* notarial; **n~iell beglaubigt** attested by a notary.
Not- *zW:* **~arzt** *m* doctor on emergency call; **~ausgang** *m* emergency exit; **~behelf** *m* stopgap; **~bremse** *f* emergency brake; **~dienst** *m:* **~dienst haben** (*Apotheke*) to be open 24 hours; (*Arzt*) to be on call; **n~dürftig** *adj* scanty; (*behelfsmäßig*) makeshift; **sich n~dürftig verständigen können** to be abe to communicate to some extent.
Note ['no:tə] **(-, -n)** *f* note; (*SCH*) mark (*BRIT*), grade (*US*); **Noten** *pl* (*MUS*) music *sing*; **eine persönliche ~** a personal touch.
Noten- *zW:* **~bank** *f* issuing bank; **~blatt** *nt* sheet of music; **~schlüssel** *m* clef; **~ständer** *m* music stand.
Not- *zW:* **~fall** *m* (case of) emergency; **n~falls** *adv* if need be; **n~gedrungen** *adj* necessary, unavoidable; **etw n~gedrungen machen** to be forced to do sth; **~groschen** ['no:tgrɔʃən] *m* nest egg.
notieren [no'ti:rən] *vt* to note; (*COMM*) to quote.
Notierung *f* (*COMM*) quotation.
nötig ['nø:tɪç] *adj* necessary ♦ *adv* (*dringend*): **etw ~ brauchen** to need sth urgently; **etw ~ haben** to need sth; **das habe ich nicht ~!** I can do without that!
nötigen *vt* to compel, force; **~falls** *adv* if necessary.
Nötigung *f* compulsion, coercion (*JUR*).
Notiz [no'ti:ts] **(-, -en)** *f* note; (*Zeitungs~*) item; **~ nehmen** to take notice; **~block** *m* notepad; **~buch** *nt* notebook; **~zettel** *m* piece of paper.
Not- *zW:* **~lage** *f* crisis, emergency; **n~landen** *vi* to make a forced *od* emergency landing; **~landung** *f* forced *od* emergency landing; **n~leidend** *adj* needy; **~lösung** *f* temporary solution; **~lüge** *f* white lie.
notorisch [no'to:rɪʃ] *adj* notorious.
Not- *zW:* **~ruf** *m* emergency call; **~rufsäule** *f* emergency telephone; **n~schlachten** *vt* (*Tiere*) to destroy; **~stand** *m* state of emergency; **~standsgebiet** *nt* (*wirtschaftlich*) depressed area; (*bei Katastrophen*) disaster area; **~standsgesetz** *nt* emergency law; **~unterkunft** *f* emergency accommodation; **~verband** *m* emergency dressing; **~wehr** **(-)** *f* self-defence; **n~wendig** *adj* necessary; **~wendigkeit** *f* necessity; **~zucht** *f* rape.
Nov. *abk* (= *November*) Nov.
Novelle [no'vɛlə] **(-, -n)** *f* novella; (*JUR*) amendment.
November [no'vɛmbər] **(-(s), -)** *m* November; *siehe auch* **September**.
Novum ['no:vʊm] **(-s, Nova)** *nt* novelty.
NPD **(-)** *f abk* (= *Nationaldemokratische Partei Deutschlands*) National Democratic Party.
Nr. *abk* (= *Nummer*) no.
NRW *abk* = **Nordrhein-Westfalen.**
NS *abk* = **Nachschrift; Nationalsozialismus.**
NS- *in zW* Nazi.
N.T. *abk* (= *Neues Testament*) N.T.
Nu [nu:] *m:* **im ~** in an instant.
Nuance [ny'ã:sə] **(-, -n)** *f* nuance; (*Kleinigkeit*) shade.
nüchtern ['nʏçtərn] *adj* sober; (*Magen*) empty; (*Urteil*) prudent; **N~heit** *f* sobriety.
Nudel ['nu:dəl] **(-, -n)** *f* noodle; (*umg: Mensch: dick*) dumpling; (: : *komisch*) character; **~holz** *nt* rolling pin.

Nugat ['nu:gat] (**-s, -s**) *m od nt* nougat.
nuklear [nukle'a:r] *adj attrib* nuclear.
null [nʊl] *num* zero; (*Fehler*) no; ~ **Uhr** midnight; ~ **und nichtig** null and void; **N~** (**-, -en**) *f* nought, zero; (*pej: Mensch*) dead loss; **in N~ Komma nichts** (*umg*) in less than no time; **die Stunde N~** the new starting point; **gleich N~ sein** to be absolutely nil; **~achtfünfzehn** (*umg*) *adj* run-of-the-mill; **N~diät** *f* starvation diet; **N~(l)ösung** *f* (*POL*) zero option; **N~punkt** *m* zero; **auf dem N~punkt** at zero; **N~tarif** *m* (*für Verkehrsmittel*) free travel; **zum N~tarif** free of charge.
numerieren [nume'ri:rən] *vt* to number.
numerisch [nu'me:rɪʃ] *adj* numerical; **~es Tastenfeld** (*COMPUT*) numeric pad.
Numerus ['nu:merʊs] (**-, Numeri**) *m* (*GRAM*) number; ~ **clausus** (*UNIV*) restricted entry.
Nummer ['nʊmər] (**-, -n**) *f* number; **auf ~ Sicher gehen** (*umg*) to play (it) safe.
Nummern- *zW:* **~konto** *nt* numbered bank account; **~scheibe** *f* telephone dial; **~schild** *nt* (*AUT*) number *od* license (*US*) plate.
nun [nu:n] *adv* now ♦ *interj* well.
nur [nu:r] *adv* just, only; **nicht ~ ..., sondern auch ...** not only ... but also ...; **alle, ~ ich nicht** everyone but me; **ich hab' das ~ so gesagt** I was just talking.
Nürnberg ['nʏrnbɛrk] (**-s**) *nt* Nuremberg.
nuscheln ['nʊʃəln] (*umg*) *vt, vi* to mutter, mumble.
Nuß [nʊs] (**-, Nüsse**) *f* nut; **eine doofe ~** (*umg*) a stupid twit; **eine harte ~** a hard nut (to crack); **~baum** *m* walnut tree; **~knacker** (**-s, -**) *m* nutcracker.
Nüster ['ny:stər] (**-, -n**) *f* nostril.
Nutte ['nʊtə] (**-, -n**) *f* tart (*BRIT*), hooker (*US*).
nutz [nʊts] *adj* = **nütze**; **~bar** *adj:* **~bar machen** to utilize; **N~barmachung** *f* utilization; **~bringend** *adj* profitable; **etw ~bringend anwenden** to use sth to good effect, put sth to good use.
nütze ['nʏtsə] *adj:* **zu nichts ~ sein** to be useless.
nutzen *vi* to be of use ♦ *vt:* **(zu etw) ~** to use (for sth); **was nutzt es?** what's the use?, what use is it?; **N~** (**-s**) *m* usefulness; (*Gewinn*) profit; **von N~** useful.
nützen *vt, vi* = **nutzen.**
Nutz- *zW:* **~fahrzeug** *nt farm od military vehicle etc*; (*COMM*) commercial vehicle; **~fläche** *f* us(e)able floor space; (*AGR*) productive land; **~last** *f* maximum load, payload.
nützlich ['nʏtslɪç] *adj* useful; **N~keit** *f* usefulness.
Nutz- *zW:* **n~los** *adj* useless; (*unnötig*) needless; **~losigkeit** *f* uselessness; **~nießer** (**-s, -**) *m* beneficiary.
Nutzung *f* (*Gebrauch*) use; (*das Ausnutzen*) exploitation.
NW *abk* (= *Nordwest*) NW.
Nylon ['naɪlɔn] (**-s**) *nt* nylon.
Nymphe ['nʏmfə] (**-, -n**) *f* nymph.

O, o

O[1]**, o** [o:] *nt* O, o; ~ **wie Otto** ≈ O for Olive, O for Oboe (*US*).
O[2] [o:] *abk* (= *Osten*) E.
o.ä. *abk* (= *oder ähnliche(s)*) or similar.
Oase [o'a:zə] (**-, -n**) *f* oasis.
OB (**-s, -s**) *m abk* = **Oberbürgermeister.**
ob [ɔp] *konj* if, whether; ~ **das wohl wahr ist?** can that be true?; ~ **ich (nicht) lieber gehe?** maybe I'd better go; **(so) tun als ~** (*umg*) to pretend; **und ~!** you bet!
Obacht ['o:baxt] *f:* ~ **geben** to pay attention.
Obdach ['ɔpdax] (**-(e)s**) *nt* shelter, lodging; **o~los** *adj* homeless; **~losenasyl** *nt* hostel *od* shelter for the homeless; **~losenheim** *nt* = **Obdachlosenasyl**; **~lose(r)** *f(m)* homeless person.
Obduktion [ɔpdʊktsi'o:n] *f* postmortem.
obduzieren [ɔpdu'tsi:rən] *vt* to do a postmortem on.
O-Beine ['o:baɪnə] *pl* bow *od* bandy legs *pl.*
oben ['o:bən] *adv* above; (*in Haus*) upstairs; (*am oberen Ende*) at the top; **nach ~** up; **von ~** down; **siehe ~** see above; **ganz ~** right at the top; ~ **ohne** topless; **die Abbildung ~ links** *od* **links ~** the illustration in the top left-hand corner; **jdn von ~ herab behandeln** to treat sb condescendingly; **jdn von ~ bis unten ansehen** to look sb up and down; **Befehl von ~** orders from above; **die da ~** (*umg: die Vorgesetzten*) the powers that be; **~'an** *adv* at the top; **~'auf** *adv* up above, on the top ♦ *adj* (*munter*) in form; **~'drein** *adv* into the bargain; **~erwähnt** *adj* above-mentioned; **~genannt** *adj* above-mentioned; **~'hin** *adv* cursorily, superficially.
Ober ['o:bər] (**-s, -**) *m* waiter.
Ober- *zW:* **~arm** *m* upper arm; **~arzt** *m* senior physician; **~aufsicht** *f* supervision; **~bayern** *nt* Upper Bavaria; **~befehl** *m* supreme command; **~befehlshaber** *m* commander-in-chief; **~begriff** *m* generic term; **~bekleidung** *f* outer clothing; **~bett** *nt* quilt; **~bürgermeister** *m* lord mayor; **~deck** *nt* upper *od* top deck.
obere(r, s) *adj* upper; **die O~n** the bosses; (*ECCL*) the superiors; **die ~n Zehntausend** (*umg*) high society.
Ober- *zW:* **~fläche** *f* surface; **o~flächlich** *adj*

superficial; **bei o~flächlicher Betrachtung** at a quick glance; **jdn (nur) o~flächlich kennen** to know sb (only) slightly; **~geschoß** *nt* upper storey *od* story (*US*); **im zweiten ~geschoß** on the second floor (*BRIT*), on the third floor (*US*); **o~halb** *adv* above ♦ *präp +gen* above; **~hand** *f* (*fig*): **die ~hand gewinnen (über** *+akk***)** to get the upper hand (over); **~haupt** *nt* head, chief; **~haus** *nt* (*BRIT POL*) upper house, House of Lords, **~hemd** *nt* shirt; **~herrschaft** *f* supremacy, sovereignty.

Oberin *f* matron; (*ECCL*) Mother Superior.

Ober- *zW*: **o~irdisch** *adj* above ground; (*Leitung*) overhead; **~italien** *nt* Northern Italy; **~kellner** *m* head waiter; **~kiefer** *m* upper jaw; **~kommando** *nt* supreme command; **~körper** *m* upper part of body; **~lauf** *m*: **am ~lauf des Rheins** in the upper reaches of the Rhine; **~leitung** *f* (*ELEK*) overhead cable; **~licht** *nt* skylight; **~lippe** *f* upper lip; **~österreich** *nt* Upper Austria; **~prima** *f* *final year of German secondary school*; **~schenkel** *m* thigh; **~schicht** *f* upper classes *pl*; **~schule** *f* grammar school (*BRIT*), high school (*US*); **~schwester** *f* (*MED*) matron; **~seite** *f* top (side); **~sekunda** *f* *seventh year of German secondary school*.

Oberst ['o:bərst] (**-en** *od* **-s, -en** *od* **-e**) *m* colonel.

oberste(r, s) *adj* very top, topmost.

Ober- *zW*: **~stübchen** (*umg*) *nt*: **er ist nicht ganz richtig im ~stübchen** he's not quite right up top; **~stufe** *f* upper school; **~teil** *nt* upper part; **~tertia** *f* *fifth year of German secondary school*; **~wasser** *nt*: **~wasser haben/bekommen** to be/get on top (of things); **~weite** *f* bust *od* chest measurement.

obgleich [ɔp'glaɪç] *konj* although.

Obhut ['ɔphu:t] (-) *f* care, protection; **in jds ~** *dat* **sein** to be in sb's care.

obig ['o:bɪç] *adj* above.

Objekt [ɔp'jɛkt] (**-(e)s, -e**) *nt* object.

objektiv [ɔpjɛk'ti:f] *adj* objective.

Objektiv (**-s, -e**) *nt* lens *sing*.

Objektivität [ɔpjɛktivi'tɛ:t] *f* objectivity.

Oblate [o'bla:tə] (**-, -n**) *f* (*Gebäck*) wafer; (*ECCL*) host.

obligatorisch [obliga'to:rɪʃ] *adj* compulsory, obligatory.

Oboe [o'bo:ə] (**-, -n**) *f* oboe.

Obrigkeit ['o:brɪçkaɪt] *f* (*Behörden*) authorities *pl*, administration; (*Regierung*) government.

Obrigkeitsdenken *nt* acceptance of authority.

obschon [ɔp'ʃo:n] *konj* although.

Observatorium [ɔpzɛrva'to:riʊm] *nt* observatory.

obskur [ɔps'ku:r] *adj* obscure; (*verdächtig*) dubious.

Obst [o:pst] (**-(e)s**) *nt* fruit; **~bau** *m* fruit-growing; **~baum** *m* fruit tree; **~garten** *m* orchard; **~händler** *m* fruiterer (*BRIT*), fruit merchant; **~kuchen** *m* fruit tart; **~saft** *m* fruit juice; **~salat** *m* fruit salad.

obszön [ɔps'tsø:n] *adj* obscene.

Obszönität [ɔpstøni'tɛ:t] *f* obscenity.

Obus ['o:bʊs] (**-ses, -se**) (*umg*) *m* trolleybus.

obwohl [ɔp'vo:l] *konj* although.

Ochse ['ɔksə] (**-n, -n**) *m* ox; (*umg: Dummkopf*) twit; **er stand da wie der ~ vorm Berg** (*umg*) he stood there utterly bewildered.

ochsen (*umg*) *vt, vi* to cram, swot (*BRIT*).

Ochsenschwanzsuppe *f* oxtail soup.

Ochsenzunge *f* ox tongue.

Ocker ['ɔkər] (**-s, -**) *m od nt* ochre (*BRIT*), ocher (*US*).

öd [ø:t(ə)] *adj* = **öde**.

öde *adj* (*Land*) waste, barren; (*fig*) dull; **~ und leer** dreary and desolate.

Öde (**-, -n**) *f* desert, waste(land); (*fig*) tedium.

oder ['o:dər] *konj* or; **entweder ... ~** either ... or; **du kommst doch, ~?** you're coming, aren't you?

Ofen ['o:fən] (**-s, ¨-**) *m* oven; (*Heiz~*) fire, heater; (*Kohle~*) stove; (*Hoch~*) furnace; (*Herd*) cooker, stove; **jetzt ist der ~ aus** (*umg*) that does it!; **~rohr** *nt* stovepipe.

offen ['ɔfən] *adj* open; (*aufrichtig*) frank; (*Stelle*) vacant; (*Bein*) ulcerated; (*Haare*) loose; **~er Wein** wine by the carafe *od* glass; **auf ~er Strecke** (*Straße*) on the open road; (*EISENB*) between stations; **Tag der ~en Tür** open day (*BRIT*), open house (*US*); **~e Handelsgesellschaft** (*COMM*) general *od* ordinary (*US*) partnership; **seine Meinung ~ sagen** to speak one's mind; **ein ~es Wort mit jdm reden** to have a frank talk with sb; **~ gesagt** to be honest.

offenbar *adj* obvious; (*vermutlich*) apparently.

offenbaren [ɔfən'ba:rən] *vt* to reveal, manifest.

Offenbarung *f* (*REL*) revelation.

Offenbarungseid *m* (*JUR*) oath of disclosure.

offen- *zW*: **~bleiben** *unreg vi* (*Fenster*) to stay open; (*Frage, Entscheidung*) to remain open; **~halten** *unreg vt* to keep open; **O~heit** *f* candour (*BRIT*), candor (*US*), frankness; **~herzig** *adj* candid, frank; (*hum: Kleid*) revealing; **O~herzigkeit** *f* frankness; **~kundig** *adj* well-known; (*klar*) evident; **~lassen** *unreg vt* to leave open; **~sichtlich** *adj* evident, obvious.

offensiv [ɔfɛn'zi:f] *adj* offensive.

Offensive (**-, -n**) *f* offensive.

offenstehen *unreg vi* to be open; (*Rechnung*) to be unpaid; **es steht Ihnen offen, es zu tun** you are at liberty to do it; **die (ganze) Welt steht ihm offen** he has the (whole) world at his feet.

öffentlich ['œfəntlıç] *adj* public; **die ~e Hand** (central/local) government; **Anstalt des ~en Rechts** public institution; **Ausgaben der ~en Hand** public spending *sing*.
Öffentlichkeit *f* (*Leute*) public; (*einer Versammlung etc*) public nature; **in aller ~** in public; **an die ~ dringen** to reach the public ear; **unter Ausschluß der ~** in secret; (*JUR*) in camera.
Öffentlichkeitsarbeit *f* public relations work.
öffentlich-rechtlich *adj attrib* (under) public law.
offerieren [ɔfe'ri:rən] *vt* to offer.
Offerte [ɔ'fɛrtə] (**-, -n**) *f* offer.
offiziell [ɔfitsi'ɛl] *adj* official.
Offizier [ɔfi'tsi:r] (**-s, -e**) *m* officer.
Offizierskasino *nt* officers' mess.
öffnen ['œfnən] *vt, vr* to open; **jdm die Tür ~** to open the door for sb.
Öffner ['œfnər] (**-s, -**) *m* opener.
Öffnung ['œfnʊŋ] *f* opening.
Öffnungszeiten *pl* opening times *pl*.
Offsetdruck ['ɔfsɛtdrʊk] *m* offset (printing).
oft [ɔft] *adv* often.
öfter ['œftər] *adv* more often *od* frequently; **des ~en** quite frequently; **~ mal was Neues** (*umg*) variety is the spice of life (*Sprichwort*).
öfters *adv* often, frequently.
oftmals *adv* often, frequently.
o.G. *abk* (= *ohne Gewähr*) without liability.
OHG *f abk* (= *offene Handelsgesellschaft*) *siehe* **offen**.
ohne ['o:nə] *präp +akk, konj* without; **das Darlehen ist ~ weiteres bewilligt worden** the loan was granted without any problem; **das kann man nicht ~ weiteres voraussetzen** you can't just assume that automatically; **das ist nicht ~** (*umg*) it's not bad; **~ weiteres** without a second thought; (*sofort*) immediately; **~dies** *adv* anyway; **~einander** [o:nə|aı'nandər] *adv* without each other; **~gleichen** *adj* unsurpassed, without equal; **~hin** *adv* anyway, in any case; **es ist ~hin schon spät** it's late enough already.
Ohnmacht ['o:nmaxt] *f* faint; (*fig*) impotence; **in ~ fallen** to faint.
ohnmächtig ['o:nmɛçtıç] *adj* in a faint, unconscious; (*fig*) weak, impotent; **sie ist ~** she has fainted; **~e Wut, ~er Zorn** helpless rage; **einer Sache** *dat* **~ gegenüberstehen** to be helpless in the face of sth.
Ohr [o:r] (**-(e)s, -en**) *nt* ear; (*Gehör*) hearing; **sich aufs ~ legen** *od* **hauen** (*umg*) to kip down; **jdm die ~en langziehen** (*umg*) to tweak sb's ear(s); **jdm in den ~en liegen** to keep on at sb; **jdn übers ~ hauen** (*umg*) to pull a fast one on sb; **auf dem ~ bin ich taub** (*fig*) nothing doing (*umg*); **schreib es dir hinter die ~en** (*umg*) will you (finally) get that into your (thick) head!; **bis über die** *od* **beide ~en verliebt sein** to be head over heels in love; **viel um die ~en haben** (*umg*) to have a lot on (one's plate); **halt die ~en steif!** keep a stiff upper lip!
Öhr [ø:r] (**-(e)s, -e**) *nt* eye.
Ohren- *zW:* **~arzt** *m* ear specialist; **o~betäubend** *adj* deafening; **~sausen** *nt* (*MED*) buzzing in one's ears; **~schmalz** *nt* earwax; **~schmerzen** *pl* earache *sing*; **~schützer** (**-s, -**) *m* earmuff.
Ohr- *zW:* **~feige** *f* slap on the face; (*als Strafe*) box on the ears; **o~feigen** *vt untr:* **jdn o~feigen** to slap sb's face; to box sb's ears; **ich könnte mich selbst o~feigen, daß ich das gemacht habe** I could kick myself for doing that; **~läppchen** *nt* ear lobe; **~ringe** *pl* earrings *pl*; **~wurm** *m* earwig; (*MUS*) catchy tune.
o.J. *abk* (= *ohne Jahr*) no year given.
okkupieren [ɔku'pi:rən] *vt* to occupy.
Öko- ['øko-] *in zW* eco-, ecological; **~laden** ['ø:kola:dən] *m* wholefood shop.
Ökologie [økolo'gi:] *f* ecology.
ökologisch [øko'lo:gıʃ] *adj* ecological, environmental.
Ökonometrie [økonome'tri:] *f* econometrics *pl*.
Ökonomie [økono'mi:] *f* economy; (*als Wissenschaft*) economics *sing*.
ökonomisch [øko'no:mıʃ] *adj* economical.
Ökopaxe [øko'paksə] (**-n, -n**) (*umg*) *m* environmentalist.
Ökosystem ['ø:kozʏste:m] *nt* ecosystem.
Okt. *abk* (= *Oktober*) Oct.
Oktan [ɔk'ta:n] (**-s, -e**) *nt* octane; **~zahl** *f* octane rating.
Oktave [ɔk'ta:və] (**-, -n**) *f* octave.
Oktober [ɔk'to:bər] (**-(s), -**) *m* October; *siehe auch* **September**.

> *The annual October beer festival, the* **Oktoberfest**, *takes place in Munich on a huge field where beer tents, roller coasters and many other amusements are set up. People sit at long wooden tables, drink beer from enormous litre beer mugs, eat pretzels and listen to brass bands. It is a great attraction for tourists and locals alike.*

ökumenisch [øku'me:nıʃ] *adj* ecumenical.
Öl [ø:l] (**-(e)s, -e**) *nt* oil; **auf ~ stoßen** to strike oil.
Öl- *zW:* **~baum** *m* olive tree; **ö~en** *vt* to oil; (*TECH*) to lubricate; **wie ein geölter Blitz** (*umg*) like greased lightning; **~farbe** *f* oil paint; **~feld** *nt* oilfield; **~film** *m* film of oil; **~heizung** *f* oil-fired central heating.
ölig *adj* oily.
Oligopol [oligo'po:l] (**-s, -e**) *nt* oligopoly.
oliv [o'li:f] *adj* olive-green.
Olive [o'li:və] (**-, -n**) *f* olive.
Olivenöl *nt* olive oil.

Öljacke *f* oilskin jacket.
oll [ɔl] (*umg*) *adj* old; **das sind ~e Kamellen** that's old hat.
Öl- *zW:* **~meßstab** *m* dipstick; **~pest** *f* oil pollution; **~plattform** *f* oil rig; **~sardine** *f* sardine; **~scheich** *m* oil sheik; **~stand** *m* oil level; **~standanzeiger** *m* (*AUT*) oil level indicator; **~tanker** *m* oil tanker; **~teppich** *m* oil slick.
Ölung *f* oiling; (*ECCL*) anointment; **die Letzte ~** Extreme Unction.
Ölwanne *f* (*AUT*) sump (*BRIT*), oil pan (*US*).
Ölwechsel *m* oil change.
Olymp [o'lʏmp] (**-s**) *m* (*Berg*) Mount Olympus.
Olympiade [olʏmpi'a:də] (**-, -n**) *f* Olympic Games *pl.*
Olympiasieger(in) [o'lʏmpiazi:gər(ɪn)] *m(f)* Olympic champion.
olympisch [o'lʏmpɪʃ] *adj* Olympic.
Ölzeug *nt* oilskins *pl.*
Oma ['o:ma] (**-, -s**) (*umg*) *f* granny.
Oman [o'ma:n] (**-s**) *nt* Oman.
Omelett [ɔm(ə)'lɛt] (**-(e)s, -s**) *nt* omelette (*BRIT*), omelet (*US*).
Omelette [ɔm(ə)'lɛt] *f* = **Omelett.**
Omen ['o:mɛn] (**-s, -** *od* **Omina**) *nt* omen.
Omnibus ['ɔmnibʊs] *m* (omni)bus.
Onanie [ona'ni:] *f* masturbation.
onanieren *vi* to masturbate.
ondulieren [ɔndu'li:rən] *vt, vi* to crimp.
Onkel ['ɔŋkəl] (**-s, -**) *m* uncle.
OP *m abk* = **Operationssaal.**
Opa ['o:pa] (**-s, -s**) (*umg*) *m* grandpa.
Opal [o'pa:l] (**-s, -e**) *m* opal.
Oper ['o:pər] (**-, -n**) *f* opera; (*Opernhaus*) opera house.
Operation [operatsi'o:n] *f* operation.
Operationssaal *m* operating theatre (*BRIT*) *od* theater (*US*).
operativ [opəra'ti:f] *adv* (*MED*): **eine Geschwulst ~ entfernen** to remove a growth by surgery.
Operette [ope'rɛtə] *f* operetta.
operieren [ope'ri:rən] *vt, vi* to operate; **sich ~ lassen** to have an operation.
Opern- *zW:* **~glas** *nt* opera glasses *pl*; **~haus** *nt* opera house; **~sänger(in)** *m(f)* opera singer.
Opfer ['ɔpfər] (**-s, -**) *nt* sacrifice; (*Mensch*) victim; **~bereitschaft** *f* readiness to make sacrifices.
opfern *vt* to sacrifice.
Opferstock *m* (*ECCL*) offertory box.
Opferung *f* sacrifice; (*ECCL*) offertory.
Opium ['o:piʊm] (**-s**) *nt* opium.
opponieren [ɔpo'ni:rən] *vi*: **gegen jdn/etw ~** to oppose sb/sth.
opportun [ɔpɔr'tu:n] *adj* opportune; **O~ismus** [-'nɪsmʊs] *m* opportunism; **O~ist(in)** [-'nɪst(ɪn)] *m(f)* opportunist.
Opposition [ɔpozitsi'o:n] *f* opposition.
oppositionell [ɔpozitsio:'nɛl] *adj* opposing.
Oppositionsführer *m* leader of the opposition.
optieren [ɔp'ti:rən] *vi* (*POL: form*): **~ für** to opt for.
Optik ['ɔptɪk] *f* optics *sing.*
Optiker(in) (**-s, -**) *m(f)* optician.
optimal [ɔpti'ma:l] *adj* optimal, optimum.
Optimismus [ɔpti'mɪsmʊs] *m* optimism.
Optimist(in) [ɔpti'mɪst(ɪn)] *m(f)* optimist; **o~isch** *adj* optimistic.
optisch ['ɔptɪʃ] *adj* optical; **~e Täuschung** optical illusion.
Orakel [o'ra:kəl] (**-s, -**) *nt* oracle.
Orange [o'rã:ʒə] (**-, -n**) *f* orange; **o~** *adj* orange.
Orangeade [orã'ʒa:də] (**-, -n**) *f* orangeade.
Orangeat [orã'ʒa:t] (**-s, -e**) *nt* candied peel.
Orangen- *zW:* **~marmelade** *f* marmalade; **~saft** *m* orange juice; **~schale** *f* orange peel.
Oratorium [ora'to:riʊm] *nt* (*MUS*) oratorio.
Orchester [ɔr'kɛstər] (**-s, -**) *nt* orchestra.
Orchidee [ɔrçi'de:ə] (**-, -n**) *f* orchid.
Orden ['ɔrdən] (**-s, -**) *m* (*ECCL*) order; (*MIL*) decoration.
Ordensgemeinschaft *f* religious order.
Ordensschwester *f* nun.
ordentlich ['ɔrdəntlɪç] *adj* (*anständig*) decent, respectable; (*geordnet*) tidy, neat; (*umg: annehmbar*) not bad; (*: tüchtig*) real, proper; (*Leistung*) reasonable; **~es Mitglied** full member; **~er Professor** (full) professor; **eine ~e Tracht Prügel** a proper hiding; **~ arbeiten** to be a thorough and precise worker; **O~keit** *f* respectability; tidiness, neatness.
Order (**-, -s** *od* **-n**) *f* (*COMM: Auftrag*) order.
ordern *vt* (*COMM*) to order.
Ordinalzahl [ɔrdi'na:ltsa:l] *f* ordinal number.
ordinär [ɔrdi'nɛ:r] *adj* common, vulgar.
Ordinarius [ɔrdi'na:riʊs] (**-, Ordinarien**) *m* (*UNIV*): **~ (für)** professor (of).
ordnen ['ɔrdnən] *vt* to order, put in order.
Ordner (**-s, -**) *m* steward; (*COMM*) file.
Ordnung *f* order; (*Ordnen*) ordering; (*Geordnetsein*) tidiness; **geht in ~** (*umg*) that's all right *od* OK (*umg*); **~ schaffen, für ~ sorgen** to put things in order, tidy things up; **jdn zur ~ rufen** to call sb to order; **bei ihm muß alles seine ~ haben** (*räumlich*) he has to have everything in its proper place; (*zeitlich*) he has to do everything according to a fixed schedule; **das Kind braucht seine ~** the child needs a routine.
Ordnungs- *zW:* **~amt** *nt* ≈ town clerk's office; **o~gemäß** *adj* proper, according to the rules; **o~halber** *adv* as a matter of form; **~liebe** *f* tidiness, orderliness; **~strafe** *f* fine; **o~widrig** *adj* contrary to the rules, irregular; **~widrigkeit** *f* infringement (*of law or rule*); **~zahl** *f* ordinal number.
ORF (**-**) *m abk* = **Österreichischer Rundfunk.**

Organ [ɔr'gaːn] (**-s, -e**) *nt* organ; (*Stimme*) voice.
Organisation [ɔrganizatsi'oːn] *f* organization.
Organisationstalent *nt* organizing ability; (*Person*) good organizer.
Organisator [ɔrgani'zaːtɔr] *m* organizer.
organisch [ɔr'gaːnɪʃ] *adj* organic; (*Erkrankung, Leiden*) physical.
organisieren [ɔrgani'ziːrən] *vt* to organize, arrange; (*umg: beschaffen*) to acquire ♦ *vr* to organize.
Organismus [ɔrga'nɪsmʊs] *m* organism.
Organist [ɔrga'nɪst] *m* organist.
Organspender *m* donor (of an organ).
Organspenderausweis *m* donor card.
Organverpflanzung *f* transplantation (of an organ).
Orgasmus [ɔr'gasmʊs] *m* orgasm.
Orgel ['ɔrgəl] (**-, -n**) *f* organ; **~pfeife** *f* organ pipe; **wie die ~pfeifen stehen** to stand in order of height.
Orgie ['ɔrgiə] *f* orgy.
Orient ['oːriɛnt] (**-s**) *m* Orient, east; **der Vordere ~** the Near East.
Orientale [oːriɛn'taːlə] (**-n, -n**) *m* Oriental.
Orientalin [oːriɛn'taːlɪn] *f* Oriental.
orientalisch *adj* oriental.
orientieren [oːriɛn'tiːrən] *vt* (*örtlich*) to locate; (*fig*) to inform ♦ *vr* to find one's way *od* bearings; (*fig*) to inform o.s.
Orientierung [oːriɛn'tiːrʊŋ] *f* orientation; (*fig*) information; **die ~ verlieren** to lose one's bearings.
Orientierungssinn *m* sense of direction.

The **Orientierungsstufe** *is the name given to the first two years spent in a* **Realschule** *or* **Gymnasium**, *during which a child is assessed as to his or her suitability for that type of school. At the end of the two years it may be decided to transfer the child to a school more suited to his or her ability.*

original [origi'naːl] *adj* original; **~ Meißener Porzellan** genuine Meissen porcelain; **O~** (**-s, -e**) *nt* original; (*Mensch*) character; **O~ausgabe** *f* first edition; **O~fassung** *f* original version.
Originalität [originali'tɛːt] *f* originality.
Originalübertragung *f* live broadcast.
originell [origi'nɛl] *adj* original.
Orkan [ɔr'kaːn] (**-(e)s, -e**) *m* hurricane; **o~artig** *adj* (*Wind*) gale-force; (*Beifall*) thunderous.
Orkneyinseln ['ɔːknɪ|ɪnzəln] *pl* Orkney Islands *pl*, Orkneys *pl*.
Ornament [ɔrna'mɛnt] *nt* decoration, ornament.
ornamental [ɔrnamɛn'taːl] *adj* decorative, ornamental.
Ornithologe [ɔrnito'loːgə] (**-n, -n**) *m* ornithologist.
Ornithologin [ɔrnito'loːgɪn] *f* ornithologist.
Ort[1] [ɔrt] (**-(e)s, -e**) *m* place; **an ~ und Stelle** on the spot; **am ~** in the place; **am angegebenen ~** in the place quoted, loc. cit.; **~ der Handlung** (*THEAT*) scene of the action; **das ist höheren ~(e)s entschieden worden** (*hum: form*) the decision came from above.
Ort[2] [ɔrt] (**-(e)s, ¨er**) *m*: **vor ~** at the (coal) face; (*auch fig*) on the spot.
Örtchen ['œrtçən] (*umg*) *nt* loo (*BRIT*), john (*US*).
orten *vt* to locate.
orthodox [ɔrto'dɔks] *adj* orthodox.
Orthographie [ɔrtogra'fiː] *f* spelling, orthography.
orthographisch [ɔrto'graːfɪʃ] *adj* orthographic.
Orthopäde [ɔrto'pɛːdə] (**-n, -n**) *m* orthopaedic (*BRIT*) *od* orthopedic (*US*) specialist, orthopaedist (*BRIT*), orthopedist (*US*).
Orthopädie [ɔrtopɛ'diː] *f* orthopaedics *sing* (*BRIT*), orthopedics *sing* (*US*).
orthopädisch *adj* orthopaedic (*BRIT*), orthopedic (*US*).
örtlich ['œrtlɪç] *adj* local; **jdn ~ betäuben** to give sb a local anaesthetic (*BRIT*) *od* anesthetic (*US*); **Ö~keit** *f* locality; **sich mit den Ö~keiten vertraut machen** to get to know the place.
Ortsangabe *f* (name of the) town; **ohne ~** (*Buch*) no place of publication indicated.
ortsansässig *adj* local.
Ortschaft *f* village, small town; **geschlossene ~** built-up area.
Orts- *zW*: **o~fremd** *adj* nonlocal; **~fremde(r)** *f(m)* stranger; **~gespräch** *nt* local (phone) call; **~gruppe** *f* local branch *od* group; **~kenntnis** *f*: **(gute) ~kenntnisse haben** to know one's way around (well); **~krankenkasse** *f*: **Allgemeine ~krankenkasse** *compulsory medical insurance scheme*; **o~kundig** *adj* familiar with the place; **o~kundig sein** to know one's way around; **~name** *m* place name; **~netz** *nt* (*TEL*) local telephone exchange area; **~netzkennzahl** *f* (*TEL*) dialling (*BRIT*) *od* area (*US*) code; **~schild** *nt* place name sign; **~sinn** *m* sense of direction; **~tarif** *m* (*TEL*) charge for local calls; **~vorschriften** *pl* by(e)-laws *pl*; **~zeit** *f* local time; **~zuschlag** *m* (local) weighting allowance.
Ortung *f* locating.
öS. *abk* = **österreichischer Schilling.**
Öse ['øːzə] (**-, -n**) *f* loop; (*an Kleidung*) eye.
Oslo ['ɔslo] (**-s**) *nt* Oslo.
Ossi ['ɔsi] (**-s, -s**) (*umg*) *m* East German.

Ossi *is a colloquial and often derogatory word used to describe a German from the former* **DDR**.

öst. *abk* (= *österreichisch*) Aust.

Ost- *zW:* ~**afrika** *nt* East Africa; **o~deutsch** *adj* East German; ~**deutsche(r)** *f(m)* East German; ~**deutschland** *nt* (*POL: früher*) East Germany; (*GEOG*) Eastern Germany.
Osten (**-s**) *m* east; **der Ferne** ~ the Far East; **der Nahe** ~ the Middle East, the Near East.
ostentativ [ɔstɛnta'ti:f] *adj* pointed, ostentatious.
Oster- *zW:* ~**ei** *nt* Easter egg; ~**fest** *nt* Easter; ~**glocke** *f* daffodil; ~**hase** *m* Easter bunny; ~**insel** *f* Easter Island; ~**marsch** *m* Easter demonstration; ~**montag** *m* Easter Monday.
Ostern (**-s, -**) *nt* Easter; **frohe** *od* **fröhliche** ~! Happy Easter!; **zu** ~ at Easter.
Österreich ['ø:stəraıç] (**-s**) *nt* Austria.
Österreicher(in) (**-s, -**) *m(f)* Austrian.
österreichisch *adj* Austrian.
Ostersonntag *m* Easter Day *od* Sunday.
Osteuropa *nt* East(ern) Europe.
osteuropäisch *adj* East European.
östlich ['œstlıç] *adj* eastern, easterly.
Östrogen [œstro'ge:n] (**-s, -e**) *nt* oestrogen (*BRIT*), estrogen (*US*).
Ost- *zW:* ~**see** *f* Baltic Sea; **o~wärts** *adv* eastwards; ~**wind** *m* east wind.
oszillieren [ɔstsı'li:rən] *vi* to oscillate.
Otter[1] ['ɔtər] (**-s, -**) *m* otter.
Otter[2] ['ɔtər] (**-, -n**) *f* (*Schlange*) adder.
ÖTV (**-**) *f abk* (= *Gewerkschaft öffentliche Dienste, Transport und Verkehr*) ≈ Transport and General Workers' Union.
Ouvertüre [uvɛr'ty:rə] (**-, -n**) *f* overture.
oval [o'va:l] *adj* oval.
Ovation [ovatsi'o:n] *f* ovation.
Overall ['oυvərɔ:l] (**-s, -s**) *m* (*Schutzanzug*) overalls *pl*.
ÖVP (**-**) *f abk* (= *Österreichische Volkspartei*) Austrian People's Party.
Ovulation [ovulatsi'o:n] *f* ovulation.
Oxyd [ɔ'ksy:t] (**-(e)s, -e**) *nt* oxide.
oxydieren [ɔksy'di:rən] *vt, vi* to oxidize.
Oxydierung *f* oxidization.
Ozean ['o:tsea:n] (**-s, -e**) *m* ocean; ~**dampfer** *m* (ocean-going) liner.
Ozeanien [otse'a:niən] (**-s**) *nt* Oceania.
ozeanisch [otse'a:nıʃ] *adj* oceanic; (*Sprachen*) Oceanic.
Ozeanriese (*umg*) *m* ocean liner.
Ozon [o'tso:n] (**-s**) *nt* ozone; ~**loch** *nt* hole in the ozone layer; ~**schicht** *f* ozone layer.

P, p

P, p [pe:] *nt* P, p; ~ **wie Peter** ≈ P for Peter.
P. *abk* = **Pastor; Pater.**
Paar [pa:r] (**-(e)s, -e**) *nt* pair; (*Liebes*~) couple.
paar *adj inv:* **ein** ~ a few; (*zwei oder drei*) a couple of.
paaren *vt, vr* (*Tiere*) to mate, pair.
Paar- *zW:* ~**hufer** *pl* (*ZOOL*) cloven-hoofed animals *pl*; ~**lauf** *m* pair skating; **p~mal** *adv:* **ein p~mal** a few times.
Paarung *f* combination; (*von Tieren*) mating.
paarweise *adv* in pairs; in couples.
Pacht [paxt] (**-, -en**) *f* lease; (*Entgelt*) rent; **p~en** *vt* to lease; **du hast das Sofa doch nicht für dich gepachtet** (*umg*) don't hog the sofa.
Pächter(in) ['pɛçtər(ın)] (**-s, -**) *m(f)* leaseholder; tenant.
Pachtvertrag *m* lease.
Pack[1] [pak] (**-(e)s, -e** *od* **¨-e**) *m* bundle, pack.
Pack[2] [pak] (**-(e)s**) (*pej*) *nt* mob, rabble.
Päckchen ['pɛkçən] *nt* small package; (*Zigaretten*) packet; (*Post*~) small parcel.
Packeis *nt* pack ice.
Packen (**-s, -**) *m* bundle; (*fig: Menge*) heaps (of); **p~** *vt, vi* (*auch COMPUT*) to pack; (*fassen*) to grasp, seize; (*umg: schaffen*) to manage; (*fig: fesseln*) to grip; **p~ wir's!** (*umg: gehen*) let's go.
Packer(in) (**-s, -**) *m(f)* packer.
Packesel *m* pack mule; (*fig*) packhorse.
Packpapier *nt* brown paper, wrapping paper.
Packung *f* packet; (*Pralinen*~) box; (*MED*) compress.
Packzettel *m* (*COMM*) packing slip.
Pädagoge [pɛda'go:gə] (**-n, -n**) *m* educationalist.
Pädagogik *f* education.
Pädagogin [pɛda'go:gın] *f* educationalist.
pädagogisch *adj* educational, pedagogical; **P~e Hochschule** college of education.
Paddel ['padəl] (**-s, -**) *nt* paddle; ~**boot** *nt* canoe.
paddeln *vi* to paddle.
pädophil [pɛdo'fi:l] *adj* paedophile (*BRIT*), pedophile (*US*).
Pädophilie [pɛdofı'li:] *f* paedophilia (*BRIT*), pedophilia (*US*).
paffen ['pafən] *vt, vi* to puff.
Page ['pa:ʒə] (**-n, -n**) *m* page(boy).
Pagenkopf *m* pageboy cut.
paginieren [pagi'ni:rən] *vt* to paginate.
Paginierung *f* pagination.
Paillette [paı'jɛtə] *f* sequin.

Paket [pa'ke:t] (**-(e)s, -e**) *nt* packet; (*Post~*) parcel; **~annahme** *f* parcels office; **~ausgabe** *f* parcels office; **~karte** *f* dispatch note; **~post** *f* parcel post; **~schalter** *m* parcels counter.
Pakistan ['pa:kɪsta:n] (**-s**) *nt* Pakistan.
Pakistaner(in) [pakɪs'ta:nər(ɪn)] (**-s, -**) *m(f)* Pakistani.
Pakistani [pakɪs'ta:ni] (**-(s), -(s)**) *m* Pakistani.
pakistanisch *adj* Pakistani.
Pakt [pakt] (**-(e)s, -e**) *m* pact.
Paläontologie [palɛɔntolo'gi:] *f* palaeontology (*BRIT*), paleontology (*US*).
Palast [pa'last] (**-es, Paläste**) *m* palace.
Palästina [palɛ'sti:na] (**-s**) *nt* Palestine.
Palästinenser(in) [palɛsti'nɛnzər(ɪn)] (**-s, -**) *m(f)* Palestinian.
palästinensisch *adj* Palestinian.
Palaver [pa'la:vər] (**-s, -**) *nt* (*auch fig: umg*) palaver.
Palette [pa'lɛtə] *f* palette; (*fig*) range; (*Lade~*) pallet.
Palme ['palmə] (**-, -n**) *f* palm (tree); **jdn auf die ~ bringen** (*umg*) to make sb see red.
Palmsonntag *m* Palm Sunday.
Pampelmuse ['pampəlmu:zə] (**-, -n**) *f* grapefruit.
pampig ['pampɪç] (*umg*) *adj* (*frech*) fresh.
Panama ['panama] (**-s**) *nt* Panama; **~kanal** *m* Panama Canal.
Panflöte ['pa:nflø:tə] *f* panpipes *pl*, Pan's pipes *pl*.
panieren [pa'ni:rən] *vt* (*KOCH*) to coat with egg and breadcrumbs.
Paniermehl [pa'ni:rme:l] *nt* breadcrumbs *pl*.
Panik ['pa:nɪk] *f* panic; **nur keine ~!** don't panic!; **in ~ ausbrechen** to panic.
Panikkäufe *pl* panic buying *sing*; **~mache** (*umg*) *f* panicmongering.
panisch ['pa:nɪʃ] *adj* panic-stricken.
Panne ['panə] (**-, -n**) *f* (*AUT etc*) breakdown; (*Mißgeschick*) slip; **uns ist eine ~ passiert** we've boobed (*BRIT*) (*umg*) *od* goofed (*US*) (*umg*).
Pannendienst *m* breakdown service.
Pannenhilfe *f* breakdown service.
Panorama [pano'ra:ma] (**-s, -men**) *nt* panorama.
panschen ['panʃən] *vi* to splash about ♦ *vt* to water down.
Panther ['pantər] (**-s, -**) *m* panther.
Pantoffel [pan'tɔfəl] (**-s, -n**) *m* slipper; **~held** (*umg*) *m* henpecked husband.
Pantomime [panto'mi:mə] (**-, -n**) *f* mime.
Panzer ['pantsər] (**-s, -**) *m* armour (*BRIT*), armor (*US*); (*fig*) shield; (*Platte*) armo(u)r plate; (*Fahrzeug*) tank; **~faust** *f* bazooka; **~glas** *nt* bulletproof glass; **~grenadier** *m* armoured (*BRIT*) *od* armored (*US*) infantryman.
panzern *vt* to armour (*BRIT*) *od* armor (*US*) plate ♦ *vr* (*fig*) to arm o.s.
Panzerschrank *m* strongbox.
Panzerwagen *m* armoured (*BRIT*) *od* armored (*US*) car.
Papa [pa'pa:] (**-s, -s**) (*umg*) *m* dad(dy), pa.
Papagei [papa:'gaɪ] (**-s, -en**) *m* parrot.
Papier [pa'pi:r] (**-s, -e**) *nt* paper; (*Wert~*) share; **Papiere** *pl* (identity) papers *pl*; (*Urkunden*) documents *pl*; **seine ~e bekommen** (*entlassen werden*) to get one's cards; **~fabrik** *f* paper mill; **~geld** *nt* paper money; **~korb** *m* wastepaper basket; **~kram** (*umg*) *m* bumf (*BRIT*) (*umg*); **~krieg** *m* red tape; **~tüte** *f* paper bag; **~vorschub** *m* (*Drucker*) paper advance.
Pappbecher *m* paper cup.
Pappdeckel (**-, -n**) *m* cardboard.
Pappe ['papə] *f* cardboard; **das ist nicht von ~** (*umg*) that is really something.
Pappeinband *m* pasteboard.
Pappel (**-, -n**) *f* poplar.
pappen (*umg*) *vt, vi* to stick.
Pappenheimer *pl*: **ich kenne meine ~** (*umg*) I know you lot/that lot (inside out).
Pappenstiel (*umg*) *m*: **keinen ~ wert sein** not to be worth a thing; **für einen ~ bekommen** to get for a song.
papperlapapp [papərla'pap] *interj* rubbish!
pappig *adj* sticky.
Pappmaché [papma'ʃe:] (**-s, -s**) *nt* papier-mâché.
Pappteller *m* paper plate.
Paprika ['paprika] (**-s, -s**) *m* (*Gewürz*) paprika; (*~schote*) pepper; **~schote** *f* pepper; **gefüllte ~schoten** stuffed peppers.
Papst [pa:pst] (**-(e)s, ¨-e**) *m* pope.
päpstlich ['pɛ:pstlɪç] *adj* papal; **~er als der Papst sein** to be more Catholic than the Pope.
Parabel [pa'ra:bəl] (**-, -n**) *f* parable; (*MATH*) parabola.
Parabolantenne [para'bo:l|antɛnə] *f* (*TV*) satellite dish.
Parade [pa'ra:də] (**-, -n**) *f* (*MIL*) parade, review; (*SPORT*) parry; **~beispiel** *nt* prime example; **~marsch** *m* march past; **~schritt** *m* goose step.
Paradies [para'di:s] (**-es, -e**) *nt* paradise; **p~isch** *adj* heavenly.
Paradox [para'dɔks] (**-es, -e**) *nt* paradox; **p~** *adj* paradoxical.
Paraffin [para'fi:n] (**-s, -e**) *nt* (*CHEM: ~öl*) paraffin (*BRIT*), kerosene (*US*); (*~wachs*) paraffin wax.
Paragraph [para'gra:f] (**-en, -en**) *m* paragraph; (*JUR*) section.
Paragraphenreiter (*umg*) *m* pedant.
Paraguay [paragu'a:i] (**-s**) *nt* Paraguay.
Paraguayer(in) [para'gua:jər(ɪn)] (**-s, -**) *m(f)* Paraguayan.
paraguayisch *adj* Paraguayan.
parallel [para'le:l] *adj* parallel; **~ schalten** (*ELEK*) to connect in parallel.

Parallele (-, **-n**) *f* parallel.
Parameter [pa'ra:metər] *m* parameter.
paramilitärisch [paramili'tɛ:rɪʃ] *adj* paramilitary.
Paranuß ['pa:ranʊs] *f* Brazil nut.
paraphieren [para'fi:rən] *vt* (*Vertrag*) to initial.
Parasit [para'zi:t] (**-en, -en**) *m* (*lit, fig*) parasite.
parat [pa'ra:t] *adj* ready.
Pärchen ['pɛ:rçən] *nt* couple.
Parcours [par'ku:r] (-, -) *m* showjumping course; (*Sportart*) showjumping.
Pardon [par'dõ:] (**-s**) (*umg*) *m od nt*: ~**!** (*Verzeihung*) sorry!; **kein ~ kennen** to be ruthless.
Parfüm [par'fy:m] (**-s, -s** *od* **-e**) *nt* perfume.
Parfümerie [parfymə'ri:] *f* perfumery.
Parfümflasche *f* scent bottle.
parfümieren [parfy'mi:rən] *vt* to scent, perfume.
parieren [pa'ri:rən] *vt* to parry ♦ *vi* (*umg*) to obey.
Paris [pa'ri:s] (-) *nt* Paris.
Pariser [pa'ri:zər] (**-s, -**) *m* Parisian; (*umg: Kondom*) rubber ♦ *adj attrib* Parisian, Paris *attrib*.
Pariserin *f* Parisian.
Parität [pari'tɛ:t] *f* parity; **p~isch** *adj*: **p~ische Mitbestimmung** equal representation.
Pariwert ['pa:rive:rt] *m* par value, parity.
Park [park] (**-s, -s**) *m* park.
Parka ['parka] (**-(s), -s**) *m* parka.
Parkanlage *f* park; (*um Gebäude*) grounds *pl*.
Parkbucht *f* parking bay.
parken *vt, vi* to park; **„P~ verboten!"** "No Parking".
Parkett [par'kɛt] (**-(e)s, -e**) *nt* parquet (floor); (*THEAT*) stalls *pl* (*BRIT*), orchestra (*US*).
Park- *zW*: **~haus** *nt* multistorey car park; **~lücke** *f* parking space; **~platz** *m* car park, parking lot (*US*); parking place; **~scheibe** *f* parking disc; **~uhr** *f* parking meter; **~verbot** *nt* parking ban.
Parlament [parla'mɛnt] *nt* parliament.
Parlamentarier [parlamɛn'ta:riər] (**-s, -**) *m* parliamentarian.
parlamentarisch *adj* parliamentary.
Parlaments- *zW*: **~ausschuß** *m* parliamentary committee; **~beschluß** *m* vote of parliament; **~ferien** *pl* recess *sing*; **~mitglied** *nt* Member of Parliament (*BRIT*), Congressman (*US*); **~sitzung** *f* sitting (of parliament).
Parodie [paro'di:] *f* parody.
parodieren *vt* to parody.
Parodontose [parodɔn'to:zə] (**-, -n**) *f* shrinking gums *pl*.
Parole [pa'ro:lə] (**-, -n**) *f* password; (*Wahlspruch*) motto.
Partei [par'taɪ] *f* party; (*im Mietshaus*) tenant, party (*form*); **für jdn ~ ergreifen** to take sb's side; **~buch** *nt* party membership book; **~führung** *f* party leadership; **~genosse** *m* party member; **p~isch** *adj* partial, bias(s)ed; **p~lich** *adj* party *attrib*; **~linie** *f* party line; **p~los** *adj* neutral; **~nahme** (**-, -n**) *f* partisanship; **p~politisch** *adj* party political; **~programm** *nt* (party) manifesto; **~tag** *m* party conference; **~vorsitzende(r)** *f(m)* party leader.
Parterre [par'tɛr] (**-s, -s**) *nt* ground floor; (*THEAT*) stalls *pl* (*BRIT*), orchestra (*US*).
Partie [par'ti:] *f* part; (*Spiel*) game; (*Ausflug*) outing; (*Mann, Frau*) catch; (*COMM*) lot; **mit von der ~ sein** to join in.
partiell [partsi'ɛl] *adj* partial.
Partikel [par'ti:kəl] (**-, -n**) *f* particle.
Partisan(in) [parti'za:n(ɪn)] (**-s** *od* **-en, -en**) *m(f)* partisan.
Partitur [parti'tu:r] *f* (*MUS*) score.
Partizip [parti'tsi:p] (**-s, -ien**) *nt* participle; **~ Präsens/Perfekt** (*GRAM*) present/past participle.
Partner(in) ['partnər(ɪn)] (**-s, -**) *m(f)* partner; **~schaft** *f* partnership; (*Städtepartnerschaft*) twinning; **p~schaftlich** *adj* as partners; **~stadt** *f* twin town (*Brit*).
partout [par'tu:] *adv*: **er will ~ ins Kino gehen** he insists on going to the cinema.
Party ['pa:rti] (**-, -s** *od* **Parties**) *f* party.
Parzelle [par'tsɛlə] *f* plot, lot.
Pascha ['paʃa] (**-s, -s**) *m*: **wie ein ~** like Lord Muck (*BRIT*) (*umg*).
Paß [pas] (**-sses, ⸚sse**) *m* pass; (*Ausweis*) passport.
passabel [pa'sa:bəl] *adj* passable, reasonable.
Passage [pa'sa:ʒə] (**-, -n**) *f* passage; (*Ladenstraße*) arcade.
Passagier [pasa'ʒi:r] (**-s, -e**) *m* passenger; **~dampfer** *m* passenger steamer; **~flugzeug** *nt* airliner.
Passah(fest) ['pasa(fɛst)] *nt* (Feast of the) Passover.
Paßamt *nt* passport office.
Passant(in) [pa'sant(ɪn)] *m(f)* passer-by.
Paßbild *nt* passport photo(graph).
passé [pa'se:] *adj*: **diese Mode ist längst ~** this fashion went out long ago.
passen ['pasən] *vi* to fit; (*auf Frage, KARTEN*) to pass; **~ zu** (*Farbe etc*) to go with; **Sonntag paßt uns nicht** Sunday is no good for us; **die Schuhe ~ (mir) gut** the shoes are a good fit (for me); **zu jdm ~** (*Mensch*) to suit sb; **das paßt mir nicht** that doesn't suit me; **er paßt nicht zu dir** he's not right for you; **das könnte dir so ~!** (*umg*) you'd like that, wouldn't you?
passend *adj* suitable; (*zusammen~*) matching; (*angebracht*) fitting; (*Zeit*) convenient; **haben Sie es ~?** (*Geld*) have you got the right money?
Paßfoto *nt* passport photo(graph).
passierbar [pa'si:rba:r] *adj* passable; (*Fluß, Kanal*) negotiable.
passieren *vt* to pass; (*durch Sieb*) to strain ♦ *vi*

(*Hilfsverb sein*) to happen; **es ist ein Unfall passiert** there has been an accident.
Passierschein *m* pass, permit.
Passion [pasi'o:n] *f* passion.
passioniert [pasio:'ni:rt] *adj* enthusiastic, passionate.
Passionsfrucht *f* passion fruit.
Passionsspiel *nt* Passion Play.
Passionszeit *f* Passiontide.
passiv ['pasi:f] *adj* passive; **~es Rauchen** passive smoking; **P~ (-s, -e)** *nt* passive.
Passiva [pa'si:va] *pl* (*COMM*) liabilities *pl*.
Passivität [pasivi'tɛ:t] *f* passiveness.
Passivposten *m* (*COMM*) debit entry.
Paß- *zW:* **~kontrolle** *f* passport control; **~stelle** *f* passport office; **~straße** *f* (mountain) pass; **~zwang** *m* requirement to carry a passport.
Paste ['pastə] **(-, -n)** *f* paste.
Pastell [pas'tɛl] **(-(e)s, -e)** *nt* pastel; **~farbe** *f* pastel colour (*BRIT*) *od* color (*US*); **p~farben** *adj* pastel-colo(u)red.
Pastete [pas'te:tə] **(-, -n)** *f* pie; (*Pastetchen*) vol-au-vent; (: *ungefüllt*) vol-au-vent case.
pasteurisieren [pastøri'zi:rən] *vt* to pasteurize.
Pastor ['pastɔr] *m* vicar; pastor, minister.
Pate ['pa:tə] **(-n, -n)** *m* godfather; **bei etw ~ gestanden haben** (*fig*) to be the force behind sth.
Patenkind *nt* godchild.
Patenstadt *f* twin town (*BRIT*).
patent [pa'tɛnt] *adj* clever.
Patent **(-(e)s, -e)** *nt* patent; (*MIL*) commission; **etw als** *od* **zum ~ anmelden** to apply for a patent on sth.
Patentamt *nt* patent office.
patentieren [patɛn'ti:rən] *vt* to patent.
Patent- *zW:* **~inhaber** *m* patentee; **~lösung** *f* (*fig*) patent remedy; **~schutz** *m* patent right; **~urkunde** *f* letters patent *pl*.
Pater ['pa:tər] **(-s, -** *od* **Patres)** *m* (*ECCL*) Father.
Paternoster [patər'nɔstər] **(-s, -)** *m* (*Aufzug*) paternoster.
pathetisch [pa'te:tɪʃ] *adj* emotional.
Pathologe [pato'lo:gə] **(-n, -n)** *m* pathologist.
Pathologin [pato'lo:gɪn] *f* pathologist.
pathologisch *adj* pathological.
Pathos ['pa:tɔs] **(-)** *nt* emotiveness, emotionalism.
Patience [pasi'ã:s] **(-, -n)** *f*: **~n legen** to play patience.
Patient(in) [patsi'ɛnt(ɪn)] *m(f)* patient.
Patin ['pa:tɪn] *f* godmother.
Patina ['pa:tina] **(-)** *f* patina.
Patriarch [patri'arç] **(-en, -en)** *m* patriarch.
patriarchalisch [patriar'ça:lɪʃ] *adj* patriarchal.
Patriot(in) [patri'o:t(ɪn)] **(-en, -en)** *m(f)* patriot; **p~isch** *adj* patriotic.
Patriotismus [patrio:'tɪsmʊs] *m* patriotism.
Patron [pa'tro:n] **(-s, -e)** *m* patron; (*ECCL*) patron saint.
Patrone **(-, -n)** *f* cartridge.
Patronenhülse *f* cartridge case.
Patronin *f* patroness; (*ECCL*) patron saint.
Patrouille [pa'trʊljə] **(-, -n)** *f* patrol.
patrouillieren [patrʊl'ji:rən] *vi* to patrol.
patsch [patʃ] *interj* splash!
Patsche **(-, -n)** (*umg*) *f* (*Händchen*) paw; (*Fliegen~*) swat; (*Feuer~*) beater; (*Bedrängnis*) mess, jam.
patschen *vi* to smack, slap; (*im Wasser*) to splash.
patschnaß *adj* soaking wet.
Patt [pat] **(-s, -s)** *nt* (*lit, fig*) stalemate.
patzen ['patsən] (*umg*) *vi* to boob (*BRIT*), goof (*US*).
patzig ['patsɪç] (*umg*) *adj* cheeky, saucy.
Pauke ['paʊkə] **(-, -n)** *f* kettledrum; **auf die ~ hauen** to live it up; **mit ~n und Trompeten durchfallen** (*umg*) to fail dismally.
pauken *vt, vi* (*SCH*) to swot (*BRIT*), cram.
Pauker **(-s, -)** (*umg*) *m* teacher.
pausbäckig ['paʊsbɛkɪç] *adj* chubby-cheeked.
pauschal [paʊ'ʃa:l] *adj* (*Kosten*) inclusive; (*einheitlich*) flat-rate *attrib*; (*Urteil*) sweeping; **die Werkstatt berechnet ~ pro Inspektion 250 DM** the garage has a flat rate of 250 marks per service.
Pauschale **(-, -n)** *f* flat rate; (*vorläufig geschätzter Betrag*) estimated amount.
Pauschal- *zW:* **~gebühr** *f* flat rate; **~preis** *m* all-in price; **~reise** *f* package tour; **~summe** *f* lump sum; **~versicherung** *f* comprehensive insurance.
Pause ['paʊzə] **(-, -n)** *f* break; (*THEAT*) interval; (*das Innehalten*) pause; (*MUS*) rest; (*Kopie*) tracing.
pausen *vt* to trace.
Pausen- *zW:* **~brot** *nt* sandwich (*to eat at break*); **~hof** *m* playground, schoolyard (*US*); **p~los** *adj* nonstop; **~zeichen** *nt* (*RUNDF*) call sign; (*MUS*) rest.
pausieren [paʊ'zi:rən] *vi* to make a break.
Pauspapier ['paʊspapi:r] *nt* tracing paper.
Pavian ['pa:via:n] **(-s, -e)** *m* baboon.
Pazifik [pa'tsi:fɪk] **(-s)** *m* Pacific.
pazifisch *adj* Pacific; **der P~e Ozean** the Pacific (Ocean).
Pazifist(in) [patsi'fɪst(ɪn)] *m(f)* pacifist; **p~isch** *adj* pacifist.
PC *m abk* (= *Personalcomputer*) PC.
PDS *f abk* (= *Partei des Demokratischen Sozialismus*) *German Socialist Party*.

The **PDS** *(Partei des Demokratischen Sozialismus) was founded in 1989 as the successor of the SED, the former East German Communist Party. Its aims are the establishment of a democratic socialist society and to hold a position in the German political scene left of the* **SPD**.

Pech [pɛç] (**-s, -e**) *nt* pitch; (*fig*) bad luck; ~ **haben** to be unlucky; **die beiden halten zusammen wie ~ und Schwefel** (*umg*) the two are inseparable; ~ **gehabt!** tough! (*umg*); **p~schwarz** *adj* pitch-black; **~strähne** (*umg*) *f* unlucky patch; **~vogel** (*umg*) *m* unlucky person.

Pedal [pe'da:l] (**-s, -e**) *nt* pedal; **in die ~e treten** to pedal (hard).

Pedant [pe'dant] *m* pedant.

Pedanterie [pedantə'ri:] *f* pedantry.

pedantisch *adj* pedantic.

Peddigrohr ['pɛdıçro:r] *nt* cane.

Pediküre [pedi'ky:rə] (**-, -n**) *f* (*Fußpflege*) pedicure; (*Fußpflegerin*) chiropodist.

Pegel ['pe:gəl] (**-s, -**) *m* water gauge; (*Geräusch~*) noise level; **~stand** *m* water level.

peilen ['paılən] *vt* to get a fix on; **die Lage ~** (*umg*) to see how the land lies.

Pein [paın] (**-**) *f* agony, suffering.

peinigen *vt* to torture; (*plagen*) to torment.

peinlich *adj* (*unangenehm*) embarrassing, awkward, painful; (*genau*) painstaking; **in seinem Zimmer herrschte ~e Ordnung** his room was meticulously tidy; **er vermied es ~st, davon zu sprechen** he was at pains not to talk about it; **P~keit** *f* painfulness, awkwardness; (*Genauigkeit*) scrupulousness.

Peitsche ['paıtʃə] (**-, -n**) *f* whip.

peitschen *vt* to whip; (*Regen*) to lash.

Peitschenhieb *m* lash.

Pekinese [peki'ne:zə] (**-n, -n**) *m* Pekinese, peke (*umg*).

Peking ['pe:kıŋ] (**-s**) *nt* Peking.

Pelikan ['pe:lika:n] (**-s, -e**) *m* pelican.

Pelle ['pɛlə] (**-, -n**) *f* skin; **der Chef sitzt mir auf der ~** (*umg*) I've got the boss on my back.

pellen *vt* to skin, peel.

Pellkartoffeln *pl* jacket potatoes *pl*.

Pelz [pɛlts] (**-es, -e**) *m* fur.

Pendel ['pɛndəl] (**-s, -**) *nt* pendulum.

pendeln *vi* (*schwingen*) to swing (to and fro); (*Zug, Fähre etc*) to shuttle; (*Mensch*) to commute; (*fig*) to fluctuate.

Pendelverkehr *m* shuttle service; (*Berufsverkehr*) commuter traffic.

Pendler(in) ['pɛndlər(ın)] (**-s, -**) *m(f)* commuter.

penetrant [pene'trant] *adj* sharp; (*Person*) pushing; **das schmeckt/riecht ~ nach Knoblauch** it has a very strong taste/smell of garlic.

penibel [pe'ni:bəl] *adj* pernickety (*BRIT*) (*umg*), persnickety (*US*) (*umg*), precise.

Penis ['pe:nıs] (**-, -se**) *m* penis.

Pennbruder ['pɛnbru:dər] (*umg*) *m* tramp (*BRIT*), hobo (*US*).

Penne (**-, -n**) (*umg*) *f* (*SCH*) school.

pennen (*umg*) *vi* to kip.

Penner (**-s, -**) (*pej: umg*) *m* tramp (*BRIT*), hobo (*US*).

Pension [pɛnzi'o:n] *f* (*Geld*) pension; (*Ruhestand*) retirement; (*für Gäste*) boarding house, guesthouse; **halbe/volle ~** half/full board; **in ~ gehen** to retire.

Pensionär(in) [pɛnzio'nɛ:r(ın)] (**-s, -e**) *m(f)* pensioner.

Pensionat (**-(e)s, -e**) *nt* boarding school.

pensionieren [pɛnzio'ni:rən] *vt* to pension (off); **sich ~ lassen** to retire.

pensioniert *adj* retired.

Pensionierung *f* retirement.

Pensions- *zW*: **p~berechtigt** *adj* entitled to a pension; **~gast** *m* boarder, paying guest; **p~reif** (*umg*) *adj* ready for retirement.

Pensum ['pɛnzʊm] (**-s, Pensen**) *nt* quota; (*SCH*) curriculum.

Peperoni [pepe'ro:ni] *pl* chillies *pl*.

per [pɛr] *präp +akk* by, per; (*pro*) per; (*bis*) by; **~ Adresse** (*COMM*) care of, c/o; **mit jdm ~ du sein** (*umg*) to be on first-name terms with sb.

Perfekt ['pɛrfɛkt] (**-(e)s, -e**) *nt* perfect.

perfekt [pɛr'fɛkt] *adj* perfect; (*abgemacht*) settled; **die Sache ~ machen** to clinch the deal; **der Vertrag ist ~** the contract is all settled.

perfektionieren [pɛrfɛktsio'ni:rən] *vt* to perfect.

Perfektionismus [pɛrfɛktsio'nısmʊs] *m* perfectionism.

perforieren [pɛrfo'ri:rən] *vt* to perforate.

Pergament [pɛrga'mɛnt] *nt* parchment; **~papier** *nt* greaseproof paper (*BRIT*), wax(ed) paper (*US*).

Pergola ['pɛrgola] (**-, Pergolen**) *f* pergola, arbour (*BRIT*), arbor (*US*).

Periode [peri'o:də] (**-, -n**) *f* period; **0,33 ~** 0.33 recurring.

periodisch [peri'o:dıʃ] *adj* periodic; (*dezimal*) recurring.

Peripherie [perife'ri:] *f* periphery; (*um Stadt*) outskirts *pl*; (*MATH*) circumference; **~gerät** *nt* (*COMPUT*) peripheral.

Perle ['pɛrlə] (**-, -n**) *f* (*lit, fig*) pearl; (*Glas~, Holz~, Tropfen*) bead; (*veraltet: umg: Hausgehilfin*) maid.

perlen *vi* to sparkle; (*Tropfen*) to trickle.

Perlenkette *f* pearl necklace.

Perlhuhn *nt* guinea fowl.

Perlmutt ['pɛrlmʊt] (**-s**) *nt* mother-of-pearl.

Perlon ® ['pɛrlɔn] (**-s**) *nt* ≈ nylon.

Perlwein *m* sparkling wine.

perplex [pɛr'plɛks] *adj* dumbfounded.

Perser ['pɛrzər] (**-s, -**) *m* (*Person*) Persian; (*umg: Teppich*) Persian carpet.

Perserin *f* Persian.

Persianer [pɛrzi'a:nər] (**-s, -**) *m* Persian lamb (coat).

Persien ['pɛrziən] (**-s**) *nt* Persia.

Persiflage [pɛrzi'flaːʒə] (-, -n) *f*: ~ (+*gen od* **auf** +*akk*) pastiche (of), satire (on).
persisch *adj* Persian; **P~er Golf** Persian Gulf.
Person [pɛr'zoːn] (-, -en) *f* person; (*pej: Frau*) female; **sie ist Köchin und Haushälterin in einer** ~ she is cook and housekeeper rolled into one; **ich für meine** ~ personally I.
Personal [pɛrzo'naːl] (-s) *nt* personnel; (*Bedienung*) servants *pl*; **~abbau** *m* staff cuts *pl*; **~akte** *f* personal file; **~angaben** *pl* particulars *pl*; **~ausweis** *m* identity card; **~bogen** *m* personal record; **~büro** *nt* personnel (department); **~chef** *m* personnel manager; **~computer** *m* personal computer.
Personalien [pɛrzo'naːliən] *pl* particulars *pl*.
Personalität [pɛrzonali'tɛːt] *f* personality.
Personal- *zW*: **~kosten** *pl* staff costs; **~mangel** *m* staff shortage; **~pronomen** *nt* personal pronoun; **~reduzierung** *f* staff reduction.
personell [pɛrzo'nɛl] *adj* staff *attrib*; **~e Veränderungen** changes in personnel.
Personen- *zW*: **~aufzug** *m* lift, elevator (*US*); **~beschreibung** *f* (personal) description; **~gedächtnis** *nt* memory for faces; **~gesellschaft** *f* partnership; **~kraftwagen** *m* private motorcar, automobile (*US*); **~kreis** *m* group of people; **~kult** *m* personality cult; **~schaden** *m* injury to persons; **~verkehr** *m* passenger services *pl*; **~waage** *f* scales *pl*; **~zug** *m* stopping train; passenger train.
personifizieren [pɛrzonifi'tsiːrən] *vt* to personify.
persönlich [pɛr'zøːnlɪç] *adj* personal ♦ *adv* in person; personally; (*auf Briefen*) private (and confidential); ~ **haften** (*COMM*) to be personally liable; **P~keit** *f* personality; **P~keiten des öffentlichen Lebens** public figures.
Perspektive [pɛrspɛk'tiːvə] *f* perspective; **das eröffnet ganz neue ~n für uns** that opens new horizons for us.
Pers. Ref. *abk* (= *Persönlicher Referent*) personal representative.
Peru [pe'ruː] (-s) *nt* Peru.
Peruaner(in) [peru'aːnər(ɪn)] (-s, -) *m(f)* Peruvian.
peruanisch *adj* Peruvian.
Perücke [pe'rʏkə] (-, -n) *f* wig.
pervers [pɛr'vɛrs] *adj* perverse.
Perversität [pɛrvɛrzi'tɛːt] *f* perversity.
Pessar [pɛ'saːr] (-s, -e) *nt* pessary; (*zur Empfängnisverhütung*) cap, diaphragm.
Pessimismus [pɛsi'mɪsmʊs] *m* pessimism.
Pessimist(in) [pɛsi'mɪst(ɪn)] *m(f)* pessimist; **p~isch** *adj* pessimistic.
Pest [pɛst] (-) *f* plague; **jdn/etw wie die ~ hassen** (*umg*) to loathe (and detest) sb/sth.
Petersilie [petər'ziːliə] *f* parsley.
Petrochemie [petroːçe'miː] *f* petrochemistry.
Petrodollar [petro'dɔlar] *m* petrodollar.
Petroleum [pe'troːleʊm] (-s) *nt* paraffin (*BRIT*), kerosene (*US*).
petzen ['pɛtsən] (*umg*) *vi* to tell tales; **er petzt immer** he always tells.
Pf *abk* = **Pfennig.**
Pfad [pfaːt] (-(e)s, -e) *m* path; **~finder** *m* Boy Scout; **er ist bei den ~findern** he's in the (Boy) Scouts; **~finderin** *f* Girl Guide.
Pfaffe ['pfafə] (-n, -n) (*pej*) *m* cleric, parson.
Pfahl [pfaːl] (-(e)s, ¨-e) *m* post, stake; **~bau** *m* pile dwelling.
Pfalz [pfalts] (-, -en) *f* (*GEOG*) Palatinate.
Pfälzer(in) ['pfɛltsər(ɪn)] (-s, -) *m(f)* person from the Palatinate.
pfälzisch *adj* Palatine, of the (Rhineland) Palatinate.
Pfand [pfant] (-(e)s, ¨-er) *nt* pledge, security; (*Flaschen~*) deposit; (*im Spiel*) forfeit; (*fig: der Liebe etc*) pledge; **~brief** *m* bond.
pfänden ['pfɛndən] *vt* to seize, impound.
Pfänderspiel *nt* game of forfeits.
Pfand- *zW*: **~haus** *nt* pawnshop; **~leiher** (-s, -) *m* pawnbroker; **~recht** *nt* lien; **~schein** *m* pawn ticket.
Pfändung ['pfɛndʊŋ] *f* seizure, distraint (*form*).
Pfanne ['pfanə] (-, -n) *f* (frying) pan; **jdn in die ~ hauen** (*umg*) to tear a strip off sb.
Pfannkuchen *m* pancake; (*Berliner*) doughnut (*BRIT*), donut (*US*).
Pfarrei [pfar'raɪ] *f* parish.
Pfarrer (-s, -) *m* priest; (*evangelisch*) vicar; (*von Freikirchen*) minister.
Pfarrhaus *nt* vicarage.
Pfau [pfaʊ] (-(e)s, -en) *m* peacock.
Pfauenauge *nt* peacock butterfly.
Pfd. *abk* (= *Pfund*) ≈ lb.
Pfeffer ['pfɛfər] (-s, -) *m* pepper; **er soll bleiben, wo der ~ wächst!** (*umg*) he can take a running jump; **~korn** *nt* peppercorn; **~kuchen** *m* gingerbread; **~minz** (-es, -e) *nt* peppermint; **~minze** *f* peppermint (plant); **~mühle** *f* pepper mill.
pfeffern *vt* to pepper; (*umg: werfen*) to fling; **gepfefferte Preise/Witze** steep prices/spicy jokes.
Pfeife ['pfaɪfə] (-, -n) *f* whistle; (*Tabak~, Orgel~*) pipe; **nach jds ~ tanzen** to dance to sb's tune.
pfeifen *unreg vt, vi* to whistle; **auf dem letzten Loch ~** (*umg: erschöpft sein*) to be on one's last legs; (*: finanziell*) to be on one's beam ends; **ich pfeif(e) drauf!** (*umg*) I don't give a damn!; **P~stopfer** *m* tamper.
Pfeifer (-s, -) *m* piper.
Pfeifkonzert *nt* catcalls *pl*.
Pfeil [pfaɪl] (-(e)s, -e) *m* arrow.
Pfeiler ['pfaɪlər] (-s, -) *m* pillar, prop; (*Brücken~*) pier.
Pfennig ['pfɛnɪç] (-(e)s, -e) *m* pfennig (*hundredth part of a mark*); **~absatz** *m* stiletto

heel; ~**fuchser** (-**s**, -) (*umg*) *m* skinflint.
pferchen ['pfɛrçən] *vt* to cram, pack.
Pferd [pfe:rt] (-(**e**)**s**, -**e**) *nt* horse; **wie ein ~ arbeiten** (*umg*) to work like a Trojan; **mit ihm kann man ~e stehlen** (*umg*) he's a great sport; **auf das falsche/richtige ~ setzen** (*lit, fig*) to back the wrong/right horse.
Pferde- *zW*: ~**äpfel** *pl* horse droppings *pl od* dung *sing*; ~**fuß** *m*: **die Sache hat aber einen ~fuß** there's just one snag; ~**rennen** *nt* horse-race; (*Sportart*) horse-racing; ~**schwanz** *m* (*Frisur*) ponytail; ~**stall** *m* stable; ~**stärke** *f* horsepower.
Pfiff (-(**e**)**s**, -**e**) *m* whistle; (*Kniff*) trick.
pfiff *etc* [pfɪf] *vb siehe* **pfeifen.**
Pfifferling ['pfɪfərlɪŋ] *m* yellow chanterelle; **keinen ~ wert** not worth a thing.
pfiffig *adj* smart.
Pfingsten ['pfɪŋstən] (-, -) *nt* Whitsun.
Pfingstrose *f* peony.
Pfingstsonntag *m* Whit Sunday, Pentecost (*REL*).
Pfirsich ['pfɪrzɪç] (-**s**, -**e**) *m* peach.
Pflanze ['pflantsə] (-, -**n**) *f* plant.
pflanzen *vt* to plant ♦ *vr* (*umg*) to plonk o.s.
Pflanzenfett *nt* vegetable fat.
Pflanzenschutzmittel *nt* pesticide.
pflanzlich *adj* vegetable.
Pflanzung *f* plantation.
Pflaster ['pflastər] (-**s**, -) *nt* plaster; (*Straßen~*) pavement (*BRIT*), sidewalk (*US*); **ein teures ~** (*umg*) a pricey place; **ein heißes ~** a dangerous *od* unsafe place; **p~müde** *adj* dead on one's feet.
pflastern *vt* to pave.
Pflasterstein *m* paving stone.
Pflaume ['pflaʊmə] (-, -**n**) *f* plum; (*umg: Mensch*) twit (*BRIT*).
Pflaumenmus *nt* plum jam.
Pflege ['pfle:gə] (-, -**n**) *f* care; (*von Idee*) cultivation; (*Kranken~*) nursing; **jdn/etw in ~ nehmen** to look after sb/sth; **in ~ sein** (*Kind*) to be fostered out; **p~bedürftig** *adj* needing care; ~**eltern** *pl* foster parents *pl*; ~**fall** *m* case for nursing; ~**geld** *nt* (*für ~kinder*) boarding-out allowance; (*für Kranke*) attendance allowance; ~**heim** *nt* nursing home; ~**kind** *nt* foster child; **p~leicht** *adj* easy-care; ~**mutter** *f* foster mother.
pflegen *vt* to look after; (*Kranke*) to nurse; (*Beziehungen*) to foster ♦ *vi* (*gewöhnlich tun*): **sie pflegte zu sagen** she used to say.
Pfleger (-**s**, -) *m* (*im Krankenhaus*) orderly; (*voll qualifiziert*) male nurse; ~**in** *f* nurse.
Pflegesatz *m* hospital and nursing charges *pl*.
Pflegevater *m* foster father.
Pflegeversicherung *f* geriatric care insurance.
Pflicht [pflɪçt] (-, -**en**) *f* duty; (*SPORT*) compulsory section; **Rechte und ~en** rights and responsibilities; **p~bewußt** *adj* conscientious; ~**bewußtsein** *nt* sense of duty; ~**fach** *nt* (*SCH*) compulsory subject; ~**gefühl** *nt* sense of duty; **p~gemäß** *adj* dutiful **p~vergessen** *adj* irresponsible; ~**versicherung** *f* compulsory insurance.
Pflock [pflɔk] (-(**e**)**s**, ⸗**e**) *m* peg; (*für Tiere*) stake.
pflog *etc* [pflo:k] *vb* (*veraltet*) *siehe* **pflegen.**
pflücken ['pflʏkən] *vt* to pick.
Pflug [pflu:k] (-(**e**)**s**, ⸗**e**) *m* plough (*BRIT*), plow (*US*).
pflügen ['pfly:gən] *vt* to plough (*BRIT*), plow (*US*).
Pflugschar *f* ploughshare (*BRIT*), plowshare (*US*).
Pforte ['pfɔrtə] (-, -**n**) *f* (*Tor*) gate.
Pförtner ['pfœrtnər] (-**s**, -) *m* porter, doorkeeper, doorman.
Pförtnerin *f* doorkeeper, porter.
Pfosten ['pfɔstən] (-**s**, -) *m* post; (*senkrechter Balken*) upright.
Pfote ['pfo:tə] (-, -**n**) *f* paw; (*umg: Schrift*) scrawl.
Pfropf [pfrɔpf] (-(**e**)**s**, -**e**) *m* (*Flaschen~*) stopper; (*Blut~*) clot.
Pfropfen (-**s**, -) *m* = **Pfropf.**
pfropfen *vt* (*stopfen*) to cram; (*Baum*) to graft; **gepfropft voll** crammed full.
pfui [pfʊɪ] *interj* ugh!; (*na na*) tut tut!; (*Buhruf*) boo!; ~ **Teufel!** (*umg*) ugh!, yuck!
Pfund [pfʊnt] (-(**e**)**s**, -**e**) *nt* (*Gewicht, FIN*) pound; **das ~ sinkt** sterling *od* the pound is falling.
pfundig (*umg*) *adj* great.
Pfundskerl ['pfʊntskɛrl] (*umg*) *m* great guy.
pfundweise *adv* by the pound.
pfuschen ['pfʊʃən] *vi* to bungle; (*einen Fehler machen*) to slip up.
Pfuscher(in) ['pfʊʃər(ɪn)] (-**s**, -) (*umg*) *m(f)* sloppy worker; (*Kur~*) quack.
Pfuscherei [pfʊʃə'raɪ] (*umg*) *f* sloppy work; (*Kur~*) quackery.
Pfütze ['pfʏtsə] (-, -**n**) *f* puddle.
PH (-, -**s**) *f abk* = **Pädagogische Hochschule.**
Phänomen [fɛno'me:n] (-**s**, -**e**) *nt* phenomenon; **p~al** [-'na:l] *adj* phenomenal.
Phantasie [fanta'zi:] *f* imagination; **in seiner ~** in his mind; ~**gebilde** *nt* (*Einbildung*) figment of the imagination; **p~los** *adj* unimaginative.
phantasieren [fanta'zi:rən] *vi* to fantasize; (*MED*) to be delirious.
phantasievoll *adj* imaginative.
Phantast [fan'tast] (-**en**, -**en**) *m* dreamer, visionary.
phantastisch *adj* fantastic.
Phantom [fan'to:m] (-**s**, -**e**) *nt* (*Trugbild*) phantom; **einem ~ nachjagen** (*fig*) to tilt at windmills; ~**bild** *nt* Identikit ® picture.
Pharisäer [fari'zɛ:ər] (-**s**, -) *m* (*lit, fig*) pharisee.
Pharmazeut(in) [farma'tsɔʏt(ɪn)] (-**en**, -**en**)

m(f) pharmacist.
pharmazeutisch *adj* pharmaceutical.
Pharmazie *f* pharmacy, pharmaceutics *sing*.
Phase ['fa:zə] (**-, -n**) *f* phase.
Philanthrop [filan'tro:p] (**-en, -en**) *m* philanthropist; **p~isch** *adj* philanthropic.
Philharmoniker [fılhar'mo:nikər] (**-s, -**) *m*: **die ~** the philharmonic (orchestra) *sing*.
Philatelist(in) [filate'lıst(ın)] (**-en, -en**) *m(f)* philatelist.
Philippine [fılı'pi:nə] (**-n, -n**) *m* Filipino.
Philippinen *pl* Philippines *pl*, Philippine Islands *pl*.
Philippinin *f* Filipino.
philippinisch *adj* Filipino.
Philologe [filo'lo:gə] (**-n, -n**) *m* philologist.
Philologie [filolo'gi:] *f* philology.
Philologin *f* philologist.
Philosoph(in) [filo'zo:f(ın)] (**-en, -en**) *m(f)* philosopher.
Philosophie [filozo'fi:] *f* philosophy.
philosophieren [filozo'fi:rən] *vi*: **~ (über** *+akk***)** to philosophize (about).
philosophisch *adj* philosophical.
Phlegma ['flɛgma] (**-s**) *nt* lethargy.
phlegmatisch [flɛ'gma:tıʃ] *adj* lethargic.
Phobie [fo'bi:] *f*: **~ (vor** *+dat***)** phobia (about).
Phonetik [fo'ne:tık] *f* phonetics *sing*.
phonetisch *adj* phonetic.
Phonotypistin [fonoty'pıstın] *f* audiotypist.
Phosphat [fɔs'fa:t] (**-(e)s, -e**) *nt* phosphate.
Phosphor ['fɔsfɔr] (**-s**) *m* phosphorus.
phosphoreszieren [fɔsforɛs'tsi:rən] *vt* to phosphoresce.
Photo *etc* ['fo:to] = **Foto** *etc*.
Phrase ['fra:zə] (**-, -n**) *f* phrase; (*pej*) hollow phrase; **~n dreschen** (*umg*) to churn out one cliché after another.
pH-Wert [pe:'ha:ve:rt] *m* pH value.
Physik [fy'zi:k] *f* physics *sing*.
physikalisch [fyzi'ka:lıʃ] *adj* of physics.
Physiker(in) ['fy:zikər(ın)] (**-s, -**) *m(f)* physicist.
Physikum ['fy:zikʊm] (**-s**) *nt* (*UNIV*) *preliminary examination in medicine*.
Physiologe [fyzio'lo:gə] (**-n, -n**) *m* physiologist.
Physiologie [fyziolo'gi:] *f* physiology.
Physiologin *f* physiologist.
physisch ['fy:zıʃ] *adj* physical.
Pianist(in) [pia'nıst(ın)] *m(f)* pianist.
picheln ['pıçəln] (*umg*) *vi* to booze.
Pickel ['pıkəl] (**-s, -**) *m* pimple; (*Werkzeug*) pickaxe; (*Berg~*) ice axe.
pick(e)lig *adj* pimply.
picken ['pıkən] *vt* to peck ♦ *vi*: **~ (nach)** to peck (at).
Picknick ['pıknık] (**-s, -e** *od* **-s**) *nt* picnic; **~ machen** to have a picnic.
piekfein ['pi:k'faın] (*umg*) *adj* posh.
Piemont [pie'mɔnt] (**-s**) *nt* Piedmont.
piepen ['pi:pən] *vi* to chirp; (*Funkgerät etc*) to bleep; **bei dir piept's wohl!** (*umg*) are you off your head?; **es war zum P~!** (*umg*) it was a scream!
piepsen ['pi:psən] *vi* = **piepen**.
Piepser (*umg*) *m* pager, paging device.
Piepsstimme *f* squeaky voice.
Piepton *m* bleep.
Pier [pi:ər] (**-s, -s** *od* **-e**) *m* jetty, pier.
piesacken ['pi:zakən] (*umg*) *vt* to torment.
Pietät [pie'tɛ:t] *f* piety; reverence; **p~los** *adj* impious, irreverent.
Pigment [pıg'mɛnt] (**-(e)s, -e**) *nt* pigment.
Pik [pi:k] (**-s, -s**) *nt* (*KARTEN*) spades; **einen ~ auf jdn haben** (*umg*) to have it in for sb.
pikant [pi'kant] *adj* spicy, piquant; (*anzüglich*) suggestive.
Pike (**-, -n**) *f*: **etw von der ~ auf lernen** (*fig*) to learn sth from the bottom up.
pikiert [pi'ki:rt] *adj* offended.
Pikkolo ['pıkolo] (**-s, -s**) *m* trainee waiter; (*auch*: **~flasche**) *quarter bottle of champagne*; (*MUS: auch:* **~flöte**) piccolo.
Piktogramm [pıkto'gram] *nt* pictogram.
Pilger(in) ['pılgər(ın)] (**-s, -**) *m(f)* pilgrim; **~fahrt** *f* pilgrimage.
pilgern *vi* to make a pilgrimage; (*umg: gehen*) to wend one's way.
Pille ['pılə] (**-, -n**) *f* pill.
Pilot(in) [pi'lo:t(ın)] (**-en, -en**) *m(f)* pilot; **~enschein** *m* pilot's licence (*BRIT*) *od* license (*US*).
Pils [pıls] (**-, -**) *nt* Pilsner (lager).
Pils(e)ner [pılz(ə)nər] (**-s, -**) *nt* Pilsner (lager).
Pilz [pılts] (**-es, -e**) *m* fungus; (*eßbar*) mushroom; (*giftig*) toadstool; **wie ~e aus dem Boden schießen** (*fig*) to mushroom; **~krankheit** *f* fungal disease.
Pimmel ['pıməl] (**-s, -**) (*umg*) *m* (*Penis*) willie.
pingelig ['pıŋəlıç] (*umg*) *adj* fussy.
Pinguin ['pıŋgui:n] (**-s, -e**) *m* penguin.
Pinie ['pi:niə] *f* pine.
Pinkel (**-s, -**) (*umg*) *m*: **ein feiner** *od* **vornehmer ~** a swell, Lord Muck (*BRIT*) (*umg*).
pinkeln ['pıŋkəln] (*umg*) *vi* to pee.
Pinnwand ['pınvant] *f* pinboard.
Pinsel ['pınzəl] (**-s, -**) *m* paintbrush.
pinseln (*umg*) *vt, vi* to paint; (*pej: malen*) to daub.
Pinte ['pıntə] (**-, -n**) (*umg*) *f* (*Lokal*) boozer (*BRIT*).
Pinzette [pın'tsɛtə] *f* tweezers *pl*.
Pionier [pio'ni:r] (**-s, -e**) *m* pioneer; (*MIL*) sapper, engineer; **~arbeit** *f* pioneering work; **~unternehmen** *nt* pioneer company.
Pipi [pi'pi:] (**-s, -s**) *nt od m* (*Kindersprache*) wee(-wee).
Pirat [pi'ra:t] (**-en, -en**) *m* pirate.
Piratensender *m* pirate radio station.
Pirsch [pırʃ] (**-**) *f* stalking.
pissen ['pısən] (*umg!*) *vi* to (have a) piss (*!*); (*regnen*) to piss down (*!*).
Pistazie [pıs'ta:tsiə] (**-, -n**) *f* pistachio.

Piste ['pɪstə] (-, -n) *f* (*SKI*) run, piste; (*AVIAT*) runway.
Pistole [pɪs'to:lə] (-, -n) *f* pistol; **wie aus der ~ geschossen** (*fig*) like a shot; **jdm die ~ auf die Brust setzen** (*fig*) to hold a pistol to sb's head.
pitsch(e)naß ['pɪtʃ(ə)'nas] (*umg*) *adj* soaking (wet).
Pizza ['pɪtsa] (-, -s) *f* pizza.
PKW *m abk* = **Pkw.**
Pkw (-(s), -(s)) *m abk* = **Personenkraftwagen.**
Pl. *abk* (= *Plural*) pl.; (= *Platz*) Sq.
Plackerei [plakə'raɪ] *f* drudgery.
plädieren [plɛ'di:rən] *vi* to plead.
Plädoyer [plɛdoa'je:] (-s, -s) *nt* speech for the defence; (*fig*) plea.
Plage ['pla:gə] (-, -n) *f* plague; (*Mühe*) nuisance; **~geist** *m* pest, nuisance.
plagen *vt* to torment ♦ *vr* to toil, slave.
Plagiat [plagi'a:t] (-(e)s, -e) *nt* plagiarism.
Plakat [pla'ka:t] (-(e)s, -e) *nt* poster; (*aus Pappe*) placard.
plakativ [plaka'ti:f] *adj* striking, bold.
Plakatwand *f* hoarding, billboard (*US*).
Plakette [pla'kɛtə] (-, -n) *f* (*Abzeichen*) badge; (*Münze*) commemorative coin; (*an Wänden*) plaque.
Plan [pla:n] (-(e)s, ⸚e) *m* plan; (*Karte*) map; **Pläne schmieden** to make plans; **nach ~ verlaufen** to go according to plan; **jdn auf den ~ rufen** (*fig*) to bring sb into the arena.
Plane (-, -n) *f* tarpaulin.
planen *vt* to plan; (*Mord etc*) to plot.
Planer(in) (-s, -) *m(f)* planner.
Planet [pla'ne:t] (-en, -en) *m* planet.
Planetenbahn *f* orbit (of a planet).
planieren [pla'ni:rən] *vt* to level off.
Planierraupe *f* bulldozer.
Planke ['plaŋkə] (-, -n) *f* plank.
Plänkelei [plɛŋkə'laɪ] *f* skirmish(ing).
plänkeln ['plɛŋkəln] *vi* to skirmish.
Plankton ['plaŋktɔn] (-s) *nt* plankton.
planlos *adj* (*Vorgehen*) unsystematic; (*Umherlaufen*) aimless.
planmäßig *adj* according to plan; (*methodisch*) systematic; (*EISENB*) scheduled.
Planschbecken ['planʃbɛkən] *nt* paddling pool.
planschen *vi* to splash.
Plansoll *nt* output target.
Planstelle *f* post.
Plantage [plan'ta:ʒə] (-, -n) *f* plantation.
Planung *f* planning.
Planwagen *m* covered wagon.
Planwirtschaft *f* planned economy.
Plappermaul (*umg*) *nt* (*Kind*) chatterbox.
plappern ['plapərn] *vi* to chatter.
plärren ['plɛrən] *vi* (*Mensch*) to cry, whine; (*Radio*) to blare.
Plasma ['plasma] (-s, **Plasmen**) *nt* plasma.
Plastik[1] ['plastɪk] *f* sculpture.
Plastik[2] ['plastɪk] (-s) *nt* (*Kunststoff*) plastic; **~folie** *f* plastic film; **~geschoß** *nt* plastic bullet; **~tüte** *f* plastic bag.
Plastilin [plasti'li:n] (-s) *nt* Plasticine ®.
plastisch ['plastɪʃ] *adj* plastic; **stell dir das ~ vor!** just picture it!
Platane [pla'ta:nə] (-, -n) *f* plane (tree).
Platin ['pla:ti:n] (-s) *nt* platinum.
Platitüde [plati'ty:də] (-, -n) *f* platitude.
platonisch [pla'to:nɪʃ] *adj* platonic.
platsch [platʃ] *interj* splash!
platschen *vi* to splash.
plätschern ['plɛtʃərn] *vi* to babble.
platschnaß *adj* drenched.
platt [plat] *adj* flat; (*umg: überrascht*) flabbergasted; (*fig: geistlos*) flat, boring; **einen P~en haben** to have a flat (*umg*), have a flat tyre (*BRIT*) *od* tire (*US*).
plattdeutsch *adj* Low German.
Platte (-, -n) *f* (*Speisen~, PHOT, TECH*) plate; (*Stein~*) flag; (*Kachel*) tile; (*Schall~*) record; **kalte ~** cold dish; **die ~ kenne ich schon** (*umg*) I've heard all that before.
Plätteisen *nt* iron.
plätten *vt, vi* to iron.
Platten- *zW:* **~leger** (-s, -) *m* paver; **~spieler** *m* record player; **~teller** *m* turntable.
Plattform *f* platform; (*fig: Grundlage*) basis.
Plattfuß *m* flat foot; (*Reifen*) flat tyre (*BRIT*) *od* tire (*US*).
Platz [plats] (-es, ⸚e) *m* place; (*Sitz~*) seat; (*Raum*) space, room; (*in Stadt*) square; (*Sport~*) playing field; **~ machen** to get out of the way; **~ nehmen** to take a seat; **jdm ~ machen** to make room for sb; **auf ~ zwei** in second place; **fehl am ~e sein** to be out of place; **seinen ~ behaupten** to stand one's ground; **das erste Hotel am ~** the best hotel in town; **auf die Plätze, fertig, los!** (*beim Sport*) on your marks, get set, go!; **einen Spieler vom ~ stellen** *od* **verweisen** (*SPORT*) to send a player off; **~angst** *f* (*MED*) agoraphobia; (*umg*) claustrophobia; **~angst haben/bekommen** (*umg*) to feel/get claustrophobic; **~anweiser(in)** (-s, -) *m(f)* usher(ette).
Plätzchen ['plɛtsçən] *nt* spot; (*Gebäck*) biscuit.
platzen *vi* (*Hilfsverb sein*) to burst; (*Bombe*) to explode; (*Naht, Hose, Haut*) to split; (*umg: scheitern: Geschäft*) to fall through; (*: Freundschaft*) to break up; (*: Theorie, Verschwörung*) to collapse; (*: Wechsel*) to bounce; **vor Wut ~** (*umg*) to be bursting with anger.
Platz- *zW:* **~karte** *f* seat reservation; **~konzert** *nt* open-air concert; **~mangel** *m* lack of space; **~patrone** *f* blank cartridge; **~regen** *m* downpour; **~sparend** *adj* space-saving; **~verweis** *m* sending-off; **~wart** *m* (*SPORT*) groundsman (*BRIT*), groundskeeper (*US*); **~wunde** *f* cut.
Plauderei [plaʊdə'raɪ] *f* chat, conversation.

plaudern ['plaudərn] *vi* to chat, talk.
Plausch [plauʃ] (**-(e)s, -e**) (*umg*) *m* chat.
plausibel [plau'zi:bəl] *adj* plausible.
Playback ['pleɪbæk] (**-s, -s**) *nt* (*Verfahren: Schallplatte*) double-tracking; (*TV*) miming.
plazieren [pla'tsi:rən] *vt* to place ♦ *vr* (*SPORT*) to be placed; (*TENNIS*) to be seeded; (*umg: sich setzen, stellen*) to plant o.s.
Plebejer(in) [ple'be:jər(ɪn)] (**-s, -**) *m(f)* plebeian.
plebejisch [ple'be:jɪʃ] *adj* plebeian.
pleite ['plaɪtə] (*umg*) *adj* broke; **P~** (**-, -n**) *f* bankruptcy; (*umg: Reinfall*) flop; **P~ machen** to go bust.
Pleitegeier (*umg*) *m* (*drohende Pleite*) vulture; (*Bankrotteur*) bankrupt.
plemplem [plɛm'plɛm] (*umg*) *adj* nuts.
Plenarsitzung [ple'na:rzɪtsʊŋ] *f* plenary session.
Plenum ['ple:nʊm] (**-s, Plenen**) *nt* plenum.
Pleuelstange ['plɔʏəlʃtaŋə] *f* connecting rod.
Plissee [plɪ'se:] (**-s, -s**) *nt* pleat.
Plombe ['plɔmbə] (**-, -n**) *f* lead seal; (*Zahn~*) filling.
plombieren [plɔm'bi:rən] *vt* to seal; (*Zahn*) to fill.
Plotter ['plɔtər] (**-s, -s**) *m* (*COMPUT*) plotter.
plötzlich ['plœtslɪç] *adj* sudden ♦ *adv* suddenly; **~er Kindstod** SIDS= *sudden infant death syndrome.*
Pluderhose ['plu:dərho:zə] *f* harem trousers *pl.*
plump [plʊmp] *adj* clumsy; (*Hände*) coarse; (*Körper*) shapeless; **~e Annäherungsversuche** very obvious advances.
plumpsen (*umg*) *vi* to plump down, fall.
Plumpsklo(sett) (*umg*) *nt* earth closet.
Plunder ['plʊndər] (**-s**) *m* junk, rubbish.
Plundergebäck *nt* flaky pastry.
plündern ['plʏndərn] *vt* to plunder; (*Stadt*) to sack ♦ *vi* to plunder.
Plünderung ['plʏndərʊŋ] *f* plundering, sack, pillage.
Plural ['plu:ra:l] (**-s, -e**) *m* plural; **im ~ stehen** to be (in the) plural.
pluralistisch [plura'lɪstɪʃ] *adj* pluralistic.
plus [plʊs] *adv* plus; **mit ~ minus null abschließen** (*COMM*) to break even; **P~** (**-, -**) *nt* plus; (*FIN*) profit; (*Vorteil*) advantage.
Plüsch [ply:ʃ] (**-(e)s, -e**) *m* plush; **~tier** *nt* ≈ soft toy.
Plus- *zW:* **~pol** *m* (*ELEK*) positive pole; **~punkt** *m* (*SPORT*) point; (*fig*) point in sb's favour; **~quamperfekt** *nt* pluperfect.
Plutonium [plu'to:niʊm] (**-s**) *nt* plutonium.
PLZ *abk* = **Postleitzahl.**
Pneu [pnɔʏ] (**-s, -s**) *m abk* (= *Pneumatik*) tyre (*BRIT*), tire (*US*).
Po [po:] (**-s, -s**) (*umg*) *m* bum (*BRIT*), fanny (*US*).
Pöbel ['pø:bəl] (**-s**) *m* mob, rabble.
Pöbelei [pø:bə'laɪ] *f* vulgarity.
pöbelhaft *adj* low, vulgar.
pochen ['pɔxən] *vi* to knock; (*Herz*) to pound; **auf etw** *akk* **~** (*fig*) to insist on sth.
Pocken ['pɔkən] *pl* smallpox *sing.*
Pocken(schutz)impfung *f* smallpox vaccination.
Podest [pɔ'dɛst] (**-(e)s, -e**) *nt od m* (*Sockel, fig*) pedestal; (*Podium*) platform.
Podium ['po:diʊm] *nt* podium.
Podiumsdiskussion *f* panel discussion.
Poesie [poe'zi:] *f* poetry.
Poet [po'e:t] (**-en, -en**) *m* poet; **p~isch** *adj* poetic.
pofen ['po:fən] (*umg*) *vi* to kip (*BRIT*), doss.
Pointe [po'ɛ̃:tə] (**-, -n**) *f* point; (*eines Witzes*) punch line.
pointiert [poɛ̃'ti:rt] *adj* trenchant, pithy.
Pokal [po'ka:l] (**-s, -e**) *m* goblet; (*SPORT*) cup; **~spiel** *nt* cup tie.
Pökelfleisch ['pø:kəlflaɪʃ] *nt* salt meat.
pökeln *vt* (*Fleisch, Fisch*) to pickle, salt.
Poker ['po:kər] (**-s**) *nt* poker.
pokern ['po:kərn] *vi* to play poker.
Pol [po:l] (**-s, -e**) *m* pole; **der ruhende ~** (*fig*) the calming influence.
pol. *abk* = **politisch; polizeilich.**
polar [po'la:r] *adj* polar.
polarisieren [polari'zi:rən] *vt, vr* to polarize.
Polarkreis *m* polar circle; **nördlicher/südlicher ~** Arctic/Antarctic Circle.
Polarstern *m* Pole Star.
Pole ['po:lə] (**-n, -n**) *m* Pole.
Polemik [po'le:mɪk] *f* polemics *sing.*
polemisch *adj* polemical.
polemisieren [polemi'zi:rən] *vi* to polemicize.
Polen ['po:lən] (**-s**) *nt* Poland.
Polente (**-**) (*veraltet: umg*) *f* cops *pl.*
Police [po'li:s(ə)] (**-, -n**) *f* insurance policy.
Polier [po'li:r] (**-s, -e**) *m* foreman.
polieren *vt* to polish.
Poliklinik [poli'kli:nɪk] *f* outpatients (department) *sing.*
Polin *f* Pole, Polish woman.
Politesse [poli'tɛsə] (**-, -n**) *f* (*Frau*) ≈ traffic warden (*BRIT*).
Politik [poli'ti:k] *f* politics *sing*; (*eine bestimmte*) policy; **in die ~ gehen** to go into politics; **eine ~ verfolgen** to pursue a policy.
Politiker(in) [po'li:tikər(ɪn)] (**-s, -**) *m(f)* politician.
politisch [po'li:tɪʃ] *adj* political.
politisieren [politi'zi:rən] *vi* to talk politics ♦ *vt* to politicize; **jdn ~** to make sb politically aware.
Politur [poli'tu:r] *f* polish.
Polizei [poli'tsaɪ] *f* police; **~aufsicht** *f*: **unter ~aufsicht stehen** to have to report regularly to the police; **~beamte(r)** *m* police officer; **p~lich** *adj* police *attrib*; **sich p~lich melden** to register with the police; **p~liches Führungszeugnis** *certificate of "no criminal record" issued by the police*; **~präsidium** *nt*

police headquarters *pl*; ~**revier** *nt* police station; ~**spitzel** *m* police spy, informer; ~**staat** *m* police state; ~**streife** *f* police patrol; ~**stunde** *f* closing time; ~**wache** *f* police station; **p~widrig** *adj* illegal.
Polizist(in) [poli'tsɪst(ɪn)] (**-en, -en**) *m(f)* policeman/-woman.
Pollen ['pɔlən] (**-s, -**) *m* pollen.
poln. *abk* = **polnisch.**
polnisch ['pɔlnɪʃ] *adj* Polish.
Polohemd ['po:lohɛmt] *nt* polo shirt.
Polster ['pɔlstər] (**-s, -**) *nt* cushion; (*~ung*) upholstery; (*in Kleidung*) padding; (*fig: Geld*) reserves *pl*; ~**er** (**-s, -**) *m* upholsterer; ~**garnitur** *f* three-piece suite; ~**möbel** *pl* upholstered furniture *sing*.
polstern *vt* to upholster; (*Kleidung*) to pad; **sie ist gut gepolstert** (*umg*) she's well padded; (*: finanziell*) she's not short of the odd penny.
Polsterung *f* upholstery.
Polterabend ['pɔltəra:bənt] *m party on the eve of a wedding*.
poltern *vi* (*Krach machen*) to crash; (*schimpfen*) to rant.
Polygamie [polyga'mi:] *f* polygamy.
Polynesien [poly'ne:ziən] (**-s**) *nt* Polynesia.
Polynesier(in) [poly'ne:ziər(ɪn)] (**-s, -**) *m(f)* Polynesian.
polynesisch *adj* Polynesian.
Polyp [po'ly:p] (**-en, -en**) *m* polyp; (*umg*) cop; **Polypen** *pl* (*MED*) adenoids *pl*.
Polytechnikum [poly'tɛçnikum] (**-s, Polytechnika**) *nt* polytechnic, poly (*umg*).
Pomade [po'ma:də] *f* pomade.
Pommern ['pɔmərn] (**-s**) *nt* Pomerania.
Pommes frites [pɔm'frɪt] *pl* chips *pl* (*BRIT*), French fried potatoes *pl* (*BRIT*), French fries *pl* (*US*).
Pomp [pɔmp] (**-(e)s**) *m* pomp.
pompös [pɔm'pø:s] *adj* grandiose.
Pontius ['pɔntsiʊs] *m*: **von ~ zu Pilatus** from pillar to post.
Pony ['pɔni] (**-s, -s**) *m* (*Frisur*) fringe (*BRIT*), bangs *pl* (*US*) ♦ *nt* (*Pferd*) pony.
Pop [pɔp] (**-s**) *m* (*MUS*) pop; (*KUNST*) pop art.
Popelin [popə'li:n] (**-s, -e**) *m* poplin.
Popeline (**-, -n**) *f* poplin.
Popkonzert *nt* pop concert.
Popmusik *f* pop music.
Popo [po'po:] (**-s, -s**) (*umg*) *m* bottom, bum (*BRIT*).
populär [popu'lɛ:r] *adj* popular.
Popularität [populari'tɛ:t] *f* popularity.
populärwissenschaftlich *adj* popular science.
Pore ['po:rə] (**-, -n**) *f* pore.
Porno ['pɔrno] (**-s, no pl**) (*umg*) *m* porn.
Pornographie [pɔrnogra'fi:] *f* pornography.
pornographisch [pɔrno'gra:fɪʃ] *adj* pornographic.
porös [po'rø:s] *adj* porous.
Porree ['pɔre] (**-s, -s**) *m* leek.
Portal [pɔr'ta:l] (**-s, -e**) *nt* portal.
Portefeuille [pɔrt(ə)'fø:j] (**-s, -s**) *nt* (*POL, FIN*) portfolio.
Portemonnaie [pɔrtmɔ'nɛ:] (**-s, -s**) *nt* purse.
Portier [pɔrti'e:] (**-s, -s**) *m* porter; (*Pförtner*) porter, doorkeeper, doorman.
Portion [pɔrtsi'o:n] *f* portion, helping; (*umg: Anteil*) amount; **eine halbe ~** (*fig: umg: Person*) a half-pint; **eine ~ Kaffee** a pot of coffee.
Porto ['pɔrto] (**-s, -s** *od* **Porti**) *nt* postage; **~ zahlt Empfänger** postage paid; **p~frei** *adj* post-free, (postage) prepaid.
Porträt [pɔr'trɛ:] (**-s, -s**) *nt* portrait.
porträtieren [pɔrtrɛ'ti:rən] *vt* to paint (a portrait of); (*fig*) to portray.
Portugal ['pɔrtugal] (**-s**) *nt* Portugal.
Portugiese [pɔrtu'gi:zə] (**-n, -n**) *m* Portuguese.
Portugiesin *f* Portuguese.
portugiesisch *adj* Portuguese.
Portwein ['pɔrtvaɪn] *m* port.
Porzellan [pɔrtsɛ'la:n] (**-s, -e**) *nt* china, porcelain; (*Geschirr*) china.
Posaune [po'zaʊnə] (**-, -n**) *f* trombone.
Pose ['po:zə] (**-, -n**) *f* pose.
posieren [po'zi:rən] *vi* to pose.
Position [pozitsi'o:n] *f* position; (*COMM: auf Liste*) item.
Positionslichter *pl* navigation lights *pl*.
positiv ['po:ziti:f] *adj* positive; **~ zu etw stehen** to be in favour (*BRIT*) *od* favor (*US*) of sth; **P~** (**-s, -e**) *nt* (*PHOT*) positive.
Positur [pozi'tu:r] *f* posture, attitude; **sich in ~ setzen** *od* **stellen** to adopt a posture.
Posse ['pɔsə] (**-, -n**) *f* farce.
possessiv ['pɔsɛsi:f] *adj* possessive; **P~** (**-s, -e**) *nt* possessive pronoun; **P~pronomen** (**-s, -e**) *nt* possessive pronoun.
possierlich [pɔ'si:rlɪç] *adj* funny.
Post [pɔst] (**-, -en**) *f* post (office); (*Briefe*) post, mail; **ist ~ für mich da?** are there any letters for me?; **mit getrennter ~** under separate cover; **etw auf die ~ geben** to post (*BRIT*) *od* mail sth; **auf die** *od* **zur ~ gehen** to go to the post office; ~**amt** *nt* post office; ~**anweisung** *f* postal order (*BRIT*), money order; ~**bote** *m* postman (*BRIT*), mailman (*US*).
Posten (**-s, -**) *m* post, position; (*COMM*) item; (*: Warenmenge*) quantity, lot; (*auf Liste*) entry; (*MIL*) sentry; (*Streik~*) picket; **~ beziehen** to take up one's post; **nicht ganz auf dem ~ sein** (*nicht gesund sein*) to be off-colour (*BRIT*) *od* off-color (*US*).
Poster ['pɔstər] (**-s, -(s)**) *nt* poster.
Postf. *abk* (= *Postfach*) PO Box.
Post- *zW*: ~**fach** *nt* post office box; ~**karte** *f* postcard; **p~lagernd** *adv* poste restante; ~**leitzahl** *f* postal code.
postmodern [pɔstmo'dɛrn] *adj* postmodern.
Post- *zW*: ~**scheckkonto** *nt* Post Office Giro account (*BRIT*); ~**sparbuch** *nt* post office

savings book (*Brit*); ~**sparkasse** *f* post office savings bank; ~**stempel** *m* postmark; **p~wendend** *adv* by return (of post); ~**wertzeichen** *nt* (*form*) postage stamp; ~**wurfsendung** *f* direct mail advertising.
potent [po'tɛnt] *adj* potent; (*fig*) high-powered.
Potential [potɛntsi'a:l] (**-s, -e**) *nt* potential.
potentiell [potɛntsi'ɛl] *adj* potential.
Potenz [po'tɛnts] *f* power; (*eines Mannes*) potency.
potenzieren [potɛn'tsi:rən] *vt* (*MATH*) to raise to the power of.
Potpourri ['pɔtpʊri] (**-s, -s**) *nt*: ~ **(aus)** (*MUS*) medley (of); (*fig*) assortment (of).
Pott [pɔt] (**-(e)s, ⸚e**) (*umg*) *m* pot; **p~häßlich** (*umg*) *adj* ugly as sin.
pp., ppa. *abk* (= *per procura*) p.p.
Präambel [prɛ'|ambəl] (**-, -n**) *f* (*+gen*) preamble (to).
Pracht [praxt] (**-**) *f* splendour (*BRIT*), splendor (*US*), magnificence; **es ist eine wahre** ~ it's (really) marvellous; ~**exemplar** *nt* beauty (*umg*); (*fig: Mensch*) fine specimen.
prächtig ['prɛçtɪç] *adj* splendid.
Prachtstück *nt* showpiece.
prachtvoll *adj* splendid, magnificent.
prädestinieren [prɛdɛsti'ni:rən] *vt* to predestine.
Prädikat [prɛdi'ka:t] (**-(e)s, -e**) *nt* title; (*GRAM*) predicate; (*Zensur*) distinction; **Wein mit** ~ special quality wine.
Prag [pra:k] (**-s**) *nt* Prague.
prägen ['prɛ:gən] *vt* to stamp; (*Münze*) to mint; (*Ausdruck*) to coin; (*Charakter*) to form; (*kennzeichnen: Stadtbild*) to characterize; **das Erlebnis prägte ihn** the experience left its mark on him.
prägend *adj* having a forming *od* shaping influence.
pragmatisch [pra'gma:tɪʃ] *adj* pragmatic.
prägnant [prɛ'gnant] *adj* concise, terse.
Prägnanz *f* conciseness, terseness.
Prägung ['prɛ:gʊŋ] *f* minting; forming; (*Eigenart*) character, stamp.
prahlen ['pra:lən] *vi* to boast, brag.
Prahlerei [pra:lə'raɪ] *f* boasting.
prahlerisch *adj* boastful.
Praktik ['praktɪk] *f* practice.
praktikabel [praktɪ'ka:bəl] *adj* practicable.
Praktikant(in) [praktɪ'kant(ɪn)] *m(f)* trainee.
Praktikum (**-s, Praktika** *od* **Praktiken**) *nt* practical training.
praktisch ['praktɪʃ] *adj* practical, handy; ~**er Arzt** general practitioner; ~**es Beispiel** concrete example.
praktizieren [prakti'tsi:rən] *vt, vi* to practise (*BRIT*), practice (*US*).
Praline [pra'li:nə] *f* chocolate.
prall [pral] *adj* firmly rounded; (*Segel*) taut; (*Arme*) plump; (*Sonne*) blazing.
prallen *vi* to bounce, rebound; (*Sonne*) to blaze.
prallvoll *adj* full to bursting; (*Brieftasche*) bulging.
Prämie ['prɛ:miə] *f* premium; (*Belohnung*) award, prize.
prämienbegünstigt *adj* with benefit of premiums.
prämiensparen *vi* to save in a bonus scheme.
prämieren [prɛ'mi:rən] *vt* to give an award to.
Pranger ['praŋər] (**-s, -**) *m* (*HIST*) pillory; **jdn an den** ~ **stellen** (*fig*) to pillory sb.
Pranke ['praŋkə] (**-, -n**) *f* (*Tier~: umg: Hand*) paw.
Präparat [prɛpa'ra:t] (**-(e)s, -e**) *nt* (*BIOL*) preparation; (*MED*) medicine.
präparieren *vt* (*konservieren*) to preserve; (*MED: zerlegen*) to dissect.
Präposition [prɛpozitsi'o:n] *f* preposition.
Prärie [prɛ'ri:] *f* prairie.
Präs. *abk* = **Präsens; Präsident.**
Präsens ['prɛ:zɛns] (**-**) *nt* present tense.
präsent *adj*: **etw** ~ **haben** to have sth at hand.
präsentieren [prɛzɛn'ti:rən] *vt* to present.
Präsenzbibliothek *f* reference library.
Präservativ [prɛzɛrva'ti:f] (**-s, -e**) *nt* condom, sheath.
Präsident(in) [prɛzi'dɛnt(ɪn)] *m(f)* president; ~**schaft** *f* presidency; ~**schaftskandidat** *m* presidential candidate.
Präsidium [prɛ'zi:diʊm] *nt* presidency, chairmanship; (*Polizei~*) police headquarters *pl*.
prasseln ['prasəln] *vi* (*Feuer*) to crackle; (*Hagel*) to drum; (*Wörter*) to rain down.
prassen ['prasən] *vi* to live it up.
Präteritum [prɛ'te:ritʊm] (**-s, Präterita**) *nt* preterite.
Pratze ['pratsə] (**-, -n**) *f* paw.
Präventiv- [prɛvɛn'ti:f] *in zW* preventive.
Praxis ['praksɪs] (**-, Praxen**) *f* practice; (*Erfahrung*) experience; (*Behandlungsraum*) surgery; (*von Anwalt*) office; **die** ~ **sieht anders aus** the reality is different; **ein Beispiel aus der** ~ an example from real life.
Präzedenzfall [prɛtse:'dɛntsfal] *m* precedent.
präzis [prɛ'tsi:s] *adj* precise.
Präzision [prɛtsizi'o:n] *f* precision.
PR-Chef *m* PR officer.
predigen ['pre:dɪgən] *vt, vi* to preach.
Prediger (**-s, -**) *m* preacher.
Predigt ['pre:dɪçt] (**-, -en**) *f* sermon.
Preis [praɪs] (**-es, -e**) *m* price; (*Sieges~*) prize; (*Auszeichnung*) award; **um keinen** ~ not at any price; **um jeden** ~ at all costs; ~**angebot** *nt* quotation; ~**ausschreiben** *nt* competition; ~**bindung** *f* price-fixing; ~**brecher** *m* (*Firma*) undercutter.
Preiselbeere *f* cranberry.
preisempfindlich *adj* price-sensitive.

preisen [praɪzən] *unreg vt* to praise; **sich glücklich** ~ (*geh*) to count o.s. lucky.
Preis- *zW:* ~**entwicklung** *f* price trend; ~**erhöhung** *f* price increase; ~**frage** *f* question of price; (*Wettbewerb*) prize question.
preisgeben *unreg vt* to abandon; (*opfern*) to sacrifice; (*zeigen*) to expose.
Preis- *zW:* ~**gefälle** *nt* price gap; **p~gekrönt** *adj* prizewinning; ~**gericht** *nt* jury; **p~günstig** *adj* inexpensive; ~**index** *m* price index; ~**krieg** *m* price war; ~**lage** *f* price range; **p~lich** *adj* price *attr*, in price; ~**liste** *f* price list, tariff; ~**nachlaß** *m* discount; ~**schild** *nt* price tag; ~**spanne** *f* price range; ~**sturz** *m* slump; ~**träger** *m* prizewinner; **p~wert** *adj* inexpensive.
prekär [pre'kɛ:r] *adj* precarious.
Prellbock [prɛlbɔk] *m* buffers *pl*.
prellen *vt* to bruise; (*fig*) to cheat, swindle.
Prellung *f* bruise.
Premiere [prəmi'ɛ:rə] (-, -**n**) *f* premiere.
Premierminister(in) [prəmɪ'e:mɪnɪstər(ɪn)] *m(f)* prime minister, premier.
Presse ['prɛsə] (-, -**n**) *f* press; ~**agentur** *f* press *od* news agency; ~**sausweis** *m* press pass; ~**erklärung** *f* press release; ~**freiheit** *f* freedom of the press; ~**konferenz** *f* press conference; ~**meldung** *f* press report.
pressen *vt* to press.
Presse- *zW:* ~**sprecher(in)** *m(f)* spokesperson, press officer; ~**stelle** *f* press office; ~**verlautbarung** *f* press release.
pressieren [prɛ'si:rən] *vi* to be in a hurry; **es pressiert** it's urgent.
Preßluft ['prɛslʊft] *f* compressed air; ~**bohrer** *m* pneumatic drill.
Prestige [prɛs'ti:ʒə] (-**s**) *nt* prestige; ~**verlust** *m* loss of prestige.
Preuße ['prɔʏsə] (-**n**, -**n**) *m* Prussian.
Preußen (-**s**) *nt* Prussia.
Preußin *f* Prussian.
preußisch *adj* Prussian.
prickeln ['prɪkəln] *vi* to tingle; (*kitzeln*) to tickle; (*Bläschen bilden*) to sparkle, bubble ♦ *vt* to tickle.
pries *etc* [pri:s] *vb siehe* **preisen**.
Priester ['pri:stər] (-**s**, -) *m* priest.
Priesterin *f* priestess.
Priesterweihe *f* ordination (to the priesthood).
Prima ['pri:ma] (-, **Primen**) *f* *eighth and ninth year of German secondary school.*
prima *adj inv* first-class, excellent.
primär [pri'mɛ:r] *adj* primary; **P~daten** *pl* primary data *pl*.
Primel ['pri:məl] (-, -**n**) *f* primrose.
primitiv [primi'ti:f] *adj* primitive.
Primzahl ['pri:mtsa:l] *f* prime (number).
Prinz [prɪnts] (-**en**, -**en**) *m* prince.
Prinzessin [prɪn'tsɛsɪn] *f* princess.
Prinzip [prɪn'tsi:p] (-**s**, -**ien**) *nt* principle; **aus** ~ on principle; **im** ~ in principle.
prinzipiell [prɪntsi'piɛl] *adj* on principle.
prinzipienlos *adj* unprincipled.
Priorität [priori'tɛ:t] *f* priority; **Prioritäten** *pl* (*COMM*) preference shares *pl*, preferred stock *sing* (*US*); ~**en setzen** to establish one's priorities.
Prise ['pri:zə] (-, -**n**) *f* pinch.
Prisma ['prɪsma] (-**s**, **Prismen**) *nt* prism.
privat [pri'va:t] *adj* private; **jdn** ~ **sprechen** to speak to sb in private; **P~besitz** *m* private property; **P~dozent** *m* outside lecturer; **P~fernsehen** *nt* commercial television; **P~gespräch** *nt* private conversation; (*am Telefon*) private call.
privatisieren [privati'zi:rən] *vt* to privatize.
Privatschule *f* private school.
Privatwirtschaft *f* private sector.
Privileg [privi'le:k] (-(**e**)**s**, -**ien**) *nt* privilege.
Pro [pro:] (-) *nt* pro.
pro *präp +akk* per; ~ **Stück** each, apiece.
Probe ['pro:bə] (-, -**n**) *f* test; (*Teststück*) sample; (*THEAT*) rehearsal; **jdn auf die** ~ **stellen** to put sb to the test; **er ist auf** ~ **angestellt** he's employed for a probationary period; **zur** ~ to try out; ~**bohrung** *f* (*Öl*) exploration well; ~**exemplar** *nt* specimen copy; ~**fahrt** *f* test drive; ~**lauf** *m* trial run.
proben *vt* to try; (*THEAT*) to rehearse.
Probe- *zW:* ~**stück** *nt* specimen; **p~weise** *adv* on approval; ~**zeit** *f* probation period.
probieren [pro'bi:rən] *vt* to try; (*Wein, Speise*) to taste, sample ♦ *vi* to try; to taste.
Problem [pro'ble:m] (-**s**, -**e**) *nt* problem; **vor einem** ~ **stehen** to be faced with a problem.
Problematik [proble:'ma:tɪk] *f* problem.
problematisch [proble:'ma:tɪʃ] *adj* problematic.
problemlos *adj* problem-free.
Problemstellung *f* way of looking at a problem.
Produkt [pro'dʊkt] (-(**e**)**s**, -**e**) *nt* product; (*AGR*) produce *no pl*.
Produktion [prodʊktsi'o:n] *f* production.
Produktionsleiter *m* production manager.
Produktionsstätte *f* (*Halle*) shop floor.
produktiv [prodʊk'ti:f] *adj* productive.
Produktivität [prodʊktivi'tɛ:t] *f* productivity.
Produzent [produ'tsɛnt] *m* manufacturer; (*FILM*) producer.
produzieren [produ'tsi:rən] *vt* to produce ♦ *vr* to show off.
Prof. [prof] *abk* (= *Professor*) Prof.
profan [pro'fa:n] *adj* (*weltlich*) secular, profane; (*gewöhnlich*) mundane.
professionell [profɛsio'nɛl] *adj* professional.
Professor(in) [pro'fɛsɔr, profɛ'so:rɪn] *m(f)* professor; (*ÖSTERR: Gymnasiallehrer*) grammar school teacher (*BRIT*), high school teacher (*US*).
Professur [profɛ'su:r] *f*: ~ **(für)** chair (of).

Profi ['pro:fi] (**-s, -s**) *m abk* (= *Professional*) pro.
Profil [pro'fi:l] (**-s, -e**) *nt* profile; (*fig*) image; (*Querschnitt*) cross section; (*Längsschnitt*) vertical section; (*von Reifen, Schuhsohle*) tread.
profilieren [profi'li:rən] *vr* to create an image for o.s.
Profilsohle *f* sole with a tread.
Profit [pro'fi:t] (**-(e)s, -e**) *m* profit.
profitieren [profi'ti:rən] *vi*: ~ **(von)** to profit (from).
Profitmacherei (*umg*) *f* profiteering.
pro forma *adv* as a matter of form.
Pro-forma-Rechnung *f* pro forma invoice.
Prognose [pro'gno:zə] (**-, -n**) *f* prediction, prognosis.
Programm [pro'gram] (**-s, -e**) *nt* programme (*BRIT*), program (*US*); (*COMPUT*) program; (*TV: Sender*) channel; (*Kollektion*) range; **nach** ~ as planned; **p~gemäß** *adj* according to plan; **~fehler** *m* (*COMPUT*) bug; **~hinweis** *m* (*RUNDF, TV*) programme (*BRIT*) *od* program (*US*) announcement.
programmieren [progra'mi:rən] *vt* to programme (*BRIT*), program (*US*); (*COMPUT*) to program; **auf etw** *akk* **programmiert sein** (*fig*) to be geared to sth.
Programmierer(in) (**-s, -**) *m(f)* programmer.
Programmiersprache *f* (*COMPUT*) programming language.
Programmierung *f* (*COMPUT*) programming.
Programmvorschau *f* preview; (*FILM*) trailer.
progressiv [progrɛ'si:f] *adj* progressive.
Projekt [pro'jɛkt] (**-(e)s, -e**) *nt* project.
Projektleiter(in) *m(f)* project manager(ess).
Projektor [pro'jɛktɔr] *m* projector.
projizieren [proji'tsi:rən] *vt* to project.
proklamieren [prokla'mi:rən] *vt* to proclaim.
Pro-Kopf-Einkommen *nt* per capita income.
Prokura [pro'ku:ra] (**-, Prokuren**) *f* (*form*) power of attorney.
Prokurist(in) [proku'rɪst(ɪn)] *m(f)* attorney.
Prolet [pro'le:t] (**-en, -en**) *m* prole, pleb.
Proletariat [proletari'a:t] (**-(e)s, -e**) *nt* proletariat.
Proletarier [prole'ta:riər] (**-s, -**) *m* proletarian.
Prolog [pro'lo:k] (**-(e)s, -e**) *m* prologue.
Promenade [promə'na:də] (**-, -n**) *f* promenade.
Promenadenmischung *f* (*hum*) mongrel.
Promille [pro'mɪle] (**-(s), -**) (*umg*) *nt* alcohol level; **~grenze** *f* legal (alcohol) limit.
prominent [promi'nɛnt] *adj* prominent.
Prominenz [promi'nɛnts] *f* VIPs *pl*.
Promoter [pro'mo:tər] (**-s, -**) *m* promoter.
Promotion [promotsi'o:n] *f* doctorate, Ph.D.
promovieren [promo'vi:rən] *vi* to receive a doctorate *etc*.
prompt [prɔmpt] *adj* prompt.
Pronomen [pro'no:mɛn] (**-s, -**) *nt* pronoun.
Propaganda [propa'ganda] (**-**) *f* propaganda.
propagieren [propa'gi:rən] *vt* to propagate.
Propangas [pro'pa:nga:s] *nt* propane gas.
Propeller [pro'pɛlər] (**-s, -**) *m* propeller.
proper ['prɔpər] (*umg*) *adj* neat, tidy.
Prophet(in) [pro'fe:t(ɪn)] (**-en, -en**) *m(f)* prophet(ess).
prophezeien [profe'tsaɪən] *vt* to prophesy.
Prophezeiung *f* prophecy.
prophylaktisch [profy'laktɪʃ] *adj* prophylactic (*form*), preventive.
Proportion [proportsi'o:n] *f* proportion.
proportional [proportsio'na:l] *adj* proportional; **P~schrift** *f* (*COMPUT*) proportional printing.
proportioniert [proportsio'ni:rt] *adj*: **gut/schlecht** ~ well/badly proportioned.
Proporz [pro'pɔrts] (**-es, -e**) *m* proportional representation.
Prosa ['pro:za] (**-**) *f* prose.
prosaisch [pro'za:ɪʃ] *adj* prosaic.
prosit ['pro:zɪt] *interj* cheers!; **P~ Neujahr!** happy New Year!
Prospekt [pro'spɛkt] (**-(e)s, -e**) *m* leaflet, brochure.
prost [pro:st] *interj* cheers!
Prostata ['prɔstata] (**-**) *f* prostate gland.
Prostituierte [prostitu'i:rtə] (**-, -n**) *f* prostitute.
Prostitution [prostitutsi'o:n] *f* prostitution.
prot. [prot] *abk* = **protestantisch.**
Protektionismus [protɛktsio'nɪsmʊs] *m* protectionism.
Protektorat [protɛkto'ra:t] (**-(e)s, -e**) *nt* (*Schirmherrschaft*) patronage; (*Schutzgebiet*) protectorate.
Protest [pro'tɛst] (**-(e)s, -e**) *m* protest.
Protestant(in) [protɛs'tant(ɪn)] *m(f)* Protestant; **p~isch** *adj* Protestant.
Protestbewegung *f* protest movement.
protestieren [protɛs'ti:rən] *vi* to protest.
Protestkundgebung *f* (protest) rally.
Prothese [pro'te:zə] (**-, -n**) *f* artificial limb; (*Zahn~*) dentures *pl*.
Protokoll [proto'kɔl] (**-s, -e**) *nt* register; (*Niederschrift*) record; (*von Sitzung*) minutes *pl*; (*diplomatisch*) protocol; (*Polizei~*) statement; (*Strafzettel*) ticket; **(das) ~ führen** (*bei Sitzung*) to take the minutes; (*bei Gericht*) to make a transcript of the proceedings; **etw zu ~ geben** to have sth put on record; (*bei Polizei*) to say sth in one's statement; **~führer** *m* secretary; (*JUR*) clerk (of the court).
protokollieren [protokɔ'li:rən] *vt* to take down; (*Bemerkung*) to enter in the minutes.
Proton ['pro:tɔn] (**-s, -en**) *nt* proton.
Prototyp *m* prototype.
Protz ['prɔts] (**-es, -e**) *m* swank; **p~en** *vi* to show off.
protzig *adj* ostentatious.
Proviant [provi'ant] (**-s, -e**) *m* provisions *pl*,

supplies *pl.*

Provinz [pro'vɪnts] (**-, -en**) *f* province; **das ist finsterste** ~ (*pej*) it's a cultural backwater.

provinziell [provɪn'tsiɛl] *adj* provincial.

Provision [provizi'o:n] *f* (*COMM*) commission.

provisorisch [provi'zo:rɪʃ] *adj* provisional.

Provisorium [provi'zo:riʊm] (**-s, -ien**) *nt* provisional arrangement.

Provokation [provokatsi'o:n] *f* provocation.

provokativ [provoka'ti:f] *adj* provocative, provoking.

provokatorisch [provoka'to:rɪʃ] *adj* provocative, provoking.

provozieren [provo'tsi:rən] *vt* to provoke.

Proz. *abk* (= *Prozent*) pc.

Prozedur [protse'du:r] *f* procedure; (*pej*) carry-on; **die ~ beim Zahnarzt** the ordeal at the dentist's.

Prozent [pro'tsɛnt] (**-(e)s, -e**) *nt* per cent, percentage; **~rechnung** *f* percentage calculation; **~satz** *m* percentage.

prozentual [protsɛntu'a:l] *adj* percentage; *attrib.*

Prozeß [pro'tsɛs] (**-sses, -sse**) *m* trial, case; (*Vorgang*) process; **es zum ~ kommen lassen** to go to court; **mit jdm/etw kurzen ~ machen** (*fig: umg*) to make short work of sb/sth; **~anwalt** *m* barrister, counsel; **~führung** *f* handling of a case.

prozessieren [protsɛ'si:rən] *vi*: ~ **(mit)** to bring an action (against), go to law (with *od* against).

Prozession [protsɛsi'o:n] *f* procession.

Prozeßkosten *pl* (legal) costs *pl.*

prüde ['pry:də] *adj* prudish.

Prüderie [pry:də'ri:] *f* prudery.

prüfen ['pry:fən] *vt* to examine, test; (*nach~*) to check; (*erwägen*) to consider; (*Geschäftsbücher*) to audit; (*mustern*) to scrutinize.

Prüfer(in) (**-s, -**) *m(f)* examiner.

Prüfling *m* examinee.

Prüfstein *m* touchstone.

Prüfung *f* (*SCH, UNIV*) examination, exam; (*Über~*) checking; **eine ~ machen** to take *od* sit (*BRIT*) an exam(ination); **durch eine ~ fallen** to fail an exam(ination).

Prüfungs- *zW*: **~ausschuß** *m* examining board; **~kommission** *f* examining board; **~ordnung** *f* exam(ination) regulations *pl.*

Prügel ['pry:gəl] (**-s, -**) *m* cudgel ♦ *pl* beating *sing.*

Prügelei [pry:gə'laɪ] *f* fight.

Prügelknabe *m* scapegoat.

prügeln *vt* to beat ♦ *vr* to fight.

Prügelstrafe *f* corporal punishment.

Prunk [prʊŋk] (**-(e)s**) *m* pomp, show; **p~voll** *adj* splendid, magnificent.

prusten ['pru:stən] (*umg*) *vi* to snort.

PS *abk* (= *Pferdestärke*) hp; (= *Postskript(um)*) PS.

Psalm [psalm] (**-s, -en**) *m* psalm.

PSchA *nt abk* (= *Postscheckamt*) National Giro Office.

pseudo- [psɔʏdo] *in zW* pseudo.

Psychiater [psy'çia:tər] (**-s, -**) *m* psychiatrist.

Psychiatrie [psyçia'tri:] *f* psychiatry.

psychiatrisch [psy'çia:trɪʃ] *adj* psychiatric; **~e Klinik** mental *od* psychiatric hospital.

psychisch ['psy:çɪʃ] *adj* psychological; ~ **gestört** emotionally *od* psychologically disturbed.

Psychoanalyse [psyçoana'lʏ:zə] *f* psychoanalysis.

Psychologe [psyço'lo:gə] (**-n, -n**) *m* psychologist.

Psychologie *f* psychology.

Psychologin *f* psychologist.

psychologisch *adj* psychological.

Psychotherapie *f* psychotherapy.

PTT (*SCHWEIZ*) *abk* (= *Post, Telefon, Telegraf*) *postal and telecommunication services.*

Pubertät [pubɛr'tɛ:t] *f* puberty.

publik [pu'bli:k] *adj*: ~ **werden** to become public knowledge.

Publikum ['pu:blikʊm] (**-s**) *nt* audience; (*SPORT*) crowd; **das ~ in dieser Bar ist sehr gemischt** you get a very mixed group of people using this bar.

Publikumserfolg *m* popular success.

Publikumsverkehr *m*: **„heute kein ~"** "closed today for public business".

publizieren [publi'tsi:rən] *vt* to publish.

Pudding ['pʊdɪŋ] (**-s, -e** *od* **-s**) *m* blancmange; **~pulver** *nt* custard powder.

Pudel ['pu:dəl] (**-s, -**) *m* poodle; **das also ist des ~s Kern** (*fig*) that's what it's really all about.

pudelwohl (*umg*) *adj*: **sich ~ fühlen** to feel on top of the world.

Puder ['pu:dər] (**-s, -**) *m* powder; **~dose** *f* powder compact.

pudern *vt* to powder.

Puderzucker *m* icing sugar (*BRIT*), confectioner's sugar (*US*).

Puertoricaner(in) [puɛrtori'ka:nər(ɪn)] (**-s, -**) *m(f)* Puerto Rican.

puertoricanisch *adj* Puerto Rican.

Puerto Rico [pu'ɛrto'ri:ko] (**-s**) *nt* Puerto Rico.

Puff[1] [pʊf] (**-(e)s, -e**) *m* (*Wäsche~*) linen basket; (*Sitz~*) pouf.

Puff[2] (**-(e)s, ¨-e**) (*umg*) *m* (*Stoß*) push.

Puff[3] (**-s, -s**) (*umg*) *m od nt* (*Bordell*) brothel.

Puffer (**-s, -**) *m* (*auch COMPUT*) buffer; **~speicher** *m* (*COMPUT*) cache; **~staat** *m* buffer state; **~zone** *f* buffer zone.

Puffreis *m* puffed rice.

Pulle ['pʊlə] (**-, -n**) (*umg*) *f* bottle; **volle ~ fahren** (*umg*) to drive flat out.

Pulli ['pʊli] (**-s, -s**) (*umg*) *m* sweater, jumper (*BRIT*).

Pullover [pʊ'lo:vər] (**-s, -**) *m* sweater, jumper (*BRIT*).

Pullunder [pʊ'lʊndər] (**-s, -**) *m* slipover.

Puls [pʊls] (**-es, -e**) *m* pulse; **~ader** *f* artery; **sich** *dat* **die ~ader(n) aufschneiden** to slash one's wrists.
pulsieren [pʊl'ziːrən] *vi* to throb, pulsate.
Pult [pʊlt] (**-(e)s, -e**) *nt* desk.
Pulver ['pʊlfər] (**-s, -**) *nt* powder; **~faß** *nt* powder keg; **(wie) auf einem ~faß sitzen** (*fig*) to be sitting on (top of) a volcano.
pulverig *adj* powdery.
pulverisieren [pʊlveri'ziːrən] *vt* to pulverize.
Pulverkaffee *m* instant coffee.
Pulverschnee *m* powdery snow.
pummelig ['pʊməlɪç] *adj* chubby.
Pump (**-(e)s**) (*umg*) *m*: **auf ~ kaufen** to buy on tick (*BRIT*) *od* credit.
Pumpe ['pʊmpə] (**-, -n**) *f* pump; (*umg: Herz*) ticker.
pumpen *vt* to pump; (*umg*) to lend; (*: entleihen*) to borrow.
Pumphose *f* knickerbockers *pl*.
puncto ['pʊŋkto] *präp +gen*: **in ~ X** where X is concerned.
Punkt [pʊŋkt] (**-(e)s, -e**) *m* point; (*bei Muster*) dot; (*Satzzeichen*) full stop, period (*bes US*); **~ 12 Uhr** at 12 o'clock on the dot; **nun mach aber mal einen ~!** (*umg*) come off it!; **p~gleich** *adj* (*SPORT*) level.
punktieren [pʊŋk'tiːrən] *vt* to dot; (*MED*) to aspirate.
pünktlich ['pʏŋktlɪç] *adj* punctual; **P~keit** *f* punctuality.
Punkt- *zW*: **~matrix** *f* dot matrix; **~richter** *m* (*SPORT*) judge; **~sieg** *m* victory on points; **~wertung** *f* points system; **~zahl** *f* score.
Punsch [pʊnʃ] (**-(e)s, -e**) *m* (hot) punch.
Pupille [pu'pɪlə] (**-, -n**) *f* (*im Auge*) pupil.
Puppe ['pʊpə] (**-, -n**) *f* doll; (*Marionette*) puppet; (*Insekten~*) pupa, chrysalis; (*Schaufenster~, MIL: Übungs~*) dummy; (*umg: Mädchen*) doll, bird (*bes BRIT*).
Puppen- *zW*: **~haus** *nt* doll's house, dollhouse (*US*); **~spieler** *m* puppeteer; **~stube** *f* (single-room) doll's house *od* dollhouse (*US*); **~theater** *nt* puppet theatre (*BRIT*) *od* theater (*US*); **~wagen** *m* doll's pram.
pupsen ['puːpsən] (*umg*) *vi* to make a rude noise/smell.
pur [puːr] *adj* pure; (*völlig*) sheer; (*Whisky*) neat.
Püree [py'reː] (**-s, -s**) *nt* purée; (*Kartoffel~*) mashed potatoes *pl*.
Purpur ['pʊrpʊr] (**-s**) *m* crimson.
Purzelbaum ['pʊrtsəlbaʊm] *m* somersault.
purzeln *vi* to tumble.
Puste ['puːstə] (**-**) (*umg*) *f* puff; (*fig*) steam.
Pusteblume (*umg*) *f* dandelion.
Pustel ['pʊstəl] (**-, -n**) *f* pustule.
pusteln *vi* to puff, blow.
pusten ['puːstən] (*umg*) *vi* to puff.
Pute ['puːtə] (**-, -n**) *f* turkey hen.
Puter (**-s, -**) *m* turkey cock; **p~rot** *adj* scarlet.
Putsch [pʊtʃ] (**-(e)s, -e**) *m* revolt, putsch; **p~en** *vi* to revolt; **~ist** *m* rebel; **~versuch** *m* attempted coup (d'état).
Putte ['pʊtə] (**-, -n**) *f* (*KUNST*) cherub.
Putz [pʊts] (**-es**) *m* (*Mörtel*) plaster, roughcast; **eine Mauer mit ~ verkleiden** to roughcast a wall.
putzen *vt* to clean; (*Nase*) to wipe, blow ♦ *vr* to clean o.s.; (*veraltet: sich schmücken*) to dress o.s. up.
Putzfrau *f* cleaning lady, charwoman (*BRIT*).
putzig *adj* quaint, funny.
Putzlappen *m* cloth.
putzmunter (*umg*) *adj* full of beans.
Putz- *zW*: **~tag** *m* cleaning day; **~teufel** (*umg*) *m* maniac for housework; **~zeug** *nt* cleaning things *pl*.
Puzzle ['pasəl] (**-s, -s**) *nt* jigsaw (puzzle).
PVC [peːfau'tseː] (**-(s)**) *nt abk* PVC.
Pygmäe [pʏ'gmɛːə] (**-n, -n**) *m* Pygmy.
Pyjama [pi'dʒaːma] (**-s, -s**) *m* pyjamas *pl* (*BRIT*), pajamas *pl* (*US*).
Pyramide [pyra'miːdə] (**-, -n**) *f* pyramid.
Pyrenäen [pyre'nɛːən] *pl*: **die ~** the Pyrenees *pl*.
Python ['pyːtɔn] (**-s, -s**) *m* python; **~schlange** *f* python.

Q, q

Q, q [kuː] *nt* Q, q; **~ wie Quelle** ≈ Q for Queen.
qcm *abk* (= *Quadratzentimeter*) cm².
qkm *abk* (= *Quadratkilometer*) km².
qm *abk* (= *Quadratmeter*) m².
quabb(e)lig ['kvab(ə)lɪç] *adj* wobbly; (*Frosch*) slimy.
Quacksalber ['kvakzalbər] (**-s, -**) *m* quack (doctor).
Quader ['kvaːdər] (**-s, -**) *m* square stone block; (*MATH*) cuboid.
Quadrat [kva'draːt] (**-(e)s, -e**) *nt* square; **q~isch** *adj* square; **~latschen** *pl* (*hum: umg: Schuhe*) clodhoppers *pl*; **~meter** *m* square metre (*BRIT*) *od* meter (*US*).
quadrieren [kva'driːrən] *vt* to square.
quaken ['kvaːkən] *vi* to croak; (*Ente*) to quack.
quäken ['kvɛːkən] *vi* to screech.
quäkend *adj* screeching.
Quäker(in) (**-s, -**) *m(f)* Quaker.
Qual [kvaːl] (**-, -en**) *f* pain, agony; (*seelisch*) anguish; **er machte ihr das Leben zur ~** he made her life a misery.
quälen ['kvɛːlən] *vt* to torment ♦ *vr* (*sich abmühen*) to struggle; (*geistig*) to torment o.s.; **~de Ungewißheit** agonizing uncertainty.

Quälerei [kvɛːlə'raɪ] *f* torture, torment.
Quälgeist (*umg*) *m* pest.
Qualifikation [kvalifikatsi'oːn] *f* qualification.
qualifizieren [kvalifi'tsiːrən] *vt* to qualify; (*einstufen*) to label ♦ *vr* to qualify.
qualifiziert *adj* (*Arbeiter, Nachwuchs*) qualified; (*Arbeit*) professional; (*POL: Mehrheit*) requisite.
Qualität [kvali'tɛːt] *f* quality; **von ausgezeichneter ~** (of) top quality.
qualitativ [kvalita'tiːf] *adj* qualitative.
Qualitätskontrolle *f* quality control.
Qualitätsware *f* article of high quality.
Qualle ['kvalə] (**-, -n**) *f* jellyfish.
Qualm [kvalm] (**-(e)s**) *m* thick smoke.
qualmen *vt, vi* to smoke.
qualvoll ['kvaːlfɔl] *adj* painful; (*Schmerzen*) excruciating, agonizing.
Quantensprung *m* quantum leap.
Quantentheorie ['kvantənteoriː] *f* quantum theory.
Quantität [kvanti'tɛːt] *f* quantity.
quantitativ [kvantita'tiːf] *adj* quantitative.
Quantum ['kvantʊm] (**-s, Quanten**) *nt* quantity, amount.
Quarantäne [karan'tɛːnə] (**-, -n**) *f* quarantine.
Quark[1] [kvark] (**-s**) *m* curd cheese, quark; (*umg*) rubbish.
Quark[2] [kvark] (**-s, -s**) *nt* (*PHYS*) quark.
Quarta ['kvarta] (**-, Quarten**) *f* *third year of German secondary school.*
Quartal [kvar'taːl] (**-s, -e**) *nt* quarter (year); **Kündigung zum ~** quarterly notice date.
Quartett [kvar'tɛt] (**-(e)s, -e**) *nt* (*MUS*) quartet; (*KARTEN*) set of four cards; (: *Spiel*) ≈ happy families.
Quartier [kvar'tiːr] (**-s, -e**) *nt* accommodation (*BRIT*), accommodations *pl* (*US*); (*MIL*) quarters *pl*; (*Stadt~*) district.
Quarz [kvaːrts] (**-es, -e**) *m* quartz.
quasi ['kvaːzi] *adv* virtually ♦ *präf* quasi.
quasseln ['kvasəln] (*umg*) *vi* to natter.
Quaste ['kvastə] (**-, -n**) *f* (*Troddel*) tassel; (*von Pinsel*) bristles *pl*.
Quästur [kvɛs'tuːr] *f* (*UNIV*) bursary.
Quatsch [kvatʃ] (**-es**) (*umg*) *m* rubbish, hogwash; **hört doch endlich auf mit dem ~!** stop being so stupid!; **~ machen** to mess about.
quatschen *vi* to chat, natter.
Quatschkopf (*umg*) *m* (*pej: Schwätzer*) windbag; (*Dummkopf*) twit (*BRIT*).
Quecksilber ['kvɛkzɪlbər] *nt* mercury.
Quelle ['kvɛlə] (**-, -n**) *f* spring; (*eines Flusses, COMPUT*) source; **an der ~ sitzen** (*fig*) to be well placed; **aus zuverlässiger ~** from a reliable source.
quellen *vi* (*hervor~*) to pour *od* gush forth; (*schwellen*) to swell.
Quellenangabe *f* reference.
Quellsprache *f* source language.
Quengelei [kvɛŋə'laɪ] (*umg*) *f* whining.
quengelig (*umg*) *adj* whining.
quengeln (*umg*) *vi* to whine.
quer [kveːr] *adv* crossways, diagonally; (*rechtwinklig*) at right angles; **~ auf dem Bett** across the bed; **Q~balken** *m* crossbeam; **Q~denker** *m* maverick.
Quere ['kveːrə] (**-**) *f*: **jdm in die ~ kommen** to cross sb's path.
quer- *zW*: **~feldein** *adv* across country; **Q~feldeinrennen** *nt* cross-country; (*mit Motorrädern*) motocross; (*Radrennen*) cyclo-cross; **Q~flöte** *f* flute; **Q~format** *nt* oblong format; **~gestreift** *adj attrib* horizontally striped; **Q~kopf** *m* awkward customer; **~legen** *vr* (*fig: umg*) to be awkward; **Q~schiff** *nt* transept; **Q~schläger** (*umg*) *m* ricochet; **Q~schnitt** *m* cross section; **~schnittsgelähmt** *adj* paraplegic, paralysed below the waist; **Q~schnittslähmung** *f* paraplegia; **Q~straße** *f* intersecting road; **Q~strich** *m* (horizontal) stroke *od* line; **Q~summe** *f* (*MATH*) sum of digits of a number; **Q~treiber** (**-s, -**) *m* obstructionist.
Querulant(in) [kveru'lant(ɪn)] (**-en, -en**) *m(f)* grumbler.
Querverbindung *f* connection, link.
Querverweis *m* cross-reference.
quetschen ['kvɛtʃən] *vt* to squash, crush; (*MED*) to bruise ♦ *vr* (*sich klemmen*) to be caught; (*sich zwängen*) to squeeze (o.s.).
Quetschung *f* bruise, contusion (*form*).
Queue [køː] (**-s, -s**) *nt* (*BILLIARD*) cue.
quicklebendig ['kvɪkle'bɛndɪç] (*umg*) *adj* (*Kind*) lively, active; (*ältere Person*) spry.
quieken ['kviːkən] *vi* to squeak.
quietschen ['kviːtʃən] *vi* to squeak.
quietschvergnügt ['kviːtʃfɛrgnyːkt] (*umg*) *adj* happy as a sandboy.
quillt [kvɪlt] *vb siehe* **quellen.**
Quinta ['kvɪnta] (**-, Quinten**) *f* *second year in German secondary school.*
Quintessenz ['kvɪntɛsɛnts] *f* quintessence.
Quintett [kvɪn'tɛt] (**-(e)s, -e**) *nt* quintet.
Quirl [kvɪrl] (**-(e)s, -e**) *m* whisk.
quirlig ['kvɪrlɪç] *adj* lively, frisky.
quitt [kvɪt] *adj* quits, even.
Quitte (**-, -n**) *f* quince.
quittieren [kvɪ'tiːrən] *vt* to give a receipt for; (*Dienst*) to leave.
Quittung *f* receipt; **er hat seine ~ bekommen** he's paid the penalty *od* price.
Quiz [kvɪs] (**-, -**) *nt* quiz.
quoll *etc* [kvɔl] *vb siehe* **quellen.**
Quote ['kvoːtə] (**-, -n**) *f* proportion; (*Rate*) rate.
Quotenregelung *f* quota system (*for ensuring adequate representation of women*).
Quotierung [kvo'tiːrʊŋ] *f* (*COMM*) quotation.

R, r

R[1]**, r** *nt* R, r; ~ **wie Richard** ≈ R for Robert, R for Roger (*US*).
R[2]**, r** *abk* (= *Radius*) r.
r. *abk* (= *rechts*) r.
Rabatt [ra'bat] (-**(e)s, -e**) *m* discount.
Rabatte (-**, -n**) *f* flower bed, border.
Rabattmarke *f* trading stamp.
Rabatz [ra'bats] (-**es**) (*umg*) *m* row, din.
Rabe ['ra:bə] (-**n, -n**) *m* raven.
Rabenmutter *f* bad mother.
rabenschwarz *adj* pitch-black.
rabiat [rabi'a:t] *adj* furious.
Rache ['raxə] (-) *f* revenge, vengeance.
Rachen (-**s, -**) *m* throat.
rächen ['rɛçən] *vt* to avenge, revenge ♦ *vr* to take (one's) revenge; **das wird sich** ~ you'll pay for that.
Rachitis [ra'xi:tɪs] (-) *f* rickets *sing*.
Rachsucht *f* vindictiveness.
rachsüchtig *adj* vindictive.
Racker ['rakər] (-**s, -**) *m* rascal, scamp.
Rad [ra:t] (-**(e)s, ⸚er**) *nt* wheel; (*Fahr~*) bike; **unter die Räder kommen** (*umg*) to fall into bad ways; **das fünfte ~ am Wagen sein** (*umg*) to be in the way.
Radar ['ra:da:r] (-**s**) *m od nt* radar; **~falle** *f* speed trap; **~kontrolle** *f* radar-controlled speed check.
Radau [ra'daʊ] (-**s**) (*umg*) *m* row; ~ **machen** to kick up a row; (*Unruhe stiften*) to cause trouble.
Raddampfer *m* paddle steamer.
radebrechen ['ra:dəbrɛçən] *vi untr:* **deutsch** *etc* ~ to speak broken German *etc*.
radeln *vi* (*Hilfsverb sein*) to cycle.
Rädelsführer ['rɛ:dəlsfy:rər] (-**s, -**) *m* ringleader.
Rad- *zW:* **r~fahren** *unreg vi* to cycle; **~fahrer** *m* cyclist; (*pej: umg*) crawler; **~fahrweg** *m* cycle track *od* path.
radieren [ra'di:rən] *vt* to rub out, erase; (*ART*) to etch.
Radiergummi *m* rubber (*BRIT*), eraser (*bes US*).
Radierung *f* etching.
Radieschen [ra'di:sçən] *nt* radish.
radikal [radi'ka:l] *adj* radical; ~ **gegen etw vorgehen** to take radical steps against sth.
Radikale(r) *f(m)* radical.
Radikalisierung [radikali'zi:rʊŋ] *f* radicalization.
Radikalkur (*umg*) *f* drastic remedy.
Radio ['ra:dio] (-**s, -s**) *nt* radio, wireless (*bes BRIT*); **im** ~ on the radio; **r~aktiv** *adj* radioactive; **r~aktiver Niederschlag** (radioactive) fallout; **~aktivität** *f* radioactivity; **~apparat** *m* radio (set); **~recorder** *m* radio-cassette recorder.
Radium ['ra:diʊm] (-**s**) *nt* radium.
Radius ['ra:diʊs] (-**, Radien**) *m* radius.
Radkappe *f* (*AUT*) hub cap.
Radler(in) (-**s, -**) *m(f)* cyclist.
Rad- *zW:* **~rennbahn** *f* cycling (race)track; **~rennen** *nt* cycle race; (*Sportart*) cycle racing; **~sport** *m* cycling.
RAF (-) *f abk* (= *Rote Armee Fraktion*) Red Army Faction.
raffen ['rafən] *vt* to snatch, pick up; (*Stoff*) to gather (up); (*Geld*) to pile up, rake in; (*umg: verstehen*) to catch on to.
Raffgier *f* greed, avarice.
Raffinade [rafi'na:də] *f* refined sugar.
Raffinesse [rafi'nɛsə] (-) *f* (*Feinheit*) refinement; (*Schlauheit*) cunning.
raffinieren [rafi'ni:rən] *vt* to refine.
raffiniert *adj* crafty, cunning; (*Zucker*) refined.
Rage ['ra:ʒə] (-) *f* (*Wut*) rage, fury.
ragen ['ra:gən] *vi* to tower, rise.
Rahm [ra:m] (-**s**) *m* cream.
Rahmen (-**s, -**) *m* frame(work); **aus dem ~ fallen** to go too far; **im ~ des Möglichen** within the bounds of possibility; **r~** *vt* to frame; **~handlung** *f* (*LITER*) background story; **~plan** *m* outline plan; **~richtlinien** *pl* guidelines *pl*.
rahmig *adj* creamy.
Rakete [ra'ke:tə] (-**, -n**) *f* rocket; **ferngelenkte** ~ guided missile.
Raketenstützpunkt *m* missile base.
Rallye ['rali] (-**, -s**) *f* rally.
rammdösig ['ramdø:zɪç] (*umg*) *adj* giddy, dizzy.
rammen ['ramən] *vt* to ram.
Rampe ['rampə] (-**, -n**) *f* ramp.
Rampenlicht *nt* (*THEAT*) footlights *pl*; **sie möchte immer im ~ stehen** (*fig*) she always wants to be in the limelight.
ramponieren [rampo'ni:rən] (*umg*) *vt* to damage.
Ramsch [ramʃ] (-**(e)s, -e**) *m* junk.
ran [ran] (*umg*) *adv* = **heran.**
Rand [rant] (-**(e)s, ⸚er**) *m* edge; (*von Brille, Tasse etc*) rim; (*Hut~*) brim; (*auf Papier*) margin; (*Schmutz~, unter Augen*) ring; (*fig*) verge, brink; **außer ~ und Band** wild; **am ~e bemerkt** mentioned in passing; **am ~e der Stadt** on the outskirts of the town; **etw am ~e miterleben** to experience sth from the sidelines.
randalieren [randa'li:rən] *vi* to (go on the) rampage.
Rand- *zW:* **~bemerkung** *f* marginal note; (*fig*) odd comment; **~erscheinung** *f* unimportant side effect, marginal phenomenon; **~figur** *f*

minor figure; ~**gebiet** *nt* (*GEOG*) fringe; (*POL*) border territory; (*fig*) subsidiary; ~**streifen** *m* (*der Straße*) verge (*BRIT*), berm (*US*); (*der Autobahn*) hard shoulder (*BRIT*), shoulder (*US*); **r~voll** *adj* full to the brim.
rang *etc* [raŋ] *vb siehe* **ringen.**
Rang (**-(e)s, ⁻e**) *m* rank; (*Stand*) standing; (*Wert*) quality; (*THEAT*) circle; **ein Mann ohne ~ und Namen** a man without any standing; **erster/zweiter ~** dress/upper circle.
Rangabzeichen *nt* badge of rank.
Rangälteste(r) *m* senior officer.
rangeln ['raŋəln] (*umg*) *vi* to scrap; (*um Posten*): **~ (um)** to wrangle (for).
Rangfolge *f* order of rank (*bes MIL*).
Rangierbahnhof [rã'ʒiːrbaːnhoːf] *m* marshalling yard.
rangieren *vt* (*EISENB*) to shunt, switch (*US*) ♦ *vi* to rank, be classed.
Rangiergleis *nt* siding.
Rangliste *f* (*SPORT*) ranking list, rankings *pl*.
Rangordnung *f* hierarchy; (*MIL*) rank.
Rangunterschied *m* social distinction; (*MIL*) difference in rank.
rank [raŋk] *adj*: **~ und schlank** (*liter*) slender and supple.
Ranke ['raŋkə] (**-, -n**) *f* tendril, shoot.
Ränke ['rɛŋkə] *pl* intrigues *pl*; ~**schmied** *m* (*liter*) intriguer.
ranken ['raŋkən] *vr* to trail, grow; **sich um etw ~** to twine around sth.
ränkevoll *adj* scheming.
ranklotzen ['ranklɔtsən] (*umg*) *vi* to put one's nose to the grindstone.
ranlassen *unreg* (*umg*) *vt*: **jdn ~** to let sb have a go.
rann *etc* [ran] *vb siehe* **rinnen.**
rannte *etc* ['rantə] *vb siehe* **rennen.**
Ranzen ['rantsən] (**-s, -**) *m* satchel; (*umg: Bauch*) belly, gut.
ranzig ['rantsɪç] *adj* rancid.
Rappe ['rapə] (**-n, -n**) *m* black horse.
Rappel ['rapəl] (**-s, -**) (*umg*) *m* (*Fimmel*) craze; (*Wutanfall*): **einen ~ kriegen** to throw a fit.
Rappen ['rapən] (**-s, -**) (*SCHWEIZ*) *m* (*Geld*) centime, rappen.
Raps [raps] (**-es, -e**) *m* (*BOT*) rape; ~**öl** *nt* rapeseed oil.
rar [raːr] *adj* rare; **sich ~ machen** (*umg*) to stay away.
Rarität [rari'tɛːt] *f* rarity; (*Sammelobjekt*) curio.
rasant [ra'zant] *adj* quick, rapid.
rasch [raʃ] *adj* quick.
rascheln *vi* to rustle.
rasen ['raːzən] *vi* to rave; (*sich schnell bewegen*) to race.
Rasen (**-s, -**) *m* grass; (*gepflegt*) lawn.
rasend *adj* furious; **~e Kopfschmerzen** a splitting headache.
Rasen- *zW*: ~**mäher** (**-s, -**) *m* lawnmower; ~**mähmaschine** *f* lawnmower; ~**platz** *m* lawn; ~**sprenger** *m* (lawn) sprinkler.
Raserei [raːzə'raɪ] *f* raving, ranting; (*Schnelle*) reckless speeding.
Rasier- *zW*: ~**apparat** *m* shaver; ~**creme** *f* shaving cream; **r~en** *vt, vr* to shave; ~**klinge** *f* razor blade; ~**messer** *nt* razor; ~**pinsel** *m* shaving brush; ~**seife** *f* shaving soap *od* stick; ~**wasser** *nt* aftershave.
raspeln ['raspəln] *vt* to grate; (*Holz*) to rasp.
Rasse ['rasə] (**-, -n**) *f* race; (*Tier~*) breed; ~**hund** *m* thoroughbred dog.
Rassel (**-, -n**) *f* rattle.
rasseln *vi* to rattle, clatter.
Rassenhaß *m* race *od* racial hatred.
Rassentrennung *f* racial segregation.
rassig ['rasɪç] *adj* (*Pferd, Auto*) sleek; (*Frau*) vivacious; (*Wein*) spirited, lively.
Rassismus [ra'sɪsmʊs] (**-**) *m* racialism, racism.
rassistisch [ra'sɪstɪʃ] *adj* racialist, racist.
Rast [rast] (**-, -en**) *f* rest; **r~en** *vi* to rest.
Raster ['rastər] (**-s, -**) *m* (*ARCHIT*) grid; (*PHOT: Gitter*) screen; (*TV*) raster; (*fig*) framework.
Rast- *zW*: ~**haus** *nt* (*AUT*) service area, services *pl*; ~**hof** *m* (motorway) motel; (*mit Tankstelle*) service area (*with a motel*); **r~los** *adj* tireless; (*unruhig*) restless; ~**platz** *m* (*AUT*) lay-by (*BRIT*); ~**stätte** *f* service area, services *pl*.
Rasur [ra'zuːr] *f* shave; (*das Rasieren*) shaving.
Rat [raːt] (**-(e)s, -schläge**) *m* (piece of) advice; **jdn zu ~e ziehen** to consult sb; **jdm mit ~ und Tat zur Seite stehen** to support sb in (both) word and deed; **(sich** *dat***) keinen ~ wissen** not to know what to do.
rät [rɛːt] *vb siehe* **raten.**
Rate (**-, -n**) *f* instalment (*BRIT*), installment (*US*); **auf ~n kaufen** to buy on hire purchase (*BRIT*) *od* on the installment plan (*US*); **in ~n zahlen** to pay in instalments (*BRIT*) *od* installments (*US*).
raten *unreg vt, vi* to guess; (*empfehlen*): **jdm ~** to advise sb; **dreimal darfst du ~** I'll give you three guesses (*auch ironisch*).
ratenweise *adv* by instalments (*BRIT*) *od* installments (*US*).
Ratenzahlung *f* hire purchase (*BRIT*), installment plan (*US*).
Ratespiel *nt* guessing game; (*TV*) quiz; (: *Beruferaten etc*) panel game.
Ratgeber (**-s, -**) *m* adviser.
Rathaus *nt* town hall; (*einer Großstadt*) city hall (*bes US*).
ratifizieren [ratifi'tsiːrən] *vt* to ratify.
Ratifizierung *f* ratification.
Ration [ratsi'oːn] *f* ration.
rational [ratsio'naːl] *adj* rational.
rationalisieren [ratsionali'ziːrən] *vt* to rationalize.

rationell [ratsio'nɛl] *adj* efficient.
rationieren [ratsio'niːrən] *vt* to ration.
ratlos *adj* at a loss, helpless.
Ratlosigkeit *f* helplessness.
rätoromanisch [rɛtoro'maːnɪʃ] *adj* Rhaetian.
ratsam *adj* advisable.
Ratschlag *m* (piece of) advice.
Rätsel ['rɛːtsəl] (**-s, -**) *nt* puzzle; (*Wort~*) riddle; **vor einem ~ stehen** to be baffled; **r~haft** *adj* mysterious; **es ist mir r~haft** it's a mystery to me; **r~n** *vi* to puzzle; **~raten** *nt* guessing game.
Ratsherr *m* councillor (*BRIT*), councilor (*US*).
Ratskeller *m* town-hall restaurant.
ratsuchend *adj*: **sich ~ an jdn wenden** to turn to sb for advice.
Ratte ['ratə] (**-, -n**) *f* rat.
Rattenfänger (**-s, -**) *m* rat-catcher.
rattern ['ratərn] *vi* to rattle, clatter.
Raub [raup] (**-(e)s**) *m* robbery; (*Beute*) loot, booty; **~bau** *m* overexploitation; **~druck** *m* pirate(d) edition; **r~en** ['raubən] *vt* to rob; (*jdn*) to kidnap, abduct.
Räuber ['rɔʏbər] (**-s, -**) *m* robber; **r~isch** *adj* thieving.
Raub- *zW*: **~fisch** *m* predatory fish; **r~gierig** *adj* rapacious; **~kassette** *f* pirate cassette; **~mord** *m* robbery with murder; **~tier** *nt* predator; **~überfall** *m* robbery with violence; **~vogel** *m* bird of prey.
Rauch [raux] (**-(e)s**) *m* smoke; **~abzug** *m* smoke outlet.
rauchen *vt, vi* to smoke; **mir raucht der Kopf** (*fig*) my head's spinning; **„R~ verboten"** "no smoking".
Raucher(in) (**-s, -**) *m(f)* smoker; **~abteil** *nt* (*EISENB*) smoker.
räuchern ['rɔʏçərn] *vt* to smoke, cure.
Räucherspeck *m* ≈ smoked bacon.
Räucherstäbchen *nt* joss stick.
Rauch- *zW*: **~fahne** *f* smoke trail; **~fang** *m* chimney hood; **~fleisch** *nt* smoked meat.
rauchig *adj* smoky.
Rauchschwaden *pl* drifts of smoke *pl*.
räudig ['rɔʏdɪç] *adj* mangy.
rauf [rauf] (*umg*) *adv* = **herauf; hinauf.**
Raufbold (**-(e)s, -e**) *m* thug, hooligan.
raufen *vt* (*Haare*) to pull out ♦ *vi, vr* to fight.
Rauferei [raufə'raɪ] *f* brawl, fight.
rauflustig *adj* ready for a fight, pugnacious.
rauh [rau] *adj* rough, coarse; (*Wetter*) harsh; **in ~en Mengen** (*umg*) by the ton, galore; **~beinig** *adj* rough-and-ready; **R~fasertapete** *f* woodchip paper; **~haarig** *adj* wire-haired; **R~reif** *m* hoarfrost.
Raum [raum] (**-(e)s, Räume**) *m* space; (*Zimmer, Platz*) room; (*Gebiet*) area; **eine Frage im ~ stehen lassen** to leave a question unresolved; **~ausstatter(in)** *m(f)* interior decorator.
räumen ['rɔʏmən] *vt* to clear; (*Wohnung, Platz*) to vacate, move out of; (*verlassen: Gebäude, Gebiet*) to evacuate; (*wegbringen*) to shift, move; (*in Schrank etc*) to put away.
Raum- *zW*: **~fähre** *f* space shuttle; **~fahrer** *m* astronaut; (*sowjetisch*) cosmonaut; **~fahrt** *f* space travel.
Räumfahrzeug ['rɔʏmfaːrtsɔʏk] *nt* bulldozer; (*für Schnee*) snow-clearer.
Rauminhalt *m* cubic capacity, volume.
Raumkapsel *f* space capsule.
räumlich ['rɔʏmlɪç] *adj* spatial; **R~keiten** *pl* premises *pl*.
Raum- *zW*: **~mangel** *m* lack of space; **~maß** *nt* unit of volume; cubic measurement; **~meter** *m* cubic metre (*BRIT*) *od* meter (*US*); **~pflegerin** *f* cleaner; **~schiff** *nt* spaceship; **~schiffahrt** *f* space travel; **r~sparend** *adj* space-saving; **~station** *f* space station; **~transporter** *m* space shuttle.
Räumung ['rɔʏmʊŋ] *f* clearing (away); (*von Haus etc*) vacating; (*wegen Gefahr*) evacuation; (*unter Zwang*) eviction.
Räumungs- *zW*: **~befehl** *m* eviction order; **~klage** *f* action for eviction; **~verkauf** *m* clearance sale.
raunen ['raunən] *vt, vi* to whisper.
Raupe ['raupə] (**-, -n**) *f* caterpillar; (*Raupenkette*) (caterpillar) track.
Raupenschlepper *m* caterpillar tractor.
raus [raus] (*umg*) *adv* = **heraus; hinaus.**
Rausch [rauʃ] (**-(e)**, *pl* **Räusche**) *m* intoxication; **einen ~ haben** to be drunk.
rauschen *vi* (*Wasser*) to rush; (*Baum*) to rustle; (*Radio etc*) to hiss; (*Mensch*) to sweep, sail.
rauschend *adj* (*Beifall*) thunderous; (*Fest*) sumptuous.
Rauschgift *nt* drug; **~handel** *m* drug traffic; **~süchtige(r)** *f(m)* drug addict.
rausfliegen *unreg* (*umg*) *vi* to be chucked out.
räuspern ['rɔʏspərn] *vr* to clear one's throat.
Rausschmeißer ['rausʃmaɪsər] (**-s, -**) (*umg*) *m* bouncer.
Raute ['rautə] (**-, -n**) *f* diamond; (*MATH*) rhombus.
rautenförmig *adj* rhombic.
Razzia ['ratsia] (**-, Razzien**) *f* raid.
Reagenzglas [rea'gɛntsglaːs] *nt* test tube.
reagieren [rea'giːrən] *vi*: **~ (auf** *+akk***)** to react (to).
Reaktion [reaktsi'oːn] *f* reaction.
reaktionär [reaktsio'nɛːr] *adj* reactionary.
Reaktionsfähigkeit *f* reactions *pl*.
Reaktionsgeschwindigkeit *f* speed of reaction.
Reaktor [re'aktɔr] *m* reactor; **~kern** *m* reactor core; **~unglück** *nt* nuclear accident.
real [re'aːl] *adj* real, material; **R~einkommen** *nt* real income.
realisierbar [reali'ziːrbaːr] *adj* practicable, feasible.
Realismus [rea'lɪsmus] *m* realism.
Realist(in) [rea'lɪst(ɪn)] *m(f)* realist; **r~isch** *adj*

realistic.
Realität [reali'tɛːt] *f* reality; **Realitäten** *pl* (*Gegebenheiten*) facts *pl*.
realitätsfremd *adj* out of touch with reality.
Realpolitik *f* political realism.
Realschule *f* ≈ middle school (*BRIT*), junior high school (*US*).

> *The* **Realschule** *is one of the choices of secondary schools available to a German schoolchild after the* **Grundschule**. *At the end of six years schooling in the Realschule pupils gain the* **mittlere Reife** *and usually go on to some kind of training or to a college of further education.*

Realzeit *f* real time.
Rebe ['reːbə] (-, -n) *f* vine.
Rebell(in) [re'bɛl(ɪn)] (-en, -en) *m(f)* rebel.
rebellieren [rebɛ'liːrən] *vi* to rebel.
Rebellion [rebɛli'oːn] *f* rebellion.
rebellisch [re'bɛlɪʃ] *adj* rebellious.
Rebensaft *m* wine.
Reb- [rɛp] *zW:* **~huhn** *nt* partridge; **~laus** *f* vine pest; **~stock** *m* vine.
Rechen ['rɛçən] (-s, -) *m* rake; **r~** *vt, vi* to rake.
Rechen- *zW:* **~aufgabe** *f* sum, mathematical problem; **~fehler** *m* miscalculation; **~maschine** *f* adding machine.
Rechenschaft *f* account; **jdm über etw** *akk* **~ ablegen** to account to sb for sth; **jdn zur ~ ziehen (für)** to call sb to account (for *od* over); **jdm ~ schulden** to be accountable to sb.
Rechenschaftsbericht *m* report.
Rechenschieber *m* slide rule.
Rechenzentrum *nt* computer centre (*BRIT*) *od* center (*US*).
recherchieren [reʃɛr'ʃiːrən] *vt, vi* to investigate.
rechnen ['rɛçnən] *vt, vi* to calculate; (*veranschlagen*) to estimate, reckon; **jdn/etw zu etw ~** to count sb/sth among sth; **~ mit** to reckon with; **~ auf** *+akk* to count on.
Rechnen *nt* arithmetic; (*bes SCH*) sums *pl*.
Rechner (-s, -) *m* calculator; (*COMPUT*) computer; **r~abhängig** *adj* (*COMPUT*) on line; **r~fern** *adj* (*COMPUT*) remote; **r~isch** *adj* arithmetical; **r~unabhängig** *adj* (*COMPUT*) off line.
Rechnung *f* calculation(s); (*COMM*) bill (*BRIT*), check (*US*); **auf eigene ~** on one's own account; **(jdm) etw in ~ stellen** to charge (sb) for sth; **jdm/etw ~ tragen** to take sb/sth into account.
Rechnungs- *zW:* **~aufstellung** *f* statement; **~buch** *nt* account book; **~hof** *m* ≈ Auditor-General's office (*BRIT*), audit division (*US*); **~jahr** *nt* financial year; **~prüfer** *m* auditor; **~prüfung** *f* audit(ing).
recht [rɛçt] *adj* right ♦ *adv* (*vor Adjektiv*) really, quite; **das ist mir ~** that suits me; **jetzt erst ~** now more than ever; **alles, was ~ ist** (*empört*) fair's fair; (*anerkennend*) you can't deny it; **nach dem R~en sehen** to see that everything's O.K.; **~ haben** to be right; **jdm ~ geben** to agree with sb, admit that sb is right; **du kommst gerade ~, um ...** you're just in time to ...; **gehe ich ~ in der Annahme, daß ...?** am I correct in assuming that ...?; **~ herzlichen Dank** thank you very much indeed.
Recht (-(e)s, -e) *nt* right; (*JUR*) law; **~ sprechen** to administer justice; **mit** *od* **zu ~** rightly, justly; **von ~s wegen** by rights; **zu seinem ~ kommen** (*lit*) to gain one's rights; (*fig*) to come into one's own; **gleiches ~ für alle!** equal rights for all!
Rechte *f* right (hand); (*POL*) Right.
Rechte(r, s) *f(m)* (*POL*) right-winger ♦ *nt* right thing; **etwas/nichts ~s** something/nothing proper.
rechte(r, s) *adj* right; (*POL*) right-wing.
recht- *zW:* **R~eck (-(e)s, -e)** *nt* rectangle; **~eckig** *adj* rectangular; **~fertigen** *vt untr* to justify ♦ *vr untr* to justify o.s.; **R~fertigung** *f* justification; **~haberisch** *adj* dogmatic; **~lich** *adj* legal, lawful; **~lich nicht zulässig** not permissible in law, illegal; **~mäßig** *adj* legal, lawful.
rechts [rɛçts] *adv* on *od* to the right; **~ stehen** *od* **sein** (*POL*) to be right-wing; **~ stricken** to knit (plain); **R~abbieger (-s, -)** *m:* **die Spur für R~abbieger** the right-hand turn-off lane; **R~anspruch** *m:* **einen R~anspruch auf etw** *akk* **haben** to be legally entitled to sth; **R~anwalt** *m*, **R~anwältin** *f* lawyer, barrister; **R~außen (-, -)** *m* (*SPORT*) outside right; **R~beistand** *m* legal adviser.
rechtschaffen *adj* upright.
Rechtschreibung *f* spelling.
Rechts- *zW:* **~drehung** *f* clockwise rotation; **~extremismus** *m* right-wing extremism; **~extremist** *m* right-wing extremist; **~fall** *m* (law) case; **~frage** *f* legal question; **r~gültig** *adj* legally valid; **~händer(in) (-s, -)** *m(f)* right-handed person; **r~kräftig** *adj* valid, legal; **~kurve** *f* right-hand bend; **~lage** *f* legal position; **r~lastig** *adj* listing to the right; (*fig*) leaning to the right; **~pflege** *f* administration of justice; **~pfleger** *m* *official with certain judicial powers*.
Rechtsprechung ['rɛçtʃprɛçʊŋ] *f* (*Gerichtsbarkeit*) jurisdiction; (*richterliche Tätigkeit*) dispensation of justice.
Rechts- *zW:* **r~radikal** *adj* (*POL*) extreme right-wing; **~schutz** *m* legal protection; **~spruch** *m* verdict; **~staat** *m* state under the rule of law; **~streit** *m* lawsuit; **~titel** *m* title; **r~verbindlich** *adj* legally binding; **~verkehr** *m* driving on the right; **~weg** *m:* **der ~weg ist ausgeschlossen** ≈ the judges' decision is final; **r~widrig** *adj* illegal; **~wissenschaft** *f* jurisprudence.

rechtwinklig *adj* right-angled.
rechtzeitig *adj* timely ♦ *adv* in time.
Reck [rɛk] (**-(e)s, -e**) *nt* horizontal bar.
recken *vt, vr* to stretch.
recyceln [riː'saikəln] *vt* to recycle.
Recycling [ri'saɪlkɪŋ] (**-s**) *nt* recycling.
Red. *abk* = **Redaktion**; (= *Redakteur(in)*) ed.
Redakteur(in) [redak'tøːr(ɪn)] *m(f)* editor.
Redaktion [redaktsi'oːn] *f* editing; (*Leute*) editorial staff; (*Büro*) editorial office(s *pl*).
Redaktionsschluß *m* time of going to press; (*Einsendeschluß*) copy deadline.
Rede ['reːdə] (**-, -n**) *f* speech; (*Gespräch*) talk; **jdn zur ~ stellen** to take sb to task; **eine ~ halten** to make a speech; **das ist nicht der ~ wert** it's not worth mentioning; **davon kann keine ~ sein** it's out of the question; **~freiheit** *f* freedom of speech; **r~gewandt** *adj* eloquent.
Reden (**-s**) *nt* talking, speech.
reden *vi* to talk, speak ♦ *vt* to say; (*Unsinn etc*) to talk; **(viel) von sich ~ machen** to become (very much) a talking point; **darüber läßt sich ~** that's a possibility; (*über Preis, Bedingungen*) I think we could discuss that; **er läßt mit sich ~** he could be persuaded; (*in bezug auf Preis*) he's open to offers; (*gesprächsbereit*) he's open to discussion.
Redensart *f* set phrase.
Redeschwall *m* torrent of words.
Redewendung *f* expression, idiom.
redlich ['reːtlɪç] *adj* honest; **R~keit** *f* honesty.
Redner(in) (**-s, -**) *m(f)* speaker, orator.
redselig ['reːtzeːlɪç] *adj* talkative, loquacious; **R~keit** *f* talkativeness, loquacity.
redundant [redʊn'dant] *adj* redundant.
Redundanz [redʊn'dants] (**-**) *f* redundancy.
reduzieren [redu'tsiːrən] *vt* to reduce.
Reduzierung *f* reduction.
Reede ['reːdə] (**-, -n**) *f* protected anchorage.
Reeder (**-s, -**) *m* shipowner.
Reederei [reːdə'raɪ] *f* shipping line *od* firm.
reell [re'ɛl] *adj* fair, honest; (*Preis*) fair; (*COMM: Geschäft*) sound; (*MATH*) real.
Reetdach ['reːtdax] *nt* thatched roof.
Ref. *abk* = **Referendar(in); Referent(in).**
Referat [refe'raːt] (**-(e)s, -e**) *nt* report; (*Vortrag*) paper; (*Gebiet*) section; (*VERWALTUNG: Ressort*) department; **ein ~ halten** to present a seminar paper.
Referendar(in) [referɛn'dar(ɪn)] *m(f)* trainee (in civil service); (*Studien~*) trainee teacher; (*Gerichts~*) articled clerk.
Referendum [refe'rɛndʊm] (**-s, Referenden**) *nt* referendum.
Referent(in) [refe'rɛnt(ɪn)] *m(f)* speaker; (*Berichterstatter*) reporter; (*Sachbearbeiter*) expert.
Referenz [refe'rɛnts] *f* reference.
referieren [refe'riːrən] *vi:* **~ über** *+akk* to speak *od* talk on.
reflektieren [reflek'tiːrən] *vt, vi* to reflect; **~ auf** *+akk* to be interested in.
Reflex [re'flɛks] (**-es, -e**) *m* reflex; **~bewegung** *f* reflex action.
reflexiv [reflɛ'ksiːf] *adj* (*GRAM*) reflexive.
Reform [re'fɔrm] (**-, -en**) *f* reform.
Reformation [refɔrmatsi'oːn] *f* reformation.
Reformator [refɔr'maːtɔr] *m* reformer; **r~isch** *adj* reformatory, reforming.
reform- *zW:* **~bedürftig** *adj* in need of reform; **~freudig** *adj* avid for reform; **R~haus** *nt* health food shop.
reformieren [refɔr'miːrən] *vt* to reform.
Refrain [rə'frɛ̃ː] (**-s, -s**) *m* refrain, chorus.
Reg. *abk* (= *Regierungs-*) gov.; (= *Register*) reg.
Regal [re'gaːl] (**-s, -e**) *nt* (book)shelves *pl*, bookcase; (*TYP*) stand, rack.
Regatta [re'gata] (**-, Regatten**) *f* regatta.
Reg.-Bez. *abk* = **Regierungsbezirk.**
rege ['reːgə] *adj* lively, active; (*Geschäft*) brisk.
Regel ['reːgəl] (**-, -n**) *f* rule; (*MED*) period; **in der ~** as a rule; **nach allen ~n der Kunst** (*fig*) thoroughly; **sich** *dat* **etw zur ~ machen** to make a habit of sth; **r~los** *adj* irregular, unsystematic; **r~mäßig** *adj* regular; **~mäßigkeit** *f* regularity.
regeln *vt* to regulate, control; (*Angelegenheit*) to settle ♦ *vr:* **sich von selbst ~** to take care of itself; **gesetzlich geregelt sein** to be laid down by law.
regelrecht *adj* proper, thorough.
Regelung *f* regulation; settlement.
regelwidrig *adj* irregular, against the rules.
regen ['reːgən] *vt* to move ♦ *vr* to move, stir.
Regen (**-s, -**) *m* rain; **vom ~ in die Traufe kommen** (*Sprichwort*) to jump out of the frying pan into the fire (*Sprichwort*).
Regenbogen *m* rainbow; **~haut** *f* (*ANAT*) iris; **~presse** *f* trashy magazines *pl*.
regenerieren [regene'riːrən] *vr* (*BIOL*) to regenerate; (*fig*) to revitalize *od* regenerate o.s. *od* itself; (*nach Anstrengung, Schock etc*) to recover.
Regen- *zW:* **~guß** *m* downpour; **~mantel** *m* raincoat, mac(kintosh); **~menge** *f* rainfall; **~schauer** *m* shower (of rain); **~schirm** *m* umbrella.
Regent(in) [re'gɛnt(ɪn)] *m(f)* regent.
Regentag *m* rainy day.
Regentropfen *m* raindrop.
Regentschaft *f* regency.
Regen- *zW:* **~wald** *m* (*GEOG*) rain forest; **~wetter** *nt:* **er macht ein Gesicht wie drei** *od* **sieben Tage ~wetter** (*umg*) he's got a face as long as a month of Sundays; **~wurm** *m* earthworm; **~zeit** *f* rainy season, rains *pl*.
Regie [re'ʒiː] *f* (*FILM etc*) direction; (*THEAT*) production; **unter der ~ von** directed *od* produced by; **~anweisung** *f* (stage) direction.
regieren [re'giːrən] *vt, vi* to govern, rule.

Regierung *f* government; (*Monarchie*) reign; **an die ~ kommen** to come to power.
Regierungs- *zW:* **~bezirk** *m* ≈ county (*BRIT, US*), region (*SCOT*); **~erklärung** *f* inaugural speech; (*in Großbritannien*) Queen's/King's Speech; **~sprecher** *m* government spokesman; **~vorlage** *f* government bill; **~wechsel** *m* change of government; **~zeit** *f* period in government; (*von König*) reign.
Regiment [regi'mɛnt] (**-s, -er**) *nt* regiment.
Region [regi'oːn] *f* region.
Regionalplanung [regio'naːlplaːnʊŋ] *f* regional planning.
Regionalprogramm *nt* (*RUNDF, TV*) regional programme (*BRIT*) *od* program (*US*).
Regisseur(in) [reʒɪ'søːr(ɪn)] *m(f)* director; (*THEAT*) (stage) producer.
Register [re'gɪstər] (**-s, -**) *nt* register; (*in Buch*) table of contents, index; **alle ~ ziehen** (*fig*) to pull out all the stops; **~führer** *m* registrar.
Registratur [regɪstra'tuːr] *f* registry, records office.
registrieren [regɪs'triːrən] *vt* to register; (*umg: zur Kenntnis nehmen*) to note.
Registrierkasse *f* cash register.
Regler ['reːglər] (**-s, -**) *m* regulator, governor.
reglos ['reːkloːs] *adj* motionless.
regnen ['reːgnən] *vi unpers* to rain ♦ *vt unpers:* **es regnet Glückwünsche** congratulations are pouring in; **es regnet in Strömen** it's pouring (with rain).
regnerisch *adj* rainy.
Regreß [re'grɛs] (**-sses, -sse**) *m* (*JUR*) recourse, redress; **~anspruch** *m* (*JUR*) claim for compensation.
regsam ['reːkzaːm] *adj* active.
regulär [regu'lɛːr] *adj* regular.
regulieren [regu'liːrən] *vt* to regulate; (*COMM*) to settle; **sich von selbst ~** to be self-regulating.
Regung ['reːgʊŋ] *f* motion; (*Gefühl*) feeling, impulse.
regungslos *adj* motionless.
Reh [reː] (**-(e)s, -e**) *nt* deer; (*weiblich*) roe deer.
rehabilitieren [rehabili'tiːrən] *vt* to rehabilitate; (*Ruf, Ehre*) to vindicate ♦ *vr* to rehabilitate (*form*) *od* vindicate o.s.
Rehabilitierung *f* rehabilitation.
Reh- *zW:* **~bock** *m* roebuck; **~braten** *m* roast venison; **~kalb** *nt* fawn; **~kitz** *nt* fawn.
Reibach ['raɪbax] (**-s**) *m:* **einen ~ machen** (*umg*) to make a killing.
Reibe ['raɪbə] (**-, -n**) *f* grater.
Reibeisen ['raɪp|aɪzən] *nt* grater.
Reibekuchen *m* (*KOCH*) ≈ potato waffle.
reiben *unreg vt* to rub; (*KOCH*) to grate.
Reiberei [raɪbə'raɪ] *f* friction *no pl.*
Reibfläche *f* rough surface.
Reibung *f* friction.
reibungslos *adj* smooth; **~ verlaufen** to go off smoothly.
Reich [raɪç] (**-(e)s, -e**) *nt* empire, kingdom; (*fig*) realm; **das Dritte ~** the Third Reich.
reich *adj* rich ♦ *adv:* **eine ~ ausgestattete Bibliothek** a well-stocked library.
reichen *vi* to reach; (*genügen*) to be enough *od* sufficient ♦ *vt* to hold out; (*geben*) to pass, hand; (*anbieten*) to offer; **so weit das Auge reicht** as far as the eye can see; **jdm ~** (*genügen*) to be enough *od* sufficient for sb; **mir reichts!** I've had enough!
reich- *zW:* **~haltig** *adj* ample, rich; **~lich** *adj* ample, plenty of; **R~tum** (**-s, -tümer**) *m* wealth; **R~weite** *f* range; **jd ist in R~weite** sb is nearby.
reif [raɪf] *adj* ripe; (*Mensch, Urteil*) mature; **für etw ~ sein** (*umg*) to be ready for sth.
Reif[1] (**-(e)s**) *m* hoarfrost.
Reif[2] (**-(e)s, -e**) *m* (*Ring*) ring, hoop.
Reife (**-**) *f* ripeness; maturity; **mittlere ~** (*SCH*) *first public examination in secondary school*, ≈ O-Levels *pl* (*BRIT*).
Reifen (**-s, -**) *m* ring, hoop; (*Fahrzeug~*) tyre (*BRIT*), tire (*US*).
reifen *vi* to mature; (*Obst*) to ripen.
Reifen- *zW:* **~druck** *m* tyre (*BRIT*) *od* tire (*US*) pressure; **~panne** *f* puncture, flat; **~profil** *nt* tyre (*BRIT*) *od* tire (*US*) tread; **~schaden** *m* puncture, flat.
Reifeprüfung *f* school-leaving exam.
Reifezeugnis *nt* school-leaving certificate.
reiflich ['raɪflɪç] *adj* thorough, careful.
Reihe ['raɪə] (**-, -n**) *f* row; (*von Tagen etc: umg: Anzahl*) series *sing*; **eine ganze ~ (von)** (*unbestimmte Anzahl*) a whole lot (of); **der ~ nach** in turn; **er ist an der ~** it's his turn; **an die ~ kommen** to have one's turn; **außer der ~** out of turn; (*ausnahmsweise*) out of the usual way of things; **aus der ~ tanzen** (*fig: umg*) to be different; (*gegen Konventionen verstoßen*) to step out of line; **ich kriege heute nichts auf die ~** I can't get my act together today.
reihen *vt* to set in a row; to arrange in series; (*Perlen*) to string.
Reihen- *zW:* **~folge** *f* sequence; **alphabetische ~folge** alphabetical order; **~haus** *nt* terraced (*BRIT*) *od* row (*US*) house; **~untersuchung** *f* mass screening; **r~weise** *adv* (*in Reihen*) in rows; (*fig: in großer Anzahl*) by the dozen.
Reiher (**-s, -**) *m* heron.
reihum [raɪ'|ʊm] *adv:* **etw ~ gehen lassen** to pass sth around.
Reim [raɪm] (**-(e)s, -e**) *m* rhyme; **sich** *dat* **einen ~ auf etw** *akk* **machen** (*umg*) to make sense of sth; **r~en** *vt* to rhyme.
rein[1] [raɪn] (*umg*) *adv* = **herein; hinein.**
rein[2] [raɪn] *adj* pure; (*sauber*) clean ♦ *adv* purely; **das ist die ~ste Freude/der ~ste Hohn** *etc* it's pure *od* sheer joy/mockery *etc*; **etw ins ~e schreiben** to make a fair copy of sth; **etw ins ~e bringen** to clear sth up; **~en Tisch machen** (*fig*) to get things straight;

~ **unmöglich** (*umg: ganz, völlig*) absolutely impossible.
Rein- *in zW* (*COMM*) net(t).
Rein(e)machefrau *f* cleaning lady, charwoman (*BRIT*).
rein(e)weg (*umg*) *adv* completely, absolutely.
rein- *zW:* **R~fall** (*umg*) *m* let-down; (*Mißerfolg*) flop; **~fallen** *vi:* **auf jdn/etw ~fallen** to be taken in by sb/sth; **R~gewinn** *m* net profit; **R~heit** *f* purity; cleanness.
reinigen ['raɪnɪgən] *vt* to clean; (*Wasser*) to purify.
Reiniger (**-s, -**) *m* cleaner.
Reinigung *f* cleaning; purification; (*Geschäft*) cleaner's; **chemische ~** dry-cleaning; (*Geschäft*) dry-cleaner's.
Reinigungsmittel *nt* cleansing agent.
rein- *zW:* **~lich** *adj* clean; **R~lichkeit** *f* cleanliness; **~rassig** *adj* pedigree; **~reiten** *unreg vt:* **jdn ~reiten** to get sb into a mess; **R~schrift** *f* fair copy; **R~vermögen** *nt* net assets *pl*; **~waschen** *unreg vr* to clear o.s.
Reis[1] [raɪs] (**-es, -e**) *m* rice.
Reis[2] [raɪs] (**-es, -er**) *nt* twig, sprig.
Reise ['raɪzə] (**-, -n**) *f* journey; (*Schiffs~*) voyage; **Reisen** *pl* travels *pl*; **gute ~!** bon voyage!, have a good journey!; **auf ~n sein** to be away (travelling (*BRIT*) *od* traveling (*US*)); **er ist viel auf ~n** he does a lot of travelling (*BRIT*) *od* traveling (*US*); **~andenken** *nt* souvenir; **~apotheke** *f* first-aid kit; **~bericht** *m* account of one's journey; (*Buch*) travel story; (*Film*) travelogue (*BRIT*), travelog (*US*); **~büro** *nt* travel agency; **~diplomatie** *f* shuttle diplomacy; **~erleichterungen** *pl* easing *sing* of travel restrictions; **r~fertig** *adj* ready to start; **~fieber** *nt* (*fig*) travel nerves *pl*; **~führer** *m* guide(book); (*Mensch*) (travel) guide; **~gepäck** *nt* luggage; **~gesellschaft** *f* party of travellers (*BRIT*) *od* travelers (*US*); **~kosten** *pl* travelling (*BRIT*) *od* traveling (*US*) expenses *pl*; **~leiter** *m* courier; **~lektüre** *f* reading for the journey; **~lust** *f* wanderlust.
reisen *vi* to travel; **~ nach** to go to.
Reisende(r) *f(m)* traveller (*BRIT*), traveler (*US*).
Reise- *zW:* **~paß** *m* passport; **~pläne** *pl* plans *pl* for a *od* the journey; **~proviant** *m* provisions *pl* for the journey; **~route** *f* itinerary; **~scheck** *m* traveller's cheque (*BRIT*), traveler's check (*US*); **~schreibmaschine** *f* portable typewriter; **~tasche** *f* travelling (*BRIT*) *od* traveling (*US*) bag *od* case; **~veranstalter** *m* tour operator; **~verkehr** *m* tourist *od* holiday traffic; **~wetter** *nt* holiday weather; **~ziel** *nt* destination.
Reisig ['raɪzɪç] (**-s**) *nt* brushwood.
Reißaus *m:* **~ nehmen** to run away, flee.
Reißbrett *nt* drawing board; **~stift** *m* drawing pin (*BRIT*), thumbtack (*US*).
reißen ['raɪsən] *unreg vt* to tear; (*ziehen*) to pull, drag; (*Witz*) to crack ♦ *vi* to tear; to pull, drag; **etw an sich ~** to snatch sth up; (*fig*) to take sth over; **sich um etw ~** to scramble for sth; **hin und her gerissen sein** (*fig*) to be torn; **wenn alle Stricke ~** (*fig: umg*) if the worst comes to the worst.
Reißen *nt* (*Gewichtheben: Disziplin*) snatch; (*umg: Glieder~*) ache.
reißend *adj* (*Fluß*) torrential; (*COMM*) rapid; **~en Absatz finden** to sell like hot cakes (*umg*).
Reißer (**-s, -**) (*umg*) *m* thriller; **r~isch** *adj* sensational.
Reiß- *zW:* **~leine** *f* (*AVIAT*) ripcord; **~nagel** *m* drawing pin (*BRIT*), thumbtack (*US*); **~schiene** *f* T-square; **~verschluß** *m* zip (fastener) (*BRIT*), zipper (*US*); **~wolf** *m* shredder; **durch den ~wolf geben** (*Dokumente*) to shred; **~zeug** *nt* geometry set; **~zwecke** *f* = **Reißnagel**.
reiten ['raɪtən] *unreg vt, vi* to ride.
Reiter (**-s, -**) *m* rider; (*MIL*) cavalryman, trooper.
Reiterei [raɪtə'raɪ] *f* cavalry.
Reiterin *f* rider.
Reit- *zW:* **~hose** *f* riding breeches *pl*; **~pferd** *nt* saddle horse; **~schule** *f* riding school; **~stiefel** *m* riding boot; **~turnier** *nt* horse show; **~weg** *m* bridle path; **~zeug** *nt* riding outfit.
Reiz [raɪts] (**-es, -e**) *m* stimulus; (*angenehm*) charm; (*Verlockung*) attraction.
reizbar *adj* irritable; **R~keit** *f* irritability.
reizen *vt* to stimulate; (*unangenehm*) to irritate; (*verlocken*) to appeal to, attract; (*KARTEN*) to bid ♦ *vi:* **zum Widerspruch ~** to invite contradiction.
reizend *adj* charming.
Reiz- *zW:* **~gas** *nt* tear gas, CS gas; **~husten** *m* chesty cough; **r~los** *adj* unattractive; **r~voll** *adj* attractive; **~wäsche** *f* sexy underwear; **~wort** *nt* emotive word.
rekapitulieren [rekapitu'li:rən] *vt* to recapitulate.
rekeln ['re:kəln] *vr* to stretch out; (*lümmeln*) to lounge *od* loll about.
Reklamation [reklamatsi'o:n] *f* complaint.
Reklame [re'kla:mə] (**-, -n**) *f* advertising; (*Anzeige*) advertisement; **mit etw ~ machen** (*pej*) to show off about sth; **für etw ~ machen** to advertise sth; **~trommel** *f:* **die ~trommel für jdn/etw rühren** (*umg*) to beat the (big) drum for sb/sth; **~wand** *f* notice (*BRIT*) *od* bulletin (*US*) board.
reklamieren [rekla'mi:rən] *vi* to complain ♦ *vt* to complain about; (*zurückfordern*) to reclaim.
rekonstruieren [rekɔnstru'i:rən] *vt* to reconstruct.
Rekonvaleszenz [rekɔnvalɛs'tsɛnts] *f*

convalescence.
Rekord [re'kɔrt] (**-(e)s, -e**) *m* record; **~leistung** *f* record performance.
Rekrut [re'kru:t] (**-en, -en**) *m* recruit.
rekrutieren [rekru'ti:rən] *vt* to recruit ♦ *vr* to be recruited.
Rektor ['rɛktɔr] *m* (*UNIV*) rector, vice-chancellor; (*SCH*) head teacher (*BRIT*), principal (*US*).
Rektorat [rɛktɔ'rat] (**-(e)s, -e**) *nt* rectorate, vice-chancellorship; headship (*BRIT*), principalship (*US*); (*Zimmer*) rector's *etc* office.
Rektorin [rɛk'to:rɪn] *f* (*SCH*) head teacher (*BRIT*), principal (*US*).
Rel. *abk* (= *Religion*) rel.
Relais [rə'lɛ:] (**-, -**) *nt* relay.
Relation [relatsi'o:n] *f* relation.
relativ [rela'ti:f] *adj* relative.
Relativität [relativi'tɛ:t] *f* relativity.
Relativpronomen *nt* (*GRAM*) relative pronoun.
relevant [rele'vant] *adj* relevant.
Relevanz *f* relevance.
Relief [reli'ɛf] (**-s, -s**) *nt* relief.
Religion [religi'o:n] *f* religion.
Religions- *zW*: **~freiheit** *f* freedom of worship; **~lehre** *f* religious education; **~unterricht** *m* religious education.
religiös [religi'ø:s] *adj* religious.
Relikt [re'lɪkt] (**-(e)s, -e**) *nt* relic.
Reling ['re:lɪŋ] (**-, -s**) *f* (*NAUT*) rail.
Reliquie [re'li:kviə] *f* relic.
Reminiszenz [reminɪs'tsɛnts] *f* reminiscence, recollection.
Remis [rə'mi:] (**-, -** *od* **-en**) *nt* (*SCHACH, SPORT*) draw.
Remittende [remɪ'tɛndə] (**-, -n**) *f* (*COMM*) return.
Remittent *m* (*FIN*) payee.
remittieren *vt* (*COMM: Waren*) to return; (*Geld*) to remit.
Remmidemmi ['rɛmi'dɛmi] (**-s**) (*umg*) *nt* (*Krach*) row, rumpus; (*Trubel*) rave-up.
Remoulade [remu'la:də] (**-, -n**) *f* remoulade.
rempeln ['rɛmpəln] (*umg*) *vt* to jostle, elbow; (*SPORT*) to barge into; (*foulen*) to push.
Ren [rɛn] (**-s, -s** *od* **-e**) *nt* reindeer.
Renaissance [rənɛ'sã:s] (**-, -n**) *f* (*HIST*) renaissance; (*fig*) revival, rebirth.
Rendezvous [rãde'vu:] (**-, -**) *nt* rendezvous.
Rendite [rɛn'di:tə] (**-, -n**) *f* (*FIN*) yield, return on capital.
Rennbahn *f* racecourse; (*AUT*) circuit, racetrack.
rennen ['rɛnən] *unreg vt, vi* to run, race; **um die Wette ~** to have a race; **R~** (**-s, -**) *nt* running; (*Wettbewerb*) race; **das R~ machen** (*lit, fig*) to win (the race).
Renner (**-s, -**) (*umg*) *m* winner, worldbeater.
Renn- *zW*: **~fahrer** *m* racing driver (*BRIT*), race car driver (*US*); **~pferd** *nt* racehorse; **~platz** *m* racecourse; **~rad** *nt* racing cycle; **~sport** *m* racing; **~wagen** *m* racing car (*BRIT*), race car (*US*).
renommiert [renɔ'mi:rt] *adj*: **~ (wegen)** renowned (for), famous (for).
renovieren [reno'vi:rən] *vt* to renovate.
Renovierung *f* renovation.
rentabel [rɛn'ta:bəl] *adj* profitable, lucrative.
Rentabilität [rɛntabili'tɛ:t] *f* profitability.
Rente ['rɛntə] (**-, -n**) *f* pension.
Renten- *zW*: **~basis** *f* annuity basis; **~empfänger** *m* pensioner; **~papier** *nt* (*FIN*) fixed-interest security; **~versicherung** *f* pension scheme.
Rentier ['rɛnti:r] *nt* reindeer.
rentieren [rɛn'ti:rən] *vi, vr* to pay, be profitable; **das rentiert (sich) nicht** it's not worth it.
Rentner(in) ['rɛntnər(ɪn)] (**-s, -**) *m(f)* pensioner.
Reparation [reparatsi'o:n] *f* reparation.
Reparatur [repara'tu:r] *f* repairing; repair; **etw in ~ geben** to have sth repaired; **r~bedürftig** *adj* in need of repair; **~werkstatt** *f* repair shop; (*AUT*) garage.
reparieren [repa'ri:rən] *vt* to repair.
Repertoire [repɛrto'a:r] (**-s, -s**) *nt* repertoire.
Reportage [repɔr'ta:ʒə] (**-, -n**) *f* report.
Reporter(in) [re'pɔrtər(ɪn)] (**-s, -**) *m(f)* reporter, commentator.
Repräsentant(in) [reprɛzɛn'tant(ɪn)] *m(f)* representative.
repräsentativ [reprɛzɛnta'ti:f] *adj* representative; (*Geschenk etc*) prestigious; **die ~en Pflichten eines Botschafters** the social duties of an ambassador.
repräsentieren [reprɛzɛn'ti:rən] *vt* to represent ♦ *vi* to perform official duties.
Repressalien [reprɛ'sa:liən] *pl* reprisals *pl*.
reprivatisieren [reprivati'zi:rən] *vt* to denationalize.
Reprivatisierung *f* denationalization.
Reproduktion [reproduktsi'o:n] *f* reproduction.
reproduzieren [reprodu'tsi:rən] *vt* to reproduce.
Reptil [rɛp'ti:l] (**-s, -ien**) *nt* reptile.
Republik [repu'bli:k] *f* republic.
Republikaner [republi'ka:nər] (**-s, -**) *m* republican.
republikanisch *adj* republican.
Requisiten *pl* (*THEAT*) props *pl*, properties *pl* (*form*).
Reservat [rezɛr'va:t] (**-(e)s, -e**) *nt* reservation.
Reserve [re'zɛrvə] (**-, -n**) *f* reserve; **jdn aus der ~ locken** to bring sb out of his/her shell; **~rad** *nt* (*AUT*) spare wheel; **~spieler** *m* reserve; **~tank** *m* reserve tank.
reservieren [rezɛr'vi:rən] *vt* to reserve.
reserviert *adj* (*Platz, Mensch*) reserved.
Reservist [rezɛr'vɪst] *m* reservist.
Reservoir [rezɛrvo'a:r] (**-s, -e**) *nt* reservoir.
Residenz [rezi'dɛnts] *f* residence, seat.

residieren [rezi'di:rən] *vi* to reside.
Resignation [rezɪgnatsi'o:n] *f* resignation.
resignieren [rezɪ'gni:rən] *vi* to resign.
resolut [rezo'lu:t] *adj* resolute.
Resolution [rezolutsi'o:n] *f* resolution; (*Bittschrift*) petition.
Resonanz [rezo'nants] *f* (*lit, fig*) resonance; **~boden** *m* sounding board; **~kasten** *m* soundbox.
Resopal ® [rezo'pa:l] (**-s**) *nt* Formica ®.
resozialisieren [rezotsiali'zi:rən] *vt* to rehabilitate.
Resozialisierung *f* rehabilitation.
Respekt [rɛ'spɛkt] (**-(e)s**) *m* respect; (*Angst*) fear; **bei allem ~ (vor jdm/etw)** with all due respect (to sb/for sth).
respektabel [rɛspɛk'ta:bəl] *adj* respectable.
respektieren [rɛspɛk'ti:rən] *vt* to respect.
respektlos *adj* disrespectful.
Respektsperson *f* person commanding respect.
respektvoll *adj* respectful.
Ressentiment [rɛsãti'mã:] (**-s, -s**) *nt* resentment.
Ressort [rɛ'so:r] (**-s, -s**) *nt* department; **in das ~ von jdm fallen** (*lit, fig*) to be sb's department.
Ressourcen [rɛ'sʊrsən] *pl* resources *pl*.
Rest [rɛst] (**-(e)s, -e**) *m* remainder, rest; (*Über~*) remains *pl*; **Reste** *pl* (*COMM*) remnants *pl*; **das hat mir den ~ gegeben** (*umg*) that finished me off.
Restaurant [rɛsto'rã:] (**-s, -s**) *nt* restaurant.
Restauration [restaʊratsi'o:n] *f* restoration.
restaurieren [restaʊ'ri:rən] *vt* to restore.
Restaurierung *f* restoration.
Rest- *zW*: **~betrag** *m* remainder, outstanding sum; **r~lich** *adj* remaining; **r~los** *adj* complete; **~posten** *m* (*COMM*) remaining stock.
Resultat [rezʊl'ta:t] (**-(e)s, -e**) *nt* result.
Retorte [re'tɔrtə] (**-, -n**) *f* retort; **aus der ~** (*umg*) synthetic.
Retortenbaby *nt* test-tube baby.
retour [re'tu:r] *adv* (*veraltet*) back.
Retouren *pl* (*Waren*) returns *pl*.
retten ['rɛtən] *vt* to save, rescue ♦ *vr* to escape; **bist du noch zu ~?** (*umg*) are you out of your mind?; **sich vor etw** *dat* **nicht mehr ~ können** (*fig*) to be swamped with sth.
Retter(in) (**-s, -**) *m(f)* rescuer, saviour (*BRIT*), savior (*US*).
Rettich ['rɛtɪç] (**-s, -e**) *m* radish.
Rettung *f* rescue; (*Hilfe*) help; **seine letzte ~** his last hope.
Rettungs- *zW*: **~aktion** *f* rescue operation; **~boot** *nt* lifeboat; **~dienst** *m* rescue service; **~gürtel** *m* lifebelt, life preserver (*US*); **r~los** *adj* hopeless; **~ring** *m* = **Rettungsgürtel**; **~schwimmer** *m* lifesaver; (*am Strand*) lifeguard; **~wagen** *m* ambulance.
Return-Taste [ri'tø:rntastə] *f* (*COMPUT*) return key.
retuschieren [retʊ'ʃi:rən] *vt* (*PHOT*) to retouch.
Reue ['rɔʏə] (**-**) *f* remorse; (*Bedauern*) regret.
reuen *vt*: **es reut ihn** he regrets it, he is sorry about it.
reuig ['rɔʏɪç] *adj* penitent.
reumütig *adj* remorseful; (*Sünder*) contrite.
Reuse ['rɔʏzə] (**-, -n**) *f* fish trap.
Revanche [re'vã:ʃə] (**-, -n**) *f* revenge; (*SPORT*) return match.
revanchieren [revã'ʃi:rən] *vr* (*sich rächen*) to get one's own back, have one's revenge; (*erwidern*) to reciprocate, return the compliment.
Revers [re'vɛ:r] (**-, -**) *nt or m* lapel.
revidieren [revi'di:rən] *vt* to revise; (*COMM*) to audit.
Revier [re'vi:r] (**-s, -e**) *nt* district; (*MIN: Kohlen~*) (coal)mine; (*Jagd~*) preserve; (*Polizei~*) police station, station house (*US*); (*Dienstbereich*) beat (*BRIT*), precinct (*US*); (*MIL*) sick bay.
Revision [revizi'o:n] *f* revision; (*COMM*) auditing; (*JUR*) appeal.
Revisionsverhandlung *f* appeal hearing.
Revisor [re'vi:zɔr] (**-s, -en**) *m* (*COMM*) auditor.
Revolte [re'vɔltə] (**-, -n**) *f* revolt.
Revolution [revolutsi'o:n] *f* revolution.
revolutionär [revolutsio'nɛ:r] *adj* revolutionary.
Revolutionär(in) [revolutsio'nɛ:r(ɪn)] (**-s, -e**) *m(f)* revolutionary.
revolutionieren [revolutsio'ni:rən] *vt* to revolutionize.
Revoluzzer [revo'lʊtsər] (**-s, -**) (*pej*) *m* would-be revolutionary.
Revolver [re'vɔlvər] (**-s, -**) *m* revolver.
Revue [rə'vy:] (**-, -n**) *f*: **etw ~ passieren lassen** (*fig*) to pass sth in review.
Reykjavik ['raɪkjavi:k] (**-s**) *nt* Reykjavik.
Rezensent [retsɛn'zɛnt] *m* reviewer, critic.
rezensieren [retsɛn'zi:rən] *vt* to review.
Rezension *f* review.
Rezept [re'tsɛpt] (**-(e)s, -e**) *nt* (*KOCH*) recipe; (*MED*) prescription.
Rezeption [retsɛptsi'o:n] *f* (*von Hotel: Empfang*) reception.
rezeptpflichtig *adj* available only on prescription.
Rezession [retsɛsi'o:n] *f* (*FIN*) recession.
rezitieren [retsi'ti:rən] *vt* to recite.
R-Gespräch ['ɛrgəʃprɛ:ç] *nt* (*TEL*) reverse charge call (*BRIT*), collect call (*US*).
Rh *abk* (= *Rhesus(faktor) positiv*) Rh positive.
rh *abk* (= *Rhesus(faktor) negativ*) Rh negative.
Rhabarber [ra'barbər] (**-s**) *m* rhubarb.
Rhein [raɪn] (**-(e)s**) *m* Rhine.
rhein. *abk* = **rheinisch**.
Rheingau *m wine-growing area along the*

Rhine.
Rheinhessen *nt wine-growing area along the Rhine.*
rheinisch *adj attrib* Rhenish, Rhineland.
Rheinland *nt* Rhineland.
Rheinländer(in) *m(f)* Rhinelander.
Rheinland-Pfalz *nt* Rhineland-Palatinate.
Rhesusfaktor ['re:zusfaktɔr] *m* rhesus factor.
Rhetorik [re'to:rɪk] *f* rhetoric.
rhetorisch [re'to:rɪʃ] *adj* rhetorical.
Rheuma ['rɔʏma] (**-s**) *nt* rheumatism.
Rheumatismus [rɔʏma'tɪsmʊs] *m* rheumatism.
Rhinozeros [ri'no:tserɔs] (- *od* **-ses, -se**) *nt* rhinoceros; (*umg: Dummkopf*) fool.
Rhld. *abk* = **Rheinland.**
Rhodesien [ro'de:ziən] (**-s**) *nt* Rhodesia.
Rhodos ['ro:dɔs] (-) *nt* Rhodes.
rhythmisch ['rytmɪʃ] *adj* rythmical.
Rhythmus *m* rhythm.
RIAS ['ri:as] (-) *m abk* (= *Rundfunk im amerikanischen Sektor (Berlin)*) *broadcasting station in the former American sector of Berlin.*
Richtantenne ['rɪçt|antɛnə] (-, **-n**) *f* directional aerial (*bes BRIT*) *od* antenna.
richten ['rɪçtən] *vt* to direct; (*Waffe*) to aim; (*einstellen*) to adjust; (*instand setzen*) to repair; (*zurechtmachen*) to prepare, get ready; (*adressieren: Briefe, Anfragen*) to address; (*Bitten, Forderungen*) to make; (*in Ordnung bringen*) to do, fix; (*bestrafen*) to pass judgement on ♦ *vr:* **sich ~ nach** to go by; **~ an** *+akk* to direct at; (*fig*) to direct to; (*Briefe etc*) to address to; (*Bitten etc*) to make to; **~ auf** *+akk* to aim at; **wir ~ uns ganz nach unseren Kunden** we are guided entirely by our customers' wishes.
Richter(in) (**-s, -**) *m(f)* judge; **sich zum ~ machen** (*fig*) to set (o.s.) up in judgement; **r~lich** *adj* judicial.
Richtgeschwindigkeit *f* recommended speed.
richtig *adj* right, correct; (*echt*) proper ♦ *adv* correctly, right; (*umg: sehr*) really; **der/die R~e** the right one *od* person; **das R~e** the right thing; **die Uhr geht ~** the clock is right; **R~keit** *f* correctness; **das hat schon seine R~keit** it's right enough; **~stellen** *vt* to correct; **R~stellung** *f* correction, rectification.
Richt- *zW:* **~linie** *f* guideline; **~preis** *m* recommended price; **~schnur** *f* (*fig: Grundsatz*) guiding principle.
Richtung *f* direction; (*Tendenz*) tendency, orientation; **in jeder ~** each way.
richtungweisend *adj:* **~ sein** to point the way (ahead).
rieb *etc* [ri:p] *vb siehe* **reiben.**
riechen ['ri:çən] *unreg vt, vi* to smell; **an etw** *dat* **~** to smell sth; **es riecht nach Gas** there's a smell of gas; **ich kann das/ihn nicht ~** (*umg*) I can't stand it/him; **das konnte ich doch nicht ~!** (*umg*) how was I (supposed) to know?
Riecher (**-s, -**) *m:* **einen guten** *od* **den richtigen ~ für etw haben** (*umg*) to have a nose for sth.
Ried [ri:t] (**-(e)s, -e**) *nt* reed; (*Moor*) marsh.
rief *etc* [ri:f] *vb siehe* **rufen.**
Riege ['ri:gə] (**-, -n**) *f* team, squad.
Riegel ['ri:gəl] (**-s, -**) *m* bolt, bar; **einer Sache** *dat* **einen ~ vorschieben** (*fig*) to clamp down on sth.
Riemen ['ri:mən] (**-s, -**) *m* strap; (*Gürtel, TECH*) belt; (*NAUT*) oar; **sich am ~ reißen** (*fig: umg*) to get a grip on o.s.; **~antrieb** *m* belt drive.
Riese ['ri:zə] (**-n, -n**) *m* giant.
rieseln *vi* to trickle; (*Schnee*) to fall gently.
Riesen- *zW:* **~erfolg** *m* enormous success; **~gebirge** *nt* (*GEOG*) Sudeten Mountains *pl*; **r~groß** *adj*, **r~ haft** *adj* colossal, gigantic, huge; **~rad** *nt* big *od* Ferris wheel; **~schritt** *m:* **sich mit ~schritten nähern** (*fig*) to be drawing on apace; **~slalom** *m* (*SKI*) giant slalom.
riesig ['ri:zɪç] *adj* enormous, huge, vast.
Riesin *f* giantess.
riet *etc* [ri:t] *vb siehe* **raten.**
Riff [rɪf] (**-(e)s, -e**) *nt* reef.
rigoros [rigo'ro:s] *adj* rigorous.
Rille ['rɪlə] (**-, -n**) *f* groove.
Rind [rɪnt] (**-(e)s, -er**) *nt* ox; (*Kuh*) cow; (*KOCH*) beef; **Rinder** *pl* cattle *pl*; **vom ~** beef.
Rinde ['rɪndə] (**-, -n**) *f* rind; (*Baum~*) bark; (*Brot~*) crust.
Rinderbraten *m* roast beef.
Rinderwahn ['rɪndərva:n] *m* mad cow disease.
Rindfleisch *nt* beef.
Rindvieh *nt* cattle *pl*; (*umg*) blockhead, stupid oaf.
Ring [rɪŋ] (**-(e)s, -e**) *m* ring; **~buch** *nt* ring binder.
ringeln ['rɪŋəln] *vt* (*Pflanze*) to (en)twine; (*Schwanz etc*) to curl ♦ *vr* to go curly, curl; (*Rauch*) to curl up(wards).
Ringelnatter *f* grass snake.
Ringeltaube *f* wood pigeon.
ringen *unreg vi* to wrestle; **nach** *od* **um etw ~** (*streben*) to struggle for sth; **R~** (**-s**) *nt* wrestling.
Ringer (**-s, -**) *m* wrestler.
Ring- *zW:* **~finger** *m* ring finger; **r~förmig** *adj* ring-shaped; **~kampf** *m* wrestling bout; **~richter** *m* referee.
rings *adv:* **~ um** round; **~herum** *adv* round about.
Ringstraße *f* ring road.
ringsum(her) [rɪŋs'|ʊm, 'rɪŋs|ʊm'he:r] *adv* (*rundherum*) round about; (*überall*) all round.
Rinne ['rɪnə] (**-, -n**) *f* gutter, drain.
rinnen *unreg vi* to run, trickle.
Rinnsal (**-s, -e**) *nt* trickle of water.
Rinnstein *m* gutter.

Rippchen ['rɪpçən] *nt* small rib; cutlet.
Rippe ['rɪpə] (**-, -n**) *f* rib.
Rippen- *zW:* **~fellentzündung** *f* pleurisy; **~speer** *m od nt* (*KOCH*): **Kasseler ~speer** *slightly cured pork spare rib*; **~stoß** *m* dig in the ribs.
Risiko ['ri:ziko] (**-s, -s** *od* **Risiken**) *nt* risk; **r~behaftet** *adj* fraught with risk; **~investition** *f* sunk cost.
riskant [rɪs'kant] *adj* risky, hazardous.
riskieren [rɪs'ki:rən] *vt* to risk.
riß *etc* [rɪs] *vb siehe* **reißen.**
Riß (**-sses, -sse**) *m* tear; (*in Mauer, Tasse etc*) crack; (*in Haut*) scratch; (*TECH*) design.
rissig ['rɪsɪç] *adj* torn; cracked; scratched.
ritt *etc* [rɪt] *vb siehe* **reiten.**
Ritt (**-(e)s, -e**) *m* ride.
Ritter (**-s, -**) *m* knight; **jdn zum ~ schlagen** to knight sb; **arme ~** *pl* (*KOCH*) *sweet French toast, made with bread soaked in milk*; **r~lich** *adj* chivalrous; **~schlag** *m* knighting; **~tum** (**-s**) *nt* chivalry; **~zeit** *f* age of chivalry.
rittlings *adv* astride.
Ritual [ritu'a:l] (**-s, -e** *od* **-ien**) *nt* (*lit, fig*) ritual.
rituell [ritu'ɛl] *adj* ritual.
Ritus ['ri:tʊs] (**-, Riten**) *m* rite.
Ritze ['rɪtsə] (**-, -n**) *f* crack, chink.
ritzen *vt* to scratch; **die Sache ist geritzt** (*umg*) it's all fixed up.
Rivale [ri'va:lə] (**-n, -n**) *m*, **Rivalin** *f* rival.
rivalisieren [rivali'zi:rən] *vi:* **mit jdm ~** to compete with sb.
Rivalität [rivali'tɛ:t] *f* rivalry.
Riviera [rivi'e:ra] (**-**) *f* Riviera.
Rizinusöl ['ri:tsinʊs|ø:l] *nt* castor oil.
r.-k. *abk* (= *römisch-katholisch*) R.C.
Robbe ['rɔbə] (**-, -n**) *f* seal.
robben ['rɔbən] *vi* (*Hilfsverb sein: auch MIL*) to crawl (*using elbows*).
Robbenfang *m* seal hunting.
Robe ['ro:bə] (**-, -n**) *f* robe.
Roboter ['rɔbɔtər] (**-s, -**) *m* robot; **~technik** *f* robotics *sing.*
Robotik ['rɔbɔtɪk] *f* robotics *sing.*
robust [ro'bʊst] *adj* (*Mensch, Gesundheit*) robust; (*Material*) tough.
roch *etc* [rɔx] *vb siehe* **riechen.**
Rochade [rɔ'xa:də] (**-, -n**) *f* (*SCHACH*): **die kleine/große ~** castling king's side/queen's side.
röcheln ['rœçəln] *vi* to wheeze; (*Sterbender*) to give the death rattle.
Rock[1] [rɔk] (**-(e)s, ⸚e**) *m* skirt; (*Jackett*) jacket; (*Uniform~*) tunic.
Rock[2] [rɔk] (**-(s), -(s)**) *m* (*MUS*) rock; **~musik** *f* rock music.
Rockzipfel *m:* **an Mutters ~ hängen** (*umg*) to cling to (one's) mother's skirts.
Rodel ['ro:dəl] (**-s, -**) *m* toboggan; **~bahn** *f* toboggan run.
rodeln *vi* to toboggan.
roden ['ro:dən] *vt, vi* to clear.
Rogen ['ro:gən] (**-s, -**) *m* roe.
Roggen ['rɔgən] (**-s, -**) *m* rye; **~brot** *nt* rye bread; (*Vollkornbrot*) black bread.
roh [ro:] *adj* raw; (*Mensch*) coarse, crude; **~e Gewalt** brute force; **R~bau** *m* shell of a building; **R~eisen** *nt* pig iron; **R~fassung** *f* rough draft; **R~kost** *f* raw fruit and vegetables *pl*; **R~ling** *m* ruffian; **R~material** *nt* raw material; **R~öl** *nt* crude oil.
Rohr [ro:r] (**-(e)s, -e**) *nt* pipe, tube; (*BOT*) cane; (*Schilf*) reed; (*Gewehr~*) barrel; **~bruch** *m* burst pipe.
Röhre ['rø:rə] (**-, -n**) *f* tube, pipe; (*RUNDF etc*) valve; (*Back~*) oven.
Rohr- *zW:* **~geflecht** *nt* wickerwork; **~leger** (**-s, -**) *m* plumber; **~leitung** *f* pipeline; **~post** *f* pneumatic post; **~spatz** *m:* **schimpfen wie ein ~spatz** (*umg*) to curse and swear; **~stock** *m* cane; **~stuhl** *m* basket chair; **~zucker** *m* cane sugar.
Rohseide *f* raw silk.
Rohstoff *m* raw material.
Rokoko ['rɔkoko] (**-s**) *nt* rococo.
Rollbahn *f* (*AVIAT*) runway.
Rolle ['rɔlə] (**-, -n**) *f* roll; (*THEAT, SOZIOLOGIE*) role; (*Garn~ etc*) reel, spool; (*Walze*) roller; (*Wäsche~*) mangle, wringer; **bei** *od* **in etw** *dat* **eine ~ spielen** to play a part in sth; **aus der ~ fallen** (*fig*) to forget o.s.; **keine ~ spielen** not to matter.
rollen *vi* to roll; (*AVIAT*) to taxi ♦ *vt* to roll; (*Wäsche*) to mangle, put through the wringer; **den Stein ins R~ bringen** (*fig*) to start the ball rolling.
Rollen- *zW:* **~besetzung** *f* (*THEAT*) cast; **~konflikt** *m* (*PSYCH*) role conflict; **~spiel** *nt* role-play; **~tausch** *m* exchange of roles; (*SOZIOLOGIE*) role reversal.
Roller (**-s, -**) *m* scooter; (*Welle*) roller.
Roll- *zW:* **~feld** *nt* runway; **~kragen** *m* roll *od* polo neck; **~(l)aden** *m* shutter; **~mops** *m* pickled herring.
Rollo ['rɔlo] (**-, -s**) *nt* (roller) blind.
Roll- *zW:* **~schrank** *m* roll-fronted cupboard; **~schuh** *m* roller skate; **~schuhlaufen** *nt* roller skating; **~splitt** *m* grit; **~stuhl** *m* wheelchair; **~treppe** *f* escalator.
Rom [ro:m] (**-s**) *nt* Rome; **das sind Zustände wie im alten ~** (*umg: unmoralisch*) it's disgraceful; (*: primitiv*) it's medieval (*umg*).
röm. *abk* = **römisch.**
Roman [ro'ma:n] (**-s, -e**) *m* novel; **(jdm) einen ganzen ~ erzählen** (*umg*) to give (sb) a long rigmarole; **~heft** *nt* pulp novel.
romanisch *adj* (*Volk, Sprache*) Romance; (*KUNST*) Romanesque.
Romanistik [roma'nɪstɪk] *f* (*UNIV*) Romance languages and literature.
Romanschreiber *m* novelist.
Romanschriftsteller *m* novelist.
Romantik [ro'mantɪk] *f* romanticism.

Romantiker(in) (**-s, -**) *m(f)* romanticist.
romantisch *adj* romantic.
Romanze [ro'mantsə] (**-, -n**) *f* romance.
Römer ['rø:mər] (**-s, -**) *m* wineglass; (*Mensch*) Roman; **~topf** ® *m* (*KOCH*) ≈ (chicken) brick.
römisch ['rø:mɪʃ] *adj* Roman; **~-katholisch** *adj* Roman Catholic.
röm.-kath. *abk* (= *römisch-katholisch*) R.C.
Rommé [rɔ'me:] (**-s, -s**) *nt* rummy.
röntgen ['rœntgən] *vt* to X-ray; **R~aufnahme** *f* X-ray; **R~bild** *nt* X-ray; **R~strahlen** *pl* X-rays *pl.*
rosa ['ro:za] *adj inv* pink, rose(-coloured).
Rose ['ro:zə] (**-, -n**) *f* rose.
Rosé [ro'ze:] (**-s, -s**) *m* rosé.
Rosenkohl *m* Brussels sprouts *pl.*
Rosenkranz *m* rosary.
Rosenmontag *m* Monday of Shrovetide; *siehe auch* **Karneval.**
Rosette [ro'zɛtə] *f* rosette.
rosig ['ro:zɪç] *adj* rosy.
Rosine [ro'zi:nə] *f* raisin; **(große) ~n im Kopf haben** (*umg*) to have big ideas.
Rosmarin ['ro:smari:n] (**-s**) *m* rosemary.
Roß [rɔs] (**-sses, -sse**) *nt* horse, steed; **auf dem hohen ~ sitzen** (*fig*) to be on one's high horse; **~kastanie** *f* horse chestnut; **~kur** (*umg*) *f* kill-or-cure remedy.
Rost [rɔst] (**-(e)s, -e**) *m* rust; (*Gitter*) grill, gridiron; (*Bett~*) springs *pl*; **~braten** *m* roast(ed) meat, roast; **~bratwurst** *f* grilled *od* barbecued sausage.
rosten *vi* to rust.
rösten ['rø:stən] *vt* to roast; (*Brot*) to toast
rostfrei *adj* (*Stahl*) stainless.
rostig *adj* rusty.
Röstkartoffeln *pl* fried potatoes *pl.*
Rostschutz *m* rustproofing.
rot [ro:t] *adj* red; **~ werden, einen ~en Kopf bekommen** to blush, go red; **~ sehen** (*umg*) to see red, become angry; **die R~e Armee** the Red Army; **das R~e Kreuz** the Red Cross; **das R~e Meer** the Red Sea.
Rotation [rotatsi'o:n] *f* rotation.
rot- *zW:* **~bäckig** *adj* red-cheeked; **R~barsch** *m* rosefish; **~blond** *adj* strawberry blond.
Röte ['rø:tə] (**-**) *f* redness.
Röteln *pl* German measles *sing.*
röten *vt, vr* to redden.
rothaarig *adj* red-haired.
rotieren [ro'ti:rən] *vi* to rotate.
Rot- *zW:* **~käppchen** *nt* Little Red Riding Hood; **~kehlchen** *nt* robin; **~kohl** *m* red cabbage; **~kraut** *nt* red cabbage; **~stift** *m* red pencil; **~wein** *m* red wine.
Rotz [rɔts] (**-es, -e**) (*umg*) *m* snot; **r~frech** (*umg*) *adj* cocky; **r~näsig** (*umg*) *adj* snotty-nosed.
Rouge [ru:ʒ] (**-s, -s**) *nt* rouge.
Roulade [ru'la:də] (**-, -n**) *f* (*KOCH*) beef olive.
Roulett(e) [ru'lɛt(ə)] (**-s, -s**) *nt* roulette.
Route ['ru:tə] (**-, -n**) *f* route.
Routine [ru'ti:nə] *f* experience; (*Gewohnheit*) routine.
routiniert [ruti'ni:ərt] *adj* experienced.
Rowdy ['raʊdɪ] (**-s, -s** *od* **Rowdies**) *m* hooligan; (*zerstörerisch*) vandal; (*lärmend*) rowdy (type).
Ruanda [ru'anda] *nt* Rwanda.
ruandisch *adj* Rwandan.
rubbeln ['rʊbəln] (*umg*) *vt, vi* to rub.
Rübe ['ry:bə] (**-, -n**) *f* turnip; **gelbe ~** carrot; **rote ~** beetroot (*BRIT*), beet (*US*).
Rübenzucker *m* beet sugar.
Rubin [ru'bi:n] (**-s, -e**) *m* ruby.
Rubrik [ru'bri:k] *f* heading; (*Spalte*) column.
Ruck [rʊk] (**-(e)s, -e**) *m* jerk, jolt; **sich** *dat* **einen ~ geben** (*fig: umg*) to make an effort.
ruck *adv:* **das geht ~, zuck** it won't take a second.
Rückantwort *f* reply, answer; **um ~ wird gebeten** please reply.
ruckartig *adj:* **er stand ~ auf** he shot to his feet.
Rück- *zW:* **~besinnung** *f* recollection; **r~bezüglich** *adj* reflexive; **~blende** *f* flashback; **r~blenden** *vi* to flash back; **~blick** *m:* **im ~blick auf etw** *akk* looking back on sth; **r~blickend** *adj* retrospective ♦ *adv* in retrospect; **r~datieren** *vt* to backdate.
Rücken (**-s, -**) *m* back; (*Berg~*) ridge; **jdm in den ~ fallen** (*fig*) to stab sb in the back.
rücken *vt, vi* to move.
Rücken- *zW:* **~deckung** *f* backing; **~lage** *f* supine position; **~lehne** *f* back (of chair); **~mark** *nt* spinal cord; **~schwimmen** *nt* backstroke; **~stärkung** *f* (*fig*) moral support; **~wind** *m* following wind.
Rück- *zW:* **~erstattung** *f* return, restitution; **~fahrkarte** *f* return ticket (*BRIT*), round-trip ticket (*US*); **~fahrt** *f* return journey; **~fall** *m* relapse; **r~fällig** *adj* relapsed; **r~fällig werden** to relapse; **~flug** *m* return flight; **~frage** *f* question; **nach ~frage bei der zuständigen Behörde** ... after checking this with the appropriate authority ...; **r~fragen** *vi* to inquire; (*nachprüfen*) to check; **~führung** *f* (*von Menschen*) repatriation, return; **~gabe** *f* return; **gegen ~gabe** (*+gen*) on return (of); **~gang** *m* decline, fall; **r~gängig** *adj:* **etw r~gängig machen** (*widerrufen*) to undo sth; (*Bestellung*) to cancel sth; **~gewinnung** *f* recovery; (*von Land, Gebiet*) reclaiming; (*aus verbrauchten Stoffen*) recycling.
Rückgrat *nt* spine, backbone.
Rück- *zW:* **~griff** *m* recourse; **~halt** *m* backing; (*Einschränkung*) reserve; **r~haltlos** *adj* unreserved; **~hand** *f* (*SPORT*) backhand; **r~kaufbar** *adj* redeemable; **~kehr** (**-, -en**) *f* return; **~koppelung** *f* feedback; **~lage** *f* reserve, savings *pl*; **~lauf** *m* reverse running; (*beim Tonband*)

rewind; (*von Maschinenteil*) return travel; **r~läufig** *adj* declining, falling; **eine r~läufige Entwicklung** a decline; **~licht** *nt* rear light; **r~lings** *adv* from behind; (*rückwärts*) backwards; **~meldung** *f* (*UNIV*) reregistration; **~nahme** (**-, -n**) *f* taking back; **~porto** *nt* return postage; **~reise** *f* return journey; (*NAUT*) home voyage; **~ruf** *m* recall.

Rucksack ['rʊkzak] *m* rucksack.

Rück- *zW:* **~schau** *f* reflection; **r~schauend** *adj* = **rückblickend**; **~schlag** *m* setback; **~schluß** *m* conclusion; **~schritt** *m* retrogression; **r~schrittlich** *adj* reactionary; (*Entwicklung*) retrograde; **~seite** *f* back; (*von Münze etc*) reverse; **siehe ~seite** see over(leaf); **r~setzen** *vt* (*COMPUT*) to reset.

Rücksicht *f* consideration; **~ nehmen auf** *+akk* to show consideration for; **~nahme** *f* consideration.

rücksichtslos *adj* inconsiderate; (*Fahren*) reckless; (*unbarmherzig*) ruthless.

Rücksichtslosigkeit *f* lack of consideration; (*beim Fahren*) recklessness; (*Unbarmherzigkeit*) ruthlessness.

rücksichtsvoll *adj* considerate.

Rück- *zW:* **~sitz** *m* back seat; **~spiegel** *m* (*AUT*) rear-view mirror; **~spiel** *nt* return match; **~sprache** *f* further discussion *od* talk; **~sprache mit jdm nehmen** to confer with sb; **~stand** *m* arrears *pl*; (*Verzug*) delay; **r~ständig** *adj* backward, out-of-date; (*Zahlungen*) in arrears; **~stau** *m* (*AUT*) tailback (*BRIT*), line of cars; **~stoß** *m* recoil; **~strahler** (**-s, -**) *m* rear reflector; **~strom** *m* (*von Menschen, Fahrzeugen*) return; **~taste** *f* (*an Schreibmaschine*) backspace key; **~tritt** *m* resignation; **~trittbremse** *f* backpedal brake; **~trittsklausel** *f* (*Vertrag*) escape clause; **~vergütung** *f* repayment; (*COMM*) refund; **r~versichern** *vt, vi* to reinsure ♦ *vr* to check (up *od* back); **~versicherung** *f* reinsurance; **r~wärtig** *adj* rear; **r~wärts** *adv* backward(s), back; **~wärtsgang** *m* (*AUT*) reverse gear; **im ~wärtsgang fahren** to reverse; **~weg** *m* return journey, way back; **r~wirkend** *adj* retroactive; **~wirkung** *f* repercussion; **eine Zahlung mit ~wirkung vom ...** a payment backdated to ...; **eine Gesetzesänderung mit ~wirkung vom ...** an amendment made retrospective to ...; **~zahlung** *f* repayment; **~zieher** (*umg*) *m:* **einen ~zieher machen** to back out; **~zug** *m* retreat; **~zugsgefecht** *nt* (*MIL, fig*) rearguard action.

rüde ['ry:də] *adj* blunt, gruff.

Rüde (**-n, -n**) *m* male dog.

Rudel ['ru:dəl] (**-s, -**) *nt* pack; (*von Hirschen*) herd.

Ruder ['ru:dər] (**-s, -**) *nt* oar; (*Steuer*) rudder; **das ~ fest in der Hand haben** (*fig*) to be in control of the situation; **~boot** *nt* rowing boat; **~er** (**-s, -**) *m* rower, oarsman.

rudern *vt, vi* to row; **mit den Armen ~** (*fig*) to flail one's arms about.

Ruf [ru:f] (**-(e)s, -e**) *m* call, cry; (*Ansehen*) reputation; (*UNIV: Berufung*) offer of a chair.

rufen *unreg vt, vi* to call; (*aus~*) to cry; **um Hilfe ~** to call for help; **das kommt mir wie gerufen** that's just what I needed.

Rüffel ['rʏfəl] (**-s, -**) (*umg*) *m* telling-off, ticking-off.

Ruf- *zW:* **~mord** *m* character assassination; **~name** *m* usual (first) name; **~nummer** *f* (tele)phone number; **~säule** *f* (*für Taxi*) telephone; (*an Autobahn*) emergency telephone; **~zeichen** *nt* (*RUNDF*) call sign; (*TEL*) ringing tone.

Rüge ['ry:gə] (**-, -n**) *f* reprimand, rebuke.

rügen *vt* to reprimand.

Ruhe ['ru:ə] (**-**) *f* rest; (*Ungestörtheit*) peace, quiet; (*Gelassenheit, Stille*) calm; (*Schweigen*) silence; **~!** be quiet!, silence!; **angenehme ~!** sleep well!; **~ bewahren** to stay cool *od* calm; **das läßt ihm keine ~** he can't stop thinking about it; **sich zur ~ setzen** to retire; **die ~ weghaben** (*umg*) to be unflappable; **immer mit der ~** (*umg*) don't panic; **die letzte ~ finden** (*liter*) to be laid to rest; **~lage** *f* (*von Mensch*) reclining position; (*MED: bei Bruch*) immobile position; **r~los** *adj* restless.

ruhen *vi* to rest; (*Verkehr*) to cease; (*Arbeit*) to stop, cease; (*Waffen*) to be laid down; (*begraben sein*) to lie, be buried.

Ruhe- *zW:* **~pause** *f* break; **~platz** *m* resting place; **~stand** *m* retirement; **~stätte** *f:* **letzte ~stätte** final resting place; **~störung** *f* breach of the peace; **~tag** *m* closing day.

ruhig ['ru:ɪç] *adj* quiet; (*bewegungslos*) still; (*Hand*) steady; (*gelassen, friedlich*) calm; (*Gewissen*) clear; **tu das ~** feel free to do that; **etw ~ mitansehen** (*gleichgültig*) to stand by and watch sth; **du könntest ~ mal etwas für mich tun!** it's about time you did something for me!

Ruhm [ru:m] (**-(e)s**) *m* fame, glory.

rühmen ['ry:mən] *vt* to praise ♦ *vr* to boast.

rühmlich *adj* praiseworthy; (*Ausnahme*) notable.

ruhmlos *adj* inglorious.

ruhmreich *adj* glorious.

Ruhr [ru:r] (**-**) *f* dysentery.

Rührei ['ry:r|aɪ] *nt* scrambled egg.

rühren *vt* (*lit, fig*) to move, stir (*auch KOCH*) ♦ *vr* (*lit, fig*) to move, stir ♦ *vi:* **~ von** to come *od* stem from; **~ an** *+akk* to touch; (*fig*) to touch on.

rührend *adj* touching, moving; **das ist ~ von Ihnen** that is sweet of you.

Ruhrgebiet *nt* Ruhr (area).

rührig *adj* active, lively.

rührselig *adj* sentimental, emotional.

Rührung *f* emotion.

Ruin [ru'iːn] (**-s**) *m* ruin; **vor dem ~ stehen** to be on the brink *od* verge of ruin.
Ruine (**-, -n**) *f* (*lit, fig*) ruin.
ruinieren [rui'niːrən] *vt* to ruin.
rülpsen ['rʏlpsən] *vi* to burp, belch.
Rum [rʊm] (**-s, -s**) *m* rum.
rum (*umg*) *adv* = **herum.**
Rumäne [ru'mɛːnə] (**-n, -n**) *m* Romanian.
Rumänien (**-s**) *nt* Romania.
Rumänin *f* Romanian.
rumänisch *adj* Romanian.
rumfuhrwerken ['rʊmfuːrvɛrkən] (*umg*) *vt* to bustle around.
Rummel ['rʊməl] (**-s**) (*umg*) *m* hurly-burly; (*Jahrmarkt*) fair; **~platz** *m* fairground, fair.
rumoren [ru'moːrən] *vi* to be noisy, make a noise.
Rumpelkammer ['rʊmpəlkamər] *f* junk room.
rumpeln *vi* to rumble; (*holpern*) to jolt.
Rumpf [rʊmpf] (**-(e)s, ⁻e**) *m* trunk, torso; (*AVIAT*) fuselage; (*NAUT*) hull.
rümpfen ['rʏmpfən] *vt* (*Nase*) to turn up.
Rumtopf *m soft fruit in rum.*
rund [rʊnt] *adj* round ♦ *adv* (*etwa*) around; **~ um etw** round sth; **jetzt geht's ~** (*umg*) this is where the fun starts; **wenn er das erfährt, geht's ~** (*umg*) there'll be a to-do when he finds out; **R~bogen** *m* Norman *od* Romanesque arch; **R~brief** *m* circular.
Runde ['rʊndə] (**-, -n**) *f* round; (*in Rennen*) lap; (*Gesellschaft*) circle; **die ~ machen** to do the rounds; (*herumgegeben werden*) to be passed round; **über die ~n kommen** (*SPORT, fig*) to pull through; **eine ~ spendieren** *od* **schmeißen** (*umg: Getränke*) to stand a round.
runden *vt* to make round ♦ *vr* (*fig*) to take shape.
rund- *zW:* **~erneuert** *adj* (*Reifen*) remoulded (*BRIT*), remolded (*US*); **R~fahrt** *f* (round) trip; **R~frage** *f*: **R~frage (unter** *+dat***)** survey (of).
Rundfunk ['rʊntfʊŋk] (**-(e)s**) *m* broadcasting; (*bes Hörfunk*) radio; (*~anstalt*) broadcasting corporation; **im ~** on the radio; **~anstalt** *f* broadcasting corporation; **~empfang** *m* reception; **~gebühr** *f* licence (*BRIT*), license (*US*); **~gerät** *nt* radio set; **~sendung** *f* broadcast, radio programme (*BRIT*) *od* program (*US*).
Rund- *zW:* **~gang** *m* (*Spaziergang*) walk; (*von Wachmann*) rounds *pl*; (*von Briefträger etc*) round; (*zur Besichtigung*): **~gang (durch)** tour (of); **r~heraus** *adv* straight out, bluntly; **r~herum** *adv* all round; (*fig: umg: völlig*) totally; **r~lich** *adj* plump, rounded; **~reise** *f* round trip; **~schreiben** *nt* (*COMM*) circular; **r~um** *adv* all around; (*fig*) completely.
Rundung *f* curve, roundness.
rundweg *adv* straight out.
runter ['rʊntər] (*umg*) *adv* = **herunter; hinunter; ~würgen** (*umg*) *vt* (*Ärger*) to swallow.
Runzel ['rʊntsəl] (**-, -n**) *f* wrinkle.
runz(e)lig *adj* wrinkled.
runzeln *vt* to wrinkle; **die Stirn ~** to frown.
Rüpel ['ryːpəl] (**-s, -**) *m* lout; **r~haft** *adj* loutish.
rupfen ['rʊpfən] *vt* to pluck; **wie ein gerupftes Huhn aussehen** to look like a shorn sheep.
Rupfen (**-s, -**) *m* sackcloth.
ruppig ['rʊpɪç] *adj* rough, gruff.
Rüsche ['ryːʃə] (**-, -n**) *f* frill.
Ruß [ruːs] (**-es**) *m* soot.
Russe ['rʊsə] (**-n, -n**) *m* Russian.
Rüssel ['rʏsəl] (**-s, -**) *m* snout; (*Elefanten~*) trunk.
rußen *vi* to smoke; (*Ofen*) to be sooty.
rußig *adj* sooty.
Russin *f* Russian.
russisch *adj* Russian; **~e Eier** (*KOCH*) egg(s) mayonnaise.
Rußland (**-s**) *nt* Russia.
rüsten ['rʏstən] *vt, vi, vr* to prepare; (*MIL*) to arm.
rüstig ['rʏstɪç] *adj* sprightly, vigorous; **R~keit** *f* sprightliness, vigour (*BRIT*), vigor (*US*).
rustikal [rʊsti'kaːl] *adj:* **sich ~ einrichten** to furnish one's home in a rustic style.
Rüstung ['rʏstʊŋ] *f* preparation; (*MIL*) arming; (*Ritter~*) armour (*BRIT*), armor (*US*); (*Waffen etc*) armaments *pl.*
Rüstungs- *zW:* **~gegner** *m* opponent of the arms race; **~industrie** *f* armaments industry; **~kontrolle** *f* arms control; **~wettlauf** *m* arms race.
Rüstzeug *nt* tools *pl*; (*fig*) capacity.
Rute ['ruːtə] (**-, -n**) *f* rod, switch.
Rutsch [rʊtʃ] (**-(e)s, -e**) *m* slide; (*Erd~*) landslide; **guten ~!** (*umg*) have a good New Year!; **~bahn** *f* slide.
rutschen *vi* to slide; (*aus~*) to slip; **auf dem Stuhl hin und her ~** to fidget around on one's chair.
rutschfest *adj* non-slip.
rutschig *adj* slippery.
rütteln ['rʏtəln] *vt, vi* to shake, jolt; **daran ist nicht zu ~** (*fig: umg: an Grundsätzen*) there's no doubt about that.
Rüttelschwelle *f* (*AUT*) rumble strips *pl.*

S, s

S¹, s¹ [ɛs] *nt* S, s; ~ **wie Samuel** ≈ S for Sugar.
S² [ɛs] *abk* (= *Süden*) S; (= *Seite*) p; (= *Schilling*) S.
s² *abk* (= *Sekunde*) sec.; (= *siehe*) v., vid.
SA (-) *f abk* (= *Sturmabteilung*) SA.
s.a. *abk* (= *siehe auch*) see also.
Saal [za:l] (**-(e)s, Säle**) *m* hall; (*für Sitzungen etc*) room.
Saarland ['za:rlant] (**-s**) *nt* Saarland.
Saat [za:t] (**-, -en**) *f* seed; (*Pflanzen*) crop; (*Säen*) sowing; ~**gut** *nt* seed(s *pl*).
Sabbat ['zabat] (**-s, -e**) *m* sabbath.
sabbern ['zabərn] (*umg*) *vi* to dribble.
Säbel ['zɛ:bəl] (**-s, -**) *m* sabre (*BRIT*), saber (*US*); ~**rasseln** *nt* sabre-rattling.
Sabotage [zabo'ta:ʒə] (**-, -n**) *f* sabotage.
sabotieren [zabo'ti:rən] *vt* to sabotage.
Saccharin [zaxa'ri:n] (**-s**) *nt* saccharin.
Sachanlagen ['zax|anla:gən] *pl* tangible assets *pl*.
Sachbearbeiter(in) *m(f)*: ~ **(für)** (*Beamter*) official in charge (of).
Sachbuch *nt* non-fiction book.
sachdienlich *adj* relevant, helpful.
Sache ['zaxə] (**-, -n**) *f* thing; (*Angelegenheit*) affair, business; (*Frage*) matter; (*Pflicht*) task; (*Thema*) subject; (*JUR*) case; (*Aufgabe*) job; (*Ideal*) cause; (*umg: km/h*): **mit 60/100 ~n** ≈ at 40/60 (mph); **ich habe mir die ~ anders vorgestellt** I had imagined things differently; **er versteht seine ~** he knows what he's doing; **das ist so eine ~** (*umg*) it's a bit tricky; **mach keine ~n!** (*umg*) don't be daft!; **bei der ~ bleiben** (*bei Diskussion*) to keep to the point; **bei der ~ sein** to be with it (*umg*); **das ist ~ der Polizei** this is a matter for the police; **zur ~** to the point; **das ist eine runde ~** that is well-balanced *od* rounded-off.
Sachertorte ['zaxərtɔrtə] *f* *rich chocolate cake*, sachertorte.
Sach- *zW*: **s~gemäß** *adj* appropriate, suitable; ~**kenntnis** *f* (*in bezug auf Wissensgebiet*) knowledge of the/his *etc* subject; (*in bezug auf ~lage*) knowledge of the facts; **s~kundig** *adj* (well-)informed; **sich s~kundig machen** to inform oneself; ~**lage** *f* situation, state of affairs; ~**leistung** *f* payment in kind; **s~lich** *adj* matter-of-fact; (*Kritik etc*) objective; (*Irrtum, Angabe*) factual; **bleiben Sie bitte s~lich** don't get carried away (*umg*); (*nicht persönlich werden*) please stay objective.
sächlich ['zɛxlɪç] *adj* neuter.
Sachregister *nt* subject index.
Sachschaden *m* material damage.
Sachse ['zaksə] (**-n, -n**) *m* Saxon.
Sachsen (**-s**) *nt* Saxony; ~**-Anhalt** (**-s**) *nt* Saxony Anhalt.
Sächsin ['zɛksɪn] *f* Saxon.
sächsisch ['zɛksɪʃ] *adj* Saxon.
sacht(e) *adv* softly, gently.
Sach- *zW*: ~**verhalt** (**-(e)s, -e**) *m* facts *pl* (of the case); **s~verständig** *adj* (*Urteil*) expert; (*Publikum*) informed; ~**verständige(r)** *f(m)* expert; ~**zwang** *m* force of circumstances.
Sack [zak] (**-(e)s, ⸚e**) *m* sack; (*aus Papier, Plastik*) bag; (*ANAT, ZOOL*) sac; (*umg!: Hoden*) balls *pl* (*!*); (*: Kerl, Bursche*) bastard (*!*); **mit ~ und Pack** (*umg*) with bag and baggage.
sacken *vi* to sag, sink.
Sackgasse *f* cul-de-sac, dead-end street (*US*).
Sackhüpfen *nt* sack race.
Sadismus [za'dɪsmʊs] *m* sadism.
Sadist(in) [za'dɪst(ɪn)] *m(f)* sadist; **s~isch** *adj* sadistic.
Sadomasochismus [zadomazɔ'xɪsmʊs] *m* sadomasochism.
säen ['zɛ:ən] *vt, vi* to sow; **dünn gesät** (*fig*) thin on the ground, few and far between.
Safari [za'fa:ri] (**-, -s**) *f* safari.
Safe [ze:f] (**-s, -s**) *m od nt* safe.
Saft [zaft] (**-(e)s, ⸚e**) *m* juice; (*BOT*) sap; **ohne ~ und Kraft** (*fig*) wishy-washy (*umg*), effete.
saftig *adj* juicy; (*Grün*) lush; (*umg: Rechnung, Ohrfeige*) hefty; (*Brief, Antwort*) hard-hitting.
Saftladen (*pej: umg*) *m* rum joint.
saftlos *adj* dry.
Sage ['za:gə] (**-, -n**) *f* saga.
Säge ['zɛ:gə] (**-, -n**) *f* saw; ~**blatt** *nt* saw blade; ~**mehl** *nt* sawdust.
sagen ['za:gən] *vt, vi*: **(jdm etw)** ~ to say (sth to sb), tell (sb sth); **unter uns gesagt** between you and me (and the gatepost (*hum umg*)); **laß dir das gesagt sein** take it from me; **das hat nichts zu ~** that doesn't mean anything; **sagt dir der Name etwas?** does the name mean anything to you?; **das ist nicht gesagt** that's by no means certain; **sage und schreibe** (whether you) believe it or not.
sägen *vt, vi* to saw; (*hum: umg: schnarchen*) to snore, saw wood (*US*).
sagenhaft *adj* legendary; (*umg*) great, smashing.
sagenumwoben *adj* legendary.
Sägespäne *pl* wood shavings *pl*.
Sägewerk *nt* sawmill.
sah *etc* [za:] *vb siehe* **sehen**.
Sahara [za'ha:ra] *f* Sahara (Desert).
Sahne ['za:nə] (**-**) *f* cream.
Saison [zɛ'zõ:] (**-, -s**) *f* season.

saisonal [zɛzo'na:l] *adj* seasonal.
Saisonarbeiter *m* seasonal worker.
saisonbedingt *adj* seasonal.
Saite ['zaɪtə] (-, **-n**) *f* string; **andere ~n aufziehen** (*umg*) to get tough.
Saiteninstrument *nt* string(ed) instrument.
Sakko ['zako] (**-s, -s**) *m od nt* jacket.
Sakrament [zakra'mɛnt] *nt* sacrament.
Sakristei [zakrɪs'taɪ] *f* sacristy.
Salami [za'la:mi] (-, **-s**) *f* salami.
Salat [za'la:t] (**-(e)s, -e**) *m* salad; (*Kopf~*) lettuce; **da haben wir den ~!** (*umg*) now we're in a fine mess; **~besteck** *nt* salad servers *pl*; **~platte** *f* salad; **~soße** *f* salad dressing.
Salbe ['zalbə] (-, **-n**) *f* ointment.
Salbei ['zalbaɪ] (**-s**) *m* sage.
salben *vt* to anoint.
Salbung *f* anointing.
salbungsvoll *adj* unctuous.
saldieren [zal'di:rən] *vt* (*COMM*) to balance.
Saldo ['zaldo] (**-s, Salden**) *m* balance; **~übertrag** *m* balance brought *od* carried forward; **~vortrag** *m* balance brought *od* carried forward.
Säle ['zɛ:lə] *pl von* **Saal**.
Salmiak [zalmi'ak] (**-s**) *m* sal ammoniac; **~geist** *m* liquid ammonia.
Salmonellen [zalmo'nɛlən] *pl* salmonellae *pl*.
Salon [za'lõ:] (**-s, -s**) *m* salon; **~löwe** *m* lounge lizard.
salopp [za'lɔp] *adj* casual; (*Manieren*) slovenly; (*Sprache*) slangy.
Salpeter [zal'pe:tər] (**-s**) *m* saltpetre (*BRIT*), saltpeter (*US*); **~säure** *f* nitric acid.
Salto ['zalto] (**-s, -s** *od* **Salti**) *m* somersault.
Salut [za'lu:t] (**-(e)s, -e**) *m* salute.
salutieren [zalu'ti:rən] *vi* to salute.
Salve ['zalvə] (-, **-n**) *f* salvo.
Salz [zalts] (**-es, -e**) *nt* salt; **s~arm** *adj* (*KOCH*) low-salt; **~bergwerk** *nt* salt mine.
salzen *unreg vt* to salt.
salzig *adj* salty.
Salz- *zW*: **~kartoffeln** *pl* boiled potatoes *pl*; **~säule** *f*: **zur ~säule erstarren** (*fig*) to stand (as though) rooted to the spot; **~säure** *f* hydrochloric acid; **~stange** *f* pretzel stick; **~streuer** *m* salt cellar *od* shaker (*US*); **~wasser** *nt* salt water.
Sambia ['zambia] (**-s**) *nt* Zambia.
sambisch *adj* Zambian.
Samen ['za:mən] (**-s, -**) *m* seed; (*ANAT*) sperm; **~bank** *f* sperm bank; **~handlung** *f* seed shop.
sämig ['zɛ:mɪç] *adj* thick, creamy.
Sammel- *zW*: **~anschluß** *m* (*TEL*) private (branch) exchange; (*von Privathäusern*) party line; **~antrag** *m* composite motion; **~band** *m* anthology; **~becken** *nt* reservoir; (*fig*): **~becken (von)** melting pot (for); **~begriff** *m* collective term; **~bestellung** *f* collective order; **~büchse** *f* collecting tin; **~mappe** *f* folder.
sammeln *vt* to collect ♦ *vr* to assemble, gather; (*sich konzentrieren*) to collect one's thoughts.
Sammelname *m* collective term.
Sammelnummer *f* (*TEL*) private exchange number, switchboard number.
Sammelsurium [zaməl'zu:riʊm] *nt* hotchpotch (*BRIT*), hodgepodge (*US*).
Sammler(in) (**-s, -**) *m(f)* collector.
Sammlung ['zamlʊŋ] *f* collection; (*Konzentration*) composure.
Samstag ['zamsta:k] *m* Saturday; *siehe auch* **Dienstag**.
samstags *adv* (on) Saturdays.
samt [zamt] *präp +dat* (along) with, together with; **~ und sonders** each and every one (of them); **S~** (**-(e)s, -e**) *m* velvet; **in S~ und Seide** (*liter*) in silks and satins.
Samthandschuh *m*: **jdn mit ~en anfassen** (*umg*) to handle sb with kid gloves.
sämtlich ['zɛmtlɪç] *adj* (*alle*) all (the); (*vollständig*) complete; **Schillers ~e Werke** the complete works of Schiller.
Sanatorium [zana'to:riʊm] *nt* sanatorium (*BRIT*), sanitarium (*US*).
Sand [zant] (**-(e)s, -e**) *m* sand; **das/die gibt's wie ~ am Meer** (*umg*) there are piles of it/heaps of them; **im ~e verlaufen** to peter out.
Sandale [zan'da:lə] (-, **-n**) *f* sandal.
Sandbank *f* sandbank.
Sandelholz ['zandəlhɔlts] (**-es**) *nt* sandalwood.
sandig ['zandɪç] *adj* sandy.
Sand- *zW*: **~kasten** *m* sandpit; **~kastenspiele** *pl* (*MIL*) sand-table exercises *pl*; (*fig*) tactical manoeuvrings *pl* (*BRIT*) *od* maneuverings *pl* (*US*); **~kuchen** *m* Madeira cake; **~mann** *m*, **~männchen** *nt* (*in Geschichten*) sandman; **~papier** *nt* sandpaper; **~stein** *m* sandstone; **s~strahlen** *vt, vi untr* to sandblast
sandte *etc* ['zantə] *vb siehe* **senden**.
Sanduhr *f* hourglass; (*Eieruhr*) egg timer.
sanft [zanft] *adj* soft, gentle; **~mütig** *adj* gentle, meek.
sang *etc* [zaŋ] *vb siehe* **singen**.
Sänger(in) ['zɛŋər(ɪn)] (**-s, -**) *m(f)* singer.
sang- und klanglos (*umg*) *adv* without any ado, quietly.
Sani ['zani] (**-s, -s**) (*umg*) *m* = **Sanitäter**.
sanieren [za'ni:rən] *vt* to redevelop; (*Betrieb*) to make financially sound; (*Haus*) to renovate ♦ *vr* to line one's pockets; (*Unternehmen*) to become financially sound.
Sanierung *f* redevelopment; renovation.
sanitär [zani'tɛ:r] *adj* sanitary; **~e Anlagen** sanitation *sing*.
Sanitäter [zani'tɛ:tər] (**-s, -**) *m* first-aid attendant; (*in Krankenwagen*) ambulance man; (*MIL*) (medical) orderly.
Sanitätsauto *nt* ambulance.
sank *etc* [zaŋk] *vb siehe* **sinken**.
Sanktion [zaŋktsi'o:n] *f* sanction.

sanktionieren [zaŋktsio'ni:rən] *vt* to sanction.
sann *etc* [zan] *vb siehe* **sinnen.**
Saphir ['za:fi:r] (**-s, -e**) *m* sapphire.
Sarde ['zardə] (**-n, -n**) *m* Sardinian.
Sardelle [zar'dɛlə] *f* anchovy.
Sardine [zar'di:nə] *f* sardine.
Sardinien [zar'di:niən] (**-s**) *nt* Sardinia.
Sardinier(in) (**-s, -**) *m(f)* Sardinian.
sardinisch *adj* Sardinian.
sardisch *adj* Sardinian.
Sarg [zark] (**-(e)s, ⸚e**) *m* coffin; ~**nagel** (*umg*) *m* (*Zigarette*) coffin nail.
Sarkasmus [zar'kasmʊs] *m* sarcasm.
sarkastisch [zar'kastɪʃ] *adj* sarcastic.
saß *etc* [zas] *vb siehe* **sitzen.**
Satan ['za:tan] (**-s, -e**) *m* Satan; (*fig*) devil.
Satansbraten *m* (*hum: umg*) young devil.
Satellit [zatɛ'li:t] (**-en, -en**) *m* satellite.
Satelliten- *zW:* ~**antenne** *f* satellite dish; ~**fernsehen** *nt* satellite television; ~**foto** *nt* satellite picture; ~**schüssel** *f* satellite dish; ~**station** *f* space station.
Satin [za'tɛ̃:] (**-s, -s**) *m* satin.
Satire [za'ti:rə] (**-, -n**) *f:* ~ **(auf** *+akk***)** satire (on).
Satiriker [za'ti:rikər] (**-s, -**) *m* satirist.
satirisch [za'ti:rɪʃ] *adj* satirical.
satt [zat] *adj* full; (*Farbe*) rich, deep; (*blasiert, übersättigt*) well-fed; (*selbstgefällig*) smug; **jdn/etw ~ sein** *od* **haben** to be fed-up with sb/sth; **sich ~ hören/sehen an** *+dat* to see/hear enough of; **sich ~ essen** to eat one's fill; ~ **machen** to be filling.
Sattel ['zatəl] (**-s, ⸚**) *m* saddle; (*Berg*) ridge; **s~fest** *adj* (*fig*) proficient.
satteln *vt* to saddle.
Sattelschlepper *m* articulated lorry (*BRIT*), artic (*BRIT umg*), semitrailer (*US*), semi (*US umg*).
Satteltasche *f* saddlebag; (*Gepäcktasche am Fahrrad*) pannier.
sättigen ['zɛtɪgən] *vt* to satisfy; (*CHEM*) to saturate.
Sattler (**-s, -**) *m* saddler; (*Polsterer*) upholsterer.
Satz [zats] (**-es, ⸚e**) *m* (*GRAM*) sentence; (*Neben~, Adverbial~*) clause; (*Theorem*) theorem; (*der gesetzte Text*) type; (*MUS*) movement; (*COMPUT*) record; (*TENNIS, Briefmarken, Zusammengehöriges*) set; (*Kaffee~*) grounds *pl*; (*Boden~*) dregs *pl*; (*Spesen~*) allowance; (*COMM*) rate; (*Sprung*) jump; ~**bau** *m* sentence construction; ~**gegenstand** *m* (*GRAM*) subject; ~**lehre** *f* syntax; ~**teil** *m* constituent (of a sentence).
Satzung *f* statute, rule; (*Firma*) (memorandum and) articles of association.
satzungsgemäß *adj* statutory.
Satzzeichen *nt* punctuation mark.
Sau [zaʊ] (**-, Säue**) *f* sow; (*umg*) dirty pig; **die ~ rauslassen** (*fig: umg*) to let it all hang out.
sauber ['zaʊbər] *adj* clean; (*anständig*) honest, upstanding; (*umg: großartig*) fantastic, great; (: *ironisch*) fine; ~ **sein** (*Kind*) to be (potty-)trained; (*Hund etc*) to be house-trained; ~**halten** *unreg vt* to keep clean; **S~keit** *f* cleanness; (*einer Person*) cleanliness.
säuberlich ['zɔʏbərlɪç] *adv* neatly.
saubermachen *vt* to clean.
säubern *vt* to clean; (*POL etc*) to purge.
Säuberung *f* cleaning; purge.
Säuberungsaktion *f* cleaning-up operation; (*POL*) purge.
saublöd (*umg*) *adj* bloody (*BRIT!*) *od* damn (*!*) stupid.
Saubohne *f* broad bean.
Sauce ['zo:sə] (**-, -n**) *f* = **Soße.**
Sauciere [zosi'e:rə] (**-, -n**) *f* sauce boat.
Saudi- [zaʊdi-] *zW:* ~**araber(in)** *m(f)* Saudi; ~**-Arabien** (**-s**) *nt* Saudi Arabia; **s~arabisch** *adj* Saudi(-Arabian).
sauer ['zaʊər] *adj* sour; (*CHEM*) acid; (*umg*) cross; **Saurer Regen** acid rain; ~ **werden** (*Milch, Sahne*) to go sour, turn; **jdm das Leben ~ machen** to make sb's life a misery; **S~braten** *m braised beef (marinaded in vinegar)*, sauerbraten (*US*).
Sauerei [zaʊə'raɪ] (*umg*) *f* rotten state of affairs, scandal; (*Schmutz etc*) mess; (*Unanständigkeit*) obscenity.
Sauerkirsche *f* sour cherry.
Sauerkraut (**-(e)s**) *nt* sauerkraut, pickled cabbage.
säuerlich ['zɔʏərlɪç] *adj* sourish, tart.
Sauer- *zW:* ~**milch** *f* sour milk; ~**stoff** *m* oxygen; ~**stoffgerät** *nt* breathing apparatus; ~**teig** *m* leaven.
saufen ['zaʊfən] *unreg* (*umg*) *vt, vi* to drink, booze; **wie ein Loch ~** (*umg*) to drink like a fish.
Säufer(in) ['zɔʏfər(ɪn)] (**-s, -**) (*umg*) *m(f)* boozer, drunkard.
Sauferei [zaʊfə'raɪ] *f* drinking, boozing; (*Saufgelage*) booze-up.
Saufgelage (*pej: umg*) *nt* drinking bout, booze-up.
säuft [zɔʏft] *vb siehe* **saufen.**
saugen ['zaʊgən] *unreg vt, vi* to suck.
säugen ['zɔʏgən] *vt* to suckle.
Sauger ['zaʊgər] (**-s, -**) *m* dummy (*BRIT*), pacifier (*US*); (*auf Flasche*) teat; (*Staub~*) vacuum cleaner, hoover ® (*BRIT*).
Säugetier *nt* mammal.
saugfähig *adj* absorbent.
Säugling *m* infant, baby.
Säuglingsschwester *f* infant nurse.
Sau- *zW:* ~**haufen** (*umg*) *m* bunch of layabouts; **s~kalt** (*umg*) *adj* bloody (*BRIT!*) *od* damn (*!*) cold; ~**klaue** (*umg*) *f* scrawl.
Säule ['zɔʏlə] (**-, -n**) *f* column, pillar.
Säulengang *m* arcade.
Saum [zaʊm] (**-(e)s, Säume**) *m* hem; (*Naht*) seam.

saumäßig (*umg*) *adj* lousy ♦ *adv* lousily.
säumen ['zɔʏmən] *vt* to hem; to seam ♦ *vi* to delay, hesitate.
säumig ['zɔʏmɪç] *adj* (*geh: Schuldner*) defaulting; (*Zahlung*) outstanding, overdue.
Sauna ['zaʊna] (-, -s) *f* sauna.
Säure ['zɔʏrə] (-, -n) *f* acid; (*Geschmack*) sourness, acidity; **s~beständig** *adj* acid-proof.
Sauregurkenzeit (-) *f* (*hum: umg*) bad time *od* period; (*in den Medien*) silly season.
säurehaltig *adj* acidic.
Saurier ['zaʊriər] (-s, -) *m* dinosaur.
Saus [zaʊs] (-es) *m*: **in ~ und Braus leben** to live like a lord.
säuseln ['zɔʏzəln] *vi* to murmur; (*Blätter*) to rustle ♦ *vt* to murmur.
sausen ['zaʊzən] *vi* to blow; (*umg: eilen*) to rush; (*Ohren*) to buzz; **etw ~ lassen** (*umg*) not to bother with sth.
Sau- *zW*: **~stall** (*umg*) *m* pigsty; **~wetter** (*umg*) *nt* bloody (*BRIT!*) *od* damn (*!*) awful weather; **s~wohl** (*umg*) *adj*: **ich fühle mich s~wohl** I feel bloody (*BRIT!*) *od* really good.
Saxophon [zakso'fo:n] (-s, -e) *nt* saxophone.
SB *abk* = **Selbstbedienung.**
S-Bahn *f abk* (= *Schnellbahn*) *high-speed suburban railway or railroad* (*US*).
SBB *abk* (= *Schweizerische Bundesbahnen*) Swiss Railways.
s. Br. *abk* (= *südlicher Breite*) southern latitude.
Schabe ['ʃa:bə] (-, -n) *f* cockroach.
schaben *vt* to scrape.
Schaber (-s, -) *m* scraper.
Schabernack (-(e)s, -e) *m* trick, prank.
schäbig ['ʃɛ:bɪç] *adj* shabby; (*Mensch*) mean; **S~keit** *f* shabbiness.
Schablone [ʃa'blo:nə] (-, -n) *f* stencil; (*Muster*) pattern; (*fig*) convention.
schablonenhaft *adj* stereotyped, conventional.
Schach [ʃax] (-s, -s) *nt* chess; (*Stellung*) check; **im ~ stehen** to be in check; **jdn in ~ halten** (*fig*) to stall sb; **~brett** *nt* chessboard.
schachern (*pej*) *vi*: **um etw ~** to haggle over sth.
Schach- *zW*: **~figur** *f* chessman; **s~matt** *adj* checkmate; **jdn s~matt setzen** (*lit*) to (check)mate sb; (*fig*) to snooker sb (*umg*); **~partie** *f* game of chess; **~spiel** *nt* game of chess.
Schacht [ʃaxt] (-(e)s, ⸚e) *m* shaft.
Schachtel (-, -n) *f* box; (*pej: Frau*) bag, cow (*BRIT*); **~satz** *m* complicated *od* multi-clause sentence.
Schachzug *m* (*auch fig*) move.
schade ['ʃa:də] *adj* a pity *od* shame ♦ *interj* (what a) pity *od* shame; **sich** *dat* **für etw zu ~ sein** to consider o.s. too good for sth; **um sie ist es nicht ~** she's no great loss.
Schädel ['ʃɛdəl] (-s, -) *m* skull; **einen dicken ~ haben** (*fig: umg*) to be stubborn; **~bruch** *m* fractured skull.
Schaden (-s, ⸚) *m* damage; (*Verletzung*) injury; (*Nachteil*) disadvantage; **zu ~ kommen** to suffer; (*physisch*) to be injured; **jdm ~ zufügen** to harm sb.
schaden ['ʃa:dən] *vi* +*dat* to hurt; **einer Sache ~** to damage sth.
Schaden- *zW*: **~ersatz** *m* compensation, damages *pl*; **~ersatz leisten** to pay compensation; **~ersatzanspruch** *m* claim for compensation; **s~ersatzpflichtig** *adj* liable for damages; **~freiheitsrabatt** *m* (*Versicherung*) no-claim(s) bonus; **~freude** *f* malicious delight; **s~froh** *adj* gloating.
schadhaft ['ʃa:thaft] *adj* faulty, damaged.
schädigen ['ʃɛdɪgən] *vt* to damage; (*Person*) to do harm to, harm.
Schädigung *f* damage; harm.
schädlich *adj*: **~ (für)** harmful (to); **S~keit** *f* harmfulness.
Schädling *m* pest.
Schädlingsbekämpfungsmittel *nt* pesticide.
schadlos ['ʃa:tlos] *adj*: **sich ~ halten an** +*dat* to take advantage of.
Schadstoff (-(e)s, -e) *m* pollutant; **s~arm** *adj* low in pollutants; **s~haltig** *adj* containing pollutants.
Schaf [ʃa:f] (-(e)s, -e) *nt* sheep; (*umg: Dummkopf*) twit (*BRIT*), dope; **~bock** *m* ram.
Schäfchen ['ʃɛ:fçən] *nt* lamb; **sein ~ ins Trockene bringen** (*Sprichwort*) to see o.s. all right (*umg*); **~wolken** *pl* cirrus clouds *pl*.
Schäfer ['ʃɛ:fər] (-s, -) *m* shepherd; **~hund** *m* Alsatian (dog) (*BRIT*), German shepherd (dog) (*US*); **~in** *f* shepherdess.
Schaffen ['ʃafən] (-s) *nt* (creative) activity.
schaffen[1] *unreg vt* to create; (*Platz*) to make; **sich** *dat* **etw ~** to get o.s. sth; **dafür ist er wie geschaffen** he's just made for it.
schaffen[2] ['ʃafən] *vt* (*erreichen*) to manage, do; (*erledigen*) to finish; (*Prüfung*) to pass; (*transportieren*) to take ♦ *vi* (*tun*) to do; (*umg: arbeiten*) to work; **das ist nicht zu ~** that can't be done; **das hat mich geschafft** it took it out of me; (*nervlich*) it got on top of me; **ich habe damit nichts zu ~** that has nothing to do with me; **jdm (schwer) zu ~ machen** (*zusetzen*) to cause sb (a lot of) trouble; (*bekümmern*) to worry sb (a lot); **sich** *dat* **an etw** *dat* **zu ~ machen** to busy o.s. with sth.
Schaffensdrang *m* energy; (*von Künstler*) creative urge.
Schaffenskraft *f* creativity.
Schaffner(in) ['ʃafnər(ɪn)] (-s, -) *m(f)* (*Bus~*) conductor, conductress; (*EISENB*) guard (*BRIT*), conductor (*US*).
Schaffung *f* creation.
Schafskäse *m* sheep's *od* ewe's milk cheese.
Schaft [ʃaft] (-(e)s, ⸚e) *m* shaft; (*von Gewehr*) stock; (*von Stiefel*) leg; (*BOT*) stalk; (*von*

Baum) tree trunk; ~**stiefel** *m* high boot.
Schakal [ʃa'ka:l] (**-s, -e**) *m* jackal.
Schäker(in) ['ʃɛ:kər(ɪn)] (**-s, -**) *m(f)* flirt; (*Witzbold*) joker.
schäkern *vi* to flirt; to joke.
Schal [ʃa:l] (**-s, -s** *od* **-e**) *m* scarf.
schal *adj* flat; (*fig*) insipid.
Schälchen ['ʃɛ:lçən] *nt* bowl.
Schale ['ʃa:lə] (**-, -n**) *f* skin; (*abgeschält*) peel; (*Nuß~, Muschel~, Eier~*) shell; (*Geschirr*) dish, bowl; **sich in ~ werfen** (*umg*) to get dressed up.
schälen ['ʃɛ:lən] *vt* to peel; to shell ♦ *vr* to peel.
Schalk [ʃalk] (**-s, -e** *od* **¨-e**) *m* (*veraltet*) joker.
Schall [ʃal] (**-(e)s, -e**) *m* sound; **Name ist ~ und Rauch** what's in a name?; **s~dämmend** *adj* sound-deadening; **~dämpfer** *m* (*AUT*) silencer (*BRIT*), muffler (*US*); **s~dicht** *adj* soundproof.
schallen *vi* to (re)sound.
schallend *adj* resounding, loud.
Schall- *zW:* **~geschwindigkeit** *f* speed of sound; **~grenze** *f* sound barrier; **~mauer** *f* sound barrier; **~platte** *f* record.
schalt *etc* [ʃalt] *vb siehe* **schelten.**
Schaltbild *nt* circuit diagram.
Schaltbrett *nt* switchboard.
schalten ['ʃaltən] *vt* to switch, turn ♦ *vi* (*AUT*) to change (gear); (*umg: begreifen*) to catch on; (*reagieren*) to react; **in Reihe/parallel ~** (*ELEK*) to connect in series/in parallel; **~ und walten** to do as one pleases.
Schalter (**-s, -**) *m* counter; (*an Gerät*) switch; **~beamte(r)** *m* counter clerk; **~stunden** *pl* hours of business *pl*.
Schalt- *zW:* **~hebel** *m* switch; (*AUT*) gear lever (*BRIT*), gearshift (*US*); **~jahr** *nt* leap year; **~knüppel** *m* (*AUT*) gear lever (*BRIT*), gearshift (*US*); (*AVIAT, COMPUT*) joystick; **~kreis** *m* (switching) circuit; **~plan** *m* circuit diagram; **~pult** *nt* control desk; **~stelle** *f* (*fig*) coordinating point; **~uhr** *f* time switch.
Schaltung *f* switching; (*ELEK*) circuit; (*AUT*) gear change.
Scham [ʃa:m] (**-**) *f* shame; (*~gefühl*) modesty; (*Organe*) private parts *pl*.
schämen ['ʃɛ:mən] *vr* to be ashamed.
Scham- *zW:* **~gefühl** *nt* sense of shame; **~haare** *pl* pubic hair *sing*; **s~haft** *adj* modest; bashful; **~lippen** *pl* labia *pl*, lips *pl* of the vulva; **s~los** *adj* shameless; (*unanständig*) indecent; (*Lüge*) brazen, barefaced.
Schampus ['ʃampʊs] (**-**, *no pl*) (*umg*) *m* champagne, champers (*BRIT*).
Schande ['ʃandə] (**-**) *f* disgrace; **zu meiner ~ muß ich gestehen, daß ...** to my shame I have to admit that ...
schänden ['ʃɛndən] *vt* to violate.
Schandfleck ['ʃantflɛk] *m:* **er war der ~ der Familie** he was the disgrace of his family.
schändlich ['ʃɛntlɪç] *adj* disgraceful, shameful; **S~keit** *f* disgracefulness, shamefulness.
Schandtat (*umg*) *f* escapade, shenanigan.
Schändung *f* violation, defilement.
Schank- *zW:* **~erlaubnis** *f*, **~konzession** *f* (publican's) licence (*BRIT*), excise license (*US*); **~tisch** *m* bar.
Schanze ['ʃantsə] (**-, -n**) *f* (*MIL*) fieldwork, earthworks *pl*; (*Sprung~*) ski jump.
Schar [ʃa:r] (**-, -en**) *f* band, company; (*Vögel*) flock; (*Menge*) crowd; **in ~en** in droves.
Scharade [ʃa'ra:də] (**-, -n**) *f* charade.
scharen *vr* to assemble, rally.
scharenweise *adv* in droves.
scharf [ʃarf] *adj* sharp; (*Verstand, Augen*) keen; (*Kälte, Wind*) biting; (*Protest*) fierce; (*Ton*) piercing, shrill; (*Essen*) hot, spicy; (*Munition*) live; (*Maßnahmen*) severe; (*Bewachung*) close, tight; (*Geruch, Geschmack*) pungent, acrid; (*umg: geil*) randy (*BRIT*), horny; (*Film*) sexy, blue *attrib*; **~ nachdenken** to think hard; **~ aufpassen/zuhören** to pay close attention/listen closely; **etw ~ einstellen** (*Bild, Diaprojektor etc*) to bring sth into focus; **mit ~em Blick** (*fig*) with penetrating insight; **auf etw** *akk* **~ sein** (*umg*) to be keen on sth; **~e Sachen** (*umg*) hard stuff.
Scharfblick *m* (*fig*) penetration.
Schärfe ['ʃɛrfə] (**-, -n**) *f* sharpness; (*Strenge*) rigour (*BRIT*), rigor (*US*); (*an Kamera, Fernsehen*) focus.
schärfen *vt* to sharpen.
Schärfentiefe *f* (*PHOT*) depth of focus.
Scharf- *zW:* **s~machen** (*umg*) *vt* to stir up; **~richter** *m* executioner; **~schießen** *nt* shooting with live ammunition; **~schütze** *m* marksman, sharpshooter; **~sinn** *m* astuteness, shrewdness; **s~sinnig** *adj* astute, shrewd.
Scharlach ['ʃarlax] (**-s, -e**) *m* scarlet; (*Krankheit*) scarlet fever; **~fieber** *nt* scarlet fever.
Scharlatan ['ʃarlatan] (**-s, -e**) *m* charlatan.
Scharmützel [ʃar'mʏtsəl] (**-s, -**) *nt* skirmish.
Scharnier [ʃar'ni:r] (**-s, -e**) *nt* hinge.
Schärpe ['ʃɛrpə] (**-, -n**) *f* sash.
scharren ['ʃarən] *vt, vi* to scrape, scratch.
Scharte ['ʃartə] (**-, -n**) *f* notch, nick; (*Berg*) wind gap.
schartig ['ʃartɪç] *adj* jagged.
Schaschlik ['ʃaʃlɪk] (**-s, -s**) *m od nt* (shish) kebab.
Schatten ['ʃatən] (**-s, -**) *m* shadow; (*schattige Stelle*) shade; **jdn/etw in den ~ stellen** (*fig*) to put sb/sth in the shade; **~bild** *nt* silhouette; **s~haft** *adj* shadowy.
Schattenmorelle (**-, -n**) *f* morello cherry.
Schatten- *zW:* **~riß** *m* silhouette; **~seite** *f* shady side; (*von Planeten*) dark side; (*fig: Nachteil*) drawback; **~wirtschaft** *f* black

economy.
schattieren [ʃa'ti:rən] *vt, vi* to shade.
Schattierung *f* shading.
schattig ['ʃatɪç] *adj* shady.
Schatulle [ʃa'tʊlə] (**-, -n**) *f* casket; (*Geld~*) coffer.
Schatz [ʃats] (**-es, ⸚e**) *m* treasure; (*Person*) darling; **~amt** *nt* treasury.
schätzbar ['ʃɛtsba:r] *adj* assessable.
Schätzchen *nt* darling, love.
schätzen *vt* (*ab~*) to estimate; (*Gegenstand*) to value; (*würdigen*) to value, esteem; (*vermuten*) to reckon; **etw zu ~ wissen** to appreciate sth; **sich glücklich ~** to consider o.s. lucky; **~lernen** *vt* to learn to appreciate.
Schatzkammer *f* treasure chamber *od* vault.
Schatzmeister *m* treasurer.
Schätzung *f* estimate; estimation; valuation; **nach meiner ~** ... I reckon that ...
schätzungsweise *adv* (*ungefähr*) approximately; (*so vermutet man*) it is thought.
Schätzwert *m* estimated value.
Schau [ʃaʊ] (-) *f* show; (*Ausstellung*) display, exhibition; **etw zur ~ stellen** to make a show of sth, show sth off; **eine ~ abziehen** (*umg*) to put on a show; **~bild** *nt* diagram.
Schauder ['ʃaʊdər] (**-s, -**) *m* shudder; (*wegen Kälte*) shiver; **s~haft** *adj* horrible.
schaudern *vi* to shudder; (*wegen Kälte*) to shiver.
schauen ['ʃaʊən] *vi* to look; **da schau her!** well, well!
Schauer ['ʃaʊər] (**-s, -**) *m* (*Regen~*) shower; (*Schreck*) shudder; **~geschichte** *f* horror story; **s~lich** *adj* horrific, spine-chilling; **~märchen** (*umg*) *nt* horror story.
Schaufel ['ʃaʊfəl] (**-, -n**) *f* shovel; (*Kehricht~*) dustpan; (*von Turbine*) vane; (*NAUT*) paddle; (*TECH*) scoop.
schaufeln *vt* to shovel; (*Grab, Grube*) to dig ♦ *vi* to shovel.
Schaufenster *nt* shop window; **~auslage** *f* window display; **~bummel** *m* window-shopping (expedition); **~dekorateur(in)** *m(f)* window dresser; **~puppe** *f* display dummy.
Schaugeschäft *nt* show business.
Schaukasten *m* showcase.
Schaukel ['ʃaʊkəl] (**-, -n**) *f* swing.
schaukeln *vi* to swing, rock ♦ *vt* to rock; **wir werden das Kind** *od* **das schon ~** (*fig: umg*) we'll manage it.
Schaukelpferd *nt* rocking horse.
Schaukelstuhl *m* rocking chair.
Schaulustige(r) ['ʃaʊlʊstɪgə(r)] *f(m)* onlooker.
Schaum [ʃaʊm] (**-(e)s, Schäume**) *m* foam; (*Seifen~*) lather; (*von Getränken*) froth; (*von Bier*) head; **~bad** *nt* bubble bath.
schäumen ['ʃɔʏmən] *vi* to foam.
Schaumgummi *m* foam (rubber).
schaumig *adj* frothy, foamy.
Schaum- *zW:* **~krone** *f* whitecap; **~schläger** *m* (*fig*) windbag; **~schlägerei** *f* (*fig: umg*) hot air; **~stoff** *m* foam material; **~wein** *m* sparkling wine.
Schauplatz *m* scene.
Schauprozeß *m* show trial.
schaurig *adj* horrific, dreadful.
Schauspiel *nt* spectacle; (*THEAT*) play.
Schauspieler(in) *m(f)* actor, actress; **s~isch** *adj* (*Können, Leistung*) acting.
schauspielern *vi untr* to act.
Schauspielhaus *nt* playhouse, theatre (*BRIT*), theater (*US*).
Schauspielschule *f* drama school.
Schausteller ['ʃaʊʃtɛlər] (**-s, -**) *m person who owns or runs a fairground ride/sideshow etc.*
Scheck [ʃɛk] (**-s, -s**) *m* cheque (*BRIT*), check (*US*); **~buch** *nt*, **~heft** *nt* cheque book (*BRIT*), check book (*US*).
scheckig *adj* dappled, piebald.
Scheckkarte *f* cheque (*BRIT*) *od* check (*US*) card, banker's card.
scheel [ʃe:l] (*umg*) *adj* dirty; **jdn ~ ansehen** to give sb a dirty look.
scheffeln ['ʃɛfəln] *vt* to amass.
Scheibe ['ʃaɪbə] (**-, -n**) *f* disc (*BRIT*), disk (*US*); (*Brot etc*) slice; (*Glas~*) pane; (*MIL*) target; (*Eishockey*) puck; (*Töpfer~*) wheel; (*umg: Schallplatte*) disc (*BRIT*), disk (*US*); **von ihm könntest du dir eine ~ abschneiden** (*fig: umg*) you could take a leaf out of his book.
Scheiben- *zW:* **~bremse** *f* (*AUT*) disc brake; **~kleister** *interj* (*euph: umg*) sugar!; **~waschanlage** *f* (*AUT*) windscreen (*BRIT*) *od* windshield (*US*) washers *pl*; **~wischer** *m* (*AUT*) windscreen (*BRIT*) *od* windshield (*US*) wiper.
Scheich [ʃaɪç] (**-s, -e** *od* **-s**) *m* sheik(h).
Scheide ['ʃaɪdə] (**-, -n**) *f* sheath; (*ANAT*) vagina.
scheiden *unreg vt* to separate; (*Ehe*) to dissolve ♦ *vi* to depart; (*sich trennen*) to part ♦ *vr* (*Wege*) to divide; (*Meinungen*) to diverge; **sich ~ lassen** to get a divorce; **von dem Moment an waren wir (zwei) geschiedene Leute** (*umg*) after that it was the parting of the ways for us; **aus dem Leben ~** to depart this life.
Scheideweg *m* (*fig*) crossroads *sing*.
Scheidung *f* (*Ehe~*) divorce; **die ~ einreichen** to file a petition for divorce.
Scheidungsgrund *m* grounds *pl* for divorce.
Scheidungsklage *f* divorce suit.
Schein [ʃaɪn] (**-(e)s, -e**) *m* light; (*An~*) appearance; (*Geld~*) (bank)note; (*Bescheinigung*) certificate; **den ~ wahren** to keep up appearances; **etw zum ~ tun** to pretend to do sth, make a pretence (*BRIT*) *od* pretense (*US*) of doing sth; **s~bar** *adj* apparent.
scheinen *unreg vi* to shine; (*Anschein haben*) to

seem.
Schein- *zW:* **s~heilig** *adj* hypocritical; **~tod** *m* apparent death; **~werfer (-s, -)** *m* floodlight; (*THEAT*) spotlight; (*Suchscheinwerfer*) searchlight; (*AUT*) headlight.
Scheiß [ʃaɪs] (-, *no pl*) (*umg*) *m* bullshit (*!*).
Scheiß- ['ʃaɪs-] (*umg*) *in zW* bloody (*BRIT!*); **~dreck** (*umg!*) *m* shit (*!*), crap (*!*); **das geht dich einen ~dreck an** it's got bugger-all to do with you (*!*).
Scheiße ['ʃaɪsə] (-) (*umg!*) *f* shit (*!*).
scheißegal (*umg!*) *adj:* **das ist mir doch ~!** I don't give a shit (*!*).
scheißen (*umg!*) *vi* to shit (*!*).
scheißfreundlich (*pej: umg*) *adj* as nice as pie (*ironisch*).
Scheißkerl (*umg!*) *m* bastard (*!*), son-of-a-bitch (*US!*).
Scheit [ʃaɪt] (**-(e)s, -e** *od* **-er**) *nt* log.
Scheitel ['ʃaɪtəl] (**-s, -**) *m* top; (*Haar*) parting (*BRIT*), part (*US*).
scheiteln *vt* to part.
Scheitelpunkt *m* zenith, apex.
Scheiterhaufen ['ʃaɪtərhaʊfən] *m* (funeral) pyre; (*HIST: zur Hinrichtung*) stake.
scheitern ['ʃaɪtərn] *vi* to fail.
Schelle ['ʃɛlə] (**-, -n**) *f* small bell.
schellen *vi* to ring; **es hat geschellt** the bell has gone.
Schellfisch ['ʃɛlfɪʃ] *m* haddock.
Schelm [ʃɛlm] (**-(e)s, -e**) *m* rogue.
Schelmenroman *m* picaresque novel.
schelmisch *adj* mischievous, roguish.
Schelte ['ʃɛltə] (**-, -n**) *f* scolding.
schelten *unreg vt* to scold.
Schema ['ʃeːma] (**-s, -s** *od* **-ta**) *nt* scheme, plan; (*Darstellung*) schema; **nach ~ F** quite mechanically.
schematisch [ʃe'maːtɪʃ] *adj* schematic; (*pej*) mechanical.
Schemel ['ʃeːməl] (**-s, -**) *m* (foot)stool.
schemenhaft *adj* shadowy.
Schenke (**-, -n**) *f* tavern, inn.
Schenkel ['ʃɛŋkəl] (**-s, -**) *m* thigh; (*MATH: von Winkel*) side.
schenken ['ʃɛŋkən] *vt* (*lit, fig*) to give; (*Getränk*) to pour; **ich möchte nichts geschenkt haben!** (*lit*) I don't want any presents!; (*fig: bevorzugt werden*) I don't want any special treatment!; **sich** *dat* **etw ~** (*umg*) to skip sth; **jdm etw ~** (*erlassen*) to let sb off sth; **ihm ist nie etwas geschenkt worden** (*fig*) he never had it easy; **das ist geschenkt!** (*billig*) that's a giveaway!; (*nichts wert*) that's worthless!
Schenkung *f* gift.
Schenkungsurkunde *f* deed of gift.
scheppern ['ʃɛpərn] (*umg*) *vi* to clatter.
Scherbe ['ʃɛrbə] (**-, -n**) *f* broken piece, fragment; (*archäologisch*) potsherd.
Schere ['ʃeːrə] (**-, -n**) *f* scissors *pl*; (*groß*) shears *pl*; (*ZOOL*) pincer; (*von Hummer, Krebs etc*) pincer, claw; **eine ~** a pair of scissors.
scheren *unreg vt* to cut; (*Schaf*) to shear; (*stören*) to bother ♦ *vr* (*sich kümmern*) to care; **scher dich (zum Teufel)!** get lost!
Scherenschleifer (**-s, -**) *m* knife grinder.
Scherenschnitt *m* silhouette.
Schererei [ʃeːrə'raɪ] (*umg*) *f* bother, trouble.
Scherflein ['ʃɛrflaɪn] *nt* mite, bit.
Scherz [ʃɛrts] (**-es, -e**) *m* joke; fun; **s~en** *vi* to joke; (*albern*) to banter; **~frage** *f* conundrum; **s~haft** *adj* joking, jocular.
Scheu [ʃɔʏ] (-) *f* shyness; (*Ehrfurcht*) awe; (*Angst*): **~ (vor** *+dat***)** fear (of).
scheu [ʃɔʏ] *adj* shy.
Scheuche (**-, -n**) *f* scarecrow.
scheuchen ['ʃɔʏçən] *vt* to scare (off).
scheuen *vr:* **sich ~ vor** *+dat* to be afraid of, shrink from ♦ *vt* to shun ♦ *vi* (*Pferd*) to shy; **weder Mühe noch Kosten ~** to spare neither trouble nor expense.
Scheuer ['ʃɔʏər] (**-, -n**) *f* barn.
Scheuer- *zW:* **~bürste** *f* scrubbing brush; **~lappen** *m* floorcloth (*BRIT*), scrubbing rag (*US*); **~leiste** *f* skirting board.
scheuern *vt* to scour; (*mit Bürste*) to scrub ♦ *vr:* **sich** *akk* **(wund) ~** to chafe o.s.; **jdm eine ~** (*umg*) to clout sb one.
Scheuklappe *f* blinker.
Scheune ['ʃɔʏnə] (**-, -n**) *f* barn.
Scheunendrescher (**-s, -**) *m:* **er frißt wie ein ~** (*umg*) he eats like a horse.
Scheusal ['ʃɔʏzaːl] (**-s, -e**) *nt* monster.
scheußlich ['ʃɔʏslɪç] *adj* dreadful, frightful; **S~keit** *f* dreadfulness.
Schi [ʃiː] *m* = **Ski**.
Schicht [ʃɪçt] (**-, -en**) *f* layer; (*Klasse*) class, level; (*in Fabrik etc*) shift; **~arbeit** *f* shift work.
schichten *vt* to layer, stack.
Schichtwechsel *m* change of shifts.
schick [ʃɪk] *adj* stylish, chic.
schicken *vt* to send ♦ *vr:* **sich ~ (in** *+akk***)** to resign o.s. (to) ♦ *vb unpers* (*anständig sein*) to be fitting.
Schickeria [ʃɪkə'riːa] *f* (*ironisch*) in-people *pl*.
Schicki(micki) ['ʃɪkɪ('mɪkɪ)] (**-s, -s**) (*umg*) *m* trendy.
schicklich *adj* proper, fitting.
Schicksal (**-s, -e**) *nt* fate.
schicksalhaft *adj* fateful.
Schicksalsschlag *m* great misfortune, blow.
Schickse ['ʃɪksə] (**-, -n**) (*umg*) *f* floozy, shiksa (*US*).
Schiebedach *nt* (*AUT*) sunroof, sunshine roof.
schieben ['ʃiːbən] *unreg vt* (*auch Drogen*) to push; (*Schuld*) to put; (*umg: handeln mit*) to traffic in; **die Schuld auf jdn ~** to put the blame on (to) sb; **etw vor sich** *dat* **her ~** (*fig*) to put sth off.
Schieber (**-s, -**) *m* slide; (*Besteckteil*) pusher; (*Person*) profiteer; (*umg: Schwarzhändler*)

black marketeer; (: *Waffen~*) gunrunner; (: *Drogen~*) pusher.
Schiebetür *f* sliding door.
Schieblehre *f* (*MATH*) calliper (*BRIT*) *od* caliper (*US*) rule.
Schiebung *f* fiddle; **das war doch** ~ (*umg*) that was rigged *od* a fix.
schied *etc* [ʃiːt] *vb siehe* **scheiden.**
Schieds- *zW:* ~**gericht** *nt* court of arbitration; ~**mann** (-**(e)s,** *pl* -**männer**) *m* arbitrator; ~**richter** *m* referee, umpire; (*Schlichter*) arbitrator; **s~richtern** *vi untr* to referee, umpire; to arbitrate; ~**spruch** *m* (arbitration) award; ~**verfahren** *nt* arbitration.
schief [ʃiːf] *adj* crooked; (*Ebene*) sloping; (*Turm*) leaning; (*Winkel*) oblique; (*Blick*) wry; (*Vergleich*) distorted ♦ *adv* crookedly; (*ansehen*) askance; **auf die ~e Bahn geraten** (*fig*) to leave the straight and narrow; **etw ~ stellen** to slope sth.
Schiefer [ˈʃiːfər] (-**s,** -) *m* slate; ~**dach** *nt* slate roof; ~**tafel** *f* (child's) slate.
schief- *zW:* ~**gehen** *unreg* (*umg*) *vi* to go wrong; **es wird schon ~gehen!** (*hum*) it'll be O.K.; ~**lachen** (*umg*) *vr* to kill o.s. laughing; ~**liegen** *unreg* (*umg*) *vi* to be wrong, be on the wrong track (*umg*).
schielen [ˈʃiːlən] *vi* to squint; **nach etw** ~ (*fig*) to eye sth up.
schien *etc* [ʃiːn] *vb siehe* **scheinen.**
Schienbein *nt* shinbone.
Schiene [ˈʃiːnə] *f* rail; (*MED*) splint.
schienen *vt* to put in splints.
Schienenbus *m* railcar.
Schienenstrang *m* (*EISENB etc*) (section of) track.
schier [ʃiːr] *adj* pure; (*fig*) sheer ♦ *adv* nearly, almost.
Schießbude *f* shooting gallery.
Schießbudenfigur (*umg*) *f* clown, ludicrous figure.
schießen [ˈʃiːsən] *unreg vi* to shoot; (*Salat etc*) to run to seed ♦ *vt* to shoot; (*Ball*) to kick; (*Geschoß*) to fire; ~ **auf** +*akk* to shoot at; **aus dem Boden** ~ (*lit, fig*) to spring *od* sprout up; **jdm durch den Kopf** ~ (*fig*) to flash through sb's mind.
Schießerei [ʃiːsəˈraɪ] *f* shoot-out, gun battle.
Schieß- *zW:* ~**gewehr** *nt* (*hum*) gun; ~**hund** *m*: **wie ein ~hund aufpassen** (*umg*) to watch like a hawk; ~**platz** *m* firing range; ~**pulver** *nt* gunpowder; ~**scharte** *f* embrasure; ~**stand** *m* rifle *od* shooting range.
Schiff [ʃɪf] (-**(e)s,** -**e**) *nt* ship, vessel; (*Kirchen~*) nave; **s~bar** *adj* navigable; ~**bau** *m* shipbuilding; ~**bruch** *m* shipwreck; ~**bruch erleiden** (*lit*) to be shipwrecked; (*fig*) to fail; (*Unternehmen*) to founder; **s~brüchig** *adj* shipwrecked.
Schiffchen *nt* small boat; (*WEBEN*) shuttle; (*Mütze*) forage cap.
Schiffer (-**s,** -) *m* boatman, sailor; (*von Lastkahn*) bargee.
Schiff- *zW:* ~**(f)ahrt** *f* shipping; (*Reise*) voyage; ~**(f)ahrtslinie** *f* shipping route; ~**schaukel** *f* swing boat.
Schiffs- *zW:* ~**junge** *m* cabin boy; ~**körper** *m* hull; ~**ladung** *f* cargo, shipload; ~**planke** *f* gangplank; ~**schraube** *f* ship's propeller.
Schiit [ʃiˈiːt] (-**en,** -**en**) *m* Shiite; **s~isch** *adj* Shiite.
Schikane [ʃiˈkaːnə] (-, -**n**) *f* harassment; dirty trick; **mit allen ~n** with all the trimmings; **das hat er aus reiner ~ gemacht** he did it out of sheer bloody-mindedness.
schikanieren [ʃikaˈniːrən] *vt* to harass; (*Ehepartner*) to mess around; (*Mitschüler*) to bully.
schikanös [ʃikaˈnøːs] *adj* (*Mensch*) bloody-minded; (*Maßnahme etc*) harassing.
Schild[1] [ʃɪlt] (-**(e)s,** -**e**) *m* shield; (*Mützen~*) peak, visor; **etwas im ~e führen** to be up to something.
Schild[2] [ʃɪlt] (-**(e)s,** -**er**) *nt* sign; (*Namens~*) nameplate; (*an Monument, Haus, Grab*) plaque; (*Etikett*) label.
Schildbürger *m* duffer, blockhead.
Schilddrüse *f* thyroid gland.
schildern [ˈʃɪldərn] *vt* to describe; (*Menschen etc*) to portray; (*skizzieren*) to outline.
Schilderung *f* description; portrayal.
Schildkröte *f* tortoise; (*Wasser~*) turtle.
Schildkrötensuppe *f* turtle soup.
Schilf [ʃɪlf] (-**(e)s,** -**e**) *nt*, **Schilfrohr** *nt* (*Pflanze*) reed; (*Material*) reeds *pl*, rushes *pl*.
Schillerlocke [ˈʃɪlərlɔkə] *f* (*Gebäck*) cream horn; (*Räucherfisch*) *strip of smoked rock salmon.*
schillern [ˈʃɪlərn] *vi* to shimmer.
schillernd *adj* iridescent; (*fig: Charakter*) enigmatic.
Schilling [ˈʃɪlɪŋ] (-**s,** - *od (Schillingstücke)* -**e**) (*ÖSTERR*) *m* schilling.
schilt [ʃɪlt] *vb siehe* **schelten.**
Schimmel [ˈʃɪməl] (-**s,** -) *m* mould (*BRIT*), mold (*US*); (*Pferd*) white horse.
schimm(e)lig *adj* mouldy (*BRIT*), moldy (*US*).
schimmeln *vi* to go mouldy (*BRIT*) *od* moldy (*US*).
Schimmer [ˈʃɪmər] (-**s**) *m* glimmer; **keinen (blassen) ~ von etw haben** (*umg*) not to have the slightest idea about sth.
schimmern *vi* to glimmer; (*Seide, Perlen*) to shimmer.
Schimpanse [ʃɪmˈpanzə] (-**n,** -**n**) *m* chimpanzee.
Schimpf [ʃɪmpf] (-**(e)s,** -**e**) *m* disgrace; **mit ~ und Schande** in disgrace.
schimpfen *vi* (*sich beklagen*) to grumble; (*fluchen*) to curse.
Schimpfkanonade *f* barrage of abuse.
Schimpfwort *nt* term of abuse.
Schindel [ˈʃɪndəl] (-, -**n**) *f* shingle.

schinden ['ʃɪndən] *unreg vt* to maltreat, drive too hard ♦ *vr:* **sich ~ (mit)** to sweat and strain (at), toil away (at); **Eindruck ~** (*umg*) to create an impression.
Schinder (**-s, -**) *m* knacker; (*fig*) slave driver.
Schinderei [ʃɪndə'raɪ] *f* grind, drudgery.
Schindluder ['ʃɪntlu:dər] *nt:* **mit etw ~ treiben** to muck *od* mess sth about; (*Vorrecht*) to abuse sth.
Schinken ['ʃɪŋkən] (**-s, -**) *m* ham; (*gekocht und geräuchert*) gammon; (*pej: umg: Theaterstück etc*) hackneyed and clichéd play *etc*; **~speck** *m* bacon.
Schippe ['ʃɪpə] (**-, -n**) *f* shovel; **jdn auf die ~ nehmen** (*fig: umg*) to pull sb's leg.
schippen *vt* to shovel.
Schirm [ʃɪrm] (**-(e)s, -e**) *m* (*Regen~*) umbrella; (*Sonnen~*) parasol, sunshade; (*Wand~, Bild~*) screen; (*Lampen~*) (lamp)shade; (*Mützen~*) peak; (*Pilz~*) cap; **~bildaufnahme** *f* X-ray; **~herr(in)** *m(f)* patron(ess); **~herrschaft** *f* patronage; **~mütze** *f* peaked cap; **~ständer** *m* umbrella stand.
Schiß *m:* **~ haben** (*umg*) to be shit scared (*!*).
schiß *etc* [ʃɪs] *vb siehe* **scheißen.**
schizophren [ʃitso'fre:n] *adj* schizophrenic.
Schizophrenie [ʃitsofre'ni:] *f* schizophrenia.
schlabbern ['ʃlabərn] (*umg*) *vt, vi* to slurp.
Schlacht [ʃlaxt] (**-, -en**) *f* battle.
schlachten *vt* to slaughter, kill.
Schlachtenbummler (*umg*) *m* visiting football fan.
Schlachter (**-s, -**) *m* butcher.
Schlacht- *zW:* **~feld** *nt* battlefield; **~fest** *nt* *country feast at which freshly slaughtered meat is served*; **~haus** *nt*, **~hof** *m* slaughterhouse, abattoir (*BRIT*); **~opfer** *nt* sacrifice; (*Mensch*) human sacrifice; **~plan** *m* battle plan; (*fig*) plan of action; **~ruf** *m* battle cry, war cry; **~schiff** *nt* battleship; **~vieh** *nt* animals *pl* kept for meat.
Schlacke ['ʃlakə] (**-, -n**) *f* slag.
schlackern (*umg*) *vi* to tremble; (*Kleidung*) to hang loosely, be baggy; **mit den Ohren ~** (*fig*) to be (left) speechless.
Schlaf [ʃla:f] (**-(e)s**) *m* sleep; **um seinen ~ kommen** *od* **gebracht werden** to lose sleep; **~anzug** *m* pyjamas *pl* (*BRIT*), pajamas *pl* (*US*).
Schläfchen ['ʃlɛ:fçən] *nt* nap.
Schläfe (**-, -n**) *f* (*ANAT*) temple.
schlafen *unreg vi* to sleep; (*umg: nicht aufpassen*) to be asleep; **bei jdm ~** to stay overnight with sb; **S~gehen** *nt* going to bed.
Schlafenszeit *f* bedtime.
Schläfer(in) ['ʃlɛ:fər(ɪn)] (**-s, -**) *m(f)* sleeper.
schlaff [ʃlaf] *adj* slack; (*Haut*) loose; (*Muskeln*) flabby; (*energielos*) limp; (*erschöpft*) exhausted; **S~heit** *f* slackness; looseness; flabbiness; limpness; exhaustion.
Schlafgelegenheit *f* place to sleep.
Schlafittchen [ʃla'fɪtçən] (*umg*) *nt:* **jdn am** *od* **beim ~ nehmen** to take sb by the scruff of the neck.
Schlaf- *zW:* **~krankheit** *f* sleeping sickness; **~lied** *nt* lullaby; **s~los** *adj* sleepless; **~losigkeit** *f* sleeplessness, insomnia; **~mittel** *nt* sleeping drug; (*fig, ironisch*) soporific; **~mütze** (*umg*) *f* dope.
schläfrig ['ʃlɛ:frɪç] *adj* sleepy.
Schlaf- *zW:* **~rock** *m* dressing gown; **Apfel im ~rock** baked apple in puff pastry; **~saal** *m* dormitory; **~sack** *m* sleeping bag.
schläft [ʃlɛ:ft] *vb siehe* **schlafen.**
Schlaf- *zW:* **~tablette** *f* sleeping pill; **s~trunken** *adj* drowsy, half-asleep; **~wagen** *m* sleeping car, sleeper; **s~wandeln** *vi untr* to sleepwalk; **~wandler(in)** (**-s, -**) *m(f)* sleepwalker; **~zimmer** *nt* bedroom.
Schlag [ʃla:k] (**-(e)s, ̈-e**) *m* (*lit, fig*) blow; (*auch MED*) stroke; (*Puls~, Herz~*) beat; (*ELEK*) shock; (*Blitz~*) bolt, stroke; (*Glocken~*) chime; (*Autotür*) car door; (*umg: Portion*) helping; (*: Art*) kind, type; **Schläge** *pl* (*Tracht Prügel*) beating *sing*; **~ acht Uhr** (*umg*) on the stroke of eight; **mit einem ~** all at once; **~ auf ~** in rapid succession; **die haben keinen ~ getan** (*umg*) they haven't done a stroke (of work); **ich dachte, mich trifft der ~** (*umg*) I was thunderstruck; **vom gleichen ~ sein** to be cast in the same mould (*BRIT*) *od* mold (*US*); (*pej*) to be tarred with the same brush; **ein ~ ins Wasser** (*umg*) a wash-out; **~abtausch** *m* (*BOXEN*) exchange of blows; (*fig*) (verbal) exchange; **~ader** *f* artery; **~anfall** *m* stroke; **s~artig** *adj* sudden, without warning; **~baum** *m* barrier; **~bohrer** *m* percussion drill.
schlagen ['ʃla:gən] *unreg vt* to strike, hit; (*wiederholt ~, besiegen*) to beat; (*Glocke*) to ring; (*Stunde*) to strike; (*Kreis, Bogen*) to describe; (*Purzelbaum*) to do; (*Sahne*) to whip; (*Schlacht*) to fight; (*einwickeln*) to wrap ♦ *vi* to strike, hit; to beat; to ring; to strike ♦ *vr* to fight; **um sich ~** to lash out; **ein Ei in die Pfanne ~** to crack an egg into the pan; **eine geschlagene Stunde** a full hour; **na ja, ehe ich mich ~ lasse!** (*hum: umg*) I suppose you could twist my arm; **nach jdm ~** (*fig*) to take after sb; **sich gut ~** (*fig*) to do well; **sich nach links/Norden ~** to strike out to the left/(for the) north; **sich auf jds Seite** *akk* **~** to side with sb; (*die Fronten wechseln*) to go over to sb.
schlagend *adj* (*Beweis*) convincing; **~e Wetter** (*MIN*) firedamp.
Schlager ['ʃla:gər] (**-s, -**) *m* (*MUS, fig*) hit.
Schläger ['ʃlɛ:gər] (**-s, -**) *m* brawler; (*SPORT*) bat; (*TENNIS etc*) racket; (*GOLF*) club; (*Hockey~*) hockey stick.
Schlägerei [ʃlɛ:gə'raɪ] *f* fight, punch-up.
Schlagersänger *m* pop singer.
Schlägertyp (*umg*) *m* thug.
Schlag- *zW:* **s~fertig** *adj* quick-witted;

~**fertigkeit** *f* ready wit, quickness of repartee; ~**instrument** *nt* percussion instrument; ~**kraft** *f* (*lit, fig*) power; (*MIL*) strike power; (*BOXEN*) punch(ing power); **s~kräftig** *adj* powerful; (*Beweise*) clear-cut; ~**loch** *nt* pothole; ~**obers** (-, -) (*ÖSTERR*) *nt*, ~**rahm** *m*, ~**sahne** *f* (whipped) cream; ~**seite** *f* (*NAUT*) list; ~**stock** *m* (*form*) truncheon (*BRIT*), nightstick (*US*).

schlägt [ʃlɛːkt] *vb siehe* **schlagen.**

Schlag- *zW:* ~**wort** *nt* slogan, catch phrase; ~**zeile** *f* headline; ~**zeilen machen** (*umg*) to hit the headlines; ~**zeug** *nt* drums *pl*; (*in Orchester*) percussion; ~**zeuger** (-s, -) *m* drummer; percussionist.

schlaksig [ˈʃlaːksɪç] (*umg*) *adj* gangling, gawky.

Schlamassel [ʃlaˈmasəl] (-s, -) (*umg*) *m* mess.

Schlamm [ʃlam] (-(e)s, -e) *m* mud.

schlammig *adj* muddy.

Schlampe [ˈʃlampə] (-, -n) (*umg*) *f* slattern, slut.

schlampen (*umg*) *vi* to be sloppy.

Schlamperei [ʃlampəˈraɪ] (*umg*) *f* disorder, untidiness; (*schlechte Arbeit*) sloppy work.

schlampig (*umg*) *adj* slovenly, sloppy.

schlang *etc* [ʃlaŋ] *vb siehe* **schlingen.**

Schlange [ˈʃlaŋə] (-, -n) *f* snake; (*Menschen~*) queue (*BRIT*), line (*US*); ~ **stehen** to (form a) queue (*BRIT*), stand in line (*US*); **eine falsche** ~ a snake in the grass.

schlängeln [ˈʃlɛŋəln] *vr* to twist, wind; (*Fluß*) to meander.

Schlangen- *zW:* ~**biß** *m* snake bite; ~**gift** *nt* snake venom; ~**linie** *f* wavy line.

schlank [ʃlaŋk] *adj* slim, slender; **S~heit** *f* slimness, slenderness; **S~heitskur** *f* diet.

schlapp [ʃlap] *adj* limp; (*locker*) slack; (*umg: energielos*) listless; (*nach Krankheit etc*) run-down.

Schlappe (-, -n) (*umg*) *f* setback.

Schlappen (-s, -) (*umg*) *m* slipper.

schlapp- *zW:* **S~heit** *f* limpness; slackness; **S~hut** *m* slouch hat; ~**machen** (*umg*) *vi* to wilt, droop; **S~schwanz** (*pej: umg*) *m* weakling, softy.

Schlaraffenland [ʃlaˈrafənlant] *nt* land of milk and honey.

schlau [ʃlaʊ] *adj* crafty, cunning; **ich werde nicht ~ aus ihm** I don't know what to make of him; **S~berger** (-s, -) (*umg*) *m* clever Dick.

Schlauch [ʃlaʊx] (-(e)s, **Schläuche**) *m* hose; (*in Reifen*) inner tube; (*umg: Anstrengung*) grind; **auf dem ~ stehen** (*umg*) to be in a jam *od* fix; ~**boot** *nt* rubber dinghy.

schlauchen (*umg*) *vt* to tell on, exhaust.

schlauchlos *adj* (*Reifen*) tubeless.

Schläue [ˈʃlɔʏə] (-) *f* cunning.

Schlaufe [ˈʃlaʊfə] (-, -n) *f* loop; (*Aufhänger*) hanger.

Schlauheit *f* cunning.

Schlaukopf *m* clever Dick.

Schlawiner [ʃlaˈviːnər] (-s, -) *m* (*hum: umg*) villain, rogue.

schlecht [ʃlɛçt] *adj* bad; (*ungenießbar*) bad, off (*BRIT*) ♦ *adv:* **er kann ~ nein sagen** he finds it hard to say no, he can't say no; **jdm ist ~** sb feels sick *od* ill; ~ **und recht** after a fashion; **auf jdn ~ zu sprechen sein** not to have a good word to say for sb; **er hat nicht ~ gestaunt** (*umg*) he wasn't half surprised.

schlechterdings *adv* simply.

schlecht- *zW:* ~**gehen** *unreg vi unpers:* **jdm geht es ~** sb is in a bad way; **heute geht es ~** today is not very convenient; **S~heit** *f* badness; ~**hin** *adv* simply; **der Dramatiker ~hin** THE playwright.

Schlechtigkeit *f* badness; (*Tat*) bad deed.

schlechtmachen *vt* to run down, denigrate.

schlecken [ˈʃlɛkən] *vt, vi* to lick.

Schlegel [ˈʃleːgəl] (-s, -) *m* (drum)stick; (*Hammer*) hammer; (*KOCH*) leg.

schleichen [ˈʃlaɪçən] *unreg vi* to creep, crawl.

schleichend *adj* creeping; (*Krankheit, Gift*) insidious.

Schleichweg *m:* **auf ~en** (*fig*) on the quiet.

Schleichwerbung *f:* **eine ~** a plug.

Schleie [ˈʃlaɪə] (-, -n) *f* tench.

Schleier [ˈʃlaɪər] (-s, -) *m* veil; ~**eule** *f* barn owl; **s~haft** (*umg*) *adj:* **jdm s~haft sein** to be a mystery to sb.

Schleife [ˈʃlaɪfə] (-, -n) *f* (*auch COMPUT*) loop; (*Band*) bow; (*Kranz~*) ribbon.

schleifen[1] *vt* to drag; (*MIL: Festung*) to raze ♦ *vi* to drag; **die Kupplung ~ lassen** (*AUT*) to slip the clutch.

schleifen[2] *unreg vt* to grind; (*Edelstein*) to cut; (*MIL: Soldaten*) to drill.

Schleifmaschine *f* sander; (*in Fabrik*) grinding machine.

Schleifstein *m* grindstone.

Schleim [ʃlaɪm] (-(e)s, -e) *m* slime; (*MED*) mucus; (*KOCH*) gruel; ~**haut** *f* mucous membrane.

schleimig *adj* slimy.

schlemmen [ˈʃlɛmən] *vi* to feast.

Schlemmer(in) (-s, -) *m(f)* gourmet, bon vivant.

Schlemmerei [ʃlɛməˈraɪ] *f* feasting.

schlendern [ˈʃlɛndərn] *vi* to stroll.

Schlendrian [ˈʃlɛndriaːn] (-(e)s) *m* sloppy way of working.

Schlenker [ˈʃlɛŋkər] (-s, -) *m* swerve.

schlenkern *vt, vi* to swing, dangle.

Schleppe [ˈʃlɛpə] (-, -n) *f* train.

schleppen *vt* to drag; (*Auto, Schiff*) to tow; (*tragen*) to lug.

schleppend *adj* dragging; (*Bedienung, Abfertigung*) sluggish, slow.

Schlepper (-s, -) *m* tractor; (*Schiff*) tug.

Schleppkahn *m* (canal) barge.

Schlepptau *nt* towrope; **jdn ins ~ nehmen** (*fig*) to take sb in tow.

Schlesien ['ʃleːziən] (**-s**) *nt* Silesia.
Schlesier(in) (**-s, -**) *m(f)* Silesian.
schlesisch *adj* Silesian.
Schleswig-Holstein ['ʃleːsvɪç'hɔlʃtaɪn] (**-s**) *nt* Schleswig-Holstein.
Schleuder ['ʃlɔʏdər] (**-, -n**) *f* catapult; (*Wäsche~*) spin-dryer; (*Zentrifuge*) centrifuge; ~**honig** *m* extracted honey.
schleudern *vt* to hurl; (*Wäsche*) to spin-dry ♦ *vi* (*AUT*) to skid; **ins S~ kommen** (*AUT*) to go into a skid; (*fig: umg*) to run into trouble.
Schleuder- *zW:* ~**preis** *m* give-away price; ~**sitz** *m* (*AVIAT*) ejector seat; (*fig*) hot seat; ~**ware** *f* cut-price (*BRIT*) *od* cut-rate (*US*) goods *pl*.
schleunig ['ʃlɔʏnɪç] *adj* prompt, speedy; (*Schritte*) quick.
schleunigst *adv* straight away.
Schleuse ['ʃlɔʏzə] (**-, -n**) *f* lock; (*Schleusentor*) sluice.
schleusen *vt* (*Schiffe*) to pass through a lock, lock; (*Wasser*) to channel; (*Menschen*) to filter; (*fig: heimlich*) to smuggle.
Schlich (**-(e)s, -e**) *m* dodge, trick; **jdm auf die ~e kommen** to get wise to sb.
schlich *etc* [ʃlɪç] *vb siehe* **schleichen**.
schlicht [ʃlɪçt] *adj* simple, plain.
schlichten *vt* to smooth; (*beilegen*) to settle; (*Streit: vermitteln*) to mediate, arbitrate.
Schlichter(in) (**-s, -**) *m(f)* mediator, arbitrator.
Schlichtheit *f* simplicity, plainness.
Schlichtung *f* settlement; arbitration.
Schlick [ʃlɪk] (**-(e)s, -e**) *m* mud; (*Öl~*) slick.
schlief *etc* [ʃliːf] *vb siehe* **schlafen**.
Schließe ['ʃliːsə] (**-, -n**) *f* fastener.
schließen ['ʃliːsən] *unreg vt* to close, shut; (*beenden*) to close; (*Freundschaft, Bündnis, Ehe*) to enter into; (*COMPUT: Datei*) to close; (*folgern*): ~ **(aus)** to infer (from) ♦ *vi, vr* to close, shut; **auf etw** *akk* ~ **lassen** to suggest sth; **jdn/etw in sein Herz** ~ to take sb/sth to one's heart; **etw in sich** ~ to include sth; **„geschlossen"** "closed".
Schließfach *nt* locker.
schließlich *adv* finally; (~ *doch*) after all.
Schliff (**-(e)s, -e**) *m* cut(ting); (*fig*) polish; **einer Sache den letzten ~ geben** (*fig*) to put the finishing touch(es) to sth.
schliff *etc* [ʃlɪf] *vb siehe* **schleifen**.
schlimm [ʃlɪm] *adj* bad; **das war** ~ that was terrible; **das ist halb so ~!** that's not so bad!; ~**er** *adj* worse; ~**ste(r, s)** *adj* worst.
schlimmstenfalls *adv* at (the) worst.
Schlinge ['ʃlɪŋə] (**-, -n**) *f* loop; (*an Galgen*) noose; (*Falle*) snare; (*MED*) sling.
Schlingel (**-s, -**) *m* rascal.
schlingen *unreg vt* to wind ♦ *vi* (*essen*) to bolt one's food, gobble.
schlingern *vi* to roll.
Schlingpflanze *f* creeper.
Schlips [ʃlɪps] (**-es, -e**) *m* tie, necktie (*US*); **sich auf den ~ getreten fühlen** (*fig: umg*) to feel offended.
Schlitten ['ʃlɪtən] (**-s, -**) *m* sledge, sled; (*Pferde~*) sleigh; **mit jdm ~ fahren** (*umg*) to give sb a rough time; ~**bahn** *f* toboggan run; ~**fahren** (**-s**) *nt* tobogganing.
schlittern ['ʃlɪtərn] *vi* to slide; (*Wagen*) to skid.
Schlittschuh ['ʃlɪtʃuː] *m* skate; ~**bahn** *f* skating rink; ~ **laufen** to skate; ~**läufer** *m* skater.
Schlitz [ʃlɪts] (**-es, -e**) *m* slit; (*für Münze*) slot; (*Hosen~*) flies *pl*; **s~äugig** *adj* slant-eyed; **s~en** *vt* to slit; ~**ohr** *nt* (*fig*) sly fox.
schlohweiß ['ʃloː'vaɪs] *adj* snow-white.
Schlokal *nt* gourmet restaurant.
Schloß (**-sses, ¨sser**) *nt* lock, padlock; (*an Schmuck etc*) clasp; (*Bau*) castle; (*Palast*) palace; **ins ~ fallen** to lock (itself).
schloß *etc* [ʃlɔs] *vb siehe* **schließen**.
Schlosser ['ʃlɔsər] (**-s, -**) *m* (*Auto~*) fitter; (*für Schlüssel etc*) locksmith.
Schlosserei [slɔsə'raɪ] *f* metal(working) shop.
Schloßhund *m*: **heulen wie ein ~** to howl one's head off.
Schlot [ʃloːt] (**-(e)s, -e**) *m* chimney; (*NAUT*) funnel.
schlottern ['ʃlɔtərn] *vi* to shake; (*vor Angst*) to tremble; (*Kleidung*) to be baggy.
Schlucht [ʃlʊxt] (**-, -en**) *f* gorge, ravine.
schluchzen ['ʃlʊxtsən] *vi* to sob.
Schluck [ʃlʊk] (**-(e)s, -e**) *m* swallow; (*größer*) gulp; (*kleiner*) sip; (*ein bißchen*) drop.
Schluckauf (**-s**) *m* hiccups *pl*.
schlucken *vt* to swallow; (*umg: Alkohol, Benzin*) to guzzle; (*: verschlingen*) to swallow up ♦ *vi* to swallow.
Schlucker (**-s, -**) (*umg*) *m*: **armer ~** poor devil.
Schluckimpfung *f* oral vaccination.
schlud(e)rig ['ʃluːdrɪç] (*umg*) *adj* slipshod.
schludern ['ʃluːdərn] (*umg*) *vi* to do slipshod work.
schlug *etc* [ʃluːk] *vb siehe* **schlagen**.
Schlummer ['ʃlʊmər] (**-s**) *m* slumber.
schlummern *vi* to slumber.
Schlund [ʃlʊnt] (**-(e)s, ¨e**) *m* gullet; (*fig*) jaw.
schlüpfen ['ʃlʏpfən] *vi* to slip; (*Vogel etc*) to hatch (out).
Schlüpfer ['ʃlʏpfər] (**-s, -**) *m* panties *pl*, knickers *pl*.
Schlupfloch ['ʃlʊpflɔx] *nt* hole; (*Versteck*) hide-out; (*fig*) loophole.
schlüpfrig ['ʃlʏpfrɪç] *adj* slippery; (*fig*) lewd; **S~keit** *f* slipperiness; lewdness.
Schlupfwinkel *m* hiding place; (*fig*) quiet corner.
schlurfen ['ʃlʊrfən] *vi* to shuffle.
schlürfen ['ʃlʏrfən] *vt, vi* to slurp.
Schluß [ʃlʊs] (**-sses, ¨sse**) *m* end; (*~folgerung*) conclusion; **am** ~ at the end; ~ **für heute!** that'll do for today; ~ **jetzt!** that's enough

now!; ~ **machen mit** to finish with.
Schlüssel ['ʃlʏsəl] (**-s, -**) *m* (*lit, fig*) key; (*Schraub~*) spanner, wrench; (*MUS*) clef; **~bein** *nt* collarbone; **~blume** *f* cowslip, primrose; **~bund** *m* bunch of keys; **~erlebnis** *nt* (*PSYCH*) crucial experience; **~kind** *nt* latchkey child; **~loch** *nt* keyhole; **~position** *f* key position; **~wort** *nt* safe combination; (*COMPUT*) keyword.
Schlußfolgerung *f* conclusion, inference.
Schlußformel *f* (*in Brief*) closing formula; (*bei Vertrag*) final clause.
schlüssig ['ʃlʏsɪç] *adj* conclusive; **sich** *dat* **(über etw** *akk*) ~ **sein** to have made up one's mind (about sth).
Schluß- *zW:* **~licht** *nt* rear light (*BRIT*), taillight (*US*); (*fig*) tail ender; **~strich** *m* (*fig*) final stroke; **einen ~strich unter etw** *akk* **ziehen** to consider sth finished; **~verkauf** *m* clearance sale; **~wort** *nt* concluding words *pl*.
Schmach [ʃmaːx] (**-**) *f* disgrace, ignominy.
schmachten ['ʃmaxtən] *vi* to languish; **nach jdm** ~ to pine for sb.
schmächtig ['ʃmɛçtɪç] *adj* slight.
schmachvoll *adj* ignominious, humiliating.
schmackhaft ['ʃmakhaft] *adj* tasty; **jdm etw** ~ **machen** (*fig*) to make sth palatable to sb.
schmähen ['ʃmɛːən] *vt* to abuse, revile.
schmählich *adj* ignominious, shameful.
Schmähung *f* abuse.
schmal [ʃmaːl] *adj* narrow; (*Person, Buch etc*) slender, slim; (*karg*) meagre (*BRIT*), meager (*US*); **~brüstig** *adj* narrow-chested.
schmälern ['ʃmɛːlərn] *vt* to diminish; (*fig*) to belittle.
Schmalfilm *m* cine (*BRIT*) *od* movie (*US*) film.
Schmalspur *f* narrow gauge.
Schmalspur- (*pej*) *in zW* small-time.
Schmalz [ʃmalts] (**-es, -e**) *nt* dripping; (*Schweine~*) lard; (*fig*) sentiment, schmaltz.
schmalzig *adj* (*fig*) schmaltzy, slushy.
schmarotzen [ʃma'rɔtsən] *vi* (*BIOL*) to be parasitic; (*fig*) to sponge.
Schmarotzer (**-s, -**) *m* (*auch fig*) parasite.
Schmarren ['ʃmarən] (**-s, -**) *m* (*ÖSTERR*) small pieces of pancake; (*fig*) rubbish, tripe.
schmatzen ['ʃmatsən] *vi* to eat noisily.
Schmaus [ʃmaʊs] (**-es, Schmäuse**) *m* feast; **s~en** *vi* to feast.
schmecken ['ʃmɛkən] *vt, vi* to taste; **es schmeckt ihm** he likes it; **schmeckt es Ihnen?** is it good?, are you enjoying your food *od* meal?; **das schmeckt nach mehr!** (*umg*) it's very moreish (*hum*); **es sich ~ lassen** to tuck in.
Schmeichelei [ʃmaɪçə'laɪ] *f* flattery.
schmeichelhaft ['ʃmaɪçəlhaft] *adj* flattering.
schmeicheln *vi* to flatter.
Schmeichler(in) (**-s, -**) *m(f)* flatterer.
schmeißen ['ʃmaɪsən] *unreg* (*umg*) *vt* to throw, chuck; (*spendieren*): **eine Runde** *od* **Lage** ~ to stand a round.
Schmeißfliege *f* bluebottle.
Schmelz [ʃmɛlts] (**-es, -e**) *m* enamel; (*Glasur*) glaze; (*von Stimme*) melodiousness; **s~bar** *adj* fusible.
schmelzen *unreg vt* to melt; (*Erz*) to smelt ♦ *vi* to melt.
Schmelz- *zW:* **~hütte** *f* smelting works *pl*; **~käse** *m* cheese spread; (*in Scheiben*) processed cheese; **~ofen** *m* melting furnace; (*für Erze*) smelting furnace; **~punkt** *m* melting point; **~tiegel** *m* (*lit, fig*) melting pot; **~wasser** *nt* melted snow.
Schmerbauch ['ʃmeːrbaʊx] (*umg*) *m* paunch, potbelly.
Schmerz [ʃmɛrts] (**-es, -en**) *m* pain; (*Trauer*) grief *no pl*; **~en haben** to be in pain; **s~empfindlich** *adj* sensitive to pain.
schmerzen *vt, vi* to hurt.
Schmerzensgeld *nt* compensation.
Schmerz- *zW:* **s~haft** *adj* painful; **s~lich** *adj* painful; **s~lindernd** *adj* pain-relieving; **s~los** *adj* painless; **~mittel** *nt* painkiller, analgesic; **s~stillend** *adj* pain-killing, analgesic; **~tablette** *f* pain-killing tablet.
Schmetterling ['ʃmɛtərlɪŋ] *m* butterfly.
Schmetterlingsstil *m* (*SCHWIMMEN*) butterfly stroke.
schmettern ['ʃmɛtərn] *vt* to smash; (*Melodie*) to sing loudly, bellow out ♦ *vi* to smash (*SPORT*); (*Trompete*) to blare.
Schmied [ʃmiːt] (**-(e)s, -e**) *m* blacksmith.
Schmiede ['ʃmiːdə] (**-, -n**) *f* smithy, forge; **~'eisen** *nt* wrought iron.
schmieden *vt* to forge; (*Pläne*) to devise, concoct.
schmiegen ['ʃmiːgən] *vt* to press, nestle ♦ *vr:* **sich ~ an** *+akk* to cuddle up to, nestle up to.
schmiegsam ['ʃmiːkzaːm] *adj* flexible, pliable.
Schmiere ['ʃmiːrə] *f* grease; (*THEAT*) greasepaint, make-up; (*pej: schlechtes Theater*) fleapit; ~ **stehen** (*umg*) to be the look-out.
schmieren *vt* to smear; (*ölen*) to lubricate, grease; (*bestechen*) to bribe ♦ *vi* (*schreiben*) to scrawl; **es läuft wie geschmiert** it's going like clockwork; **jdm eine** ~ (*umg*) to clout sb one.
Schmierenkomödiant (*pej*) *m* ham (actor).
Schmier- *zW:* **~fett** *nt* grease; **~fink** *m* messy person; **~geld** *nt* bribe; **~heft** *nt* jotter.
schmierig *adj* greasy.
Schmiermittel *nt* lubricant.
Schmierseife *f* soft soap.
schmilzt [ʃmɪltst] *vb siehe* **schmelzen.**
Schminke ['ʃmɪŋkə] (**-, -n**) *f* make-up.
schminken *vt, vr* to make up.
schmirgeln ['ʃmɪrgəln] *vt* to sand (down).
Schmirgelpapier (**-s**) *nt* emery paper.
Schmiß (**-sses, -sse**) *m* (*Narbe*) duelling (*BRIT*) *od* dueling (*US*) scar; (*veraltet: Schwung*) dash, élan.

schmiß *etc* [ʃmɪs] *vb siehe* **schmeißen.**
Schmöker [ˈʃmøːkər] (**-s,** -) (*umg*) *m* (trashy) old book.
schmökern *vi* to bury o.s. in a book; (*umg*) to browse.
schmollen [ˈʃmɔlən] *vi* to pout; (*gekränkt*) to sulk.
schmollend *adj* sulky.
Schmollmund *m* pout.
schmolz *etc* [ʃmɔlts] *vb siehe* **schmelzen.**
Schmorbraten *m* stewed *od* braised meat.
schmoren [ˈʃmoːrən] *vt* to braise.
Schmu [ʃmuː] (**-s**) (*umg*) *m* cheating.
Schmuck [ʃmʊk] (**-(e)s, -e**) *m* jewellery (*BRIT*), jewelry (*US*); (*Verzierung*) decoration.
schmücken [ˈʃmʏkən] *vt* to decorate.
Schmuck- *zW:* **s~los** *adj* unadorned, plain; **~losigkeit** *f* simplicity; **~sachen** *pl* jewels *pl*, jewellery *sing* (*BRIT*), jewelry *sing* (*US*); **~stück** *nt* (*Ring etc*) piece of jewellery (*BRIT*) *od* jewelry (*US*); (*fig: Prachtstück*) gem.
schmudd(e)lig [ˈʃmʊd(ə)lɪç] *adj* messy; (*schmutzig*) dirty; (*schmierig, unsauber*) filthy.
Schmuggel [ˈʃmʊgəl] (**-s**) *m* smuggling.
schmuggeln *vt, vi* to smuggle.
Schmuggelware *f* contraband.
Schmuggler(in) (**-s,** -) *m(f)* smuggler.
schmunzeln [ˈʃmʊntsəln] *vi* to smile benignly.
schmusen [ˈʃmuːzən] (*umg*) *vi* (*zärtlich sein*) to cuddle; **mit jdm ~** to cuddle sb.
Schmutz [ʃmʊts] (**-es**) *m* dirt; (*fig*) filth; **s~en** *vi* to get dirty; **~fink** *m* filthy creature; **~fleck** *m* stain.
schmutzig *adj* dirty; **~e Wäsche waschen** (*fig*) to wash one's dirty linen in public.
Schnabel [ˈʃnaːbəl] (**-s,** ¨) *m* beak, bill; (*Ausguß*) spout; (*umg: Mund*) mouth; **reden, wie einem der ~ gewachsen ist** to say exactly what comes into one's head; (*unaffektiert*) to talk naturally.
schnacken [ˈʃnakən] (*NORDD: umg*) *vi* to chat.
Schnake [ˈʃnaːkə] (**-, -n**) *f* crane fly; (*Stechmücke*) gnat.
Schnalle [ˈʃnalə] (**-, -n**) *f* buckle; (*an Handtasche, Buch*) clasp.
schnallen *vt* to buckle.
schnalzen [ˈʃnaltsən] *vi* to snap; (*mit Zunge*) to click.
Schnäppchen [ˈʃnɛpçən] (*umg*) *nt* bargain, snip.
schnappen [ˈʃnapən] *vt* to grab, catch; (*umg: ergreifen*) to snatch ♦ *vi* to snap.
Schnappschloß *nt* spring lock.
Schnappschuß *m* (*PHOT*) snapshot.
Schnaps [ʃnaps] (**-es, ¨-e**) *m* schnapps; (*umg: Branntwein*) spirits *pl*; **~idee** (*umg*) *f* crackpot idea; **~leiche** (*umg*) *f* drunk.
schnarchen [ˈʃnarçən] *vi* to snore.
schnattern [ˈʃnatərn] *vi* to chatter; (*zittern*) to shiver.
schnauben [ˈʃnaʊbən] *vi* to snort ♦ *vr* to blow one's nose.
schnaufen [ˈʃnaʊfən] *vi* to puff, pant.
Schnaufer (**-s,** -) (*umg*) *m* breath.
Schnauzbart [ˈʃnaʊtsbaːrt] *m* moustache (*BRIT*), mustache (*US*).
Schnauze (**-, -n**) *f* snout, muzzle; (*Ausguß*) spout; (*umg*) gob; **auf die ~ fallen** (*fig*) to come a cropper (*umg*); **etw frei nach ~ machen** to do sth any old how.
Schnecke [ˈʃnɛkə] (**-, -n**) *f* snail; (*Nackt~*) slug; (*KOCH: Gebäck*) ≈ Chelsea bun; **jdn zur ~ machen** (*umg*) to give sb a real bawling out.
Schneckenhaus *nt* snail's shell.
Schneckentempo (*umg*) *nt:* **im ~** at a snail's pace.
Schnee [ʃneː] (**-s**) *m* snow; (*Ei~*) beaten egg white; **~ von gestern** old hat; water under the bridge; **~ball** *m* snowball; **~besen** *m* (*KOCH*) whisk; **~fall** *m* snowfall; **~flocke** *f* snowflake; **~gestöber** *nt* snowstorm; **~glöckchen** *nt* snowdrop; **~grenze** *f* snowline; **~kette** *f* (*AUT*) snow chain; **~könig** *m:* **sich freuen wie ein ~könig** to be as pleased as Punch; **~mann** *m* snowman; **~pflug** *m* snowplough (*BRIT*), snowplow (*US*); **~regen** *m* sleet; **~schmelze** *f* thaw; **~treiben** *nt* driving snow; **~wehe** *f* snowdrift; **~wittchen** *nt* Snow White.
Schneid [ʃnaɪt] (**-(e)s**) (*umg*) *m* pluck.
Schneidbrenner (**-s,** -) *m* (*TECH*) oxyacetylene cutter.
Schneide [ˈʃnaɪdə] (**-, -n**) *f* edge; (*Klinge*) blade.
schneiden *unreg vt* to cut; (*Film, Tonband*) to edit; (*kreuzen*) to cross, intersect ♦ *vr* to cut o.s.; (*umg: sich täuschen*): **da hat er sich aber geschnitten!** he's very much mistaken; **die Luft ist zum S~** (*fig: umg*) the air is very bad.
schneidend *adj* cutting.
Schneider (**-s,** -) *m* tailor; **frieren wie ein ~** (*umg*) to be frozen to the marrow; **aus dem ~ sein** (*fig*) to be out of the woods.
Schneiderei [ʃnaɪdəˈraɪ] *f* tailor's shop; (*einer Schneiderin*) dressmaker's shop.
Schneiderin *f* dressmaker.
schneidern *vt* to make ♦ *vi* to be a tailor.
Schneidersitz (**-es**) *m:* **im ~ sitzen** to sit cross-legged.
Schneidezahn *m* incisor.
schneidig *adj* dashing; (*mutig*) plucky.
schneien [ˈʃnaɪən] *vi* to snow; **jdm ins Haus ~** (*umg: Besuch*) to drop in on sb; (*: Rechnung, Brief*) to come in the post (*BRIT*) *od* mail (*US*).
Schneise [ˈʃnaɪzə] (**-, -n**) *f* (*Wald~*) clearing.
schnell [ʃnɛl] *adj* quick, fast ♦ *adv* quick(ly), fast; **das ging ~** that was quick; **S~boot** *nt* speedboat.
Schnelle (-) *f:* **etw auf die ~ machen** to do sth in a rush.
schnellen *vi* to shoot.

Schnellgericht *nt* (*JUR*) summary court; (*KOCH*) convenience food.
Schnellhefter *m* loose-leaf binder.
Schnelligkeit *f* speed.
Schnell- *zW*: ~**imbiß** *m* (*Essen*) (quick) snack; (*Raum*) snack bar; ~**kochtopf** *m* (*Dampfkochtopf*) pressure cooker; ~**reinigung** *f* express cleaner's.
schnellstens *adv* as quickly as possible.
Schnellstraße *f* expressway.
Schnellzug *m* fast *od* express train.
schneuzen ['ʃnɔʏtsən] *vr* to blow one's nose.
Schnickschnack ['ʃnɪkʃnak] (-(e)s) (*umg*) *m* twaddle.
Schnippchen ['ʃnɪpçən] *nt*: **jdm ein ~ schlagen** to play a trick on sb.
schnippeln ['ʃnɪpəln] (*umg*) *vt* to snip; (*mit Messer*) to hack ♦ *vi*: ~ **an** *+dat* to snip at; to hack at.
schnippen ['ʃnɪpən] *vi*: **mit den Fingern** ~ to snap one's fingers.
schnippisch ['ʃnɪpɪʃ] *adj* sharp-tongued.
Schnipsel ['ʃnɪpsəl] (-s, -) (*umg*) *m od nt* scrap; (*Papier*~) scrap of paper.
Schnitt (-(e)s, -e) *m* cut(ting); (~*punkt*) intersection; (*Quer*~) (cross) section; (*Durch*~) average; (~*muster*) pattern; (*Ernte*) crop; (*an Buch*) edge; (*umg: Gewinn*) profit; ~: **L. Schwarz** (*FILM*) editor - L. Schwarz; **im ~** on average.
schnitt *etc* [ʃnɪt] *vb siehe* **schneiden.**
Schnittblumen *pl* cut flowers *pl.*
Schnittbohnen *pl* French *od* green beans *pl.*
Schnitte (-, -n) *f* slice; (*belegt*) sandwich.
schnittfest *adj* (*Tomaten*) firm.
Schnittfläche *f* section.
schnittig ['ʃnɪtɪç] *adj* smart; (*Auto, Formen*) stylish.
Schnitt- *zW*: ~**lauch** *m* chive; ~**muster** *nt* pattern; ~**punkt** *m* (point of) intersection; ~**stelle** *f* (*COMPUT*) interface; ~**wunde** *f* cut.
Schnitzarbeit *f* wood carving.
Schnitzel (-s, -) *nt* scrap; (*KOCH*) escalope; ~**jagd** *f* paperchase.
schnitzen ['ʃnɪtsən] *vt* to carve.
Schnitzer (-s, -) *m* carver; (*umg*) blunder.
Schnitzerei [ʃnɪtsə'raɪ] *f* wood carving.
schnodderig ['ʃnɔdərɪç] (*umg*) *adj* snotty.
schnöde ['ʃnøːdə] *adj* base, mean.
Schnorchel ['ʃnɔrçəl] (-s, -) *m* snorkel.
schnorcheln *vi* to go snorkelling.
Schnörkel ['ʃnœrkəl] (-s, -) *m* flourish; (*ARCHIT*) scroll.
schnorren ['ʃnɔrən] *vt, vi* to cadge (*BRIT*).
Schnorrer (-s, -) (*umg*) *m* cadger (*BRIT*).
Schnösel ['ʃnøːzəl] (-s, -) (*umg*) *m* snotty(-nosed) little upstart.
schnuckelig ['ʃnʊkəlɪç] (*umg*) *adj* (*gemütlich*) snug, cosy; (*Person*) sweet.
schnüffeln ['ʃnʏfəln] *vi* to sniff; (*fig: umg: spionieren*) to snoop around; **S~** *nt* (*von Klebstoff etc*) glue-sniffing *etc.*
Schnüffler(in) (-s, -) *m(f)* snooper.
Schnuller ['ʃnʊlər] (-s, -) *m* dummy (*BRIT*), pacifier (*US*).
Schnulze ['ʃnʊltsə] (-, -n) (*umg*) *f* schmaltzy film/book/song.
Schnupfen ['ʃnʊpfən] (-s, -) *m* cold.
Schnupftabak *m* snuff.
schnuppe ['ʃnʊpə] (*umg*) *adj*: **jdm ~ sein** to be all the same to sb.
schnuppern ['ʃnʊpərn] *vi* to sniff.
Schnur [ʃnuːr] (-, ⸚e) *f* string; (*Kordel*) cord; (*ELEK*) flex.
Schnürchen ['ʃnyːrçən] *nt*: **es läuft** *od* **klappt (alles) wie am ~** everything's going like clockwork.
schnüren ['ʃnyːrən] *vt* to tie.
schnurgerade *adj* straight (as a die *od* an arrow).
Schnurrbart ['ʃnʊrbaːrt] *m* moustache (*BRIT*), mustache (*US*).
schnurren ['ʃnʊrən] *vi* to purr; (*Kreisel*) to hum.
Schnürschuh *m* lace-up (shoe).
Schnürsenkel *m* shoelace.
schnurstracks *adv* straight (away); ~ **auf jdn/etw zugehen** to make a beeline for sb/sth (*umg*).
schob *etc* [ʃoːp] *vb siehe* **schieben.**
Schock [ʃɔk] (-(e)s, -e) *m* shock; **unter ~ stehen** to be in (a state of) shock.
schocken (*umg*) *vt* to shock.
Schocker (-s, -) (*umg*) *m* shocking film/novel, shocker.
schockieren *vt* to shock, outrage.
Schöffe ['ʃœfə] (-n, -n) *m* lay magistrate.
Schöffengericht *nt* magistrates' court.
Schöffin *f* lay magistrate.
Schokolade [ʃoko'laːdə] (-, -n) *f* chocolate.
scholl *etc* [ʃɔl] *vb siehe* **schallen.**
Scholle ['ʃɔlə] (-, -n) *f* clod; (*Eis*~) ice floe; (*Fisch*) plaice.
Scholli ['ʃɔlɪ] (*umg*) *m*: **mein lieber ~!** (*drohend*) now look here!

SCHLÜSSELWORT

schon [ʃoːn] *adv* **1** (*bereits*) already; **er ist ~ da** he's there/here already, he's already there/here; **ist er ~ da?** is he there/here yet?; **warst du ~ einmal dort?** have you ever been there?; **ich war ~ einmal dort** I've been there before; **das war ~ immer so** that has always been the case; **hast du ~ gehört?** have you heard?; ~ **1920** as early as 1920; ~ **vor 100 Jahren** as far back as 100 years ago; **er wollte ~ die Hoffnung aufgeben, als** ... he was just about to give up hope when ...; **wartest du ~ lange?** have you been waiting (for) long?; **wie lang so oft** as so often (before); **was, ~ wieder?** what - again?
2 (*bestimmt*) all right; **du wirst ~ sehen**

you'll see (all right); **das wird ~ noch gutgehen** that should turn out OK (in the end)
3 (*bloß*) just; **allein ~ das Gefühl** ... just the very feeling ...; **~ der Gedanke** the mere *od* very thought; **wenn ich das ~ höre** I only have to hear that
4 (*einschränkend*): **ja ~, aber** ... yes (well), but ...
5: **das ist ~ möglich** that's quite possible; **~ gut** OK; **du weißt ~** you know; **komm ~** come on; **hör ~ auf damit!** will you stop that!; **was macht das ~, wenn ...?** what does it matter if ...?; **und wenn ~!** (*umg*) so what?

schön [ʃø:n] *adj* beautiful; (*Mann*) handsome; (*nett*) nice ♦ *adv:* **sich ganz ~ ärgern** to be very angry; **da hast du etwas S~es angerichtet** you've made a fine *od* nice mess; **~e Grüße** best wishes; **~en Dank** (many) thanks; **~ weich/warm** nice and soft/warm.
schonen [ˈʃo:nən] *vt* to look after; (*jds Nerven*) to spare; (*Gegner, Kind*) to be easy on; (*Teppich, Füße*) to save ♦ *vr* to take it easy.
schonend *adj* careful, gentle; **jdm etw ~ beibringen** to break sth to sb gently.
Schoner [ˈʃo:nər] (**-s, -**) *m* (*NAUT*) schooner; (*Sessel~*) cover.
Schönfärberei *f* (*fig*) glossing things over.
Schonfrist *f* period of grace.
Schöngeist *m* cultured person, aesthete (*BRIT*), esthete (*US*).
Schönheit *f* beauty.
Schönheits- *zW:* **~fehler** *m* blemish, flaw; **~operation** *f* cosmetic surgery; **~wettbewerb** *m* beauty contest.
Schonkost (-) *f* light diet.
schönmachen *vr* to make o.s. look nice.
Schönschrift *f:* **in ~** in one's best (hand)writing.
schöntun *unreg vi:* **jdm ~** (*schmeicheln*) to flatter *od* soft-soap sb, play up to sb.
Schonung *f* good care; (*Nachsicht*) consideration; (*Forst*) plantation of young trees.
schonungslos *adj* ruthless, harsh.
Schonzeit *f* close season.
Schopf [ʃɔpf] (**-(e)s, ¨-e**) *m:* **eine Gelegenheit beim ~ ergreifen** *od* **fassen** to seize *od* grasp an opportunity with both hands.
schöpfen [ˈʃœpfən] *vt* to scoop; (*Suppe*) to ladle; (*Mut*) to summon up; (*Luft*) to breathe in; (*Hoffnung*) to find.
Schöpfer (**-s, -**) *m* creator; (*Gott*) Creator; (*umg: Schöpfkelle*) ladle; **s~isch** *adj* creative.
Schöpfkelle *f* ladle.
Schöpflöffel *m* skimmer, scoop.
Schöpfung *f* creation.
Schoppen [ˈʃɔpən] (**-s, -**) *m* (*Glas Wein*) glass of wine; **~wein** *m* wine by the glass.
schor *etc* [ʃo:r] *vb siehe* **scheren.**
Schorf [ʃɔrf] (**-(e)s, -e**) *m* scab.
Schorle [ˈʃɔrlə] (**-, -n**) *f* spritzer, *wine and soda water or lemonade.*
Schornstein [ˈʃɔrnʃtaɪn] *m* chimney; (*NAUT*) funnel; **~feger** (**-s, -**) *m* chimney sweep.
Schoß (**-es, ¨-e**) *m* lap; (*Rock~*) coat tail; **im ~e der Familie** in the bosom of one's family.
schoß *etc* [ʃɔs] *vb siehe* **schießen.**
Schoßhund *m* lapdog.
Schößling [ˈʃœslɪŋ] *m* (*BOT*) shoot.
Schote [ˈʃo:tə] (**-, -n**) *f* pod.
Schotte [ˈʃɔtə] (**-n, -n**) *m* Scot, Scotsman.
Schottenrock [ˈʃɔtənrɔk] *m* kilt; (*für Frauen*) tartan skirt.
Schotter [ˈʃɔtər] (**-s**) *m* gravel; (*im Straßenbau*) road metal; (*EISENB*) ballast.
Schottin [ˈʃɔtɪn] *f* Scot, Scotswoman.
schottisch [ˈʃɔtɪʃ] *adj* Scottish, Scots; **das ~e Hochland** the Scottish Highlands *pl.*
Schottland (**-s**) *nt* Scotland.
schraffieren [ʃraˈfi:rən] *vt* to hatch.
schräg [ʃrɛ:k] *adj* slanting; (*schief, geneigt*) sloping; (*nicht gerade od parallel*) oblique ♦ *adv:* **~ gedruckt** in italics; **etw ~ stellen** to put sth at an angle; **~ gegenüber** diagonally opposite.
Schräge [ˈʃrɛ:gə] (**-, -n**) *f* slant.
Schräg- *zW:* **~kante** *f* bevelled (*BRIT*) *od* beveled (*US*) edge; **~schrift** *f* italics *pl;* **~streifen** *m* bias binding; **~strich** *m* oblique stroke.
Schramme [ˈʃramə] (**-, -n**) *f* scratch.
schrammen *vt* to scratch.
Schrank [ʃraŋk] (**-(e)s, ¨-e**) *m* cupboard (*BRIT*), closet (*US*); (*Kleider~*) wardrobe.
Schranke (**-, -n**) *f* barrier; (*fig: Grenze*) limit; (*: Hindernis*) barrier; **jdn in seine ~n (ver)weisen** (*fig*) to put sb in his place.
schrankenlos *adj* boundless; (*zügellos*) unrestrained.
Schrankenwärter *m* (*EISENB*) level-crossing (*BRIT*) *od* grade-crossing (*US*) attendant.
Schrankkoffer *m* wardrobe trunk.
Schrankwand *f* wall unit.
Schraube [ˈʃraʊbə] (**-, -n**) *f* screw.
schrauben *vt* to screw; **etw in die Höhe ~** (*fig: Preise, Rekorde*) to push sth up; (*: Ansprüche*) to raise sth.
Schraubenschlüssel *m* spanner (*BRIT*), wrench (*US*).
Schraubenzieher (**-s, -**) *m* screwdriver.
Schraubstock [ˈʃraʊpʃtɔk] *m* (*TECH*) vice (*BRIT*), vise (*US*).
Schrebergarten [ˈʃre:bərgartən] *m* allotment (*BRIT*).
Schreck [ʃrɛk] (**-(e)s, -e**) *m* fright; **o ~ laß nach** (*hum: umg*) for goodness' sake!
Schrecken (**-s, -**) *m* terror; (*Schreck*) fright; **s~** *vt* to frighten, scare ♦ *vi:* **aus dem Schlaf s~** to be startled out of one's sleep.
schreckensbleich *adj* as white as a sheet *od* ghost.

Schreckensherrschaft *f* (reign of) terror.
Schreck- *zW:* **~gespenst** *nt* nightmare; **s~haft** *adj* jumpy, easily frightened; **s~lich** *adj* terrible, dreadful; **s~lich gerne!** (*umg*) I'd absolutely love to; **~schraube** (*pej: umg*) *f* (old) battle-axe; **~schuß** *m* shot fired in the air; **~sekunde** *f* moment of shock.
Schrei [ʃraɪ] (**-(e)s, -e**) *m* scream; (*Ruf*) shout; **der letzte** ~ (*umg*) the latest thing, all the rage.
Schreibbedarf *m* writing materials *pl*, stationery.
Schreibblock *m* writing pad.
schreiben ['ʃraɪbən] *unreg vt* to write; (*mit Schreibmaschine*) to type out; (*berichten: Zeitung etc*) to say; (*buchstabieren*) to spell ♦ *vi* to write; to type; to say; to spell ♦ *vr:* **wie schreibt sich das?** how is that spelt?; **S~** (**-s, -**) *nt* letter, communication.
Schreiber(in) (**-s, -**) *m(f)* writer; (*Büro~*) clerk.
Schreib- *zW:* **s~faul** *adj* lazy about writing letters; **~fehler** *m* spelling mistake; **~kraft** *f* typist; **~maschine** *f* typewriter; **~papier** *nt* notepaper; **~schrift** *f* running handwriting; (*TYP*) script; **~schutz** *m* (*COMPUT*) write-protect; **~stube** *f* orderly room; **~tisch** *m* desk; **~tischtäter** *m* wire *od* string puller.
Schreibung *f* spelling.
Schreib- *zW:* **~unterlage** *f* pad; **~waren** *pl* stationery *sing*; **~warengeschäft** *nt* stationer's (shop) (*BRIT*), stationery store (*US*); **~weise** *f* spelling; (*Stil*) style; **s~wütig** *adj* crazy about writing; **~zentrale** *f* typing pool; **~zeug** *nt* writing materials *pl*.
schreien ['ʃraɪən] *unreg vt, vi* to scream; (*rufen*) to shout; **es war zum S~** (*umg*) it was a scream *od* a hoot; **nach etw** ~ (*fig*) to cry out for sth.
schreiend *adj* (*fig*) glaring; (: *Farbe*) loud.
Schreihals (*umg*) *m* (*Baby*) bawler; (*Unruhestifter*) noisy troublemaker.
Schreikrampf *m* screaming fit.
Schreiner ['ʃraɪnər] (**-s, -**) *m* joiner; (*Zimmermann*) carpenter; (*Möbel~*) cabinetmaker.
Schreinerei [ʃraɪnə'raɪ] *f* joiner's workshop.
schreiten ['ʃraɪtən] *unreg vi* to stride.
schrie *etc* [ʃriː] *vb siehe* **schreien.**
Schrieb (**-(e)s, -e**) (*umg*) *m* missive (*hum*).
schrieb *etc* [ʃriːp] *vb siehe* **schreiben.**
Schrift [ʃrɪft] (**-, -en**) *f* writing; (*Hand~*) handwriting; (*~art*) script; (*TYP*) typeface; (*Buch*) work; **~art** *f* (*Hand~*) script; (*TYP*) typeface; **~bild** *nt* script; (*COMPUT*) typeface; **~deutsch** *nt* written German; **~führer** *m* secretary; **s~lich** *adj* written ♦ *adv* in writing; **das kann ich Ihnen s~lich geben** (*fig: umg*) I can tell you that for free; **~probe** *f* (*Hand~*) specimen of one's handwriting; **~satz** *m* (*TYP*) fount (*BRIT*), font (*US*); **~setzer** *m* compositor; **~sprache** *f* written language.
Schriftsteller(in) (**-s, -**) *m(f)* writer; **s~isch** *adj* literary.
Schrift- *zW:* **~stück** *nt* document; **~verkehr** *m* correspondence; **~wechsel** *m* correspondence.
schrill [ʃrɪl] *adj* shrill; **~en** *vi* (*Stimme*) to sound shrilly; (*Telefon*) to ring shrilly.
Schritt (**-(e)s, -e**) *m* step; (*Gangart*) walk; (*Tempo*) pace; (*von Hose*) crotch, crutch (*BRIT*); **auf ~ und Tritt** (*lit, fig*) wherever *od* everywhere one goes; **„~ fahren"** "dead slow"; **mit zehn ~en Abstand** at a distance of ten paces; **den ersten ~ tun** (*fig*) to make the first move; (: *etw beginnen*) to take the first step.
schritt *etc* [ʃrɪt] *vb siehe* **schreiten.**
Schritt- *zW:* **~macher** *m* pacemaker; **~(t)empo** *nt:* **im ~(t)empo** at a walking pace; **s~weise** *adv* gradually, little by little.
schroff [ʃrɔf] *adj* steep; (*zackig*) jagged; (*fig*) brusque; (*ungeduldig*) abrupt.
schröpfen ['ʃrœpfən] *vt* (*fig*) to fleece.
Schrot [ʃroːt] (**-(e)s, -e**) *m od nt* (*Blei*) (small) shot; (*Getreide*) coarsely ground grain, groats *pl*; **~flinte** *f* shotgun.
Schrott [ʃrɔt] (**-(e)s, -e**) *m* scrap metal; **ein Auto zu ~ fahren** to write off a car; **~händler** *m* scrap merchant; **~haufen** *m* scrap heap; **s~reif** *adj* ready for the scrap heap; **~wert** *m* scrap value.
schrubben ['ʃrʊbən] *vt* to scrub.
Schrubber (**-s, -**) *m* scrubbing brush.
Schrulle ['ʃrʊlə] (**-, -n**) *f* eccentricity, quirk.
schrullig *adj* cranky.
schrumpfen ['ʃrʊmpfən] *vi* (*Hilfsverb sein*) to shrink; (*Apfel*) to shrivel; (*Leber, Niere*) to atrophy.
Schub [ʃuːp] (**-(e)s, ¨-e**) *m* (*Stoß*) push, shove; (*Gruppe, Anzahl*) batch; **~fach** *nt* drawer; **~karren** *m* wheelbarrow; **~lade** *f* drawer.
Schubs [ʃuːps] (**-es, -e**) (*umg*) *m* shove, push; **s~en** (*umg*) *vt, vi* to shove, push.
schüchtern ['ʃʏçtərn] *adj* shy; **S~heit** *f* shyness.
schuf *etc* [ʃuːf] *vb siehe* **schaffen.**
Schuft [ʃʊft] (**-(e)s, -e**) *m* scoundrel.
schuften (*umg*) *vi* to graft, slave away.
Schuh [ʃuː] (**-(e)s, -e**) *m* shoe; **jdm etw in die ~e schieben** (*fig: umg*) to put the blame for sth on sb; **wo drückt der ~?** (*fig*) what's troubling you?; **~band** *nt* shoelace; **~creme** *f* shoe polish; **~größe** *f* shoe size; **~löffel** *m* shoehorn; **~macher** *m* shoemaker; **~werk** *nt* footwear.
Schukosteckdose ® ['ʃukoʃtɛkdoːzə] *f* safety socket.
Schukostecker ® *m* safety plug.
Schul- *zW:* **~aufgaben** *pl* homework *sing*; **~bank** *f:* **die ~bank drücken** (*umg*) to go to school; **~behörde** *f* education authority;

~**besuch** *m* school attendance; ~**buch** *nt* schoolbook; ~**buchverlag** *m* educational publisher.

Schuld [ʃʊlt] (-, **-en**) *f* guilt; (*FIN*) debt; (*Verschulden*) fault; **jdm die ~ geben** *od* **zuschieben** to blame sb; **ich bin mir keiner ~ bewußt** I'm not aware of having done anything wrong; ~ **und Sühne** crime and punishment; **ich stehe tief in seiner ~** (*fig*) I'm deeply indebted to him; ~**en machen** to run up debts; **s~** *adj*: **s~ sein** *od* **haben (an** *+dat*) to be to blame (for); **er ist** *od* **hat s~** it's his fault; **jdm s~ geben** to blame sb.

schuldbewußt *adj* (*Mensch*) feeling guilty; (*Miene*) guilty.

schulden [ˈʃʊldən] *vt* to owe.

schuldenfrei *adj* free from debt.

Schuldgefühl *nt* feeling of guilt.

schuldhaft *adj* (*JUR*) culpable.

Schuldienst (-(**e**)**s**) *m* (school)teaching.

schuldig *adj* guilty; (*gebührend*) due; **an etw** *dat* ~ **sein** to be guilty of sth; **jdm etw ~ sein** *od* **bleiben** to owe sb sth; **jdn ~ sprechen** to find sb guilty; ~ **geschieden sein** to be the guilty party in a divorce; **S~keit** *f* duty.

schuldlos *adj* innocent, blameless.

Schuldner(in) (**-s, -**) *m(f)* debtor.

Schuld- *zW*: ~**prinzip** *nt* (*JUR*) principle of the guilty party; ~**schein** *m* promissory note, IOU; ~**spruch** *m* verdict of guilty.

Schule [ˈʃuːlə] (-, **-n**) *f* school; **auf** *od* **in der ~** at school; **in die ~ kommen/gehen** to start school/go to school; ~ **machen** (*fig*) to become the accepted thing.

schulen *vt* to train, school.

Schüler(in) [ˈʃyːlər(ɪn)] (**-s, -**) *m(f)* pupil; ~**ausweis** *m* (school) student card; ~**lotse** *m* *pupil acting as a road-crossing warden*; ~**mitverwaltung** *f* school *od* student council.

Schul- *zW*: ~**ferien** *pl* school holidays *pl* (*BRIT*) *od* vacation *sing* (*US*); ~**fernsehen** *nt* schools' *od* educational television; **s~frei** *adj*: **die Kinder haben morgen s~frei** the children don't have to go to school tomorrow; ~**funk** *m* schools' broadcasts *pl*; ~**geld** *nt* school fees *pl*, tuition (*US*); ~**heft** *nt* exercise book; ~**hof** *m* playground, schoolyard.

schulisch [ˈʃuːlɪʃ] *adj* (*Leistungen, Probleme*) at school; (*Angelegenheiten*) school *attrib*.

Schul- *zW*: ~**jahr** *nt* school year; ~**junge** *m* schoolboy; ~**kind** *nt* schoolchild; ~**leiter** *m* headmaster (*bes BRIT*), principal; ~**leiterin** *f* headmistress (*bes BRIT*), principal; ~**mädchen** *nt* schoolgirl; ~**medizin** *f* orthodox medicine; ~**pflicht** *f* compulsory school attendance; **s~pflichtig** *adj* of school age; ~**reife** *f*: **die ~reife haben** to be ready to go to school; ~**schiff** *nt* (*NAUT*) training ship; ~**sprecher(in)** *m(f)* head boy/girl (*BRIT*); ~**stunde** *f* period, lesson; ~**tasche** *f* school bag.

Schulter [ˈʃʊltər] (-, **-n**) *f* shoulder; **auf die leichte ~ nehmen** to take lightly; ~**blatt** *nt* shoulder blade.

schultern *vt* to shoulder.

Schultüte *f bag of sweets given to children on the first day at school.*

Schulung *f* education, schooling.

Schul- *zW*: **weg** *m* way to school; ~**wesen** *nt* educational system; ~**zeugnis** *nt* school report.

schummeln [ˈʃʊməln] (*umg*) *vi*: **(bei etw) ~** to cheat (at sth).

schumm(e)rig [ˈʃʊm(ə)rɪç] *adj* (*Beleuchtung*) dim; (*Raum*) dimly-lit.

Schund (-(**e**)**s**) *m* trash, garbage.

schund *etc* [ʃʊnt] *vb siehe* **schinden**.

Schundroman *m* trashy novel.

Schupo [ˈʃuːpo] (**-s, -s**) *m abk* (*veraltet: = Schutzpolizist*) cop.

Schuppe [ˈʃʊpə] (-, **-n**) *f* scale; **Schuppen** *pl* (*Haarschuppen*) dandruff.

Schuppen (**-s, -**) *m* shed; (*umg: übles Lokal*) dive; *siehe auch* **Schuppe**.

schuppen *vt* to scale ♦ *vr* to peel.

schuppig [ˈʃʊpɪç] *adj* scaly.

Schur [ʃuːr] (-, **-en**) *f* shearing.

Schüreisen *nt* poker.

schüren [ˈʃyːrən] *vt* to rake; (*fig*) to stir up.

schürfen [ˈʃʏrfən] *vt, vi* to scrape, scratch; (*MIN*) to prospect; to dig.

Schürfung *f* abrasion; (*MIN*) prospecting.

Schürhaken *m* poker.

Schurke [ˈʃʊrkə] (**-n, -n**) *m* rogue.

Schurwolle *f*: **„reine ~"** "pure new wool".

Schurz [ʃʊrts] (**-es, -e**) *m* apron.

Schürze [ˈʃʏrtsə] (-, **-n**) *f* apron.

Schürzenjäger (*umg*) *m* philanderer, one for the girls.

Schuß [ʃʊs] (**-sses, ¨sse**) *m* shot; (*FUSSBALL*) kick; (*Spritzer: von Wein, Essig etc*) dash; (*WEBEN*) weft; **(gut) in ~ sein** (*umg*) to be in good shape *od* nick; (*Mensch*) to be in form; **etw in ~ halten** to keep sth in good shape; **weitab vom ~ sein** (*fig: umg*) to be miles from where the action is; **der goldene ~** ≈ a lethal dose of a drug; **ein ~ in den Ofen** (*umg*) a complete waste of time, a failure; ~**bereich** *m* effective range.

Schüssel [ˈʃʏsəl] (-, **-n**) *f* bowl, basin; (*Servier~, umg: Satelliten~*) dish; (*Wasch~*) basin.

schusselig [ˈʃʊsəlɪç] (*umg*) *adj* (*zerstreut*) scatterbrained, muddle-headed (*umg*).

Schuß- *zW*: ~**linie** *f* line of fire; ~**verletzung** *f* bullet wound; ~**waffe** *f* firearm; ~**waffengebrauch** *m* (*form*) use of firearms; ~**wechsel** *m* exchange of shots; ~**weite** *f* range (of fire).

Schuster [ˈʃuːstər] (**-s, -**) *m* cobbler, shoemaker.

Schutt [ʃʊt] (-(**e**)**s**) *m* rubbish; (*Bau~*) rubble; **„~ abladen verboten"** "no tipping";

~**abladeplatz** *m* refuse dump.
Schüttelfrost *m* shivering.
schütteln [ˈʃʏtəln] *vt* to shake ♦ *vr* to shake o.s.; **sich vor Kälte** ~ to shiver with cold; **sich vor Ekel** ~ to shudder with *od* in disgust.
schütten [ˈʃʏtən] *vt* to pour; (*Zucker, Kies etc*) to tip; (*ver*~) to spill ♦ *vi unpers* to pour (down).
schütter *adj* (*Haare*) sparse, thin.
Schutthalde *f* dump.
Schutthaufen *m* heap of rubble.
Schutz [ʃʊts] (**-es**) *m* protection; (*Unterschlupf*) shelter; **jdn in** ~ **nehmen** to stand up for sb; ~**anzug** *m* overalls *pl*; **s**~**bedürftig** *adj* in need of protection; ~**befohlene(r)** *f(m)* charge; ~**blech** *nt* mudguard; ~**brief** *m* (*Versicherung*) (international) travel cover; ~**brille** *f* goggles *pl*.
Schütze [ˈʃʏtsə] (**-n, -n**) *m* gunman; (*Gewehr*~) rifleman; (*Scharf*~, *Sport*~) marksman; (*ASTROL*) Sagittarius.
schützen [ˈʃʏtsən] *vt* to protect ♦ *vr* to protect o.s.; **(sich)** ~ **vor** *+dat od* **gegen** to protect (o.s.) from *od* against; **gesetzlich geschützt** registered; **urheberrechtlich geschützt** protected by copyright; **vor Nässe** ~! keep dry.
Schützenfest *nt fair featuring shooting matches.*
Schutzengel *m* guardian angel.
Schützen- *zW:* ~**graben** *m* trench; ~**hilfe** *f* (*fig*) support; ~**verein** *m* shooting club.
Schutz- *zW:* ~**gebiet** *nt* protectorate; (*Naturschutzgebiet*) reserve; ~**gebühr** *f* (token) fee; ~**haft** *f* protective custody; ~**heilige(r)** *f(m)* patron saint; ~**helm** *m* safety helmet; ~**impfung** *f* immunization.
Schützling [ˈʃʏtslɪŋ] *m* protégé; (*bes Kind*) charge.
Schutz- *zW:* **s**~**los** *adj* defenceless (*BRIT*), defenseless (*US*); ~**mann (-(e)s,** *pl* **-leute** *od* **-männer)** *m* policeman; ~**marke** *f* trademark; ~**maßnahme** *f* precaution; ~**patron** *m* patron saint; ~**schirm** *m* (*TECH*) protective screen; ~**umschlag** *m* (book) jacket; ~**verband** *m* (*MED*) protective bandage *od* dressing; ~**vorrichtung** *f* safety device.
Schw. *abk* = **Schwester.**
schwabbelig [ˈʃvab(ə)lɪç] (*umg*) *adj* (*Körperteil*) flabby; (: *Gelee*) wobbly.
Schwabe [ˈʃvaːbə] (**-n, -n**) *m* Swabian.
Schwaben (**-s**) *nt* Swabia.
Schwäbin [ˈʃvɛːbɪn] *f* Swabian.
schwäbisch [ˈʃvɛːbɪʃ] *adj* Swabian.
schwach [ʃvax] *adj* weak, feeble; (*Gedächtnis, Gesundheit*) poor; (*Hoffnung*) faint; ~ **werden** to weaken; **das ist ein** ~**es Bild** *(umg) od* **eine** ~**e Leistung** *(umg)* that's a poor show; **ein** ~**er Trost** cold *od* small comfort; **mach mich nicht** ~! (*umg*) don't say that!; **auf** ~**en Beinen** *od* **Füßen stehen** (*fig*) to be on shaky ground; (: *Theorie*) to be shaky.
Schwäche [ˈʃvɛçə] (**-, -n**) *f* weakness.
schwächen *vt* to weaken.
schwach- *zW:* **S**~**heit** *f* weakness; **S**~**kopf** (*umg*) *m* dimwit, idiot; ~**köpfig** *adj* silly, daft (*BRIT*).
schwächlich *adj* weakly, delicate.
Schwächling *m* weakling.
Schwach- *zW:* ~**sinn** *m* (*MED*) mental deficiency, feeble-mindedness (*veraltet*); (*umg: Quatsch*) rubbish; (*fig: umg: unsinnige Tat*) idiocy; **s**~**sinnig** *adj* mentally deficient; (*Idee*) idiotic; ~**stelle** *f* weak point; ~**strom** *m* weak current.
Schwächung [ˈʃvɛçʊŋ] *f* weakening.
Schwaden [ˈʃvaːdən] (**-s, -**) *m* cloud.
schwafeln [ˈʃvaːfəln] (*umg*) *vi* to blather, drivel; (*in einer Prüfung*) to waffle.
Schwager [ˈʃvaːgər] (**-s, ¨-**) *m* brother-in-law.
Schwägerin [ˈʃvɛːgərɪn] *f* sister-in-law.
Schwalbe [ˈʃvalbə] (**-, -n**) *f* swallow.
Schwall [ʃval] (**-(e)s, -e**) *m* surge; (*Worte*) flood, torrent.
Schwamm (**-(e)s, ¨-e**) *m* sponge; (*Pilz*) fungus; ~ **drüber!** (*umg*) (let's) forget it!
schwamm *etc* [ʃvam] *vb siehe* **schwimmen.**
schwammig *adj* spongy; (*Gesicht*) puffy; (*vage: Begriff*) woolly (*BRIT*), wooly (*US*).
Schwan [ʃvaːn] (**-(e)s, ¨-e**) *m* swan.
schwand *etc* [ʃvant] *vb siehe* **schwinden.**
schwanen *vi unpers:* **jdm schwant es** sb has a foreboding *od* forebodings; **jdm schwant etwas** sb senses something might happen.
schwang *etc* [ʃvaŋ] *vb siehe* **schwingen.**
schwanger [ˈʃvaŋgər] *adj* pregnant.
schwängern [ˈʃvɛŋərn] *vt* to make pregnant.
Schwangerschaft *f* pregnancy.
Schwangerschaftsabbruch *m* termination of pregnancy, abortion.
Schwank [ʃvaŋk] (**-(e)s, ¨-e**) *m* funny story; (*LITER*) merry *od* comical tale; (*THEAT*) farce.
schwanken *vi* to sway; (*taumeln*) to stagger, reel; (*Preise, Zahlen*) to fluctuate; (*zögern*) to hesitate; (*Überzeugung etc*) to begin to waver; **ins S**~ **kommen** (*Baum, Gebäude etc*) to start to sway; (*Preise, Kurs etc*) to start to fluctuate *od* vary.
Schwankung *f* fluctuation.
Schwanz [ʃvants] (**-es, ¨-e**) *m* tail; (*umg!: Penis*) prick (*!*); **kein** ~ (*umg*) not a (blessed) soul.
schwänzen [ˈʃvɛntsən] (*umg*) *vt* (*Stunde, Vorlesung*) to skip ♦ *vi* to play truant.
Schwänzer [ˈʃvɛntsər] (**-s, -**) (*umg*) *m* truant.
schwappen [ˈʃvapən] *vi* (*über*~) to splash, slosh.
Schwarm [ʃvarm] (**-(e)s, ¨-e**) *m* swarm; (*umg*) heart-throb, idol.

schwärmen ['ʃvɛrmən] *vi* to swarm; ~ **für** to be mad *od* wild about.
Schwärmerei [ʃvɛrmə'raɪ] *f* enthusiasm.
schwärmerisch *adj* impassioned, effusive.
Schwarte ['ʃvartə] (-, -n) *f* hard skin; (*Speck~*) rind; (*umg: Buch*) tome (*hum*).
Schwartenmagen (-s) *m* (*KOCH*) brawn.
schwarz [ʃvarts] *adj* black; (*umg: ungesetzlich*) illicit; (: *katholisch*) Catholic, Papist (*pej*); (*POL*) Christian Democrat; **ins S~e treffen** (*lit, fig*) to hit the bull's-eye; **das S~e Brett** the notice (*BRIT*) *od* bulletin (*US*) board; **~e Liste** blacklist; **~es Loch** black hole; **das S~e Meer** the Black Sea; **S~er Peter** (*KARTEN*) *children's card game*; **jdm den S~en Peter zuschieben** (*fig: die Verantwortung abschieben*) to pass the buck to sb (*umg*); **sich ~ ärgern** to get extremely annoyed; **dort wählen alle ~** they all vote conservative there; **in den ~en Zahlen** in the black; **S~arbeit** *f* illicit work, moonlighting; **S~arbeiter** *m* moonlighter; **S~brot** *nt* (*Pumpernickel*) black bread, pumpernickel; (*braun*) brown rye bread.
Schwärze ['ʃvɛrtsə] (-, -n) *f* blackness; (*Farbe*) blacking; (*Drucker~*) printer's ink.
Schwarze(r) *f(m)* (*Neger*) black; (*umg: Katholik*) Papist; (*POL: umg*) Christian Democrat.
schwärzen *vt* to blacken.
Schwarz- *zW*: **s~fahren** *unreg vi* to travel without paying; (*ohne Führerschein*) to drive without a licence (*BRIT*) *od* license (*US*); **~fahrer** *m* (*Bus etc*) fare dodger (*umg*); **~handel** *m* black market (trade); **~händler** *m* black-market operator; **s~hören** *vi* to listen to the radio without a licence (*BRIT*) *od* license (*US*).
schwärzlich ['ʃvɛrtslɪç] *adj* blackish, darkish.
Schwarz- *zW*: **s~malen** *vi* to be pessimistic ♦ *vt* to be pessimistic about; **~markt** *m* black market; **s~sehen** *unreg* (*umg*) *vi* to see the gloomy side of things; (*TV*) to watch TV without a licence (*BRIT*) *od* license (*US*); **~seher** *m* pessimist; (*TV*) viewer without a licence (*BRIT*) *od* license (*US*); **~wald** *m* Black Forest; **~wälder Kirschtorte** *f* Black Forest gâteau; **s~weiß** *adj* black and white; **~weiß-** *in zW* black and white; **~wurzel** *f* (*KOCH*) salsify.
Schwatz [ʃvats] (-es, -e) *m* chat.
schwatzen ['ʃvatsən] *vi* to chat; (*schnell, unaufhörlich*) to chatter; (*über belanglose Dinge*) to prattle; (*Unsinn reden*) to blether (*umg*).
schwätzen ['ʃvɛtsən] *vi* = **schwatzen**.
Schwätzer(in) ['ʃvɛtsər(ɪn)] (-s, -) *m(f)* chatterbox; (*Schwafler*) gasbag (*umg*); (*Klatschbase*) gossip.
schwatzhaft *adj* talkative, gossipy.
Schwebe ['ʃveːbə] *f*: **in der ~** (*fig*) in abeyance; (*JUR, COMM*) pending.
Schwebebahn *f* overhead railway (*BRIT*) *od* railroad (*US*).
Schwebebalken *m* (*SPORT*) beam.
schweben *vi* to drift, float; (*hoch*) to soar; (*unentschieden sein*) to be in the balance; **es schwebte mir vor Augen** (*Bild*) I saw it in my mind's eye.
schwebend *adj* (*TECH, CHEM*) suspended; (*fig*) undecided, unresolved; **~es Verfahren** (*JUR*) pending case.
schwed. *abk* = **schwedisch.**
Schwede ['ʃveːdə] (-n, -n) *m* Swede.
Schweden (-s) *nt* Sweden.
Schwedin ['ʃveːdɪn] *f* Swede.
schwedisch *adj* Swedish.
Schwefel ['ʃveːfəl] (-s) *m* sulphur (*BRIT*), sulfur (*US*); **~dioxid** *nt* sulphur dioxide.
schwefelig *adj* sulphurous (*BRIT*), sulfurous (*US*).
Schwefelsäure *f* sulphuric (*BRIT*) *od* sulfuric (*US*) acid.
Schweif [ʃvaɪf] (-(e)s, -e) *m* tail.
schweifen *vi* to wander, roam.
Schweigegeld *nt* hush money.
Schweigeminute *f* one minute('s) silence.
schweigen ['ʃvaɪgən] *unreg vi* to be silent; (*still sein*) to keep quiet; **kannst du ~?** can you keep a secret?; **ganz zu ~ von ...** to say nothing of ...; **S~** (-s) *nt* silence.
schweigend *adj* silent.
Schweigepflicht *f* pledge of secrecy; (*von Anwalt etc*) requirement of confidentiality.
schweigsam ['ʃvaɪkzaːm] *adj* silent; (*als Charaktereigenschaft*) taciturn; **S~keit** *f* silence; taciturnity.
Schwein [ʃvaɪn] (-(e)s, -e) *nt* pig; (*fig: umg*) (good) luck; **kein ~** (*umg*) nobody, not a single person.
Schweine- *zW*: **~braten** *m* joint of pork; (*gekocht*) roast pork; **~fleisch** *nt* pork; **~geld** (*umg*) *nt*: **ein ~geld** a packet; **~hund** (*umg*) *m* stinker, swine.
Schweinerei [ʃvaɪnə'raɪ] *f* mess; (*Gemeinheit*) dirty trick; **so eine ~!** (*umg*) how disgusting!
Schweineschmalz *nt* dripping; (*als Kochfett*) lard.
Schweinestall *m* pigsty.
schweinisch *adj* filthy.
Schweinsleder *nt* pigskin.
Schweinsohr *nt* pig's ear; (*Gebäck*) (kidney-shaped) pastry.
Schweiß [ʃvaɪs] (-es) *m* sweat, perspiration; **~band** *nt* sweatband.
Schweißbrenner (-s, -) *m* (*TECH*) welding torch.
schweißen *vt, vi* to weld.
Schweißer (-s, -) *m* welder.
Schweiß- *zW*: **~füße** *pl* sweaty feet *pl*; **~naht** *f* weld; **s~naß** *adj* sweaty.
Schweiz [ʃvaɪts] *f*: **die ~** Switzerland.
schweiz. *abk* = **schweizerisch.**

Schweizer ['ʃvaɪtsər] (**-s, -**) *m* Swiss ♦ *adj attrib* Swiss; **~deutsch** *nt* Swiss German; **~in** *f* Swiss; **s~isch** *adj* Swiss.
schwelen ['ʃveːlən] *vi* to smoulder (*BRIT*), smolder (*US*).
schwelgen ['ʃvɛlgən] *vi* to indulge o.s.; **~ in** *+dat* to indulge in.
Schwelle ['ʃvɛlə] (**-, -n**) *f* (*auch fig*) threshold; (*EISENB*) sleeper (*BRIT*), tie (*US*).
schwellen *unreg vi* to swell.
Schwellenland *nt* threshold country.
Schwellung *f* swelling.
Schwemme ['ʃvɛmə] *f*: **eine ~ an** *+dat* a glut of.
schwemmen ['ʃvɛmən] *vt* (*treiben: Sand etc*) to wash.
Schwengel ['ʃvɛŋəl] (**-s, -**) *m* pump handle; (*Glocken~*) clapper.
Schwenk [ʃvɛŋk] (**-(e)s, -s**) *m* (*FILM*) pan, panning shot.
Schwenkarm *m* swivel arm.
schwenkbar *adj* swivel-mounted.
schwenken *vt* to swing; (*Kamera*) to pan; (*Fahne*) to wave; (*Kartoffeln*) to toss; (*abspülen*) to rinse ♦ *vi* to turn, swivel; (*MIL*) to wheel.
Schwenkung *f* turn; (*MIL*) wheel.
schwer [ʃveːr] *adj* heavy; (*schwierig*) difficult, hard; (*schlimm*) serious, bad ♦ *adv* (*sehr*) very (much); (*verletzt etc*) seriously, badly; **~ erkältet sein** to have a heavy cold; **er lernt ~** he's a slow learner; **er ist ~ in Ordnung** (*umg*) he's a good bloke (*BRIT*) *od* guy; **~ hören** to be hard of hearing; **S~arbeiter** *m* labourer (*BRIT*), laborer (*US*); **S~behinderte(r)** *f(m)*, **S~beschädigte(r)** *f(m)* (*veraltet*) severely handicapped person.
Schwere (**-, -n**) *f* weight; heaviness; (*PHYS*) gravity; **s~los** *adj* weightless; **~losigkeit** *f* weightlessness.
schwer- *zW*: **~erziehbar** *adj* maladjusted; **~fallen** *unreg vi*: **jdm ~fallen** to be difficult for sb; **~fällig** *adj* (*auch Stil*) ponderous; (*Gang*) clumsy, awkward; (*Verstand*) slow; **S~gewicht** *nt* heavyweight; (*fig*) emphasis; **~gewichtig** *adj* heavyweight; **~hörig** *adj* hard of hearing; **S~industrie** *f* heavy industry; **S~kraft** *f* gravity; **S~kranke(r)** *f(m)* person who is seriously ill; **~lich** *adv* hardly; **~machen** *vt*: **jdm/sich etw ~machen** to make sth difficult for sb/o.s.; **S~metall** *nt* heavy metal; **~mütig** *adj* melancholy; **~nehmen** *unreg vt* to take to heart; **S~punkt** *m* centre (*BRIT*) *od* center (*US*) of gravity; (*fig*) emphasis, crucial point; **S~punktstreik** *m* pinpoint strike; **~reich** (*umg*) *adj attrib* stinking rich.
Schwert [ʃveːrt] (**-(e)s, -er**) *nt* sword; **~lilie** *f* iris.
schwer- *zW*: **~tun** *unreg vi*: **sich** *dat od akk* **~tun** to have difficulties; **S~verbrecher** *m* criminal; **~verdaulich** *adj* indigestible; (*fig*) heavy; **~verdient** *adj attrib* (*Geld*) hard-earned; **~verletzt** *adj* seriously *od* badly injured; **S~verletzte(r)** *f(m)* serious casualty; **~verwundet** *adj* seriously wounded; **~wiegend** *adj* weighty, important.
Schwester ['ʃvɛstər] (**-, -n**) *f* sister; (*MED*) nurse; **s~lich** *adj* sisterly.
schwieg *etc* [ʃviːk] *vb siehe* **schweigen.**
Schwieger- *zW*: **~eltern** *pl* parents-in-law *pl*; **~mutter** *f* mother-in-law; **~sohn** *m* son-in-law; **~tochter** *f* daughter-in-law; **~vater** *m* father-in-law.
Schwiele ['ʃviːlə] (**-, -n**) *f* callus.
schwierig ['ʃviːrɪç] *adj* difficult, hard; **S~keit** *f* difficulty; **S~keitsgrad** *m* degree of difficulty.
schwillt [ʃvɪlt] *vb siehe* **schwellen.**
Schwimmbad *nt* swimming baths *pl*.
Schwimmbecken *nt* swimming pool.
schwimmen *unreg vi* to swim; (*treiben, nicht sinken*) to float; (*fig: unsicher sein*) to be all at sea; **im Geld ~** (*umg*) to be rolling in money; **mir schwimmt es vor den Augen** I feel dizzy.
Schwimmer (**-s, -**) *m* swimmer; (*ANGELN*) float.
Schwimmerin *f* swimmer.
Schwimm- *zW*: **~flosse** *f* (*von Taucher*) flipper; **~haut** *f* (*ORNITHOLOGIE*) web; **~lehrer** *m* swimming instructor; **~sport** *m* swimming; **~weste** *f* life jacket.
Schwindel ['ʃvɪndəl] (**-s**) *m* dizziness; (*Betrug*) swindle, fraud; (*Zeug*) stuff; **s~erregend** *adj*: **in s~erregender Höhe** at a dizzy height; **s~frei** *adj* free from giddiness.
schwindeln *vi* (*umg: lügen*) to fib; **mir schwindelt** I feel dizzy; **jdm schwindelt es** sb feels dizzy.
schwinden ['ʃvɪndən] *unreg vi* to disappear; (*Kräfte*) to fade, fail; (*sich verringern*) to decrease.
Schwindler (**-s, -**) *m* swindler; (*Hochstapler*) con man, fraud; (*Lügner*) liar.
schwindlig *adj* dizzy; **mir ist ~** I feel dizzy.
Schwindsucht *f* (*veraltet*) consumption.
schwingen ['ʃvɪŋən] *unreg vt* to swing; (*Waffe etc*) to brandish ♦ *vi* to swing; (*vibrieren*) to vibrate; (*klingen*) to sound.
Schwinger (**-s, -**) *m* (*BOXEN*) swing.
Schwingtor *nt* up-and-over door.
Schwingtür *f* swing door(s *pl*) (*BRIT*), swinging door(s *pl*) (*US*).
Schwingung *f* vibration; (*PHYS*) oscillation.
Schwips [ʃvɪps] (**-es, -e**) *m*: **einen ~ haben** to be tipsy.
schwirren ['ʃvɪrən] *vi* to buzz.
Schwitze ['ʃvɪtsə] (**-, -n**) *f* (*KOCH*) roux.
schwitzen *vi* to sweat, perspire.
schwofen ['ʃvoːfən] (*umg*) *vi* to dance.
schwoll *etc* [ʃvɔl] *vb siehe* **schwellen.**
schwören ['ʃvøːrən] *unreg vt, vi* to swear; **auf**

jdn/etw ~ (*fig*) to swear by sb/sth.
schwul [ʃvu:l] (*umg*) *adj* gay, queer (*pej*).
schwül [ʃvy:l] *adj* sultry, close.
Schwule(r) (*umg*) *m* gay, queer (*pej*), fag (*US pej*).
Schwüle (-) *f* sultriness, closeness.
Schwulität [ʃvuli'tɛ:t] (*umg*) *f* trouble, difficulty.
Schwulst [ʃvʊlst] (**-(e)s**) *m* bombast.
schwülstig ['ʃvʏlstɪç] *adj* pompous.
Schwund [ʃvʊnt] (**-(e)s**) *m (+gen)* decrease (in), decline (in), dwindling (of); (*MED*) atrophy; (*Schrumpfen*) shrinkage.
Schwung [ʃvʊŋ] (**-(e)s, ¨-e**) *m* swing; (*Triebkraft*) momentum; (*fig: Energie*) verve, energy; (*umg: Menge*) batch; **in ~ sein** (*fig*) to be in full swing; **~ in die Sache bringen** (*umg*) to liven things up; **s~haft** *adj* brisk, lively; **~rad** *nt* flywheel; **s~voll** *adj* vigorous.
Schwur (**-(e)s, ¨-e**) *m* oath.
schwur *etc* [ʃvu:r] *vb siehe* **schwören.**
Schwurgericht *nt* court with a jury.
SDR (-) *m abk* (= *Süddeutscher Rundfunk*) South German Radio.
sechs [zɛks] *num* six; **S~eck** *nt* hexagon; **~hundert** *num* six hundred.
sechste(r, s) *adj* sixth.
Sechstel ['zɛkstəl] (**-s, -**) *nt* sixth.
sechzehn ['zɛçtse:n] *num* sixteen.
sechzig ['zɛçtsɪç] *num* sixty.
See[1] [ze:] (**-, -n**) *f* sea; **an der ~** by the sea, at the seaside; **in ~ stechen** to put to sea; **auf hoher ~** on the high seas.
See[2] [ze:] (**-s, -n**) *m* lake.
See- *zW:* **~bad** *nt* seaside resort; **~bär** *m* (*hum: umg*) seadog; (*ZOOL*) fur seal; **~fahrt** *f* seafaring; (*Reise*) voyage; **s~fest** *adj* (*Mensch*) not subject to seasickness; **~gang** *m* (motion of the) sea; **~gras** *nt* seaweed; **~hund** *m* seal; **~igel** *m* sea urchin; **~karte** *f* chart; **s~krank** *adj* seasick; **~krankheit** *f* seasickness; **~lachs** *m* rock salmon.
Seele ['ze:lə] (**-, -n**) *f* soul; (*Mittelpunkt*) life and soul; **jdm aus der ~ sprechen** to express exactly what sb feels; **das liegt mir auf der ~** it weighs heavily on my mind; **eine ~ von Mensch** an absolute dear.
Seelen- *zW:* **~amt** *nt* (*REL*) requiem; **~friede(n)** *m* peace of mind; **~heil** *nt* salvation of one's soul; (*fig*) spiritual welfare; **~ruhe** *f*: **in aller ~ruhe** calmly; (*kaltblütig*) as cool as you please; **s~ruhig** *adv* calmly.
Seeleute ['ze:lɔʏtə] *pl* seamen *pl*.
Seel- *zW:* **s~isch** *adj* mental; (*REL*) spiritual; (*Belastung*) emotional; **~sorge** *f* pastoral duties *pl*; **~sorger** (**-s, -**) *m* clergyman.
See- *zW:* **~macht** *f* naval power; **~mann** (**-(e)s,** *pl* **-leute**) *m* seaman, sailor; **~meile** *f* nautical mile.
Seengebiet ['ze:əngəbi:t] *nt* lakeland district.
See- *zW:* **~not** *f*: **in ~not** (*Schiff etc*) in distress; **~pferd(chen)** *nt* sea horse; **~räuber** *m* pirate; **~recht** *nt* maritime law; **~rose** *f* waterlily; **~stern** *m* starfish; **~tang** *m* seaweed; **s~tüchtig** *adj* seaworthy; **~versicherung** *f* marine insurance; **~weg** *m* sea route; **auf dem ~weg** by sea; **~zunge** *f* sole.
Segel ['ze:gəl] (**-s, -**) *nt* sail; **mit vollen ~n** under full sail *od* canvas; (*fig*) with gusto; **die ~ streichen** (*fig*) to give in; **~boot** *nt* yacht; **~fliegen** (**-s**) *nt* gliding; **~flieger** *m* glider pilot; **~flugzeug** *nt* glider.
segeln *vt, vi* to sail; **durch eine Prüfung ~** (*umg*) to flop in an exam, fail (in) an exam.
Segel- *zW:* **~schiff** *nt* sailing vessel; **~sport** *m* sailing; **~tuch** *nt* canvas.
Segen ['ze:gən] (**-s, -**) *m* blessing.
segensreich *adj* beneficial.
Segler ['ze:glər] (**-s, -**) *m* sailor, yachtsman; (*Boot*) sailing boat.
Seglerin *f* yachtswoman.
segnen ['ze:gnən] *vt* to bless.
sehen ['ze:ən] *unreg vt, vi* to see; (*in bestimmte Richtung*) to look; (*Fernsehsendung*) to watch; **sieht man das?** does it show?; **da sieht man('s) mal wieder!** that's typical!; **du siehst das nicht richtig** you've got it wrong; **so gesehen** looked at in this way; **sich ~ lassen** to put in an appearance, appear; **das neue Rathaus kann sich ~ lassen** the new town hall is certainly something to be proud of; **siehe oben/unten** see above/below; **da kann man mal ~** that just shows (you) *od* just goes to show (*umg*); **mal ~!** we'll see; **darauf ~, daß ...** to make sure (that) ...; **jdn kommen ~** to see sb coming.
sehenswert *adj* worth seeing.
Sehenswürdigkeiten *pl* sights *pl* (of a town).
Seher (**-s, -**) *m* seer.
Sehfehler *m* sight defect.
Sehkraft *f* (eye)sight.
Sehne ['ze:nə] (**-, -n**) *f* sinew; (*an Bogen*) string.
sehnen *vr*: **sich ~ nach** to long *od* yearn for.
Sehnenscheidenentzündung *f* (*MED*) tendovaginitis.
Sehnerv *m* optic nerve.
sehnig *adj* sinewy.
sehnlich *adj* ardent.
Sehnsucht *f* longing.
sehnsüchtig *adj* longing; (*Erwartung*) eager.
sehnsuchtsvoll *adv* longingly, yearningly.
sehr [ze:r] *adv* (*vor adj, adv*) very; (*mit Verben*) a lot, (very) much; **zu ~** too much; **er ist ~ dafür/dagegen** he is all for it/very much against it; **wie ~ er sich auch bemühte ...** however much he tried ...
Sehvermögen ['ze:fɛrmø:gən] (**-s**) *nt* powers *pl* of vision.
seicht [zaɪçt] *adj* (*lit, fig*) shallow.
seid [zaɪt] *vb siehe* **sein.**
Seide ['zaɪdə] (**-, -n**) *f* silk.

Seidel (**-s**, **-**) *nt* tankard, beer mug.
seiden *adj* silk; **S~papier** *nt* tissue paper.
seidig ['zaɪdɪç] *adj* silky.
Seife ['zaɪfə] (**-**, **-n**) *f* soap.
Seifen- *zW*: **~blase** *f* soap bubble; (*fig*) bubble; **~lauge** *f* soapsuds *pl*; **~schale** *f* soap dish; **~schaum** *m* lather.
seifig ['zaɪfɪç] *adj* soapy.
seihen ['zaɪən] *vt* to strain, filter.
Seil [zaɪl] (**-(e)s**, **-e**) *nt* rope; (*Kabel*) cable; **~bahn** *f* cable railway; **~hüpfen** (**-s**) *nt* skipping; **~springen** (**-s**) *nt* skipping; **~tänzer(in)** *m(f)* tightrope walker; **~zug** *m* tackle.

SCHLÜSSELWORT

sein [zaɪn] (*pt* **war**, *pp* **gewesen**) *vi* **1** to be; **ich bin** I am; **du bist** you are; **er/sie/es ist** he/she/it is; **wir sind/ihr seid/sie sind** we/you/they are; **wir waren** we were; **wir sind gewesen** we have been
2: **seien Sie nicht böse** don't be angry; **sei so gut und ...** be so kind as to ...; **das wäre gut** that would *od* that'd be a good thing; **wenn ich Sie wäre** if I were *od* was you; **das wär's** that's all, that's it; **morgen bin ich in Rom** tomorrow I'll *od* I will *od* I shall be in Rome; **waren Sie mal in Rom?** have you ever been to Rome?
3: **wie ist das zu verstehen?** how is that to be understood?; **er ist nicht zu ersetzen** he cannot be replaced; **mit ihr ist nicht zu reden** you can't talk to her
4: **mir ist kalt** I'm cold; **mir ist, als hätte ich ihn früher schon einmal gesehen** I've a feeling I've seen him before; **was ist?** what's the matter?, what is it?; **ist was?** is something the matter?; **es sei denn(, daß ...)** unless ...; **wie dem auch sei** be that as it may; **wie wäre es mit ...?** how *od* what about ...?; **laß das ~!** stop that!; **es ist an dir, zu ...** it's up to you to ...; **was sind Sie (beruflich)?** what do you do?; **das kann schon ~** that may well be
♦ *pron* his; (*bei Dingen*) its.

Sein (**-s**) *nt*: **~ oder Nichtsein** to be or not to be.
seine(r, s) *poss pron* his; its; **er ist gut ~ zwei Meter** (*umg*) he's a good two metres (*BRIT*) *od* meters (*US*); **die S~n** (*geh*) his family, his people; **jedem das S~** to each his own.
seiner *gen von* **er, es** ♦ *pron* of him; of it.
seinerseits *adv* for his part.
seinerzeit *adv* in those days, formerly.
seinesgleichen *pron* people like him.
seinetwegen *adv* (*für ihn*) for his sake; (*wegen ihm*) on his account; (*von ihm aus*) as far as he is concerned.
seinetwillen *adv*: **um ~** = **seinetwegen**.
seinige *pron*: **der/die/das ~** his.
seinlassen *unreg vt*: **etw ~** (*aufhören*) to stop (doing) sth; (*nicht tun*) to drop sth, leave sth.
Seismograph [zaɪsmo'graːf] (**-en**, **-en**) *m* seismograph.
seit [zaɪt] *präp +dat* since; (*Zeitdauer*) for, in (*bes US*) ♦ *konj* since; **er ist ~ einer Woche hier** he has been here for a week; **~ langem** for a long time; **~dem** *adv, konj* since.
Seite ['zaɪtə] (**-**, **-n**) *f* side; (*Buch~*) page; (*MIL*) flank; **~ an ~** side by side; **jdm zur ~ stehen** (*fig*) to stand by sb's side; **jdn zur ~ nehmen** to take sb aside *od* on one side; **auf der einen ~ ..., auf der anderen (~)** ... on the one hand ..., on the other (hand) ...; **einer Sache** *dat* **die beste ~ abgewinnen** to make the best *od* most of sth.
seiten *präp +gen*: **auf** *od* **von ~** on the part of.
Seiten- *zW*: **~ansicht** *f* side view; **~hieb** *m* (*fig*) passing shot, dig; **s~lang** *adj* several pages long, going on for pages; **~ruder** *nt* (*AVIAT*) rudder.
seitens *präp +gen* on the part of.
Seiten- *zW*: **~schiff** *nt* aisle; **~sprung** *m* extramarital escapade; **~stechen** *nt* (a) stitch; **~straße** *f* side road; **~streifen** *m* (*der Straße*) verge (*BRIT*), berm (*US*); (*der Autobahn*) hard shoulder (*BRIT*), shoulder (*US*); **s~verkehrt** *adj* the wrong way round; **~wagen** *m* sidecar; **~wind** *m* crosswind; **~zahl** *f* page number; (*Gesamtzahl*) number of pages.
seit- *zW*: **~her** [zaɪt'heːr] *adv, konj* since (then); **~lich** *adv* on one/the side ♦ *adj* side *attrib*; **~wärts** *adv* sideways.
sek, Sek. *abk* (= *Sekunde*) sec.
Sekretär [zekre'tɛːr] *m* secretary; (*Möbel*) bureau.
Sekretariat [zekretari'aːt] (**-(e)s**, **-e**) *nt* secretary's office, secretariat.
Sekretärin *f* secretary.
Sekt [zɛkt] (**-(e)s**, **-e**) *m* sparkling wine.
Sekte (**-**, **-n**) *f* sect.
Sektor ['zɛktɔr] *m* sector; (*Sachgebiet*) field.
Sekunda [ze'kʊnda] (**-**, **Sekunden**) *f* (*SCH*: *Unter~/Ober~*) *sixth/seventh year of German secondary school.*
sekundär [zekʊn'dɛːr] *adj* secondary; **S~literatur** *f* secondary literature.
Sekunde [ze'kʊndə] (**-**, **-n**) *f* second.
Sekunden- *zW*: **~kleber** *m* superglue; **~schnelle** *f*: **in ~schnelle** in a matter of seconds; **~zeiger** *m* second hand.
sel. *abk* = **selig**.
selber ['zɛlbər] *demon pron* = **selbst**; **S~machen** *nt* do-it-yourself, DIY (*BRIT*); (*von Kleidern etc*) making one's own.
Selbst [zɛlpst] (**-**) *nt* self.

SCHLÜSSELWORT

selbst [zɛlpst] *pron* **1**: **ich/er/wir ~** I myself/he himself/we ourselves; **sie ist die Tugend ~** she's virtue itself; **er braut sein Bier ~** he brews his own beer; **das muß er ~ wissen**

it's up to him; **wie geht's? - gut, und ~?** how are things? - fine, and yourself?
2 (*ohne Hilfe*) alone, on my/his/one's *etc* own; **von ~** by itself; **er kam von ~** he came of his own accord; **~ ist der Mann/die Frau!** self-reliance is the name of the game (*umg*) ♦ *adv* even; **~ wenn** even if; **~ Gott** even God (himself).

Selbstachtung *f* self-respect.
selbständig ['zɛlpʃtɛndɪç] *adj* independent; **sich ~ machen** (*beruflich*) to set up on one's own, start one's own business; **S~keit** *f* independence.
Selbst- *zW*: **~anzeige** *f*: **~anzeige erstatten** to come forward oneself; **der Dieb hat ~anzeige erstattet** the thief has come forward; **~auslöser** *m* (*PHOT*) delayed-action shutter release; **~bedienung** *f* self-service; **~befriedigung** *f* masturbation; (*fig*) self-gratification; **~beherrschung** *f* self-control; **~bestätigung** *f* self-affirmation; **s~bewußt** *adj* self-confident; (*selbstsicher*) self-assured; **~bewußtsein** *nt* self-confidence; **~bildnis** *nt* self-portrait; **~erhaltung** *f* self-preservation; **~erkenntnis** *f* self-knowledge; **~fahrer** *m* (*AUT*): **Autovermietung für ~fahrer** self-drive car hire (*BRIT*) *od* rental; **s~gefällig** *adj* smug, self-satisfied; **s~gemacht** *adj* home-made; **s~gerecht** *adj* self-righteous; **~gespräch** *nt* conversation with o.s.; **s~gestrickt** *adj* hand-knitted; (*umg: Methode etc*) homespun, amateurish; **s~gewiß** *adj* confident; **s~herrlich** *adj* high-handed; (*selbstgerecht*) self-satisfied; **~hilfe** *f* self-help; **zur ~hilfe greifen** to take matters into one's own hands; **s~klebend** *adj* self-adhesive; **~kostenpreis** *m* cost price; **s~los** *adj* unselfish, selfless; **~mord** *m* suicide; **~mörder(in)** *m(f)* (*Person*) suicide; **s~mörderisch** *adj* suicidal; **s~sicher** *adj* self-assured; **~sicherheit** *f* self-assurance; **~studium** *nt* private study; **s~süchtig** *adj* selfish; **s~tätig** *adj* automatic; **~überwindung** *f* willpower; **s~verdient** *adj*: **s~verdientes Geld** money one has earned o.s.; **s~vergessen** *adj* absent-minded; (*Blick*) faraway; **s~verschuldet** *adj*: **wenn der Unfall s~verschuldet ist** if there is personal responsibility for the accident; **~versorger** *m*: **~versorger sein** to be self-sufficient *od* self-reliant; **Urlaub für ~versorger** self-catering holiday.
selbstverständlich *adj* obvious ♦ *adv* naturally; **ich halte das für ~** I take that for granted.
Selbstverständlichkeit *f* (*Unbefangenheit*) naturalness; (*natürliche Voraussetzung*) matter of course.
Selbst- *zW*: **~verständnis** *nt*: **nach seinem eigenen ~verständnis** as he sees himself; **~verteidigung** *f* self-defence (*BRIT*), self-defense (*US*); **~vertrauen** *nt* self-confidence; **~verwaltung** *f* autonomy, self-government; **~wählferndienst** *m* (*TEL*) automatic dialling service, subscriber trunk dialling (*BRIT*), STD (*BRIT*), direct distance dialing (*US*); **~wertgefühl** *nt* feeling of one's own worth *od* value, self-esteem; **s~zufrieden** *adj* self-satisfied; **~zweck** *m* end in itself.
selig ['ze:lɪç] *adj* happy, blissful; (*REL*) blessed; (*tot*) late; **S~keit** *f* bliss.
Sellerie ['zɛləri:] **(-s, -(s)** *od* **-, -n)** *m od f* celery.
selten ['zɛltən] *adj* rare ♦ *adv* seldom, rarely; **S~heit** *f* rarity; **S~heitswert (-(e)s)** *m* rarity value.
Selterswasser ['zɛltərsvasər] *nt* soda water.
seltsam ['zɛltza:m] *adj* curious, strange.
seltsamerweise *adv* curiously, strangely.
Seltsamkeit *f* strangeness.
Semester [ze'mɛstər] **(-s, -)** *nt* semester; **ein älteres ~** a senior student.
Semi- [zemi] *in zW* semi-.
Semikolon [-'ko:lɔn] **(-s, -s)** *nt* semicolon.
Seminar [zemi'na:r] **(-s, -e)** *nt* seminary; (*Kurs*) seminar; (*UNIV: Ort*) department building.
semitisch [ze'mi:tɪʃ] *adj* Semitic.
Semmel ['zɛməl] **(-, -n)** *f* roll; **~brösel(n)** *pl* breadcrumbs *pl*; **~knödel** (*SÜDD, ÖSTERR*) *m* bread dumpling.
sen. *abk* (= *senior*) sen.
Senat [ze'na:t] **(-(e)s, -e)** *m* senate.
Sendebereich *m* transmission range.
Sendefolge *f* (*Serie*) series.
senden¹ *unreg vt* to send.
senden² *vt, vi* (*RUNDF, TV*) to transmit, broadcast.
Sendenetz *nt* network.
Sendepause *f* (*RUNDF, TV*) interval.
Sender (-s, -) *m* station; (*Anlage*) transmitter.
Sende- *zW*: **~reihe** *f* series (of broadcasts); **~schluß** *m* (*RUNDF, TV*) closedown; **~station** *f* transmitting station; **~stelle** *f* transmitting station; **~zeit** *f* broadcasting time, air time.
Sendung ['zɛndʊŋ] *f* consignment; (*Aufgabe*) mission; (*RUNDF, TV*) transmission; (*Programm*) programme (*BRIT*), program (*US*).
Senegal ['ze:negal] **(-s)** *nt* Senegal.
Senf [zɛnf] **(-(e)s, -e)** *m* mustard; **seinen ~ dazugeben** (*umg*) to put one's oar in; **~korn** *nt* mustard seed.
sengen ['zɛŋən] *vt* to singe ♦ *vi* to scorch.
senil [ze'ni:l] (*pej*) *adj* senile.
Senior ['ze:niɔr] **(-s, -en)** *m* (*Rentner*) senior citizen; (*Geschäftspartner*) senior partner.
Seniorenpaß [zeni'o:rənpas] *m* senior citizen's travel pass (*BRIT*).
Senkblei ['zɛŋkblaɪ] *nt* plumb.

Senke (**-**, **-n**) *f* depression.
Senkel (**-s**, **-**) *m* (shoe)lace.
senken *vt* to lower; (*Kopf*) to bow; (*TECH*) to sink ♦ *vr* to sink; (*Stimme*) to drop.
Senk- *zW:* **~fuß** *m* flat foot; **~grube** *f* cesspit; **s~recht** *adj* vertical, perpendicular; **~rechte** *f* perpendicular; **~rechtstarter** *m* (*AVIAT*) vertical takeoff plane; (*fig: Person*) high-flier.
Senner(in) ['zɛnər(ɪn)] (**-s**, **-**) *m(f)* (Alpine) dairyman, dairymaid.
Sensation [zenzatsi'o:n] *f* sensation.
sensationell [zɛnzatsio'nɛl] *adj* sensational.
Sensationsblatt *nt* sensational paper.
Sensationssucht *f* sensationalism.
Sense ['zɛnzə] (**-**, **-n**) *f* scythe; **dann ist ~!** (*umg*) that's the end!
sensibel [zɛn'zi:bəl] *adj* sensitive.
sensibilisieren [zɛnzibili'zi:rən] *vt* to sensitize.
Sensibilität [zɛnzibili'tɛ:t] *f* sensitivity.
sentimental [zɛntimɛn'ta:l] *adj* sentimental.
Sentimentalität [zɛntimɛntali'tɛ:t] *f* sentimentality.
separat [zepa'ra:t] *adj* separate; (*Wohnung, Zimmer*) self-contained.
Sept. *abk* (= *September*) Sept.
September [zɛp'tɛmbər] (**-(s)**, **-**) *m* September; **im ~** in September; **im Monat ~** in the month of September; **heute ist der zweite ~** today is the second of September *od* September second (*US*); (*geschrieben*) today is 2nd September; **in diesem ~** this September; **Anfang/Ende/Mitte ~** at the beginning/end/in the middle of September.
septisch ['zɛptɪʃ] *adj* septic.
sequentiell [zekvɛntsi'ɛl] *adj* (*COMPUT*) sequential; **~er Zugriff** sequential access.
Sequenz [ze'kvɛnts] *f* sequence.
Serbe ['zɛrbə] (**-n**, **-n**) *m* Serbian.
Serbien (**-s**) *nt* Serbia.
Serbin *f* Serbian.
serbisch *adj* Serbian.
Serbokroatisch(e) *nt* Serbo-Croat.
Serie ['ze:riə] *f* series.
seriell [zeri'ɛl] *adj* (*COMPUT*) serial; **~e Daten** serial data *pl*; **~er Anschluß** serial port; **~er Drucker** serial printer.
Serien- *zW:* **~anfertigung** *f*, **~herstellung** *f* series production; **s~mäßig** *adj* (*Ausstattung*) standard; (*Herstellung*) series *attrib* ♦ *adv* (*herstellen*) in series; **~nummer** *f* serial number; **s~weise** *adv* in series.
seriös [zeri'ø:s] *adj* serious; (*anständig*) respectable.
Serpentine [zɛrpɛn'ti:nə] *f* hairpin (bend).
Serum ['ze:rʊm] (**-s**, **Seren**) *nt* serum.
Service[1] [zɛr'vi:s] (**-(s)**, **-**) *nt* (*Gläser~*) set; (*Geschirr*) service.
Service[2] ['sə:vɪs] (**-**, **-s**) *m* (*COMM, SPORT*) service.
servieren [zɛr'vi:rən] *vt, vi* to serve.
Serviererin [zɛr'vi:rərɪn] *f* waitress.
Servierwagen *m* trolley.
Serviette [zɛrvi'ɛtə] *f* napkin, serviette.
Servolenkung ['zɛrvo-] *f* power steering.
Servomotor *m* servo motor.
Servus ['zɛrvʊs] (*ÖSTERR, SÜDD*) *interj* hello; (*beim Abschied*) goodbye, so long (*umg*).
Sesam ['ze:zam] (**-s**, **-s**) *m* sesame.
Sessel ['zɛsəl] (**-s**, **-**) *m* armchair; **~lift** *m* chairlift.
seßhaft ['zɛshaft] *adj* settled; (*ansässig*) resident.
Set [zɛt] (**-s**, **-s**) *nt od m* set; (*Deckchen*) tablemat.
setzen ['zɛtsən] *vt* to put, place, set; (*Baum etc*) to plant; (*Segel, TYP*) to set ♦ *vr* (*Platz nehmen*) to sit down; (*Kaffee, Tee*) to settle ♦ *vi* to leap; (*wetten*) to bet; (*TYP*) to set; **jdm ein Denkmal ~** to build a monument to sb; **sich zu jdm ~** to sit with sb.
Setzer ['zɛtsər] (**-s**, **-**) *m* (*TYP*) typesetter.
Setzerei [zɛtsə'raɪ] *f* caseroom; (*Firma*) typesetting firm.
Setz- *zW:* **~kasten** *m* (*TYP*) case; (*an Wand*) ornament shelf; **~ling** *m* young plant; **~maschine** *f* (*TYP*) typesetting machine.
Seuche ['zɔʏçə] (**-**, **-n**) *f* epidemic.
Seuchengebiet *nt* infected area.
seufzen ['zɔʏftsən] *vt, vi* to sigh.
Seufzer ['zɔʏftsər] (**-s**, **-**) *m* sigh.
Sex [zɛks] (**-(es)**) *m* sex.
Sexta ['zɛksta] (**-**, **Sexten**) *f first year of German secondary school.*
Sexualerziehung [zɛksu'a:lɛrtsi:ʊŋ] *f* sex education.
Sexualität [zɛksuali'tɛ:t] *f* sex, sexuality.
Sexual- *zW:* **~kunde** [zɛksu'a:lkʊndə] *f* sex education; **~leben** *nt* sex life; **~objekt** *nt* sex object.
sexuell [zɛksu'ɛl] *adj* sexual.
Seychellen [ze'ʃɛlən] *pl* Seychelles *pl*.
sezieren [ze'tsi:rən] *vt* to dissect.
SFB (**-**) *m abk* (= *Sender Freies Berlin*) Radio Free Berlin.
Sfr, sFr *abk* (= *Schweizer Franken*) sfr.
Shampoo [ʃam'pu:] (**-s**, **-s**) *nt* shampoo.
Shetlandinseln ['ʃɛtlant|ɪnzəln] *pl* Shetland, Shetland Isles *pl*.
Shorts [ʃo:rts] *pl* shorts *pl*.
Showmaster ['ʃouma:stər] (**-s**, **-**) *m* compère, MC.
siamesisch [zia'me:zɪʃ] *adj:* **~e Zwillinge** Siamese twins.
Siamkatze *f* Siamese (cat).
Sibirien [zi'bi:riən] (**-s**) *nt* Siberia.
sibirisch *adj* Siberian.

SCHLÜSSELWORT

sich [zɪç] *pron* **1** (*akk*): **er/sie/es ... ~** he/she/it ... himself/herself/itself; **sie** *pl*/**man ... ~** they/one ... themselves/oneself; **Sie ... ~** you ... yourself/yourselves *pl*; **~ wiederholen** to

repeat oneself/itself
2 (*dat*): **er/sie/es** ... ~ he/she/it ... to himself/herself/itself; **sie** *pl*/**man** ... ~ they/one ... to themselves/oneself; **Sie** ... ~ you ... to yourself/yourselves *pl*; **sie hat ~ einen Pullover gekauft** she bought herself a jumper; ~ **die Haare waschen** to wash one's hair
3 (*mit Präposition*): **haben Sie Ihren Ausweis bei ~?** do you have your pass on you?; **er hat nichts bei** ~ he's got nothing on him; **sie bleiben gern unter** ~ they keep themselves to themselves
4 (*einander*) each other, one another; **sie bekämpfen** ~ they fight each other *od* one another.
5: **dieses Auto fährt ~ gut** this car drives well; **hier sitzt es ~ gut** it's good to sit here.

Sichel ['zɪçəl] (-, -n) *f* sickle; (*Mond~*) crescent.
sicher ['zɪçər] *adj* safe; (*gewiß*) certain; (*Hand, Job*) steady; (*zuverlässig*) secure, reliable; (*selbst~*) confident; (*Stellung*) secure ♦ *adv* (*natürlich*): **du hast dich ~ verrechnet** you must have counted wrongly; **vor jdm/etw ~ sein** to be safe from sb/sth; **sich** *dat* **einer Sache/jds ~ sein** to be sure of sth/sb; ~ **ist ~** you can't be too sure.
sichergehen *unreg vi* to make sure.
Sicherheit ['zɪçərhaɪt] *f* safety; (*auch FIN*) security; (*Gewißheit*) certainty; (*Selbst~*) confidence; **die öffentliche** ~ public security; ~ **im Straßenverkehr** road safety; ~ **leisten** (*COMM*) to offer security.
Sicherheits- *zW:* **~abstand** *m* safe distance; **~bestimmungen** *pl* safety regulations *pl*; (*betrieblich, POL etc*) security controls *pl*; **~einrichtungen** *pl* security equipment *sing*, security devices *pl*; **~glas** *nt* safety glass; **~gurt** *m* seat belt; **s~halber** *adv* to be on the safe side; **~nadel** *f* safety pin; **~rat** *m* Security Council; **~schloß** *nt* safety lock; **~spanne** *f* (*COMM*) margin of safety; **~verschluß** *m* safety clasp; **~vorkehrung** *f* safety precaution.
sicherlich *adv* certainly, surely.
sichern *vt* to secure; (*schützen*) to protect; (*Bergsteiger etc*) to belay; (*Waffe*) to put the safety catch on; (*COMPUT: Daten*) to back up; **jdm/sich etw** ~ to secure sth for sb/for o.s.
sicherstellen *vt* to impound; (*garantieren*) to guarantee.
Sicherung *f* (*Sichern*) securing; (*Vorrichtung*) safety device; (*an Waffen*) safety catch; (*ELEK*) fuse; **da ist (bei) ihm die ~ durchgebrannt** (*fig: umg*) he blew a fuse.
Sicherungskopie *f* backup copy.
Sicht [zɪçt] (-) *f* sight; (*Aus~*) view; (*Sehweite*) visibility; **auf** *od* **nach** ~ (*FIN*) at sight; **auf lange** ~ on a long-term basis; **s~bar** *adj* visible; **~barkeit** *f* visibility.
sichten *vt* to sight; (*auswählen*) to sort out; (*ordnen*) to sift through.
Sicht- *zW:* **s~lich** *adj* evident, obvious; **~verhältnisse** *pl* visibility *sing*; **~vermerk** *m* visa; **~weite** *f* visibility; **außer ~weite** out of sight.
sickern ['zɪkərn] *vi* (*Hilfsverb sein*) to seep; (*in Tropfen*) to drip.
Sie [ziː] *nom, akk pron* you.
sie *pron* (*sing: nom*) she; (*: akk*) her; (*pl: nom*) they; (*: akk*) them.
Sieb [ziːp] (-(e)s, -e) *nt* sieve; (*KOCH*) strainer; (*Gemüse~*) colander.
sieben[1] ['ziːbən] *vt* to sieve, sift; (*Flüssigkeit*) to strain ♦ *vi:* **bei der Prüfung wird stark gesiebt** (*fig: umg*) the exam will weed a lot of people out.
sieben[2] ['ziːbən] *num* seven; **S~gebirge** *nt:* **das S~gebirge** the Seven Mountains *pl* (*near Bonn*); **~hundert** *num* seven hundred; **S~meter** *m* (*SPORT*) penalty; **S~sachen** *pl* belongings *pl*; **S~schläfer** *m* (*ZOOL*) dormouse.
siebte(r, s) ['ziːptə(r, s)] *adj* seventh.
Siebtel (-s, -) *nt* seventh.
siebzehn ['ziːptseːn] *num* seventeen.
siebzig ['ziːptsɪç] *num* seventy.
siedeln ['ziːdəln] *vi* to settle.
sieden ['ziːdən] *vt, vi* to boil.
Siedepunkt *m* boiling point.
Siedler (-s, -) *m* settler.
Siedlung *f* settlement; (*Häuser~*) housing estate (*BRIT*) *od* development (*US*).
Sieg [ziːk] (-(e)s, -e) *m* victory.
Siegel ['ziːgəl] (-s, -) *nt* seal; **~lack** *m* sealing wax; **~ring** *m* signet ring.
siegen ['ziːgən] *vi* to be victorious; (*SPORT*) to win; **über jdn/etw** ~ (*fig*) to triumph over sb/sth; (*in Wettkampf*) to beat sb/sth.
Sieger(in) (-s, -) *m(f)* victor; (*SPORT etc*) winner; **~ehrung** *f* (*SPORT*) presentation ceremony.
siegessicher *adj* sure of victory.
Siegeszug *m* triumphal procession.
siegreich *adj* victorious.
siehe ['ziːə] *Imperativ* see; (~ *da*) behold.
siehst [ziːst] *vb siehe* **sehen.**
sieht [ziːt] *vb siehe* **sehen.**
Siel [ziːl] (-(e)s, -e) *nt od m* (*Schleuse*) sluice; (*Abwasserkanal*) sewer.
siezen ['ziːtsən] *vt* to address as "Sie"; *siehe auch* **duzen.**
Signal [zɪ'gnaːl] (-s, -e) *nt* signal; **~anlage** *f* signals *pl*, set of signals.
signalisieren [zɪgnali'ziːrən] *vt* (*lit, fig*) to signal.
Signatur [zɪgna'tuːr] *f* signature; (*Bibliotheks~*) shelf mark.
Silbe ['zɪlbə] (-, -n) *f* syllable; **er hat es mit keiner ~ erwähnt** he didn't say a word about it.

Silber ['zɪlbər] (**-s**) *nt* silver; **~bergwerk** *nt* silver mine; **~blick** *m*: **einen ~blick haben** to have a slight squint; **~hochzeit** *f* silver wedding.
silbern *adj* silver.
Silberpapier *nt* silver paper.
Silhouette [zilu'ɛtə] *f* silhouette.
Silikonchip [zili'ko:ntʃɪp] *m* silicon chip.
Silikonplättchen [zili'ko:nplɛtçən] *nt* silicon chip.
Silo ['zi:lo] (**-s, -s**) *nt od m* silo.
Silvester [zɪl'vɛstər] (**-s, -**) *m or nt* New Year's Eve, Hogmanay (*SCOT*).

> **Silvester** *is the German name for New Year's Eve. Although not an official holiday most businesses close early and shops shut at midday. Most Germans celebrate in the evening, and at midnight they let off fireworks and rockets; the revelry usually lasts until the early hours of the morning.*

Simbabwe [zɪm'ba:bvə] (**-s**) *nt* Zimbabwe.
simpel ['zɪmpəl] *adj* simple; **S~** (**-s, -**) (*umg*) *m* simpleton.
Sims [zɪms] (**-es, -e**) *nt od m* (*Kamin~*) mantelpiece; (*Fenster~*) (window)sill.
Simulant(in) [zimu'lant(ɪn)] (**-en, -en**) *m(f)* malingerer.
simulieren [zimu'li:rən] *vt* to simulate; (*vortäuschen*) to feign ♦ *vi* to feign illness.
simultan [zimul'ta:n] *adj* simultaneous; **S~dolmetscher** *m* simultaneous interpreter.
sind [zɪnt] *vb siehe* **sein.**
Sinfonie [zɪnfo'ni:] *f* symphony.
Singapur ['zɪŋgapu:r] (**-s**) *nt* Singapore.
singen ['zɪŋən] *unreg vt, vi* to sing.
Single[1] ['sɪŋgəl] (**-s, -s**) *m* (*Alleinlebender*) single person.
Single[2] ['sɪŋgəl] (**-, -s**) *f* (*MUS*) single.
Singsang *m* (*Gesang*) monotonous singing.
Singstimme *f* vocal part.
Singular ['zɪŋgula:r] *m* singular.
Singvogel ['zɪŋfo:gəl] *m* songbird.
sinken ['zɪŋkən] *unreg vi* to sink; (*Boden, Gebäude*) to subside; (*Fundament*) to settle; (*Preise etc*) to fall, go down; **den Mut/die Hoffnung ~ lassen** to lose courage/hope.
Sinn [zɪn] (**-(e)s, -e**) *m* mind; (*Wahrnehmungs~*) sense; (*Bedeutung*) sense, meaning; **im ~e des Gesetzes** according to the spirit of the law; **~ für etw** sense of sth; **im ~e des Verstorbenen** in accordance with the wishes of the deceased; **von ~en sein** to be out of one's mind; **das ist nicht der ~ der Sache** that is not the point; **das hat keinen ~** there is no point in that; **~bild** *nt* symbol; **s~bildlich** *adj* symbolic.
sinnen *unreg vi* to ponder; **auf etw** *akk* **~** to contemplate sth.
Sinnenmensch *m* sensualist.
Sinnes- *zW*: **~organ** *nt* sense organ; **~täuschung** *f* illusion; **~wandel** *m* change of mind.
sinngemäß *adj* faithful; (*Wiedergabe*) in one's own words.
sinnig *adj* apt; (*ironisch*) clever.
Sinn- *zW*: **s~lich** *adj* sensual, sensuous; (*Wahrnehmung*) sensory; **~lichkeit** *f* sensuality; **s~los** *adj* senseless, meaningless; **s~los betrunken** blind drunk; **~losigkeit** *f* senselessness, meaninglessness; **s~verwandt** *adj* synonymous; **s~voll** *adj* meaningful; (*vernünftig*) sensible.
Sinologe [zino'lo:gə] (**-n, -n**) *m* Sinologist.
Sinologin *f* Sinologist.
Sintflut ['zɪntflu:t] *f* Flood; **nach uns die ~** (*umg*) it doesn't matter what happens after we've gone; **s~artig** *adj*: **s~artige Regenfälle** torrential rain *sing*.
Sinus ['zi:nʊs] (**-, -** *od* **-se**) *m* (*ANAT*) sinus; (*MATH*) sine.
Siphon [zi'fõ:] (**-s, -s**) *m* siphon.
Sippe ['zɪpə] (**-, -n**) *f* (extended) family; (*umg: Verwandtschaft*) clan.
Sippschaft ['zɪpʃaft] (*pej*) *f* tribe; (*Bande*) gang.
Sirene [zi're:nə] (**-, -n**) *f* siren.
Sirup ['zi:rʊp] (**-s, -e**) *m* syrup.
Sit-in [sɪt'|ɪn] (**-(s), -s**) *nt*: **ein ~ machen** to stage a sit-in.
Sitte ['zɪtə] (**-, -n**) *f* custom; **Sitten** *pl* morals *pl*; **was sind denn das für ~n?** what sort of way is that to behave?
Sitten- *zW*: **~polizei** *f* vice squad; **~strolch** (*umg*) *m* sex fiend; **~wächter** *m* (*ironisch*) guardian of public morals; **s~widrig** *adj* (*form*) immoral.
Sittich ['zɪtɪç] (**-(e)s, -e**) *m* parakeet.
Sitt- *zW*: **s~lich** *adj* moral; **~lichkeit** *f* morality; **~lichkeitsverbrechen** *nt* sex offence (*BRIT*) *od* offense (*US*); **s~sam** *adj* modest, demure.
Situation [zituatsi'o:n] *f* situation.
situiert [zitu'i:rt] *adj*: **gut ~ sein** to be well off.
Sitz [zɪts] (**-es, -e**) *m* seat; (*von Firma, Verwaltung*) headquarters *pl*; **der Anzug hat einen guten ~** the suit sits well.
sitzen *unreg vi* to sit; (*Bemerkung, Schlag*) to strike home; (*Gelerntes*) to have sunk in; (*umg: im Gefängnis ~*) to be inside; **locker ~** to be loose; **~ Sie bequem?** are you comfortable?; **einen ~ haben** (*umg*) to have had one too many; **er sitzt im Kultusministerium** (*umg: sein*) he's in the Ministry of Education; **~ bleiben** to remain seated.
sitzenbleiben *unreg vi* (*SCH*) to have to repeat a year; **auf etw** *dat* **~** to be lumbered with sth.
sitzend *adj* (*Tätigkeit*) sedentary.
sitzenlassen *unreg vt* (*SCH*) to keep down a year; (*Mädchen*) to jilt; (*Wartenden*) to stand

up; **etw auf sich** *dat* ~ to take sth lying down.
Sitz- *zW:* **~fleisch** (*umg*) *nt:* **~fleisch haben** to be able to sit still; **~gelegenheit** *f* seats *pl*; **~ordnung** *f* seating plan; **~platz** *m* seat; **~streik** *m* sit-down strike.
Sitzung *f* meeting.
Sizilianer(in) [zitsili'a:nər(ın)] (**-s, -**) *m(f)* Sicilian.
sizilianisch *adj* Sicilian.
Sizilien [zi'tsi:liən] (**-s**) *nt* Sicily.
Skala ['ska:la] (**-, Skalen**) *f* scale; (*fig*) range.
Skalpell [skal'pɛl] (**-s, -e**) *nt* scalpel.
skalpieren [skal'pi:rən] *vt* to scalp.
Skandal [skan'da:l] (**-s, -e**) *m* scandal.
skandalös [skanda'lø:s] *adj* scandalous.
Skandinavien [skandi'na:viən] (**-s**) *nt* Scandinavia.
Skandinavier(in) (**-s, -**) *m(f)* Scandinavian.
skandinavisch *adj* Scandinavian.
Skat [ska:t] (**-(e)s, -e** *od* **-s**) *m* (*KARTEN*) skat.
Skelett [ske'lɛt] (**-(e)s, -e**) *nt* skeleton.
Skepsis ['skɛpsıs] (**-**) *f* scepticism (*BRIT*), skepticism (*US*).
skeptisch ['skɛptıʃ] *adj* sceptical (*BRIT*), skeptical (*US*).
Ski [ʃi:] (**-s, -er**) *m* ski; ~ **laufen** *od* **fahren** to ski; **~fahrer** *m* skier; **~hütte** *f* ski hut *od* lodge (*US*); **~läufer** *m* skier; **~lehrer** *m* ski instructor; **~lift** *m* ski lift; **~springen** *nt* ski jumping; **~stiefel** *m* ski boot; **~stock** *m* ski pole.
Skizze ['skıtsə] (**-, -n**) *f* sketch.
skizzieren [skı'tsi:rən] *vt* to sketch; (*fig: Plan etc*) to outline ♦ *vi* to sketch.
Sklave ['skla:və] (**-n, -n**) *m* slave.
Sklaventreiber (**-s, -**) (*pej*) *m* slave-driver.
Sklaverei [skla:və'raı] *f* slavery.
Sklavin *f* slave.
sklavisch *adj* slavish.
Skonto ['skɔnto] (**-s, -s**) *nt od m* discount.
Skorbut [skɔr'bu:t] (**-(e)s**) *m* scurvy.
Skorpion [skɔrpi'o:n] (**-s, -e**) *m* scorpion; (*ASTROL*) Scorpio.
Skrupel ['skru:pəl] (**-s, -**) *m* scruple; **s~los** *adj* unscrupulous.
Skulptur [skulp'tu:r] *f* sculpture.
skurril [sku'ri:l] *adj* (*geh*) droll, comical.
Slalom ['sla:lɔm] (**-s, -s**) *m* slalom.
Slawe ['sla:və] (**-n, -n**) *m* Slav.
Slawin *f* Slav.
slawisch *adj* Slavonic, Slavic.
Slip [slıp] (**-s, -s**) *m* (pair of) briefs *pl*.
Slowake [slo'va:kə] (**-n, -n**) *m* Slovak.
Slowakei [slova'kaı] *f* Slovakia.
Slowakin *f* Slovak.
Slowakisch [slo'va:kıʃ] *nt* (*LING*) Slovak; **s~** *adj* Slovak.
Slowenien [slo've:niən] (**-s**) *nt* Slovenia.
slowenisch *adj* Slovene.
S.M. *abk* (= *Seine Majestät*) H.M.
Smaragd [sma'rakt] (**-(e)s, -e**) *m* emerald.
Smoking ['smo:kıŋ] (**-s, -s**) *m* dinner jacket (*BRIT*), tuxedo (*US*).
SMV (**-, -s**) *f abk* = **Schülermitverwaltung**.
Snob [snɔp] (**-s, -s**) *m* snob.
SO *abk* (= *Südost(en)*) SE.

SCHLÜSSELWORT

so [zo:] *adv* **1** (*sosehr*) so; ~ **groß/schön** *etc* so big/nice *etc*; ~ **groß/schön wie** ... as big/nice as ...; **das hat ihn** ~ **geärgert, daß** ... that annoyed him so much that ...
2 (*auf diese Weise*) like this; **mach es nicht** ~ don't do it like that; ~ **oder** ~ (in) one way or the other; ... **oder so** or something (like that); **und** ~ **weiter** and so on; ~ **ein** ... such a ...; ~ **einer wie ich** somebody like me; ~ **(et)was** something like this/that; **na** ~ **was!** well I never!; **das ist gut** ~ that's fine; **sie ist nun einmal** ~ that's just the way she is; **das habe ich nur** ~ **gesagt** I didn't really mean it
3 (*umg: umsonst*): **ich habe es** ~ **bekommen** I got it for nothing
4 (*als Füllwort: nicht übersetzt*): ~ **mancher** a number of people *pl*
♦ *konj:* ~ **daß** so that; ~ **wie es jetzt ist** as things are at the moment
♦ *interj:* **~?** really?; **~, das wär's** right, that's it then.

s.o. *abk* (= *siehe oben*) see above.
sobald [zo'balt] *konj* as soon as.
Söckchen [zœkçən] *nt* ankle sock.
Socke ['zɔkə] (**-, -n**) *f* sock; **sich auf die ~n machen** (*umg*) to get going.
Sockel ['zɔkəl] (**-s, -**) *m* pedestal, base.
Sodawasser ['zo:davasər] *nt* soda water.
Sodbrennen ['zo:tbrɛnən] (**-s**) *nt* heartburn.
Sodomie [zodo'mi:] *f* bestiality.
soeben [zo'|e:bən] *adv* just (now).
Sofa ['zo:fa] (**-s, -s**) *nt* sofa.
Sofabett *nt* sofa bed, bed settee.
sofern [zo'fɛrn] *konj* if, provided (that).
soff *etc* [zɔf] *vb siehe* **saufen**.
sofort [zo'fɔrt] *adv* immediately, at once; **(ich) komme ~!** (I'm) just coming!; **S~hilfe** *f* emergency relief *od* aid; **S~hilfegesetz** *nt* law on emergency aid.
sofortig *adj* immediate.
Sofortmaßnahme *f* immediate measure.
Softeis ['sɔft|aıs] (**-es**) *nt* soft ice-cream.
Softie ['zɔfti:] (**-s, -s**) (*umg*) *m* softy.
Software ['zɔftwɛ:ər] (**-, -s**) *f* software; **s~kompatibel** *adj* software compatible; **~paket** *nt* software package.
Sog (**-(e)s, -e**) *m* suction; (*von Strudel*) vortex; (*fig*) maelstrom.
sog *etc* [zo:k] *vb siehe* **saugen**.
sog. *abk* = **sogenannt**.
sogar [zo'ga:r] *adv* even.
sogenannt ['zo:gənant] *adj* so-called.
sogleich [zo'glaıç] *adv* straight away, at once.

Sogwirkung *f* suction; (*fig*) knock-on effect.
Sohle ['zoːlə] (**-, -n**) *f* (*Fuß~*) sole; (*Tal~ etc*) bottom; (*MIN*) level; **auf leisen ~n** (*fig*) softly, noiselessly.
Sohn [zoːn] (**-(e)s, ¨-e**) *m* son.
Sojasoße ['zoːjazoːsə] *f* soy *od* soya sauce.
solang(e) *konj* as *od* so long as.
Solar- [zo'laːr] *in zW* solar; **~energie** *f* solar energy.
Solarium [zo'laːrium] *nt* solarium.
Solbad ['zoːlbaːt] *nt* saltwater bath.
solch [zɔlç] *adj inv* such.
solche(r, s) *adj* such; **ein ~r Mensch** such a person.
Sold [zɔlt] (**-(e)s, -e**) *m* pay.
Soldat [zɔl'daːt] (**-en, -en**) *m* soldier; **s~isch** *adj* soldierly.
Söldner ['zœldnər] (**-s, -**) *m* mercenary.
Sole ['zoːlə] (**-, -n**) *f* brine, salt water.
Solei ['zoːlaɪ] *nt* pickled egg.
Soli ['zoːli] *pl von* **Solo.**
solid(e) [zo'liːd(ə)] *adj* solid; (*Arbeit, Wissen*) sound; (*Leben, Person*) staid, respectable.
solidarisch [zoli'daːrɪʃ] *adj* in *od* with solidarity; **sich ~ erklären** to declare one's solidarity.
solidarisieren [zolidari'ziːrən] *vr:* **sich ~ mit** to show (one's) solidarity with.
Solidarität [zolidari'tɛːt] *f* solidarity.
Solidaritätsstreik *m* sympathy strike.
Solist(in) [zo'lɪst(ɪn)] *m(f)* (*MUS*) soloist.
Soll [zɔl] (**-(s), -(s)**) *nt* (*FIN*) debit (side); (*Arbeitsmenge*) quota, target; **~ und Haben** debit and credit.
soll *vb siehe* **sollen.**

SCHLÜSSELWORT

sollen ['zɔlən] (*pt* **sollte,** *pp* **gesollt** *od (als Hilfsverb)* **sollen**) *Hilfsverb* **1** (*Pflicht, Befehl*) be supposed to; **du hättest nicht gehen ~** you shouldn't have gone, you oughtn't to have gone; **er sollte eigentlich morgen kommen** he was supposed to come tomorrow; **soll ich?** shall I?; **soll ich dir helfen?** shall I help you?; **sag ihm, er soll warten** tell him he's to wait; **was soll ich machen?** what should I do?; **mir soll es gleich sein** it's all the same to me; **er sollte sie nie wiedersehen** he was never to see her again
2 (*Vermutung*): **sie soll verheiratet sein** she's said to be married; **was soll das heißen?** what's that supposed to mean?; **man sollte glauben, daß** ... you would think that ...; **sollte das passieren,** ... if that should happen ...
♦ *vt, vi:* **was soll das?** what's all this about *od* in aid of?; **das sollst du nicht** you shouldn't do that; **was soll's?** what the hell!

sollte *etc* ['zɔltə] *vb siehe* **sollen.**
Solo ['zoːlo] (**-s, -s** *od* **Soli**) *nt* solo.
solo *adv* (*MUS*) solo; (*fig: umg*) on one's own, alone.
solvent [zɔl'vɛnt] *adj* (*FIN*) solvent.
Solvenz [zɔl'vɛnts] *f* (*FIN*) solvency.
Somalia [zo'maːlia] (**-s**) *nt* Somalia.
somit [zo'mɪt] *konj* and so, therefore.
Sommer ['zɔmər] (**-s, -**) *m* summer; **~ wie Winter** all year round; **~ferien** *pl* summer holidays *pl* (*BRIT*) *od* vacation *sing* (*US*); (*JUR, PARL*) summer recess *sing*; **s~lich** *adj* summer *attrib*; (*sommerartig*) summery; **~loch** *nt* silly season; **~reifen** *m* normal tyre (*BRIT*) *od* tire (*US*); **~schlußverkauf** *m* summer sale; **~semester** *nt* (*UNIV*) summer semester (*bes US*), ≈ summer term (*BRIT*); **~sprossen** *pl* freckles *pl*; **~zeit** *f* summertime.
Sonate [zo'naːtə] (**-, -n**) *f* sonata.
Sonde ['zɔndə] (**-, -n**) *f* probe.
Sonder- ['zɔndər] *in zW* special; **~anfertigung** *f* special model; **~angebot** *nt* special offer; **~ausgabe** *f* special edition; **s~bar** *adj* strange, odd; **~beauftragte(r)** *f(m)* (*POL*) special emissary; **~beitrag** *m* (special) feature; **~fahrt** *f* special trip; **~fall** *m* special case; **s~gleichen** *adj inv* without parallel, unparalleled; **eine Frechheit s~gleichen** the height of cheek; **s~lich** *adj* particular; (*außergewöhnlich*) remarkable; (*eigenartig*) peculiar; **~ling** *m* eccentric; **~marke** *f* special issue (stamp); **~müll** *m* dangerous waste.
sondern *konj* but ♦ *vt* to separate; **nicht nur ..., ~ auch** not only ..., but also.
Sonder- *zW:* **~preis** *m* special price; **~regelung** *f* special provision; **~schule** *f* special school; **~vergünstigungen** *pl* perquisites *pl*, perks *pl* (*bes BRIT*); **~wünsche** *pl* special requests *pl*; **~zug** *m* special train.
sondieren [zɔn'diːrən] *vt* to suss out; (*Gelände*) to scout out.
Sonett [zo'nɛt] (**-(e)s, -e**) *nt* sonnet.
Sonnabend ['zɔn|aːbənt] *m* Saturday; *siehe auch* **Dienstag.**
Sonne ['zɔnə] (**-, -n**) *f* sun; **an die ~ gehen** to go out in the sun.
sonnen *vr* to sun o.s.; **sich in etw** *dat* **~** (*fig*) to bask in sth.
Sonnen- *zW:* **~aufgang** *m* sunrise; **s~baden** *vi* to sunbathe; **~blume** *f* sunflower; **~brand** *m* sunburn; **~brille** *f* sunglasses *pl*; **~creme** *f* suntan lotion; **~energie** *f* solar energy; **~finsternis** *f* solar eclipse; **~fleck** *m* sunspot; **s~gebräunt** *adj* suntanned; **s~klar** *adj* crystal-clear; **~kollektor** *m* solar panel; **~kraftwerk** *nt* solar power station; **~milch** *f* suntan lotion; **~öl** *nt* suntan oil; **~schein** *m* sunshine; **~schirm** *m* sunshade; **~schutzmittel** *nt* sunscreen; **~stich** *m* sunstroke; **du hast wohl einen ~stich!** (*hum: umg*) you must have been out in the sun too long!; **~system** *nt* solar system; **~uhr** *f*

sundial; ~**untergang** *m* sunset; ~**wende** *f* solstice.
sonnig ['zɔnɪç] *adj* sunny.
Sonntag ['zɔnta:k] *m* Sunday; *siehe auch* **Dienstag.**
sonntäglich *adj attrib:* ~ **gekleidet** dressed in one's Sunday best.
sonntags *adv* (on) Sundays.
Sonntagsdienst *m:* ~ **haben** (*Apotheke*) to be open on Sundays.
Sonntagsfahrer (*pej*) *m* Sunday driver.
sonst [zɔnst] *adv* otherwise; (*mit pron, in Fragen*) else; (*zu anderer Zeit*) at other times; (*gewöhnlich*) usually, normally ♦ *konj* otherwise; **er denkt, er ist** ~ **wer** (*umg*) he thinks he's somebody special; ~ **geht's dir gut?** (*ironisch: umg*) are you feeling okay?; **wenn ich Ihnen** ~ **noch behilflich sein kann** if I can help you in any other way; ~ **noch etwas?** anything else?; ~ **nichts** nothing else.
sonstig *adj* other; „**S~es**" "other".
sonst- *zW:* ~**jemand** (*umg*) *pron* anybody (at all); ~**was** (*umg*) *pron:* **da kann ja** ~**was passieren** anything could happen; ~**wo** (*umg*) *adv* somewhere else; ~**woher** (*umg*) *adv* from somewhere else; ~**wohin** (*umg*) *adv* somewhere else.
sooft [zo'|ɔft] *konj* whenever.
Sopran [zo'pra:n] (**-s, -e**) *m* soprano (voice).
Sopranistin [zopra'nɪstɪn] *f* soprano (singer).
Sorge ['zɔrgə] (**-, -n**) *f* care, worry; **dafür** ~ **tragen, daß** ... (*geh*) to see to it that ...
sorgen *vi:* **für jdn** ~ to look after sb ♦ *vr:* **sich** ~ **(um)** to worry (about); **für etw** ~ to take care of *od* see to sth; **dafür** ~**, daß** ... to see to it that ...; **dafür ist gesorgt** that's taken care of.
Sorgen- *zW:* **s~frei** *adj* carefree; ~**kind** *nt* problem child; **s~voll** *adj* troubled, worried.
Sorgerecht (**-(e)s**) *nt* custody (of a child).
Sorgfalt ['zɔrkfalt] (**-**) *f* care(fulness); **viel** ~ **auf etw** *akk* **verwenden** to take a lot of care over sth.
sorgfältig *adj* careful.
sorglos *adj* careless; (*ohne Sorgen*) carefree.
sorgsam *adj* careful.
Sorte ['zɔrtə] (**-, -n**) *f* sort; (*Waren~*) brand; **Sorten** *pl* (*FIN*) foreign currency *sing.*
sortieren [zɔr'ti:rən] *vt* to sort (out); (*COMPUT*) to sort.
Sortiermaschine *f* sorting machine.
Sortiment [zɔrti'mɛnt] *nt* assortment.
SOS [ɛs|o:'|ɛs] *nt abk* SOS.
sosehr [zo'ze:r] *konj* as much as.
soso [zo'zo:] *interj:* ~! I see!; (*erstaunt*) well, well!; (*drohend*) well!
Soße ['zo:sə] (**-, -n**) *f* sauce; (*Braten~*) gravy.
Souffleur [zu'flø:r] *m* prompter.
Souffleuse [zu'flø:zə] *f* prompter.
soufflieren [zu'fli:rən] *vt, vi* to prompt.
soundso ['zo:|ʊnt'zo:] *adv:* ~ **lange** for such and such a time.
soundsovielte(r, s) *adj:* **am S~n** (*Datum*) on such and such a date.
Souterrain [zutɛ'rɛ̃:] (**-s, -s**) *nt* basement.
Souvenir [zuvə'ni:r] (**-s, -s**) *nt* souvenir.
souverän [zuvə'rɛ:n] *adj* sovereign; (*überlegen*) superior; (*fig*) supremely good.
soviel [zo'fi:l] *konj* as far as ♦ *pron:* ~ **(wie)** as much (as); **rede nicht** ~ don't talk so much.
soweit [zo'vaɪt] *konj* as far as ♦ *adv:* ~ **sein** to be ready; ~ **wie** *od* **als möglich** as far as possible; **ich bin** ~ **zufrieden** by and large I'm quite satisfied; **es ist bald** ~ it's nearly time.
sowenig [zo've:nɪç] *adv:* ~ **(wie)** no more (than), not any more (than) ♦ *konj* however little; ~ **wie möglich** as little as possible.
sowie [zo'vi:] *konj* (*sobald*) as soon as; (*ebenso*) as well as.
sowieso [zovi'zo:] *adv* anyway.
Sowjetbürger *m* (*früher*) Soviet citizen.
sowjetisch [zɔ'vjɛtɪʃ] *adj* (*früher*) Soviet.
Sowjet- *zW* (*früher*): ~**republik** *f* Soviet Republic; ~**russe** *m* Soviet Russian; ~**union** *f* Soviet Union.
sowohl [zo'vo:l] *konj:* ~ ... **als** *od* **wie auch** ... both ... and ...
soz. *abk* = **sozial; sozialistisch.**
sozial [zotsi'a:l] *adj* social; ~ **eingestellt** public-spirited; ~**er Wohnungsbau** public-sector housing (programme); **S~abbau** *m* public-spending cuts *pl*; **S~abgaben** *pl* National Insurance contributions *pl* (*BRIT*), Social Security contributions *pl* (*US*); **S~amt** *nt* (social) welfare office; **S~arbeiter** *m* social worker; **S~beruf** *m* caring profession; **S~demokrat** *m* social democrat; **S~hilfe** *f* welfare (aid).
Sozialisation [zotsializatsi'o:n] *f* (*PSYCH, SOZIOLOGIE*) socialization.
sozialisieren [zotsiali'zi:rən] *vt* to socialize.
Sozialismus [zotsia'lɪsmʊs] *m* socialism.
Sozialist(in) [zotsia'lɪst(ɪn)] *m(f)* socialist.
sozialistisch *adj* socialist.
Sozial- *zW:* ~**kunde** *f* social studies *sing*; ~**leistungen** *pl* social security contributions (*from the state and employer*); ~**plan** *m* redundancy payments scheme; ~**politik** *f* social welfare policy; ~**produkt** *nt* (gross *od* net) national product; ~**staat** *m* welfare state; ~**versicherung** *f* national insurance (*BRIT*), social security (*US*); ~**wohnung** *f* ≈ council flat (*BRIT*), state-subsidized apartment.

A **Sozialwohnung** *is a council house or flat let at a fairly low rent to people on low incomes. They are built from public funds (in 1993 there was a cash injection of DM 2 million into this housing fund). People applying for a Sozialwohnung have to prove their entitlement.*

Soziologe [zotsio'lo:gə] (**-n, -n**) *m* sociologist.
Soziologie [zotsiolo'gi:] *f* sociology.
Soziologin [zotsio'lo:gɪn] *f* sociologist.
soziologisch [zotsio'lo:gɪʃ] *adj* sociological.
Sozius ['zo:tsiʊs] (**-, -se**) *m* (*COMM*) partner; (*Motorrad*) pillion rider; **~sitz** *m* pillion (seat).
sozusagen [zotsu'za:gən] *adv* so to speak.
Spachtel ['ʃpaxtəl] (**-s, -**) *m* spatula.
spachteln *vt* (*Mauerfugen, Ritzen*) to fill (in) ♦ *vi* (*umg: essen*) to tuck in.
Spagat [ʃpa'ga:t] (**-s, -e**) *m od nt* splits *pl.*
Spaghetti [ʃpa'gɛti] *pl* spaghetti *sing.*
spähen ['ʃpɛ:ən] *vi* to peep, peek.
Spalier [ʃpa'li:r] (**-s, -e**) *nt* (*Gerüst*) trellis; (*Leute*) guard of honour (*BRIT*) *od* honor (*US*); **~ stehen, ein ~ bilden** to form a guard of honour (*BRIT*) *or* honor (*US*).
Spalt [ʃpalt] (**-(e)s, -e**) *m* crack; (*Tür~*) chink; (*fig: Kluft*) split.
Spalte (**-, -n**) *f* crack, fissure; (*Gletscher~*) crevasse; (*in Text*) column.
spalten *vt, vr* (*lit, fig*) to split.
Spaltung *f* splitting.
Span [ʃpa:n] (**-(e)s, ¨-e**) *m* shaving.
Spanferkel *nt* sucking pig.
Spange ['ʃpaŋə] (**-, -n**) *f* clasp; (*Haar~*) hair slide; (*Schnalle*) buckle; (*Arm~*) bangle.
Spaniel ['ʃpa:niəl] (**-s, -s**) *m* spaniel.
Spanien ['ʃpa:niən] (**-s**) *nt* Spain.
Spanier(in) (**-s, -**) *m(f)* Spaniard.
spanisch *adj* Spanish; **das kommt mir ~ vor** (*umg*) that seems odd to me; **~e Wand** (folding) screen.
Spann (**-(e)s, -e**) *m* instep.
spann *etc* [ʃpan] *vb siehe* **spinnen.**
Spannbeton (**-s**) *m* prestressed concrete.
Spanne (**-, -n**) *f* (*Zeit~*) space; (*Differenz*) gap; *siehe auch* **Spann.**
spannen *vt* (*straffen*) to tighten, tauten; (*befestigen*) to brace ♦ *vi* to be tight.
spannend *adj* exciting, gripping; **mach's nicht so ~!** (*umg*) don't keep me *etc* in suspense.
Spanner (**-s, -**) (*umg*) *m* (*Voyeur*) peeping Tom.
Spannkraft *f* elasticity; (*fig*) energy.
Spannung *f* tension; (*ELEK*) voltage; (*fig*) suspense; (*unangenehm*) tension.
Spannungsgebiet *nt* (*POL*) flashpoint, area of tension.
Spannungsprüfer *m* voltage detector.
Spannweite *f* (*von Flügeln, AVIAT*) (wing)span.
Spanplatte *f* chipboard.
Sparbuch *nt* savings book.
Sparbüchse *f* moneybox.
sparen ['ʃpa:rən] *vt, vi* to save; **sich** *dat* **etw ~** to save o.s. sth; (*Bemerkung*) to keep sth to o.s.; **mit etw ~** to be sparing with sth; **an etw** *dat* **~** to economize on sth.
Sparer(in) (**-s, -**) *m(f)* (*bei Bank etc*) saver.
Sparflamme *f* low flame; **auf ~** (*fig: umg*) just ticking over.
Spargel ['ʃpargəl] (**-s, -**) *m* asparagus.
Spar- *zW:* **~groschen** *m* nest egg; **~kasse** *f* savings bank; **~konto** *nt* savings account.
spärlich ['ʃpɛ:rlɪç] *adj* meagre (*BRIT*), meager (*US*); (*Bekleidung*) scanty; (*Beleuchtung*) poor.
Spar- *zW:* **~maßnahme** *f* economy measure; **~packung** *f* economy size; **s~sam** *adj* economical, thrifty; **s~sam im Verbrauch** economical; **~samkeit** *f* thrift, economizing; **~schwein** *nt* piggy bank.
Sparte ['ʃpartə] (**-, -n**) *f* field; (*COMM*) line of business; (*PRESSE*) column.
Sparvertrag *m* savings agreement.
Spaß [ʃpa:s] (**-es, ¨-e**) *m* joke; (*Freude*) fun; **~ muß sein** there's no harm in a joke; **jdm ~ machen** to be fun (for sb); **s~en** *vi* to joke; **mit ihm ist nicht zu s~en** you can't take liberties with him.
spaßeshalber *adv* for the fun of it.
spaßig *adj* funny, droll.
Spaß- *zW:* **~macher** *m* joker, funny man; **~verderber** (**-s, -**) *m* spoilsport; **~vogel** *m* joker.
Spastiker(in) ['ʃpastikər(ɪn)] *m(f)* (*MED*) spastic.
spät [ʃpɛ:t] *adj, adv* late; **heute abend wird es ~** it'll be a late night tonight.
Spaten ['ʃpa:tən] (**-s, -**) *m* spade; **~stich** *m:* **den ersten ~stich tun** to turn the first sod.
Spätentwickler *m* late developer.
später *adj, adv* later; **an ~ denken** to think of the future; **bis ~!** see you later!
spätestens *adv* at the latest.
Spätlese *f* late vintage.
Spatz [ʃpats] (**-en, -en**) *m* sparrow.
spazieren [ʃpa'tsi:rən] *vi* (*Hilfsverb sein*) to stroll; **~fahren** *unreg vi* to go for a drive; **~gehen** *unreg vi* to go for a walk.
Spazier- *zW:* **~gang** *m* walk; **einen ~gang machen** to go for a walk; **~gänger(in)** *m(f)* stroller; **~stock** *m* walking stick; **~weg** *m* path, walk.
SPD (**-**) *f abk* (= *Sozialdemokratische Partei Deutschlands*) German Social Democratic Party.

> *The* **SPD** *(Sozialdemokratische Partei Deutschlands), the German Social Democratic Party, was newly formed in 1945. It is the largest political party in Germany. It shared in the government with the* **CDU/CSU** *from 1966-69 and governed from 1969-82 along with the* **FDP** *in a socialist-liberal coalition.*

Specht [ʃpɛçt] (**-(e)s, -e**) *m* woodpecker.
Speck [ʃpɛk] (**-(e)s, -e**) *m* bacon; **mit ~ fängt man Mäuse** (*Sprichwort*) you need a sprat to catch a mackerel; **'ran an den ~** (*umg*) let's get stuck in.

Spediteur [ʃpedi'tøːr] *m* carrier; (*Möbel~*) furniture remover.
Spedition [ʃpeditsi'oːn] *f* carriage; (*~sfirma*) road haulage contractor; (*Umzugsfirma*) removal (*BRIT*) *od* moving (*US*) firm.
Speer [ʃpeːr] (**-(e)s, -e**) *m* spear; (*SPORT*) javelin; **~werfen** *nt*: **das ~werfen** throwing the javelin.
Speiche ['ʃpaɪçə] (**-, -n**) *f* spoke.
Speichel ['ʃpaɪçəl] (**-s**) *m* saliva, spit(tle); **~lecker** (*pej: umg*) *m* bootlicker.
Speicher ['ʃpaɪçər] (**-s, -**) *m* storehouse; (*Dach~*) attic, loft; (*Korn~*) granary; (*Wasser~*) tank; (*TECH*) store; (*COMPUT*) memory; **~auszug** *m* (*COMPUT*) dump.
speichern *vt* (*auch COMPUT*) to store.
speien ['ʃpaɪən] *unreg vt, vi* to spit; (*erbrechen*) to vomit; (*Vulkan*) to spew.
Speise ['ʃpaɪzə] (**-, -n**) *f* food; **kalte und warme ~n** hot and cold meals; **~eis** *nt* ice-cream; **~fett** *nt* cooking fat; **~kammer** *f* larder, pantry; **~karte** *f* menu.
speisen *vt* to feed; to eat ♦ *vi* to dine.
Speise- *zW*: **~öl** *nt* salad oil; (*zum Braten*) cooking oil; **~röhre** *f* (*ANAT*) gullet, oesophagus (*BRIT*), esophagus (*US*); **~saal** *m* dining room; **~wagen** *m* dining car; **~zettel** *m* menu.
Spektakel [ʃpɛk'taːkəl] (**-s, -**) *m* (*umg: Lärm*) row ♦ *nt* (**-s, -**) spectacle.
spektakulär [ʃpɛktaku'lɛːr] *adj* spectacular.
Spektrum ['ʃpɛktrʊm] (**-s, -tren**) *nt* spectrum.
Spekulant(in) [ʃpeku'lant(ɪn)] *m(f)* speculator.
Spekulation [ʃpekulatsi'oːn] *f* speculation.
Spekulatius [ʃpeku'laːtsiʊs] (**-, -**) *m* spiced biscuit (*BRIT*) *od* cookie (*US*).
spekulieren [ʃpeku'liːrən] *vi* (*fig*) to speculate; **auf etw** *akk* ~ to have hopes of sth.
Spelunke [ʃpe'lʊŋkə] (**-, -n**) *f* dive.
spendabel [ʃpɛn'daːbəl] (*umg*) *adj* generous, open-handed.
Spende ['ʃpɛndə] (**-, -n**) *f* donation.
spenden *vt* to donate, give; **S~konto** *nt* donations account; **S~waschanlage** *f* donation-laundering organization.
Spender(in) (**-s, -**) *m(f)* donator; (*MED*) donor.
spendieren [ʃpɛn'diːrən] *vt* to pay for, buy; **jdm etw** ~ to treat sb to sth, stand sb sth.
Sperling ['ʃpɛrlɪŋ] *m* sparrow.
Sperma ['spɛrma] (**-s, Spermen**) *nt* sperm.
sperrangelweit ['ʃpɛr'|aŋəl'vaɪt] *adj* wide-open.
Sperrbezirk *m* no-go area.
Sperre (**-, -n**) *f* barrier; (*Verbot*) ban; (*Polizei~*) roadblock.
sperren ['ʃpɛrən] *vt* to block; (*COMM: Konto*) to freeze; (*COMPUT: Daten*) to disable; (*SPORT*) to suspend, bar; (*: vom Ball*) to obstruct; (*einschließen*) to lock; (*verbieten*) to ban ♦ *vr* to baulk, jibe, jib.
Sperr- *zW*: **~feuer** *nt* (*MIL, fig*) barrage; **~frist** *f* (*auch JUR*) waiting period; (*SPORT*) (period of) suspension; **~gebiet** *nt* prohibited area; **~gut** *nt* bulky freight; **~holz** *nt* plywood.
sperrig *adj* bulky.
Sperr- *zW*: **~konto** *nt* blocked account; **~müll** *m* bulky refuse; **~sitz** *m* (*THEAT*) stalls *pl* (*BRIT*), orchestra (*US*); **~stunde** *f* closing time; **~zeit** *f* closing time; **~zone** *f* exclusion zone.
Spesen ['ʃpeːzən] *pl* expenses *pl*; **~abrechnung** *f* expense account.
Spessart ['ʃpɛsart] (**-s**) *m* Spessart (Mountains *pl*).
Spezi ['ʃpeːtsi] (**-s, -s**) (*umg*) *m* pal, mate (*BRIT*).
Spezial- [ʃpetsi'aːl] *in zW* special; **s~angefertigt** *adj* custom-built; **~ausbildung** *f* specialized training.
spezialisieren [ʃpetsiali'ziːrən] *vr* to specialize.
Spezialisierung *f* specialization.
Spezialist(in) [ʃpetsia'lɪst(ɪn)] *m(f)*: ~ **(für)** specialist (in).
Spezialität [ʃpetsiali'tɛːt] *f* speciality (*BRIT*), specialty (*US*).
speziell [ʃpetsi'ɛl] *adj* special.
Spezifikation [ʃpetsifikatsi'oːn] *f* specification.
spezifisch [ʃpe'tsiːfɪʃ] *adj* specific.
Sphäre ['sfɛːrə] (**-, -n**) *f* sphere.
spicken ['ʃpɪkən] *vt* to lard ♦ *vi* (*SCH*) to copy, crib.
Spickzettel *m* (*SCH: umg*) crib.
spie *etc* [ʃpiː] *vb siehe* **speien**.
Spiegel ['ʃpiːgəl] (**-s, -**) *m* mirror; (*Wasser~*) level; (*MIL*) tab; **~bild** *nt* reflection; **s~bildlich** *adj* reversed.
Spiegelei ['ʃpiːgəl|aɪ] *nt* fried egg.
spiegeln *vt* to mirror, reflect ♦ *vr* to be reflected ♦ *vi* to gleam; (*wider~*) to be reflective.
Spiegelreflexkamera *f* reflex camera.
Spiegelschrift *f* mirror writing.
Spiegelung *f* reflection.
spiegelverkehrt *adj* in mirror image.
Spiel [ʃpiːl] (**-(e)s, -e**) *nt* game; (*Schau~*) play; (*Tätigkeit*) play(ing); (*KARTEN*) pack (*BRIT*), deck (*US*); (*TECH*) (free) play; **leichtes ~ (bei** *od* **mit jdm) haben** to have an easy job of it (with sb); **die Hand** *od* **Finger im ~ haben** to have a hand in affairs; **jdn/etw aus dem ~ lassen** to leave sb/sth out of it; **auf dem ~(e) stehen** to be at stake; **~automat** *m* gambling machine; (*zum Geldgewinnen*) fruit machine (*BRIT*); **~bank** *f* casino; **~dose** *f* musical box (*BRIT*), music box (*US*).
spielen *vt, vi* to play; (*um Geld*) to gamble; (*THEAT*) to perform, act; **was wird hier gespielt?** (*umg*) what's going on here?
spielend *adv* easily.
Spieler(in) (**-s, -**) *m(f)* player; (*um Geld*)

gambler.
Spielerei [ʃpiːlə'raɪ] *f* (*Kinderspiel*) child's play.
spielerisch *adj* playful; (*Leichtigkeit*) effortless; **~es Können** skill as a player; (*THEAT*) acting ability.
Spiel- *zW:* **~feld** *nt* pitch, field; **~film** *m* feature film; **~geld** *nt* (*Einsatz*) stake; (*unechtes Geld*) toy money; **~karte** *f* playing card; **~mannszug** *m* (brass) band; **~plan** *m* (*THEAT*) programme (*BRIT*), program (*US*); **~platz** *m* playground; **~raum** *m* room to manoeuvre (*BRIT*) *od* maneuver (*US*), scope; **~regel** *f* (*lit, fig*) rule of the game; **~sachen** *pl* toys *pl*; **~show** *f* gameshow; **~stand** *m* score; **~straße** *f* play street; **~sucht** *f* addiction to gambling; **~verderber** (**-s, -**) *m* spoilsport; **~waren** *pl* toys *pl*; **~zeit** *f* (*Saison*) season; (*~dauer*) playing time; **~zeug** *nt* toy; (*~sachen*) toys *pl*.
Spieß [ʃpiːs] (**-es, -e**) *m* spear; (*Brat~*) spit; (*MIL: umg*) sarge; **den ~ umdrehen** (*fig*) to turn the tables; **wie am ~(e) schreien** (*umg*) to squeal like a stuck pig; **~braten** *m* joint roasted on a spit.
Spießbürger (**-s, -**) *m* bourgeois.
Spießer (**-s, -**) *m* bourgeois.
Spikes [spaɪks] *pl* (*SPORT*) spikes *pl*; (*AUT*) studs *pl*; **~reifen** *m* studded tyre (*BRIT*) *od* tire (*US*).
Spinat [ʃpi'naːt] (**-(e)s, -e**) *m* spinach.
Spind [ʃpɪnt] (**-(e)s, -e**) *m od nt* locker.
spindeldürr ['ʃpɪndəl'dʏr] (*pej*) *adj* spindly, thin as a rake.
Spinne ['ʃpɪnə] (**-, -n**) *f* spider; **s~feind** (*umg*) *adj:* **sich** *od* **einander** *dat* **s~feind sein** to be deadly enemies.
spinnen *unreg vt* to spin ♦ *vi* (*umg*) to talk rubbish; (*verrückt*) to be crazy *od* mad; **ich denk' ich spinne** (*umg*) I don't believe it.
Spinnengewebe *nt* cobweb.
Spinner(in) (**-s, -**) *m(f)* (*fig: umg*) screwball, crackpot.
Spinnerei [ʃpɪnə'raɪ] *f* spinning mill.
Spinn- *zW:* **~gewebe** *nt* cobweb; **~rad** *nt* spinning wheel; **~webe** *f* cobweb.
Spion [ʃpi'oːn] (**-s, -e**) *m* spy; (*in Tür*) spyhole.
Spionage [ʃpio'naːʒə] (**-**) *f* espionage; **~abwehr** *f* counterintelligence; **~satellit** *m* spy satellite.
spionieren [ʃpio'niːrən] *vi* to spy.
Spionin *f* (woman) spy.
Spirale [ʃpi'raːlə] (**-, -n**) *f* spiral; (*MED*) coil.
Spirituosen [ʃpiritu'oːzən] *pl* spirits *pl*.
Spiritus ['ʃpiːritʊs] (**-, -se**) *m* (methylated) spirits *pl*; **~kocher** *m* spirit stove.
Spitz [ʃpɪts] (**-es, -e**) *m* (*Hund*) spitz.
spitz *adj* pointed; (*Winkel*) acute; (*fig: Zunge*) sharp; (*: Bemerkung*) caustic.
Spitz- *zW:* **s~bekommen** *unreg vt:* **etw s~bekommen** (*umg*) to get wise to sth; **~bogen** *m* pointed arch; **~bube** *m* rogue.
Spitze (**-, -n**) *f* point, tip; (*Berg~*) peak; (*Bemerkung*) taunt; (*fig: Stichelei*) dig; (*erster Platz*) lead, top; (*meist pl: Gewebe*) lace; (*umg: prima*) great; **etw auf die ~ treiben** to carry sth too far.
Spitzel (**-s, -**) *m* police informer.
spitzen *vt* to sharpen; (*Lippen, Mund*) to purse; (*lit, fig: Ohren*) to prick up.
Spitzen- *in zW* top; **~leistung** *f* top performance; **~lohn** *m* top wages *pl*; **~marke** *f* brand leader; **s~mäßig** *adj* really great; **~position** *f* leading position; **~reiter** *m* (*SPORT*) leader; (*fig: Kandidat*) front runner; (*Ware*) top seller; (*Schlager*) number one; **~sportler** *m* top-class sportsman; **~verband** *m* leading organization.
Spitzer (**-s, -**) *m* sharpener.
spitzfindig *adj* (over)subtle.
Spitzmaus *f* shrew.
Spitzname *m* nickname.
Spleen [ʃpliːn] (**-s, -e** *od* **-s**) *m* (*Angewohnheit*) crazy habit; (*Idee*) crazy idea; (*Fimmel*) obsession.
Splitt [ʃplɪt] (**-s, -e**) *m* stone chippings *pl*; (*Streumittel*) grit.
Splitter (**-s, -**) *m* splinter; **~gruppe** *f* (*POL*) splinter group; **s~nackt** *adj* stark naked.
SPÖ (**-**) *f abk* (= *Sozialistische Partei Österreichs*) Austrian Socialist Party.
sponsern ['ʃpɔnzərn] *vt* to sponsor.
Sponsor ['ʃpɔnzɔr] (**-s, -en**) *m* sponsor.
spontan [ʃpɔn'taːn] *adj* spontaneous.
sporadisch [ʃpo'raːdɪʃ] *adj* sporadic.
Sporen ['ʃpoːrən] *pl* (*auch BOT, ZOOL*) spurs *pl*.
Sport [ʃpɔrt] (**-(e)s, -e**) *m* sport; (*fig*) hobby; **treiben Sie ~?** do you do any sport?; **~abzeichen** *nt* sports certificate; **~artikel** *pl* sports equipment *sing*; **~fest** *nt* sports gala; (*SCH*) sports day (*BRIT*); **~geist** *m* sportsmanship; **~halle** *f* sports hall; **~klub** *m* sports club; **~lehrer** *m* games *od* P.E. teacher.
Sportler(in) (**-s, -**) *m(f)* sportsman, sportswoman.
Sport- *zW:* **s~lich** *adj* sporting; (*Mensch*) sporty; (*durchtrainiert*) athletic; (*Kleidung*) smart but casual; **~medizin** *f* sports medicine; **~platz** *m* playing *od* sports field; **~schuh** *m* sports shoe; (*sportlicher Schuh*) casual shoe.
Sportsfreund *m* (*fig: umg*) buddy.
Sport- *zW:* **~verein** *m* sports club; **~wagen** *m* sports car; **~zeug** *nt* sports gear.
Spot [spɔt] (**-s, -s**) *m* commercial, advertisement.
Spott [ʃpɔt] (**-(e)s**) *m* mockery, ridicule; **s~billig** *adj* dirt-cheap; **s~en** *vi* to mock; **s~en über** *+akk* to mock (at), ridicule; **das s~et jeder Beschreibung** that simply defies description.
spöttisch ['ʃpœtɪʃ] *adj* mocking.
Spottpreis *m* ridiculously low price.

sprach *etc* [ʃpraːx] *vb siehe* **sprechen.**
sprachbegabt *adj* good at languages.
Sprache (-, -n) *f* language; **heraus mit der ~!** (*umg*) come on, out with it!; **zur ~ kommen** to be mentioned; **in französischer ~** in French.
Sprachenschule *f* language school.
Sprach- *zW:* **~fehler** *m* speech defect; **~fertigkeit** *f* fluency; **~führer** *m* phrase book; **~gebrauch** *m* (linguistic) usage; **~gefühl** *nt* feeling for language; **~kenntnisse** *pl:* **mit englischen ~kenntnissen** with a knowledge of English; **~kurs** *m* language course; **~labor** *nt* language laboratory; **s~lich** *adj* linguistic; **s~los** *adj* speechless; **~rohr** *nt* megaphone; (*fig*) mouthpiece; **~störung** *f* speech disorder; **~wissenschaft** *f* linguistics *sing.*
sprang *etc* [ʃpraŋ] *vb siehe* **springen.**
Spray [spreː] (-s, -s) *m od nt* spray; **~dose** *f* aerosol (can), spray.
sprayen *vt, vi* to spray.
Sprechanlage *f* intercom.
Sprechblase *f* speech balloon.
sprechen [ˈʃprɛçən] *unreg vi* to speak, talk ♦ *vt* to say; (*Sprache*) to speak; (*Person*) to speak to; **mit jdm ~** to speak *od* talk to sb; **das spricht für ihn** that's a point in his favour; **frei ~** to extemporize; **nicht gut auf jdn zu ~ sein** to be on bad terms with sb; **es spricht vieles dafür, daß** ... there is every reason to believe that ...; **hier spricht man Spanisch** Spanish spoken; **wir ~ uns noch!** you haven't heard the last of this!
Sprecher(in) (-s, -) *m(f)* speaker; (*für Gruppe*) spokesman, spokeswoman; (*RUNDF, TV*) announcer.
Sprech- *zW:* **~funkgerät** *nt* radio telephone; **~rolle** *f* speaking part; **~stunde** *f* consultation (hour); (*von Arzt*) (doctor's) surgery (*BRIT*); **~stundenhilfe** *f* (doctor's) receptionist; **~zimmer** *nt* consulting room, surgery (*BRIT*).
spreizen [ˈʃpraɪtsən] *vt* to spread ♦ *vr* to put on airs.
Sprengarbeiten *pl* blasting operations *pl.*
sprengen [ˈʃprɛŋən] *vt* to sprinkle; (*mit Sprengstoff*) to blow up; (*Gestein*) to blast; (*Versammlung*) to break up.
Spreng- *zW:* **~kopf** *m* warhead; **~ladung** *f* explosive charge; **~satz** *m* explosive device; **~stoff** *m* explosive(s *pl*); **~stoffanschlag** *m* bomb attack.
Spreu [ʃprɔʏ] (-) *f* chaff.
spricht [ʃprɪçt] *vb siehe* **sprechen.**
Sprichwort *nt* proverb.
sprichwörtlich *adj* proverbial.
sprießen [ˈʃpriːsən] *vi* (*aus der Erde*) to spring up; (*Knospen*) to shoot.
Springbrunnen *m* fountain.
springen [ˈʃprɪŋən] *unreg vi* to jump, leap; (*Glas*) to crack; (*mit Kopfsprung*) to dive; **etw ~ lassen** (*umg*) to fork out for sth.
springend *adj:* **der ~e Punkt** the crucial point.
Springer (-s, -) *m* jumper; (*SCHACH*) knight.
Springreiten *nt* show jumping.
Springseil *nt* skipping rope.
Sprinkler [ˈʃprɪŋklər] (-s, -) *m* sprinkler.
Sprit [ʃprɪt] (-(e)s, -e) (*umg*) *m* petrol (*BRIT*), gas(oline) (*US*), fuel.
Spritzbeutel *m* icing bag.
Spritze [ˈʃprɪtsə] (-, -n) *f* syringe; (*Injektion*) injection; (*an Schlauch*) nozzle.
spritzen *vt* to spray; (*Wein*) to dilute with soda water/lemonade; (*MED*) to inject ♦ *vi* to splash; (*heißes Fett*) to spit; (*heraus~*) to spurt; (*aus einer Tube etc*) to squirt; (*MED*) to give injections.
Spritzer (-s, -) *m* (*Farb~, Wasser~*) splash.
Spritzpistole *f* spray gun.
Spritztour (*umg*) *f* spin.
spröde [ˈʃprøːdə] *adj* brittle; (*Person*) reserved; (*Haut*) rough.
Sproß (-sses, -sse) *m* shoot.
sproß *etc* [ʃprɔs] *vb siehe* **sprießen.**
Sprosse [ˈʃprɔsə] (-, -n) *f* rung.
Sprossenwand *f* (*SPORT*) wall bars *pl.*
Sprößling [ˈʃprœslɪŋ] *m* offspring *no pl.*
Spruch [ʃprʊx] (-(e)s, ⸚e) *m* saying, maxim; (*JUR*) judgement; **Sprüche klopfen** (*umg*) to talk fancy; **~band** *nt* banner.
Sprüchemacher [ˈʃprʏçəmaxər] (*umg*) *m* patter-merchant.
spruchreif *adj:* **die Sache ist noch nicht ~** it's not definite yet.
Sprudel [ˈʃpruːdəl] (-s, -) *m* mineral water; (*süß*) lemonade.
sprudeln *vi* to bubble.
Sprüh- *zW:* **~dose** *f* aerosol (can); **s~en** *vi* to spray; (*fig*) to sparkle ♦ *vt* to spray; **~regen** *m* drizzle.
Sprung [ʃprʊŋ] (-(e)s, ⸚e) *m* jump; (*schwungvoll, fig: Gedanken~*) leap; (*Riß*) crack; **immer auf dem ~ sein** (*umg*) to be always on the go; **jdm auf die Sprünge helfen** (*wohlwollend*) to give sb a (helping) hand; **auf einen ~ bei jdm vorbeikommen** (*umg*) to drop in to see sb; **damit kann man keine großen Sprünge machen** (*umg*) you can't exactly live it up on that; **~brett** *nt* springboard; **~feder** *f* spring; **s~haft** *adj* erratic; (*Aufstieg*) rapid; **~schanze** *f* ski jump; **~turm** *m* diving platform.
Spucke [ˈʃpʊkə] (-) *f* spit.
spucken *vt, vi* to spit; **in die Hände ~** (*fig*) to roll up one's sleeves.
Spucknapf *m* spittoon.
Spucktüte *f* sickbag.
Spuk [ʃpuːk] (-(e)s, -e) *m* haunting; (*fig*) nightmare; **s~en** *vi* to haunt; **hier s~t es** this place is haunted.
Spülbecken [ˈʃpyːlbɛkən] *nt* sink.
Spule [ˈʃpuːlə] (-, -n) *f* spool; (*ELEK*) coil.

Spüle [ˈʃpyːlə] **(-, -n)** *f* (kitchen) sink.
spülen *vt* to rinse; (*Geschirr*) to wash, do; (*Toilette*) to flush ♦ *vi* to rinse; to wash up (*BRIT*), do the dishes; to flush; **etw an Land ~** to wash sth ashore.
Spül- *zW:* **~maschine** *f* dishwasher; **~mittel** *nt* washing-up liquid (*BRIT*), dish-washing liquid; **~stein** *m* sink.
Spülung *f* rinsing; (*Wasser~*) flush; (*MED*) irrigation.
Spund [ʃpʊnt] **(-(e)s, -e)** *m:* **junger ~** (*veraltet: umg*) young pup.
Spur [ʃpuːr] **(-, -en)** *f* trace; (*Fuß~, Rad~, Tonband~*) track; (*Fährte*) trail; (*Fahr~*) lane; **jdm auf die ~ kommen** to get onto sb; **(seine) ~en hinterlassen** (*fig*) to leave its mark; **keine ~** (*umg*) not/nothing at all.
spürbar *adj* noticeable, perceptible.
spuren (*umg*) *vi* to obey; (*sich fügen*) to toe the line.
spüren [ˈʃpyːrən] *vt* to feel; **etw zu ~ bekommen** (*lit*) to feel sth; (*fig*) to feel the (full) force of sth.
Spurenelement *nt* trace element.
Spurensicherung *f* securing of evidence.
Spürhund *m* tracker dog; (*fig*) sleuth.
spurlos *adv* without (a) trace; **~ an jdm vorübergehen** to have no effect on sb.
Spurt [ʃpʊrt] **(-(e)s, -s** *od* **-e)** *m* spurt.
spurten *vi* (*Hilfsverb sein: SPORT*) to spurt; (*umg: rennen*) to sprint.
Squash [skvɔʃ] **(-)** *nt* (*SPORT*) squash.
sputen [ˈʃpuːtən] *vr* to make haste.
SS **(-)** *f abk* (= *Schutzstaffel*) SS ♦ *nt abk* = **Sommersemester**.
s. S. *abk* (= *siehe Seite*) see p.
SSV *abk* = **Sommerschlußverkauf.**
st *abk* (= *Stunde*) h.
St. *abk* = **Stück**; (= *Stunde*) h.; (= *Sankt*) St.
Staat [ʃtaːt] **(-(e)s, -en)** *m* state; (*Prunk*) show; (*Kleidung*) finery; **mit etw ~ machen** to show off *od* parade sth.
staatenlos *adj* stateless.
staatl. *abk* = **staatlich.**
staatlich *adj* state *attrib*; state-run ♦ *adv:* **~ geprüft** state-certified.
Staats- *zW:* **~affäre** *f* (*lit*) affair of state; (*fig*) major operation; **~angehörige(r)** *f(m)* national; **~angehörigkeit** *f* nationality; **~anleihe** *f* government bond; **~anwalt** *m* public prosecutor; **~bürger** *m* citizen; **~dienst** *m* civil service; **s~eigen** *adj* state-owned; **~eigentum** *nt* public ownership; **~examen** *nt* (*UNIV*) degree; **s~feindlich** *adj* subversive; **~geheimnis** *nt* (*lit, fig hum*) state secret; **~haushalt** *m* budget; **~kosten** *pl* public expenses *pl*; **~mann** **(-(e)s,** *pl* **-männer)** *m* statesman; **s~männisch** *adj* statesmanlike; **~oberhaupt** *nt* head of state; **~schuld** *f* (*FIN*) national debt; **~sekretär** *m* secretary of state; **~streich** *m* coup (d'état); **~verschuldung** *f* national debt.
Stab [ʃtaːp] **(-(e)s, ¨-e)** *m* rod; (*für ~hochsprung*) pole; (*für Staffellauf*) baton; (*Gitter~*) bar; (*Menschen*) staff; (*von Experten*) panel.
Stäbchen [ˈʃtɛːpçən] *nt* (*Eß~*) chopstick.
Stabhochsprung *m* pole vault.
stabil [ʃtaˈbiːl] *adj* stable; (*Möbel*) sturdy.
Stabilisator [ʃtabiliˈzaːtɔr] *m* stabilizer.
stabilisieren [ʃtabiliˈziːrən] *vt* to stabilize.
Stabilisierung *f* stabilization.
Stabilität [ʃtabiliˈtɛːt] *f* stability.
Stabreim *m* alliteration.
Stabsarzt *m* (*MIL*) captain in the medical corps.
stach *etc* [ʃtaːx] *vb siehe* **stechen.**
Stachel [ˈʃtaxəl] **(-s, -n)** *m* spike; (*von Tier*) spine; (*von Insekten*) sting; **~beere** *f* gooseberry; **~draht** *m* barbed wire.
stach(e)lig *adj* prickly.
Stachelschwein *nt* porcupine.
Stadion [ˈʃtaːdiɔn] **(-s, Stadien)** *nt* stadium.
Stadium [ˈʃtaːdiʊm] *nt* stage, phase.
Stadt [ʃtat] **(-, ¨-e)** *f* town; (*Groß~*) city; (*~verwaltung*) (town/city) council; **~bad** *nt* municipal swimming baths *pl*; **s~bekannt** *adj* known all over town; **~bezirk** *m* municipal district.
Städtchen [ˈʃtɛːtçən] *nt* small town.
Städtebau **(-(e)s)** *m* town planning.
Städter(in) **(-s, -)** *m(f)* town/city dweller, townie.
Stadtgespräch *nt:* **(das) ~ sein** to be the talk of the town.
Stadtguerilla *f* urban guerrilla.
städtisch *adj* municipal; (*nicht ländlich*) urban.
Stadt- *zW:* **~kasse** *f* town/city treasury; **~kern** *m* = **Stadtzentrum** **~kreis** *m* town/city borough; **~mauer** *f* city wall(s *pl*); **~mitte** *f* town/city centre (*BRIT*) *od* center (*US*); **~park** *m* municipal park; **~plan** *m* street map; **~rand** *m* outskirts *pl*; **~rat** *m* (*Behörde*) (town/city) council; **~streicher** *m* street vagrant; **~streicherin** *f* bag lady; **~teil** *m* district, part of town; **~verwaltung** *f* (*Behörde*) municipal authority; **~viertel** *m* district *od* part of a town; **~zentrum** *nt* town/city centre (*BRIT*) *od* center (*US*).
Staffel [ˈʃtafəl] **(-, -n)** *f* rung; (*SPORT*) relay (team); (*AVIAT*) squadron.
Staffelei [ʃtafəˈlaɪ] *f* easel.
Staffellauf *m* relay race.
staffeln *vt* to graduate.
Staffelung *f* graduation.
Stagnation [ʃtagnatsiˈoːn] *f* stagnation.
stagnieren [ʃtaˈgniːrən] *vi* to stagnate.
Stahl **(-(e)s, ¨-e)** *m* steel.
stahl *etc* [ʃtaːl] *vb siehe* **stehlen.**
Stahlhelm *m* steel helmet.
stak *etc* [ʃtaːk] *vb siehe* **stecken.**
Stall [ʃtal] **(-(e)s, ¨-e)** *m* stable; (*Kaninchen~*) hutch; (*Schweine~*) sty; (*Hühner~*) henhouse.

Stallung *f* stables *pl.*
Stamm [ʃtam] (**-(e)s, ⸗e**) *m* (*Baum~*) trunk; (*Menschen~*) tribe; (*GRAM*) stem; (*Bakterien~*) strain; **~aktie** *f* ordinary share, common stock (*US*); **~baum** *m* family tree; (*von Tier*) pedigree; **~buch** *nt book of family events with legal documents,* ≈ family bible.
stammeln *vt, vi* to stammer.
stammen *vi:* ~ **von** *od* **aus** to come from.
Stamm- *zW:* **~form** *f* base form; **~gast** *m* regular (customer); **~halter** *m* son and heir.
stämmig [ˈʃtɛmɪç] *adj* sturdy; (*Mensch*) stocky; **S~keit** *f* sturdiness; stockiness.
Stamm- *zW:* **~kapital** *nt* (*FIN*) ordinary share *od* common stock (*US*) capital; **~kunde** *m*, **~kundin** *f* regular (customer); **~lokal** *nt* favourite (*BRIT*) *od* favorite (*US*) café/ restaurant *etc*; (*Kneipe*) local (*BRIT*); **~platz** *m* usual seat; **~tisch** *m* (*Tisch in Gasthaus*) *table reserved for the regulars.*
stampfen [ˈʃtampfən] *vi* to stamp; (*stapfen*) to tramp ♦ *vt* (*mit Stampfer*) to mash.
Stampfer (**-s, -**) *m* (*Stampfgerät*) masher.
Stand (**-(e)s, ⸗e**) *m* position; (*Wasser~, Benzin~ etc*) level; (*Zähler~ etc*) reading; (*Stehen*) standing position; (*Zustand*) state; (*Spiel~*) score; (*Messe~ etc*) stand; (*Klasse*) class; (*Beruf*) profession; **bei jdm** *od* **gegen jdn einen schweren ~ haben** (*fig*) to have a hard time of it with sb; **etw auf den neuesten ~ bringen** to bring sth up to date.
stand *etc* [ʃtant] *vb siehe* **stehen.**
Standard [ˈʃtandart] (**-s, -s**) *m* standard; **~ausführung** *f* standard design.
standardisieren [ʃtandardiˈziːrən] *vt* to standardize.
Standarte (**-, -n**) *f* (*MIL, POL*) standard.
Standbild *nt* statue.
Ständchen [ˈʃtɛntçən] *nt* serenade.
Ständer (**-s, -**) *m* stand.
Standes- *zW:* **~amt** *nt* registry office (*BRIT*), city/county clerk's office (*US*); **s~amtlich** *adj:* **s~amtliche Trauung** registry office wedding (*BRIT*), civil marriage ceremony; **~beamte(r)** *m* registrar; **~bewußtsein** *nt* status consciousness; **~dünkel** *m* snobbery; **s~gemäß** *adj, adv* according to one's social position; **~unterschied** *m* social difference.
Stand- *zW:* **s~fest** *adj* (*Tisch, Leiter*) stable, steady; (*fig*) steadfast; **s~haft** *adj* steadfast; **~haftigkeit** *f* steadfastness; **s~halten** *unreg vi:* **(jdm/etw) s~halten** to stand firm (against sb/sth), resist (sb/sth).
ständig [ˈʃtɛndɪç] *adj* permanent; (*ununterbrochen*) constant, continual.
Stand- *zW:* **~licht** *nt* sidelights *pl* (*BRIT*), parking lights *pl* (*US*); **~ort** *m* location; (*MIL*) garrison; **~pauke** (*umg*) *f:* **jdm eine ~pauke halten** to give sb a lecture; **~punkt** *m* standpoint; **s~rechtlich** *adj:* **s~rechtlich erschießen** to put before a firing squad; **~spur** *f* (*AUT*) hard shoulder (*BRIT*), berm (*US*).
Stange [ˈʃtaŋə] (**-, -n**) *f* stick; (*Stab*) pole; (*Quer~*) bar; (*Zigaretten*) carton; **von der ~** (*COMM*) off the peg (*BRIT*) *od* rack (*US*); **eine ~ Geld** quite a packet; **jdm die ~ halten** (*umg*) to stick up for sb; **bei der ~ bleiben** (*umg*) to stick at *od* to sth.
Stangenbohne *f* runner bean.
Stangenbrot *nt* French bread; (*Laib*) French stick (loaf).
stank *etc* [ʃtaŋk] *vb siehe* **stinken.**
stänkern [ˈʃtɛŋkərn] (*umg*) *vi* to stir things up.
Stanniol [ʃtaniˈoːl] (**-s, -e**) *nt* tinfoil.
Stanze [ˈʃtantsə] (**-, -n**) *f* stanza; (*TECH*) stamp.
stanzen *vt* to stamp; (*Löcher*) to punch.
Stapel [ˈʃtaːpəl] (**-s, -**) *m* pile; (*NAUT*) stocks *pl*; **~lauf** *m* launch.
stapeln *vt* to pile (up).
Stapelverarbeitung *f* (*COMPUT*) batch processing.
stapfen [ˈʃtapfən] *vi* to trudge, plod.
Star[1] [ʃtaːr] (**-(e)s, -e**) *m* starling; **grauer/ grüner ~** (*MED*) cataract/glaucoma.
Star[2] [ʃtaːr] (**-s, -s**) *m* (*Film~ etc*) star.
starb *etc* [ʃtarp] *vb siehe* **sterben.**
stark [ʃtark] *adj* strong; (*heftig, groß*) heavy; (*Maßangabe*) thick; (*umg: hervorragend*) great ♦ *adv* very; (*beschädigt etc*) badly; (*vergrößert, verkleinert*) greatly; **das ist ein ~es Stück!** (*umg*) that's a bit much!; **sich für etw ~ machen** (*umg*) to stand up for sth; **er ist ~ erkältet** he has a bad cold.
Stärke [ˈʃtɛrkə] (**-, -n**) *f* strength (*auch fig*); heaviness; thickness; (*von Mannschaft*) size; (*KOCH, Wäsche~*) starch; **~mehl** *nt* (*KOCH*) thickening agent.
stärken *vt* (*lit, fig*) to strengthen; (*Wäsche*) to starch; (*Selbstbewußtsein*) to boost; (*Gesundheit*) to improve; (*erfrischen*) to fortify ♦ *vi* to be fortifying; **~des Mittel** tonic.
Starkstrom *m* heavy current.
Stärkung [ˈʃtɛrkʊŋ] *f* strengthening; (*Essen*) refreshment.
Stärkungsmittel *nt* tonic.
starr [ʃtar] *adj* stiff; (*unnachgiebig*) rigid; (*Blick*) staring.
starren *vi* to stare; ~ **vor** *+dat od* **von** (*voll von*) to be covered in; (*Waffen*) to be bristling with; **vor sich** *akk* **hin ~** to stare straight ahead.
starr- *zW:* **S~heit** *f* rigidity; **~köpfig** *adj* stubborn; **S~sinn** *m* obstinacy.
Start [ʃtart] (**-(e)s, -e**) *m* start; (*AVIAT*) takeoff; **~automatik** *f* (*AUT*) automatic choke; **~bahn** *f* runway; **s~en** *vi* to start; (*AVIAT*) to take off ♦ *vt* to start; **~er** (**-s, -**) *m* starter; **~erlaubnis** *f* takeoff clearance; **~hilfe** *f* (*AVIAT*) rocket-assisted takeoff; (*fig*) initial aid; **jdm ~hilfe geben** to help sb get off the

ground; ~**hilfekabel** *nt* jump leads *pl* (*BRIT*), jumper cables *pl* (*US*); **s~klar** *adj* (*AVIAT*) clear for takeoff; (*SPORT*) ready to start; ~**kommando** *nt* (*SPORT*) starting signal; ~**zeichen** *nt* start signal.

Stasi ['ʃta:zi] (-**s**) (*umg*) *f abk* (*früher*: = *Staatssicherheitsdienst der DDR*) Stasi.

> **Stasi**, *an abbreviation of Staatssicherheitsdienst, the* **DDR** *secret service, was founded in 1950 and disbanded in 1989. The Stasi organized an extensive spy network of full-time and part-time workers who often held positions of trust in both the DDR and the* **BRD**. *They held personal files on 6 million people.*

Station [ʃtatsi'o:n] *f* station; (*Kranken~*) hospital ward; (*Haltestelle*) stop; ~ **machen** to stop off.

stationär [ʃtatsio'nɛ:r] *adj* stationary; (*MED*) in-patient *attrib*.

stationieren [ʃtatsio'ni:rən] *vt* to station; (*Atomwaffen etc*) to deploy.

Stations- *zW*: ~**arzt** *m* ward doctor; ~**ärztin** *f* ward doctor; ~**vorsteher** *m* (*EISENB*) stationmaster.

statisch ['ʃta:tɪʃ] *adj* static.

Statist(in) [ʃta'tɪst(ɪn)] *m(f)* (*FILM*) extra; (*THEAT*) supernumerary.

Statistik *f* statistic; (*Wissenschaft*) statistics *sing*.

Statistiker(in) (-**s**, -) *m(f)* statistician.

statistisch *adj* statistical.

Stativ [ʃta'ti:f] (-**s**, -**e**) *nt* tripod.

Statt [ʃtat] (-) *f* place.

statt *konj* instead of ♦ *präp* (+*dat od gen*) instead of; ~ **dessen** instead.

Stätte ['ʃtɛtə] (-, -**n**) *f* place.

statt- *zW*: ~**finden** *unreg vi* to take place; ~**haft** *adj* admissible; **S~halter** *m* governor; ~**lich** *adj* imposing, handsome; (*Bursche*) strapping; (*Sammlung*) impressive; (*Familie*) large; (*Summe*) handsome.

Statue ['ʃta:tuə] (-, -**n**) *f* statue.

Statur [ʃta'tu:r] *f* build.

Status ['ʃta:tʊs] (-, -) *m* status; ~**symbol** *nt* status symbol.

Statuten [ʃta'tu:tən] *pl* by(e)-law(s *pl*).

Stau [ʃtaʊ] (-**(e)s**, -**e**) *m* blockage; (*Verkehrs~*) (traffic) jam.

Staub [ʃtaʊp] (-**(e)s**) *m* dust; ~ **wischen** to dust; **sich aus dem** ~ **machen** (*umg*) to clear off.

stauben ['ʃtaʊbən] *vi* to be dusty.

Staubfaden *m* (*BOT*) stamen.

staubig ['staʊbɪç] *adj* dusty.

Staub- *zW*: ~**lappen** *m* duster; ~**lunge** *f* (*MED*) dust on the lung; **s~saugen** (*pp* **s~gesaugt**) *vi untr* to vacuum; ~**sauger** *m* vacuum cleaner; ~**tuch** *nt* duster.

Staudamm *m* dam.

Staude ['ʃtaʊdə] (-, -**n**) *f* shrub.

stauen ['ʃtaʊən] *vt* (*Wasser*) to dam up; (*Blut*) to stop the flow of ♦ *vr* (*Wasser*) to become dammed up; (*MED, Verkehr*) to become congested; (*Menschen*) to collect together; (*Gefühle*) to build up.

staunen ['ʃtaʊnən] *vi* to be astonished; **da kann man nur noch** ~ it's just amazing; **S~** (-**s**) *nt* amazement.

Stausee ['ʃtaʊze:] *m* reservoir; artificial lake.

Stauung ['ʃtaʊʊŋ] *f* (*von Wasser*) damming-up; (*von Blut, Verkehr*) congestion.

Std., Stde. *abk* (= *Stunde*) h.

stdl. *abk* = **stündlich.**

Steak [ʃte:k] (-**s**, -**s**) *nt* steak.

Stechen ['ʃtɛçən] (-**s**, -) *nt* (*SPORT*) play-off; (*Springreiten*) jump-off; (*Schmerz*) sharp pain.

stechen *unreg vt* (*mit Nadel etc*) to prick; (*mit Messer*) to stab; (*mit Finger*) to poke; (*Biene etc*) to sting; (*Mücke*) to bite; (*KARTEN*) to take; (*KUNST*) to engrave; (*Torf, Spargel*) to cut ♦ *vi* (*Sonne*) to beat down; (*mit Stechkarte*) to clock in ♦ *vr*: **sich** *akk od dat* **in den Finger** ~ to prick one's finger; **es sticht** it is prickly; **in See** ~ to put to sea.

stechend *adj* piercing, stabbing; (*Geruch*) pungent.

Stech- *zW*: ~**ginster** *m* gorse; ~**karte** *f* clocking-in card; ~**mücke** *f* gnat; ~**palme** *f* holly; ~**uhr** *f* time clock.

Steck- *zW*: ~**brief** *m* "wanted" poster; **s~brieflich** *adv*: **s~brieflich gesucht werden** to be wanted; ~**dose** *f* (wall) socket.

stecken ['ʃtɛkən] *vt* to put; (*einführen*) to insert; (*Nadel*) to stick; (*Pflanzen*) to plant; (*beim Nähen*) to pin ♦ *vi* (*auch unreg*) to be; (*festsitzen*) to be stuck; (*Nadeln*) to stick; **etw in etw** *akk* ~ (*umg: Geld, Mühe*) to put sth into sth; (*: Zeit*) to devote sth to sth; **der Schlüssel steckt** the key is in the lock; **wo steckt er?** where has he got to?; **zeigen, was in einem steckt** to show what one is made of; ~**bleiben** *unreg vi* to get stuck; ~**lassen** *unreg vt* to leave in.

Steckenpferd *nt* hobbyhorse.

Stecker (-**s**, -) *m* (*ELEK*) plug.

Steck- *zW*: ~**nadel** *f* pin; ~**rübe** *f* swede, turnip; ~**schlüssel** *m* box spanner (*BRIT*) *od* wrench (*US*); ~**zwiebel** *f* bulb.

Steg [ʃte:k] (-**(e)s**, -**e**) *m* small bridge; (*Anlege~*) landing stage.

Stegreif *m*: **aus dem** ~ just like that.

Stehaufmännchen ['ʃte:|aʊfmɛnçən] *nt* (*Spielzeug*) tumbler.

stehen ['ʃte:ən] *unreg vi* to stand; (*sich befinden*) to be; (*in Zeitung*) to say; (*angehalten haben*) to have stopped ♦ *vi unpers*: **es steht schlecht um** ... things are bad for ... ♦ *vr*: **sich gut/schlecht** ~ to be well-off/badly off; **zu jdm/etw** ~ to stand by sb/ sth; **jdm** ~ to suit sb; **ich tue, was in meinen**

Kräften steht I'll do everything I can; **es steht 2:1 für München** the score is 2-1 to Munich; **mit dem Dativ** ~ (*GRAM*) to take the dative; **auf Betrug steht eine Gefängnisstrafe** the penalty for fraud is imprisonment; **wie** ~ **Sie dazu?** what are your views on that?; **wie steht's?** how are things?; (*SPORT*) what's the score?; **wie steht es damit?** how about it?; **~bleiben** *unreg vi* (*Uhr*) to stop; (*Zeit*) to stand still; (*Auto, Zug*) to stand; (*Fehler*) to stay as it is; (*Verkehr, Produktion etc*) to come to a standstill *od* stop.

stehend *adj attrib* (*Fahrzeug*) stationary; (*Gewässer*) stagnant; (*ständig: Heer*) regular.

stehenlassen *unreg vt* to leave; (*Bart*) to grow; **alles stehen- und liegenlassen** to drop everything.

Stehlampe *f* standard lamp (*BRIT*), floor lamp (*US*).

stehlen ['ʃteːlən] *unreg vt* to steal.

Stehplatz *m*: **ein** ~ **kostet 10 Mark** a standing ticket costs 10 marks.

Stehvermögen *nt* staying power, stamina.

Steiermark ['ʃtaɪrmark] *f*: **die** ~ Styria.

steif [ʃtaɪf] *adj* stiff; ~ **und fest auf etw** *dat* **beharren** to insist stubbornly on sth.

Steifftier ® ['ʃtaɪftiːr] *nt soft toy animal.*

Steifheit *f* stiffness.

Steigbügel ['ʃtaɪkbyːgəl] *m* stirrup.

Steigeisen *nt* crampon.

steigen *unreg vi* to rise; (*klettern*) to climb ♦ *vt* (*Treppen, Stufen*) to climb (up); **das Blut stieg ihm in den Kopf** the blood rushed to his head; ~ **in** *+akk*/**auf** *+akk* to get in/on.

Steiger (**-s, -**) *m* (*MIN*) pit foreman.

steigern *vt* to raise; (*GRAM*) to compare ♦ *vi* (*Auktion*) to bid ♦ *vr* to increase.

Steigerung *f* raising; (*GRAM*) comparison.

Steigung *f* incline, gradient, rise.

steil [ʃtaɪl] *adj* steep; **S~hang** *m* steep slope; **S~paß** *m* (*SPORT*) through ball.

Stein [ʃtaɪn] (**-(e)s, -e**) *m* stone; (*in Uhr*) jewel; **mir fällt ein** ~ **vom Herzen!** (*fig*) that's a load off my mind!; **bei jdm einen** ~ **im Brett haben** (*fig: umg*) to be well in with sb; **jdm ~e in den Weg legen** to make things difficult for sb; **~adler** *m* golden eagle; **s~alt** *adj* ancient; **~bock** *m* (*ASTROL*) Capricorn; **~bruch** *m* quarry.

steinern *adj* (made of) stone; (*fig*) stony.

Stein- *zW*: **~erweichen** *nt*: **zum ~erweichen weinen** to cry heartbreakingly; **~garten** *m* rockery; **~gut** *nt* stoneware; **s~hart** *adj* hard as stone.

steinig *adj* stony.

steinigen *vt* to stone.

Stein- *zW*: **~kohle** *f* mineral coal; **~metz** (**-es, -e**) *m* stonemason; **s~reich** (*umg*) *adj* stinking rich; **~schlag** *m*: **„Achtung ~schlag"** "danger - falling stones"; **~wurf** *m* (*fig*) stone's throw; **~zeit** *f* Stone Age.

Steiß [ʃtaɪs] (**-es, -e**) *m* rump; **~bein** *nt* (*ANAT*) coccyx.

Stelle ['ʃtɛlə] (**-, -n**) *f* place; (*Arbeit*) post, job; (*Amt*) office; (*Abschnitt*) passage; (*Text~, bes beim Zitieren*) reference; **drei ~n hinter dem Komma** (*MATH*) three decimal places; **eine freie** *od* **offene** ~ a vacancy; **an dieser** ~ in this place, here; **an anderer** ~ elsewhere; **nicht von der** ~ **kommen** not to make any progress; **auf der** ~ (*fig: sofort*) on the spot.

stellen *vt* to put; (*Uhr etc*) to set; (*zur Verfügung* ~) to supply; (*fassen: Dieb*) to apprehend; (*Antrag, Forderung*) to make; (*Aufnahme*) to pose; (*arrangieren: Szene*) to arrange ♦ *vr* (*sich auf~*) to stand; (*sich einfinden*) to present o.s.; (*bei Polizei*) to give o.s. up; (*vorgeben*) to pretend (to be); **das Radio lauter/leiser** ~ to turn the radio up/down; **auf sich** *akk* **selbst gestellt sein** (*fig*) to have to fend for o.s.; **sich hinter jdn/etw** ~ (*fig*) to support sb/sth; **sich einer Herausforderung** ~ to take up a challenge; **sich zu etw** ~ to have an opinion of sth.

Stellen- *zW*: **~angebot** *nt* offer of a post; (*in Zeitung*): **„~angebote"** "vacancies"; **~anzeige** *f* job advertisement *od* ad (*umg*); **~gesuch** *nt* application for a post; **„~gesuche"** "situations wanted"; **~markt** *m* job market; (*in Zeitung*) appointments section; **~nachweis** *m* employment agency; **~vermittlung** *f* employment agency; **s~weise** *adv* in places; **~wert** *m* (*fig*) status.

Stellung *f* position; (*MIL*) line; ~ **nehmen zu** to comment on.

Stellungnahme *f* comment.

stellungslos *adj* unemployed.

stellv. *abk* = **stellvertretend.**

Stell- *zW*: **s~vertretend** *adj* deputy *attrib*, acting *attrib*; **~vertreter** *m* (*von Amts wegen*) deputy, representative; **~werk** *nt* (*EISENB*) signal box.

Stelze ['ʃtɛltsə] (**-, -n**) *f* stilt.

stelzen (*umg*) *vi* to stalk.

Stemmbogen *m* (*SKI*) stem turn.

Stemmeisen *nt* crowbar.

stemmen ['ʃtɛmən] *vt* to lift (up); (*drücken*) to press; **sich** ~ **gegen** (*fig*) to resist, oppose.

Stempel ['ʃtɛmpəl] (**-s, -**) *m* stamp; (*Post~*) postmark; (*TECH: Präge~*) die; (*BOT*) pistil; **~gebühr** *f* stamp duty; **~kissen** *nt* inkpad.

stempeln *vt* to stamp; (*Briefmarke*) to cancel ♦ *vi* (*umg: Stempeluhr betätigen*) to clock in/out; ~ **gehen** (*umg*) to be *od* go on the dole (*BRIT*) *od* on welfare (*US*).

Stengel ['ʃtɛŋəl] (**-s, -**) *m* stalk; **vom** ~ **fallen** (*umg: überrascht sein*) to be staggered.

Steno ['ʃteno] (*umg*) *f* shorthand; **~gramm** [-'gram] *nt* text in shorthand; **~graph(in)** [-graːf(ɪn)] *m(f)* (*im Büro*) shorthand secretary; **~graphie** [-gra'fiː] *f* shorthand; **s~graphieren** [-gra'fiːrən] *vt, vi* to write (in) shorthand; **~typist(in)** [-ty'pɪst(ɪn)] *m(f)* shorthand typist (*BRIT*), stenographer (*US*).

Steppdecke *f* quilt.

Steppe (-, -n) *f* steppe.

steppen ['ʃtɛpən] *vt* to stitch ♦ *vi* to tap-dance.

Steptanz *m* tap-dance.

Sterbe- *zW:* **~bett** *nt* deathbed; **~fall** *m* death; **~hilfe** *f* euthanasia; **~kasse** *f* death benefit fund.

sterben ['ʃtɛrbən] *unreg vi* to die; **an einer Krankheit/Verletzung ~** to die of an illness/ from an injury; **er ist für mich gestorben** (*fig: umg*) he might as well be dead.

Sterben *nt:* **im ~ liegen** to be dying.

sterbenslangweilig (*umg*) *adj* deadly boring.

Sterbenswörtchen (*umg*) *nt:* **er hat kein ~ gesagt** he didn't say a word.

Sterbeurkunde *f* death certificate.

sterblich ['ʃtɛrplɪç] *adj* mortal; **S~keit** *f* mortality; **S~keitsziffer** *f* death rate.

stereo- ['ste:reo] *in zW* stereo(-); **S~anlage** *f* stereo unit; **~typ** *adj* stereotyped.

steril [ʃte'ri:l] *adj* sterile.

sterilisieren [ʃterili'zi:rən] *vt* to sterilize.

Sterilisierung *f* sterilization.

Stern [ʃtɛrn] (-(e)s, -e) *m* star; **das steht (noch) in den ~en** (*fig*) it's in the lap of the gods; **~bild** *nt* constellation; **~chen** *nt* asterisk; **~enbanner** *nt* Stars and Stripes *sing*; **s~hagelvoll** (*umg*) *adj* legless; **~schnuppe** (-, -n) *f* meteor, falling star; **~stunde** *f* historic moment; **~warte** *f* observatory; **~zeichen** *nt* (*ASTROL*) sign of the zodiac.

stet [ʃte:t] *adj* steady.

Stethoskop [ʃteto'sko:p] (-(e)s, -e) *nt* stethoscope.

stetig *adj* constant, continual; (*MATH: Funktion*) continuous.

stets *adv* continually, always.

Steuer[1] ['ʃtɔʏər] (-s, -) *nt* (*NAUT*) helm; (*~ruder*) rudder; (*AUT*) steering wheel; **am ~ sitzen** (*AUT*) to be at the wheel; (*AVIAT*) to be at the controls.

Steuer[2] (-, -n) *f* tax.

Steuer- *zW:* **~befreiung** *f* tax exemption; **s~begünstigt** *adj* (*Investitionen, Hypothek*) tax-deductible; (*Waren*) taxed at a lower rate; **~berater(in)** *m(f)* tax consultant; **~bescheid** *m* tax assessment; **~bord** *nt* starboard; **~erhöhung** *f* tax increase; **~erklärung** *f* tax return; **s~frei** *adj* tax-free; **~freibetrag** *m* tax allowance; **~hinterziehung** *f* tax evasion; **~jahr** *nt* fiscal *od* tax year; **~karte** *f* tax notice; **~klasse** *f* tax group; **~knüppel** *m* control column; (*AVIAT, COMPUT*) joystick; **s~lich** *adj* tax *attrib*; **~mann** (-(e)s, *pl* **-männer** *od* **-leute**) *m* helmsman.

steuern *vt* to steer; (*Flugzeug*) to pilot; (*Entwicklung, Tonstärke*) to control ♦ *vi* to steer; (*in Flugzeug etc*) to be at the controls; (*bei Entwicklung etc*) to be in control.

Steuer- *zW:* **~nummer** *f* ≈ National Insurance Number (*BRIT*), Social Security Number (*US*); **~paradies** *nt* tax haven; **s~pflichtig** *adj* taxable; (*Person*) liable to pay tax; **~progression** *f* progressive taxation; **~prüfung** *f* tax inspector's investigation; **~rad** *nt* steering wheel; **~rückvergütung** *f* tax rebate; **~senkung** *f* tax cut.

Steuerung *f* steering (*auch AUT*); piloting; control; (*Vorrichtung*) controls *pl*; **automatische ~** (*AVIAT*) autopilot; (*TECH*) automatic steering (device).

Steuer- *zW:* **~vergünstigung** *f* tax relief; **~zahler** *m* taxpayer; **~zuschlag** *m* additional tax.

Steward ['stju:ərt] (-s, -s) *m* steward.

Stewardeß ['stju:ərdɛs] (-, -essen) *f* stewardess.

StGB (-s) *nt abk* = **Strafgesetzbuch.**

stibitzen [ʃti'bɪtsən] (*umg*) *vt* to pilfer, pinch (*umg*).

Stich [ʃtɪç] (-(e)s, -e) *m* (*Insekten~*) sting; (*Messer~*) stab; (*beim Nähen*) stitch; (*Färbung*) tinge; (*KARTEN*) trick; (*ART*) engraving; (*fig*) pang; **ein ~ ins Rote** a tinge of red; **einen ~ haben** (*umg: Eßwaren*) to be bad *od* off (*BRIT*); (*: Mensch: verrückt sein*) to be nuts; **jdn im ~ lassen** to leave sb in the lurch.

Stichel (-s, -) *m* engraving tool, style.

Stichelei [ʃtɪçə'laɪ] *f* jibe, taunt.

sticheln *vi* (*fig*) to jibe; (*pej: umg*) to make snide remarks.

Stich- *zW:* **~flamme** *f* tongue of flame; **s~haltig** *adj* valid; (*Beweis*) conclusive; **~probe** *f* spot check.

sticht [ʃtɪçt] *vb siehe* **stechen.**

Stichtag *m* qualifying date.

Stichwahl *f* final ballot.

Stichwort *nt* (*pl* **-worte**) cue; (*: für Vortrag*) note; (*pl* **-wörter**: *in Wörterbuch*) headword; **~katalog** *m* classified catalogue (*BRIT*) *od* catalog (*US*); **~verzeichnis** *nt* index.

Stichwunde *f* stab wound.

sticken ['ʃtɪkən] *vt, vi* to embroider.

Stickerei [ʃtɪkə'raɪ] *f* embroidery.

stickig *adj* stuffy, close.

Stickstoff (-(e)s) *m* nitrogen.

stieben ['ʃti:bən] *vi* (*geh: sprühen*) to fly.

Stief- ['ʃti:f] *in zW* step-.

Stiefel ['ʃti:fəl] (-s, -) *m* boot; (*Trinkgefäß*) *large boot-shaped beer glass.*

Stief- *zW:* **~kind** *nt* stepchild; (*fig*) Cinderella; **~mutter** *f* stepmother; **~mütterchen** *nt* pansy; **s~mütterlich** *adj* (*fig*): **jdn/etw s~mütterlich behandeln** to pay little attention to sb/sth; **~vater** *m* stepfather.

stieg *etc* [ʃti:k] *vb siehe* **steigen.**

Stiege ['ʃti:gə] (-, -n) *f* staircase.

Stieglitz ['ʃti:glɪts] (-es, -e) *m* goldfinch.

stiehlt [ʃti:lt] *vb siehe* **stehlen.**

Stiel [ʃti:l] (-(e)s, -e) *m* handle; (*BOT*) stalk.

Stielaugen *pl* (*fig: umg*): **er machte ~** his eyes

(nearly) popped out of his head.
Stier (**-(e)s, -e**) *m* bull; (*ASTROL*) Taurus.
stier [ʃtiːr] *adj* staring, fixed.
stieren *vi* to stare.
Stierkampf *m* bullfight.
stieß *etc* [ʃtiːs] *vb siehe* **stoßen.**
Stift [ʃtɪft] (**-(e)s, -e**) *m* peg; (*Nagel*) tack; (*Bunt~*) crayon; (*Blei~*) pencil; (*umg: Lehrling*) apprentice (boy).
stiften *vt* to found; (*Unruhe*) to cause; (*spenden*) to contribute; **~gehen** *unreg* (*umg*) *vi* to hop it.
Stifter(in) (**-s, -**) *m(f)* founder.
Stiftung *f* donation; (*Organisation*) foundation.
Stiftzahn *m* post crown.
Stil [ʃtiːl] (**-(e)s, -e**) *m* style; (*Eigenart*) way, manner; **~blüte** *f* howler; **~bruch** *m* stylistic incongruity.
stilistisch [ʃti'lɪstɪʃ] *adj* stylistic.
still [ʃtɪl] *adj* quiet; (*unbewegt*) still; (*heimlich*) secret; **ich dachte mir im ~en** I thought to myself; **er ist ein ~es Wasser** he's a deep one; **~er Teilhaber** (*COMM*) sleeping (*BRIT*) *od* silent (*US*) partner; **der S~e Ozean** the Pacific (Ocean).
Stille (**-, -n**) *f* quietness; stillness; **in aller ~** quietly.
Stilleben *nt siehe* **Still(l)eben.**
Stillegung *f siehe* **Still(l)egung.**
stillen *vt* to stop; (*befriedigen*) to satisfy; (*Säugling*) to breast-feed.
still- *zW:* **~gestanden** *interj* attention!; **S~halteabkommen** *nt* (*FIN, fig*) moratorium; **~halten** *unreg vi* to keep still; **S~(l)eben** *nt* still life; **~(l)egen** *vt* to close down; **S~(l)egung** *f* (*Betrieb*) shut-down, closure; **~(l)iegen** *unreg vi* (*außer Betrieb sein*) to be shut down; (*lahmliegen*) to be at a standstill; **S~schweigen** *nt* silence; **~schweigen** *unreg vi* to be silent; **~schweigend** *adj* silent; (*Einverständnis*) tacit ♦ *adv* silently; tacitly; **S~stand** *m* standstill; **~stehen** *unreg vi* to stand still.
Stilmöbel *pl* reproduction *od* (*antik*) period furniture *sing.*
stilvoll *adj* stylish.
Stimm- *zW:* **~abgabe** *f* voting; **~bänder** *pl* vocal cords *pl*; **s~berechtigt** *adj* entitled to vote; **~bruch** *m:* **er ist im ~bruch** his voice is breaking.
Stimme ['ʃtɪmə] (**-, -n**) *f* voice; (*Wahl~*) vote; (*MUS: Rolle*) part; **mit leiser/lauter ~** in a soft/loud voice; **seine ~ abgeben** to vote.
stimmen *vi* (*richtig sein*) to be right; (*wählen*) to vote ♦ *vt* (*Instrument*) to tune; **stimmt so!** that's all right; **für/gegen etw ~** to vote for/against sth; **jdn traurig ~** to make sb feel sad.
Stimmen- *zW:* **~gewirr** *nt* babble of voices; **~gleichheit** *f* tied vote; **~mehrheit** *f* majority (of votes).
Stimm- *zW:* **~enthaltung** *f* abstention; **~gabel** *f* tuning fork; **s~haft** *adj* voiced.
stimmig *adj* harmonious.
Stimm- *zW:* **s~los** *adj* (*LING*) unvoiced; **~recht** *nt* right to vote; **s~rechtslos** *adj:* **s~rechtslose Aktien** "A" shares.
Stimmung *f* mood; (*Atmosphäre*) atmosphere; (*Moral*) morale; **in ~ kommen** to liven up; **~ gegen/für jdn/etw machen** to stir up (public) opinion against/in favour of sb/sth.
Stimmungs- *zW:* **~kanone** (*umg*) *f* life and soul of the party; **~mache** (*pej*) *f* cheap propaganda; **s~voll** *adj* (*Atmosphäre*) enjoyable; (*Gedicht*) full of atmosphere.
Stimmzettel *m* ballot paper.
stinken ['ʃtɪŋkən] *unreg vi* to stink; **die Sache stinkt mir** (*umg*) I'm fed-up to the back teeth (with it).
Stink- *zW:* **s~faul** (*umg*) *adj* bone-lazy; **s~langweilig** (*umg*) *adj* deadly boring; **~tier** *nt* skunk; **~wut** (*umg*) *f:* **eine ~wut (auf jdn) haben** to be livid (with sb).
Stipendium [ʃti'pɛndiʊm] *nt* grant; (*als Auszeichnung*) scholarship.
Stippvisite ['ʃtɪpvi'ziːtə] (*umg*) *f* flying visit.
stirbt [ʃtɪrpt] *vb siehe* **sterben.**
Stirn [ʃtɪrn] (**-, -en**) *f* forehead, brow; (*Frechheit*) impudence; **die ~ haben zu ...** to have the nerve to ...; **~band** *nt* headband; **~höhle** *f* sinus; **~runzeln** (**-s**) *nt* frown.
stob *etc* [ʃtoːp] *vb siehe* **stieben.**
stöbern ['ʃtøbərn] *vi* to rummage.
stochern ['stɔxərn] *vi* to poke (about).
Stock¹ [ʃtɔk] (**-(e)s, ⸚e**) *m* stick; (*Rohr~*) cane; (*Zeige~*) pointer; (*BOT*) stock; **über ~ und Stein** up hill and down dale.
Stock² [ʃtɔk] (**-(e)s, -** *od* **-werke**) *m* storey (*BRIT*), story (*US*); **im ersten ~** on the first (*BRIT*) *od* second (*US*) floor.
stock- *in zW* (*vor adj: umg*) completely.
Stöckelschuh ['ʃtœkəlʃuː] *m* stiletto-heeled shoe.
stocken *vi* to stop, pause; (*Arbeit, Entwicklung*) to make no progress; (*im Satz*) to break off; (*Verkehr*) to be held up.
stockend *adj* halting.
stockfinster (*umg*) *adj* pitch-dark.
Stockholm ['ʃtɔkhɔlm] (**-s**) *nt* Stockholm.
stocksauer (*umg*) *adj* pissed-off (*!*).
stocktaub *adj* stone-deaf.
Stockung *f* stoppage.
Stockwerk *nt* storey (*BRIT*), story (*US*), floor.
Stoff [ʃtɔf] (**-(e)s, -e**) *m* (*Gewebe*) material, cloth; (*Materie*) matter; (*von Buch etc*) subject (matter); (*umg: Rauschgift*) dope.
Stoffel (**-s, -**) (*pej: umg*) *m* lout, boor.
Stoff- *zW:* **s~lich** *adj* with regard to subject matter; **~rest** *m* remnant; **~tier** *nt* soft toy; **~wechsel** *m* metabolism.
stöhnen ['ʃtøːnən] *vi* to groan.
stoisch ['ʃtoːɪʃ] *adj* stoical.

Stola ['ʃtoːla] (**-, Stolen**) *f* stole.
Stollen ['ʃtɔlən] (**-s, -**) *m* (*MIN*) gallery; (*KOCH*) stollen, *cake eaten at Christmas*; (*von Schuhen*) stud.
stolpern ['ʃtɔlpərn] *vi* to stumble, trip; (*fig: zu Fall kommen*) to come a cropper (*umg*).
stolz [ʃtɔlts] *adj* proud; (*imposant: Bauwerk*) majestic; (*ironisch: Preis*) princely; **S~** (**-es**) *m* pride.
stolzieren [ʃtɔl'tsiːrən] *vi* to strut.
stopfen ['ʃtɔpfən] *vt* (*hinein~*) to stuff; (*voll~*) to fill (up); (*nähen*) to darn ♦ *vi* (*MED*) to cause constipation; **jdm das Maul ~** (*umg*) to silence sb.
Stopfgarn *nt* darning thread.
Stopp [ʃtɔp] (**-s, -s**) *m* stop, halt; (*Lohn~*) freeze.
Stoppel ['ʃtɔpəl] (**-, -n**) *f* stubble.
stoppen *vt* to stop; (*mit Uhr*) to time ♦ *vi* to stop.
Stoppschild *nt* stop sign.
Stoppuhr *f* stopwatch.
Stöpsel ['ʃtœpsəl] (**-s, -**) *m* plug; (*für Flaschen*) stopper.
Stör [ʃtøːr] (**-(e)s, -e**) *m* sturgeon.
Störaktion *f* disruptive action.
störanfällig *adj* susceptible to interference *od* breakdown.
Storch [ʃtɔrç] (**-(e)s, ⸚e**) *m* stork.
Store [ʃtoːr] (**-s, -s**) *m* net curtain.
stören ['ʃtøːrən] *vt* to disturb; (*behindern, RUNDF*) to interfere with ♦ *vr*: **sich an etw** *dat* **~** to let sth bother one ♦ *vi* to get in the way; **was mich an ihm/daran stört** what I don't like about him/it; **stört es Sie, wenn ich rauche?** do you mind if I smoke?; **ich möchte nicht ~** I don't want to be in the way.
störend *adj* disturbing, annoying.
Störenfried (**-(e)s, -e**) *m* troublemaker.
Störfall *m* (*in Kraftwerk etc*) malfunction, accident.
stornieren [ʃtɔr'niːrən] *vt* (*COMM: Auftrag*) to cancel; (*: Buchungsfehler*) to reverse.
Storno ['ʃtɔrno] (**-s**) *m od nt* (*COMM: von Buchungsfehler*) reversal; (*: von Auftrag*) cancellation (*BRIT*), cancelation (*US*).
störrisch ['ʃtœrɪʃ] *adj* stubborn, perverse.
Störsender *m* jammer, jamming transmitter.
Störung *f* disturbance; interference; (*TECH*) fault; (*MED*) disorder.
Störungsstelle *f* (*TEL*) faults service.
Stoß [ʃtoːs] (**-es, ⸚e**) *m* (*Schub*) push; (*leicht*) poke; (*Schlag*) blow; (*mit Schwert*) thrust; (*mit Ellbogen*) nudge; (*mit Fuß*) kick; (*Erd~*) shock; (*Haufen*) pile; **seinem Herzen einen ~ geben** to pluck up courage; **~dämpfer** *m* shock absorber.
Stößel ['ʃtøːsəl] (**-s, -**) *m* pestle; (*AUT: Ventil~*) tappet.
stoßen *unreg vt* (*mit Druck*) to shove, push; (*mit Schlag*) to knock, bump; (*mit Ellbogen*) to nudge; (*mit Fuß*) to kick; (*mit Schwert*) to thrust; (*an~: Kopf etc*) to bump; (*zerkleinern*) to pulverize ♦ *vr* to get a knock ♦ *vi*: **~ an** *od* **auf** *+akk* to bump into; (*finden*) to come across; (*angrenzen*) to be next to; **sich ~ an** *+dat* (*fig*) to take exception to; **zu jdm ~** to meet up with sb.
Stoßgebet *nt* quick prayer.
Stoßstange *f* (*AUT*) bumper.
stößt [ʃtøːst] *vb siehe* **stoßen**.
Stoß- *zW*: **~verkehr** *m* rush-hour traffic; **~zahn** *m* tusk; **~zeit** *f* (*im Verkehr*) rush hour; (*in Geschäft etc*) peak period.
Stotterer (**-s, -**) *m* stutterer.
Stotterin *f* stutterer.
stottern ['ʃtɔtərn] *vt, vi* to stutter.
Stövchen ['ʃtøːfçən] *nt* (teapot- *etc*) warmer.
StPO *abk* = **Strafprozeßordnung.**
Str. *abk* (= *Straße*) St.
stracks [ʃtraks] *adv* straight.
Straf- *zW*: **~anstalt** *f* penal institution; **~arbeit** *f* (*SCH*) lines *pl*, punishment exercise; **~bank** *f* (*SPORT*) penalty bench; **s~bar** *adj* punishable; **sich s~bar machen** to commit an offence (*BRIT*) *od* offense (*US*); **~barkeit** *f* criminal nature.
Strafe ['ʃtraːfə] (**-, -n**) *f* punishment; (*JUR*) penalty; (*Gefängnis~*) sentence; (*Geld~*) fine; **... bei ~ verboten** ... forbidden; **100 Dollar ~ zahlen** to pay a $100 fine; **er hat seine ~ weg** (*umg*) he's had his punishment.
strafen *vt, vi* to punish; **mit etw gestraft sein** to be cursed with sth.
strafend *adj attrib* punitive; (*Blick*) reproachful.
straff [ʃtraf] *adj* tight; (*streng*) strict; (*Stil etc*) concise; (*Haltung*) erect.
straffällig ['ʃtraːffɛlɪç] *adj*: **~ werden** to commit a criminal offence (*BRIT*) *od* offense (*US*).
straffen *vt* to tighten.
Straf- *zW*: **s~frei** *adj*: **s~frei ausgehen** to go unpunished; **~gefangene(r)** *f(m)* prisoner, convict; **~gesetzbuch** *nt* penal code; **~kolonie** *f* penal colony.
sträflich ['ʃtrɛːflɪç] *adj* criminal ♦ *adv* (*vernachlässigen etc*) criminally.
Sträfling *m* convict.
Straf- *zW*: **~mandat** *nt* ticket; **~maß** *nt* sentence; **s~mildernd** *adj* mitigating; **~porto** *nt* excess postage (charge); **~predigt** *f* severe lecture; **~prozeßordnung** *f* code of criminal procedure; **~raum** *m* (*SPORT*) penalty area; **~recht** *nt* criminal law; **s~rechtlich** *adj* criminal; **~stoß** *m* (*SPORT*) penalty (kick); **~tat** *f* punishable act; **s~versetzen** *vt untr* (*Beamte*) to transfer for disciplinary reasons; **~vollzug** *m* penal system; **~zettel** (*umg*) *m* ticket.
Strahl [ʃtraːl] (**-(e)s, -en**) *m* ray, beam;

(*Wasser~*) jet.
strahlen *vi* (*Kernreaktor*) to radiate; (*Sonne, Licht*) to shine; (*fig*) to beam.
Strahlenbehandlung *f* radiotherapy.
Strahlenbelastung *f* (effects of) radiation.
strahlend *adj* (*Wetter*) glorious; (*Lächeln, Schönheit*) radiant.
Strahlen- *zW*: **~dosis** *f* radiation dose; **s~geschädigt** *adj* suffering from radiation damage; **~opfer** *nt* victim of radiation; **~schutz** *m* radiation protection; **~therapie** *f* radiotherapy.
Strahlung *f* radiation.
Strähnchen ['ʃtrɛːnçən] *pl* strands (of hair); (*gefärbt*) highlights.
Strähne ['strɛːnə] (-, -n) *f* strand.
strähnig *adj* (*Haar*) straggly.
stramm [ʃtram] *adj* tight; (*Haltung*) erect; (*Mensch*) robust; **~stehen** *unreg vi* (*MIL*) to stand to attention.
Strampelhöschen *nt* rompers *pl*.
strampeln ['ʃtrampəln] *vi* to kick (about), fidget.
Strand [ʃtrant] (-(e)s, **-̈e**) *m* shore; (*Meeres~*) beach; **am ~** on the beach; **~bad** *nt* open-air swimming pool; (*Badeort*) bathing resort.
stranden ['ʃtrandən] *vi* to run aground; (*fig: Mensch*) to fail.
Strandgut *nt* flotsam and jetsam.
Strandkorb *m* beach chair.
Strang [ʃtraŋ] (-(e)s, **-̈e**) *m* (*Nerven~, Muskel~*) cord; (*Schienen~*) track; **über die Stränge schlagen** to run riot (*umg*); **an einem ~ ziehen** (*fig*) to be in the same boat.
strangulieren [ʃtraŋgu'liːrən] *vt* to strangle.
Strapaze [ʃtra'paːtsə] (-, -n) *f* strain.
strapazieren [ʃtrapa'tsiːrən] *vt* (*Material*) to be hard on, punish; (*jdn*) to be a strain on; (*erschöpfen*) to wear out, exhaust.
strapazierfähig *adj* hard-wearing.
strapaziös [ʃtrapatsi'øːs] *adj* exhausting, tough.
Straßburg ['ʃtraːsbʊrk] (-s) *nt* Strasbourg.
Straße ['ʃtraːsə] (-, -n) *f* road; (*in Stadt, Dorf*) street; **auf der ~** in the street; **auf der ~ liegen** (*fig: umg*) to be out of work; **auf die ~ gesetzt werden** (*umg*) to be turned out (onto the streets).
Straßen- *zW*: **~bahn** *f* tram (*BRIT*), streetcar (*US*); **~bauarbeiten** *pl* roadworks *pl* (*BRIT*), roadwork *sing* (*US*); **~beleuchtung** *f* street lighting; **~feger** (-s, -) *m* roadsweeper; **~glätte** *f* slippery road surface; **~junge** (*pej*) *m* street urchin; **~karte** *f* road map; **~kehrer** (-s, -) *m* roadsweeper; **~kind** *nt* child of the streets; **~kreuzer** (*umg*) *m* limousine; **~mädchen** *nt* streetwalker; **~rand** *m* road side; **~sperre** *f* roadblock; **~überführung** *f* footbridge; **~verkehr** *m* road traffic; **~verkehrsordnung** *f* Highway Code (*BRIT*); **~zustandsbericht** *m* road report.
Stratege [ʃtra'teːgə] (-n, -n) *m* strategist.
Strategie [ʃtrate'giː] *f* strategy.
strategisch *adj* strategic.
Stratosphäre [ʃtrato'sfɛːrə] (-) *f* stratosphere.
sträuben ['ʃtrɔʏbən] *vt* to ruffle ♦ *vr* to bristle; (*Mensch*): **sich (gegen etw) ~** to resist (sth).
Strauch [ʃtraʊx] (-(e)s, **Sträucher**) *m* bush, shrub.
straucheln ['ʃtraʊxəln] *vi* to stumble, stagger.
Strauß¹ [ʃtraʊs] (-es, **Sträuße**) *m* (*Blumen~*) bouquet, bunch.
Strauß² [ʃtraʊs] (-es, -e) *m* ostrich.
Strebe ['ʃtreːbə] (-, -n) *f* strut.
Strebebalken *m* buttress.
streben *vi* to strive, endeavour (*BRIT*), endeavor (*US*); **~ nach** to strive for; **~ zu** *od* **nach** (*sich bewegen*) to make for.
Strebepfeiler *m* buttress.
Streber (-s, -) *m* (*pej*) pushy person; (*SCH*) swot (*BRIT*).
strebsam *adj* industrious; **S~keit** *f* industry.
Strecke ['ʃtrɛkə] (-, -n) *f* stretch; (*Entfernung*) distance; (*EISENB, MATH*) line; **auf der ~ Paris-Brüssel** on the way from Paris to Brussels; **auf der ~ bleiben** (*fig*) to fall by the wayside; **zur ~ bringen** (*Jagd*) to bag.
strecken *vt* to stretch; (*Waffen*) to lay down; (*KOCH*) to eke out ♦ *vr* to stretch (o.s.).
streckenweise *adv* in parts.
Streich [ʃtraɪç] (-(e)s, -e) *m* trick, prank; (*Hieb*) blow; **jdm einen ~ spielen** (*Person*) to play a trick on sb.
streicheln *vt* to stroke.
streichen *unreg vt* (*berühren*) to stroke; (*auftragen*) to spread; (*anmalen*) to paint; (*durch~*) to delete; (*nicht genehmigen*) to cancel; (*Schulden*) to write off; (*Zuschuß etc*) to cut ♦ *vi* (*berühren*) to brush past; (*schleichen*) to prowl; **etw glatt ~** to smooth sth (out).
Streicher *pl* (*MUS*) strings *pl*.
Streich- *zW*: **~holz** *nt* match; **~holzschachtel** *f* matchbox; **~instrument** *nt* string(ed) instrument; **~käse** *m* cheese spread.
Streifband *nt* wrapper; **~zeitung** *f* *newspaper sent at printed paper rate*.
Streife (-, -n) *f* patrol.
streifen ['ʃtraɪfən] *vt* (*leicht berühren*) to brush against, graze; (*Blick*) to skim over; (*Thema, Problem*) to touch on; (*ab~*) to take off ♦ *vi* (*gehen*) to roam.
Streifen (-s, -) *m* (*Linie*) stripe; (*Stück*) strip; (*Film*) film.
Streifendienst *m* patrol duty.
Streifenwagen *m* patrol car.
Streifschuß *m* graze, grazing shot.
Streifzug *m* scouting trip; (*Bummel*) expedition; (*fig: kurzer Überblick*): **~ (durch)** brief survey (of).
Streik [ʃtraɪk] (-(e)s, -s) *m* strike; **in den ~ treten** to come out on strike, strike;

~**brecher** *m* blackleg (*BRIT*), strikebreaker; **s~en** *vi* to strike; **der Computer s~t** the computer's packed up (*umg*), the computer's on the blink (*umg*); **da s~e ich** (*umg*) I refuse!; ~**kasse** *f* strike fund; ~**maßnahmen** *pl* industrial action *sing*; ~**posten** *m* (peaceful) picket.

Streit [ʃtraɪt] (-**(e)s, -e**) *m* argument; (*Auseinandersetzung*) dispute.

streiten *unreg vi, vr* to argue; to dispute; **darüber läßt sich** ~ that's debatable.

Streitfrage *f* point at issue.

Streitgespräch *nt* debate.

streitig *adj*: **jdm etw** ~ **machen** to dispute sb's right to sth; **S~keiten** *pl* quarrel *sing*, dispute *sing*.

Streit- *zW*: ~**kräfte** *pl* (*MIL*) armed forces *pl*; **s~lustig** *adj* quarrelsome; ~**punkt** *m* contentious issue; ~**sucht** *f* quarrelsomeness.

streng [ʃtrɛŋ] *adj* severe; (*Lehrer, Maßnahme*) strict; (*Geruch etc*) sharp; ~ **geheim** top-secret; ~ **verboten!** strictly prohibited.

Strenge (-) *f* severity; strictness; sharpness.

strenggenommen *adv* strictly speaking.

strenggläubig *adj* strict.

strengstens *adv* strictly.

Streß [ʃtrɛs] (-**sses, -sse**) *m* stress.

stressen *vt* to put under stress.

streßfrei *adj* without stress.

stressig *adj* stressful.

Streu [ʃtrɔʏ] (-, **-en**) *f* litter, bed of straw.

streuen *vt* to strew, scatter, spread ♦ *vi* (*mit Streupulver*) to grit; (*mit Salz*) to put down salt.

Streuer (-**s**, -) *m* shaker; (*Salz~*) cellar; (*Pfeffer~*) pot.

Streufahrzeug *nt* gritter (*BRIT*), sander.

streunen *vi* to roam about; (*Hund, Katze*) to stray.

Streupulver (-**s**) *nt* grit *od* sand for road.

Streuselkuchen ['ʃtrɔʏzəlkuːxən] *m cake with crumble topping.*

Streuung *f* dispersion; (*Statistik*) mean variation; (*PHYS*) scattering.

Strich (-**(e)s, -e**) *m* (*Linie*) line; (*Feder~, Pinsel~*) stroke; (*von Geweben*) nap; (*von Fell*) pile; (*Quer~*) dash; (*Schräg~*) oblique, slash (*bes US*); **einen** ~ **machen durch** (*lit*) to cross out; (*fig*) to foil; **jdm einen** ~ **durch die Rechnung machen** to thwart *od* foil sb's plans; **einen** ~ **unter etw** *akk* **machen** (*fig*) to forget sth; **nach** ~ **und Faden** (*umg*) good and proper; **auf den** ~ **gehen** (*umg*) to walk the streets; **jdm gegen den** ~ **gehen** to rub sb up the wrong way.

strich *etc* [ʃtrɪç] *vb siehe* **streichen.**

Strichcode *m* = **Strichkode.**

Stricheinteilung *f* calibration.

stricheln ['ʃtrɪçəln] *vt*: **eine gestrichelte Linie** a broken line.

Strich- *zW*: ~**junge** (*umg*) *m* male prostitute; ~**kode** *m* bar code (*BRIT*), universal product code (*US*); ~**mädchen** *nt* streetwalker; ~**punkt** *m* semicolon; **s~weise** *adv* here and there; **s~weise Regen** (*MET*) rain in places.

Strick [ʃtrɪk] (-**(e)s, -e**) *m* rope; **jdm aus etw einen** ~ **drehen** to use sth against sb.

stricken *vt, vi* to knit.

Strick- *zW*: ~**jacke** *f* cardigan; ~**leiter** *f* rope ladder; ~**nadel** *f* knitting needle; ~**waren** *pl* knitwear *sing*.

striegeln ['ʃtriːgəln] (*umg*) *vr* to spruce o.s. up.

Strieme ['ʃtriːmə] (-, **-n**) *f* weal.

strikt [strɪkt] *adj* strict.

Strippe ['ʃtrɪpə] (-, **-n**) *f* (*TEL: umg*): **jdn an der** ~ **haben** to have sb on the line.

Stripper(in) (-**s**, -) *m(f)* stripper.

stritt *etc* [ʃtrɪt] *vb siehe* **streiten.**

strittig ['ʃtrɪtɪç] *adj* disputed, in dispute.

Stroh [ʃtroː] (-**(e)s**) *nt* straw; ~**blume** *f* everlasting flower; ~**dach** *nt* thatched roof; **s~dumm** (*umg*) *adj* thick; ~**feuer** *nt*: **ein** ~**feuer sein** (*fig*) to be a passing fancy; ~**halm** *m* (drinking) straw; ~**mann** (-**(e)s**, *pl* **-männer**) *m* (*COMM*) dummy; ~**witwe** *f* grass widow; ~**witwer** *m* grass widower.

Strolch [ʃtrɔlç] (-**(e)s, -e**) (*pej*) *m* rogue, rascal.

Strom [ʃtroːm] (-**(e)s, ⸚e**) *m* river; (*fig*) stream; (*ELEK*) current; **unter** ~ **stehen** (*ELEK*) to be live; (*fig*) to be excited; **der Wein floß in Strömen** the wine flowed like water; **in Strömen regnen** to be pouring with rain; **s~abwärts** *adv* downstream; ~**anschluß** *m*: ~**anschluß haben** to be connected to the electricity mains; **s~aufwärts** *adv* upstream; ~**ausfall** *m* power failure.

strömen ['ʃtrøːmən] *vi* to stream, pour.

Strom- *zW*: ~**kabel** *nt* electric cable; ~**kreis** *m* (electrical) circuit; **s~linienförmig** *adj* streamlined; ~**netz** *nt* power supply system; ~**rechnung** *f* electricity bill; ~**schnelle** *f* rapids *pl*; ~**sperre** *f* power cut; ~**stärke** *f* amperage.

Strömung ['ʃtrøːmʊŋ] *f* current.

Stromzähler *m* electricity meter.

Strophe ['ʃtroːfə] (-, **-n**) *f* verse.

strotzen ['ʃtrɔtsən] *vi*: ~ **vor** *+dat od* **von** to abound in, be full of.

Strudel ['ʃtruːdəl] (-**s**, -) *m* whirlpool, vortex; (*KOCH*) strudel.

strudeln *vi* to swirl, eddy.

Struktur [ʃtrʊk'tuːr] *f* structure.

strukturell [ʃtrʊktu'rɛl] *adj* structural.

strukturieren [ʃtrʊktu'riːrən] *vt* to structure.

Strumpf [ʃtrʊmpf] (-**(e)s, ⸚e**) *m* stocking; ~**band** *nt* garter; ~**halter** *m* suspender (*BRIT*), garter (*US*); ~**hose** *f* (pair of) tights *pl* (*BRIT*) *od* pantihose *pl* (*US*).

Strunk [ʃtrʊŋk] (-**(e)s, ⸚e**) *m* stump.

struppig ['ʃtrʊpɪç] *adj* shaggy, unkempt.

Stube ['ʃtu:bə] (-, -n) *f* room; **die gute ~** (*veraltet*) the parlour (*BRIT*) *od* parlor (*US*).
Stuben- *zW:* **~arrest** *m* confinement to one's room; (*MIL*) confinement to quarters; **~fliege** *f* (common) housefly; **~hocker** (*umg*) *m* stay-at-home; **s~rein** *adj* house-trained.
Stuck [ʃtʊk] (-(e)s) *m* stucco.
Stück [ʃtʏk] (-(e)s, -e) *nt* piece; (*etwas*) bit; (*THEAT*) play; **am ~** in one piece; **das ist ein starkes ~!** (*umg*) that's a bit much!; **große ~e auf jdn halten** to think highly of sb; **~arbeit** *f* piecework; **~gut** *nt* (*EISENB*) parcel service; **~kosten** *pl* unit cost *sing*; **~lohn** *m* piecework rates *pl*; **s~weise** *adv* bit by bit, piecemeal; (*COMM*) individually; **~werk** *nt* bits and pieces *pl*.
Student(in) [ʃtu'dɛnt(ɪn)] *m(f)* student.
Studenten- *zW:* **~ausweis** *m* student card; **~futter** *nt* nuts and raisins *pl*; **~werk** *nt* student administration; **~wohnheim** *nt* hall of residence (*BRIT*), dormitory (*US*).
studentisch *adj* student *attrib.*
Studie ['ʃtu:diə] *f* study.
Studien- *zW:* **~beratung** *f* course guidance service; **~buch** *nt* (*UNIV*) *book in which the courses one has attended are entered*; **~fahrt** *f* study trip; **~platz** *m* university place; **~rat** *m*, **~rätin** *f* teacher at a secondary (*BRIT*) *od* high (*US*) school.
studieren [ʃtu'di:rən] *vt, vi* to study; **bei jdm ~** to study under sb.
Studio ['ʃtu:dio] (-s, -s) *nt* studio.
Studium ['ʃtu:diʊm] *nt* studies *pl*.
Stufe ['ʃtu:fə] (-, -n) *f* step; (*Entwicklungs~*) stage; (*Niveau*) level.
Stufen- *zW:* **~heck** *nt* (*AUT*) notchback; **~leiter** *f* (*fig*) ladder; **s~los** *adj* (*TECH*) infinitely variable; **s~los verstellbar** continuously adjustable; **~plan** *m* graduated plan; **~schnitt** *m* (*Frisur*) layered cut; **s~weise** *adv* gradually.
Stuhl [ʃtu:l] (-(e)s, ⸚e) *m* chair; **zwischen zwei Stühlen sitzen** (*fig*) to fall between two stools.
Stuhlgang *m* bowel movement.
Stukkateur [ʃtʊka'tø:r] *m* (ornamental) plasterer.
stülpen ['ʃtʏlpən] *vt* (*bedecken*) to put; **etw über etw** *akk* **~** to put sth over sth; **den Kragen nach oben ~** to turn up one's collar.
stumm [ʃtʊm] *adj* silent; (*MED*) dumb.
Stummel (-s, -) *m* stump; (*Zigaretten~*) stub.
Stummfilm *m* silent film (*BRIT*) *od* movie (*US*).
Stümper(in) ['ʃtʏmpər(ɪn)] (-s, -) *m(f)* incompetent, duffer; **s~haft** *adj* bungling, incompetent.
stümpern (*umg*) *vi* to bungle.
Stumpf [ʃtʊmpf] (-(e)s, ⸚e) *m* stump; **etw mit ~ und Stiel ausrotten** to eradicate sth root and branch.
stumpf *adj* blunt; (*teilnahmslos, glanzlos*) dull; (*Winkel*) obtuse.
Stumpfsinn (-(e)s) *m* tediousness.
stumpfsinnig *adj* dull.
Stunde ['ʃtʊndə] (-, -n) *f* hour; (*Augenblick, Zeitpunkt*) time; (*SCH*) lesson, period (*BRIT*); **~ um ~** hour after hour; **80 Kilometer in der ~** ≈ 50 miles per hour.
stunden *vt:* **jdm etw ~** to give sb time to pay sth.
Stunden- *zW:* **~geschwindigkeit** *f* average speed (per hour); **~kilometer** *pl* kilometres (*BRIT*) *od* kilometers (*US*) per hour; **s~lang** *adj* for hours; **~lohn** *m* hourly wage; **~plan** *m* timetable; **s~weise** *adv* by the hour; (*stündlich*) every hour.
stündlich ['ʃtʏntlɪç] *adj* hourly.
Stunk [ʃtʊŋk] (-s, *no pl*) *m:* **~ machen** (*umg*) to kick up a stink.
stupide [ʃtu'pi:də] *adj* mindless.
Stups [ʃtʊps] (-es, -e) (*umg*) *m* push.
stupsen *vt* to nudge.
Stupsnase *f* snub nose.
stur [ʃtu:r] *adj* obstinate, stubborn; (*Nein, Arbeiten*) dogged; **er fuhr ~ geradeaus** he just carried straight on; **sich ~ stellen, auf ~ stellen** (*umg*) to dig one's heels in; **ein ~er Bock** (*umg*) a pig-headed fellow.
Sturm [ʃtʊrm] (-(e)s, ⸚e) *m* storm; (*Wind*) gale; (*MIL etc*) attack, assault; **~ läuten** to keep one's finger on the doorbell; **gegen etw ~ laufen** (*fig*) to be up in arms against sth.
stürmen ['ʃtʏrmən] *vi* (*Wind*) to blow hard, to rage; (*rennen*) to storm ♦ *vt* (*MIL, fig*) to storm ♦ *vi unpers:* **es stürmt** there's a gale blowing.
Stürmer (-s, -) *m* (*SPORT*) forward.
sturmfrei *adj* (*MIL*) unassailable; **eine ~e Bude** (*umg*) a room free from disturbance.
stürmisch *adj* stormy; (*fig*) tempestuous; (*Entwicklung*) rapid; (*Liebhaber*) passionate; (*Beifall*) tumultuous; **nicht so ~** take it easy.
Sturm- *zW:* **~schritt** *m* (*MIL, fig*): **im ~schritt** at the double; **~warnung** *f* gale warning; **~wind** *m* gale.
Sturz [ʃtʊrts] (-es, ⸚e) *m* fall; (*POL*) overthrow; (*in Temperatur, Preis*) drop.
stürzen ['ʃtʏrtsən] *vt* (*werfen*) to hurl; (*POL*) to overthrow; (*umkehren*) to overturn ♦ *vr* to rush; (*hinein~*) to plunge ♦ *vi* to fall; (*AVIAT*) to dive; (*rennen*) to dash; **jdn ins Unglück ~** to bring disaster upon sb; **„nicht ~"** "this side up"; **sich auf jdn/etw ~** to pounce on sb/sth; **sich in Unkosten ~** to go to great expense.
Sturzflug *m* nose dive.
Sturzhelm *m* crash helmet.
Stuß [ʃtʊs] (**Stusses**) (*umg*) *m* nonsense, rubbish.
Stute ['ʃtu:tə] (-, -n) *f* mare.
Stuttgart ['ʃtʊtgart] (-s) *nt* Stuttgart.
Stützbalken *m* brace, joist.

Stütze ['ʃtʏtsə] (-, -n) *f* support; (*Hilfe*) help; **die ~n der Gesellschaft** the pillars of society.
stutzen ['ʃtʊtsən] *vt* to trim; (*Ohr, Schwanz*) to dock; (*Flügel*) to clip ♦ *vi* to hesitate; (*argwöhnisch werden*) to become suspicious.
stützen *vt* (*lit, fig*) to support; (*Ellbogen etc*) to prop up ♦ *vr*: **sich auf jdn/etw ~** (*lit*) to lean on sb/sth; (*Beweise, Theorie*) to be based on sb/sth.
stutzig *adj* perplexed, puzzled; (*mißtrauisch*) suspicious.
Stützmauer *f* supporting wall.
Stützpunkt *m* point of support; (*von Hebel*) fulcrum; (*MIL, fig*) base.
Stützungskäufe *pl* (*FIN*) support buying *sing*.
StVO *abk* = **Straßenverkehrsordnung.**
stylen ['staɪlən] *vt* to style; (*Wohnung*) to design.
Styling ['stailɪŋ] (-s, *no pl*) *nt* styling.
Styropor ® [ʃtyro'po:r] (-s) *nt* (expanded) polystyrene.
s.u. *abk* (= *siehe unten*) see below.
Suaheli [zua'he:li] (-(s)) *nt* Swahili.
Subjekt [zʊp'jɛkt] (-(e)s, -e) *nt* subject; (*pej: Mensch*) character (*umg*).
subjektiv [zʊpjɛk'ti:f] *adj* subjective.
Subjektivität [zʊpjɛktivi'tɛ:t] *f* subjectivity.
Subkultur ['zʊpkʊltu:r] *f* subculture.
sublimieren [zubli'mi:rən] *vt* (*CHEM, PSYCH*) to sublimate.
Submissionsangebot [zʊpmɪsi'o:ns|angəbo:t] *nt* sealed-bid tender.
Subroutine ['zʊpruti:nə] *f* (*COMPUT*) subroutine.
Subskription [zʊpskrɪptsi'o:n] *f* subscription.
Substantiv [zʊpstan'ti:f] (-s, -e) *nt* noun.
Substanz [zʊp'stants] *f* substance; **von der ~ zehren** to live on one's capital.
subtil [zʊp'ti:l] *adj* subtle.
subtrahieren [zʊptra'hi:rən] *vt* to subtract.
subtropisch ['zʊptro:pɪʃ] *adj* subtropical.
Subunternehmer *m* subcontractor.
Subvention [zʊpvɛntsi'o:n] *f* subsidy.
subventionieren [zʊpvɛntsio'ni:rən] *vt* to subsidize.
subversiv [zʊpvɛr'zi:f] *adj* subversive.
Suchaktion *f* search.
Suchdienst *m* missing persons tracing service.
Suche (-, -n) *f* search.
suchen ['zu:xən] *vt* to look for, seek; (*versuchen*) to try ♦ *vi* to seek, search; **du hast hier nichts zu ~** you have no business being here; **nach Worten ~** to search for words; (*sprachlos sein*) to be at a loss for words; **such!** (*zu Hund*) seek!, find!; **~ und ersetzen** (*COMPUT*) search and replace.
Sucher (-s, -) *m* seeker, searcher; (*PHOT*) viewfinder.
Suchmeldung *f* missing *od* wanted person announcement.
Suchscheinwerfer *m* searchlight.
Sucht [zʊxt] (-, ⸚e) *f* mania; (*MED*) addiction; **~droge** *f* addictive drug; **s~erzeugend** *adj* addictive.
süchtig ['zʏçtɪç] *adj* addicted.
Süchtige(r) *f(m)* addict.
Süd [zy:t] (-(e)s) *m* south; **~afrika** *nt* South Africa; **~amerika** *nt* South America.
Sudan [zu'da:n] (-s) *m*: **der ~** the Sudan.
Sudanese [zuda'ne:zə] (-n, -n) *m* Sudanese.
Sudanesin *f* Sudanese.
südd. *abk* = **süddeutsch.**
süddeutsch *adj* South German.
Süddeutschland *nt* South(ern) Germany.
Süden ['zy:dən] (-s) *m* south.
Süd- *zW*: **~europa** *nt* Southern Europe; **~früchte** *pl* Mediterranean fruit; **~korea** *nt* South Korea; **s~ländisch** *adj* southern; (*italienisch, spanisch etc*) Latin; **s~lich** *adj* southern; **s~lich von** (to the) south of; **~ostasien** *nt* South-East Asia; **~pol** *m* South Pole; **~polarmeer** *nt* Antarctic Ocean; **~see** *f* South Seas *pl*, South Pacific; **~tirol** *nt* South Tyrol; **s~wärts** *adv* southwards; **~westafrika** *nt* South West Africa, Namibia.
Sueskanal ['zu:ɛskana:l] (-s) *m* Suez Canal.
Suff [zʊf] *m*: **etw im ~ sagen** (*umg*) to say sth while under the influence.
süffig ['zʏfɪç] *adj* (*Wein*) very drinkable.
süffisant [zʏfi'zant] *adj* smug.
suggerieren [zʊge'ri:rən] *vt* to suggest.
Suggestivfrage [zʊgɛs'ti:ffra:gə] *f* suggestive question.
suhlen ['zu:lən] *vr* (*lit, fig*) to wallow.
Sühne ['zy:nə] (-, -n) *f* atonement, expiation.
sühnen *vt* to atone for, expiate.
Sühnetermin *m* (*JUR*) conciliatory hearing.
Suite ['svi:tə] *f* suite.
Sulfat [zʊl'fa:t] (-(e)s, -e) *nt* sulphate (*BRIT*), sulfate (*US*).
Sultan ['zʊltan] (-s, -e) *m* sultan.
Sultanine [zʊlta'ni:nə] *f* sultana.
Sülze ['zʏltsə] (-, -n) *f* brawn (*BRIT*), headcheese (*US*); (*Aspik*) aspic.
summarisch [zʊ'ma:rɪʃ] *adj* summary.
Sümmchen ['zʏmçən] *nt*: **ein hübsches ~** a tidy sum.
Summe (-, -n) *f* sum, total.
summen *vi* to buzz ♦ *vt* (*Lied*) to hum.
Summer (-s, -) *m* buzzer.
summieren [zʊ'mi:rən] *vt* to add up ♦ *vr* to mount up.
Sumpf [zʊmpf] (-(e)s, ⸚e) *m* swamp, marsh.
sumpfig *adj* marshy.
Sund [zʊnt] (-(e)s, -e) *m* sound, straits *pl*.
Sünde ['zʏndə] (-, -n) *f* sin.
Sünden- *zW*: **~bock** *m* (*fig*) scapegoat; **~fall** *m* (*REL*) Fall; **~register** *nt* (*fig*) list of sins.
Sünder(in) (-s, -) *m(f)* sinner.
sündhaft *adj* (*lit*) sinful; (*fig: umg: Preise*) wicked.
sündigen ['zʏndɪgən] *vi* to sin; (*hum*) to

indulge; ~ **an** *+dat* to sin against.
Super ['zu:pər] (**-s**) *nt* (*Benzin*) four-star (petrol) (*BRIT*), premium (*US*).
super (*umg*) *adj* super ♦ *adv* incredibly well.
Superlativ ['zu:pərlati:f] (**-s, -e**) *m* superlative.
Supermarkt *m* supermarket.
Superstar *m* superstar.
Suppe ['zʊpə] (**-, -n**) *f* soup; (*mit Einlage*) broth; (*klare Brühe*) bouillon; (*fig: umg: Nebel*) peasouper (*BRIT*), pea soup (*US*); **jdm die ~ versalzen** (*umg*) to put a spoke in sb's wheel.
Suppen- *zW:* **~fleisch** *nt* meat for making soup; **~grün** *nt herbs and vegetables for making soup*; **~kasper** (*umg*) *m* poor eater; **~teller** *m* soup plate.
Surfbrett ['zø:rfbrɛt] *nt* surfboard.
surfen ['zø:rfən] *vi* to surf.
Surfer(in) *m(f)* surfer.
Surrealismus [zʊrea'lɪsmʊs] *m* surrealism.
surren ['zʊrən] *vi* to buzz; (*Insekt*) to hum.
Surrogat [zʊro'ga:t] (**-(e)s, -e**) *nt* substitute, surrogate.
suspekt [zʊs'pɛkt] *adj* suspect.
suspendieren [zʊspɛn'di:rən] *vt:* ~ (**von**) to suspend (from).
Suspendierung *f* suspension.
süß [zy:s] *adj* sweet.
Süße (**-**) *f* sweetness.
süßen *vt* to sweeten.
Süßholz *nt:* ~ **raspeln** (*fig*) to turn on the blarney.
Süßigkeit *f* sweetness; (*Bonbon etc*) sweet (*BRIT*), candy (*US*).
süß- *zW:* **~lich** *adj* sweetish; (*fig*) sugary; **~sauer** *adj* sweet-and-sour; (*fig: gezwungen: Lächeln*) forced; (*Gurken etc*) pickled; (*Miene*) artificially friendly; **S~speise** *f* pudding, sweet (*BRIT*); **S~stoff** *m* sweetener; **S~waren** *pl* confectionery *sing*; **S~wasser** *nt* fresh water.
SV (**-**) *m abk* = **Sportverein.**
SW *abk* (= *Südwest(en)*) SW.
Swasiland ['sva:zilant] (**-s**) *nt* Swaziland.
SWF (**-**) *m abk* (= *Südwestfunk*) *South West German Radio.*
Sylvester [zʏl'vɛstər] (**-s, -**) *nt* = **Silvester.**
Symbol [zʏm'bo:l] (**-s, -e**) *nt* symbol.
Symbolik *f* symbolism.
symbolisch *adj* symbolic(al).
symbolisieren [zʏmboli'zi:rən] *vt* to symbolize.
Symmetrie [zʏme'tri:] *f* symmetry; **~achse** *f* symmetric axis.
symmetrisch [zʏ'me:trɪʃ] *adj* symmetrical.
Sympathie [zʏmpa'ti:] *f* liking; sympathy; **er hat sich** *dat* **alle ~(n) verscherzt** he has turned everyone against him; **~kundgebung** *f* demonstration of support; **~streik** *m* sympathy strike.
Sympathisant(in) *m(f)* sympathizer.
sympathisch [zʏm'pa:tɪʃ] *adj* likeable, congenial; **er ist mir ~** I like him.
sympathisieren [zʏmpati'zi:rən] *vi* to sympathize.
Symphonie [zʏmfo'ni:] *f* symphony.
Symptom [zʏmp'to:m] (**-s, -e**) *nt* symptom.
symptomatisch [zʏmpto'ma:tɪʃ] *adj* symptomatic.
Synagoge [zʏna'go:gə] (**-, -n**) *f* synagogue.
synchron [zʏn'kro:n] *adj* synchronous; **S~getriebe** *nt* synchromesh gearbox (*BRIT*) *od* transmission (*US*).
synchronisieren [zʏnkroni'zi:rən] *vt* to synchronize; (*Film*) to dub.
Synchronschwimmen *nt* synchronized swimming.
Syndikat [zʏndi'ka:t] (**-(e)s, -e**) *nt* combine, syndicate.
Syndrom [zʏn'dro:m] (**-s, -e**) *nt* syndrome.
Synkope [zʏn'ko:pə] (**-, -n**) *f* (*MUS*) syncopation.
Synode [zʏ'no:də] (**-, -n**) *f* (*REL*) synod.
Synonym [zʏno'ny:m] (**-s, -e**) *nt* synonym; **s~** *adj* synonymous.
Syntax ['zʏntaks] (**-, -en**) *f* syntax.
Synthese [zʏn'te:zə] (**-, -n**) *f* synthesis.
synthetisch *adj* synthetic.
Syphilis ['zy:fɪlɪs] (**-**) *f* syphilis.
Syrer(in) ['zy:rər(ɪn)] (**-s, -**) *m(f)* Syrian.
Syrien (**-s**) *nt* Syria.
syrisch *adj* Syrian.
System [zʏs'te:m] (**-s, -e**) *nt* system; **~analyse** *f* systems analysis; **~analytiker(in)** *m(f)* systems analyst.
Systematik *f* system.
systematisch [zʏste'ma:tɪʃ] *adj* systematic.
systematisieren [zʏstemati'zi:rən] *vt* to systematize.
System- *zW:* **~kritiker** *m* critic of the system; **~platte** *f* (*COMPUT*) system disk; **~zwang** *m* obligation to conform (to the system).
Szenarium [stse'na:riʊm] *nt* scenario.
Szene ['stse:nə] (**-, -n**) *f* scene; **sich in der ~ auskennen** (*umg*) to know the scene; **sich in ~ setzen** to play to the gallery.
Szenenwechsel *m* scene change.
Szenerie [stsenə'ri:] *f* scenery.

T, t

T, t[1] [teː] *nt* T, t; ~ **wie Theodor** ≈ T for Tommy.
t[2] *abk* (= *Tonne*) t.
Tabak ['taːbak] (**-s, -e**) *m* tobacco; ~**laden** *m* tobacconist's (*BRIT*), tobacco store (*US*).
tabellarisch [tabɛ'laːrɪʃ] *adj* tabular.
Tabelle (**-, -n**) *f* table.
Tabellenführer *m* (*SPORT*) top of the table, league leader.
Tabernakel [tabɛr'naːkəl] (**-s, -**) *nt* tabernacle.
Tabl. *abk* = **Tablette(n)**.
Tablett (**-(e)s, -s** *od* **-e**) *nt* tray.
Tablette [ta'blɛtə] (**-, -n**) *f* tablet, pill.
Tabu [ta'buː] (**-s, -s**) *nt* taboo.
tabuisieren [tabui'ziːrən] *vt* to make taboo.
Tabulator [tabu'laːtɔr] *m* tabulator, tab (*umg*).
tabulieren *vt* to tab.
Tacho ['taxo] (**-s, -s**) (*umg*) *m* speedo (*BRIT*).
Tachometer [taxo'meːtər] (**-s, -**) *m* (*AUT*) speedometer.
Tadel ['taːdəl] (**-s, -**) *m* censure, scolding; (*Fehler*) fault; (*Makel*) blemish; **t~los** *adj* faultless, irreproachable.
tadeln *vt* to scold.
tadelnswert *adj* blameworthy.
Tadschikistan [ta'dʒiːkistaːn] (**-s**) *nt* Tajikistan.
Tafel ['taːfəl] (**-, -n**) *f* (*form: festlicher Speisetisch, MATH*) table; (*Festmahl*) meal; (*Anschlag~*) board; (*Wand~*) blackboard; (*Schiefer~*) slate; (*Gedenk~*) plaque; (*Illustration*) plate; (*Schalt~*) panel; (*Schokoladen~ etc*) bar; **t~fertig** *adj* ready to serve.
täfeln ['tɛːfəln] *vt* to panel.
Tafelöl *nt* cooking oil; salad oil.
Täfelung *f* panelling (*BRIT*), paneling (*US*).
Tafelwasser *nt* table water.
Taft [taft] (**-(e)s, -e**) *m* taffeta.
Tag [taːk] (**-(e)s, -e**) *m* day; (*Tageslicht*) daylight; **am** ~ during the day; **für** *od* **auf ein paar ~e** for a few days; **in den ~ hinein leben** to take each day as it comes; **bei ~(e)** (*ankommen*) while it's light; (*arbeiten, reisen*) during the day; **unter ~e** (*MIN*) underground; **über ~e** (*MIN*) on the surface; **an den ~ kommen** to come to light; **er legte großes Interesse an den ~** he showed great interest; **auf den ~ (genau)** to the day; **auf seine alten ~e** at his age; **guten ~!** good morning/afternoon!; **t~aus** *adv*: **t~aus, t~ein** day in, day out; ~**dienst** *m* day duty.
Tage- *zW*: ~**bau** *m* (*MIN*) open-cast mining; ~**buch** *nt* diary; ~**dieb** *m* idler; ~**geld** *nt* daily allowance; **t~lang** *adv* for days.
tagen *vi* to sit, meet ♦ *vi unpers*: **es tagt** dawn is breaking.
Tages- *zW*: ~**ablauf** *m* daily routine; ~**anbruch** *m* dawn; ~**ausflug** *m* day trip; ~**decke** *f* bedspread; ~**fahrt** *f* day trip; ~**karte** *f* (*Eintrittskarte*) day ticket; (*Speisekarte*) menu of the day; ~**kasse** *f* (*COMM*) day's takings *pl*; (*THEAT*) box office; ~**licht** *nt* daylight; ~**mutter** *f* child minder; ~**ordnung** *f* agenda; **an der ~ordnung sein** (*fig*) to be the order of the day; ~**rückfahrkarte** *f* day return (ticket); ~**satz** *m* daily rate; ~**schau** *f* (*TV*) television news (programme (*BRIT*) *od* program (*US*)); ~**stätte** *f* day nursery (*BRIT*), daycare center (*US*); ~**wert** *m* (*FIN*) present value; ~**zeit** *f* time of day; **zu jeder ~- und Nachtzeit** at all hours of the day and night; ~**zeitung** *f* daily (paper).
tägl. *abk* = **täglich**.
täglich ['tɛːklɪç] *adj, adv* daily; **einmal ~** once a day.
tags [taːks] *adv*: ~ **darauf** *od* **danach** the next *od* following day; ~**über** *adv* during the day.
tagtäglich *adj* daily ♦ *adv* every (single) day.
Tagung *f* conference.
Tagungsort *m* venue (of a conference).
Tahiti [ta'hiːti] (**-s**) *nt* Tahiti.
Taifun [taɪ'fuːn] (**-s, -e**) *m* typhoon.
Taille ['taljə] (**-, -n**) *f* waist.
tailliert [ta'jiːrt] *adj* waisted, gathered at the waist.
Taiwan ['taɪvan] (**-s**) *nt* Taiwan.
Takel ['taːkəl] (**-s, -**) *nt* tackle.
takeln ['taːkəln] *vt* to rig.
Takt [takt] (**-(e)s, -e**) *m* tact; (*MUS*) time; ~**gefühl** *nt* tact.
Taktik *f* tactics *pl*.
Taktiker(in) *m(f)* tactician.
taktisch *adj* tactical.
Takt- *zW*: **t~los** *adj* tactless; ~**losigkeit** *f* tactlessness; ~**stock** *m* (conductor's) baton; ~**strich** *m* (*MUS*) bar (line); **t~voll** *adj* tactful.
Tal [taːl] (**-(e)s, ¨er**) *nt* valley.
Talar [ta'laːr] (**-s, -e**) *m* (*JUR*) robe; (*UNIV*) gown.
Talbrücke *f* bridge over a valley.
Talent [ta'lɛnt] (**-(e)s, -e**) *nt* talent.
talentiert [talɛn'tiːrt] *adj* talented, gifted.
Talfahrt *f* descent; (*fig*) decline.
Talg [talk] (**-(e)s, -e**) *m* tallow.
Talgdrüse *f* sebaceous gland.
Talisman ['taːlɪsman] (**-s, -e**) *m* talisman.
Tal- *zW*: ~**sohle** *f* bottom of a valley; ~**sperre** *f* dam; **t~wärts** *adv* down to the valley.
Tamburin [tambu'riːn] (**-s, -e**) *nt* tambourine.
Tamile [ta'miːlə] (**-n, -n**) *m*, **Tamilin** *f* Tamil.
tamilisch *adj* Tamil.

Tampon ['tampɔn] (**-s, -s**) *m* tampon.
Tamtam [tam'tam] (**-s, -s**) *nt* (*MUS*) tomtom; (*umg: Wirbel*) fuss, ballyhoo; (*Lärm*) din.
Tang [taŋ] (**-(e)s, -e**) *m* seaweed.
Tangente [taŋ'gɛntə] (**-, -n**) *f* tangent.
Tanger ['taŋər] (**-s**) *nt* Tangier(s).
tangieren [taŋ'gi:rən] *vt* (*Problem*) to touch on; (*fig*) to affect.
Tank [taŋk] (**-s, -s**) *m* tank.
tanken *vt* (*Wagen etc*) to fill up with petrol (*BRIT*) *od* gas (*US*); (*Benzin etc*) to fill up with; (*AVIAT*) to (re)fuel; (*umg: frische Luft, neue Kräfte*) to get ♦ *vi* to fill up (with petrol *od* gas); to (re)fuel.
Tanker (**-s, -**) *m* tanker.
Tank- *zW:* **~laster** *m* tanker; **~schiff** *nt* tanker; **~stelle** *f* petrol (*BRIT*) *od* gas (*US*) station; **~uhr** *f* fuel gauge; **~verschluß** *m* fuel cap; **~wart** *m* petrol pump (*BRIT*) *od* gas station (*US*) attendant.
Tanne ['tanə] (**-, -n**) *f* fir.
Tannenbaum *m* fir tree.
Tannenzapfen *m* fir cone.
Tansania [tan'za:nia] (**-s**) *nt* Tanzania.
Tante ['tantə] (**-, -n**) *f* aunt; **~-Emma-Laden** (*umg*) *m* corner shop.
Tantieme [tãti'e:mə] (**-, -n**) *f* fee; (*für Künstler etc*) royalty.
Tanz [tants] (**-es, ⸚e**) *m* dance.
tänzeln ['tɛntsəln] *vi* to dance along.
tanzen *vt, vi* to dance.
Tänzer(in) (**-s, -**) *m(f)* dancer.
Tanz- *zW:* **~fläche** *f* (dance) floor; **~lokal** *nt* café/restaurant with dancing; **~schule** *f* dancing school.
Tapet (*umg*) *nt:* **etw aufs ~ bringen** to bring sth up.
Tapete [ta'pe:tə] (**-, -n**) *f* wallpaper.
Tapetenwechsel *m* (*fig*) change of scenery.
tapezieren [tape'tsi:rən] *vt* to (wall)paper.
Tapezierer (**-s, -**) *m* (interior) decorator.
tapfer ['tapfər] *adj* brave; **sich ~ schlagen** (*umg*) to put on a brave show; **T~keit** *f* courage, bravery.
tappen ['tapən] *vi* to walk uncertainly *od* clumsily; **im dunkeln ~** (*fig*) to grope in the dark.
täppisch ['tɛpɪʃ] *adj* clumsy.
Tara ['ta:ra] (**-, Taren**) *f* tare.
Tarantel [ta'rantəl] (**-, -n**) *f:* **wie von der ~ gestochen** as if stung by a bee.
Tarif [ta'ri:f] (**-s, -e**) *m* tariff, (scale of) fares/charges; **nach/über/unter ~ bezahlen** to pay according to/above/below the (union) rate(s); **~autonomie** *f* free collective bargaining; **~gruppe** *f* grade; **t~lich** *adj* agreed, union; **~lohn** *m* standard wage rate; **~ordnung** *f* wage *od* salary scale; **~partner** *m:* **die ~partner** union and management; **~vereinbarung** *f* labour (*BRIT*) *od* labor (*US*) agreement; **~verhandlungen** *pl* collective bargaining *sing*; **~vertrag** *m* pay agreement.
tarnen ['tarnən] *vt* to camouflage; (*Person, Absicht*) to disguise.
Tarnfarbe *f* camouflage paint.
Tarnmanöver *nt* (*lit, fig*) feint, covering ploy.
Tarnung *f* camouflaging; disguising.
Tarock [ta'rɔk] (**-s, s**) *m od nt* tarot.
Tasche ['taʃə] (**-, -n**) *f* pocket; (*Hand~*) handbag; **in die eigene ~ wirtschaften** to line one's own pockets; **jdm auf der ~ liegen** (*umg*) to live off sb.
Taschen- *zW:* **~buch** *nt* paperback; **~dieb** *m* pickpocket; **~geld** *nt* pocket money; **~lampe** *f* (electric) torch, flashlight (*US*); **~messer** *nt* penknife; **~rechner** *m* pocket calculator; **~spieler** *m* conjurer; **~tuch** *nt* handkerchief.
Tasmanien [tas'ma:niən] (**-s**) *nt* Tasmania.
Tasse ['tasə] (**-, -n**) *f* cup; **er hat nicht alle ~n im Schrank** (*umg*) he's not all there.
Tastatur [tasta'tu:r] *f* keyboard.
Taste ['tastə] (**-, -n**) *f* push-button control; (*an Schreibmaschine*) key.
tasten *vt* to feel, touch; (*drücken*) to press ♦ *vi* to feel, grope ♦ *vr* to feel one's way.
Tastentelefon *nt* push-button telephone.
Tastsinn *m* sense of touch.
Tat (**-, -en**) *f* act, deed, action; **in der ~** indeed, as a matter of fact; **etw in die ~ umsetzen** to put sth into action.
tat *etc* [ta:t] *vb siehe* **tun**.
Tatbestand *m* facts *pl* of the case.
Tatendrang *m* energy.
tatenlos *adj* inactive.
Täter(in) ['tɛ:tər(ɪn)] (**-s, -**) *m(f)* perpetrator, culprit; **~schaft** *f* guilt.
tätig *adj* active; **~er Teilhaber** active partner; **in einer Firma ~ sein** to work for a firm.
tätigen *vt* (*COMM*) to conclude; (*geh: Einkäufe, Anruf*) to make.
Tätigkeit *f* activity; (*Beruf*) occupation.
Tätigkeitsbereich *m* field of activity.
tatkräftig *adj* energetic; (*Hilfe*) active.
tätlich *adj* violent; **T~keit** *f* violence; **es kam zu T~keiten** there were violent scenes.
Tatort (**-(e)s, -e**) *m* scene of the crime.
tätowieren [tɛto'vi:rən] *vt* to tattoo.
Tätowierung *f* tattooing; (*Ergebnis*) tattoo.
Tatsache *f* fact; **jdn vor vollendete ~n stellen** to present sb with a fait accompli.
Tatsachenbericht *m* documentary (report).
tatsächlich *adj* actual ♦ *adv* really.
tatverdächtig *adj* suspected.
Tatze ['tatsə] (**-, -n**) *f* paw.
Tau[1] [taʊ] (**-(e)s, -e**) *nt* rope.
Tau[2] (**-(e)s**) *m* dew.
taub [taʊp] *adj* deaf; (*Nuß*) hollow; **sich ~ stellen** to pretend not to hear.
Taube ['taʊbə] (**-, -n**) *f* (*ZOOL*) pigeon; (*fig*) dove.
Taubenschlag *m* dovecote; **hier geht es zu wie im ~** (*fig: umg*) it's like Waterloo Station here (*BRIT*), it's like Grand Central Station

here (*US*).
Taubheit *f* deafness.
taubstumm *adj* deaf-mute.
tauchen ['tauxən] *vt* to dip ♦ *vi* to dive; (*NAUT*) to submerge.
Taucher (**-s, -**) *m* diver; **~anzug** *m* diving suit.
Tauchsieder (**-s, -**) *m* portable immersion heater.
Tauchstation *f*: **auf ~ gehen** (*U-Boot*) to dive.
tauen ['tauən] *vt, vi* to thaw ♦ *vi unpers*: **es taut** it's thawing.
Taufbecken *nt* font.
Taufe ['taufə] (**-, -n**) *f* baptism.
taufen *vt* to baptize; (*nennen*) to christen.
Tauf- *zW*: **~name** *m* Christian name; **~pate** *m* godfather; **~patin** *f* godmother; **~schein** *m* certificate of baptism.
taugen ['taugən] *vi* to be of use; **~ für** to do *od* be good for; **nicht ~** to be no good *od* useless.
Taugenichts (**-es, -e**) *m* good-for-nothing.
tauglich ['tauklıç] *adj* suitable; (*MIL*) fit (for service); **T~keit** *f* suitability; fitness.
Taumel ['tauməl] (**-s**) *m* dizziness; (*fig*) frenzy.
taumelig *adj* giddy, reeling.
taumeln *vi* to reel, stagger.
Taunus ['taunus] (**-**) *m* Taunus (Mountains *pl*).
Tausch [tauʃ] (**-(e)s, -e**) *m* exchange; **einen guten/schlechten ~ machen** to get a good/bad deal.
tauschen *vt* to exchange, swap ♦ *vi*: **ich möchte nicht mit ihm ~** I wouldn't like to be in his place.
täuschen ['tɔYʃən] *vt* to deceive ♦ *vi* to be deceptive ♦ *vr* to be wrong; **wenn mich nicht alles täuscht** unless I'm completely wrong.
täuschend *adj* deceptive.
Tauschhandel *m* barter.
Täuschung *f* deception; (*optisch*) illusion.
Täuschungsmanöver *nt* (*SPORT*) feint; (*fig*) ploy.
tausend ['tauzənt] *num* a *od* one thousand; **T~** (**-, -en**) *f* (*Zahl*) thousand.
Tausender (**-s, -**) *m* (*Geldschein*) thousand.
Tausendfüßler (**-s, -**) *m* centipede.
Tau- *zW*: **~tropfen** *m* dew drop; **~wetter** *nt* thaw; **~ziehen** *nt* tug-of-war.
Taxe ['taksə] (**-, -n**) *f* taxi, cab.
Taxi ['taksi] (**-(s), -(s)**) *nt* taxi, cab.
taxieren [ta'ksi:rən] *vt* (*Preis, Wert*) to estimate; (*Haus, Gemälde*) to value; (*mustern*) to look up and down.
Taxi- *zW*: **~fahrer** *m* taxi driver; **~stand** *m* taxi rank (*BRIT*) *od* stand (*US*).
Tb, Tbc *f abk* (= *Tuberkulose*) TB.
Teamarbeit ['ti:m|arbaıt] *f* teamwork.
Technik ['tɛçnık] *f* technology; (*Methode, Kunstfertigkeit*) technique.
Techniker(in) (**-s -**) *m(f)* technician.
technisch *adj* technical; **T~e Hochschule** ≈ polytechnic.
Technologie [tɛçnolo'gi:] *f* technology.
technologisch [tɛçno'lo:gıʃ] *adj* technological.
Techtelmechtel [tɛçtəl'mɛçtəl] (**-s, -**) (*umg*) *nt* (*Liebschaft*) affair, carry-on.
TEE *abk* (= *Trans-Europ-Express*) Trans-Europe-Express.
Tee [te:] (**-s, -s**) *m* tea; **~beutel** *m* tea bag; **~kanne** *f* teapot; **~licht** *nt* night-light; **~löffel** *m* teaspoon; **~mischung** *f* blend of tea.
Teer [te:r] (**-(e)s, -e**) *m* tar; **t~en** *vt* to tar.
Teesieb *nt* tea strainer.
Teewagen *m* tea trolley.
Teflon ® ['tɛflo:n] (**-s**) *nt* Teflon ®.
Teheran ['te:həra:n] (**-s**) *nt* Teheran.
Teich [taıç] (**-(e)s, -e**) *m* pond.
Teig [taık] (**-(e)s, -e**) *m* dough.
teigig ['taıgıç] *adj* doughy.
Teigwaren *pl* pasta *sing*.
Teil [taıl] (**-(e)s, -e**) *m od nt* part; (*Anteil*) share ♦ *nt* (*Bestand~*) component, part; (*Ersatz~*) spare (part); **zum ~** partly; **ich für mein(en) ~** ... I, for my part ...; **sich** *dat* **sein ~ denken** (*umg*) to draw one's own conclusions; **er hat sein(en) ~ dazu beigetragen** he did his bit *od* share; **t~bar** *adj* divisible; **~betrag** *m* instalment (*BRIT*), installment (*US*); **~chen** *nt* (atomic) particle.
teilen *vt* to divide; (*mit jdm*) to share ♦ *vr* to divide; (*in Gruppen*) to split up.
Teil- *zW*: **t~entrahmt** *adj* semi-skimmed; **~gebiet** *nt* (*Bereich*) branch; (*räumlich*) area; **t~haben** *unreg vi*: **an etw** *dat* **t~haben** to share in sth; **~haber** (**-s, -**) *m* partner; **~kaskoversicherung** *f* third party, fire and theft insurance.
Teilnahme (**-, -n**) *f* participation; (*Mitleid*) sympathy; **jdm seine herzliche ~ aussprechen** to offer sb one's heartfelt sympathy.
teilnahmslos *adj* disinterested, apathetic.
teilnehmen *unreg vi*: **an etw** *dat* **~** to take part in sth.
Teilnehmer(in) (**-s, -**) *m(f)* participant.
teils *adv* partly.
Teilschaden *m* partial loss.
Teilstrecke *f* stage; (*von Straße*) stretch; (*bei Bus etc*) fare stage.
Teilung *f* division.
Teil- *zW*: **t~weise** *adv* partially, in part; **~zahlung** *f* payment by instalments (*BRIT*) *od* installments (*US*); **~zeitarbeit** *f* part-time job *od* work.
Teint [tɛ̃:] (**-s, -s**) *m* complexion.
Telebrief ['te:lebri:f] *m* facsimile, fax.
Telefax ['te:lefaks] (**-**) *nt* telefax.
Telefon [tele'fo:n] (**-s, -e**) *nt* (tele)phone; **ans ~ gehen** to answer the phone; **~amt** *nt* telephone exchange; **~anruf** *m* (tele)phone call.
Telefonat [telefo'na:t] (**-(e)s, -e**) *nt* (tele)phone call.

Telefon- *zW:* **~buch** *nt* (tele)phone directory; **~gebühr** *f* call charge; (*Grundgebühr*) (tele)phone rental; **~gespräch** *nt* (tele)phone call; **~häuschen** (*umg*) *nt* = **Telefonzelle.**

telefonieren [telefo'ni:rən] *vi* to (tele)phone; **bei jdm ~** to use sb's phone; **mit jdm ~** to speak to sb on the phone.

telefonisch [tele'fo:nɪʃ] *adj* telephone; (*Benachrichtigung*) by telephone; **ich bin ~ zu erreichen** I can be reached by phone.

Telefonist(in) [telefo'nɪst(ɪn)] *m(f)* telephonist.

Telefon- *zW:* **~karte** *f* phone card; **~nummer** *f* (tele)phone number; **~seelsorge** *f*: **die ~seelsorge** ≈ the Samaritans; **~verbindung** *f* telephone connection; **~zelle** *f* telephone box (*BRIT*) *od* booth (*US*), callbox (*BRIT*); **~zentrale** *f* telephone exchange.

Telegraf [tele'gra:f] (**-en, -en**) *m* telegraph.

Telegrafenleitung *f* telegraph line.

Telegrafenmast *m* telegraph pole.

Telegrafie [telegra'fi:] *f* telegraphy.

telegrafieren [telegra'fi:rən] *vt, vi* to telegraph, cable, wire.

telegrafisch [tele'gra:fɪʃ] *adj* telegraphic; **jdm ~ Geld überweisen** to cable sb money.

Telegramm [tele'gram] (**-s, -e**) *nt* telegram, cable; **~adresse** *f* telegraphic address; **~formular** *nt* telegram form.

Telegraph *m* = **Telegraf.**

Telekolleg ['te:ləkɔle:k] *nt* ≈ Open University (*BRIT*).

Teleobjektiv ['te:lə|ɔpjɛkti:f] *nt* telephoto lens.

Telepathie [telepa'ti:] *f* telepathy.

telepathisch [tele'pa:tɪʃ] *adj* telepathic.

Telephon *nt* = **Telefon.**

Teleskop [tele'sko:p] (**-s, -e**) *nt* telescope.

Telespiel *nt* video game.

Telex ['te:lɛks] (**-, -(e)**) *nt* telex.

Teller ['tɛlər] (**-s, -**) *m* plate.

Tempel ['tɛmpəl] (**-s, -**) *m* temple.

Temperafarbe ['tɛmperafarbə] *f* distemper.

Temperament [tɛmpera'mɛnt] *nt* temperament; (*Schwung*) vivacity, vitality; **sein ~ ist mit ihm durchgegangen** he went over the top; **t~los** *adj* spiritless; **t~voll** *adj* high-spirited, lively.

Temperatur [tɛmpera'tu:r] *f* temperature; **erhöhte ~ haben** to have a temperature.

Tempo[1] ['tɛmpo] (**-s, -s**) *nt* speed, pace; **~!** get a move on!

Tempo[2] ['tɛmpo] (**-s, Tempi**) *nt* (*MUS*) tempo; **das ~ angeben** (*fig*) to set the pace; **~limit** *nt* speed limit.

temporär [tɛmpo'rɛ:r] *adj* temporary.

Tempotaschentuch ® *nt* paper handkerchief.

Tendenz [tɛn'dɛnts] *f* tendency; (*Absicht*) intention.

tendenziell [tɛndɛntsi'ɛl] *adj*: **nur ~e Unterschiede** merely differences in emphasis.

tendenziös [tɛndɛntsi'ø:s] *adj* bias(s)ed, tendentious.

tendieren [tɛn'di:rən] *vi*: **zu etw ~** to show a tendency to(wards) sth, incline to(wards) sth.

Teneriffa [tene'rɪfa] (**-s**) *nt* Tenerife.

Tenne ['tɛnə] (**-, -n**) *f* threshing floor.

Tennis ['tɛnɪs] (**-**) *nt* tennis; **~platz** *m* tennis court; **~schläger** *m* tennis racket; **~spieler** *m* tennis player.

Tenor [te'no:r] (**-s, ⸚e**) *m* tenor.

Teppich ['tɛpɪç] (**-s, -e**) *m* carpet; **~boden** *m* wall-to-wall carpeting; **~kehrmaschine** *f* carpet sweeper; **~klopfer** *m* carpet beater.

Termin [tɛr'mi:n] (**-s, -e**) *m* (*Zeitpunkt*) date; (*Frist*) deadline; (*Arzt~ etc*) appointment; (*JUR: Verhandlung*) hearing; **sich** *dat* **einen ~ geben lassen** to make an appointment; **t~gerecht** *adj* on schedule.

terminieren [tɛrmi'ni:rən] *vt* (*befristen*) to limit; (*festsetzen*) to set a date for.

Terminkalender *m* diary, appointments book.

Terminologie [tɛrminolo'gi:] *f* terminology.

Termite [tɛr'mi:tə] (**-, -n**) *f* termite.

Terpentin [tɛrpɛn'ti:n] (**-s, -e**) *nt* turpentine, turps *sing*.

Terrain [tɛ'rɛ̃:] (**-s, -s**) *nt* land, terrain; (*fig*) territory; **das ~ sondieren** (*MIL*) to reconnoitre the terrain; (*fig*) to see how the land lies.

Terrasse [tɛ'rasə] (**-, -n**) *f* terrace.

Terrine [tɛ'ri:nə] *f* tureen.

territorial [tɛritori'a:l] *adj* territorial.

Territorium [tɛri'to:riʊm] *nt* territory.

Terror ['tɛrɔr] (**-s**) *m* terror; (*~herrschaft*) reign of terror; **blanker ~** sheer terror; **~anschlag** *m* terrorist attack.

terrorisieren [tɛrori'zi:rən] *vt* to terrorize.

Terrorismus [tɛro'rɪsmʊs] *m* terrorism.

Terrorist(in) *m(f)* terrorist.

terroristisch *adj* terrorist *attr*.

Terrororganisation *f* terrorist organization.

Tertia ['tɛrtsia] (**-, Tertien**) *f* (*SCH: Unter~/Ober~*) *fourth/fifth year of German secondary school.*

Terz [tɛrts] (**-, -en**) *f* (*MUS*) third.

Terzett [tɛr'tsɛt] (**-(e)s, -e**) *nt* (*MUS*) trio.

Tesafilm ® ['te:zafɪlm] *m* Sellotape ® (*BRIT*), Scotch tape ® (*US*).

Test [tɛst] (**-s, -s**) *m* test.

Testament [tɛsta'mɛnt] *nt* will, testament; (*REL*) Testament; **Altes/Neues ~** Old/New Testament.

testamentarisch [tɛstamɛn'ta:rɪʃ] *adj* testamentary.

Testamentsvollstrecker(in) (**-s, -**) *m(f)* executor (of a will).

Testat [tɛs'ta:t] (**-(e)s, -e**) *nt* certificate.

Testator [tɛs'ta:tɔr] *m* testator.

Test- *zW:* **~bild** *nt* (*TV*) test card; **t~en** *vt* to

test; ~**fall** *m* test case; ~**person** *f* subject (of a test); ~**stoppabkommen** *nt* nuclear test ban agreement.
Tetanus ['te:tanʊs] (-) *m* tetanus; ~**impfung** *f* (anti-)tetanus injection.
teuer ['tɔʏər] *adj* dear, expensive; **teures Geld** good money; **das wird ihn ~ zu stehen kommen** (*fig*) that will cost him dear.
Teuerung *f* increase in prices.
Teuerungszulage *f* cost-of-living bonus.
Teufel ['tɔʏfəl] (**-s, -**) *m* devil; **den ~ an die Wand malen** (*schwarzmalen*) to imagine the worst; (*Unheil heraufbeschwören*) to tempt fate *od* providence; **in ~s Küche kommen** to get into a mess; **jdn zum ~ jagen** (*umg*) to send sb packing.
Teufelei [tɔʏfə'laɪ] *f* devilment.
Teufels- *zW:* ~**austreibung** *f* exorcism; ~**brut** (*umg*) *f* devil's brood; ~**kreis** *m* vicious circle.
teuflisch ['tɔʏflɪʃ] *adj* fiendish, diabolic.
Text [tɛkst] (**-(e)s, -e**) *m* text; (*Lieder~*) words *pl*; (: *von Schlager*) lyrics *pl*; ~**dichter** *m* songwriter; **t~en** *vi* to write the words.
textil [tɛks'ti:l] *adj* textile; **T~branche** *f* textile trade.
Textilien *pl* textiles *pl*.
Textilindustrie *f* textile industry.
Textilwaren *pl* textiles *pl*.
Textstelle *f* passage.
Textverarbeitungssystem *nt* word processor.
TH (**-, -s**) *f abk* (= *Technische Hochschule*) *siehe* **technisch**.
Thailand ['taɪlant] (**-s**) *nt* Thailand.
Thailänder(in) ['taɪlɛndər(ɪn)] (**-s, -**) *m(f)* Thai.
Theater [te'a:tər] (**-s, -**) *nt* theatre (*BRIT*), theater (*US*); (*umg*) fuss; **(ein) ~ machen** to make a (big) fuss; **~ spielen** to act; (*fig*) to put on an act; ~**besucher** *m* playgoer; ~**kasse** *f* box office; ~**stück** *nt* (stage) play.
theatralisch [tea'tra:lɪʃ] *adj* theatrical.
Theke ['te:kə] (**-, -n**) *f* (*Schanktisch*) bar; (*Ladentisch*) counter.
Thema ['te:ma] (**-s, Themen** *od* **-ta**) *nt* (*MUS, Leitgedanke*) theme; topic, subject; **beim ~ bleiben/vom ~ abschweifen** to stick to/wander off the subject.
thematisch [te'ma:tɪʃ] *adj* thematic.
Themenkreis *m* topic.
Themenpark *m* theme park.
Themse ['tɛmzə] *f*: **die ~** the Thames.
Theologe [teo'lo:gə] (**-n, -n**) *m* theologian.
Theologie [teolo'gi:] *f* theology.
Theologin *f* theologian.
theologisch [teo'lo:gɪʃ] *adj* theological.
Theoretiker(in) [teo're:tikər(ɪn)] (**-s, -**) *m(f)* theorist.
theoretisch *adj* theoretical; **~ gesehen** in theory, theoretically.
Theorie [teo'ri:] *f* theory.
Therapeut [tera'pɔʏt] (**-en, -en**) *m* therapist.
therapeutisch *adj* therapeutic.
Therapie [tera'pi:] *f* therapy.
Thermalbad [tɛr'ma:lba:t] *nt* thermal bath; (*Badeort*) thermal spa.
Thermalquelle *f* thermal spring.
Thermometer [tɛrmo'me:tər] (**-s, -**) *nt* thermometer.
Thermosflasche ® ['tɛrmɔsflaʃə] *f* Thermos ® flask.
Thermostat [tɛrmo'sta:t] (**-(e)s** *od* **-en, -e(n)**) *m* thermostat.
These ['te:zə] (**-, -n**) *f* thesis.
Thrombose [trɔm'bo:sə] (**-, -n**) *f* thrombosis.
Thron [tro:n] (**-(e)s, -e**) *m* throne; ~**besteigung** *f* accession (to the throne).
thronen *vi* to sit enthroned; (*fig*) to sit in state.
Thronerbe *m* heir to the throne.
Thronfolge *f* succession (to the throne).
Thunfisch ['tu:nfɪʃ] *m* tuna (fish).
Thüringen ['ty:rɪŋən] (**-s**) *nt* Thuringia.
Thymian ['ty:mia:n] (**-s, -e**) *m* thyme.
Tibet ['ti:bɛt] (**-s**) *nt* Tibet.
Tick [tɪk] (**-(e)s, -s**) *m* tic; (*Eigenart*) quirk; (*Fimmel*) craze.
ticken *vi* to tick; **nicht richtig ~** (*umg*) to be off one's rocker.
Ticket ['tɪkət] (**-s, -s**) *nt* ticket.
tief [ti:f] *adj* deep; (*~sinnig*) profound; (*Ausschnitt, Ton*) low; **~er Teller** soup plate; **bis ~ in die Nacht hinein** late into the night; **T~** (**-s, -s**) *nt* (*MET*) depression; (*fig*) low; **T~bau** *m* civil engineering (*at or below ground level*); **T~druck** *m* (*MET*) low pressure.
Tiefe (**-, -n**) *f* depth.
Tiefebene ['ti:f|e:bənə] *f* plain.
Tiefenpsychologie *f* depth psychology.
Tiefenschärfe *f* (*PHOT*) depth of focus.
tief- *zW:* ~**ernst** *adj* very grave *od* solemn; **T~flug** *m* low-level *od* low-altitude flight; **T~gang** *m* (*NAUT*) draught (*BRIT*), draft (*US*); (*geistig*) depth; **T~garage** *f* underground car park (*BRIT*) *od* parking lot (*US*); ~**gekühlt** *adj* frozen; ~**greifend** *adj* far-reaching; **T~kühlfach** *nt* freezer compartment; **T~kühlkost** *f* frozen food; **T~kühltruhe** *f* freezer, deep freezer (*US*); **T~lader** (**-s, -**) *m* low-loader; **T~land** *nt* lowlands *pl*; **T~parterre** *f* basement; **T~punkt** *m* low point; (*fig*) low ebb; **T~schlag** *m* (*BOXEN, fig*) blow below the belt; ~**schürfend** *adj* profound; **T~see** *f* deep parts of the sea; **T~sinn** *m* profundity; ~**sinnig** *adj* profound; (*umg*) melancholy; **T~stand** *m* low level; ~**stapeln** *vi* to be overmodest; **T~start** *m* (*SPORT*) crouch start.
Tiefstwert *m* minimum *od* lowest value.
Tiegel ['ti:gəl] (**-s, -**) *m* saucepan; (*CHEM*) crucible.
Tier [ti:r] (**-(e)s, -e**) *nt* animal; ~**arzt** *m*, ~**ärztin**

f vet(erinary surgeon) (*BRIT*), veterinarian (*US*); ~**freund** *m* animal lover; ~**garten** *m* zoo, zoological gardens *pl*; ~**handlung** *f* pet shop (*BRIT*) *od* store (*US*); **t~isch** *adj* animal *attrib*; (*lit, fig*) brutish; (*fig: Ernst etc*) deadly; ~**kreis** *m* zodiac; ~**kunde** *f* zoology; **t~lieb** *adj*, **t~liebend** *adj* fond of animals; ~**quälerei** *f* cruelty to animals; ~**reich** *nt* animal kingdom; ~**schutz** *m* protection of animals; ~**schutzverein** *m* society for the prevention of cruelty to animals; ~**versuch** *m* animal experiment; ~**welt** *f* animal kingdom.

Tiger ['ti:gər] (**-s, -**) *m* tiger; ~**in** *f* tigress.

tilgen ['tɪlgən] *vt* to erase; (*Sünden*) to expiate; (*Schulden*) to pay off.

Tilgung *f* erasing, blotting out; expiation; repayment.

Tilgungsfonds *m* (*COMM*) sinking fund.

tingeln ['tɪŋgəln] (*umg*) *vi* to appear in small night clubs.

Tinktur [tɪŋk'tu:r] *f* tincture.

Tinte ['tɪntə] (**-, -n**) *f* ink.

Tinten- *zW:* ~**faß** *nt* inkwell; ~**fisch** *m* cuttlefish; (*achtarmig*) octopus; ~**fleck** *m* ink stain *od* blot; ~**stift** *m* indelible pencil; ~**strahldrucker** *m* ink-jet printer.

Tip [tɪp] (**-s, -s**) *m* (*SPORT, BÖRSE*) tip; (*Andeutung*) hint; (*an Polizei*) tip-off.

Tippelbruder (*umg*) *m* tramp, gentleman of the road (*BRIT*), hobo (*US*).

tippen ['tɪpən] *vi* to tap, touch; (*umg: schreiben*) to type; (*im Lotto etc*) to bet ♦ *vt* to type; to bet; **auf jdn** ~ (*umg: raten*) to tip sb, put one's money on sb (*fig*).

Tippfehler (*umg*) *m* typing error.

Tippse (**-, -n**) (*umg*) *f* typist.

tipptopp ['tɪp'tɔp] (*umg*) *adj* tiptop.

Tippzettel *m* (pools) coupon.

Tirade [ti'ra:də] (**-, -n**) *f* tirade.

Tirol [ti'ro:l] (**-s**) *nt* the Tyrol.

Tiroler(in) (**-s, -**) *m(f)* Tyrolese, Tyrolean.

tirolerisch *adj* Tyrolese, Tyrolean.

Tisch [tɪʃ] (**-(e)s, -e**) *m* table; **bitte zu** ~! lunch *od* dinner is served; **bei** ~ at table; **vor/nach** ~ before/after eating; **unter den** ~ **fallen** (*fig*) to be dropped; ~**decke** *f* tablecloth.

Tischler (**-s, -**) *m* carpenter, joiner.

Tischlerei [tɪʃlə'raɪ] *f* joiner's workshop; (*Arbeit*) carpentry, joinery.

Tischlerhandwerk *nt* cabinetmaking.

tischlern *vi* to do carpentry *etc*.

Tisch- *zW:* ~**nachbar** *m* neighbour (*BRIT*) *od* neighbor (*US*) (at table); ~**rechner** *m* desk calculator; ~**rede** *f* after-dinner speech; ~**tennis** *nt* table tennis; ~**tuch** *nt* tablecloth.

Titel ['ti:təl] (**-s, -**) *m* title; ~**anwärter** *m* (*SPORT*) challenger; ~**bild** *nt* cover (picture); (*von Buch*) frontispiece; ~**geschichte** *f* headline story; ~**rolle** *f* title role; ~**seite** *f* cover; (*Buch~*) title page; ~**verteidiger** *m* defending champion, title holder.

Titte ['tɪtə] (**-, -n**) (*umg*) *f* (*weibliche Brust*) boob, tit (*umg*).

titulieren [titu'li:rən] *vt* to entitle; (*anreden*) to address.

tja [tja] *interj* well!

Toast [to:st] (**-(e)s, -s** *od* **-e**) *m* toast.

toasten *vi* to drink a toast ♦ *vt* (*Brot*) to toast; **auf jdn** ~ to toast sb, drink a toast to sb.

Toaster (**-s, -**) *m* toaster.

toben ['to:bən] *vi* to rage; (*Kinder*) to romp about.

tob- *zW:* **T~sucht** *f* raving madness; ~**süchtig** *adj* maniacal; **T~suchtsanfall** *m* maniacal fit.

Tochter ['tɔxtər] (**-, ⸚**) *f* daughter; ~**gesellschaft** *f* subsidiary (company).

Tod [to:t] (**-(e)s, -e**) *m* death; **zu ~e betrübt sein** to be in the depths of despair; **eines natürlichen/gewaltsamen ~es sterben** to die of natural causes/die a violent death; **t~ernst** (*umg*) *adj* deadly serious ♦ *adv* in dead earnest.

Todes- *zW:* ~**angst** *f* mortal fear; ~**ängste ausstehen** (*umg*) to be scared to death; ~**anzeige** *f* obituary (notice); ~**fall** *m* death; ~**kampf** *m* death throes *pl*; ~**opfer** *nt* death, casualty, fatality; ~**qualen** *pl:* ~**qualen ausstehen** (*fig*) to suffer agonies; ~**stoß** *m* deathblow; ~**strafe** *f* death penalty; ~**tag** *m* anniversary of death; ~**ursache** *f* cause of death; ~**urteil** *nt* death sentence; ~**verachtung** *f* utter disgust.

Todfeind *m* deadly *od* mortal enemy.

todkrank *adj* dangerously ill.

tödlich ['tø:tlɪç] *adj* fatal; (*Gift*) deadly, lethal.

tod- *zW:* ~**müde** *adj* dead tired; ~**schick** (*umg*) *adj* smart, classy; ~**sicher** (*umg*) *adj* absolutely *od* dead certain; **T~sünde** *f* deadly sin; ~**traurig** *adj* extremely sad.

Tofu ['to:fu] (**-(s)**) *m* tofu.

Togo ['to:go] (**-s**) *nt* Togo.

Toilette [toa'lɛtə] *f* toilet, lavatory (*BRIT*), john (*US*); (*Frisiertisch*) dressing table; (*Kleidung*) outfit; **auf die** ~ **gehen/auf der** ~ **sein** to go to/be in the toilet.

Toiletten- *zW:* ~**artikel** *pl* toiletries *pl*, toilet articles *pl*; ~**papier** *nt* toilet paper; ~**tisch** *m* dressing table.

toi, toi, toi ['tɔy'tɔy'tɔy] (*umg*) *interj* good luck; (*unberufen*) touch wood.

Tokio ['to:kjo] (**-s**) *nt* Tokyo.

tolerant [tole'rant] *adj* tolerant.

Toleranz *f* tolerance.

tolerieren [tole'ri:rən] *vt* to tolerate.

toll [tɔl] *adj* mad; (*Treiben*) wild; (*umg*) terrific.

tollen *vi* to romp.

toll- *zW:* **T~heit** *f* madness, wildness; **T~kirsche** *f* deadly nightshade; ~**kühn** *adj* daring; **T~wut** *f* rabies.

Tölpel ['tœlpəl] (**-s, -**) *m* oaf, clod.

Tomate [to'ma:tə] (**-, -n**) *f* tomato; **du treulose** ~! (*umg*) you're a fine friend!

Tomatenmark (**-(e)s**) *nt* tomato purée.
Tombola ['tɔmbola] (**-, -s** *od* **Tombolen**) *f* tombola.
Ton¹ [to:n] (**-(e)s, -e**) *m* (*Erde*) clay.
Ton² [to:n] (**-(e)s, ⸚e**) *m* (*Laut*) sound; (*MUS*) note; (*Redeweise*) tone; (*Farb~, Nuance*) shade; (*Betonung*) stress; **keinen ~ herausbringen** not to be able to say a word; **den ~ angeben** (*MUS*) to give an A; (*fig: Mensch*) to set the tone; **~abnehmer** *m* pick-up; **t~angebend** *adj* leading; **~arm** *m* pick-up arm; **~art** *f* (musical) key; **~band** *nt* tape; **~bandaufnahme** *f* tape recording; **~bandgerät** *nt* tape recorder.
tönen ['tø:nən] *vi* to sound ♦ *vt* to shade; (*Haare*) to tint.
tönern ['tø:nərn] *adj* clay.
Ton- *zW:* **~fall** *m* intonation; **~film** *m* sound film; **~höhe** *f* pitch.
Tonika ['to:nika] (**-, -iken**) *f* (*MUS*) tonic.
Tonikum (**-s, -ika**) *nt* (*MED*) tonic.
Ton- *zW:* **~ingenieur** *m* sound engineer; **~kopf** *m* recording head; **~künstler** *m* musician; **~leiter** *f* (*MUS*) scale; **t~los** *adj* soundless.
Tonne ['tɔnə] (**-, -n**) *f* barrel; (*Maß*) ton.
Ton- *zW:* **~spur** *f* soundtrack; **~taube** *f* clay pigeon; **~waren** *pl* pottery *sing*, earthenware *sing*.
Topf [tɔpf] (**-(e)s, ⸚e**) *m* pot; **alles in einen ~ werfen** (*fig*) to lump everything together; **~blume** *f* pot plant.
Töpfer(in) ['tœpfər(ɪn)] (**-s, -**) *m(f)* potter.
Töpferei [tœpfə'raɪ] *f* (*Töpferware*) pottery; (*Werkstatt*) pottery, potter's workshop.
töpfern *vi* to do pottery.
Töpferscheibe *f* potter's wheel.
topfit ['tɔp'fɪt] *adj* in top form.
Topflappen *m* ovencloth.
topographisch [topo'gra:fɪʃ] *adj* topographic.
topp [tɔp] *interj* O.K.
Tor¹ [to:r] (**-en, -en**) *m* fool.
Tor² (**-(e)s, -e**) *nt* gate; (*SPORT*) goal; **~bogen** *m* archway; **~einfahrt** *f* entrance gate.
Toresschluß *m:* **(kurz) vor ~** right at the last minute.
Torf [tɔrf] (**-(e)s**) *m* peat; **~stechen** *nt* peat-cutting.
Torheit *f* foolishness; (*törichte Handlung*) foolish deed.
Torhüter (**-s, -**) *m* goalkeeper.
töricht ['tørɪçt] *adj* foolish.
torkeln ['tɔrkəln] *vi* to stagger, reel.
torpedieren [tɔrpe'di:rən] *vt* (*lit, fig*) to torpedo.
Torpedo [tɔr'pe:do] (**-s, -s**) *m* torpedo.
Torschlußpanik ['to:rʃlʊspa:nɪk] (*umg*) *f* (*von Unverheirateten*) *fear of being left on the shelf.*
Torte ['tɔrtə] (**-, -n**) *f* cake; (*Obst~*) flan, tart.
Tortenguß *m* glaze.
Tortenheber *m* cake slice.
Tortur [tɔr'tu:r] *f* ordeal.
Torverhältnis *nt* goal average.
Torwart (**-(e)s, -e**) *m* goalkeeper.
tosen ['to:zən] *vi* to roar.
Toskana [tɔs'ka:na] *f* Tuscany.
tot [to:t] *adj* dead; **er war auf der Stelle ~** he died instantly; **der ~e Winkel** the blind spot; **einen ~en Punkt haben** to be at one's lowest; **das T~e Meer** the Dead Sea.
total [to'ta:l] *adj* total; **T~ausverkauf** *m* clearance sale.
totalitär [tɔtali'tɛ:r] *adj* totalitarian.
Totaloperation *f* extirpation; (*von Gebärmutter*) hysterectomy.
Totalschaden *m* (*AUT*) complete write-off.
totarbeiten *vr* to work o.s. to death.
totärgern (*umg*) *vr* to get really annoyed.
Tote(r) *f(m)* dead person.
töten ['tøtən] *vt, vi* to kill.
Toten- *zW:* **~bett** *nt* deathbed; **t~blaß** *adj* deathly pale, white as a sheet; **~gräber** (**-s, -**) *m* gravedigger; **~hemd** *nt* shroud; **~kopf** *m* skull; **~messe** *f* requiem mass; **~schein** *m* death certificate; **~stille** *f* deathly silence; **~tanz** *m* danse macabre; **~wache** *f* wake.
tot- *zW:* **~fahren** *unreg vt* to run over; **~geboren** *adj* stillborn; **~kriegen** (*umg*) *vt:* **nicht ~zukriegen sein** to go on for ever; **~lachen** (*umg*) *vr* to laugh one's head off.
Toto ['to:to] (**-s, -s**) *m od nt* ≈ pools *pl*; **~schein** *m* ≈ pools coupon.
tot- *zW:* **~sagen** *vt:* **jdn ~sagen** to say that sb is dead; **T~schlag** *m* (*JUR*) manslaughter, second degree murder (*US*); **~schlagen** *unreg vt* (*lit, fig*) to kill; **T~schläger** *m* (*Waffe*) cosh (*BRIT*), blackjack (*US*); **~schweigen** *unreg vt* to hush up; **~stellen** *vr* to pretend to be dead; **~treten** *unreg vt* to trample to death.
Tötung ['tø:tʊŋ] *f* killing.
Toupet [tu'pe:] (**-s, -s**) *nt* toupee.
toupieren [tu'pi:rən] *vt* to backcomb.
Tour [tu:r] (**-, -en**) *f* tour, trip; (*Umdrehung*) revolution; (*Verhaltensart*) way; **auf ~en kommen** (*AUT*) to reach top speed; (*fig*) to get into top gear; **auf vollen ~en laufen** (*lit*) to run at full speed; (*fig*) to be in full swing; **auf die krumme ~** by dishonest means; **in einer ~** incessantly.
Tourenzahl *f* number of revolutions.
Tourenzähler *m* rev counter.
Tourismus [tu'rɪsmʊs] *m* tourism.
Tourist(in) *m(f)* tourist.
Touristenklasse *f* tourist class.
Touristik [tu'rɪstɪk] *f* tourism.
touristisch *adj* tourist *attr.*
Tournee [tʊr'ne:] (**-, -s** *od* **-n**) *f* (*THEAT etc*) tour; **auf ~ gehen** to go on tour.
Trab [tra:p] (**-(e)s**) *m* trot; **auf ~ sein** (*umg*) to be on the go.
Trabant [tra'bant] *m* satellite.

Trabantenstadt *f* satellite town.
traben ['tra:bən] *vi* to trot.
Tracht [traxt] (-, **-en**) *f* (*Kleidung*) costume, dress; **eine ~ Prügel** a sound thrashing.
trachten *vi* to strive, endeavour (*BRIT*), endeavor (*US*); **danach ~, etw zu tun** to strive to do sth; **jdm nach dem Leben ~** to seek to kill sb.
trächtig ['trɛçtɪç] *adj* (*Tier*) pregnant.
Tradition [traditsi'o:n] *f* tradition.
traditionell [traditsio:'nɛl] *adj* traditional.
traf *etc* [tra:f] *vb siehe* **treffen.**
Tragbahre *f* stretcher.
tragbar *adj* (*Gerät*) portable; (*Kleidung*) wearable; (*erträglich*) bearable.
träge ['trɛ:gə] *adj* sluggish, slow; (*PHYS*) inert.
tragen ['tra:gən] *unreg vt* to carry; (*Kleidung, Brille*) to wear; (*Namen, Früchte*) to bear; (*erdulden*) to endure ♦ *vi* (*schwanger sein*) to be pregnant; (*Eis*) to hold; **schwer an etw** *dat* **~** (*lit*) to have a job carrying sth; (*fig*) to find sth hard to bear; **zum T~ kommen** to come to fruition; (*nützlich werden*) to come in useful.
tragend *adj* (*Säule, Bauteil*) load-bearing; (*Idee, Motiv*) fundamental.
Träger ['trɛ:gər] (**-s,** -) *m* carrier; wearer; bearer; (*Ordens~*) holder; (*an Kleidung*) (shoulder) strap; (*Körperschaft etc*) sponsor; (*Holz~, Beton~*) (supporting) beam; (*Stahl~, Eisen~*) girder; (*TECH: Stütze von Brücken etc*) support.
Trägerin *f* (*Person*) *siehe* **Träger.**
Träger- *zW:* **~kleid** *nt* pinafore dress (*BRIT*), jumper (*US*); **~rakete** *f* launch vehicle; **~rock** *m* skirt with shoulder straps.
Tragetasche *f* carrier bag (*BRIT*), carry-all (*US*).
Trag- *zW:* **~fähigkeit** *f* load-bearing capacity; **~fläche** *f* (*AVIAT*) wing; **~flügelboot** *nt* hydrofoil.
Trägheit ['trɛ:khaɪt] *f* laziness; (*PHYS*) inertia.
Tragik ['tra:gɪk] *f* tragedy.
tragikomisch [tragi'ko:mɪʃ] *adj* tragi-comic.
tragisch *adj* tragic; **etw ~ nehmen** (*umg*) to take sth to heart.
Traglast *f* load.
Tragödie [tra'gø:diə] *f* tragedy.
trägt [trɛ:kt] *vb siehe* **tragen.**
Tragweite *f* range; (*fig*) scope; **von großer ~ sein** to have far-reaching consequences.
Tragwerk *nt* wing assembly.
Trainer(in) ['trɛ:nər(ɪn)] (**-s,** -) *m(f)* (*SPORT*) trainer, coach; (*FUSSBALL*) manager.
trainieren [trɛ'ni:rən] *vt* to train; (*Übung*) to practise (*BRIT*), practice (*US*) ♦ *vi* to train; **Fußball ~** to do football practice.
Training (**-s, -s**) *nt* training.
Trainingsanzug *m* track suit.
Trakt [trakt] (**-(e)s, -e**) *m* (*Gebäudeteil*) section; (*Flügel*) wing.
Traktat [trak'ta:t] (**-(e)s, -e**) *m od nt* (*Abhandlung*) treatise; (*Flugschrift, religiöse Schrift*) tract.
traktieren (*umg*) *vt* (*schlecht behandeln*) to maltreat; (*quälen*) to torment.
Traktor ['traktɔr] *m* tractor; (*von Drucker*) tractor feed.
trällern ['trɛlərn] *vt, vi* to warble; (*Vogel*) to trill, warble.
trampeln ['trampəln] *vt* to trample; (*abschütteln*) to stamp ♦ *vi* to stamp.
Trampelpfad *m* track, path.
Trampeltier *nt* (*ZOOL*) (Bactrian) camel; (*fig: umg*) clumsy oaf.
trampen ['trɛmpən] *vi* to hitchhike.
Tramper(in) [trɛmpər(ɪn)] (**-s,** -) *m(f)* hitchhiker.
Trampolin [trampo'li:n] (**-s, -e**) *nt* trampoline.
Tranchierbesteck *nt* pair of carvers, carvers *pl.*
tranchieren [trã'ʃi:rən] *vt* to carve.
Träne ['trɛ:nə] (-, **-n**) *f* tear.
tränen *vi* to water.
Tränengas *nt* tear gas.
tranig ['tra:nɪç] (*umg*) *adj* slow, sluggish.
trank *etc* [traŋk] *vb siehe* **trinken.**
Tränke ['trɛŋkə] (-, **-n**) *f* watering place.
tränken *vt* (*naß machen*) to soak; (*Tiere*) to water.
Transaktion [trans|aktsi'o:n] *f* transaction.
Transformator [transfɔr'ma:tɔr] *m* transformer.
Transfusion [transfuzi'o:n] *f* transfusion.
Transistor [tran'zistɔr] *m* transistor.
transitiv ['tranziti:f] *adj* transitive.
Transitverkehr [tran'zi:tfɛrke:r] *m* transit traffic.
transparent [transpa'rɛnt] *adj* transparent; **T~** (**-(e)s, -e**) *nt* (*Bild*) transparency; (*Spruchband*) banner.
transpirieren [transpi'ri:rən] *vi* to perspire.
Transplantation [transplantatsi'o:n] *f* transplantation; (*Haut~*) graft(ing).
Transport [trans'pɔrt] (**-(e)s, -e**) *m* transport; (*Fracht*) consignment, shipment; **t~fähig** *adj* moveable.
transportieren [transpɔr'ti:rən] *vt* to transport.
Transport- *zW:* **~kosten** *pl* transport charges *pl*, carriage *sing*; **~mittel** *nt* means *sing* of transport; **~unternehmen** *nt* carrier.
transsexuell [transzɛksu'ɛl] *adj* transsexual.
transusig ['trans|u:zɪç] (*umg*) *adj* sluggish.
Transvestit [transvɛs'ti:t] (**-en, -en**) *m* transvestite.
Trapez [tra'pe:ts] (**-es, -e**) *nt* trapeze; (*MATH*) trapezium.
Trara [tra'ra:] (**-s**) *nt:* **mit viel ~ (um)** (*fig: umg*) with a great hullabaloo (about).
trat *etc* [tra:t] *vb siehe* **treten.**
Tratsch [tra:tʃ] (**-(e)s**) (*umg*) *m* gossip.
tratschen ['tra:tʃən] (*umg*) *vi* to gossip.

Tratte ['tratə] (-, -n) *f* (*FIN*) draft.
Traube ['traubə] (-, -n) *f* grape; (*ganze Frucht*) bunch (of grapes).
Traubenlese *f* grape harvest.
Traubenzucker *m* glucose.
trauen ['trauən] *vi +dat* to trust ♦ *vr* to dare ♦ *vt* to marry; **jdm/etw** ~ to trust sb/sth.
Trauer ['trauər] (-) *f* sorrow; (*für Verstorbenen*) mourning; ~**fall** *m* death, bereavement; ~**feier** *f* funeral service; ~**flor** (-s, -e) *m* black ribbon; ~**gemeinde** *f* mourners *pl*; ~**marsch** *m* funeral march.
trauern *vi* to mourn; **um jdn** ~ to mourn (for) sb.
Trauer- *zW:* ~**rand** *m* black border; ~**spiel** *nt* tragedy; ~**weide** *f* weeping willow.
Traufe ['traufə] (-, -n) *f* eaves *pl*.
träufeln ['trɔyfəln] *vt, vi* to drip.
traulich ['traulıç] *adj* cosy, intimate.
Traum [traum] (-(e)s, **Träume**) *m* dream; **aus der** ~! it's all over!
Trauma (-s, -men) *nt* trauma.
traumatisieren [traumati'zi:rən] *vt* to traumatize.
Traumbild *nt* vision.
Traumdeutung *f* interpretation of dreams.
träumen ['trɔymən] *vt, vi* to dream; **das hätte ich mir nicht** ~ **lassen** I'd never have thought it possible.
Träumer(in) (-s, -) *m(f)* dreamer.
Träumerei [trɔymə'raı] *f* dreaming.
träumerisch *adj* dreamy.
traumhaft *adj* dreamlike; (*fig*) wonderful.
Traumtänzer *m* dreamer.
traurig ['traurıç] *adj* sad; **T~keit** *f* sadness.
Trauring *m* wedding ring.
Trauschein *m* marriage certificate.
Trauung *f* wedding ceremony.
Trauzeuge *m* witness (to a marriage).
treffen ['trɛfən] *unreg vt* to strike, hit; (*Bemerkung*) to hurt; (*begegnen*) to meet; (*Entscheidung etc*) to make; (*Maßnahmen*) to take ♦ *vi* to hit ♦ *vr* to meet; **er hat es gut getroffen** he did well; **er fühlte sich getroffen** he took it personally; ~ **auf** *+akk* to come across, meet; **es traf sich, daß** ... it so happened that ...; **es trifft sich gut** it's convenient.
Treffen (-s, -) *nt* meeting.
treffend *adj* pertinent, apposite.
Treffer (-s, -) *m* hit; (*Tor*) goal; (*Los*) winner.
trefflich *adj* excellent.
Treffpunkt *m* meeting place.
Treibeis *nt* drift ice.
treiben ['traıbən] *unreg vt* to drive; (*Studien etc*) to pursue; (*SPORT*) to do, go in for ♦ *vi* (*Schiff etc*) to drift; (*Pflanzen*) to sprout; (*KOCH: aufgehen*) to rise; (*Medikamente*) to be diuretic; **die** ~**de Kraft** (*fig*) the driving force; **Handel mit etw/jdm** ~ to trade in sth/with sb; **es zu weit** ~ to go too far; **Unsinn** ~ to fool around; **T~** (-s) *nt* activity.
Treib- *zW:* ~**gut** *nt* flotsam and jetsam; ~**haus** *nt* greenhouse; ~**hauseffekt** *m* greenhouse effect; ~**hausgas** *nt* greenhouse gas; ~**jagd** *f* shoot (*in which game is sent up*); (*fig*) witchhunt; ~**sand** *m* quicksand; ~**stoff** *m* fuel.
Trend [trɛnt] (-s, -s) *m* trend; ~**wende** *f* new trend.
trennbar *adj* separable.
trennen ['trɛnən] *vt* to separate; (*teilen*) to divide ♦ *vr* to separate; **sich** ~ **von** to part with.
Trennschärfe *f* (*RUNDF*) selectivity.
Trennung *f* separation.
Trennungsstrich *m* hyphen.
Trennwand *f* partition (wall).
treppab *adv* downstairs.
treppauf *adv* upstairs.
Treppe ['trɛpə] (-, -n) *f* stairs *pl*, staircase; (*im Freien*) steps *pl*; **eine** ~ a staircase, a flight of stairs *od* steps; **sie wohnt zwei** ~**n hoch/höher** she lives two flights up/higher up.
Treppengeländer *nt* banister.
Treppenhaus *nt* staircase.
Tresen ['tre:zən] (-s, -) *m* (*Theke*) bar; (*Ladentisch*) counter.
Tresor [tre'zo:r] (-s, -e) *m* safe.
Tretboot *nt* pedal boat, pedalo.
treten ['tre:tən] *unreg vi* to step; (*Tränen, Schweiß*) to appear ♦ *vt* (*mit Fußtritt*) to kick; (*nieder~*) to tread, trample; ~ **nach** to kick at; ~ **in** *+akk* to step in(to); **in Verbindung** ~ to get in contact; **in Erscheinung** ~ to appear; **der Fluß trat über die Ufer** the river overflowed its banks; **in Streik** ~ to go on strike.
Treter ['tre:tər] (*umg*) *pl* (*Schuhe*) casual shoes *pl*.
Tretmine *f* (*MIL*) (anti-personnel) mine.
Tretmühle *f* (*fig*) daily grind.
treu [trɔy] *adj* faithful, true; ~**doof** (*umg*) *adj* naïve.
Treue (-) *f* loyalty, faithfulness.
Treuhand (*umg*) *f*, **Treuhandanstalt** *f* trustee organization (*overseeing the privatization of former GDR state-owned firms*).

The **Treuhandanstalt** *is an organization set up in 1990 to take over the nationally-owned companies of the former* **DDR**, *to break them down into smaller units and to privatize them. It is based in Berlin and has nine branches. Many companies have been closed down by the Treuhandanstalt because of their outdated equipment and inability to compete with the western firms. This has resulted in rising unemployment.*

Treuhänder (-s, -) *m* trustee.
Treuhandgesellschaft *f* trust company.
treu- *zW:* ~**herzig** *adj* innocent; ~**lich** *adv*

faithfully; ~**los** *adj* faithless; ~**los an jdm handeln** to fail sb.
Triathlon ['tri:atlɔn] (-**s**, -**s**) *nt* triathlon.
Tribüne [tri'by:nə] (-, -**n**) *f* grandstand; (*Redner~*) platform.
Tribut [tri'bu:t] (-(**e**)**s**, -**e**) *m* tribute.
Trichter ['trɪçtər] (-**s**, -) *m* funnel; (*Bomben~*) crater.
Trick [trɪk] (-**s**, -**e** *od* -**s**) *m* trick; ~**film** *m* cartoon.
Trieb (-(**e**)**s**, -**e**) *m* urge, drive; (*Neigung*) inclination; (*BOT*) shoot.
trieb *etc* [tri:p] *vb siehe* **treiben**.
Trieb- *zW:* ~**feder** *f* (*fig*) motivating force; **t~haft** *adj* impulsive; ~**kraft** *f* (*fig*) drive; ~**täter** *m* sex offender; ~**wagen** *m* (*EISENB*) railcar; ~**werk** *nt* engine.
triefen ['tri:fən] *vi* to drip.
trifft [trɪft] *vb siehe* **treffen**.
triftig ['trɪftɪç] *adj* convincing; (*Grund etc*) good.
Trigonometrie [trigonome'tri:] *f* trigonometry.
Trikot [tri'ko:] (-**s**, -**s**) *nt* vest; (*SPORT*) shirt ♦ *m* (*Gewebe*) tricot.
Triller ['trɪlər] (-**s**, -) *m* (*MUS*) trill.
trillern *vi* to trill, warble.
Trillerpfeife *f* whistle.
Trilogie [trilo'gi:] *f* trilogy.
Trimester [tri'mɛstər] (-**s**, -) *nt* term.
Trimm-Aktion *f* keep-fit campaign.
Trimm-dich-Pfad *m* keep-fit trail.
trimmen *vt* (*Hund*) to trim; (*umg: Mensch, Tier*) to teach, train ♦ *vr* to keep fit.
trinkbar *adj* drinkable.
trinken ['trɪŋkən] *unreg vt, vi* to drink.
Trinker(in) (-**s**, -) *m(f)* drinker.
Trink- *zW:* **t~fest** *adj:* **ich bin nicht sehr t~fest** I can't hold my drink very well; ~**geld** *nt* tip; ~**halle** *f* (*Kiosk*) refreshment kiosk; ~**halm** *m* (drinking) straw; ~**milch** *f* milk; ~**spruch** *m* toast; ~**wasser** *nt* drinking water.
Trio ['tri:o] (-**s**, -**s**) *nt* trio.
trippeln ['trɪpəln] *vi* to toddle.
Tripper ['trɪpər] (-**s**, -) *m* gonorrhoea (*BRIT*), gonorrhea (*US*).
trist [trɪst] *adj* dreary, dismal; (*Farbe*) dull.
tritt [trɪt] *vb siehe* **treten**.
Tritt (-(**e**)**s**, -**e**) *m* step; (*Fuß~*) kick.
Trittbrett *nt* (*EISENB*) step; (*AUT*) running board.
Trittleiter *f* stepladder.
Triumph [tri'ʊmf] (-(**e**)**s**, -**e**) *m* triumph; ~**bogen** *m* triumphal arch.
triumphieren [triʊm'fi:rən] *vi* to triumph; (*jubeln*) to exult.
trivial [trivi'a:l] *adj* trivial; **T~literatur** *f* light fiction.
trocken ['trɔkən] *adj* dry; **sich ~ rasieren** to use an electric razor; **T~automat** *m* tumble dryer; **T~dock** *nt* dry dock; **T~eis** *nt* dry ice; **T~element** *nt* dry cell; **T~haube** *f* hair-dryer; **T~heit** *f* dryness; ~**legen** *vt* (*Sumpf*) to drain; (*Kind*) to put a clean nappy (*BRIT*) *od* diaper (*US*) on; **T~milch** *f* dried milk; **T~zeit** *f* (*Jahreszeit*) dry season.
trocknen *vt, vi* to dry.
Trockner (-**s**, -) *m* dryer.
Troddel ['trɔdəl] (-, -**n**) *f* tassel.
Trödel ['trø:dəl] (-**s**) (*umg*) *m* junk; ~**markt** *m* flea market.
trödeln (*umg*) *vi* to dawdle.
Trödler (-**s**, -) *m* secondhand dealer.
Trog (-(**e**)**s**, **⸚e**) *m* trough.
trog *etc* [tro:k] *vb siehe* **trügen**.
trollen ['trɔlən] (*umg*) *vr* to push off.
Trommel ['trɔməl] (-, -**n**) *f* drum; **die ~ rühren** (*fig: umg*) to drum up support; ~**fell** *nt* eardrum; ~**feuer** *nt* drumfire, heavy barrage.
trommeln *vt, vi* to drum.
Trommelrevolver *m* revolver.
Trommelwaschmaschine *f* tumble-action washing machine.
Trommler(in) ['trɔmlər(ɪn)] (-**s**, -) *m(f)* drummer.
Trompete [trɔm'pe:tə] (-, -**n**) *f* trumpet.
Trompeter (-**s**, -) *m* trumpeter.
Tropen ['tro:pən] *pl* tropics *pl*; **t~beständig** *adj* suitable for the tropics; ~**helm** *m* topee, sun helmet.
Tropf[1] [trɔpf] (-(**e**)**s**, **⸚e**) (*umg*) *m* rogue; **armer ~** poor devil.
Tropf[2] (-(**e**)**s**) (*umg*) *m* (*MED: Infusion*) drip (*umg*); **am ~ hängen** to be on a drip.
tröpfeln ['trœpfəln] *vi* to drip, trickle.
Tropfen (-**s**, -) *m* drop; **ein guter** *od* **edler ~** a good wine; **ein ~ auf den heißen Stein** (*fig: umg*) a drop in the ocean.
tropfen *vt, vi* to drip ♦ *vi unpers:* **es tropft** a few raindrops are falling.
tropfenweise *adv* in drops.
tropfnaß *adj* dripping wet.
Tropfsteinhöhle *f* stalactite cave.
Trophäe [tro'fɛ:ə] (-, -**n**) *f* trophy.
tropisch ['tro:pɪʃ] *adj* tropical.
Trost [tro:st] (-**es**) *m* consolation, comfort; **t~bedürftig** *adj* in need of consolation.
trösten ['trø:stən] *vt* to console, comfort.
Tröster(in) (-**s**, -) *m(f)* comfort(er).
tröstlich *adj* comforting.
trost- *zW:* ~**los** *adj* bleak; (*Verhältnisse*) wretched; **T~pflaster** *nt* (*fig*) consolation; **T~preis** *m* consolation prize; ~**reich** *adj* comforting.
Tröstung ['trø:stʊŋ] *f* comfort, consolation.
Trott [trɔt] (-(**e**)**s**, -**e**) *m* trot; (*Routine*) routine.
Trottel (-**s**, -) (*umg*) *m* fool, dope.
trotten *vi* to trot.
Trottoir [trɔto'a:r] (-**s**, -**s** *od* -**e**) *nt* (*veraltet*) pavement (*BRIT*), sidewalk (*US*).
trotz [trɔts] *präp* (*+gen od dat*) in spite of.
Trotz (-**es**) *m* pig-headedness; **etw aus ~ tun**

to do sth just to show them; **jdm zum ~** in defiance of sb.
Trotzalter *nt* obstinate phase.
trotzdem *adv* nevertheless ♦ *konj* although.
trotzen *vi +dat* to defy; (*der Kälte, dem Klima etc*) to withstand; (*der Gefahr*) to brave; (*trotzig sein*) to be awkward.
trotzig *adj* defiant; (*Kind*) difficult, awkward.
Trotzkopf *m* obstinate child.
Trotzreaktion *f* fit of pique.
trüb [try:p] *adj* dull; (*Flüssigkeit, Glas*) cloudy; (*fig*) gloomy; **~e Tasse** (*umg*) drip.
Trubel ['tru:bəl] **(-s)** *m* hurly-burly.
trüben ['try:bən] *vt* to cloud ♦ *vr* to become clouded.
Trübheit *f* dullness; cloudiness; gloom.
Trübsal **(-, -e)** *f* distress; **~ blasen** (*umg*) to mope.
trüb- *zW:* **~selig** *adj* sad, melancholy; **T~sinn** *m* depression; **~sinnig** *adj* depressed, gloomy.
trudeln ['tru:dəln] *vi* (*AVIAT*) to (go into a) spin.
Trüffel ['trʏfəl] **(-, -n)** *f* truffle.
Trug **(-(e)s)** *m* (*liter*) deception; (*der Sinne*) illusion.
trug *etc* [tru:k] *vb siehe* **tragen**.
trügen ['try:gən] *unreg vt* to deceive ♦ *vi* to be deceptive; **wenn mich nicht alles trügt** unless I am very much mistaken.
trügerisch *adj* deceptive.
Trugschluß ['tru:gʃlʊs] *m* false conclusion.
Truhe ['tru:ə] **(-, -n)** *f* chest.
Trümmer ['trʏmər] *pl* wreckage *sing*; (*Bau~*) ruins *pl*; **~feld** *nt* expanse of rubble *od* ruins; (*fig*) scene of devastation; **~frauen** *pl* (*German*) *women who cleared away the rubble after the war*; **~haufen** *m* heap of rubble.
Trumpf [trʊmpf] **(-(e)s, ⸚e)** *m* (*lit, fig*) trump; **t~en** *vt, vi* to trump.
Trunk [trʊŋk] **(-(e)s, ⸚e)** *m* drink.
trunken *adj* intoxicated; **T~bold (-(e)s, -e)** *m* drunkard; **T~heit** *f* intoxication; **T~heit am Steuer** drink-driving.
Trunksucht *f* alcoholism.
Trupp [trʊp] **(-s, -s)** *m* troop.
Truppe **(-, -n)** *f* troop; (*Waffengattung*) force; (*Schauspiel~*) troupe; **nicht von der schnellen ~ sein** (*umg*) to be slow.
Truppen *pl* troops *pl*; **~abbau** *m* cutback in troop numbers; **~führer** *m* (military) commander; **~teil** *m* unit; **~übungsplatz** *m* training area.
Trust [trast] **(-(e)s, -e** *od* **-s)** *m* trust.
Truthahn ['tru:tha:n] *m* turkey.
Tschad [tʃat] **(-s)** *m:* **der ~** Chad.
Tscheche ['tʃɛçə] **(-n, -n)** *m*, **Tschechin** *f* Czech.
tschechisch *adj* Czech; **die T~e Republik** the Czech Republic.
Tschechoslowakei [tʃɛçoslo'va:'kai] *f* (*früher*): **die ~** Czechoslovakia.
tschüs [tʃʏs] (*umg*) *interj* cheerio (*BRIT*), so long (*US*).
T-Shirt ['ti:ʃə:t] **(-s, -s)** *nt* T-shirt.
TU **(-)** *f abk* (= *Technische Universität*) ≈ polytechnic.
Tuba ['tu:ba] **(-, Tuben)** *f* (*MUS*) tuba.
Tube ['tu:bə] **(-, -n)** *f* tube.
Tuberkulose [tubɛrku'lo:zə] **(-, -n)** *f* tuberculosis.
Tuch [tu:x] **(-(e)s, ⸚er)** *nt* cloth; (*Hals~*) scarf; (*Kopf~*) (head)scarf; (*Hand~*) towel; **~fühlung** *f* physical contact.
tüchtig ['tʏçtɪç] *adj* efficient; (*fähig*) able, capable; (*umg: kräftig*) good, sound; **etwas T~es lernen/werden** (*umg*) to get a proper training/job; **T~keit** *f* efficiency; ability.
Tücke ['tʏkə] **(-, -n)** *f* (*Arglist*) malice; (*Trick*) trick; (*Schwierigkeit*) difficulty, problem; **seine ~n haben** to be temperamental.
tückisch *adj* treacherous; (*böswillig*) malicious.
tüfteln ['tʏftəln] (*umg*) *vi* to puzzle; (*basteln*) to fiddle about.
Tugend ['tu:gənt] **(-, -en)** *f* virtue; **t~haft** *adj* virtuous.
Tüll [tʏl] **(-s, -e)** *m* tulle.
Tülle **(-, -n)** *f* spout.
Tulpe ['tʊlpə] **(-, -n)** *f* tulip.
tummeln ['tʊməln] *vr* to romp (about); (*sich beeilen*) to hurry.
Tummelplatz *m* play area; (*fig*) hotbed.
Tumor ['tu:mɔr] **(-s, -e)** *m* tumour (*BRIT*), tumor (*US*).
Tümpel ['tʏmpəl] **(-s, -)** *m* pond.
Tumult [tu'mʊlt] **(-(e)s, -e)** *m* tumult.
tun [tu:n] *unreg vt* (*machen*) to do; (*legen*) to put ♦ *vi* to act ♦ *vr:* **es tut sich etwas/viel** something/a lot is happening; **jdm etw ~** to do sth to sb; **etw tut es auch** sth will do; **das tut nichts** that doesn't matter; **das tut nichts zur Sache** that's neither here nor there; **du kannst ~ und lassen, was du willst** you can do as you please; **so ~, als ob** to act as if; **zu ~ haben** (*beschäftigt sein*) to be busy, have things *od* something to do.
Tünche ['tʏnçə] **(-, -n)** *f* whitewash.
tünchen *vt* to whitewash.
Tunesien [tu'ne:ziən] **(-s)** *nt* Tunisia.
Tunesier(in) **(-s, -)** *m(f)* Tunisian.
tunesisch *adj* Tunisian.
Tunke ['tʊŋkə] **(-, -n)** *f* sauce.
tunken *vt* to dip, dunk.
tunlichst ['tu:nlɪçst] *adv* if at all possible; **~ bald** as soon as possible.
Tunnel ['tʊnəl] **(-s, -s** *od* **-)** *m* tunnel.
Tunte ['tʊntə] **(-, -n)** (*pej: umg*) *f* fairy (*pej*).
Tüpfel ['tʏpfəl] **(-s, -)** *m* dot; **~chen** *nt* (small) dot.
tüpfeln ['tʏpfəln] *vt* to dab.
tupfen ['tʊpfən] *vt* to dab; (*mit Farbe*) to dot; **T~ (-s, -)** *m* dot, spot.

Tupfer (**-s**, **-**) *m* swab.
Tür [ty:r] (**-**, **-en**) *f* door; **an die ~ gehen** to answer the door; **zwischen ~ und Angel** in passing; **Weihnachten steht vor der ~** (*fig*) Christmas is just around the corner; **mit der ~ ins Haus fallen** (*umg*) to blurt it *od* things out; **~angel** *f* (door) hinge.
Turbine [tʊr'bi:nə] *f* turbine.
turbulent [tʊrbu'lɛnt] *adj* turbulent.
Türke ['tʏrkə] (**-n**, **-n**) *m* Turk.
Türkei [tʏr'kaɪ] *f*: **die ~** Turkey.
Türkin *f* Turk.
Türkis [tʏr'ki:s] (**-es**, **-e**) *m* turquoise; **t~** *adj* turquoise.
türkisch *adj* Turkish.
Türklinke *f* door handle.
Turm [tʊrm] (**-(e)s**, **⸚e**) *m* tower; (*Kirch~*) steeple; (*Sprung~*) diving platform; (*SCHACH*) castle, rook.
türmen ['tʏrmən] *vr* to tower up ♦ *vt* to heap up ♦ *vi* (*umg*) to scarper, bolt.
Turmuhr *f* clock (on a tower); (*Kirch~*) church clock.
Turnanzug *m* gym costume.
turnen ['tʊrnən] *vi* to do gymnastic exercises; (*herumklettern*) to climb about; (*Kind*) to romp ♦ *vt* to perform; **T~** (**-s**) *nt* gymnastics *sing*; (*SCH*) physical education, P.E.
Turner(in) (**-s**, **-**) *m(f)* gymnast.
Turnhalle *f* gym(nasium).
Turnhose *f* gym shorts *pl*.
Turnier [tʊr'ni:r] (**-s**, **-e**) *nt* tournament.
Turn- *zW*: **~lehrer(in)** *m(f)* gym *od* PE teacher; **~schuh** *m* gym shoe; **~stunde** *f* gym *od* PE lesson.
Turnus ['tʊrnʊs] (**-**, **-se**) *m* rota; **im ~** in rotation.
Turnverein *m* gymnastics club.
Turnzeug *nt* gym kit.
Türöffner *m* buzzer.
turteln ['tʊrtəln] (*umg*) *vi* to bill and coo; (*fig*) to whisper sweet nothings.
Tusch [tʊʃ] (**-(e)s**, **-e**) *m* (*MUS*) flourish.
Tusche ['tʊʃə] (**-**, **-n**) *f* Indian ink.
tuscheln ['tʊʃəln] *vt, vi* to whisper.
Tuschkasten *m* paintbox.
Tussi ['tʊsɪ] (**-**, **-s**) (*umg*) *f* (*Frau, Freundin*) bird (*BRIT*), chick (*US*).
tust [tu:st] *vb siehe* **tun**.
tut [tu:t] *vb siehe* **tun**.
Tüte ['ty:tə] (**-**, **-n**) *f* bag; **in die ~ blasen** (*umg*) to be breathalyzed; **das kommt nicht in die ~!** (*umg*) no way!
tuten ['tu:tən] *vi* (*AUT*) to hoot (*BRIT*), honk (*US*); **von T~ und Blasen keine Ahnung haben** (*umg*) not to have a clue.
TÜV [tʏf] *m abk* (= *Technischer Überwachungs-Verein*) ≈ MOT (*BRIT*); **durch den ~ kommen** (*AUT*) to pass its test *od* MOT (*Brit*).

The **TÜV** *(= Technischer Überwachungs-Verein) is the organization responsible for checking the safety of machinery, particularly vehicles. Cars over three years old have to be examined every two years for their safety and for their exhaust emissions. The TÜV is the German equivalent of the MOT.*

TV (**-**) *nt abk* (= *Television*) TV ♦ *m abk* = **Turnverein**.
Twen [tvɛn] (**-(s)**, **-s**) *m person in his/her twenties*.
Typ [ty:p] (**-s**, **-en**) *m* type.
Type (**-**, **-n**) *f* (*TYP*) type.
Typenrad *nt* (*Drucker*) daisywheel; **~drucker** *m* daisywheel printer.
Typhus ['ty:fʊs] (**-**) *m* typhoid (fever).
typisch ['ty:pɪʃ] *adj*: **~ (für)** typical (of).
Tyrann [ty'ran] (**-en**, **-en**) *m(f)* tyrant.
Tyrannei [tyra'naɪ] *f* tyranny.
Tyrannin *f* tyrant.
tyrannisch *adj* tyrannical.
tyrannisieren [tyrani'zi:rən] *vt* to tyrannize.
tyrrhenisch [ty're:nɪʃ] *adj* Tyrrhenian; **T~es Meer** Tyrrhenian Sea.

U, u

U, u [u:] *nt* U, u; **~ wie Ulrich** ≈ U for Uncle.
u. *abk* = **und**.
u.a. *abk* (= *und andere(s)*) and others; (= *unter anderem*) amongst other things.
u.ä. *abk* (= *und ähnliche(s)*) and similar.
u.A.w.g. *abk* (= *um Antwort wird gebeten*) R.S.V.P.
U-Bahn ['u:ba:n] *f abk* (= *Untergrundbahn*) underground (*BRIT*), subway (*US*).
übel ['y:bəl] *adj* bad; **jdm ist ~** sb feels sick; **Ü~** (**-s**, **-**) *nt* evil; (*Krankheit*) disease; **zu allem Ü~** ... to make matters worse ...; **~gelaunt** *adj attrib* bad-tempered, sullen; **Ü~keit** *f* nausea; **~nehmen** *unreg vt*: **jdm eine Bemerkung** *etc* **~nehmen** to be offended at sb's remark *etc*; **Ü~stand** *m* bad state of affairs; **Ü~täter** *m* wrongdoer; **~wollend** *adj* malevolent.
üben ['y:bən] *vt, vi, vr* to practise (*BRIT*), practice (*US*); (*Gedächtnis, Muskeln*) to exercise; **Kritik an etw** *dat* **~** to criticize sth.

SCHLÜSSELWORT

über ['y:bər] *präp +dat* **1** (*räumlich*) over, above; **zwei Grad ~ Null** two degrees above zero **2** (*zeitlich*) over; **~ der Arbeit einschlafen** to

fall asleep over one's work
♦ *präp +akk* **1** (*räumlich*) over; (*hoch* ~) above; (*quer* ~) across; **er lachte ~ das ganze Gesicht** he was beaming all over his face; **Macht ~ jdn haben** to have power over sb
2 (*zeitlich*) over; ~ **Weihnachten** over Christmas; ~ **kurz oder lang** sooner or later
3 (*auf dem Wege*) via; **nach Köln ~ Aachen** to Cologne via Aachen; **ich habe es ~ die Auskunft erfahren** I found out from information
4 (*betreffend*) about; **ein Buch ~ ...** a book about *od* on ...; ~ **jdn/etw lachen** to laugh about *od* at sb/sth; **ein Scheck ~ 200 Mark** a cheque for 200 marks
5: **Fehler ~ Fehler** mistake after mistake
♦ *adv* **1** (*mehr als*) over, more than; **Kinder ~ 12 Jahren** children over *od* above 12 years of age; **sie liebt ihn ~ alles** she loves him more than anything
2: ~ **und** ~ over and over; **den ganzen Tag/die ganze Zeit** ~ all day long/all the time; **jdm in etw** *dat* ~ **sein** to be superior to sb in sth.

überall [y:bər'|al] *adv* everywhere; ~**hin** *adv* everywhere.
überaltert [y:bər'|altərt] *adj* obsolete.
Überangebot ['y:bər|angəbo:t] *nt*: ~ **(an** *+dat***)** surplus (of).
überanstrengen [y:bər'|anʃtrɛŋən] *vt untr* to overexert ♦ *vr untr* to overexert o.s.
überantworten [y:bər'|antvɔrtən] *vt untr* to hand over, deliver (up).
überarbeiten [y:bər'|arbaɪtən] *vt untr* to revise, rework ♦ *vr untr* to overwork (o.s.).
überaus ['y:bər|aʊs] *adv* exceedingly.
überbacken [y:bər'bakən] *unreg vt untr* to put in the oven/under the grill.
Überbau ['y:bərbaʊ] *m* (*Gebäude, Philosophie*) superstructure.
überbeanspruchen ['y:bərbə|anʃprʊxən] *vt untr* (*Menschen, Körper, Maschine*) to overtax.
überbelichten ['y:bərbəlɪçtən] *vt untr* (*PHOT*) to overexpose.
Überbesetzung ['y:bərbəzɛtsʊŋ] *f* overmanning.
überbewerten ['y:bərbəve:rtən] *vt untr* (*fig*) to overrate; (*Äußerungen*) to attach too much importance to.
überbieten [y:bər'bi:tən] *unreg vt untr* to outbid; (*übertreffen*) to surpass; (*Rekord*) to break ♦ *vr untr*: **sich in etw** *dat* **(gegenseitig)** ~ to vie with each other in sth.
Überbleibsel ['y:bərblaɪpsəl] **(-s, -)** *nt* residue, remainder.
Überblick ['y:bərblɪk] *m* view; (*fig: Darstellung*) survey, overview; (*Fähigkeit*): ~ **(über** *+akk***)** overall view (of), grasp (of); **den ~ verlieren** to lose track (of things); **sich** *dat* **einen ~ verschaffen** to get a general idea.
überblicken [y:bər'blɪkən] *vt untr* to survey; (*fig*) to see; (: *Lage etc*) to grasp.
überbringen [y:bər'brɪŋən] *unreg vt untr* to deliver, hand over.
Überbringer **(-s, -)** *m* bearer.
Überbringung *f* delivery.
überbrücken [y:bər'brʏkən] *vt untr* to bridge.
Überbrückung *f*: **100 Mark zur ~** 100 marks to tide me/him *etc* over.
Überbrückungskredit *m* bridging loan.
überbuchen ['y:bərbu:xən] *vt* to overbook.
überdauern [y:bər'daʊərn] *vt untr* to outlast.
überdenken [y:bər'dɛŋkən] *unreg vt untr* to think over.
überdies [y:bər'di:s] *adv* besides.
überdimensional ['y:bərdimɛnziona:l] *adj* oversize.
Überdosis ['y:bərdo:zɪs] *f* overdose, OD (*umg*); (*zu große Zumessung*) excessive amount.
überdrehen [y:bər'dre:ən] *vt untr* (*Uhr etc*) to overwind.
überdreht *adj*: ~ **sein** (*fig*) to be hyped up, be overexcited.
Überdruck ['y:bərdrʊk] *m* (*TECH*) excess pressure.
Überdruß ['y:bərdrʊs] **(-sses)** *m* weariness; **bis zum ~** ad nauseam.
überdrüssig ['y:bərdrʏsɪç] *adj +gen* tired of, sick of.
überdurchschnittlich ['y:bərdʊrçʃnɪtlɪç] *adj* above-average ♦ *adv* exceptionally.
übereifrig ['y:bər|aɪfrɪç] *adj* overzealous.
übereignen [y:bər'|aɪgnən] *vt untr*: **jdm etw ~** (*geh*) to make sth over to sb.
übereilen [y:bər'|aɪlən] *vt untr* to hurry.
übereilt *adj* (over)hasty.
übereinander [y:bər|aɪ'nandər] *adv* one upon the other; (*sprechen*) about each other; ~**schlagen** *unreg vt* (*Arme*) to fold; (*Beine*) to cross.
übereinkommen [y:bər'|aɪnkɔmən] *unreg vi* to agree.
Übereinkunft [y:bər'|aɪnkʊnft] **(-, -künfte)** *f* agreement.
übereinstimmen [y:bər'|aɪnʃtɪmən] *vi* to agree; (*Angaben, Meßwerte etc*) to tally; (*mit Tatsachen*) to fit.
Übereinstimmung *f* agreement.
überempfindlich ['y:bər|ɛmpfɪntlɪç] *adj* hypersensitive.
überfahren[1] ['y:bərfa:rən] *unreg vt* to take across ♦ *vi* to cross, go across.
überfahren[2] [y:bər'fa:rən] *unreg vt untr* (*AUT*) to run over; (*fig*) to walk all over.
Überfahrt ['y:bərfa:rt] *f* crossing.
Überfall ['y:bərfal] *m* (*Bank~, MIL*) raid; (*auf jdn*) assault.
überfallen [y:bər'falən] *unreg vt untr* to attack; (*Bank*) to raid; (*besuchen*) to drop in on, descend (up)on.
überfällig ['y:bərfɛlɪç] *adj* overdue.
Überfallkommando *nt* flying squad.

überfliegen [yːbər'fliːgən] *unreg vt untr* to fly over, overfly; (*Buch*) to skim through.
Überflieger *m* (*fig*) high-flier.
überflügeln [yːbər'flyːgəln] *vt untr* to outdo.
Überfluß ['yːbərflʊs] *m:* ~ **(an** *+dat***)** (super)abundance (of), excess (of); **zu allem** *od* **zum** ~ (*unnötigerweise*) superfluously; (*obendrein*) to crown it all (*umg*); ~**gesellschaft** *f* affluent society.
überflüssig ['yːbərflʏsɪç] *adj* superfluous.
überfluten [yːbər'fluːtən] *vt untr* (*lit*) to flood; (*fig*) to flood, inundate.
überfordern [yːbər'fɔrdərn] *vt untr* to demand too much of; (*Kräfte etc*) to overtax.
überfragt [yːbər'fraːkt] *adj:* **da bin ich** ~ there you've got me, you've got me there.
überführen[1] ['yːbərfyːrən] *vt* to transfer; (*Leiche etc*) to transport.
überführen[2] [yːbər'fyːrən] *vt untr* (*Täter*) to have convicted.
Überführung *f* (*siehe vbs*) transfer; transport; conviction; (*Brücke*) bridge, overpass.
überfüllt [yːbər'fʏlt] *adj* overcrowded; (*Kurs*) oversubscribed.
Übergabe ['yːbərgaːbə] *f* handing over; (*MIL*) surrender.
Übergang ['yːbərgaŋ] *m* crossing; (*Wandel, Überleitung*) transition.
Übergangs- *zW:* ~**erscheinung** *f* transitory phenomenon; ~**finanzierung** *f* (*FIN*) accommodation; **ü~los** *adj* without a transition; ~**lösung** *f* provisional solution, stopgap; ~**stadium** *nt* state of transition; ~**zeit** *f* transitional period.
übergeben [yːbər'geːbən] *unreg vt untr* to hand over; (*MIL*) to surrender ♦ *vr untr* to be sick; **dem Verkehr** ~ to open to traffic.
übergehen[1] ['yːbərgeːən] *unreg vi* (*Besitz*) to pass; (*zum Feind etc*) to go over, defect; (*überwechseln*): **(zu etw)** ~ to go on (to sth); ~ **in** *+akk* to turn into.
übergehen[2] [yːbər'geːən] *unreg vt untr* to pass over, omit.
übergeordnet ['yːbərgə|ɔrdnət] *adj* (*Behörde*) higher.
Übergepäck ['yːbərgəpɛk] *nt* excess baggage.
übergeschnappt ['yːbərgəʃnapt] (*umg*) *adj* crazy.
Übergewicht ['yːbərgəvɪçt] *nt* excess weight; (*fig*) preponderance.
übergießen [yːbər'giːsən] *unreg vt untr* to pour over; (*Braten*) to baste.
überglücklich ['yːbərglʏklɪç] *adj* overjoyed.
übergreifen ['yːbərgraɪfən] *unreg vi:* ~ **(auf** *+akk***)** (*auf Rechte etc*) to encroach (on); (*Feuer, Streik, Krankheit etc*) to spread (to); **ineinander** ~ to overlap.
übergroß ['yːbərgroːs] *adj* outsize, huge.
Übergröße ['yːbərgrøːsə] *f* oversize.
überhaben ['yːbərhaːbən] *unreg* (*umg*) *vt* to be fed up with.
überhandnehmen [yːbər'hantneːmən] *unreg vi* to gain the ascendancy.
überhängen ['yːbərhɛŋən] *unreg vi* to overhang.
überhäufen [yːbər'hɔʏfən] *vt untr:* **jdn mit Geschenken/Vorwürfen** ~ to heap presents/reproaches on sb.
überhaupt [yːbər'haʊpt] *adv* at all; (*im allgemeinen*) in general; (*besonders*) especially; ~ **nicht** not at all; **wer sind Sie** ~**?** who do you think you are?
überheblich [yːbər'heːplɪç] *adj* arrogant; **Ü~keit** *f* arrogance.
überhöht [yːbər'høːt] *adj* (*Forderungen, Preise*) exorbitant, excessive.
überholen [yːbər'hoːlən] *vt untr* to overtake; (*TECH*) to overhaul.
Überholspur *f* overtaking lane.
überholt *adj* out-of-date, obsolete.
Überholverbot [yːbər'hoːlfɛrboːt] *nt* overtaking (*BRIT*) *od* passing ban.
überhören [yːbər'høːrən] *vt untr* to not hear; (*absichtlich*) to ignore; **das möchte ich überhört haben!** (I'll pretend) I didn't hear that!
Über-Ich ['yːbər|ɪç] (**-s**) *nt* superego.
überirdisch ['yːbər|ɪrdɪʃ] *adj* supernatural, unearthly.
überkapitalisieren ['yːbərkapitali'ziːrən] *vt untr* to overcapitalize.
überkochen ['yːbərkɔxən] *vi* to boil over.
überkompensieren ['yːbərkɔmpɛnziːrən] *vt untr* to overcompensate for.
überladen [yːbər'ladən] *unreg vt untr* to overload ♦ *adj* (*fig*) cluttered.
überlassen [yːbər'lasən] *unreg vt untr:* **jdm etw** ~ to leave sth to sb ♦ *vr untr:* **sich einer Sache** *dat* ~ to give o.s. over to sth; **das bleibt Ihnen** ~ that's up to you; **jdn sich** *dat* **selbst** ~ to leave sb to his/her own devices.
überlasten [yːbər'lastən] *vt untr* to overload; (*jdn*) to overtax.
überlaufen[1] ['yːbərlaʊfən] *unreg vi* (*Flüssigkeit*) to flow over; (*zum Feind etc*) to go over, defect.
überlaufen[2] [yːbər'laʊfən] *unreg vt untr* (*Schauer etc*) to come over ♦ *adj* overcrowded; ~ **sein** to be inundated *od* besieged.
Überläufer ['yːbərlɔʏfər] *m* deserter.
überleben [yːbər'leːbən] *vt untr* to survive.
Überlebende(r) *f(m)* survivor.
überlebensgroß *adj* larger-than-life.
überlegen [yːbər'leːgən] *vt untr* to consider ♦ *adj* superior; **ich habe es mir anders** *od* **noch einmal überlegt** I've changed my mind; **Ü~heit** *f* superiority.
Überlegung *f* consideration, deliberation.
überleiten ['yːbərlaɪtən] *vt* (*Abschnitt etc*): ~ **in** *+akk* to link up with.
überlesen [yːbər'leːzən] *unreg vt untr* (*übersehen*) to overlook, miss.

überliefern [yːbər'liːfərn] *vt untr* to hand down, transmit.
Überlieferung *f* tradition; **schriftliche ~en** (written) records.
überlisten [yːbər'lɪstən] *vt untr* to outwit.
überm ['yːbərm] = **über dem.**
Übermacht ['yːbərmaxt] *f* superior force, superiority.
übermächtig ['yːbərmɛçtɪç] *adj* superior (in strength); (*Gefühl etc*) overwhelming.
übermannen [yːbər'manən] *vt untr* to overcome.
Übermaß ['ybərmaːs] *nt:* ~ **(an** *+dat***)** excess (of).
übermäßig ['yːbərmɛːsɪç] *adj* excessive.
Übermensch ['yːbərmɛnʃ] *m* superman; **ü~lich** *adj* superhuman.
übermitteln [yːbər'mɪtəln] *vt untr* to convey.
übermorgen ['yːbərmɔrgən] *adv* the day after tomorrow.
Übermüdung [yːbər'myːdʊŋ] *f* overtiredness.
Übermut ['yːbərmuːt] *m* exuberance.
übermütig ['yːbərmyːtɪç] *adj* exuberant, high-spirited; ~ **werden** to get overconfident.
übernächste(r, s) ['yːbərnɛːçstə(r, s)] *adj* next ... but one; (*Woche, Jahr etc*) after next.
übernachten [yːbər'naxtən] *vi untr:* **(bei jdm)** ~ to spend the night (at sb's place).
übernächtigt [yːbər'nɛçtɪçt] *adj* sleepy, tired.
Übernachtung *f:* ~ **mit Frühstück** bed and breakfast.
Übernahme ['yːbərnaːmə] (**-, -n**) *f* taking over *od* on; (*von Verantwortung*) acceptance; **~angebot** *nt* takeover bid.
übernatürlich ['yːbərnatyːrlɪç] *adj* supernatural.
übernehmen [yːbər'neːmən] *unreg vt untr* to take on, accept; (*Amt, Geschäft*) to take over ♦ *vr untr* to take on too much; (*sich überanstrengen*) to overdo it.
überparteilich ['yːbərpartaɪlɪç] *adj* (*Zeitung*) independent; (*Amt, Präsident etc*) above party politics.
überprüfen [yːbər'pryːfən] *vt untr* to examine, check; (*POL: jdn*) to screen.
Überprüfung *f* examination.
überqueren [yːbər'kveːrən] *vt untr* to cross.
überragen [yːbər'raːgən] *vt untr* to tower above; (*fig*) to surpass.
überragend *adj* outstanding; (*Bedeutung*) paramount.
überraschen [yːbər'raʃən] *vt untr* to surprise.
Überraschung *f* surprise.
überreden [yːbər'reːdən] *vt untr* to persuade; **jdn zu etw** ~ to talk sb into sth.
Überredungskunst *f* powers *pl* of persuasion.
überregional ['yːbərregionaːl] *adj* national; (*Zeitung, Sender*) nationwide.
überreichen [yːbər'raɪçən] *vt untr* to hand over; (*feierlich*) to present.
überreichlich *adj* (more than) ample.
überreizt [yːbər'raɪtst] *adj* overwrought.
Überreste ['yːbərrɛstə] *pl* remains *pl*, remnants *pl.*
überrumpeln [yːbər'rʊmpəln] *vt untr* to take by surprise; (*umg: überwältigen*) to overpower.
überrunden [yːbər'rʊndən] *vt untr* (*SPORT*) to lap.
übers ['yːbərs] = **über das.**
übersättigen [yːbər'zɛtɪgən] *vt untr* to satiate.
Überschall- ['yːbərʃal] *in zW* supersonic; **~flugzeug** *nt* supersonic jet; **~geschwindigkeit** *f* supersonic speed.
überschatten [yːbər'ʃatən] *vt untr* to overshadow.
überschätzen [yːbər'ʃɛtsən] *vt untr, vr untr* to overestimate.
überschaubar [yːbər'ʃaubaːr] *adj* (*Plan*) easily comprehensible, clear.
überschäumen ['yːbərʃɔymən] *vi* to froth over; (*fig*) to bubble over.
überschlafen [yːbər'ʃlaːfən] *unreg vt untr* (*Problem*) to sleep on.
Überschlag ['yːbərʃlaːk] *m* (*FIN*) estimate; (*SPORT*) somersault.
überschlagen[1] [yːbər'ʃlaːgən] *unreg vt untr* (*berechnen*) to estimate; (*auslassen: Seite*) to omit ♦ *vr untr* to somersault; (*Stimme*) to crack; (*AVIAT*) to loop the loop ♦ *adj* lukewarm, tepid.
überschlagen[2] ['yːbərʃlaːgən] *unreg vt* (*Beine*) to cross; (*Arme*) to fold ♦ *vi* (*Hilfsverb sein: Wellen*) to break; (*: Funken*) to flash over; **in etw** *akk* ~ (*Stimmung etc*) to turn into sth.
überschnappen ['yːbərʃnapən] *vi* (*Stimme*) to crack; (*umg: Mensch*) to flip one's lid.
überschneiden [yːbər'ʃnaɪdən] *unreg vr untr* (*lit, fig*) to overlap; (*Linien*) to intersect.
überschreiben [yːbər'ʃraɪbən] *unreg vt untr* to provide with a heading; (*COMPUT*) to overwrite; **jdm etw** ~ to transfer *od* make over sth to sb.
überschreiten [yːbər'ʃraɪtən] *unreg vt untr* to cross over; (*fig*) to exceed; (*verletzen*) to transgress.
Überschrift ['yːbərʃrɪft] *f* heading, title.
überschuldet [yːbər'ʃʊldət] *adj* heavily in debt; (*Grundstück*) heavily mortgaged.
Überschuß ['yːbərʃʊs] *m:* ~ **(an** *+dat***)** surplus (of).
überschüssig ['yːbərʃʏsɪç] *adj* surplus, excess.
überschütten [yːbər'ʃʏtən] *vt untr:* **jdn/etw mit etw** ~ (*lit*) to pour sth over sb/sth; **jdn mit etw** ~ (*fig*) to shower sb with sth.
Überschwang ['yːbərʃvaŋ] *m* exuberance.
überschwappen ['yːbərʃvapən] *vi* to splash over.
überschwemmen [yːbər'ʃvɛmən] *vt untr* to flood.
Überschwemmung *f* flood.

überschwenglich ['y:bərʃvɛŋlɪç] *adj* effusive; **Ü~keit** *f* effusion.
Übersee ['y:bərze:] *f*: **nach/in** ~ overseas.
überseeisch *adj* overseas.
übersehbar [y:bər'ze:ba:r] *adj* (*fig: Folgen, Zusammenhänge etc*) clear; (*Kosten, Dauer etc*) assessable.
übersehen [y:bər'ze:ən] *unreg vt untr* to look (out) over; (*fig: Folgen*) to see, get an overall view of; (: *nicht beachten*) to overlook.
übersenden [y:bər'zɛndən] *unreg vt untr* to send, forward.
übersetzen¹ [y:bər'zɛtsən] *vt untr, vi untr* to translate.
übersetzen² ['y:bərzɛtsən] *vi* (*Hilfsverb sein*) to cross.
Übersetzer(in) [y:bər'zɛtsər(ɪn)] (**-s, -**) *m(f)* translator.
Übersetzung [y:bər'zɛtsʊŋ] *f* translation; (*TECH*) gear ratio.
Übersicht ['y:bərzɪçt] *f* overall view; (*Darstellung*) survey; **die ~ verlieren** to lose track; **ü~lich** *adj* clear; (*Gelände*) open; **~lichkeit** *f* clarity, lucidity.
übersiedeln¹ ['y:bərzi:dəln] *vi* to move.
übersiedeln² [y:bər'zi:dəln] *vi untr* to move.
überspannen [y:bər'ʃpanən] *vt untr* (*zu sehr spannen*) to overstretch; (*überdecken*) to cover.
überspannt *adj* eccentric; (*Idee*) wild, crazy; **Ü~heit** *f* eccentricity.
überspielen [y:bər'ʃpi:lən] *vt untr* (*verbergen*) to cover (up); (*übertragen: Aufnahme*) to transfer.
überspitzt [y:bər'ʃpɪtst] *adj* exaggerated.
überspringen [y:bər'ʃprɪŋən] *unreg vt untr* to jump over; (*fig*) to skip.
übersprudeln ['y:bərʃpru:dəln] *vi* to bubble over.
überstehen¹ [y:bər'ʃte:ən] *unreg vt untr* to overcome, get over; (*Winter etc*) to survive, get through.
überstehen² ['y:bərʃte:ən] *unreg vi* to project.
übersteigen [y:bər'ʃtaɪgən] *unreg vt untr* to climb over; (*fig*) to exceed.
übersteigert [y:bər'ʃtaɪgərt] *adj* excessive.
überstimmen [y:ber'ʃtɪmən] *vt untr* to outvote.
überstrapazieren ['y:bərʃtrapatsi:rən] *vt untr* to wear out ♦ *vr* to wear o.s. out.
überstreifen ['y:bərʃtraɪfən] *vt*: **(sich** *dat***) etw** ~ to slip sth on.
überströmen¹ [y:bər'ʃtrø:mən] *vt untr*: **von Blut überströmt sein** to be streaming with blood.
überströmen² ['y:bərʃtrø:mən] *vi* (*lit, fig*): ~ **(vor** *+dat***)** to overflow (with).
Überstunden ['y:bərʃtʊndən] *pl* overtime *sing*.
überstürzen [y:bər'ʃtʏrtsən] *vt untr* to rush ♦ *vr untr* to follow (one another) in rapid succession.
überstürzt *adj* (over)hasty.
übertariflich ['y:bərtariflɪç] *adj, adv* above the agreed *od* union rate.
übertölpen [y:bər'tœlpən] *vt untr* to dupe.
übertönen [y:bər'tø:nən] *vt untr* to drown (out).
Übertrag ['y:bərtra:k] (**-(e)s, -träge**) *m* (*COMM*) amount brought forward.
übertragbar [y:bər'tra:kba:r] *adj* transferable; (*MED*) infectious.
übertragen [y:bər'tra:gən] *unreg vt untr* to transfer; (*RUNDF*) to broadcast; (*anwenden: Methode*) to apply; (*übersetzen*) to render; (*Krankheit*) to transmit ♦ *vr untr* to spread ♦ *adj* figurative; ~ **auf** *+akk* to transfer to; to apply to; **sich ~ auf** *+akk* to spread to; **jdm etw** ~ to assign sth to sb; (*Verantwortung etc*) to give sb sth *od* sth to sb.
Übertragung *f* (*siehe vb*) transference; broadcast; rendering; transmission.
übertreffen [y:bər'trɛfən] *unreg vt untr* to surpass.
übertreiben [y:bər'traɪbən] *unreg vt untr* to exaggerate; **man kann es auch ~** you can overdo things.
Übertreibung *f* exaggeration.
übertreten¹ [y:bər'tre:tən] *unreg vt untr* to cross; (*Gebot etc*) to break.
übertreten² ['y:bərtre:tən] *unreg vi* (*über Linie, Gebiet*) to step (over); (*SPORT*) to overstep; (*zu anderem Glauben*) to be converted; ~ **(in** *+akk***)** (*POL*) to go over (to).
Übertretung [y:bər'tre:tʊŋ] *f* violation, transgression.
übertrieben [y:bər'tri:bən] *adj* exaggerated, excessive.
Übertritt ['y:bərtrɪt] *m* (*zu anderem Glauben*) conversion; (*bes zu anderer Partei*) defection.
übertrumpfen [y:bər'trʊmpfən] *vt untr* to outdo; (*KARTEN*) to overtrump.
übertünchen [y:bər'tʏnçən] *vt untr* to whitewash; (*fig*) to cover up, whitewash.
übervölkert [y:bər'fœlkərt] *adj* overpopulated.
übervoll ['y:bərfɔl] *adj* overfull.
übervorteilen [y:bər'fɔrtaɪlən] *vt untr* to dupe, cheat.
überwachen [y:bər'vaxən] *vt untr* to supervise; (*Verdächtigen*) to keep under surveillance.
Überwachung *f* supervision; surveillance.
überwältigen [y:bər'vɛltɪgən] *vt untr* to overpower.
überwältigend *adj* overwhelming.
überwechseln ['y:bərvɛksəln] *vi*: ~ **(in** *+akk***)** to move (to); (*zu Partei etc*): ~ **(zu)** to go over (to).
überweisen [y:bər'vaɪzən] *unreg vt untr* to transfer; (*Patienten*) to refer.
Überweisung *f* transfer; (*von Patient*) referral.
überwerfen¹ ['y:bərvɛrfən] *unreg vt* (*Kleidungsstück*) to put on; (*sehr rasch*) to throw on.
überwerfen² [y:bər'vɛrfən] *unreg vr untr*: **sich**

(mit jdm) ~ to fall out (with sb).
überwiegen [y:bər'vi:gən] *unreg vi untr* to predominate.
überwiegend *adj* predominant.
überwinden [y:bər'vɪndən] *unreg vt untr* to overcome ♦ *vr untr:* **sich ~, etw zu tun** to make an effort to do sth, bring o.s. to do sth.
Überwindung *f* overcoming; (*Selbst* ~) effort of will.
überwintern [y:bər'vɪntərn] *vi untr* to (spend the) winter; (*umg: Winterschlaf halten*) to hibernate.
Überwurf ['y:bərvʊrf] *m* wrap.
Überzahl ['y:bərtsa:l] *f* superior numbers *pl*, superiority; **in der ~ sein** to be numerically superior.
überzählig ['y:bərtsɛ:lɪç] *adj* surplus.
überzeugen [y:bər'tsɔʏgən] *vt untr* to convince.
überzeugend *adj* convincing.
überzeugt *adj attrib* (*Anhänger etc*) dedicated; (*Vegetarier*) strict; (*Christ, Moslem*) devout.
Überzeugung *f* conviction; **zu der ~ gelangen, daß ...** to become convinced that ...
Überzeugungskraft *f* power of persuasion.
überziehen[1] ['y:bərtsi:ən] *unreg vt* to put on.
überziehen[2] [y:bər'tsi:ən] *unreg vt untr* to cover; (*Konto*) to overdraw; (*Redezeit etc*) to overrun ♦ *vr untr* (*Himmel*) to cloud over; **ein Bett frisch ~** to change a bed, change the sheets (on a bed).
Überziehungskredit *m* overdraft.
überzüchten [y:bər'tsʏçtən] *vt untr* to overbreed.
Überzug ['y:bərtsu:k] *m* cover; (*Belag*) coating.
üblich ['y:plɪç] *adj* usual; **allgemein ~ sein** to be common practice.
U-Boot ['u:bo:t] *nt* U-boat, submarine.
übrig ['y:brɪç] *adj* remaining; **für jdn etwas ~ haben** (*umg*) to be fond of sb; **die ~en** the others; **das ~e** the rest; **im ~en** besides; **~bleiben** *unreg vi* to remain, be left (over).
übrigens ['y:brɪgəns] *adv* besides; (*nebenbei bemerkt*) by the way.
übriglassen ['y:brɪglasən] *unreg vt* to leave (over); **einiges/viel zu wünschen ~** (*umg*) to leave something/a lot to be desired.
Übung ['y:bʊŋ] *f* practice; (*Turn~, Aufgabe etc*) exercise; **~ macht den Meister** (*Sprichwort*) practice makes perfect.
Übungsarbeit *f* (*SCH*) mock test.
Übungsplatz *m* training ground; (*MIL*) drill ground.
u.d.M. *abk* (= *unter dem Meeresspiegel*) below sea level.
ü.d.M. *abk* (= *über dem Meeresspiegel*) above sea level.
u.E. *abk* (= *unseres Erachtens*) in our opinion.
Ufer ['u:fər] **(-s, -)** *nt* bank; (*Meeres~*) shore; **~befestigung** *f* embankment; **u~los** *adj* endless; (*grenzenlos*) boundless; **ins u~lose gehen** (*Kosten*) to go up and up; (*Debatte etc*) to go on forever.
UFO, Ufo ['u:fo] **(-(s), -s)** *nt abk* (= *unbekanntes Flugobjekt*) UFO, ufo.
Uganda [u'ganda] **(-s)** *nt* Uganda.
Ugander(in) **(-s, -)** *m(f)* Ugandan.
ugandisch *adj* Ugandan.
U-Haft ['u:haft] *f abk* = **Untersuchungshaft.**
Uhr [u:r] **(-, -en)** *f* clock; (*Armband~*) watch; **wieviel ~ ist es?** what time is it?; **um wieviel ~?** at what time?; **1 ~** 1 o'clock; **20 ~** 8 o'clock, 20.00 (twenty hundred) hours; **~band** *nt* watchstrap; **~(en)gehäuse** *nt* clock case; watch case; **~kette** *f* watch chain; **~macher** *m* watchmaker; **~werk** *nt* (*auch fig*) clockwork mechanism; **~zeiger** *m* hand; **~zeigersinn** *m:* **im ~zeigersinn** clockwise; **entgegen dem ~zeigersinn** anticlockwise; **~zeit** *f* time (of day).
Uhu ['u:hu] **(-s, -s)** *m* eagle owl.
Ukraine [ukra'i:nə] *f* Ukraine.
Ukrainer(in) [ukra'i:nər(ɪn)] **(-s, -)** *m(f)* Ukrainian.
ukrainisch *adj* Ukrainian.
UKW *abk* (= *Ultrakurzwelle*) VHF.
Ulk [ʊlk] **(-s, -e)** *m* lark.
ulkig ['ʊlkɪç] *adj* funny.
Ulme ['ʊlmə] **(-, -n)** *f* elm.
Ulster ['ʊlstər] **(-s)** *nt* Ulster.
Ultimatum [ʊlti'ma:tʊm] **(-s, Ultimaten)** *nt* ultimatum; **jdm ein ~ stellen** to give sb an ultimatum.
Ultra- *zW:* **~kurzwelle** *f* very high frequency; **~leichtflugzeug** *nt* microlight; **~schall** *m* (*PHYS*) ultrasound; **u~violett** *adj* ultraviolet.

SCHLÜSSELWORT

um [ʊm] *präp +akk* **1** (~ *herum*) (a)round; **~ Weihnachten** around Christmas; **er schlug ~ sich** he hit about him
2 (*mit Zeitangabe*) at; **~ acht (Uhr)** at eight (o'clock)
3 (*mit Größenangabe*) by; **etw ~ 4 cm kürzen** to shorten sth by 4 cm; **~ 10% teurer** 10% more expensive; **~ vieles besser** better by far; **~ nichts besser** not in the least bit better; **~ so besser** so much the better; **~ so mehr, als** ... all the more considering ...
4: **der Kampf ~ den Titel** the battle for the title; **~ Geld spielen** to play for money; **es geht ~ das Prinzip** it's a question of principle; **Stunde ~ Stunde** hour after hour; **Auge ~ Auge** an eye for an eye
♦ *präp +gen:* **~ ... willen** for the sake of ...; **~ Gottes willen** for goodness *od* (*stärker*) God's sake
♦ *konj:* **~ ... zu** (in order) to ...; **zu klug, ~ zu ...** too clever to ...; **~ so besser/schlimmer** so much the better/worse
♦ *adv* **1** (*ungefähr*) about; **~ (die) 30 Leute** about *od* around 30 people

2 (*vorbei*): **die zwei Stunden sind** ~ the two hours are up.

umadressieren ['ʊm|adrɛsiːrən] *vt untr* to readdress.
umändern ['ʊm|ɛndərn] *vt* to alter.
Umänderung *f* alteration.
umarbeiten ['ʊm|arbaɪtən] *vt* to remodel; (*Buch etc*) to revise, rework.
umarmen [ʊm'|armən] *vt untr* to embrace.
Umbau ['ʊmbaʊ] (**-(e)s, -e** *od* **-ten**) *m* reconstruction, alteration(s *pl*).
umbauen ['ʊmbauən] *vt* to rebuild, reconstruct.
umbenennen ['ʊmbənɛnən] *unreg vt untr* to rename.
umbesetzen ['ʊmbəzɛtsən] *vt untr* (*THEAT*) to recast; (*Mannschaft*) to change; (*Posten, Stelle*) to find someone else for.
umbiegen ['ʊmbiːgən] *unreg vt* to bend (over).
umbilden ['ʊmbɪldən] *vt* to reorganize; (*POL: Kabinett*) to reshuffle.
umbinden[1] ['ʊmbɪndən] *unreg vt* (*Krawatte etc*) to put on.
umbinden[2] [ʊm'bɪndən] *unreg vt untr:* **etw mit etw** ~ to tie sth round sth.
umblättern ['ʊmblɛtərn] *vt* to turn over.
umblicken ['ʊmblɪkən] *vr* to look around.
umbringen ['ʊmbrɪŋən] *unreg vt* to kill.
Umbruch ['ʊmbrʊx] *m* radical change; (*TYP*) make-up (into page).
umbuchen ['ʊmbuːxən] *vi* to change one's reservation *od* flight *etc* ♦ *vt* to change.
umdenken ['ʊmdɛŋkən] *unreg vi* to adjust one's views.
umdisponieren ['ʊmdɪsponiːrən] *vi untr* to change one's plans.
umdrängen [ʊm'drɛŋən] *vt untr* to crowd round.
umdrehen ['ʊmdreːən] *vt* to turn (round); (*Hals*) to wring ♦ *vr* to turn (round); **jdm den Arm** ~ to twist sb's arm.
Umdrehung *f* turn; (*PHYS*) revolution, rotation.
umeinander [ʊm|aɪ'nandər] *adv* round one another; (*füreinander*) for one another.
umerziehen ['ʊm|ɛrtsiːən] *unreg vt* (*POL: euph*): **jdn (zu etw)** ~ to re-educate sb (to become sth).
umfahren[1] ['ʊmfaːrən] *unreg vt* to run over.
umfahren[2] [ʊm'faːrən] *unreg vt untr* to drive round; (*die Welt*) to sail round.
umfallen ['ʊmfalən] *unreg vi* to fall down *od* over; (*fig: umg: nachgeben*) to give in.
Umfang ['ʊmfaŋ] *m* extent; (*von Buch*) size; (*Reichweite*) range; (*Fläche*) area; (*MATH*) circumference; **in großem** ~ on a large scale; **u~reich** *adj* extensive; (*Buch etc*) voluminous.
umfassen [ʊm'fasən] *vt untr* to embrace; (*umgeben*) to surround; (*enthalten*) to include.
umfassend *adj* comprehensive; (*umfangreich*) extensive.
Umfeld ['ʊmfɛlt] *nt:* **zum** ~ **von etw gehören** to be associated with sth.
umformatieren ['ʊmfɔrmatiːrən] *vt untr* (*COMPUT*) to reformat.
umformen ['ʊmfɔrmən] *vi* to transform.
Umformer (**-s, -**) *m* (*ELEK*) converter.
umformulieren ['ʊmfɔrmuliːrən] *vt untr* to redraft.
Umfrage ['ʊmfraːgə] *f* poll; ~ **halten** to ask around.
umfüllen ['ʊmfʏlən] *vt* to transfer; (*Wein*) to decant.
umfunktionieren ['ʊmfʊŋktsioniːrən] *vt untr* to convert.
umg *abk* (= *umgangssprachlich*) colloquial.
Umgang ['ʊmgaŋ] *m* company; (*mit jdm*) dealings *pl*; (*Behandlung*) dealing.
umgänglich ['ʊmgɛŋlɪç] *adj* sociable.
Umgangs- *zW:* ~**formen** *pl* manners *pl*; ~**sprache** *f* colloquial language; **u~sprachlich** *adj* colloquial.
umgeben [ʊm'geːbən] *unreg vt untr* to surround.
Umgebung *f* surroundings *pl*; (*Milieu*) environment; (*Personen*) people in one's circle; **in der näheren/weiteren** ~ **Münchens** on the outskirts/in the environs of Munich.
umgehen[1] ['ʊmgeːən] *unreg vi* to go (a)round; **im Schlosse** ~ to haunt the castle; **mit jdm/etw** ~ **können** to know how to handle sb/sth; **mit jdm grob** *etc* ~ to treat sb roughly *etc*; **mit Geld sparsam** ~ to be careful with one's money.
umgehen[2] [ʊm'geːən] *unreg vt untr* to bypass; (*MIL*) to outflank; (*Gesetz, Vorschrift etc*) to circumvent; (*vermeiden*) to avoid.
umgehend *adj* immediate.
Umgehung *f* (*siehe vb*) bypassing; outflanking; circumvention; avoidance.
Umgehungsstraße *f* bypass.
umgekehrt ['ʊmgəkeːrt] *adj* reverse(d); (*gegenteilig*) opposite ♦ *adv* the other way around; **und** ~ and vice versa.
umgestalten ['ʊmgəʃtaltən] *vt untr* to alter; (*reorganisieren*) to reorganize; (*umordnen*) to rearrange.
umgewöhnen ['ʊmgəvøːnən] *vr* to readapt.
umgraben ['ʊmgraːbən] *unreg vt* to dig up.
umgruppieren ['ʊmgrʊpiːrən] *vt untr* to regroup.
Umhang ['ʊmhaŋ] *m* wrap, cape.
umhängen ['ʊmhɛŋən] *vt* (*Bild*) to hang somewhere else; **jdm etw** ~ to put sth on sb.
Umhängetasche *f* shoulder bag.
umhauen ['ʊmhaʊən] *vt* to fell; (*fig*) to bowl over.
umher [ʊm'heːr] *adv* about, around; ~**gehen** *unreg vi* to walk about; ~**irren** *vi* to wander around; (*Blick, Augen*) to roam about; ~**reisen** *vi* to travel about; ~**schweifen** *vi* to

roam about; ~**ziehen** *unreg vi* to wander from place to place.
umhinkönnen [ʊm'hɪnkœnən] *unreg vi:* **ich kann nicht umhin, das zu tun** I can't help doing it.
umhören ['ʊmhøːrən] *vr* to ask around.
umkämpfen [ʊm'kɛmpfən] *vt untr* (*Entscheidung*) to dispute; (*Wahlkreis, Sieg*) to contest.
Umkehr ['ʊmkeːr] (-) *f* turning back; (*Änderung*) change.
umkehren *vi* to turn back; (*fig*) to change one's ways ♦ *vt* to turn round, reverse; (*Tasche etc*) to turn inside out; (*Gefäß etc*) to turn upside down.
umkippen ['ʊmkɪpən] *vt* to tip over ♦ *vi* to overturn; (*umg: ohnmächtig werden*) to keel over; (*fig: Meinung ändern*) to change one's mind.
umklammern [ʊm'klamərn] *vt untr* (*mit Händen*) to clasp; (*festhalten*) to cling to.
umklappen ['ʊmklapən] *vt* to fold down.
Umkleidekabine ['ʊmklaɪdəkabiːnə] *f* changing cubicle (*BRIT*), dressing room (*US*).
Umkleideraum ['ʊmklaɪdəraʊm] *m* changing room; (*US, THEAT*) dressing room.
umknicken ['ʊmknɪkən] *vt* (*Ast*) to snap; (*Papier*) to fold (over) ♦ *vi:* **mit dem Fuß** ~ to twist one's ankle.
umkommen ['ʊmkɔmən] *unreg vi* to die, perish; (*Lebensmittel*) to go bad.
Umkreis ['ʊmkraɪs] *m* neighbourhood (*BRIT*), neighborhood (*US*); **im** ~ **von** within a radius of.
umkreisen [ʊm'kraɪzən] *vt untr* to circle (round); (*Satellit*) to orbit.
umkrempeln ['ʊmkrɛmpəln] *vt* to turn up; (*mehrmals*) to roll up; (*umg: Betrieb*) to shake up.
umladen ['ʊmlaːdən] *unreg vt* to transfer, reload.
Umlage ['ʊmlaːgə] *f* share of the costs.
Umlauf *m* (*Geld~*) circulation; (*von Gestirn*) revolution; (*Schreiben*) circular; **in** ~ **bringen** to circulate; ~**bahn** *f* orbit.
umlaufen ['ʊmlaʊfən] *unreg vi* to circulate.
Umlaufkapital *nt* working capital.
Umlaufvermögen *nt* current assets *pl*.
Umlaut ['ʊmlaʊt] *m* umlaut.
umlegen ['ʊmleːgən] *vt* to put on; (*verlegen*) to move, shift; (*Kosten*) to share out; (*umkippen*) to tip over; (*umg: töten*) to bump off.
umleiten ['ʊmlaɪtən] *vt* to divert.
Umleitung *f* diversion.
umlernen ['ʊmlɛrnən] *vi* to learn something new; (*fig*) to adjust one's views.
umliegend ['ʊmliːgənt] *adj* surrounding.
ummelden ['ʊmmɛldən] *vt, vr:* **jdn/sich** ~ to notify (the police of) a change in sb's/one's address.
Umnachtung [ʊm'naxtʊŋ] *f* mental derangement.
umorganisieren ['ʊm|ɔrganiziːrən] *vt untr* to reorganize.
umpflanzen ['ʊmpflantsən] *vt* to transplant.
umquartieren ['ʊmkvartiːrən] *vt untr* to move; (*Truppen*) to requarter.
umrahmen [ʊm'raːmən] *vt untr* to frame.
umranden [ʊm'randən] *vt untr* to border, edge.
umräumen ['ʊmrɔʏmən] *vt* (*anders anordnen*) to rearrange ♦ *vi* to rearrange things, move things around.
umrechnen ['ʊmrɛçnən] *vt* to convert.
Umrechnung *f* conversion.
Umrechnungskurs *m* rate of exchange.
umreißen [ʊm'raɪsən] *unreg vt untr* to outline.
umrennen ['ʊmrɛnən] *unreg vt* to (run into and) knock down.
umringen [ʊm'rɪŋən] *vt untr* to surround.
Umriß ['ʊmrɪs] *m* outline.
umrühren ['ʊmryːrən] *vt, vi* to stir.
umrüsten ['ʊmrʏstən] *vt* (*TECH*) to adapt; (*MIL*) to re-equip; ~ **auf** *+akk* to adapt to.
ums [ʊms] = **um das.**
umsatteln ['ʊmzatəln] (*umg*) *vi* to change one's occupation, switch jobs.
Umsatz ['ʊmzats] *m* turnover; ~**beteiligung** *f* commission; ~**einbuße** *f* loss of profit; ~**steuer** *f* turnover tax.
umschalten ['ʊmʃaltən] *vt* to switch ♦ *vi* to push/pull a lever; (*auf anderen Sender*): ~ **(auf** *+akk***)** to change over (to); (*AUT*): ~ **in** *+akk* to change (*BRIT*) *od* shift into; **„wir schalten jetzt um nach Hamburg"** "and now we go over to Hamburg".
Umschalttaste *f* shift key.
Umschau *f* look(ing) round; ~ **halten nach** to look around for.
umschauen ['ʊmʃaʊən] *vr* to look round.
Umschlag ['ʊmʃlaːk] *m* cover; (*Buch~*) jacket, cover; (*MED*) compress; (*Brief~*) envelope; (*Gütermenge*) volume of traffic; (*Wechsel*) change; (*von Hose*) turn-up (*BRIT*), cuff (*US*).
umschlagen ['ʊmʃlaːgən] *unreg vi* to change; (*NAUT*) to capsize ♦ *vt* to knock over; (*Ärmel*) to turn up; (*Seite*) to turn over; (*Waren*) to transfer.
Umschlag- *zW:* ~**hafen** *m* port of transshipment; ~**platz** *m* (*COMM*) distribution centre (*BRIT*) *od* center (*US*); ~**seite** *f* cover page.
umschlingen [ʊm'ʃlɪŋən] *unreg vt untr* (*Pflanze*) to twine around; (*jdn*) to embrace.
umschreiben[1] ['ʊmʃraɪbən] *unreg vt* (*neu* ~) to rewrite; (*übertragen*) to transfer; ~ **auf** *+akk* to transfer to.
umschreiben[2] [ʊm'ʃraɪbən] *unreg vt untr* to paraphrase; (*abgrenzen*) to circumscribe, define.
Umschuldung ['ʊmʃʊldʊŋ] *f* rescheduling (of debts).
umschulen ['ʊmʃuːlən] *vt* to retrain; (*Kind*) to

send to another school.
umschwärmen [ʊm'ʃvɛrmən] *vt untr* to swarm round; (*fig*) to surround, idolize.
Umschweife ['ʊmʃvaɪfə] *pl*: **ohne ~** without beating about the bush, straight out.
umschwenken ['ʊmʃvɛnkən] *vi* (*Kran*) to swing out; (*fig*) to do an about-turn (*BRIT*) *od* about-face (*US*); (*Wind*) to veer.
Umschwung ['ʊmʃvʊŋ] *m* (*GYMNASTIK*) circle; (*fig: ins Gegenteil*) change (around).
umsegeln [ʊm'ze:gəln] *vt untr* to sail around; (*Erde*) to circumnavigate.
umsehen ['ʊmze:ən] *unreg vr* to look around *od* about; (*suchen*): **sich ~ (nach)** to look out (for); **ich möchte mich nur mal ~** (*in Geschäft*) I'm just looking.
umseitig ['ʊmzaɪtɪç] *adv* overleaf.
umsetzen ['ʊmzɛtsən] *vt* (*Waren*) to turn over ♦ *vr* (*Schüler*) to change places; **etw in die Tat ~** to translate sth into action.
Umsicht ['ʊmzɪçt] *f* prudence, caution.
umsichtig *adj* prudent, cautious.
umsiedeln ['ʊmzi:dəln] *vt* to resettle.
Umsiedler(in) (**-s, -**) *m(f)* resettler.
umsonst [ʊm'zɔnst] *adv* in vain; (*gratis*) for nothing.
umspringen ['ʊmʃprɪŋən] *unreg vi* to change; **mit jdm ~** to treat sb badly.
Umstand ['ʊmʃtant] *m* circumstance; **Umstände** *pl* (*fig: Schwierigkeiten*) fuss *sing*; **in anderen Umständen sein** to be pregnant; **Umstände machen** to go to a lot of trouble; **den Umständen entsprechend** much as one would expect (under the circumstances); **die näheren Umstände** further details; **unter Umständen** possibly; **mildernde Umstände** (*JUR*) extenuating circumstances.
umständehalber *adv* owing to circumstances.
umständlich ['ʊmʃtɛntlɪç] *adj* (*Methode*) cumbersome, complicated; (*Ausdrucksweise, Erklärung*) long-winded; (*ungeschickt*) ponderous; **etw ~ machen** to make heavy weather of (doing) sth.
Umstandskleid *nt* maternity dress.
Umstandswort *nt* adverb.
umstehend ['ʊmʃte:ənt] *adj attrib* (*umseitig*) overleaf; **die U~en** *pl* the bystanders *pl*.
Umsteigekarte *f* transfer ticket.
umsteigen ['ʊmʃtaɪgən] *unreg vi* (*EISENB*) to change; (*fig: umg*): **~ (auf** *+akk*) to change over (to), switch (over) (to).
umstellen¹ ['ʊmʃtɛlən] *vt* (*an anderen Ort*) to change round, rearrange; (*TECH*) to convert ♦ *vr*: **sich ~ (auf** *+akk*) to adapt o.s. (to).
umstellen² [ʊm'ʃtɛlən] *vt untr* to surround.
Umstellung *f* change; (*Umgewöhnung*) adjustment; (*TECH*) conversion.
umstimmen ['ʊmʃtɪmən] *vt* (*MUS*) to retune; **jdn ~** to make sb change his mind.
umstoßen ['ʊmʃto:sən] *unreg vt* (*lit*) to overturn; (*Plan etc*) to change, upset.
umstritten [ʊm'ʃtrɪtən] *adj* disputed; (*fraglich*) controversial.
Umsturz ['ʊmʃtʊrts] *m* overthrow.
umstürzen ['ʊmʃtʏrtsən] *vt* (*umwerfen*) to overturn ♦ *vi* to collapse, fall down; (*Wagen*) to overturn.
umstürzlerisch *adj* revolutionary.
Umtausch ['ʊmtaʊʃ] *m* exchange; **diese Waren sind vom ~ ausgeschlossen** these goods cannot be exchanged.
umtauschen *vt* to exchange.
Umtriebe ['ʊmtri:bə] *pl* machinations *pl*, intrigues *pl*.
umtun ['ʊmtu:n] *unreg vr*: **sich nach etw ~** to look for sth.
umverteilen ['ʊmfɛrtaɪlən] *vt untr* to redistribute.
umwälzend ['ʊmvɛltsənt] *adj* (*fig*) radical; (*Veränderungen*) sweeping; (*Ereignisse*) revolutionary.
Umwälzung *f* (*fig*) radical change.
umwandeln ['ʊmvandəln] *vt* to change, convert; (*ELEK*) to transform.
umwechseln ['ʊmvɛksəln] *vt* to change.
Umweg ['ʊmve:k] *m* detour; (*fig*) roundabout way.
Umwelt ['ʊmvɛlt] *f* environment; **~auto** (*umg*) *nt* environment-friendly vehicle; **~belastung** *f* environmental pollution; **~bewußtsein** *nt* environmental awareness; **u~freundlich** *adj* environment-friendly; **~kriminalität** *f* crimes *pl* against the environment; **~ministerium** *nt* Ministry of the Environment; **u~schädlich** *adj* harmful to the environment; **~schutz** *m* environmental protection; **~schützer (-s, -)** *m* environmentalist; **~verschmutzung** *f* pollution (of the environment).
umwenden ['ʊmvɛndən] *unreg vt, vr* to turn (round).
umwerben [ʊm'vɛrbən] *unreg vt untr* to court, woo.
umwerfen ['ʊmvɛrfən] *unreg vt* (*lit*) to upset, overturn; (*Mantel*) to throw on; (*fig: erschüttern*) to upset, throw.
umwerfend (*umg*) *adj* fantastic.
umziehen ['ʊmtsi:ən] *unreg vt, vr* to change ♦ *vi* to move.
umzingeln [ʊm'tsɪŋəln] *vt untr* to surround, encircle.
Umzug ['ʊmtsu:k] *m* procession; (*Wohnungs~*) move, removal.
UN *pl abk* (*= United Nations*): **die ~** the UN *sing*.
un- *zW*: **~abänderlich** *adj* irreversible, unalterable; **~abänderlich feststehen** to be absolutely certain; **~abdingbar** *adj* indispensable, essential; (*Recht*) inalienable; **~abhängig** *adj* independent; **U~abhängigkeit** *f* independence; **~abkömmlich** *adj* indispensable; **zur Zeit ~abkömmlich** not free at the moment;

~ablässig *adj* incessant, constant; **~absehbar** *adj* immeasurable; (*Folgen*) unforeseeable; (*Kosten*) incalculable; **~absichtlich** *adj* unintentional; **~abwendbar** *adj* inevitable.

unachtsam ['ʊn|axtza:m] *adj* careless; **U~keit** *f* carelessness.

un- *zW:* **~anfechtbar** *adj* indisputable; **~angebracht** *adj* uncalled-for; **~angefochten** *adj* unchallenged; (*Testament, Wahlkandidat, Urteil*) uncontested; **~angemeldet** *adj* unannounced; (*Besucher*) unexpected; **~angemessen** *adj* inadequate; **~angenehm** *adj* unpleasant; (*peinlich*) embarrassing; **~angepaßt** *adj* nonconformist; **U~annehmlichkeit** *f* inconvenience; **Unannehmlichkeiten** *pl* trouble *sing*; **~ansehnlich** *adj* unsightly; **~anständig** *adj* indecent, improper; **U~anständigkeit** *f* indecency, impropriety; **~antastbar** *adj* inviolable, sacrosanct.

unappetitlich ['ʊn|apeti:tlɪç] *adj* unsavoury (*BRIT*), unsavory (*US*).

Unart ['ʊn|a:rt] *f* bad manners *pl*; (*Angewohnheit*) bad habit.

unartig *adj* naughty, badly behaved.

un- *zW:* **~aufdringlich** *adj* unobtrusive; (*Parfüm*) discreet; (*Mensch*) unassuming; **~auffällig** *adj* unobtrusive; (*Kleidung*) inconspicuous; **~auffindbar** *adj* not to be found; **~aufgefordert** *adj* unsolicited ♦ *adv* unasked, spontaneously; **~aufgefordert zugesandte Manuskripte** unsolicited manuscripts; **~aufhaltsam** *adj* irresistible; **~aufhörlich** *adj* incessant, continuous; **~aufmerksam** *adj* inattentive; **~aufrichtig** *adj* insincere.

un- *zW:* **~ausbleiblich** *adj* inevitable, unavoidable; **~ausgeglichen** *adj* volatile; **~ausgegoren** *adj* immature; (*Idee, Plan*) half-baked; **~ausgesetzt** *adj* incessant, constant; **~ausgewogen** *adj* unbalanced; **~aussprechlich** *adj* inexpressible; **~ausstehlich** *adj* intolerable; **~ausweichlich** *adj* inescapable, ineluctable.

unbändig ['ʊnbɛndɪç] *adj* extreme, excessive.

unbarmherzig ['ʊnbarmhɛrtsɪç] *adj* pitiless, merciless.

unbeabsichtigt ['ʊnbə|apzɪçtɪçt] *adj* unintentional.

unbeachtet ['ʊnbə|axtət] *adj* unnoticed; (*Warnung*) ignored.

unbedacht ['ʊnbədaxt] *adj* rash.

unbedarft ['ʊnbədarft] (*umg*) *adj* clueless.

unbedenklich ['ʊnbədɛŋklɪç] *adj* unhesitating; (*Plan*) unobjectionable ♦ *adv* without hesitation.

unbedeutend ['ʊnbədɔʏtənt] *adj* insignificant, unimportant; (*Fehler*) slight.

unbedingt ['ʊnbədɪŋt] *adj* unconditional ♦ *adv* absolutely; **mußt du ~ gehen?** do you really have to go?; **nicht ~** not necessarily.

unbefangen ['ʊnbəfaŋən] *adj* impartial, unprejudiced; (*ohne Hemmungen*) uninhibited; **U~heit** *f* impartiality; uninhibitedness.

unbefriedigend ['ʊnbəfri:dɪgənd] *adj* unsatisfactory.

unbefriedigt ['ʊnbəfri:dɪçt] *adj* unsatisfied; (*unzufrieden*) dissatisfied; (*unerfüllt*) unfulfilled.

unbefristet ['ʊnbəfrɪstət] *adj* permanent.

unbefugt ['ʊnbəfu:kt] *adj* unauthorized; **U~en ist der Eintritt verboten** no admittance to unauthorized persons.

unbegabt ['ʊnbəga:pt] *adj* untalented.

unbegreiflich [ʊnbə'graɪflɪç] *adj* inconceivable.

unbegrenzt ['ʊnbəgrɛntst] *adj* unlimited.

unbegründet ['ʊnbəgrʏndət] *adj* unfounded.

Unbehagen ['ʊnbəha:gən] *nt* discomfort.

unbehaglich ['ʊnbəha:klɪç] *adj* uncomfortable; (*Gefühl*) uneasy.

unbeherrscht ['ʊnbəhɛrʃt] *adj* uncontrolled; (*Mensch*) lacking self-control.

unbeholfen ['ʊnbəhɔlfən] *adj* awkward, clumsy; **U~heit** *f* awkwardness, clumsiness.

unbeirrt ['ʊnbə|ɪrt] *adj* imperturbable.

unbekannt ['ʊnbəkant] *adj* unknown; **~e Größe** (*MATH, fig*) unknown quantity.

unbekannterweise *adv:* **grüß(e) sie ~ von mir** give her my regards although I don't know her.

unbekümmert ['ʊnbəkʏmərt] *adj* unconcerned.

unbelehrbar [ʊnbə'le:rba:r] *adj* fixed in one's views; (*Rassist etc*) dyed-in-the-wool *attrib*.

unbeliebt ['ʊnbəli:pt] *adj* unpopular; **U~heit** *f* unpopularity.

unbemannt ['ʊnbəmant] *adj* (*Raumflug*) unmanned; (*Flugzeug*) pilotless.

unbemerkt ['ʊnbəmɛrkt] *adj* unnoticed.

unbenommen [ʊnbə'nɔmən] *adj* (*form*): **es bleibt** *od* **ist Ihnen ~, zu ...** you are at liberty to ...

unbequem ['ʊnbəkve:m] *adj* (*Stuhl*) uncomfortable; (*Mensch*) bothersome; (*Regelung*) inconvenient.

unberechenbar [ʊnbə'rɛçənba:r] *adj* incalculable; (*Mensch, Verhalten*) unpredictable.

unberechtigt ['ʊnbərɛçtɪçt] *adj* unjustified; (*nicht erlaubt*) unauthorized.

unberücksichtigt [ʊnbə'rʏkzɪçtɪçt] *adj:* **etw ~ lassen** not to consider sth.

unberufen [ʊnbə'ru:fən] *interj* touch wood!

unberührt ['ʊnbəry:rt] *adj* untouched; (*Natur*) unspoiled; **sie ist noch ~** she is still a virgin.

unbeschadet [ʊnbə'ʃa:dət] *präp +gen* (*form*) regardless of.

unbescheiden ['ʊnbəʃaɪdən] *adj* presumptuous.

unbescholten ['ʊnbəʃɔltən] *adj* respectable;

(*Ruf*) spotless.

unbeschrankt ['ʊnbəʃraŋkt] *adj* (*Bahnübergang*) unguarded.

unbeschränkt [ʊnbə'ʃrɛŋkt] *adj* unlimited.

unbeschreiblich [ʊnbə'ʃraɪplɪç] *adj* indescribable.

unbeschwert ['ʊnbəʃveːrt] *adj* (*sorgenfrei*) carefree; (*Melodien*) light.

unbesehen [ʊnbə'zeːən] *adv* indiscriminately; (*ohne es anzusehen*) without looking at it.

unbesonnen ['ʊnbəzɔnən] *adj* unwise, rash, imprudent.

unbesorgt ['ʊnbəzɔrkt] *adj* unconcerned; **Sie können ganz ~ sein** you can set your mind at rest.

unbespielt ['ʊnbəʃpiːlt] *adj* (*Kassette*) blank.

unbest. *abk* = **unbestimmt.**

unbeständig ['ʊnbəʃtɛndɪç] *adj* (*Mensch*) inconstant; (*Wetter*) unsettled; (*Lage*) unstable.

unbestechlich [ʊnbə'ʃtɛçlɪç] *adj* incorruptible.

unbestimmt ['ʊnbəʃtɪmt] *adj* indefinite; (*Zukunft*) uncertain; **U~heit** *f* vagueness.

unbestritten ['ʊnbəʃtrɪtən] *adj* undisputed.

unbeteiligt [ʊnbə'taɪlɪçt] *adj* unconcerned; (*uninteressiert*) indifferent.

unbeugsam ['ʊnbɔʏkzaːm] *adj* stubborn, inflexible; (*Wille*) unbending.

unbewacht ['ʊnbəvaxt] *adj* unguarded, unwatched.

unbewaffnet ['ʊnbəvafnət] *adj* unarmed.

unbeweglich ['ʊnbəveːklɪç] *adj* immovable.

unbewegt *adj* motionless; (*fig: unberührt*) unmoved.

unbewohnt ['ʊnbəvoːnt] *adj* (*Gegend*) uninhabited; (*Haus*) unoccupied.

unbewußt ['ʊnbəvʊst] *adj* unconscious.

unbezahlbar [ʊnbə'tsaːlbaːr] *adj* prohibitively expensive; (*fig*) priceless; (*nützlich*) invaluable.

unbezahlt ['ʊnbətsaːlt] *adj* unpaid.

unblutig ['ʊnbluːtɪç] *adj* bloodless.

unbrauchbar ['ʊnbraʊxbaːr] *adj* (*nutzlos*) useless; (*Gerät*) unusable; **U~keit** *f* uselessness.

unbürokratisch ['ʊnbyrokratɪʃ] *adj* without any red tape.

und [ʊnt] *konj* and; **~ so weiter** and so on.

Undank ['ʊndaŋk] *m* ingratitude; **u~bar** *adj* ungrateful; **~barkeit** *f* ingratitude.

undefinierbar [ʊndefi'niːrbaːr] *adj* indefinable.

undenkbar [ʊn'dɛŋkbaːr] *adj* inconceivable.

undeutlich ['ʊndɔʏtlɪç] *adj* indistinct; (*Schrift*) illegible; (*Ausdrucksweise*) unclear.

undicht ['ʊndɪçt] *adj* leaky.

undifferenziert ['ʊndɪfərɛntsiːrt] *adj* simplistic.

Unding ['ʊndɪŋ] *nt* absurdity.

unduldsam ['ʊnduldsaːm] *adj* intolerant.

un- *zW:* **~durchdringlich** *adj* (*Urwald*) impenetrable; (*Gesicht*) inscrutable; **~durchführbar** *adj* impracticable; **~durchlässig** *adj* impervious; (*wasser~*) waterproof, impermeable; **~durchschaubar** *adj* inscrutable; **~durchsichtig** *adj* opaque; (*Motive*) obscure; (*fig: pej: Mensch, Methoden*) devious.

uneben ['ʊn|eːbən] *adj* uneven.

unecht ['ʊn|ɛçt] *adj* artificial, fake; (*pej: Freundschaft, Lächeln*) false.

unehelich ['ʊn|eːəlɪç] *adj* illegitimate.

uneigennützig ['ʊn|aɪgənnʏtsɪç] *adj* unselfish.

uneinbringlich [ʊn|aɪn'brɪŋlɪç] *adj:* **~e Forderungen** (*COMM*) bad debts *pl.*

uneingeschränkt ['ʊn|aɪngəʃrɛŋkt] *adj* absolute, total; (*Rechte, Handel*) unrestricted; (*Zustimmung*) unqualified.

uneinig ['ʊn|aɪnɪç] *adj* divided; **~ sein** to disagree; **U~keit** *f* discord, dissension.

uneinnehmbar [ʊn|aɪn'neːmbaːr] *adj* impregnable.

uneins ['ʊn|aɪns] *adj* at variance, at odds.

unempfänglich ['ʊn|ɛmpfɛŋlɪç] *adj:* **~ (für)** not susceptible (to).

unempfindlich ['ʊn|ɛmpfɪntlɪç] *adj* insensitive; **U~keit** *f* insensitivity.

unendlich [ʊn'|ɛntlɪç] *adj* infinite ♦ *adv* endlessly; (*fig: sehr*) terribly; **U~keit** *f* infinity.

un- *zW:* **~entbehrlich** *adj* indispensable; **~entgeltlich** *adj* free (of charge); **~entschieden** *adj* undecided; **~entschieden enden** (*SPORT*) to end in a draw; **~entschlossen** *adj* undecided; (*entschlußlos*) irresolute; **~entwegt** *adj* unswerving; (*unaufhörlich*) incessant.

un- *zW:* **~erbittlich** *adj* unyielding, inexorable; **~erfahren** *adj* inexperienced; **~erfreulich** *adj* unpleasant; **U~erfreuliches** (*schlechte Nachrichten*) bad news *sing*; (*Übles*) bad things *pl*; **~erfüllt** *adj* unfulfilled; **~ergiebig** *adj* (*Quelle, Thema*) unproductive; (*Ernte, Nachschlagewerk*) poor; **~ergründlich** *adj* unfathomable; **~erheblich** *adj* unimportant; **~erhört** *adj* unheard-of; (*unverschämt*) outrageous; (*Bitte*) unanswered; **~erläßlich** *adj* indispensable; **~erlaubt** *adj* unauthorized; **~erledigt** *adj* unfinished; (*Post*) unanswered; (*Rechnung*) outstanding; (*schwebend*) pending; **~ermeßlich** *adj* immeasurable, immense; **~ermüdlich** *adj* indefatigable; **~ersättlich** *adj* insatiable; **~erschlossen** *adj* (*Land*) undeveloped; (*Boden*) unexploited; (*Vorkommen, Markt*) untapped; **~erschöpflich** *adj* inexhaustible; **~erschrocken** *adj* intrepid, courageous; **~erschütterlich** *adj* unshakeable; **~erschwinglich** *adj* (*Preis*) prohibitive; **~ersetzlich** *adj* irreplaceable; **~erträglich** *adj* unbearable; (*Frechheit*) insufferable; **~erwartet** *adj* unexpected; **~erwünscht** *adj* undesirable, unwelcome; **~erzogen** *adj* ill-bred, rude.

unfähig ['unfɛːɪç] *adj* incapable; (*attrib*) incompetent; **zu etw ~ sein** to be incapable of sth; **U~keit** *f* inability; incompetence.
unfair ['unfɛːr] *adj* unfair.
Unfall ['unfal] *m* accident; **~flucht** *f* hit-and-run (driving); **~opfer** *nt* casualty; **~station** *f* emergency ward; **~stelle** *f* scene of the accident; **~versicherung** *f* accident insurance; **~wagen** *m* *car involved in an accident*; (*umg: Rettungswagen*) ambulance.
unfaßbar [un'fasbaːr] *adj* inconceivable.
unfehlbar [un'feːlbaːr] *adj* infallible ♦ *adv* without fail; **U~keit** *f* infallibility.
unfertig ['unfɛrtɪç] *adj* unfinished, incomplete; (*Mensch*) immature.
unflätig ['unflɛːtɪç] *adj* rude.
unfolgsam ['unfɔlkzaːm] *adj* disobedient.
unförmig ['unfœrmɪç] *adj* (*formlos*) shapeless; (*groß*) cumbersome; (*Füße, Nase*) unshapely.
unfrankiert ['unfraŋkiːrt] *adj* unfranked.
unfrei ['unfraɪ] *adj* not free.
unfreiwillig *adj* involuntary.
unfreundlich ['unfrɔʏntlɪç] *adj* unfriendly; **U~keit** *f* unfriendliness.
Unfriede(n) ['unfriːdə(n)] *m* dissension, strife.
unfruchtbar ['unfruxtbaːr] *adj* infertile; (*Gespräche*) fruitless; **U~keit** *f* infertility; fruitlessness.
Unfug ['unfuːk] (**-s**) *m* (*Benehmen*) mischief; (*Unsinn*) nonsense; **grober ~** (*JUR*) gross misconduct.
Ungar(in) ['uŋgar(ɪn)] (**-n, -n**) *m(f)* Hungarian; **u~isch** *adj* Hungarian.
Ungarn (**-s**) *nt* Hungary.
ungeachtet ['ungə|axtət] *präp +gen* notwithstanding.
ungeahndet ['ungə|aːndət] *adj* (*JUR*) unpunished.
ungeahnt ['ungə|aːnt] *adj* unsuspected, undreamt-of.
ungebeten ['ungəbeːtən] *adj* uninvited.
ungebildet ['ungəbɪldət] *adj* uncultured; (*ohne Bildung*) uneducated.
ungeboren ['ungəboːrən] *adj* unborn.
ungebräuchlich ['ungəbrɔʏçlɪç] *adj* unusual, uncommon.
ungebraucht ['ungəbrauxt] *adj* unused.
ungebührlich ['ungəbyːrlɪç] *adj*: **sich ~ aufregen** to get unduly excited.
ungebunden ['ungəbundən] *adj* (*Buch*) unbound; (*Leben*) (fancy-)free; (*ohne festen Partner*) unattached; (*POL*) independent.
ungedeckt ['ungədɛkt] *adj* (*schutzlos*) unprotected; (*Scheck*) uncovered.
Ungeduld ['ungədult] *f* impatience.
ungeduldig ['ungəduldɪç] *adj* impatient.
ungeeignet ['ungə|aɪgnət] *adj* unsuitable.
ungefähr ['ungəfɛːr] *adj* rough, approximate ♦ *adv* roughly, approximately; **so ~!** more or less!; **das kommt nicht von ~** that's hardly surprising.
ungefährlich ['ungəfɛːrlɪç] *adj* not dangerous, harmless.
ungehalten ['ungəhaltən] *adj* indignant.
ungeheuer ['ungəhɔʏər] *adj* huge ♦ *adv* (*umg*) enormously; **U~** (**-s, -**) *nt* monster; **~lich** [ungə'hɔʏərlɪç] *adj* monstrous.
ungehindert ['ungəhɪndərt] *adj* unimpeded.
ungehobelt ['ungəhoːbəlt] *adj* (*fig*) uncouth.
ungehörig ['ungəhøːrɪç] *adj* impertinent, improper; **U~keit** *f* impertinence.
ungehorsam ['ungəhoːrzaːm] *adj* disobedient; **U~** *m* disobedience.
ungeklärt ['ungəklɛːrt] *adj* not cleared up; (*Rätsel*) unsolved; (*Abwasser*) untreated.
ungekürzt ['ungəkʏrtst] *adj* not shortened; (*Film*) uncut.
ungeladen ['ungəlaːdən] *adj* not loaded; (*ELEK*) uncharged; (*Gast*) uninvited.
ungelegen ['ungəleːgən] *adj* inconvenient; **komme ich (Ihnen) ~?** is this an inconvenient time for you?
ungelernt ['ungəlɛrnt] *adj* unskilled.
ungelogen ['ungəloːgən] *adv* really, honestly.
ungemein ['ungəmaɪn] *adj* immense.
ungemütlich ['ungəmyːtlɪç] *adj* uncomfortable; (*Person*) disagreeable; **er kann ~ werden** he can get nasty.
ungenau ['ungənau] *adj* inaccurate.
Ungenauigkeit *f* inaccuracy.
ungeniert ['unʒeniːrt] *adj* free and easy; (*bedenkenlos, taktlos*) uninhibited ♦ *adv* without embarrassment, freely.
ungenießbar ['ungəniːsbaːr] *adj* inedible; (*nicht zu trinken*) undrinkable; (*umg*) unbearable.
ungenügend ['ungənyːgənt] *adj* insufficient, inadequate; (*SCH*) unsatisfactory.
ungenutzt ['ungənutst] *adj*: **eine Chance ~ lassen** to miss an opportunity.
ungepflegt ['ungəpfleːkt] *adj* (*Garten etc*) untended; (*Person*) unkempt; (*Hände*) neglected.
ungerade ['ungəraːdə] *adj* odd, uneven (*US*).
ungerecht ['ungərɛçt] *adj* unjust.
ungerechtfertigt *adj* unjustified.
Ungerechtigkeit *f* unfairness, injustice.
ungeregelt ['ungəreːgəlt] *adj* irregular.
ungereimt ['ungəraɪmt] *adj* (*Verse*) unrhymed; (*fig*) inconsistent.
ungern ['ungɛrn] *adv* unwillingly, reluctantly.
ungerufen ['ungəruːfən] *adj* without being called.
ungeschehen ['ungəʃeːən] *adj*: **~ machen** to undo.
Ungeschicklichkeit ['ungəʃɪklɪçkaɪt] *f* clumsiness.
ungeschickt *adj* awkward, clumsy.
ungeschliffen ['ungəʃlɪfən] *adj* (*Edelstein*) uncut; (*Messer etc*) blunt; (*fig: Benehmen*) uncouth.
ungeschmälert ['ungəʃmɛːlərt] *adj* undiminished.
ungeschminkt ['ungəʃmɪŋkt] *adj* without

make-up; (*fig*) unvarnished.
ungeschoren ['ʊngəʃoːrən] *adj*: **jdn ~ lassen** (*umg*) to spare sb; (*ungestraft*) to let sb off.
ungesetzlich ['ʊngəzɛtslɪç] *adj* illegal.
ungestempelt ['ʊngəʃtɛmpəlt] *adj* (*Briefmarke*) unfranked, mint.
ungestört ['ʊngəʃtøːrt] *adj* undisturbed.
ungestraft ['ʊngəʃtraːft] *adv* with impunity.
ungestüm ['ʊngəʃtyːm] *adj* impetuous; **U~ (-(e)s)** *nt* impetuosity.
ungesund ['ʊngəzʊnt] *adj* unhealthy.
ungetrübt ['ʊngətryːpt] *adj* clear; (*fig*) untroubled; (*Freude*) unalloyed.
Ungetüm ['ʊngətyːm] **(-(e)s, -e)** *nt* monster.
ungeübt ['ʊngə|yːpt] *adj* unpractised (*BRIT*), unpracticed (*US*); (*Mensch*) out of practice.
ungewiß ['ʊngəvɪs] *adj* uncertain; **U~heit** *f* uncertainty.
ungewöhnlich ['ʊngəvøːnlɪç] *adj* unusual.
ungewohnt ['ʊngəvoːnt] *adj* unusual.
ungewollt ['ʊngəvɔlt] *adj* unintentional.
Ungeziefer ['ʊngətsiːfər] **(-s)** *nt* vermin *pl*.
ungezogen ['ʊngətsoːgən] *adj* rude, impertinent; **U~heit** *f* rudeness, impertinence.
ungezwungen ['ʊngətsvʊŋən] *adj* natural, unconstrained.
ungläubig ['ʊnglɔʏbɪç] *adj* unbelieving; **ein ~er Thomas** a doubting Thomas; **die U~en** the infidel(s *pl*).
unglaublich [ʊn'glaʊplɪç] *adj* incredible.
unglaubwürdig ['ʊnglaʊpvʏrdɪç] *adj* untrustworthy, unreliable; (*Geschichte*) improbable; **sich ~ machen** to lose credibility.
ungleich ['ʊnglaɪç] *adj* dissimilar; (*Mittel, Waffen*) unequal ♦ *adv* incomparably; **~artig** *adj* different; **U~behandlung** *f* (*von Frauen, Ausländern*) unequal treatment; **U~heit** *f* dissimilarity; inequality; **~mäßig** *adj* uneven; (*Atemzüge, Gesichtszüge, Puls*) irregular.
Unglück ['ʊnglʏk] *nt* misfortune; (*Pech*) bad luck; (*~sfall*) calamity, disaster; (*Verkehrs~*) accident; **zu allem ~** to make matters worse; **u~lich** *adj* unhappy; (*erfolglos*) unlucky; (*unerfreulich*) unfortunate; **u~licherweise** *adv* unfortunately; **u~selig** *adj* calamitous; (*Person*) unfortunate.
Unglücksfall *m* accident, mishap.
Unglücksrabe (*umg*) *m* unlucky thing.
Ungnade ['ʊngnaːdə] *f*: **bei jdm in ~ fallen** to fall out of favour (*BRIT*) *od* favor (*US*) with sb.
ungültig ['ʊngʏltɪç] *adj* invalid; **etw für ~ erklären** to declare sth null and void; **U~keit** *f* invalidity.
ungünstig ['ʊngʏnstɪç] *adj* unfavourable (*BRIT*), unfavorable (*US*); (*Termin*) inconvenient; (*Augenblick, Wetter*) bad; (*nicht preiswert*) expensive.
ungut ['ʊnguːt] *adj* (*Gefühl*) uneasy; **nichts für ~!** no offence!
unhaltbar ['ʊnhaltbaːr] *adj* untenable.
unhandlich ['ʊnhantlɪç] *adj* unwieldy.
Unheil ['ʊnhaɪl] *nt* evil; (*Unglück*) misfortune; **~ anrichten** to cause mischief.
unheilbar [ʊn'haɪlbar] *adj* incurable.
unheilbringend *adj* fatal, fateful.
unheilvoll *adj* disastrous.
unheimlich ['ʊnhaɪmlɪç] *adj* weird, uncanny ♦ *adv* (*umg*) tremendously; **das/er ist mir ~** it/he gives me the creeps (*umg*).
unhöflich ['ʊnhøːflɪç] *adj* impolite; **U~keit** *f* impoliteness.
unhörbar [ʊn'høːrbaːr] *adj* silent; (*Frequenzen*) inaudible.
unhygienisch ['ʊnhygieːnɪʃ] *adj* unhygienic.
Uni ['ʊni] **(-, -s)** (*umg*) *f* university.
uni ['yniː] *adj* self-coloured (*BRIT*), self-colored (*US*).
Uniform [uni'fɔrm] **(-, -en)** *f* uniform.
uniformiert [unifɔr'miːrt] *adj* uniformed.
Unikum ['uːnɪkʊm] **(-s, -s** *od* **Unika)** (*umg*) *nt* real character.
uninteressant ['ʊn|ɪnterɛsant] *adj* uninteresting.
uninteressiert ['ʊn|ɪntərɛ'siːrt] *adj*: **~ (an** *+dat***)** uninterested (in), not interested (in).
Union [uni'oːn] *f* union.
Unionsparteien *pl* (*BRD POL*) CDU and CSU parties *pl*.
universal [univɛr'zaːl] *adj* universal.
universell [univɛr'zɛl] *adj* universal.
Universität [univɛrzi'tɛːt] *f* university; **auf die ~ gehen, die ~ besuchen** to go to university.
Universum [uni'vɛrzʊm] **(-s)** *nt* universe.
unkenntlich ['ʊnkɛntlɪç] *adj* unrecognizable; **U~keit** *f*: **bis zur U~keit** beyond recognition.
Unkenntnis ['ʊnkɛntnɪs] *f* ignorance.
unklar ['ʊnklaːr] *adj* unclear; **im ~en sein über** *+akk* to be in the dark about; **U~heit** *f* unclarity; (*Unentschiedenheit*) uncertainty.
unklug ['ʊnkluːk] *adj* unwise.
unkompliziert ['ʊnkɔmplitsiːrt] *adj* straightforward, uncomplicated.
unkontrolliert ['ʊnkɔntrɔliːrt] *adj* unchecked.
unkonzentriert ['ʊnkɔntsɛntriːrt] *adj* lacking in concentration.
Unkosten ['ʊnkɔstən] *pl* expense(s *pl*); **sich in ~ stürzen** (*umg*) to go to a lot of expense.
Unkraut ['ʊnkraʊt] *nt* weed; weeds *pl*; **~ vergeht nicht** (*Sprichwort*) it would take more than that to finish me/him *etc* off; **~vertilgungsmittel** *nt* weedkiller.
unlängst ['ʊnlɛŋst] *adv* not long ago.
unlauter ['ʊnlaʊtər] *adj* unfair.
unleserlich ['ʊnleːzərlɪç] *adj* illegible.
unleugbar ['ʊnlɔʏkbaːr] *adj* undeniable, indisputable.
unlogisch ['ʊnloːgɪʃ] *adj* illogical.
unlösbar [ʊn'løːsbar] *adj* insoluble.
unlöslich [ʊn'løːslɪç] *adj* insoluble.

Unlust ['ʊnlʊst] *f* lack of enthusiasm.
unlustig *adj* unenthusiastic ♦ *adv* without enthusiasm.
unmännlich ['ʊnmɛnlɪç] *adj* unmanly.
Unmasse ['ʊnmasə] (*umg*) *f* load.
unmäßig ['ʊnmɛːsɪç] *adj* immoderate.
Unmenge ['ʊnmɛŋə] *f* tremendous number, vast number.
Unmensch ['ʊnmɛnʃ] *m* ogre, brute; **u~lich** *adj* inhuman, brutal; (*ungeheuer*) awful.
unmerklich [ʊn'mɛrklɪç] *adj* imperceptible.
unmißverständlich ['ʊnmɪsfɛrʃtɛntlɪç] *adj* unmistakable.
unmittelbar ['ʊnmɪtəlbaːr] *adj* immediate; **~er Kostenaufwand** direct expense.
unmöbliert ['ʊnmøbliːrt] *adj* unfurnished.
unmöglich ['ʊnmøːklɪç] *adj* impossible; **ich kann es ~ tun** I can't possibly do it; **~ aussehen** (*umg*) to look ridiculous; **U~keit** *f* impossibility.
unmoralisch ['ʊnmoraːlɪʃ] *adj* immoral.
unmotiviert ['ʊnmotiviːrt] *adj* unmotivated.
unmündig ['ʊnmʏndɪç] *adj* (*minderjährig*) underage.
Unmut ['ʊnmuːt] *m* ill humour (*BRIT*) *od* humor (*US*).
unnachahmlich ['ʊnnaːx|aːmlɪç] *adj* inimitable.
unnachgiebig ['ʊnnaːxgiːbɪç] *adj* unyielding.
unnahbar [ʊn'naːbaːr] *adj* unapproachable.
unnatürlich ['ʊnnatyːrlɪç] *adj* unnatural.
unnormal ['ʊnnɔrmaːl] *adj* abnormal.
unnötig ['ʊnnøːtɪç] *adj* unnecessary.
unnötigerweise *adv* unnecessarily.
unnütz ['ʊnnʏts] *adj* useless.
UNO ['uːno] *f abk* (= *United Nations Organization*): **die ~** the UN.
unordentlich ['ʊn|ɔrdəntlɪç] *adj* untidy.
Unordnung ['ʊn|ɔrdnʊŋ] *f* disorder; (*Durcheinander*) mess.
unorganisiert ['ʊn|ɔrganiziːrt] *adj* disorganized.
unparteiisch ['ʊnpartaɪɪʃ] *adj* impartial.
Unparteiische(r) *f(m)* umpire; (*FUSSBALL*) referee.
unpassend ['ʊnpasənt] *adj* inappropriate; (*Zeit*) inopportune.
unpäßlich ['ʊnpɛslɪç] *adj* unwell.
unpersönlich ['ʊnpɛrzøːnlɪç] *adj* impersonal.
unpolitisch ['ʊnpoliːtɪʃ] *adj* apolitical.
unpraktisch ['ʊnpraktɪʃ] *adj* impractical, unpractical.
unproduktiv ['ʊnprodʊktiːf] *adj* unproductive.
unproportioniert ['ʊnpropɔrtsioniːrt] *adj* out of proportion.
unpünktlich ['ʊnpʏŋktlɪç] *adj* unpunctual.
unqualifiziert ['ʊnkvalifitsiːrt] *adj* unqualified; (*Äußerung*) incompetent.
unrasiert ['ʊnraziːrt] *adj* unshaven.
Unrat ['ʊnraːt] **(-(e)s)** *m* (*geh*) refuse; (*fig*) filth.
unrationell ['ʊnratsionɛl] *adj* inefficient.
unrecht ['ʊnrɛçt] *adj* wrong; **das ist mir gar nicht so ~** I don't really mind; **U~** *nt* wrong; **zu U~** wrongly; **nicht zu U~** not without good reason; **U~ haben, im U~ sein** to be wrong.
unrechtmäßig *adj* unlawful, illegal.
unredlich ['ʊnreːtlɪç] *adj* dishonest; **U~keit** *f* dishonesty.
unreell ['ʊnreɛl] *adj* unfair; (*unredlich*) dishonest; (*Preis*) unreasonable.
unregelmäßig ['ʊnreːgəlmɛːsɪç] *adj* irregular; **U~keit** *f* irregularity.
unreif ['ʊnraɪf] *adj* (*Obst*) unripe; (*fig*) immature.
Unreife *f* immaturity.
unrein ['ʊnraɪn] *adj* not clean; (*Ton, Gedanken, Taten*) impure; (*Atem, Haut*) bad.
unrentabel ['ʊnrɛntaːbəl] *adj* unprofitable.
unrichtig ['ʊnrɪçtɪç] *adj* incorrect, wrong.
Unruh ['ʊnruː] **(-, -en)** *f* (*von Uhr*) balance.
Unruhe **(-, -n)** *f* unrest; **~herd** *m* trouble spot; **~stifter** *m* troublemaker.
unruhig *adj* restless; (*nervös*) fidgety; (*belebt*) noisy; (*Schlaf*) fitful; (*Zeit etc, Meer*) troubled.
unrühmlich ['ʊnryːmlɪç] *adj* inglorious.
uns [ʊns] *pron akk, dat von* **wir** us; (*reflexiv*) ourselves.
unsachgemäß ['ʊnzaxgəmɛːs] *adj* improper.
unsachlich ['ʊnzaxlɪç] *adj* not to the point, irrelevant; (*persönlich*) personal.
unsagbar [ʊn'zaːkbaːr] *adj* indescribable.
unsäglich [ʊn'zɛːklɪç] *adj* indescribable.
unsanft ['ʊnzanft] *adj* rough.
unsauber ['ʊnzaʊbər] *adj* (*schmutzig*) dirty; (*fig*) crooked; (: *Klang*) impure.
unschädlich ['ʊnʃɛːtlɪç] *adj* harmless; **jdn/etw ~ machen** to render sb/sth harmless.
unscharf ['ʊnʃarf] *adj* indistinct; (*Bild etc*) out of focus, blurred.
unschätzbar [ʊn'ʃɛtsbaːr] *adj* incalculable; (*Hilfe*) invaluable.
unscheinbar ['ʊnʃaɪnbaːr] *adj* insignificant; (*Aussehen, Haus etc*) unprepossessing.
unschlagbar [ʊn'ʃlaːkbaːr] *adj* invincible.
unschlüssig ['ʊnʃlʏsɪç] *adj* undecided.
unschön ['ʊnʃøːn] *adj* unsightly; (*lit, fig: Szene*) ugly; (*Vorfall*) unpleasant.
Unschuld ['ʊnʃʊlt] *f* innocence.
unschuldig ['ʊnʃʊldɪç] *adj* innocent.
Unschuldsmiene *f* innocent expression.
unschwer ['ʊnʃveːr] *adv* easily, without difficulty.
unselbständig ['ʊnzɛlpʃtɛndɪç] *adj* dependent, over-reliant on others.
unselig ['ʊnzeːlɪç] *adj* unfortunate; (*verhängnisvoll*) ill-fated.
unser ['ʊnzər] *poss pron* our ♦ *pron gen von* **wir** of us.
unsere(r, s) *poss pron* ours; **wir tun das U~** (*geh*) we are doing our bit.
unsereiner *pron* the likes of us.
unsereins *pron* the likes of us.

unser(er)seits ['ʊnzər(ər)'zaɪts] *adv* on our part.
unseresgleichen *pron* the likes of us.
unserige(r, s) *poss pron:* **der/die/das** ~ ours.
unseriös ['ʊnzeriøːs] *adj* (*unehrlich*) not straight, untrustworthy.
unsertwegen ['ʊnzərt'veːgən] *adv* (*für uns*) for our sake; (*wegen uns*) on our account.
unsertwillen ['ʊnzərt'vɪlən] *adv:* **um** ~ = **unsertwegen.**
unsicher ['ʊnzɪçər] *adj* uncertain; (*Mensch*) insecure; **die Gegend** ~ **machen** (*fig: umg*) to knock about the district; **U~heit** *f* uncertainty; insecurity.
unsichtbar ['ʊnzɪçtbaːr] *adj* invisible; **U~keit** *f* invisibility.
Unsinn ['ʊnzɪn] *m* nonsense.
unsinnig *adj* nonsensical.
Unsitte ['ʊnzɪtə] *f* deplorable habit.
unsittlich ['ʊnzɪtlɪç] *adj* indecent; **U~keit** *f* indecency.
unsolide ['ʊnzoliːdə] *adj* (*Mensch, Leben*) loose; (*Firma*) unreliable.
unsozial ['ʊnzotsiaːl] *adj* (*Verhalten*) antisocial; (*Politik*) unsocial.
unsportlich ['ʊnʃpɔrtlɪç] *adj* not sporty; (*Verhalten*) unsporting.
unsre *etc* ['ʊnzrə] *poss pron* = **unsere** *etc*; *siehe auch* **unser.**
unsrige(r, s) ['ʊnzrɪgə(r, s)] *poss pron* = **unserige.**
unsterblich ['ʊnʃtɛrplɪç] *adj* immortal; **U~keit** *f* immortality.
unstet ['ʊnʃteːt] *adj* (*Mensch*) restless; (*wankelmütig*) changeable; (*Leben*) unsettled.
Unstimmigkeit ['ʊnʃtɪmɪçkaɪt] *f* inconsistency; (*Streit*) disagreement.
Unsumme ['ʊnzʊmə] *f* vast sum.
unsympathisch ['ʊnzʏmpaːtɪʃ] *adj* unpleasant; **er ist mir** ~ I don't like him.
untad(e)lig ['ʊntaːd(ə)lɪç] *adj* impeccable; (*Mensch*) beyond reproach.
Untat ['ʊntaːt] *f* atrocity.
untätig ['ʊntɛːtɪç] *adj* idle.
untauglich ['ʊntaʊklɪç] *adj* unsuitable; (*MIL*) unfit; **U~keit** *f* unsuitability; unfitness.
unteilbar [ʊn'taɪlbaːr] *adj* indivisible.
unten ['ʊntən] *adv* below; (*im Haus*) downstairs; (*an der Treppe etc*) at the bottom; **siehe** ~ see below; **nach** ~ down; ~ **am Berg** *etc* at the bottom of the mountain *etc*; **er ist bei mir** ~ **durch** (*umg*) I'm through with him; ~**an** *adv* (*am unteren Ende*) at the far end; (*lit, fig*) at the bottom; ~**genannt** *adj* undermentioned.

SCHLÜSSELWORT

unter ['ʊntər] *präp +dat* **1** (*räumlich*) under; (*drunter*) underneath, below
2 (*zwischen*) among(st); **sie waren** ~ **sich** they were by themselves; **einer** ~ **ihnen** one of them; ~ **anderem** among other things
♦ *präp +akk* under, below
♦ *adv* (*weniger als*) under; **Mädchen** ~ **18 Jahren** girls under *od* less than 18 (years of age).

Unter- *zW:* ~**abteilung** *f* subdivision; ~**arm** *m* forearm; **u~belegt** *adj* (*Kurs*) undersubscribed; (*Hotel etc*) not full.
unterbelichten ['ʊntərbəlɪçtən] *vt untr* (*PHOT*) to underexpose.
Unterbeschäftigung ['ʊntərbəʃɛːftɪgʊŋ] *f* underemployment.
unterbesetzt ['ʊntərbəzɛtst] *adj* understaffed.
Unterbewußtsein ['ʊntərbəvʊstzaɪn] *nt* subconscious.
unterbezahlt ['ʊntərbətsaːlt] *adj* underpaid.
unterbieten [ʊntər'biːtən] *unreg vt untr* (*COMM*) to undercut; (*fig*) to surpass.
unterbinden [ʊntər'bɪndən] *unreg vt untr* to stop, call a halt to.
unterbleiben [ʊntər'blaɪbən] *unreg vi untr* (*aufhören*) to stop; (*versäumt werden*) to be omitted.
Unterbodenschutz [ʊntər'boːdənʃʊts] *m* (*AUT*) underseal.
unterbrechen [ʊntər'brɛçən] *unreg vt untr* to interrupt.
Unterbrechung *f* interruption.
unterbreiten [ʊntər'braɪtən] *vt untr* (*Plan*) to present.
unterbringen ['ʊntərbrɪŋən] *unreg vt* (*in Koffer*) to stow; (*in Zeitung*) to place; (*Person: in Hotel etc*) to accommodate, put up; (: *beruflich*): ~ **(bei)** to fix up (with).
unterbuttern ['ʊntərbʊtərn] (*umg*) *vt* (*zuschießen*) to throw in; (*unterdrücken*) to ride roughshod over.
unterderhand [ʊntərder'hant] *adv* secretly; (*verkaufen*) privately.
unterdessen [ʊntər'dɛsən] *adv* meanwhile.
Unterdruck ['ʊntərdrʊk] *m* (*TECH*) below atmospheric pressure.
unterdrücken [ʊntər'drʏkən] *vt untr* to suppress; (*Leute*) to oppress.
untere(r, s) ['ʊntərə(r, s)] *adj* lower.
untereinander [ʊntər|aɪ'nandər] *adv* (*gegenseitig*) each other; (*miteinander*) among themselves *etc.*
unterentwickelt ['ʊntər|ɛntvɪkəlt] *adj* underdeveloped.
unterernährt ['ʊntər|ɛrnɛːrt] *adj* undernourished.
Unterernährung *f* malnutrition.
Unterfangen [ʊntər'faŋən] *nt* undertaking.
Unterführung [ʊntər|fyːrʊŋ] *f* subway, underpass.
Untergang ['ʊntərgaŋ] *m* (down)fall, decline; (*NAUT*) sinking; (*von Gestirn*) setting; **dem** ~ **geweiht sein** to be doomed.
untergeben [ʊntər'geːbən] *adj* subordinate.
Untergebene(r) *f(m)* subordinate.
untergehen ['ʊntərgeːən] *unreg vi* to go down;

(*Sonne*) to set, go down; (*Staat*) to fall; (*Volk*) to perish; (*Welt*) to come to an end; (*im Lärm*) to be drowned.

untergeordnet ['ʊntərgə|ɔrdnət] *adj* (*Dienststelle*) subordinate; (*Bedeutung*) secondary.

Untergeschoß ['ʊntərgəʃɔs] *nt* basement.

Untergewicht ['ʊntərgəvɪçt] *nt*: **(10 Kilo) ~ haben** to be (10 kilos) underweight.

untergliedern [ʊntər'gli:dərn] *vt untr* to subdivide.

untergraben [ʊntər'gra:bən] *unreg vt untr* to undermine.

Untergrund ['ʊntərgrʊnt] *m* foundation; (*POL*) underground; ~**bahn** *f* underground (*BRIT*), subway (*US*); ~**bewegung** *f* underground (movement).

unterhaken ['ʊntərha:kən] *vr*: **sich bei jdm ~** to link arms with sb.

unterhalb ['ʊntərhalp] *präp +gen* below ♦ *adv* below; **~ von** below.

Unterhalt ['ʊntərhalt] *m* maintenance; **seinen ~ verdienen** to earn one's living.

unterhalten [ʊntər'haltən] *unreg vt untr* to maintain; (*belustigen*) to entertain; (*versorgen*) to support; (*Geschäft, Kfz*) to run; (*Konto*) to have ♦ *vr untr* to talk; (*sich belustigen*) to enjoy o.s.

unterhaltend, unterhaltsam [ʊntər'halt-za:m] *adj* entertaining.

Unterhaltskosten *pl* maintenance costs *pl*.

Unterhaltszahlung *f* maintenance payment.

Unterhaltung *f* maintenance; (*Belustigung*) entertainment, amusement; (*Gespräch*) talk.

Unterhaltungskosten *pl* running costs *pl*.

Unterhaltungsmusik *f* light music.

Unterhändler ['ʊntərhɛntlər] *m* negotiator.

Unterhaus ['ʊntərhaus] *nt* House of Commons (*BRIT*), House of Representatives (*US*), Lower House.

Unterhemd ['ʊntərhɛmt] *nt* vest (*BRIT*), undershirt (*US*).

unterhöhlen [ʊntər'hø:lən] *vt untr* (*lit, fig*) to undermine.

Unterholz ['ʊntərhɔlts] *nt* undergrowth.

Unterhose ['ʊntərho:zə] *f* underpants *pl*.

unterirdisch ['ʊntər|ɪrdɪʃ] *adj* underground.

unterjubeln ['ʊntərjubəln] (*umg*) *vt*: **jdm etw ~** to palm sth off on sb.

unterkapitalisiert ['ʊntərkapitali'zi:rt] *adj* undercapitalized.

unterkellern [ʊntər'kɛlərn] *vt untr* to build with a cellar.

Unterkiefer ['ʊntərki:fər] *m* lower jaw.

unterkommen ['ʊntərkɔmən] *unreg vi* to find shelter; (*Stelle finden*) to find work; **das ist mir noch nie untergekommen** I've never met with that; **bei jdm ~** to stay at sb's (place).

unterkriegen ['ʊntərkri:gən] (*umg*) *vt*: **sich nicht ~ lassen** not to let things get one down.

unterkühlt [ʊntər'ky:lt] *adj* (*Körper*) affected by hypothermia; (*fig: Mensch, Atmosphäre*) cool.

Unterkunft ['ʊntərkʊnft] **(-, -künfte)** *f* accommodation (*BRIT*), accommodations *pl* (*US*); **~ und Verpflegung** board and lodging.

Unterlage ['ʊntərla:gə] *f* foundation; (*Beleg*) document; (*Schreib~ etc*) pad.

unterlassen [ʊntər'lasən] *unreg vt untr* (*versäumen*) to fail to do; (*sich enthalten*) to refrain from.

unterlaufen [ʊntər'laufən] *unreg vi untr* to happen ♦ *adj*: **mit Blut ~** suffused with blood; (*Augen*) bloodshot; **mir ist ein Fehler ~** I made a mistake.

unterlegen[1] ['ʊntərle:gən] *vt* to lay *od* put under.

unterlegen[2] [ʊntər'le:gən] *adj* inferior; (*besiegt*) defeated.

Unterleib ['ʊntərlaɪp] *m* abdomen.

unterliegen [ʊntər'li:gən] *unreg vi untr +dat* to be defeated *od* overcome (by); (*unterworfen sein*) to be subject (to).

Unterlippe ['ʊntərlɪpə] *f* bottom *od* lower lip.

unterm = unter dem.

untermalen [ʊntər'ma:lən] *vt untr* (*mit Musik*) to provide with background music.

Untermalung *f*: **musikalische ~** background music.

untermauern [ʊntər'mauərn] *vt untr* (*Gebäude, fig*) to underpin.

Untermiete ['ʊntərmi:tə] *f* subtenancy; **bei jdm zur ~ wohnen** to rent a room from sb.

Untermieter(in) *m(f)* lodger.

untern = unter den.

unternehmen [ʊntər'ne:mən] *unreg vt untr* to do; (*durchführen*) to undertake; (*Versuch, Reise*) to make; **U~ (-s, -)** *nt* undertaking, enterprise (*auch COMM*); (*Firma*) business.

unternehmend *adj* enterprising, daring.

Unternehmensberater *m* management consultant.

Unternehmensplanung *f* corporate planning, management planning.

Unternehmer(in) [ʊntər'ne:mər(ɪn)] **(-s, -)** *m(f)* (business) employer; (*alten Stils*) entrepreneur; ~**verband** *m* employers' association.

Unternehmungsgeist *m* spirit of enterprise.

unternehmungslustig *adj* enterprising.

Unteroffizier ['ʊntər|ɔfɪtsi:r] *m* noncommissioned officer, NCO.

unterordnen ['ʊntər|ɔrdnən] *vt*: **~ (+dat)** to subordinate (to).

Unterordnung *f* subordination.

Unterprima ['ʊntərpri:ma] *f eighth year of German secondary school.*

Unterprogramm ['ʊntərprogram] *nt* (*COMPUT*) subroutine.

Unterredung [ʊntər're:dʊŋ] *f* discussion,

talk.
Unterricht ['ʊntərrɪçt] (**-(e)s**) *m* teaching; (*Stunden*) lessons *pl*; **jdm ~ (in etw** *dat*) **geben** to teach sb (sth).
unterrichten [ʊntər'rɪçtən] *vt untr* to instruct; (*SCH*) to teach ♦ *vr untr:* **sich ~ (über** *+akk*) to inform o.s. (about), obtain information (about).
Unterrichts- *zW:* **~gegenstand** *m* topic, subject; **~methode** *f* teaching method; **~stoff** *m* teaching material; **~stunde** *f* lesson; **~zwecke** *pl:* **zu ~zwecken** for teaching purposes.
Unterrock ['ʊntərrɔk] *m* petticoat, slip.
unters = unter das.
untersagen [ʊntər'za:gən] *vt untr* to forbid; **jdm etw ~** to forbid sb to do sth.
Untersatz ['ʊntərzats] *m* mat; (*für Blumentöpfe etc*) base.
unterschätzen [ʊntər'ʃɛtsən] *vt untr* to underestimate.
unterscheiden [ʊntər'ʃaɪdən] *unreg vt untr* to distinguish ♦ *vr untr* to differ.
Unterscheidung *f* (*Unterschied*) distinction; (*Unterscheiden*) differentiation.
Unterschenkel ['ʊntərʃɛŋkəl] *m* lower leg.
Unterschicht ['ʊntərʃɪçt] *f* lower class.
unterschieben ['ʊntərʃi:bən] *unreg vt* (*fig*): **jdm etw ~** to foist sth on sb.
Unterschied ['ʊntərʃi:t] (**-(e)s, -e**) *m* difference, distinction; **im ~ zu** as distinct from; **u~lich** *adj* varying, differing; (*diskriminierend*) discriminatory.
unterschiedslos *adv* indiscriminately.
unterschlagen [ʊntər'ʃla:gən] *unreg vt untr* to embezzle; (*verheimlichen*) to suppress.
Unterschlagung *f* embezzlement; (*von Briefen, Beweis*) withholding.
Unterschlupf ['ʊntərʃlʊpf] (**-(e)s, -schlüpfe**) *m* refuge.
unterschlüpfen ['ʊntərʃlʏpfən] (*umg*) *vi* to take cover *od* shelter; (*Versteck finden*): **(bei jdm) ~** to hide out (at sb's) (*umg*).
unterschreiben [ʊntər'ʃraɪbən] *unreg vt untr* to sign.
Unterschrift ['ʊntərʃrɪft] *f* signature; (*Bild~*) caption.
unterschwellig ['ʊntərʃvɛlɪç] *adj* subliminal.
Unterseeboot ['ʊntərze:bo:t] *nt* submarine.
Unterseite ['ʊntərzaɪtə] *f* underside.
Untersekunda ['ʊntərzekʊnda] *f* *sixth year of German secondary school.*
Untersetzer ['ʊntərzɛtsər] *m* tablemat; (*für Gläser*) coaster.
untersetzt [ʊntər'zɛtst] *adj* stocky.
unterste(r, s) ['ʊntərstə(r, s)] *adj* lowest, bottom.
unterstehen¹ [ʊntər'ʃte:ən] *unreg vi untr +dat* to be under ♦ *vr untr* to dare.
unterstehen² ['ʊntərʃte:ən] *unreg vi* to shelter.
unterstellen¹ [ʊntər'ʃtɛlən] *vt untr* to subordinate; (*fig*) to impute; **jdm/etw unterstellt sein** to be under sb/sth; (*in Firma*) to report to sb/sth.
unterstellen² ['ʊntərʃtɛlən] *vt* (*Auto*) to garage, park ♦ *vr* to take shelter.
Unterstellung *f* (*falsche Behauptung*) misrepresentation; (*Andeutung*) insinuation.
unterstreichen [ʊntər'ʃtraɪçən] *unreg vt untr* (*lit, fig*) to underline.
Unterstufe ['ʊntərʃtu:fə] *f* lower grade.
unterstützen [ʊntər'ʃtʏtsən] *vt untr* to support.
Unterstützung *f* support, assistance.
untersuchen [ʊntər'zu:xən] *vt untr* (*MED*) to examine; (*Polizei*) to investigate; **sich ärztlich ~ lassen** to have a medical (*BRIT*) *od* physical (*US*) (examination), have a check-up.
Untersuchung *f* examination; investigation, inquiry.
Untersuchungs- *zW:* **~ausschuß** *m* committee of inquiry; **~ergebnis** *nt* (*JUR*) findings *pl*; (*MED*) result of an examination; **~haft** *f* custody; **in ~haft sein** to be remanded in custody; **~richter** *m* examining magistrate.
Untertagebau [ʊntər'ta:gəbau] *m* underground mining.
Untertan ['ʊntərta:n] (**-s, -en**) *m* subject.
untertänig ['ʊntərtɛ:nɪç] *adj* submissive, humble.
Untertasse ['ʊntərtasə] *f* saucer.
untertauchen ['ʊntərtaʊxən] *vi* to dive; (*fig*) to disappear, go underground.
Unterteil ['ʊntərtaɪl] *nt od m* lower part, bottom.
unterteilen [ʊntər'taɪlən] *vt untr* to divide up.
Untertertia ['ʊntərtɛrtsia] *f* *fourth year of German secondary school.*
Untertitel ['ʊntərti:təl] *m* subtitle; (*für Bild*) caption.
unterwandern [ʊntər'vandərn] *vt untr* to infiltrate.
Unterwäsche ['ʊntərvɛʃə] *f* underwear.
unterwegs [ʊntər've:ks] *adv* on the way; (*auf Reisen*) away.
unterweisen [ʊntər'vaɪzən] *unreg vt untr* to instruct.
Unterwelt ['ʊntərvɛlt] *f* (*lit, fig*) underworld.
unterwerfen [ʊntər'vɛrfən] *unreg vt untr* to subject; (*Volk*) to subjugate ♦ *vr untr* to submit.
unterwürfig [ʊntər'vʏrfɪç] *adj* obsequious.
unterzeichnen [ʊntər'tsaɪçnən] *vt untr* to sign.
Unterzeichner *m* signatory.
unterziehen [ʊntər'tsi:ən] *unreg vt untr +dat* to subject ♦ *vr untr +dat* to undergo; (*einer Prüfung*) to take.
Untiefe ['ʊnti:fə] *f* shallow.
Untier ['ʊnti:r] *nt* monster.
untragbar [ʊn'tra:kba:r] *adj* intolerable, unbearable.
untreu ['ʊntrɔʏ] *adj* unfaithful; **sich** *dat* **selbst**

~ **werden** to be untrue to o.s.
Untreue *f* unfaithfulness.
untröstlich [ʊn'trøːstlɪç] *adj* inconsolable.
Untugend ['ʊntuːgənt] *f* vice; (*Angewohnheit*) bad habit.
un- *zW:* ~**überbrückbar** *adj* (*fig: Gegensätze etc*) irreconcilable; (*Kluft*) unbridgeable; ~**überlegt** *adj* ill-considered ♦ *adv* without thinking; ~**übersehbar** *adj* (*Schaden etc*) incalculable; (*Menge*) vast, immense; (*auffällig: Fehler etc*) obvious; ~**übersichtlich** *adj* (*Gelände*) broken; (*Kurve*) blind; (*System, Plan*) confused; ~**übertroffen** *adj* unsurpassed.
un- *zW:* ~**umgänglich** *adj* indispensable, vital; ~**umstößlich** *adj* (*Tatsache*) incontrovertible; (*Entschluß*) irrevocable; ~**umstritten** *adj* undisputed; ~**umwunden** [-ʊm'vʊndən] *adj* candid ♦ *adv* straight out.
ununterbrochen ['ʊn|ʊntərbrɔxən] *adj* uninterrupted.
un- *zW:* ~**veränderlich** *adj* unchangeable; ~**verantwortlich** *adj* irresponsible; (~*entschuldbar*) inexcusable; ~**verarbeitet** *adj* (*lit, fig*) raw; ~**veräußerlich** [-fɛr'ɔʏsərlich] *adj* inalienable; (*Besitz*) unmarketable; ~**verbesserlich** *adj* incorrigible; ~**verbindlich** *adj* not binding; (*Antwort*) curt ♦ *adv* (*COMM*) without obligation; ~**verbleit** [-fɛrblaɪt] *adj* (*Benzin*) unleaded; ~**verblümt** [-fɛr'blyːmt] *adj* plain, blunt ♦ *adv* plainly, bluntly; ~**verdaulich** *adj* indigestible; ~**verdorben** *adj* unspoilt; ~**verdrossen** *adj* undeterred; (~*ermüdlich*) untiring; ~**vereinbar** *adj* incompatible; ~**verfälscht** [-fɛrfɛlʃt] *adj* (*auch fig*) unadulterated; (*Dialekt*) pure; (*Natürlichkeit*) unaffected; ~**verfänglich** *adj* harmless; ~**verfroren** *adj* impudent; ~**vergänglich** *adj* immortal; (*Eindruck, Erinnerung*) everlasting; ~**vergeßlich** *adj* unforgettable; ~**vergleichlich** *adj* unique, incomparable; ~**verhältnismäßig** *adv* disproportionately; (*übermäßig*) excessively; ~**verheiratet** *adj* unmarried; ~**verhofft** *adj* unexpected; ~**verhohlen** [-fɛrhoːlən] *adj* open, unconcealed; ~**verkäuflich** *adj:* **„~verkäuflich"** "not for sale"; ~**verkennbar** *adj* unmistakable; ~**verletzlich** *adj* (*fig: Rechte*) inviolable; (*lit*) invulnerable; ~**verletzt** *adj* uninjured; ~**vermeidlich** *adj* unavoidable; ~**vermittelt** *adj* (*plötzlich*) sudden, unexpected; **U~vermögen** *nt* inability; ~**vermutet** *adj* unexpected; ~**vernünftig** *adj* foolish; ~**verrichtet** *adj:* ~**verrichteter Dinge** empty-handed; ~**verschämt** *adj* impudent; **U~verschämtheit** *f* impudence, insolence; ~**verschuldet** *adj* occurring through no fault of one's own; ~**versehens** *adv* all of a sudden; ~**versehrt** [-fɛrzeːrt] *adj* uninjured; ~**versöhnlich** *adj* irreconcilable; **U~verstand** *m* lack of judgement; (*Torheit*) folly; ~**verständlich** *adj* unintelligible; ~**versucht** *adj:* **nichts ~versucht lassen** to try everything; ~**verträglich** *adj* quarrelsome; (*Meinungen, MED*) incompatible; ~**verwechselbar** *adj* unmistakable, distinctive; ~**verwüstlich** *adj* indestructible; (*Mensch*) irrepressible; ~**verzeihlich** *adj* unpardonable; ~**verzinslich** *adj* interest-free; ~**verzüglich** [-fɛr'tsyːklɪç] *adj* immediate; ~**vollendet** *adj* unfinished; ~**vollkommen** *adj* imperfect; ~**vollständig** *adj* incomplete; ~**vorbereitet** *adj* unprepared; ~**voreingenommen** *adj* unbiased; ~**vorhergesehen** *adj* unforeseen; ~**vorsichtig** *adj* careless, imprudent; ~**vorstellbar** *adj* inconceivable; ~**vorteilhaft** *adj* disadvantageous.
unwahr ['ʊnvaːr] *adj* untrue; ~**haftig** *adj* untruthful; **U~heit** *f* untruth; **die U~heit sagen** not to tell the truth; ~**scheinlich** *adj* improbable, unlikely ♦ *adv* (*umg*) incredibly; **U~scheinlichkeit** *f* improbability, unlikelihood.
unwegsam ['ʊnveːkzaːm] *adj* (*Gelände etc*) rough.
unweigerlich [ʊn'vaɪgərlɪç] *adj* unquestioning ♦ *adv* without fail.
unweit ['ʊnvaɪt] *präp +gen* not far from ♦ *adv* not far.
Unwesen ['ʊnveːzən] *nt* nuisance; (*Unfug*) mischief; **sein ~ treiben** to wreak havoc; (*Mörder etc*) to be at large.
unwesentlich *adj* inessential, unimportant; ~ **besser** marginally better.
Unwetter ['ʊnvɛtər] *nt* thunderstorm.
unwichtig ['ʊnvɪçtɪç] *adj* unimportant.
un- *zW:* ~**widerlegbar** *adj* irrefutable; ~**widerruflich** *adj* irrevocable; ~**widerstehlich** [-viːdər'ʃteːlɪç] *adj* irresistible.
unwiederbringlich [ʊnviːdər'brɪŋlɪç] *adj* (*geh*) irretrievable.
Unwille(n) ['ʊnvɪlə(n)] *m* indignation.
unwillig *adj* indignant; (*widerwillig*) reluctant.
unwillkürlich ['ʊnvɪlkyːrlɪç] *adj* involuntary ♦ *adv* instinctively; (*lachen*) involuntarily.
unwirklich ['ʊnvɪrklɪç] *adj* unreal.
unwirksam ['ʊnvɪrkzaːm] *adj* ineffective.
unwirsch ['ʊnvɪrʃ] *adj* cross, surly.
unwirtlich ['ʊnvɪrtlɪç] *adj* inhospitable.
unwirtschaftlich ['ʊnvɪrtʃaftlɪç] *adj* uneconomical.
unwissend ['ʊnvɪsənt] *adj* ignorant.
Unwissenheit *f* ignorance.
unwissenschaftlich *adj* unscientific.
unwissentlich *adv* unwittingly, unknowingly.
unwohl ['ʊnvoːl] *adj* unwell, ill; **U~sein (-s)** *nt* indisposition.
unwürdig ['ʊnvʏrdɪç] *adj* unworthy.
Unzahl ['ʊntsaːl] *f:* **eine ~ von** ... a whole host of ...

unzählig [ʊnˈtsɛːlɪç] *adj* innumerable, countless.
unzeitgemäß [ˈʊntsaɪtgəmɛːs] *adj* (*altmodisch*) old-fashioned.
un- *zW:* **~zerbrechlich** *adj* unbreakable; **~zerreißbar** *adj* untearable; **~zerstörbar** *adj* indestructible; **~zertrennlich** *adj* inseparable.
Unzucht [ˈʊntsʊxt] *f* sexual offence.
unzüchtig [ˈʊntsʏçtɪç] *adj* immoral.
un- *zW:* **~zufrieden** *adj* dissatisfied; **U~zufriedenheit** *f* discontent; **~zugänglich** *adj* (*Gegend*) inaccessible; (*Mensch*) inapproachable; **~zulänglich** *adj* inadequate; **~zulässig** *adj* inadmissible; **~zumutbar** *adj* unreasonable; **~zurechnungsfähig** *adj* irresponsible; **jdn für ~zurechnungsfähig erklären lassen** (*JUR*) to have sb certified (insane); **~zusammenhängend** *adj* disconnected; (*Äußerung*) incoherent; **~zustellbar** *adj:* **falls ~zustellbar, bitte an Absender zurück** if undelivered, please return to sender; **~zutreffend** *adj* incorrect; **„~zutreffendes bitte streichen"** "delete as applicable"; **~zuverlässig** *adj* unreliable.
unzweckmäßig [ˈʊntsvɛkmɛːsɪç] *adj* (*nicht ratsam*) inadvisable; (*unpraktisch*) impractical; (*ungeeignet*) unsuitable.
unzweideutig [ˈʊntsvaɪdɔʏtɪç] *adj* unambiguous.
unzweifelhaft [ˈʊntsvaɪfəlhaft] *adj* indubitable.
üppig [ˈʏpɪç] *adj* (*Frau*) curvaceous; (*Essen*) sumptuous, lavish; (*Vegetation*) luxuriant, lush; (*Haar*) thick.
Ur- [ˈuːr] *in zW:* original.
Urabstimmung [ˈuːr|apʃtɪmʊŋ] *f* ballot.
Ural [uˈraːl] (**-s**) *m:* **der ~** the Ural mountains *pl*, the Urals *pl*; **~gebirge** *nt* Ural mountains.
uralt [ˈuːr|alt] *adj* ancient, very old.
Uran [uˈraːn] (**-s**) *nt* uranium.
Uraufführung *f* first performance.
urbar *adj:* **die Wüste/Land ~ machen** to reclaim the desert/cultivate land.
Urdu [ˈʊrdu] (-) *nt* Urdu.
Ur- *zW:* **~einwohner** *m* original inhabitant; **~eltern** *pl* ancestors *pl*; **~enkel(in)** *m(f)* great-grandchild; **~fassung** *f* original version; **~großmutter** *f* great-grandmother; **~großvater** *m* great-grandfather.
Urheber (**-s, -**) *m* originator; (*Autor*) author; **~recht** *nt:* **~recht (an** *+dat***)** copyright (on); **u~rechtlich** *adv:* **u~rechtlich geschützt** copyright.
urig [ˈuːrɪç] (*umg*) *adj* (*Mensch, Atmosphäre*) earthy.
Urin [uˈriːn] (**-s, -e**) *m* urine.
urkomisch *adj* incredibly funny.
Urkunde *f* document; (*Kauf~*) deed.
urkundlich [ˈuːrkʊntlɪç] *adj* documentary.
urladen [ˈuːrlaːdən] *vt* (*COMPUT*) to boot.
Urlader *m* (*COMPUT*) bootstrap.
Urlaub [ˈuːrlaʊp] (**-(e)s, -e**) *m* holiday(s *pl*) (*BRIT*), vacation (*US*); (*MIL etc*) leave; **~er** (**-s, -**) *m* holiday-maker (*BRIT*), vacationer (*US*).
Urlaubs- *zW:* **~geld** *nt* holiday (*BRIT*) *od* vacation (*US*) money; **~ort** *m* holiday (*BRIT*) *od* vacation (*US*) resort; **u~reif** *adj* in need of a holiday (*BRIT*) *od* vacation (*US*).
Urmensch *m* primitive man.
Urne [ˈʊrnə] (**-, -n**) *f* urn; **zur ~ gehen** to go to the polls.
urplötzlich [ˈuːrˈplœtslɪç] (*umg*) *adv* all of a sudden.
Ursache [ˈuːrzaxə] *f* cause; **keine ~!** (*auf Dank*) don't mention it, you're welcome; (*auf Entschuldigung*) that's all right.
ursächlich [ˈuːrzɛçlɪç] *adj* causal.
Urschrei [ˈuːrʃraɪ] *m* (*PSYCH*) primal scream.
Ursprung [ˈuːrʃprʊŋ] *m* origin, source; (*von Fluß*) source.
ursprünglich [ˈuːrʃprʏŋlɪç] *adj* original ♦ *adv* originally.
Ursprungsland *nt* (*COMM*) country of origin.
Ursprungszeugnis *nt* certificate of origin.
Urteil [ˈʊrtaɪl] (**-s, -e**) *nt* opinion; (*JUR*) sentence, judgement; **sich** *dat* **ein ~ über etw** *akk* **erlauben** to pass judgement on sth; **ein ~ über etw** *akk* **fällen** to pass judgement on sth; **u~en** *vi* to judge.
Urteilsbegründung *f* (*JUR*) opinion.
Urteilsspruch *m* sentence; verdict.
Urtrieb [ˈuːrtriːp] (**-(e)s**) *m* basic drive.
Uruguay [uruˈguaːi] (**-s**) *nt* Uruguay.
Uruguayer(in) (**-s, -**) *m(f)* Uruguayan.
uruguayisch *adj* Uruguayan.
Ur- *zW:* **~wald** *m* jungle; **u~wüchsig** *adj* natural; (*Landschaft*) unspoilt; (*Humor*) earthy; **~zeit** *f* prehistoric times *pl*.
USA [uːˈɛsˈ|aː] *pl abk:* **die ~** the USA *sing*.
Usbekistan [ʊsˈbeːkistaːn] (**-s**) *nt* Uzbekistan.
usw *abk* (= *und so weiter*) etc.
Utensilien [utɛnˈziːliən] *pl* utensils *pl*.
Utopie [utoˈpiː] *f* pipe dream.
utopisch [uˈtoːpɪʃ] *adj* utopian.
u.U. *abk* (= *unter Umständen*) possibly.
UV *abk* (= *ultraviolett*) U.V.
u.v.a. *abk* (= *und viele(s) andere*) and much/many more.
u.v.a.m. *abk* (= *und viele(s) andere mehr*) and much/many more.
u.W. *abk* (= *unseres Wissens*) to our knowledge.
Ü-Wagen *m* (*RUNDF, TV*) outside broadcast vehicle.
uzen [ˈuːtsən] (*umg*) *vt, vi* to tease, kid.
u.zw. *abk* = **und zwar**.

V, v

V[1]**, v** [faʊ] *nt* V, v; ~ **wie Viktor** ≈ V for Victor.
V[2] [faʊ] *abk* (= *Volt*) v.
VAE *pl abk* (= *Vereinigte Arabische Emirate*) UAE.
vag(e) *adj* vague.
Vagina [va'gi:na] (-, **Vaginen**) *f* vagina.
Vakuum ['va:kuʊm] (**-s, Vakua** *od* **Vakuen**) *nt* vacuum; **v~verpackt** *adj* vacuum-packed.
Vandalismus [vanda'lɪsmʊs] *m* vandalism.
Vanille [va'nɪljə] (-) *f* vanilla; ~**zucker** *m* vanilla sugar.
Vanillinzucker *m* vanilla sugar.
variabel [vari'a:bəl] *adj:* **variable Kosten** variable costs.
Variable [vari'a:blə] (-, **-n**) *f* variable.
Variante [vari'antə] (-, **-n**) *f:* ~ **(zu)** variant (on).
Variation [variatsi'o:n] *f* variation.
variieren [vari'i:rən] *vt, vi* to vary.
Vase ['va:zə] (-, **-n**) *f* vase.
Vater ['fa:tər] (**-s, ⸗**) *m* father; ~ **Staat** (*umg*) the State; ~**land** *nt* native country; (*bes Deutschland*) Fatherland; ~**landsliebe** *f* patriotism.
väterlich ['fɛ:tərlɪç] *adj* fatherly.
väterlicherseits *adv* on the father's side.
Vaterschaft *f* paternity.
Vaterschaftsklage *f* paternity suit.
Vaterstelle *f:* ~ **bei jdm vertreten** to take the place of sb's father.
Vaterunser (**-s, -**) *nt* Lord's Prayer.
Vati ['fa:ti] (**-s, -s**) (*umg*) *m* dad(dy).
Vatikan [vati'ka:n] (**-s**) *m* Vatican.
V-Ausschnitt ['faʊ|aʊsʃnɪt] *m* V-neck.
VB *abk* (= *Verhandlungsbasis*) o.i.r.o.
v. Chr. *abk* (= *vor Christus*) B.C.
Vegetarier(in) [vege'ta:riər(ɪn)] (**-s, -**) *m(f)* vegetarian.
vegetarisch *adj* vegetarian.
Vegetation [vegetatsi'o:n] *f* vegetation.
vegetativ [vegeta'ti:f] *adj* (*BIOL*) vegetative; (*MED*) autonomic.
vegetieren [vege'ti:rən] *vi* to vegetate; (*kärglich leben*) to eke out a bare existence.
Vehikel [ve'hi:kəl] (**-s, -**) (*pej: umg*) *nt* boneshaker.
Veilchen ['faɪlçən] *nt* violet; (*umg: blaues Auge*) shiner, black eye.
Velours (**-, -**) *nt* suede; ~**leder** *nt* suede.
Vene ['ve:nə] (**-, -n**) *f* vein.
Venedig [ve'ne:dɪç] (**-s**) *nt* Venice.
Venezianer(in) [venetsi'a:nər(ɪn)] (**-s, -**) *m(f)* Venetian.
venezianisch [venetsi'a:nɪʃ] *adj* Venetian.
Venezolaner(in) [venetso'la:nər(ɪn)] (**-s, -**) *m(f)* Venezuelan.
venezolanisch *adj* Venezuelan.
Venezuela [venetsu'e:la] (**-s**) *nt* Venezuela.
Ventil [vɛn'ti:l] (**-s, -e**) *nt* valve.
Ventilator [vɛnti'la:tɔr] *m* ventilator.
verabreden [fɛr'|apre:dən] *vt* to arrange; (*Termin*) to agree upon ♦ *vr* to arrange to meet; **sich (mit jdm)** ~ to arrange to meet (sb); **schon verabredet sein** to have a prior engagement (*form*), have something else on.
Verabredung *f* arrangement; (*Treffen*) appointment; **ich habe eine** ~ I'm meeting somebody.
verabreichen [fɛr'|apraɪçən] *vt* (*Tracht Prügel etc*) to give; (*Arznei*) to administer (*form*).
verabscheuen [fɛr'|apʃɔʏən] *vt* to detest, abhor.
verabschieden [fɛr'|apʃi:dən] *vt* (*Gäste*) to say goodbye to; (*entlassen*) to discharge; (*Gesetz*) to pass ♦ *vr:* **sich** ~ **(von)** to take one's leave (of).
Verabschiedung *f* (*von Beamten etc*) discharge; (*von Gesetz*) passing.
verachten [fɛr'|axtən] *vt* to despise; **nicht zu** ~ (*umg*) not to be scoffed at.
verächtlich [fɛr'|ɛçtlɪç] *adj* contemptuous; (*verachtenswert*) contemptible; **jdn** ~ **machen** to run sb down.
Verachtung *f* contempt; **jdn mit** ~ **strafen** to treat sb with contempt.
veralbern [fɛr'|albərn] (*umg*) *vt* to make fun of.
verallgemeinern [fɛr|algə'maɪnərn] *vt* to generalize.
Verallgemeinerung *f* generalization.
veralten [fɛr'|altən] *vi* to become obsolete *od* out-of-date.
Veranda [ve'randa] (**-, Veranden**) *f* veranda.
veränderlich [fɛr'|ɛndərlɪç] *adj* variable; (*Wetter*) changeable; **V~keit** *f* variability; changeability.
verändern *vt, vr* to change.
Veränderung *f* change; **eine berufliche** ~ a change of job.
verängstigen [fɛr'|ɛŋstɪgən] *vt* (*erschrecken*) to frighten; (*einschüchtern*) to intimidate.
verankern [fɛr'|aŋkərn] *vt* (*NAUT, TECH*) to anchor; (*fig*): ~ **(in** *+dat***)** to embed (in).
veranlagen [fɛr'|anla:gən] *vt:* **etw** ~ **(mit)** to assess sth (at).
veranlagt *adj*: **praktisch** ~ **sein** to be practically minded; **zu** *od* **für etw** ~ **sein** to be cut out for sth.
Veranlagung *f* disposition, aptitude.
veranlassen [fɛr'|anlasən] *vt* to cause; **Maßnahmen** ~ to take measures; **sich veranlaßt sehen** to feel prompted; **etw** ~ to arrange for sth; (*befehlen*) to order sth.

Veranlassung *f* cause; motive; **auf jds** ~ *akk* **(hin)** at sb's instigation.
veranschaulichen [fɛr'|anʃaulıçən] *vt* to illustrate.
veranschlagen [fɛr'|anʃla:gən] *vt* to estimate.
veranstalten [fɛr'|anʃtaltən] *vt* to organize, arrange.
Veranstalter(in) (**-s, -**) *m(f)* organizer; (*COMM: von Konzerten etc*) promoter.
Veranstaltung *f* (*Veranstalten*) organizing; (*Veranstaltetes*) event; (*feierlich, öffentlich*) function.
verantworten [fɛr'|antvɔrtən] *vt* to accept responsibility for; (*Folgen etc*) to answer for ♦ *vr* to justify o.s.; **etw vor jdm** ~ to answer to sb for sth.
verantwortlich *adj* responsible.
Verantwortung *f* responsibility; **jdn zur** ~ **ziehen** to call sb to account.
verantwortungs- *zW:* ~**bewußt** *adj* responsible; **V~gefühl** *nt* sense of responsibility; ~**los** *adj* irresponsible; ~**voll** *adj* responsible.
verarbeiten [fɛr'|arbaıtən] *vt* to process; (*geistig*) to assimilate; (*Erlebnis etc*) to digest; **etw zu etw** ~ to make sth into sth; ~**de Industrie** processing industries *pl*.
verarbeitet *adj:* **gut** ~ (*Kleid etc*) well finished.
Verarbeitung *f* processing; assimilation.
verärgern [fɛr'|ɛrgərn] *vt* to annoy.
verarmen [fɛr'|armən] *vi* (*lit, fig*) to become impoverished.
verarschen [fɛr'|arʃən] (*umg!*) *vt:* **jdn** ~ to take the mickey out of sb.
verarzten [fɛr'|a:rtstən] *vt* to fix up (*umg*).
verausgaben [fɛr'|ausga:bən] *vr* to run out of money; (*fig*) to exhaust o.s.
veräußern [fɛr'|ɔysərn] *vt* (*form: verkaufen*) to dispose of.
Verb [vɛrp] (**-s, -en**) *nt* verb.
Verb. *abk* (= *Verband*) assoc.
Verband [fɛr'bant] (**-(e)s, ⸚e**) *m* (*MED*) bandage, dressing; (*Bund*) association, society; (*MIL*) unit.
verband *etc vb siehe* **verbinden.**
Verband- *zW:* ~**(s)kasten** *m* medicine chest, first-aid box; ~**(s)päckchen** *nt* gauze bandage; ~**stoff** *m,* ~**zeug** *nt* bandage, dressing material.
verbannen [fɛr'banən] *vt* to banish.
Verbannung *f* exile.
verbarrikadieren [fɛrbarika'di:rən] *vt* to barricade ♦ *vr* to barricade o.s. in.
verbauen [fɛr'bauən] *vt:* **sich** *dat* **alle Chancen** ~ to spoil one's chances.
verbergen [fɛr'bɛrgən] *unreg vt, vr:* **(sich)** ~ **(vor** *+dat***)** to hide (from).
verbessern [fɛr'bɛsərn] *vt* to improve; (*berichtigen*) to correct ♦ *vr* to improve; to correct o.s.
verbessert *adj* revised; improved; **eine neue,** ~**e Auflage** a new revised edition.
Verbesserung *f* improvement; correction.
verbeugen [fɛr'bɔygən] *vr* to bow.
Verbeugung *f* bow.
verbiegen [fɛr'bi:gən] *unreg vi* to bend.
verbiestert [fɛr'bi:stərt] (*umg*) *adj* crotchety.
verbieten [fɛr'bi:tən] *unreg vt* to forbid; (*amtlich*) to prohibit; (*Zeitung, Partei*) to ban; **jdm etw** ~ to forbid sb to do sth.
verbilligen [fɛr'bılıgən] *vt* to reduce (the price of) ♦ *vr* to become cheaper, go down.
verbinden [fɛr'bındən] *unreg vt* to connect; (*kombinieren*) to combine; (*MED*) to bandage ♦ *vr* to combine (*auch CHEM*), join (together); **jdm die Augen** ~ to blindfold sb.
verbindlich [fɛr'bıntlıç] *adj* binding; (*freundlich*) obliging; ~ **zusagen** to accept definitely; **V~keit** *f* obligation; (*Höflichkeit*) civility; **Verbindlichkeiten** *pl* (*JUR*) obligations *pl*; (*COMM*) liabilities *pl*.
Verbindung *f* connection; (*Zusammensetzung*) combination; (*CHEM*) compound; (*UNIV*) club; (*TEL: Anschluß*) line; **mit jdm in** ~ **stehen** to be in touch *od* contact with sb; ~ **mit jdm aufnehmen** to contact sb.
Verbindungsmann (**-(e)s,** *pl* **-männer** *od* **-leute**) *m* intermediary; (*Agent*) contact.
verbissen [fɛr'bısən] *adj* grim; (*Arbeiter*) dogged; **V~heit** *f* grimness; doggedness.
verbitten [fɛr'bıtən] *unreg vt:* **sich** *dat* **etw** ~ not to tolerate sth, not to stand for sth.
verbittern [fɛr'bıtərn] *vt* to embitter ♦ *vi* to get bitter.
verblassen [fɛr'blasən] *vi* to fade.
Verbleib [fɛr'blaıp] (**-(e)s**) *m* whereabouts.
verbleiben [fɛr'blaıbən] *unreg vi* to remain; **wir sind so verblieben, daß wir** ... we agreed to ...
verbleit [fɛr'blaıt] *adj* leaded.
Verblendung [fɛr'blɛnduŋ] *f* (*fig*) delusion.
verblöden [fɛr'blø:dən] *vi* (*Hilfsverb sein*) to get stupid.
verblüffen [fɛr'blʏfən] *vt* to amaze; (*verwirren*) to baffle.
Verblüffung *f* stupefaction.
verblühen [fɛr'bly:ən] *vi* to wither, fade.
verbluten [fɛr'blu:tən] *vi* to bleed to death.
verbohren [fɛr'bo:rən] (*umg*) *vr:* **sich in etw** *akk* ~ to become obsessed with sth.
verbohrt *adj* (*Haltung*) stubborn, obstinate.
verborgen [fɛr'bɔrgən] *adj* hidden; ~**e Mängel** latent defects *pl*.
Verbot [fɛr'bo:t] (**-(e)s, -e**) *nt* prohibition, ban.
verboten *adj* forbidden; **Rauchen** ~**!** no smoking; **er sah** ~ **aus** (*umg*) he looked a real sight.
verbotenerweise *adv* though it is forbidden.
Verbotsschild *nt* prohibitory sign.
verbrämen [fɛr'brɛ:mən] *vt* (*fig*) to gloss over; (*Kritik*): ~ **(mit)** to veil (in).
Verbrauch [fɛr'braux] (**-(e)s**) *m* consumption.
verbrauchen *vt* to use up; **der Wagen**

verbraucht 10 Liter Benzin auf 100 km the car does 10 kms to the litre (*BRIT*) *od* liter (*US*).
Verbraucher(in) (-**s**, -) *m(f)* consumer; ~**markt** *m* hypermarket; **v~nah** *adj* consumer-friendly; ~**schutz** *m* consumer protection; ~**verband** *m* consumer council.
Verbrauchsgüter *pl* consumer goods *pl*.
verbraucht *adj* used up, finished; (*Luft*) stale; (*Mensch*) worn-out.
Verbrechen [fɛr'brɛçən] (-**s**, -) *nt* crime.
Verbrecher(in) (-**s**, -) *m(f)* criminal; **v~isch** *adj* criminal; ~**kartei** *f* file of offenders, ≈ rogues' gallery; ~**tum** (-**s**) *nt* criminality.
verbreiten [fɛr'braɪtən] *vt* to spread; (*Licht*) to shed; (*Wärme, Ruhe*) to radiate ♦ *vr* to spread; **eine (weit) verbreitete Ansicht** a widely held opinion; **sich über etw** *akk* ~ to expound on sth.
verbreitern [fɛr'braɪtərn] *vt* to broaden.
Verbreitung *f* spread(ing); shedding; radiation.
verbrennbar *adj* combustible.
verbrennen [fɛr'brɛnən] *unreg vt* to burn; (*Leiche*) to cremate; (*versengen*) to scorch; (*Haar*) to singe; (*verbrühen*) to scald.
Verbrennung *f* burning; (*in Motor*) combustion; (*von Leiche*) cremation.
Verbrennungsanlage *f* incineration plant.
Verbrennungsmotor *m* internal-combustion engine.
verbriefen [fɛr'bri:fən] *vt* to document.
verbringen [fɛr'brɪŋən] *unreg vt* to spend.
Verbrüderung [fɛr'bry:dərʊŋ] *f* fraternization.
verbrühen [fɛr'bry:ən] *vt* to scald.
verbuchen [fɛr'bu:xən] *vt* (*FIN*) to register; (*Erfolg*) to enjoy; (*Mißerfolg*) to suffer.
verbummeln [fɛr'bʊməln] (*umg*) *vt* (*verlieren*) to lose; (*Zeit*) to waste, fritter away; (*Verabredung*) to miss.
verbunden [fɛr'bʊndən] *adj* connected; **jdm ~ sein** to be obliged *od* indebted to sb; **ich/er** *etc* **war falsch** ~ (*TEL*) it was a wrong number.
verbünden [fɛr'bʏndən] *vr* to form an alliance.
Verbundenheit *f* bond, relationship.
Verbündete(r) *f(m)* ally.
Verbundglas [fɛr'bʊntgla:s] *nt* laminated glass.
verbürgen [fɛr'bʏrgən] *vr*: **sich ~ für** to vouch for; **ein verbürgtes Recht** an established right.
verbüßen [fɛr'by:sən] *vt*: **eine Strafe** ~ to serve a sentence.
verchromt [fɛr'kro:mt] *adj* chromium-plated.
Verdacht [fɛr'daxt] (-**(e)s**) *m* suspicion; ~ **schöpfen (gegen jdn)** to become suspicious (of sb); **jdn in ~ haben** to suspect sb; **es besteht ~ auf Krebs** *akk* cancer is suspected.
verdächtig *adj* suspicious.
verdächtigen [fɛr'dɛçtɪgən] *vt* to suspect.
Verdächtigung *f* suspicion.
verdammen [fɛr'damən] *vt* to damn, condemn.
Verdammnis (-) *f* perdition, damnation.
verdammt (*umg*) *adj, adv* damned; ~ **noch mal!** bloody hell (*!*), damn (*!*).
verdampfen [fɛr'dampfən] *vt, vi* (*vi Hilfsverb sein*) to vaporize; (*KOCH*) to boil away.
verdanken [fɛr'daŋkən] *vt*: **jdm etw** ~ to owe sb sth.
verdarb *etc* [fɛr'darp] *vb siehe* **verderben**.
verdattert [fɛr'datərt] (*umg*) *adj, adv* flabbergasted.
verdauen [fɛr'daʊən] *vt* (*lit, fig*) to digest ♦ *vi* (*lit*) to digest.
verdaulich [fɛr'daʊlɪç] *adj* digestible; **das ist schwer** ~ that is hard to digest.
Verdauung *f* digestion.
Verdauungsspaziergang *m* constitutional.
Verdauungsstörung *f* indigestion.
Verdeck [fɛr'dɛk] (-**(e)s**, -**e**) *nt* (*AUT*) soft top; (*NAUT*) deck.
verdecken *vt* to cover (up); (*verbergen*) to hide.
verdenken [fɛr'dɛŋkən] *unreg vt*: **jdm etw** ~ to blame sb for sth, hold sth against sb.
verderben [fɛr'dɛrbən] *unreg vt* to spoil; (*schädigen*) to ruin; (*moralisch*) to corrupt ♦ *vi* (*Essen*) to spoil, rot; (*Mensch*) to go to the bad; **es mit jdm** ~ to get into sb's bad books.
Verderben (-**s**) *nt* ruin.
verderblich *adj* (*Einfluß*) pernicious; (*Lebensmittel*) perishable.
verderbt *adj* (*veraltet*) depraved; **V~heit** *f* depravity.
verdeutlichen [fɛr'dɔʏtlɪçən] *vt* to make clear.
verdichten [fɛr'dɪçtən] *vt* (*PHYS, fig*) to compress ♦ *vr* to thicken; (*Verdacht, Eindruck*) to deepen.
verdienen [fɛr'di:nən] *vt* to earn; (*moralisch*) to deserve ♦ *vi* (*Gewinn machen*): ~ **(an** +*dat*) to make (a profit) (on).
Verdienst [fɛr'di:nst] (-**(e)s**, -**e**) *m* earnings *pl* ♦ *nt* merit; (*Dank*) credit; (*Leistung*): ~ **(um)** service (to), contribution (to); **v~voll** *adj* commendable.
verdient [fɛr'di:nt] *adj* well-earned; (*Person*) of outstanding merit; (*Lohn, Strafe*) rightful; **sich um etw ~ machen** to do a lot for sth.
verdirbst [fɛr'dɪrpst] *vb siehe* **verderben**.
verdirbt [fɛr'dɪrpt] *vb siehe* **verderben**.
verdonnern [fɛr'dɔnərn] (*umg*) *vt* (*zu Haft etc*): ~ **(zu)** to sentence (to); **jdn zu etw** ~ to order sb to do sth.
verdoppeln [fɛr'dɔpəln] *vt* to double.
Verdopp(e)lung *f* doubling.
verdorben [fɛr'dɔrbən] *pp von* **verderben** ♦ *adj* spoilt; (*geschädigt*) ruined; (*moralisch*) corrupt.

verdorren [fɛr'dɔrən] *vi* to wither.
verdrängen [fɛr'drɛŋən] *vt* to oust; (*auch PHYS*) to displace; (*PSYCH*) to repress.
Verdrängung *f* displacement; (*PSYCH*) repression.
verdrehen [fɛr'dreːən] *vt* (*lit, fig*) to twist; (*Augen*) to roll; **jdm den Kopf ~** (*fig*) to turn sb's head.
verdreht (*umg*) *adj* crazy; (*Bericht*) confused.
verdreifachen [fɛr'draɪfaxən] *vt* to treble.
verdrießen [fɛr'driːsən] *unreg vt* to annoy.
verdrießlich [fɛr'driːslɪç] *adj* peevish, annoyed.
verdroß *etc* [fɛr'drɔs] *vb siehe* **verdrießen.**
verdrossen [fɛr'drɔsən] *pp von* **verdrießen** ♦ *adj* cross, sulky.
verdrücken [fɛr'drʏkən] (*umg*) *vt* to put away, eat ♦ *vr* to disappear.
Verdruß [fɛr'drʊs] (**-sses, -sse**) *m* frustration; **zu jds ~** to sb's annoyance.
verduften [fɛr'dʊftən] *vi* to evaporate; (*umg*) to disappear.
verdummen [fɛr'dʊmən] *vt* to make stupid ♦ *vi* to grow stupid.
verdunkeln [fɛr'dʊŋkəln] *vt* to darken; (*fig*) to obscure ♦ *vr* to darken.
Verdunk(e)lung *f* blackout; (*fig*) obscuring.
verdünnen [fɛr'dʏnən] *vt* to dilute.
Verdünner (**-s, -**) *m* thinner.
verdünnisieren [fɛrdʏni'ziːrən] (*umg*) *vr* to make o.s. scarce.
verdunsten [fɛr'dʊnstən] *vi* to evaporate.
verdursten [fɛr'dʊrstən] *vi* to die of thirst.
verdutzt [fɛr'dʊtst] *adj* nonplussed (*BRIT*), nonplused (*US*), taken aback.
verebben [fɛr'|ɛbən] *vi* to subside.
veredeln [fɛr'|eːdəln] *vt* (*Metalle, Erdöl*) to refine; (*Fasern*) to finish; (*BOT*) to graft.
verehren [fɛr'|eːrən] *vt* to venerate, worship (*auch REL*); **jdm etw ~** to present sb with sth.
Verehrer(in) (**-s, -**) *m(f)* admirer, worshipper (*BRIT*), worshiper (*US*).
verehrt *adj* esteemed; **(sehr) ~e Anwesende/~es Publikum** Ladies and Gentlemen.
Verehrung *f* respect; (*REL*) worship.
vereidigen [fɛr'|aɪdɪgən] *vt* to put on oath; **jdn auf etw** *akk* **~** to make sb swear on sth.
Vereidigung *f* swearing in.
Verein [fɛr'|aɪn] (**-(e)s, -e**) *m* club, association; **ein wohltätiger ~** a charity.
vereinbar *adj* compatible.
vereinbaren [fɛr'|aɪnbaːrən] *vt* to agree upon.
Vereinbarkeit *f* compatibility.
Vereinbarung *f* agreement.
vereinfachen [fɛr'|aɪnfaxən] *vt* to simplify.
Vereinfachung *f* simplification.
vereinheitlichen [fɛr'|aɪnhaɪtlɪçən] *vt* to standardize.
vereinigen [fɛr'|aɪnɪgən] *vt, vr* to unite.
vereinigt [fɛr'|aɪnɪçt] *adj* united; **V~e Arabische Emirate** *pl* United Arab Emirates; **V~es Königreich** *nt* United Kingdom; **V~e Staaten** *pl* United States.
Vereinigung *f* union; (*Verein*) association.
vereinnahmen [fɛr'|aɪnnaːmən] *vt* (*geh*) to take; **jdn ~** (*fig*) to make demands on sb.
vereinsamen [fɛr'|aɪnzaːmən] *vi* to become lonely.
vereint [fɛr'|aɪnt] *adj* united; **V~e Nationen** *pl* United Nations.
vereinzelt [fɛr'|aɪntsəlt] *adj* isolated.
vereisen [fɛr'|aɪzən] *vi* to freeze, ice over ♦ *vt* (*MED*) to freeze.
vereiteln [fɛr'|aɪtəln] *vt* to frustrate.
vereitern [fɛr'|aɪtərn] *vi* to suppurate, fester.
Verelendung [fɛr'|eːlɛndʊŋ] *f* impoverishment.
verenden [fɛr'|ɛndən] *vi* to perish, die.
verengen [fɛr'|ɛŋən] *vr* to narrow.
vererben [fɛr'|ɛrbən] *vt* to bequeath; (*BIOL*) to transmit ♦ *vr* to be hereditary.
vererblich [fɛr'|ɛrplɪç] *adj* hereditary.
Vererbung *f* bequeathing; (*BIOL*) transmission; **das ist ~** (*umg*) it's hereditary.
verewigen [fɛr'|eːvɪgən] *vt* to immortalize ♦ *vr* (*umg*) to leave one's name.
Verf. *abk* = **Verfasser.**
verfahren [fɛr'faːrən] *unreg vi* to act ♦ *vr* to get lost ♦ *adj* tangled; **~ mit** to deal with.
Verfahren (**-s, -**) *nt* procedure; (*TECH*) process; (*JUR*) proceedings *pl.*
Verfahrenstechnik *f* (*Methode*) process.
Verfahrensweise *f* procedure.
Verfall [fɛr'fal] (**-(e)s**) *m* decline; (*von Haus*) dilapidation; (*FIN*) expiry.
verfallen *unreg vi* to decline; (*Haus*) to be falling down; (*FIN*) to lapse ♦ *adj* (*Gebäude*) dilapidated, ruined; (*Karten, Briefmarken*) invalid; (*Strafe*) lapsed; (*Paß*) expired; **~ in** *+akk* to lapse into; **~ auf** *+akk* to hit upon; **einem Laster ~ sein** to be addicted to a vice; **jdm völlig ~ sein** to be completely under sb's spell.
Verfallsdatum *nt* expiry date; (*der Haltbarkeit*) best-before date.
verfänglich [fɛr'fɛŋlɪç] *adj* awkward, tricky; (*Aussage, Beweismaterial etc*) incriminating; (*gefährlich*) dangerous.
verfärben [fɛr'fɛrbən] *vr* to change colour (*BRIT*) *od* color (*US*).
verfassen [fɛr'fasən] *vt* to write; (*Gesetz, Urkunde*) to draw up.
Verfasser(in) (**-s, -**) *m(f)* author, writer.
Verfassung *f* constitution (*auch POL*); (*körperlich*) state of health; (*seelisch*) state of mind; **sie ist in guter/schlechter ~** she is in good/bad shape.
Verfassungs- *zW:* **v~feindlich** *adj* anticonstitutional; **~gericht** *nt* constitutional court; **v~mäßig** *adj* constitutional; **~schutz** *m* (*Aufgabe*) defence of the constitution; (*Amt*) *office responsible for defending the*

constitution; ~**schützer(in)** *m(f)* defender of the constitution; **v~widrig** *adj* unconstitutional.
verfaulen [fɛr'faʊlən] *vi* to rot.
verfechten [fɛr'fɛçtən] *unreg vt* to defend; (*Lehre*) to advocate.
Verfechter(in) [fɛr'fɛçtər(ɪn)] (**-s, -**) *m(f)* champion; defender.
verfehlen [fɛr'fe:lən] *vt* to miss; **das Thema** ~ to be completely off the subject.
verfehlt *adj* unsuccessful; (*unangebracht*) inappropriate; **etw für ~ halten** to regard sth as mistaken.
Verfehlung *f* (*Vergehen*) misdemeanour (*BRIT*), misdemeanor (*US*); (*Sünde*) transgression.
verfeinern [fɛr'faɪnərn] *vt* to refine.
Verfettung [fɛr'fɛtʊŋ] *f* (*von Organ, Muskeln*) fatty degeneration.
verfeuern [fɛr'fɔʏərn] *vt* to burn; (*Munition*) to fire; (*umg*) to use up.
verfilmen [fɛr'fɪlmən] *vt* to film, make a film of.
Verfilmung *f* film (version).
Verfilzung [fɛr'fɪltsʊŋ] *f* (*fig: von Firmen, Parteien*) entanglements *pl*.
verflachen [fɛr'flaxən] *vi* to flatten out; (*fig: Diskussion*) to become superficial.
verfliegen [fɛr'fli:gən] *unreg vi* to evaporate; (*Zeit*) to pass, fly ♦ *vr* to stray (past).
verflixt [fɛr'flɪkst] (*umg*) *adj, adv* darned.
verflossen [fɛr'flɔsən] *adj* past, former.
verfluchen [fɛr'flu:xən] *vt* to curse.
verflüchtigen [fɛr'flʏçtɪgən] *vr* to evaporate; (*Geruch*) to fade.
verflüssigen [fɛr'flʏsɪgən] *vr* to become liquid.
verfolgen [fɛr'fɔlgən] *vt* to pursue; (*gerichtlich*) to prosecute; (*grausam, bes POL*) to persecute.
Verfolger(in) (**-s, -**) *m(f)* pursuer.
Verfolgte(r) *f(m)* (*politisch*) victim of persecution.
Verfolgung *f* pursuit; persecution; **strafrechtliche** ~ prosecution.
Verfolgungswahn *m* persecution mania.
verfrachten [fɛr'fraxtən] *vt* to ship.
verfremden [fɛr'frɛmdən] *vt* to alienate, distance.
verfressen [fɛr'frɛsən] (*umg*) *adj* greedy.
verfrüht [fɛr'fry:t] *adj* premature.
verfügbar *adj* available.
verfügen [fɛr'fy:gən] *vt* to direct, order ♦ *vr* to proceed ♦ *vi:* ~ **über** *+akk* to have at one's disposal; **über etw** *akk* **frei ~ können** to be able to do as one wants with sth.
Verfügung *f* direction, order; (*JUR*) writ; **zur** ~ at one's disposal; **jdm zur ~ stehen** to be available to sb.
Verfügungsgewalt *f* (*JUR*) right of disposal.
verführen [fɛr'fy:rən] *vt* to tempt; (*sexuell*) to seduce; (*die Jugend, das Volk etc*) to lead astray.
Verführer *m* tempter; seducer.
Verführerin *f* temptress; seductress.
verführerisch *adj* seductive.
Verführung *f* seduction; (*Versuchung*) temptation.
Vergabe [fɛr'ga:bə] *f* (*von Arbeiten*) allocation; (*von Stipendium, Auftrag etc*) award.
vergällen [fɛr'gɛlən] *vt* (*geh*): **jdm die Freude/das Leben** ~ to spoil sb's fun/sour sb's life.
vergaloppieren [fɛrgalɔ'pi:rən] (*umg*) *vr* (*sich irren*) to be on the wrong track.
vergammeln [fɛr'gaməln] (*umg*) *vi* to go to seed; (*Nahrung*) to go off; (*Zeit*) to waste.
vergangen [fɛr'gaŋən] *adj* past; **V~heit** *f* past; **V~heitsbewältigung** *f* coming to terms with the past.
vergänglich [fɛr'gɛŋlɪç] *adj* transitory; **V~keit** *f* transitoriness, impermanence.
vergasen [fɛr'ga:zən] *vt* to gasify; (*töten*) to gas.
Vergaser (**-s, -**) *m* (*AUT*) carburettor (*BRIT*), carburetor (*US*).
vergaß *etc* [fɛr'ga:s] *vb siehe* **vergessen**.
vergeben [fɛr'ge:bən] *unreg vt* to forgive; (*weggeben*) to give away; (*fig: Chance*) to throw away; (*Auftrag, Preis*) to award; (*Studienplätze, Stellen*) to allocate; **jdm (etw)** ~ to forgive sb (sth); ~ **an** *+akk* to award to; to allocate to; ~ **sein** to be occupied; (*umg: Mädchen*) to be spoken for.
vergebens *adv* in vain.
vergeblich [fɛr'ge:plɪç] *adv* in vain ♦ *adj* vain, futile.
Vergebung *f* forgiveness.
vergegenwärtigen [fɛrge:gən'vɛrtɪgən] *vr:* **sich** *dat* **etw** ~ to visualize sth; (*erinnern*) to recall sth.
vergehen [fɛr'ge:ən] *unreg vi* to pass by *od* away ♦ *vr* to commit an offence (*BRIT*) *od* offense (*US*); **vor Angst** ~ to be scared to death; **jdm vergeht etw** sb loses sth; **sich an jdm** ~ to (sexually) assault sb; **V~** (**-s, -**) *nt* offence (*BRIT*), offense (*US*).
vergeigen [fɛr'gaɪgən] (*umg*) *vt* to cock up.
vergeistigt [fɛr'gaɪstɪçt] *adj* spiritual.
vergelten [fɛr'gɛltən] *unreg vt:* **jdm etw** ~ to pay sb back for sth, repay sb for sth.
Vergeltung *f* retaliation, reprisal.
Vergeltungsmaßnahme *f* retaliatory measure.
Vergeltungsschlag *m* (*MIL*) reprisal.
vergesellschaften [fɛrgə'zɛlʃaftən] *vt* (*POL*) to nationalize.
vergessen [fɛr'gɛsən] *unreg vt* to forget; **V~heit** *f* oblivion; **in V~heit geraten** to fall into oblivion.
vergeßlich [fɛr'gɛslɪç] *adj* forgetful; **V~keit** *f* forgetfulness.
vergeuden [fɛr'gɔʏdən] *vt* to squander, waste.

vergewaltigen [fɛrgə'valtɪgən] *vt* to rape; (*fig*) to violate.
Vergewaltigung *f* rape.
vergewissern [fɛrgə'vɪsərn] *vr* to make sure; **sich einer Sache** *gen od* **über etw** *akk* ~ to make sure of sth.
vergießen [fɛr'gi:sən] *unreg vt* to shed.
vergiften [fɛr'gɪftən] *vt* to poison.
Vergiftung *f* poisoning.
vergilbt [fɛr'gɪlpt] *adj* yellowed.
Vergißmeinnicht [fɛr'gɪsmaɪnnɪçt] (**-(e)s, -e**) *nt* forget-me-not.
vergißt [fɛr'gɪst] *vb siehe* **vergessen.**
vergittert [fɛr'gɪtərt] *adj:* **~e Fenster** barred windows.
verglasen [fɛr'gla:zən] *vt* to glaze.
Vergleich [fɛr'glaɪç] (**-(e)s, -e**) *m* comparison; (*JUR*) settlement; **einen ~ schließen** (*JUR*) to reach a settlement; **in keinem ~ zu etw stehen** to be out of all proportion to sth; **im ~ mit** *od* **zu** compared with *od* to; **v~bar** *adj* comparable.
vergleichen *unreg vt* to compare ♦ *vr* (*JUR*) to reach a settlement.
vergleichsweise *adv* comparatively.
verglühen [fɛr'gly:ən] *vi* (*Feuer*) to die away; (*Draht*) to burn out; (*Raumkapsel, Meteor etc*) to burn up.
vergnügen [fɛr'gny:gən] *vr* to enjoy *od* amuse o.s.; **V~** (**-s, -**) *nt* pleasure; **das war ein teures V~** (*umg*) that was an expensive bit of fun; **viel V~!** enjoy yourself!
vergnüglich *adj* enjoyable.
vergnügt [fɛr'gny:kt] *adj* cheerful.
Vergnügung *f* pleasure, amusement.
Vergnügungs- *zW:* **~park** *m* amusement park; **v~süchtig** *adj* pleasure-loving; **~viertel** *nt* entertainments district.
vergolden [fɛr'gɔldən] *vt* to gild.
vergönnen [fɛr'gœnən] *vt* to grant.
vergöttern [fɛr'gœtərn] *vt* to idolize.
vergraben [fɛr'gra:bən] *unreg vt* to bury.
vergrämt [fɛr'grɛ:mt] *adj* (*Gesicht*) troubled.
vergreifen [fɛr'graɪfən] *unreg vr:* **sich an jdm ~** to lay hands on sb; **sich an etw** *dat* ~ to misappropriate sth; **sich im Ton ~** to say the wrong thing.
vergriffen [fɛr'grɪfən] *adj* (*Buch*) out of print; (*Ware*) out of stock.
vergrößern [fɛr'grø:sərn] *vt* to enlarge; (*mengenmäßig*) to increase; (*Lupe*) to magnify.
Vergrößerung *f* enlargement; increase; magnification.
Vergrößerungsglas *nt* magnifying glass.
vergünstigt *adj* (*Lage*) improved; (*Preis*) reduced.
Vergünstigung [fɛr'gʏnstɪgʊŋ] *f* concession; (*Vorteil*) privilege.
vergüten [fɛr'gy:tən] *vt:* **jdm etw ~** to compensate sb for sth; (*Arbeit, Leistung*) to pay sb for sth.
Vergütung *f* compensation; payment.
verh. *abk* = **verheiratet.**
verhaften [fɛr'haftən] *vt* to arrest.
Verhaftete(r) *f(m)* prisoner.
Verhaftung *f* arrest.
verhallen [fɛr'halən] *vi* to die away.
verhalten [fɛr'haltən] *unreg vr* (*Sache*) to be, stand; (*sich benehmen*) to behave; (*MATH*) to be in proportion to ♦ *vr unpers:* **wie verhält es sich damit?** (*wie ist die Lage?*) how do things stand?; (*wie wird das gehandhabt?*) how do you go about it? ♦ *adj* restrained; **sich ruhig ~** to keep quiet; (*sich nicht bewegen*) to keep still; **wenn sich das so verhält ...** if that is the case ...; **V~** (**-s**) *nt* behaviour (*BRIT*), behavior (*US*).
Verhaltens- *zW:* **~forschung** *f* behavioural (*BRIT*) *od* behavioral (*US*) science; **v~gestört** *adj* disturbed; **~maßregel** *f* rule of conduct.
Verhältnis [fɛr'hɛltnɪs] (**-ses, -se**) *nt* relationship; (*Liebes~*) affair; (*MATH*) proportion, ratio; (*Einstellung*): **~ (zu)** attitude (to); **Verhältnisse** *pl* (*Umstände*) conditions *pl*; **aus was für ~sen kommt er?** what sort of background does he come from?; **für klare ~se sorgen, klare ~se schaffen** to get things straight; **über seine ~se leben** to live beyond one's means; **v~mäßig** *adj* relative, comparative ♦ *adv* relatively, comparatively; **~wahl** *f* proportional representation; **~wahlrecht** *nt* (system of) proportional representation.
verhandeln [fɛr'handəln] *vi* to negotiate; (*JUR*) to hold proceedings ♦ *vt* to discuss; (*JUR*) to hear; **über etw** *akk* ~ to negotiate sth *od* about sth.
Verhandlung *f* negotiation; (*JUR*) proceedings *pl*; **~en führen** to negotiate.
Verhandlungspaket *nt* (*COMM*) package deal.
Verhandlungstisch *m* negotiating table.
verhangen [fɛr'haŋən] *adj* overcast.
verhängen [fɛr'hɛŋən] *vt* (*fig*) to impose, inflict.
Verhängnis [fɛr'hɛŋnɪs] (**-ses, -se**) *nt* fate; **jdm zum ~ werden** to be sb's undoing; **v~voll** *adj* fatal, disastrous.
verharmlosen [fɛr'harmlo:zən] *vt* to make light of, play down.
verharren [fɛr'harən] *vi* to remain; (*hartnäckig*) to persist.
verhärten [fɛr'hɛrtən] *vr* to harden.
verhaspeln [fɛr'haspəln] (*umg*) *vr* to get into a muddle *od* tangle.
verhaßt [fɛr'hast] *adj* odious, hateful.
verhätscheln [fɛr'hɛ:tʃəln] *vt* to spoil, pamper.
Verhau [fɛr'haʊ] (**-(e)s, -e**) *m* (*zur Absperrung*) barrier; (*Käfig*) coop.
verhauen *unreg* (*umg*) *vt* (*verprügeln*) to beat up; (*Prüfung etc*) to muff.

verheben [fɛr'he:bən] *unreg vr* to hurt o.s. lifting sth.
verheerend [fɛr'he:rənt] *adj* disastrous, devastating.
verhehlen [fɛr'he:lən] *vt* to conceal.
verheilen [fɛr'haɪlən] *vi* to heal.
verheimlichen [fɛr'haɪmlɪçən] *vt:* **(jdm) etw ~** to keep sth secret (from sb).
verheiratet [fɛr'haɪra:tət] *adj* married.
verheißen [fɛr'haɪsən] *unreg vt:* **jdm etw ~** to promise sb sth.
verheißungsvoll *adj* promising.
verheizen [fɛr'haɪtsən] *vt* to burn, use as fuel.
verhelfen [fɛr'hɛlfən] *unreg vi:* **jdm zu etw ~** to help sb to get sth.
verherrlichen [fɛr'hɛrlɪçən] *vt* to glorify.
verheult [fɛr'hɔʏlt] *adj* (*Augen, Gesicht*) puffy (*from crying*).
verhexen [fɛr'hɛksən] *vt* to bewitch; **es ist wie verhext** it's jinxed.
verhindern [fɛr'hɪndərn] *vt* to prevent; **verhindert sein** to be unable to make it; **das läßt sich leider nicht ~** it can't be helped, unfortunately; **ein verhinderter Politiker** (*umg*) a would-be politician.
Verhinderung *f* prevention.
verhöhnen [fɛr'hø:nən] *vt* to mock, sneer at.
verhohnepipeln [fɛr'ho:nəpi:pəln] (*umg*) *vt* to send up (*BRIT*), ridicule.
verhökern [fɛr'hø:kərn] (*umg*) *vt* to turn into cash.
Verhör [fɛr'hø:r] (**-(e)s, -e**) *nt* interrogation; (*gerichtlich*) (cross-)examination.
verhören *vt* to interrogate; to (cross-) examine ♦ *vr* to mishear.
verhüllen [fɛr'hʏlən] *vt* to veil; (*Haupt, Körperteil*) to cover.
verhungern [fɛr'hʊŋərn] *vi* to starve, die of hunger.
verhunzen [fɛr'hʊntsən] (*umg*) *vt* to ruin.
verhüten [fɛr'hy:tən] *vt* to prevent, avert.
Verhütung *f* prevention.
Verhütungsmittel *nt* contraceptive.
verifizieren [verifi'tsi:rən] *vt* to verify.
verinnerlichen [fɛr'|ɪnərlɪçən] *vt* to internalize.
verirren [fɛr'|ɪrən] *vr* to get lost, lose one's way; (*fig*) to go astray; (*Tier, Kugel*) to stray.
verjagen [fɛr'ja:gən] *vt* to drive away *od* out.
verjähren [fɛr'jɛ:rən] *vi* to come under the statute of limitations; (*Anspruch*) to lapse.
Verjährungsfrist *f* limitation period.
verjubeln [fɛr'ju:bəln] (*umg*) *vt* (*Geld*) to blow.
verjüngen [fɛr'jʏŋən] *vt* to rejuvenate ♦ *vr* to taper.
verkabeln [fɛr'ka:bəln] *vt* (*TV*) to link up to the cable network.
Verkabelung *f* (*TV*) linking up to the cable network.
verkalken [fɛr'kalkən] *vi* to calcify; (*umg*) to become senile.
verkalkulieren [fɛrkalku'li:rən] *vr* to miscalculate.
verkannt [fɛr'kant] *adj* unappreciated.
verkatert [fɛr'ka:tərt] (*umg*) *adj* hung over.
Verkauf [fɛr'kaʊf] *m* sale; **zum ~ stehen** to be up for sale.
verkaufen *vt, vi* to sell; **„zu ~"** "for sale".
Verkäufer(in) [fɛr'kɔʏfər(ɪn)] (**-s, -**) *m(f)* seller; (*im Außendienst*) salesman, saleswoman; (*in Laden*) shop assistant (*BRIT*), sales clerk (*US*).
verkäuflich [fɛr'kɔʏflɪç] *adj* saleable.
Verkaufs- *zW:* **~abteilung** *f* sales department; **~automat** *m* slot machine; **~bedingungen** *pl* (*COMM*) terms and conditions of sale; **~kampagne** *f* sales drive; **~leiter** *m* sales manager; **v~offen** *adj:* **v~offener Samstag** *Saturday on which the shops are open all day*; **~schlager** *m* big seller; **~stelle** *f* outlet; **~tüchtigkeit** *f* salesmanship.
Verkehr [fɛr'ke:r] (**-s, -e**) *m* traffic; (*Umgang, bes sexuell*) intercourse; (*Umlauf*) circulation; **aus dem ~ ziehen** to withdraw from service; **für den ~ freigeben** (*Straße etc*) to open to traffic; (*Transportmittel*) to bring into service.
verkehren *vi* (*Fahrzeug*) to ply, run ♦ *vt, vr* to turn, transform; **~ mit** to associate with; **mit jdm brieflich** *od* **schriftlich ~** (*form*) to correspond with sb; **bei jdm ~** to visit sb regularly.
Verkehrs- *zW:* **~ampel** *f* traffic lights *pl*; **~amt** *nt* tourist (information) office; **~aufkommen** *nt* volume of traffic; **v~beruhigt** *adj* traffic-calmed; **~beruhigung** *f* traffic-calming; **~betriebe** *pl* transport services *pl*; **~delikt** *nt* traffic offence (*BRIT*) *od* violation (*US*); **~erziehung** *f* road safety training; **v~günstig** *adj* convenient; **~insel** *f* traffic island; **~knotenpunkt** *m* traffic junction; **~mittel** *nt:* **öffentliche/private ~mittel** public/private transport *sing*; **~schild** *nt* road sign; **v~sicher** *adj* (*Fahrzeug*) roadworthy; **~sicherheit** *f* road safety; **~stockung** *f* traffic jam, stoppage; **~sünder** (*umg*) *m* traffic offender; **~teilnehmer** *m* road user; **v~tüchtig** *adj* (*Fahrzeug*) roadworthy; (*Mensch*) fit to drive; **~unfall** *m* traffic accident; **~verein** *m* tourist information office; **v~widrig** *adj* contrary to traffic regulations; **~zeichen** *nt* road sign.
verkehrt *adj* wrong; (*umgekehrt*) the wrong way round.
verkennen [fɛr'kɛnən] *unreg vt* to misjudge; (*unterschätzen*) to underestimate.
Verkettung [fɛr'kɛtʊŋ] *f:* **eine ~ unglücklicher Umstände** an unfortunate chain of events.
verklagen [fɛr'kla:gən] *vt* to take to court.
verklappen [fɛr'klapən] *vt* to dump (at sea).
verklären [fɛr'klɛ:rən] *vt* to transfigure; **verklärt lächeln** to smile radiantly.

verklausulieren [fɛrklaʊzu'li:rən] *vt* (*Vertrag*) to hedge in with (restrictive) clauses.
verkleben [fɛr'kle:bən] *vt* to glue up, stick ♦ *vi* to stick together.
verkleiden [fɛr'klaɪdən] *vt* to disguise; (*kostümieren*) to dress up; (*Schacht, Tunnel*) to line; (*vertäfeln*) to panel; (*Heizkörper*) to cover in ♦ *vr* to disguise o.s.; to dress up.
Verkleidung *f* disguise; (*ARCHIT*) panelling (*BRIT*), paneling (*US*).
verkleinern [fɛr'klaɪnərn] *vt* to make smaller, reduce in size.
verklemmt [fɛr'klɛmt] *adj* (*fig*) inhibited.
verklickern [fɛr'klɪkərn] (*umg*) *vt:* **jdm etw** ~ to make sth clear to sb.
verklingen [fɛr'klɪŋən] *unreg vi* to die away.
verknacksen [fɛr'knaksən] (*umg*) *vt:* **sich** *dat* **den Fuß** ~ to twist one's ankle.
verknallen [fɛr'knalən] (*umg*) *vr:* **sich in jdn** ~ to fall for sb.
verkneifen [fɛr'knaɪfən] (*umg*) *vt:* **sich** *dat* **etw** ~ to stop o.s. from doing sth; **ich konnte mir das Lachen nicht** ~ I couldn't help laughing.
verknöchert [fɛr'knœçərt] *adj* (*fig*) fossilized.
verknüpfen [fɛr'knʏpfən] *vt* to tie (up), knot; (*fig*) to connect.
Verknüpfung *f* connection.
verkochen [fɛr'kɔxən] *vt, vi* (*Flüssigkeit*) to boil away.
verkohlen [fɛr'ko:lən] *vi* to carbonize ♦ *vt* to carbonize; (*umg*): **jdn** ~ to have sb on.
verkommen [fɛr'kɔmən] *unreg vi* to deteriorate, decay; (*Mensch*) to go downhill, come down in the world ♦ *adj* (*moralisch*) dissolute, depraved; **V~heit** *f* depravity.
verkorksen [fɛr'kɔrksən] (*umg*) *vt* to ruin, mess up.
verkörpern [fɛr'kœrpərn] *vt* to embody, personify.
verköstigen [fɛr'kœstɪgən] *vt* to feed.
verkrachen [fɛr'kraxən] (*umg*) *vr:* **sich (mit jdm)** ~ to fall out (with sb).
verkracht (*umg*) *adj* (*Leben*) ruined.
verkraften [fɛr'kraftən] *vt* to cope with.
verkrampfen [fɛr'krampfən] *vr* (*Muskeln*) to go tense.
verkrampft [fɛr'krampft] *adj* (*fig*) tense.
verkriechen [fɛr'kri:çən] *unreg vr* to creep away, creep into a corner.
verkrümeln [fɛr'kry:məln] (*umg*) *vr* to disappear.
verkrümmt [fɛr'krʏmt] *adj* crooked.
Verkrümmung *f* bend, warp; (*ANAT*) curvature.
verkrüppelt [fɛr'krʏpəlt] *adj* crippled.
verkrustet [fɛr'krʊstət] *adj* encrusted.
verkühlen [fɛr'ky:lən] *vr* to get a chill.
verkümmern [fɛr'kʏmərn] *vi* to waste away; **emotionell/geistig** ~ to become emotionally/intellectually stunted.
verkünden [fɛr'kʏndən] *vt* to proclaim; (*Urteil*) to pronounce.
verkündigen [fɛr'kʏndɪgən] *vt* to proclaim; (*ironisch*) to announce; (*Evangelium*) to preach.
verkuppeln [fɛr'kʊpəln] *vt:* **jdn an jdn** ~ (*Zuhälter*) to procure sb for sb.
verkürzen [fɛr'kʏrtsən] *vt* to shorten; (*Wort*) to abbreviate; **sich** *dat* **die Zeit** ~ to while away the time; **verkürzte Arbeitszeit** shorter working hours *pl*.
Verkürzung *f* shortening; abbreviation.
Verl. *abk* (= *Verlag*) publ.
verladen [fɛr'la:dən] *unreg vt* to load.
Verlag [fɛr'la:k] (**-(e)s, -e**) *m* publishing firm.
verlagern [fɛr'la:gərn] *vt, vr* (*lit, fig*) to shift.
Verlagsanstalt *f* publishing firm.
Verlagswesen *nt* publishing.
verlangen [fɛr'laŋən] *vt* to demand; (*wollen*) to want ♦ *vi:* ~ **nach** to ask for; **Sie werden am Telefon verlangt** you are wanted on the phone; ~ **Sie Herrn X** ask for Mr X; **V~** (**-s, -**) *nt:* **V~ (nach)** desire (for); **auf jds V~** *akk* **(hin)** at sb's request.
verlängern [fɛr'lɛŋərn] *vt* to extend; (*länger machen*) to lengthen; (*zeitlich*) to prolong; (*Paß, Abonnement etc*) to renew; **ein verlängertes Wochenende** a long weekend.
Verlängerung *f* extension; (*SPORT*) extra time.
Verlängerungsschnur *f* extension cable.
verlangsamen [fɛr'laŋza:mən] *vt, vr* to decelerate, slow down.
Verlaß [fɛr'las] *m:* **auf ihn/das ist kein** ~ he/it cannot be relied upon.
verlassen [fɛr'lasən] *unreg vt* to leave ♦ *vr:* **sich** ~ **auf** *+akk* to depend on ♦ *adj* desolate; (*Mensch*) abandoned; **einsam und** ~ so all alone; **V~heit** *f* loneliness (*BRIT*), lonesomeness (*US*).
verläßlich [fɛr'lɛslɪç] *adj* reliable.
Verlauf [fɛr'laʊf] *m* course; **einen guten/schlechten** ~ **nehmen** to go well/badly.
verlaufen *unreg vi* (*zeitlich*) to pass; (*Farben*) to run ♦ *vr* to get lost; (*Menschenmenge*) to disperse.
Verlautbarung *f* announcement.
verlauten [fɛr'laʊtən] *vi:* **etw** ~ **lassen** to disclose sth; **wie verlautet** as reported.
verleben [fɛr'le:bən] *vt* to spend.
verlebt [fɛr'le:pt] *adj* dissipated, worn-out.
verlegen [fɛr'le:gən] *vt* to move; (*verlieren*) to mislay; (*Kabel, Fliesen etc*) to lay; (*Buch*) to publish; (*verschieben*): ~ **(auf** *+akk***)** to postpone (until) ♦ *vr:* **sich auf etw** *akk* ~ to resort to sth ♦ *adj* embarrassed; **nicht** ~ **um** never at a loss for; **V~heit** *f* embarrassment; (*Situation*) difficulty, scrape.
Verleger [fɛr'le:gər] (**-s, -**) *m* publisher.
verleiden [fɛr'laɪdən] *vt:* **jdm etw** ~ to put sb off sth.
Verleih [fɛr'laɪ] (**-(e)s, -e**) *m* hire service; (*das ~en*) renting (out), hiring (out) (*BRIT*);

(*Film*~) distribution.
verleihen *unreg vt:* **etw (an jdn)** ~ to lend sth (to sb), lend (sb) sth; (*gegen Gebühr*) to rent sth (out) (to sb), hire sth (out) (to sb) (*BRIT*); (*Kraft, Anschein*) to confer sth (on sb), bestow sth (on sb); (*Preis, Medaille*) to award sth (to sb), award (sb) sth.
Verleiher (**-s, -**) *m* hire (*BRIT*) *od* rental firm; (*von Filmen*) distributor; (*von Büchern*) lender.
Verleihung *f* lending; (*von Kraft etc*) bestowal; (*von Preis*) award.
verleiten [fɛr'laɪtən] *vt* to lead astray; ~ **zu** to talk into, tempt into.
verlernen [fɛr'lɛrnən] *vt* to forget, unlearn.
verlesen [fɛr'le:zən] *unreg vt* to read out; (*aussondern*) to sort out ♦ *vr* to make a mistake in reading.
verletzbar *adj* vulnerable.
verletzen [fɛr'lɛtsən] *vt* (*lit, fig*) to injure, hurt; (*Gesetz etc*) to violate.
verletzend *adj* (*fig: Worte*) hurtful.
verletzlich *adj* vulnerable.
Verletzte(r) *f(m)* injured person.
Verletzung *f* injury; (*Verstoß*) violation, infringement.
verleugnen [fɛr'lɔʏgnən] *vt* to deny; (*Menschen*) to disown; **er läßt sich immer** ~ he always pretends not to be there.
Verleugnung *f* denial.
verleumden [fɛr'lɔʏmdən] *vt* to slander; (*schriftlich*) to libel.
verleumderisch *adj* slanderous; libellous (*BRIT*), libelous (*US*).
Verleumdung *f* slander; libel.
verlieben *vr:* **sich** ~ **(in** *+akk*) to fall in love (with).
verliebt [fɛr'li:pt] *adj* in love; **V~heit** *f* being in love.
verlieren [fɛr'li:rən] *unreg vt, vi* to lose ♦ *vr* to get lost; (*verschwinden*) to disappear; **das/er hat hier nichts verloren** (*umg*) that/he has no business to be here.
Verlierer(in) (**-s, -**) *m(f)* loser.
Verlies [fɛr'li:s] (**-es, -e**) *nt* dungeon.
verloben [fɛr'lo:bən] *vr:* **sich** ~ **(mit)** to get engaged (to); **verlobt sein** to be engaged.
Verlobte(r) [fɛr'lo:ptə(r)] *f(m)*: **mein ~r** my fiancé; **meine** ~ my fiancée.
Verlobung *f* engagement.
verlocken [fɛr'lɔkən] *vt* to entice, lure.
verlockend *adj* (*Angebot, Idee*) tempting.
Verlockung *f* temptation, attraction.
verlogen [fɛr'lo:gən] *adj* untruthful; (*Komplimente, Versprechungen*) false; (*Moral, Gesellschaft*) hypocritical; **V~heit** *f* untruthfulness.
verlor *etc* [fɛr'lo:r] *vb siehe* **verlieren**.
verloren *pp von* **verlieren** ♦ *adj* lost; (*Eier*) poached; **der ~e Sohn** the prodigal son; **auf ~em Posten kämpfen** *od* **stehen** to be fighting a losing battle; **etw** ~ **geben** to give sth up for lost; **~gehen** *unreg vi* to get lost; **an ihm ist ein Sänger ~gegangen** he would have made a (good) singer.
verlöschen [fɛr'lœʃən] *vi* (*Hilfsverb sein*) to go out; (*Inschrift, Farbe, Erinnerung*) to fade.
verlosen [fɛr'lo:zən] *vt* to raffle (off), draw lots for.
Verlosung *f* raffle, lottery.
verlottern [fɛr'lɔtərn] (*umg*) *vi* to go to the dogs.
verludern [fɛr'lu:dərn] (*umg*) *vi* to go to the dogs.
Verlust [fɛr'lʊst] (**-(e)s, -e**) *m* loss; (*MIL*) casualty; **mit** ~ **verkaufen** to sell at a loss; **~anzeige** *f* "lost" notice; **~geschäft** *nt:* **das war ein ~geschäft** I/he *etc* made a loss; **~zeit** *f* (*INDUSTRIE*) waiting time.
vermachen [fɛr'maxən] *vt* to bequeath, leave.
Vermächtnis [fɛr'mɛçtnɪs] (**-ses, -se**) *nt* legacy.
vermählen [fɛr'mɛ:lən] *vr* to marry.
Vermählung *f* wedding, marriage.
vermarkten [fɛr'marktən] *vt* to market; (*fig: Persönlichkeit*) to promote.
Vermarktung [fɛr'marktʊŋ] *f* marketing.
vermasseln [fɛr'masəln] (*umg*) *vt* to mess up.
vermehren [fɛr'me:rən] *vt, vr* to multiply; (*Menge*) to increase.
Vermehrung *f* multiplying; increase.
vermeiden [fɛr'maɪdən] *unreg vt* to avoid.
vermeidlich *adj* avoidable.
vermeintlich [fɛr'maɪntlɪç] *adj* supposed.
vermengen [fɛr'mɛŋən] *vt* to mix; (*fig*) to mix up, confuse.
Vermenschlichung [fɛr'mɛnʃlɪçʊŋ] *f* humanization.
Vermerk [fɛr'mɛrk] (**-(e)s, -e**) *m* note; (*in Ausweis*) endorsement.
vermerken *vt* to note.
vermessen [fɛr'mɛsən] *unreg vt* to survey ♦ *vr* (*falsch messen*) to measure incorrectly ♦ *adj* presumptuous, bold; **V~heit** *f* presumptuousness.
Vermessung *f* survey(ing).
Vermessungsamt *nt* land survey(ing) office.
Vermessungsingenieur *m* land surveyor.
vermiesen [fɛr'mi:zən] (*umg*) *vt* to spoil.
vermieten [fɛr'mi:tən] *vt* to let (*BRIT*), rent (out); (*Auto*) to hire out, rent.
Vermieter(in) (**-s, -**) *m(f)* landlord, landlady.
Vermietung *f* letting, renting (out); (*von Autos*) hiring (out), rental.
vermindern [fɛr'mɪndərn] *vt, vr* to lessen, decrease.
Verminderung *f* reduction.
verminen [fɛr'mi:nən] *vt* to mine.
vermischen [fɛr'mɪʃən] *vt, vr* to mix; (*Teesorten etc*) to blend; **vermischte Schriften** miscellaneous writings.
vermissen [fɛr'mɪsən] *vt* to miss; **vermißt sein, als vermißt gemeldet sein** to be

reported missing; **wir haben dich bei der Party vermißt** we didn't see you at the party.
Vermißte(r) *f(m)* missing person.
Vermißtenanzeige *f* missing persons report.
vermitteln [fɛr'mɪtəln] *vi* to mediate ♦ *vt* to arrange; (*Gespräch*) to connect; (*Stelle*) to find; (*Gefühl, Bild, Idee etc*) to convey; (*Wissen*) to impart; **~de Worte** conciliatory words; **jdm etw ~** to help sb to obtain sth; (*Stelle*) to find sth for sb.
Vermittler(in) [fɛr'mɪtlər(ɪn)] **(-s, -)** *m(f)* (*COMM*) agent; (*Schlichter*) mediator.
Vermittlung *f* procurement; (*Stellen~*) agency; (*TEL*) exchange; (*Schlichtung*) mediation.
Vermittlungsgebühr *f* commission.
vermögen [fɛr'mø:gən] *unreg vt* to be capable of; **~ zu** to be able to; **V~ (-s, -)** *nt* wealth; (*Fähigkeit*) ability; **mein ganzes V~ besteht aus** ... my entire assets consist of ...; **ein V~ kosten** to cost a fortune.
vermögend *adj* wealthy.
Vermögens- *zW:* **~steuer** *f* property tax, wealth tax; **~wert** *m* asset; **v~wirksam** *adj:* **sein Geld v~wirksam anlegen** to invest one's money profitably; **v~wirksame Leistungen** *employers' contributions to tax-deductible savings scheme.*
vermummen [fɛr'mʊmən] *vr* to wrap up (warm); (*sich verkleiden*) to disguise.
Vermummungsverbot **(-(e)s)** *nt law against disguising o.s. at demonstrations.*
vermurksen [fɛr'mʊrksən] (*umg*) *vt* to make a mess of.
vermuten [fɛr'mu:tən] *vt* to suppose; (*argwöhnen*) to suspect.
vermutlich *adj* supposed, presumed ♦ *adv* probably.
Vermutung *f* supposition; suspicion; **die ~ liegt nahe, daß** ... there are grounds for assuming that ...
vernachlässigen [fɛr'na:xlɛsɪgən] *vt* to neglect ♦ *vr* to neglect o.s. *od* one's appearance.
Vernachlässigung *f* neglect.
vernarben [fɛr'narbən] *vi* to heal up.
vernarren [fɛr'narən] (*umg*) *vr:* **in jdn/etw vernarrt sein** to be crazy about sb/sth.
vernaschen [fɛr'naʃən] *vt* (*Geld*) to spend on sweets; (*umg: Mädchen, Mann*) to make it with.
vernehmen [fɛr'ne:mən] *unreg vt* to hear, perceive; (*erfahren*) to learn; (*JUR*) to (cross-)examine; (*Polizei*) to question; **V~** *nt:* **dem V~ nach** from what I/we *etc* hear.
vernehmlich *adj* audible.
Vernehmung *f* (cross-)examination.
vernehmungsfähig *adj* in a condition to be (cross-)examined.
verneigen [fɛr'naɪgən] *vr* to bow.
verneinen [fɛr'naɪnən] *vt* (*Frage*) to answer in the negative; (*ablehnen*) to deny; (*GRAM*) to negate.
verneinend *adj* negative.
Verneinung *f* negation.
vernichten [fɛr'nɪçtən] *vt* to destroy, annihilate.
vernichtend *adj* (*fig*) crushing; (*Blick*) withering; (*Kritik*) scathing.
Vernichtung *f* destruction, annihilation.
Vernichtungsschlag *m* devastating blow.
verniedlichen [fɛr'ni:tlɪçən] *vt* to play down.
Vernunft [fɛr'nʊnft] **(-)** *f* reason; **~ annehmen** to see reason; **~ehe** *f*, **~heirat** *f* marriage of convenience.
vernünftig [fɛr'nʏnftɪç] *adj* sensible, reasonable.
Vernunftmensch *m* rational person.
veröden [fɛr'|ø:dən] *vi* to become desolate ♦ *vt* (*MED*) to remove.
veröffentlichen [fɛr'|œfəntlɪçən] *vt* to publish.
Veröffentlichung *f* publication.
verordnen [fɛr'|ɔrdnən] *vt* (*MED*) to prescribe.
Verordnung *f* order, decree; (*MED*) prescription.
verpachten [fɛr'paxtən] *vt* to lease (out).
verpacken [fɛr'pakən] *vt* to pack; (*verbrauchergerecht*) to package; (*einwickeln*) to wrap.
Verpackung *f* packing; packaging; wrapping.
verpassen [fɛr'pasən] *vt* to miss; **jdm eine Ohrfeige ~** (*umg*) to give sb a clip round the ear.
verpatzen [fɛr'patsən] (*umg*) *vt* to spoil, mess up.
verpennen [fɛr'pɛnən] (*umg*) *vi, vr* to oversleep.
verpesten [fɛr'pɛstən] *vt* to pollute.
verpetzen [fɛr'pɛtsən] (*umg*) *vt:* **jdn ~ (bei)** to tell on sb (to).
verpfänden [fɛr'pfɛndən] *vt* to pawn; (*JUR*) to mortgage.
verpfeifen [fɛr'pfaɪfən] *unreg* (*umg*) *vt:* **jdn ~ (bei)** to grass on sb (to).
verpflanzen [fɛr'pflantsən] *vt* to transplant.
Verpflanzung *f* transplanting; (*MED*) transplant.
verpflegen [fɛr'pfle:gən] *vt* to feed, cater for (*BRIT*).
Verpflegung *f* catering; (*Kost*) food; (*in Hotel*) board.
verpflichten [fɛr'pflɪçtən] *vt* to oblige, bind; (*anstellen*) to engage ♦ *vr* to undertake; (*MIL*) to sign on ♦ *vi* to carry obligations; **jdm verpflichtet sein** to be under an obligation to sb; **sich zu etw ~** to commit o.s. to doing sth; **jdm zu Dank verpflichtet sein** to be obliged to sb.
verpflichtend *adj* (*Zusage*) binding.
Verpflichtung *f* obligation; (*Aufgabe*) duty.
verpfuschen [fɛr'pfʊʃən] (*umg*) *vt* to bungle,

make a mess of.
verplanen [fɛr'pla:nən] *vt* (*Zeit*) to book up; (*Geld*) to budget.
verplappern [fɛr'plapərn] (*umg*) *vr* to open one's big mouth.
verplempern [fɛr'plɛmpərn] (*umg*) *vt* to waste.
verpönt [fɛr'pø:nt] *adj:* ~ **(bei)** frowned upon (by).
verprassen [fɛr'prasən] *vt* to squander.
verprügeln [fɛr'pry:gəln] (*umg*) *vt* to beat up.
verpuffen [fɛr'pʊfən] *vi* to (go) pop; (*fig*) to fall flat.
Verputz [fɛr'pʊts] *m* plaster; (*Rauhputz*) roughcast; **v~en** *vt* to plaster; (*umg: Essen*) to put away.
verqualmen [fɛr'kvalmən] *vt* (*Zimmer*) to fill with smoke.
verquollen [fɛr'kvɔlən] *adj* swollen; (*Holz*) warped.
verrammeln [fɛr'raməln] *vt* to barricade.
Verrat [fɛr'ra:t] (**-(e)s**) *m* treachery; (*POL*) treason; ~ **an jdm üben** to betray sb.
verraten *unreg vt* to betray; (*fig: erkennen lassen*) to show; (*Geheimnis*) to divulge ♦ *vr* to give o.s. away.
Verräter(in) [fɛr'rɛ:tər(ɪn)] (**-s, -**) *m(f)* traitor, traitress; **v~isch** *adj* treacherous.
verrauchen [fɛr'raʊxən] *vi* (*fig: Zorn*) to blow over.
verrechnen [fɛr'rɛçnən] *vt:* ~ **mit** to set off against ♦ *vr* to miscalculate.
Verrechnung *f:* **nur zur** ~ (*auf Scheck*) a/c payee only.
Verrechnungsscheck *m* crossed cheque (*BRIT*).
verregnet [fɛr're:gnət] *adj* rainy, spoilt by rain.
verreisen [fɛr'raɪzən] *vi* to go away (on a journey); **er ist geschäftlich verreist** he's away on business.
verreißen [fɛr'raɪsən] *unreg vt* to pull to pieces.
verrenken [fɛr'rɛŋkən] *vt* to contort; (*MED*) to dislocate; **sich** *dat* **den Knöchel** ~ to sprain one's ankle.
Verrenkung *f* contortion; (*MED*) dislocation.
verrennen [fɛr'rɛnən] *unreg vr:* **sich in etw** *akk* ~ to get stuck on sth.
verrichten [fɛr'rɪçtən] *vt* (*Arbeit*) to do, perform.
verriegeln [fɛr'ri:gəln] *vt* to bolt.
verringern [fɛr'rɪŋərn] *vt* to reduce ♦ *vr* to decrease.
Verringerung *f* reduction; decrease.
verrinnen [fɛr'rɪnən] *unreg vi* to run out *od* away; (*Zeit*) to elapse.
Verriß [fɛr'rɪs] *m* slating review.
verrohen [fɛr'ro:ən] *vi* to become brutalized.
verrosten [fɛr'rɔstən] *vi* to rust.
verrotten [fɛr'rɔtən] *vi* to rot.
verrucht [fɛr'ru:xt] *adj* despicable; (*verrufen*) disreputable.
verrücken [fɛr'rʏkən] *vt* to move, shift.
verrückt *adj* crazy, mad; **V~e(r)** *f(m)* lunatic; **V~heit** *f* madness, lunacy.
Verruf [fɛr'ru:f] *m:* **in** ~ **geraten/bringen** to fall/bring into disrepute.
verrufen *adj* disreputable.
verrutschen [fɛr'rʊtʃən] *vi* to slip.
Vers [fɛrs] (**-es, -e**) *m* verse.
versacken [fɛr'zakən] *vi* (*lit*) to sink; (*fig: umg: herunterkommen*) to go downhill; (*: lange zechen*) to get involved in a booze-up (*BRIT*) *od* a drinking spree.
versagen [fɛr'za:gən] *vt:* **jdm/sich etw** ~ to deny sb/o.s. sth ♦ *vi* to fail; **V~** (**-s**) *nt* failure; **menschliches V~** human error.
Versager (**-s, -**) *m* failure.
versalzen [fɛr'zaltsən] *vt* to put too much salt in; (*fig*) to spoil.
versammeln [fɛr'zaməln] *vt, vr* to assemble, gather.
Versammlung *f* meeting, gathering.
Versammlungsfreiheit *f* freedom of assembly.
Versand [fɛr'zant] (**-(e)s**) *m* dispatch; (*~abteilung*) dispatch department; **~bahnhof** *m* dispatch station; **~haus** *nt* mail-order firm; **~kosten** *pl* transport(ation) costs *pl*; **~weg** *m:* **auf dem ~weg** by mail order.
versäumen [fɛr'zɔʏmən] *vt* to miss; (*Pflicht*) to neglect; (*Zeit*) to lose.
Versäumnis (**-ses, -se**) *nt* neglect; (*Unterlassung*) omission.
verschachern [fɛr'ʃaxərn] (*umg*) *vt* to sell off.
verschachtelt [fɛr'ʃaxtəlt] *adj* (*Satz*) complex.
verschaffen [fɛr'ʃafən] *vt:* **jdm/sich etw** ~ to get *od* procure sth for sb/o.s.
verschämt [fɛr'ʃɛ:mt] *adj* bashful.
verschandeln [fɛr'ʃandəln] (*umg*) *vt* to spoil.
verschanzen [fɛr'ʃantsən] *vr:* **sich hinter etw** *dat* ~ to dig in behind sth; (*fig*) to take refuge behind sth.
verschärfen [fɛr'ʃɛrfən] *vt* to intensify; (*Lage*) to aggravate; (*strenger machen: Kontrollen, Gesetze*) to tighten up ♦ *vr* to intensify; to become aggravated; to become tighter.
Verschärfung *f* intensification; (*der Lage*) aggravation; (*von Kontrollen etc*) tightening.
verscharren [fɛr'ʃarən] *vt* to bury.
verschätzen [fɛr'ʃɛtsən] *vr* to miscalculate.
verschenken [fɛr'ʃɛŋkən] *vt* to give away.
verscherzen [fɛr'ʃɛrtsən] *vt:* **sich** *dat* **etw** ~ to lose sth, throw sth away.
verscheuchen [fɛr'ʃɔʏçən] *vt* to frighten away.
verschicken [fɛr'ʃɪkən] *vt* to send off; (*Sträfling*) to transport.
verschieben [fɛr'ʃi:bən] *unreg vt* to shift; (*EISENB*) to shunt; (*Termin*) to postpone; (*umg: Waren, Devisen*) to traffic in.
Verschiebung *f* shift, displacement; shunting; postponement.
verschieden [fɛr'ʃi:dən] *adj* different; **das ist**

ganz ~ (*wird* ~ *gehandhabt*) that varies, that just depends; **sie sind** ~ **groß** they are of different sizes; ~**artig** *adj* various, of different kinds; **zwei so** ~**artige** ... two such differing ...; ~**e** *pron pl* various people; various things *pl*; ~**es** *pron* various things *pl*; **etwas V**~**es** something different; **V**~**heit** *f* difference.

verschiedentlich *adv* several times.

verschiffen [fɛr'ʃɪfən] *vt* to ship; (*Sträfling*) to transport.

verschimmeln [fɛr'ʃɪməln] *vi* (*Nahrungsmittel*) to go mouldy (*BRIT*) *od* moldy (*US*); (*Leder, Papier etc*) to become mildewed.

verschlafen [fɛr'ʃla:fən] *unreg vt* to sleep through; (*fig: versäumen*) to miss ♦ *vi, vr* to oversleep ♦ *adj* sleepy.

Verschlag [fɛr'ʃla:k] *m* shed.

verschlagen [fɛr'ʃla:gən] *unreg vt* to board up; (*TENNIS*) to hit out of play; (*Buchseite*) to lose ♦ *adj* cunning; **jdm den Atem** ~ to take sb's breath away; **an einen Ort** ~ **werden** to wind up in a place.

verschlampen [fɛr'ʃlampən] *vi* (*Hilfsverb sein: Mensch*) to go to seed (*umg*) ♦ *vt* to lose, mislay.

verschlechtern [fɛr'ʃlɛçtərn] *vt* to make worse ♦ *vr* to deteriorate, get worse; (*gehaltlich*) to take a lower-paid job.

Verschlechterung *f* deterioration.

Verschleierung [fɛr'ʃlaɪərʊŋ] *f* veiling; (*fig*) concealment; (*MIL*) screening.

Verschleierungstaktik *f* smoke-screen tactics *pl*.

Verschleiß [fɛr'ʃlaɪs] (**-es, -e**) *m* wear and tear.

verschleißen *unreg vt, vi, vr* to wear out.

verschleppen [fɛr'ʃlɛpən] *vt* to carry off, abduct; (*zeitlich*) to drag out, delay; (*verbreiten: Seuche*) to spread.

verschleudern [fɛr'ʃlɔʏdərn] *vt* to squander; (*COMM*) to sell dirt-cheap.

verschließbar *adj* lockable.

verschließen [fɛr'ʃli:sən] *unreg vt* to lock ♦ *vr*: **sich einer Sache** *dat* ~ to close one's mind to sth.

verschlimmern [fɛr'ʃlɪmərn] *vt* to make worse, aggravate ♦ *vr* to get worse, deteriorate.

Verschlimmerung *f* deterioration.

verschlingen [fɛr'ʃlɪŋən] *unreg vt* to devour, swallow up; (*Fäden*) to twist.

verschliß *etc* [fɛr'ʃlɪs] *vb siehe* **verschleißen**.

verschlissen [fɛr'ʃlɪsən] *pp von* **verschleißen** ♦ *adj* worn(-out).

verschlossen [fɛr'ʃlɔsən] *adj* locked; (*fig*) reserved; (*schweigsam*) tight-lipped; **V**~**heit** *f* reserve.

verschlucken [fɛr'ʃlʊkən] *vt* to swallow ♦ *vr* to choke.

Verschluß [fɛr'ʃlʊs] *m* lock; (*von Kleid etc*) fastener; (*PHOT*) shutter; (*Stöpsel*) plug; **unter** ~ **halten** to keep under lock and key.

verschlüsseln [fɛr'ʃlʏsəln] *vt* to encode.

verschmachten [fɛr'ʃmaxtən] *vi*: ~ **(vor** *+dat***)** to languish (for); **vor Durst** ~ to be dying of thirst.

verschmähen [fɛr'ʃmɛ:ən] *vt* to scorn, disdain.

verschmelzen [fɛr'ʃmɛltsən] *unreg vt, vi* to merge, blend.

verschmerzen [fɛr'ʃmɛrtsən] *vt* to get over.

verschmiert [fɛr'ʃmi:rt] *adj* (*Hände*) smeary; (*Schminke*) smudged.

verschmitzt [fɛr'ʃmɪtst] *adj* mischievous.

verschmutzen [fɛr'ʃmʊtsən] *vt* to soil; (*Umwelt*) to pollute.

verschnaufen [fɛr'ʃnaʊfən] (*umg*) *vi, vr* to have a breather.

verschneiden [fɛr'ʃnaɪdən] *vt* (*Whisky etc*) to blend.

verschneit [fɛr'ʃnaɪt] *adj* covered in snow, snowed up.

Verschnitt [fɛr'ʃnɪt] *m* (*von Whisky etc*) blend.

verschnörkelt [fɛr'ʃnœrkəlt] *adj* ornate.

verschnupft [fɛr'ʃnʊpft] (*umg*) *adj*: ~ **sein** to have a cold; (*beleidigt*) to be peeved (*umg*).

verschnüren [fɛr'ʃny:rən] *vt* to tie up.

verschollen [fɛr'ʃɔlən] *adj* lost, missing.

verschonen [fɛr'ʃo:nən] *vt*: **jdn mit etw** ~ to spare sb sth; **von etw verschont bleiben** to escape sth.

verschönern [fɛr'ʃø:nərn] *vt* to decorate; (*verbessern*) to improve.

verschossen [fɛr'ʃɔsən] *adj*: ~ **sein** (*fig: umg*) to be in love.

verschränken [fɛr'ʃrɛŋkən] *vt* to cross; (*Arme*) to fold.

verschreckt [fɛr'ʃrɛkt] *adj* frightened, scared.

verschreiben [fɛr'ʃraɪbən] *unreg vt* (*Papier*) to use up; (*MED*) to prescribe ♦ *vr* to make a mistake (in writing); **sich einer Sache** *dat* ~ to devote o.s. to sth.

verschrie(e)n [fɛr'ʃri:(ə)n] *adj* notorious.

verschroben [fɛr'ʃro:bən] *adj* eccentric, odd.

verschrotten [fɛr'ʃrɔtən] *vt* to scrap.

verschüchtert [fɛr'ʃʏçtərt] *adj* subdued, intimidated.

verschulden [fɛr'ʃʊldən] *vt* to be guilty of ♦ *vi* (*in Schulden geraten*) to get into debt; **V**~ **(-s)** *nt* fault.

verschuldet *adj* in debt.

Verschuldung *f* debts *pl*.

verschütten [fɛr'ʃʏtən] *vt* to spill; (*zuschütten*) to fill; (*unter Trümmer*) to bury.

verschwand *etc* [fɛr'ʃvant] *vb siehe* **verschwinden**.

verschweigen [fɛr'ʃvaɪgən] *unreg vt* to keep secret; **jdm etw** ~ to keep sth from sb.

verschwenden [fɛr'ʃvɛndən] *vt* to squander.

Verschwender(in) (-s, -) *m(f)* spendthrift; **v**~**isch** *adj* wasteful; (*Leben*) extravagant.

Verschwendung *f* waste.

verschwiegen [fɛr'ʃvi:gən] *adj* discreet; (*Ort*)

secluded; **V~heit** *f* discretion; seclusion; **zur V~heit verpflichtet** bound to secrecy.

verschwimmen [fɛr'ʃvɪmən] *unreg vi* to grow hazy, become blurred.

verschwinden [fɛr'ʃvɪndən] *unreg vi* to disappear, vanish; **verschwinde!** clear off! (*umg*); **V~** (**-s**) *nt* disappearance.

verschwindend *adj* (*Anzahl, Menge*) insignificant.

verschwitzen [fɛr'ʃvɪtsən] *vt* to stain with sweat; (*umg*) to forget.

verschwitzt *adj* (*Kleidung*) sweat-stained; (*Mensch*) sweaty.

verschwommen [fɛr'ʃvɔmən] *adj* hazy, vague.

verschworen [fɛr'ʃvo:rən] *adj* (*Gesellschaft*) sworn.

verschwören [fɛr'ʃvø:rən] *unreg vr* to conspire, plot.

Verschwörer(in) (**-s, -**) *m(f)* conspirator.

Verschwörung *f* conspiracy, plot.

verschwunden [fɛr'ʃvʊndən] *pp von* **verschwinden** ♦ *adj* missing.

versehen [fɛr'ze:ən] *unreg vt* to supply, provide; (*Pflicht*) to carry out; (*Amt*) to fill; (*Haushalt*) to keep ♦ *vr* (*fig*) to make a mistake; **ehe er (es) sich ~ hatte** ... before he knew it ...; **V~** (**-s, -**) *nt* oversight; **aus V~** by mistake.

versehentlich *adv* by mistake.

Versehrte(r) [fɛr'ze:rtə(r)] *f(m)* disabled person.

verselbständigen [fɛr'zɛlpʃtɛndɪgən] *vr* to become independent.

versenden [fɛr'zɛndən] *unreg vt* to send; (*COMM*) to forward.

versengen [fɛr'zɛŋən] *vt* to scorch; (*Feuer*) to singe; (*umg: verprügeln*) to wallop.

versenken [fɛr'zɛŋkən] *vt* to sink ♦ *vr:* **sich ~ in** *+akk* to become engrossed in.

versessen [fɛr'zɛsən] *adj:* **~ auf** *+akk* mad about, hellbent on.

versetzen [fɛr'zɛtsən] *vt* to transfer; (*verpfänden*) to pawn; (*umg: vergeblich warten lassen*) to stand up; (*nicht geradlinig anordnen*) to stagger; (*SCH: in höhere Klasse*) to move up ♦ *vr:* **sich in jdn** *od* **in jds Lage ~** to put o.s. in sb's place; **jdm einen Tritt/Schlag ~** to kick/hit sb; **etw mit etw ~** to mix sth with sth; **jdm einen Stich ~** (*fig*) to cut sb to the quick, wound sb (deeply); **jdn in gute Laune ~** to put sb in a good mood.

Versetzung *f* transfer; **seine ~ ist gefährdet** (*SCH*) he's in danger of having to repeat a year.

verseuchen [fɛr'zɔʏçən] *vt* to contaminate.

Versicherer (**-s, -**) *m* insurer; (*bei Schiffen*) underwriter.

versichern [fɛr'zɪçərn] *vt* to assure; (*mit Geld*) to insure ♦ *vr:* **sich ~** *+gen* to make sure of.

Versicherte(r) *f(m)* insured.

Versicherung *f* assurance; insurance.

Versicherungs- *zW:* **~beitrag** *m* insurance premium; (*bei staatlicher Versicherung etc*) *social security contribution*; **~gesellschaft** *f* insurance company; **~nehmer** (**-s, -**) *m* (*form*) insured, policy holder; **~police** *f* insurance policy; **~schutz** *m* insurance cover; **~summe** *f* sum insured; **~träger** *m* insurer.

versickern [fɛr'zɪkərn] *vi* to seep away; (*fig: Interesse etc*) to peter out.

versiegeln [fɛr'zi:gəln] *vt* to seal (up).

versiegen [fɛr'zi:gən] *vi* to dry up.

versiert [vɛr'zi:rt] *adj:* **in etw** *dat* **~ sein** to be experienced *od* well versed in sth.

versilbert [fɛr'zɪlbərt] *adj* silver-plated.

versinken [fɛr'zɪŋkən] *unreg vi* to sink; **ich hätte im Boden** *od* **vor Scham ~ mögen** I wished the ground would swallow me up.

versinnbildlichen [fɛr'zɪnbɪltlɪçən] *vt* to symbolize.

Version [vɛrzi'o:n] *f* version.

Versmaß ['fɛrsma:s] *nt* metre (*BRIT*), meter (*US*).

versohlen [fɛr'zo:lən] (*umg*) *vt* to belt.

versöhnen [fɛr'zø:nən] *vt* to reconcile ♦ *vr* to become reconciled.

versöhnlich *adj* (*Ton, Worte*) conciliatory; (*Ende*) happy.

Versöhnung *f* reconciliation.

versonnen [fɛr'zɔnən] *adj* (*Gesichtsausdruck*) pensive, thoughtful; (*träumerisch: Blick*) dreamy.

versorgen [fɛr'zɔrgən] *vt* to provide, supply; (*Familie etc*) to look after ♦ *vr* to look after o.s.

Versorger(in) (**-s, -**) *m(f)* (*Ernährer*) provider, breadwinner; (*Belieferer*) supplier.

Versorgung *f* provision; (*Unterhalt*) maintenance; (*Alters~ etc*) benefit, assistance.

Versorgungs- *zW:* **~amt** *nt* pension office; **~betrieb** *m* public utility; **~netz** *nt* (*Wasserversorgung etc*) (supply) grid; (*von Waren*) supply network.

verspannen [fɛr'ʃpanən] *vr* (*Muskeln*) to tense up.

verspäten [fɛr'ʃpɛ:tən] *vr* to be late.

verspätet *adj* late.

Verspätung *f* delay; **~ haben** to be late; **mit zwanzig Minuten ~** twenty minutes late.

versperren [fɛr'ʃpɛrən] *vt* to bar, obstruct.

verspielen [fɛr'ʃpi:lən] *vt, vi* to lose; **(bei jdm) verspielt haben** to have had it (as far as sb is concerned).

verspielt [fɛr'ʃpi:lt] *adj* playful.

versponnen [fɛr'ʃpɔnən] *adj* crackpot.

verspotten [fɛr'ʃpɔtən] *vt* to ridicule, scoff at.

versprach *etc* [fɛr'ʃpra:x] *vb siehe* **versprechen**.

versprechen [fɛr'ʃprɛçən] *unreg vt* to promise ♦ *vr* (*etwas Nicht-Gemeintes sagen*) to make a slip of the tongue; **sich** *dat* **etw von etw ~** to expect sth from sth; **V~** (**-s, -**) *nt* promise.

Versprecher (**-s, -**) (*umg*) *m* slip (of the tongue).
verspricht [fɛr'ʃprɪçt] *vb siehe* **versprechen.**
verspüren [fɛr'ʃpy:rən] *vt* to feel, be conscious of.
verstaatlichen [fɛr'ʃta:tlɪçən] *vt* to nationalize.
verstaatlicht *adj*: **~er Industriezweig** nationalized industry.
Verstaatlichung *f* nationalization.
Verstand [fɛr'ʃtant] *m* intelligence; (*Intellekt*) mind; (*Fähigkeit zu denken*) reason; **den ~ verlieren** to go out of one's mind; **über jds ~** *akk* **gehen** to be beyond sb.
verstand *etc vb siehe* **verstehen.**
verstanden [fɛr'ʃtandən] *pp von* **verstehen.**
verstandesmäßig *adj* rational.
verständig [fɛr'ʃtɛndɪç] *adj* sensible.
verständigen [fɛr'ʃtɛndɪgən] *vt* to inform ♦ *vr* to communicate; (*sich einigen*) to come to an understanding.
Verständigkeit *f* good sense.
Verständigung *f* communication; (*Benachrichtigung*) informing; (*Einigung*) agreement.
verständlich [fɛr'ʃtɛntlɪç] *adj* understandable, comprehensible; (*hörbar*) audible; **sich ~ machen** to make o.s. understood; (*sich klar ausdrücken*) to make o.s. clear.
verständlicherweise *adv* understandably (enough).
Verständlichkeit *f* clarity, intelligibility.
Verständnis (**-ses, -se**) *nt* understanding; **für etw kein ~ haben** to have no understanding *od* sympathy for sth; (*für Kunst etc*) to have no appreciation of sth; **v~los** *adj* uncomprehending; **v~voll** *adj* understanding, sympathetic.
verstärken [fɛr'ʃtɛrkən] *vt* to strengthen; (*Ton*) to amplify; (*erhöhen*) to intensify ♦ *vr* to intensify.
Verstärker (**-s, -**) *m* amplifier.
Verstärkung *f* strengthening; (*Hilfe*) reinforcements *pl*; (*von Ton*) amplification.
verstaubt [fɛr'ʃtaʊpt] *adj* dusty; (*fig: Ansichten*) fuddy-duddy (*umg*).
verstauchen [fɛr'ʃtaʊxən] *vt* to sprain.
verstauen [fɛr'ʃtaʊən] *vt* to stow away.
Versteck [fɛr'ʃtɛk] (**-(e)s, -e**) *nt* hiding (place).
verstecken *vt, vr* to hide.
versteckt *adj* hidden; (*Tür*) concealed; (*fig: Lächeln, Blick*) furtive; (*Andeutung*) veiled.
verstehen [fɛr'ʃte:ən] *unreg vt, vi* to understand; (*können, beherrschen*) to know ♦ *vr* (*auskommen*) to get on; **das ist nicht wörtlich zu ~** that isn't to be taken literally; **das versteht sich von selbst** that goes without saying; **die Preise ~ sich einschließlich Lieferung** prices are inclusive of delivery; **sich auf etw** *akk* **~** to be an expert at sth.
versteifen [fɛr'ʃtaɪfən] *vt* to stiffen, brace ♦ *vr* (*fig*): **sich ~ auf** +*akk* to insist on.
versteigen [fɛr'ʃtaɪgən] *unreg vr*: **sie hat sich zu der Behauptung verstiegen, daß** ... she presumed to claim that ...
versteigern [fɛr'ʃtaɪgərn] *vt* to auction.
Versteigerung *f* auction.
verstellbar *adj* adjustable, variable.
verstellen [fɛr'ʃtɛlən] *vt* to move, shift; (*Uhr*) to adjust; (*versperren*) to block; (*fig*) to disguise ♦ *vr* to pretend, put on an act.
Verstellung *f* pretence (*BRIT*), pretense (*US*).
versteuern [fɛr'ʃtɔʏərn] *vt* to pay tax on; **zu ~** taxable.
verstiegen [fɛr'ʃti:gən] *adj* exaggerated.
verstimmt [fɛr'ʃtɪmt] *adj* out of tune; (*fig*) cross, put out; (: *Magen*) upset.
Verstimmung *f* (*fig*) disgruntled state, peevishness.
verstockt [fɛr'ʃtɔkt] *adj* stubborn; **V~heit** *f* stubbornness.
verstohlen [fɛr'ʃto:lən] *adj* stealthy.
verstopfen [fɛr'ʃtɔpfən] *vt* to block, stop up; (*MED*) to constipate.
Verstopfung *f* obstruction; (*MED*) constipation.
verstorben [fɛr'ʃtɔrbən] *adj* deceased, late.
Verstorbene(r) *f(m)* deceased.
verstört [fɛr'ʃtø:rt] *adj* (*Mensch*) distraught.
Verstoß [fɛr'ʃto:s] *m*: **~ (gegen)** infringement (of), violation (of).
verstoßen *unreg vt* to disown, reject ♦ *vi*: **~ gegen** to offend against.
Verstrebung [fɛr'ʃtre:bʊŋ] *f* (*Strebebalken*) support(ing beam).
verstreichen [fɛr'ʃtraɪçən] *unreg vt* to spread ♦ *vi* to elapse; (*Zeit*) to pass (by); (*Frist*) to expire.
verstreuen [fɛr'ʃtrɔʏən] *vt* to scatter (about).
verstricken [fɛr'ʃtrɪkən] *vt* (*fig*) to entangle, ensnare ♦ *vr*: **sich ~ in** +*akk* to get entangled in.
verströmen [fɛr'ʃtrø:mən] *vt* to exude.
verstümmeln [fɛr'ʃtʏməln] *vt* to maim, mutilate (*auch fig*).
verstummen [fɛr'ʃtʊmən] *vi* to go silent; (*Lärm*) to die away.
Versuch [fɛr'zu:x] (**-(e)s, -e**) *m* attempt; (*CHEM etc*) experiment; **das käme auf einen ~ an** we'll have to have a try.
versuchen *vt* to try; (*verlocken*) to tempt ♦ *vr*: **sich an etw** *dat* **~** to try one's hand at sth.
Versuchs- *zW*: **~anstalt** *f* research institute; **~bohrung** *f* experimental drilling; **~kaninchen** *nt* guinea pig; **~objekt** *nt* test object; (*fig: Mensch*) guinea pig; **~reihe** *f* series of experiments; **v~weise** *adv* tentatively.
Versuchung *f* temptation.
versumpfen [fɛr'zʊmpfən] *vi* (*Gebiet*) to become marshy; (*fig: umg*) to go to pot; (*lange zechen*) to get involved in a booze-up

(*BRIT*) *od* drinking spree (*US*).

versündigen [fɛr'zʏndɪgən] *vr* (*geh*): **sich an jdm/etw ~** to sin against sb/sth.

versunken [fɛr'zʊŋkən] *adj* sunken; **~ sein in** *+akk* to be absorbed *od* engrossed in; **V~heit** *f* absorption.

versüßen [fɛr'zy:sən] *vt*: **jdm etw ~** (*fig*) to make sth more pleasant for sb.

vertagen [fɛr'ta:gən] *vt, vi* to adjourn.

Vertagung *f* adjournment.

vertauschen [fɛr'taʊʃən] *vt* to exchange; (*versehentlich*) to mix up; **vertauschte Rollen** reversed roles.

verteidigen [fɛr'taɪdɪgən] *vt* to defend ♦ *vr* to defend o.s.; (*vor Gericht*) to conduct one's own defence (*BRIT*) *od* defense (*US*).

Verteidiger(in) (**-s, -**) *m(f)* defender; (*Anwalt*) defence (*BRIT*) *od* defense (*US*) lawyer.

Verteidigung *f* defence (*BRIT*), defense (*US*).

Verteidigungsfähigkeit *f* ability to defend.

Verteidigungsminister *m* Minister of Defence (*BRIT*), Defense Secretary (*US*).

verteilen [fɛr'taɪlən] *vt* to distribute; (*Rollen*) to assign; (*Salbe*) to spread.

Verteiler (**-s, -**) *m* (*COMM, AUT*) distributor.

Verteilung *f* distribution.

Verteuerung [fɛr'tɔʏərʊŋ] *f* increase in price.

verteufeln [fɛr'tɔʏfəln] *vt* to condemn.

verteufelt (*umg*) *adj* awful, devilish ♦ *adv* awfully, devilishly.

vertiefen [fɛr'ti:fən] *vt* to deepen; (*SCH*) to consolidate ♦ *vr*: **sich in etw** *akk* **~** to become engrossed *od* absorbed in sth.

Vertiefung *f* depression.

vertikal [vɛrti'ka:l] *adj* vertical.

vertilgen [fɛr'tɪlgən] *vt* to exterminate; (*umg*) to eat up, consume.

Vertilgungsmittel *nt* weedkiller; (*Insekten~*) pesticide.

vertippen [fɛr'tɪpən] *vr* to make a typing mistake.

vertonen [fɛr'to:nən] *vt* to set to music; (*Film etc*) to add a soundtrack to.

vertrackt [fɛr'trakt] *adj* awkward, tricky, complex.

Vertrag [fɛr'tra:k] (**-(e)s, ⸚e**) *m* contract, agreement; (*POL*) treaty.

vertragen [fɛr'tra:gən] *unreg vt* to tolerate, stand ♦ *vr* to get along; (*sich aussöhnen*) to become reconciled; **viel ~ können** (*umg: Alkohol*) to be able to hold one's drink; **sich mit etw ~** (*Nahrungsmittel, Farbe*) to go with sth; (*Aussage, Verhalten*) to be consistent with sth.

vertraglich *adj* contractual.

verträglich [fɛr'trɛ:klɪç] *adj* good-natured; (*Speisen*) easily digested; (*MED*) easily tolerated; **V~keit** *f* good nature; digestibility.

Vertrags- *zW*: **~bruch** *m* breach of contract; **v~brüchig** *adj* in breach of contract; **v~fähig** *adj* (*JUR*) competent to contract; **v~mäßig** *adj, adv* (as) stipulated, according to contract; **~partner** *m* party to a contract; **~spieler** *m* (*SPORT*) player under contract; **v~widrig** *adj, adv* contrary to contract.

vertrauen [fɛr'traʊən] *vi*: **jdm ~** to trust sb; **~ auf** *+akk* to rely on; **V~** (**-s**) *nt* confidence; **jdn ins V~ ziehen** to take sb into one's confidence; **V~ zu jdm fassen** to gain confidence in sb.

vertrauenerweckend *adj* inspiring trust.

Vertrauens- *zW*: **~mann** (**-(e)s,** *pl* **-männer** *od* **-leute**) *m* intermediary; **~sache** *f* (*vertrauliche Angelegenheit*) confidential matter; (*Frage des Vertrauens*) question of trust; **v~selig** *adj* trusting; **v~voll** *adj* trustful; **~votum** *nt* (*PARL*) vote of confidence; **v~würdig** *adj* trustworthy.

vertraulich [fɛr'traʊlɪç] *adj* familiar; (*geheim*) confidential; **V~keit** *f* familiarity; confidentiality.

verträumt [fɛr'trɔʏmt] *adj* dreamy; (*Städtchen etc*) sleepy.

vertraut [fɛr'traʊt] *adj* familiar; **sich mit dem Gedanken ~ machen, daß ...** to get used to the idea that ...

Vertraute(r) *f(m)* confidant(e), close friend.

Vertrautheit *f* familiarity.

vertreiben [fɛr'traɪbən] *unreg vt* to drive away; (*aus Land*) to expel; (*COMM*) to sell; (*Zeit*) to pass.

Vertreibung *f* expulsion.

vertretbar *adj* justifiable; (*Theorie, Argument*) tenable.

vertreten [fɛr'tre:tən] *unreg vt* to represent; (*Ansicht*) to hold, advocate; (*ersetzen*) to replace; (*Kollegen*) to cover for; (*COMM*) to be the agent for; **sich** *dat* **die Beine ~** to stretch one's legs.

Vertreter(in) (**-s, -**) *m(f)* representative; (*Verfechter*) advocate; (*COMM: Firma*) agent; **~provision** *f* agent's commission.

Vertretung *f* representation; advocacy; **die ~ übernehmen (für)** to stand in (for).

Vertretungsstunde *f* (*SCH*) cover lesson.

Vertrieb [fɛr'tri:p] (**-(e)s, -e**) *m* marketing; **den ~ für eine Firma haben** to have the (selling) agency for a firm.

Vertriebene(r) [fɛr'tri:bənə(r)] *f(m)* exile.

Vertriebskosten *pl* marketing costs *pl*.

vertrocknen [fɛr'trɔknən] *vi* to dry up.

vertrödeln [fɛr'trø:dəln] (*umg*) *vt* to fritter away.

vertrösten [fɛr'trø:stən] *vt* to put off.

vertun [fɛr'tu:n] *unreg vt* to waste ♦ *vr* (*umg*) to make a mistake.

vertuschen [fɛr'tʊʃən] *vt* to hush *od* cover up.

verübeln [fɛr'|y:bəln] *vt*: **jdm etw ~** to be cross *od* offended with sb on account of sth.

verüben [fɛr'|y:bən] *vt* to commit.

verulken [fɛr'|ʊlkən] (*umg*) *vt* to make fun of.

verunglimpfen [fɛr'|ʊnglɪmpfən] *vt* to disparage.
verunglücken [fɛr'|ʊnglʏkən] *vi* to have an accident; (*fig: umg: mißlingen*) to go wrong; **tödlich** ~ to be killed in an accident.
Verunglückte(r) *f(m)* accident victim.
verunreinigen [fɛr'|ʊnraɪnɪgən] *vt* to soil; (*Umwelt*) to pollute.
verunsichern [fɛr'|ʊnzɪçərn] *vt* to rattle (*fig*).
verunstalten [fɛr'|ʊnʃtaltən] *vt* to disfigure; (*Gebäude etc*) to deface.
veruntreuen [fɛr'|ʊntrɔʏən] *vt* to embezzle.
verursachen [fɛr'|uːrzaxən] *vt* to cause.
verurteilen [fɛr'|uːrtaɪlən] *vt* to condemn; (*zu Strafe*) to sentence; (*für schuldig befinden*): **jdn ~ (für)** to convict sb (of).
Verurteilung *f* condemnation; (*JUR*) sentence; conviction.
vervielfachen [fɛr'fiːlfaxən] *vt* to multiply.
vervielfältigen [fɛr'fiːlfɛltɪgən] *vt* to duplicate, copy.
Vervielfältigung *f* duplication, copying.
vervollkommnen [fɛr'fɔlkɔmnən] *vt* to perfect.
vervollständigen [fɛr'fɔlʃtɛndɪgən] *vt* to complete.
verw. *abk* = **verwitwet.**
verwachsen [fɛr'vaksən] *adj* (*Mensch*) deformed; (*verkümmert*) stunted; (*überwuchert*) overgrown.
verwackeln [fɛr'vakəln] *vt* (*Photo*) to blur.
verwählen [fɛr'vɛːlən] *vr* (*TEL*) to dial the wrong number.
verwahren [fɛr'vaːrən] *vt* to keep (safe) ♦ *vr* to protest.
verwahrlosen *vi* to become neglected; (*moralisch*) to go to the bad.
verwahrlost *adj* neglected; (*moralisch*) wayward.
Verwahrung *f* (*von Geld etc*) keeping; (*von Täter*) custody, detention; **jdn in ~ nehmen** to take sb into custody.
verwaist [fɛr'vaɪst] *adj* orphaned.
verwalten [fɛr'valtən] *vt* to manage; (*Behörde*) to administer.
Verwalter(in) **(-s, -)** *m(f)* adminstrator; (*Vermögens~*) trustee.
Verwaltung *f* management; administration.
Verwaltungs- *zW:* **~apparat** *m* administrative machinery; **~bezirk** *m* administrative district; **~gericht** *nt* Administrative Court.
verwandeln [fɛr'vandəln] *vt* to change, transform ♦ *vr* to change.
Verwandlung *f* change, transformation.
verwandt [fɛr'vant] *adj:* **~ (mit)** related (to); **geistig ~ sein** (*fig*) to be kindred spirits.
Verwandte(r) *f(m)* relative, relation.
Verwandtschaft *f* relationship; (*Menschen*) relatives *pl*, relations *pl*; (*fig*) affinity.
verwarnen [fɛr'varnən] *vt* to caution.
Verwarnung *f* caution.
verwaschen [fɛr'vaʃən] *adj* faded; (*fig*) vague.
verwässern [fɛr'vɛsərn] *vt* to dilute, water down.
verwechseln [fɛr'vɛksəln] *vt:* **~ mit** to confuse with; **zum V~ ähnlich** as like as two peas.
Verwechslung *f* confusion, mixing up; **das muß eine ~ sein** there must be some mistake.
verwegen [fɛr'veːgən] *adj* daring, bold; **V~heit** *f* daring, audacity, boldness.
verwehren [fɛr'veːrən] *vt* (*geh*): **jdm etw ~** to refuse *od* deny sb sth.
Verwehung [fɛr'veːʊŋ] *f* (*Schnee~*) snowdrift; (*Sand~*) sanddrift.
verweichlichen [fɛr'vaɪçlɪçən] *vt* to mollycoddle.
verweichlicht *adj* effeminate, soft.
verweigern [fɛr'vaɪgərn] *vt:* **jdm etw ~** to refuse sb sth; **den Gehorsam/die Aussage ~** to refuse to obey/testify.
Verweigerung *f* refusal.
verweilen [fɛr'vaɪlən] *vi* to stay; (*fig*): **~ bei** to dwell on.
verweint [fɛr'vaɪnt] *adj* (*Augen*) swollen with tears *od* with crying; (*Gesicht*) tear-stained.
Verweis [fɛr'vaɪs] **(-es, -e)** *m* reprimand, rebuke; (*Hinweis*) reference.
verweisen [fɛr'vaɪzən] *unreg vt* to refer; **jdn auf etw** *akk***/an jdn ~** (*hinweisen*) to refer sb to sth/sb; **jdn vom Platz** *od* **des Spielfeldes ~** (*SPORT*) to send sb off; **jdn von der Schule ~** to expel sb (from school); **jdn des Landes ~** to deport sb.
Verweisung *f* reference; (*Landes~*) deportation.
verwelken [fɛr'vɛlkən] *vi* to fade; (*Blumen*) to wilt.
verweltlichen [fɛr'vɛltlɪçən] *vt* to secularize.
verwendbar [fɛr'vɛndbaːr] *adj* usable.
verwenden [fɛr'vɛndən] *unreg vt* to use; (*Mühe, Zeit, Arbeit*) to spend ♦ *vr* to intercede.
Verwendung *f* use.
Verwendungsmöglichkeit *f* (possible) use.
verwerfen [fɛr'vɛrfən] *unreg vt* to reject; (*Urteil*) to quash; (*kritisieren: Handlungsweise*) to condemn.
verwerflich [fɛr'vɛrflɪç] *adj* reprehensible.
verwertbar *adj* usable.
verwerten [fɛr'veːrtən] *vt* to utilize.
Verwertung *f* utilization.
verwesen [fɛr'veːzən] *vi* to decay.
Verwesung *f* decomposition.
verwickeln [fɛr'vɪkəln] *vt* to tangle (up); (*fig*) to involve ♦ *vr* to get tangled (up); **jdn ~ in** *+akk* to involve sb in, get sb involved in; **sich ~ in** *+akk* to get involved in.
verwickelt *adj* involved.
Verwicklung *f* entanglement, complication.
verwildern [fɛr'vɪldərn] *vi* to run wild.
verwildert *adj* wild; (*Garten*) overgrown; (*jds Aussehen*) unkempt.

verwinden [fɛr'vɪndən] *unreg vt* to get over.
verwirken [fɛr'vɪrkən] *vt* (*geh*) to forfeit.
verwirklichen [fɛr'vɪrklɪçən] *vt* to realize, put into effect.
Verwirklichung *f* realization.
verwirren [fɛr'vɪrən] *vt* to tangle (up); (*fig*) to confuse.
Verwirrspiel *nt* confusing tactics *pl*.
Verwirrung *f* confusion.
verwischen [fɛr'vɪʃən] *vt* (*verschmieren*) to smudge; (*lit, fig: Spuren*) to cover over; (*fig: Erinnerungen*) to blur.
verwittern [fɛr'vɪtərn] *vi* to weather.
verwitwet [fɛr'vɪtvət] *adj* widowed.
verwöhnen [fɛr'vøːnən] *vt* to spoil, pamper.
Verwöhnung *f* spoiling, pampering.
verworfen [fɛr'vɔrfən] *adj* depraved; **V~heit** *f* depravity.
verworren [fɛr'vɔrən] *adj* confused.
verwundbar [fɛr'vʊntbaːr] *adj* vulnerable.
verwunden [fɛr'vʊndən] *vt* to wound.
verwunderlich [fɛr'vʊndərlɪç] *adj* surprising; (*stärker*) astonishing.
verwundern *vt* to astonish ♦ *vr:* **sich ~ über** *+akk* to be astonished at.
Verwunderung *f* astonishment.
Verwundete(r) *f(m)* injured person; **die ~n** the injured; (*MIL*) the wounded.
Verwundung *f* wound, injury.
verwünschen [fɛr'vʏnʃən] *vt* to curse.
verwurzelt [fɛr'vʊrtsəlt] *adj:* **(fest) in etw** *dat od* **mit etw ~** (*fig*) deeply rooted in sth.
verwüsten [fɛr'vyːstən] *vt* to devastate.
Verwüstung *f* devastation.
Verz. *abk* = **Verzeichnis.**
verzagen [fɛr'tsaːgən] *vi* to despair.
verzagt [fɛr'tsaːkt] *adj* disheartened.
verzählen [fɛr'tsɛːlən] *vr* to miscount.
verzahnen [fɛr'tsaːnən] *vt* to dovetail; (*Zahnräder*) to cut teeth in.
verzapfen [fɛr'tsapfən] (*umg*) *vt:* **Unsinn ~** to talk nonsense.
verzaubern [fɛr'tsaʊbərn] *vt* (*lit*) to cast a spell on; (*fig: jdn*) to enchant.
verzehren [fɛr'tseːrən] *vt* to consume.
verzeichnen [fɛr'tsaɪçnən] *vt* to list; (*Niederlage, Verlust*) to register.
Verzeichnis **(-ses, -se)** *nt* list, catalogue (*BRIT*), catalog (*US*); (*in Buch*) index; (*COMPUT*) directory.
verzeihen [fɛr'tsaɪən] *unreg vt, vi* to forgive; **jdm etw ~** to forgive sb (for) sth; **~ Sie!** excuse me!
verzeihlich *adj* pardonable.
Verzeihung *f* forgiveness, pardon; **~!** sorry!, excuse me!; **(jdn) um ~ bitten** to apologize (to sb).
verzerren [fɛr'tsɛrən] *vt* to distort; (*Sehne, Muskel*) to strain, pull.
verzetteln [fɛr'tsɛtəln] *vr* to waste a lot of time.
Verzicht [fɛr'tsɪçt] **(-(e)s, -e)** *m:* **~ (auf** *+akk*) renunciation (of); **v~en** *vi:* **v~en auf** *+akk* to forego, give up.
verziehen [fɛr'tsiːən] *unreg vi* (*Hilfsverb sein*) to move ♦ *vt* to put out of shape; (*Kind*) to spoil; (*Pflanzen*) to thin out ♦ *vr* to go out of shape; (*Gesicht*) to contort; (*verschwinden*) to disappear; **verzogen** (*Vermerk*) no longer at this address; **keine Miene ~** not to turn a hair; **das Gesicht ~** to pull a face.
verzieren [fɛr'tsiːrən] *vt* to decorate.
Verzierung *f* decoration.
verzinsen [fɛr'tsɪnzən] *vt* to pay interest on.
verzinslich *adj:* **(fest) ~ sein** to yield (a fixed rate of) interest.
verzogen [fɛr'tsoːgən] *adj* (*Kind*) spoilt; *siehe auch* **verziehen**.
verzögern [fɛr'tsøːgərn] *vt* to delay.
Verzögerung *f* delay.
Verzögerungstaktik *f* delaying tactics *pl*.
verzollen [fɛr'tsɔlən] *vt* to pay duty on; **haben Sie etwas zu ~?** have you anything to declare?
verzücken [fɛr'tsʏkən] *vt* to send into ecstasies, enrapture.
Verzug [fɛr'tsuːk] *m* delay; (*FIN*) arrears *pl*; **mit etw in ~ geraten** to fall behind with sth.
verzweifeln [fɛr'tsvaɪfəln] *vi* to despair.
verzweifelt *adj* desperate.
Verzweiflung *f* despair.
verzweigen [fɛr'tsvaɪgən] *vr* to branch out.
verzwickt [fɛr'tsvɪkt] (*umg*) *adj* awkward, complicated.
Vesper ['fɛspər] **(-, -n)** *f* vespers *pl*.
Vesuv [ve'zuːf] **(-(s))** *m* Vesuvius.
Veto ['veːto] **(-s, -s)** *nt* veto.
Vetter ['fɛtər] **(-s, -n)** *m* cousin.
vgl. *abk* (= *vergleiche*) cf.
v.H. *abk* (= *vom Hundert*) pc.
VHS **(-)** *f abk* = **Volkshochschule.**
Viadukt [via'dʊkt] **(-(e)s, -e)** *m* viaduct.
Vibrator [vi'braːtɔr] *m* vibrator.
vibrieren [vi'briːrən] *vi* to vibrate.
Video ['viːdeo] **(-s, -s)** *nt* video; **~aufnahme** *f* video (recording); **~kamera** *f* video camera; **~recorder** *m* video recorder; **~spiel** *nt* video game; **~text** *m* teletext.
Vieh [fiː] **(-(e)s)** *nt* cattle *pl*; (*Nutztiere*) livestock; (*umg: Tier*) animal; **v~isch** *adj* bestial; **~zucht** *f* (live)stock *od* cattle breeding.
viel [fiːl] *adj* a lot of, much ♦ *adv* a lot, much; **in ~em** in many respects; **noch (ein)mal so ~** (*Zeit etc*) as much (time *etc*) again; **einer zu ~** one too many; **~ zuwenig** much too little; **~beschäftigt** *adj attrib* very busy; **~e** *pl* a lot of, many; **gleich ~e (Angestellte/Anteile** *etc*) the same number (of employees/shares *etc*).
vielerlei *adj* a great variety of.
vielerorts *adv* in many places.
viel- *zW:* **~fach** *adj, adv* many times; **auf ~fachen Wunsch** at the request of many people; **V~fache(s)** *nt* (*MATH*) multiple; **um**

ein V~faches many times over; **V~falt** (-) *f* variety; **~fältig** *adj* varied, many-sided; **V~fraß** *m* glutton; **~geprüft** *adj attrib* (*hum*) sorely tried.
vielleicht [fi'laıçt] *adv* perhaps; (*in Bitten*) by any chance; **du bist ~ ein Idiot!** (*umg*) you really are an idiot!
viel- *zW:* **~mal(s)** *adv* many times; **danke ~mals** many thanks; **ich bitte ~mals um Entschuldigung!** I do apologize!; **~mehr** *adv* rather, on the contrary; **~sagend** *adj* significant; **~schichtig** *adj* (*fig*) complex; **~seitig** *adj* many-sided; (*Ausbildung*) all-round *attr*; (*Interessen*) varied; (*Mensch, Gerät*) versatile; **~versprechend** *adj* promising; **V~völkerstaat** *m* multinational state.
vier [fi:r] *num* four; **alle ~e von sich strecken** (*umg*) to stretch out; **V~beiner** *m* (*hum*) four-legged friend; **V~eck** (**-(e)s, -e**) *nt* four-sided figure; (*gleichseitig*) square; **~eckig** *adj* four-sided; square; **~hundert** *num* four hundred; **~kant** *adj, adv* (*NAUT*) square; **~köpfig** *adj:* **eine ~köpfige Familie** a family of four; **V~mächteabkommen** *nt* four-power agreement.
viert *adj:* **wir gingen zu ~** four of us went.
Viertaktmotor *m* four-stroke engine.
vierte(r, s) ['fi:rtə(r, s)] *adj* fourth.
vierteilen *vt* to quarter.
Viertel ['fırtəl] (**-s, -**) *nt* quarter; **ein ~ Leberwurst** a quarter of liver sausage; **~finale** *nt* quarter finals *pl*; **~jahr** *nt* three months *pl*, quarter (*COMM, FIN*); **~jahresschrift** *f* quarterly; **v~jährlich** *adj* quarterly; **~note** *f* crotchet (*BRIT*), quarter note (*US*); **~stunde** *f* quarter of an hour.
vier- *zW:* **~türig** *adj* four-door *attr*; **V~waldstättersee** *m* Lake Lucerne; **~zehn** ['fırtse:n] *num* fourteen; **in ~zehn Tagen** in a fortnight (*BRIT*), in two weeks (*US*); **~zehntägig** *adj* fortnightly; **~zehnte(r, s)** *adj* fourteenth.
vierzig ['fırtsıç] *num* forty; **V~stundenwoche** *f* forty-hour week.
Vierzimmerwohnung *f* four-room flat (*BRIT*) *od* apartment (*US*).
Vietnam [viɛt'nam] (**-s**) *nt* Vietnam.
Vietnamese [viɛtna'me:zə] (**-n, -n**) *m*, **Vietnamesin** *f* Vietnamese.
vietnamesisch *adj* Vietnamese.
Vikar [vi'ka:r] (**-s, -e**) *m* curate.
Villa ['vıla] (**-, Villen**) *f* villa.
Villenviertel *nt* (prosperous) residential area.
violett [vio'lɛt] *adj* violet.
Violinbogen *m* violin bow.
Violine [vio'li:nə] (**-, -n**) *f* violin.
Violinkonzert *nt* violin concerto.
Violinschlüssel *m* treble clef.
virtuell [vırtu'ɛl] *adj* (*COMPUT*) virtual; **~e Realität** virtual reality.
virtuos [vırtu'o:s] *adj* virtuoso *attrib*.
Virtuose [vırtu'o:zə] (**-n, -n**) *m* virtuoso.
Virtuosin [vırtu'o:zın] *f* virtuoso.
Virtuosität [vırtuozi'tɛt] *f* virtuosity.
Virus ['vi:rʊs] (**-, Viren**) *m od nt* (*also COMPUT*) virus.
Virus- *in zW* viral; **~infektion** *f* virus infection.
Visage [vi'za:ʒə] (**-, -n**) (*pej*) *f* face, (ugly) mug (*umg*).
Visagist(in) [viza'ʒıst(ın)] *m(f)* make-up artist.
vis-à-vis [viza'vi:] *adv* (*veraltet*): **~ (von)** opposite (to) ♦ *präp +dat* opposite (to).
Visier [vi'zi:r] (**-s, -e**) *nt* gunsight; (*am Helm*) visor.
Vision [vizi'o:n] *f* vision.
Visite [vi'zi:tə] (**-, -n**) *f* (*MED*) visit.
Visitenkarte *f* visiting card.
visuell [vizu'ɛl] *adj* visual.
Visum ['vi:zʊm] (**-s, Visa** *od* **Visen**) *nt* visa; **~zwang** *m* obligation to hold a visa.
vital [vi'ta:l] *adj* lively, full of life; (*lebenswichtig*) vital.
Vitamin [vita'mi:n] (**-s, -e**) *nt* vitamin; **~mangel** *m* vitamin deficiency.
Vitrine [vi'tri:nə] (**-, -n**) *f* (*Schrank*) glass cabinet; (*Schaukasten*) showcase, display case.
Vivisektion [vivizɛktsi'o:n] *f* vivisection.
Vize ['fi:tsə] *m* (*umg*) number two; (: *~meister*) runner-up ♦ *in zW* vice-.
v.J. *abk* (= *vorigen Jahres*) of the previous *od* last year.
Vlies [fli:s] (**-es, -e**) *nt* fleece.
v.M. *abk* (= *vorigen Monats*) ult.
V-Mann *m abk* = **Verbindungsmann; Vertrauensmann.**
VN *pl abk* (= *Vereinte Nationen*) UN.
VO *abk* = **Verordnung.**
Vogel ['fo:gəl] (**-s, ⁼**) *m* bird; **einen ~ haben** (*umg*) to have bats in the belfry; **den ~ abschießen** (*umg*) to surpass everyone (*ironisch*); **~bauer** *nt* birdcage; **~beerbaum** *m* rowan (tree); **~dreck** *m* bird droppings *pl*; **~perspektive** *f* bird's-eye view; **~schau** *f* bird's-eye view; **~scheuche** *f* scarecrow; **~schutzgebiet** *nt* bird sanctuary; **~-Strauß-Politik** *f* head-in-the-sand policy.
Vogesen [vo'ge:zən] *pl* Vosges *pl*.
Vokabel [vo'ka:bəl] (**-, -n**) *f* word.
Vokabular [vokabu'la:r] (**-s, -e**) *nt* vocabulary.
Vokal [vo'ka:l] (**-s, -e**) *m* vowel.
Volk [fɔlk] (**-(e)s, ⁼er**) *nt* people; (*Nation*) nation; **etw unters ~ bringen** (*Nachricht*) to spread sth.
Völker- *zW:* **~bund** *m* League of Nations; **~kunde** *f* ethnology; **~mord** *m* genocide; **~recht** *nt* international law; **v~rechtlich** *adj* according to international law; **~verständigung** *f* international understanding; **~wanderung** *f* migration.
Volks- *zW:* **~abstimmung** *f* referendum;

~**armee** *f* People's Army; ~**begehren** *nt* petition for a referendum; ~**deutsche(r)** *f(m)* ethnic German; **v~eigen** *adj* (*DDR*) nationally-owned; ~**feind** *m* enemy of the people; ~**fest** *nt* popular festival; (*Jahrmarkt*) fair.

Volkshochschule *f* adult education classes *pl.*

The **Volkshochschule** *(VHS) is an institution which offers Adult Education classes. No set qualifications are necessary to attend. For a small fee adults can attend both vocational and non-vocational classes in the day-time or evening.*

Volks- *zW:* ~**lauf** *m* fun run; ~**lied** *nt* folk song; ~**mund** *m* vernacular; ~**polizei** *f* (*DDR*) People's Police; ~**republik** *f* people's republic; ~**schule** *f* ≈ primary school (*BRIT*), elementary school (*US*); ~**seuche** *f* epidemic; ~**stamm** *m* tribe; ~**stück** *nt* folk play in dialect; ~**tanz** *m* folk dance; ~**trauertag** *m* ≈ Remembrance Day (*BRIT*), Memorial Day (*US*); **v~tümlich** *adj* popular; ~**wirtschaft** *f* national economy; (*Fach*) economics *sing*, political economy; ~**wirtschaftler** *m* economist; ~**zählung** *f* (national) census.

voll [fɔl] *adj* full ♦ *adv* fully; **jdn für ~ nehmen** (*umg*) to take sb seriously; **aus dem ~en schöpfen** to draw on unlimited resources; **in ~er Größe** (*Bild*) life-size(d); (*bei plötzlicher Erscheinung etc*) large as life; ~ **sein** (*umg: satt*) to be full (up); (*: betrunken*) to be plastered; ~ **und ganz** completely.

vollauf [fɔlˈ|aʊf] *adv* amply; ~ **zu tun haben** to have quite enough to do.

voll- *zW:* **V~bad** *nt* (proper) bath; **V~bart** *m* full beard; **V~beschäftigung** *f* full employment; **V~besitz** *m:* **im V~besitz** *+gen* in full possession of; **V~blut** *nt* thoroughbred; ~**blütig** *adj* full-blooded; **V~bremsung** *f* emergency stop; ~**bringen** *unreg vt untr* to accomplish; **V~dampf** *m* (*NAUT*): **mit V~dampf** at full steam; ~**enden** *vt untr* to finish, complete; ~**endet** *adj* (*vollkommen*) perfect; (*Tänzer etc*) accomplished; ~**ends** *adv* completely; **V~endung** *f* completion.

voller *adj* fuller; ~ **Flecken/Ideen** full of stains/ideas.

Völlerei [fœləˈraɪ] *f* gluttony.

Volleyball [ˈvɔlibal] (**-(e)s**) *m* volleyball.

voll- *zW:* ~**fett** *adj* full-fat; **V~gas** *nt:* **mit V~gas** at full throttle; **V~gas geben** to step on it.

völlig [ˈfœlɪç] *adj* complete ♦ *adv* completely.

voll- *zW:* ~**jährig** *adj* of age; **V~kaskoversicherung** *f* fully comprehensive insurance; ~**kommen** *adj* perfect; (*völlig*) complete, absolute; **V~kommenheit** *f* perfection; **V~kornbrot** *nt* wholemeal (*BRIT*) *od* whole-wheat (*US*) bread; ~**(l)aufen** *unreg vi:* **etw ~(l)aufen lassen** to fill sth up; ~**machen** *vt* to fill (up); **V~macht** *f* authority, power of attorney; **V~matrose** *m* able-bodied seaman; **V~milch** *f* full-cream milk; **V~mond** *m* full moon; **V~narkose** *f* general anaesthetic (*BRIT*) *od* anesthetic (*US*); **V~pension** *f* full board; ~**schlank** *adj* plump, stout; ~**schreiben** *unreg vt* (*Heft, Seite*) to fill; (*Tafel*) to cover (with writing); ~**ständig** *adj* complete; ~**strecken** *vt untr* to execute; ~**tanken** *vt, vi* to fill up; **V~treffer** *m* (*lit, fig*) bull's-eye; **V~versammlung** *f* general meeting; **V~waise** *f* orphan; ~**wertig** *adj* full *attrib*; (*Stellung*) equal; **V~wertkost** *f* wholefoods *pl*; ~**zählig** *adj* complete; (*anwesend*) in full number; ~**ziehen** *unreg vt untr* to carry out ♦ *vr untr* to happen; **V~zug** *m* execution.

Volontär(in) [volɔnˈtɛːr(ɪn)] (**-s, -e**) *m(f)* trainee.

Volt [vɔlt] (**-** *od* **-(e)s, -**) *nt* volt.

Volumen [voˈluːmən] (**-s, -** *od* **Volumina**) *nt* volume.

vom [fɔm] = **von dem.**

SCHLÜSSELWORT

von [fɔn] *präp +dat* **1** (*Ausgangspunkt*) from; ~ ... **bis** from ... to; ~ **morgens bis abends** from morning till night; ~ ... **nach** ... from ... to ...; ~ ... **an** from ...; ~ ... **aus** from ...; ~ **dort aus** from there; **etw ~ sich aus tun** to do sth of one's own accord; ~ **mir aus** (*umg*) if you like, I don't mind; ~ **wo/wann ...?** where/when ... from?

2 (*Ursache, im Passiv*) by; **ein Gedicht ~ Schiller** a poem by Schiller; ~ **etw müde** tired from sth

3 (*als Genitiv*) of; **ein Freund ~ mir** a friend of mine; **nett ~ dir** nice of you; **jeweils zwei ~ zehn** two out of every ten

4 (*über*) about; **er erzählte vom Urlaub** he talked about his holiday

5: ~ **wegen!** (*umg*) no way!

voneinander *adv* from each other.

vonstatten [fɔnˈʃtatən] *adv:* ~ **gehen** to proceed, go.

SCHLÜSSELWORT

vor [foːr] *präp +dat* **1** (*räumlich*) in front of

2 (*zeitlich, Reihenfolge*) before; **ich war ~ ihm da** I was there before him; **X kommt ~ Y** X comes before Y; ~ **zwei Tagen** two days ago; **5 (Minuten) ~ 4** 5 (minutes) to 4; ~ **kurzem** a little while ago

3 (*Ursache*) with; ~ **Wut/Liebe** with rage/love; ~ **Hunger sterben** to die of hunger; ~ **lauter Arbeit** because of work

4: ~ **allem,** ~ **allen Dingen** above all

♦ *präp +akk* (*räumlich*) in front of; ~ **sich hin**

summen to hum to oneself
♦ *adv:* ~ **und zurück** backwards and forwards.

Vor- *zW:* ~**abdruck** *m* preprint; ~**abend** *m* evening before, eve; ~**ahnung** *f* presentiment, premonition.
voran [fo'ran] *adv* before, ahead; ~**bringen** *unreg vt* to make progress with; ~**gehen** *unreg vi* to go ahead; **einer Sache** *dat* ~**gehen** to precede sth; ~**gehend** *adj* previous; ~**kommen** *unreg vi* to make progress, come along.
Voranschlag ['fo:r|anʃla:k] *m* estimate.
voranstellen [fo'ranʃtɛlən] *vt +dat* to put in front (of); (*fig*) to give precedence (over).
Vorarbeiter ['fo:r|arbaɪtər] *m* foreman.
voraus [fo'raʊs] *adv* ahead; (*zeitlich*) in advance; **jdm ~ sein** to be ahead of sb; **im ~** in advance; ~**bezahlen** *vt* to pay in advance; ~**gehen** *unreg vi* to go (on) ahead; (*fig*) to precede; ~**haben** *unreg vt:* **jdm etw ~haben** to have the edge on sb in sth; **V~sage** *f* prediction; ~**sagen** *vt* to predict; ~**sehen** *unreg vt* to foresee; ~**setzen** *vt* to assume; (*sicher annehmen*) to take for granted; (*erfordern: Kenntnisse, Geduld*) to require, demand; ~**gesetzt, daß** ... provided that ...; **V~setzung** *f* requirement, prerequisite; **unter der V~setzung, daß** ... on condition that ...; **V~sicht** *f* foresight; **aller V~sicht nach** in all probability; **in der V~sicht, daß** ... anticipating that ...; ~**sichtlich** *adv* probably; **V~zahlung** *f* advance payment.
Vorbau ['fo:rbaʊ] (**-(e)s, -ten**) *m* porch; (*Balkon*) balcony.
vorbauen ['fo:rbaʊən] *vt* to build up in front ♦ *vi +dat* to take precautions (against).
Vorbedacht ['fo:rbədaxt] *m:* **mit/ohne ~** (*Überlegung*) with/without due consideration; (*Absicht*) intentionally/ unintentionally.
Vorbedingung ['fo:rbədɪŋʊŋ] *f* precondition.
Vorbehalt ['fo:rbəhalt] *m* reservation, proviso; **unter dem ~, daß** ... with the reservation that ...
vorbehalten *unreg vt:* **sich/jdm etw ~** to reserve sth (for o.s.)/for sb; **alle Rechte ~** all rights reserved.
vorbehaltlich *präp +gen* (*form*) subject to.
vorbehaltlos *adj* unconditional ♦ *adv* unconditionally.
vorbei [fɔr'baɪ] *adv* by, past; **aus und ~** over and done with; **damit ist es nun ~** that's all over now; ~**bringen** *unreg* (*umg*) *vt* to drop off; ~**gehen** *unreg vi* to pass by, go past; ~**kommen** *unreg vi:* **bei jdm ~kommen** to drop *od* call in on sb; ~**reden** *vi:* **an etw** *dat* ~**reden** to talk around sth.
vorbelastet ['fo:rbəlastət] *adj* (*fig*) handicapped (*BRIT*), handicaped (*US*).
Vorbemerkung ['fo:rbəmɛrkʊŋ] *f* introductory remark.
vorbereiten ['fo:rbəraɪtən] *vt* to prepare.
Vorbereitung *f* preparation.
vorbestellen ['fo:rbəʃtɛlən] *vt* to book (in advance), reserve.
Vorbestellung *f* advance booking.
vorbestraft ['fo:rbəʃtraft] *adj* previously convicted, with a record.
Vorbeugehaft *f* preventive custody.
vorbeugen ['fo:rbɔʏgən] *vt, vr* to lean forward ♦ *vi +dat* to prevent.
vorbeugend *adj* preventive.
Vorbeugung *f* prevention; **zur ~ gegen** for the prevention of.
Vorbild ['fo:rbɪlt] *nt* model; **sich** *dat* **jdn zum ~ nehmen** to model o.s. on sb; **v~lich** *adj* model, ideal.
Vorbildung ['fo:rbɪldʊŋ] *f* educational background.
Vorbote ['fo:rbo:tə] *m* (*fig*) herald.
vorbringen ['fo:rbrɪŋən] *unreg vt* to voice; (*Meinung etc*) to advance, state; (*umg: nach vorne*) to bring to the front.
vordatieren ['fo:rdati:rən] *vt* (*Schreiben*) to postdate.
Vorder- *zW:* ~**achse** *f* front axle; ~**ansicht** *f* front view; ~**asien** *nt* Near East.
vordere(r, s) *adj* front.
Vorder- *zW:* ~**grund** *m* foreground; **im ~grund stehen** (*fig*) to be to the fore; ~**grundprogramm** *nt* (*COMPUT*) foreground program; **v~hand** *adv* for the present; ~**mann** (**-(e)s,** *pl* **-männer**) *m* man in front; **jdn auf ~mann bringen** (*umg*) to get sb to shape up; ~**seite** *f* front (side); ~**sitz** *m* front seat.
vorderste(r, s) *adj* front.
vordrängen ['fo:rdrɛŋən] *vr* to push to the front.
vordringen ['fo:rdrɪŋən] *unreg vi:* **bis zu jdm/ etw ~** to get as far as sb/sth.
vordringlich *adj* urgent.
Vordruck ['fo:rdrʊk] *m* form.
vorehelich ['fo:r|e:əlɪç] *adj* premarital.
voreilig ['fo:r|aɪlɪç] *adj* hasty, rash; ~**e Schlüsse ziehen** to jump to conclusions.
voreinander [fo:r|aɪ'nandər] *adv* (*räumlich*) in front of each other; (*einander gegenüber*) face to face.
voreingenommen ['fo:r|aɪngənɔmən] *adj* bias(s)ed; **V~heit** *f* bias.
voreingestellt ['fo:r|aɪngəʃtɛlt] *adj:* ~**er Parameter** (*COMPUT*) default (parameter).
vorenthalten ['fo:r|ɛnthaltən] *unreg vt:* **jdm etw ~** to withhold sth from sb.
Vorentscheidung ['fo:r|ɛntʃaɪdʊŋ] *f* preliminary decision.
vorerst ['fo:r|e:rst] *adv* for the moment *od* present.
Vorfahr ['fo:rfa:r] (**-en, -en**) *m* ancestor.
vorfahren *unreg vi* to drive (on) ahead; (*vors Haus etc*) to drive up.

Vorfahrt *f* (*AUT*) right of way; **„~ (be)achten"** "give way" (*BRIT*), "yield" (*US*).
Vorfahrts- *zW:* **~regel** *f* rule of right of way; **~schild** *nt* "give way" (*BRIT*) *od* "yield" (*US*) sign; **~straße** *f* major road.
Vorfall ['fo:rfal] *m* incident.
vorfallen *unreg vi* to occur.
Vorfeld ['fo:rfɛlt] *nt* (*fig*): **im ~** (*+gen*) in the run-up (to).
Vorfilm ['fo:rfɪlm] *m* short.
vorfinden ['fo:rfɪndən] *unreg vt* to find.
Vorfreude ['fo:rfrɔʏdə] *f* anticipation.
vorfühlen ['fo:rfy:lən] *vi* (*fig*) to put out feelers.
vorführen ['fo:rfy:rən] *vt* to show, display; (*Theaterstück, Kunststücke*): **(jdm) etw ~** to perform sth (to *od* in front of sb); **dem Gericht ~** to bring before the court.
Vorgabe ['fo:rga:bə] *f* (*SPORT*) handicap.
Vorgang ['fo:rgaŋ] *m* (*Ereignis*) event; (*Ablauf*) course of events; (*CHEM etc*) process.
Vorgänger(in) ['fo:rgɛŋər(ɪn)] **(-s, -)** *m(f)* predecessor.
vorgaukeln ['fo:rgaʊkəln] *vt:* **jdm etw ~** to lead sb to believe in sth.
vorgeben ['fo:rge:bən] *unreg vt* to pretend, use as a pretext; (*SPORT*) to give an advantage *od* a start of.
Vorgebirge ['fo:rgəbɪrgə] *nt* foothills *pl*.
vorgefaßt ['fo:rgəfast] *adj* preconceived.
vorgefertigt ['fo:rgəfɛrtɪçt] *adj* prefabricated.
Vorgefühl ['fo:rgəfy:l] *nt* anticipation; (*etwas Böses*) presentiment.
vorgehen ['fo:rge:ən] *unreg vi* (*voraus*) to go (on) ahead; (*nach vorn*) to go forward; (*handeln*) to act, proceed; (*Uhr*) to be fast; (*Vorrang haben*) to take precedence; (*passieren*) to go on.
Vorgehen **(-s)** *nt* action.
Vorgehensweise *f* proceedings *pl*.
vorgerückt ['fo:rgərʏkt] *adj* (*Stunde*) late; (*Alter*) advanced.
Vorgeschichte ['fo:rgəʃɪçtə] *f* prehistory; (*von Fall, Krankheit*) past history.
Vorgeschmack ['fo:rgəʃmak] *m* foretaste.
Vorgesetzte(r) ['fo:rgəzɛtstə(r)] *f(m)* superior.
vorgestern ['fo:rgɛstərn] *adv* the day before yesterday; **von ~** (*fig*) antiquated.
vorgreifen ['fo:rgraɪfən] *unreg vi +dat* to anticipate; **jdm ~** to forestall sb.
vorhaben ['fo:rha:bən] *unreg vt* to intend; **hast du schon was vor?** have you got anything on?
Vorhaben **(-s, -)** *nt* intention.
Vorhalle ['fo:rhalə] *f* (*Diele*) entrance hall; (*von Parlament*) lobby.
vorhalten ['fo:rhaltən] *unreg vt* to hold *od* put up ♦ *vi* to last; **jdm etw ~** to reproach sb for sth.
Vorhaltung *f* reproach.
Vorhand ['fo:rhant] *f* forehand.
vorhanden [fo:r'handən] *adj* existing; (*erhältlich*) available; **V~sein (-s)** *nt* existence, presence.
Vorhang ['fo:rhaŋ] *m* curtain.
Vorhängeschloß ['fo:rhɛŋəʃlɔs] *nt* padlock.
Vorhaut ['fo:rhaʊt] *f* (*ANAT*) foreskin.
vorher [fo:r'he:r] *adv* before(hand); **~bestimmen** *vt* (*Schicksal*) to preordain; **~gehen** *unreg vi* to precede.
vorherig [fo:r'he:rɪç] *adj* previous.
Vorherrschaft ['fo:rhɛrʃaft] *f* predominance, supremacy.
vorherrschen *vi* to predominate.
vorher- *zW:* **V~sage** *f* forecast; **~sagen** *vt* to forecast, predict; **~sehbar** *adj* predictable; **~sehen** *unreg vt* to foresee.
vorhin [fo:r'hɪn] *adv* not long ago, just now.
vorhinein ['fo:rhɪnaɪn] *adv:* **im ~** beforehand.
Vorhof ['fo:rho:f] *m* forecourt.
vorig ['fo:rɪç] *adj* previous, last.
Vorjahr ['fo:rja:r] *nt* previous year, year before.
vorjährig ['fo:rjɛ:rɪç] *adj* of the previous year.
vorjammern ['fo:rjamərn] *vt, vi:* **jdm (etwas) ~** to moan to sb (about sth).
Vorkämpfer(in) ['fo:rkɛmpfər(ɪn)] *m(f)* pioneer.
Vorkaufsrecht ['fo:rkaʊfsrɛçt] *nt* option to buy.
Vorkehrung ['fo:rke:rʊŋ] *f* precaution.
Vorkenntnis ['fo:rkɛntnɪs] *f* previous knowledge.
vorknöpfen ['fo:rknœpfən] *vt* (*fig: umg*): **sich** *dat* **jdn ~** to take sb to task.
vorkommen ['fo:rkɔmən] *unreg vi* to come forward; (*geschehen, sich finden*) to occur; (*scheinen*) to seem (to be); **so was soll ~!** that's life!; **sich** *dat* **dumm** *etc* **~** to feel stupid *etc*.
Vorkommen *nt* occurrence; (*MIN*) deposit.
Vorkommnis ['fo:rkɔmnɪs] **(-ses, -se)** *nt* occurrence.
Vorkriegs- ['fo:rkri:ks] *in zW* pre-war.
vorladen ['fo:rla:dən] *unreg vt* (*bei Gericht*) to summons.
Vorladung *f* summons.
Vorlage ['fo:rla:gə] *f* model, pattern; (*das Vorlegen*) presentation; (*von Beweismaterial*) submission; (*Gesetzes~*) bill; (*SPORT*) pass.
vorlassen ['fo:rlasən] *unreg vt* to admit; (*überholen lassen*) to let pass; (*vorgehen lassen*) to allow to go in front.
Vorlauf ['fo:rlaʊf] *m* (preliminary) heat (*of running event*).
Vorläufer *m* forerunner.
vorläufig ['fo:rlɔʏfɪç] *adj* temporary; (*provisorisch*) provisional.
vorlaut ['fo:rlaʊt] *adj* impertinent, cheeky.
Vorleben ['fo:rle:bən] *nt* past (life).
vorlegen ['fo:rle:gən] *vt* to put in front, present; (*Beweismaterial etc*) to produce, submit; **jdm etw ~** to put sth before sb.

Vorleger (**-s, -**) *m* mat.
Vorleistung ['fo:rlaistʊŋ] *f* (*FIN: Vorausbezahlung*) advance (payment); (*Vorarbeit*) preliminary work; (*POL*) prior concession.
vorlesen ['fo:rle:zən] *unreg vt* to read (out).
Vorlesung *f* (*UNIV*) lecture.
Vorlesungsverzeichnis *nt* lecture timetable.
vorletzte(r, s) ['fo:rlɛtstə(r, s)] *adj* last but one, penultimate.
Vorliebe ['fo:rli:bə] *f* preference, special liking; **etw mit ~ tun** to particularly like doing sth.
vorliebnehmen [fo:r'li:pne:mən] *unreg vi:* **~ mit** to make do with.
vorliegen ['fo:rli:gən] *unreg vi* to be (here); **etw liegt jdm vor** sb has sth; **etw liegt gegen jdn vor** sb is charged with sth.
vorliegend *adj* present, at issue.
vorm. *abk* (= *vormittags*) a.m.; (= *vormals*) formerly.
vormachen ['fo:rmaxən] *vt:* **jdm etw ~** to show sb how to do sth; **jdm etwas ~** (*fig*) to fool sb; **mach mir doch nichts vor** don't try and fool me.
Vormachtstellung ['fo:rmaxtʃtɛlʊŋ] *f* supremacy.
vormals ['fo:rmals] *adv* formerly.
Vormarsch ['fo:rmarʃ] *m* advance.
vormerken ['fo:rmɛrkən] *vt* to book; (*notieren*) to make note of; (*bei Bestellung*) to take an order for.
Vormittag ['fo:rmɪta:k] *m* morning; **am ~** in the morning.
vormittags *adv* in the morning, before noon.
Vormund ['fo:rmʊnt] (**-(e)s, -e** *od* **-münder**) *m* guardian.
vorn [fɔrn] *adv* in front; **von ~ anfangen** to start at the beginning; **nach ~** to the front; **er betrügt sie von ~ bis hinten** he deceives her right, left and centre.
Vorname ['fo:rna:mə] *m* first *od* Christian name.
vornan [fɔrn'|an] *adv* at the front.
vorne ['fɔrnə] = **vorn.**
vornehm ['fo:rne:m] *adj* distinguished; (*Manieren etc*) refined; (*Kleid*) elegant; **in ~en Kreisen** in polite society.
vornehmen *unreg vt* (*fig*) to carry out; **sich** *dat* **etw ~** to start on sth; (*beschließen*) to decide to do sth; **sich** *dat* **zuviel ~** to take on too much; **sich** *dat* **jdn ~** to tell sb off.
vornehmlich *adv* chiefly, specially.
vorn(e)weg ['fɔrn(ə)vɛk] *adv* in front; (*als erstes*) first.
vornherein ['fɔrnhɛraɪn] *adv:* **von ~** from the start.
Vorort ['fo:r|ɔrt] *m* suburb; **~zug** *m* commuter train.
vorprogrammiert ['fo:rprogrami:rt] *adj* (*Erfolg, Antwort*) automatic.
Vorrang ['fo:rraŋ] *m* precedence, priority.
vorrangig *adj* of prime importance, primary.
Vorrat ['fo:rra:t] *m* stock, supply; **solange der ~ reicht** (*COMM*) while stocks last.
vorrätig ['fo:rrɛ:tɪç] *adj* in stock.
Vorratskammer *f* store cupboard; (*für Lebensmittel*) larder.
Vorraum *m* anteroom; (*Büro*) outer office.
vorrechnen ['fo:rrɛçnən] *vt:* **jdm etw ~** to calculate sth for sb; (*als Kritik*) to point sth out to sb.
Vorrecht ['fo:rrɛçt] *nt* privilege.
Vorrede ['fo:rre:də] *f* introductory speech; (*THEAT*) prologue (*BRIT*), prolog (*US*).
Vorrichtung ['fo:rrɪçtʊŋ] *f* device, gadget.
vorrücken ['fo:rrʏkən] *vi* to advance ♦ *vt* to move forward.
Vorruhestand ['fo:rru:əʃtant] *m* early retirement.
Vorrunde ['fo:rrʊndə] *f* (*SPORT*) preliminary round.
Vors. *abk* = **Vorsitzende(r).**
vorsagen ['fo:rza:gən] *vt* to recite; (*SCH: zuflüstern*) to tell secretly, prompt.
Vorsaison ['fo:rzɛzõ:] *f* early season, low season.
Vorsatz ['fo:rzats] *m* intention; (*JUR*) intent; **einen ~ fassen** to make a resolution.
vorsätzlich ['fo:rzɛtslɪç] *adj* intentional; (*JUR*) premeditated ♦ *adv* intentionally.
Vorschau ['fo:rʃaʊ] *f* (*RUNDF, TV*) (programme (*BRIT*) *od* program (*US*)) preview; (*Film*) trailer.
Vorschein ['fo:rʃaɪn] *m:* **zum ~ kommen** (*lit: sichtbar werden*) to appear; (*fig: entdeckt werden*) to come to light.
vorschieben ['fo:rʃi:bən] *unreg vt* to push forward; (*vor etw*) to push across; (*fig*) to put forward as an excuse; **jdn ~** to use sb as a front.
vorschießen ['fo:rʃi:sən] *unreg* (*umg*) *vt:* **jdm Geld ~** to advance sb money.
Vorschlag ['fo:rʃla:k] *m* suggestion, proposal.
vorschlagen ['fo:rʃla:gən] *unreg vt* to suggest, propose.
Vorschlaghammer *m* sledgehammer.
vorschnell ['fo:rʃnɛl] *adj* hasty, too quick.
vorschreiben ['fo:rʃraɪbən] *unreg vt* (*Dosis*) to prescribe; (*befehlen*) to specify; **(jdm) etw ~** (*lit*) to write sth out (for sb); **ich lasse mir nichts ~** I won't be dictated to.
Vorschrift ['fo:rʃrɪft] *f* regulation(s *pl*), rule(s *pl*); (*Anweisungen*) instruction(s *pl*); **jdm ~en machen** to give sb orders; **Dienst nach ~** work-to-rule (*BRIT*), slowdown (*US*).
vorschriftsmäßig *adv* as per regulations/instructions.
Vorschub ['fo:rʃu:p] *m:* **jdm/einer Sache ~ leisten** to encourage sb/sth.
Vorschule ['fo:rʃu:lə] *f* nursery school.
vorschulisch ['fo:rʃu:lɪʃ] *adj* preschool *attr.*
Vorschuß ['fo:rʃʊs] *m* advance.

vorschützen ['fo:rʃʏtsən] *vt* to put forward as a pretext; (*Unwissenheit*) to plead.
vorschweben ['fo:rʃve:bən] *vi*: **jdm schwebt etw vor** sb has sth in mind.
vorsehen ['fo:rze:ən] *unreg vt* to provide for; (*planen*) to plan ♦ *vr* to take care, be careful.
Vorsehung *f* providence.
vorsetzen ['fo:rzɛtsən] *vt* to move forward; (*davorsetzen*): ~ **vor** +*akk* to put in front of; (*anbieten*): **jdm etw** ~ to offer sb sth.
Vorsicht ['fo:rzɪçt] *f* caution, care; ~! look out!, take care!; (*auf Schildern*) caution!, danger!; ~, **Stufe!** mind the step!; **etw mit** ~ **genießen** (*umg*) to take sth with a pinch of salt.
vorsichtig *adj* cautious, careful.
vorsichtshalber *adv* just in case.
Vorsichtsmaßnahme *f* precaution.
Vorsilbe ['fo:rzɪlbə] *f* prefix.
vorsintflutlich ['fo:rzɪntflu:tlɪç] (*umg*) *adj* antiquated.
Vorsitz ['fo:rzɪts] *m* chair(manship); **den** ~ **führen** to chair the meeting.
Vorsitzende(r) *f(m)* chairman/-woman, chair(person).
Vorsorge ['fo:rzɔrgə] *f* precaution(s *pl*); (*Fürsorge*) provision(s *pl*).
vorsorgen *vi*: ~ **für** to make provision(s *pl*) for.
Vorsorgeuntersuchung ['fo:rzɔrgə-|ʊntərzu:xʊŋ] *f* medical check-up.
vorsorglich ['fo:rzɔrklɪç] *adv* as a precaution.
Vorspann ['vo:rʃpan] *m* (*FILM, TV*) opening credits *pl*; (*PRESSE*) opening paragraph.
vorspannen *vt* (*Pferde*) to harness.
Vorspeise ['fo:rʃpaɪzə] *f* hors d'œuvre, starter.
Vorspiegelung ['fo:rʃpi:gəlʊŋ] *f*: **das ist (eine)** ~ **falscher Tatsachen** it's all sham.
Vorspiel ['fo:rʃpi:l] *nt* prelude; (*bei Geschlechtsverkehr*) foreplay.
vorspielen *vt*: **jdm etw** ~ (*MUS*) to play sth to sb; (*THEAT*) to act sth to sb; (*fig*) to act out a sham of sth in front of sb.
vorsprechen ['fo:rʃprɛçən] *unreg vt* to say out loud; (*vortragen*) to recite ♦ *vi* (*THEAT*) to audition; **bei jdm** ~ to call on sb.
vorspringend ['fo:rʃprɪŋənt] *adj* projecting; (*Nase, Kinn*) prominent.
Vorsprung ['fo:rʃprʊŋ] *m* projection; (*Fels*~) ledge; (*fig*) advantage, start.
Vorstadt ['fo:rʃtat] *f* suburbs *pl*.
Vorstand ['fo:rʃtant] *m* executive committee; (*COMM*) board (of directors); (*Person*) director; (*Leiter*) head.
Vorstandssitzung *f* (*von Firma*) board meeting.
Vorstandsvorsitzende(r) *f(m)* chairperson.
vorstehen ['fo:rʃte:ən] *unreg vi* to project; **einer Sache** *dat* ~ (*fig*) to be the head of sth.
Vorsteher(in) (**-s, -**) *m(f)* (*von Abteilung*) head; (*von Gefängnis*) governor; (*Bahnhofs*~) stationmaster.
vorstellbar *adj* conceivable.
vorstellen ['fo:rʃtɛlən] *vt* to put forward; (*vor etw*) to put in front; (*bekannt machen*) to introduce; (*darstellen*) to represent ♦ *vr* to introduce o.s.; (*bei Bewerbung*) to go for an interview; **sich** *dat* **etw** ~ to imagine sth; **stell dir das nicht so einfach vor** don't think it's so easy.
Vorstellung *f* (*Bekanntmachen*) introduction; (*THEAT etc*) performance; (*Gedanke*) idea, thought.
Vorstellungsgespräch *nt* interview.
Vorstellungsvermögen *nt* powers of imagination *pl*.
Vorstoß ['fo:rʃto:s] *m* advance; (*fig: Versuch*) attempt.
vorstoßen *unreg vt, vi* to push forward.
Vorstrafe ['fo:rʃtra:fə] *f* previous conviction.
vorstrecken ['fo:rʃtrɛkən] *vt* to stretch out; (*Geld*) to advance.
Vorstufe ['fo:rʃtu:fə] *f* first step(s *pl*).
Vortag ['fo:rtak] *m*: **am** ~ **einer Sache** *gen* on the day before sth.
vortasten ['fo:rtastən] *vr*: **sich langsam zu etw** ~ to approach sth carefully.
vortäuschen ['fo:rtɔʏʃən] *vt* to pretend, feign.
Vortäuschung *f*: **unter** ~ **falscher Tatsachen** under false pretences (*BRIT*) *od* pretenses (*US*).
Vorteil ['fo:rtaɪl] (**-s, -e**) *m*: ~ **(gegenüber)** advantage (over); **im** ~ **sein** to have the advantage; **die Vor- und Nachteile** the pros and cons; **v~haft** *adj* advantageous; (*Kleider*) flattering; (*Geschäft*) lucrative.
Vortr. *abk* = **Vortrag.**
Vortrag ['fo:rtra:k] (**-(e)s, Vorträge**) *m* talk, lecture; (~*sart*) delivery; (*von Gedicht*) rendering; (*COMM*) balance carried forward; **einen** ~ **halten** to give a lecture *od* talk.
vortragen ['fo:rtra:gən] *unreg vt* to carry forward (*auch COMM*); (*fig*) to recite; (*Rede*) to deliver; (*Lied*) to perform; (*Meinung etc*) to express.
Vortragsabend *m* lecture evening; (*mit Musik*) recital; (*mit Gedichten*) poetry reading.
Vortragsreihe *f* series of lectures.
vortrefflich [fo:r'trɛflɪç] *adj* excellent.
vortreten ['fo:rtre:tən] *unreg vi* to step forward; (*Augen etc*) to protrude.
Vortritt ['fo:rtrɪt] *m*: **jdm den** ~ **lassen** (*lit, fig*) to let sb go first.
vorüber [fo'ry:bər] *adv* past, over; ~**gehen** *unreg vi* to pass (by); ~**gehen an** +*dat* (*fig*) to pass over; ~**gehend** *adj* temporary, passing.
Voruntersuchung ['fo:r|ʊntərzu:xʊŋ] *f* (*MED*) preliminary examination; (*JUR*) preliminary investigation.
Vorurteil ['fo:r|ʊrtaɪl] *nt* prejudice.
vorurteilsfrei *adj* unprejudiced, open-

minded.
Vorverkauf ['fo:rfɛrkaʊf] *m* advance booking.
Vorverkaufsstelle *f* advance booking office.
vorverlegen ['fo:rfɛrle:gən] *vt* (*Termin*) to bring forward.
Vorw. *abk* = **Vorwort.**
vorwagen ['fo:rva:gən] *vr* to venture forward.
Vorwahl ['fo:rva:l] *f* preliminary election; (*TEL*) dialling (*BRIT*) *od* dial (*US*) code.
Vorwand ['fo:rvant] (**-(e)s, Vorwände**) *m* pretext.
Vorwarnung ['fo:rvarnʊŋ] *f* (advance) warning.
vorwärts ['fo:rvɛrts] *adv* forward; **~!** (*umg*) let's go!; (*MIL*) forward march!; **V~gang** *m* (*AUT etc*) forward gear; **~gehen** *unreg vi* to progress; **~kommen** *unreg vi* to get on, make progress.
Vorwäsche *f* prewash.
Vorwaschgang *m* prewash.
vorweg [fo:r'vɛk] *adv* in advance; **V~nahme** (**-, -n**) *f* anticipation; **~nehmen** *unreg vt* to anticipate.
vorweisen ['fo:rvaɪzən] *unreg vt* to show, produce.
vorwerfen ['fo:rvɛrfən] *unreg vt*: **jdm etw ~** to reproach sb for sth, accuse sb of sth; **sich** *dat* **nichts vorzuwerfen haben** to have nothing to reproach o.s. with; **das wirft er mir heute noch vor** he still holds it against me; **Tieren/Gefangenen etw ~** (*lit*) to throw sth down for the animals/prisoners.
vorwiegend ['fo:rvi:gənt] *adj* predominant ♦ *adv* predominantly.
vorwitzig *adj* saucy, cheeky.
Vorwort ['fo:rvɔrt] (**-(e)s, -e**) *nt* preface.
Vorwurf ['fo:rvʊrf] (**-(e)s, ⸚e**) *m* reproach; **jdm/sich Vorwürfe machen** to reproach sb/ o.s.
vorwurfsvoll *adj* reproachful.
Vorzeichen ['fo:rtsaɪçən] *nt* (*Omen*) omen; (*MED*) early symptom; (*MATH*) sign.
vorzeigen ['fo:rtsaɪgən] *vt* to show, produce.
Vorzeit ['fo:rtsaɪt] *f* prehistoric times *pl.*
vorzeitig *adj* premature.
vorziehen ['fo:rtsi:ən] *unreg vt* to pull forward; (*Gardinen*) to draw; (*zuerst behandeln, abfertigen*) to give priority to; (*lieber haben*) to prefer.
Vorzimmer ['fo:rtsɪmər] *nt* anteroom; (*Büro*) outer office.
Vorzug ['fo:rtsu:k] *m* preference; (*gute Eigenschaft*) merit, good quality; (*Vorteil*) advantage; (*EISENB*) relief train; **einer Sache** *dat* **den ~ geben** (*form*) to prefer sth; (*Vorrang geben*) to give sth precedence.
vorzüglich [fo:r'tsy:klɪç] *adj* excellent, first-rate.
Vorzugsaktien *pl* preference shares (*BRIT*), preferred stock (*US*).
vorzugsweise *adv* preferably; (*hauptsächlich*) chiefly.
Votum ['vo:tʊm] (**-s, Voten**) *nt* vote.
Voyeur [voa'jø:r] (**-s, -e**) *m* voyeur.
Voyeurismus [voajø'rɪsmʊs] *m* voyeurism.
v.T. *abk* (= *vom Tausend*) per thousand.
vulgär [vʊl'gɛ:r] *adj* vulgar.
Vulkan [vʊl'ka:n] (**-s, -e**) *m* volcano; **~ausbruch** *m* volcanic eruption.
vulkanisieren [vʊlkani'zi:rən] *vt* to vulcanize.
v.u.Z. *abk* (= *vor unserer Zeitrechnung*) B.C.

W, w

W, w [ve:] *nt* W, w; **~ wie Wilhelm** ≈ W for William.
W. *abk* (= *West(en)*) W.
w. *abk* = **wenden; werktags; westlich;** (= *weiblich*) f.
Waage ['va:gə] (**-, -n**) *f* scales *pl*; (*ASTROL*) Libra; **sich** *dat* **die ~ halten** (*fig*) to balance one another; **w~recht** *adj* horizontal.
Waagschale *f* (scale) pan; **(schwer) in die ~ fallen** (*fig*) to carry weight.
wabb(e)lig ['vab(ə)lɪç] *adj* wobbly.
Wabe ['va:bə] (**-, -n**) *f* honeycomb.
wach [vax] *adj* awake; (*fig*) alert; **~ werden** to wake up.
Wachablösung *f* changing of the guard; (*Mensch*) relief guard; (*fig: Regierungswechsel*) change of government.
Wache (**-, -n**) *f* guard, watch; **~ halten** to keep watch; **~ stehen** *od* **schieben** (*umg*) to be on guard (duty).
wachen *vi* to be awake; (*Wache halten*) to keep watch; **bei jdm ~** to sit up with sb.
wachhabend *adj attrib* duty.
Wachhund *m* watchdog, guard dog; (*fig*) watchdog.
Wacholder [va'xɔldər] (**-s, -**) *m* juniper.
wachrütteln ['vaxrʏtəln] *vt* (*fig*) to (a)rouse.
Wachs [vaks] (**-es, -e**) *nt* wax.
wachsam ['vaxza:m] *adj* watchful, vigilant, alert; **W~keit** *f* vigilance.
wachsen[1] *unreg vi* to grow.
wachsen[2] *vt* (*Skier*) to wax.
Wachsfigurenkabinett *nt* waxworks (exhibition).
Wachs(mal)stift *m* wax crayon.
wächst [vɛkst] *vb siehe* **wachsen**[1].
Wachstuch ['vakstu:x] *nt* oilcloth.
Wachstum ['vakstu:m] (**-s**) *nt* growth.
Wachstums- *zW*: **~branche** *f* growth industry; **~grenze** *f* limits of growth; **w~hemmend** *adj* growth-inhibiting; **~rate** *f* growth rate; **~schmerzen** *pl* growing pains; **~störung** *f* disturbance of growth.

Wachtel ['vaxtəl] (**-, -n**) *f* quail.
Wächter ['vɛçtər] (**-s, -**) *m* guard; (*Park~*) warden, keeper; (*Museums~, Parkplatz~*) attendant.
Wachtmeister *m* officer.
Wachtposten *m* guard, sentry.
Wach(t)turm *m* watchtower.
Wach- und Schließgesellschaft *f* security corps.
wack(e)lig *adj* shaky, wobbly; **auf ~en Beinen stehen** to be wobbly on one's legs; (*fig*) to be unsteady.
Wackelkontakt *m* loose connection.
wackeln *vi* to shake; (*fig: Position*) to be shaky; **mit den Hüften/Schwanz ~** to wiggle one's hips/wag its tail.
wacker ['vakər] *adj* valiant, stout; **sich ~ schlagen** (*umg*) to put up a brave fight.
Wade ['va:də] (**-, -n**) *f* (*ANAT*) calf.
Waffe ['vafə] (**-, -n**) *f* weapon; **jdn mit seinen eigenen ~n schlagen** (*fig*) to beat sb at his own game.
Waffel ['vafəl] (**-, -n**) *f* waffle; (*Eis~*) wafer.
Waffen- *zW:* **~gewalt** *f:* **mit ~gewalt** by force of arms; **~lager** *nt* (*von Armee*) ordnance depot; (*von Terroristen*) cache; **~schein** *m* firearms *od* gun licence (*BRIT*), firearms license (*US*); **~schmuggel** *m* gunrunning, arms smuggling; **~stillstand** *m* armistice, truce.
Wagemut ['va:gəmu:t] *m* daring.
Wagen ['va:gən] (**-s, -**) *m* vehicle; (*Auto*) car, automobile (*US*); (*EISENB*) car, carriage (*BRIT*); (*Pferde~*) wag(g)on, cart.
wagen *vt* to venture, dare.
Wagen- *zW:* **~führer** *m* driver; **~heber** (**-s, -**) *m* jack; **~park** *m* fleet of cars; **~rückholtaste** *f* (*Schreibmaschine*) carriage return (key); **~rücklauf** *m* carriage return.
Waggon [va'gõ:] (**-s, -s**) *m* wag(g)on; (*Güter~*) goods van (*BRIT*), freight truck (*US*).
waghalsig ['va:khalzɪç] *adj* foolhardy.
Wagnis ['va:knɪs] (**-ses, -se**) *nt* risk.
Wahl [va:l] (**-, -en**) *f* choice; (*POL*) election; **erste ~** (*Qualität*) top quality; (*Gemüse, Eier*) grade one; **zweite ~** (*COMM*) seconds *pl*; **aus freier ~** of one's own free choice; **wer die ~ hat, hat die Qual** (*Sprichwort*) he is *od* you are *etc* spoilt for choice; **die ~ fiel auf ihn** he was chosen; **sich zur ~ stellen** (*POL etc*) to stand (*BRIT*) *od* run (for parliament *etc*).
wählbar *adj* eligible.
Wahl- *zW:* **w~berechtigt** *adj* entitled to vote; **~beteiligung** *f* poll, turnout; **~bezirk** *m* (*POL*) ward.
wählen ['vɛ:lən] *vt* to choose; (*POL*) to elect, vote for; (*TEL*) to dial ♦ *vi* to choose; (*POL*) to vote; (*TEL*) to dial.
Wähler(in) (**-s, -**) *m(f)* voter; **~abwanderung** *f* voter drift; **w~isch** *adj* fastidious, particular; **~schaft** *f* electorate.
Wahl- *zW:* **~fach** *nt* optional subject; **w~frei** *adj:* **w~freier Zugriff** (*COMPUT*) random access; **~gang** *m* ballot; **~geschenk** *nt pre-election vote-catching gimmick*; **~heimat** *f* country of adoption; **~helfer** *m* (*im ~kampf*) election assistant; (*bei der ~*) polling officer; **~kabine** *f* polling booth; **~kampf** *m* election campaign; **~kreis** *m* constituency; **~leiter** *m* returning officer; **~liste** *f* electoral register; **~lokal** *nt* polling station; **w~los** *adv* at random; (*nicht wählerisch*) indiscriminately; **~recht** *nt* franchise; **allgemeines ~recht** universal franchise; **das aktive ~recht** the right to vote; **das passive ~recht** eligibility (for political office); **~spruch** *m* motto; **~urne** *f* ballot box; **w~weise** *adv* alternatively.
Wählzeichen *nt* (*TEL*) dialling tone (*BRIT*), dial tone (*US*).
Wahn [va:n] (**-(e)s**) *m* delusion; **~sinn** *m* madness; **w~sinnig** *adj* insane, mad ♦ *adv* (*umg*) incredibly; **w~witzig** *adj* crazy *attrib* ♦ *adv* terribly.
wahr [va:r] *adj* true; **da ist (et)was W~es dran** there's some truth in that.
wahren *vt* to maintain, keep.
währen ['vɛ:rən] *vi* to last.
während *präp +gen* during ♦ *konj* while; **~dessen** *adv* meanwhile.
wahr- *zW:* **~haben** *unreg vt:* **etw nicht ~haben wollen** to refuse to admit sth; **~haft** *adv* (*tatsächlich*) truly; **~haftig** *adj* true, real ♦ *adv* really.
Wahrheit *f* truth; **die ~ sagen** to tell the truth.
wahrheitsgetreu *adj* (*Bericht*) truthful; (*Darstellung*) faithful.
wahrnehmen *unreg vt* to perceive; (*Frist*) to observe; (*Veränderungen etc*) to be aware of; (*Gelegenheit*) to take; (*Interessen, Rechte*) to look after.
Wahrnehmung *f* perception; observing; awareness; taking; looking after.
wahrsagen *vi* to predict the future, tell fortunes.
Wahrsager *m* fortune-teller.
wahrscheinlich [va:r'ʃaɪnlɪç] *adj* probable ♦ *adv* probably; **W~keit** *f* probability; **aller W~keit nach** in all probability.
Währung ['vɛ:rʊŋ] *f* currency.
Währungs- *zW:* **~einheit** *f* monetary unit; **~politik** *f* monetary policy; **~reserven** *pl* official reserves *pl*; **~union** *f* monetary union.
Wahrzeichen *nt* (*Gebäude, Turm etc*) symbol; (*von Stadt, Verein*) emblem.
Waise ['vaɪzə] (**-, -n**) *f* orphan.
Waisen- *zW:* **~haus** *nt* orphanage; **~kind** *nt* orphan; **~knabe** *m:* **gegen dich ist er ein ~knabe** (*umg*) he's no match for you; **~rente** *f* orphan's allowance.
Wal [va:l] (**-(e)s, -e**) *m* whale.
Wald [valt] (**-(e)s, ¨-er**) *m* wood(s *pl*); (*groß*)

forest; ~**brand** *m* forest fire.
Wäldchen ['vɛltçən] *nt* copse, grove.
Waldhorn *nt* (*MUS*) French horn.
waldig ['valdɪç] *adj* wooded.
Wald- *zW*: ~**lehrpfad** *m* nature trail; ~**meister** *m* (*BOT*) woodruff; ~**sterben** *nt loss of trees due to pollution.*
Wald- und Wiesen- (*umg*) *in zW* common-or-garden.
Waldweg *m* woodland *od* forest path.
Wales [weɪlz] *nt* Wales.
Walfang ['vaːlfaŋ] *m* whaling.
Walfisch ['valfɪʃ] *m* whale.
Waliser(in) [va'liːzər(ɪn)] (-**s**, -) *m(f)* Welshman, Welshwoman.
walisisch *adj* Welsh.
Walkman ® ['wɔːkman] (-**s, Walkmen**) *m* Walkman ®, personal stereo.
Wall [val] (-(**e**)**s**, ⁼**e**) *m* embankment; (*Bollwerk*) rampart.
wallfahren *vi untr* to go on a pilgrimage.
Wallfahrer(in) *m(f)* pilgrim.
Wallfahrt *f* pilgrimage.
Wallis ['valɪs] (-) *nt*: **das** ~ Valais.
Wallone [va'loːnə] (-**n**, -**n**) *m*, **Wallonin** *f* Walloon.
Walnuß ['valnʊs] *f* walnut.
Walroß ['valrɔs] *nt* walrus.
walten ['valtən] *vi* (*geh*): **Vernunft** ~ **lassen** to let reason prevail.
Walzblech (-(**e**)**s**) *nt* sheet metal.
Walze ['valtsə] (-, -**n**) *f* (*Gerät*) cylinder; (*Fahrzeug*) roller.
walzen *vt* to roll (out).
wälzen ['vɛltsən] *vt* to roll (over); (*Bücher*) to hunt through; (*Probleme*) to deliberate on ♦ *vr* to wallow; (*vor Schmerzen*) to roll about; (*im Bett*) to toss and turn.
Walzer ['valtsər] (-**s**, -) *m* waltz.
Wälzer ['vɛltsər] (-**s**, -) (*umg*) *m* tome.
Wampe ['vampə] (-, -**n**) (*umg*) *f* paunch.
Wand (-, ⁼**e**) *f* wall; (*Trenn~*) partition; (*Berg~*) precipice; (*Fels~*) (rock) face; (*fig*) barrier; **weiß wie die** ~ as white as a sheet; **jdn an die** ~ **spielen** to put sb in the shade; (*SPORT*) to outplay sb.
wand *etc* [vant] *vb siehe* **winden.**
Wandel ['vandəl] (-**s**) *m* change; **w~bar** *adj* changeable, variable.
Wandelhalle *f* foyer.
wandeln *vt, vr* to change ♦ *vi* (*gehen*) to walk.
Wanderausstellung *f* touring exhibition.
Wanderbühne *f* touring theatre (*BRIT*) *od* theater (*US*).
Wanderer (-**s**, -) *m* hiker, rambler.
Wanderin *f* hiker, rambler.
Wanderkarte *f* hiker's map.
Wanderlied *nt* hiking song.
wandern *vi* to hike; (*Blick*) to wander; (*Gedanken*) to stray; (*umg: in den Papierkorb etc*) to land.
Wanderpreis *m* challenge trophy.
Wanderschaft *f* travelling (*BRIT*), traveling (*US*).
Wanderung *f* walk, hike; (*von Tieren, Völkern*) migration.
Wanderweg *m* trail, (foot)path.
Wandgemälde *nt* mural.
Wandlung *f* change; (*völlige Um~*) transformation; (*REL*) transubstantiation.
Wand- *zW*: ~**malerei** *f* mural painting; ~**schirm** *m* (folding) screen; ~**schrank** *m* cupboard.
wandte *etc* ['vantə] *vb siehe* **wenden.**
Wandteppich *m* tapestry.
Wandverkleidung *f* panelling.
Wange ['vaŋə] (-, -**n**) *f* cheek.
wankelmütig ['vaŋkəlmyːtɪç] *adj* fickle, inconstant.
wanken ['vankən] *vi* to stagger; (*fig*) to waver.
wann [van] *adv* when; **seit** ~ **bist/hast du ...?** how long have you been/have you had ...?
Wanne ['vanə] (-, -**n**) *f* tub.
Wanze ['vantsə] (-, -**n**) *f* (*ZOOL, Abhörgerät*) bug.
Wappen ['vapən] (-**s**, -) *nt* coat of arms, crest; ~**kunde** *f* heraldry.
wappnen *vr* (*fig*) to prepare o.s.; **gewappnet sein** to be forearmed.
war *etc* [vaːr] *vb siehe* **sein.**
warb *etc* [varp] *vb siehe* **werben.**
Ware ['vaːrə] (-, -**n**) *f* ware; **Waren** *pl* goods *pl.*
wäre *etc* ['vɛːrə] *vb siehe* **sein.**
Waren- *zW*: ~**bestand** *m* stock; ~**haus** *nt* department store; ~**lager** *nt* stock, store; ~**muster** *nt* sample; ~**probe** *f* sample; ~**rückstände** *pl* backlog *sing*; ~**sendung** *f* trade sample (sent by post); ~**zeichen** *nt* trademark.
warf *etc* [varf] *vb siehe* **werfen.**
warm [varm] *adj* warm; (*Essen*) hot; (*umg: homosexuell*) queer; **mir ist** ~ I'm warm; **mit jdm** ~ **werden** (*umg*) to get close to sb.
Wärme ['vɛrmə] (-, -**n**) *f* warmth; **10 Grad** ~ 10 degrees above zero.
wärmen *vt, vr* to warm (up), heat (up).
Wärmflasche *f* hot-water bottle.
warm- *zW*: **W~front** *f* (*MET*) warm front; ~**halten** *unreg vt*: **sich** *dat* **jdn** ~**halten** (*fig*) to keep in with sb; ~**herzig** *adj* warm-hearted; ~**laufen** *unreg vi* (*AUT*) to warm up; **W~wassertank** *m* hot-water tank.
Warnblinkanlage *f* (*AUT*) hazard warning lights *pl.*
Warndreieck *nt* warning triangle.
warnen ['varnən] *vt* to warn.
Warnstreik *m* token strike.
Warnung *f* warning.
Warschau ['varʃaʊ] (-**s**) *nt* Warsaw; ~**er Pakt** *m* Warsaw Pact.
Warte (-, -**n**) *f* observation point; (*fig*) viewpoint.
warten ['vartən] *vi* to wait ♦ *vt* (*Auto, Maschine*) to service; ~ **auf** +*akk* to wait for;

auf sich ~ lassen to take a long time; **warte mal!** wait a minute!; (*überlegend*) let me see; **mit dem Essen auf jdn ~** to wait for sb before eating.

Wärter(in) ['vɛrtər(ɪn)] (**-s, -**) *m(f)* attendant.

Wartesaal *m* (*EISENB*) waiting room.

Wartezimmer *nt* (*bes beim Arzt*) waiting room.

Wartung *f* (*von Auto, Maschine*) servicing; **~ und Instandhaltung** maintenance.

warum [va'rʊm] *adv* why; **~ nicht gleich so!** that's better.

Warze ['vartsə] (**-, -n**) *f* wart.

was [vas] *pron* what; (*umg: etwas*) something; **das, ~** ... that which ...; **~ für ...?** what sort *od* kind of ...?

Wasch- *zW:* **~anlage** *f* (*für Autos*) car wash; **w~bar** *adj* washable; **~becken** *nt* washbasin.

Wäsche ['vɛʃə] (**-, -n**) *f* wash(ing); (*Bett~*) linen; (*Unter~*) underwear; **dumm aus der ~ gucken** (*umg*) to look stupid.

waschecht *adj* (*Farbe*) fast; (*fig*) genuine.

Wäsche- *zW:* **~klammer** *f* clothes peg (*BRIT*), clothespin (*US*); **~korb** *m* dirty clothes basket; **~leine** *f* washing line (*BRIT*), clothes line (*US*).

waschen ['vaʃən] *unreg vt, vi* to wash ♦ *vr* to (have a) wash; **sich** *dat* **die Hände ~** to wash one's hands; **~ und legen** (*Haare*) to shampoo and set.

Wäscherei [vɛʃə'raɪ] *f* laundry.

Wäscheschleuder *f* spin-dryer.

Wasch- *zW:* **~gang** *m* stage of the washing programme (*BRIT*) *od* program (*US*); **~küche** *f* laundry room; **~lappen** *m* face cloth *od* flannel (*BRIT*), washcloth (*US*); (*umg*) softy; **~maschine** *f* washing machine; **w~maschinenfest** *adj* machine-washable; **~mittel** *nt* detergent; **~pulver** *nt* washing powder; **~salon** *m* Launderette ® (*BRIT*), Laundromat ® (*US*).

wäscht [vɛʃt] *vb siehe* **waschen.**

Waschtisch *m* washstand.

Washington ['wɔʃɪŋtən] (**-s**) *nt* Washington.

Wasser[1] ['vasər] (**-s, -**) *nt* water; **dort wird auch nur mit ~ gekocht** (*fig*) they're no different from anybody else (there); **ins ~ fallen** (*fig*) to fall through; **mit allen ~n gewaschen sein** (*umg*) to be a shrewd customer; **~ lassen** (*euph*) to pass water; **jdm das ~ abgraben** (*fig*) to take the bread from sb's mouth, take away sb's livelihood.

Wasser[2] (**-s, ¨**) *nt* (*Flüssigkeit*) water; (*MED*) lotion; (*Parfüm*) cologne; (*Mineral~*) mineral water.

wasserabstoßend *adj* water-repellent.

Wässerchen *nt:* **er sieht aus, als ob er kein ~ trüben könnte** he looks as if butter wouldn't melt in his mouth.

Wasser- *zW:* **w~dicht** *adj* watertight; (*Stoff, Uhr*) waterproof; **~fall** *m* waterfall; **~farbe** *f* watercolour (*BRIT*), watercolor (*US*); **w~gekühlt** *adj* (*AUT*) water-cooled; **~graben** *m* (*SPORT*) water jump; (*um Burg*) moat; **~hahn** *m* tap, faucet (*US*).

wässerig ['vɛsərɪç] *adj* watery.

Wasser- *zW:* **~kessel** *m* kettle; (*TECH*) boiler; **~kraftwerk** *nt* hydroelectric power station; **~leitung** *f* water pipe; (*Anlagen*) plumbing; **~mann** *m* (*ASTROL*) Aquarius.

wassern *vi* to land on the water.

wässern ['vɛsərn] *vt, vi* to water.

Wasser- *zW:* **~scheide** *f* watershed; **w~scheu** *adj* afraid of water; **~schutzpolizei** *f* (*auf Flüssen*) river police; (*im Hafen*) harbour (*BRIT*) *od* harbor (*US*) police; (*auf der See*) coastguard service; **~ski** *nt* water-skiing; **~spiegel** *m* (*Oberfläche*) surface of the water; (*~stand*) water level; **~stand** *m* water level; **~stoff** *m* hydrogen; **~stoffbombe** *f* hydrogen bomb; **~verbrauch** *m* water consumption; **~waage** *f* spirit level; **~welle** *f* shampoo and set; **~werfer** (**-s, -**) *m* water cannon; **~werk** *nt* waterworks; **~zeichen** *nt* watermark.

waten ['vaːtən] *vi* to wade.

watscheln ['vaːtʃəln] *vi* to waddle.

Watt[1] [vat] (**-(e)s, -en**) *nt* mud flats *pl.*

Watt[2] (**-s, -**) *nt* (*ELEK*) watt.

Watte (**-, -n**) *f* cotton wool (*BRIT*), absorbent cotton (*US*).

Wattenmeer (**-(e)s**) *nt* mud flats *pl.*

Wattestäbchen *nt* cotton(-wool) swab.

wattieren [va'tiːrən] *vt* to pad.

WC [veː'tseː] (**-s, -s**) *nt abk* (= *Wasserklosett*) WC.

WDR (**-**) *m abk* (= *Westdeutscher Rundfunk*) *West German Radio.*

weben ['veːbən] *unreg vt* to weave.

Weber(in) (**-s, -**) *m(f)* weaver.

Weberei [veːbə'raɪ] *f* (*Betrieb*) weaving mill.

Webstuhl ['veːpʃtuːl] *m* loom.

Wechsel ['vɛksəl] (**-s, -**) *m* change; (*Geld~*) exchange; (*COMM*) bill of exchange; **~bäder** *pl* alternating hot and cold baths *pl*; **~beziehung** *f* correlation; **~forderungen** *pl* (*COMM*) bills receivable *pl*; **~geld** *nt* change; **w~haft** *adj* (*Wetter*) variable; **~inhaber** *m* bearer; **~jahre** *pl* change of life, menopause; **in die ~jahre kommen** to start the change; **~kurs** *m* rate of exchange; **~kursmechanismus** *m* Exchange Rate Mechanism, ERM.

wechseln *vt* to change; (*Blicke*) to exchange ♦ *vi* to change; (*einander ablösen*) to alternate.

wechselnd *adj* changing; (*Stimmungen*) changeable; (*Winde, Bewölkung*) variable.

Wechsel- *zW:* **w~seitig** *adj* reciprocal; **~sprechanlage** *f* two-way intercom; **~strom** *m* alternating current; **~stube** *f* currency exchange, bureau de change; **~verbindlichkeiten** *pl* bills payable *pl*; **w~weise** *adv* alternately; **~wirkung** *f* interaction.

wecken ['vɛkən] *vt* to wake (up); (*fig*) to arouse; (*Bedarf*) to create; (*Erinnerungen*) to revive.

Wecker (**-s, -**) *m* alarm clock; **jdm auf den ~ fallen** (*umg*) to get on sb's nerves.

Weckglas ® *nt* preserving jar.

Weckruf *m* (*TEL*) alarm call.

wedeln ['ve:dəln] *vi* (*mit Schwanz*) to wag; (*mit Fächer*) to fan; (*SKI*) to wedel.

weder ['ve:dər] *konj* neither; **~ ... noch ...** neither ... nor ...

Weg [ve:k] (**-(e)s, -e**) *m* way; (*Pfad*) path; (*Route*) route; **sich auf den ~ machen** to be on one's way; **jdm aus dem ~ gehen** to keep out of sb's way; **jdm nicht über den ~ trauen** (*fig*) not to trust sb an inch; **den ~ des geringsten Widerstandes gehen** to follow the line of least resistance; **etw in die ~e leiten** to arrange sth; **jdm Steine in den ~ legen** (*fig*) to put obstacles in sb's way.

weg [vɛk] *adv* away, off; **über etw** *akk* **~ sein** to be over sth; **er war schon ~** he had already left; **nichts wie** *od* **nur ~ von hier!** let's get out of here!; **~ damit!** (*mit Schere etc*) put it/them away!; **Finger ~!** hands off!

Wegbereiter (**-s, -**) *m* pioneer.

wegblasen *unreg vt* to blow away; **wie weggeblasen sein** (*fig*) to have vanished.

wegbleiben *unreg vi* to stay away; **mir bleibt die Spucke weg!** (*umg*) I am absolutely flabbergasted!

wegen ['ve:gən] *präp +gen od* (*umg*) *+dat* because of; **von ~!** you must be joking!

weg- *zW:* **~fahren** *unreg vi* to drive away; (*abfahren*) to leave; **~fallen** *unreg vi* to be left out; (*Ferien, Bezahlung*) to be cancelled; (*aufhören*) to cease; **~gehen** *unreg vi* to go away, leave; (*umg: Ware*) to sell; **~hören** *vi* to turn a deaf ear; **~jagen** *vt* to chase away; **~kommen** *unreg vi:* **(bei etw) gut/schlecht ~kommen** (*umg*) to come off well/badly (with sth); **~lassen** *unreg vt* to leave out; **~laufen** *unreg vi* to run away *od* off; **das läuft (dir) nicht ~!** (*fig hum*) that can wait; **~legen** *vt* to put aside; **~machen** (*umg*) *vt* to get rid of; **~müssen** *unreg* (*umg*) *vi* to have to go; **~nehmen** *unreg vt* to take away.

Wegrand ['ve:krant] *m* wayside.

weg- *zW:* **~räumen** *vt* to clear away; **~schaffen** *vt* to clear away; **~schließen** *unreg vt* to lock away; **~schnappen** *vt:* **(jdm) etw ~schnappen** to snatch sth away (from sb); **~stecken** *vt* to put away; (*umg: verkraften*) to cope with; **~treten** *unreg vi* (*MIL*): **~treten!** dismiss!; **geistig ~getreten sein** (*umg: geistesabwesend*) to be away with the fairies; **~tun** *unreg vt* to put away.

wegweisend ['ve:gvaizənt] *adj* pioneering *attrib*, revolutionary.

Wegweiser ['ve:gvaizər] (**-s, -**) *m* road sign, signpost; (*fig: Buch etc*) guide.

Wegwerf- ['vɛkvɛrf] *in zW* disposable.

weg- *zW:* **~werfen** *unreg vt* to throw away; **~werfend** *adj* disparaging; **W~werfgesellschaft** *f* throw-away society; **~wollen** *unreg vi* (*verreisen*) to want to go away; **~ziehen** *unreg vi* to move away.

weh [ve:] *adj* sore; **~ tun** to hurt, be sore; **jdm/sich ~ tun** to hurt sb/o.s.

Wehe ['ve:ə] (**-, -n**) *f* drift.

wehe *interj:* **~, wenn du ...** you'll regret it if you ...; **~ dir!** you dare!

Wehen *pl* (*MED*) contractions *pl*; **in den ~ liegen** to be in labour (*BRIT*) *od* labor (*US*).

wehen *vt, vi* to blow; (*Fahnen*) to flutter.

weh- *zW:* **~klagen** *vi untr* to wail; **~leidig** *adj* oversensitive to pain; (*jammernd*) whiny, whining; **W~mut** *f* melancholy; **~mütig** *adj* melancholy.

Wehr[1] [ve:r] (**-(e)s, -e**) *nt* weir.

Wehr[2] [ve:r] (**-, -en**) *f* (*Feuer~*) fire brigade (*BRIT*) *od* department (*US*) ♦ *in zW* defence (*BRIT*), defense (*US*); **sich zur ~ setzen** to defend o.s.

Wehrdienst *m* military service.

> **Wehrdienst** *is military service which is still compulsory in Germany. All young men receive their call-up papers at 18 and all who are pronounced physically fit are required to spend one year in the* **Bundeswehr**. *Conscientious objectors are allowed to do* **Zivildienst** *as an alternative, on attending a hearing and presenting their case.*

Wehrdienstverweigerer *m* ≈ conscientious objector.

wehren *vr* to defend o.s.

Wehr- *zW:* **w~los** *adj* defenceless (*BRIT*), defenseless (*US*); **jdm w~los ausgeliefert sein** to be at sb's mercy; **~macht** *f* armed forces *pl*; **~pflicht** *f* conscription; **w~pflichtig** *adj* liable for military service; **~übung** *f* reserve duty training exercise.

Wehwehchen (*umg*) *nt* (minor) complaint.

Weib [vaip] (**-(e)s, -er**) *nt* woman, female (*pej*).

Weibchen *nt* (*Ehefrau*) little woman; (*ZOOL*) female.

weibisch ['vaibɪʃ] *adj* effeminate.

weiblich *adj* feminine.

weich [vaiç] *adj* soft; (*Ei*) soft-boiled; **~e Währung** soft currency.

Weiche (**-, -n**) *f* (*EISENB*) points *pl*; **die ~n stellen** (*lit*) to switch the points; (*fig*) to set the course.

weichen *unreg vi* to yield, give way; **(nicht) von jdm** *od* **von jds Seite ~** (not) to leave sb's side.

Weichensteller (**-s, -**) *m* pointsman.

weich- *zW:* **W~heit** *f* softness; **W~käse** *m* soft cheese; **~lich** *adj* soft, namby-pamby; **W~ling** *m* wimp; **W~spüler** (**-s, -**) *m* fabric

conditioner; **W~teile** *pl* soft parts *pl*; **W~tier** *nt* mollusc (*BRIT*), mollusk (*US*).
Weide ['vaɪdə] (**-, -n**) *f* (*Baum*) willow; (*Gras*) pasture.
weiden *vi* to graze ♦ *vr*: **sich an etw** *dat* ~ to delight in sth.
Weidenkätzchen *nt* willow catkin.
weidlich ['vaɪtlɪç] *adv* thoroughly.
weigern ['vaɪgərn] *vr* to refuse.
Weigerung ['vaɪgərʊŋ] *f* refusal.
Weihe ['vaɪə] (**-, -n**) *f* consecration; (*Priester~*) ordination.
weihen *vt* to consecrate; (*widmen*) to dedicate; **dem Untergang geweiht** (*liter*) doomed.
Weiher (**-s, -**) *m* pond.
Weihnachten (**-**) *nt* Christmas; **fröhliche ~!** happy *od* merry Christmas!; **w~** *vi unpers*: **es weihnachtet sehr** (*poetisch, ironisch*) Christmas is very much in evidence.
weihnachtlich *adj* Christmas(sy).
Weihnachts- *zW*: **~abend** *m* Christmas Eve; **~baum** *m* Christmas tree; **~geld** *nt* Christmas bonus; **~geschenk** *nt* Christmas present; **~lied** *nt* Christmas carol; **~mann** *m* Father Christmas (*BRIT*), Santa Claus.
Weihnachtsmarkt *m* Christmas fair.

The **Weihnachtsmarkt** *is a market held in most large towns in Germany in the weeks prior to Christmas. People visit it to buy presents, toys and Christmas decorations, and to enjoy the festive atmosphere. Food and drink associated with the Christmas festivities can also be eaten and drunk there, for example, gingerbread and mulled wine.*

Weihnachtstag *m*: **(erster)** ~ Christmas day; **zweiter** ~ Boxing Day (*BRIT*).
Weihrauch *m* incense.
Weihwasser *nt* holy water.
weil [vaɪl] *konj* because.
Weile ['vaɪlə] (**-**) *f* while, short time.
Weiler ['vaɪlər] (**-s, -**) *m* hamlet.
Weimarer Republik ['vaɪmarər repu'bli:k] *f* Weimar Republic.
Wein [vaɪn] (**-(e)s, -e**) *m* wine; (*Pflanze*) vine; **jdm reinen ~ einschenken** (*fig*) to tell sb the truth; **~bau** *m* cultivation of vines; **~bauer** *m* wine-grower; **~beere** *f* grape; **~berg** *m* vineyard; **~bergschnecke** *f* snail; **~brand** *m* brandy.
weinen *vt, vi* to cry; **das ist zum W~** it's enough to make you cry *od* weep.
weinerlich *adj* tearful.
Wein- *zW*: **~gegend** *f* wine-growing area; **~geist** *m* (ethyl) alcohol; **~glas** *nt* wine glass; **~gut** *nt* wine-growing estate; **~karte** *f* wine list.
Weinkrampf *m* crying fit.
Wein- *zW*: **~lese** *f* vintage; **~probe** *f* wine tasting; **~rebe** *f* vine; **w~rot** *adj* (*Farbe*) claret; **w~selig** *adj* merry with wine; **~stein** *m* tartar; **~stock** *m* vine; **~stube** *f* wine bar; **~traube** *f* grape.
weise ['vaɪzə] *adj* wise.
Weise (**-, -n**) *f* manner, way; (*Lied*) tune; **auf diese** ~ in this way.
Weise(r) *f(m)* wise man, wise woman, sage.
weisen *unreg vt* to show; **etw (weit) von sich ~** (*fig*) to reject sth (emphatically).
Weisheit ['vaɪshaɪt] *f* wisdom.
Weisheitszahn *m* wisdom tooth.
weismachen ['vaɪsmaxən] *vt*: **er wollte uns ~, daß** ... he would have us believe that ...
weiß[1] [vaɪs] *vb siehe* **wissen.**
weiß[2] *adj* white; **W~blech** *nt* tin plate; **W~brot** *nt* white bread; **~en** *vt* to whitewash; **W~glut** *f* (*TECH*) incandescence; **jdn zur W~glut bringen** (*fig*) to make sb see red; **W~kohl** *m* (white) cabbage.
Weißrußland *nt* B(y)elorussia.
weißt [vaɪst] *vb siehe* **wissen.**
Weiß- *zW*: **~waren** *pl* linen *sing*; **~wein** *m* white wine; **~wurst** *f* veal sausage.
Weisung ['vaɪzʊŋ] *f* instruction.
weit [vaɪt] *adj* wide; (*Begriff*) broad; (*Reise, Wurf*) long ♦ *adv* far; **in ~er Ferne** in the far distance; **wie ~ ist es ...?** how far is it ...?; **das geht zu ~** that's going too far; **~ und breit** for miles around; **~ gefehlt!** far from it; **es so ~ bringen, daß** ... to bring it about that ...; **~ zurückliegen** to be far behind; **von ~em** from a long way off; **~ab** *adv*: **~ab von** far (away) from; **~aus** *adv* by far; **W~blick** *m* (*fig*) far-sightedness; **~blickend** *adj* far-seeing.
Weite (**-, -n**) *f* width; (*Raum*) space; (*von Entfernung*) distance.
weiten *vt, vr* to widen.
weiter ['vaɪtər] *adj* wider; (*zusätzlich*) further ♦ *adv* further; **wenn es ~ nichts ist** ... well, if that's all (it is), ...; **das hat ~ nichts zu sagen** that doesn't really matter; **immer ~** on and on; (*Anweisung*) keep on (going); **~ nichts/niemand** nothing/nobody else; **~arbeiten** *vi* to go on working; **~bilden** *vr* to continue one's studies; **W~bildung** *f* further education.
Weitere(s) *nt* further details *pl*; **bis auf w~s** for the time being; **ohne w~s** without further ado, just like that.
weiter- *zW*: **~empfehlen** *unreg vt* to recommend (to others); **~erzählen** *vt* (*Geheimnis*) to pass on; **W~fahrt** *f* continuation of the journey; **~führend** *adj* (*Schule*) secondary (*BRIT*), high (*US*); **~gehen** *unreg vi* to go on; **~hin** *adv*: **etw ~hin tun** to go on doing sth; **~kommen** *unreg vi*: **nicht ~kommen** (*fig*) to be bogged down; **~leiten** *vt* to pass on; **~machen** *vt, vi* to continue; **~reisen** *vi* to continue one's journey; **~sagen** *vt*: **nicht ~sagen!** don't tell

anyone!; ~**sehen** *unreg vi:* **dann sehen wir** ~ then we'll see; ~**verarbeiten** *vt* to process; ~**wissen** *unreg vi:* **nicht (mehr)** ~**wissen** (*verzweifelt sein*) to be at one's wits' end.

weit- *zW:* ~**gehend** *adj* considerable ♦ *adv* largely; ~**hergeholt** *adj attrib* far-fetched; ~**hin** *adv* widely; (~*gehend*) to a large extent; ~**läufig** *adj* (*Gebäude*) spacious; (*Erklärung*) lengthy; (*Verwandter*) distant; ~**reichend** *adj* (*fig*) far-reaching; ~**schweifig** *adj* long-winded; ~**sichtig** *adj* (*lit*) long-sighted (*BRIT*), far-sighted (*US*); (*fig*) far-sighted; **W**~**sprung** *m* long jump; ~**verbreitet** *adj* widespread; ~**verzweigt** *adj attrib* (*Straßensystem*) extensive; **W**~**winkelobjektiv** *nt* (*PHOT*) wide-angle lens.

Weizen ['vaɪtsən] (**-s, -**) *m* wheat; ~**bier** *nt* *light, fizzy wheat beer*; ~**keime** *pl* (*KOCH*) wheatgerm *sing*.

welch [vɛlç] *pron:* ~ **ein(e)** ... what a ...

SCHLÜSSELWORT

welche(r, s) *interrog pron* which; ~**r von beiden?** which (one) of the two?; ~**n hast du genommen?** which (one) did you take?; ~ **Freude!** what joy!

♦ *indef pron* some; (*in Fragen*) any; **ich habe** ~ I have some; **haben Sie** ~**?** do you have any?

♦ *rel pron* (*bei Menschen*) who; (*bei Sachen*) which, that; ~**(r, s) auch immer** whoever/whichever/whatever.

welk [vɛlk] *adj* withered; ~**en** *vi* to wither.

Wellblech *nt* corrugated iron.

Welle ['vɛlə] (**-, -n**) *f* wave; (*TECH*) shaft; **(hohe)** ~**n schlagen** (*fig*) to create (quite) a stir.

Wellen- *zW:* ~**bereich** *m* waveband; ~**brecher** *m* breakwater; ~**gang** *m:* **starker** ~**gang** heavy sea(s) *od* swell; ~**länge** *f* (*lit, fig*) wavelength; **mit jdm auf einer** ~**länge sein** (*fig*) to be on the same wavelength as sb; ~**linie** *f* wavy line.

Wellensittich *m* budgerigar.

Wellpappe *f* corrugated cardboard.

Welpe ['vɛlpə] (**-n, -n**) *m* pup, whelp; (*von Wolf etc*) cub.

Welt [vɛlt] (**-, -en**) *f* world; **aus der** ~ **schaffen** to eliminate; **in aller** ~ all over the world; **vor aller** ~ in front of everybody; **auf die** ~ **kommen** to be born; ~**all** *nt* universe; ~**anschauung** *f* philosophy of life; **w**~**berühmt** *adj* world-famous; **w**~**bewegend** *adj* world-shattering; ~**bild** *nt* conception of the world; (*jds Ansichten*) philosophy.

Weltenbummler(in) *m(f)* globetrotter.

Weltergewicht ['vɛltərgəvɪçt] *nt* (*SPORT*) welterweight.

weltfremd *adj* unworldly.

Weltgesundheitsorganisation *f* World Health Organization.

Welt- *zW:* **w**~**gewandt** *adj* sophisticated; ~**kirchenrat** *m* World Council of Churches; ~**krieg** *m* world war; **w**~**lich** *adj* worldly; (*nicht kirchlich*) secular; ~**literatur** *f* world literature; ~**macht** *f* world power; **w**~**männisch** *adj* sophisticated; ~**meister** *m* world champion; ~**meisterschaft** *f* world *od* world's (*US*) championship; (*FUSSBALL etc*) World Cup; ~**rang** *m:* **von** ~**rang** world-famous; ~**raum** *m* space; ~**raumforschung** *f* space research; ~**raumstation** *f* space station; ~**reise** *f* trip round the world; ~**ruf** *m* world-wide reputation; ~**sicherheitsrat** *m* (*POL*) United Nations Security Council; ~**stadt** *f* metropolis; ~**untergang** *m* (*lit, fig*) end of the world; **w**~**weit** *adj* world-wide; ~**wirtschaft** *f* world economy; ~**wirtschaftskrise** *f* world economic crisis; ~**wunder** *nt* wonder of the world.

wem [ve:m] *dat von* **wer** ♦ *pron* to whom.

wen [ve:n] *akk von* **wer** ♦ *pron* whom.

Wende ['vɛndə] (**-, -n**) *f* turn; (*Veränderung*) change; **die** ~ (*POL*) (the) reunification (of Germany); ~**kreis** *m* (*GEOG*) tropic; (*AUT*) turning circle.

Wendeltreppe *f* spiral staircase.

wenden *unreg vt, vi, vr* to turn; **bitte** ~**!** please turn over; **sich an jdn** ~ to go/come to sb.

Wendepunkt *m* turning point.

wendig *adj* (*lit, fig*) agile; (*Auto etc*) manoeuvrable (*BRIT*), maneuverable (*US*).

Wendung *f* turn; (*Rede*~) idiom.

wenig ['ve:nɪç] *adj, adv* little; **ein** ~ a little; **er hat zu** ~ **Geld** he doesn't have enough money; **ein Exemplar zu** ~ one copy too few.

wenige ['ve:nɪgə] *pl* few *pl*; **in** ~**n Tagen** in (just) a few days.

weniger *adj* less; (*mit pl*) fewer ♦ *adv* less.

Wenigkeit *f* trifle; **meine** ~ (*umg*) little me.

wenigste(r, s) *adj* least.

wenigstens *adv* at least.

wenn [vɛn] *konj* if; (*zeitlich*) when; ~ **auch** ... even if ...; ~ **ich doch** ... if only I ...; ~ **wir erst die neue Wohnung haben** once we get the new flat.

Wenn *nt:* **ohne** ~ **und Aber** unequivocally.

wennschon *adv:* **na** ~ so what?; ~, **dennschon!** in for a penny, in for a pound!

wer [ve:r] *pron* who.

Werbe- *zW:* ~**agentur** *f* advertising agency; ~**aktion** *f* advertising campaign; ~**antwort** *f* business reply card; ~**fernsehen** *nt* commercial television; ~**film** *m* promotional film; ~**geschenk** *nt* promotional gift, freebie (*umg*); (*zu Gekauftem*) free gift; ~**grafiker(in)** *m(f)* commercial artist; ~**kampagne** *f* advertising campaign.

werben ['vɛrbən] *unreg vt* to win; (*Mitglied*) to recruit ♦ *vi* to advertise; **um jdn/etw** ~ to try to win sb/sth; **für jdn/etw** ~ to promote sb/sth.

Werbe- *zW:* ~**spot** *m* commercial; ~**texter** (**-s, -**) *m* copywriter; ~**trommel** *f:* **die** ~**trommel (für etw) rühren** (*umg*) to beat the big drum (for sth); **w**~**wirksam** *adj:* **w**~**wirksam sein** to be good publicity.

Werbung *f* advertising; (*von Mitgliedern*) recruitment; (*TV etc: Werbeblock*) commercial break; ~ **um jdn/etw** promotion of sb/sth.

Werbungskosten *pl* professional *od* business expenses *pl.*

Werdegang ['ve:rdəgaŋ] *m* development; (*beruflich*) career.

SCHLÜSSELWORT

werden ['ve:rdən] *unreg* (*pt* **wurde,** *pp* **geworden** *od* (*bei Passiv*) **worden**) *vi* to become; **was ist aus ihm/aus der Sache geworden?** what became of him/it; **es ist nichts/gut geworden** it came to nothing/ turned out well; **es wird Nacht/Tage** it's getting dark/light; **es wird bald ein Jahr, daß** ... it's almost a year since ...; **er wird am 8. Mai 36** he will be 36 on the 8th May; **mir wird kalt** I'm getting cold; **mir wird schlecht** I feel ill; **Erster** ~ to come *od* be first; **das muß anders** ~ that will have to change; **rot/zu Eis** ~ to turn red/to ice; **was willst du (mal)** ~**?** what do you want to be?; **die Fotos sind gut geworden** the photos turned out well

♦ *Hilfsverb* **1** (*bei Futur*): **er wird es tun** he will *od* he'll do it; **er wird das nicht tun** he will not *od* he won't do it; **es wird gleich regnen** it's going to rain any moment

2 (*bei Konjunktiv*): **ich würde** ... I would ...; **er würde gern** ... he would *od* he'd like to ...; **ich würde lieber** I would *od* I'd rather ...

3 (*bei Vermutung*): **sie wird in der Küche sein** she will be in the kitchen

4 (*bei Passiv*): **gebraucht** ~ to be used; **er ist erschossen worden** he has *od* he's been shot; **mir wurde gesagt, daß** I was told that ...

werdend *adj:* ~**e Mutter** expectant mother.

werfen ['vɛrfən] *unreg vt* to throw ♦ *vi* (*Tier*) to have its young; **„nicht** ~**"** "handle with care".

Werft [vɛrft] (**-, -en**) *f* shipyard; (*für Flugzeuge*) hangar.

Werk [vɛrk] (**-(e)s, -e**) *nt* work; (*Tätigkeit*) job; (*Fabrik, Mechanismus*) works *pl*; **ans** ~ **gehen** to set to work; **das ist sein** ~ this is his doing; **ab** ~ (*COMM*) ex works.

werkeln ['vɛrkəln] (*umg*) *vi* to potter about (*BRIT*), putter around (*US*).

Werken (**-s**) *nt* (*SCH*) handicrafts *pl.*

Werkschutz *m* works security service.

Werksgelände *nt* factory premises *pl.*

Werk- *zW:* ~**statt** (**-, -stätten**) *f* workshop; (*AUT*) garage; ~**stoff** *m* material; ~**student** *m* self-supporting student; ~**tag** *m* working day; **w**~**tags** *adv* on working days; **w**~**tätig** *adj* working; ~**zeug** *nt* tool; ~**zeugkasten** *m* toolbox; ~**zeugmaschine** *f* machine tool; ~**zeugschrank** *m* tool chest.

Wermut ['ve:rmu:t] (**-(e)s, -s**) *m* wormwood; (*Wein*) vermouth.

Wermutstropfen *m* (*fig*) drop of bitterness.

Wert [ve:rt] (**-(e)s, -e**) *m* worth; (*FIN*) value; ~ **legen auf** *+akk* to attach importance to; **es hat doch keinen** ~ it's useless; **im** ~**e von** to the value of.

wert [ve:rt] *adj* worth; (*geschätzt*) dear; (*würdig*) worthy; **das ist nichts/viel** ~ it's not worth anything/it's worth a lot; **das ist es/er mir** ~ it's/he's worth that to me; **ein Auto ist viel** ~ (*nützlich*) a car is very useful.

Wertangabe *f* declaration of value.

wertbeständig *adj* stable in value.

werten *vt* to rate; (*beurteilen*) to judge; (*SPORT: als gültig* ~) to allow; ~ **als** to rate as; to judge to be.

Wert- *zW:* ~**gegenstand** *m* article of value; **w**~**los** *adj* worthless; ~**losigkeit** *f* worthlessness; ~**maßstab** *m* standard; ~**papier** *nt* security; ~**steigerung** *f* appreciation.

Wertung *f* (*SPORT*) score.

Wert- *zW:* **w**~**voll** *adj* valuable; ~**vorstellung** *f* moral concept; ~**zuwachs** *m* appreciation.

Wesen ['ve:zən] (**-s, -**) *nt* (*Geschöpf*) being; (*Natur, Character*) nature.

wesentlich *adj* significant; (*beträchtlich*) considerable; **im** ~**en** essentially; (*im großen*) in the main.

weshalb [vɛs'halp] *adv* why.

Wespe ['vɛspə] (**-, -n**) *f* wasp.

wessen ['vɛsən] *gen von* **wer** ♦ *pron* whose.

Wessi ['vɛsɪ] (**-s, -s**) (*umg*) *m* West German.

A **Wessi** *is a colloquial and often derogatory word used to describe a German from the former West Germany. The expression 'Besserwessi' is used by East Germans to describe a West German who is considered to be a know-all.*

West- *zW:* **w**~**deutsch** *adj* West German; ~**deutsche(r)** *f(m)* West German; ~**deutschland** *nt* (*POL: früher*) West Germany; (*GEOG*) Western Germany.

Weste ['vɛstə] (**-, -n**) *f* waistcoat, vest (*US*); **eine reine** ~ **haben** (*fig*) to have a clean slate.

Westen (**-s**) *m* west.

Westentasche *f:* **etw wie seine** ~ **kennen** (*umg*) to know sth like the back of one's hand.

Westerwald ['vɛstərvalt] (**-s**) *m* Westerwald (Mountains *pl*).

Westeuropa *nt* Western Europe.
westeuropäisch ['vɛst|ɔʏro'pɛːɪʃ] *adj* West(ern) European; **~e Zeit** Greenwich Mean Time.
Westfale [vɛst'faːlə] (**-n, -n**) *m* Westphalian.
Westfalen (**-s**) *nt* Westphalia.
Westfälin [vɛst'fɛːlɪn] *f* Westphalian.
westfälisch *adj* Westphalian.
Westindien ['vɛst|ɪndiən] (**-s**) *nt* West Indies *pl*.
westindisch *adj* West Indian; **die ~en Inseln** the West Indies.
west- *zW:* **~lich** *adj* western ♦ *adv* to the west; **W~mächte** *pl* (*POL: früher*): **die W~mächte** the Western powers *pl*; **~wärts** *adv* westwards.
weswegen [vɛs'veːgən] *adv* why.
wett [vɛt] *adj* even; **~ sein** to be quits.
Wettbewerb *m* competition.
Wettbewerbsbeschränkung *f* restraint of trade.
wettbewerbsfähig *adj* competitive.
Wette (**-, -n**) *f* bet, wager; **um die ~ laufen** to run a race (with each other).
Wetteifer *m* rivalry.
wetteifern *vi untr:* **mit jdm um etw wetteifern** to compete with sb for sth.
wetten ['vɛtən] *vt, vi* to bet; **so haben wir nicht gewettet!** that's not part of the bargain!
Wetter ['vɛtər] (**-s, -**) *nt* weather; (*MIN*) air; **~amt** *nt* meteorological office; **~aussichten** *pl* weather outlook *sing*; **~bericht** *m* weather report; **~dienst** *m* meteorological service; **w~fest** *adj* weatherproof; **w~fühlig** *adj* sensitive to changes in the weather; **~karte** *f* weather chart; **~lage** *f* (weather) situation.
wettern ['vɛtərn] *vi* to curse and swear.
Wetter- *zW:* **~umschlag** *m* sudden change in the weather; **~vorhersage** *f* weather forecast; **~warte** *f* weather station; **w~wendisch** *adj* capricious.
Wett- *zW:* **~kampf** *m* contest; **~lauf** *m* race; **ein ~lauf mit der Zeit** a race against time.
wettmachen *vt* to make good.
Wett- *zW:* **~rüsten** *nt* arms race; **~spiel** *nt* match; **~streit** *m* contest.
wetzen ['vɛtsən] *vt* to sharpen ♦ *vi* (*umg*) to scoot.
WEU *f abk* (= *Westeuropäische Union*) WEU.
WEZ *abk* (= *westeuropäische Zeit*) GMT.
WG *abk* = **Wohngemeinschaft.**
Whisky ['vɪski] (**-s, -s**) *m* whisky (*BRIT*), whiskey (*US, Ireland*).
WHO (**-**) *f abk* (= *World Health Organization*) WHO.
wich *etc* [vɪç] *vb siehe* **weichen.**
wichsen ['vɪksən] *vt* (*Schuhe*) to polish ♦ *vi* (*umg!: onanieren*) to jerk *od* toss off (*!*).
Wichser (*umg!*) *m* wanker (*!*).
Wicht [vɪçt] (**-(e)s, -e**) *m* titch; (*pej*) worthless creature.
wichtig *adj* important; **sich selbst/etw (zu) ~ nehmen** to take o.s./sth (too) seriously; **W~keit** *f* importance; **W~tuer(in)** (*pej*) *m(f)* pompous ass (*umg*).
Wicke ['vɪkə] (**-, -n**) *f* (*BOT*) vetch; (*Garten~*) sweet pea.
Wickelkleid *nt* wrap-around dress.
wickeln ['vɪkəln] *vt* to wind; (*Haare*) to set; (*Kind*) to change; **da bist du schief gewickelt!** (*fig: umg*) you're very much mistaken; **jdn/etw in etw** *akk* **~** to wrap sb/sth in sth.
Wickeltisch *m* baby's changing table.
Widder ['vɪdər] (**-s, -**) *m* ram; (*ASTROL*) Aries.
wider ['viːdər] *präp +akk* against.
widerfahren *unreg vi untr:* **jdm widerfahren** to happen to sb.
Widerhaken ['viːdərhaːkən] *m* barb.
Widerhall ['viːdərhal] *m* echo; **keinen ~ (bei jdm) finden** (*Interesse*) to meet with no response (from sb).
widerlegen *vt untr* to refute.
widerlich ['viːdərlɪç] *adj* disgusting, repulsive; **W~keit** *f* repulsiveness.
widerrechtlich *adj* unlawful.
Widerrede *f* contradiction; **keine ~!** don't argue!
Widerruf ['viːdərruːf] *m* retraction; countermanding; **bis auf ~** until revoked.
widerrufen *unreg vt untr* to retract; (*Anordnung*) to revoke; (*Befehl*) to countermand.
Widersacher(in) ['viːdərzaxər(ɪn)] (**-s, -**) *m(f)* adversary.
widersetzen *vr untr:* **sich jdm widersetzen** to oppose sb; (*der Polizei*) to resist sb; **sich einer Sache widersetzen** to oppose sth; (*einem Befehl*) to refuse to comply with sth.
widerspenstig ['viːdərʃpɛnstɪç] *adj* wilful (*BRIT*), willful (*US*); **W~keit** *f* wilfulness (*BRIT*), willfulness (*US*).
widerspiegeln ['viːdərʃpiːgəln] *vt* to reflect.
widersprechen *unreg vi untr:* **jdm widersprechen** to contradict sb.
widersprechend *adj* contradictory.
Widerspruch ['viːdərʃprʊx] *m* contradiction; **ein ~ in sich** a contradiction in terms.
widersprüchlich ['viːdərʃprʏçlɪç] *adj* contradictory, inconsistent.
widerspruchslos *adv* without arguing.
Widerstand ['viːdərʃtant] *m* resistance; **der Weg des geringsten ~es** the line of least resistance; **jdm/etw ~ leisten** to resist sb/sth.
Widerstands- *zW:* **~bewegung** *f* resistance (movement); **w~fähig** *adj* resistant, tough; **w~los** *adj* unresisting.
widerstehen *unreg vi untr:* **jdm/etw widerstehen** to withstand sb/sth.
widerstreben *vi untr:* **es widerstrebt mir, so etwas zu tun** I am reluctant to do anything like that.
widerstrebend *adj* reluctant; (*gegensätzlich*)

conflicting.

Wider- *zW:* **~streit** *m* conflict; **w~wärtig** *adj* nasty, horrid; **~wille** *m:* **~wille (gegen)** aversion (to); (*Abneigung*) distaste (for); (*~streben*) reluctance; **w~willig** *adj* unwilling, reluctant; **~worte** *pl* answering back *sing.*

widmen ['vɪtmən] *vt* to dedicate ♦ *vr* to devote o.s.

Widmung *f* dedication.

widrig ['vi:drɪç] *adj* (*Umstände*) adverse; (*Mensch*) repulsive.

SCHLÜSSELWORT

wie [vi:] *adv* how; ~ **groß/schnell?** how big/fast?; ~ **wär's?** how about it?; ~ **wär's mit einem Whisky?** (*umg*) how about a whisky?; ~ **nennt man das?** what is that called?; ~ **ist er?** what's he like?; ~ **gut du das kannst!** you're very good at it; ~ **bitte?** pardon? (*BRIT*), pardon me? (*US*); (*entrüstet*) I beg your pardon!; **und ~!** and how!
♦ *konj* **1** (*bei Vergleichen*): **so schön ~ ...** as beautiful as ...; ~ **ich schon sagte** as I said; ~ **noch nie** as never before; ~ **du** like you; **singen ~ ein ...** to sing like a ...; ~ **(zum Beispiel)** such as (for example)
2 (*zeitlich*): ~ **er das hörte, ging er** when he heard that he left; **er hörte, ~ der Regen fiel** he heard the rain falling.

wieder ['vi:dər] *adv* again; ~ **da sein** to be back (again); **gehst du schon ~?** are you off again?; ~ **ein(e) ...** another ...; **das ist auch ~ wahr** that's true enough; **da sieht man mal ~ ...** it just shows ...

wieder- *zW:* **W~aufbau** [-'|aufbau] *m* rebuilding; **~aufbereiten** *vt* to recycle; (*Atommüll*) to reprocess; **W~aufbereitungsanlage** *f* reprocessing plant; **W~aufnahme** [-'|aufna:mə] *f* resumption; **~aufnehmen** *unreg vt* to resume; (*Gedanken, Hobby*) to take up again; (*Thema*) to revert to; (*JUR: Verfahren*) to reopen; **~bekommen** *unreg vt* to get back; **~beleben** *vt* to revive; **~bringen** *unreg vt* to bring back; **~erkennen** *unreg vt* to recognize; **W~erstattung** *f* reimbursement; **~finden** *unreg vt* (*fig: Selbstachtung etc*) to regain.

Wiedergabe *f* (*von Rede, Ereignis*) account; (*Wiederholung*) repetition; (*Darbietung*) performance; (*Reproduktion*) reproduction; **~gerät** *nt* playback unit.

wieder- *zW:* **~geben** *unreg vt* (*zurückgeben*) to return; (*Erzählung etc*) to repeat; (*Gefühle etc*) to convey; **W~geburt** *f* rebirth; **~gutmachen** [-'gu:tmaxən] *vt* to make up for; (*Fehler*) to put right; **W~gutmachung** *f* reparation; **~herstellen** *vt* to restore.

wiederholen *vt untr* to repeat.

wiederholt *adj:* **zum ~en Male** once again.

Wiederholung *f* repetition.

Wiederholungstäter(in) *m(f)* (*JUR*) second-time offender; (*mehrmalig*) persistent offender.

wieder- *zW:* **W~hören** *nt:* **auf W~hören** (*TEL*) goodbye; **~käuen** *vi* to ruminate ♦ *vt* to ruminate; (*fig: umg*) to go over again and again; **W~kehr** (-) *f* return; (*von Vorfall*) repetition, recurrence; **~kehrend** *adj* recurrent; **W~kunft** (-, ⸚e) *f* return; **~sehen** *unreg vt* to see again; **auf W~sehen** goodbye; **~um** *adv* again; (*seinerseits etc*) in turn; (*andererseits*) on the other hand; **~vereinigen** *vt* to reunite; **W~vereinigung** *f* reunification; **W~verkäufer** *m* distributor; **W~wahl** *f* re-election.

Wiege ['vi:ge] (-, -n) *f* cradle.

wiegen[1] *vt* (*schaukeln*) to rock; (*Kopf*) to shake.

wiegen[2] *unreg vt, vi* to weigh; **schwer ~** (*fig*) to carry a lot of weight; (*Irrtum*) to be serious.

wiehern ['vi:ərn] *vi* to neigh, whinny.

Wien [vi:n] **(-s)** *nt* Vienna.

Wiener(in) **(-s, -)** *m(f)* Viennese ♦ *adj attrib* Viennese; ~ **Schnitzel** Wiener schnitzel.

wies *etc* [vi:s] *vb siehe* **weisen.**

Wiese ['vi:zə] (-, -n) *f* meadow.

Wiesel ['vi:zəl] **(-s, -)** *nt* weasel; **schnell** *od* **flink wie ein ~** quick as a flash.

wieso [vi:'zo:] *adv* why.

wieviel [vi:'fi:l] *adv* how much; ~ **Menschen** how many people; **~mal** *adv* how often.

wievielte(r, s) *adj:* **zum ~n Mal?** how many times?; **den W~n haben wir?** what's the date?; **an ~r Stelle?** in what place?; **der ~ Besucher war er?** how many visitors were there before him?

wieweit [vi:'vaɪt] *adv* to what extent.

Wikinger ['vi:kɪŋər] **(-s, -)** *m* Viking.

wild [vɪlt] *adj* wild; **~er Streik** unofficial strike; **in ~er Ehe leben** (*veraltet, hum*) to live in sin; ~ **entschlossen** (*umg*) dead set.

Wild **(-(e)s)** *nt* game.

Wild- *zW:* **~bahn** *f:* **in freier ~bahn** in the wild; **~bret** *nt* game; (*von Rotwild*) venison; **~dieb** *m* poacher.

Wilde(r) ['vɪldə(r)] *f(m)* savage.

wildern ['vɪldərn] *vi* to poach.

wild- *zW:* **W~fang** *m* little rascal; **~fremd** ['vɪlt'frɛmt] (*umg*) *adj* quite strange *od* unknown; **W~heit** *f* wildness; **W~leder** *nt* suede.

Wildnis **(-, -se)** *f* wilderness.

Wild- *zW:* **~schwein** *nt* (wild) boar; **~wechsel** *m:* **„~wechsel"** "wild animals"; **~westroman** *m* western.

will [vɪl] *vb siehe* **wollen.**

Wille ['vɪlə] **(-ns, -n)** *m* will; **jdm seinen ~n lassen** to let sb have his own way; **seinen eigenen ~n haben** to be self-willed.

willen *präp +gen:* **um ... ~** for the sake of ...

willenlos *adj* weak-willed.

willens *adj* (*geh*): ~ **sein** to be willing.
willensstark *adj* strong-willed.
willentlich ['vɪləntlɪç] *adj* wilful (*BRIT*), willful (*US*), deliberate.
willig *adj* willing.
willkommen [vɪl'kɔmən] *adj* welcome; **jdn ~ heißen** to welcome sb; **herzlich ~ (in** *+dat***)** welcome (to); **W~** (**-s, -**) *nt* welcome.
willkürlich *adj* arbitrary; (*Bewegung*) voluntary.
willst [vɪlst] *vb siehe* **wollen.**
Wilna ['vɪlna] (**-s**) *nt* Vilnius.
wimmeln ['vɪməln] *vi:* ~ **(von)** to swarm (with).
wimmern ['vɪmərn] *vi* to whimper.
Wimper ['vɪmpər] (**-, -n**) *f* eyelash; **ohne mit der ~ zu zucken** (*fig*) without batting an eyelid.
Wimperntusche *f* mascara.
Wind [vɪnt] (**-(e)s, -e**) *m* wind; **den Mantel** *od* **das Fähnchen nach dem ~ hängen** to trim one's sails to the wind; **etw in den ~ schlagen** to turn a deaf ear to sth.
Windbeutel *m* cream puff; (*fig*) windbag.
Winde ['vɪndə] (**-, -n**) *f* (*TECH*) winch, windlass; (*BOT*) bindweed.
Windel ['vɪndəl] (**-, -n**) *f* nappy (*BRIT*), diaper (*US*).
windelweich *adj:* **jdn ~ schlagen** (*umg*) to beat the living daylights out of sb.
winden[1] ['vɪndən] *vi unpers* to be windy.
winden[2] *unreg vt* to wind; (*Kranz*) to weave; (*ent~*) to twist ♦ *vr* to wind; (*Person*) to writhe; (*fig: ausweichen*) to try to wriggle out.
Windenergie *f* wind power.
Windeseile *f:* **sich in** *od* **mit Windeseile verbreiten** to spread like wildfire.
Windhose *f* whirlwind.
Windhund *m* greyhound; (*Mensch*) fly-by-night.
windig ['vɪndɪç] *adj* windy; (*fig*) dubious.
Wind- *zW:* **~jacke** *f* windcheater, windbreaker (*US*); **~kanal** *m* (*TECH*) wind tunnel; **~kraft** *f* wind power; **~kraftanlage** *f* wind power station; **~mühle** *f* windmill; **gegen ~mühlen (an)kämpfen** (*fig*) to tilt at windmills; **~park** *m* wind farm.
Windpocken *pl* chickenpox *sing.*
Wind- *zW:* **~rose** *f* (*NAUT*) compass card; (*MET*) wind rose; **~schatten** *m* lee; (*von Fahrzeugen*) slipstream; **~schutzscheibe** *f* (*AUT*) windscreen (*BRIT*), windshield (*US*); **~stärke** *f* wind force; **w~still** *adj* (*Tag*) windless; **es ist w~still** there's no wind; **~stille** *f* calm; **~stoß** *m* gust of wind; **~surfen** *nt* windsurfing.
Windung *f* (*von Weg, Fluß etc*) meander; (*von Schlange, Spule*) coil; (*von Schraube*) thread.
Wink [vɪŋk] (**-(e)s, -e**) *m* (*mit Kopf*) nod; (*mit Hand*) wave; (*Tip, Hinweis*) hint; **ein ~ mit dem Zaunpfahl** a broad hint.
Winkel ['vɪŋkəl] (**-s, -**) *m* (*MATH*) angle; (*Gerät*) set square; (*in Raum*) corner; **~advokat** (*pej*) *m* incompetent lawyer; **~messer** *m* protractor; **~zug** *m:* **mach keine ~züge** stop evading the issue.
winken ['vɪŋkən] *vt, vi* to wave; **dem Sieger winkt eine Reise nach Italien** the (lucky) winner will receive a trip to Italy.
winseln ['vɪnzəln] *vi* to whine.
Winter ['vɪntər] (**-s, -**) *m* winter; **~garten** *m* conservatory; **w~lich** *adj* wintry; **~reifen** *m* winter tyre (*BRIT*) *od* tire (*US*); **~schlaf** *m* (*ZOOL*) hibernation; **~schlußverkauf** *m* winter sale; **~semester** *nt* (*UNIV*) winter semester (*bes US*), ≈ autumn term (*BRIT*); **~spiele** *pl:* **(Olympische) ~spiele** Winter Olympics *pl*; **~sport** *m* winter sports *pl.*
Winzer(in) ['vɪntsər(ɪn)] (**-s, -**) *m(f)* wine-grower.
winzig ['vɪntsɪç] *adj* tiny.
Wipfel ['vɪpfəl] (**-s, -**) *m* treetop.
Wippe ['vɪpə] (**-, -n**) *f* seesaw.
wir [vi:r] *pron* we; **~ alle** all of us, we all.
Wirbel ['vɪrbəl] (**-s, -**) *m* whirl, swirl; (*Trubel*) hurly-burly; (*Aufsehen*) fuss; (*ANAT*) vertebra; **~ um jdn/etw machen** to make a fuss about sb/sth.
wirbellos *adj* (*ZOOL*) invertebrate.
wirbeln *vi* to whirl, swirl.
Wirbel- *zW:* **~säule** *f* spine; **~tier** *nt* vertebrate; **~wind** *m* whirlwind.
wirbst *vb siehe* **werben.**
wirbt [vɪrpt] *vb siehe* **werben.**
wird [vɪrt] *vb siehe* **werden.**
wirfst *vb siehe* **werfen.**
wirft [vɪrft] *vb siehe* **werfen.**
wirken ['vɪrkən] *vi* to have an effect; (*erfolgreich sein*) to work; (*scheinen*) to seem ♦ *vt* (*Wunder*) to work; **etw auf sich** *akk* **~ lassen** to take sth in.
wirklich ['vɪrklɪç] *adj* real; **W~keit** *f* reality; **~keitsgetreu** *adj* realistic.
wirksam ['vɪrkza:m] *adj* effective; **W~keit** *f* effectiveness.
Wirkstoff *m* active substance.
Wirkung ['vɪrkʊŋ] *f* effect.
Wirkungs- *zW:* **~bereich** *m* field (of activity *od* interest *etc*); (*Domäne*) domain; **w~los** *adj* ineffective; **w~los bleiben** to have no effect; **w~voll** *adj* effective.
wirr [vɪr] *adj* confused; (*unrealistisch*) wild; (*Haare etc*) tangled.
Wirren *pl* disturbances *pl.*
Wirrwarr ['vɪrvar] (**-s**) *m* disorder, chaos; (*von Stimmen*) hubbub; (*von Fäden, Haaren etc*) tangle.
Wirsing(kohl) ['vɪrzɪŋ(ko:l)] (**-s**) *m* savoy cabbage.
wirst [vɪrst] *vb siehe* **werden.**
Wirt(in) [vɪrt(ɪn)] (**-(e)s, -e**) *m(f)* landlord, landlady.
Wirtschaft ['vɪrtʃaft] *f* (*Gaststätte*) pub;

(*Haushalt*) housekeeping; (*eines Landes*) economy; (*Geschäftsleben*) industry and commerce; (*umg: Durcheinander*) mess; **w~en** *vi* (*sparsam sein*): **gut w~en können** to be economical; **~er** *m* (*Verwalter*) manager; **~erin** *f* (*im Haushalt, Heim etc*) housekeeper; **w~lich** *adj* economical; (*POL*) economic; **~lichkeit** *f* economy; (*von Betrieb*) viability.

Wirtschafts- *zW:* **~geld** *nt* housekeeping (money); **~geographie** *f* economic geography; **~hilfe** *f* economic aid; **~krise** *f* economic crisis; **~minister** *m* minister of economic affairs; **~ordnung** *f* economic system; **~politik** *f* economic policy; **~prüfer** *m* chartered accountant (*BRIT*), certified public accountant (*US*); **~spionage** *f* industrial espionage; **~wachstum** *nt* economic growth; **~wissenschaft** *f* economics *sing*; **~wunder** *nt* economic miracle; **~zweig** *m* branch of industry.

Wirtshaus *nt* inn.

Wisch [vɪʃ] (**-(e)s, -e**) *m* scrap of paper.

wischen *vt* to wipe.

Wischer (**-s, -**) *m* (*AUT*) wiper.

Wischiwaschi [vɪʃiːˈvaʃiː] (**-s**) (*pej: umg*) *nt* drivel.

Wisent [ˈviːzɛnt] (**-s, -e**) *m* bison.

WiSo [ˈvɪzo] *abk* (= *Wirtschafts- und Sozialwissenschaften*) economics and social sciences.

wispern [ˈvɪspərn] *vt, vi* to whisper.

Wiss. *abk* = **Wissenschaft.**

wiss. *abk* = **wissenschaftlich.**

Wißbegier(de) [ˈvɪsbəgiːr(də)] *f* thirst for knowledge.

wißbegierig *adj* eager for knowledge.

wissen [ˈvɪsən] *unreg vt, vi* to know; **von jdm/etw nichts ~ wollen** not to be interested in sb/sth; **sie hält sich für wer weiß wie klug** (*umg*) she doesn't half think she's clever; **gewußt wie/wo!** *etc* sheer brilliance!; **ich weiß seine Adresse nicht mehr** (*sich erinnern*) I can't remember his address; **W~** (**-s**) *nt* knowledge; **etw gegen (sein) besseres W~ tun** to do sth against one's better judgement; **nach bestem W~ und Gewissen** to the best of one's knowledge and belief.

Wissenschaft [ˈvɪsənʃaft] *f* science.

Wissenschaftler(in) (**-s, -**) *m(f)* scientist; (*Geistes~*) academic.

wissenschaftlich *adj* scientific; **W~er Assistent** assistant lecturer.

wissenswert *adj* worth knowing.

wissentlich *adj* knowing.

wittern [ˈvɪtərn] *vt* to scent; (*fig*) to suspect.

Witterung *f* weather; (*Geruch*) scent.

Witwe [ˈvɪtvə] (**-, -n**) *f* widow.

Witwer (**-s, -**) *m* widower.

Witz [vɪts] (**-es, -e**) *m* joke; **der ~ an der Sache ist, daß** ... the great thing about it is that ...; **~bold** (**-(e)s, -e**) *m* joker.

witzeln *vi* to joke.

witzig *adj* funny.

witzlos (*umg*) *adj* (*unsinnig*) pointless, futile.

WM (**-**) *f abk* = **Weltmeisterschaft.**

wo [voː] *adv* where; (*umg: irgend~*) somewhere ♦ *konj* (*wenn*) if; **im Augenblick, ~** ... the moment (that) ...; **die Zeit, ~** ... the time when ...

woanders [voːˈ|andərs] *adv* elsewhere.

wob *etc* [voːp] *vb siehe* **weben.**

wobei [voːˈbaɪ] *adv* (*rel*) ... in/by/with which; (*interrog*) how; what ... in/by/with; **~ mir gerade einfällt** ... which reminds me ...

Woche [ˈvɔxə] (**-, -n**) *f* week.

Wochenbett *nt:* **im ~ sterben** to die in childbirth.

Wochen- *zW:* **~ende** *nt* weekend; **~endhaus** *nt* weekend house; **~karte** *f* weekly ticket; **w~lang** *adj* lasting weeks ♦ *adv* for weeks; **~schau** *f* newsreel; **~tag** *m* weekday.

wöchentlich [ˈvœçəntlɪç] *adj, adv* weekly.

Wochenzeitung *f* weekly (paper).

Wöchnerin [ˈvœçnərɪn] *f* *woman who has recently given birth.*

wodurch [voˈdʊrç] *adv* (*rel*) through which; (*interrog*) what ... through.

wofür [voˈfyːr] *adv* (*rel*) for which; (*interrog*) what ... for.

Wodka [ˈvɔtka] (**-s, -s**) *m* vodka.

wog *etc* [voːk] *vb siehe* **wiegen²**.

Woge [ˈvoːgə] (**-, -n**) *f* wave.

wogegen [voˈgeːgən] *adv* (*rel*) against which; (*interrog*) what ... against.

wogen *vi* to heave, surge.

woher [voˈheːr] *adv* where ... from; **~ kommt es eigentlich, daß ...?** how is it that ...?

wohin [voˈhɪn] *adv* where ... to; **~ man auch schaut** wherever you look.

wohingegen *konj* whereas, while.

Wohl (**-(e)s**) *nt* welfare; **zum ~!** cheers!

SCHLÜSSELWORT

wohl [voːl] *adv* **1** well; (*behaglich*) at ease, comfortable; **sich ~ fühlen** (*zufrieden*) to feel happy; (*gesundheitlich*) to feel well; **bei dem Gedanken ist mir nicht ~** I'm not very happy at the thought; **~ oder übel** whether one likes it or not; **er weiß das sehr ~** he knows that perfectly well

2 (*wahrscheinlich*) probably; (*vermutlich*) I suppose; (*gewiß*) certainly; (*vielleicht*) perhaps; **sie ist ~ zu Hause** she's probably at home; **sie wird ~ das Haus verkaufen** I suppose *od* presumably she's going to sell the house; **das ist doch ~ nicht dein Ernst!** surely you're not serious!; **das mag ~ sein** that may well be; **ob das ~ stimmt?** I wonder if that's true.

wohl- *zW:* **~auf** [voːlˈ|aʊf] *adj* well, in good health; **W~befinden** *nt* well-being; **W~behagen** *nt* comfort; **~behalten** *adj* safe and sound; **W~ergehen** *nt* welfare; **W~fahrt** *f* welfare; **W~fahrtsstaat** *m* welfare state; **W~gefallen** *nt:* **sich in W~gefallen auflösen** (*hum: Gegenstände, Probleme*) to vanish into thin air; (*zerfallen*) to fall apart; **~gemeint** *adj* well-intentioned; **~gemerkt** *adv* mark you; **~habend** *adj* wealthy.

wohlig *adj* contented; (*gemütlich*) comfortable.

wohl- *zW:* **W~klang** *m* melodious sound; **~meinend** *adj* well-meaning; **~schmeckend** *adj* delicious; **W~stand** *m* prosperity; **W~standsgesellschaft** *f* affluent society; **W~tat** *f* (*Gefallen*) favour (*BRIT*), favor (*US*); (*gute Tat*) good deed; (*Erleichterung*) relief; **W~täter** *m* benefactor; **~tätig** *adj* charitable; **W~tätigkeit** *f* charity; **~tuend** *adj* pleasant; **~tun** *unreg vi:* **jdm ~tun** to do sb good; **~verdient** *adj* (*Ruhe*) well-earned; (*Strafe*) well-deserved; **~weislich** *adv* prudently; **W~wollen (-s)** *nt* good will; **~wollend** *adj* benevolent.

Wohnblock ['vo:nblɔk] **(-s, -s)** *m* block of flats (*BRIT*), apartment house (*US*).

wohnen ['vo:nən] *vi* to live.

wohn- *zW:* **W~fläche** *f* living space; **W~geld** *nt* housing benefit; **W~gemeinschaft** *f* people sharing a flat (*BRIT*) *od* apartment (*US*); (*von Hippies*) commune; **~haft** *adj* resident; **W~heim** *nt* (*für Studenten*) hall (of residence), dormitory (*US*); (*für Senioren*) home; (*bes für Arbeiter*) hostel; **W~komfort** *m:* **mit sämtlichem W~komfort** with all mod cons (*BRIT*); **~lich** *adj* comfortable; **W~mobil** *nt* motor caravan (*BRIT*), motor home (*US*); **W~ort** *m* domicile; **W~silo** *nt* concrete block of flats (*BRIT*) *od* apartment block (*US*); **W~sitz** *m* place of residence; **ohne festen W~sitz** of no fixed abode.

Wohnung *f* house; (*Etagen~*) flat (*BRIT*), apartment (*US*).

Wohnungs- *zW:* **~amt** *nt* housing office; **~bau** *m* house-building; **~markt** *m* housing market; **~not** *f* housing shortage.

wohn- *zW:* **W~viertel** *nt* residential area; **W~wagen** *m* caravan (*BRIT*), trailer (*US*); **W~zimmer** *nt* living room.

wölben ['vœlbən] *vt, vr* to curve.

Wölbung *f* curve.

Wolf [vɔlf] **(-(e)s, ⸚e)** *m* wolf; (*TECH*) shredder; (*Fleisch~*) mincer (*BRIT*), grinder (*US*).

Wölfin ['vœlfɪn] *f* she-wolf.

Wolke ['vɔlkə] **(-, -n)** *f* cloud; **aus allen ~n fallen** (*fig*) to be flabbergasted (*umg*).

Wolken- *zW:* **~bruch** *m* cloudburst; **w~bruchartig** *adj* torrential; **~kratzer** *m* skyscraper; **~kuckucksheim** *nt* cloud-cuckoo-land (*BRIT*), cloudland (*US*); **w~los** *adj* cloudless.

wolkig ['vɔlkɪç] *adj* cloudy.

Wolle ['vɔlə] **(-, -n)** *f* wool; **sich mit jdm in die ~ kriegen** (*fig: umg*) to start squabbling with sb.

SCHLÜSSELWORT

wollen¹ ['vɔlən] *unreg* (*pt* **wollte**, *pp* **gewollt** *od* *(als Hilfsverb)* **wollen**) *vt, vi* to want; **ich will nach Hause** I want to go home; **er will nicht** he doesn't want to; **sie wollte das nicht** she didn't want it; **wenn du willst** if you like; **ich will, daß du mir zuhörst** I want you to listen to me; **oh, das hab ich nicht gewollt** oh, I didn't mean to do that; **ich weiß nicht, was er will** (*verstehe ihn nicht*) I don't know what he's on about

♦ *Hilfsverb:* **er will ein Haus kaufen** he wants to buy a house; **ich wollte, ich wäre ...** I wish I were ...; **etw gerade tun ~** to be just about to *od* going to do sth; **und so jemand** *od* **etwas will Lehrer sein!** (*umg*) and he calls himself a teacher!; **das will alles gut überlegt sein** that needs a lot of thought.

wollen² *adj* woollen (*BRIT*), woolen (*US*).

Wollsachen *pl* wool(l)ens *pl*.

wollüstig ['vɔlʏstɪç] *adj* lusty, sensual.

wo- *zW:* **~mit** [vo'mɪt] *adv* (*rel*) with which; (*interrog*) what ... with; **~mit kann ich dienen?** what can I do for you?; **~möglich** [vo'mø:klɪç] *adv* probably, I suppose; **~nach** [vo'na:x] *adv* (*rel*) after/for which; (*interrog*) what ... after.

Wonne ['vɔnə] **(-, -n)** *f* joy, bliss.

woran [vo'ran] *adv* (*rel*) on/at which; (*interrog*) what ... on/at; **~ liegt das?** what's the reason for it?

worauf [vo'raʊf] *adv* (*rel*) on which; (*interrog*) what ... on; (*zeitlich*) whereupon; **~ du dich verlassen kannst** of that you can be sure.

woraus [vo'raʊs] *adv* (*rel*) from/out of which; (*interrog*) what ... from/out of.

worin [vo'rɪn] *adv* (*rel*) in which; (*interrog*) what ... in.

Wort [vɔrt] **(-(e)s, ⸚er** *od* **-e)** *nt* word; **jdn beim ~ nehmen** to take sb at his word; **ein ernstes ~ mit jdm reden** to have a serious talk with sb; **man kann sein eigenes ~ nicht (mehr) verstehen** you can't hear yourself speak; **jdm aufs ~ gehorchen** to obey sb's every word; **zu ~ kommen** to get a chance to speak; **jdm das ~ erteilen** to allow sb to speak; **~art** *f* (*GRAM*) part of speech; **w~brüchig** *adj* not true to one's word.

Wörtchen *nt:* **da habe ich wohl ein ~ mitzureden** (*umg*) I think I have some say in that.

Wörterbuch ['vœrtərbu:x] *nt* dictionary.

Wort- *zW:* **~fetzen** *pl* snatches *pl* of conversation; **~führer** *m* spokesman; **w~getreu** *adj* true to one's word; (*Übersetzung*) literal; **w~gewaltig** *adj* eloquent; **w~karg** *adj* taciturn; **~laut** *m* wording; **im ~laut** verbatim.

wörtlich ['vœrtlıç] *adj* literal.
Wort- *zW:* **w~los** *adj* mute; **~meldung** *f:* **wenn es keine weiteren ~meldungen gibt, ...** if nobody else wishes to speak ...; **w~reich** *adj* wordy, verbose; **~schatz** *m* vocabulary; **~spiel** *nt* play on words, pun; **~wechsel** *m* dispute; **w~wörtlich** *adj* word-for-word ♦ *adv* quite literally.
worüber [vo'ry:bər] *adv* (*rel*) over/about which; (*interrog*) what ... over/about.
worum [vo'rʊm] *adv* (*rel*) about/round which; (*interrog*) what ... about/round; **~ handelt es sich?** what's it about?
worunter [vo'rʊntər] *adv* (*rel*) under which; (*interrog*) what ... under.
wo- *zW:* **~von** [vo'fɔn] *adv* (*rel*) from which; (*interrog*) what ... from; **~vor** [vo'fɔr] *adv* (*rel*) in front of/before which; (*interrog*) in front of/before what; **~zu** [vo'tsu] *adv* (*rel*) to/for which; (*interrog*) what ... for/to; (*warum*) why; **~zu soll das gut sein?** what's the point of that?
Wrack [vrak] (**-(e)s, -s**) *nt* wreck.
wrang *etc* [vraŋ] *vb siehe* **wringen.**
wringen ['vrıŋən] *unreg vt* to wring.
WS *abk* = **Wintersemester.**
WSV *abk* = **Winterschlußverkauf.**
Wucher ['vu:xər] (**-s**) *m* profiteering; **~er** (**-s, -**) *m*, **~in** *f* profiteer; **w~isch** *adj* profiteering.
wuchern *vi* (*Pflanzen*) to grow wild.
Wucherpreis *m* exorbitant price.
Wucherung *f* (*MED*) growth.
Wuchs (**-es**) [vu:ks] *m* (*Wachstum*) growth; (*Statur*) build.
wuchs *etc vb siehe* **wachsen[1].**
Wucht [vʊxt] (-) *f* force.
wuchtig *adj* massive, solid.
wühlen ['vy:lən] *vi* to scrabble; (*Tier*) to root; (*Maulwurf*) to burrow; (*umg: arbeiten*) to slave away ♦ *vt* to dig.
Wühlmaus *f* vole.
Wühltisch *m* (*in Kaufhaus*) bargain counter.
Wulst [vʊlst] (**-es, ⁼e**) *m* bulge; (*an Wunde*) swelling.
wulstig *adj* bulging; (*Rand, Lippen*) thick.
wund [vʊnt] *adj* sore; **sich** *dat* **die Füße ~ laufen** (*lit*) to get sore feet from walking; (*fig*) to walk one's legs off; **ein ~er Punkt** a sore point; **W~brand** *m* gangrene.
Wunde ['vʊndə] (**-, -n**) *f* wound; **alte ~n wieder aufreißen** (*fig*) to open up old wounds.
wunder ['vʊndər] *adv:* **meine Eltern denken ~ was passiert ist** my parents think goodness knows what has happened.
Wunder (**-s, -**) *nt* miracle; **es ist kein ~** it's no wonder; **w~bar** *adj* wonderful, marvellous (*BRIT*), marvelous (*US*); **~kerze** *f* sparkler; **~kind** *nt* child prodigy; **w~lich** *adj* odd, peculiar.
wundern *vt* to surprise ♦ *vr:* **sich ~ über** *+akk* to be surprised at.
Wunder- *zW:* **w~schön** *adj* beautiful; **~tüte** *f* lucky bag; **w~voll** *adj* wonderful.
Wundfieber (**-s**) *nt* traumatic fever.
Wundstarrkrampf ['vʊntʃtarkrampf] *m* tetanus, lockjaw.
Wunsch [vʊnʃ] (**-(e)s, ⁼e**) *m* wish; **haben Sie (sonst) noch einen ~?** (*beim Einkauf etc*) is there anything else you'd like?; **auf jds (besonderen/ausdrücklichen) ~ hin** at sb's (special/express) request; **~denken** *nt* wishful thinking.
Wünschelrute ['vʏnʃəlru:tə] *f* divining rod.
wünschen ['vʏnʃən] *vt* to wish ♦ *vi:* **zu ~/viel zu ~ übrig lassen** to leave something/a great deal to be desired; **sich** *dat* **etw ~** to want sth, wish for sth; **was ~ Sie?** (*in Geschäft*) what can I do for you?; (*in Restaurant*) what would you like?
wünschenswert *adj* desirable.
Wunsch- *zW:* **~kind** *nt* planned child; **~konzert** *nt* (*RUNDF*) musical request programme (*BRIT*) *od* program (*US*); **w~los** *adj:* **w~los glücklich** perfectly happy; **~traum** *m* dream; (*unrealistisch*) pipe dream; **~zettel** *m* list of things one would like.
wurde *etc* ['vʊrdə] *vb siehe* **werden.**
Würde ['vʏrdə] (**-, -n**) *f* dignity; (*Stellung*) honour (*BRIT*), honor (*US*); **unter aller ~ sein** to be beneath contempt.
Würdenträger *m* dignitary.
würdevoll *adj* dignified.
würdig ['vʏrdıç] *adj* worthy; (*würdevoll*) dignified.
würdigen ['vʏrdıgən] *vt* to appreciate; **etw zu ~ wissen** to appreciate sth; **jdn keines Blickes ~** not to so much as look at sb.
Wurf [vʊrf] (**-(e)s, ⁼e**) *m* throw; (*Junge*) litter.
Würfel ['vʏrfəl] (**-s, -**) *m* dice; (*MATH*) cube; **die ~ sind gefallen** the die is cast; **~becher** *m* (dice) cup.
würfeln *vi* to play dice ♦ *vt* to dice.
Würfelspiel *nt* game of dice.
Würfelzucker *m* lump sugar.
Wurf- *zW:* **~geschoß** *nt* projectile; **~sendung** *f* circular; **~sendungen** *pl* (*Reklame*) junk mail.
Würgegriff (**-(e)s**) *m* (*lit, fig*) stranglehold.
würgen ['vʏrgən] *vt, vi* to choke; **mit Hängen und W~** by the skin of one's teeth.
Wurm [vʊrm] (**-(e)s, ⁼er**) *m* worm; **da steckt der ~ drin** (*fig: umg*) there's something wrong somewhere; (*verdächtig*) there's something fishy about it (*umg*).
wurmen (*umg*) *vt* to rile, nettle.
Wurmfortsatz *m* (*MED*) appendix.
wurmig *adj* worm-eaten.
wurmstichig *adj* worm-ridden.
Wurst [vʊrst] (**-, ⁼e**) *f* sausage; **das ist mir ~** (*umg*) I don't care, I don't give a damn; **jetzt geht es um die ~** (*fig: umg*) the moment of truth has come.

Würstchen ['vʏrstçən] *nt* frankfurter, hot dog sausage; ~**bude** *f*, ~**stand** *m* hot dog stall.
Württemberg ['vʏrtəmbɛrk] *nt* Württemberg.
Würze ['vʏrtsə] (**-, -n**) *f* seasoning.
Wurzel ['vʊrtsəl] (**-, -n**) *f* root; ~**n schlagen** (*lit*) to root; (*fig*) to put down roots; **die ~ aus 4 ist 2** (*MATH*) the square root of 4 is 2.
würzen *vt* to season; (*würzig machen*) to spice.
würzig *adj* spicy.
wusch *etc* [vu:ʃ] *vb siehe* **waschen.**
wußte *etc* ['vʊstə] *vb siehe* **wissen.**
Wust [vu:st] (**-(e)s**) (*umg*) *m* (*Durcheinander*) jumble; (*Menge*) pile.
wüst [vy:st] *adj* untidy, messy; (*ausschweifend*) wild; (*öde*) waste; (*umg: heftig*) terrible; **jdn ~ beschimpfen** to use vile language to sb.
Wüste (**-, -n**) *f* desert; **die ~ Gobi** the Gobi Desert; **jdn in die ~ schicken** (*fig*) to send sb packing.
Wut [vu:t] (**-**) *f* rage, fury; **eine ~ (auf jdn/etw) haben** to be furious (with sb/sth); ~**anfall** *m* fit of rage.
wüten ['vy:tən] *vi* to rage.
wütend *adj* furious, enraged.
wutentbrannt *adj* furious, enraged.
Wz *abk* (= *Warenzeichen*) ®.

X, x

X, x [ɪks] *nt* X, x; ~ **wie Xanthippe** ≈ X for Xmas; **jdm ein ~ für ein U vormachen** to put one over on sb (*umg*).
X-Beine ['ɪksbaɪnə] *pl* knock-knees *pl*.
x-beliebig [ɪksbə'li:bɪç] *adj* any (... whatever).
Xerographie [kserogra'fi:] *f* xerography.
xerokopieren [kseroko'pi:rən] *vt* to xerox, photocopy.
x-fach ['ɪksfax] *adj*: **die ~e Menge** (*MATH*) n times the amount.
x-mal ['ɪksma:l] *adv* any number of times, n times.
x-te ['ɪkstə] *adj* (*MATH: umg*) nth; **zum ~n Male** (*umg*) for the nth *od* umpteenth time.
Xylophon [ksylo'fo:n] (**-s, -e**) *nt* xylophone.

Y, y

Y, y ['ʏpsilɔn] *nt* Y, y; ~ **wie Ypsilon** ≈ Y for Yellow, Y for Yoke (*US*).
Yen [jɛn] (**-(s), -(s)**) *m* yen.
Yoga ['jo:ga] (**-(s)**) *m od nt* yoga.
Ypsilon ['ʏpsilɔn] (**-(s), -s**) *nt* the letter Y.

Z, z

Z, z [tsɛt] *nt* Z, z; ~ **wie Zacharias** ≈ Z for Zebra.
Zack [tsak] *m*: **auf ~ sein** (*umg*) to be on the ball.
Zacke ['tsakə] (**-, -n**) *f* point; (*Berg~*) jagged peak; (*Gabel~*) prong; (*Kamm~*) tooth.
zackig ['tsakɪç] *adj* jagged; (*umg*) smart; (: *Tempo*) brisk.
zaghaft ['tsa:khaft] *adj* timid.
Zaghaftigkeit *f* timidity.
Zagreb ['za:grɛp] (**-s**) *nt* Zagreb.
zäh [tsɛ:] *adj* tough; (*Mensch*) tenacious; (*Flüssigkeit*) thick; (*schleppend*) sluggish; ~**flüssig** *adj* viscous; (*Verkehr*) slow-moving.
Zähigkeit *f* toughness; tenacity.
Zahl [tsa:l] (**-, -en**) *f* number.
zahlbar *adj* payable.
zahlen *vt, vi* to pay; ~ **bitte!** the bill *od* check (*US*) please!
zählen ['tsɛ:lən] *vt* to count ♦ *vi* (*sich verlassen*): ~ **auf** *+akk* to count on; **seine Tage sind gezählt** his days are numbered; ~ **zu** to be numbered among.
Zahlen- *zW*: ~**angabe** *f* figure; ~**kombination** *f* combination of figures; **z~mäßig** *adj* numerical; ~**schloß** *nt* combination lock.
Zahler (**-s, -**) *m* payer.
Zähler (**-s, -**) *m* (*TECH*) meter; (*MATH*) numerator; ~**stand** *m* meter reading.
Zahl- *zW*: ~**grenze** *f* fare stage; ~**karte** *f* transfer form; **z~los** *adj* countless; ~**meister** *m* (*NAUT*) purser; **z~reich** *adj* numerous; ~**tag** *m* payday.
Zahlung *f* payment; **in ~ geben/nehmen** to give/take in part exchange.
Zahlungs- *zW*: ~**anweisung** *f* transfer order; ~**aufforderung** *f* request for payment;

z~fähig *adj* solvent; **~mittel** *nt* means *sing* of payment; (*Münzen, Banknoten*) currency; **~rückstände** *pl* arrears *pl*; **z~unfähig** *adj* insolvent; **~verzug** *m* default.
Zahlwort *nt* numeral.
zahm [tsa:m] *adj* tame.
zähmen ['tsɛ:mən] *vt* to tame; (*fig*) to curb.
Zahn [tsa:n] (**-(e)s, ¨-e**) *m* tooth; **die dritten Zähne** (*umg*) false teeth *pl*; **einen ~ draufhaben** (*umg: Geschwindigkeit*) to be going like the clappers (*BRIT*) *od* like crazy (*US*); **jdm auf den ~ fühlen** (*fig*) to sound sb out; **einen ~ zulegen** (*fig*) to get a move on; **~arzt** *m*, **~ärztin** *f* dentist; **~belag** *m* plaque; **~bürste** *f* toothbrush; **~creme** *f* toothpaste; **z~en** *vi* to teethe; **~ersatz** *m* denture; **~fäule** (-) *f* tooth decay, caries *sing*; **~fleisch** *nt* gums *pl*; **auf dem ~fleisch gehen** (*fig: umg*) to be all in, be at the end of one's tether; **z~los** *adj* toothless; **~medizin** *f* dentistry; **~pasta** *f*, **~paste** *f* toothpaste; **~rad** *nt* cog(wheel); **~radbahn** *f* rack railway; **~schmelz** *m* (tooth) enamel; **~schmerzen** *pl* toothache *sing*; **~seide** *f* dental floss; **~spange** *f* brace; **~stein** *m* tartar; **~stocher** (**-s, -**) *m* toothpick; **~techniker(in)** *m(f)* dental technician; **~weh** *nt* toothache.
Zaire [za'i:r] (**-s**) *nt* Zaire.
Zange ['tsaŋə] (**-, -n**) *f* pliers *pl*; (*Zucker~ etc*) tongs *pl*; (*Beiß~, ZOOL*) pincers *pl*; (*MED*) forceps *pl*; **jdn in die ~ nehmen** (*fig*) to put the screws on sb (*umg*).
Zangengeburt *f* forceps delivery.
Zankapfel *m* bone of contention.
zanken ['tsaŋkən] *vi, vr* to quarrel.
zänkisch ['tsɛŋkɪʃ] *adj* quarrelsome.
Zäpfchen ['tsɛpfçən] *nt* (*ANAT*) uvula; (*MED*) suppository.
Zapfen ['tsapfən] (**-s, -**) *m* plug; (*BOT*) cone; (*Eis~*) icicle.
zapfen *vt* to tap.
Zapfenstreich *m* (*MIL*) tattoo.
Zapfsäule *f* petrol (*BRIT*) *od* gas (*US*) pump.
zappelig ['tsapəlɪç] *adj* wriggly; (*unruhig*) fidgety.
zappeln ['tsapəln] *vi* to wriggle; to fidget; **jdn ~ lassen** (*fig: umg*) to keep sb in suspense.
Zar [tsa:r] (**-en, -en**) *m* tzar, czar.
zart [tsart] *adj* (*weich, leise*) soft; (*Braten etc*) tender; (*fein, schwächlich*) delicate; **~besaitet** *adj attrib* highly sensitive; **~bitter** *adj* (*Schokolade*) plain (*BRIT*), bittersweet (*US*); **Z~gefühl** *nt* tact; **Z~heit** *f* softness; tenderness; delicacy.
zärtlich ['tsɛ:rtlɪç] *adj* tender, affectionate; **Z~keit** *f* tenderness; **Zärtlichkeiten** *pl* caresses *pl*.
Zäsur [tsɛ'zu:r] *f* caesura; (*fig*) break.
Zauber ['tsaubər] (**-s, -**) *m* magic; (*~bann*) spell; **fauler ~** (*umg*) humbug.
Zauberei [tsaubə'raɪ] *f* magic.
Zauberer (**-s, -**) *m* magician; (*Zauberkünstler*) conjurer.
Zauber- *zW:* **z~haft** *adj* magical, enchanting; **~in** *f* magician; conjurer; **~künstler** *m* conjurer; **~kunststück** *nt* conjuring trick; **~mittel** *nt* magical cure; (*Trank*) magic potion.
zaubern *vi* to conjure, do magic.
Zauberspruch *m* (magic) spell.
Zauberstab *m* magic wand.
zaudern ['tsaudərn] *vi* to hesitate.
Zaum [tsaum] (**-(e)s, Zäume**) *m* bridle; **etw im ~ halten** to keep sth in check.
Zaun [tsaun] (**-(e)s, Zäune**) *m* fence; **vom ~(e) brechen** (*fig*) to start; **~gast** *m* (*Person*) mere onlooker; **~könig** *m* wren.
z.B. *abk* (= *zum Beispiel*) e.g.
z.d.A. *abk* (= *zu den Akten*) to be filed.

The **ZDF** *(Zweites Deutsches Fernsehen) is the second German television channel. It was founded in 1961 and is based in Mainz. It is financed by licence fees and advertising. About 40% of its transmissions are news and education programmes.*

Zebra ['tse:bra] (**-s, -s**) *nt* zebra; **~streifen** *m* pedestrian crossing (*BRIT*), crosswalk (*US*).
Zeche ['tsɛçə] (**-, -n**) *f* (*Rechnung*) bill, check (*US*); (*Bergbau*) mine.
zechen *vi* to booze (*umg*).
Zechprellerei [tsɛçprɛlə'raɪ] *f* *skipping payment in restaurants etc.*
Zecke ['tsɛkə] (**-, -n**) *f* tick.
Zeder ['tse:dər] (**-, -n**) *f* cedar.
Zeh [tse:] (**-s, -en**) *m* toe.
Zehe ['tse:ə] (**-, -n**) *f* toe; (*Knoblauch~*) clove.
Zehenspitze *f*: **auf ~n** on tiptoe.
zehn [tse:n] *num* ten.
Zehnerpackung *f* packet of ten.
Zehnfingersystem *nt* touch-typing method.
Zehnkampf *m* (*SPORT*) decathlon.
zehnte(r, s) *adj* tenth.
Zehntel (**-s, -**) *nt* tenth (part).
zehren ['tse:rən] *vi*: **an jdm/etw ~** (*an Mensch, Kraft*) to wear sb/sth out.
Zeichen ['tsaɪçən] (**-s, -**) *nt* sign; (*COMPUT*) character; **jdm ein ~ geben** to give sb a signal; **unser/Ihr ~** (*COMM*) our/your reference; **~block** *m* sketch pad; **~code** *m* (*COMPUT*) character code; **~erklärung** *f* key; (*auf Karten*) legend; **~folge** *f* (*COMPUT*) string; **~kette** *f* (*COMPUT*) character string; **~satz** *m* (*COMPUT*) character set; **~setzung** *f* punctuation; **~trickfilm** *m* (animated) cartoon.
zeichnen *vt* to draw; (*kenn~*) to mark; (*unter~*) to sign ♦ *vi* to draw; to sign.
Zeichner(in) (**-s, -**) *m(f)* artist; **technischer ~** draughtsman (*BRIT*), draftsman (*US*).
Zeichnung *f* drawing; (*Markierung*) markings *pl*.

zeichnungsberechtigt *adj* authorized to sign.
Zeigefinger *m* index finger.
zeigen ['tsaɪgən] *vt* to show ♦ *vi* to point ♦ *vr* to show o.s.; ~ **auf** *+akk* to point to; **es wird sich** ~ time will tell; **es zeigte sich, daß** ... it turned out that ...
Zeiger (**-s, -**) *m* pointer; (*Uhr~*) hand.
Zeile ['tsaɪlə] (**-, -n**) *f* line; (*Häuser~*) row.
Zeilen- *zW:* ~**abstand** *m* line spacing; ~**ausrichtung** *f* justification; ~**drucker** *m* line printer; ~**umbruch** *m* (*COMPUT*) wraparound; ~**vorschub** *m* (*COMPUT*) line feed.
zeit [tsaɪt] *präp +gen:* ~ **meines Lebens** in my lifetime.
Zeit (**-, -en**) *f* time; (*GRAM*) tense; **zur** ~ at the moment; **sich** *dat* ~ **lassen** to take one's time; **eine Stunde** ~ **haben** to have an hour (to spare); **sich** *dat* **für jdn/etw** ~ **nehmen** to devote time to sb/sth; **von** ~ **zu** ~ from time to time; **in letzter** ~ recently; **nach** ~ **bezahlt werden** to be paid by the hour; **zu der** ~**, als** ... (at the time) when ...
Zeit- *zW:* ~**alter** *nt* age; ~**ansage** *f* (*RUNDF*) time check; (*TEL*) speaking clock; ~**arbeit** *f* temporary work; ~**aufwand** *m* time (*needed for a task*); ~**bombe** *f* time bomb; ~**druck** *m:* **unter** ~**druck stehen** to be under pressure; ~**geist** *m* spirit of the times; **z**~**gemäß** *adj* in keeping with the times; ~**genosse** *m* contemporary; **z**~**genössisch** ['tsaɪtgənœsɪʃ] *adj* contemporary.
zeitig *adj, adv* early.
Zeit- *zW:* ~**karte** *f* season ticket; **z**~**kritisch** *adj* (*Aufsatz*) commenting on contemporary issues; ~**lang** *f:* **eine** ~**lang** a while, a time; **z**~**lebens** *adv* all one's life; **z**~**lich** *adj* temporal ♦ *adv:* **das kann sie z**~**lich nicht einrichten** she can't find (the) time for that; **das** ~**liche segnen** (*euph*) to depart this life; **z**~**los** *adj* timeless; ~**lupe** *f* slow motion; ~**lupentempo** *nt:* **im** ~**lupentempo** at a snail's pace; ~**not** *f:* **in** ~**not geraten** to run short of time; ~**plan** *m* schedule; ~**punkt** *m* moment, point in time; ~**raffer** (**-s**) *m* time-lapse photography; **z**~**raubend** *adj* time-consuming; ~**raum** *m* period; ~**rechnung** *f* time, era; **nach/vor unserer** ~**rechnung** A.D./B.C.; ~**schrift** *f* periodical; ~**tafel** *f* chronological table.
Zeitung *f* newspaper.
Zeitungs- *zW:* ~**anzeige** *f* newspaper advertisement; ~**ausschnitt** *m* press cutting; ~**händler** *m* newsagent (*BRIT*), newsdealer (*US*); ~**papier** *nt* newsprint.
Zeit- *zW:* ~**verschwendung** *f* waste of time; ~**vertreib** *m* pastime, diversion; **z**~**weilig** *adj* temporary; **z**~**weise** *adv* for a time; ~**wort** *nt* verb; ~**zeichen** *nt* (*RUNDF*) time signal; ~**zone** *f* time zone; ~**zünder** *m* time fuse.
Zelle ['tsɛlə] (**-, -n**) *f* cell; (*Telefon~*) callbox (*BRIT*), booth.
Zellkern *m* cell, nucleus.
Zellophan [tsɛlo'fa:n] (**-s**) *nt* cellophane.
Zellstoff *m* cellulose.
Zellteilung *f* cell division.
Zelt [tsɛlt] (**-(e)s, -e**) *nt* tent; **seine** ~**e aufschlagen/abbrechen** to settle down/pack one's bags; ~**bahn** *f* groundsheet; **z**~**en** *vi* to camp; ~**lager** *nt* camp; ~**platz** *m* camp site.
Zement [tse'mɛnt] (**-(e)s, -e**) *m* cement.
zementieren [tsemɛn'ti:rən] *vt* to cement.
Zementmaschine *f* cement mixer.
Zenit [tse'ni:t] (**-(e)s**) *m* (*lit, fig*) zenith.
zensieren [tsɛn'zi:rən] *vt* to censor; (*SCH*) to mark.
Zensur [tsɛn'zu:r] *f* censorship; (*SCH*) mark.
Zensus ['tsɛnzʊs] (**-, -**) *m* census.
Zentimeter [tsɛnti'me:tər] *m od nt* centimetre (*BRIT*), centimeter (*US*); ~**maß** *nt* (metric) tape measure.
Zentner ['tsɛntnər] (**-s, -**) *m* hundredweight.
zentral [tsɛn'tra:l] *adj* central.
Zentrale (**-, -n**) *f* central office; (*TEL*) exchange.
Zentraleinheit *f* (*COMPUT*) central processing unit.
Zentralheizung *f* central heating.
zentralisieren [tsɛntrali'zi:rən] *vt* to centralize.
Zentralverriegelung *f* (*AUT*) central locking.
Zentrifugalkraft [tsɛntrifu'ga:lkraft] *f* centrifugal force.
Zentrifuge [tsɛntri'fu:gə] (**-, -n**) *f* centrifuge; (*für Wäsche*) spin-dryer.
Zentrum ['tsɛntrʊm] (**-s, Zentren**) *nt* centre (*BRIT*), center (*US*).
Zepter ['tsɛptər] (**-s, -**) *nt* sceptre (*BRIT*), scepter (*US*).
zerbrechen *unreg vt, vi* to break.
zerbrechlich *adj* fragile.
zerbröckeln [tsɛr'brœkəln] *vt, vi* to crumble (to pieces).
zerdeppern [tsɛr'dɛpərn] *vt* to smash.
zerdrücken *vt* to squash; to crush; (*Kartoffeln*) to mash.
Zeremonie [tseremo'ni:] *f* ceremony.
Zeremoniell [tseremoni'ɛl] (**-s, -e**) *nt* ceremonial.
zerfahren *adj* scatterbrained, distracted.
Zerfall *m* decay, disintegration; (*von Kultur, Gesundheit*) decline; **z**~**en** *unreg vi* to disintegrate, decay; (*sich gliedern*): **z**~**en in** *+akk* to fall into.
zerfetzen [tsɛr'fɛtsən] *vt* to tear to pieces.
zerfleischen [tsɛr'flaɪʃən] *vt* to tear to pieces.
zerfließen *unreg vi* to dissolve, melt away.
zerfressen *unreg vt* to eat away; (*Motten, Mäuse etc*) to eat.
zergehen *unreg vi* to melt, dissolve.
zerkleinern [tsɛr'klaɪnərn] *vt* to reduce to small pieces.

zerklüftet [tsɛr'klʏftət] *adj:* **tief ~es Gestein** deeply fissured rock.
zerknirscht [tsɛr'knɪrʃt] *adj* overcome with remorse.
zerknüllen [tsɛr'knʏlən] *vt* to crumple up.
zerlaufen *unreg vi* to melt.
zerlegbar [tsɛr'le:kba:r] *adj* able to be dismantled.
zerlegen *vt* to take to pieces; (*Fleisch*) to carve; (*Satz*) to analyse.
zerlumpt [tsɛr'lʊmpt] *adj* ragged.
zermalmen [tsɛr'malmən] *vt* to crush.
zermürben [tsɛr'mʏrbən] *vt* to wear down.
zerpflücken *vt* (*lit, fig*) to pick to pieces.
zerplatzen *vi* to burst.
zerquetschen *vt* to squash.
Zerrbild ['tsɛrbɪlt] *nt* (*fig*) caricature, distorted picture.
zerreden *vt* (*Problem*) to flog to death.
zerreiben *unreg vt* to grind down.
zerreißen *unreg vt* to tear to pieces ♦ *vi* to tear, rip.
Zerreißprobe *f* (*lit*) pull test; (*fig*) real test.
zerren ['tsɛrən] *vt* to drag ♦ *vi:* ~ **(an** *+dat***)** to tug (at).
zerrinnen *unreg vi* to melt away; (*Geld*) to disappear.
zerrissen [tsɛr'rɪsən] *pp von* **zerreißen** ♦ *adj* torn, tattered; **Z~heit** *f* tattered state; (*POL*) disunion, discord; (*innere*) disintegration.
Zerrspiegel ['tsɛrʃpi:gəl] *m* (*lit*) distorting mirror; (*fig*) travesty.
Zerrung *f:* **eine ~** a pulled ligament/muscle.
zerrütten [tsɛr'rʏtən] *vt* to wreck, destroy.
zerrüttet *adj* wrecked, shattered.
Zerrüttungsprinzip *nt* (*bei Ehescheidung*) principle of irretrievable breakdown.
zerschellen [tsɛr'ʃɛlən] *vi* (*Schiff, Flugzeug*) to be smashed to pieces.
zerschießen *unreg vt* to shoot to pieces.
zerschlagen *unreg vt* to shatter, smash; (*fig: Opposition*) to crush; (*: Vereinigung*) to break up ♦ *vr* to fall through.
zerschleißen [tsɛr'ʃlaɪsən] *unreg vt, vi* to wear out.
zerschmelzen *unreg vi* to melt.
zerschmettern *unreg vt* to shatter; (*Feind*) to crush ♦ *vi* to shatter.
zerschneiden *unreg vt* to cut up.
zersetzen *vt, vr* to decompose, dissolve.
zersetzend *adj* (*fig*) subversive.
zersplittern [tsɛr'ʃplɪtərn] *vt, vi* to split (into pieces); (*Glas*) to shatter.
zerspringen *unreg vi* to shatter ♦ *vi* (*fig*) to burst.
zerstäuben [tsɛr'ʃtɔʏbən] *vt* to spray.
Zerstäuber **(-s, -)** *m* atomizer.
zerstören *vt* to destroy.
Zerstörer **(-s, -)** *m* (*NAUT*) destroyer.
Zerstörung *f* destruction.
Zerstörungswut *f* destructive mania.
zerstoßen *unreg vt* to pound, pulverize.
zerstreiten *unreg vr* to fall out, break up.
zerstreuen *vt* to disperse, scatter; (*Zweifel etc*) to dispel ♦ *vr* (*sich verteilen*) to scatter; (*fig*) to be dispelled; (*sich ablenken*) to take one's mind off things.
zerstreut *adj* scattered; (*Mensch*) absent-minded; **Z~heit** *f* absent-mindedness.
Zerstreuung *f* dispersion; (*Ablenkung*) diversion.
zerstritten *adj:* **mit jdm zerstritten sein** to be on very bad terms with sb.
zerstückeln [tsɛr'ʃtʏkəln] *vt* to cut into pieces.
zerteilen *vt* to divide into parts.
Zertifikat [tsɛrtifi'ka:t] **(-(e)s, -e)** *nt* certificate.
zertreten *unreg vt* to crush underfoot.
zertrümmern [tsɛr'trʏmərn] *vt* to shatter; (*Gebäude etc*) to demolish.
zerwühlen *vt* to ruffle up, tousle; (*Bett*) to rumple (up).
Zerwürfnis [tsɛr'vʏrfnɪs] **(-ses, -se)** *nt* dissension, quarrel.
zerzausen [tsɛr'tsaʊzən] *vt* (*Haare*) to ruffle up, tousle.
zetern ['tse:tərn] (*pej*) *vi* to clamour (*BRIT*), clamor (*US*); (*keifen*) to scold.
Zettel ['tsɛtəl] **(-s, -)** *m* piece *od* slip of paper; (*Notiz~*) note; (*Formular*) form; **„~ ankleben verboten"** "stick no bills"; **~kasten** *m* card index (box); **~wirtschaft** (*pej*) *f:* **eine ~wirtschaft haben** to have bits of paper everywhere.
Zeug [tsɔʏk] **(-(e)s, -e)** (*umg*) *nt* stuff; (*Ausrüstung*) gear; **dummes ~** (stupid) nonsense; **das ~ haben zu** to have the makings of; **sich ins ~ legen** to put one's shoulder to the wheel; **was das ~ hält** for all one is worth; **jdm am ~ flicken** to find fault with sb.
Zeuge ['tsɔʏgə] **(-n, -n)** *m* witness.
zeugen *vi* to bear witness, testify ♦ *vt* (*Kind*) to father; **es zeugt von** ... it testifies to ...
Zeugenaussage *f* evidence.
Zeugenstand *m* witness box (*BRIT*) *od* stand (*US*).
Zeugin *f* witness.
Zeugnis ['tsɔʏgnɪs] **(-ses, -se)** *nt* certificate; (*SCH*) report; (*Referenz*) reference; (*Aussage*) evidence, testimony; **~ geben von** to be evidence of, testify to; **~konferenz** *f* (*SCH*) *staff meeting to decide on marks etc.*
Zeugung ['tsɔʏgʊŋ] *f* procreation.
zeugungsunfähig *adj* sterile.
ZH *abk* = **Zentralheizung.**
z.H., z.Hd. *abk* (= *zu Händen*) att., attn.
Zicken ['tsɪkən] (*umg*) *pl:* **~ machen** to make trouble.
zickig *adj* (*albern*) silly; (*prüde*) prudish.
Zickzack ['tsɪktsak] **(-(e)s, -e)** *m* zigzag.
Ziege ['tsi:gə] **(-, -n)** *f* goat; (*pej: umg: Frau*) cow (*!*).
Ziegel ['tsi:gəl] **(-s, -)** *m* brick; (*Dach~*) tile.
Ziegelei [tsi:gə'laɪ] *f* brickworks.

Ziegelstein *m* brick.
Ziegenbock *m* billy goat.
Ziegenleder *nt* kid.
Ziegenpeter *m* mumps *sing*.
Ziehbrunnen *m* well.
ziehen ['tsi:ən] *unreg vt* to draw; (*zerren*) to pull; (*SCHACH etc*) to move; (*züchten*) to rear ♦ *vi* to draw; (*um~, wandern*) to move; (*Rauch, Wolke etc*) to drift; (*reißen*) to pull ♦ *vb unpers:* **es zieht** there is a draught (*BRIT*) *od* draft (*US*), it's draughty (*BRIT*) *od* drafty (*US*) ♦ *vr* (*Gummi*) to stretch; (*Grenze etc*) to run; (*Gespräche*) to be drawn out; **etw nach sich** ~ to lead to sth, entail sth; **etw ins Lächerliche** ~ to ridicule sth; **so was zieht bei mir nicht** I don't like that sort of thing; **zu jdm** ~ to move in with sb; **mir zieht's im Rücken** my back hurts; **Z~** (**-s, -**) *nt* (*Schmerz*) ache; (*im Unterleib*) dragging pain.
Ziehharmonika ['tsi:harmo:nika] *f* concertina.
Ziehung ['tsi:ʊŋ] *f* (*Los~*) drawing.
Ziel [tsi:l] (**-(e)s, -e**) *nt* (*einer Reise*) destination; (*SPORT*) finish; (*MIL*) target; (*Absicht*) goal, aim; **jdm/sich ein ~ stecken** to set sb/o.s. a goal; **am ~ sein** to be at one's destination; (*fig*) to have reached one's goal; **über das ~ hinausschießen** (*fig*) to overshoot the mark; **z~bewußt** *adj* purposeful; **z~en** *vi:* **z~en (auf** *+akk***)** to aim (at); **~fernrohr** *nt* telescopic sight; **~foto** *nt* (*SPORT*) photo-finish, photograph; **~gruppe** *f* target group; **~linie** *f* (*SPORT*) finishing line; **z~los** *adj* aimless; **~ort** *m* destination; **~scheibe** *f* target; **z~strebig** *adj* purposeful.
ziemen ['tsi:mən] *vr unpers* (*geh*): **das ziemt sich nicht (für dich)** it is not proper (for you).
ziemlich ['tsi:mlɪç] *adj attrib* (*Anzahl*) fair ♦ *adv* quite, pretty (*umg*); (*beinahe*) almost, nearly; **eine ~e Anstrengung** quite an effort; ~ **lange** quite a long time; ~ **fertig** almost *od* nearly ready.
Zierde ['tsi:rdə] (**-, -n**) *f* ornament, decoration; (*Schmuckstück*) adornment.
zieren ['tsi:rən] *vr* to act coy.
Zierleiste *f* border; (*an Wand, Möbeln*) moulding (*BRIT*), molding (*US*); (*an Auto*) trim.
zierlich *adj* dainty; **Z~keit** *f* daintiness.
Zierstrauch *m* flowering shrub.
Ziffer ['tsɪfər] (**-, -n**) *f* figure, digit; **römische/arabische ~n** roman/arabic numerals; **~blatt** *nt* dial, (clock *od* watch) face.
zig [tsɪk] (*umg*) *adj* umpteen.
Zigarette [tsiga'rɛtə] *f* cigarette.
Zigaretten- *zW:* **~automat** *m* cigarette machine; **~pause** *f* break for a cigarette; **~schachtel** *f* cigarette packet *od* pack (*US*); **~spitze** *f* cigarette holder.
Zigarillo [tsiga'rɪlo] (**-s, -s**) *nt od m* cigarillo.
Zigarre [tsi'garə] (**-, -n**) *f* cigar.
Zigeuner(in) [tsi'gɔʏnər(ɪn)] (**-s, -**) *m(f)* gipsy; **~schnitzel** *nt* (*KOCH*) *cutlet served in a spicy sauce with green and red peppers*; **~sprache** *f* Romany, Romany *od* Gypsy language.
Zimmer ['tsɪmər] (**-s, -**) *nt* room; **~antenne** *f* indoor aerial; **~decke** *f* ceiling; **~lautstärke** *f* reasonable volume; **~mädchen** *nt* chambermaid; **~mann** (**-(e)s,** *pl* **-leute**) *m* carpenter.
zimmern *vt* to make from wood.
Zimmer- *zW:* **~nachweis** *m* accommodation service; **~pflanze** *f* indoor plant; **~vermittlung** *f* accommodation (*BRIT*) *od* accommodations (*US*) service.
zimperlich ['tsɪmpərlɪç] *adj* squeamish; (*pingelig*) fussy, finicky.
Zimt [tsɪmt] (**-(e)s, -e**) *m* cinnamon; **~stange** *f* cinnamon stick.
Zink [tsɪŋk] (**-(e)s**) *nt* zinc.
Zinke (**-, -n**) *f* (*Gabel~*) prong; (*Kamm~*) tooth.
Zinken (**-s, -**) (*umg*) *m* (*Nase*) hooter.
zinken *vt* (*Karten*) to mark.
Zinksalbe *f* zinc ointment.
Zinn [tsɪn] (**-(e)s**) *nt* (*Element*) tin; (*in ~waren*) pewter; **~becher** *m* pewter tankard.
zinnoberrot [tsɪ'no:bərrot] *adj* vermilion.
Zinnsoldat *m* tin soldier.
Zinnwaren *pl* pewter *sing*.
Zins [tsɪns] (**-es, -en**) *m* interest.
Zinseszins *m* compound interest.
Zins- *zW:* **~fuß** *m* rate of interest; **z~los** *adj* interest-free; **~satz** *m* rate of interest.
Zionismus [tsio'nɪsmʊs] *m* Zionism.
Zipfel ['tsɪpfəl] (**-s, -**) *m* corner; (*von Land*) tip; (*Hemd~*) tail; (*Wurst~*) end; **~mütze** *f* pointed cap.
zirka ['tsɪrka] *adv* (round) about.
Zirkel ['tsɪrkəl] (**-s, -**) *m* circle; (*MATH*) pair of compasses; **~kasten** *m* geometry set.
zirkulieren [tsɪrku'li:rən] *vi* to circulate.
Zirkus ['tsɪrkʊs] (**-, -se**) *m* circus; (*umg: Getue*) fuss, to-do.
zirpen ['tsɪrpən] *vi* to chirp, cheep.
Zirrhose [tsɪ'ro:zə] (**-, -n**) *f* cirrhosis.
zischeln ['tsɪʃəln] *vt, vi* to whisper.
zischen ['tsɪʃən] *vi* to hiss; (*Limonade*) to fizz; (*Fett*) to sizzle.
Zitat [tsi'ta:t] (**-(e)s, -e**) *nt* quotation, quote.
zitieren [tsi'ti:rən] *vt* to quote; (*vorladen, rufen*): ~ **(vor** *+akk***)** to summon (before).
Zitronat [tsitro'na:t] (**-(e)s, -e**) *nt* candied lemon peel.
Zitrone [tsi'tro:nə] (**-, -n**) *f* lemon.
Zitronen- *zW:* **~limonade** *f* lemonade; **~saft** *m* lemon juice; **~säure** *f* citric acid; **~scheibe** *f* lemon slice.
zitt(e)rig ['tsɪt(ə)rɪç] *adj* shaky.
zittern ['tsɪtərn] *vi* to tremble; **vor jdm ~** to be terrified of sb.
Zitze ['tsɪtsə] (**-, -n**) *f* teat, dug.

Zivi ['tsivi] (**-s, -s**) *m abk* = **Zivildienstleistender**.
zivil [tsi'vi:l] *adj* civilian; (*anständig*) civil; (*Preis*) moderate; **~er Ungehorsam** civil disobedience; **Z~** (**-s**) *nt* plain clothes *pl*; (*MIL*) civilian clothing; **Z~bevölkerung** *f* civilian population; **Z~courage** *f* courage of one's convictions.
Zivildienst *m alternative service (for conscientious objectors).*

A young German has to complete his 15 months' **Zivildienst** *or community service if he has opted out of military service as a conscientious objector. This service is usually done in a hospital or old-people's home. About 18% of young Germans choose to do this as an alternative to the* **Wehrdienst**, *although it lasts three months longer.*

Zivildienstleistender *m conscientious objector doing alternative community service.*
Zivilisation [tsivilizatsi'o:n] *f* civilization.
Zivilisationserscheinung *f* phenomenon of civilization.
Zivilisationskrankheit *f* disease of civilized man.
zivilisieren [tsivili'zi:rən] *vt* to civilize.
zivilisiert *adj* civilized.
Zivilist [tsivi'lɪst] *m* civilian.
Zivilrecht *nt* civil law.
ZK (**-s, -s**) *nt abk* (= *Zentralkomitee*) central committee.
Zobel ['tso:bəl] (**-s, -**) *m* (*auch*: **~pelz**) sable (fur).
Zofe ['tso:fə] (**-, -n**) *f* lady's maid; (*von Königin*) lady-in-waiting.
zog *etc* [tso:k] *vb siehe* **ziehen**.
zögern ['tsø:gərn] *vi* to hesitate.
Zölibat [tsøli'ba:t] (**-(e)s**) *nt od m* celibacy.
Zoll[1] [tsɔl] (**-(e)s, -**) *m* (*Maß*) inch.
Zoll[2] (**-(e)s, ⸚e**) *m* customs *pl*; (*Abgabe*) duty; **~abfertigung** *f* customs clearance; **~amt** *nt* customs office; **~beamte(r)** *m* customs official; **~erklärung** *f* customs declaration; **z~frei** *adj* duty-free; **~gutlager** *nt* bonded warehouse; **~kontrolle** *f* customs (check); **z~pflichtig** *adj* liable to duty, dutiable.
Zollstock *m* inch rule.
Zone ['tso:nə] (**-, -n**) *f* zone; (*von Fahrkarte*) fare stage.
Zoo [tso:] (**-s, -s**) *m* zoo; **~handlung** *f* pet shop.
Zoologe [tsoo'lo:gə] (**-n, -n**) *m* zoologist.
Zoologie *f* zoology.
Zoologin *f* zoologist.
zoologisch *adj* zoological.
Zoom [zu:m] (**-s, -s**) *nt* zoom shot; (*Objektiv*) zoom lens.
Zopf [tsɔpf] (**-(e)s, ⸚e**) *m* plait; pigtail; **alter ~** antiquated custom.
Zorn [tsɔrn] (**-(e)s**) *m* anger.
zornig *adj* angry.
Zote ['tso:tə] (**-, -n**) *f* smutty joke/remark.
zottig ['tsɔtɪç] *adj* shaggy.
ZPO *abk* (= *Zivilprozeßordnung*) ≈ General Practice Act (*US*).
z.T. *abk* = **zum Teil**.

SCHLÜSSELWORT

zu [tsu:] *präp +dat* **1** (*örtlich*) to; **~m Bahnhof/Arzt gehen** to go to the station/doctor; **~r Schule/Kirche gehen** to go to school/church; **sollen wir ~ Euch gehen?** shall we go to your place?; **sie sah ~ ihm hin** she looked towards him; **~m Fenster herein** through the window; **~ meiner Linken** to *od* on my left
2 (*zeitlich*) at; **~ Ostern** at Easter; **bis ~m 1. Mai** until May 1st; (*nicht später als*) by May 1st; **~ meiner Zeit** in my time
3 (*Zusatz*) with; **Wein ~m Essen trinken** to drink wine with one's meal; **sich ~ jdm setzen** to sit down beside sb; **setz dich doch ~ uns** (come and) sit with us; **Anmerkungen ~ etw** notes on sth
4 (*Zweck*) for; **Wasser ~m Waschen** water for washing; **Papier ~m Schreiben** paper to write on; **etw ~m Geburtstag bekommen** to get sth for one's birthday; **es ist ~ seinem Besten** it's for his own good
5 (*Veränderung*) into; **~ etw werden** to turn into sth; **jdn ~ etw machen** to make sb (into) sth; **~ Asche verbrennen** to burn to ashes
6 (*mit Zahlen*): **3 ~ 2** (*SPORT*) 3-2; **das Stück ~ 2 Mark** at 2 marks each; **~m ersten Mal** for the first time
7: **~ meiner Freude** *etc* to my joy *etc*; **~m Glück** luckily; **~ Fuß** on foot; **es ist ~m Weinen** it's enough to make you cry
♦ *konj* to; **etw ~ essen** sth to eat; **um besser sehen ~ können** in order to see better; **ohne es ~ wissen** without knowing it; **noch ~ bezahlende Rechnungen** outstanding bills
♦ *adv* **1** (*allzu*) too; **~ sehr** too much
2 (*örtlich*) toward(s); **er kam auf mich ~** he came towards *od* up to me
3 (*geschlossen*) shut; closed; **die Geschäfte haben ~** the shops are closed; **auf/zu** (*Wasserhahn etc*) on/off
4 (*umg: los*): **nur ~!** just keep at it!; **mach ~!** hurry up!

zuallererst *adv* first of all.
zuallerletzt *adv* last of all.
zubauen ['tsu:baʊən] *vt* (*Lücke*) to fill in; (*Platz, Gebäude*) to build up.
Zubehör ['tsu:bəhø:r] (**-(e)s, -e**) *nt* accessories *pl*.
Zuber ['tsu:bər] (**-s, -**) *m* tub.
zubereiten ['tsu:bəraɪtən] *vt* to prepare.
zubilligen ['tsu:bɪlɪgən] *vt* to grant.
zubinden ['tsu:bɪndən] *unreg vt* to tie up; **jdm**

die Augen ~ to blindfold sb.
zubleiben ['tsu:blaıbən] *unreg vi* to stay shut.
zubringen ['tsu:brıŋən] *unreg vt* to spend; (*herbeibringen*) to bring, take; (*umg: Tür*) to get shut.
Zubringer (**-s, -**) *m* (*TECH*) feeder, conveyor; (*Verkehrsmittel*) shuttle; (*zum Flughafen*) airport bus; ~**(bus)** *m* shuttle (bus); ~**straße** *f* slip road (*BRIT*), entrance ramp (*US*).
Zucchini [tsʊ'ki:ni:] *pl* courgettes *pl* (*BRIT*), zucchini(s) *pl* (*US*).
Zucht [tsʊxt] (**-, -en**) *f* (*von Tieren*) breeding; (*von Pflanzen*) cultivation; (*Rasse*) breed; (*Erziehung*) raising; (*Disziplin*) discipline; ~**bulle** *m* breeding bull.
züchten ['tsʏçtən] *vt* (*Tiere*) to breed; (*Pflanzen*) to cultivate, grow.
Züchter(in) (**-s, -**) *m(f)* breeder; grower.
Zuchthaus *nt* prison, penitentiary (*US*).
Zuchthengst *m* stallion, stud.
züchtig ['tsʏçtıç] *adj* modest, demure.
züchtigen ['tsʏçtıgən] *vt* to chastise.
Züchtigung *f* chastisement; **körperliche** ~ corporal punishment.
Zuchtperle *f* cultured pearl.
Züchtung *f* (*von Tieren*) breeding; (*von Pflanzen*) cultivation; (*Zuchtart: von Tier*) breed; (*: von Pflanze*) strain.
zucken ['tsʊkən] *vi* to jerk, twitch; (*Strahl etc*) to flicker ♦ *vt* to shrug; **der Schmerz zuckte (mir) durch den ganzen Körper** the pain shot right through my body.
zücken ['tsʏkən] *vt* (*Schwert*) to draw; (*Geldbeutel*) to pull out.
Zucker ['tsʊkər] (**-s, -**) *m* sugar; (*MED*) diabetes; ~ **haben** (*umg*) to be a diabetic; ~**dose** *f* sugar bowl; ~**erbse** *f* mangetout (*BRIT*), sugar pea (*US*); ~**guß** *m* icing; ~**hut** *m* sugar loaf; **z**~**krank** *adj* diabetic; ~**krankheit** *f* diabetes *sing*; ~**lecken** *nt*: **das ist kein** ~**lecken** it's no picnic.
zuckern *vt* to sugar.
Zucker- *zW*: ~**rohr** *nt* sugar cane; ~**rübe** *f* sugar beet; ~**spiegel** *m* (*MED*) (blood) sugar level; **z**~**süß** *adj* sugary; ~**watte** *f* candy floss (*BRIT*), cotton candy (*US*).
Zuckung *f* convulsion, spasm; (*leicht*) twitch.
zudecken ['tsu:dɛkən] *vt* to cover (up); (*im Bett*) to tuck up *od* in.
zudem [tsu'de:m] *adv* in addition (to this).
zudrehen ['tsu:dre:ən] *vt* to turn off.
zudringlich ['tsu:drıŋlıç] *adj* forward, pushy; (*Nachbar etc*) intrusive; ~ **werden** to make advances; **Z**~**keit** *f* forwardness; intrusiveness.
zudrücken ['tsu:drʏkən] *vt* to close; **jdm die Kehle** ~ to throttle sb; **ein Auge** ~ to turn a blind eye.
zueinander [tsu|aı'nandər] *adv* to one other; (*in Verbverbindung*) together.
zuerkennen ['tsu:|ɛrkɛnən] *unreg vt*: **jdm etw** ~ to award sth to sb, award sb sth.
zuerst [tsu'|e:rst] *adv* first; (*zu Anfang*) at first; ~ **einmal** first of all.
Zufahrt ['tsu:fa:rt] *f* approach; **„keine** ~ **zum Krankenhaus"** "no access to hospital".
Zufahrtsstraße *f* approach road; (*von Autobahn etc*) slip road (*BRIT*), entrance ramp (*US*).
Zufall ['tsu:fal] *m* chance; (*Ereignis*) coincidence; **durch** ~ by accident; **so ein** ~! what a coincidence!
zufallen *unreg vi* to close, shut; (*Anteil, Aufgabe*): **jdm** ~ to fall to sb.
zufällig ['tsu:fɛlıç] *adj* chance ♦ *adv* by chance; (*in Frage*) by any chance.
Zufallstreffer *m* fluke.
zufassen ['tsu:fasən] *vi* (*zugreifen*) to take hold (of it *od* them); (*fig: schnell handeln*) to seize the opportunity; (*helfen*) to lend a hand.
zufliegen ['tsu:fli:gən] *unreg vi*: **ihm fliegt alles nur so zu** (*fig*) everything comes so easily to him.
Zuflucht ['tsu:flʊxt] *f* recourse; (*Ort*) refuge; **zu etw** ~ **nehmen** (*fig*) to resort to sth.
Zufluchtsort *m*, **Zufluchtsstätte** *f* place of refuge.
Zufluß ['tsu:flʊs] *m* (*Zufließen*) inflow, influx; (*GEOG*) tributary; (*COMM*) supply.
zufolge [tsu'fɔlgə] *präp +dat od +gen* judging by; (*laut*) according to; (*aufgrund*) as a result of.
zufrieden [tsu'fri:dən] *adj* content(ed); **er ist mit nichts** ~ nothing pleases him; ~**geben** *unreg vr*: **sich mit etw** ~**geben** to be satisfied with sth; **Z**~**heit** *f* contentedness; (*Befriedigtsein*) satisfaction; ~**lassen** *unreg vt*: **laß mich damit** ~! (*umg*) shut up about it!; ~**stellen** *vt* to satisfy; ~**stellend** *adj* satisfactory.
zufrieren ['tsu:fri:rən] *unreg vi* to freeze up *od* over.
zufügen ['tsu:fy:gən] *vt* to add; (*Leid etc*): **jdm etw** ~ to cause sb sth.
Zufuhr ['tsu:fu:r] (**-, -en**) *f* (*Herbeibringen*) supplying; (*MET*) influx; (*MIL*) supplies *pl*.
zuführen ['tsu:fy:rən] *vt* (*bringen*) to bring; (*transportieren*) to convey; (*versorgen*) to supply ♦ *vi*: **auf etw** *akk* ~ to lead to sth.
Zug [tsu:k] (**-(e)s, ¨-e**) *m* (*Eisenbahn*~) train; (*Luft*~) draught (*BRIT*), draft (*US*); (*Ziehen*) pull(ing); (*Gesichts*~) feature; (*SCHACH etc*) move; (*Klingel*~) pull; (*Schrift*~, *beim Schwimmen*) stroke; (*Atem*~) breath; (*Charakter*~) trait; (*an Zigarette*) puff, pull, drag; (*Schluck*) gulp; (*Menschengruppe*) procession; (*von Vögeln*) migration; (*MIL*) platoon; **etw in vollen Zügen genießen** to enjoy sth to the full; **in den letzten Zügen liegen** (*umg*) to be at one's last gasp; **im** ~**(e)** *+gen* (*im Verlauf*) in the course of; ~ **um** ~ (*fig*) step by step; **zum** ~**(e) kommen** (*umg*) to get a look-in; **etw in groben Zügen darstellen** *od* **umreißen** to outline sth; **das war kein schöner** ~ **von dir** that wasn't nice

of you.
Zugabe ['tsu:ga:bə] *f* extra; (*in Konzert etc*) encore.
Zugabteil *nt* train compartment.
Zugang ['tsu:gaŋ] *m* entrance; (*Zutritt, fig*) access.
zugänglich ['tsu:gɛŋlɪç] *adj* accessible; (*öffentliche Einrichtungen*) open; (*Mensch*) approachable.
Zugbegleiter *m* (*EISENB*) guard (*BRIT*), conductor (*US*).
Zugbrücke *f* drawbridge.
zugeben ['tsu:ge:bən] *unreg vt* (*beifügen*) to add, throw in; (*zugestehen*) to admit; (*erlauben*) to permit; **zugegeben** ... granted ...
zugegebenermaßen ['tsu:gegə:bənər'ma:sən] *adv* admittedly.
zugegen [tsu'ge:gən] *adv* (*geh*): ~ **sein** to be present.
zugehen ['tsu:ge:ən] *unreg vi* (*schließen*) to shut ♦ *vi unpers* (*sich ereignen*) to go on, happen; **auf jdn/etw** ~ to walk towards sb/sth; **dem Ende** ~ to be finishing; **er geht schon auf die Siebzig zu** he's getting on for seventy; **hier geht es nicht mit rechten Dingen zu** there's something odd going on here; **dort geht es ... zu** things are ... there.
Zugehörigkeit ['tsu:gəhø:rɪçkaɪt] *f*: ~ **(zu)** membership (of), belonging (to).
Zugehörigkeitsgefühl *nt* feeling of belonging.
zugeknöpft ['tsu:gəknœpft] (*umg*) *adj* reserved, stand-offish.
Zügel ['tsy:gəl] (**-s, -**) *m* rein, reins *pl*; (*fig*) rein, curb; **die** ~ **locker lassen** to slacken one's hold on the reins; **die** ~ **locker lassen bei** (*fig*) to give free rein to.
zugelassen ['tsu:gəlasən] *adj* authorized; (*Heilpraktiker*) registered; (*Kfz*) licensed.
zügellos *adj* unrestrained; (*sexuell*) licentious.
Zügellosigkeit *f* lack of restraint; licentiousness.
zügeln *vt* to curb; (*Pferd*) to rein in.
zugesellen *vr*: **sich jdm** ~ to join sb, join up with sb.
Zugeständnis ['tsu:gəʃtɛntnɪs] (**-ses, -se**) *nt* concession; ~**se machen** to make allowances.
zugestehen *unreg vt* to admit; (*Rechte*) to concede.
zugetan ['tsu:gəta:n] *adj*: **jdm/etw** ~ **sein** to be fond of sb/sth.
Zugewinn (**-(e)s**) *m* (*JUR*) *property acquired during marriage*.
Zugezogene(r) ['tsu:gətso:gənə(r)] *f(m)* newcomer.
Zugführer *m* (*EISENB*) chief guard (*BRIT*) *od* conductor (*US*); (*MIL*) platoon commander.
zugig *adj* draughty (*BRIT*), drafty (*US*).
zügig ['tsy:gɪç] *adj* speedy, swift.
zugkräftig *adj* (*fig: Werbetext, Titel*) eye-catching; (*Schauspieler*) crowd-pulling *attr*, popular.
zugleich [tsu'glaɪç] *adv* (*zur gleichen Zeit*) at the same time; (*ebenso*) both.
Zugluft *f* draught (*BRIT*), draft (*US*).
Zugmaschine *f* traction engine, tractor.
zugreifen ['tsu:graɪfən] *unreg vi* to seize *od* grab it/them; (*helfen*) to help; (*beim Essen*) to help o.s.
Zugriff ['tsu:grɪf] *m* (*COMPUT*) access; **sich dem** ~ **der Polizei entziehen** (*fig*) to evade justice.
zugrunde [tsu'grʊndə] *adv*: ~ **gehen** to collapse; (*Mensch*) to perish; **er wird daran nicht** ~ **gehen** he'll survive; (*finanziell*) it won't ruin him; **einer Sache** *dat* **etw** ~ **legen** to base sth on sth; **einer Sache** *dat* ~ **liegen** to be based on sth; ~ **richten** to ruin, destroy.
zugunsten [tsu'gʊnstən] *präp +gen od +dat* in favour (*BRIT*) *od* favor (*US*) of.
zugute [tsu'gu:tə] *adv*: **jdm etw** ~ **halten** to concede sth to sb; **jdm** ~ **kommen** to be of assistance to sb.
Zug- *zW*: ~**verbindung** *f* train connection; ~**vogel** *m* migratory bird; ~**zwang** *m* (*SCHACH*) zugzwang; **unter** ~**zwang stehen** (*fig*) to be in a tight spot.
zuhalten ['tsu:haltən] *unreg vt* to hold shut ♦ *vi*: **auf jdn/etw** ~ to make for sb/sth; **sich** *dat* **die Nase** ~ to hold one's nose.
Zuhälter ['tsu:hɛltər] (**-s, -**) *m* pimp.
zuhause [tsu'haʊzə] *adv* at home.
Zuhause (**-s**) *nt* home.
Zuhilfenahme [tsu'hɪlfəna:mə] *f*: **unter** ~ **von** with the help of.
zuhören ['tsu:hø:rən] *vi* to listen.
Zuhörer (**-s, -**) *m* listener; ~**schaft** *f* audience.
zujubeln ['tsu:ju:bəln] *vi*: **jdm** ~ to cheer sb.
zukehren ['tsu:ke:rən] *vt* (*zuwenden*) to turn.
zuklappen ['tsu:klapən] *vt* (*Buch, Deckel*) to close ♦ *vi* (*Hilfsverb sein: Tür etc*) to click shut.
zukleben ['tsu:kle:bən] *vt* to paste up.
zukneifen ['tsu:knaɪfən] *vt* (*Augen*) to screw up; (*Mund*) to shut tight(ly).
zuknöpfen ['tsu:knœpfən] *vt* to button (up), fasten (up).
zukommen ['tsu:kɔmən] *unreg vi* to come up; **auf jdn** ~ to come up to sb; **jdm** ~ (*sich gehören*) to be fitting for sb; **diesem Treffen kommt große Bedeutung zu** this meeting is of the utmost importance; **jdm etw** ~ **lassen** to give sb sth; **die Dinge auf sich** *akk* ~ **lassen** to take things as they come.
Zukunft ['tsu:kʊnft] (**-,** *no pl*) *f* future.
zukünftig ['tsu:kʏnftɪç] *adj* future ♦ *adv* in future; **mein** ~**er Mann** my husband-to-be.
Zukunfts- *zW*: ~**aussichten** *pl* future prospects *pl*; ~**musik** (*umg*) *f* wishful thinking; ~**roman** *m* science-fiction novel;

z~trächtig *adj* promising for the future; **z~weisend** *adj* trend-setting.
Zulage ['tsu:la:gə] *f* bonus.
zulande [tsu'landə] *adv*: **bei uns ~** in our country.
zulangen ['tsu:laŋən] (*umg*) *vi* (*Dieb, beim Essen*) to help o.s.
zulassen ['tsu:lasən] *unreg vt* (*hereinlassen*) to admit; (*erlauben*) to permit; (*Auto*) to license; (*umg: nicht öffnen*) to keep shut.
zulässig ['tsu:lɛsɪç] *adj* permissible, permitted; **~e Höchstgeschwindigkeit** (upper) speed limit.
Zulassung *f* (*amtlich*) authorization; (*von Kfz*) licensing; (*als praktizierender Arzt*) registration.
Zulauf *m*: **großen ~ haben** (*Geschäft*) to be very popular.
zulaufen ['tsu:laʊfən] *unreg vi*: **~ auf** *+akk* to run towards; **jdm ~** (*Tier*) to adopt sb; **spitz ~** to come to a point.
zulegen ['tsu:le:gən] *vt* to add; (*Geld*) to put in; (*Tempo*) to accelerate, quicken; (*schließen*) to cover over; **sich** *dat* **etw ~** (*umg*) to get oneself sth.
zuleide [tsu'laɪdə] *adj*: **jdm etw ~ tun** to harm sb.
zuleiten ['tsu:laɪtən] *vt* (*Wasser*) to supply; (*schicken*) to send.
Zuleitung *f* (*TECH*) supply.
zuletzt [tsu'lɛtst] *adv* finally, at last; **wir blieben bis ~** we stayed to the very end; **nicht ~ wegen** not least because of.
zuliebe [tsu'li:bə] *adv*: **jdm ~** (in order) to please sb.
Zulieferbetrieb ['tsu:li:fərbətri:p] *m* (*COMM*) supplier.
zum [tsʊm] = **zu dem; ~ dritten Mal** for the third time; **~ Scherz** as a joke; **~ Trinken** for drinking; **bis ~ 15. April** until 15th April; (*nicht später als*) by 15th April; **~ ersten Mal(e)** for the first time; **es ist ~ Weinen** it's enough to make you (want to) weep; **~ Glück** luckily.
zumachen ['tsu:maxən] *vt* to shut; (*Kleidung*) to do up, fasten ♦ *vi* to shut; (*umg*) to hurry up.
zumal [tsu'ma:l] *konj* especially (as).
zumeist [tsu'maɪst] *adv* mostly.
zumessen ['tsu:mɛsən] *unreg vt* (*+dat*) (*Zeit*) to allocate (for); (*Bedeutung*) to attach (to).
zumindest [tsu'mɪndəst] *adv* at least.
zumutbar ['tsu:mu:tba:r] *adj* reasonable.
zumute [tsu'mu:tə] *adv*: **wie ist ihm ~?** how does he feel?
zumuten ['tsu:mu:tən] *vt*: **(jdm) etw ~** to expect *od* ask sth (of sb); **sich** *dat* **zuviel ~** to take on too much.
Zumutung *f* unreasonable expectation *od* demand; (*Unverschämtheit*) impertinence; **das ist eine ~!** that's a bit much!
zunächst [tsu'nɛ:çst] *adv* first of all; **~ einmal** to start with.
zunageln ['tsu:na:gəln] *vt* (*Fenster etc*) to nail up; (*Kiste etc*) to nail down.
zunähen ['tsu:nɛ:ən] *vt* to sew up.
Zunahme ['tsu:na:mə] (**-, -n**) *f* increase.
Zuname ['tsu:na:mə] *m* surname.
zünden ['tsʏndən] *vi* (*Feuer*) to light, ignite; (*Motor*) to fire; (*fig*) to kindle enthusiasm ♦ *vt* to ignite; (*Rakete*) to fire.
zündend *adj* fiery.
Zünder (**-s, -**) *m* fuse; (*MIL*) detonator.
Zünd- *zW*: **~holz** *nt* match; **~kabel** *nt* (*AUT*) plug lead; **~kerze** *f* (*AUT*) spark(ing) plug; **~plättchen** *nt* cap; **~schlüssel** *m* ignition key; **~schnur** *f* fuse wire; **~stoff** *m* fuel; (*fig*) dynamite.
Zündung *f* ignition.
zunehmen ['tsu:ne:mən] *unreg vi* to increase, grow; (*Mensch*) to put on weight.
zunehmend *adj*: **mit ~em Alter** with advancing age.
zuneigen ['tsu:naɪgən] *vi* to incline, lean; **sich dem Ende ~** to draw to a close; **einer Auffassung ~** to incline towards a view; **jdm zugeneigt sein** to be attracted to sb.
Zuneigung *f* affection.
Zunft [tsʊnft] (**-, ⸚e**) *f* guild.
zünftig ['tsʏnftɪç] *adj* (*Arbeit*) professional; (*umg: ordentlich*) proper, real.
Zunge ['tsʊŋə] *f* tongue; (*Fisch*) sole; **böse ~n behaupten, ...** malicious gossip has it ...
züngeln ['tsʏŋəln] *vi* (*Flammen*) to lick.
Zungenbrecher *m* tongue-twister.
zungenfertig *adj* glib.
Zünglein ['tsʏŋlaɪn] *nt*: **das ~ an der Waage sein** (*fig*) to tip the scales.
zunichte [tsu'nɪçtə] *adv*: **~ machen** to ruin, destroy; **~ werden** to come to nothing.
zunutze [tsu'nʊtsə] *adv*: **sich** *dat* **etw ~ machen** to make use of sth.
zuoberst [tsu'|o:bərst] *adv* at the top.
zuordnen ['tsu:|ɔrdnən] *vt* to assign.
zupacken ['tsu:pakən] (*umg*) *vi* (*zugreifen*) to make a grab for it; (*bei der Arbeit*) to get down to it; **mit ~** (*helfen*) to give me/them *etc* a hand.
zupfen ['tsʊpfən] *vt* to pull, pick, pluck; (*Gitarre*) to pluck.
zur [tsu:r] = **zu der**.
zurechnungsfähig ['tsu:rɛçnʊŋsfɛ:ɪç] *adj* (*JUR*) responsible, of sound mind; **Z~keit** *f* responsibility, accountability.
zurecht- *zW*: **~biegen** *unreg vt* to bend into shape; (*fig*) to twist; **~finden** *unreg vr* to find one's way (about); **~kommen** *unreg vi* (*rechtzeitig kommen*) to come in time; (*schaffen*) to cope; (*finanziell*) to manage; **~legen** *vt* to get ready; (*Ausrede etc*) to have ready; **~machen** *vt* to prepare ♦ *vr* to get ready; (*sich schminken*) to put on one's make-up; **~weisen** *unreg vt* to reprimand; **Z~weisung** *f* reprimand, rebuff.

zureden ['tsu:re:dən] *vi:* **jdm** ~ to persuade sb, urge sb.
zureiten ['tsuraɪtən] *unreg vt* (*Pferd*) to break in.
Zürich ['tsy:rɪç] (**-s**) *nt* Zurich.
zurichten ['tsu:rɪçtən] *vt* (*Essen*) to prepare; (*beschädigen*) to batter, bash up.
zürnen ['tsʏrnən] *vi:* **jdm** ~ to be angry with sb.
zurück [tsu'rʏk] *adv* back; (*mit Zahlungen*) behind; (*fig: ~geblieben: von Kind*) backward; ~! get back!; ~**behalten** *unreg vt* to keep back; **er hat Schäden ~behalten** he suffered lasting damage; ~**bekommen** *unreg vt* to get back; ~**bezahlen** *vt* to repay, pay back; ~**bleiben** *unreg vi* (*Mensch*) to remain behind; (*nicht nachkommen*) to fall behind, lag; (*Schaden*) to remain; ~**bringen** *unreg vt* to bring back; ~**datieren** *vt* to backdate; ~**drängen** *vt* (*Gefühle*) to repress; (*Feind*) to push back; ~**drehen** *vt* to turn back; ~**erobern** *vt* to reconquer; ~**erstatten** *vt* to refund; ~**fahren** *unreg vi* to travel back; (*vor Schreck*) to recoil ♦ *vt* to drive back; ~**fallen** *unreg vi* to fall back; (*in Laster*) to relapse; (*in Leistungen*) to fall behind; (*an Besitzer*): ~**fallen an** *+akk* to revert to; ~**finden** *unreg vi* to find one's way back; ~**fordern** *vt* to demand back; ~**führen** *vt* to lead back; **etw auf etw** *akk* ~**führen** to trace sth back to sth; ~**geben** *unreg vt* to give back; (*antworten*) to retort with; ~**geblieben** *adj* retarded; ~**gehen** *unreg vi* to go back; (*fallen*) to go down, fall; (*zeitlich*): ~**gehen (auf** *+akk*) to date back (to); **Waren ~gehen lassen** to send back goods; ~**gezogen** *adj* retired, withdrawn; ~**greifen** *unreg vi:* ~**greifen (auf** *+akk*) (*fig*) to fall back (upon); (*zeitlich*) to go back (to); ~**halten** *unreg vt* to hold back; (*Mensch*) to restrain; (*hindern*) to prevent ♦ *vr* (*reserviert sein*) to be reserved; (*im Essen*) to hold back; (*im Hintergrund bleiben*) to keep in the background; (*bei Verhandlung*) to keep a low profile; ~**haltend** *adj* reserved; **Z~haltung** *f* reserve; ~**holen** *vt* (*COMPUT: Daten*) to retrieve; ~**kehren** *vi* to return; ~**kommen** *unreg vi* to come back; **auf etw** *akk* ~**kommen** to return to sth; ~**lassen** *unreg vt* to leave behind; ~**legen** *vt* to put back; (*Geld*) to put by; (*reservieren*) to keep back; (*Strecke*) to cover ♦ *vr* to lie back; ~**liegen** *unreg vi:* **der Unfall liegt etwa eine Woche** ~ the accident was about a week ago; ~**nehmen** *unreg vt* to take back; ~**reichen** *vi* (*Tradition etc*): ~**reichen (in** *+akk*) to go back (to); ~**rufen** *unreg vt, vi* to call back; **etw ins Gedächtnis ~rufen** to recall sth; ~**schrauben** *vt:* **seine Ansprüche ~schrauben** to lower one's sights; ~**schrecken** *vi:* ~**schrecken vor** *+dat* to shrink from; **vor nichts ~schrecken** to stop at nothing; ~**setzen** *vt* to put back; (*im Preis*) to reduce; (*benachteiligen*) to put at a disadvantage ♦ *vi* (*mit Fahrzeug*) to reverse, back; ~**stecken** *vt* to put back ♦ *vi* (*fig*) to moderate one's wishes; ~**stellen** *vt* to put back, replace; (*aufschieben*) to put off, postpone; (*MIL*) to turn down; (*Interessen*) to defer; (*Ware*) to keep; **persönliche Interessen hinter etw** *dat* ~**stellen** to put sth before one's personal interests; ~**stoßen** *unreg vt* to repulse; ~**stufen** *vt* to downgrade; ~**treten** *unreg vi* to step back; (*vom Amt*) to retire; (*von einem Vertrag etc*): ~**treten (von)** to withdraw (from); **gegenüber** *od* **hinter etw** *dat* ~**treten** to diminish in importance in view of sth; **bitte ~treten!** stand back, please!; ~**verfolgen** *vt* (*fig*) to trace back; ~**versetzen** *vt* (*in alten Zustand*): ~**versetzen (in** *+akk*) to restore (to) ♦ *vr:* **sich ~versetzen (in** *+akk*) to think back (to); ~**weichen** *unreg vi:* ~**weichen (vor** *+dat*) to shrink back (from); ~**weisen** *unreg vt* to turn down; (*Mensch*) to reject; ~**werfen** *unreg vt* (*Ball, Kopf*) to throw back; (*Strahlen, Schall*) to reflect; (*fig: Feind*) to repel; (*: wirtschaftlich*): ~**werfen (um)** to set back (by); ~**zahlen** *vt* to pay back, repay; **Z~zahlung** *f* repayment; ~**ziehen** *unreg vt* to pull back; (*Angebot*) to withdraw ♦ *vr* to retire.
Zuruf ['tsu:ru:f] *m* shout, cry.
zus. *abk* = **zusammen; zusätzlich.**
Zusage ['tsu:za:gə] *f* promise; (*Annahme*) consent.
zusagen *vt* to promise ♦ *vi* to accept; **jdm etw auf den Kopf** ~ (*umg*) to tell sb sth outright; **jdm** ~ (*gefallen*) to appeal to *od* please sb.
zusammen [tsu'zamən] *adv* together; **Z~arbeit** *f* cooperation; ~**arbeiten** *vi* to cooperate; **Z~ballung** *f* accumulation; ~**bauen** *vt* to assemble; ~**beißen** *unreg vt* (*Zähne*) to clench; ~**bleiben** *unreg vi* to stay together; ~**brauen** (*umg*) *vt* to concoct ♦ *vr* (*Gewitter, Unheil etc*) to be brewing; ~**brechen** *unreg vi* (*Hilfsverb sein*) to collapse; (*Mensch*) to break down, collapse; (*Verkehr etc*) to come to a standstill; ~**bringen** *unreg vt* to bring *od* get together; (*Geld*) to get; (*Sätze*) to put together; **Z~bruch** *m* collapse; (*COMPUT*) crash; ~**fahren** *unreg vi* to collide; (*erschrecken*) to start; ~**fallen** *unreg vi* (*einstürzen*) to collapse; (*Ereignisse*) to coincide; ~**fassen** *vt* to summarize; (*vereinigen*) to unite; ~**fassend** *adj* summarizing ♦ *adv* to summarize; **Z~fassung** *f* summary, résumé; ~**finden** *unreg vi, vr* to meet (together); ~**fließen** *unreg vi* to flow together, meet; **Z~fluß** *m* confluence; ~**fügen** *vt* to join (together), unite; ~**führen** *vt* to bring together; (*Familie*) to reunite; ~**gehören** *vi* to belong together; (*Paar*) to match; **Z~gehörigkeitsgefühl** *nt* sense of belonging; ~**gesetzt** *adj* compound, composite; ~**gewürfelt** *adj* motley; ~**halten**

unreg vt to hold together ♦ *vi* to hold together; (*Freunde, fig*) to stick together; **Z~hang** *m* connection; **im/aus dem Z~hang** in/out of context; **etw aus dem Z~hang reißen** to take sth out of its context; **~hängen** *unreg vi* to be connected *od* linked; **~hängend** *adj* (*Erzählung*) coherent; **~hang(s)los** *adj* incoherent; **~klappbar** *adj* folding, collapsible; **~klappen** *vt* (*Messer etc*) to fold ♦ *vi* (*umg: Mensch*) to flake out; **~knüllen** *vt* to crumple up; **~kommen** *unreg vi* to meet, assemble; (*sich ereignen*) to occur at once *od* together; **~kramen** *vt* to gather (together); **Z~kunft (-, -künfte)** *f* meeting; **~laufen** *unreg vi* to run *od* come together; (*Straßen, Flüsse etc*) to converge, meet; (*Farben*) to run into one another; **~legen** *vt* to put together; (*stapeln*) to pile up; (*falten*) to fold; (*verbinden*) to combine, unite; (*Termine, Feste*) to combine; (*Geld*) to collect; **~nehmen** *unreg vt* to summon up ♦ *vr* to pull o.s. together; **alles ~genommen** all in all; **~passen** *vi* to go well together, match; **Z~prall** *m* (*lit*) collision; (*fig*) clash; **~prallen** *vi* (*Hilfsverb sein*) to collide; **~reimen** (*umg*) *vt*: **das kann ich mir nicht ~reimen** I can't make head nor tail of this; **~reißen** *unreg vr* to pull o.s. together; **~rotten** *unreg* (*pej*) *vr* to gang up; **~schlagen** *unreg vt* (*jdn*) to beat up; (*Dinge*) to smash up; (*falten*) to fold; (*Hände*) to clap; (*Hacken*) to click; **~schließen** *unreg vt, vr* to join (together); **Z~schluß** *m* amalgamation; **~schmelzen** *unreg vi* (*verschmelzen*) to fuse; (*zerschmelzen*) to melt (away); (*Anzahl*) to dwindle; **~schrecken** *unreg vi* to start; **~schreiben** *unreg vt* to write together; (*Bericht*) to put together; **~schrumpfen** *vi* (*Hilfsverb sein*) to shrink, shrivel up; **Z~sein (-s)** *nt* get-together; **~setzen** *vt* to put together ♦ *vr*: **sich ~setzen aus** to consist of; **Z~setzung** *f* composition; **Z~spiel** *nt* teamwork; (*von Kräften etc*) interaction; **~stellen** *vt* to put together; **Z~stellung** *f* list; (*Vorgang*) compilation; **Z~stoß** *m* collision; **~stoßen** *unreg vi* (*Hilfsverb sein*) to collide; **~strömen** *vi* (*Hilfsverb sein: Menschen*) to flock together; **~tragen** *unreg vt* to collect; **Z~treffen** *nt* meeting; (*Zufall*) coincidence; **~treffen** *unreg vi* (*Hilfsverb sein*) to coincide; (*Menschen*) to meet; **~treten** *unreg vi* (*Verein etc*) to meet; **~wachsen** *unreg vi* to grow together; **~wirken** *vi* to combine; **~zählen** *vt* to add up; **~ziehen** *unreg vt* (*verengern*) to draw together; (*vereinigen*) to bring together; (*addieren*) to add up ♦ *vr* to shrink; (*sich bilden*) to form, develop; **~zucken** *vi* (*Hilfsverb sein*) to start.

Zusatz ['tsu:zats] *m* addition; **~antrag** *m* (*POL*) amendment; **~gerät** *nt* attachment.

zusätzlich ['tsu:zɛtslɪç] *adj* additional.

Zusatzmittel *nt* additive.

zuschauen ['tsu:ʃaʊən] *vi* to watch, look on.

Zuschauer (-s, -) *m* spectator ♦ *pl* (*THEAT*) audience *sing*.

zuschicken ['tsu:ʃɪkən] *vt*: **jdm etw ~** to send *od* forward sth to sb.

zuschießen ['tsu:ʃi:sən] *unreg vt* to fire; (*Geld*) to put in ♦ *vi*: **~ auf** *+akk* to rush towards.

Zuschlag ['tsu:ʃla:k] *m* extra charge; (*Erhöhung*) surcharge; (*EISENB*) supplement.

zuschlagen ['tsu:ʃla:gən] *unreg vt* (*Tür*) to slam; (*Ball*) to hit; (*bei Auktion*) to knock down; (*Steine etc*) to knock into shape ♦ *vi* (*Fenster, Tür*) to shut; (*Mensch*) to hit, punch.

zuschlagfrei *adj* (*EISENB*) not subject to a supplement.

zuschlagpflichtig *adj* subject to surcharge.

Zuschlagskarte *f* (*EISENB*) supplementary ticket.

zuschließen ['tsu:ʃli:sən] *unreg vt* to lock (up).

zuschmeißen ['tsu:ʃmaɪsən] *unreg* (*umg*) *vt* to slam, bang shut.

zuschmieren ['tsu:ʃmi:rən] *vt* to smear over; (*Löcher*) to fill in.

zuschneiden ['tsu:ʃnaɪdən] *unreg vt* to cut to size; (*NÄHEN*) to cut out; **auf etw** *akk* **zugeschnitten sein** (*fig*) to be geared to sth.

zuschnüren ['tsu:ʃny:rən] *vt* to tie up; **die Angst schnürte ihm die Kehle zu** (*fig*) he was choked with fear.

zuschrauben ['tsu:ʃraʊbən] *vt* to screw shut.

zuschreiben ['tsu:ʃraɪbən] *unreg vt* (*fig*) to ascribe, attribute; (*COMM*) to credit; **das hast du dir selbst zuzuschreiben** you've only got yourself to blame.

Zuschrift ['tsu:ʃrɪft] *f* letter, reply.

zuschulden [tsu'ʃʊldən] *adv*: **sich** *dat* **etw ~ kommen lassen** to make o.s. guilty of sth.

Zuschuß ['tsu:ʃʊs] *m* subsidy.

Zuschußbetrieb *m* loss-making concern.

zuschütten ['tsu:ʃʏtən] *vt* to fill up.

zusehen ['tsu:ze:ən] *unreg vi* to watch; (*dafür sorgen*) to take care; (*etw dulden*) to sit back (and watch); **jdm/etw ~** to watch sb/sth.

zusehends *adv* visibly.

zusein ['tsu:zaɪn] *unreg vi* to be closed.

zusenden ['tsu:zɛndən] *unreg vt* to forward, send on.

zusetzen ['tsu:zɛtsən] *vt* (*beifügen*) to add; (*Geld*) to lose ♦ *vi*: **jdm ~** to harass sb; (*Krankheit*) to take a lot out of sb; (*unter Druck setzen*) to lean on sb (*umg*); (*schwer treffen*) to hit sb hard.

zusichern ['tsu:zɪçərn] *vt*: **jdm etw ~** to assure sb of sth.

Zusicherung *f* assurance.

zusperren ['tsu:ʃpɛrən] *vt* to bar.

zuspielen ['tsu:ʃpi:lən] *vt, vi* to pass; **jdm etw ~** to pass sth to sb; (*fig*) to pass sth on to sb; **etw der Presse ~** to leak sth to the press.

zuspitzen ['tsu:ʃpɪtsən] *vt* to sharpen ♦ *vr* (*Lage*) to become critical.

zusprechen ['tsu:ʃprɛçən] *unreg vt*

(*zuerkennen*): **jdm etw** ~ to award sb sth, award sth to sb ♦ *vi:* **jdm** ~ to speak to sb; **jdm Trost** ~ to comfort sb; **dem Essen/ Alkohol** ~ to eat/drink a lot.

Zuspruch ['tsu:ʃprux] *m* encouragement; (*Anklang*) popularity.

Zustand ['tsu:ʃtant] *m* state, condition; **in gutem/schlechtem** ~ in good/poor condition; (*Haus*) in good/bad repair; **Zustände bekommen** *od* **kriegen** (*umg*) to have a fit.

zustande [tsu'ʃtandə] *adv:* ~ **bringen** to bring about; ~ **kommen** to come about.

zuständig ['tsu:ʃtɛndɪç] *adj* competent, responsible; **Z~keit** *f* competence, responsibility; **Z~keitsbereich** *m* area of responsibility.

zustatten [tsu'ʃtatən] *adj:* **jdm** ~ **kommen** (*geh*) to come in useful for sb.

zustehen ['tsu:ʃte:ən] *unreg vi:* **jdm** ~ to be sb's right.

zusteigen ['tsu:ʃtaɪgən] *unreg vi:* **noch jemand zugestiegen?** (*in Zug*) any more tickets?

zustellen ['tsu:ʃtɛlən] *vt* (*verstellen*) to block; (*Post etc*) to send.

Zustellung *f* delivery.

zusteuern ['tsu:ʃtɔʏərn] *vi:* **auf etw** *akk* ~ to head for sth; (*beim Gespräch*) to steer towards sth ♦ *vt* (*beitragen*) to contribute.

zustimmen ['tsu:ʃtɪmən] *vi* to agree.

Zustimmung *f* agreement; (*Einwilligung*) consent; **allgemeine** ~ **finden** to meet with general approval.

zustoßen ['tsu:ʃto:sən] *unreg vi* (*fig*): **jdm** ~ to happen to sb.

Zustrom ['tsu:ʃtro:m] *m* (*fig: Menschenmenge*) stream (of visitors *etc*); (*hineinströmend*) influx; (*MET*) inflow.

zustürzen ['tsu:ʃtʏrtsən] *vi:* **auf jdn/etw** ~ to rush up to sb/sth.

zutage [tsu'ta:gə] *adv:* ~ **bringen** to bring to light; ~ **treten** to come to light.

Zutaten ['tsu:ta:tən] *pl* ingredients *pl*; (*fig*) accessories *pl*.

zuteil [tsu'taɪl] *adv* (*geh*): **jdm wird etw** ~ sb is granted sth, sth is granted to sb.

zuteilen ['tsu:taɪlən] *vt* to allocate, assign.

zutiefst [tsu'ti:fst] *adv* deeply.

zutragen ['tsu:tra:gən] *unreg vt:* **jdm etw** ~ to bring sb sth, bring sth to sb ♦ *vt* (*Klatsch*) to tell sb sth ♦ *vr* to happen.

zuträglich ['tsu:trɛ:klɪç] *adj* beneficial.

zutrauen ['tsu:traʊən] *vt:* **jdm etw** ~ to credit sb with sth; **sich** *dat* **nichts** ~ to have no confidence in o.s.; **jdm viel** ~ to think a lot of sb; **jdm wenig** ~ not to think much of sb; **Z~ (-s)** *nt:* **Z~ (zu)** trust (in); **zu jdm Z~ fassen** to begin to trust sb.

zutraulich *adj* trusting; (*Tier*) friendly; **Z~keit** *f* trust.

zutreffen ['tsu:trɛfən] *unreg vi* to be correct; (*gelten*) to apply.

zutreffend *adj* (*richtig*) accurate; **Z~es bitte unterstreichen** please underline where applicable.

zutrinken ['tsu:trɪŋkən] *unreg vi:* **jdm** ~ to drink to sb.

Zutritt ['tsu:trɪt] *m* access; (*Einlaß*) admittance; **kein ~, ~ verboten** no admittance.

zutun ['tsu:tu:n] *unreg vt* to add; (*schließen*) to shut.

Zutun (**-s**) *nt* assistance.

zuunterst [tsu'|ʊntərst] *adv* right at the bottom.

zuverlässig ['tsu:fɛrlɛsɪç] *adj* reliable; **Z~keit** *f* reliability.

Zuversicht ['tsu:fɛrzɪçt] (-) *f* confidence; **z~lich** *adj* confident; **~lichkeit** *f* confidence.

zuviel [tsu'fi:l] *adv* too much; (*umg: zu viele*) too many; **er kriegt** ~ (*umg*) he gets annoyed.

zuvor [tsu'fo:r] *adv* before, previously.

zuvorderst [tsu'fɔrdərst] *adv* right at the front.

zuvorkommen *unreg vi +dat* to anticipate; (*Gefahr etc*) to forestall; **jdm** ~ to beat sb to it.

zuvorkommend *adj* courteous; (*gefällig*) obliging.

Zuwachs ['tsu:vaks] (**-es**) *m* increase, growth; (*umg*) addition.

zuwachsen *unreg vi* to become overgrown; (*Wunde*) to heal (up).

Zuwachsrate *f* rate of increase.

zuwandern ['tsu:vandərn] *vi* to immigrate.

zuwege [tsu've:gə] *adv:* **etw** ~ **bringen** to accomplish sth; **mit etw** ~ **kommen** to manage sth; **gut** ~ **sein** to be (doing) well.

zuweilen [tsu'vaɪlən] *adv* at times, now and then.

zuweisen ['tsu:vaɪzən] *unreg vt* to assign, allocate.

zuwenden ['tsu:vɛndən] *unreg vt +dat* to turn towards ♦ *vr +dat* to turn to; (*sich widmen*) to devote o.s. to; **jdm seine Aufmerksamkeit** ~ to give sb one's attention.

Zuwendung *f* (*Geld*) financial contribution; (*Liebe*) love and care.

zuwenig [tsu've:nɪç] *adv* too little; (*umg: zu wenige*) too few.

zuwerfen ['tsu:vɛrfən] *unreg vt:* **jdm etw** ~ to throw sth to sb, throw sb sth.

zuwider [tsu'vi:dər] *adv:* **etw ist jdm** ~ sb loathes sth, sb finds sth repugnant ♦ *präp +dat* contrary to; **~handeln** *vi +dat* to act contrary to; **einem Gesetz ~handeln** to contravene a law; **Z~handlung** *f* contravention; **~laufen** *unreg vi:* **einer Sache** *dat* **~laufen** to run counter to sth.

zuz. *abk* = **zuzüglich**.

zuzahlen ['tsu:tsa:lən] *vt:* **10 Mark** ~ to pay another 10 marks.

zuziehen ['tsu:tsi:ən] *unreg vt* (*schließen:*

Vorhang) to draw, close; (*herbeirufen: Experten*) to call in ♦ *vi* to move in, come; **sich** *dat* **etw** ~ (*Krankheit*) to catch sth; (*Zorn*) to incur sth; **sich** *dat* **eine Verletzung** ~ (*form*) to sustain an injury.

Zuzug ['tsu:tsuk] (**-(e)s**) *m* (*Zustrom*) influx; (*von Familie etc*): ~ **nach** move to.

zuzüglich ['tsu:tsy:klıç] *präp +gen* plus, with the addition of.

zuzwinkern ['tsu:tsvınkərn] *vi:* **jdm** ~ to wink at sb.

ZVS *f abk* (= *Zentralstelle für die Vergabe von Studienplätzen*) *central body organizing the granting of places at university.*

Zwang (**-(e)s, ¨-e**) *m* compulsion; (*Gewalt*) coercion; **gesellschaftliche Zwänge** social constraints; **tu dir keinen ~ an** don't feel you have to be polite.

zwang *etc* [tsvaŋ] *vb siehe* **zwingen.**

zwängen ['tsvɛŋən] *vt, vr* to squeeze.

Zwang- *zW:* **z~haft** *adj* compulsive; **z~los** *adj* informal; **~losigkeit** *f* informality.

Zwangs- *zW:* **~abgabe** *f* (*COMM*) compulsory levy; **~arbeit** *f* forced labour (*BRIT*) *od* labor (*US*); **~ernährung** *f* force-feeding; **~jacke** *f* straitjacket; **~lage** *f* predicament, tight corner; **z~läufig** *adj* inevitable; **~maßnahme** *f* compulsory measure; (*POL*) sanction; **~vollstreckung** *f* execution; **~vorstellung** *f* (*PSYCH*) obsession; **z~weise** *adv* compulsorily.

zwanzig ['tsvantsıç] *num* twenty.

zwanzigste(r, s) *adj* twentieth.

zwar [tsva:r] *adv* to be sure, indeed; **das ist ~ ..., aber** ... that may be ... but ...; **und ~** in fact, actually; **und ~ am Sonntag** on Sunday to be precise; **und ~ so schnell, daß** ... in fact so quickly that ...

Zweck [tsvɛk] (**-(e)s, -e**) *m* purpose, aim; **es hat keinen ~, darüber zu reden** there is no point (in) talking about it; **z~dienlich** *adj* practical; (*nützlich*) useful; **z~dienliche Hinweise** (any) relevant information.

Zwecke (**-, -n**) *f* hobnail; (*Heft~*) drawing pin (*BRIT*), thumbtack (*US*).

Zweck- *zW:* **z~entfremden** *vt untr* to use for another purpose; **~entfremdung** *f* misuse; **z~frei** *adj* (*Forschung etc*) pure; **z~los** *adj* pointless; **z~mäßig** *adj* suitable, appropriate; **~mäßigkeit** *f* suitability.

zwecks *präp +gen* (*form*) for (the purpose of).

zweckwidrig *adj* unsuitable.

zwei [tsvaı] *num* two; **Z~bettzimmer** *nt* twin-bedded room; **~deutig** *adj* ambiguous; (*unanständig*) suggestive; **Z~drittelmehrheit** *f* (*PARL*) two-thirds majority; **~eiig** *adj* (*Zwillinge*) non-identical.

zweierlei ['tsvaıər'laı] *adj* two kinds *od* sorts of; ~ **Stoff** two different kinds of material; ~ **zu tun haben** to have two different things to do.

zweifach *adj* double.

Zweifel ['tsvaıfəl] (**-s, -**) *m* doubt; **ich bin mir darüber im** ~ I'm in two minds about it; **z~haft** *adj* doubtful, dubious; **z~los** *adj* doubtless.

zweifeln *vi:* **(an etw** *dat***)** ~ to doubt (sth).

Zweifelsfall *m:* **im** ~ in case of doubt.

Zweifrontenkrieg *m* war(fare) on two fronts.

Zweig [tsvaık] (**-(e)s, -e**) *m* branch; **~geschäft** *nt* (*COMM*) branch.

zweigleisig ['tsvaıglaızıç] *adj:* ~ **argumentieren** to argue along two different lines.

Zweigstelle *f* branch (office).

zwei- *zW:* **~händig** *adj* two-handed; (*MUS*) for two hands; **Z~heit** *f* duality; **~hundert** *num* two hundred; **Z~kampf** *m* duel; **~mal** *adv* twice; **das lasse ich mir nicht ~mal sagen** I don't have to be told twice; **~motorig** *adj* twin-engined; **~reihig** *adj* (*Anzug*) double-breasted; **Z~samkeit** *f* togetherness; **~schneidig** *adj* (*fig*) double-edged; **Z~sitzer** (**-s, -**) *m* two-seater; **~sprachig** *adj* bilingual; **~spurig** *adj* (*AUT*) two-lane; **Z~spur(tonband)gerät** *nt* twin-track (tape) recorder; **~stellig** *adj* (*Zahl*) two-digit *attrib*, with two digits; **~stimmig** *adj* for two voices.

zweit [tsvaıt] *adv:* **zu** ~ (*in Paaren*) in twos.

Zweitaktmotor *m* two-stroke engine.

zweitbeste(r, s) *adj* second best.

zweite(r, s) *adj* second; **Bürger ~r Klasse** second-class citizen(s *pl*).

zweiteilig ['tsvaıtaılıç] *adj* (*Buch, Film etc*) in two parts; (*Kleidung*) two-piece.

zweitens *adv* secondly.

zweit- *zW:* **~größte(r, s)** *adj* second largest; **~klassig** *adj* second-class; **~letzte(r, s)** *adj* last but one, penultimate; **~rangig** *adj* second-rate; **Z~schlüssel** *m* duplicate key; **Z~stimme** *f* second vote; *siehe auch* **Erststimme.**

zweitürig ['tsvaıtyrıç] *adj* two-door.

Zweitwagen *m* second car.

Zweitwohnung *f* second home.

zweizeilig *adj* two-lined; (*TYP: Abstand*) double-spaced.

Zweizimmerwohnung *f* two-room(ed) flat (*BRIT*) *od* apartment (*US*).

Zwerchfell ['tsvɛrçfɛl] *nt* diaphragm.

Zwerg(in) [tsvɛrk, 'tsvɛrgın] (**-(e)s, -e**) *m(f)* dwarf; (*fig: Knirps*) midget; **~schule** (*umg*) *f* village school.

Zwetschge ['tsvɛtʃgə] (**-, -n**) *f* plum.

Zwickel ['tsvıkəl] (**-s, -**) *m* gusset.

zwicken ['tsvıkən] *vt* to pinch, nip.

Zwickmühle ['tsvıkmy:lə] *f:* **in der ~ sitzen** (*fig*) to be in a dilemma.

Zwieback ['tsvi:bak] (**-(e)s, -e** *od* **-bäcke**) *m* rusk.

Zwiebel ['tsvi:bəl] (**-, -n**) *f* onion; (*Blumen~*) bulb; **z~artig** *adj* bulbous; **~turm** *m* (tower

with an) onion dome.
Zwie- *zW:* **~gespräch** *nt* dialogue (*BRIT*), dialog (*US*); **~licht** *nt* twilight; **ins ~licht geraten sein** (*fig*) to appear in an unfavourable (*BRIT*) *od* unfavorable (*US*) light; **z~lichtig** *adj* shady, dubious; **~spalt** *m* conflict; (*zwischen Menschen*) rift, gulf; **z~spältig** *adj* (*Gefühle*) conflicting; (*Charakter*) contradictory; **~tracht** *f* discord, dissension.
Zwilling ['tsvɪlɪŋ] (**-s, -e**) *m* twin; **Zwillinge** *pl* (*ASTROL*) Gemini.
zwingen ['tsvɪŋən] *unreg vt* to force.
zwingend *adj* (*Grund etc*) compelling; (*logisch notwendig*) necessary; (*Schluß, Beweis*) conclusive.
Zwinger (**-s, -**) *m* (*Käfig*) cage; (*Hunde~*) run.
zwinkern ['tsvɪŋkərn] *vi* to blink; (*absichtlich*) to wink.
Zwirn [tsvɪrn] (**-(e)s, -e**) *m* thread.
zwischen ['tsvɪʃən] *präp* (*+akk od dat*) between; (*bei mehreren*) among; **Z~aufenthalt** *m* stopover; **Z~bemerkung** *f* (incidental) remark; **Z~bilanz** *f* (*COMM*) interim balance; **~blenden** *vt* (*FILM, RUNDF, TV*) to insert; **Z~ding** *nt* cross; **Z~dividende** *f* interim dividend; **~durch** *adv* in between; (*räumlich*) here and there; **Z~ergebnis** *nt* intermediate result; **Z~fall** *m* incident; **Z~frage** *f* question; **Z~größe** *f* in-between size; **Z~handel** *m* wholesaling; **Z~händler** *m* middleman, agent; **Z~lagerung** *f* temporary storage; **Z~landung** *f* (*AVIAT*) stopover; **Z~lösung** *f* temporary solution; **~mahlzeit** *f* snack (*between meals*); **~menschlich** *adj* interpersonal; **Z~prüfung** *f* intermediate examination; **Z~raum** *m* gap, space; **Z~ruf** *m* interjection, interruption; **Zwischenrufe** *pl* heckling *sing*; **Z~saison** *f* low season; **Z~spiel** *nt* (*THEAT, fig*) interlude; (*MUS*) intermezzo; **~staatlich** *adj* interstate; (*international*) international; **Z~station** *f* intermediate station; **Z~stecker** *m* (*ELEK*) adapter; **Z~stück** *nt* connecting piece; **Z~summe** *f* subtotal; **Z~wand** *f* partition; **Z~zeit** *f* interval; **in der Z~zeit** in the interim, meanwhile; **Z~zeugnis** *nt* (*SCH*) interim report.
Zwist [tsvɪst] (**-es, -e**) *m* dispute.
zwitschern ['tsvɪtʃərn] *vt, vi* to twitter, chirp; **einen ~** (*umg*) to have a drink.
Zwitter ['tsvɪtər] (**-s, -**) *m* hermaphrodite.
zwo [tsvo:] *num* (*TEL, MIL*) two.
zwölf [tsvœlf] *num* twelve; **fünf Minuten vor ~** (*fig*) at the eleventh hour.
Zwölffingerdarm (**-(e)s**) *m* duodenum.
Zyankali [tsya:n'ka:li] (**-s**) *nt* (*CHEM*) potassium cyanide.
Zyklon [tsy'klo:n] (**-s, -e**) *m* cyclone.
Zyklus ['tsy:klʊs] (**-, Zyklen**) *m* cycle.
Zylinder [tsi'lɪndər] (**-s, -**) *m* cylinder; (*Hut*) top hat; **z~förmig** *adj* cylindrical.
Zyniker(in) ['tsy:nikər(ɪn)] (**-s, -**) *m(f)* cynic.
zynisch ['tsy:nɪʃ] *adj* cynical.
Zynismus [tsy'nɪsmʊs] *m* cynicism.
Zypern ['tsy:pərn] (**-s**) *nt* Cyprus.
Zypresse [tsy'prɛsə] (**-, -n**) *f* (*BOT*) cypress.
Zypriot(in) [tsypri'o:t(ɪn)] (**-en, -en**) *m(f)* Cypriot.
zypriotisch *adj* Cypriot, Cyprian.
zyprisch ['tsy:prɪʃ] *adj* Cypriot, Cyprian.
Zyste ['tsʏstə] (**-, -n**) *f* cyst.
z.Z(t). *abk* = **zur Zeit.**

English–German
Englisch–Deutsch

A, a

A¹, a [eɪ] *n* (*letter*) A *nt*, a *nt*; (*SCOL*) ≈ Eins *f*, Sehr gut *nt*; ~ **for Andrew,** (*US*) ~ **for Able** ≈ A wie Anton; ~ **road** (*BRIT: AUT*) Hauptverkehrsstraße *f*; ~ **shares** (*BRIT: STOCK EXCHANGE*) stimmrechtslose Aktien *pl*.

A² [eɪ] *n* (*MUS*) A *nt*, a *nt*.

KEYWORD

a [ə] (*before vowel or silent h:* **an**) *indef art* **1** ein; (*before feminine noun*) eine; ~ **book** ein Buch; ~ **lamp** eine Lampe; **she's** ~ **doctor** sie ist Ärztin; **I haven't got** ~ **car** ich habe kein Auto; ~ **hundred/thousand** *etc* **pounds** einhundert/eintausend *etc* Pfund
2 (*in expressing ratios, prices etc*) pro; **3** ~ **day/week** 3 pro Tag/Woche, 3 am Tag/in der Woche; **10 km an hour** 10 km pro Stunde.

a. *abbr* = **acre.**

AA *n abbr* (*BRIT:* = *Automobile Association*) *Autofahrerorganisation*, ≈ ADAC *m*; (*US:* = *Associate in/of Arts*) *akademischer Grad für Geisteswissenschaftler*; (= *Alcoholics Anonymous*) Anonyme Alkoholiker *pl*, AA *pl*; = **anti-aircraft.**

AAA *n abbr* (= *American Automobile Association*) *Autofahrerorganisation*, ≈ ADAC *m*; (*BRIT:* = *Amateur Athletics Association*) *Leichtathletikverband der Amateure*.

A & R *n abbr* (*MUS:* = *artists and repertoire*): ~ **person** Talentsucher(in) *m(f)*.

AAUP *n abbr* (= *American Association of University Professors*) *Verband amerikanischer Universitätsprofessoren*.

AB *abbr* (*BRIT*) = **able-bodied seaman;** (*CANADA:* = *Alberta*).

abaci ['æbəsaɪ] *npl of* **abacus.**

aback [ə'bæk] *adv:* **to be taken** ~ verblüfft sein.

abacus ['æbəkəs] (*pl* **abaci**) *n* Abakus *m*.

abandon [ə'bændən] *vt* verlassen; (*child*) aussetzen; (*give up*) aufgeben ♦ *n* (*wild behaviour*): **with** ~ selbstvergessen; **to** ~ **ship** das Schiff verlassen.

abandoned [ə'bændənd] *adj* verlassen; (*child*) ausgesetzt; (*unrestrained*) selbstvergessen.

abase [ə'beɪs] *vt:* **to** ~ **o.s.** sich erniedrigen; **to** ~ **o.s. so far as to do sth** sich dazu erniedrigen, etw zu tun.

abashed [ə'bæʃt] *adj* verlegen.

abate [ə'beɪt] *vi* nachlassen, sich legen.

abatement [ə'beɪtmənt] *n:* **noise** ~ **society** Gesellschaft *f* zur Lärmbekämpfung.

abattoir ['æbətwɑː*] (*BRIT*) *n* Schlachthof *m*.

abbey ['æbɪ] *n* Abtei *f*.

abbot ['æbət] *n* Abt *m*.

abbreviate [ə'briːvɪeɪt] *vt* abkürzen; (*essay etc*) kürzen.

abbreviation [əbriːvɪ'eɪʃən] *n* Abkürzung *f*.

ABC *n abbr* (= *American Broadcasting Companies*) *Fernsehsender*.

abdicate ['æbdɪkeɪt] *vt* verzichten auf *+acc* ♦ *vi* (*monarch*) abdanken.

abdication [æbdɪ'keɪʃən] *n* (*see vb*) Verzicht *m*; Abdankung *f*.

abdomen ['æbdəmɛn] *n* Unterleib *m*.

abdominal [æb'dɔmɪnl] *adj* (*pain etc*) Unterleibs-.

abduct [æb'dʌkt] *vt* entführen.

abduction [æb'dʌkʃən] *n* Entführung *f*.

Aberdonian [æbə'dəunɪən] *adj* (*GEOG*) Aberdeener *inv* ♦ *n* Aberdeener(in) *m(f)*.

aberration [æbə'reɪʃən] *n* Anomalie *f*; **in a moment of mental** ~ in einem Augenblick geistiger Verwirrung.

abet [ə'bɛt] *vt see* **aid.**

abeyance [ə'beɪəns] *n:* **in** ~ (*law*) außer Kraft; (*matter*) ruhend.

abhor [əb'hɔː*] *vt* verabscheuen.

abhorrent [əb'hɔrənt] *adj* abscheulich.

abide [ə'baɪd] *vt:* **I can't** ~ **it/him** ich kann es/

ihn nicht ausstehen.
▸**abide by** *vt fus* sich halten an *+acc.*
abiding [ə'baɪdɪŋ] *adj* (*memory, impression*) bleibend.
ability [ə'bɪlɪtɪ] *n* Fähigkeit *f*; **to the best of my ~** so gut ich es kann.
abject ['æbdʒɛkt] *adj* (*poverty*) bitter; (*apology*) demütig; (*coward*) erbärmlich.
ablaze [ə'bleɪz] *adj* in Flammen; **~ with light** hell erleuchtet.
able ['eɪbl] *adj* fähig; **to be ~ to do sth** etw tun können.
able-bodied ['eɪbl'bɔdɪd] *adj* kräftig; **~ seaman** (*BRIT*) Vollmatrose *m*.
ablutions [ə'blu:ʃənz] *npl* Waschungen *pl*.
ably ['eɪblɪ] *adv* gekonnt.
ABM *n abbr* (= *antiballistic missile*) Anti-Raketen-Rakete *f*.
abnormal [æb'nɔ:məl] *adj* abnorm; (*child*) anormal.
abnormality [æbnɔ:'mælɪtɪ] *n* Abnormität *f*.
aboard [ə'bɔ:d] *adv* (*NAUT, AVIAT*) an Bord ♦ *prep* an Bord *+gen*; **~ the train/bus** im Zug/Bus.
abode [ə'bəud] *n* (*LAW*): **of no fixed ~** ohne festen Wohnsitz.
abolish [ə'bɔlɪʃ] *vt* abschaffen.
abolition [æbə'lɪʃən] *n* Abschaffung *f*.
abominable [ə'bɔmɪnəbl] *adj* scheußlich.
abominably [ə'bɔmɪnəblɪ] *adv* scheußlich.
Aborigine [æbə'rɪdʒɪnɪ] *n* Ureinwohner(in) *m(f)* Australiens.
abort [ə'bɔ:t] *vt* abtreiben; (*MED: miscarry*) fehlgebären; (*COMPUT*) abbrechen.
abortion [ə'bɔ:ʃən] *n* Abtreibung *f*; (*miscarriage*) Fehlgeburt *f*; **to have an ~** abtreiben lassen.
abortionist [ə'bɔ:ʃənɪst] *n* Abtreibungshelfer(in) *m(f)*.
abortive [ə'bɔ:tɪv] *adj* mißlungen.
abound [ə'baund] *vi* im Überfluß vorhanden sein; **to ~ in** *or* **with** reich sein an *+dat*.

KEYWORD

about [ə'baut] *adv* **1** (*approximately*) etwa, ungefähr; **~ a hundred/thousand** *etc* etwa hundert/tausend *etc*; **at ~ 2 o'clock** etwa um 2 Uhr; **I've just ~ finished** ich bin gerade fertig
2 (*referring to place*) herum; **to run/walk** *etc* **~** herumlaufen/-gehen *etc*; **is Paul ~?** ist Paul da?
3: **to be ~ to do sth** im Begriff sein, etw zu tun; **he was ~ to cry** er fing fast an zu weinen; **she was ~ to leave/wash the dishes** sie wollte gerade gehen/das Geschirr spülen
♦ *prep* **1** (*relating to*) über *+acc*; **what is it ~?** worum geht es?; (*book etc*) wovon handelt es?; **we talked ~ it** wir haben darüber geredet; **what** *or* **how ~ going to the cinema?** wollen wir ins Kino gehen?
2 (*referring to place*) um ... herum; **to walk ~ the town** durch die Stadt gehen; **her clothes were scattered ~ the room** ihre Kleider waren über das ganze Zimmer verstreut.

about-face [ə'baut'feɪs] (*US*) *n* = **about-turn.**
about-turn [ə'baut'tə:n] (*BRIT*) *n* Kehrtwendung *f*.
above [ə'bʌv] *adv* oben; (*greater, more*) darüber ♦ *prep* über *+dat*; **to cost ~ £10** mehr als £10 kosten; **mentioned ~** obengenannt; **he's not ~ a bit of blackmail** er ist sich *dat* nicht zu gut für eine kleine Erpressung; **~ all** vor allem.
above board *adj* korrekt.
abrasion [ə'breɪʒən] *n* Abschürfung *f*.
abrasive [ə'breɪzɪv] *adj* (*substance*) Scheuer-; (*person, manner*) aggressiv.
abreast [ə'brɛst] *adv* nebeneinander; **three ~** zu dritt nebeneinander; **to keep ~ of** (*fig*) auf dem laufenden bleiben mit.
abridge [ə'brɪdʒ] *vt* kürzen.
abroad [ə'brɔ:d] *adv* (*be*) im Ausland; (*go*) ins Ausland; **there is a rumour ~ that ...** (*fig*) ein Gerücht geht um *or* kursiert, daß ...
abrupt [ə'brʌpt] *adj* abrupt; (*person, behaviour*) schroff.
abruptly [ə'brʌptlɪ] *adv* abrupt.
abscess ['æbsɪs] *n* Abszeß *m*.
abscond [əb'skɔnd] *vi*: **to ~ with** sich davonmachen mit; **to ~ (from)** fliehen (aus).
abseil ['æbseɪl] *vi* sich abseilen.
absence ['æbsəns] *n* Abwesenheit *f*; **in the ~ of** (*person*) in Abwesenheit *+gen*; (*thing*) in Ermangelung *+gen*.
absent ['æbsənt] *adj* abwesend, nicht da ♦ *vt*: **to ~ o.s. from** fernbleiben *+dat*; **to be ~** fehlen; **to be ~ without leave** (*MIL*) sich unerlaubt von der Truppe entfernen.
absentee [æbsən'ti:] *n* Abwesende(r) *f(m)*.
absenteeism [æbsən'ti:ɪzəm] *n* (*from school*) Schwänzen *nt*; (*from work*) Nichterscheinen *nt* am Arbeitsplatz.
absent-minded ['æbsənt'maɪndɪd] *adj* zerstreut.
absent-mindedly ['æbsənt'maɪndɪdlɪ] *adv* zerstreut; (*look*) abwesend.
absent-mindedness ['æbsənt'maɪndɪdnɪs] *n* Zerstreutheit *f*.
absolute ['æbsəlu:t] *adj* absolut; (*power*) uneingeschränkt.
absolutely [æbsə'lu:tlɪ] *adv* absolut; (*agree*) vollkommen; **~!** genau!
absolution [æbsə'lu:ʃən] *n* Lossprechung *f*.
absolve [əb'zɔlv] *vt*: **to ~ sb (from)** jdn lossprechen (von); (*responsibility*) jdn entbinden (von).
absorb [əb'zɔ:b] *vt* aufnehmen (*also fig*); (*light, heat*) absorbieren; (*group, business*) übernehmen; **to be ~ed in a book** in ein Buch vertieft sein.

absorbent [əb'zɔ:bənt] *adj* saugfähig.
absorbent cotton (*US*) *n* Watte *f*.
absorbing [əb'zɔ:bɪŋ] *adj* saugfähig; (*book, film, work etc*) fesselnd.
absorption [əb'sɔ:pʃən] *n* (*see vb*) Aufnahme *f*; Absorption *f*; Übernahme *f*; (*interest*) Faszination *f*.
abstain [əb'steɪn] *vi* (*voting*) sich (der Stimme) enthalten; **to ~ (from)** (*eating, drinking etc*) sich enthalten (*+gen*).
abstemious [əb'sti:mɪəs] *adj* enthaltsam.
abstention [əb'stɛnʃən] *n* (Stimm)enthaltung *f*.
abstinence ['æbstɪnəns] *n* Enthaltsamkeit *f*.
abstract ['æbstrækt] *adj* abstrakt ♦ *n* (*summary*) Zusammenfassung *f* ♦ *vt*: **to ~ sth (from)** (*summarize*) etw entnehmen (aus); (*remove*) etw entfernen (aus).
abstruse [æb'stru:s] *adj* abstrus.
absurd [əb'sə:d] *adj* absurd.
absurdity [əb'sə:dɪtɪ] *n* Absurdität *f*.
ABTA ['æbtə] *n abbr* (= *Association of British Travel Agents*) *Verband der Reiseveranstalter*.
Abu Dhabi ['æbu:'dɑ:bɪ] *n* (*GEOG*) Abu Dhabi *nt*.
abundance [ə'bʌndəns] *n* Reichtum *m*; **an ~ of** eine Fülle von; **in ~** in Hülle und Fülle.
abundant [ə'bʌndənt] *adj* reichlich.
abundantly [ə'bʌndəntlɪ] *adv* reichlich; **~ clear** völlig klar.
abuse [ə'bju:s] *n* (*insults*) Beschimpfungen *pl*; (*ill-treatment*) Mißhandlung *f*; (*misuse*) Mißbrauch *m* ♦ *vt* (*see n*) beschimpfen; mißhandeln; mißbrauchen; **to be open to ~** sich leicht mißbrauchen lassen.
abuser [ə'bju:zə*] *n* (*drug abuser*) *jd, der Drogen mißbraucht*; (*child abuser*) *jd, der Kinder mißbraucht oder mißhandelt*.
abusive [ə'bju:sɪv] *adj* beleidigend.
abysmal [ə'bɪzməl] *adj* entsetzlich; (*ignorance etc*) grenzenlos.
abysmally [ə'bɪzməlɪ] *adv* (*see adj*) entsetzlich; grenzenlos.
abyss [ə'bɪs] *n* Abgrund *m*.
AC *abbr* = **alternating current**; (*US*: = *athletic club*) ≈ SV *m*.
a/c *abbr* (*BANKING etc*) = **account**; (= *account current*) Girokonto *nt*.
academic [ækə'dɛmɪk] *adj* akademisch (*also pej*); (*work*) wissenschaftlich; (*person*) intellektuell ♦ *n* Akademiker(in) *m(f)*.
academic year *n* (*university year*) Universitätsjahr *nt*; (*school year*) Schuljahr *nt*.
academy [ə'kædəmɪ] *n* Akademie *f*; (*school*) Hochschule *f*; **~ of music** Musikhochschule *f*; **military/naval ~** Militär-/Marineakademie *f*.
ACAS ['eɪkæs] (*BRIT*) *n abbr* (= *Advisory, Conciliation and Arbitration Service*) *Schlichtungsstelle für Arbeitskonflikte*.
accede [æk'si:d] *vi*: **to ~ to** zustimmen *+dat*.
accelerate [æk'sɛləreɪt] *vt* beschleunigen ♦ *vi* (*AUT*) Gas geben.
acceleration [æksɛlə'reɪʃən] *n* Beschleunigung *f*.
accelerator [æk'sɛləreɪtə*] *n* Gaspedal *nt*.
accent ['æksɛnt] *n* Akzent *m*; (*fig: emphasis, stress*) Betonung *f*; **to speak with an Irish ~** mit einem irischen Akzent sprechen; **to have a strong ~** einen starken Akzent haben.
accentuate [æk'sɛntjueɪt] *vt* betonen; (*need, difference etc*) hervorheben.
accept [ək'sɛpt] *vt* annehmen; (*fact, situation*) sich abfinden mit; (*risk*) in Kauf nehmen; (*responsibility*) übernehmen; (*blame*) auf sich *acc* nehmen.
acceptable [ək'sɛptəbl] *adj* annehmbar.
acceptance [ək'sɛptəns] *n* Annahme *f*; **to meet with general ~** allgemeine Anerkennung finden.
access ['æksɛs] *n* Zugang *m* ♦ *vt* (*COMPUT*) zugreifen auf *+dat*; **the burglars gained ~ through a window** die Einbrecher gelangten durch ein Fenster hinein.
accessible [æk'sɛsəbl] *adj* erreichbar; (*knowledge, art etc*) zugänglich.
accession [æk'sɛʃən] *n* Antritt *m*; (*of monarch*) Thronbesteigung *f*; (*to library*) Neuanschaffung *f*.
accessory [æk'sɛsərɪ] *n* Zubehörteil *nt*; (*DRESS*) Accessoire *nt*; (*LAW*): **~ to** Mitschuldige(r) *f(m)* an *+dat*; **accessories** *npl* Zubehör *nt*; **toilet accessories** (*BRIT*) Toilettenartikel *pl*.
access road *n* Zufahrt(sstraße) *f*.
access time *n* (*COMPUT*) Zugriffszeit *f*.
accident ['æksɪdənt] *n* Zufall *m*; (*mishap, disaster*) Unfall *m*; **to meet with** *or* **to have an ~** einen Unfall haben, verunglücken; **~s at work** Arbeitsunfälle *pl*; **by ~** zufällig.
accidental [æksɪ'dɛntl] *adj* zufällig; (*death, damage*) Unfall-.
accidentally [æksɪ'dɛntəlɪ] *adv* zufällig.
accident insurance *n* Unfallversicherung *f*.
accident-prone ['æksɪdənt'prəun] *adj* vom Pech verfolgt.
acclaim [ə'kleɪm] *n* Beifall *m* ♦ *vt*: **to be ~ed for one's achievements** für seine Leistungen gefeiert werden.
acclamation [æklə'meɪʃən] *n* Anerkennung *f*; (*applause*) Beifall *m*.
acclimate [ə'klaɪmət] (*US*) *vt* = **acclimatize**.
acclimatize [ə'klaɪmətaɪz], (*US*) **acclimate** [ə'klaɪmɪt] *vt*: **to become ~d** sich akklimatisieren; **to become ~d to** sich gewöhnen an *+acc*.
accolade ['ækəleɪd] *n* (*fig*) Auszeichnung *f*.
accommodate [ə'kɔmədeɪt] *vt* unterbringen; (*subj: car, hotel etc*) Platz bieten *+dat*; (*oblige, help*) entgegenkommen *+dat*; **to ~ one's plans to** seine Pläne anpassen an *+acc*.

accommodating [ə'kɔmədeɪtɪŋ] *adj* entgegenkommend.
accommodation [əkɔmə'deɪʃən] *n* Unterkunft *f*; **accommodations** (*US*) *npl* Unterkunft *f*; **have you any ~?** haben Sie eine Unterkunft?; **"~ to let"** „Zimmer zu vermieten"; **they have ~ for 500** sie können 500 Personen unterbringen; **the hall has seating ~ for 600** (*BRIT*) in dem Saal können 600 Personen sitzen.
accompaniment [ə'kʌmpənɪmənt] *n* Begleitung *f*.
accompanist [ə'kʌmpənɪst] *n* Begleiter(in) *m(f)*.
accompany [ə'kʌmpənɪ] *vt* begleiten.
accomplice [ə'kʌmplɪs] *n* Komplize *m*, Komplizin *f*.
accomplish [ə'kʌmplɪʃ] *vt* vollenden; (*achieve*) erreichen.
accomplished [ə'kʌmplɪʃt] *adj* ausgezeichnet.
accomplishment [ə'kʌmplɪʃmənt] *n* Vollendung *f*; (*achievement*) Leistung *f*; (*skill: gen pl*) Fähigkeit *f*.
accord [ə'kɔːd] *n* Übereinstimmung *f*; (*treaty*) Vertrag *m* ♦ *vt* gewähren; **of his own ~** freiwillig; **with one ~** geschlossen; **to be in ~** übereinstimmen.
accordance [ə'kɔːdəns] *n*: **in ~ with** in Übereinstimmung mit.
according [ə'kɔːdɪŋ] *prep*: **~ to** zufolge *+dat*; **~ to plan** wie geplant.
accordingly [ə'kɔːdɪŋlɪ] *adv* entsprechend; (*as a result*) folglich.
accordion [ə'kɔːdɪən] *n* Akkordeon *nt*.
accost [ə'kɔst] *vt* ansprechen.
account [ə'kaunt] *n* (*COMM: bill*) Rechnung *f*; (*in bank, department store*) Konto *nt*; (*report*) Bericht *m*; **accounts** *npl* (*COMM*) Buchhaltung *f*; (*BOOKKEEPING*) (Geschäfts)bücher *pl*; **"~ payee only"** (*BRIT*) „nur zur Verrechnung"; **to keep an ~ of** Buch führen über *+acc*; **to bring sb to ~ for sth/for having embezzled £50,000** jdn für etw/für die Unterschlagung von £50.000 zur Rechenschaft ziehen; **by all ~s** nach allem, was man hört; **of no ~** ohne Bedeutung; **on ~** auf Kredit; **to pay £5 on ~** eine Anzahlung von £5 leisten; **on no ~** auf keinen Fall; **on ~ of** wegen *+gen*; **to take into ~, take ~ of** berücksichtigen.
▸**account for** *vt fus* erklären; (*expenditure*) Rechenschaft ablegen für; (*represent*) ausmachen; **all the children were ~ed for** man wußte, wo alle Kinder waren; **4 people are still not ~ed for** 4 Personen werden immer noch vermißt.
accountability [əkauntə'bɪlɪtɪ] *n* Verantwortlichkeit *f*.
accountable [ə'kauntəbl] *adj*: **~ (to)** verantwortlich (gegenüber *+dat*); **to be held ~ for sth** für etw verantwortlich gemacht werden.
accountancy [ə'kauntənsɪ] *n* Buchhaltung *f*.
accountant [ə'kauntənt] *n* Buchhalter(in) *m(f)*.
accounting [ə'kauntɪŋ] *n* Buchhaltung *f*.
accounting period *n* Abrechnungszeitraum *m*.
account number *n* Kontonummer *f*.
accounts payable *npl* Verbindlichkeiten *pl*.
accounts receivable *npl* Forderungen *pl*.
accredited [ə'krɛdɪtɪd] *adj* anerkannt.
accretion [ə'kriːʃən] *n* Ablagerung *f*.
accrue [ə'kruː] *vi* sich ansammeln; **to ~ to** zufließen *+dat*.
accrued interest *n* aufgelaufene Zinsen *pl*.
accumulate [ə'kjuːmjuleɪt] *vt* ansammeln ♦ *vi* sich ansammeln.
accumulation [əkjuːmju'leɪʃən] *n* Ansammlung *f*.
accuracy ['ækjurəsɪ] *n* Genauigkeit *f*.
accurate ['ækjurɪt] *adj* genau.
accurately ['ækjurɪtlɪ] *adv* genau; (*answer*) richtig.
accusation [ækju'zeɪʃən] *n* Vorwurf *m*; (*instance*) Beschuldigung *f*; (*LAW*) Anklage *f*.
accusative [ə'kjuːzətɪv] *n* Akkusativ *m*.
accuse [ə'kjuːz] *vt*: **to ~ sb (of sth)** jdn (einer Sache *gen*) beschuldigen; (*LAW*) jdn (wegen etw *dat*) anklagen.
accused [ə'kjuːzd] *n* (*LAW*): **the ~** der/die Angeklagte.
accuser [ə'kjuːzə*] *n* Ankläger(in) *m(f)*.
accusing [ə'kjuːzɪŋ] *adj* anklagend.
accustom [ə'kʌstəm] *vt* gewöhnen; **to ~ o.s. to sth** sich an etw *acc* gewöhnen.
accustomed [ə'kʌstəmd] *adj* gewohnt; (*in the habit*): **~ to** gewohnt an *+acc*.
AC/DC *abbr* (= *alternating current/direct current*) WS/GS.
ACE [eɪs] *n abbr* (= *American Council on Education*) *akademischer Verband für das Erziehungswesen*.
ace [eɪs] *n* As *nt*.
acerbic [ə'səːbɪk] *adj* scharf.
acetate ['æsɪteɪt] *n* Acetat *nt*.
ache [eɪk] *n* Schmerz *m* ♦ *vi* schmerzen, weh tun; (*yearn*): **to ~ to do sth** sich danach sehnen, etw zu tun; **I've got (a) stomach ~** ich habe Magenschmerzen; **I'm aching all over** mir tut alles weh; **my head ~s** mir tut der Kopf weh.
achieve [ə'tʃiːv] *vt* (*aim, result*) erreichen; (*success*) erzielen; (*victory*) erringen.
achievement [ə'tʃiːvmənt] *n* (*act of achieving*) Erreichen *nt*; (*success, feat*) Leistung *f*.
Achilles heel [ə'kɪliːz-] *n* Achillesferse *f*.
acid ['æsɪd] *adj* sauer ♦ *n* (*CHEM*) Säure *f*; (*inf: LSD*) Acid *nt*.
Acid House *n* Acid House *nt*, *elektronische Funk-Diskomusik*.
acidic [ə'sɪdɪk] *adj* sauer.
acidity [ə'sɪdɪtɪ] *n* Säure *f*.
acid rain *n* saurer Regen *m*.
acid test *n* (*fig*) Feuerprobe *f*.

acknowledge [ək'nɔlɪdʒ] *vt* (*also*: ~ **receipt of**) den Empfang *+gen* bestätigen; (*fact*) zugeben; (*situation*) zur Kenntnis nehmen; (*person*) grüßen.
acknowledgement [ək'nɔlɪdʒmənt] *n* Empfangsbestätigung *f*; **acknowledgements** *npl* (*in book*) ≈ Danksagung *f*.
ACLU *n abbr* (= *American Civil Liberties Union*) *Bürgerrechtsverband.*
acme ['ækmɪ] *n* Gipfel *m*, Höhepunkt *m*.
acne ['æknɪ] *n* Akne *f*.
acorn ['eɪkɔːn] *n* Eichel *f*.
acoustic [ə'kuːstɪk] *adj* akustisch.
acoustic coupler *n* (*COMPUT*) Akustikkoppler *m*.
acoustics [ə'kuːstɪks] *n* Akustik *f*.
acoustic screen *n* Trennwand *f* zur Schalldämpfung.
acquaint [ə'kweɪnt] *vt*: **to ~ sb with sth** jdn mit etw vertraut machen; **to be ~ed with** (*person*) bekannt sein mit; (*fact*) vertraut sein mit.
acquaintance [ə'kweɪntəns] *n* Bekannte(r) *f(m)*; (*with person*) Bekanntschaft *f*; (*with subject*) Kenntnis *f*; **to make sb's ~** jds Bekanntschaft machen.
acquiesce [ækwɪ'ɛs] *vi* einwilligen; **to ~ (to)** (*demand, arrangement, request*) einwilligen (in *+acc*).
acquire [ə'kwaɪə*] *vt* erwerben; (*interest*) entwickeln; (*habit*) annehmen.
acquired [ə'kwaɪəd] *adj* erworben; **whisky is an ~ taste** man muß sich an Whisky erst gewöhnen.
acquisition [ækwɪ'zɪʃən] *n* (*see vb*) Erwerb *m*, Entwicklung *f*, Annahme *f*; (*thing acquired*) Errungenschaft *f*.
acquisitive [ə'kwɪzɪtɪv] *adj* habgierig; **the ~ society** die Erwerbsgesellschaft.
acquit [ə'kwɪt] *vt* freisprechen; **to ~ o.s. well** seine Sache gut machen.
acquittal [ə'kwɪtl] *n* Freispruch *m*.
acre ['eɪkə*] *n* Morgen *m*.
acreage ['eɪkərɪdʒ] *n* Fläche *f*.
acrid ['ækrɪd] *adj* bitter; (*smoke, fig*) beißend.
acrimonious [ækrɪ'məunɪəs] *adj* bitter; (*dispute*) erbittert.
acrimony ['ækrɪmənɪ] *n* Erbitterung *f*.
acrobat ['ækrəbæt] *n* Akrobat(in) *m(f)*.
acrobatic [ækrə'bætɪk] *adj* akrobatisch.
acrobatics [ækrə'bætɪks] *npl* Akrobatik *f*.
acronym ['ækrənɪm] *n* Akronym *nt*.
Acropolis [ə'krɔpəlɪs] *n*: **the ~** (*GEOG*) die Akropolis.
across [ə'krɔs] *prep* über *+acc*; (*on the other side of*) auf der anderen Seite *+gen* ♦ *adv* (*direction*) hinüber, herüber; (*measurement*) breit; **to take sb ~ the road** jdn über die Straße bringen; **a road ~ the wood** eine Straße durch den Wald; **the lake is 12 km ~** der See ist 12 km breit; **~ from** gegenüber *+dat*; **to get sth ~ (to sb)** (jdm) etw klarmachen.
acrylic [ə'krɪlɪk] *adj* (*acid, paint, blanket*) Acryl- ♦ *n* Acryl *nt*; **acrylics** *npl*: **he paints in ~s** er malt mit Acrylfarbe.
ACT *n abbr* (= *American College Test*) *Eignungstest für Studienbewerber.*
act [ækt] *n* Tat *f*; (*of play*) Akt *m*; (*in a show etc*) Nummer *f*; (*LAW*) Gesetz *nt* ♦ *vi* handeln; (*behave*) sich verhalten; (*have effect*) wirken; (*THEAT*) spielen ♦ *vt* spielen; **it's only an ~** es ist nur Schau; **~ of God** (*LAW*) höhere Gewalt *f*; **to be in the ~ of doing sth** dabei sein, etw zu tun; **to catch sb in the ~** jdn auf frischer Tat ertappen; **to ~ the fool** (*BRIT*) herumalbern; **he is only ~ing** er tut (doch) nur so; **to ~ as** fungieren als; **it ~s as a deterrent** es dient zur Abschreckung.
▶**act on** *vt*: **to ~ on sth** (*take action*) auf etw *+acc* hin handeln.
▶**act out** *vt* (*event*) durchspielen; (*fantasies*) zum Ausdruck bringen.
acting ['æktɪŋ] *adj* stellvertretend ♦ *n* (*profession*) Schauspielkunst *f*; (*activity*) Spielen *nt*; **~ in my capacity as chairman ...** in meiner Eigenschaft als Vorsitzender ...
action ['ækʃən] *n* Tat *f*; (*motion*) Bewegung *f*; (*MIL*) Kampf *m*, Gefecht *nt*; (*LAW*) Klage *f*; **to bring an ~ against sb** (*LAW*) eine Klage gegen jdn anstrengen; **killed in ~** (*MIL*) gefallen; **out of ~** (*person*) nicht einsatzfähig; (*thing*) außer Betrieb; **to take ~** etwas unternehmen; **to put a plan into ~** einen Plan in die Tat umsetzen.
action replay *n* (*TV*) Wiederholung *f*.
activate ['æktɪveɪt] *vt* in Betrieb setzen; (*CHEM, PHYS*) aktivieren.
active ['æktɪv] *adj* aktiv; (*volcano*) tätig; **to play an ~ part in sth** sich aktiv an etw *dat* beteiligen.
active duty (*US*) *n* (*MIL*) Einsatz *m*.
actively ['æktɪvlɪ] *adv* aktiv; (*dislike*) offen.
active partner *n* (*COMM*) tätiger Teilhaber *m*.
active service (*BRIT*) *n* (*MIL*) Einsatz *m*.
active suspension *n* (*AUT*) aktives *or* computergesteuertes Fahrwerk *nt*.
activist ['æktɪvɪst] *n* Aktivist(in) *m(f)*.
activity [æk'tɪvɪtɪ] *n* Aktivität *f*; (*pastime, pursuit*) Betätigung *f*.
actor ['æktə*] *n* Schauspieler *m*.
actress ['æktrɪs] *n* Schauspielerin *f*.
actual ['æktjuəl] *adj* wirklich; (*emphatic use*) eigentlich.
actually ['æktjuəlɪ] *adv* wirklich; (*in fact*) tatsächlich; (*even*) sogar.
actuary ['æktjuərɪ] *n* Aktuar *m*.
actuate ['æktjueɪt] *vt* auslösen.
acuity [ə'kjuːɪtɪ] *n* Schärfe *f*.
acumen ['ækjumən] *n* Scharfsinn *m*; **business ~** Geschäftssinn *m*.
acupuncture ['ækjupʌŋktʃə*] *n* Akupunktur *f*.
acute [ə'kjuːt] *adj* akut; (*anxiety*) heftig; (*mind*)

scharf; (*person*) scharfsinnig; (*MATH: angle*) spitz; (*LING*): ~ **accent** Akut *m*.
AD *adv abbr* (= *Anno Domini*) n. Chr. ♦ *n abbr* (*US: MIL*) = **active duty**.
ad [æd] (*inf*) *n abbr* = **advertisement**.
adage ['ædɪdʒ] *n* Sprichwort *nt*.
adamant ['ædəmənt] *adj*: **to be** ~ **that ...** darauf bestehen, daß ...; **to be** ~ **about sth** auf etw *dat* bestehen.
Adam's apple ['ædəmz-] *n* Adamsapfel *m*.
adapt [ə'dæpt] *vt* anpassen; (*novel etc*) bearbeiten ♦ *vi*: **to** ~ **(to)** sich anpassen (an *+acc*).
adaptability [ədæptə'bɪlɪtɪ] *n* Anpassungsfähigkeit *f*.
adaptable [ə'dæptəbl] *adj* anpassungsfähig; (*device*) vielseitig.
adaptation [ædæp'teɪʃən] *n* (*of novel etc*) Bearbeitung *f*; (*of machine etc*) Umstellung *f*.
adapter [ə'dæptə*] *n* (*ELEC*) Adapter *m*; (: *for several plugs*) Mehrfachsteckdose *f*.
adaptor [ə'dæptə*] *n* = **adapter**.
ADC *n abbr* (*MIL*) = **aide-de-camp**; (*US:* = *Aid to Dependent Children*) *Beihilfe für sozialschwache Familien*.
add [æd] *vt* hinzufügen; (*figures: also:* ~ **up**) zusammenzählen ♦ *vi*: **to** ~ **to** (*increase*) beitragen zu.
▸**add on** *vt* (*amount*) dazurechnen; (*room*) anbauen.
▸**add up** *vt* (*figures*) zusammenzählen ♦ *vi* (*fig*): **it doesn't** ~ **up** es ergibt keinen Sinn; **it doesn't** ~ **up to much** (*fig*) das ist nicht berühmt (*inf*).
addenda [ə'dɛndə] *npl of* **addendum**.
addendum [ə'dɛndəm] (*pl* **addenda**) *n* Nachtrag *m*.
adder ['ædə*] *n* Kreuzotter *f*, Viper *f*.
addict ['ædɪkt] *n* Süchtige(r) *f(m)*; (*enthusiast*) Anhänger(in) *m(f)*.
addicted [ə'dɪktɪd] *adj*: **to be** ~ **to drugs/drink** drogensüchtig/alkoholsüchtig sein; **to be** ~ **to football** (*fig*) ohne Fußball nicht mehr leben können.
addiction [ə'dɪkʃən] *n* Sucht *f*.
addictive [ə'dɪktɪv] *adj*: **to be** ~ (*drug*) süchtig machen; (*activity*) zur Sucht werden können.
adding machine ['ædɪŋ-] *n* Addiermaschine *f*.
Addis Ababa ['ædɪs'æbəbə] *n* (*GEOG*) Addis Abeba *nt*.
addition [ə'dɪʃən] *n* (*adding up*) Zusammenzählen *nt*; (*thing added*) Zusatz *m*; (: *to payment, bill*) Zuschlag *m*; (: *to building*) Anbau *m*; **in** ~ **(to)** zusätzlich (zu).
additional [ə'dɪʃənl] *adj* zusätzlich.
additive ['ædɪtɪv] *n* Zusatz *m*.
addled ['ædld] *adj* (*BRIT: egg*) faul; (*brain*) verwirrt.
address [ə'drɛs] *n* Adresse *f*; (*speech*) Ansprache *f* ♦ *vt* adressieren; (*speak to: person*) ansprechen; (: *audience*) sprechen zu; **form of** ~ (Form *f* der) Anrede *f*; **what form of** ~ **do you use for ...?** wie redet man ... an?; **absolute/relative** ~ (*COMPUT*) absolute/relative Adresse; **to** ~ **(o.s. to)** (*problem*) sich befassen mit.
address book *n* Adreßbuch *nt*.
addressee [ædrɛ'siː] *n* Empfänger(in) *m(f)*.
Aden ['eɪdən] *n* (*GEOG*): **Gulf of** ~ Golf *m* von Aden.
adenoids ['ædɪnɔɪdz] *npl* Rachenmandeln *pl*.
adept ['ædɛpt] *adj*: **to be** ~ **at** gut sein in *+dat*.
adequacy ['ædɪkwəsɪ] *n* (*of resources*) Adäquatheit *f*; (*of performance, proposals etc*) Angemessenheit *f*.
adequate ['ædɪkwɪt] *adj* ausreichend, adäquat; (*satisfactory*) angemessen.
adequately ['ædɪkwɪtlɪ] *adv* ausreichend; (*satisfactorily*) zufriedenstellend.
adhere [əd'hɪə*] *vi*: **to** ~ **to** haften an *+dat*; (*fig: abide by*) sich halten an *+acc*; (: *hold to*) festhalten an *+dat*.
adhesion [əd'hiːʒən] *n* Haften *nt*, Haftung *f*.
adhesive [əd'hiːzɪv] *adj* klebend, Klebe- ♦ *n* Klebstoff *m*.
adhesive tape *n* (*BRIT*) Klebstreifen *m*; (*US: MED*) Heftpflaster *nt*.
ad hoc [æd'hɔk] *adj* (*committee, decision*) Ad-hoc- ♦ *adv* ad hoc.
ad infinitum ['ædɪnfɪ'naɪtəm] *adv* ad infinitum.
adjacent [ə'dʒeɪsənt] *adj*: ~ **to** neben *+dat*.
adjective ['ædʒɛktɪv] *n* Adjektiv *nt*, Eigenschaftswort *nt*.
adjoin [ə'dʒɔɪn] *vt*: **the hotel** ~**ing the station** das Hotel neben dem Bahnhof.
adjoining [ə'dʒɔɪnɪŋ] *adj* benachbart, Neben-.
adjourn [ə'dʒəːn] *vt* vertagen ♦ *vi* sich vertagen; **to** ~ **a meeting till the following week** eine Besprechung auf die nächste Woche vertagen; **they** ~**ed to the pub** (*BRIT: inf*) sie begaben sich in die Kneipe.
adjournment [ə'dʒəːnmənt] *n* Unterbrechung *f*.
Adjt. *abbr* (*MIL*) = **adjutant**.
adjudicate [ə'dʒuːdɪkeɪt] *vt* (*contest*) Preisrichter sein bei; (*claim*) entscheiden ♦ *vi* entscheiden; **to** ~ **on** urteilen bei *+dat*.
adjudication [ədʒuːdɪ'keɪʃən] *n* Entscheidung *f*.
adjudicator [ə'djuːdɪkeɪtə*] *n* Schiedsrichter(in) *m(f)*; (*in contest*) Preisrichter(in) *m(f)*.
adjust [ə'dʒʌst] *vt* anpassen; (*change*) ändern; (*clothing*) zurechtrücken; (*machine etc*) einstellen; (*INSURANCE*) regulieren ♦ *vi*: **to** ~ **(to)** sich anpassen (an *+acc*).
adjustable [ə'dʒʌstəbl] *adj* verstellbar.
adjuster [ə'dʒʌstə*] *n see* **loss**.
adjustment [ə'dʒʌstmənt] *n* Anpassung *f*; (*to machine*) Einstellung *f*.
adjutant ['ædʒətənt] *n* Adjutant *m*.
ad-lib [æd'lɪb] *vi, vt* improvisieren ♦ *adv*: **ad lib** aus dem Stegreif.
adman ['ædmæn] (*inf: irreg: like* **man**) *n*

Werbefachmann *m*.
admin ['ædmɪn] (*inf*) *n abbr* = **administration.**
administer [əd'mɪnɪstə*] *vt* (*country, department*) verwalten; (*justice*) sprechen; (*oath*) abnehmen; (*MED: drug*) verabreichen.
administration [ədmɪnɪs'treɪʃən] *n* (*management*) Verwaltung *f*; (*government*) Regierung *f*; **the A~** (*US*) die Regierung.
administrative [əd'mɪnɪstrətɪv] *adj* (*department, reform etc*) Verwaltungs-.
administrator [əd'mɪnɪstreɪtə*] *n* Verwaltungsbeamte(r) *f(m)*.
admirable ['ædmərəbl] *adj* bewundernswert.
admiral ['ædmərəl] *n* Admiral *m*.
Admiralty ['ædmərəltɪ] (*BRIT*) *n*: **the ~** (*also*: **the ~ Board**) das Marineministerium.
admiration [ædmə'reɪʃən] *n* Bewunderung *f*; **to have great ~ for sb/sth** jdn/etw sehr bewundern.
admire [əd'maɪə*] *vt* bewundern.
admirer [əd'maɪərə*] *n* (*suitor*) Verehrer *m*; (*fan*) Bewunderer *m*, Bewunderin *f*.
admiring [əd'maɪərɪŋ] *adj* bewundernd.
admissible [əd'mɪsəbl] *adj* (*evidence, as evidence*) zulässig.
admission [əd'mɪʃən] *n* (*admittance*) Zutritt *m*; (*to exhibition, night club etc*) Einlaß *m*; (*to club, hospital*) Aufnahme *f*; (*entry fee*) Eintritt(spreis) *m*; (*confession*) Geständnis *nt*; **"~ free", "free ~"** „Eintritt frei"; **by his own ~** nach eigenem Eingeständnis.
admit [əd'mɪt] *vt* (*confess*) gestehen; (*permit to enter*) einlassen; (*to club, hospital*) aufnehmen; (*responsibility etc*) anerkennen; **"children not ~ted"** „kein Zutritt für Kinder"; **this ticket ~s two** diese Karte ist für zwei Personen; **I must ~ that ...** ich muß zugeben, daß ...; **to ~ defeat** sich geschlagen geben.
►**admit of** *vt fus* (*interpretation etc*) erlauben.
►**admit to** *vt fus* (*murder etc*) gestehen.
admittance [əd'mɪtəns] *n* Zutritt *m*; **"no ~"** „kein Zutritt".
admittedly [əd'mɪtɪdlɪ] *adv* zugegebenermaßen.
admonish [əd'mɔnɪʃ] *vt* ermahnen.
ad nauseam [æd'nɔːsɪæm] *adv* (*talk*) endlos; (*repeat*) bis zum Gehtnichtmehr (*inf*).
ado [ə'duː] *n*: **without (any) more ~** ohne weitere Umstände.
adolescence [ædəu'lɛsns] *n* Jugend *f*.
adolescent [ædəu'lɛsnt] *adj* heranwachsend; (*remark, behaviour*) pubertär ♦ *n* Jugendliche(r) *f(m)*.
adopt [ə'dɔpt] *vt* adoptieren; (*POL: candidate*) aufstellen; (*policy, attitude, accent*) annehmen.
adopted [ə'dɔptɪd] *adj* (*child*) adoptiert.
adoption [ə'dɔpʃən] *n* (*see vb*) Adoption *f*; Aufstellung *f*; Annahme *f*.
adoptive [ə'dɔptɪv] *adj* (*parents etc*) Adoptiv-; **~ country** Wahlheimat *f*.
adorable [ə'dɔːrəbl] *adj* entzückend.
adoration [ædə'reɪʃən] *n* (*of person*) Verehrung *f*.
adore [ə'dɔː*] *vt* (*person*) verehren; (*film, activity etc*) schwärmen für.
adoring [ə'dɔːrɪŋ] *adj* (*fans etc*) ihn/sie bewundernd; (*husband/wife*) sie/ihn innig liebend.
adoringly [ə'dɔːrɪŋlɪ] *adv* (*look, gaze*) bewundernd.
adorn [ə'dɔːn] *vt* schmücken.
adornment [ə'dɔːnmənt] *n* Schmuck *m*.
ADP *n abbr* = **automatic data processing.**
adrenalin [ə'drɛnəlɪn] *n* Adrenalin *nt*; **it gets the ~ going** das bringt einen in Fahrt.
Adriatic [eɪdrɪ'ætɪk] *n*: **the ~ (Sea)** (*GEOG*) die Adria, das Adriatische Meer.
adrift [ə'drɪft] *adv* (*NAUT*) treibend; (*fig*) ziellos; **to be ~** (*NAUT*) treiben; **to come ~** (*boat*) sich losmachen; (*fastening etc*) sich lösen.
adroit [ə'drɔɪt] *adj* gewandt.
adroitly [ə'drɔɪtlɪ] *adv* gewandt.
ADT (*US*) *abbr* (= *Atlantic Daylight Time*) *atlantische Sommerzeit*.
adulation [ædju'leɪʃən] *n* Verherrlichung *f*.
adult ['ædʌlt] *n* Erwachsene(r) *f(m)* ♦ *adj* erwachsen; (*animal*) ausgewachsen; (*literature etc*) für Erwachsene.
adult education *n* Erwachsenenbildung *f*.
adulterate [ə'dʌltəreɪt] *vt* verunreinigen; (*with water*) panschen.
adulterer [ə'dʌltərə*] *n* Ehebrecher *m*.
adulteress [ə'dʌltərɪs] *n* Ehebrecherin *f*.
adultery [ə'dʌltərɪ] *n* Ehebruch *m*.
adulthood ['ædʌlthud] *n* Erwachsenenalter *nt*.
advance [əd'vɑːns] *n* (*movement*) Vorrücken *nt*; (*progress*) Fortschritt *m*; (*money*) Vorschuß *m* ♦ *vt* (*money*) vorschießen; (*theory, idea*) vorbringen ♦ *vi* (*move forward*) vorrücken; (*make progress*) Fortschritte machen ♦ *adj*: **~ booking** Vorverkauf *m*; **to make ~s (to sb)** Annäherungsversuche (bei jdm) machen; **in ~** im voraus; **to give sb ~ notice** jdm frühzeitig Bescheid sagen; **to give sb ~ warning** jdn vorwarnen.
advanced [əd'vɑːnst] *adj* (*SCOL: studies*) für Fortgeschrittene; (*country*) fortgeschritten; (*child*) weit entwickelt; (*ideas*) fortschrittlich; **~ in years** in fortgeschrittenem Alter.
advancement [əd'vɑːnsmənt] *n* (*improvement*) Förderung *f*; (*in job, rank*) Aufstieg *m*.
advantage [əd'vɑːntɪdʒ] *n* Vorteil *m*; **to take ~ of** ausnutzen; (*opportunity*) nutzen; **it's to our ~ (to)** es ist für uns von Vorteil(, wenn wir).
advantageous [ædvən'teɪdʒəs] *adj*: **~ (to)** vorteilhaft (für), von Vorteil (für).
advent ['ædvənt] *n* (*of innovation*) Aufkommen *nt*; (*REL*): **A~** Advent *m*.
Advent calendar *n* Adventskalender *m*.

adventure [əd'vɛntʃə*] *n* Abenteuer *nt*.
adventure playground *n* Abenteuerspielplatz *m*.
adventurous [əd'vɛntʃərəs] *adj* abenteuerlustig; (*bold*) mutig.
adverb ['ædvəːb] *n* Adverb *nt*.
adversarial [ædvə'sɛərɪəl] *adj* (*relationship*) konfliktreich.
adversary ['ædvəsərɪ] *n* Widersacher(in) *m(f)*.
adverse ['ædvəːs] *adj* ungünstig; **in ~ circumstances** unter widrigen Umständen; **~ to** ablehnend gegenüber *+dat*.
adversity [əd'vəːsɪtɪ] *n* Widrigkeit *f*.
advert ['ædvəːt] (*BRIT*) *n abbr* = **advertisement**.
advertise ['ædvətaɪz] *vi* (*COMM*) werben; (*in newspaper*) annoncieren, inserieren ♦ *vt* (*product, event*) werben für; (*job*) ausschreiben; **to ~ for** (*staff, accommodation etc*) (per Anzeige) suchen.
advertisement [əd'vəːtɪsmənt] *n* (*COMM*) Werbung *f*, Reklame *f*; (*in classified ads*) Anzeige *f*, Inserat *nt*.
advertiser ['ædvətaɪzə*] *n* (*in newspaper*) Inserent(in) *m(f)*; (*on television etc*) Firma, die im Fernsehen *etc* wirbt.
advertising ['ædvətaɪzɪŋ] *n* Werbung *f*.
advertising agency *n* Werbeagentur *f*.
advertising campaign *n* Werbekampagne *f*.
advice [əd'vaɪs] *n* Rat *m*; (*notification*) Benachrichtigung *f*, Avis *m or nt* (*COMM*); **a piece of ~** ein Rat(schlag); **to ask sb for ~** jdn um Rat fragen; **to take legal ~** einen Rechtsanwalt zu Rate ziehen.
advice note (*BRIT*) *n* (*COMM*) Avis *m or nt*.
advisable [əd'vaɪzəbl] *adj* ratsam.
advise [əd'vaɪz] *vt* (*person*) raten *+dat*; (*company etc*) beraten; **to ~ sb of sth** jdn von etw in Kenntnis setzen; **to ~ against sth** von etw abraten; **to ~ against doing sth** davon abraten, etw zu tun; **you would be well-/ill-~d to go** Sie wären gut/schlecht beraten, wenn Sie gingen.
advisedly [əd'vaɪzɪdlɪ] *adv* bewußt.
adviser [əd'vaɪzə*] *n* Berater(in) *m(f)*.
advisor [əd'vaɪzə*] *n* = **adviser**.
advisory [əd'vaɪzərɪ] *adj* beratend, Beratungs-; **in an ~ capacity** in beratender Funktion.
advocate ['ædvəkɪt] *vt* befürworten ♦ *n* (*LAW*) (Rechts)anwalt *m*, (Rechts)anwältin *f*; (*supporter, upholder*): **~ of** Befürworter(in) *m(f) +gen*; **to be an ~ of sth** etw befürworten.
advt. *abbr* = **advertisement**.
AEA (*BRIT*) *n abbr* (= *Atomic Energy Authority*) *britische Atomenergiebehörde*.
AEC (*US*) *n abbr* (= *Atomic Energy Commission*) *amerikanische Atomenergiebehörde*.
AEEU (*BRIT*) *n abbr* (= *Amalgamated Engineering and Electrical Union*) *Gewerkschaft der Ingenieure und Elektriker*.
Aegean [iː'dʒiːən] *n*: **the ~ (Sea)** (*GEOG*) die Ägäis, das Ägäische Meer.
aegis ['iːdʒɪs] *n*: **under the ~ of** unter der Schirmherrschaft *+gen*.
aeon ['iːən] *n* Äon *m*, Ewigkeit *f*.
aerial ['ɛərɪəl] *n* Antenne *f* ♦ *adj* (*view, bombardment etc*) Luft-.
aero... [ɛərə(ʊ)] *pref* Luft-.
aerobatics ['ɛərəu'bætɪks] *npl* fliegerische Kunststücke *pl*.
aerobics [ɛə'rəubɪks] *n* Aerobic *nt*.
aerodrome ['ɛərədrəum] (*BRIT*) *n* Flugplatz *m*.
aerodynamic ['ɛərəudaɪ'næmɪk] *adj* aerodynamisch.
aeronautics [ɛərə'nɔːtɪks] *n* Luftfahrt *f*, Aeronautik *f*.
aeroplane ['ɛərəpleɪn] (*BRIT*) *n* Flugzeug *nt*.
aerosol ['ɛərəsɔl] *n* Sprühdose *f*.
aerospace industry ['ɛərəuspeɪs-] *n* Raumfahrtindustrie *f*.
aesthetic [iːs'θɛtɪk] *adj* ästhetisch.
aesthetically [iːs'θɛtɪklɪ] *adv* ästhetisch.
afar [ə'fɑː*] *adv*: **from ~** aus der Ferne.
AFB (*US*) *n abbr* (= *Air Force Base*) Luftwaffenstützpunkt *m*.
AFDC (*US*) *n abbr* (= *Aid to Families with Dependent Children*) *Beihilfe für sozialschwache Familien*.
affable ['æfəbl] *adj* umgänglich, freundlich.
affair [ə'fɛə*] *n* Angelegenheit *f*; (*romance: also:* **love ~**) Verhältnis *nt*; **affairs** *npl* Geschäfte *pl*.
affect [ə'fɛkt] *vt* (*influence*) sich auswirken auf *+acc*; (*subj: disease*) befallen; (*move deeply*) bewegen; (*concern*) betreffen; (*feign*) vortäuschen; **to be ~ed by sth** von etw beeinflußt werden.
affectation [æfɛk'teɪʃən] *n* Affektiertheit *f*.
affected [ə'fɛktɪd] *adj* affektiert.
affection [ə'fɛkʃən] *n* Zuneigung *f*.
affectionate [ə'fɛkʃənɪt] *adj* liebevoll, zärtlich; (*animal*) anhänglich.
affectionately [ə'fɛkʃənɪtlɪ] *adv* liebevoll, zärtlich.
affidavit [æfɪ'deɪvɪt] *n* (*LAW*) eidesstattliche Erklärung *f*.
affiliated [ə'fɪlɪeɪtɪd] *adj* angeschlossen.
affinity [ə'fɪnɪtɪ] *n*: **to have an ~ with** *or* **for** sich verbunden fühlen mit; (*resemblance*): **to have an ~ with** verwandt sein mit.
affirm [ə'fəːm] *vt* versichern; (*profess*) sich bekennen zu.
affirmation [æfə'meɪʃən] *n* (*of facts*) Bestätigung *f*; (*of beliefs*) Bekenntnis *nt*.
affirmative [ə'fəːmətɪv] *adj* bejahend ♦ *n*: **to reply in the ~** mit „ja" antworten.
affix [ə'fɪks] *vt* aufkleben.
afflict [ə'flɪkt] *vt* quälen; (*misfortune*) heimsuchen.
affliction [ə'flɪkʃən] *n* Leiden *nt*.
affluence ['æfluəns] *n* Wohlstand *m*.
affluent ['æfluənt] *adj* wohlhabend; **the ~ society** die Wohlstandsgesellschaft.

afford [ə'fɔːd] *vt* sich *dat* leisten; (*time*) aufbringen; (*provide*) bieten; **can we ~ a car?** können wir uns ein Auto leisten?; **I can't ~ the time** ich habe einfach nicht die Zeit.
affordable [ə'fɔːdəbl] *adj* erschwinglich.
affray [ə'freɪ] (*BRIT*) *n* Schlägerei *f*.
affront [ə'frʌnt] *n* Beleidigung *f*.
affronted [ə'frʌntɪd] *adj* beleidigt.
Afghan ['æfgæn] *adj* afghanisch ♦ *n* Afghane *m*, Afghanin *f*.
Afghanistan [æf'gænɪstæn] *n* Afghanistan *nt*.
afield [ə'fiːld] *adv*: **far ~** weit fort; **from far ~** aus weiter Ferne.
AFL-CIO *n abbr* (= *American Federation of Labor and Congress of Industrial Organizations*) *amerikanischer Gewerkschafts-Dachverband*.
afloat [ə'fləut] *adv* auf dem Wasser ♦ *adj*: **to be ~** schwimmen; **to stay ~** sich über Wasser halten; **to keep/get a business ~** ein Geschäft über Wasser halten/auf die Beine stellen.
afoot [ə'fut] *adv*: **there is something ~** da ist etwas im Gang.
aforementioned [ə'fɔːmɛnʃənd] *adj* obenerwähnt.
aforesaid [ə'fɔːsɛd] *adj* = **aforementioned**.
afraid [ə'freɪd] *adj* ängstlich; **to be ~ of** Angst haben vor *+dat*; **to be ~ of doing sth** *or* **to do sth** Angst davor haben, etw zu tun; **I am ~ that** ... leider ...; **I am ~ so/not** leider ja/nein.
afresh [ə'frɛʃ] *adv* von neuem, neu.
Africa ['æfrɪkə] *n* Afrika *nt*.
African ['æfrɪkən] *adj* afrikanisch ♦ *n* Afrikaner(in) *m(f)*.
Afrikaans [æfrɪ'kɑːns] *n* Afrikaans *nt*.
Afrikaner [æfrɪ'kɑːnə*] *n* Afrika(a)nder(in) *m(f)*.
Afro-American ['æfrəuə'mɛrɪkən] *adj* afro-amerikanisch.
AFT (*US*) *n abbr* (= *American Federation of Teachers*) *Lehrergewerkschaft*.
aft [ɑːft] *adv* (*be*) achtern; (*go*) nach achtern.
after ['ɑːftə*] *prep* nach *+dat*; (*of place*) hinter *+dat* ♦ *adv* danach ♦ *conj* nachdem; **~ dinner** nach dem Essen; **the day ~ tomorrow** übermorgen; **what are you ~?** was willst du; **who are you ~?** wen suchst du?; **the police are ~ him** die Polizei ist hinter ihm her; **to name sb ~ sb** jdn nach jdm nennen; **it's twenty ~ eight** (*US*) es ist zwanzig nach acht; **to ask ~ sb** nach jdm fragen; **~ all** schließlich; **~ you!** nach Ihnen!; **~ he left** nachdem er gegangen war; **~ having shaved** nachdem er sich rasiert hatte.
afterbirth ['ɑːftəbəːθ] *n* Nachgeburt *f*.
aftercare ['ɑːftəkɛə*] (*BRIT*) *n* Nachbehandlung *f*.
aftereffects ['ɑːftərɪfɛkts] *npl* Nachwirkungen *pl*.
afterlife ['ɑːftəlaɪf] *n* Leben *nt* nach dem Tod.
aftermath ['ɑːftəmɑːθ] *n* Auswirkungen *pl*; **in the ~ of** nach *+dat*.
afternoon ['ɑːftə'nuːn] *n* Nachmittag *m*.
afters ['ɑːftəz] (*BRIT: inf*) *n* Nachtisch *m*.
after-sales service [ɑːftə'seɪlz-] (*BRIT*) *n* Kundendienst *m*.
aftershave (lotion) ['ɑːftəʃeɪv-] *n* Rasierwasser *nt*.
aftershock ['ɑːftəʃɔk] *n* Nachbeben *nt*.
aftertaste ['ɑːftəteɪst] *n* Nachgeschmack *m*.
afterthought ['ɑːftəθɔːt] *n*: **as an ~** nachträglich; **I had an ~** mir ist noch etwas eingefallen.
afterwards, (*US*) **afterward** ['ɑːftəwəd(z)] *adv* danach.
again [ə'gɛn] *adv* (*once more*) noch einmal; (*repeatedly*) wieder; **not him ~!** nicht schon wieder er!; **to do sth ~** etw noch einmal tun; **to begin ~** noch einmal anfangen; **to see ~** wieder sehen; **he's opened it ~** er hat er schon wieder geöffnet; **~ and ~** immer wieder; **now and ~** ab und zu, hin und wieder.
against [ə'gɛnst] *prep* gegen *+acc*; (*leaning on*) an *+acc*; (*compared to*) gegenüber *+dat*; **~ a blue background** vor einem blauen Hintergrund; **(as) ~** gegenüber *+dat*.
age [eɪdʒ] *n* Alter *nt*; (*period*) Zeitalter *nt* ♦ *vi* altern, alt werden ♦ *vt* alt machen; **what ~ is he?** wie alt ist er?; **20 years of ~** 20 Jahre alt; **under ~** minderjährig; **to come of ~** mündig werden; **it's been ~s since** ... es ist ewig her, seit ...
aged[1] [eɪdʒd] *adj*: **~ ten** zehn Jahre alt, zehnjährig.
aged[2] ['eɪdʒɪd] *npl*: **the ~** die Alten *pl*.
age group *n* Altersgruppe *f*; **the 40 to 50 ~** die Gruppe der Vierzig- bis Fünfzigjährigen.
ageing ['eɪdʒɪŋ] *adj* (*person, population*) alternd; (*thing*) älter werdend; (*system, technology*) veraltend.
ageless ['eɪdʒlɪs] *adj* zeitlos.
age limit *n* Altersgrenze *f*.
agency ['eɪdʒənsɪ] *n* Agentur *f*; (*government body*) Behörde *f*; **through** *or* **by the ~ of** durch die Vermittlung von.
agenda [ə'dʒɛndə] *n* Tagesordnung *f*.
agent ['eɪdʒənt] *n* (*COMM*) Vertreter(in) *m(f)*; (*representative, spy*) Agent(in) *m(f)*; (*CHEM*) Mittel *nt*; (*fig*) Kraft *f*.
aggravate ['ægrəveɪt] *vt* verschlimmern; (*inf: annoy*) ärgern.
aggravating ['ægrəveɪtɪŋ] (*inf*) *adj* ärgerlich.
aggravation [ægrə'veɪʃən] (*inf*) *n* Ärger *m*.
aggregate ['ægrɪgɪt] *n* Gesamtmenge *f* ♦ *vt* zusammenzählen; **on ~** (*SPORT*) nach Toren.
aggression [ə'grɛʃən] *n* Aggression *f*.
aggressive [ə'grɛsɪv] *adj* aggressiv.
aggressiveness [ə'grɛsɪvnɪs] *n* Aggressivität

f.
aggressor [ə'grɛsə*] *n* Aggressor(in) *m(f)*, Angreifer(in) *m(f)*.
aggrieved [ə'gri:vd] *adj* verärgert.
aggro ['ægrəu] (*BRIT: inf*) *n* (*hassle*) Ärger *m*, Theater *nt*; (*aggressive behaviour*) Aggressivität *f*.
aghast [ə'gɑ:st] *adj* entsetzt.
agile ['ædʒaɪl] *adj* beweglich, wendig.
agility [ə'dʒɪlɪtɪ] *n* Beweglichkeit *f*, Wendigkeit *f*; (*of mind*) (geistige) Beweglichkeit *f*.
agitate ['ædʒɪteɪt] *vt* aufregen; (*liquid: stir*) aufrühren; (: *shake*) schütteln ♦ *vi*: **to ~ for/against sth** für/gegen etw agitieren.
agitated ['ædʒɪteɪtɪd] *adj* aufgeregt.
agitator ['ædʒɪteɪtə*] *n* Agitator(in) *m(f)*.
AGM *n abbr* (= *annual general meeting*) JHV *f*.
agnostic [æg'nɔstɪk] *n* Agnostiker(in) *m(f)*.
ago [ə'gəu] *adv*: **2 days ~** vor 2 Tagen; **not long ~** vor kurzem; **as long ~ as 1960** schon 1960; **how long ~?** wie lange ist das her?
agog [ə'gɔg] *adj* gespannt.
agonize ['ægənaɪz] *vi*: **to ~ over sth** sich *dat* den Kopf über etw *acc* zermartern.
agonizing ['ægənaɪzɪŋ] *adj* qualvoll; (*pain etc*) quälend.
agony ['ægənɪ] *n* (*pain*) Schmerz *m*; (*torment*) Qual *f*; **to be in ~** Qualen leiden.
agony aunt (*BRIT: inf*) *n* Briefkastentante *f*.
agony column *n* Kummerkasten *m*.
agree [ə'gri:] *vt* (*price, date*) vereinbaren ♦ *vi* übereinstimmen; (*consent*) zustimmen; **to ~ with sb** (*subj: person*) jdm zustimmen; (: *food*) jdm bekommen; **to ~ to sth** einer Sache *dat* zustimmen; **to ~ to do sth** sich bereit erklären, etw zu tun; **to ~ on sth** sich auf etw *acc* einigen; **to ~ that** (*admit*) zugeben, daß; **garlic doesn't ~ with me** Knoblauch vertrage ich nicht; **it was ~d that** ... es wurde beschlossen, daß ...; **they ~d on this** sie haben sich in diesem Punkt geeinigt; **they ~d on going** sie einigten sich darauf, zu gehen; **they ~d on a price** sie vereinbarten einen Preis.
agreeable [ə'gri:əbl] *adj* angenehm; (*willing*) einverstanden; **are you ~ to this?** sind Sie hiermit einverstanden?
agreed [ə'gri:d] *adj* vereinbart; **to be ~** sich *dat* einig sein.
agreement [ə'gri:mənt] *n* (*concurrence*) Übereinstimmung *f*; (*consent*) Zustimmung *f*; (*arrangement*) Abmachung *f*; (*contract*) Vertrag *m*; **to be in ~ (with sb)** (mit jdm) einer Meinung sein; **by mutual ~** in gegenseitigem Einverständnis.
agricultural [ægrɪ'kʌltʃərəl] *adj* landwirtschaftlich; (*show*) Landwirtschafts-.
agriculture ['ægrɪkʌltʃə*] *n* Landwirtschaft *f*.
aground [ə'graund] *adv*: **to run ~** auf Grund laufen.
ahead [ə'hɛd] *adv* vor uns/ihnen *etc*; **~ of** (*in advance of*) vor *+dat*; **to be ~ of sb** (*in progress, ranking*) vor jdm liegen; **to be ~ of schedule** schneller als geplant vorankommen; **~ of time** zeitlich voraus; **to arrive ~ of time** zu früh ankommen; **go right** *or* **straight ~** gehen/fahren Sie geradeaus; **go ~!** (*fig*) machen Sie nur!, nur zu!; **they were (right) ~ of us** sie waren (genau) vor uns.
AI *n abbr* (= *Amnesty International*) AI *no art*; (*COMPUT*) = **artificial intelligence.**
AIB (*BRIT*) *n abbr* (= *Accident Investigation Bureau*) *Untersuchungsstelle für Unglücksfälle.*
AID *n abbr* (= *artificial insemination by donor*) *künstliche Besamung durch Samenspender*; (*US*: = *Agency for International Development*) *Abteilung zur Koordination von Entwicklungshilfe und Außenpolitik.*
aid [eɪd] *n* Hilfe *f*; (*to less developed country*) Entwicklungshilfe *f*; (*device*) Hilfsmittel *nt* ♦ *vt* (*help*) helfen, unterstützen; **with the ~ of** mit Hilfe von; **in ~ of** zugunsten *+gen*; **to ~ and abet** Beihilfe leisten; *see also* **hearing aid.**
aide [eɪd] *n* Berater(in) *m(f)*; (*MIL*) Adjutant *m*.
aide-de-camp ['eɪddə'kɔŋ] *n* (*MIL*) Adjutant *m*.
AIDS [eɪdz] *n abbr* (= *acquired immune deficiency syndrome*) AIDS *nt*.
AIH *n abbr* (= *artificial insemination by husband*) *künstliche Besamung durch den Ehemann/Partner.*
ailing ['eɪlɪŋ] *adj* kränklich; (*economy, industry etc*) krank.
ailment ['eɪlmənt] *n* Leiden *nt*.
aim [eɪm] *vt*: **to ~ at** (*gun, missile, camera*) richten auf *+acc*; (*blow*) zielen auf *+acc*; (*remark*) richten an *+acc* ♦ *vi* (*also*: **take ~**) zielen ♦ *n* (*objective*) Ziel *nt*; (*in shooting*) Zielsicherheit *f*; **to ~ at** zielen auf *+acc*; (*objective*) anstreben *+acc*; **to ~ to do sth** vorhaben, etw zu tun.
aimless ['eɪmlɪs] *adj* ziellos.
aimlessly ['eɪmlɪslɪ] *adv* ziellos.
ain't [eɪnt] (*inf*) = **am not; aren't; isn't.**
air [ɛə*] *n* Luft *f*; (*tune*) Melodie *f*; (*appearance*) Auftreten *nt*; (*demeanour*) Haltung *f*; (*of house etc*) Atmosphäre *f* ♦ *vt* lüften; (*grievances, views*) Luft machen *+dat*; (*knowledge*) zur Schau stellen; (*ideas*) darlegen ♦ *cpd* Luft-; **into the ~** in die Luft; **by ~** mit dem Flugzeug; **to be on the ~** (*RADIO, TV: programme*) gesendet werden; (: *station*) senden; (: *person*) auf Sendung sein.
air base *n* Luftwaffenstützpunkt *m*.
air bed (*BRIT*) *n* Luftmatratze *f*.
airborne ['ɛəbɔ:n] *adj* in der Luft; (*plane, particles*) in der Luft befindlich; (*troops*)

Luftlande-.
air cargo *n* Luftfracht *f*.
air-conditioned ['ɛəkən'dɪʃənd] *adj* klimatisiert.
air conditioning *n* Klimaanlage *f*.
air-cooled ['ɛəku:ld] *adj* (*engine*) luftgekühlt.
aircraft ['ɛəkrɑ:ft] *n inv* Flugzeug *nt*.
aircraft carrier *n* Flugzeugträger *m*.
air cushion *n* Luftkissen *nt*.
airfield ['ɛəfi:ld] *n* Flugplatz *m*.
Air Force *n* Luftwaffe *f*.
air freight *n* Luftfracht *f*.
air freshener *n* Raumspray *nt*.
air gun *n* Luftgewehr *nt*.
air hostess (*BRIT*) *n* Stewardeß *f*.
airily ['ɛərɪlɪ] *adv* leichtfertig.
airing ['ɛərɪŋ] *n*: **to give an ~ to** (*fig: ideas*) darlegen; (: *views*) Luft machen *+dat*.
air letter (*BRIT*) *n* Luftpostbrief *m*.
airlift ['ɛəlɪft] *n* Luftbrücke *f*.
airline ['ɛəlaɪn] *n* Fluggesellschaft *f*.
airliner ['ɛəlaɪnə*] *n* Verkehrsflugzeug *nt*.
airlock ['ɛəlɔk] *n* (*in pipe etc*) Luftblase *f*; (*compartment*) Luftschleuse *f*.
air mail *n*: **by ~** per *or* mit Luftpost.
air mattress *n* Luftmatratze *f*.
airplane ['ɛəpleɪn] (*US*) *n* Flugzeug *nt*.
air pocket *n* Luftloch *nt*.
airport ['ɛəpɔ:t] *n* Flughafen *m*.
air raid *n* Luftangriff *m*.
air rifle *n* Luftgewehr *nt*.
airsick ['ɛəsɪk] *adj* luftkrank.
airspace ['ɛəspeɪs] *n* Luftraum *m*.
airspeed ['ɛəspi:d] *n* Fluggeschwindigkeit *f*.
airstrip ['ɛəstrɪp] *n* Start- und Lande-Bahn *f*.
air terminal *n* Terminal *m or nt*.
airtight ['ɛətaɪt] *adj* luftdicht.
airtime ['ɛətaɪm] *n* (*RADIO, TV*) Sendezeit *f*.
air-traffic control ['ɛətræfɪk-] *n* Flugsicherung *f*.
air-traffic controller ['ɛətræfɪk-] *n* Fluglotse *m*.
air waybill *n* Luftfrachtbrief *m*.
airy ['ɛərɪ] *adj* luftig; (*casual*) lässig.
aisle [aɪl] *n* Gang *m*; (*section of church*) Seitenschiff *nt*.
ajar [ə'dʒɑ:*] *adj* angelehnt.
AK (*US*) *abbr* (*POST:* = *Alaska*).
a.k.a. *abbr* (= *also known as*) alias.
akin [ə'kɪn] *adj*: **~ to** ähnlich *+dat*.
AL (*US*) *abbr* (*POST:* = *Alabama*).
ALA *n abbr* (= *American Library Association*) *akademischer Verband für das Bibliothekswesen*.
Ala. (*US*) *abbr* (*POST:* = *Alabama*).
alabaster ['æləbɑ:stə*] *n* Alabaster *m*.
à la carte *adv* à la carte.
alacrity [ə'lækrɪtɪ] *n* Bereitwilligkeit *f*; **with ~** ohne zu zögern.
alarm [ə'lɑ:m] *n* (*anxiety*) Besorgnis *f*; (*in shop, bank*) Alarmanlage *f* ♦ *vt* (*worry*) beunruhigen; (*frighten*) erschrecken.
alarm call *n* Weckruf *m*.
alarm clock *n* Wecker *m*.
alarmed [ə'lɑ:md] *adj* beunruhigt; **don't be ~** erschrecken Sie nicht.
alarming [ə'lɑ:mɪŋ] *adj* (*worrying*) beunruhigend; (*frightening*) erschreckend.
alarmingly [ə'lɑ:mɪŋlɪ] *adv* erschreckend.
alarmist [ə'lɑ:mɪst] *n* Panikmacher(in) *m(f)*.
alas [ə'læs] *excl* leider.
Alaska [ə'læskə] *n* Alaska *nt*.
Albania [æl'beɪnɪə] *n* Albanien *nt*.
Albanian [æl'beɪnɪən] *adj* albanisch ♦ *n* (*LING*) Albanisch *nt*.
albatross ['ælbətrɔs] *n* Albatros *m*.
albeit [ɔ:l'bi:ɪt] *conj* wenn auch.
album ['ælbəm] *n* Album *nt*.
albumen ['ælbjumɪn] *n* Albumen *nt*.
alchemy ['ælkɪmɪ] *n* Alchimie *f*, Alchemie *f*.
alcohol ['ælkəhɔl] *n* Alkohol *m*.
alcoholic [ælkə'hɔlɪk] *adj* alkoholisch ♦ *n* Alkoholiker(in) *m(f)*.
alcoholism ['ælkəhɔlɪzəm] *n* Alkoholismus *m*.
alcove ['ælkəuv] *n* Alkoven *m*, Nische *f*.
Ald. *abbr* = **alderman**.
alderman ['ɔ:ldəmən] (*irreg: like* **man**) *n* ≈ Stadtrat *m*.
ale [eɪl] *n* Ale *nt*.
alert [ə'lə:t] *adj* aufmerksam ♦ *n* Alarm *m* ♦ *vt* alarmieren; **to be ~ to** (*danger, opportunity*) sich *dat* bewußt sein *+gen*; **to be on the ~** wachsam sein; **to ~ sb (to sth)** jdn (vor etw *dat*) warnen.
Aleutian Islands [ə'lu:ʃən-] *npl* Aleuten *pl*.
A level (*BRIT*) *n* ≈ Abschluß *m* der Sekundarstufe 2, Abitur *nt*.
Alexandria [ælɪg'zɑ:ndrɪə] *n* Alexandria *nt*.
alfresco [æl'frɛskəu] *adj, adv* im Freien.
algebra ['ældʒɪbrə] *n* Algebra *f*.
Algeria [æl'dʒɪərɪə] *n* Algerien *nt*.
Algerian [æl'dʒɪərɪən] *adj* algerisch ♦ *n* Algerier(in) *m(f)*.
Algiers [æl'dʒɪəz] *n* Algier *nt*.
algorithm ['ælgərɪðəm] *n* Algorithmus *m*.
alias ['eɪlɪəs] *adv* alias ♦ *n* Deckname *m*.
alibi ['ælɪbaɪ] *n* Alibi *nt*.
alien ['eɪlɪən] *n* Ausländer(in) *m(f)*; (*extraterrestrial*) außerirdisches Wesen *nt* ♦ *adj*: **~ (to)** fremd (*+dat*).
alienate ['eɪlɪəneɪt] *vt* entfremden; (*antagonize*) befremden.
alienation [eɪlɪə'neɪʃən] *n* Entfremdung *f*.
alight [ə'laɪt] *adj* brennend; (*eyes, expression*) leuchtend ♦ *vi* (*bird*) sich niederlassen; (*passenger*) aussteigen.
align [ə'laɪn] *vt* ausrichten.
alignment [ə'laɪnmənt] *n* Ausrichtung *f*; **it's out of ~ (with)** es ist nicht richtig ausgerichtet (nach).
alike [ə'laɪk] *adj* ähnlich ♦ *adv* (*similarly*) ähnlich; (*equally*) gleich; **to look ~** sich *dat* ähnlich sehen; **winter and summer ~** Sommer wie Winter.

alimony ['ælımənı] *n* Unterhalt *m*.
alive [ə'laıv] *adj* (*living*) lebend; (*lively*) lebendig; (*active*) lebhaft; ~ **with** erfüllt von; **to be** ~ **to sth** sich *dat* einer Sache *gen* bewußt sein.
alkali ['ælkəlaı] *n* Base *f*, Lauge *f*.
alkaline ['ælkəlaın] *adj* basisch, alkalisch.

KEYWORD

all [ɔ:l] *adj* alle(r, s); ~ **day/night** den ganzen Tag/die ganze Nacht (über); ~ **men are equal** alle Menschen sind gleich; ~ **five came** alle fünf kamen; ~ **the books** die ganzen Bücher, alle Bücher; ~ **the food** das ganze Essen; ~ **the time** die ganze Zeit (über); ~ **his life** sein ganzes Leben (lang)
♦ *pron* **1** alles; **I ate it** ~**, I ate** ~ **of it** ich habe alles gegessen; ~ **of us/the boys went** wir alle/alle Jungen gingen; **we** ~ **sat down** wir setzten uns alle; **is that** ~**?** ist das alles?; (*in shop*) sonst noch etwas?
2 (*in phrases*): **above** ~ vor allem; **after** ~ schließlich; ~ **in** ~ alles in allem
♦ *adv* ganz; ~ **alone** ganz allein; **it's not as hard as** ~ **that** so schwer ist es nun auch wieder nicht; ~ **the more/the better** um so mehr/besser; ~ **but** (*all except for*) alle außer; (*almost*) fast; **the score is 2** ~ der Spielstand ist 2 zu 2.

allay [ə'leı] *vt* (*fears*) zerstreuen.
all clear *n* Entwarnung *f*.
allegation [ælı'geıʃən] *n* Behauptung *f*.
allege [ə'lɛdʒ] *vt* behaupten; **he is** ~**d to have said that** ... er soll angeblich gesagt haben, daß ...
alleged [ə'lɛdʒd] *adj* angeblich.
allegedly [ə'lɛdʒıdlı] *adv* angeblich.
allegiance [ə'li:dʒəns] *n* Treue *f*.
allegory ['ælıgərı] *n* Allegorie *f*.
all-embracing ['ɔ:lım'breısıŋ] *adj* (all)umfassend.
allergic [ə'lə:dʒık] *adj* (*rash, reaction*) allergisch; (*person*): ~ **to** allergisch gegen.
allergy ['ælədʒı] *n* Allergie *f*.
alleviate [ə'li:vıeıt] *vt* lindern.
alley ['ælı] *n* Gasse *f*.
alleyway ['ælıweı] *n* Durchgang *m*.
alliance [ə'laıəns] *n* Bündnis *nt*.
allied ['ælaıd] *adj* verbündet, alliiert; (*products, industries*) verwandt.
alligator ['ælıgeıtə*] *n* Alligator *m*.
all-important ['ɔ:lım'pɔ:tənt] *adj* entscheidend, äußerst wichtig.
all in (*BRIT*) *adv* inklusive.
all-in ['ɔ:lın] (*BRIT*) *adj* (*price*) Inklusiv-.
all-in wrestling *n* (*esp BRIT*) Freistilringen *nt*.
alliteration [əlıtə'reıʃən] *n* Alliteration *f*.
all-night ['ɔ:l'naıt] *adj* (*café, cinema*) die ganze Nacht geöffnet; (*party*) die ganze Nacht dauernd.
allocate ['æləkeıt] *vt* zuteilen.
allocation [æləu'keıʃən] *n* Verteilung *f*; (*of money, resources*) Zuteilung *f*.
allot [ə'lɔt] *vt*: **to** ~ **(to)** zuteilen (*+dat*); **in the** ~**ed time** in der vorgesehenen Zeit.
allotment [ə'lɔtmənt] *n* (*share*) Anteil *m*; (*garden*) Schrebergarten *m*.
all-out ['ɔ:laut] *adj* (*effort, dedication etc*) äußerste(r, s); (*strike*) total ♦ *adv*: **all out** mit aller Kraft; **to go all out for** sein Letztes *or* Äußerstes geben für.
allow [ə'lau] *vt* erlauben; (*behaviour*) zulassen; (*sum, time*) einplanen; (*claim, goal*) anerkennen; (*concede*): **to** ~ **that** annehmen, daß; **to** ~ **sb to do sth** jdm erlauben, etw zu tun; **he is** ~**ed to** ... er darf ...; **smoking is not** ~**ed** Rauchen ist nicht gestattet; **we must** ~ **3 days for the journey** wir müssen für die Reise 3 Tage einplanen.
▶**allow for** *vt fus* einplanen, berücksichtigen.
allowance [ə'lauəns] *n* finanzielle Unterstützung *f*; (*welfare payment*) Beihilfe *f*; (*pocket money*) Taschengeld *nt*; (*tax allowance*) Freibetrag *m*; **to make** ~**s for** (*person*) Zugeständnisse machen für; (*thing*) berücksichtigen.
alloy ['ælɔı] *n* Legierung *f*.
all right *adv* (*well*) gut; (*correctly*) richtig; (*as answer*) okay, in Ordnung.
all-rounder [ɔ:l'raundə*] *n* Allrounder *m*; (*athlete etc*) Allroundsportler(in) *m(f)*.
allspice ['ɔ:lspaıs] *n* Piment *m or nt*.
all-time ['ɔ:l'taım] *adj* aller Zeiten.
allude [ə'lu:d] *vi*: **to** ~ **to** anspielen auf *+acc*.
alluring [ə'ljuərıŋ] *adj* verführerisch.
allusion [ə'lu:ʒən] *n* Anspielung *f*.
alluvium [ə'lu:vıəm] *n* Anschwemmung *f*.
ally ['ælaı] *n* Verbündete(r) *f(m)*; (*during wars*) Alliierte(r) *f(m)* ♦ *vt*: **to** ~ **o.s. with** sich verbünden mit.
almighty [ɔ:l'maıtı] *adj* allmächtig; (*tremendous*) mächtig.
almond ['ɑ:mənd] *n* Mandel *f*; (*tree*) Mandelbaum *m*.
almost ['ɔ:lməust] *adv* fast, beinahe; **he** ~ **fell** er wäre beinahe gefallen.
alms [ɑ:mz] *npl* Almosen *pl*.
aloft [ə'lɔft] *adv* (*hold, carry*) empor.
alone [ə'ləun] *adj, adv* allein; **to leave sb** ~ jdn in Ruhe lassen; **to leave sth** ~ die Finger von etw lassen; **let** ~ ... geschweige denn ...
along [ə'lɔŋ] *prep* entlang *+acc* ♦ *adv*: **is he coming** ~ **with us?** kommt er mit?; **he was hopping/limping** ~ er hüpfte/humpelte daher; ~ **with** (*together with*) zusammen mit; **all** ~ (*all the time*) die ganze Zeit.
alongside [ə'lɔŋ'saıd] *prep* neben *+dat*; (*ship*) längsseits *+gen* ♦ *adv* (*come*) nebendran; (*be*) daneben; **we brought our boat** ~ wir brachten unser Boot heran; **a car drew up** ~ ein Auto fuhr neben mich/ihn *etc* heran.
aloof [ə'lu:f] *adj* unnahbar ♦ *adv*: **to stand** ~

abseits stehen.
aloofness [ə'lu:fnɪs] *n* Unnahbarkeit *f*.
aloud [ə'laud] *adv* laut.
alphabet ['ælfəbɛt] *n* Alphabet *nt*.
alphabetical [ælfə'bɛtɪkl] *adj* alphabetisch; **in ~ order** in alphabetischer Reihenfolge.
alphanumeric ['ælfənju:'mɛrɪk] *adj* alphanumerisch.
alpine ['ælpaɪn] *adj* alpin, Alpen-.
Alps [ælps] *npl*: **the ~** die Alpen.
already [ɔ:l'rɛdɪ] *adv* schon.
alright ['ɔ:l'raɪt] (*BRIT*) *adv* = **all right**.
Alsace ['ælsæs] *n* Elsaß *nt*.
Alsatian [æl'seɪʃən] (*BRIT*) *n* (*dog*) Schäferhund *m*.
also ['ɔ:lsəu] *adv* (*too*) auch; (*moreover*) außerdem.
altar ['ɔltə*] *n* Altar *m*.
alter ['ɔltə*] *vt* ändern; (*clothes*) umändern ♦ *vi* sich (ver)ändern.
alteration [ɔltə'reɪʃən] *n* Änderung *f*; (*to clothes*) Umänderung *f*; (*to building*) Umbau *m*; **alterations** *npl* (*SEWING*) Änderungen *pl*; (*ARCHIT*) Umbau *m*.
altercation [ɔltə'keɪʃən] *n* Auseinandersetzung *f*.
alternate [*adj* ɔl'tə:nɪt, *vi* 'ɔltəneɪt] *adj* abwechselnd; (*US: alternative: plans etc*) Alternativ- ♦ *vi*: **to ~ (with)** sich abwechseln (mit); **on ~ days** jeden zweiten Tag.
alternately [ɔl'tə:nɪtlɪ] *adv* abwechselnd.
alternating current ['ɔltə:neɪtɪŋ-] *n* Wechselstrom *m*.
alternative [ɔl'tə:nətɪv] *adj* alternativ; (*solution etc*) Alternativ- ♦ *n* Alternative *f*.
alternative energy *n* Alternativenergie *f*.
alternatively [ɔl'tə:nətɪvlɪ] *adv*: **~ one could ...** oder man könnte ...
alternative medicine *n* Alternativmedizin *f*.
alternative society *n* Alternativgesellschaft *f*.
alternator ['ɔltə:neɪtə*] *n* (*AUT*) Lichtmaschine *f*.
although [ɔ:l'ðəu] *conj* obwohl.
altitude ['æltɪtju:d] *n* Höhe *f*.
alto ['æltəu] *n* Alt *m*.
altogether [ɔ:ltə'gɛðə*] *adv* ganz; (*on the whole, in all*) im ganzen, insgesamt; **how much is that ~?** was macht das zusammen?
altruism ['æltruɪzəm] *n* Altruismus *m*.
altruistic [æltru'ɪstɪk] *adj* uneigennützig, altruistisch.
aluminium [ælju'mɪnɪəm], (*US*) **aluminum** [ə'lu:mɪnəm] *n* Aluminium *nt*.
always ['ɔ:lweɪz] *adv* immer; **we can ~ ...** (*if all else fails*) wir können ja auch ...
Alzheimer's (disease) *n* (*MED*) Alzheimer-Krankheit *f*.
AM *abbr* (= *amplitude modulation*) AM, ≈ MW.
am [æm] *vb see* **be**.
a.m. *adv abbr* (= *ante meridiem*) morgens; (*later*) vormittags.
AMA *n abbr* (= *American Medical Association*) *Medizinerverband*.
amalgam [ə'mælgəm] *n* Amalgam *nt*; (*fig*) Mischung *f*.
amalgamate [ə'mælgəmeɪt] *vi, vt* fusionieren.
amalgamation [əmælgə'meɪʃən] *n* Fusion *f*.
amass [ə'mæs] *vt* anhäufen; (*evidence*) zusammentragen.
amateur ['æmətə*] *n* Amateur *m* ♦ *adj* (*SPORT: player, athlete*) Amateur-; **~ dramatics** Laientheater *nt*.
amateurish ['æmətərɪʃ] *adj* (*pej*) dilettantisch, stümperhaft.
amaze [ə'meɪz] *vt* erstaunen; **to be ~d (at)** erstaunt sein (über +*acc*).
amazement [ə'meɪzmənt] *n* Erstaunen *nt*.
amazing [ə'meɪzɪŋ] *adj* erstaunlich; (*bargain, offer*) sensationell.
amazingly [ə'meɪzɪŋlɪ] *adv* erstaunlich.
Amazon ['æməzən] *n* (*river*) Amazonas *m*; (*MYTHOLOGY*) Amazone *f*; **the ~ basin** das Amazonastiefland; **the ~ jungle** der Amazonas-Regenwald.
Amazonian [æmə'zəunɪən] *adj* amazonisch.
ambassador [æm'bæsədə*] *n* Botschafter(in) *m(f)*.
amber ['æmbə*] *n* Bernstein *m*; **at ~** (*BRIT: traffic lights*) auf Gelb; (: *move off*) bei Gelb.
ambidextrous [æmbɪ'dɛkstrəs] *adj* beidhändig.
ambience ['æmbɪəns] *n* Atmosphäre *f*.
ambiguity [æmbɪ'gjuɪtɪ] *n* Zweideutigkeit *f*; (*lack of clarity*) Unklarheit *f*.
ambiguous [æm'bɪgjuəs] *adj* zweideutig; (*not clear*) unklar.
ambition [æm'bɪʃən] *n* Ehrgeiz *m*; (*desire*) Ambition *f*; **to achieve one's ~** seine Ambitionen erfüllen.
ambitious [æm'bɪʃəs] *adj* ehrgeizig.
ambivalence [æm'bɪvələns] *n* Ambivalenz *f*.
ambivalent [æm'bɪvələnt] *adj* ambivalent.
amble ['æmbl] *vi* schleudern.
ambulance ['æmbjuləns] *n* Krankenwagen *m*.
ambulanceman ['æmbjulənsmən] (*irreg: like* **man**) *n* Sanitäter *m*.
ambush ['æmbuʃ] *n* Hinterhalt *m*; (*attack*) Überfall *m* aus dem Hinterhalt ♦ *vt* (aus dem Hinterhalt) überfallen.
ameba [ə'mi:bə] (*US*) *n* = **amoeba**.
ameliorate [ə'mi:lɪəreɪt] *vt* verbessern.
amen ['ɑ:'mɛn] *excl* amen.
amenable [ə'mi:nəbl] *adj*: **~ to** zugänglich +*dat*; (*to flattery etc*) empfänglich für; **~ to the law** dem Gesetz verantwortlich.
amend [ə'mɛnd] *vt* ändern; (*habits, behaviour*) bessern.
amendment [ə'mɛndmənt] *n* Änderung *f*; (*to law*) Amendement *nt*.
amends [ə'mɛndz] *npl*: **to make ~** es wiedergutmachen; **to make ~ for sth** etw wiedergutmachen.
amenities [ə'mi:nɪtɪz] *npl* *Einkaufs-, Unter-*

haltungs- und Transportmöglichkeiten.
amenity [ə'miːnɪtɪ] *n* (Freizeit)einrichtung *f.*
America [ə'mɛrɪkə] *n* Amerika *nt.*
American [ə'mɛrɪkən] *adj* amerikanisch ♦ *n* Amerikaner(in) *m(f).*
Americanize [ə'mɛrɪkənaɪz] *vt* amerikanisieren.
amethyst ['æmɪθɪst] *n* Amethyst *m.*
Amex ['æmɛks] *n abbr* (= *American Stock Exchange*) *US-Börse*; (= *American Express*®) *Kreditkarte.*
amiable ['eɪmɪəbl] *adj* liebenswürdig.
amiably ['eɪmɪəblɪ] *adv* liebenswürdig.
amicable ['æmɪkəbl] *adj* freundschaftlich; (*settlement*) gütlich.
amicably ['æmɪkəblɪ] *adv* (*part, discuss*) in aller Freundschaft; (*settle*) gütlich.
amid(st) [ə'mɪd(st)] *prep* inmitten *+gen.*
amiss [ə'mɪs] *adj, adv:* **to take sth** ~ etw übelnehmen; **there's something** ~ da stimmt irgend etwas nicht.
ammeter ['æmɪtə*] *n* Amperemeter *nt.*
ammo ['æməu] (*inf*) *n abbr* = **ammunition.**
ammonia [ə'məunɪə] *n* Ammoniak *nt.*
ammunition [æmju'nɪʃən] *n* Munition *f.*
ammunition dump *n* Munitionslager *nt.*
amnesia [æm'niːzɪə] *n* Amnesie *f*, Gedächtnisschwund *m.*
amnesty ['æmnɪstɪ] *n* Amnestie *f*; **to grant an** ~ **to** amnestieren.
Amnesty International *n* Amnesty International *no art.*
amoeba, (*US*) **ameba** [ə'miːbə] *n* Amöbe *f.*
amok [ə'mɔk] *adv:* **to run** ~ Amok laufen.
among(st) [ə'mʌŋ(st)] *prep* unter *+dat.*
amoral [æ'mɔrəl] *adj* unmoralisch.
amorous ['æmərəs] *adj* amourös.
amorphous [ə'mɔːfəs] *adj* formlos, gestaltlos.
amortization [əmɔːtaɪ'zeɪʃən] *n* Amortisation *f.*
amount [ə'maunt] *n* (*quantity*) Menge *f*; (*sum of money*) Betrag *m*; (*total*) Summe *f*; (*of bill etc*) Höhe *f* ♦ *vi:* **to** ~ **to** (*total*) sich belaufen auf *+acc*; (*be same as*) gleichkommen *+dat*; **the total** ~ (*of money*) die Gesamtsumme.
amp(ère) ['æmp(ɛə*)] *n* Ampere *nt*; **a 3** ~ **fuse** eine Sicherung von 3 Ampere; **a 13** ~ **plug** ein Stecker mit einer Sicherung von 13 Ampere.
ampersand ['æmpəsænd] *n* Et-Zeichen *nt*, Und-Zeichen *nt.*
amphetamine [æm'fɛtəmiːn] *n* Amphetamin *nt.*
amphibian [æm'fɪbɪən] *n* Amphibie *f.*
amphibious [æm'fɪbɪəs] *adj* amphibisch; (*vehicle*) Amphibien-.
amphitheatre, (*US*) **amphitheater** ['æmfɪθɪətə*] *n* Amphitheater *nt.*
ample ['æmpl] *adj* (*large*) üppig; (*abundant*) reichlich; (*enough*) genügend; **this is** ~ das ist reichlich; **to have** ~ **time/room** genügend Zeit/Platz haben.
amplifier ['æmplɪfaɪə*] *n* Verstärker *m.*
amplify ['æmplɪfaɪ] *vt* verstärken; (*expand: idea etc*) genauer ausführen.
amply ['æmplɪ] *adv* reichlich.
ampoule, (*US*) **ampule** ['æmpuːl] *n* Ampulle *f.*
amputate ['æmpjuteɪt] *vt* amputieren.
amputation [æmpju'teɪʃən] *n* Amputation *f.*
amputee [æmpju'tiː] *n* Amputierte(r) *f(m).*
Amsterdam ['æmstədæm] *n* Amsterdam *nt.*
amt *abbr* = **amount.**
amuck [ə'mʌk] *adv* = **amok.**
amuse [ə'mjuːz] *vt* (*entertain*) unterhalten; (*make smile*) amüsieren, belustigen; **to** ~ **o.s. with sth/by doing sth** sich die Zeit mit etw vertreiben/damit vertreiben, etw zu tun; **to be** ~**d at** sich amüsieren über *+acc*; **he was not** ~**d** er fand das gar nicht komisch *or* zum Lachen.
amusement [ə'mjuːzmənt] *n* (*mirth*) Vergnügen *nt*; (*pleasure*) Unterhaltung *f*; (*pastime*) Zeitvertreib *m*; **much to my** ~ zu meiner großen Belustigung.
amusement arcade *n* Spielhalle *f.*
amusement park *n* Vergnügungspark *m.*
amusing [ə'mjuːzɪŋ] *adj* amüsant, unterhaltsam.
an [æn, ən] *indef art see* **a.**
ANA *n abbr* (= *American Newspaper Association*) *amerikanischer Zeitungsverband*; (= *American Nurses Association*) *Verband amerikanischer Krankenschwestern und Krankenpfleger.*
anachronism [ə'nækrənɪzəm] *n* Anachronismus *m.*
anaemia, (*US*) **anemia** [ə'niːmɪə] *n* Anämie *f.*
anaemic, (*US*) **anemic** [ə'niːmɪk] *adj* blutarm.
anaesthetic, (*US*) **anesthetic** [ænɪs'θɛtɪk] *n* Betäubungsmittel *nt*; **under (the)** ~ unter Narkose; **local** ~ örtliche Betäubung *f*; **general** ~ Vollnarkose *f.*
anaesthetist [æ'niːsθɪtɪst] *n* Anästhesist(in) *m(f).*
anagram ['ænəgræm] *n* Anagramm *nt.*
anal ['eɪnl] *adj* anal, Anal-.
analgesic [ænæl'dʒiːsɪk] *adj* schmerzstillend ♦ *n* Schmerzmittel *nt*, schmerzstillendes Mittel *nt.*
analogous [ə'næləgəs] *adj:* ~ **(to** *or* **with)** analog (zu).
analogue, (*US*) **analog** ['ænəlɔg] *adj* (*watch, computer*) Analog-.
analogy [ə'nælədʒɪ] *n* Analogie *f*; **to draw an** ~ **between** eine Analogie herstellen zwischen *+dat*; **by** ~ durch einen Analogieschluß.
analyse, (*US*) **analyze** ['ænəlaɪz] *vt* analysieren; (*CHEM, MED*) untersuchen; (*person*) psychoanalytisch behandeln.
analyses [ə'næləsiːz] *npl of* **analysis.**
analysis [ə'næləsɪs] (*pl* **analyses**) *n* (*see vb*) Analyse *f*; Untersuchung *f*; Psychoanalyse *f*;

in the last ~ letzten Endes.
analyst ['ænəlɪst] *n* Analytiker(in) *m(f)*; (*US*) Psychoanalytiker(in) *m(f)*.
analytic(al) [ænə'lɪtɪk(l)] *adj* analytisch.
analyze ['ænəlaɪz] (*US*) *vt* = **analyse.**
anarchic [æ'nɑːkɪk] *adj* anarchisch.
anarchist ['ænəkɪst] *adj* anarchistisch ♦ *n* Anarchist(in) *m(f)*.
anarchy ['ænəkɪ] *n* Anarchie *f*.
anathema [ə'næθɪmə] *n*: **that is** ~ **to him** das ist ihm ein Greuel.
anatomical [ænə'tɔmɪkl] *adj* anatomisch.
anatomy [ə'nætəmɪ] *n* Anatomie *f*; (*body*) Körper *m*.
ANC *n abbr* (= *African National Congress*) ANC *m*.
ancestor ['ænsɪstə*] *n* Vorfahr(in) *m(f)*.
ancestral [æn'sɛstrəl] *adj* angestammt; ~ **home** Stammsitz *m*.
ancestry ['ænsɪstrɪ] *n* Abstammung *f*.
anchor ['æŋkə*] *n* Anker *m* ♦ *vi* (*also*: **to drop** ~) ankern, vor Anker gehen ♦ *vt* (*fig*): **to** ~ **sth to** etw verankern in *+dat*; **to weigh** ~ den Anker lichten.
anchorage ['æŋkərɪdʒ] *n* Ankerplatz *m*.
anchorman [æŋkəmæn] (*irreg: like* **man**) *n* (*TV, RADIO*) ≈ Moderator *m*.
anchorwoman [æŋkəwumən] (*irreg: like* **woman**) *n* (*TV, RADIO*) ≈ Moderatorin *f*.
anchovy ['æntʃəvɪ] *n* Sardelle *f*, An(s)chovis *f*.
ancient ['eɪnʃənt] *adj* alt; (*person, car*) uralt.
ancient monument *n* historisches Denkmal *nt*.
ancillary [æn'sɪlərɪ] *adj* Hilfs-.
and [ænd] *conj* und; ~ **so on** und so weiter; **try** ~ **come please** bitte versuche zu kommen; **better** ~ **better** immer besser.
Andes ['ændiːz] *npl*: **the** ~ die Anden *pl*.
Andorra [æn'dɔːrə] *n* Andorra *nt*.
anecdote ['ænɪkdəut] *n* Anekdote *f*.
anemia *etc* [ə'niːmɪə] (*US*) = **anaemia** *etc.*
anemone [ə'nɛmənɪ] *n* (*BOT*) Anemone *f*, Buschwindröschen *nt*.
anesthetic *etc* [ænɪs'θɛtɪk] (*US*) = **anaesthetic** *etc.*
anew [ə'njuː] *adv* von neuem.
angel ['eɪndʒəl] *n* Engel *m*.
angel dust (*inf*) *n als halluzinogene Droge mißbrauchtes Medikament.*
angelic [æn'dʒɛlɪk] *adj* engelhaft.
anger ['æŋgə*] *n* Zorn *m* ♦ *vt* ärgern; (*enrage*) erzürnen; **red with** ~ rot vor Wut.
angina [æn'dʒaɪnə] *n* Angina pectoris *f*.
angle ['æŋgl] *n* Winkel *m*; (*viewpoint*): **from their** ~ von ihrem Standpunkt aus ♦ *vi*: **to** ~ **for** (*invitation*) aussein auf *+acc*; (*compliments*) fischen nach ♦ *vt*: **to** ~ **sth towards** *or* **to** etw ausrichten auf *+acc*.
angler ['æŋglə*] *n* Angler(in) *m(f)*.
Anglican ['æŋglɪkən] *adj* anglikanisch ♦ *n* Anglikaner(in) *m(f)*.
anglicize ['æŋglɪsaɪz] *vt* anglisieren.
angling ['æŋglɪŋ] *n* Angeln *nt*.
Anglo- ['æŋgləu] *pref* Anglo-, anglo-.
Anglo-German ['æŋgləu'dʒəːmən] *adj* englisch-deutsch.
Anglo-Saxon ['æŋgləu'sæksən] *adj* angelsächsisch ♦ *n* Angelsachse *m*, Angelsächsin *f*.
Angola [æŋ'gəulə] *n* Angola *nt*.
Angolan [æŋ'gəulən] *adj* angolanisch ♦ *n* Angolaner(in) *m(f)*.
angrily ['æŋgrɪlɪ] *adv* verärgert.
angry ['æŋgrɪ] *adj* verärgert; (*wound*) entzündet; **to be** ~ **with sb** auf jdn böse sein; **to be** ~ **at sth** über etw *acc* verärgert sein; **to get** ~ wütend werden; **to make sb** ~ jdn wütend machen.
anguish ['æŋgwɪʃ] *n* Qual *f*.
anguished ['æŋgwɪʃt] *adj* gequält.
angular ['æŋgjulə*] *adj* eckig; (*features*) kantig.
animal ['ænɪməl] *n* Tier *nt*; (*living creature*) Lebewesen *nt*; (*pej: person*) Bestie *f* ♦ *adj* tierhaft; (*attraction etc*) animalisch.
animal spirits *npl* Vitalität *f*.
animate [*vt* 'ænɪmeɪt, *adj* 'ænɪmɪt] *vt* beleben ♦ *adj* lebend.
animated ['ænɪmeɪtɪd] *adj* lebhaft; (*film*) Zeichentrick-.
animation [ænɪ'meɪʃən] *n* (*liveliness*) Lebhaftigkeit *f*; (*film*) Animation *f*.
animosity [ænɪ'mɔsɪtɪ] *n* Feindseligkeit *f*.
aniseed ['ænɪsiːd] *n* Anis *m*.
Ankara ['æŋkərə] *n* Ankara *nt*.
ankle ['æŋkl] *n* Knöchel *m*.
ankle sock (*BRIT*) *n* Söckchen *nt*.
annex ['ænɛks] *n* (*also*: ~**e**: *BRIT*) Anhang *m*; (*building*) Nebengebäude *nt*; (*extension*) Anbau *m* ♦ *vt* (*take over*) annektieren.
annexation [ænɛk'seɪʃən] *n* Annexion *f*.
annihilate [ə'naɪəleɪt] *vt* (*also fig*) vernichten.
annihilation [ənaɪə'leɪʃən] *n* Vernichtung *f*.
anniversary [ænɪ'vəːsərɪ] *n* Jahrestag *m*.
anno Domini *adv* Anno Domini, nach Christus.
annotate ['ænəuteɪt] *vt* kommentieren.
announce [ə'nauns] *vt* ankündigen; (*birth, death etc*) anzeigen; **he** ~**d that he wasn't going** er verkündete, daß er nicht gehen würde.
announcement [ə'naunsmənt] *n* Ankündigung *f*; (*official*) Bekanntmachung *f*; (*of birth, death etc*) Anzeige *f*; **I'd like to make an** ~ ich möchte etwas bekanntgeben.
announcer [ə'naunsə*] *n* Ansager(in) *m(f)*.
annoy [ə'nɔɪ] *vt* ärgern; **to be** ~**ed (at sth/ with sb)** sich (über etw/jdn) ärgern; **don't get** ~**ed!** reg' dich nicht auf!
annoyance [ə'nɔɪəns] *n* Ärger *m*.
annoying [ə'nɔɪɪŋ] *adj* ärgerlich; (*person, habit*) lästig.
annual ['ænjuəl] *adj* jährlich; (*income*) Jahres- ♦ *n* (*BOT*) einjährige Pflanze *f*; (*book*) Jahresband *m*.

annual general meeting (*BRIT*) *n* Jahreshauptversammlung *f*.
annually ['ænjuəlɪ] *adv* jährlich.
annual report *n* Geschäftsbericht *m*.
annuity [ə'nju:ɪtɪ] *n* Rente *f*; **life ~** Rente *f* auf Lebenszeit.
annul [ə'nʌl] *vt* annullieren; (*law*) aufheben.
annulment [ə'nʌlmənt] *n* (*see vb*) Annullierung *f*; Aufhebung *f*.
annum ['ænəm] *n see* **per**.
Annunciation [ənʌnsɪ'eɪʃən] *n* Mariä Verkündigung *f*.
anode ['ænəud] *n* Anode *f*.
anodyne ['ænədaɪn] (*fig*) *n* Wohltat *f* ♦ *adj* schmerzlos.
anoint [ə'nɔɪnt] *vt* salben.
anomalous [ə'nɔmələs] *adj* anomal.
anomaly [ə'nɔməlɪ] *n* Anomalie *f*.
anon. [ə'nɔn] *abbr* = **anonymous**.
anonymity [ænə'nɪmɪtɪ] *n* Anonymität *f*.
anonymous [ə'nɔnɪməs] *adj* anonym.
anorak ['ænəræk] *n* Anorak *m*.
anorexia [ænə'rɛksɪə] *n* Magersucht *f*, Anorexie *f*.
anorexic [ænə'rɛksɪk] *adj* magersüchtig.
another [ə'nʌðə*] *pron* (*additional*) noch eine(r, s); (*different*) ein(e) andere(r, s) ♦ *adj*: **~ book** (*one more*) noch ein Buch; (*a different one*) ein anderes Buch; **~ drink?** noch etwas zu trinken?; **in ~ 5 years** in weiteren 5 Jahren; *see also* **one**.
ANSI [eɪɛnɛs'aɪ] *n abbr* (= *American National Standards Institute*) *amerikanischer Normenausschuß*.
answer ['ɑ:nsə*] *n* Antwort *f*; (*to problem*) Lösung *f* ♦ *vi* antworten; (*TEL*) sich melden ♦ *vt* (*reply to: person*) antworten +*dat*; (: *letter, question*) beantworten; (*problem*) lösen; (*prayer*) erhören; **in ~ to your letter** in Beantwortung Ihres Schreibens; **to ~ the phone** ans Telefon gehen; **to ~ the bell** *or* **the door** die Tür aufmachen.
▸**answer back** *vi* widersprechen; (*child*) frech sein.
▸**answer for** *vt fus* (*person*) verantwortlich sein für, sich verbürgen für.
▸**answer to** *vt fus* (*description*) entsprechen +*dat*.
answerable ['ɑ:nsərəbl] *adj*: **to be ~ to sb for sth** jdm gegenüber für etw verantwortlich sein; **I am ~ to no-one** ich brauche mich vor niemandem zu verantworten.
answering machine ['ɑ:nsərɪŋ-] *n* Anrufbeantworter *m*.
ant [ænt] *n* Ameise *f*.
ANTA *n abbr* (= *American National Theater and Academy*) *Nationaltheater und Schauspielerakademie*.
antagonism [æn'tægənɪzəm] *n* Feindseligkeit *f*, Antagonismus *m*.
antagonist [æn'tægənɪst] *n* Gegner(in) *m(f)*, Antagonist(in) *m(f)*.
antagonistic [æntægə'nɪstɪk] *adj* feindselig.
antagonize [æn'tægənaɪz] *vt* gegen sich aufbringen.
Antarctic [ænt'ɑ:ktɪk] *n*: **the ~** die Antarktis.
Antarctica [ænt'ɑ:ktɪkə] *n* Antarktik *f*.
Antarctic Circle *n*: **the ~** der südliche Polarkreis.
Antarctic Ocean *n*: **the ~** das Südpolarmeer.
ante ['æntɪ] *n*: **to up the ~** den Einsatz erhöhen.
ante... ['æntɪ] *pref* vor-.
anteater ['ænti:tə*] *n* Ameisenbär *m*.
antecedent [æntɪ'si:dənt] *n* Vorläufer *m*; (*of living creature*) Vorfahr *m*; **antecedents** *npl* Herkunft *f*.
antechamber ['æntɪtʃeɪmbə*] *n* Vorzimmer *nt*.
antelope ['æntɪləup] *n* Antilope *f*.
antenatal ['æntɪ'neɪtl] *adj* vor der Geburt, Schwangerschafts-.
antenatal clinic *n* Sprechstunde *f* für werdende Mütter.
antenna [æn'tɛnə] (*pl* **~e**) *n* (*of insect*) Fühler *m*; (*RADIO, TV*) Antenne *f*.
antennae [æn'tɛni:] *npl of* **antenna**.
anteroom ['æntɪrum] *n* Vorzimmer *nt*.
anthem ['ænθəm] *n*: **national ~** Nationalhymne *f*.
ant hill *n* Ameisenhaufen *m*.
anthology [æn'θɔlədʒɪ] *n* Anthologie *f*.
anthropologist [ænθrə'pɔlədʒɪst] *n* Anthropologe *m*, Anthropologin *f*.
anthropology [ænθrə'pɔlədʒɪ] *n* Anthropologie *f*.
anti... ['æntɪ] *pref* Anti-, anti-.
anti-aircraft ['æntɪ'ɛəkrɑ:ft] *adj* (*gun, rocket*) Flugabwehr-.
anti-aircraft defence *n* Luftverteidigung *f*.
antiballistic ['æntɪbə'lɪstɪk] *adj* (*missile*) Anti-Raketen-.
antibiotic ['æntɪbaɪ'ɔtɪk] *n* Antibiotikum *nt*.
antibody ['æntɪbɔdɪ] *n* Antikörper *m*.
anticipate [æn'tɪsɪpeɪt] *vt* erwarten; (*foresee*) vorhersehen; (*look forward to*) sich freuen auf +*acc*; (*forestall*) vorwegnehmen; **this is worse than I ~d** es ist schlimmer, als ich erwartet hatte; **as ~d** wie erwartet.
anticipation [æntɪsɪ'peɪʃən] *n* Erwartung *f*; (*eagerness*) Vorfreude *f*; **thanking you in ~** vielen Dank im voraus.
anticlimax ['æntɪ'klaɪmæks] *n* Enttäuschung *f*.
anticlockwise ['æntɪ'klɔkwaɪz] (*BRIT*) *adv* gegen den Uhrzeigersinn.
antics ['æntɪks] *npl* Mätzchen *pl*; (*of politicians etc*) Gehabe *nt*.
anticyclone ['æntɪ'saɪkləun] *n* Hoch(druckgebiet) *nt*.
antidote ['æntɪdəut] *n* Gegenmittel *nt*.
antifreeze ['æntɪfri:z] *n* Frostschutzmittel *nt*.
antihistamine ['æntɪ'hɪstəmɪn] *n* Antihistamin(ikum) *nt*.
Antilles [æn'tɪli:z] *npl*: **the ~** die Antillen *pl*.
antipathy [æn'tɪpəθɪ] *n* Antipathie *f*,

Abneigung *f*.
antiperspirant ['æntɪ'pəːspɪrənt] *n* Antitranspirant *nt*.
Antipodean [æntɪpə'diːən] *adj* antipodisch.
Antipodes [æn'tɪpədiːz] *npl*: **the** ~ Australien und Neuseeland *nt*.
antiquarian [æntɪ'kwɛərɪən] *n* (*collector*) Antiquitätensammler(in) *m(f)*; (*seller*) Antiquitätenhändler(in) *m(f)* ♦ *adj*: ~ **bookshop** Antiquariat *nt*.
antiquated ['æntɪkweɪtɪd] *adj* antiquiert.
antique [æn'tiːk] *n* Antiquität *f* ♦ *adj* antik.
antique dealer *n* Antiquitätenhändler(in) *m(f)*.
antique shop *n* Antiquitätenladen *m*.
antiquity [æn'tɪkwɪtɪ] *n* (*period*) Antike *f*; **antiquities** *npl* (*objects*) Altertümer *pl*.
anti-Semitic ['æntɪsɪ'mɪtɪk] *adj* antisemitisch.
anti-Semitism ['æntɪ'sɛmɪtɪzəm] *n* Antisemitismus *m*.
antiseptic [æntɪ'sɛptɪk] *n* Antiseptikum *nt* ♦ *adj* antiseptisch.
antisocial ['æntɪ'səuʃəl] *adj* unsozial; (*person*) ungesellig.
antitank ['æntɪ'tæŋk] *adj* (*gun, fire*) Panzerabwehr-.
antitheses [æn'tɪθɪsiːz] *npl of* **antithesis**.
antithesis [æn'tɪθɪsɪs] (*pl* **antitheses**) *n* Gegensatz *m*; **she's the** ~ **of a good cook** sie ist das genaue Gegenteil einer guten Köchin.
antitrust ['æntɪ'trʌst] (*US*) *adj*: ~ **legislation** Kartellgesetzgebung *f*.
antlers ['æntləz] *npl* Geweih *nt*.
Antwerp ['æntwəːp] *n* Antwerpen *nt*.
anus ['eɪnəs] *n* After *m*.
anvil ['ænvɪl] *n* Amboß *m*.
anxiety [æŋ'zaɪətɪ] *n* (*worry*) Sorge *f*; (*MED*) Angstzustand *m*; (*eagerness*): ~ **to do sth** Verlangen (danach), etw zu tun.
anxious ['æŋkʃəs] *adj* (*worried*) besorgt; (*situation*) angsteinflößend; (*question, moments*) bang(e); (*keen*): **to be** ~ **to do sth** etw unbedingt tun wollen; **I'm very** ~ **about you** ich mache mir große Sorgen um dich.
anxiously ['æŋkʃəslɪ] *adv* besorgt.

KEYWORD

any ['ɛnɪ] *adj* **1** (*in questions etc*): **have you** ~ **butter/children?** haben Sie Butter/Kinder?; **if there are** ~ **tickets left** falls noch Karten da sind
2 (*with negative*) kein(e); **I haven't** ~ **money/books** ich habe kein Geld/keine Bücher
3 (*no matter which*) irgendein(e); **choose** ~ **book you like** nehmen Sie irgendein Buch *or* ein beliebiges Buch
4 (*in phrases*): **in** ~ **case** in jedem Fall; ~ **day now** jeden Tag; **at** ~ **moment** jeden Moment; **at** ~ **rate** auf jeden Fall; ~ **time** (*at any moment*) jeden Moment; (*whenever*) jederzeit
♦ *pron* **1** (*in questions etc*) **have you got** ~**?** haben Sie welche?; **can** ~ **of you sing?** kann (irgend)einer von euch singen?
2 (*with negative*) **I haven't** ~ **(of them)** ich habe keine (davon)
3 (*no matter which one(s)*) egal welche; **take** ~ **of those books (you like)** nehmen Sie irgendwelche von diesen Büchern
♦ *adv* **1** (*in questions etc*): **do you want** ~ **more soup/sandwiches?** möchtest du noch Suppe/Butterbrote?; **are you feeling** ~ **better?** geht es Ihnen etwas besser?
2 (*with negative*): **I can't hear him** ~ **more** ich kann ihn nicht mehr hören; **don't wait** ~ **longer** warte nicht noch länger.

anybody ['ɛnɪbɔdɪ] *pron* = **anyone**.

KEYWORD

anyhow ['ɛnɪhau] *adv* **1** (*at any rate*) sowieso, ohnehin; **I shall go** ~ ich gehe auf jeden Fall
2 (*haphazard*): **do it** ~ **you like** machen Sie es, wie Sie wollen.

KEYWORD

anyone ['ɛnɪwʌn] *pron* **1** (*in questions etc*) (irgend) jemand; **can you see** ~**?** siehst du jemanden?
2 (*with negative*) keine(r); **I can't see** ~ ich kann keinen *or* niemanden sehen
3 (*no matter who*) jede(r); ~ **could do it** das kann jeder.

anyplace ['ɛnɪpleɪs] (*US*) *adv* = **anywhere**.

KEYWORD

anything ['ɛnɪθɪŋ] *pron* **1** (*in questions etc*) (irgend) etwas; **can you see** ~**?** kannst du etwas sehen?
2 (*with negative*) nichts; **I can't see** ~ ich kann nichts sehen
3 (*no matter what*) irgend etwas; **you can say** ~ **you like** du kannst sagen, was du willst; ~ **between 15 and 20 pounds** (ungefähr) zwischen 15 und 20 Pfund.

KEYWORD

anyway ['ɛnɪweɪ] *adv* **1** (*at any rate*) sowieso, ohnehin; **I shall go** ~ ich gehe auf jeden Fall
2 (*besides*): ~**, I can't come** jedenfalls kann ich nicht kommen; **why are you phoning,** ~**?** warum rufst du überhaupt *or* eigentlich an?

KEYWORD

anywhere ['ɛnɪwɛə*] *adv* **1** (*in questions etc*) irgendwo; **can you see him** ~**?** kannst du ihn irgendwo sehen?
2 (*with negative*) nirgendwo, nirgends; **I can't**

see him ~ ich kann ihn nirgendwo *or* nirgends sehen
3 (*no matter where*) irgendwo; **put the books down** ~ legen Sie die Bücher irgendwohin.

Anzac ['ænzæk] *n abbr* (= *Australia-New Zealand Army Corps*) (*soldier*) australischer/ neuseeländischer Soldat *m*.

Anzac Day, *der 25. April, ist in Australien und Neuseeland ein Feiertag zum Gedenken an die Landung der australischen und neuseeländischen Truppen in Gallipoli im ersten Weltkrieg (1915).*

apace [ə'peɪs] *adv*: **to continue** ~ (*negotiations, preparations etc*) rasch vorangehen.
apart [ə'pɑːt] *adv* (*be*) entfernt; (*move*) auseinander; (*aside*) beiseite; (*separately*) getrennt; **10 miles** ~ 10 Meilen voneinander entfernt; **a long way** ~ weit auseinander; **they are living** ~ sie leben getrennt; **with one's legs** ~ mit gespreizten Beinen; **to take** ~ auseinandernehmen; ~ **from** (*excepting*) abgesehen von; (*in addition*) außerdem.
apartheid [ə'pɑːteɪt] *n* Apartheid *f*.
apartment [ə'pɑːtmənt] *n* (*US: flat*) Wohnung *f*; (*room*) Raum *m*, Zimmer *nt*.
apartment building (*US*) *n* Wohnblock *m*.
apathetic [æpə'θɛtɪk] *adj* apathisch, teilnahmslos.
apathy ['æpəθɪ] *n* Apathie *f*, Teilnahmslosigkeit *f*.
APB (*US*) *n abbr* (= *all points bulletin*) *polizeiliche Fahndung.*
ape [eɪp] *n* (Menschen)affe *m* ♦ *vt* nachahmen.
Apennines ['æpənaɪnz] *npl*: **the** ~ die Apenninen *pl*, der Appenin.
apéritif *n* Aperitif *m*.
aperture ['æpətʃjuə*] *n* Öffnung *f*; (*PHOT*) Blende *f*.
APEX ['eɪpɛks] *n abbr* (*AVIAT, RAIL*: = *advance purchase excursion*) APEX.
apex ['eɪpɛks] *n* Spitze *f*.
aphid ['æfɪd] *n* Blattlaus *f*.
aphorism ['æfərɪzəm] *n* Aphorismus *m*.
aphrodisiac [æfrəu'dɪzɪæk] *adj* aphrodisisch ♦ *n* Aphrodisiakum *nt*.
API *n abbr* (= *American Press Institute*) *amerikanischer Presseverband.*
apiece [ə'piːs] *adv* (*each person*) pro Person; (*each thing*) pro Stück.
aplomb [ə'plɔm] *n* Gelassenheit *f*.
APO (*US*) *n abbr* (= *Army Post Office*) *Poststelle der Armee.*
apocalypse [ə'pɔkəlɪps] *n* Apokalypse *f*.
apolitical [eɪpə'lɪtɪkl] *adj* apolitisch.
apologetic [əpɔlə'dʒɛtɪk] *adj* entschuldigend; **to be very** ~ **(about sth)** sich (wegen etw *gen*) sehr entschuldigen.
apologize [ə'pɔlədʒaɪz] *vi*: **to** ~ **(for sth to sb)** sich (für etw bei jdm) entschuldigen.
apology [ə'pɔlədʒɪ] *n* Entschuldigung *f*; **to send one's apologies** sich entschuldigen lassen; **please accept my apologies** ich bitte um Verzeihung.
apoplectic [æpə'plɛktɪk] *adj* (*MED*) apoplektisch; (*fig*): **to be** ~ **with rage** vor Wut fast platzen.
apoplexy ['æpəplɛksɪ] *n* Schlaganfall *m*.
apostle [ə'pɔsl] *n* Apostel *m*.
apostrophe [ə'pɔstrəfɪ] *n* Apostroph *m*, Auslassungszeichen *nt*.
apotheosis [əpɔθɪ'əusɪs] *n* Apotheose *f*.
appal [ə'pɔːl] *vt* entsetzen; **to be** ~**led by** entsetzt sein über *+acc*.
Appalachian Mountains [æpə'leɪʃən-] *npl*: **the** ~ die Appalachen *pl*.
appalling [ə'pɔːlɪŋ] *adj* entsetzlich; **she's an** ~ **cook** sie kann überhaupt nicht kochen.
apparatus [æpə'reɪtəs] *n* Gerät *nt*; (*in gymnasium*) Geräte *pl*; (*of organization*) Apparat *m*; **a piece of** ~ ein Gerät *nt*.
apparel [ə'pærəl] (*US*) *n* Kleidung *f*.
apparent [ə'pærənt] *adj* (*seeming*) scheinbar; (*obvious*) offensichtlich; **it is** ~ **that** ... es ist klar, daß ...
apparently [ə'pærəntlɪ] *adv* anscheinend.
apparition [æpə'rɪʃən] *n* Erscheinung *f*.
appeal [ə'piːl] *vi* (*LAW*) Berufung einlegen ♦ *n* (*LAW*) Berufung *f*; (*plea*) Aufruf *m*; (*charm*) Reiz *m*; **to** ~ **(to sb) for** (jdn) bitten um; **to** ~ **to** (*be attractive to*) gefallen *+dat*; **it doesn't** ~ **to me** es reizt mich nicht; **right of** ~ (*LAW*) Berufungsrecht *nt*; **on** ~ (*LAW*) in der Berufung.
appealing [ə'piːlɪŋ] *adj* ansprechend; (*touching*) rührend.
appear [ə'pɪə*] *vi* erscheinen; (*seem*) scheinen; **to** ~ **on TV/in "Hamlet"** im Fernsehen/in „Hamlet" auftreten; **it would** ~ **that** ... anscheinend ...
appearance [ə'pɪərəns] *n* Erscheinen *nt*; (*look*) Aussehen *nt*; (*in public, on TV*) Auftritt *m*; **to put in** *or* **make an** ~ sich sehen lassen; **in** *or* **by order of** ~ (*THEAT etc*) in der Reihenfolge ihres Auftritts; **to keep up** ~**s** den (äußeren) Schein wahren; **to all** ~**s** allem Anschein nach.
appease [ə'piːz] *vt* beschwichtigen.
appeasement [ə'piːzmənt] *n* Beschwichtigung *f*.
append [ə'pɛnd] *vt* (*COMPUT*) anhängen.
appendage [ə'pɛndɪdʒ] *n* Anhängsel *nt*.
appendices [ə'pɛndɪsiːz] *npl of* **appendix**.
appendicitis [əpɛndɪ'saɪtɪs] *n* Blinddarmentzündung *f*.
appendix [ə'pɛndɪks] (*pl* **appendices**) *n* (*ANAT*) Blinddarm *m*; (*to publication*) Anhang *m*; **to have one's** ~ **out** sich *dat* den Blinddarm herausnehmen lassen.
appetite ['æpɪtaɪt] *n* Appetit *m*; (*fig*) Lust *f*; **that walk has given me an** ~ von dem

Spaziergang habe ich Appetit bekommen.
appetizer ['æpɪtaɪzə*] *n* (*food*) Appetithappen *m*; (*drink*) appetitanregendes Getränk *nt*.
appetizing ['æpɪtaɪzɪŋ] *adj* appetitanregend.
applaud [ə'plɔːd] *vi* applaudieren, klatschen ♦ *vt* (*actor etc*) applaudieren *+dat*, Beifall spenden *or* klatschen *+dat*; (*action, attitude*) loben; (*decision*) begrüßen.
applause [ə'plɔːz] *n* Applaus *m*, Beifall *m*.
apple ['æpl] *n* Apfel *m*; **he's the ~ of her eye** er ist ihr ein und alles.
apple tree *n* Apfelbaum *m*.
apple turnover *n* Apfeltasche *f*.
appliance [ə'plaɪəns] *n* Gerät *nt*.
applicable [ə'plɪkəbl] *adj*: ~ **(to)** anwendbar (auf *+acc*); (*on official forms*) zutreffend (auf *+acc*); **the law is ~ from January** das Gesetz gilt ab Januar.
applicant ['æplɪkənt] *n* Bewerber(in) *m(f)*.
application [æplɪ'keɪʃən] *n* (*for job*) Bewerbung *f*; (*for grant etc*) Antrag *m*; (*hard work*) Fleiß *m*; (*applying: of paint etc*) Auftragen *nt*; **on ~** auf Antrag.
application form *n* (*for a job*) Bewerbungsformular *nt*; (*for a grant etc*) Antragsformular *nt*.
application program *n* (*COMPUT*) Anwendungsprogramm *nt*.
applications package *n* (*COMPUT*) Anwendungspaket *nt*.
applied [ə'plaɪd] *adj* angewandt.
apply [ə'plaɪ] *vt* anwenden; (*paint etc*) auftragen ♦ *vi*: **to ~ (to)** (*be applicable*) gelten (für); **to ~ the brakes** die Bremse betätigen, bremsen; **to ~ o.s. to sth** sich bei etw anstrengen; **to ~ to** (*ask*) sich wenden an *+acc*; **to ~ for** (*permit, grant*) beantragen; (*job*) sich bewerben um.
appoint [ə'pɔɪnt] *vt* ernennen; (*date, place*) festlegen, festsetzen.
appointed [ə'pɔɪntɪd] *adj*: **at the ~ time** zur festgesetzten Zeit.
appointee [əpɔɪn'tiː] *n* Ernannte(r) *f(m)*.
appointment [ə'pɔɪntmənt] *n* Ernennung *f*; (*post*) Stelle *f*; (*arranged meeting*) Termin *m*; **to make an ~ (with sb)** einen Termin (mit jdm) vereinbaren; **by ~** nach Anmeldung, mit Voranmeldung.
apportion [ə'pɔːʃən] *vt* aufteilen; (*blame*) zuweisen; **to ~ sth to sb** jdm etw zuteilen.
apposition [æpə'zɪʃən] *n* Apposition *f*, Beifügung *f*; **A is in ~ to B** A ist eine Apposition zu B.
appraisal [ə'preɪzl] *n* Beurteilung *f*.
appraise [ə'preɪz] *vt* beurteilen.
appreciable [ə'priːʃəbl] *adj* merklich, deutlich.
appreciably [ə'priːʃəblɪ] *adv* merklich.
appreciate [ə'priːʃɪeɪt] *vt* (*like*) schätzen; (*be grateful for*) zu schätzen wissen; (*understand*) verstehen; (*be aware of*) sich *dat* bewußt sein *+gen* ♦ *vi* (*COMM: currency, shares*) im Wert steigen; **I ~ your help** ich weiß Ihre Hilfe zu schätzen.
appreciation [əpriːʃɪ'eɪʃən] *n* (*enjoyment*) Wertschätzung *f*; (*understanding*) Verständnis *nt*; (*gratitude*) Dankbarkeit *f*; (*COMM: in value*) (Wert)steigerung *f*.
appreciative [ə'priːʃɪətɪv] *adj* dankbar; (*comment*) anerkennend.
apprehend [æprɪ'hɛnd] *vt* (*arrest*) festnehmen; (*understand*) verstehen.
apprehension [æprɪ'hɛnʃən] *n* (*fear*) Besorgnis *f*; (*arrest*) Festnahme *f*.
apprehensive [æprɪ'hɛnsɪv] *adj* ängstlich; **to be ~ about sth** sich *dat* Gedanken *or* Sorgen um etw machen.
apprentice [ə'prɛntɪs] *n* Lehrling *m*, Auszubildende(r) *f(m)* ♦ *vt*: **to be ~d to sb** bei jdm in der Lehre sein.
apprenticeship [ə'prɛntɪsʃɪp] *n* Lehre *f*, Lehrzeit *f*; **to serve one's ~** seine Lehre machen.
appro. ['æprəu] (*BRIT: inf*) *abbr* (*COMM:* = *approval*): **on ~** zur Ansicht.
approach [ə'prəutʃ] *vi* sich nähern; (*event*) nahen ♦ *vt* (*come to*) sich nähern *+dat*; (*ask, apply to: person*) herantreten an *+acc*, ansprechen; (*situation, problem*) herangehen an *+acc*, angehen ♦ *n* (*advance*) (Heran)nahen *nt*; (*access*) Zugang *m*; (: *for vehicles*) Zufahrt *f*; (*to problem etc*) Ansatz *m*; **to ~ sb about sth** jdn wegen etw ansprechen.
approachable [ə'prəutʃəbl] *adj* (*person*) umgänglich; (*place*) zugänglich.
approach road *n* Zufahrtsstraße *f*.
approbation [æprə'beɪʃən] *n* Zustimmung *f*.
appropriate [*adj* ə'prəuprɪɪt, *vt* ə'prəuprɪeɪt] *adj* (*apt*) angebracht; (*relevant*) entsprechend ♦ *vt* sich *dat* aneignen; **it would not be ~ for me to comment** es wäre nicht angebracht, wenn ich mich dazu äußern würde.
appropriately [ə'prəuprɪɪtlɪ] *adv* entsprechend.
appropriation [əprəuprɪ'eɪʃən] *n* Zuteilung *f*, Zuweisung *f*.
approval [ə'pruːvəl] *n* (*approbation*) Zustimmung *f*, Billigung *f*; (*permission*) Einverständnis *f*; **to meet with sb's ~** jds Zustimmung *or* Beifall finden; **on ~** (*COMM*) zur Probe.
approve [ə'pruːv] *vt* billigen; (*motion, decision*) annehmen.
►**approve of** *vt fus* etwas halten von; **I don't ~ of it/him** ich halte nichts davon/von ihm.
approved school [ə'pruːvd-] (*BRIT*) *n* Erziehungsheim *nt*.
approvingly [ə'pruːvɪŋlɪ] *adv* zustimmend.
approx. *abbr* = **approximately**.
approximate [*adj* ə'prɔksɪmɪt, *vb* ə'prɔksɪmeɪt] *adj* ungefähr ♦ *vt, vi*: **to ~ (to)** nahekommen *+dat*.
approximately [ə'prɔksɪmɪtlɪ] *adv* ungefähr.
approximation [əprɔksɪ'meɪʃən] *n*

Annäherung *f*.
APR *n abbr* (= *annual(ized) percentage rate*) Jahreszinssatz *m*.
Apr. *abbr* = **April.**
apricot ['eɪprɪkɔt] *n* Aprikose *f*.
April ['eɪprəl] *n* April *m*; ~ **fool!** April, April!; *see also* **July**.
apron ['eɪprən] *n* Schürze *f*; (*AVIAT*) Vorfeld *nt*.
apse [æps] *n* Apsis *f*.
APT (*BRIT*) *n abbr* (= *Advanced Passenger Train*) Hochgeschwindigkeitszug *m*.
Apt. *abbr* = **apartment.**
apt [æpt] *adj* (*suitable*) passend, treffend; (*likely*): **to be ~ to do sth** dazu neigen, etw zu tun.
aptitude ['æptɪtjuːd] *n* Begabung *f*.
aptitude test *n* Eignungstest *m*.
aptly ['æptlɪ] *adv* passend, treffend.
aqualung ['ækwəlʌŋ] *n* Tauchgerät *nt*.
aquarium [ə'kwɛərɪəm] *n* Aquarium *nt*.
Aquarius [ə'kwɛərɪəs] *n* Wassermann *m*; **to be ~** (ein) Wassermann sein.
aquatic [ə'kwætɪk] *adj* (*plants etc*) Wasser-; (*life*) im Wasser.
aqueduct ['ækwɪdʌkt] *n* Aquädukt *m or nt*.
AR (*US*) *abbr* (*POST:* = *Arkansas*).
ARA (*BRIT*) *n abbr* (= *Associate of the Royal Academy*) *Qualifikationsnachweis im künstlerischen Bereich*.
Arab ['ærəb] *adj* arabisch ♦ *n* Araber(in) *m(f)*.
Arabia [ə'reɪbɪə] *n* Arabien *nt*.
Arabian [ə'reɪbɪən] *adj* arabisch.
Arabian Desert *n*: **the ~** die Arabische Wüste.
Arabian Sea *n*: **the ~** das Arabische Meer.
Arabic ['ærəbɪk] *adj* arabisch ♦ *n* (*LING*) Arabisch *nt*.
arable ['ærəbl] *adj* (*land*) bebaubar; ~ **farm** *Bauernhof, der ausschließlich Ackerbau betreibt*.
ARAM (*BRIT*) *n abbr* (= *Associate of the Royal Academy of Music*) *Qualifikationsnachweis in Musik*.
arbiter ['ɑːbɪtə*] *n* Vermittler *m*.
arbitrary ['ɑːbɪtrərɪ] *adj* willkürlich.
arbitrate ['ɑːbɪtreɪt] *vi* vermitteln.
arbitration [ɑːbɪ'treɪʃən] *n* Schlichtung *f*; **the dispute went to ~** der Streit wurde vor eine Schlichtungskommission gebracht.
arbitrator ['ɑːbɪtreɪtə*] *n* Vermittler(in) *m(f)*; (*INDUSTRY*) Schlichter(in) *m(f)*.
ARC *n abbr* (= *American Red Cross*) ≈ DRK *nt*.
arc [ɑːk] *n* Bogen *m*.
arcade [ɑː'keɪd] *n* Arkade *f*; (*shopping mall*) Passage *f*.
arch [ɑːtʃ] *n* Bogen *m*; (*of foot*) Gewölbe *nt* ♦ *vt* (*back*) krümmen ♦ *adj* schelmisch ♦ *pref* Erz-.
archaeological [ɑːkɪə'lɔdʒɪkl] *adj* archäologisch.
archaeologist [ɑːkɪ'ɔlədʒɪst] *n* Archäologe *m*, Archäologin *f*.
archaeology, (*US*) **archeology** [ɑːkɪ'ɔlədʒɪ] *n* Archäologie *f*.
archaic [ɑː'keɪɪk] *adj* altertümlich; (*language*) veraltet, archaisch.
archangel ['ɑːkeɪndʒəl] *n* Erzengel *m*.
archbishop [ɑːtʃ'bɪʃəp] *n* Erzbischof *m*.
archenemy ['ɑːtʃ'ɛnəmɪ] *n* Erzfeind(in) *m(f)*.
archeology *etc* [ɑːkɪ'ɔlədʒɪ] (*US*) = **archaeology** *etc*.
archery ['ɑːtʃərɪ] *n* Bogenschießen *nt*.
archetypal ['ɑːkɪtaɪpəl] *adj* (arche)typisch.
archetype ['ɑːkɪtaɪp] *n* Urbild *nt*, Urtyp *m*.
archipelago [ɑːkɪ'pɛlɪgəu] *n* Archipel *m*.
architect ['ɑːkɪtɛkt] *n* Architekt(in) *m(f)*.
architectural [ɑːkɪ'tɛktʃərəl] *adj* architektonisch.
architecture ['ɑːkɪtɛktʃə*] *n* Architektur *f*.
archive file *n* (*COMPUT*) Archivdatei *f*.
archives ['ɑːkaɪvz] *npl* Archiv *nt*.
archivist ['ɑːkɪvɪst] *n* Archivar(in) *m(f)*.
archway ['ɑːtʃweɪ] *n* Torbogen *m*.
ARCM (*BRIT*) *n abbr* (= *Associate of the Royal College of Music*) *Qualifikationsnachweis in Musik*.
Arctic ['ɑːktɪk] *adj* arktisch ♦ *n*: **the ~** die Arktis.
Arctic Circle *n*: **the ~** der nördliche Polarkreis.
Arctic Ocean *n*: **the ~** das Nordpolarmeer.
ARD (*US*) *n abbr* (*MED:* = *acute respiratory disease*) *akute Erkrankung der Atemwege*.
ardent ['ɑːdənt] *adj* leidenschaftlich; (*admirer*) glühend.
ardour, (*US*) **ardor** ['ɑːdə*] *n* Leidenschaft *f*.
arduous ['ɑːdjuəs] *adj* mühsam.
are [ɑː*] *vb see* **be**.
area ['ɛərɪə] *n* Gebiet *nt*; (*GEOM etc*) Fläche *f*; (*dining area etc*) Bereich *m*; **in the London ~** im Raum London.
area code (*US*) *n* Vorwahl(nummer) *f*.
arena [ə'riːnə] *n* Arena *f*.
aren't [ɑːnt] = **are not.**
Argentina [ɑːdʒən'tiːnə] *n* Argentinien *nt*.
Argentinian [ɑːdʒən'tɪnɪən] *adj* argentinisch ♦ *n* Argentinier(in) *m(f)*.
arguable ['ɑːgjuəbl] *adj*: **it is ~ whether ...** es ist (noch) die Frage, ob ...; **it is ~ that ...** man kann (wohl) sagen, daß ...
arguably ['ɑːgjuəblɪ] *adv* wohl; **it is ~ ...** es dürfte wohl ... sein.
argue ['ɑːgjuː] *vi* (*quarrel*) sich streiten; (*reason*) diskutieren ♦ *vt* (*debate*) diskutieren, erörtern; **to ~ that ...** den Standpunkt vertreten, daß ...; **to ~ about sth** sich über etw *acc* streiten; **to ~ for/against sth** sich für/gegen etw aussprechen.
argument ['ɑːgjumənt] *n* (*reasons*) Argument *nt*; (*quarrel*) Streit *m*, Auseinandersetzung *f*; (*debate*) Diskussion *f*; ~ **for/against** Argument für/gegen; **to have an ~** sich streiten.
argumentative [ɑːgju'mɛntətɪv] *adj*

streitlustig.
aria ['ɑːrɪə] *n* Arie *f*.
ARIBA [[ə'riːbə]] (*BRIT*) *n abbr* (= *Associate of the Royal Institute of British Architects*) *Qualifikationsnachweis in Architektur*.
arid ['ærɪd] *adj* (*land*) dürr; (*subject*) trocken.
aridity [ə'rɪdɪtɪ] *n* Dürre *f*, Trockenheit *f*.
Aries ['ɛərɪz] *n* Widder *m*; **to be** ~ (ein) Widder sein.
arise [ə'raɪz] (*pt* **arose**, *pp* **arisen**) *vi* (*difficulty etc*) sich ergeben; (*question*) sich stellen; **to** ~ **from** sich ergeben aus, herrühren von; **should the need** ~ falls es nötig wird.
arisen [ə'rɪzn] *pp of* **arise**.
aristocracy [ærɪs'tɔkrəsɪ] *n* Aristokratie *f*, Adel *m*.
aristocrat ['ærɪstəkræt] *n* Aristokrat(in) *m(f)*, Ad(e)lige(r) *f(m)*.
aristocratic [ærɪstə'krætɪk] *n* aristokratisch, ad(e)lig.
arithmetic [ə'rɪθmətɪk] *n* Rechnen *nt*; (*calculation*) Rechnung *f*.
arithmetical [ærɪθ'mɛtɪkl] *adj* rechnerisch, arithmetisch.
Ariz. (*US*) *abbr* (*POST*: = *Arizona*).
ark [ɑːk] *n*: **Noah's A**~ die Arche Noah.
arm [ɑːm] *n* Arm *m*; (*of clothing*) Ärmel *m*; (*of chair*) Armlehne *f*; (*of organization etc*) Zweig *m* ♦ *vt* bewaffnen; **arms** *npl* (*weapons*) Waffen *pl*; (*HERALDRY*) Wappen *nt*.
armaments ['ɑːməmənts] *npl* (*weapons*) (Aus)rüstung *f*.
armband ['ɑːmbænd] *n* Armbinde *f*.
armchair ['ɑːmtʃɛə*] *n* Sessel *m*, Lehnstuhl *m*.
armed [ɑːmd] *adj* bewaffnet; **the** ~ **forces** die Streitkräfte *pl*.
armed robbery *n* bewaffneter Raubüberfall *m*.
Armenia [ɑː'miːnɪə] *n* Armenien *nt*.
Armenian [ɑː'miːnɪən] *adj* armenisch ♦ *n* Armenier(in) *m(f)*; (*LING*) Armenisch *nt*.
armful ['ɑːmful] *n* Armvoll *m*.
armistice ['ɑːmɪstɪs] *n* Waffenstillstand *m*.
armour, (*US*) **armor** ['ɑːmə*] *n* (*HIST*) Rüstung *f*; (*also*: ~**-plating**) Panzerplatte *f*; (*MIL: tanks*) Panzerfahrzeuge *pl*.
armoured car ['ɑːməd-] *n* Panzerwagen *m*.
armoury ['ɑːmərɪ] *n* (*storeroom*) Waffenlager *nt*.
armpit ['ɑːmpɪt] *n* Achselhöhle *f*.
armrest ['ɑːmrɛst] *n* Armlehne *f*.
arms control [ɑːmz-] *n* Rüstungskontrolle *f*.
arms race [ɑːmz-] *n*: **the** ~ das Wettrüsten.
army ['ɑːmɪ] *n* Armee *f*, Heer *nt*; (*fig: host*) Heer.
aroma [ə'rəumə] *n* Aroma *nt*, Duft *m*.
aromatherapy [ərəumə'θɛrəpɪ] *n* Aromatherapie *f*.
aromatic [ærə'mætɪk] *adj* aromatisch, duftend.
arose [ə'rəuz] *pt of* **arise**.
around [ə'raund] *adv* (*about*) herum; (*in the area*) in der Nähe ♦ *prep* (*encircling*) um ... herum; (*near*) in der Nähe von; (*fig: about: dimensions*) etwa; (: : *time*) gegen; (: : *date*) um; **is he** ~**?** ist er da?; ~ **£5** um die £5, etwa £5; ~ **3 o'clock** gegen 3 Uhr.
arousal [ə'rauzəl] *n* (*sexual*) Erregung *f*; (*of feelings, interest*) Weckung *f*.
arouse [ə'rauz] *vt* (*feelings, interest*) wecken.
arpeggio [ɑː'pɛdʒɪəu] *n* Arpeggio *nt*.
arrange [ə'reɪndʒ] *vt* (*meeting etc*) vereinbaren; (*tour etc*) planen; (*books etc*) anordnen; (*flowers*) arrangieren; (*MUS*) arrangieren, bearbeiten ♦ *vi*: **we have** ~**d for a car to pick you up** wir haben veranlaßt, daß Sie mit dem Auto abgeholt werden; **it was** ~**d that** ... es wurde vereinbart, daß ...; **to** ~ **to do sth** vereinbaren *or* ausmachen, etw zu tun.
arrangement [ə'reɪndʒmənt] *n* (*agreement*) Vereinbarung *f*; (*layout*) Anordnung *f*; (*MUS*) Arrangement *nt*, Bearbeitung *f*; **arrangements** *npl* Pläne *pl*; (*preparations*) Vorbereitungen *pl*; **to come to an** ~ **with sb** eine Regelung mit jdm treffen; **home deliveries by** ~ nach Vereinbarung Lieferung ins Haus; **I'll make** ~**s for you to be met** ich werde veranlassen, daß Sie abgeholt werden.
arrant ['ærənt] *adj* (*coward, fool etc*) Erz-; (*nonsense*) total.
array [ə'reɪ] *n*: **an** ~ **of** (*things*) eine Reihe von; (*people*) Aufgebot an *+dat*; (*MATH, COMPUT*) (Daten)feld *nt*.
arrears [ə'rɪəz] *npl* Rückstand *m*; **to be in** ~ **with one's rent** mit seiner Miete im Rückstand sein.
arrest [ə'rɛst] *vt* (*person*) verhaften; (*sb's attention*) erregen ♦ *n* Verhaftung *f*; **under** ~ verhaftet.
arresting [ə'rɛstɪŋ] *adj* (*fig*) atemberaubend.
arrival [ə'raɪvl] *n* Ankunft *f*; (*COMM: of goods*) Sendung *f*; **new** ~ (*person*) Neuankömmling *m*; (*baby*) Neugeborene(s) *nt*.
arrive [ə'raɪv] *vi* ankommen.
▸**arrive at** *vt fus* (*fig: conclusion*) kommen zu; (: *situation*) es bringen zu.
arrogance ['ærəgəns] *n* Arroganz *f*, Überheblichkeit *f*.
arrogant ['ærəgənt] *adj* arrogant, überheblich.
arrow ['ærəu] *n* Pfeil *m*.
arse [ɑːs] (*BRIT: inf!*) *n* Arsch *m* (*!*).
arsenal ['ɑːsɪnl] *n* Waffenlager *nt*; (*stockpile*) Arsenal *nt*.
arsenic ['ɑːsnɪk] *n* Arsen *nt*.
arson ['ɑːsn] *n* Brandstiftung *f*.
art [ɑːt] *n* Kunst *f*; **Arts** *npl* (*SCOL*) Geisteswissenschaften *pl*; **work of** ~ Kunstwerk *nt*.
artefact ['ɑːtɪfækt] *n* Artefakt *nt*.
arterial [ɑː'tɪərɪəl] *adj* arteriell; ~ **road** Fernverkehrsstraße *f*; ~ **line** (*RAIL*) Hauptstrecke *f*.

artery ['ɑːtərɪ] *n* Arterie *f*, Schlagader *f*; (*fig*) Verkehrsader *f*.
artful ['ɑːtful] *adj* raffiniert.
art gallery *n* Kunstgalerie *f*.
arthritic [ɑː'θrɪtɪk] *adj* arthritisch.
arthritis [ɑː'θraɪtɪs] *n* Arthritis *f*.
artichoke ['ɑːtɪtʃəuk] *n* (*also*: **globe** ~) Artischocke *f*; (*also*: **Jerusalem** ~) Topinambur *m*.
article ['ɑːtɪkl] *n* Artikel *m*; (*object, item*) Gegenstand *m*; **articles** (*BRIT*) *npl* (*LAW*) (Rechts)referendarzeit *f*; ~ **of clothing** Kleidungsstück *nt*.
articles of association *npl* (*COMM*) Gesellschaftsvertrag *m*.
articulate [*adj* ɑː'tɪkjulɪt, *vt, vi* ɑː'tɪkjuleɪt] *adj* (*speech, writing*) klar; (*speaker*) redegewandt ♦ *vt* darlegen ♦ *vi* artikulieren; **to be** ~ (*person*) sich gut ausdrücken können.
articulated lorry (*BRIT*) *n* Sattelschlepper *m*.
artifice ['ɑːtɪfɪs] *n* List *f*.
artificial [ɑːtɪ'fɪʃəl] *adj* künstlich; (*manner*) gekünstelt; **to be** ~ (*person*) gekünstelt *or* unnatürlich wirken.
artificial insemination [-ɪnsɛmɪ'neɪʃən] *n* künstliche Besamung *f*.
artificial intelligence *n* künstliche Intelligenz *f*.
artificial respiration *n* künstliche Beatmung *f*.
artillery [ɑː'tɪlərɪ] *n* Artillerie *f*.
artisan ['ɑːtɪzæn] *n* Handwerker *m*.
artist ['ɑːtɪst] *n* Künstler(in) *m(f)*.
artistic [ɑː'tɪstɪk] *adj* künstlerisch.
artistry ['ɑːtɪstrɪ] *n* künstlerisches Geschick *nt*.
artless ['ɑːtlɪs] *adj* arglos.
art school *n* Kunstakademie *f*, Kunsthochschule *f*.
artwork ['ɑːtwəːk] *n* (*for advert etc, material for printing*) Druckvorlage *f*; (*in book*) Bildmaterial *nt*.
ARV *n abbr* (*BIBLE*: = *American Revised Version*) *amerikanische revidierte Bibelübersetzung*.
AS (*US*) *n abbr* (= *Associate in/of Science*) *akademischer Grad in Naturwissenschaften* ♦ *abbr* (*POST*: = *American Samoa*).

KEYWORD

as [æz] *conj* **1** (*referring to time*) als; ~ **the years went by** mit den Jahren; **he came in** ~ **I was leaving** als er hereinkam, ging ich gerade; ~ **from tomorrow** ab morgen
2 (*in comparisons*): ~ **big** ~ so groß wie; **twice** ~ **big** ~ zweimal so groß wie; ~ **much/many** ~ soviel/so viele wie; ~ **soon** ~ sobald; **much** ~ **I admire her** ... so sehr ich sie auch bewundere ...
3 (*since, because*) da, weil; ~ **you can't come I'll go without you** da du nicht mitkommen kannst, gehe ich ohne dich
4 (*referring to manner, way*) wie; **do** ~ **you wish** mach, was du willst; ~ **she said** wie sie sagte; **he gave it to me** ~ **a present** er gab es mir als Geschenk; ~ **it were** sozusagen
5 (*in the capacity of*) als; **he works** ~ **a driver** er arbeitet als Fahrer
6 (*concerning*): ~ **for** *or* **to that** was das betrifft *or* angeht
7: ~ **if** *or* **though** als ob; *see also* **long, such, well.**

ASA *n abbr* (= *American Standards Association*) *amerikanischer Normenausschuß*.
a.s.a.p. *adv abbr* (= *as soon as possible*) baldmöglichst.
asbestos [æz'bɛstəs] *n* Asbest *m*.
ascend [ə'sɛnd] *vt* hinaufsteigen; (*throne*) besteigen.
ascendancy [ə'sɛndənsɪ] *n* Vormachtstellung *f*; ~ **over sb** Vorherrschaft über jdn.
ascendant [ə'sɛndənt] *n*: **to be in the** ~ im Aufstieg begriffen sein.
ascension [ə'sɛnʃən] *n*: **the A~** (*REL*) die Himmelfahrt *f* (Christi).
Ascension Island *n* Ascension *nt*.
ascent [ə'sɛnt] *n* Aufstieg *m*.
ascertain [æsə'teɪn] *vt* feststellen.
ascetic [ə'sɛtɪk] *adj* asketisch.
asceticism [ə'sɛtɪsɪzəm] *n* Askese *f*.
ASCII ['æskiː] *n abbr* (*COMPUT*: = *American Standard Code for Information Interchange*) ASCII.
ascribe [ə'skraɪb] *vt*: **to** ~ **sth to** etw zuschreiben *+dat*; (*cause*) etw zurückführen auf *+acc*.
ASCU (*US*) *n abbr* (= *Association of State Colleges and Universities*) *Verband staatlicher Bildungseinrichtungen*.
ASEAN ['æsɪæn] *n abbr* (= *Association of Southeast Asian Nations*) ASEAN *f* (*Gemeinschaft südostasiatischer Staaten*).
ASH [æʃ] (*BRIT*) *n abbr* (= *Action on Smoking and Health*) *Anti-Raucher-Initiative*.
ash [æʃ] *n* Asche *f*; (*wood, tree*) Esche *f*.
ashamed [ə'ʃeɪmd] *adj* beschämt; **to be** ~ **of** sich schämen für; **to be** ~ **of o.s. for having done sth** sich schämen, daß man etw getan hat.
A shares *npl* stimmrechtslose Aktien *pl*.
ashen ['æʃən] *adj* (*face*) aschfahl.
ashore [ə'ʃɔː*] *adv* an Land.
ashtray ['æʃtreɪ] *n* Aschenbecher *m*.
Ash Wednesday *n* Aschermittwoch *m*.
Asia ['eɪʃə] *n* Asien *nt*.
Asia Minor *n* Kleinasien *nt*.
Asian ['eɪʃən] *adj* asiatisch ♦ *n* Asiat(in) *m(f)*.
Asiatic [eɪsɪ'ætɪk] *adj* asiatisch.
aside [ə'saɪd] *adv* zur Seite; (*take*) beiseite ♦ *n* beiseite gesprochene Worte *pl*; **to brush objections** ~ Einwände beiseite schieben.
aside from *prep* außer *+dat*.

ask [ɑːsk] *vt* fragen; (*invite*) einladen; **to ~ sb to do sth** jdn bitten, etw zu tun; **to ~ (sb) sth** (jdn) etw fragen; **to ~ sb a question** jdm eine Frage stellen; **to ~ sb the time** jdn nach der Uhrzeit fragen; **to ~ sb about sth** jdn nach etw fragen; **to ~ sb out to dinner** jdn zum Essen einladen.
►ask after *vt fus* fragen nach.
►ask for *vt fus* bitten um; (*trouble*) haben wollen; **it's just ~ing for trouble/it** das kann ja nicht gutgehen.
askance [ə'skɑːns] *adv*: **to look ~ at sb** jdn mißtrauisch ansehen; **to look ~ at sth** etw mit Mißtrauen betrachten.
askew [ə'skjuː] *adv* schief.
asking price ['ɑːskɪŋ-] *n*: **the ~** der geforderte Preis.
asleep [ə'sliːp] *adj* schlafend; **to be ~** schlafen; **to fall ~** einschlafen.
ASLEF ['æzlɛf] (*BRIT*) *n abbr* (= *Associated Society of Locomotive Engineers and Firemen*) *Eisenbahnergewerkschaft*.
asp [æsp] *n* Natter *f*.
asparagus [əs'pærəgəs] *n* Spargel *m*.
asparagus tips *npl* Spargelspitzen *pl*.
ASPCA *n abbr* (= *American Society for the Prevention of Cruelty to Animals*) *Tierschutzverein*.
aspect ['æspɛkt] *n* (*of subject*) Aspekt *m*; (*of building etc*) Lage *f*; (*quality, air*) Erscheinung *f*; **to have a south-westerly ~** nach Südwesten liegen.
aspersions [əs'pəːʃənz] *npl*: **to cast ~ on** sich abfällig äußern über *+acc*.
asphalt ['æsfælt] *n* Asphalt *m*.
asphyxiate [æs'fɪksɪeɪt] *vt* ersticken.
asphyxiation [æsfɪksɪ'eɪʃən] *n* Erstickung *f*.
aspirate ['æspəreɪt] *vt* aspirieren, behauchen.
aspirations [æspə'reɪʃənz] *npl* Hoffnungen *pl*; **to have ~ to(wards) sth** etw anstreben.
aspire [əs'paɪə*] *vi*: **to ~ to** streben nach.
aspirin ['æsprɪn] *n* Kopfschmerztablette *f*, Aspirin ® *nt*.
aspiring [əs'paɪərɪŋ] *adj* aufstrebend.
ass [æs] *n* (*also fig*) Esel *m*; (*US: inf!*) Arsch! *m*.
assail [ə'seɪl] *vt* angreifen; (*fig*): **to be ~ed by doubts** von Zweifeln geplagt werden.
assailant [ə'seɪlənt] *n* Angreifer(in) *m(f)*.
assassin [ə'sæsɪn] *n* Attentäter(in) *m(f)*.
assassinate [ə'sæsɪneɪt] *vt* ermorden, ein Attentat verüben auf *+acc*.
assassination [əsæsɪ'neɪʃən] *n* Ermordung *f*, (geglücktes) Attentat *nt*.
assault [ə'sɔːlt] *n* Angriff *m* ♦ *vt* angreifen; (*sexually*) vergewaltigen; **~ and battery** (*LAW*) Körperverletzung *f*.
assemble [ə'sɛmbl] *vt* versammeln; (*car, machine*) montieren; (*furniture etc*) zusammenbauen ♦ *vi* sich versammeln.
assembly [ə'sɛmblɪ] *n* Versammlung *f*; (*of car, machine*) Montage *f*; (*of furniture*) Zusammenbau *m*.
assembly language *n* (*COMPUT*) Assemblersprache *f*.
assembly line *n* Fließband *nt*.
assent [ə'sɛnt] *n* Zustimmung *f* ♦ *vi*: **to ~ (to)** zustimmen (*+dat*).
assert [ə'səːt] *vt* behaupten; (*innocence*) beteuern; (*authority*) geltend machen; **to ~ o.s.** sich durchsetzen.
assertion [ə'səːʃən] *n* Behauptung *f*.
assertive [ə'səːtɪv] *adj* (*person*) selbstbewußt; (*manner*) bestimmt.
assess [ə'sɛs] *vt* (*situation*) einschätzen; (*abilities etc*) beurteilen; (*tax*) festsetzen; (*damages, property etc*) schätzen.
assessment [ə'sɛsmənt] *n* (*see vt*) Einschätzung *f*; Beurteilung *f*; Festsetzung *f*; Schätzung *f*.
assessor [ə'sɛsə*] *n* (*LAW: expert*) Gutachter(in) *m(f)*.
asset ['æsɛt] *n* Vorteil *m*; (*person*) Stütze *f*; **assets** *npl* (*property, funds*) Vermögen *nt*; (*COMM*) Aktiva *pl*.
asset-stripping ['æsɛt'strɪpɪŋ] *n* (*COMM*) *Aufkauf von finanziell gefährdeten Firmen und anschließender Verkauf ihrer Vermögenswerte*.
assiduous [ə'sɪdjuəs] *adj* gewissenhaft.
assign [ə'saɪn] *vt*: **to ~ (to)** (*date*) zuweisen (*+dat*); (*task*) übertragen (*+dat*); (*person*) einteilen (für); (*cause*) zuschreiben (*+dat*); (*meaning*) zuordnen (*+dat*); **to ~ sb to do sth** jdn damit beauftragen, etw zu tun.
assignment [ə'saɪnmənt] *n* Aufgabe *f*.
assimilate [ə'sɪmɪleɪt] *vt* aufnehmen; (*immigrants*) integrieren.
assimilation [əsɪmɪ'leɪʃən] *n* (*see vt*) Aufnahme *f*; Integration *f*.
assist [ə'sɪst] *vt* helfen; (*with money etc*) unterstützen.
assistance [ə'sɪstəns] *n* Hilfe *f*; (*with money etc*) Unterstützung *f*.
assistant [ə'sɪstənt] *n* Assistent(in) *m(f)*; (*BRIT: also:* **shop ~**) Verkäufer(in) *m(f)*.
assistant manager *n* stellvertretender Geschäftsführer *m*, stellvertretende Geschäftsführerin *f*.
assizes [ə'saɪzɪz] (*BRIT*) *npl* Gerichtstage *pl*.
associate [*adj, n* ə'səuʃɪɪt, *vt, vi* ə'səuʃɪeɪt] *adj* (*director*) assoziiert; (*member, professor*) außerordentlich ♦ *n* (*at work*) Kollege *m*, Kollegin *f* ♦ *vt* in Verbindung bringen ♦ *vi*: **to ~ with sb** mit jdm verkehren.
associated company [ə'səuʃɪeɪtɪd-] *n* Partnerfirma *f*.
association [əsəusɪ'eɪʃən] *n* (*group*) Verband *m*; (*involvement*) Verbindung *f*; (*PSYCH*) Assoziation *f*; **in ~ with** in Zusammenarbeit mit.
association football *n* Fußball *m*.
assorted [ə'sɔːtɪd] *adj* gemischt; (*various*) diverse(r, s); **in ~ sizes** in verschiedenen Größen.

assortment [ə'sɔːtmənt] *n* Mischung *f*; (*of books, people etc*) Ansammlung *f*.
Asst *abbr* = **assistant.**
assuage [ə'sweɪdʒ] *vt* (*grief, pain*) lindern; (*thirst, appetite*) stillen, befriedigen.
assume [ə'sjuːm] *vt* annehmen; (*responsibilities etc*) übernehmen.
assumed name [ə'sjuːmd-] *n* Deckname *m*.
assumption [ə'sʌmpʃən] *n* Annahme *f*; (*of power etc*) Übernahme *f*; **on the ~ that ...** vorausgesetzt, daß ...
assurance [ə'ʃuərəns] *n* Versicherung *f*; (*promise*) Zusicherung *f*; (*confidence*) Zuversicht *f*; **I can give you no ~s** ich kann Ihnen nichts versprechen.
assure [ə'ʃuə*] *vt* versichern; (*guarantee*) sichern.
assured [ə'ʃuəd] *n* (*BRIT*) Versicherte(r) *f(m)* ♦ *adj* sicher.
AST (*US*) *abbr* (= *Atlantic Standard Time*) *Ortszeit in Ostkanada.*
asterisk ['æstərɪsk] *n* Sternchen *nt*.
astern [ə'stəːn] *adv* achtern.
asteroid ['æstərɔɪd] *n* Asteroid *m*.
asthma ['æsmə] *n* Asthma *nt*.
asthmatic [æs'mætɪk] *adj* asthmatisch ♦ *n* Asthmatiker(in) *m(f)*.
astigmatism [ə'stɪgmətɪzəm] *n* Astigmatismus *m*.
astir [ə'stəː*] *adv*: **to be ~** (*out of bed*) auf sein.
astonish [ə'stɔnɪʃ] *vt* erstaunen.
astonishing [ə'stɔnɪʃɪŋ] *adj* erstaunlich; **I find it ~ that ...** es überrascht mich, daß ...
astonishingly [ə'stɔnɪʃɪŋlɪ] *adv* erstaunlich; **~, ...** erstaunlicherweise ...
astonishment [ə'stɔnɪʃmənt] *n* Erstaunen *nt*.
astound [ə'staund] *vt* verblüffen, sehr erstaunen.
astounded [ə'staundɪd] *adj* (höchst) erstaunt.
astounding [ə'staundɪŋ] *adj* erstaunlich.
astray [ə'streɪ] *adv*: **to go ~** (*letter*) verlorengehen; (*fig*) auf Abwege geraten; **to lead ~** auf Abwege bringen; **to go ~ in one's calculations** sich verrechnen.
astride [ə'straɪd] *adv* (*sit, ride*) rittlings; (*stand*) breitbeinig ♦ *prep* rittlings auf *+dat*; breitbeinig über *+dat*.
astringent [əs'trɪndʒənt] *adj* adstringierend; (*fig: caustic*) ätzend, beißend ♦ *n* Adstringens *nt*.
astrologer [əs'trɔlədʒə*] *n* Astrologe *m*, Astrologin *f*.
astrology [əs'trɔlədʒɪ] *n* Astrologie *f*.
astronaut ['æstrənɔːt] *n* Astronaut(in) *m(f)*.
astronomer [əs'trɔnəmə*] *n* Astronom(in) *m(f)*.
astronomical [æstrə'nɔmɪkl] *adj* (*also fig*) astronomisch.
astronomy [əs'trɔnəmɪ] *n* Astronomie *f*.
astrophysics ['æstrəu'fɪzɪks] *n* Astrophysik *f*.
astute [əs'tjuːt] *adj* scharfsinnig; (*operator, behaviour*) geschickt.
asunder [ə'sʌndə*] *adv*: **to tear ~** auseinanderreißen.
ASV *n abbr* (*BIBLE: = American Standard Version*) *amerikanische Standard-Bibelübersetzung.*
asylum [ə'saɪləm] *n* Asyl *nt*; (*mental hospital*) psychiatrische Klinik *f*; **to seek political ~** um (politisches) Asyl bitten.
asymmetrical [eɪsɪ'mɛtrɪkl] *adj* asymmetrisch.

KEYWORD

at [æt] *prep* **1** (*referring to position, direction*) an *+dat*, in *+dat*; **~ the top** an der Spitze; **~ home** zu Hause; **~ school** in der Schule; **~ the baker's** beim Bäcker; **to look ~ sth** auf etw *acc* blicken
2 (*referring to time*): **~ 4 o'clock** um 4 Uhr; **~ night/dawn** bei Nacht/Tagesanbruch; **~ Christmas** zu Weihnachten; **~ times** zuweilen
3 (*referring to rates, speed etc*): **~ £2 a kilo** zu £2 pro Kilo; **two ~ a time** zwei auf einmal; **~ 50 km/h** mit 50 km/h
4 (*referring to activity*): **to be ~ work** (*in office etc*) auf der Arbeit sein; **to play ~ cowboys** Cowboy spielen; **to be good ~ sth** gut in etw *dat* sein
5 (*referring to cause*): **shocked/surprised/annoyed ~ sth** schockiert/überrascht/verärgert über etw *acc*; **I went ~ his suggestion** ich ging auf seinen Vorschlag hin
6: **not ~ all** (*in answer to question*) überhaupt nicht, ganz und gar nicht; (*in answer to thanks*) nichts zu danken, keine Ursache; **I'm not ~ all tired** ich bin überhaupt nicht müde; **anything ~ all** irgend etwas.

ate [eɪt] *pt of* **eat.**
atheism ['eɪθɪɪzəm] *n* Atheismus *m*.
atheist ['eɪθɪɪst] *n* Atheist(in) *m(f)*.
Athenian [ə'θiːnɪən] *adj* Athener ♦ *n* Athener(in) *m(f)*.
Athens ['æθɪnz] *n* Athen *nt*.
athlete ['æθliːt] *n* Athlet(in) *m(f)*.
athletic [æθ'lɛtɪk] *adj* sportlich; (*muscular*) athletisch.
athletics [æθ'lɛtɪks] *n* Leichtathletik *f*.
Atlantic [ət'læntɪk] *adj* atlantisch; (*coast etc*) Atlantik- ♦ *n*: **the ~ (Ocean)** der Atlantik.
atlas ['ætləs] *n* Atlas *m*.
Atlas Mountains *npl*: **the ~** der Atlas, das Atlas-Gebirge.
ATM *abbr* (= *automated telling machine*) Geldautomat *m*.
atmosphere ['ætməsfɪə*] *n* Atmosphäre *f*; (*air*) Luft *f*.
atmospheric [ætməs'fɛrɪk] *adj* atmosphärisch.
atmospherics [ætməs'fɛrɪks] *npl* atmosphärische Störungen *pl*.
atoll ['ætɔl] *n* Atoll *nt*.

atom ['ætəm] *n* Atom *nt*.
atomic [ə'tɔmɪk] *adj* atomar; (*energy, weapons*) Atom-.
atom(ic) bomb *n* Atombombe *f*.
atomizer ['ætəmaɪzə*] *n* Zerstäuber *m*.
atone [ə'təun] *vi*: **to ~ for** büßen für.
atonement [ə'təunmənt] *n* Buße *f*.
A to Z® *n* Stadtplan *m*.
ATP *n abbr* (= *Association of Tennis Professionals*) *Tennis-Profiverband*.
atrocious [ə'trəuʃəs] *adj* grauenhaft.
atrocity [ə'trɔsɪtɪ] *n* Greueltat *f*.
atrophy ['ætrəfɪ] *n* Schwund *m*, Atrophie *f* ♦ *vt* schwinden lassen ♦ *vi* schwinden, verkümmern.
attach [ə'tætʃ] *vt* befestigen; (*document, letter*) anheften, beiheften; (*employee, troops*) zuteilen; (*importance etc*) beimessen; **to be ~ed to sb/sth** (*like*) an jdm/etw hängen; (*be connected with*) mit jdm/etw zu tun haben; **the ~ed letter** der beiliegende Brief.
attaché [ə'tæʃeɪ] *n* Attaché *m*.
attaché case *n* Aktenkoffer *m*.
attachment [ə'tætʃmənt] *n* (*tool*) Zubehörteil *nt*; (*love*): **~ (to sb)** Zuneigung *f* (zu jdm).
attack [ə'tæk] *vt* angreifen; (*subj: criminal*) überfallen; (*task, problem etc*) in Angriff nehmen ♦ *n* (*also fig*) Angriff *m*; (*on sb's life*) Anschlag *m*; (*of illness*) Anfall *m*; **heart ~** Herzanfall *m*, Herzinfarkt *m*.
attacker [ə'tækə*] *n* Angreifer(in) *m(f)*.
attain [ə'teɪn] *vt* (*also*: **~ to**) erreichen; (*knowledge*) erlangen.
attainments [ə'teɪnmənts] *npl* Fähigkeiten *pl*.
attempt [ə'tɛmpt] *n* Versuch *m* ♦ *vt* versuchen; **to make an ~ on sb's life** einen Anschlag auf jdn verüben.
attempted [ə'tɛmptɪd] *adj* versucht; **~ murder/suicide** Mord-/Selbstmordversuch *m*; **~ theft** versuchter Diebstahl.
attend [ə'tɛnd] *vt* besuchen; (*patient*) behandeln.
►**attend to** *vt fus* sich kümmern um; (*needs*) nachkommen *+dat*; (*customer*) bedienen.
attendance [ə'tɛndəns] *n* Anwesenheit *f*; (*people present*) Besucherzahl *f*; (*SPORT*) Zuschauerzahl *f*.
attendant [ə'tɛndənt] *n* (*helper*) Begleiter(in) *m(f)*; (*in garage*) Tankwart *m*; (*in museum*) Aufseher(in) *m(f)* ♦ *adj* damit verbunden.
attention [ə'tɛnʃən] *n* Aufmerksamkeit *f*; (*care*) Fürsorge *f* ♦ *excl* (*MIL*) Achtung!; **attentions** *npl* (*acts of courtesy*) Aufmerksamkeiten *pl*; **for the ~ of ...** zu Händen von ...; **it has come to my ~ that ...** ich bin darauf aufmerksam geworden, daß ...; **to stand to** *or* **at ~** (*MIL*) stillstehen.
attentive [ə'tɛntɪv] *adj* aufmerksam.
attentively [ə'tɛntɪvlɪ] *adv* aufmerksam.
attenuate [ə'tɛnjueɪt] *vt* abschwächen ♦ *vi* schwächer werden.
attest [ə'tɛst] *vt, vi*: **to ~ (to)** bezeugen.
attic ['ætɪk] *n* Dachboden *m*.
attire [ə'taɪə*] *n* Kleidung *f*.
attitude ['ætɪtju:d] *n* (*posture, manner*) Haltung *f*; (*mental*): **~ to** *or* **towards** Einstellung *f* zu.
attorney [ə'tə:nɪ] *n* (*US: lawyer*) (Rechts)anwalt *m*, (Rechts)anwältin *f*; (*having proxy*) Bevollmächtigte(r) *f(m)*; **power of ~** Vollmacht *f*.
Attorney General *n* (*BRIT*) ≈ Justizminister(in) *m(f)*; (*US*) ≈ Generalbundesanwalt *m*, Generalbundesanwältin *f*.
attract [ə'trækt] *vt* (*draw*) anziehen; (*interest*) auf sich *acc* lenken; (*attention*) erregen.
attraction [ə'trækʃən] *n* Anziehungskraft *f*; (*of house, city*) Reiz *m*; (*gen pl: amusements*) Attraktion *f*; (*fig*) **to feel an ~ towards sb/sth** sich von jdm/etw angezogen fühlen.
attractive [ə'træktɪv] *adj* attraktiv; (*price, idea, offer*) verlockend, reizvoll.
attribute [*n* 'ætrɪbju:t, *vt* ə'trɪbju:t] *n* Eigenschaft *f* ♦ *vt*: **to ~ sth to** (*cause*) etw zurückführen auf *+acc*; (*poem, painting*) etw zuschreiben *+dat*; (*quality*) etw beimessen *+dat*.
attribution [ætrɪ'bju:ʃən] *n* (*see vt*) Zurückführung *f*; Zuschreibung *f*; Beimessung *f*.
attrition [ə'trɪʃən] *n*: **war of ~** Zermürbungskrieg *m*.
Atty. Gen. *abbr* = **Attorney General.**
ATV *n abbr* (= *all-terrain vehicle*) Geländefahrzeug *nt*.
atypical [eɪ'tɪpɪkl] *adj* atypisch.
aubergine ['əubəʒi:n] *n* Aubergine *f*; (*colour*) Aubergine *nt*.
auburn ['ɔ:bən] *adj* rotbraun.
auction ['ɔ:kʃən] *n* (*also*: **sale by ~**) Versteigerung *f*, Auktion *f* ♦ *vt* versteigern.
auctioneer [ɔ:kʃə'nɪə*] *n* Versteigerer *m*.
auction room *n* Auktionssaal *m*.
audacious [ɔ:'deɪʃəs] *adj* wagemutig, kühn.
audacity [ɔ:'dæsɪtɪ] *n* Kühnheit *f*, Verwegenheit *f*; (*pej: impudence*) Dreistigkeit *f*.
audible ['ɔ:dɪbl] *adj* hörbar.
audience ['ɔ:dɪəns] *n* Publikum *nt*; (*RADIO*) Zuhörer *pl*; (*TV*) Zuschauer *pl*; (*with queen etc*) Audienz *f*.
audiotypist ['ɔ:dɪəutaɪpɪst] *n* Phonotypist(in) *m(f)*.
audiovisual ['ɔ:dɪəu'vɪzjuəl] *adj* audiovisuell.
audiovisual aid *n* audiovisuelles Lehrmittel *nt*.
audit ['ɔ:dɪt] *vt* (*COMM*) prüfen ♦ *n* Buchprüfung *f*, Rechnungsprüfung *f*.
audition [ɔ:'dɪʃən] *n* Vorsprechprobe *f* ♦ *vi*: **to ~ (for)** vorsprechen (für).
auditor ['ɔ:dɪtə*] *n* Buchprüfer(in) *m(f)*, Rechnungsprüfer(in) *m(f)*.
auditorium [ɔ:dɪ'tɔ:rɪəm] *n* (*building*) Auditorium *nt*; (*audience area*)

Zuschauerraum *m*.
Aug. *abbr* = **August.**
augment [ɔːg'mɛnt] *vt* vermehren; (*income, diet*) verbessern.
augur ['ɔːgə*] *vi*: **it ~s well** das ist ein gutes Zeichen *or* Omen.
August ['ɔːgəst] *n* August *m*; *see also* **July.**
august [ɔː'gʌst] *adj* erhaben.
aunt [ɑːnt] *n* Tante *f*.
auntie ['ɑːntɪ] *n dimin of* **aunt.**
aunty ['ɑːntɪ] *n dimin of* **aunt.**
au pair ['əu'pɛə*] *n* (*also*: ~ **girl**) Au-Pair (-Mädchen) *nt*.
aura ['ɔːrə] *n* Aura *f*.
auspices ['ɔːspɪsɪz] *npl*: **under the ~ of** unter der Schirmherrschaft *+gen*.
auspicious [ɔːs'pɪʃəs] *adj* verheißungsvoll; (*opening, start*) vielversprechend.
austere [ɔs'tɪə*] *adj* streng; (*room, decoration*) schmucklos; (*person, lifestyle*) asketisch.
austerity [ɔs'tɛrɪtɪ] *n* Strenge *f*; (*of room etc*) Schmucklosigkeit *f*; (*hardship*) Entbehrung *f*.
Australasia [ɔːstrə'leɪzɪə] *n* Australien und Ozeanien *nt*.
Australasian [ɔːstrə'leɪzɪən] *adj* ozeanisch, südwestpazifisch.
Australia [ɔs'treɪlɪə] *n* Australien *nt*.
Australian [ɔs'treɪlɪən] *adj* australisch ♦ *n* Australier(in) *m(f)*.
Austria ['ɔstrɪə] *n* Österreich *nt*.
Austrian ['ɔstrɪən] *adj* österreichisch ♦ *n* Österreicher(in) *m(f)*.
AUT (*BRIT*) *n abbr* (= *Association of University Teachers*) *Gewerkschaft der Universitätsdozenten*.
authentic [ɔː'θɛntɪk] *adj* authentisch.
authenticate [ɔː'θɛntɪkeɪt] *vt* beglaubigen.
authenticity [ɔːθɛn'tɪsɪtɪ] *n* Echtheit *f*.
author ['ɔːθə*] *n* (*of text*) Verfasser(in) *m(f)*; (*profession*) Autor(in) *m(f)*, Schriftsteller(in) *m(f)*; (*creator*) Urheber(in) *m(f)*; (: *of plan*) Initiator(in) *m(f)*.
authoritarian [ɔːθɔrɪ'tɛərɪən] *adj* autoritär.
authoritative [ɔː'θɔrɪtətɪv] *adj* (*person, manner*) bestimmt, entschieden; (*source, account*) zuverlässig; (*study, treatise*) maßgeblich, maßgebend.
authority [ɔː'θɔrɪtɪ] *n* Autorität *f*; (*government body*) Behörde *f*, Amt *nt*; (*official permission*) Genehmigung *f*; **the authorities** *npl* (*ruling body*) die Behörden *pl*; **to have the ~ to do sth** befugt sein, etw zu tun.
authorization [ɔːθəraɪ'zeɪʃən] *n* Genehmigung *f*.
authorize ['ɔːθəraɪz] *vt* genehmigen; **to ~ sb to do sth** jdn ermächtigen, etw zu tun.
authorized capital ['ɔːθəraɪzd-] *n* autorisiertes Aktienkapital *nt*.
authorship ['ɔːθəʃɪp] *n* Autorschaft *f*, Verfasserschaft *f*.
autistic [ɔː'tɪstɪk] *adj* autistisch.
auto ['ɔːtəu] (*US*) *n* Auto *nt*, Wagen *m*.
autobiographical ['ɔːtəbaɪə'græfɪkl] *adj* autobiographisch.
autobiography [ɔːtəbaɪ'ɔgrəfɪ] *n* Autobiographie *f*.
autocratic [ɔːtə'krætɪk] *adj* autokratisch.
Autocue ® ['ɔːtəukjuː] *n* Teleprompter *m*.
autograph ['ɔːtəgrɑːf] *n* Autogramm *nt* ♦ *vt* signieren.
autoimmune [ɔːtəuɪ'mjuːn] *adj* (*disease*) Autoimmun-.
automat ['ɔːtəmæt] *n* Automat *m*; (*US*) Automatenrestaurant *nt*.
automata [ɔː'tɔmətə] *npl of* **automaton.**
automate ['ɔːtəmeɪt] *vt* automatisieren.
automatic [ɔːtə'mætɪk] *adj* automatisch ♦ *n* (*gun*) automatische Waffe; (*washing machine*) Waschautomat *m*; (*car*) Automatikwagen *m*.
automatically [ɔːtə'mætɪklɪ] *adv* automatisch.
automatic data processing *n* automatische Datenverarbeitung *f*.
automation [ɔːtə'meɪʃən] *n* Automatisierung *f*.
automaton [ɔː'tɔmətən] (*pl* **automata**) *n* Roboter *m*.
automobile ['ɔːtəməbiːl] (*US*) *n* Auto(mobil) *nt*.
autonomous [ɔː'tɔnəməs] *adj* autonom.
autonomy [ɔː'tɔnəmɪ] *n* Autonomie *f*.
autopsy ['ɔːtɔpsɪ] *n* Autopsie *f*.
autumn ['ɔːtəm] *n* Herbst *m*; **in ~** im Herbst.
autumnal [ɔː'tʌmnəl] *adj* herbstlich.
auxiliary [ɔːg'zɪlɪərɪ] *adj* (*tool, verb*) Hilfs- ♦ *n* (*assistant*) Hilfskraft *f*.
AV *n abbr* (*BIBLE*: = *Authorized Version*) *englische Bibelübersetzung von 1611* ♦ *abbr* = **audiovisual.**
Av. *abbr* = **avenue.**
avail [ə'veɪl] *vt*: **to ~ o.s. of** Gebrauch machen von ♦ *n*: **to no ~** vergeblich, erfolglos.
availability [əveɪlə'bɪlɪtɪ] *n* Erhältlichkeit *f*; (*of staff*) Vorhandensein *nt*.
available [ə'veɪləbl] *adj* erhältlich; (*person: unoccupied*) frei, abkömmlich; (: *unattached*) zu haben; (*time*) frei, verfügbar; **every ~ means** alle verfügbaren Mittel; **is the manager ~?** ist der Geschäftsführer zu sprechen?; **to make sth ~ to sb** jdm etw zur Verfügung stellen.
avalanche ['ævəlɑːnʃ] *n* (*also fig*) Lawine *f*.
avant-garde ['ævɑ̃ŋ'gɑːd] *adj* avantgardistisch.
avarice ['ævərɪs] *n* Habsucht *f*.
avaricious [ævə'rɪʃəs] *adj* habsüchtig.
avdp. *abbr* (= *avoirdupois*) *Handelsgewicht*.
Ave *abbr* = **avenue.**
avenge [ə'vɛndʒ] *vt* rächen.
avenue ['ævənjuː] *n* Straße *f*; (*drive*) Auffahrt *f*; (*means*) Weg *m*.
average ['ævərɪdʒ] *n* Durchschnitt *m* ♦ *adj* durchschnittlich, Durchschnitts- ♦ *vt* (*reach an average of*) einen Durchschnitt erreichen

von; **on ~** im Durchschnitt, durchschnittlich; **above/below (the) ~** über/unter dem Durchschnitt.

▸**average out** *vi:* **to ~ out at** durchschnittlich ausmachen.

averse [ə'vəːs] *adj:* **to be ~ to sth/doing sth** eine Abneigung gegen etw haben/dagegen haben, etw zu tun; **I wouldn't be ~ to a drink** ich hätte nichts gegen einen Drink.

aversion [ə'vəːʃən] *n* Abneigung *f*; **to have an ~ to sb/sth** eine Abneigung gegen jdn/etw haben.

avert [ə'vəːt] *vt* (*prevent*) verhindern; (*ward off*) abwehren; (*turn away*) abwenden.

aviary ['eɪvɪərɪ] *n* Vogelhaus *nt*.

aviation [eɪvɪ'eɪʃən] *n* Luftfahrt *f*.

avid ['ævɪd] *adj* begeistert, eifrig.

avidly ['ævɪdlɪ] *adv* begeistert, eifrig.

avocado [ævə'kɑːdəu] (*BRIT*) *n* (*also:* **~ pear**) Avocado *f*.

avoid [ə'vɔɪd] *vt* (*person, obstacle*) ausweichen *+dat*; (*trouble*) vermeiden; (*danger*) meiden.

avoidable [ə'vɔɪdəbl] *adj* vermeidbar.

avoidance [ə'vɔɪdəns] *n* (*of tax*) Umgehung *f*; (*of issue*) Vermeidung *f*.

avowed [ə'vaud] *adj* erklärt.

AVP (*US*) *n abbr* (= *assistant vice president*) *stellvertretender Vizepräsident*.

avuncular [ə'vʌŋkjulə*] *adj* onkelhaft.

AWACS ['eɪwæks] *n abbr* (= *airborne warning and control system*) AWACS.

await [ə'weɪt] *vt* warten auf *+acc*; **~ing attention/delivery** zur Bearbeitung/ Lieferung bestimmt; **long ~ed** langersehnt.

awake [ə'weɪk] (*pt* **awoke,** *pp* **awoken** *or* **awaked**) *adj* wach ♦ *vt* wecken ♦ *vi* erwachen, aufwachen; **~ to** sich *dat* bewußt werden *+gen*.

awakening [ə'weɪknɪŋ] *n* (*also fig*) Erwachen *nt*.

award [ə'wɔːd] *n* Preis *m*; (*for bravery*) Auszeichnung *f*; (*damages*) Entschädigung(ssumme) *f* ♦ *vt* (*prize*) verleihen; (*damages*) zusprechen.

aware [ə'wɛə*] *adj:* **~ (of)** bewußt *+gen*; **to become ~ of** sich *dat* bewußt werden *+gen*; **to become ~ that** ... sich *dat* bewußt werden, daß ...; **politically/socially ~** politik-/ sozialbewußt; **I am fully ~ that** es ist mir völlig klar *or* bewußt, daß.

awareness [ə'wɛənɪs] *n* Bewußtsein *nt*; **to develop people's ~ of sth** den Menschen etw zu Bewußtsein bringen.

awash [ə'wɔʃ] *adj* (*also fig*) überflutet.

away [ə'weɪ] *adv* weg, fort; (*position*) entfernt; **two kilometres ~** zwei Kilometer entfernt; **two hours ~ by car** zwei Autostunden entfernt; **the holiday was two weeks ~** es war noch zwei Wochen bis zum Urlaub; **he's ~ for a week** er ist eine Woche nicht da; **he's ~ in Milan** er ist in Mailand; **to take ~ (from)** (*remove*) entfernen (von); (*subtract*) abziehen (von); **to work/pedal** *etc* **~** unablässig arbeiten/strampeln *etc*; **to fade ~** (*colour, light*) verblassen; (*sound*) verhallen; (*enthusiasm*) schwinden.

away game *n* Auswärtsspiel *nt*.

awe [ɔː] *n* Ehrfurcht *f*.

awe-inspiring ['ɔːɪnspaɪərɪŋ] *adj* ehrfurchtgebietend.

awesome ['ɔːsəm] *adj* ehrfurchtgebietend; (*fig: inf*) überwältigend.

awe-struck ['ɔːstrʌk] *adj* von Ehrfurcht ergriffen.

awful ['ɔːfəl] *adj* furchtbar, schrecklich; **an ~ lot (of)** furchtbar viel(e).

awfully ['ɔːfəlɪ] *adv* furchtbar, schrecklich.

awhile [ə'waɪl] *adv* eine Weile.

awkward ['ɔːkwəd] *adj* (*clumsy*) unbeholfen; (*inconvenient, difficult*) ungünstig; (*embarrassing*) peinlich.

awkwardness ['ɔːkwədnɪs] *n* (*see adj*) Unbeholfenheit *f*; Ungünstigkeit *f*; Peinlichkeit *f*.

awl [ɔːl] *n* Ahle *f*, Pfriem *m*.

awning ['ɔːnɪŋ] *n* (*of tent, caravan*) Vordach *nt*; (*of shop etc*) Markise *f*.

awoke [ə'wəuk] *pt of* **awake.**

awoken [ə'wəukən] *pp of* **awake.**

AWOL ['eɪwɔl] *abbr* (*MIL:* = *absent without leave*) *see* **absent.**

awry [ə'raɪ] *adv:* **to be ~** (*clothes*) schief sitzen; **to go ~** schiefgehen.

axe, (*US*) **ax** [æks] *n* Axt *f*, Beil *nt* ♦ *vt* (*employee*) entlassen; (*project, jobs etc*) streichen; **to have an ~ to grind** (*fig*) ein persönliches Interesse haben.

axes[1] ['æksɪz] *npl of* **ax(e).**

axes[2] ['æksiːz] *npl of* **axis.**

axiom ['æksɪəm] *n* Axiom *nt*, Grundsatz *m*.

axiomatic [æksɪəu'mætɪk] *adj* axiomatisch.

axis ['æksɪs] (*pl* **axes**[2]) *n* Achse *f*.

axle ['æksl] *n* (*also:* **~tree**) Achse *f*.

aye [aɪ] *excl* (*yes*) ja ♦ *n:* **the ~s** die Jastimmen *pl*.

AYH *n abbr* (= *American Youth Hostels*) *Jugendherbergsverband*, ≈ DJHV *m*.

AZ (*US*) *abbr* (*POST:* = *Arizona*).

azalea [ə'zeɪlɪə] *n* Azalee *f*.

Azerbaijan [æzəbaɪ'dʒɑːn] *n* Aserbaidschan *nt*.

Azerbaijani [æzəbaɪ'dʒɑːnɪ], **Azeri** [ə'zeərɪ] *adj* aserbaidschanisch ♦ *n* Aserbaidschaner(in) *m(f)*.

Azores [ə'zɔːz] *npl:* **the ~** die Azoren *pl*.

AZT *n abbr* (= *azidothymidine*) AZT *nt*.

Aztec ['æztɛk] *adj* aztekisch ♦ *n* Azteke *m*, Aztekin *f*.

azure ['eɪʒə*] *adj* azurblau, tiefblau.

B, b

B¹, b [biː] *n* (*letter*) B *nt*, b *nt*; (*SCOL*) ≈ Zwei *f*, Gut *nt*; ~ **for Benjamin**, (*US*) ~ **for Baker** ≈ B wie Bertha; ~ **road** (*BRIT*) Landstraße *f*.
B² [biː] *n* (*MUS*) H *nt*, h *nt*.
b. *abbr* = **born.**
BA *n abbr* (= *Bachelor of Arts*) *see* **bachelor;** (= *British Academy*) *Verband zur Förderung der Künste und Geisteswissenschaften.*
babble ['bæbl] *vi* schwatzen; (*baby*) plappern; (*brook*) plätschern ♦ *n*: **a** ~ **of voices** ein Stimmengewirr *nt*.
babe [beɪb] *n* (*liter*) Kindlein *nt*; (*esp US: address*) Schätzchen *nt*; ~ **in arms** Säugling *m*.
baboon [bə'buːn] *n* Pavian *m*.
baby ['beɪbɪ] *n* Baby *nt*; (*US: inf: darling*) Schatz *m*, Schätzchen *nt*.
baby carriage (*US*) *n* Kinderwagen *m*.
baby grand *n* (*also:* ~ **piano**) Stutzflügel *m*.
babyhood ['beɪbɪhud] *n* frühe Kindheit *f*.
babyish ['beɪbɪɪʃ] *adj* kindlich.
baby-minder ['beɪbɪ'maɪndə*] (*BRIT*) *n* Tagesmutter *f*.
baby-sit ['beɪbɪsɪt] *vi* babysitten.
baby-sitter ['beɪbɪsɪtə*] *n* Babysitter(in) *m(f)*.
bachelor ['bætʃələ*] *n* Junggeselle *m*; **B~ of Arts/Science (degree)** ≈ Magister *m* der philosophischen Fakultät/der Naturwissenschaften.
bachelorhood ['bætʃələhud] *n* Junggesellentum *nt*.
bachelor party (*US*) *n* Junggesellenparty *f*.

> **Bachelor's Degree** *ist der akademische Grad, den man nach drei- oder vierjährigem erfolgreich abgeschlossenem Universitätsstudium erhält. Die am häufigsten verliehenen Grade sind* **BA** *(Bachelor of Arts = Magister der Geisteswissenschaften),* **BSc** *(Bachelor of Science = Magister der Naturwissenschaften),* **BEd** *(Bachelor of Education = Magister der Erziehungswissenschaften) und* **LLB** *(Bachelor of Laws = Magister der Rechtswissenschaften). Siehe auch* **master's degree, doctorate.**

back [bæk] *n* Rücken *m*; (*of house, page*) Rückseite *f*; (*of chair*) (Rücken)lehne *f*; (*of train*) Ende *nt*; (*FOOTBALL*) Verteidiger *m* ♦ *vt* (*candidate: also:* ~ **up**) unterstützen; (*horse*) setzen *or* wetten auf *+acc*; (*car*) zurücksetzen, zurückfahren ♦ *vi* (*also:* ~ **up:** *person*) rückwärts gehen; (*car etc*) zurücksetzen, zurückfahren ♦ *cpd* (*payment, rent*) ausstehend ♦ *adv* hinten; **in the** ~ **(of the car)** hinten (im Auto); **at the** ~ **of the book/crowd/audience** hinten im Buch/in der Menge/im Publikum; ~ **to front** verkehrt herum; **to break the** ~ **of a job** (*BRIT*) mit einer Arbeit über den Berg sein; **to have one's** ~ **to the wall** (*fig*) in die Enge getrieben sein; ~ **room** Hinterzimmer *nt*; ~ **garden** Garten *m* (hinter dem Haus); ~ **seat** (*AUT*) Rücksitz *m*; **to take a** ~ **seat** (*fig*) sich zurückhalten; ~ **wheels** Hinterräder *pl*; **he's** ~ er ist zurück *or* wieder da; **throw the ball** ~ wirf den Ball zurück; **he called** ~ er rief zurück; **he ran** ~ er rannte zurück; **when will you be** ~**?** wann kommen Sie wieder?; **can I have it** ~**?** kann ich es zurückhaben *or* wiederhaben?
▸**back down** *vi* nachgeben.
▸**back on to** *vt fus*: **the house** ~**s on to the golf course** das Haus grenzt hinten an den Golfplatz an.
▸**back out** *vi* (*of promise*) einen Rückzieher machen.
▸**back up** *vt* (*support*) unterstützen; (*COMPUT*) sichern.
backache ['bækeɪk] *n* Rückenschmerzen *pl*.

> **Back bench** *bezeichnet im britischen Unterhaus die am weitesten vom Mittelgang entfernten Bänke, im Gegensatz zur* **front bench**. *Auf diesen hinteren Bänken sitzen diejenigen Unterhausabgeordneten (auch backbenchers genannt), die kein Regierungsamt bzw. keine wichtige Stellung in der Opposition innehaben.*

backbencher ['bæk'bɛntʃə*] (*BRIT*) *n* Abgeordnete(r) *f(m)* (*in den hinteren Reihen im britischen Parlament*), Hinterbänkler(in) *m(f)* (*pej*); *see also* **back bench.**
backbiting ['bækbaɪtɪŋ] *n* Lästern *nt*.
backbone ['bækbəun] *n* (*also fig*) Rückgrat *nt*.
backchat ['bæktʃæt] (*BRIT: inf*) *n* Widerrede *f*.
backcloth ['bækklɔθ] (*BRIT*) *n* Hintergrund *m*.
backcomb ['bækkəum] (*BRIT*) *vt* toupieren.
backdate [bæk'deɪt] *vt* (zu)rückdatieren; ~**d pay rise** rückwirkend geltende Gehaltserhöhung *f*.
backdrop ['bækdrɔp] *n* = **backcloth.**
backer ['bækə*] *n* (*COMM*) Geldgeber *m*.
backfire [bæk'faɪə*] *vi* (*AUT*) Fehlzündungen haben; (*plans*) ins Auge gehen.
backgammon ['bækgæmən] *n* Backgammon *nt*.
background ['bækgraund] *n* Hintergrund *m*; (*basic knowledge*) Grundkenntnisse *pl*; (*experience*) Erfahrung *f* ♦ *cpd* (*music*) Hintergrund-; **family** ~ Herkunft *f*; ~ **noise** Geräuschkulisse *f*; ~ **reading** vertiefende Lektüre *f*.
backhand ['bækhænd] *n* (*TENNIS: also:*

~ **stroke**) Rückhand *f*.
backhanded ['bæk'hændɪd] *adj* (*fig: compliment*) zweifelhaft.
backhander ['bæk'hændə*] (*BRIT*) *n* Schmiergeld *nt*.
backing ['bækɪŋ] *n* (*fig, COMM*) Unterstützung *f*; (*MUS*) Begleitung *f*.
backlash ['bæklæʃ] *n* (*fig*) Gegenreaktion *f*.
backlog ['bæklɔg] *n*: **to have a ~ of work** mit der Arbeit im Rückstand sein.
back number *n* alte Ausgabe *f or* Nummer *f*.
backpack ['bækpæk] *n* Rucksack *m*.
backpacker ['bækpækə*] *n* Rucksack-tourist(in) *m(f)*.
back pay *n* Nachzahlung *f*.
back-pedal ['bækpɛdl] *vi* (*fig*) einen Rückzieher machen.
back-seat driver *n Mitfahrer, der dem Fahrer dazwischenredet.*
backside ['bæksaɪd] (*inf*) *n* Hintern *m*.
backslash ['bækslæʃ] *n* Backslash *m*.
backslide ['bækslaɪd] *vi* rückfällig werden.
backspace ['bækspeɪs] *vi* (*in typing*) die Rücktaste betätigen.
backstage [bæk'steɪdʒ] *adv* (*THEAT*) hinter den Kulissen; (: *in dressing-room area*) in der Garderobe.
backstreet ['bækstri:t] *n* Seitenstraße *f* ♦ *cpd*: ~ **abortionist** Engelmacher(in) *m(f)*.
backstroke ['bækstrəuk] *n* Rückenschwimmen *nt*.
backtrack ['bæktræk] *vi* (*fig*) einen Rückzieher machen.
backup ['bækʌp] *adj* (*train, plane*) Entlastungs-; (*COMPUT: copy etc*) Sicherungs- ♦ *n* (*support*) Unterstützung *f*; (*COMPUT: also:* ~ **disk,** ~ **file**) Sicherungskopie *f*, Backup *nt*.
backward ['bækwəd] *adj* (*movement*) Rückwärts-; (*person*) zurückgeblieben; (*country*) rückständig; ~ **and forward movement** Vor- und Zurückbewegung *f*; ~ **step/glance** Blick *m*/Schritt *m* zurück.
backwards ['bækwədz] *adv* rückwärts; (*read*) von hinten nach vorne; (*fall*) nach hinten; (*in time*) zurück; **to know sth** ~ *or* (*US*) ~ **and forwards** etw in- und auswendig kennen.
backwater ['bækwɔ:tə*] *n* (*fig*) Kaff *nt*.
back yard *n* Hinterhof *m*.
bacon ['beɪkən] *n* (Frühstücks)speck *m*, (Schinken)speck *m*.
bacteria [bæk'tɪərɪə] *npl* Bakterien *pl*.
bacteriology [bæktɪərɪ'ɔlədʒɪ] *n* Bakteriologie *f*.
bad [bæd] *adj* schlecht; (*naughty*) unartig, ungezogen; (*mistake, accident, injury*) schwer; **his** ~ **leg** sein schlimmes Bein; **to go** ~ verderben, schlecht werden; **to have a** ~ **time of it** es schwer haben; **I feel** ~ **about it** es tut mir leid; **in** ~ **faith** mit böser Absicht.
bad debt *n* uneinbringliche Forderung *f*.
baddy ['bædɪ] (*inf*) *n* Bösewicht *m*.
bade [bæd] *pt of* **bid**.
badge [bædʒ] *n* Plakette *f*; (*stick-on*) Aufkleber *m*; (*fig*) Merkmal *nt*.
badger ['bædʒə*] *n* Dachs *m* ♦ *vt* zusetzen *+dat*.
badly ['bædlɪ] *adv* schlecht; ~ **wounded** schwer verletzt; **he needs it** ~ er braucht es dringend; **things are going** ~ es sieht schlecht *or* nicht gut aus; **to be** ~ **off (for money)** wenig Geld haben.
bad-mannered ['bæd'mænəd] *adj* ungezogen, unhöflich.
badminton ['bædmɪntən] *n* Federball *m*.
bad-tempered ['bæd'tɛmpəd] *adj* schlecht gelaunt; (*by nature*) übellaunig.
baffle ['bæfl] *vt* verblüffen.
baffling ['bæflɪŋ] *adj* rätselhaft, verwirrend.
bag [bæg] *n* Tasche *f*; (*made of paper, plastic*) Tüte *f*; (*handbag*) (Hand)tasche *f*; (*satchel*) Schultasche *f*; (*case*) Reisetasche *f*; (*of hunter*) Jagdbeute *f*; (*pej: woman*) Schachtel *f*; ~**s of** (*inf: lots of*) jede Menge; **to pack one's** ~**s** die Koffer packen; ~**s under the eyes** Ringe *pl* unter den Augen.
bagful ['bægful] *n*: **a** ~ **of** eine Tasche/Tüte voll.
baggage ['bægɪdʒ] *n* Gepäck *nt*.
baggage car (*US*) *n* Gepäckwagen *m*.
baggage claim *n* Gepäckausgabe *f*.
baggy ['bægɪ] *adj* weit; (*out of shape*) ausgebeult.
Baghdad [bæg'dæd] *n* Bagdad *nt*.
bag lady (*esp US*) *n* Stadtstreicherin *f*.
bagpipes ['bægpaɪps] *npl* Dudelsack *m*.
bag-snatcher ['bægsnætʃə*] (*BRIT*) *n* Handtaschendieb(in) *m(f)*.
Bahamas [bə'hɑ:məz] *npl*: **the** ~ die Bahamas *pl*, die Bahamainseln *pl*.
Bahrain [bɑ:'reɪn] *n* Bahrain *nt*.
bail [beɪl] *n* (*LAW: payment*) Kaution *f*; (: *release*) Freilassung *f* gegen Kaution ♦ *vt* (*prisoner*) gegen Kaution freilassen; (*boat: also:* ~ **out**) ausschöpfen; **to be on** ~ gegen Kaution freigelassen sein; **to be released on** ~ gegen Kaution freigelassen werden; *see also* **bale**.
▶**bail out** *vt* (*prisoner*) gegen Kaution freibekommen; (*firm, friend*) aus der Patsche helfen *+dat*.
bailiff ['beɪlɪf] *n* (*LAW: BRIT*) Gerichtsvollzieher(in) *m(f)*; (: *US*) Gerichtsdiener(in) *m(f)*; (*BRIT: factor*) (Guts)verwalter(in) *m(f)*.
bait [beɪt] *n* Köder *m* ♦ *vt* (*hook, trap*) mit einem Köder versehen; (*tease*) necken.
baize [beɪz] *n* Flausch *m*; **green** ~ Billardtuch *nt*.
bake [beɪk] *vt* backen; (*clay etc*) brennen ♦ *vi* backen.
baked beans [beɪkt-] *npl* gebackene Bohnen *pl* (in Tomatensauce).
baker ['beɪkə*] *n* Bäcker(in) *m(f)*.

baker's dozen *n* dreizehn (Stück).
bakery ['beɪkərɪ] *n* Bäckerei *f*.
baking ['beɪkɪŋ] *n* Backen *nt*; (*batch*) Ofenladung *f* ♦ *adj* (*inf: hot*) wie im Backofen.
baking powder *n* Backpulver *nt*.
baking tin *n* Backform *f*.
baking tray *n* Backblech *nt*.
balaclava [bælə'klɑːvə] *n* (*also:* ~ **helmet**) Kapuzenmütze *f*.
balance ['bæləns] *n* (*equilibrium*) Gleichgewicht *nt*; (*COMM: sum*) Saldo *m*; (*remainder*) Restbetrag *m*; (*scales*) Waage *f* ♦ *vt* ausgleichen; (*AUT: wheels*) auswuchten; (*pros and cons*) (gegeneinander) abwägen; **on** ~ alles in allem; ~ **of trade/payments** Handels-/Zahlungsbilanz *f*; ~ **carried forward** *or* **brought forward** (*COMM*) Saldovortrag *m*, Saldoübertrag *m*; **to** ~ **the books** (*COMM*) die Bilanz ziehen *or* machen.
balanced ['bælənst] *adj* ausgeglichen; (*report*) ausgewogen.
balance sheet *n* Bilanz *f*.
balance wheel *n* Unruh *f*.
balcony ['bælkənɪ] *n* Balkon *m*; (*in theatre*) oberster Rang *m*.
bald [bɔːld] *adj* kahl; (*tyre*) abgefahren; (*statement*) knapp.
baldness ['bɔːldnɪs] *n* Kahlheit *f*.
bale [beɪl] *n* (*AGR*) Bündel *nt*; (*of papers etc*) Packen *m*.
▸**bale out** *vi* (*of a plane*) abspringen ♦ *vt* (*water*) schöpfen; (*boat*) ausschöpfen.
Balearic Islands [bælɪ'ærɪk-] *npl*: **the** ~ die Balearen *pl*.
baleful ['beɪlful] *adj* böse.
balk [bɔːk] *vi*: **to** ~ **(at)** (*subj: person*) zurückschrecken (vor *+dat*); (: *horse*) scheuen (vor *+dat*).
Balkan ['bɔːlkən] *adj* (*countries etc*) Balkan- ♦ *n*: **the** ~**s** der Balkan, die Balkanländer *pl*.
ball [bɔːl] *n* Ball *m*; (*of wool, string*) Knäuel *m or nt*; **to set the** ~ **rolling** (*fig*) den Stein ins Rollen bringen; **to play** ~ **(with sb)** (*fig*) (mit jdm) mitspielen; **to be on the** ~ (*fig: competent*) am Ball sein; (: *alert*) auf Draht *or* Zack sein; **the** ~ **is in their court** (*fig*) sie sind am Ball.
ballad ['bæləd] *n* Ballade *f*.
ballast ['bæləst] *n* Ballast *m*.
ball bearing *npl* Kugellager *nt*; (*individual ball*) Kugellagerkugel *f*.
ball cock *n* Schwimmerhahn *m*.
ballerina [bælə'riːnə] *n* Ballerina *f*.
ballet ['bæleɪ] *n* Ballett *nt*.
ballet dancer *n* Ballettänzer(in) *m(f)*.
ballistic [bə'lɪstɪk] *adj* ballistisch.
ballistic missile *n* Raketengeschoß *nt*.
ballistics [bə'lɪstɪks] *n* Ballistik *f*.
balloon [bə'luːn] *n* (Luft)ballon *m*; (*hot air balloon*) Heißluftballon *m*; (*in comic strip*) Sprechblase *f*.
balloonist [bə'luːnɪst] *n* Ballonfahrer(in) *m(f)*.
ballot ['bælət] *n* (geheime) Abstimmung *f*.
ballot box *n* Wahlurne *f*.
ballot paper *n* Stimmzettel *m*.
ballpark ['bɔːlpɑːk] (*US*) *n* (*SPORT*) Baseballstadion *nt*.
ballpark figure (*inf*) *n* Richtzahl *f*.
ballpoint (pen) ['bɔːlpɔɪnt(-)] *n* Kugelschreiber *m*.
ballroom ['bɔːlrum] *n* Tanzsaal *m*.
balls [bɔːlz] (*inf!*) *npl* (*testicles*) Eier *pl* (*!*); (*courage*) Schneid *m*, Mumm *m* ♦ *excl* red keinen Scheiß! (*!*).
balm [bɑːm] *n* Balsam *m*.
balmy ['bɑːmɪ] *adj* (*breeze*) sanft; (*air*) lau, lind; (*BRIT: inf*) = **barmy**.
BALPA ['bælpə] *n abbr* (= *British Airline Pilots' Association*) *Flugpilotengewerkschaft*.
balsam ['bɔːlsəm] *n* Balsam *m*.
balsa (wood) ['bɔːlsə-] *n* Balsaholz *nt*.
Baltic ['bɔːltɪk] *n*: **the** ~ **(Sea)** die Ostsee.
balustrade [bæləs'treɪd] *n* Balustrade *f*.
bamboo [bæm'buː] *n* Bambus *m*.
bamboozle [bæm'buːzl] (*inf*) *vt* hereinlegen; **to** ~ **sb into doing sth** jdn durch Tricks dazu bringen, etw zu tun.
ban [bæn] *n* Verbot *nt* ♦ *vt* verbieten; **he was** ~**ned from driving** (*BRIT*) ihm wurde Fahrverbot erteilt.
banal [bə'nɑːl] *adj* banal.
banana [bə'nɑːnə] *n* Banane *f*.
band [bænd] *n* (*group*) Gruppe *f*, Schar *f*; (*MUS: jazz, rock etc*) Band *f*; (: *military etc*) (Musik)kapelle *f*; (*strip, range*) Band *nt*; (*stripe*) Streifen *m*.
▸**band together** *vi* sich zusammenschließen.
bandage ['bændɪdʒ] *n* Verband *m* ♦ *vt* verbinden.
Band-Aid ® ['bændeɪd] (*US*) *n* Heftpflaster *nt*.
B & B *n abbr* = **bed and breakfast**.
bandit ['bændɪt] *n* Bandit *m*.
bandstand ['bændstænd] *n* Musikpavillion *m*.
bandwagon ['bændwægən] *n*: **to jump on the** ~ (*fig*) auf den fahrenden Zug aufspringen.
bandy ['bændɪ] *vt* (*jokes*) sich erzählen; (*ideas*) diskutieren; (*insults*) sich an den Kopf werfen.
▸**bandy about** *vt* (*word, expression*) immer wieder gebrauchen; (*name*) immer wieder nennen.
bandy-legged ['bændɪ'lɛgɪd] *adj* O-beinig.
bane [beɪn] *n*: **it/he is the** ~ **of my life** das/er ist noch mal mein Ende.
bang [bæŋ] *n* (*of door*) Knallen *nt*; (*of gun, exhaust*) Knall *m*; (*blow*) Schlag *m* ♦ *excl* peng ♦ *vt* (*door*) zuschlagen, zuknallen; (*one's head etc*) sich *dat* stoßen *+acc* ♦ *vi* knallen ♦ *adv*: **to be** ~ **on time** (*BRIT: inf*) auf die Sekunde pünktlich sein; **to** ~ **at the door** gegen die Tür hämmern; **to** ~ **into sth** sich an etw *dat* stoßen.
banger ['bæŋə*] (*BRIT: inf*) *n* (*car: also:* **old** ~)

Klapperkiste *f*; (*sausage*) Würstchen *nt*; (*firework*) Knallkörper *m*.
Bangkok [bæŋ'kɔk] *n* Bangkok *nt*.
Bangladesh [bæŋglə'dɛʃ] *n* Bangladesch *nt*.
bangle ['bæŋgl] *n* Armreif(en) *m*.
bangs [bæŋz] (*US*) *npl* (*fringe*) Pony *m*.
banish ['bænɪʃ] *vt* verbannen.
banister(s) ['bænɪstə(z)] *n(pl)* Geländer *nt*.
banjo ['bændʒəu] (*pl* **~es** *or* **~s**) *n* Banjo *nt*.
bank [bæŋk] *n* Bank *f*; (*of river, lake*) Ufer *nt*; (*of earth*) Wall *m*; (*of switches*) Reihe *f* ♦ *vi* (*AVIAT*) sich in die Kurve legen; (*COMM*): **they ~ with Pitt's** sie haben ihr Konto bei Pitt's.
►**bank on** *vt fus* sich verlassen auf *+acc*.
bank account *n* Bankkonto *nt*.
bank balance *n* Kontostand *m*.
bank card *n* Scheckkarte *f*.
bank charges (*BRIT*) *npl* Kontoführungsgebühren *pl*.
bank draft *n* Bankanweisung *f*.
banker ['bæŋkə*] *n* Bankier *m*.
banker's card (*BRIT*) *n* = **bank card**.
banker's order (*BRIT*) *n* Dauerauftrag *m*.
bank giro *n* Banküberweisung *f*.
bank holiday (*BRIT*) *n* (öffentlicher) Feiertag *m*.

Als **bank holiday** *wird in Großbritannien ein gesetzlicher Feiertag bezeichnet, an dem die Banken geschlossen sind. Die meisten dieser Feiertage, abgesehen von Weihnachten und Ostern, fallen auf Montage im Mai und August. An diesen langen Wochenenden (bank holiday weekends) fahren viele Briten in Urlaub, so daß dann auf den Straßen, Flughäfen und bei der Bahn sehr viel Betrieb ist.*

banking ['bæŋkɪŋ] *n* Bankwesen *nt*.
banking hours *npl* Schalterstunden *pl*.
bank loan *n* Bankkredit *m*.
bank manager *n* Filialleiter(in) *m(f)* (einer Bank).
banknote ['bæŋknəut] *n* Geldschein *m*, Banknote *f*.
bank rate *n* Diskontsatz *m*.
bankrupt ['bæŋkrʌpt] *adj* bankrott ♦ *n* Bankrotteur(in) *m(f)*; **to go ~** Bankrott machen.
bankruptcy ['bæŋkrʌptsɪ] *n* (*COMM, fig*) Bankrott *m*.
bank statement *n* Kontoauszug *m*.
banner ['bænə*] *n* Banner *nt*; (*in demonstration*) Spruchband *nt*.
banner headline *n* Schlagzeile *f*.
bannister(s) ['bænɪstə(z)] *n(pl)* = **banister(s)**.
banns [bænz] *npl* Aufgebot *nt*.
banquet ['bæŋkwɪt] *n* Bankett *nt*.
bantamweight ['bæntəmweɪt] *n* Bantamgewicht *nt*.
banter ['bæntə*] *n* Geplänkel *nt*.
BAOR *n abbr* (= *British Army of the Rhine*) *britische Rheinarmee.*
baptism ['bæptɪzəm] *n* Taufe *f*.
Baptist ['bæptɪst] *n* Baptist(in) *m(f)*.
baptize [bæp'taɪz] *vt* taufen.
bar [bɑ:*] *n* (*for drinking*) Lokal *nt*; (*counter*) Theke *f*; (*rod*) Stange *f*; (*on window etc*) (Gitter)stab *m*; (*slab: of chocolate*) Tafel *f*; (*fig: obstacle*) Hindernis *nt*; (*prohibition*) Verbot *nt*; (*MUS*) Takt *m* ♦ *vt* (*road*) blockieren, versperren; (*window*) verriegeln; (*person*) ausschließen; (*activity*) verbieten; **~ of soap** Stück *nt* Seife; **behind ~s** hinter Gittern; **the B~** (*LAW*) die Anwaltschaft; **~ none** ohne Ausnahme.
Barbados [bɑ:'beɪdɔs] *n* Barbados *nt*.
barbaric [bɑ:'bærɪk] *adj* barbarisch.
barbarous ['bɑ:bərəs] *adj* barbarisch.
barbecue ['bɑ:bɪkju:] *n* Grill *m*; (*meal, party*) Barbecue *nt*.
barbed wire ['bɑ:bd-] *n* Stacheldraht *m*.
barber ['bɑ:bə*] *n* (Herren)friseur *m*.
barbiturate [bɑ:'bɪtjurɪt] *n* Schlafmittel *nt*, Barbiturat *nt*.
Barcelona [bɑ:sə'ləunə] *n* Barcelona *nt*.
bar chart *n* Balkendiagramm *nt*.
bar code *n* Strichkode *m*.
bare [bɛə*] *adj* nackt; (*trees, countryside*) kahl; (*minimum*) absolut ♦ *vt* entblößen; (*teeth*) blecken; **the ~ essentials, the ~ necessities** das Allernotwendigste; **to ~ one's soul** sein Innerstes entblößen.
bareback ['bɛəbæk] *adv* ohne Sattel.
barefaced ['bɛəfeɪst] *adj* (*fig*) unverfroren, schamlos.
barefoot ['bɛəfut] *adj* barfüßig ♦ *adv* barfuß.
bareheaded [bɛə'hɛdɪd] *adj* barhäuptig ♦ *adv* ohne Kopfbedeckung.
barely ['bɛəlɪ] *adv* kaum.
Barents Sea ['bærənts-] *n*: **the ~** die Barentssee.
bargain ['bɑ:gɪn] *n* (*deal*) Geschäft *nt*; (*transaction*) Handel *m*; (*good offer*) Sonderangebot *nt*; (*good buy*) guter Kauf *m* ♦ *vi*: **to ~ (with sb)** (mit jdm) verhandeln; (*haggle*) (mit jdm) handeln; **into the ~** obendrein.
►**bargain for** *vt fus*: **he got more than he ~ed for** er bekam mehr, als er erwartet hatte.
bargaining ['bɑ:gənɪŋ] *n* Verhandeln *nt*.
bargaining position *n* Verhandlungsposition *f*.
barge [bɑ:dʒ] *n* Lastkahn *m*, Frachtkahn *m*.
►**barge in** *vi* (*enter*) hereinplatzen; (*interrupt*) unterbrechen.
►**barge into** *vt fus* (*place*) hereinplatzen; (*person*) anrempeln.
bargepole ['bɑ:dʒpəul] *n*: **I wouldn't touch it with a ~** (*fig*) das würde ich nicht mal mit der Kneifzange anfassen.
baritone ['bærɪtəun] *n* Bariton *m*.
barium meal ['bɛərɪəm-] *n* Kontrastbrei *m*.
bark [bɑ:k] *n* (*of tree*) Rinde *f*; (*of dog*) Bellen

nt ♦ *vi* bellen; **she's ~ing up the wrong tree** (*fig*) sie ist auf dem Holzweg.
barley ['bɑːlɪ] *n* Gerste *f*.
barley sugar *n* Malzbonbon *nt or m*.
barmaid ['bɑːmeɪd] *n* Bardame *f*.
barman ['bɑːmən] (*irreg: like* **man**) *n* Barmann *m*.
barmy ['bɑːmɪ] (*BRIT: inf*) *adj* bekloppt.
barn [bɑːn] *n* Scheune *f*.
barnacle ['bɑːnəkl] *n* Rankenfußkrebs *m*.
barn owl *n* Schleiereule *f*.
barometer [bə'rɔmɪtə*] *n* Barometer *nt*.
baron ['bærən] *n* Baron *m*; **industrial ~** Industriemagnat *m*; **press ~** Pressezar *m*.
baroness ['bærənɪs] *n* (*baron's wife*) Baronin *f*; (*baron's daughter*) Baroneß *f*, Baronesse *f*.
baronet ['bærənɪt] *n* Baronet *m*.
barracking ['bærəkɪŋ] *n* Buhrufe *pl*.
barracks ['bærəks] *npl* Kaserne *f*.
barrage ['bærɑːʒ] *n* (*MIL*) Sperrfeuer *nt*; (*dam*) Staustufe *f*; (*fig: of criticism, questions etc*) Hagel *m*.
barrel ['bærəl] *n* Faß *nt*; (*of oil*) Barrel *nt*; (*of gun*) Lauf *m*.
barrel organ *n* Drehorgel *f*.
barren ['bærən] *adj* unfruchtbar.
barricade [bærɪ'keɪd] *n* Barrikade *f* ♦ *vt* (*road, entrance*) verbarrikadieren; **to ~ o.s. (in)** sich verbarrikadieren.
barrier ['bærɪə*] *n* (*at frontier, entrance*) Schranke *f*; (*BRIT: also:* **crash ~**) Leitplanke *f*; (*fig*) Barriere *f*; (: *to progress etc*) Hindernis *nt*.
barrier cream (*BRIT*) *n* Hautschutzcreme *f*.
barring ['bɑːrɪŋ] *prep* außer im Falle *+gen*.
barrister ['bærɪstə*] (*BRIT*) *n* Rechtsanwalt *m*, Rechtsanwältin *f*.

Barrister *oder* **barrister-at-law** *ist in England die Bezeichnung für einen Rechtsanwalt, der seine Klienten vor allem vor Gericht vertritt; im Gegensatz zum* **solicitor**, *der nicht vor Gericht auftritt, sondern einen barrister mit dieser Aufgabe beauftragt.*

barrow ['bærəu] *n* Schubkarre *f*, Schubkarren *m*; (*cart*) Karren *m*.
bar stool *n* Barhocker *m*.
Bart. (*BRIT*) *abbr* = **baronet**.
bartender ['bɑːtɛndə*] (*US*) *n* Barmann *m*.
barter ['bɑːtə*] *n* Tauschhandel *m* ♦ *vt*: **to ~ sth for sth** etw gegen etw tauschen.
base [beɪs] *n* (*of tree etc*) Fuß *m*; (*of cup, box etc*) Boden *m*; (*foundation*) Grundlage *f*; (*centre*) Stützpunkt *m*, Standort *m*; (*for organization*) Sitz *m* ♦ *adj* gemein, niederträchtig ♦ *vt*: **to ~ sth on** etw gründen *or* basieren auf *+acc*; **to be ~d at** (*troops*) stationiert sein in *+dat*; (*employee*) arbeiten in *+dat*; **I'm ~d in London** ich wohne in London; **a Paris-~d firm** eine Firma mit Sitz in Paris; **coffee-~d** auf Kaffeebasis.
baseball ['beɪsbɔːl] *n* Baseball *m*.
baseboard ['beɪsbɔːd] (*US*) *n* Fußleiste *f*.
base camp *n* Basislager *nt*, Versorgungslager *nt*.
Basel [bɑːl] *n* = **Basle**.
baseline ['beɪslaɪn] *n* (*TENNIS*) Grundlinie *f*; (*fig: standard*) Ausgangspunkt *m*.
basement ['beɪsmənt] *n* Keller *m*.
base rate *n* Eckzins *m*, Leitzins *m*.
bases[1] ['beɪsɪz] *npl of* **base**.
bases[2] ['beɪsiːz] *npl of* **basis**.
bash [bæʃ] (*inf*) *vt* schlagen, hauen ♦ *n*: **I'll have a ~ (at it)** (*BRIT*) ich probier's mal.
▸**bash up** *vt* (*car*) demolieren; (*BRIT: person*) vermöbeln.
bashful ['bæʃful] *adj* schüchtern.
bashing ['bæʃɪŋ] (*inf*) *n* Prügel *pl*; **Paki-/queer-~** Überfälle *pl* auf Pakistaner/Schwule.
BASIC ['beɪsɪk] *n* (*COMPUT*) BASIC *nt*.
basic ['beɪsɪk] *adj* (*method, needs etc*) Grund-; (*principles*) grundlegend; (*problem*) grundsätzlich; (*knowledge*) elementar; (*facilities*) primitiv.
basically ['beɪsɪklɪ] *adv* im Grunde.
basic rate *n* Eingangssteuersatz *m*.
basics ['beɪsɪks] *npl*: **the ~** das Wesentliche.
basil ['bæzl] *n* Basilikum *nt*.
basin ['beɪsn] *n* Gefäß *nt*; (*BRIT: for food*) Schüssel *f*; (*also*: **wash ~**) (Wasch)becken *nt*; (*of river, lake*) Becken *nt*.
basis ['beɪsɪs] (*pl* **bases**) *n* Basis *f*, Grundlage *f*; **on a part-time ~** stundenweise; **on a trial ~** zur Probe; **on the ~ of what you've said** auf Grund dessen, was Sie gesagt haben.
bask [bɑːsk] *vi*: **to ~ in the sun** sich sonnen.
basket ['bɑːskɪt] *n* Korb *m*; (*smaller*) Körbchen *nt*.
basketball ['bɑːskɪtbɔːl] *n* Basketball *m*.
basketball player *n* Basketballspieler(in) *m(f)*.
Basle [bɑːl] *n* Basel *nt*.
basmati rice [bəz'mætɪ-] *n* Basmatireis *m*.
Basque [bæsk] *adj* baskisch ♦ *n* Baske *m*, Baskin *f*.
bass [beɪs] *n* Baß *m*.
bass clef *n* Baßschlüssel *m*.
bassoon [bə'suːn] *n* Fagott *nt*.
bastard ['bɑːstəd] *n* uneheliches Kind *nt*; (*inf!*) Arschloch *nt* (*!*).
baste [beɪst] *vt* (*CULIN*) (mit Fett und Bratensaft) begießen; (*SEWING*) heften, reihen.
bastion ['bæstɪən] *n* Bastion *f*.
bat [bæt] *n* (*ZOOL*) Fledermaus *f*; (*for cricket, baseball etc*) Schlagholz *nt*; (*BRIT: for table tennis*) Schläger *m* ♦ *vt*: **he didn't ~ an eyelid** er hat nicht mit der Wimper gezuckt; **off one's own ~** auf eigene Faust.
batch [bætʃ] *n* (*of bread*) Schub *m*; (*of letters, papers*) Stoß *m*, Stapel *m*; (*of applicants*) Gruppe *f*; (*of work*) Schwung *m*; (*of goods*)

Ladung *f*, Sendung *f*.
batch processing *n* (*COMPUT*) Stapelverarbeitung *f*.
bated ['beɪtɪd] *adj*: **with ~ breath** mit angehaltenem Atem.
bath [bɑːθ] *n* Bad *nt*; (*bathtub*) (Bade)wanne *f* ♦ *vt* baden; **to have a ~** baden, ein Bad nehmen; *see also* **baths.**
bathe [beɪð] *vi, vt* (*also fig*) baden.
bather ['beɪðə*] *n* Badende(r) *f(m)*.
bathing ['beɪðɪŋ] *n* Baden *nt*.
bathing cap *n* Bademütze *f*, Badekappe *f*.
bathing costume, (*US*) **bathing suit** *n* Badeanzug *m*.
bath mat *n* Badematte *f*, Badevorleger *m*.
bathrobe ['bɑːθrəub] *n* Bademantel *m*.
bathroom ['bɑːθrum] *n* Bad(ezimmer) *nt*.
baths [bɑːðz] *npl* (*also*: **swimming ~**) (Schwimm)bad *nt*.
bath towel *n* Badetuch *nt*.
bathtub ['bɑːθtʌb] *n* (Bade)wanne *f*.
batman ['bætmən] (*irreg: like* **man**) (*BRIT*) *n* (*MIL*) (Offiziers)bursche *m*.
baton ['bætən] *n* (*MUS*) Taktstock *m*; (*ATHLETICS*) Staffelholz *nt*; (*policeman's*) Schlagstock *m*.
battalion [bə'tælɪən] *n* Bataillon *nt*.
batten ['bætn] *n* Leiste *f*, Latte *f*; (*NAUT: on sail*) Segellatte *f*.
►**batten down** *vt* (*NAUT*): **to ~ down the hatches** die Luken dicht machen.
batter ['bætə*] *vt* schlagen, mißhandeln; (*subj: rain*) schlagen; (*wind*) rütteln ♦ *n* (*CULIN*) Teig *m*; (*for frying*) (Ausback)teig *m*.
battered ['bætəd] *adj* (*hat, pan*) verbeult; **~ wife** mißhandelte Ehefrau; **~ child** mißhandeltes Kind.
battering ram ['bætərɪŋ-] *n* Rammbock *m*.
battery ['bætərɪ] *n* Batterie *f*; (*of tests, reporters*) Reihe *f*.
battery charger *n* (Batterie)ladegerät *nt*.
battery farming *n* Batteriehaltung *f*.
battle ['bætl] *n* (*MIL*) Schlacht *f*; (*fig*) Kampf *m* ♦ *vi* kämpfen; **that's half the ~** damit ist schon viel gewonnen; **it's a losing ~, we're fighting a losing ~** (*fig*) es ist ein aussichtsloser Kampf.
battledress ['bætldrɛs] *n* Kampfanzug *m*.
battlefield ['bætlfiːld] *n* Schlachtfeld *nt*.
battlements ['bætlmənts] *npl* Zinnen *pl*.
battleship ['bætlʃɪp] *n* Schlachtschiff *nt*.
batty ['bætɪ] (*inf*) *adj* verrückt.
bauble ['bɔːbl] *n* Flitter *m*.
baud [bɔːd] *n* (*COMPUT*) Baud *nt*.
baud rate *n* (*COMPUT*) Baudrate *f*.
baulk [bɔːlk] *vi* = **balk.**
bauxite ['bɔːksaɪt] *n* Bauxit *m*.
Bavaria [bə'vɛərɪə] *n* Bayern *nt*.
Bavarian [bə'vɛərɪən] *adj* bay(e)risch ♦ *n* Bayer(in) *m(f)*.
bawdy ['bɔːdɪ] *adj* derb, obszön.
bawl [bɔːl] *vi* brüllen, schreien.
bay [beɪ] *n* Bucht *f*; (*BRIT: for parking*) Parkbucht *f*; (*: for loading*) Ladeplatz *m*; (*horse*) Braune(r) *m*; **to hold sb at ~** jdn in Schach halten.
bay leaf *n* Lorbeerblatt *nt*.
bayonet ['beɪənɪt] *n* Bajonett *nt*.
bay tree *n* Lorbeerbaum *m*.
bay window *n* Erkerfenster *nt*.
bazaar [bə'zɑː*] *n* Basar *m*.
bazooka [bə'zuːkə] *n* Panzerfaust *f*.
BB (*BRIT*) *n abbr* (= *Boys' Brigade*) *Jugendorganisation für Jungen.*
BBB (*US*) *n abbr* (= *Better Business Bureau*) *amerikanische Verbraucherbehörde.*
BBC *n abbr* BBC *f*.

BBC *(Abkürzung für British Broadcasting Corporation) ist die staatliche britische Rundfunk- und Fernsehanstalt. Die Fernsehsender BBC1 und BBC2 bieten beide ein umfangreiches Fernsehprogramm, wobei BBC1 mehr Sendungen von allgemeinem Interesse wie z.B. leichte Unterhaltung, Sport, Aktuelles, Kinderprogramme und Außenübertragungen zeigt. BBC2 berücksichtigt Reisesendungen, Drama, Musik und internationale Filme. Die 5 landesweiten Radiosender bieten von Popmusik bis Kricket etwas für jeden Geschmack; dazu gibt es noch 37 regionale Radiosender. Der BBC World Service ist auf der ganzen Welt auf Englisch oder in einer von 35 anderen Sprachen zu empfangen. Finanziert wird die BBC vor allem durch Fernsehgebühren und ins Ausland verkaufte Sendungen. Obwohl die BBC dem Parlament verantwortlich ist, werden die Sendungen nicht vom Staat kontrolliert.*

BC *adv abbr* (= *before Christ*) v. Chr. ♦ *abbr* (*CANADA:* = *British Columbia*) Britisch-Kolumbien *nt*.
BCG *n abbr* (= *bacille Calmette-Guérin*) BCG *m*.
BD *n abbr* (= *Bachelor of Divinity*) *akademischer Grad in Theologie.*
B/D *abbr* = **bank draft.**
BDS *n abbr* (= *Bachelor of Dental Surgery*) *akademischer Grad in Zahnmedizin.*
B/E *abbr* = **bill of exchange.**

KEYWORD

be [biː] (*pt* **was, were,** *pp* **been**) *aux vb* **1** (*with present participle: forming continuous tenses*): **what are you doing?** was machst du?; **it is raining** es regnet; **have you been to Rome?** waren Sie schon einmal in Rom?
2 (*with pp: forming passives*) werden; **to ~ killed** getötet werden; **the box had been opened** die Kiste war geöffnet worden
3 (*in tag questions*): **he's good-looking, isn't he?** er sieht gut aus, nicht (wahr)?; **she's back again, is she?** sie ist wieder da, oder?
4 (*+ to + infinitive*): **the house is to ~ sold** das

Haus soll verkauft werden; **he's not to open it** er darf es nicht öffnen
♦ *vb + complement* **1** sein; **I'm tired/English** ich bin müde/Engländer(in); **I'm hot/cold** mir ist heiß/kalt; **2 and 2 are 4** 2 und 2 ist *or* macht 4; **she's tall/pretty** sie ist groß/hübsch; ~ **careful/quiet** sei vorsichtig/ruhig
2 (*of health*): **how are you?** wie geht es Ihnen?
3 (*of age*): **how old are you?** wie alt bist du?; **I'm sixteen (years old)** ich bin sechzehn (Jahre alt)
4 (*cost*) kosten; **how much was the meal?** was hat das Essen gekostet?; **that'll ~ 5 pounds please** das macht 5 Pfund, bitte
♦ *vi* **1** (*exist, occur etc*) sein; **there is/are** es gibt; **is there a God?** gibt es einen Gott?; ~ **that as it may** wie dem auch sei; **so ~ it** gut (und schön)
2 (*referring to place*) sein, liegen; **Edinburgh is in Scotland** Edinburgh liegt *or* ist in Schottland; **I won't ~ here tomorrow** morgen bin ich nicht da
3 (*referring to movement*) sein; **where have you been?** wo warst du?
♦ *impers vb* **1** (*referring to time, distance, weather*) sein; **it's 5 o'clock** es ist 5 Uhr; **it's 10 km to the village** es sind 10 km bis zum Dorf; **it's too hot/cold** es ist zu heiß/kalt
2 (*emphatic*): **it's only me** ich bin's nur; **it's only the postman** es ist nur der Briefträger.

beach [biːtʃ] *n* Strand *m* ♦ *vt* (*boat*) auf (den) Strand setzen.
beach buggy *n* Strandbuggy *m*.
beachcomber ['biːtʃkəumə*] *n* Strandgutsammler *m*.
beachwear ['biːtʃwɛə*] *n* Strandkleidung *f*.
beacon ['biːkən] *n* Leuchtfeuer *nt*; (*marker*) Bake *f*; (*also*: **radio ~**) Funkfeuer *nt*.
bead [biːd] *n* Perle *f*; **beads** *npl* (*necklace*) Perlenkette *f*.
beady ['biːdɪ] *adj*: ~ **eyes** Knopfaugen *pl*.
beagle ['biːgl] *n* Beagle *m*.
beak [biːk] *n* Schnabel *m*.
beaker ['biːkə*] *n* Becher *m*.
beam [biːm] *n* (*ARCHIT*) Balken *m*; (*of light*) Strahl *m*; (*RADIO*) Leitstrahl *m* ♦ *vi* (*smile*) strahlen ♦ *vt* ausstrahlen, senden; **to ~ at sb** jdn anstrahlen; **to drive on full** *or* **main** *or* **high ~** mit Fernlicht fahren.
beaming ['biːmɪŋ] *adj* strahlend.
bean [biːn] *n* Bohne *f*; **runner ~** Stangenbohne *f*; **broad ~** dicke Bohne; **coffee ~** Kaffeebohne *f*.
beanpole ['biːnpəul] *n* (*lit, fig*) Bohnenstange *f*.
beanshoots ['biːnʃuːts] *npl* Sojabohnensprossen *pl*.
beansprouts ['biːnsprauts] *npl* = **beanshoots**.
bear [bɛə*] (*pt* **bore**, *pp* **borne**) *n* Bär *m*; (*STOCK EXCHANGE*) Baissier *m* ♦ *vt* tragen; (*tolerate, endure*) ertragen; (*examination*) standhalten *+dat*; (*traces, signs*) aufweisen, zeigen; (*COMM: interest*) tragen, bringen; (*produce: children*) gebären; (: *fruit*) tragen ♦ *vi*: **to ~ right/left** (*AUT*) sich rechts/links halten; **to ~ the responsibility of** die Verantwortung tragen für; **to ~ comparison with** einem Vergleich standhalten mit; **I can't ~ him** ich kann ihn nicht ausstehen; **to bring pressure to ~ on sb** Druck auf jdn ausüben.
►**bear out** *vt* (*person, suspicions etc*) bestätigen.
►**bear up** *vi* Haltung bewahren; **he bore up well** er hat sich gut gehalten.
►**bear with** *vt fus* Nachsicht haben mit; ~ **with me a minute** bitte gedulden Sie sich einen Moment.
bearable ['bɛərəbl] *adj* erträglich.
beard [bɪəd] *n* Bart *m*.
bearded ['bɪədɪd] *adj* bärtig.
bearer ['bɛərə*] *n* (*of letter, news*) Überbringer(in) *m(f)*; (*of cheque, passport, title etc*) Inhaber(in) *m(f)*.
bearing ['bɛərɪŋ] *n* (*posture*) Haltung *f*; (*air*) Auftreten *nt*; (*connection*) Bezug *m*; (*TECH*) Lager *nt*; **bearings** *npl* (*also*: **ball ~s**) Kugellager *nt*; **to take a ~ with a compass** den Kompaßkurs feststellen; **to get one's ~s** sich zurechtfinden.
beast [biːst] *n* (*animal*) Tier *nt*; (*inf: person*) Biest *nt*.
beastly ['biːstlɪ] *adj* scheußlich.
beat [biːt] (*pt* **beat**, *pp* **beaten**) *n* (*of heart*) Schlag *m*; (*MUS*) Takt *m*; (*of policeman*) Revier *nt* ♦ *vt* schlagen; (*record*) brechen ♦ *vi* schlagen; **to ~ time** den Takt schlagen; **to ~ it** (*inf*) abhauen, verschwinden; **that ~s everything** das ist doch wirklich der Gipfel *or* die Höhe; **to ~ about the bush** um den heißen Brei herumreden; **off the ~en track** abgelegen.
►**beat down** *vt* (*door*) einschlagen; (*price*) herunterhandeln; (*seller*) einen niedrigeren Preis aushandeln mit ♦ *vi* (*rain*) herunterprasseln; (*sun*) herunterbrennen.
►**beat off** *vt* (*attack, attacker*) abwehren.
►**beat up** *vt* (*person*) zusammenschlagen; (*mixture, eggs*) schlagen.
beater ['biːtə*] *n* (*for eggs, cream*) Schneebesen *m*.
beating ['biːtɪŋ] *n* Schläge *pl*, Prügel *pl*; **to take a ~** (*fig*) eine Schlappe einstecken.
beat-up ['biːt'ʌp] (*inf*) *adj* zerbeult, ramponiert.
beautician [bjuː'tɪʃən] *n* Kosmetiker(in) *m(f)*.
beautiful ['bjuːtɪful] *adj* schön.
beautifully ['bjuːtɪflɪ] *adv* (*play, sing, drive etc*) hervorragend; (*quiet, empty etc*) schön.
beautify ['bjuːtɪfaɪ] *vt* verschönern.
beauty ['bjuːtɪ] *n* Schönheit *f*; (*fig: attraction*) Schöne *nt*; **the ~ of it is that ...** das Schöne

daran ist, daß ...
beauty contest *n* Schönheitswettbewerb *m*.
beauty queen *n* Schönheitskönigin *f*.
beauty salon *n* Kosmetiksalon *m*.
beauty sleep *n* (Schönheits)schlaf *m*.
beauty spot (*BRIT*) *n* besonders schöner Ort *m*.
beaver ['biːvə*] *n* Biber *m*.
becalmed [bɪ'kɑːmd] *adj*: **to be** ~ (*sailing ship*) in eine Flaute geraten.
became [bɪ'keɪm] *pt of* **become**.
because [bɪ'kɔz] *conj* weil; ~ **of** wegen *+gen or* (*inf*) *+dat*.
beck [bɛk] *n*: **to be at sb's** ~ **and call** nach jds Pfeife tanzen.
beckon ['bɛkən] *vt* (*also*: ~ **to**) winken ♦ *vi* locken.
become [bɪ'kʌm] (*irreg: like* **come**) *vi* werden; **it became known that** es wurde bekannt, daß; **what has** ~ **of him?** was ist aus ihm geworden?
becoming [bɪ'kʌmɪŋ] *adj* (*behaviour*) schicklich; (*clothes*) kleidsam.
BECTU ['bɛktu] (*BRIT*) *n abbr* (= *Broadcasting, Entertainment, Cinematographic and Theatre Union*) *Gewerkschaft für Beschäftigte in der Unterhaltungsindustrie*.
BEd *n abbr* (= *Bachelor of Education*) *akademischer Grad im Erziehungswesen*.
bed [bɛd] *n* Bett *nt*; (*of coal*) Flöz *nt*; (*of clay*) Schicht *f*; (*of river*) (Fluß)bett *nt*; (*of sea*) (Meeres)boden *m*, (Meeres)grund *m*; (*of flowers*) Beet *nt*; **to go to** ~ ins *or* zu Bett gehen.
▸**bed down** *vi* sein Lager aufschlagen.
bed and breakfast *n* (*place*) (Frühstücks)pension *f*; (*terms*) Übernachtung *f* mit Frühstück.

Bed and Breakfast *bedeutet 'Übernachtung mit Frühstück', wobei sich dies in Großbritannien nicht auf Hotels, sondern auf kleinere Pensionen, Privathäuser und Bauernhöfe bezieht, wo man wesentlich preisgünstiger übernachten kann als in Hotels. Oft wird für Bed and Breakfast, auch* **B & B** *genannt, durch ein entsprechendes Schild im Garten oder an der Einfahrt geworben.*

bedbug ['bɛdbʌg] *n* Wanze *f*.
bedclothes ['bɛdkləuðz] *npl* Bettzeug *nt*.
bedding ['bɛdɪŋ] *n* Bettzeug *nt*.
bedevil [bɪ'dɛvl] *vt* (*person*) heimsuchen; (*plans*) komplizieren; **to be ~led by misfortune/bad luck** vom Schicksal/Pech verfolgt sein.
bedfellow ['bɛdfɛləu] *n*: **they are strange ~s** (*fig*) sie sind ein merkwürdiges Gespann.
bedlam ['bɛdləm] *n* Chaos *nt*.
bedpan ['bɛdpæn] *n* Bettpfanne *f*, Bettschüssel *f*.
bedpost ['bɛdpəust] *n* Bettpfosten *m*.
bedraggled [bɪ'drægld] *adj* (*wet*) triefnaß, tropfnaß; (*dirty*) verdreckt.
bedridden ['bɛdrɪdn] *adj* bettlägerig.
bedrock ['bɛdrɔk] *n* (*fig*) Fundament *nt*; (*GEOG*) Grundgebirge *nt*, Grundgestein *nt*.
bedroom ['bɛdrum] *n* Schlafzimmer *nt*.
Beds [bɛdz] (*BRIT*) *abbr* (*POST*: = *Bedfordshire*).
bed settee *n* Sofabett *nt*.
bedside ['bɛdsaɪd] *n*: **at sb's** ~ an jds Bett; ~ **lamp** Nachttischlampe *f*; ~ **book** Bettlektüre *f*.
bedsit(ter) ['bɛdsɪt(ə*)] (*BRIT*) *n* möbliertes Zimmer *nt*.
bedspread ['bɛdsprɛd] *n* Tagesdecke *f*.
bedtime ['bɛdtaɪm] *n* Schlafenszeit *f*; **it's** ~ es ist Zeit, ins Bett zu gehen.
bee [biː] *n* Biene *f*; **to have a** ~ **in one's bonnet about cleanliness** einen Sauberkeitsfimmel *or* Sauberkeitstick haben.
beech [biːtʃ] *n* Buche *f*.
beef [biːf] *n* Rind(fleisch) *nt*; **roast** ~ Rinderbraten *m*.
▸**beef up** (*inf*) *vt* aufmotzen; (*essay*) auswalzen.
beefburger ['biːfbəːgə*] *n* Hamburger *m*.
beefeater ['biːfiːtə*] *n* Beefeater *m*.
beehive ['biːhaɪv] *n* Bienenstock *m*.
beekeeping ['biːkiːpɪŋ] *n* Bienenzucht *f*, Imkerei *f*.
beeline ['biːlaɪn] *n*: **to make a** ~ **for** schnurstracks zugehen auf *+acc*.
been [biːn] *pp of* **be**.
beep [biːp] (*inf*) *n* Tut(tut) *nt* ♦ *vi* tuten ♦ *vt*: **to** ~ **one's horn** hupen.
beer [bɪə*] *n* Bier *nt*.
beer belly (*inf*) *n* Bierbauch *m*.
beer can *n* Bierdose *f*.
beet [biːt] *n* Rübe *f*; (*US*: *also*: **red** ~) rote Bete *f*.
beetle ['biːtl] *n* Käfer *m*.
beetroot ['biːtruːt] (*BRIT*) *n* rote Bete *f*.
befall [bɪ'fɔːl] (*irreg: like* **fall**) *vi* sich zutragen ♦ *vt* widerfahren *+dat*.
befit [bɪ'fɪt] *vt* sich gehören für.
before [bɪ'fɔː*] *prep* vor *+dat*; (*with movement*) vor *+acc* ♦ *conj* bevor ♦ *adv* (*time*) vorher; (*space*) davor; ~ **going** bevor er/sie *etc* geht/ging; ~ **she goes** bevor sie geht; **the week** ~ die Woche davor; **I've never seen it** ~ ich habe es noch nie gesehen.
beforehand [bɪ'fɔːhænd] *adv* vorher.
befriend [bɪ'frɛnd] *vt* sich annehmen *+gen*.
befuddled [bɪ'fʌdld] *adj*: **to be** ~ verwirrt sein.
beg [bɛg] *vi* betteln ♦ *vt* (*food, money*) betteln um; (*favour, forgiveness etc*) bitten um; **to** ~ **for** (*food etc*) betteln um; (*forgiveness, mercy etc*) bitten um; **to** ~ **sb to do sth** jdn bitten, etw zu tun; **I** ~ **your pardon** (*apologizing*) entschuldigen Sie bitte; (: *not hearing*) (wie) bitte?; **to** ~ **the question** der Frage ausweichen; *see also* **pardon**.

began [bɪ'gæn] *pt of* **begin.**
beggar ['bɛgə*] *n* Bettler(in) *m(f)*.
begin [bɪ'gɪn] (*pt* **began,** *pp* **begun**) *vt, vi* beginnen, anfangen; **to ~ doing** *or* **to do sth** anfangen, etw zu tun; **~ning (from) Monday** ab Montag; **I can't ~ to thank you** ich kann Ihnen gar nicht genug danken; **we'll have soup to ~ with** als Vorspeise hätten wir gern Suppe; **to ~ with, I'd like to know ...** zunächst einmal möchte ich wissen, ...
beginner [bɪ'gɪnə*] *n* Anfänger(in) *m(f)*.
beginning [bɪ'gɪnɪŋ] *n* Anfang *m*; **right from the ~** von Anfang an.
begrudge [bɪ'grʌdʒ] *vt*: **to ~ sb sth** jdm etw mißgönnen *or* nicht gönnen.
beguile [bɪ'gaɪl] *vt* betören.
beguiling [bɪ'gaɪlɪŋ] *adj* (*charming*) verführerisch; (*deluding*) betörend.
begun [bɪ'gʌn] *pp of* **begin.**
behalf [bɪ'hɑːf] *n*: **on ~ of,** (*US*) **in ~ of** (*as representative of*) im Namen von; (*for benefit of*) zugunsten von; **on my/his ~** in meinem/ seinem Namen; zu meinen/seinen Gunsten.
behave [bɪ'heɪv] *vi* (*person*) sich verhalten, sich benehmen; (*thing*) funktionieren; (*also*: **~ o.s.**) sich benehmen.
behaviour, (*US*) **behavior** [bɪ'heɪvjə*] *n* Verhalten *nt*; (*manner*) Benehmen *nt*.
behead [bɪ'hɛd] *vt* enthaupten.
beheld [bɪ'hɛld] *pt, pp of* **behold.**
behind [bɪ'haɪnd] *prep* hinter ♦ *adv* (*at/towards the back*) hinten ♦ *n* (*buttocks*) Hintern *m*, Hinterteil *nt*; **~ the scenes** (*fig*) hinter den Kulissen; **we're ~ them in technology** auf dem Gebiet der Technologie liegen wir hinter ihnen zurück; **to be ~** (*schedule*) im Rückstand *or* Verzug sein; **to leave/stay ~** zurücklassen/-bleiben.
behold [bɪ'həuld] (*irreg: like* **hold**) *vt* sehen, erblicken.
beige [beɪʒ] *adj* beige.
Beijing ['beɪ'dʒɪŋ] *n* Peking *nt*.
being ['biːɪŋ] *n* (*creature*) (Lebe)wesen *nt*; (*existence*) Leben *nt*, (Da)sein *nt*; **to come into ~** entstehen.
Beirut [beɪ'ruːt] *n* Beirut *nt*.
Belarus [bɛlə'rus] *n* Weißrußland *nt*.
Belarussian *adj* belarussisch, weißrussisch ♦ *n* Weißrusse *m*, Weißrussin *f*; (*LING*) Weißrussisch *nt*.
belated [bɪ'leɪtɪd] *adj* verspätet.
belch [bɛltʃ] *vi* rülpsen ♦ *vt* (*also*: **belch out:** *smoke etc*) ausstoßen.
beleaguered [bɪ'liːgɪd] *adj* (*city*) belagert; (*army*) eingekesselt; (*fig*) geplagt.
Belfast ['bɛlfɑːst] *n* Belfast *nt*.
belfry ['bɛlfrɪ] *n* Glockenstube *f*.
Belgian ['bɛldʒən] *adj* belgisch ♦ *n* Belgier(in) *m(f)*.
Belgium ['bɛldʒəm] *n* Belgien *nt*.
Belgrade [bɛl'greɪd] *n* Belgrad *nt*.
belie [bɪ'laɪ] *vt* (*contradict*) im Widerspruch stehen zu; (*give false impression of*) hinwegtäuschen über *+acc*; (*disprove*) widerlegen, Lügen strafen.
belief [bɪ'liːf] *n* Glaube *m*; (*opinion*) Überzeugung *f*; **it's beyond ~** es ist unglaublich *or* nicht zu glauben; **in the ~ that** im Glauben, daß.
believable [bɪ'liːvəbl] *adj* glaubhaft.
believe [bɪ'liːv] *vt* glauben ♦ *vi* (an Gott) glauben; **he is ~d to be abroad** es heißt, daß er im Ausland ist; **to ~ in** (*God, ghosts*) glauben an *+acc*; (*method etc*) Vertrauen haben zu; **I don't ~ in corporal punishment** ich halte nicht viel von der Prügelstrafe.
believer [bɪ'liːvə*] *n* (*in idea, activity*) Anhänger(in) *m(f)*; (*REL*) Gläubige(r) *f(m)*; **she's a great ~ in healthy eating** sie ist sehr für eine gesunde Ernährung.
belittle [bɪ'lɪtl] *vt* herabsetzen.
Belize [bɛ'liːz] *n* Belize *nt*.
bell [bɛl] *n* Glocke *f*; (*small*) Glöckchen *nt*, Schelle *f*; (*on door*) Klingel *f*; **that rings a ~** (*fig*) das kommt mir bekannt vor.
bell-bottoms ['bɛlbɔtəmz] *npl* Hose *f* mit Schlag.
bellboy ['bɛlbɔɪ] (*BRIT*) *n* Page *m*, Hoteljunge *m*.
bellhop ['bɛlhɔp] (*US*) *n* = **bellboy.**
belligerence [bɪ'lɪdʒərəns] *n* Angriffslust *f*.
belligerent [bɪ'lɪdʒərənt] *adj* angriffslustig.
bellow ['bɛləu] *vi, vt* brüllen.
bellows ['bɛləuz] *npl* Blasebalg *m*.
bell push (*BRIT*) *n* Klingel *f*.
belly ['bɛlɪ] *n* Bauch *m*.
bellyache ['bɛlɪeɪk] (*inf*) *n* Bauchschmerzen *pl* ♦ *vi* murren.
bellybutton ['bɛlɪbʌtn] *n* Bauchnabel *m*.
bellyful ['bɛlɪful] (*inf*) *n*: **I've had a ~ of that** davon habe ich die Nase voll.
belong [bɪ'lɔŋ] *vi*: **to ~ to** (*person*) gehören *+dat*; (*club etc*) angehören *+dat*; **this book ~s here** dieses Buch gehört hierher.
belongings [bɪ'lɔŋɪŋz] *npl* Sachen *pl*, Habe *f*; **personal ~** persönlicher Besitz *m*, persönliches Eigentum *nt*.
Belorussia [bɛleu'rʌʃə] *n* Weißrußland *nt*.
Belorussian [bɛleu'rʌʃən] *adj, n* = **Belarussian.**
beloved [bɪ'lʌvɪd] *adj* geliebt ♦ *n* Geliebte(r) *f(m)*.
below [bɪ'ləu] *prep* (*beneath*) unterhalb *+gen*; (*less than*) unter *+dat* ♦ *adv* (*beneath*) unten; **see ~** siehe unten; **temperatures ~ normal** Temperaturen unter dem Durchschnitt.
belt [bɛlt] *n* Gürtel *m*; (*TECH*) (Treib)riemen *m* ♦ *vt* schlagen ♦ *vi* (*BRIT: inf*): **to ~ along** rasen; **to ~ down/into** hinunter-/ hineinrasen; **industrial ~** Industriegebiet *nt*.
▸**belt out** *vt* (*song*) schmettern.
▸**belt up** (*BRIT: inf*) *vi* den Mund *or* die Klappe halten.
beltway ['bɛltweɪ] (*US*) *n* Umgehungsstraße *f*, Ringstraße *f*; (*motorway*)

Umgehungsautobahn *f*.
bemoan [bɪ'məun] *vt* beklagen.
bemused [bɪ'mju:zd] *adj* verwirrt.
bench [bɛntʃ] *n* Bank *f*; (*work bench*) Werkbank *f*; **the B~** (*LAW: judges*) die Richter *pl*, der Richterstand.
benchmark ['bɛntʃmɑ:k] *n* (*fig*) Maßstab *m*.
bend [bɛnd] (*pt, pp* **bent**) *vt* (*leg, arm*) beugen; (*pipe*) biegen ♦ *vi* (*person*) sich beugen ♦ *n* (*BRIT: in road*) Kurve *f*; (*in pipe, river*) Biegung *f*; **bends** *npl* (*MED*): **the ~s** die Taucherkrankheit.
▸**bend down** *vi* sich bücken.
▸**bend over** *vi* sich bücken.
beneath [bɪ'ni:θ] *prep* unter *+dat* ♦ *adv* darunter.
benefactor ['bɛnɪfæktə*] *n* Wohltäter *m*.
benefactress ['bɛnɪfæktrɪs] *n* Wohltäterin *f*.
beneficial [bɛnɪ'fɪʃəl] *adj* (*effect*) nützlich; (*influence*) vorteilhaft; ~ **(to)** gut (für).
beneficiary [bɛnɪ'fɪʃərɪ] *n* (*LAW*) Nutznießer(in) *m(f)*.
benefit ['bɛnɪfɪt] *n* (*advantage*) Vorteil *m*; (*money*) Beihilfe *f*; (*also*: ~ **concert**, ~ **match**) Benefizveranstaltung *f* ♦ *vt* nützen *+dat*, zugute kommen *+dat* ♦ *vi*: **he'll ~ from it** er wird davon profitieren.
Benelux ['bɛnɪlʌks] *n* die Beneluxstaaten *pl*.
benevolent [bɪ'nɛvələnt] *adj* wohlwollend; (*organization*) Wohltätigkeits-.
BEng *n abbr* (= *Bachelor of Engineering*) *akademischer Grad für Ingenieure*.
benign [bɪ'naɪn] *adj* gütig; (*MED*) gutartig.
bent [bɛnt] *pt, pp of* **bend** ♦ *n* Neigung *f* ♦ *adj* (*wire, pipe*) gebogen; (*inf: dishonest*) korrupt; (: *pej: homosexual*) andersrum; **to be ~ on** entschlossen sein zu.
bequeath [bɪ'kwi:ð] *vt* vermachen.
bequest [bɪ'kwɛst] *n* Vermächtnis *nt*, Legat *nt*.
bereaved [bɪ'ri:vd] *adj* leidtragend ♦ *npl*: **the ~** die Hinterbliebenen *pl*.
bereavement [bɪ'ri:vmənt] *n* schmerzlicher Verlust *m*.
bereft [bɪ'rɛft] *adj*: ~ **of** beraubt *+gen*.
beret ['bɛreɪ] *n* Baskenmütze *f*.
Bering Sea ['beɪrɪŋ-] *n*: **the ~** das Beringmeer.
berk [bə:k] (*inf*) *n* Dussel *m*.
Berks [bɑ:ks] (*BRIT*) *abbr* (*POST:* = *Berkshire*).
Berlin [bə:'lɪn] *n* Berlin *nt*; **East/West ~** (*formerly*) Ost-/Westberlin *nt*.
berm [bə:m] (*US*) *n* Seitenstreifen *m*.
Bermuda [bə:'mju:də] *n* Bermuda *nt*, die Bermudinseln *pl*.
Bermuda shorts *npl* Bermudashorts *pl*.
Bern [bə:n] *n* Bern *nt*.
berry ['bɛrɪ] *n* Beere *f*.
berserk [bə'sə:k] *adj*: **to go ~** wild werden.
berth [bə:θ] *n* (*bed*) Bett *nt*; (*on ship*) Koje *f*; (*on train*) Schlafwagenbett *nt*; (*for ship*) Liegeplatz *m* ♦ *vi* anlegen; **to give sb a wide ~** (*fig*) einen großen Bogen um jdn machen.
beseech [bɪ'si:tʃ] (*pt, pp* **besought**) *vt* anflehen.
beset [bɪ'sɛt] (*pt, pp* **beset**) *vt* (*subj: difficulties*) bedrängen; (: *fears, doubts*) befallen; ~ **with** (*problems, dangers etc*) voller *+dat*.
beside [bɪ'saɪd] *prep* neben *+dat*; (*with movement*) neben *+acc*; **to be ~ o.s.** außer sich sein; **that's ~ the point** das hat damit nichts zu tun.
besides [bɪ'saɪdz] *adv* außerdem ♦ *prep* außer *+dat*.
besiege [bɪ'si:dʒ] *vt* belagern; (*fig*) belagern, bedrängen.
besmirch [bɪ'smə:tʃ] *vt* besudeln.
besotted [bɪ'sɔtɪd] (*BRIT*) *adj*: ~ **with** vernarrt in *+acc*.
besought [bɪ'sɔ:t] *pt, pp of* **beseech**.
bespectacled [bɪ'spɛktɪkld] *adj* bebrillt.
bespoke [bɪ'spəuk] (*BRIT*) *adj* (*garment*) maßgeschneidert; (*suit*) Maß-; ~ **tailor** Maßschneider *m*.
best [bɛst] *adj* beste(r, s) ♦ *adv* am besten ♦ *n*: **at ~** bestenfalls; **the ~ thing to do is ...** das beste ist ...; **the ~ part of** der größte Teil *+gen*; **to make the ~ of sth** das Beste aus etw machen; **to do one's ~** sein Bestes tun; **to the ~ of my knowledge** meines Wissens; **to the ~ of my ability** so gut ich kann; **he's not exactly patient at the ~ of times** er ist schon normalerweise ziemlich ungeduldig.
bestial ['bɛstɪəl] *adj* bestialisch.
best man *n* Trauzeuge *m* (*des Bräutigams*).
bestow [bɪ'stəu] *vt* schenken; **to ~ sth on sb** (*honour, praise*) jdm etw zuteil werden lassen; (*title*) jdm etw verleihen.
best seller *n* Bestseller *m*.
bet [bɛt] (*pt, pp* **bet** *or* **betted**) *n* Wette *f* ♦ *vi* wetten ♦ *vt*: **to ~ sb sth** mit jdm um etw wetten; **it's a safe ~** (*fig*) es ist so gut wie sicher; **to ~ money on sth** Geld auf etw *acc* setzen.
Bethlehem ['bɛθlɪhɛm] *n* Bethlehem *nt*.
betray [bɪ'treɪ] *vt* verraten; (*trust, confidence*) mißbrauchen.
betrayal [bɪ'treɪəl] *n* Verrat *m*.
better ['bɛtə*] *adj, adv* besser ♦ *vt* verbessern ♦ *n*: **to get the ~ of sb** jdn unterkriegen; (*curiosity*) über jdn siegen; **I had ~ go** ich gehe jetzt (wohl) besser; **you had ~ do it** tun Sie es lieber; **he thought ~ of it** er überlegte es sich *dat* anders; **to get ~** gesund werden; **that's ~!** so ist es besser!; **a change for the ~** eine Wendung zum Guten.
better off *adj* (*wealthier*) besser gestellt; (*more comfortable etc*) besser dran; (*fig*): **you'd be ~ this way** so wäre es besser für Sie.
betting ['bɛtɪŋ] *n* Wetten *nt*.
betting shop (*BRIT*) *n* Wettbüro *nt*.
between [bɪ'twi:n] *prep* zwischen *+dat*; (*with movement*) zwischen *+acc*; (*amongst*) unter *+acc or dat* ♦ *adv* dazwischen; **the road ~ here and London** die Straße zwischen hier und

London; **we only had £5 ~ us** wir hatten zusammen nur £5.
bevel ['bɛvəl] *n* (*also:* ~ **edge**) abgeschrägte Kante *f*.
bevelled ['bɛvəld] *adj:* **a ~ edge** eine Schrägkante, eine abgeschrägte Kante.
beverage ['bɛvərɪdʒ] *n* Getränk *nt*.
bevy ['bɛvɪ] *n:* **a ~ of** eine Schar *+gen*.
bewail [bɪ'weɪl] *vt* beklagen.
beware [bɪ'wɛə*] *vi:* **to ~ (of)** sich in acht nehmen (vor *+dat*); **"~ of the dog"** „Vorsicht, bissiger Hund".
bewildered [bɪ'wɪldəd] *adj* verwirrt.
bewildering [bɪ'wɪldrɪŋ] *adj* verwirrend.
bewitching [bɪ'wɪtʃɪŋ] *adj* bezaubernd, hinreißend.
beyond [bɪ'jɔnd] *prep* (*in space*) jenseits *+gen*; (*exceeding*) über *+acc* ... hinaus; (*after*) nach; (*above*) über *+dat* ♦ *adv* (*in space*) dahinter; (*in time*) darüber hinaus; **it is ~ doubt** es steht außer Zweifel; **~ repair** nicht mehr zu reparieren; **it is ~ my understanding** es übersteigt mein Begriffsvermögen; **it's ~ me** das geht über meinen Verstand.
b/f *abbr* (*COMM:* = *brought forward*) Übertr.
BFPO *n abbr* (= *British Forces Post Office*) *Postbehörde der britischen Armee.*
bhp *n abbr* (*AUT:* = *brake horsepower*) Bremsleistung *f*.
bi... [baɪ] *pref* Bi-, bi-.
biannual [baɪ'ænjuəl] *adj* zweimal jährlich.
bias ['baɪəs] *n* (*prejudice*) Vorurteil *nt*; (*preference*) Vorliebe *f*.
bias(s)ed ['baɪəst] *adj* voreingenommen; **to be ~ against** voreingenommen sein gegen.
biathlon [baɪ'æθlən] *n* Biathlon *nt*.
bib [bɪb] *n* Latz *m*.
Bible ['baɪbl] *n* Bibel *f*.
biblical ['bɪblɪkl] *adj* biblisch.
bibliography [bɪblɪ'ɔgrəfɪ] *n* Bibliographie *f*.
bicarbonate of soda [baɪ'kɑːbənɪt-] *n* Natron *nt*.
bicentenary [baɪsɛn'tiːnərɪ] *n* Zweihundertjahrfeier *f*.
bicentennial [baɪsɛn'tɛnɪəl] (*US*) *n* = **bicentenary**.
biceps ['baɪsɛps] *n* Bizeps *m*.
bicker ['bɪkə*] *vi* sich zanken.
bickering ['bɪkərɪŋ] *n* Zankerei *f*.
bicycle ['baɪsɪkl] *n* Fahrrad *nt*.
bicycle path *n* (Fahr)radweg *m*.
bicycle pump *n* Luftpumpe *f*.
bicycle track *n* (Fahr)radweg *m*.
bid [bɪd] (*pt* **bade** *or* **bid,** *pp* **bidden** *or* **bid**) *n* (*at auction*) Gebot *nt*; (*in tender*) Angebot *nt*; (*attempt*) Versuch *m* ♦ *vi* bieten; (*CARDS*) bieten, reizen ♦ *vt* bieten; **to ~ sb good day** jdm einen guten Tag wünschen.
bidder ['bɪdə*] *n:* **the highest ~** der/die Höchstbietende *or* Meistbietende.
bidding ['bɪdɪŋ] *n* Steigern *nt*, Bieten *nt*; (*order, command*): **to do sb's ~** tun, was jd einem sagt.
bide [baɪd] *vt:* **to ~ one's time** den rechten Augenblick abwarten.
bidet ['biːdeɪ] *n* Bidet *nt*.
bidirectional ['baɪdɪ'rɛkʃənl] *adj* (*COMPUT*) bidirektional.
biennial [baɪ'ɛnɪəl] *adj* zweijährlich ♦ *n* zweijährige Pflanze *f*.
bier [bɪə*] *n* Bahre *f*.
bifocals [baɪ'fəuklz] *npl* Bifokalbrille *f*.
big [bɪg] *adj* groß; **to do things in a ~ way** alles im großen Stil tun.
bigamist ['bɪgəmɪst] *n* Bigamist(in) *m(f)*.
bigamous ['bɪgəməs] *adj* bigamistisch.
bigamy ['bɪgəmɪ] *n* Bigamie *f*.
big dipper [-'dɪpə*] *n* Achterbahn *f*.
big end *n* (*AUT*) Pleuelfuß *m*, Schubstangenkopf *m*.
biggish ['bɪgɪʃ] *adj* ziemlich groß.
bigheaded ['bɪg'hɛdɪd] *adj* eingebildet.
big-hearted ['bɪg'hɑːtɪd] *adj* großherzig.
bigot ['bɪgət] *n* Eiferer *m*; (*about religion*) bigotter Mensch *m*.
bigoted ['bɪgətɪd] *adj* (*see n*) eifernd; bigott.
bigotry ['bɪgətrɪ] *n* (*see n*) eifernde Borniertheit *f*; Bigotterie *f*.
big toe *n* große Zehe *f*.
big top *n* Zirkuszelt *nt*.
big wheel *n* Riesenrad *nt*.
bigwig ['bɪgwɪg] (*inf*) *n* hohes Tier *nt*.
bike [baɪk] *n* (Fahr)rad *nt*; (*motorcycle*) Motorrad *nt*.
bikini [bɪ'kiːnɪ] *n* Bikini *m*.
bilateral [baɪ'lætərəl] *adj* bilateral.
bile [baɪl] *n* Galle(nflüssigkeit) *f*; (*fig: invective*) Beschimpfungen *pl*.
bilingual [baɪ'lɪŋgwəl] *adj* zweisprachig.
bilious ['bɪlɪəs] *adj* unwohl; (*fig: colour*) widerlich; **he felt ~** ihm war schlecht *or* übel.
bill [bɪl] *n* Rechnung *f*; (*POL*) (Gesetz)entwurf *m*, (Gesetzes)vorlage *f*; (*US: banknote*) Banknote *f*, (Geld)schein *m*; (*of bird*) Schnabel *m* ♦ *vt* (*item*) in Rechnung stellen, berechnen; (*customer*) eine Rechnung ausstellen *+dat*; **"post no ~s"** „Plakate ankleben verboten"; **on the ~** (*THEAT*) auf dem Programm; **to fit** *or* **fill the ~** (*fig*) der/die/das richtige sein; **~ of exchange** Wechsel *m*, Tratte *f*; **~ of fare** Speisekarte *f*; **~ of lading** Seefrachtbrief *m*, Konnossement *nt*; **~ of sale** Verkaufsurkunde *f*.
billboard ['bɪlbɔːd] *n* Reklametafel *f*.
billet ['bɪlɪt] (*MIL*) *n* Quartier *nt* ♦ *vt* einquartieren.
billfold ['bɪlfəuld] (*US*) *n* Brieftasche *f*.
billiards ['bɪljədz] *n* Billard *nt*.
billion ['bɪljən] *n* (*BRIT*) Billion *f*; (*US*) Milliarde *f*.
billionaire [bɪljə'nɛə*] *n* Milliardär(in) *m(f)*.
billow ['bɪləu] *n* (*of smoke*) Schwaden *m* ♦ *vi*

(*smoke*) in Schwaden aufsteigen; (*sail*) sich blähen.
billy goat ['bɪlɪ-] *n* Ziegenbock *m*.
bimbo ['bɪmbəu] (*inf: pej*) *n* (*woman*) Puppe *f*, Häschen *nt*.
bin [bɪn] *n* (*BRIT*) Mülleimer *m*; (*container*) Behälter *m*.
binary ['baɪnərɪ] *adj* binär.
bind [baɪnd] (*pt, pp* **bound**) *vt* binden; (*tie together: hands and feet*) fesseln; (*constrain, oblige*) verpflichten ♦ *n* (*inf: nuisance*) Last *f*.
►**bind over** *vt* rechtlich verpflichten.
►**bind up** *vt* (*wound*) verbinden; **to be bound up in** sehr beschäftigt sein mit; **to be bound up with** verbunden *or* verknüpft sein mit.
binder ['baɪndə*] *n* (*file*) Hefter *m*; (*for magazines*) Mappe *f*.
binding ['baɪndɪŋ] *adj* bindend, verbindlich ♦ *n* (*of book*) Einband *m*.
binge [bɪndʒ] (*inf*) *n*: **to go on a ~** auf eine Sauftour gehen.
bingo ['bɪŋgəu] *n* Bingo *nt*.
bin liner *n* Müllbeutel *m*.
binoculars [bɪ'nɔkjuləz] *npl* Fernglas *nt*.
biochemistry [baɪə'kɛmɪstrɪ] *n* Biochemie *f*.
biodegradable ['baɪəudɪ'greɪdəbl] *adj* biologisch abbaubar.
biodiversity ['baɪəudaɪ'vəːsɪtɪ] *n* biologische Vielfalt *f*.
biofuel *n* Biotreibstoff *m*.
biographer [baɪ'ɔgrəfə*] *n* Biograph(in) *m(f)*.
biographic(al) [baɪə'græfɪk(l)] *adj* biographisch.
biography [baɪ'ɔgrəfɪ] *n* Biographie *f*.
biological [baɪə'lɔdʒɪkl] *adj* biologisch.
biological clock *n* biologische Uhr *f*.
biologist [baɪ'ɔlədʒɪst] *n* Biologe *m*, Biologin *f*.
biology [baɪ'ɔlədʒɪ] *n* Biologie *f*.
biophysics ['baɪəu'fɪzɪks] *n* Biophysik *f*.
biopic ['baɪəupɪk] *n* Filmbiographie *f*.
biopsy ['baɪɔpsɪ] *n* Biopsie *f*.
biosphere ['baɪəsfɪə*] *n* Biosphäre *f*.
biotechnology ['baɪəutɛk'nɔlədʒɪ] *n* Biotechnik *f*.
biped ['baɪpɛd] *n* Zweifüßer *m*.
birch [bəːtʃ] *n* Birke *f*.
bird [bəːd] *n* Vogel *m*; (*BRIT: inf: girl*) Biene *f*.
bird of prey *n* Raubvogel *m*.
bird's-eye view ['bəːdzaɪ-] *n* Vogelperspektive *f*; (*overview*) Überblick *m*.
bird-watcher ['bəːdwɔtʃə*] *n* Vogelbeobachter(in) *m(f)*.
Biro ® ['baɪərəu] *n* Kugelschreiber *m*, Kuli *m* (*inf*).
birth [bəːθ] *n* Geburt *f*; **to give ~ to** (*subj: woman*) gebären, entbunden werden von; (*: animal*) werfen.
birth certificate *n* Geburtsurkunde *f*.
birth control *n* Geburtenkontrolle *f*, Geburtenregelung *f*.
birthday ['bəːθdeɪ] *n* Geburtstag *m* ♦ *cpd* Geburtstags-; *see also* **happy**.
birthmark ['bəːθmɑːk] *n* Muttermal *nt*.
birthplace ['bəːθpleɪs] *n* Geburtsort *m*; (*house*) Geburtshaus *nt*; (*fig*) Entstehungsort *m*.
birth rate ['bəːθreɪt] *n* Geburtenrate *f*, Geburtenziffer *f*.
Biscay ['bɪskeɪ] *n*: **the Bay of ~** der Golf von Biskaya.
biscuit ['bɪskɪt] *n* (*BRIT*) Keks *m or nt*; (*US*) Brötchen *nt*.
bisect [baɪ'sɛkt] *vt* halbieren.
bisexual ['bai'sɛksjuəl] *adj* bisexuell ♦ *n* Bisexuelle(r) *f(m)*.
bishop ['bɪʃəp] *n* (*REL*) Bischof *m*; (*CHESS*) Läufer *m*.
bistro ['biːstrəu] *n* Bistro *nt*.
bit [bɪt] *pt of* **bite** ♦ *n* (*piece*) Stück *nt*; (*of drill*) (Bohr)einsatz *m*, Bohrer *m*; (*of plane*) (Hobel)messer *nt*; (*COMPUT*) Bit *nt*; (*of horse*) Gebiß *nt*; (*US*): **two/four/six ~s** 25/50/75 Cent(s); **a ~ of** ein bißchen; **a ~ mad** ein bißchen verrückt; **a ~ dangerous** etwas gefährlich; **~ by ~** nach und nach; **to come to ~s** kaputtgehen; **bring all your ~s and pieces** bringen Sie Ihre (Sieben)sachen mit; **to do one's ~** sein(en) Teil tun *or* beitragen.
bitch [bɪtʃ] *n* (*dog*) Hündin *f*; (*inf!: woman*) Miststück *nt*.
bite [baɪt] (*pt* **bit**, *pp* **bitten**) *vt, vi* beißen; (*subj: insect etc*) stechen ♦ *n* (*insect bite*) Stich *m*; (*mouthful*) Bissen *m*; **to ~ one's nails** an seinen Nägeln kauen; **let's have a ~ (to eat)** (*inf*) laßt uns eine Kleinigkeit essen.
biting ['baɪtɪŋ] *adj* (*wind*) schneidend; (*wit*) scharf.
bit part *n* kleine Nebenrolle *f*.
bitten ['bɪtn] *pp of* **bite**.
bitter ['bɪtə*] *adj* bitter; (*person*) verbittert; (*wind, weather*) bitterkalt, eisig; (*criticism*) scharf ♦ *n* (*BRIT: beer*) *halbdunkles obergäriges Bier*; **to the ~ end** bis zum bitteren Ende.
bitterly ['bɪtəlɪ] *adv* (*complain, weep*) bitterlich; (*oppose*) erbittert; (*criticize*) scharf; (*disappointed*) bitter; (*jealous*) sehr; **it's ~ cold** es ist bitter kalt.
bitterness ['bɪtənɪs] *n* Bitterkeit *f*.
bittersweet ['bɪtəswiːt] *adj* bittersüß.
bitty ['bɪtɪ] (*BRIT: inf*) *adj* zusammengestoppelt, zusammengestückelt.
bitumen ['bɪtjumɪn] *n* Bitumen *nt*.
bivouac ['bɪvuæk] *n* Biwak *nt*.
bizarre [bɪ'zɑː*] *adj* bizarr.
bk *abbr* = **bank; book**.
BL *n abbr* (= *Bachelor of Law*) *akademischer Grad für Juristen*; (= *Bachelor of Letters*) *akademischer Grad für Literaturwissenschaftler*; (*US:* = *Bachelor of Literature*) *akademischer Grad für Literaturwissenschaftler*.
b.l. *abbr* = **bill of lading**.
blab [blæb] (*inf*) *vi* quatschen.
black [blæk] *adj* schwarz ♦ *vt* (*BRIT: INDUSTRY*)

boykottieren ♦ *n* Schwarz *nt*; (*person*): **B~** Schwarze(r) *f(m)*; **to give sb a ~ eye** jdm ein blaues Auge schlagen; **~ and blue** grün und blau; **there it is in ~ and white** (*fig*) da steht es schwarz auf weiß; **to be in the ~** in den schwarzen Zahlen sein.
▸**black out** *vi* (*faint*) ohnmächtig werden.
black belt *n* (*US*) *Gebiet in den Südstaaten der USA, das vorwiegend von Schwarzen bewohnt wird*; (*JUDO*) schwarzer Gürtel *m*.
blackberry ['blækbərɪ] *n* Brombeere *f*.
blackbird ['blækbɜːd] *n* Amsel *f*.
blackboard ['blækbɔːd] *n* Tafel *f*.
black box *n* (*AVIAT*) Flugschreiber *m*.
black coffee *n* schwarzer Kaffee *m*.
Black Country (*BRIT*) *n*: **the ~** *Industriegebiet in den englischen Midlands*.
blackcurrant ['blæk'kʌrənt] *n* Johannisbeere *f*.
black economy *n*: **the ~** die Schattenwirtschaft.
blacken ['blækn] *vt*: **to ~ sb's name/reputation** (*fig*) jdn verunglimpfen.
Black Forest *n*: **the ~** der Schwarzwald.
blackhead ['blækhɛd] *n* Mitesser *m*.
black hole *n* schwarzes Loch *nt*.
black ice *n* Glatteis *nt*.
blackjack ['blækdʒæk] *n* (*CARDS*) Siebzehnundvier *nt*; (*US: truncheon*) Schlagstock *m*.
blackleg ['blæklɛg] (*BRIT*) *n* Streikbrecher(in) *m(f)*.
blacklist ['blæklɪst] *n* schwarze Liste *f* ♦ *vt* auf die schwarze Liste setzen.
blackmail ['blækmeɪl] *n* Erpressung *f* ♦ *vt* erpressen.
blackmailer ['blækmeɪlə*] *n* Erpresser(in) *m(f)*.
black market *n* Schwarzmarkt *m*.
blackout ['blækaut] *n* (*in wartime*) Verdunkelung *f*; (*power cut*) Stromausfall *m*; (*TV, RADIO*) Ausfall *m*; (*faint*) Ohnmachtsanfall *m*.
black pepper *n* schwarzer Pfeffer *m*.
Black Sea *n*: **the ~** das Schwarze Meer.
black sheep *n* (*fig*) schwarzes Schaf *nt*.
blacksmith ['blæksmɪθ] *n* Schmied *m*.
black spot *n* (*AUT*) Gefahrenstelle *f*; (*for unemployment etc*) *Gebiet, in dem ein Problem besonders ausgeprägt ist*.
bladder ['blædə*] *n* Blase *f*.
blade [bleɪd] *n* (*of knife etc*) Klinge *f*; (*of oar, propeller*) Blatt *nt*; **a ~ of grass** ein Grashalm *m*.
blame [bleɪm] *n* Schuld *f* ♦ *vt*: **to ~ sb for sth** jdm die Schuld an etw *dat* geben; **to be to ~** schuld daran haben *or* sein; **who's to ~?** wer hat *or* ist schuld?; **I'm not to ~** es ist nicht meine Schuld.
blameless ['bleɪmlɪs] *adj* schuldlos.
blanch [blɑːntʃ] *vi* blaß werden ♦ *vt* (*CULIN*) blanchieren.
blancmange [blə'mɔnʒ] *n* Pudding *m*.
bland [blænd] *adj* (*taste, food*) fade.
blank [blæŋk] *adj* (*paper*) leer, unbeschrieben; (*look*) ausdruckslos ♦ *n* (*on form*) Lücke *f*; (*cartridge*) Platzpatrone *f*; **my mind was a ~** ich hatte ein Brett vor dem Kopf; **we drew a ~** (*fig*) wir hatten kein Glück.
blank cheque *n* Blankoscheck *m*; **to give sb a ~ to do sth** (*fig*) jdm freie Hand geben, etw zu tun.
blanket ['blæŋkɪt] *n* Decke *f* ♦ *adj* (*statement*) pauschal; (*agreement*) Pauschal-.
blanket cover *n* (*INSURANCE*) umfassende Versicherung *f*.
blare [blɛə*] *vi* (*brass band*) schmettern; (*horn*) tuten; (*radio*) plärren.
▸**blare out** *vi* (*radio, stereo*) plärren.
blarney ['blɑːnɪ] *n* Schmeichelei *f*.
blasé ['blɑːzeɪ] *adj* blasiert.
blaspheme [blæs'fiːm] *vi* Gott lästern.
blasphemous ['blæsfɪməs] *adj* lästerlich, blasphemisch.
blasphemy ['blæsfɪmɪ] *n* (Gottes)lästerung *f*, Blasphemie *f*.
blast [blɑːst] *n* (*of wind*) Windstoß *m*; (*of whistle*) Trillern *nt*; (*shock wave*) Druckwelle *f*; (*of air, steam*) Schwall *m*; (*of explosive*) Explosion *f* ♦ *vt* (*blow up*) sprengen ♦ *excl* (*BRIT: inf*) verdammt!, so ein Mist!; **at full ~** (*play music*) mit voller Lautstärke; (*move, work*) auf Hochtouren.
▸**blast off** *vi* (*SPACE*) abheben, starten.
blast furnace *n* Hochofen *m*.
blastoff ['blɑːstɔf] *n* (*SPACE*) Abschuß *m*.
blatant ['bleɪtənt] *adj* offensichtlich.
blatantly ['bleɪtəntlɪ] *adv* (*lie*) unverfroren; **it's ~ obvious** es ist überdeutlich.
blaze [bleɪz] *n* (*fire*) Feuer *nt*, Brand *m*; (*fig: of colour*) Farbenpracht *f*; (*: of glory*) Glanz *m* ♦ *vi* (*fire*) lodern; (*guns*) feuern; (*fig: eyes*) glühen ♦ *vt*: **to ~ a trail** (*fig*) den Weg bahnen; **in a ~ of publicity** mit viel Publicity.
blazer ['bleɪzə*] *n* Blazer *m*.
bleach [bliːtʃ] *n* (*also*: **household ~**) ≈ Reinigungsmittel *nt* ♦ *vt* bleichen.
bleached [bliːtʃt] *adj* gebleicht.
bleachers ['bliːtʃəz] (*US*) *npl* unüberdachte Zuschauertribüne *f*.
bleak [bliːk] *adj* (*countryside*) öde; (*weather, situation*) trostlos; (*prospect*) trüb; (*expression, voice*) deprimiert.
bleary-eyed ['blɪərɪ'aɪd] *adj* triefäugig.
bleat [bliːt] *vi* (*goat*) meckern; (*sheep*) blöken ♦ *n* Meckern *nt*; Blöken *nt*.
bled [blɛd] *pt, pp of* **bleed**.
bleed [bliːd] (*pt, pp* **bled**) *vi* bluten; (*colour*) auslaufen ♦ *vt* (*brakes, radiator*) entlüften; **my nose is ~ing** ich habe Nasenbluten.
bleep [bliːp] *n* Piepton *m* ♦ *vi* piepen ♦ *vt* (*doctor etc*) rufen, anpiepen (*inf*).
bleeper ['bliːpə*] *n* Piepser *m* (*inf*), Funkrufempfänger *m*.

blemish ['blɛmɪʃ] *n* Makel *m*.
blend [blɛnd] *n* Mischung *f* ♦ *vt* (*CULIN*) mischen, mixen; (*colours, styles, flavours etc*) vermischen ♦ *vi* (*colours etc: also:* ~ **in**) harmonieren.
blender ['blɛndə*] *n* (*CULIN*) Mixer *m*.
bless [blɛs] (*pt, pp* **blessed** *or* **blest**) *vt* segnen; **to be ~ed with** gesegnet sein mit; ~ **you!** (*after sneeze*) Gesundheit!
blessed ['blɛsɪd] *adj* heilig; (*happy*) selig; **it rains every ~ day** (*inf*) es regnet aber auch jeden Tag.
blessing ['blɛsɪŋ] *n* (*approval*) Zustimmung *f*; (*REL, fig*) Segen *m*; **to count one's ~s** von Glück sagen können; **it was a ~ in disguise** es war schließlich doch ein Segen.
blew [bluː] *pt of* **blow**.
blight [blaɪt] *vt* zerstören; (*hopes*) vereiteln; (*life*) verderben ♦ *n* (*of plants*) Brand *m*.
blimey ['blaɪmɪ] (*BRIT: inf*) *excl* Mensch!
blind [blaɪnd] *adj* blind ♦ *n* (*for window*) Rollo *nt*, Rouleau *nt*; (*also*: **Venetian** ~) Jalousie *f* ♦ *vt* blind machen; (*dazzle*) blenden; (*deceive: with facts etc*) verblenden; **the blind** *npl* (*blind people*) die Blinden *pl*; **to turn a ~ eye (on** *or* **to)** ein Auge zudrücken (bei); **to be ~ to sth** (*fig*) blind für etw sein.
blind alley *n* (*fig*) Sackgasse *f*.
blind corner (*BRIT*) *n* unübersichtliche Ecke *f*.
blind date *n* Rendezvous *nt* mit einem/einer Unbekannten.
blinders ['blaɪndəz] (*US*) *npl* = **blinkers**.
blindfold ['blaɪndfəuld] *n* Augenbinde *f* ♦ *adj, adv* mit verbundenen Augen ♦ *vt* die Augen verbinden *+dat*.
blinding ['blaɪndɪŋ] *adj* (*dazzling*) blendend; (*remarkable*) bemerkenswert.
blindly ['blaɪndlɪ] *adv* (*without seeing*) wie blind; (*without thinking*) blindlings.
blindness ['blaɪndnɪs] *n* Blindheit *f*.
blind spot *n* (*AUT*) toter Winkel *m*; (*fig: weak spot*) schwacher Punkt *m*.
blink [blɪŋk] *vi* blinzeln; (*light*) blinken ♦ *n*: **the TV's on the ~** (*inf*) der Fernseher ist kaputt.
blinkers ['blɪŋkəz] *npl* Scheuklappen *pl*.
blinking ['blɪŋkɪŋ] (*BRIT: inf*) *adj*: **this ~ ...** diese(r, s) verflixte ...
blip [blɪp] *n* (*on radar screen*) leuchtender Punkt *m*; (*in a straight line*) Ausschlag *m*; (*fig*) (zeitweilige) Abweichung *f*.
bliss [blɪs] *n* Glück *nt*, Seligkeit *f*.
blissful ['blɪsful] *adj* (*event, day*) herrlich; (*smile*) selig; **a ~ sigh** ein wohliger Seufzer *m*; **in ~ ignorance** in herrlicher Ahnungslosigkeit.
blissfully ['blɪsfəlɪ] *adv* selig; ~ **happy** überglücklich; ~ **unaware of** ... ohne auch nur zu ahnen, daß ...
blister ['blɪstə*] *n* Blase *f* ♦ *vi* (*paint*) Blasen werfen.
blithely ['blaɪðlɪ] *adv* (*unconcernedly*) unbekümmert, munter; (*joyfully*) fröhlich.
blithering ['blɪðərɪŋ] (*inf*) *adj*: **this ~ idiot** dieser Trottel.
BLit(t) *n abbr* (= *Bachelor of Literature; Bachelor of Letters*) *akademischer Grad für Literaturwissenschaftler*.
blitz [blɪts] *n* (*MIL*) Luftangriff *m*; **to have a ~ on sth** (*fig*) einen Großangriff auf etw *acc* starten.
blizzard ['blɪzəd] *n* Schneesturm *m*.
BLM (*US*) *n abbr* (= *Bureau of Land Management*) *Behörde zur Verwaltung von Grund und Boden*.
bloated ['bləutɪd] *adj* aufgedunsen; (*full*) (über)satt.
blob [blɔb] *n* Tropfen *m*; (*sth indistinct*) verschwommener Fleck *m*.
bloc [blɔk] *n* Block *m*; **the Eastern ~** (*HIST*) der Ostblock.
block [blɔk] *n* Block *m*; (*toy*) Bauklotz *m*; (*in pipes*) Verstopfung *f* ♦ *vt* blockieren; (*progress*) aufhalten; (*COMPUT*) blocken; ~ **of flats** (*BRIT*) Wohnblock *m*; **3 ~s from here** 3 Blocks *or* Straßen weiter; **mental ~** geistige Sperre *f*, Mattscheibe *f* (*inf*); ~ **and tackle** Flaschenzug *m*.
▸**block up** *vt, vi* verstopfen.
blockade [blɔ'keɪd] *n* Blockade *f* ♦ *vt* blockieren.
blockage ['blɔkɪdʒ] *n* Verstopfung *f*.
block booking *n* Gruppenbuchung *f*.
blockbuster ['blɔkbʌstə*] *n* Knüller *m*.
block capitals *npl* Blockschrift *f*.
blockhead ['blɔkhɛd] (*inf*) *n* Dummkopf *m*.
block letters *npl* Blockschrift *f*.
block release (*BRIT*) *n blockweise Freistellung von Auszubildenden zur Weiterbildung*.
block vote (*BRIT*) *n* Stimmenblock *m*.
bloke [bləuk] (*BRIT: inf*) *n* Typ *m*.
blond(e) [blɔnd] *adj* blond ♦ *n*: ~ (*woman*) Blondine *f*.
blood [blʌd] *n* Blut *nt*; **new ~** (*fig*) frisches Blut *nt*.
blood bank *n* Blutbank *f*.
blood bath *n* Blutbad *nt*.
blood count *n* Blutbild *nt*.
bloodcurdling ['blʌdkəːdlɪŋ] *adj* grauenerregend.
blood donor *n* Blutspender(in) *m(f)*.
blood group *n* Blutgruppe *f*.
bloodhound ['blʌdhaund] *n* Bluthund *m*.
bloodless ['blʌdlɪs] *adj* (*victory*) unblutig; (*pale*) blutleer.
blood-letting ['blʌdlɛtɪŋ] *n* (*also fig*) Aderlaß *m*.
blood poisoning *n* Blutvergiftung *f*.
blood pressure *n* Blutdruck *m*; **to have high/low ~** hohen/niedrigen Blutdruck haben.
bloodshed ['blʌdʃɛd] *n* Blutvergießen *nt*.
bloodshot ['blʌdʃɔt] *adj* (*eyes*)

blutunterlaufen.
blood sport *n* Jagdsport *m* (*und andere Sportarten, bei denen Tiere getötet werden*).
bloodstained ['blʌdsteɪnd] *adj* blutbefleckt.
bloodstream ['blʌdstriːm] *n* Blut *nt*, Blutkreislauf *m*.
blood test *n* Blutprobe *f*.
bloodthirsty ['blʌdθəːstɪ] *adj* blutrünstig.
blood transfusion *n* Blutübertragung *f*, (Blut)transfusion *f*.
blood type *n* Blutgruppe *f*.
blood vessel *n* Blutgefäß *nt*.
bloody ['blʌdɪ] *adj* blutig; (*BRIT: inf!*): **this ~** ... diese(r, s) verdammte ...; **~ strong** (*inf!*) verdammt stark; **~ good** (*inf!*) echt gut.
bloody-minded ['blʌdɪ'maɪndɪd] (*BRIT: inf*) *adj* stur.
bloom [bluːm] *n* Blüte *f* ♦ *vi* blühen; **to be in ~** in Blüte stehen.
blooming ['bluːmɪŋ] (*BRIT: inf*) *adj*: **this ~** ... diese(r, s) verflixte ...
blossom ['blɔsəm] *n* Blüte *f* ♦ *vi* blühen; (*fig*): **to ~ into** erblühen *or* aufblühen zu.
blot [blɔt] *n* Klecks *m*; (*fig: on name etc*) Makel *m* ♦ *vt* (*liquid*) aufsaugen; (*make blot on*) beklecksen; **to be a ~ on the landscape** ein Schandfleck in der Landschaft sein; **to ~ one's copy book** (*fig*) sich unmöglich machen.
▸**blot out** *vt* (*view*) verdecken; (*memory*) auslöschen.
blotchy ['blɔtʃɪ] *adj* fleckig.
blotter ['blɔtə*] *n* (Tinten)löscher *m*.
blotting paper ['blɔtɪŋ-] *n* Löschpapier *nt*.
blotto ['blɔtəu] (*inf*) *adj* (*drunk*) sternhagelvoll.
blouse [blauz] *n* Bluse *f*.
blow [bləu] (*pt* **blew**, *pp* **blown**) *n* (*also fig*) Schlag *m* ♦ *vi* (*wind*) wehen; (*person*) blasen ♦ *vt* (*subj: wind*) wehen; (*instrument, whistle*) blasen; (*fuse*) durchbrennen lassen; **to come to ~s** handgreiflich werden; **to ~ off course** (*ship*) vom Kurs abgetrieben werden; **to ~ one's nose** sich *dat* die Nase putzen; **to ~ a whistle** pfeifen.
▸**blow away** *vt* wegblasen ♦ *vi* wegfliegen.
▸**blow down** *vt* umwehen.
▸**blow off** *vt* wegwehen ♦ *vi* wegfliegen.
▸**blow out** *vi* ausgehen.
▸**blow over** *vi* sich legen.
▸**blow up** *vi* ausbrechen ♦ *vt* (*bridge*) in die Luft jagen; (*tyre*) aufblasen; (*PHOT*) vergrößern.
blow-dry ['bləudraɪ] *vt* fönen ♦ *n*: **to have a ~** sich fönen lassen.
blowlamp ['bləulæmp] (*BRIT*) *n* Lötlampe *f*.
blown [bləun] *pp of* **blow**.
blowout ['bləuaut] *n* Reifenpanne *f*; (*inf: big meal*) Schlemmerei *f*; (*of oil-well*) Ölausbruch *m*.
blowtorch ['bləutɔːtʃ] *n* = **blowlamp**.
blow-up ['bləuʌp] *n* Vergrößerung *f*.
blowzy ['blauzɪ] (*BRIT*) *adj* schlampig.
BLS (*US*) *n abbr* (= *Bureau of Labor Statistics*) *Amt für Arbeitsstatistik*.
blubber ['blʌbə*] *n* Walfischspeck *m* ♦ *vi* (*pej*) heulen.
bludgeon ['blʌdʒən] *vt* niederknüppeln; (*fig*): **to ~ sb into doing sth** jdm so lange zusetzen, bis er etw tut.
blue [bluː] *adj* blau; (*depressed*) deprimiert, niedergeschlagen ♦ *n*: **out of the ~** (*fig*) aus heiterem Himmel; **blues** *n* (*MUS*): **the ~s** der Blues; **~ film** Pornofilm *m*; **~ joke** schlüpfriger Witz *m*; **(only) once in a ~ moon** (nur) alle Jubeljahre einmal; **to have the ~s** deprimiert *or* niedergeschlagen sein.
blue baby *n* Baby *nt* mit angeborenem Herzfehler.
bluebell ['bluːbɛl] *n* Glockenblume *f*.
bluebottle ['bluːbɔtl] *n* Schmeißfliege *f*.
blue cheese *n* Blauschimmelkäse *m*.
blue-chip ['bluːtʃɪp] *adj*: **~ investment** sichere Geldanlage *f*.
blue-collar worker ['bluːkɔlə*-] *n* Arbeiter(in) *m(f)*.
blue jeans *npl* (Blue)jeans *pl*.
blueprint ['bluːprɪnt] *n* (*fig*): **a ~ (for)** ein Plan *m or* Entwurf *m* (für).
bluff [blʌf] *vi* bluffen ♦ *n* Bluff *m*; (*cliff*) Klippe *f*; (*promontory*) Felsvorsprung *m*; **to call sb's ~** es darauf ankommen lassen.
blunder ['blʌndə*] *n* (dummer) Fehler *m* ♦ *vi* einen (dummen) Fehler machen; **to ~ into sb** mit jdm zusammenstoßen; **to ~ into sth** in etw *acc* (hinein)tappen.
blunt [blʌnt] *adj* stumpf; (*person*) direkt; (*talk*) unverblümt ♦ *vt* stumpf machen; **~ instrument** (*LAW*) stumpfer Gegenstand *m*.
bluntly ['blʌntlɪ] *adv* (*speak*) unverblümt.
bluntness ['blʌntnɪs] *n* (*of person*) Direktheit *f*.
blur [bləː*] *n* (*shape*) verschwommener Fleck *m*; (*scene etc*) verschwommenes Bild *nt*; (*memory*) verschwommene Erinnerung *f* ♦ *vt* (*vision*) trüben; (*distinction*) verwischen.
blurb [bləːb] *n* Informationsmaterial *nt*.
blurred [bləːd] *adj* (*photograph, TV picture etc*) verschwommen; (*distinction*) verwischt.
blurt out [bləːt-] *vt* herausplatzen mit.
blush [blʌʃ] *vi* erröten ♦ *n* Röte *f*.
blusher ['blʌʃə*] *n* Rouge *nt*.
bluster ['blʌstə*] *n* Toben *nt*, Geschrei *nt* ♦ *vi* toben.
blustering ['blʌstərɪŋ] *adj* polternd.
blustery ['blʌstərɪ] *adj* stürmisch.
Blvd *abbr* = **boulevard**.
BM *n abbr* (= *British Museum*) Britisches Museum *nt*; (= *Bachelor of Medicine*) *akademischer Grad für Mediziner*.
BMA *n abbr* (= *British Medical Association*) *Dachverband der Ärzte*.
BMJ *n abbr* (= *British Medical Journal*) vom

BMA herausgegebene Zeitschrift.
BMus *n abbr* (= *Bachelor of Music*) *akademischer Grad für Musikwissenschaftler.*
BMX *n abbr* (= *bicycle motocross*): ~ **bike** BMX-Rad *nt.*
BO *n abbr* (*inf:* = *body odour*) Körpergeruch *m;* (*US*) = **box office.**
boar [bɔː*] *n* (*male pig*) Eber *m;* (*wild pig*) Keiler *m.*
board [bɔːd] *n* Brett *nt;* (*cardboard*) Pappe *f;* (*committee*) Ausschuß *m;* (*in firm*) Vorstand *m* ♦ *vt* (*ship*) an Bord *+gen* gehen; (*train*) einsteigen in *+acc;* **on** ~ (*NAUT, AVIAT*) an Bord; **full/half** ~ (*BRIT*) Voll-/Halbpension *f;* ~ **and lodging** Unterkunft und Verpflegung *f;* **to go by the** ~ (*fig*) unter den Tisch fallen; **above** ~ (*fig*) korrekt; **across the** ~ (*fig*) allgemein; (*: criticize, reject*) pauschal.
►**board up** *vt* mit Brettern vernageln.
boarder ['bɔːdə*] *n* Internatsschüler(in) *m(f).*
board game *n* Brettspiel *nt.*
boarding card ['bɔːdɪŋ-] *n* (*AVIAT, NAUT*) = **boarding pass.**
boarding house ['bɔːdɪŋ-] *n* Pension *f.*
boarding party ['bɔːdɪŋ-] *n* (*NAUT*) Enterkommando *nt.*
boarding pass ['bɔːdɪŋ-] *n* Bordkarte *f.*
boarding school ['bɔːdɪŋ-] *n* Internat *nt.*
board meeting *n* Vorstandssitzung *f.*
boardroom ['bɔːdruːm] *n* Sitzungssaal *m.*
boardwalk ['bɔːdwɔːk] (*US*) *n* Holzsteg *m.*
boast [bəust] *vi* prahlen ♦ *vt* (*fig: possess*) sich rühmen *+gen,* besitzen; **to** ~ **about** *or* **of** prahlen mit.
boastful ['bəustful] *adj* prahlerisch.
boastfulness ['bəustfulnɪs] *n* Prahlerei *f.*
boat [bəut] *n* Boot *nt;* (*ship*) Schiff *nt;* **to go by** ~ mit dem Schiff fahren; **to be in the same** ~ (*fig*) in einem Boot *or* im gleichen Boot sitzen.
boater ['bəutə*] *n* steifer Strohhut *m,* Kreissäge *f* (*inf*).
boating ['bəutɪŋ] *n* Bootfahren *nt.*
boat people *npl* Bootsflüchtlinge *pl.*
boatswain ['bəusn] *n* Bootsmann *m.*
bob [bɔb] *vi* (*also:* ~ **up and down**) sich auf und ab bewegen ♦ *n* (*BRIT: inf*) = **shilling.**
►**bob up** *vi* auftauchen.
bobbin ['bɔbɪn] *n* Spule *f.*
bobby ['bɔbɪ] (*BRIT: inf*) *n* Bobby *m,* Polizist *m.*
bobsleigh ['bɔbsleɪ] *n* Bob *m.*
bode [bəud] *vi:* **to** ~ **well/ill (for)** ein gutes/schlechtes Zeichen sein (für).
bodice ['bɔdɪs] *n* (*of dress*) Oberteil *nt.*
bodily ['bɔdɪlɪ] *adj* körperlich; (*needs*) leiblich ♦ *adv* (*lift, carry*) mit aller Kraft.
body ['bɔdɪ] *n* Körper *m;* (*corpse*) Leiche *f;* (*main part*) Hauptteil *m;* (*of car*) Karosserie *f;* (*of plane*) Rumpf *m;* (*group*) Gruppe *f;* (*organization*) Organ *nt;* **ruling** ~ amtierendes Organ; **in a** ~ geschlossen; **a** ~ **of facts** Tatsachenmaterial *nt.*
body blow *n* (*fig: setback*) schwerer Schlag *m.*
body building *n* Bodybuilding *nt.*
body double *n* (*FILM, TV*) *Double für Szenen, in denen Körperpartien in Nahaufnahme gezeigt werden.*
bodyguard ['bɔdɪgɑːd] *n* (*group*) Leibwache *f;* (*one person*) Leibwächter *m.*
body language *n* Körpersprache *f.*
body repairs *npl* (*AUT*) Karosseriearbeiten *pl.*
body search *n* Leibesvisitation *f.*
body stocking *n* Body(stocking) *m.*
bodywork ['bɔdɪwəːk] *n* Karosserie *f.*
boffin ['bɔfɪn] (*BRIT*) *n* Fachidiot *m.*
bog [bɔg] *n* Sumpf *m* ♦ *vt:* **to get ~ged down** (*fig*) sich verzetteln.
bogey ['bəugɪ] *n* Schreckgespenst *nt;* (*also:* ~**man**) Butzemann *m,* Schwarzer Mann *m.*
boggle ['bɔgl] *vi:* **the mind ~s** das ist nicht *or* kaum auszumalen.
bogie ['bəugɪ] *n* Drehgestell *nt;* (*trolley*) Draisine *f.*
Bogotá [bəugə'tɑː] *n* Bogotá *nt.*
bogus ['bəugəs] *adj* (*workman etc*) falsch; (*claim*) erfunden.
Bohemia [bəu'hiːmɪə] *n* Böhmen *nt.*
Bohemian [bəu'hiːmɪən] *adj* böhmisch ♦ *n* Böhme *m,* Böhmin *f;* (*also:* **b**~) Bohemien *m.*
boil [bɔɪl] *vt, vi* kochen ♦ *n* (*MED*) Furunkel *nt or m;* **to come to the** (*BRIT*) *or* **a** (*US*) ~ zu kochen anfangen.
►**boil down to** *vt fus* (*fig*) hinauslaufen auf *+acc.*
►**boil over** *vi* überkochen.
boiled egg [bɔɪld-] *n* gekochtes Ei *nt.*
boiled potatoes *npl* Salzkartoffeln *pl.*
boiler ['bɔɪlə*] *n* Boiler *m.*
boiler suit (*BRIT*) *n* Overall *m.*
boiling ['bɔɪlɪŋ] *adj:* **I'm** ~ **(hot)** (*inf*) mir ist fürchterlich heiß; **it's** ~ es ist eine Affenhitze (*inf*).
boiling point *n* Siedepunkt *m.*
boil-in-the-bag [bɔɪlɪnðə'bæg] *adj* (*meals*) Kochbeutel-.
boisterous ['bɔɪstərəs] *adj* ausgelassen.
bold [bəuld] *adj* (*brave*) mutig; (*pej: cheeky*) dreist; (*pattern, colours*) kräftig.
boldly ['bəuldlɪ] *adv* (*see adj*) mutig; dreist; kräftig.
boldness ['bəuldnɪs] *n* Mut *m;* (*cheekiness*) Dreistigkeit *f.*
bold type *n* Fettdruck *m.*
Bolivia [bə'lɪvɪə] *n* Bolivien *nt.*
Bolivian [bə'lɪvɪən] *adj* bolivisch, bolivianisch ♦ *n* Bolivier(in) *m(f),* Bolivianer(in) *m(f).*
bollard ['bɔləd] (*BRIT*) *n* Poller *m.*
bolshy ['bɔlʃɪ] (*BRIT: inf*) *adj* (*stroppy*) pampig.
bolster ['bəulstə*] *n* Nackenrolle *f.*
►**bolster up** *vt* stützen; (*case*) untermauern.
bolt [bəult] *n* Riegel *m;* (*with nut*) Schraube *f;*

(*of lightning*) Blitz(strahl) *m* ♦ *vt* (*door*) verriegeln; (*also*: ~ **together**) verschrauben; (*food*) hinunterschlingen ♦ *vi* (*run away: person*) weglaufen; (: *horse*) durchgehen ♦ *adv*: ~ **upright** kerzengerade; **a ~ from the blue** (*fig*) ein Blitz aus heiterem Himmel.
bomb [bɔm] *n* Bombe *f* ♦ *vt* bombardieren; (*plant bomb in or near*) einen Bombenanschlag verüben auf *+acc*.
bombard [bɔm'bɑːd] *vt* (*also fig*) bombardieren.
bombardment [bɔm'bɑːdmənt] *n* Bombardierung *f*, Bombardement *nt*.
bombastic [bɔm'bæstɪk] *adj* bombastisch.
bomb disposal *n*: ~ **unit** Bombenräumkommando *nt*; ~ **expert** Bombenräumexperte *m*, Bombenräumexpertin *f*.
bomber ['bɔmə*] *n* Bomber *m*; (*terrorist*) Bombenattentäter(in) *m(f)*.
bombing ['bɔmɪŋ] *n* Bombenangriff *m*.
bomb scare *n* Bombenalarm *m*.
bombshell ['bɔmʃɛl] *n* (*fig: revelation*) Bombe *f*.
bomb site *n* Trümmergrundstück *nt*.
bona fide ['bəunə'faɪdɪ] *adj* echt; ~ **offer** Angebot *nt* auf Treu und Glauben.
bonanza [bə'nænzə] *n* (*ECON*) Boom *m*.
bond [bɔnd] *n* Band *nt*, Bindung *f*; (*FIN*) festverzinsliches Wertpapier *nt*, Bond *m*; (*COMM*): **in ~** unter Zollverschluß.
bondage ['bɔndɪdʒ] *n* Sklaverei *f*.
bonded warehouse ['bɔndɪd] *n* Zollager *nt*.
bone [bəun] *n* Knochen *m*; (*of fish*) Gräte *f* ♦ *vt* (*meat*) die Knochen herauslösen aus; (*fish*) entgräten; **I've got a ~ to pick with you** ich habe mit Ihnen (noch) ein Hühnchen zu rupfen.
bone china *n* ≈ feines Porzellan *nt*.
bone-dry ['bəun'draɪ] *adj* knochentrocken.
bone idle *adj* stinkfaul.
bone marrow *n* Knochenmark *nt*.
boner ['bəunə*] (*US*) *n* Schnitzer *m*.
bonfire ['bɔnfaɪə*] *n* Feuer *nt*.
bonk [bɔŋk] (*inf*) *vt, vi* (*have sex (with)*) bumsen.
bonkers ['bɔŋkəz] (*BRIT: inf*) *adj* (*mad*) verrückt.
Bonn [bɔn] *n* Bonn *nt*.
bonnet ['bɔnɪt] *n* Haube *f*; (*for baby*) Häubchen *nt*; (*BRIT: of car*) Motorhaube *f*.
bonny ['bɔnɪ] (*SCOT, Northern English*) *adj* schön, hübsch.
bonus ['bəunəs] *n* Prämie *f*; (*on wages*) Zulage *f*; (*at Christmas*) Gratifikation *f*; (*fig: additional benefit*) Plus *nt*.
bony ['bəunɪ] *adj* knochig; (*MED*) knöchern; (*tissue*) knochenartig; (*meat*) mit viel Knochen; (*fish*) mit viel Gräten.
boo [buː] *excl* buh ♦ *vt* auspfeifen, ausbuhen.
boob [buːb] (*inf*) *n* (*breast*) Brust *f*; (*BRIT: mistake*) Schnitzer *m*.
booby prize ['buːbɪ-] *n* *Scherzpreis für den schlechtesten Teilnehmer*.
booby trap ['buːbɪ-] *n* versteckte Bombe *f*; (*fig: joke etc*) *als Schabernack versteckt angebrachte Falle*.
booby-trapped ['buːbɪtræpt] *adj*: **a ~ car** ein Auto, in dem eine Bombe versteckt ist.
book [buk] *n* Buch *nt*; (*of stamps, tickets*) Heftchen *nt* ♦ *vt* bestellen; (*seat, room*) buchen, reservieren lassen; (*subj: traffic warden, policeman*) aufschreiben; (: *referee*) verwarnen; **books** *npl* (*COMM: accounts*) Bücher *pl*; **to keep the ~s** die Bücher führen; **by the ~** nach Vorschrift; **to throw the ~ at sb** jdn nach allen Regeln der Kunst fertigmachen.
▸**book in** (*BRIT*) *vi* sich eintragen.
▸**book up** *vt*: **all seats are ~ed up** es ist bis auf den letzten Platz ausverkauft; **the hotel is ~ed up** das Hotel ist ausgebucht.
bookable ['bukəbl] *adj*: **all seats are ~** Karten für alle Plätze können vorbestellt werden.
bookcase ['bukkeɪs] *n* Bücherregal *nt*.
book ends *npl* Bücherstützen *pl*.
booking ['bukɪŋ] (*BRIT*) *n* Bestellung *f*; (*of seat, room*) Buchung *f*, Reservierung *f*.
booking office (*BRIT*) *n* (*RAIL*) Fahrkartenschalter *m*; (*THEAT*) Vorverkaufsstelle *f*, Vorverkaufskasse *f*.
book-keeping ['buk'kiːpɪŋ] *n* Buchhaltung *f*, Buchführung *f*.
booklet ['buklɪt] *n* Broschüre *f*.
bookmaker ['bukmeɪkə*] *n* Buchmacher *m*.
bookseller ['buksɛlə*] *n* Buchhändler(in) *m(f)*.
bookshelf ['bukʃɛlf] *n* Bücherbord *nt*; **bookshelves** *npl* Bücherregal *nt*.
bookshop ['bukʃɔp] *n* Buchhandlung *f*.
bookstall ['bukstɔːl] *n* Bücher- und Zeitungskiosk *m*.
book store *n* = **bookshop**.
book token *n* Buchgutschein *m*.
book value *n* Buchwert *m*, Bilanzwert *m*.
bookworm ['bukwəːm] *n* (*fig*) Bücherwurm *m*.
boom [buːm] *n* Donnern *nt*, Dröhnen *nt*; (*in prices, population etc*) rapider Anstieg *m*; (*ECON*) Hochkonjunktur *f*; (*busy period*) Boom *m* ♦ *vi* (*guns*) donnern; (*thunder*) hallen; (*voice*) dröhnen; (*business*) florieren.
boomerang ['buːməræŋ] *n* Bumerang *m* ♦ *vi* (*fig*) einen Bumerangeffekt haben; **to ~ on sb** sich für jdn als Bumerang erweisen.
boom town *n* Goldgräberstadt *f*.
boon [buːn] *n* Segen *m*.
boorish ['buərɪʃ] *adj* rüpelhaft.
boost [buːst] *n* Auftrieb *m* ♦ *vt* (*confidence*) stärken; (*sales, economy etc*) ankurbeln; **to give a ~ to sb/sb's spirits** jdm Auftrieb geben.
booster ['buːstə*] *n* (*MED*) Wiederholungsimpfung *f*; (*TV*) Zusatzgleichrichter *m*; (*ELEC*) Puffersatz *m*; (*also*: ~ **rocket**) Booster *m*, Startrakete *f*.

booster seat *n* (*AUT*) Sitzerhöhung *f*.
boot [bu:t] *n* Stiefel *m*; (*ankle boot*) hoher Schuh *m*; (*BRIT: of car*) Kofferraum *m* ♦ *vt* (*COMPUT*) laden; ... **to** ~ (*in addition*) obendrein ...; **to give sb the** ~ (*inf*) jdn rauswerfen *or* rausschmeißen.
booth [bu:ð] *n* (*at fair*) Bude *f*, Stand *m*; (*telephone booth*) Zelle *f*; (*voting booth*) Kabine *f*.
bootleg ['bu:tlɛg] *adj* (*alcohol*) schwarz gebrannt; (*fuel*) schwarz hergestellt; (*tape etc*) schwarz mitgeschnitten.
bootlegger ['bu:tlɛgə*] *n* Bootlegger *m*, Schwarzhändler *m*.
booty ['bu:tı] *n* Beute *f*.
booze [bu:z] (*inf*) *n* Alkohol *m* ♦ *vi* saufen.
boozer ['bu:zə*] (*inf*) *n* (*person*) Säufer(in) *m(f)*; (*BRIT: pub*) Kneipe *f*.
border ['bɔ:də*] *n* Grenze *f*; (*for flowers*) Rabatte *f*; (*on cloth etc*) Bordüre *f* ♦ *vt* (*road*) säumen; (*another country: also:* ~ **on**) grenzen an *+acc*; **Borders** *n*: **the B~s** *das Grenzgebiet zwischen England und Schottland.*
►**border on** *vt fus* (*fig*) grenzen an *+acc*.
borderline ['bɔ:dəlaın] *n* (*fig*): **on the** ~ an der Grenze.
borderline case *n* Grenzfall *m*.
bore [bɔ:*] *pt of* **bear** ♦ *vt* bohren; (*person*) langweilen ♦ *n* Langweiler *m*; (*of gun*) Kaliber *nt*; **to be ~d** sich langweilen; **he's ~d to tears** *or* **~d to death** *or* **~d stiff** er langweilt sich zu Tode.
boredom ['bɔ:dəm] *n* Langeweile *f*; (*boring quality*) Langweiligkeit *f*.
boring ['bɔ:rıŋ] *adj* langweilig.
born [bɔ:n] *adj*: **to be** ~ geboren werden; **I was ~ in 1960** ich bin *or* wurde 1960 geboren; ~ **blind** blind geboren, von Geburt (an) blind; **a ~ comedian** ein geborener Komiker.
born-again [bɔ:nə'gɛn] *adj* wiedergeboren.
borne [bɔ:n] *pp of* **bear**.
Borneo ['bɔ:nıəu] *n* Borneo *nt*.
borough ['bʌrə] *n* Bezirk *m*, Stadtgemeinde *f*.
borrow ['bɔrəu] *vt*: **to ~ sth** etw borgen, sich *dat* etw leihen; (*from library*) sich *dat* etw ausleihen; **may I ~ your car?** kann ich deinen Wagen leihen?
borrower ['bɔrəuə*] *n* (*of loan etc*) Kreditnehmer(in) *m(f)*.
borrowing ['bɔrəuıŋ] *n* Kreditaufnahme *f*.
borstal ['bɔ:stl] (*BRIT*) *n* (*formerly*) Besserungsanstalt *f*.
Bosnia ['bɔznıə] *n* Bosnien *nt*.
Bosnia-Herzegovina *n* Bosnien-Herzegowina *nt*.
Bosnian ['bɔznıən] *adj* bosnisch ♦ *n* Bosnier(in) *m(f)*.
bosom ['buzəm] *n* Busen *m*; (*fig: of family*) Schoß *m*.
bosom friend *n* Busenfreund(in) *m(f)*.
boss [bɔs] *n* Chef(in) *m(f)*; (*leader*) Boß *m* ♦ *vt* (*also:* ~ **around**, ~ **about**) herumkommandieren; **stop ~ing everyone about!** hör auf mit dem ständigen Herumkommandieren!
bossy ['bɔsı] *adj* herrisch.
bosun ['bəusn] *n* Bootsmann *m*.
botanical [bə'tænıkl] *adj* botanisch.
botanist ['bɔtənıst] *n* Botaniker(in) *m(f)*.
botany ['bɔtənı] *n* Botanik *f*.
botch [bɔtʃ] *vt* (*also:* ~ **up**) verpfuschen.
both [bəuθ] *adj* beide ♦ *pron* beide; (*two different things*) beides ♦ *adv*: ~ **A and B** sowohl A als auch B; ~ **(of them)** (alle) beide; ~ **of us went, we ~ went** wir gingen beide; **they sell ~ the fabric and the finished curtains** sie verkaufen sowohl den Stoff als auch die fertigen Vorhänge.
bother ['bɔðə*] *vt* Sorgen machen *+dat*; (*disturb*) stören ♦ *vi* (*also:* ~ **o.s.**) sich *dat* Sorgen *or* Gedanken machen ♦ *n* (*trouble*) Mühe *f*; (*nuisance*) Plage *f* ♦ *excl* Mist! (*inf*); **don't ~ phoning** du brauchst nicht anzurufen; **I'm sorry to ~ you** es tut mir leid, daß ich Sie belästigen muß; **I can't be ~ed** ich habe keine Lust; **please don't ~** bitte machen Sie sich keine Umstände; **don't ~!** laß es!; **it is a ~ to have to shave every morning** es ist wirklich lästig, sich jeden Morgen rasieren zu müssen; **it's no ~** es ist kein Problem.
Botswana [bɔt'swɑ:nə] *n* Botswana *nt*.
bottle ['bɔtl] *n* Flasche *f*; (*BRIT: inf: courage*) Mumm *m* ♦ *vt* in Flaschen abfüllen; (*fruit*) einmachen; **a ~ of wine/milk** eine Flasche Wein/Milch; **wine/milk ~** Wein-/Milchflasche *f*.
►**bottle up** *vt* in sich *dat* aufstauen.
bottle bank *n* Altglascontainer *m*.
bottle-fed ['bɔtlfɛd] *adj* mit der Flasche ernährt.
bottleneck ['bɔtlnɛk] *n* (*also fig*) Engpaß *m*.
bottle-opener ['bɔtləupnə*] *n* Flaschenöffner *m*.
bottom ['bɔtəm] *n* Boden *m*; (*buttocks*) Hintern *m*; (*of page, list*) Ende *nt*; (*of chair*) Sitz *m*; (*of mountain, tree*) Fuß *m* ♦ *adj* (*lower*) untere(r, s); (*last*) unterste(r, s); **at the ~ of** unten an/in *+dat*; **at the ~ of the page/list** unten auf der Seite/Liste; **to be at the ~ of the class** der/die Letzte in der Klasse sein; **to get to the ~ of sth** (*fig*) einer Sache *dat* auf den Grund kommen.
bottomless ['bɔtəmlıs] *adj* (*fig*) unerschöpflich.
bottom line *n* (*of accounts*) Saldo *m*; (*fig*): **that's the ~ (of it)** (*what it amounts to*) darauf läuft es im Endeffekt hinaus.
botulism ['bɔtjulızəm] *n* Botulismus *m*, Nahrungsmittelvergiftung *f*.
bough [bau] *n* Ast *m*.
bought [bɔ:t] *pt, pp of* **buy**.
boulder ['bəuldə*] *n* Felsblock *m*.

boulevard ['bu:ləvɑ:d] *n* Boulevard *m*.
bounce [bauns] *vi* (auf)springen; (*cheque*) platzen ♦ *vt* (*ball*) (auf)springen lassen; (*signal*) reflektieren ♦ *n* Aufprall *m*; **he's got plenty of** ~ (*fig*) er hat viel Schwung.
bouncer ['baunsə*] (*inf*) *n* Rausschmeißer *m*.
bouncy castle ['baunsı-] *n aufblasbare Spielfläche in Form eines Schlosses, auf dem Kinder herumspringen können.*
bound [baund] *pt, pp of* **bind** ♦ *n* Sprung *m*; (*gen pl: limit*) Grenze *f* ♦ *vi* springen ♦ *vt* begrenzen ♦ *adj*: ~ **by** gebunden durch; **to be** ~ **to do sth** (*obliged*) verpflichtet sein, etw zu tun; (*very likely*) etw bestimmt tun; **he's** ~ **to fail** es kann ihm ja gar nicht gelingen; ~ **for** nach; **the area is out of** ~**s** das Betreten des Gebiets ist verboten.
boundary ['baundrı] *n* Grenze *f*.
boundless ['baundlıs] *adj* grenzenlos.
bountiful ['bauntıful] *adj* großzügig; (*God*) gütig; (*supply*) reichlich.
bounty ['bauntı] *n* Freigebigkeit *f*; (*reward*) Kopfgeld *nt*.
bounty hunter *n* Kopfgeldjäger *m*.
bouquet ['bukeı] *n* (Blumen)strauß *m*; (*of wine*) Bukett *nt*, Blume *f*.
bourbon ['buəbən] (*US*) *n* (*also*: ~ **whiskey**) Bourbon *m*.
bourgeois ['buəʒwɑ:] *adj* bürgerlich, spießig (*pej*) ♦ *n* Bürger(in) *m(f)*, Bourgeois *m*.
bout [baut] *n* Anfall *m*; (*BOXING etc*) Kampf *m*.
boutique [bu:'ti:k] *n* Boutique *f*.
bow[1] [bəu] *n* Schleife *f*; (*weapon, MUS*) Bogen *m*.
bow[2] [bau] *n* Verbeugung *f*; (*NAUT: also:* ~**s**) Bug *m* ♦ *vi* sich verbeugen; (*yield*): **to** ~ **to** *or* **before** sich beugen *+dat*; **to** ~ **to the inevitable** sich in das Unvermeidliche fügen.
bowels ['bauəlz] *npl* Darm *m*; (*of the earth etc*) Innere *nt*.
bowl [bəul] *n* Schüssel *f*; (*shallower*) Schale *f*; (*ball*) Kugel *f*; (*of pipe*) Kopf *m*; (*US: stadium*) Stadion *nt* ♦ *vi* werfen.
▸**bowl over** *vt* (*fig*) überwältigen.
bow-legged ['bəu'lɛgıd] *adj* O-beinig.
bowler ['bəulə*] *n* Werfer(in) *m(f)*; (*BRIT: also:* ~ **hat**) Melone *f*.
bowling ['bəulıŋ] *n* Kegeln *nt*; (*on grass*) Bowling *nt*.
bowling alley *n* Kegelbahn *f*.
bowling green *n* Bowlingrasen *m*.
bowls [bəulz] *n* Bowling *nt*.
bow tie [bəu-] *n* Fliege *f*.
box [bɔks] *n* Schachtel *f*; (*cardboard box*) Karton *m*; (*crate*) Kiste *f*; (*THEAT*) Loge *f*; (*BRIT: AUT*) *gelb schraffierter Kreuzungsbereich*; (*on form*) Feld *nt* ♦ *vt* (in eine Schachtel *etc*) verpacken; (*fighter*) boxen ♦ *vi* boxen; **to** ~ **sb's ears** jdm eine Ohrfeige geben.
▸**box in** *vt* einkeilen.
▸**box off** *vt* abtrennen.
boxer ['bɔksə*] *n* (*person, dog*) Boxer *m*.
box file *n* Sammelordner *m*.
boxing ['bɔksıŋ] *n* Boxen *nt*.
Boxing Day (*BRIT*) *n* zweiter Weihnachts(feier)tag *m*.

> **Boxing Day** *ist ein Feiertag in Großbritannien. Wenn Weihnachten auf ein Wochenende fällt, wird der Feiertag am nächsten darauffolgenden Wochentag nachgeholt. Der Name geht auf einen alten Brauch zurück; früher erhielten Händler und Lieferanten an diesem Tag ein Geschenk, die sogenannte Christmas Box.*

boxing gloves *npl* Boxhandschuhe *pl*.
boxing ring *n* Boxring *m*.
box number *n* Chiffre *f*.
box office *n* Kasse *f*.
boxroom ['bɔksrum] *n* Abstellraum *m*.
boy [bɔı] *n* Junge *m*.
boycott ['bɔıkɔt] *n* Boykott *m* ♦ *vt* boykottieren.
boyfriend ['bɔıfrɛnd] *n* Freund *m*.
boyish ['bɔııʃ] *adj* jungenhaft; (*woman*) knabenhaft.
boy scout *n* Pfadfinder *m*.
Bp *abbr* = **bishop**.
BR *abbr* = **British Rail**.
bra [brɑ:] *n* BH *m*.
brace [breıs] *n* (*on teeth*) (Zahn)klammer *f*, (Zahn)spange *f*; (*tool*) (Hand)bohrer *m*; (*also*: ~ **bracket**) geschweifte Klammer *f* ♦ *vt* spannen; **braces** *npl* (*BRIT*) Hosenträger *pl*; **to** ~ **o.s.** (*for weight*) sich stützen; (*for shock*) sich innerlich vorbereiten.
bracelet ['breıslıt] *n* Armband *nt*.
bracing ['breısıŋ] *adj* belebend.
bracken ['brækən] *n* Farn *m*.
bracket ['brækıt] *n* Träger *m*; (*group, range*) Gruppe *f*; (*also*: **round** ~) (runde) Klammer *f*; (*also*: **brace** ~) geschweifte Klammer *f*; (*also*: **square** ~) eckige Klammer *f* ♦ *vt* (*also*: ~ **together**) zusammenfassen; (*word, phrase*) einklammern; **income** ~ Einkommensgruppe *f*; **in** ~**s** in Klammern.
brackish ['brækıʃ] *adj* brackig.
brag [bræg] *vi* prahlen.
braid [breıd] *n* Borte *f*; (*of hair*) Zopf *m*.
Braille [breıl] *n* Blindenschrift *f*, Brailleschrift *f*.
brain [breın] *n* Gehirn *nt*; **brains** *npl* (*CULIN*) Hirn *nt*; (*intelligence*) Intelligenz *f*; **he's got** ~**s** er hat Köpfchen *or* Grips.
brainchild ['breıntʃaıld] *n* Geistesprodukt *nt*.
braindead ['breındɛd] *adj* hirntot; (*inf*) hirnlos.
brain drain *n*: **the** ~ *die Abwanderung von Wissenschaftlern, Akademikern etc.*
brainless ['breınlıs] *adj* dumm.
brainstorm ['breınstɔ:m] *n* (*fig*) Anfall *m* geistiger Umnachtung; (*US: brain wave*)

Geistesblitz *m*.
brainwash ['breɪnwɔʃ] *vt* einer Gehirnwäsche *dat* unterziehen.
brain wave *n* Geistesblitz *m*.
brainy ['breɪnɪ] *adj* intelligent.
braise [breɪz] *vt* schmoren.
brake [breɪk] *n* Bremse *f* ♦ *vi* bremsen.
brake fluid *n* Bremsflüssigkeit *f*.
brake light *n* Bremslicht *nt*.
brake pedal *n* Bremspedal *nt*.
bramble ['bræmbl] *n* Brombeerstrauch *m*; (*fruit*) Brombeere *f*.
bran [bræn] *n* Kleie *f*.
branch [brɑːntʃ] *n* Ast *m*; (*of family, organization*) Zweig *m*; (*COMM*) Filiale *f*, Zweigstelle *f*; (: *bank, company etc*) Geschäftsstelle *f* ♦ *vi* sich gabeln.
►**branch out** *vi* (*fig*): **to ~ out into** seinen (Geschäfts)bereich erweitern auf *+acc*.
branch line *n* (*RAIL*) Zweiglinie *f*, Nebenlinie *f*.
branch manager *n* Zweigstellenleiter(in) *m(f)*, Filialleiter(in) *m(f)*.
brand [brænd] *n* (*also*: **~ name**) Marke *f*; (*fig: type*) Art *f* ♦ *vt* mit einem Brandzeichen kennzeichnen; (*fig: pej*): **to ~ sb a communist** jdn als Kommunist brandmarken.
brandish ['brændɪʃ] *vt* schwingen.
brand name *n* Markenname *m*.
brand-new ['brænd'njuː] *adj* nagelneu, brandneu.
brandy ['brændɪ] *n* Weinbrand *m*.
brash [bræʃ] *adj* dreist.
Brasilia [brə'zɪlɪə] *n* Brasilia *nt*.
brass [brɑːs] *n* Messing *nt*; **the ~** (*MUS*) die Blechbläser *pl*.
brass band *n* Blaskapelle *f*.
brassière ['bræsɪə*] *n* Büstenhalter *m*.
brass tacks *npl*: **to get down to ~** zur Sache kommen.
brassy ['brɑːsɪ] *adj* (*colour*) messingfarben; (*sound*) blechern; (*appearance, behaviour*) auffällig.
brat [bræt] (*pej*) *n* Balg *m or nt*, Gör *nt*.
bravado [brə'vɑːdəu] *n* Draufgängertum *nt*.
brave [breɪv] *adj* mutig; (*attempt, smile*) tapfer ♦ *n* (indianischer) Krieger *m* ♦ *vt* trotzen *+dat*.
bravely ['breɪvlɪ] *adv* (*see adj*) mutig; tapfer.
bravery ['breɪvərɪ] *n* (*see adj*) Mut *m*; Tapferkeit *f*.
bravo [brɑː'vəu] *excl* bravo.
brawl [brɔːl] *n* Schlägerei *f* ♦ *vi* sich schlagen.
brawn [brɔːn] *n* Muskeln *pl*; (*meat*) Schweinskopfsülze *f*.
brawny ['brɔːnɪ] *adj* muskulös, kräftig.
bray [breɪ] *vi* schreien ♦ *n* (Esels)schrei *m*.
brazen ['breɪzn] *adj* unverschämt, dreist; (*lie*) schamlos ♦ *vt*: **to ~ it out** durchhalten.
brazier ['breɪzɪə*] *n* (*container*) Kohlenbecken *nt*.
Brazil [brə'zɪl] *n* Brasilien *nt*.
Brazilian [brə'zɪljən] *adj* brasilianisch ♦ *n* Brasilianer(in) *m(f)*.
Brazil nut *n* Paranuß *f*.
breach [briːtʃ] *vt* (*defence*) durchbrechen; (*wall*) eine Bresche schlagen in *+acc* ♦ *n* (*gap*) Bresche *f*; (*estrangement*) Bruch *m*; (*breaking*): **~ of contract** Vertragsbruch *m*; **~ of the peace** öffentliche Ruhestörung *f*; **~ of trust** Vertrauensbruch *m*.
bread [brɛd] *n* Brot *nt*; (*inf: money*) Moos *nt*, Kies *m*; **to earn one's daily ~** sein Brot verdienen; **to know which side one's ~ is buttered (on)** wissen, wo etwas zu holen ist.
bread and butter *n* Butterbrot *nt*; (*fig*) Broterwerb *m*.
bread bin (*BRIT*) *n* Brotkasten *m*.
breadboard ['brɛdbɔːd] *n* Brot(schneide)brett *nt*; (*COMPUT*) Leiterplatte *f*.
bread box (*US*) *n* Brotkasten *m*.
breadcrumbs ['brɛdkrʌmz] *npl* Brotkrumen *pl*; (*CULIN*) Paniermehl *nt*.
breadline ['brɛdlaɪn] *n*: **to be on the ~** nur das Allernotwendigste zum Leben haben.
breadth [brɛtθ] *n* (*also fig*) Breite *f*.
breadwinner ['brɛdwɪnə*] *n* Ernährer(in) *m(f)*.
break [breɪk] (*pt* **broke**, *pp* **broken**) *vt* zerbrechen; (*leg, arm*) sich *dat* brechen; (*promise, record*) brechen; (*law*) verstoßen gegen ♦ *vi* zerbrechen, kaputtgehen; (*storm*) losbrechen; (*weather*) umschlagen; (*dawn*) anbrechen; (*story, news*) bekanntwerden ♦ *n* Pause *f*; (*gap*) Lücke *f*; (*fracture*) Bruch *m*; (*chance*) Chance *f*, Gelegenheit *f*; (*holiday*) Urlaub *m*; **to ~ the news to sb** es jdm sagen; **to ~ even** seine (Un)kosten decken; **to ~ with sb** mit jdm brechen, sich von jdm trennen; **to ~ free** *or* **loose** sich losreißen; **to take a ~** (eine) Pause machen; (*holiday*) Urlaub machen; **without a ~** ohne Unterbrechung *or* Pause, ununterbrochen; **a lucky ~** ein Durchbruch *m*.
►**break down** *vt* (*figures, data*) aufschlüsseln; (*door etc*) einrennen ♦ *vi* (*car*) eine Panne haben; (*machine*) kaputtgehen; (*person, resistance*) zusammenbrechen; (*talks*) scheitern.
►**break in** *vt* (*horse*) zureiten ♦ *vi* einbrechen; (*interrupt*) unterbrechen.
►**break into** *vt fus* einbrechen in *+acc*.
►**break off** *vi* abbrechen ♦ *vt* (*talks*) abbrechen; (*engagement*) lösen.
►**break open** *vt, vi* aufbrechen.
►**break out** *vi* ausbrechen; **to ~ out in spots/a rash** Pickel/einen Ausschlag bekommen.
►**break through** *vi*: **the sun broke through** die Sonne kam durch ♦ *vt fus* durchbrechen.
►**break up** *vi* (*ship*) zerbersten; (*crowd, meeting, partnership*) sich auflösen; (*marriage*) scheitern; (*friends*) sich trennen; (*SCOL*) in die Ferien gehen ♦ *vt* zerbrechen; (*journey,*

fight etc) unterbrechen; (*meeting*) auflösen; (*marriage*) zerstören.
breakable ['breɪkəbl] *adj* zerbrechlich ♦ *n*: **~s** zerbrechliche Ware *f*.
breakage ['breɪkɪdʒ] *n* Bruch *m*; **to pay for ~s** für zerbrochene Ware *or* für Bruch bezahlen.
breakaway ['breɪkəweɪ] *adj* (*group etc*) Splitter-.
break dancing *n* Breakdance *m*.
breakdown ['breɪkdaun] *n* (*AUT*) Panne *f*; (*in communications*) Zusammenbruch *m*; (*of marriage*) Scheitern *nt*; (*also*: **nervous ~**) (Nerven)zusammenbruch *m*; (*of statistics*) Aufschlüsselung *f*.
breakdown service (*BRIT*) *n* Pannendienst *m*.
breakdown van (*BRIT*) *n* Abschleppwagen *m*.
breaker ['breɪkə*] *n* (*wave*) Brecher *m*.
breakeven ['breɪk'iːvn] *cpd*: **~ chart** Gewinnschwellen-Diagramm *nt*; **~ point** Gewinnschwelle *f*.
breakfast ['brɛkfəst] *n* Frühstück *nt* ♦ *vi* frühstücken.
breakfast cereal *n* Getreideflocken *pl*.
break-in ['breɪkɪn] *n* Einbruch *m*.
breaking and entering ['breɪkɪŋən'ɛntrɪŋ] *n* (*LAW*) Einbruch *m*.
breaking point ['breɪkɪŋ-] *n* (*fig*): **to reach ~** völlig am Ende sein.
breakthrough ['breɪkθruː] *n* Durchbruch *m*.
break-up ['breɪkʌp] *n* (*of partnership*) Auflösung *f*; (*of marriage*) Scheitern *nt*.
break-up value *n* (*COMM*) Liquidationswert *m*.
breakwater ['breɪkwɔːtə*] *n* Wellenbrecher *m*.
breast [brɛst] *n* Brust *f*; (*of meat*) Brust *f*, Bruststück *nt*.
breast-feed ['brɛstfiːd] (*irreg: like* **feed**) *vt, vi* stillen.
breast pocket *n* Brusttasche *f*.
breaststroke ['brɛststrəuk] *n* Brustschwimmen *nt*.
breath [brɛθ] *n* Atem *m*; (*a breath*) Atemzug *m*; **to go out for a ~ of air** an die frische Luft gehen, frische Luft schnappen gehen; **out of ~** außer Atem, atemlos; **to get one's ~ back** wieder zu Atem kommen.
breathalyse ['brɛθəlaɪz] *vt* blasen lassen (*inf*).
Breathalyser® ['brɛθəlaɪzə*] *n* Promillemesser *m*.
breathe [briːð] *vt, vi* atmen; **I won't ~ a word about it** ich werde kein Sterbenswörtchen darüber sagen.
▸**breathe in** *vt, vi* einatmen.
▸**breathe out** *vt, vi* ausatmen.
breather ['briːðə*] *n* Atempause *f*, Verschnaufpause *f*.
breathing ['briːðɪŋ] *n* Atmung *f*.
breathing space *n* (*fig*) Atempause *f*, Ruhepause *f*.
breathless ['brɛθlɪs] *adj* atemlos, außer Atem; (*MED*) an Atemnot leidend; **I was ~ with excitement** die Aufregung verschlug mir den Atem.
breathtaking ['brɛθteɪkɪŋ] *adj* atemberaubend.
breath test *n* Atemalkoholtest *m*.
bred [brɛd] *pt, pp of* **breed**.
-bred *suff*: **well/ill-~** gut/schlecht erzogen.
breed [briːd] (*pt, pp* **bred**) *vt* züchten; (*fig: give rise to*) erzeugen; (: : *hate, suspicion*) hervorrufen ♦ *vi* Junge haben ♦ *n* Rasse *f*; (*type, class*) Art *f*.
breeder ['briːdə*] *n* Züchter(in) *m(f)*; (*also*: **~ reactor**) Brutreaktor *m*, Brüter *m*.
breeding ['briːdɪŋ] *n* Erziehung *f*.
breeding ground *n* (*also fig*) Brutstätte *f*.
breeze [briːz] *n* Brise *f*.
breeze block (*BRIT*) *n* Ytong ® *m*.
breezy ['briːzɪ] *adj* (*manner, tone*) munter; (*weather*) windig.
Breton ['brɛtən] *adj* bretonisch ♦ *n* Bretone *m*, Bretonin *f*.
brevity ['brɛvɪtɪ] *n* Kürze *f*.
brew [bruː] *vt* (*tea*) aufbrühen, kochen; (*beer*) brauen ♦ *vi* (*tea*) ziehen; (*beer*) gären; (*storm, fig*) sich zusammenbrauen.
brewer ['bruːə*] *n* Brauer *m*.
brewery ['bruːərɪ] *n* Brauerei *f*.
briar ['braɪə*] *n* Dornbusch *m*; (*wild rose*) wilde Rose *f*.
bribe [braɪb] *n* Bestechungsgeld *nt* ♦ *vt* bestechen; **to ~ sb to do sth** jdn bestechen, damit er etw tut.
bribery ['braɪbərɪ] *n* Bestechung *f*.
bric-a-brac ['brɪkəbræk] *n* Nippes *pl*, Nippsachen *pl*.
brick [brɪk] *n* Ziegelstein *m*, Backstein *m*; (*of ice cream*) Block *m*.
bricklayer ['brɪkleɪə*] *n* Maurer(in) *m(f)*.
brickwork ['brɪkwəːk] *n* Mauerwerk *nt*.
bridal ['braɪdl] *adj* (*gown, veil etc*) Braut-.
bride [braɪd] *n* Braut *f*.
bridegroom ['braɪdgruːm] *n* Bräutigam *m*.
bridesmaid ['braɪdzmeɪd] *n* Brautjungfer *f*.
bridge [brɪdʒ] *n* Brücke *f*; (*NAUT*) (Kommando)brücke *f*; (*of nose*) Sattel *m*; (*CARDS*) Bridge *nt* ♦ *vt* (*river*) eine Brücke schlagen *or* bauen über +*acc*; (*fig*) überbrücken.
bridging loan ['brɪdʒɪŋ-] (*BRIT*) *n* Überbrückungskredit *m*.
bridle ['braɪdl] *n* Zaum *m* ♦ *vt* aufzäumen ♦ *vi*: **to ~ (at)** sich entrüstet wehren (gegen).
bridle path *n* Reitweg *m*.
brief [briːf] *adj* kurz ♦ *n* (*LAW*) Auftrag *m*; (*task*) Aufgabe *f* ♦ *vt* instruieren; (*MIL etc*): **to ~ sb (about)** jdn instruieren (über +*acc*); **briefs** *npl* Slip *m*; **in ~** ... kurz (gesagt) ...
briefcase ['briːfkeɪs] *n* Aktentasche *f*.
briefing ['briːfɪŋ] *n* Briefing *nt*, Lagebespechung *f*.
briefly ['briːflɪ] *adv* kurz; **to glimpse sth ~** einen flüchtigen Blick von etw erhaschen.

Brig. *abbr* = **brigadier.**
brigade [brɪˈgeɪd] *n* Brigade *f.*
brigadier [brɪgəˈdɪə*] *n* Brigadegeneral *m.*
bright [braɪt] *adj* (*light, room*) hell; (*weather*) heiter; (*clever*) intelligent; (*lively*) heiter, fröhlich; (*colour*) leuchtend; (*outlook, future*) glänzend; **to look on the ~ side** die Dinge von der positiven Seite betrachten.
brighten [ˈbraɪtn] (*also:* **~ up**) *vt* aufheitern; (*event*) beleben ♦ *vi* (*weather, face*) sich aufheitern; (*person*) fröhlicher werden; (*prospects*) sich verbessern.
brightly [ˈbraɪtlɪ] *adv* (*shine*) hell; (*smile*) fröhlich; (*talk*) heiter.
brill [brɪl] (*BRIT: inf*) *adj* toll.
brilliance [ˈbrɪljəns] *n* Strahlen *nt*; (*of person*) Genialität *f*, Brillanz *f*; (*of talent, skill*) Großartigkeit *f.*
brilliant [ˈbrɪljənt] *adj* strahlend; (*person, idea*) genial, brillant; (*career*) großartig; (*inf: holiday etc*) phantastisch.
brilliantly [ˈbrɪljəntlɪ] *adv* (*see adj*) strahlend; genial, brillant; großartig; phantastisch.
brim [brɪm] *n* Rand *m*; (*of hat*) Krempe *f.*
brimful [ˈbrɪmˈful] *adj:* **~ (of)** randvoll (mit); (*fig*) voll (von).
brine [braɪn] *n* Lake *f.*
bring [brɪŋ] (*pt, pp* **brought**) *vt* bringen; (*with you*) mitbringen; **to ~ sth to an end** etw zu Ende bringen; **I can't ~ myself to fire him** ich kann es nicht über mich bringen, ihn zu entlassen.
▸**bring about** *vt* herbeiführen.
▸**bring back** *vt* (*restore*) wieder einführen; (*return*) zurückbringen.
▸**bring down** *vt* (*government*) zu Fall bringen; (*plane*) herunterholen; (*price*) senken.
▸**bring forward** *vt* (*meeting*) vorverlegen; (*proposal*) vorbringen; (*BOOKKEEPING*) übertragen.
▸**bring in** *vt* (*money*) (ein)bringen; (*include*) einbeziehen; (*person*) einschalten; (*legislation*) einbringen; (*verdict*) fällen.
▸**bring off** *vt* (*plan*) durchführen; (*deal*) zustande bringen.
▸**bring out** *vt* herausholen; (*meaning, book, album*) herausbringen.
▸**bring round** *vt* (*after faint*) wieder zu Bewußtsein bringen.
▸**bring up** *vt* heraufbringen; (*educate*) erziehen; (*question, subject*) zur Sprache bringen; (*food*) erbrechen.
bring-and-buy sale *n* Basar *m* (*wo mitgebrachte Sachen verkauft werden*).
brink [brɪŋk] *n* Rand *m*; **on the ~ of doing sth** nahe daran, etw zu tun; **she was on the ~ of tears** sie war den Tränen nahe.
brisk [brɪsk] *adj* (*abrupt: person, tone*) forsch; (*pace*) flott; (*trade*) lebhaft, rege; **to go for a ~ walk** einen ordentlichen Spaziergang machen; **business is ~** das Geschäft ist rege.
bristle [ˈbrɪsl] *n* Borste *f*; (*of beard*) Stoppel *f* ♦ *vi* zornig werden; **bristling with** strotzend von.
bristly [ˈbrɪslɪ] *adj* borstig; (*chin*) stoppelig.
Brit [brɪt] (*inf*) *n abbr* (= *British person*) Brite *m*, Britin *f.*
Britain [ˈbrɪtən] *n* (*also:* **Great ~**) Großbritannien *nt.*
British [ˈbrɪtɪʃ] *adj* britisch ♦ *npl:* **the ~** die Briten *pl.*
British Isles *npl:* **the ~** die Britischen Inseln.
British Rail *n britische Eisenbahngesellschaft.*
British Summer Time *n* britische Sommerzeit *f.*
Briton [ˈbrɪtən] *n* Brite *m*, Britin *f.*
Brittany [ˈbrɪtənɪ] *n* die Bretagne.
brittle [ˈbrɪtl] *adj* spröde; (*glass*) zerbrechlich; (*bones*) schwach.
Br(o). *abbr* (*REL*) = **brother.**
broach [brəutʃ] *vt* (*subject*) anschneiden.
broad [brɔːd] *adj* breit; (*general*) allgemein; (*accent*) stark ♦ *n* (*US: inf*) Frau *f*; **in ~ daylight** am hellichten Tag; **~ hint** deutlicher Wink *m.*
broad bean *n* dicke Bohne *f*, Saubohne *f.*
broadcast [ˈbrɔːdkɑːst] (*pt, pp* **broadcast**) *n* Sendung *f* ♦ *vt, vi* senden.
broadcaster [ˈbrɔːdkɑːstə*] *n* (*RADIO, TV*) Rundfunk-/Fernsehpersönlichkeit *f.*
broadcasting [ˈbrɔːdkɑːstɪŋ] *n* (*RADIO*) Rundfunk *m*; (*TV*) Fernsehen *nt.*
broadcasting station *n* (*RADIO*) Rundfunkstation *f*; (*TV*) Fernsehstation *f.*
broaden [ˈbrɔːdn] *vt* erweitern ♦ *vi* breiter werden, sich verbreitern; **to ~ one's mind** seinen Horizont erweitern.
broadly [ˈbrɔːdlɪ] *adv* (*in general terms*) in großen Zügen; **~ speaking** allgemein *or* generell gesagt.
broad-minded [ˈbrɔːdˈmaɪndɪd] *adj* tolerant.
broadsheet [ˈbrɔːdʃiːt] *n* (*newspaper*) *großformatige Zeitung.*
broccoli [ˈbrɔkəlɪ] *n* Brokkoli *pl*, Spargelkohl *m.*
brochure [ˈbrəuʃjuə*] *n* Broschüre *f.*
brogue [brəug] *n* Akzent *m*; (*shoe*) fester Schuh *m.*
broil [brɔɪl] (*US*) *vt* grillen.
broiler [ˈbrɔɪlə*] *n* Brathähnchen *nt.*
broke [brəuk] *pt of* **break** ♦ *adj* (*inf*) pleite; **to go ~** pleite gehen.
broken [ˈbrəukn] *pp of* **break** ♦ *adj* zerbrochen; (*machine: also:* **~ down**) kaputt; (*promise, vow*) gebrochen; **a ~ leg** ein gebrochenes Bein; **a ~ marriage** eine gescheiterte Ehe; **a ~ home** zerrüttete Familienverhältnisse *pl*; **in ~ English/German** in gebrochenem Englisch/Deutsch.
broken-down [ˈbrəuknˈdaun] *adj* kaputt; (*house*) baufällig.

brokenhearted [brəʊkn'hɑːtɪd] *adj* untröstlich.
broker ['brəukə*] *n* Makler(in) *m(f)*.
brokerage ['brəukrɪdʒ] *n* (*commission*) Maklergebühr *f*; (*business*) Maklergeschäft *nt*.
brolly ['brɔlɪ] (*BRIT: inf*) *n* (Regen)schirm *m*.
bronchitis [brɔŋ'kaɪtɪs] *n* Bronchitis *f*.
bronze [brɔnz] *n* Bronze *f*.
bronzed [brɔnzd] *adj* braun, (sonnen)gebräunt.
brooch [brəutʃ] *n* Brosche *f*.
brood [bruːd] *n* Brut *f* ♦ *vi* (*hen*) brüten; (*person*) grübeln.
▸**brood on** *vt fus* nachgrübeln über *+acc*.
▸**brood over** *vt fus* = **brood on**.
broody ['bruːdɪ] *adj* (*person*) grüblerisch; (*hen*) brütig.
brook [bruk] *n* Bach *m*.
broom [brum] *n* Besen *m*; (*BOT*) Ginster *m*.
broomstick ['brumstɪk] *n* Besenstiel *m*.
Bros. *abbr* (*COMM: = brothers*) Gebr.
broth [brɔθ] *n* Suppe *f*, Fleischbrühe *f*.
brothel ['brɔθl] *n* Bordell *nt*.
brother ['brʌðə*] *n* Bruder *m*; (*in trade union, society etc*) Kollege *m*.
brotherhood ['brʌðəhud] *n* Brüderlichkeit *f*.
brother-in-law ['brʌðərɪn'lɔː] *n* Schwager *m*.
brotherly ['brʌðəlɪ] *adj* brüderlich.
brought [brɔːt] *pt, pp of* **bring**.
brought forward *adj* (*COMM*) vorgetragen.
brow [brau] *n* Stirn *f*; (*eyebrow*) (Augen)braue *f*; (*of hill*) (Berg)kuppe *f*.
browbeat ['braubiːt] *vt*: **to ~ sb (into doing sth)** jdn (so) unter Druck setzen(, daß er etw tut).
brown [braun] *adj* braun ♦ *n* Braun *nt* ♦ *vt* (*CULIN*) (an)bräunen; **to go ~** braun werden.
brown bread *n* Graubrot *nt*, Mischbrot *nt*.
Brownie ['braunɪ] *n* (*also*: **~ Guide**) Wichtel *m*.
brownie ['braunɪ] (*US*) *n kleiner Schokoladenkuchen*.
brown paper *n* Packpapier *nt*.
brown rice *n* Naturreis *m*.
brown sugar *n* brauner Zucker *m*.
browse [brauz] *vi* (*in shop*) sich umsehen; (*animal*) weiden; (: *deer*) äsen ♦ *n*: **to have a ~ (around)** sich umsehen; **to ~ through a book** in einem Buch schmökern.
bruise [bruːz] *n* blauer Fleck *m*, Bluterguß *m*; (*on fruit*) Druckstelle *f* ♦ *vt* (*arm, leg etc*) sich *dat* stoßen; (*person*) einen blauen Fleck schlagen; (*fruit*) beschädigen ♦ *vi* (*fruit*) eine Druckstelle bekommen; **to ~ one's arm** sich *dat* den Arm stoßen, sich *dat* einen blauen Fleck am Arm holen.
bruising ['bruːzɪŋ] *adj* (*experience, encounter*) schmerzhaft ♦ *n* Quetschung *f*.
Brum [brʌm] (*BRIT: inf*) *n abbr* (= *Birmingham*).
Brummie ['brʌmɪ] (*inf*) *n aus Birmingham stammende oder dort wohnhafte Person, Birminghamer(in)* *m(f)*.
brunch [brʌntʃ] *n* Brunch *m*.
brunette [bruː'nɛt] *n* Brünette *f*.
brunt [brʌnt] *n*: **to bear the ~ of** die volle Wucht *+gen* tragen.
brush [brʌʃ] *n* Bürste *f*; (*for painting, shaving etc*) Pinsel *m*; (*quarrel*) Auseinandersetzung *f* ♦ *vt* fegen; (*groom*) bürsten; (*teeth*) putzen; (*also*: **~ against**) streifen; **to have a ~ with sb** (*verbally*) sich mit jdm streiten; (*physically*) mit jdm aneinandergeraten; **to have a ~ with the police** mit der Polizei aneinandergeraten.
▸**brush aside** *vt* abtun.
▸**brush past** *vt* streifen.
▸**brush up** *vt* auffrischen.
brushed [brʌʃt] *adj* (*steel, chrome etc*) gebürstet; (*denim etc*) aufgerauht; **~ nylon** Nylon-Velours *m*.
brushoff ['brʌʃɔf] (*inf*) *n*: **to give sb the ~** jdm eine Abfuhr erteilen.
brushwood ['brʌʃwud] *n* Reisig *nt*.
brusque [bruːsk] *adj* brüsk; (*tone*) schroff.
Brussels ['brʌslz] *n* Brüssel *nt*.
Brussels sprouts *npl* Rosenkohl *m*.
brutal ['bruːtl] *adj* brutal.
brutality [bruː'tælɪtɪ] *n* Brutalität *f*.
brutalize ['bruːtəlaɪz] *vt* brutalisieren; (*ill-treat*) brutal behandeln.
brute [bruːt] *n* brutaler Kerl *m*; (*animal*) Tier *nt* ♦ *adj*: **by ~ force** mit roher Gewalt.
brutish ['bruːtɪʃ] *adj* tierisch.
BS (*US*) *n abbr* (= *Bachelor of Science*) *akademischer Grad für Naturwissenschaftler*.
bs *abbr* = **bill of sale**.
BSA *n abbr* (= *Boy Scouts of America*) *amerikanische Pfadfinderorganisation*.
BSc *abbr* (= *Bachelor of Science*) *akademischer Grad für Naturwissenschaftler*.
BSE *n abbr* (= *bovine spongiform encephalopathy*) BSE *f*.
BSI *n abbr* (= *British Standards Institution*) *britischer Normenausschuß*.
BST *abbr* = **British Summer Time**.
Bt (*BRIT*) *abbr* = **baronet**.
btu *n abbr* (= *British thermal unit*) *britische Wärmeeinheit*.
bubble ['bʌbl] *n* Blase *f* ♦ *vi* sprudeln; (*sparkle*) perlen; (*fig: person*) übersprudeln.
bubble bath *n* Schaumbad *nt*.
bubble gum *n* Bubble-Gum *m*.
bubble-jet printer *n* Bubble-Jet-Drucker *m*.
bubble pack *n* (Klar)sichtpackung *f*.
bubbly ['bʌblɪ] *adj* (*person*) lebendig; (*liquid*) sprudelnd ♦ *n* (*inf: champagne*) Schampus *m*.
Bucharest [buːkə'rɛst] *n* Bukarest *nt*.
buck [bʌk] *n* (*rabbit*) Rammler *m*; (*deer*) Bock *m*; (*US: inf*) Dollar *m* ♦ *vi* bocken; **to pass the ~** die Verantwortung abschieben; **to pass the ~ to sb** jdm die Verantwortung zuschieben.

►**buck up** *vi* (*cheer up*) aufleben ♦ *vt*: **to ~ one's ideas up** sich zusammenreißen.
bucket ['bʌkɪt] *n* Eimer *m* ♦ *vi* (*BRIT: inf*): **the rain is ~ing (down)** es gießt *or* schüttet (wie aus Kübeln).

> **Buckingham Palace** *ist die offizielle Londoner Residenz der britischen Monarchen und liegt am St James Park. Der Palast wurde 1703 für den Herzog von Buckingham erbaut, 1762 von Georg III gekauft, zwischen 1821 und 1836 von John Nash umgebaut, und Anfang des 20. Jahrhunderts teilweise neu gestaltet. Teile des Buckingham Palace sind heute der Öffentlichkeit zugänglich.*

buckle ['bʌkl] *n* Schnalle *f* ♦ *vt* zuschnallen; (*wheel*) verbiegen ♦ *vi* sich verbiegen.
►**buckle down** *vi* sich dahinterklemmen; **to ~ down to sth** sich hinter etw *acc* klemmen.
Bucks [bʌks] (*BRIT*) *abbr* (*POST:* = *Buckinghamshire*).
bud [bʌd] *n* Knospe *f* ♦ *vi* knospen, Knospen treiben.
Budapest [bju:də'pɛst] *n* Budapest *nt*.
Buddha ['budə] *n* Buddha *m*.
Buddhism ['budɪzəm] *n* Buddhismus *m*.
Buddhist ['budɪst] *adj* buddhistisch ♦ *n* Buddhist(in) *m(f)*.
budding ['bʌdɪŋ] *adj* angehend.
buddy ['bʌdɪ] (*US*) *n* Kumpel *m*.
budge [bʌdʒ] *vt* (von der Stelle) bewegen; (*fig*) zum Nachgeben bewegen ♦ *vi* sich von der Stelle rühren; (*fig*) nachgeben.
budgerigar ['bʌdʒərɪgɑ:*] *n* Wellensittich *m*.
budget ['bʌdʒɪt] *n* Budget *nt*, Etat *m*, Haushalt *m* ♦ *vi* haushalten, wirtschaften; **I'm on a tight ~** ich habe nicht viel Geld zur Verfügung; **she works out her ~ every month** sie macht (sich *dat*) jeden Monat einen Haushaltsplan; **to ~ for sth** etw kostenmäßig einplanen.
budgie ['bʌdʒɪ] *n* = **budgerigar**.
Buenos Aires ['bweɪnɔs'aɪrɪz] *n* Buenos Aires *nt*.
buff [bʌf] *adj* gelbbraun ♦ *n* (*inf*) Fan *m*.
buffalo ['bʌfələu] (*pl* ~ *or* ~**es**) *n* (*BRIT*) Büffel *m*; (*US*) Bison *m*.
buffer ['bʌfə*] *n* (*COMPUT*) Puffer *m*, Pufferspeicher *m*; (*RAIL*) Prellbock *m*; (*fig*) Polster *nt*.
buffering ['bʌfərɪŋ] *n* (*COMPUT*) Pufferung *f*.
buffer state *n* Pufferstaat *m*.
buffer zone *n* Pufferzone *f*.
buffet[1] ['bufeɪ] (*BRIT*) *n* Büfett *nt*, Bahnhofsrestaurant *nt*; (*food*) kaltes Buffet *nt*.
buffet[2] ['bʌfɪt] *vt* (*subj: sea*) hin und her werfen; (: *wind*) schütteln.
buffet car (*BRIT*) *n* Speisewagen *m*.
buffet lunch *n* Buffet *nt*.
buffoon [bə'fu:n] *n* Clown *m*.
bug [bʌg] *n* (*esp US*) Insekt *nt*; (*COMPUT: of program*) Programmfehler *m*; (: *of equipment*) Fehler *m*; (*fig: germ*) Bazillus *m*; (*hidden microphone*) Wanze *f* ♦ *vt* (*inf*) nerven; (*telephone etc*) abhören; (*room*) verwanzen; **I've got the travel ~** (*fig*) mich hat die Reiselust gepackt.
bugbear ['bʌgbɛə*] *n* Schreckgespenst *nt*.
bugger ['bʌgə*] (*inf!*) *n* Scheißkerl *m*, Arschloch *nt* ♦ *vb*: ~ **off!** hau ab!; ~ **(it)!** Scheiße!
buggy ['bʌgɪ] *n* (*for baby*) Sportwagen *m*.
bugle ['bju:gl] *n* Bügelhorn *nt*.
build [bɪld] (*pt, pp* **built**) *n* Körperbau *m* ♦ *vt* bauen.
►**build on** *vt fus* (*fig*) aufbauen auf +*dat*.
►**build up** *vt* aufbauen; (*production*) steigern; (*morale*) stärken; (*stocks*) anlegen; **don't ~ your hopes up too soon** mach dir nicht zu früh Hoffnungen.
builder ['bɪldə*] *n* Bauunternehmer *m*.
building ['bɪldɪŋ] *n* (*industry*) Bauindustrie *f*; (*construction*) Bau *m*; (*structure*) Gebäude *nt*, Bau.
building contractor *n* Bauunternehmer *m*.
building industry *n* Bauindustrie *f*.
building site *n* Baustelle *f*.
building society (*BRIT*) *n* Bausparkasse *f*.
building trade *n* = **building industry**.
build-up ['bɪldʌp] *n* Ansammlung *f*; (*publicity*): **to give sb/sth a good ~** jdn/etw ganz groß herausbringen.
built [bɪlt] *pt, pp of* **build** ♦ *adj*: ~**-in** eingebaut, Einbau-; (*safeguards*) eingebaut; **well-~** gut gebaut.
built-up area ['bɪltʌp-] *n* bebautes Gebiet *nt*.
bulb [bʌlb] *n* (Blumen)zwiebel *f*; (*ELEC*) (Glüh)birne *f*.
bulbous ['bʌlbəs] *adj* knollig.
Bulgaria [bʌl'gɛərɪə] *n* Bulgarien *nt*.
Bulgarian [bʌl'gɛərɪən] *adj* bulgarisch ♦ *n* Bulgare *m*, Bulgarin *f*; (*LING*) Bulgarisch *nt*.
bulge [bʌldʒ] *n* Wölbung *f*; (*in birth rate, sales*) Zunahme *f* ♦ *vi* (*pocket*) prall gefüllt sein; (*cheeks*) voll sein; (*file*) (zum Bersten) voll sein; **to be bulging with** prall gefüllt sein mit.
bulimia [bə'lɪmɪə] *n* Bulimie *f*.
bulk [bʌlk] *n* (*of thing*) massige Form *f*; (*of person*) massige Gestalt *f*; **in ~** im großen, en gros; **the ~ of** der Großteil +*gen*.
bulk buying [-'baɪɪŋ] *n* Mengeneinkauf *m*, Großeinkauf *m*.
bulk carrier *n* Bulkcarrier *m*.
bulkhead ['bʌlkhɛd] *n* Schott *nt*.
bulky ['bʌlkɪ] *adj* sperrig.
bull [bul] *n* Stier *m*; (*male elephant or whale*) Bulle *m*; (*STOCK EXCHANGE*) Haussier *m*, Haussespekulant *m*; (*REL*) Bulle *f*.
bulldog ['buldɔg] *n* Bulldogge *f*.
bulldoze ['buldəuz] *vt* mit Bulldozern wegräumen; (*building*) mit Bulldozern

abreißen; **I was ~d into it** (*fig: inf*) ich wurde gezwungen *or* unter Druck gesetzt, es zu tun.
bulldozer ['buldəuzə*] *n* Bulldozer *m*, Planierraupe *f*.
bullet ['bulɪt] *n* Kugel *f*.
bulletin ['bulɪtɪn] *n* (*TV etc*) Kurznachrichten *pl*; (*journal*) Bulletin *nt*.
bulletin board *n* (*COMPUT*) Schwarzes Brett *nt*.
bulletproof ['bulɪtpru:f] *adj* kugelsicher.
bullfight ['bulfaɪt] *n* Stierkampf *m*.
bullfighter ['bulfaɪtə*] *n* Stierkämpfer *m*.
bullfighting ['bulfaɪtɪŋ] *n* Stierkampf *m*.
bullion ['buljən] *n*: **gold/silver ~** Barrengold *nt*/-silber *nt*.
bullock ['bulək] *n* Ochse *m*.
bullring ['bulrɪŋ] *n* Stierkampfarena *f*.
bull's-eye ['bulzaɪ] *n* (*on a target*): **the ~** der Scheibenmittelpunkt, das Schwarze.
bullshit ['bulʃɪt] (*inf!*) *n* Scheiß *m*, Quatsch *m* ♦ *vi* Scheiß erzählen; ~! Quatsch!
bully ['bulɪ] *n* Tyrann *m* ♦ *vt* tyrannisieren; (*frighten*) einschüchtern.
bullying ['bulɪɪŋ] *n* Tyrannisieren *nt*.
bum [bʌm] (*inf*) *n* Hintern *m*; (*esp US: good-for-nothing*) Rumtreiber *m*; (*tramp*) Penner *m*.
▸**bum around** (*inf*) *vi* herumgammeln.
bumblebee ['bʌmblbi:] *n* Hummel *f*.
bumf [bʌmf] (*inf*) *n* Papierkram *m*.
bump [bʌmp] *n* Zusammenstoß *m*; (*jolt*) Erschütterung *f*; (*swelling*) Beule *f*; (*on road*) Unebenheit *f* ♦ *vt* stoßen; (*car*) eine Delle fahren in *+acc*.
▸**bump along** *vi* entlangholpern.
▸**bump into** *vt fus* (*obstacle*) stoßen gegen; (*inf: person*) treffen.
bumper ['bʌmpə*] *n* Stoßstange *f* ♦ *adj*: **~ crop, ~ harvest** Rekordernte *f*.
bumper cars *npl* Autoskooter *pl*.
bumper sticker *n* Aufkleber *m*.
bumph [bʌmf] *n* = **bumf**.
bumptious ['bʌmpʃəs] *adj* wichtigtuerisch.
bumpy ['bʌmpɪ] *adj* holperig; **it was a ~ flight/ride** während des Fluges/auf der Fahrt wurden wir tüchtig durchgerüttelt.
bun [bʌn] *n* Brötchen *nt*; (*of hair*) Knoten *m*.
bunch [bʌntʃ] *n* Strauß *m*; (*of keys*) Bund *m*; (*of bananas*) Büschel *nt*; (*of people*) Haufen *m*; **bunches** *npl* (*in hair*) Zöpfe *pl*; **~ of grapes** Weintraube *f*.
bundle ['bʌndl] *n* Bündel *nt* ♦ *vt* (*also*: **~ up**) bündeln; (*put*): **to ~ sth into** etw stopfen *or* packen in *+acc*; **to ~ sb into** jdn schaffen in *+acc*.
▸**bundle off** *vt* schaffen.
▸**bundle out** *vt* herausschaffen.
bun fight (*BRIT: inf*) *n* Festivitäten *pl*; (*tea party*) Teegesellschaft *f*.
bung [bʌŋ] *n* Spund *m*, Spundzapfen *m* ♦ *vt* (*BRIT: inf: also*: **~ in**) schmeißen; (*also*: **~ up**) verstopfen; **my nose is ~ed up** meine Nase ist verstopft.
bungalow ['bʌŋgələu] *n* Bungalow *m*.
bungee jumping ['bʌndʒi:'dʒʌmpɪŋ] *n* Bungee-Springen *nt*.
bungle ['bʌŋgl] *vt* verpfuschen.
bunion ['bʌnjən] *n* entzündeter Ballen *m*.
bunk [bʌŋk] *n* Bett *nt*, Koje *f*; **to do a ~** (*inf*) abhauen.
▸**bunk off** (*inf*) *vi* abhauen.
bunk beds *npl* Etagenbett *nt*.
bunker ['bʌŋkə*] *n* Kohlenbunker *m*; (*MIL, GOLF*) Bunker *m*.
bunny ['bʌnɪ] *n* (*also*: **~ rabbit**) Hase *m*, Häschen *nt*.
bunny girl (*BRIT*) *n* Häschen *nt*.
bunny hill (*US*) *n* (*SKI*) Anfängerhügel *m*.
bunting ['bʌntɪŋ] *n* (*flags*) Wimpel *pl*, Fähnchen *pl*.
buoy [bɔɪ] *n* Boje *f*.
▸**buoy up** *vt* (*fig*) Auftrieb geben *+dat*.
buoyancy ['bɔɪənsɪ] *n* (*of ship, object*) Schwimmfähigkeit *f*.
buoyant ['bɔɪənt] *adj* (*ship, object*) schwimmfähig; (*market*) fest; (*economy*) stabil; (*prices, currency*) fest, stabil; (*person, nature*) heiter.
burden ['bə:dn] *n* Belastung *f*; (*load*) Last *f* ♦ *vt*: **to ~ sb with sth** jdn mit etw belasten; **to be a ~ to sb** jdm zur Last fallen.
bureau ['bjuərəu] (*pl* **~x**) *n* (*BRIT: writing desk*) Sekretär *m*; (*US: chest of drawers*) Kommode *f*; (*office*) Büro *nt*.
bureaucracy [bjuə'rɔkrəsɪ] *n* Bürokratie *f*.
bureaucrat ['bjuərəkræt] *n* Bürokrat(in) *m(f)*.
bureaucratic [bjuərə'krætɪk] *adj* bürokratisch.
bureaux ['bjuərəuz] *npl of* **bureau**.
burgeon ['bə:dʒən] *vi* hervorsprießen.
burger ['bə:gə*] (*inf*) *n* Hamburger *m*.
burglar ['bə:glə*] *n* Einbrecher(in) *m(f)*.
burglar alarm *n* Alarmanlage *f*.
burglarize ['bə:glərаɪz] (*US*) *vt* einbrechen in *+acc*.
burglary ['bə:glərɪ] *n* Einbruch *m*.
burgle ['bə:gl] *vt* einbrechen in *+acc*.
Burgundy ['bə:gəndɪ] *n* Burgund *nt*.
burial ['berɪəl] *n* Beerdigung *f*.
burial ground *n* Begräbnisstätte *f*.
burlesque [bə:'lesk] *n* (*parody*) Persiflage *f*; (*US: THEAT*) Burleske *f*.
burly ['bə:lɪ] *adj* kräftig, stämmig.
Burma ['bə:mə] *n* Birma *nt*, Burma *nt*.
Burmese [bə:'mi:z] *adj* birmanisch, burmesisch ♦ *n inv* Birmane *m*, Burmese *m*, Birmanin *f*, Burmesin *f* ♦ *n* (*LING*) Birmanisch *nt*, Burmesisch *nt*.
burn [bə:n] (*pt, pp* **burned** *or* **burnt**) *vt* verbrennen; (*fuel*) als Brennstoff verwenden; (*food*) anbrennen lassen; (*house etc*) niederbrennen ♦ *vi* brennen; (*food*) anbrennen ♦ *n* Verbrennung *f*; **the cigarette ~t a hole in her dress** die Zigarette brannte

ein Loch in ihr Kleid; **I've ~t myself!** ich habe mich verbrannt!
▸**burn down** *vt* abbrennen.
▸**burn out** *vt*: **to ~ o.s. out** (*writer etc*) sich völlig verausgaben; **the fire ~t itself out** das Feuer brannte aus.
burner ['bɜːnə*] *n* Brenner *m*.
burning ['bɜːnɪŋ] *adj* brennend; (*sand, desert*) glühend heiß.
burnish ['bɜːnɪʃ] *vt* polieren.

> **Burns' Night** *ist der am 25. Januar begangene Gedenktag für den schottischen Dichter Robert Burns (1759-1796). Wo Schotten leben, sei es in Schottland oder im Ausland, wird dieser Tag mit einem Abendessen gefeiert, bei dem es als Hauptgericht* **Haggis** *gibt, der mit Dudelsackbegleitung aufgetischt wird. Dazu ißt man Steckrüben- und Kartoffelpüree und trinkt Whisky. Während des Essens werden Burns' Gedichte vorgelesen, seine Lieder gesungen, bestimmte Reden gehalten und Trinksprüche ausgegeben.*

burnt [bɜːnt] *pt, pp of* **burn**.
burnt sugar (*BRIT*) *n* Karamel *m*.
burp [bɜːp] (*inf*) *n* Rülpser *m* ♦ *vt* (*baby*) aufstoßen lassen ♦ *vi* rülpsen.
burrow ['bʌrəu] *n* Bau *m* ♦ *vi* graben; (*rummage*) wühlen.
bursar ['bɜːsə*] *n* Schatzmeister *m*, Finanzverwalter *m*.
bursary ['bɜːsərɪ] (*BRIT*) *n* Stipendium *nt*.
burst [bɜːst] (*pt, pp* **burst**) *vt* zum Platzen bringen, platzen lassen ♦ *vi* platzen ♦ *n* Salve *f*; (*also*: **~ pipe**) (Rohr)bruch *m*; **the river has ~ its banks** der Fluß ist über die Ufer getreten; **to ~ into flames** in Flammen aufgehen; **to ~ into tears** in Tränen ausbrechen; **to ~ out laughing** in Lachen ausbrechen; **~ blood vessel** geplatzte Ader *f*; **to be ~ing with** zum Bersten voll sein mit; (*pride*) fast platzen vor *+dat*; **to ~ open** aufspringen; **a ~ of energy** ein Ausbruch *m* von Energie; **a ~ of enthusiasm** ein Begeisterungsausbruch *m*; **a ~ of speed** ein Spurt *m*; **~ of laughter** Lachsalve *f*; **~ of applause** Beifallssturm *m*.
▸**burst in on** *vt fus*: **to ~ in on sb** bei jdm hereinplatzen.
▸**burst into** *vt fus* (*into room*) platzen in *+acc*.
▸**burst out of** *vt fus* (*of room*) stürmen *or* stürzen aus.
bury ['berɪ] *vt* begraben; (*at funeral*) beerdigen; **to ~ one's face in one's hands** das Gesicht in den Händen vergraben; **to ~ one's head in the sand** (*fig*) den Kopf in den Sand stecken; **to ~ the hatchet** (*fig*) das Kriegsbeil begraben.
bus [bʌs] *n* (Auto)bus *m*, (Omni)bus *m*; (*double decker*) Doppeldecker *m* (*inf*).
bus boy (*US*) *n* Bedienungshilfe *f*.
bush [buʃ] *n* Busch *m*, Strauch *m*; (*scrubland*) Busch; **to beat about the ~** um den heißen Brei herumreden.
bushed [buʃt] (*inf*) *adj* (*exhausted*) groggy.
bushel ['buʃl] *n* Scheffel *m*.
bushfire *n* Buschfeuer *nt*.
bushy ['buʃɪ] *adj* buschig.
busily ['bɪzɪlɪ] *adv* eifrig; **to be ~ doing sth** eifrig etw tun.
business ['bɪznɪs] *n* (*matter*) Angelegenheit *f*; (*trading*) Geschäft *nt*; (*firm*) Firma *f*, Betrieb *m*; (*occupation*) Beruf *m*; **to be away on ~** geschäftlich unterwegs sein; **I'm here on ~** ich bin geschäftlich hier; **he's in the insurance/transport ~** er arbeitet in der Versicherungs-/Transportbranche; **to do ~ with sb** Geschäfte *pl* mit jdm machen; **it's my ~ to ...** es ist meine Aufgabe, zu ...; **it's none of my ~** es geht mich nichts an; **he means ~** er meint es ernst.
business address *n* Geschäftsadresse *f*.
business card *n* (Visiten)karte *f*.
businesslike ['bɪznɪslaɪk] *adj* geschäftsmäßig.
businessman ['bɪznɪsmən] (*irreg: like* **man**) *n* Geschäftsmann *m*.
business trip *n* Geschäftsreise *f*.
businesswoman ['bɪznɪswumən] (*irreg: like* **woman**) *n* Geschäftsfrau *f*.
busker ['bʌskə*] (*BRIT*) *n* Straßenmusikant(in) *m(f)*.
bus lane (*BRIT*) *n* Busspur *f*.
bus shelter *n* Wartehäuschen *nt*.
bus station *n* Busbahnhof *m*.
bus stop *n* Bushaltestelle *f*.
bust [bʌst] *n* Busen *m*; (*measurement*) Oberweite *f*; (*sculpture*) Büste *f* ♦ *adj* (*inf*) kaputt ♦ *vt* (*inf*) verhaften; **to go ~** pleite gehen.
bustle ['bʌsl] *n* Betrieb *m* ♦ *vi* eilig herumlaufen.
bustling ['bʌslɪŋ] *adj* belebt.
bust-up ['bʌstʌp] (*BRIT: inf*) *n* Krach *m*.
busty ['bʌstɪ] *adj* (*woman*) vollbusig.
BUSWE (*BRIT*) *n abbr* (= *British Union of Social Work Employees*) *Sozialarbeitergewerkschaft*.
busy ['bɪzɪ] *adj* (*person*) beschäftigt; (*shop, street*) belebt; (*TEL: esp US*) besetzt ♦ *vt*: **to ~ o.s. with** sich beschäftigen mit; **he's a ~ man** er ist ein vielbeschäftigter Mann; **he's ~** er hat (zur Zeit) viel zu tun.
busybody ['bɪzɪbɔdɪ] *n*: **to be a ~** sich ständig einmischen.
busy signal (*US*) *n* (*TEL*) Besetztzeichen *nt*.

KEYWORD

but [bʌt] *conj* **1** (*yet*) aber; **not blue ~ red** nicht blau, sondern rot; **he's not very bright, ~ he's hard-working** er ist nicht sehr intelligent, aber er ist fleißig
2 (*however*): **I'd love to come, ~ I'm busy** ich würde gern kommen, bin aber beschäftigt

3 (*showing disagreement, surprise etc*): ~ **that's far too expensive!** aber das ist viel zu teuer!; ~ **that's fantastic!** das ist doch toll!
♦ *prep* (*apart from, except*) außer *+dat*; **nothing ~ trouble** nichts als Ärger; **no-one ~ him can do it** keiner außer ihm kann es machen; ~ **for you** wenn Sie nicht gewesen wären; ~ **for your help** ohne Ihre Hilfe; **I'll do anything ~ that** ich mache alles, nur nicht das; **the last house ~ one** das vorletzte Haus; **the next street ~ one** die übernächste Straße
♦ *adv* (*just, only*) nur; **she's ~ a child** sie ist doch noch ein Kind; **I can ~ try** ich kann es ja versuchen.

butane ['bju:teɪn] *n* (*also*: ~ **gas**) Butan(gas) *nt*.
butch [butʃ] (*inf*) *adj* maskulin.
butcher ['butʃə*] *n* Fleischer *m*, Metzger *m*; (*pej: murderer*) Schlächter *m* ♦ *vt* schlachten; (*prisoners etc*) abschlachten.
butcher's (shop) ['butʃəz-] *n* Fleischerei *f*, Metzgerei *f*.
butler ['bʌtlə*] *n* Butler *m*.
butt [bʌt] *n* großes Faß *nt*, Tonne *f*; (*thick end*) dickes Ende *nt*; (*of gun*) Kolben *m*; (*of cigarette*) Kippe *f*; (*BRIT, fig: target*) Zielscheibe *f*; (*US: inf!*) Arsch *m* ♦ *vt* (*goat*) mit den Hörnern stoßen; (*person*) mit dem Kopf stoßen.
▸**butt in** *vi* sich einmischen, dazwischenfunken (*inf*).
butter ['bʌtə*] *n* Butter *f* ♦ *vt* buttern.
buttercup ['bʌtəkʌp] *n* Butterblume *f*.
butter dish *n* Butterdose *f*.
butterfingers ['bʌtəfɪŋgəz] (*inf*) *n* Schussel *m*.
butterfly ['bʌtəflaɪ] *n* Schmetterling *m*; (*SWIMMING: also*: ~ **stroke**) Schmetterlingsstil *m*, Butterfly *m*.
buttocks ['bʌtəks] *npl* Gesäß *nt*.
button ['bʌtn] *n* Knopf *m*; (*US: badge*) Plakette *f* ♦ *vt* (*also*: ~ **up**) zuknöpfen ♦ *vi* geknöpft werden.
buttonhole ['bʌtnhəul] *n* Knopfloch *nt*; (*flower*) Blume *f* im Knopfloch ♦ *vt* zu fassen bekommen, sich *dat* schnappen (*inf*).
buttress ['bʌtrɪs] *n* Strebepfeiler *m*.
buxom ['bʌksəm] *adj* drall.
buy [baɪ] (*pt, pp* **bought**) *vt* kaufen; (*company*) aufkaufen ♦ *n* Kauf *m*; **that was a good/bad ~** das war ein guter/schlechter Kauf; **to ~ sb sth** jdm etw kaufen; **to ~ sth from sb** etw bei jdm kaufen; (*from individual*) jdm etw abkaufen; **to ~ sb a drink** jdm einen ausgeben (*inf*).
▸**buy back** *vt* zurückkaufen.
▸**buy in** (*BRIT*) *vt* einkaufen.
▸**buy into** (*BRIT*) *vt fus* sich einkaufen in *+acc*.
▸**buy off** *vt* kaufen.
▸**buy out** *vt* (*partner*) auszahlen; (*business*) aufkaufen.
▸**buy up** *vt* aufkaufen.
buyer ['baɪə*] *n* Käufer(in) *m(f)*; (*COMM*) Einkäufer(in) *m(f)*.
buyer's market ['baɪəz-] *n* Käufermarkt *m*.
buyout ['baɪaut] *n* (*of firm: by workers, management*) Aufkauf *m*.
buzz [bʌz] *vi* summen, brummen; (*saw*) kreischen ♦ *vt* rufen; (*with buzzer*) (mit dem Summer) rufen; (*AVIAT: plane, building*) dicht vorbeifliegen an *+dat* ♦ *n* Summen *nt*, Brummen *nt*; (*inf*): **to give sb a ~** jdn anrufen; **my head is ~ing** mir schwirrt der Kopf.
▸**buzz off** (*inf*) *vi* abhauen.
buzzard ['bʌzəd] *n* Bussard *m*.
buzzer ['bʌzə*] *n* Summer *m*.
buzz word (*inf*) *n* Modewort *nt*.

KEYWORD

by [baɪ] *prep* **1** (*referring to cause, agent*) von *+dat*, durch *+acc*; **killed ~ lightning** vom Blitz *or* durch einen Blitz getötet; **a painting ~ Picasso** ein Bild von Picasso
2 (*referring to method, manner, means*): ~ **bus/car/train** mit dem Bus/Auto/Zug; **to pay ~ cheque** mit *or* per Scheck bezahlen; ~ **saving hard, he was able to ...** indem er eisern sparte, konnte er ...
3 (*via, through*) über *+acc*; **we came ~ Dover** wir sind über Dover gekommen
4 (*close to*) bei *+dat*, an *+dat*; **the house ~ the river** das Haus am Fluß
5 (*past*) an ... *dat* vorbei; **she rushed ~ me** sie eilte an mir vorbei
6 (*not later than*) bis *+acc*; ~ **4 o'clock** bis 4 Uhr; ~ **this time tomorrow** morgen um diese Zeit
7 (*amount*): ~ **the kilo/metre** kilo-/meterweise; **to be paid ~ the hour** stundenweise bezahlt werden
8 (*MATH, measure*): **to divide ~ 3** durch 3 teilen; **to multiply ~ 3** mit 3 malnehmen; **it missed me ~ inches** es hat mich um Zentimeter verfehlt
9 (*according to*): **to play ~ the rules** sich an die Regeln halten; **it's all right ~ me** von mir aus ist es in Ordnung
10: **(all) ~ myself/himself** *etc* (ganz) allein
11: ~ **the way** übrigens
♦ *adv* **1** *see* **go, pass** *etc*
2: ~ **and ~** irgendwann
3: ~ **and large** im großen und ganzen.

bye(-bye) ['baɪ('baɪ)] *excl* (auf) Wiedersehen, tschüs (*inf*).
bye-law ['baɪlɔ:] *n* Verordnung *f*.
by-election ['baɪɪlɛkʃən] (*BRIT*) *n* Nachwahl *f*.
Byelorussia [bjɛləu'rʌʃə] *n* = **Belorussia**.
Byelorussian [bjɛləu'rʌʃən] *adj, n* = **Belarussian**.
bygone ['baɪgɔn] *adj* (längst) vergangen ♦ *n*:

let ~s be ~s wir sollten die Vergangenheit ruhen lassen.
by-law ['baɪlɔː] *n* = **bye-law.**
bypass ['baɪpɑːs] *n* Umgehungsstraße *f*; (*MED*) Bypass-Operation *f* ♦ *vt* (*also fig*) umgehen.
by-product ['baɪprɔdʌkt] *n* Nebenprodukt *nt*.
byre ['baɪə*] (*BRIT*) *n* Kuhstall *m*.
bystander ['baɪstændə*] *n* Zuschauer(in) *m(f)*.
byte [baɪt] *n* (*COMPUT*) Byte *nt*.
byway ['baɪweɪ] *n* Seitenweg *m*.
byword ['baɪwəːd] *n*: **to be a ~ for** der Inbegriff *+gen* sein, gleichbedeutend sein mit.
by-your-leave ['baɪjɔː'liːv] *n*: **without so much as a ~** ohne auch nur (um Erlaubnis) zu fragen.

C, c

C¹, c¹ [siː] *n* (*letter*) C *nt*, c *nt*; (*SCOL*) ≈ Drei *f*, Befriedigend *nt*; **~ for Charlie** ≈ C wie Cäsar.
C² [siː] *n* (*MUS*) C *nt*, c *nt*.
C³ [siː] *abbr* = **Celsius; centigrade.**
c² *abbr* = **century**; (= *circa*) ca.; (*US etc*: = *cent(s)*) Cent.
CA *n abbr* (*BRIT*) = **chartered accountant** ♦ *abbr* = **Central America**; (*US: POST:* = *California*).
C/A *abbr* (*COMM*) = **capital account; credit account; current account.**
ca. *abbr* (= *circa*) ca.
CAA *n abbr* (*BRIT*) = **Civil Aviation Authority**; (*US:* = *Civil Aeronautics Authority*) *Zivilluftfahrtbehörde*.
CAB (*BRIT*) *n abbr* = **Citizens' Advice Bureau.**
cab [kæb] *n* Taxi *nt*; (*of truck, train etc*) Führerhaus *nt*; (*horse-drawn*) Droschke *f*.
cabaret ['kæbəreɪ] *n* Kabarett *nt*.
cabbage ['kæbɪdʒ] *n* Kohl *m*.
cabbie, cabby ['kæbɪ] *n* Taxifahrer(in) *m(f)*.
cab driver *n* Taxifahrer(in) *m(f)*.
cabin ['kæbɪn] *n* Kabine *f*; (*house*) Hütte *f*.
cabin cruiser *n* Kajütboot *nt*.
cabinet ['kæbɪnɪt] *n* kleiner Schrank *m*; (*also*: **display ~**) Vitrine *f*; (*POL*) Kabinett *nt*.
cabinet-maker ['kæbɪnɪt'meɪkə*] *n* Möbeltischler *m*.
cabinet minister *n* Mitglied *nt* des Kabinetts, Minister(in) *m(f)*.
cable ['keɪbl] *n* Kabel *nt* ♦ *vt* kabeln.
cable car *n* (Draht)seilbahn *f*.
cablegram ['keɪblgræm] *n* (Übersee)telegramm *nt*, Kabel *nt*.
cable railway *n* Seilbahn *f*.
cable television *n* Kabelfernsehen *nt*.
cable TV *n* = **cable television.**
cache [kæʃ] *n* Versteck *nt*, geheimes Lager *nt*; **a ~ of food** ein geheimes Proviantlager.
cackle ['kækl] *vi* (*person: laugh*) meckernd lachen; (*hen*) gackern.
cacti ['kæktaɪ] *npl of* **cactus.**
cactus ['kæktəs] (*pl* **cacti**) *n* Kaktus *m*.
CAD *n abbr* (= *computer-aided design*) CAD *nt*.
caddie ['kædɪ] *n* (*GOLF*) Caddie *m*.
caddy ['kædɪ] *n* = **caddie.**
cadence ['keɪdəns] *n* (*of voice*) Tonfall *m*.
cadet [kə'dɛt] *n* Kadett *m*; **police ~** Polizeianwärter(in) *m(f)*.
cadge [kædʒ] (*inf*) *vt*: **to ~ (from** *or* **off)** schnorren (bei *or* von *+dat*); **to ~ a lift with sb** von jdm mitgenommen werden.
cadger ['kædʒə*] (*BRIT: inf*) *n* Schnorrer(in) *m(f)*.
cadre ['kædrɪ] *n* Kader *m*.
Caesarean [siː'zɛərɪən] *n*: **~ (section)** Kaiserschnitt *m*.
CAF (*BRIT*) *abbr* (= *cost and freight*) cf.
café ['kæfeɪ] *n* Café *nt*.
cafeteria [kæfɪ'tɪərɪə] *n* Cafeteria *f*.
caffein(e) ['kæfiːn] *n* Koffein *nt*.
cage [keɪdʒ] *n* Käfig *m*; (*of lift*) Fahrkorb *m* ♦ *vt* einsperren.
cagey ['keɪdʒɪ] (*inf*) *adj* vorsichtig; (*evasive*) ausweichend.
cagoule [kə'guːl] *n* Regenjacke *f*.
cahoots [kə'huːts] (*inf*) *n*: **to be in ~ with** unter einer Decke stecken mit.
CAI *n abbr* (= *computer-aided instruction*) CAI *nt*.
Cairo ['kaɪərəu] *n* Kairo *nt*.
cajole [kə'dʒəul] *vt*: **to ~ sb into doing sth** jdn bereden, etw zu tun.
cake [keɪk] *n* Kuchen *m*; (*small*) Gebäckstück *nt*; (*of soap*) Stück *nt*; **it's a piece of ~** (*inf*) das ist ein Kinderspiel *or* ein Klacks; **he wants to have his ~ and eat it (too)** (*fig*) er will das eine, ohne das andere zu lassen.
caked [keɪkt] *adj*: **~ with** (*mud, blood*) verkrustet mit.
cake shop *n* Konditorei *f*.
Cal. (*US*) *abbr* (*POST:* = *California*).
calamine lotion ['kæləmaɪn-] *n* Galmeilotion *f*.
calamitous [kə'læmɪtəs] *adj* katastrophal.
calamity [kə'læmɪtɪ] *n* Katastrophe *f*.
calcium ['kælsɪəm] *n* Kalzium *nt*.
calculate ['kælkjuleɪt] *vt* (*work out*) berechnen; (*estimate*) abschätzen.
►**calculate on** *vt fus*: **to ~ on sth** mit etw rechnen; **to ~ on doing sth** damit rechnen, etw zu tun.
calculated ['kælkjuleɪtɪd] *adj* (*insult*) bewußt; (*action*) vorsätzlich; **a ~ risk** ein kalkuliertes Risiko.
calculating ['kælkjuleɪtɪŋ] *adj* (*scheming*) berechnend.

calculation [kælkju'leɪʃən] *n* (*see vt*) Berechnung *f*; Abschätzung *f*; (*sum*) Rechnung *f*.
calculator ['kælkjuleɪtə*] *n* Rechner *m*.
calculus ['kælkjuləs] *n* Infinitesimalrechnung *f*; **integral/differential ~** Integral-/Differentialrechnung *f*.
calendar ['kæləndə*] *n* Kalender *m*; (*timetable, schedule*) (Termin)kalender *m*.
calendar month *n* Kalendermonat *m*.
calendar year *n* Kalenderjahr *nt*.
calf [kɑ:f] (*pl* **calves**) *n* Kalb *nt*; (*of elephant, seal etc*) Junge(s) *nt*; (*also*: **~skin**) Kalb(s)leder *nt*; (*ANAT*) Wade *f*.
caliber ['kælɪbə*] (*US*) *n* = **calibre.**
calibrate ['kælɪbreɪt] *vt* (*gun etc*) kalibrieren; (*scale of measuring instrument*) eichen.
calibre, (*US*) **caliber** ['kælɪbə*] *n* Kaliber *nt*; (*of person*) Format *nt*.
calico ['kælɪkəu] *n* (*BRIT*) Kattun *m*, Kaliko *m*; (*US*) bedruckter Kattun.
Calif. (*US*) *abbr* (*POST: = California*).
California [kælɪ'fɔ:nɪə] *n* Kalifornien *nt*.
calipers ['kælɪpəz] (*US*) *npl* = **callipers.**
call [kɔ:l] *vt* (*name, consider*) nennen; (*shout out, summon*) rufen; (*TEL*) anrufen; (*witness, flight*) aufrufen; (*meeting*) einberufen; (*strike*) ausrufen ♦ *vi* rufen; (*TEL*) anrufen; (*visit: also:* **~ in, ~ round**) vorbeigehen, vorbeikommen ♦ *n* Ruf *m*; (*TEL*) Anruf *m*; (*visit*) Besuch *m*; (*for a service etc*) Nachfrage *f*; (*for flight etc*) Aufruf *m*; (*fig: lure*) Ruf *m*, Verlockung *f*; **to be ~ed** (*named*) heißen; **who is ~ing?** (*TEL*) wer spricht da bitte?; **London ~ing** (*RADIO*) hier ist London; **please give me a ~ at 7** rufen Sie mich bitte um 7 an; **to make a ~** ein (Telefon)gespräch führen; **to pay a ~ on sb** jdn besuchen; **to be on ~** einsatzbereit sein; (*doctor etc*) Bereitschaftsdienst haben; **there's not much ~ for these items** es besteht keine große Nachfrage nach diesen Dingen.
▶**call at** *vt fus* (*subj: ship*) anlaufen; (*: train*) halten in *+dat*.
▶**call back** *vi* (*return*) wiederkommen; (*TEL*) zurückrufen ♦ *vt* (*TEL*) zurückrufen.
▶**call for** *vt fus* (*demand*) fordern; (*fetch*) abholen.
▶**call in** *vt* (*doctor, expert, police*) zu Rate ziehen; (*books, cars, stock etc*) aus dem Verkehr ziehen ♦ *vi* vorbeigehen, vorbeikommen.
▶**call off** *vt* absagen.
▶**call on** *vt fus* besuchen; (*appeal to*) appellieren an *+acc*; **to ~ on sb to do sth** jdn bitten *or* auffordern, etw zu tun.
▶**call out** *vi* rufen ♦ *vt* rufen; (*police, troops*) alarmieren.
▶**call up** *vt* (*MIL*) einberufen; (*TEL*) anrufen.
Callanetics ® *n sing* Callanetics *f*.
call box (*BRIT*) *n* Telefonzelle *f*.
caller ['kɔ:lə*] *n* Besucher(in) *m(f)*; (*TEL*) Anrufer(in) *m(f)*; **hold the line, ~!** (*TEL*) bitte bleiben Sie am Apparat!
call girl *n* Callgirl *nt*.
call-in ['kɔ:lɪn] (*US*) *n* (*RADIO, TV*) Phone-in *nt*.
calling ['kɔ:lɪŋ] *n* (*trade*) Beruf *m*; (*vocation*) Berufung *f*.
calling card (*US*) *n* Visitenkarte *f*.
callipers, (*US*) **calipers** ['kælɪpəz] *npl* (*MATH*) Tastzirkel *m*; (*MED*) Schiene *f*.
callous ['kæləs] *adj* herzlos.
callousness ['kæləsnɪs] *n* Herzlosigkeit *f*.
callow ['kæləu] *adj* unreif.
calm [kɑ:m] *adj* ruhig; (*unworried*) gelassen ♦ *n* Ruhe *f* ♦ *vt* beruhigen; (*fears*) zerstreuen; (*grief*) lindern.
▶**calm down** *vt* beruhigen ♦ *vi* sich beruhigen.
calmly ['kɑ:mlɪ] *adv* (*see adj*) ruhig; gelassen.
calmness ['kɑ:mnɪs] *n* (*see adj*) Ruhe *f*; Gelassenheit *f*.
Calor gas ® ['kælə*-] *n* Butangas *nt*.
calorie ['kælərɪ] *n* Kalorie *f*; **low-~ product** kalorienarmes Produkt *nt*.
calve [kɑ:v] *vi* kalben.
calves [kɑ:vz] *npl of* **calf.**
CAM *n abbr* (= *computer-aided manufacture*) CAM *nt*.
camber ['kæmbə*] *n* Wölbung *f*.
Cambodia [kæm'bəudɪə] *n* Kambodscha *nt*.
Cambodian [kæm'bəudɪən] *adj* kambodschanisch ♦ *n* Kambodschaner(in) *m(f)*.
Cambs (*BRIT*) *abbr* (*POST: = Cambridgeshire*).
camcorder ['kæmkɔ:də*] *n* Camcorder *m*, Kamera-Recorder *m*.
came [keɪm] *pt of* **come.**
camel ['kæməl] *n* Kamel *nt*.
cameo ['kæmɪəu] *n* Kamee *f*; (*THEAT, LITER*) Miniatur *f*.
camera ['kæmərə] *n* (*CINE, PHOT*) Kamera *f*; (*also*: **cine ~, movie ~**) Filmkamera *f*; **35 mm ~** Kleinbildkamera *f*; **in ~** (*LAW*) unter Ausschluß der Öffentlichkeit.
cameraman ['kæmərəmæn] (*irreg: like* **man**) *n* Kameramann *m*.
Cameroon [kæmə'ru:n] *n* Kamerun *nt*.
Cameroun [kæmə'ru:n] *n* = **Cameroon.**
camomile ['kæməumaɪl] *n* Kamille *f*.
camouflage ['kæməflɑ:ʒ] *n* Tarnung *f* ♦ *vt* tarnen.
camp [kæmp] *n* Lager *nt*; (*barracks*) Kaserne *f* ♦ *vi* zelten ♦ *adj* (*effeminate*) tuntenhaft (*inf*).
campaign [kæm'peɪn] *n* (*MIL*) Feldzug *m*; (*POL etc*) Kampagne *f* ♦ *vi* kämpfen; **to ~ for/against** sich einsetzen für/gegen.
campaigner [kæm'peɪnə*] *n*: **~ for** Befürworter(in) *m(f) +gen*; **~ against** Gegner(in) *m(f) +gen*.
camp bed (*BRIT*) *n* Campingliege *f*.
camper ['kæmpə*] *n* (*person*) Camper *m*; (*vehicle*) Wohnmobil *nt*.
camping ['kæmpɪŋ] *n* Camping *nt*; **to go ~**

zelten gehen, campen.
camp(ing) site *n* Campingplatz *m*.
campus ['kæmpəs] *n* (*UNIV*) Universitätsgelände *nt*, Campus *m*.
camshaft ['kæmʃɑːft] *n* Nockenwelle *f*.
can[1] [kæn] *n* Büchse *f*, Dose *f*; (*for oil, water*) Kanister *m* ♦ *vt* eindosen, in Büchsen *or* Dosen einmachen; **a ~ of beer** eine Dose Bier; **he had to carry the ~** (*BRIT: inf*) er mußte die Sache ausbaden.

KEYWORD

can[2] (*negative* **cannot, can't,** *conditional and pt* **could**) *aux vb* **1** (*be able to, know how to*) können; **you ~ do it if you try** du kannst es, wenn du es nur versuchst; **I can't see you** ich kann dich nicht sehen; **I ~ swim/drive** ich kann schwimmen/Auto fahren; **~ you speak English?** sprechen Sie Englisch?
2 (*may*) können, dürfen; **~ I use your phone?** kann *or* darf ich Ihr Telefon benutzen?; **could I have a word with you?** könnte ich Sie mal sprechen?
3 (*expressing disbelief, puzzlement*): **it can't be true!** das darf doch nicht wahr sein!
4 (*expressing possibility, suggestion, etc*): **he could be in the library** er könnte in der Bibliothek sein.

Canada ['kænədə] *n* Kanada *nt*.
Canadian [kə'neɪdɪən] *adj* kanadisch ♦ *n* Kanadier(in) *m(f)*.
canal [kə'næl] *n* (*also ANAT*) Kanal *m*.
Canaries [kə'nɛərɪz] *npl* = **Canary Islands.**
canary [kə'nɛərɪ] *n* Kanarienvogel *m*.
Canary Islands [kə'nɛərɪ 'aɪləndz] *npl*: **the ~** die Kanarischen Inseln *pl*.
Canberra ['kænbərə] *n* Canberra *nt*.
cancel ['kænsəl] *vt* absagen; (*reservation*) abbestellen; (*train, flight*) ausfallen lassen; (*contract*) annullieren; (*order*) stornieren; (*cross out*) durchstreichen; (*stamp*) entwerten; (*cheque*) ungültig machen.
►**cancel out** *vt* aufheben; **they ~ each other out** sie heben sich gegenseitig auf.
cancellation [kænsə'leɪʃən] *n* Absage *f*; (*of reservation*) Abbestellung *f*; (*of train, flight*) Ausfall *m*; (*TOURISM*) Rücktritt *m*.
cancer ['kænsə*] *n* (*also*: **C~**: *ASTROL*) Krebs *m*; **to be C~** (ein) Krebs sein.
cancerous ['kænsrəs] *adj* krebsartig.
cancer patient *n* Krebskranke(r) *f(m)*.
cancer research *n* Krebsforschung *f*.
c and f (*BRIT*) *abbr* (*COMM: = cost and freight*) cf.
candid ['kændɪd] *adj* offen, ehrlich.
candidacy ['kændɪdəsɪ] *n* Kandidatur *f*.
candidate ['kændɪdeɪt] *n* Kandidat(in) *m(f)*; (*for job*) Bewerber(in) *m(f)*.
candidature ['kændɪdətʃə*] (*BRIT*) *n* = **candidacy.**
candied ['kændɪd] *adj* kandiert; **~ apple** (*US*) kandierter Apfel *m*.
candle ['kændl] *n* Kerze *f*; (*of tallow*) Talglicht *nt*.
candleholder ['kændlhəuldə*] *n see* **candlestick.**
candlelight ['kændllaɪt] *n*: **by ~** bei Kerzenlicht.
candlestick ['kændlstɪk] *n* (*also*: **candleholder**) Kerzenhalter *m*; (*bigger, ornate*) Kerzenleuchter *m*.
candour, (*US*) **candor** ['kændə*] *n* Offenheit *f*.
C & W *n abbr* = **country and western (music).**
candy ['kændɪ] *n* (*also*: **sugar-~**) Kandis(zucker) *m*; (*US*) Bonbon *nt or m*.
candyfloss ['kændɪflɔs] (*BRIT*) *n* Zuckerwatte *f*.
candy store (*US*) *n* Süßwarenhandlung *f*.
cane [keɪn] *n* Rohr *nt*; (*stick*) Stock *m*; (: *for walking*) (Spazier)stock *m* ♦ *vt* (*BRIT: SCOL*) mit dem Stock schlagen.
canine ['keɪnaɪn] *adj* (*species*) Hunde-.
canister ['kænɪstə*] *n* Dose *f*; (*pressurized container*) Sprühdose *f*; (*of gas, chemicals etc*) Kanister *m*.
cannabis ['kænəbɪs] *n* Haschisch *nt*; (*also*: **~ plant**) Hanf *m*, Cannabis *m*.
canned [kænd] *adj* Dosen-; (*inf: music*) aus der Konserve; (*US: inf: worker*) entlassen, rausgeschmissen *inf*.
cannibal ['kænɪbəl] *n* Kannibale *m*, Kannibalin *f*.
cannibalism ['kænɪbəlɪzəm] *n* Kannibalismus *m*.
cannon ['kænən] (*pl* **~** *or* **~s**) *n* Kanone *f*.
cannonball ['kænənbɔːl] *n* Kanonenkugel *f*.
cannon fodder *n* Kanonenfutter *nt*.
cannot ['kænɔt] = **can not.**
canny ['kænɪ] *adj* schlau.
canoe [kə'nuː] *n* Kanu *nt*.
canoeing [kə'nuːɪŋ] *n* Kanusport *m*.
canon ['kænən] *n* Kanon *m*; (*clergyman*) Kanoniker *m*, Kanonikus *m*.
canonize ['kænənaɪz] *vt* kanonisieren, heiligsprechen.
can-opener ['kænəupnə*] *n* Dosenöffner *m*, Büchsenöffner *m*.
canopy ['kænəpɪ] *n* (*also fig*) Baldachin *m*.
cant [kænt] *n* scheinheiliges Gerede *nt*.
can't [kænt] = **can not.**
Cantab. (*BRIT*) *abbr* (*in degree titles: = Cantabrigiensis*) *der Universität Cambridge*.
cantankerous [kæn'tæŋkərəs] *adj* mürrisch.
canteen [kæn'tiːn] *n* (*in school, workplace*) Kantine *f*; (: *mobile*) Feldküche *f*; (*BRIT: of cutlery*) Besteckkasten *m*.
canter ['kæntə*] *vi* leicht galoppieren, kantern ♦ *n* leichter Galopp *m*, Kanter *m*.
cantilever ['kæntɪliːvə*] *n* Ausleger *m*.
canvas ['kænvəs] *n* Leinwand *f*; (*painting*) Gemälde *nt*; (*NAUT*) Segeltuch *nt*; **under ~** im Zelt.

canvass ['kænvəs] *vt* (*opinions, views*) erforschen; (*person*) für seine Partei zu gewinnen suchen; (*place*) Wahlwerbung machen in *+dat* ♦ *vi*: **to ~ for ...** (*POL*) um Stimmen für ... werben.
canvasser ['kænvəsə*] *n* (*POL*) Wahlhelfer(in) *m(f)*.
canvassing ['kænvəsɪŋ] *n* (*POL*) Wahlwerbung *f*.
canyon ['kænjən] *n* Cañon *m*.
CAP *n abbr* (= *Common Agricultural Policy*) gemeinsame Agrarpolitik *f* der EG.
cap [kæp] *n* Mütze *f*, Kappe *f*; (*of pen*) (Verschluß)kappe *f*; (*of bottle*) Verschluß *m*, Deckel *m*; (*contraceptive: also:* **Dutch ~**) Pessar *nt*; (*for toy gun*) Zündplättchen *nt*; (*for swimming*) Bademütze *f*, Badekappe *f*; (*SPORT*) *Ehrenkappe, die Nationalspielern verliehen wird* ♦ *vt* (*outdo*) überbieten; (*SPORT*) für die Nationalmannschaft aufstellen; **~ped with** ... mit ... obendrauf; **and to ~ it all,** ... und obendrein ...
capability [keɪpə'bɪlɪtɪ] *n* Fähigkeit *f*; (*MIL*) Potential *nt*.
capable ['keɪpəbl] *adj* fähig; **to be ~ of doing sth** etw tun können, fähig sein, etw zu tun; **to be ~ of sth** (*interpretation etc*) etw zulassen.
capacious [kə'peɪʃəs] *adj* geräumig.
capacity [kə'pæsɪtɪ] *n* Fassungsvermögen *nt*; (*of lift etc*) Höchstlast *f*; (*capability*) Fähigkeit *f*; (*position, role*) Eigenschaft *f*; (*of factory*) Kapazität *f*; **filled to ~** randvoll; (*stadium etc*) bis auf den letzten Platz besetzt; **in his ~ as** ... in seiner Eigenschaft als ...; **this work is beyond my ~** zu dieser Arbeit bin ich nicht fähig; **in an advisory ~** in beratender Funktion; **to work at full ~** voll ausgelastet sein.
cape [keɪp] *n* Kap *nt*; (*cloak*) Cape *nt*, Umhang *m*.
Cape of Good Hope *n*: **the ~** das Kap der guten Hoffnung.
caper ['keɪpə*] *n* (*CULIN: usu pl*) Kaper *f*; (*prank*) Eskapade *f*, Kapriole *f*.
Cape Town *n* Kapstadt *nt*.
capita ['kæpɪtə] *see* **per capita.**
capital ['kæpɪtl] *n* (*also*: **~ city**) Hauptstadt *f*; (*money*) Kapital *nt*; (*also*: **~ letter**) Großbuchstabe *m*.
capital account *n* Kapitalverkehrsbilanz *f*; (*of country*) Kapitalkonto *nt*.
capital allowance *n* (Anlage)abschreibung *f*.
capital assets *npl* Kapitalvermögen *nt*.
capital expenditure *n* Kapitalaufwendungen *pl*.
capital gains tax *n* Kapitalertragssteuer *f*.
capital goods *npl* Investitionsgüter *pl*.
capital-intensive ['kæpɪtlɪn'tɛnsɪv] *adj* kapitalintensiv.
capitalism ['kæpɪtəlɪzəm] *n* Kapitalismus *m*.
capitalist ['kæpɪtəlɪst] *adj* kapitalistisch ♦ *n* Kapitalist(in) *m(f)*.
capitalize ['kæpɪtəlaɪz] *vt* (*COMM*) kapitalisieren ♦ *vi*: **to ~ on** Kapital schlagen aus.
capital punishment *n* Todesstrafe *f*.
capital transfer tax (*BRIT*) *n* Erbschafts- und Schenkungssteuer *f*.
Capitol ['kæpɪtl] *n*: **the ~** das Kapitol.

> **Capitol** *ist das Gebäude in Washington auf dem Capitol Hill, in dem der Kongreß der USA zusammentritt. Die Bezeichnung wird in vielen amerikanischen Bundesstaaten auch für das Parlamentsgebäude des jeweiligen Staates verwendet.*

capitulate [kə'pɪtjuleɪt] *vi* kapitulieren.
capitulation [kəpɪtju'leɪʃən] *n* Kapitulation *f*.
capricious [kə'prɪʃəs] *adj* launisch.
Capricorn ['kæprɪkɔːn] *n* (*ASTROL*) Steinbock *m*; **to be ~** (ein) Steinbock sein.
caps [kæps] *abbr* (= *capital letters*) Großbuchstaben *pl*.
capsize [kæp'saɪz] *vt* zum Kentern bringen ♦ *vi* kentern.
capstan ['kæpstən] *n* Poller *m*.
capsule ['kæpsjuːl] *n* Kapsel *f*.
Capt. *abbr* (*MIL*) = **captain.**
captain ['kæptɪn] *n* Kapitän *m*; (*of plane*) (Flug)kapitän *m*; (*in army*) Hauptmann *m* ♦ *vt* (*ship*) befehligen; (*team*) anführen.
caption ['kæpʃən] *n* Bildunterschrift *f*.
captivate ['kæptɪveɪt] *vt* fesseln.
captive ['kæptɪv] *adj* gefangen ♦ *n* Gefangene(r) *f(m)*.
captivity [kæp'tɪvɪtɪ] *n* Gefangenschaft *f*.
captor ['kæptə*] *n*: **his ~s** diejenigen, die ihn gefangennahmen.
capture ['kæptʃə*] *vt* (*animal*) (ein)fangen; (*person*) gefangennehmen; (*town, country, share of market*) erobern; (*attention*) erregen; (*COMPUT*) erfassen ♦ *n* (*of animal*) Einfangen *nt*; (*of person*) Gefangennahme *f*; (*of town etc*) Eroberung *f*; (*data capture*) Erfassung *f*.
car [kɑː*] *n* Auto *nt*, Wagen *m*; (*RAIL*) Wagen *m*; **by ~** mit dem Auto *or* Wagen.
Caracas [kə'rækəs] *n* Caracas *nt*.
carafe [kə'ræf] *n* Karaffe *f*.
caramel ['kærəməl] *n* Karamelle *f*, Karamelbonbon *m or nt*; (*burnt sugar*) Karamel *m*.
carat ['kærət] *n* Karat *nt*; **18 ~ gold** achtzehnkarätiges Gold.
caravan ['kærəvæn] *n* (*BRIT*) Wohnwagen *m*; (*in desert*) Karawane *f*.
caravan site (*BRIT*) *n* Campingplatz *m* für Wohnwagen.
caraway seed *n* Kümmel *m*.
carbohydrate [kɑːbəu'haɪdreɪt] *n* Kohle(n)hydrat *nt*.
carbolic acid [kɑː'bɔlɪk-] *n* Karbolsäure *f*.

car bomb *n* Autobombe *f*.
carbon ['kɑːbən] *n* Kohlenstoff *m*.
carbonated ['kɑːbəneɪtɪd] *adj* mit Kohlensäure (versetzt).
carbon copy *n* Durchschlag *m*.
carbon dioxide *n* Kohlendioxyd *nt*.
carbon monoxide [mɔ'nɔksaɪd] *n* Kohlenmonoxyd *nt*.
carbon paper *n* Kohlepapier *nt*.
carbon ribbon *n* Kohlefarbband *nt*.
car-boot sale *n auf einem Parkplatz stattfindender Flohmarkt mit dem Kofferraum als Auslage.*
carburettor, (*US*) **carburetor** [kɑːbju'rɛtə*] *n* Vergaser *m*.
carcass ['kɑːkəs] *n* Kadaver *m*.
carcinogenic [kɑːsɪnə'dʒɛnɪk] *adj* krebserregend, karzinogen.
card [kɑːd] *n* Karte *f*; (*material*) (dünne) Pappe *f*, Karton *m*; (*record card, index card etc*) (Kartei)karte *f*; (*membership card*) (Mitglieds)ausweis *m*; (*playing card*) (Spiel)karte *f*; (*visiting card*) (Visiten)karte *f*; **to play ~s** Karten spielen.
cardamom ['kɑːdəməm] *n* Kardamom *m*.
cardboard ['kɑːdbɔːd] *n* Pappe *f*.
cardboard box *n* (Papp)karton *m*.
card-carrying ['kɑːd'kærɪɪŋ] *adj*: **~ member** eingetragenes Mitglied *nt*.
card game *n* Kartenspiel *nt*.
cardiac ['kɑːdɪæk] *adj* (*failure, patient*) Herz-.
cardigan ['kɑːdɪgən] *n* Strickjacke *f*.
cardinal ['kɑːdɪnl] *adj* (*principle, importance*) Haupt- ♦ *n* Kardinal *m*; **~ number** Kardinalzahl *f*; **~ sin** Todsünde *f*.
card index *n* Kartei *f*.
cardphone *n* Kartentelefon *nt*.
cardsharp ['kɑːdʃɑːp] *n* Falschspieler *m*.
card vote (*BRIT*) *n* Abstimmung *f* durch Wahlmänner.
CARE [kɛə*] *n abbr* (= *Cooperative for American Relief Everywhere*) *karitative Organisation.*
care [kɛə*] *n* (*attention*) Versorgung *f*; (*worry*) Sorge *f*; (*charge*) Obhut *f*, Fürsorge *f* ♦ *vi*: **to ~ about** sich kümmern um; **~ of** bei; **"handle with ~"** „Vorsicht, zerbrechlich"; **in sb's ~** in jds *dat* Obhut; **to take ~** aufpassen; **to take ~ to do sth** sich bemühen, etw zu tun; **to take ~ of** sich kümmern um; **the child has been taken into ~** das Kind ist in Pflege genommen worden; **would you ~ to/for ...?** möchten Sie gerne ...?; **I wouldn't ~ to do it** ich möchte es nicht gern tun; **I don't ~** es ist mir egal *or* gleichgültig; **I couldn't ~ less** es ist mir völlig egal *or* gleichgültig.
►**care for** *vt fus* (*look after*) sich kümmern um; (*like*) mögen.
career [kə'rɪə*] *n* Karriere *f*; (*job, profession*) Beruf *m*; (*life*) Laufbahn *f* ♦ *vi* (*also*: **~ along**) rasen.
career girl *n* Karrierefrau *f*.
careers officer [kə'rɪəz-] *n* Berufsberater(in) *m(f)*.
career woman *n* Karrierefrau *f*.
carefree ['kɛəfriː] *adj* sorglos.
careful ['kɛəful] *adj* vorsichtig; (*thorough*) sorgfältig; **(be) ~!** Vorsicht!, paß auf!; **to be ~ with one's money** sein Geld gut zusammenhalten.
carefully ['kɛəfəlɪ] *adv* vorsichtig; (*methodically*) sorgfältig.
careless ['kɛəlɪs] *adj* leichtsinnig; (*negligent*) nachlässig; (*remark*) gedankenlos.
carelessly ['kɛəlɪslɪ] *adv* (*see adj*) leichtsinnig; nachlässig; gedankenlos.
carelessness ['kɛəlɪsnɪs] *n* (*see adj*) Leichtsinn *m*; Nachlässigkeit *f*; Gedankenlosigkeit *f*.
caress [kə'rɛs] *n* Streicheln *nt* ♦ *vt* streicheln.
caretaker ['kɛəteɪkə*] *n* Hausmeister(in) *m(f)*.
caretaker government (*BRIT*) *n* geschäftsführende Regierung *f*.
car ferry *n* Autofähre *f*.
cargo ['kɑːgəu] (*pl* **~es**) *n* Fracht *f*, Ladung *f*.
cargo boat *n* Frachter *m*, Frachtschiff *nt*.
cargo plane *n* Transportflugzeug *nt*.
car hire (*BRIT*) *n* Autovermietung *f*.
Caribbean [kærɪ'biːən] *adj* karibisch ♦ *n*: **the ~ (Sea)** die Karibik, das Karibische Meer.
caricature ['kærɪkətjuə*] *n* Karikatur *f*.
caring ['kɛərɪŋ] *adj* liebevoll; (*society, organization*) sozial; (*behaviour*) fürsorglich.
carjacking *n Angriff durch Banditen, die gewaltsam in PKWs eindringen und den Wagen samt Insassen entführen.*
carnage ['kɑːnɪdʒ] *n* (*MIL*) Blutbad *nt*, Gemetzel *nt*.
carnal ['kɑːnl] *adj* fleischlich, sinnlich.
carnation [kɑː'neɪʃən] *n* Nelke *f*.
carnival ['kɑːnɪvl] *n* Karneval *m*; (*US: funfair*) Kirmes *f*.
carnivorous [kɑː'nɪvərəs] *adj* fleischfressend.
carol ['kærəl] *n*: **(Christmas) ~** Weihnachtslied *nt*.
carouse [kə'rauz] *vi* zechen.
carousel [kærə'sɛl] (*US*) *n* Karussell *nt*.
carp [kɑːp] *n* Karpfen *m*.
►**carp at** *vt fus* herumnörgeln an *+dat*.
car park (*BRIT*) *n* Parkplatz *m*; (*building*) Parkhaus *nt*.
carpenter ['kɑːpɪntə*] *n* Zimmermann *m*.
carpentry ['kɑːpɪntrɪ] *n* Zimmerhandwerk *nt*; (*school subject, hobby*) Tischlern *nt*.
carpet ['kɑːpɪt] *n* (*also fig*) Teppich *m* ♦ *vt* (mit Teppichen/Teppichboden) auslegen; **fitted ~** (*BRIT*) Teppichboden *m*.
carpet bombing *n* Flächenbombardierung *f*.
carpet slippers *npl* Pantoffeln *pl*.
carpet-sweeper ['kɑːpɪtswiːpə*] *n* Teppichkehrer *m*.
car phone *n* (*TELEC*) Autotelefon *nt*.
carport ['kɑːpɔːt] *n* Einstellplatz *m*.
car rental *n* Autovermietung *f*.

carriage ['kærɪdʒ] *n* (*RAIL, of typewriter*) Wagen *m*; (*horse-drawn vehicle*) Kutsche *f*; (*of goods*) Beförderung *f*; (*transport costs*) Beförderungskosten *pl*; ~ **forward** Fracht zahlt Empfänger; ~ **free** frachtfrei; ~ **paid** frei Haus.
carriage return *n* (*on typewriter*) Wagenrücklauf *m*; (*COMPUT*) Return *nt*.
carriageway ['kærɪdʒweɪ] (*BRIT*) *n* Fahrbahn *f*.
carrier ['kærɪə*] *n* Spediteur *m*, Transportunternehmer *m*; (*MED*) Überträger *m*.
carrier bag (*BRIT*) *n* Tragetasche *f*, Tragetüte *f*.
carrier pigeon *n* Brieftaube *f*.
carrion ['kærɪən] *n* Aas *nt*.
carrot ['kærət] *n* Möhre *f*, Mohrrübe *f*, Karotte *f*; (*fig*) Köder *m*.
carry ['kærɪ] *vt* tragen; (*transport*) transportieren; (*a motion, bill*) annehmen; (*reponsibilities etc*) mit sich bringen; (*disease, virus*) übertragen ♦ *vi* (*sound*) tragen; **to get carried away** (*fig*) sich hinreißen lassen; **this loan carries 10% interest** dieses Darlehen wird mit 10% verzinst.
▶**carry forward** *vt* übertragen, vortragen.
▶**carry on** *vi* weitermachen; (*inf: make a fuss*) (ein) Theater machen ♦ *vt* fortführen; **to ~ on with sth** mit etw weitermachen; **to ~ on singing/eating** weitersingen/-essen.
▶**carry out** *vt* (*orders*) ausführen; (*investigation*) durchführen; (*idea*) in die Tat umsetzen; (*threat*) wahrmachen.
carrycot ['kærɪkɔt] (*BRIT*) *n* Babytragetasche *f*.
carry-on ['kærɪ'ɔn] (*inf*) *n* Theater *nt*.
cart [kɑːt] *n* Wagen *m*, Karren *m*; (*for passengers*) Wagen *m*; (*handcart*) (Hand)wagen *m* ♦ *vt* (*inf*) mit sich herumschleppen.
carte blanche ['kɑːt'blɔŋʃ] *n*: **to give sb ~** jdm Carte Blanche *or* (eine) Blankovollmacht geben.
cartel [kɑː'tɛl] *n* Kartell *nt*.
cartilage ['kɑːtɪlɪdʒ] *n* Knorpel *m*.
cartographer [kɑː'tɔgrəfə*] *n* Kartograph(in) *m(f)*.
cartography [kɑː'tɔgrəfɪ] *n* Kartographie *f*.
carton ['kɑːtən] *n* (Papp)karton *m*; (*of yogurt*) Becher *m*; (*of milk*) Tüte *f*; (*of cigarettes*) Stange *f*.
cartoon [kɑː'tuːn] *n* (*drawing*) Karikatur *f*; (*BRIT: comic strip*) Cartoon *m*; (*CINE*) Zeichentrickfilm *m*.
cartoonist [kɑː'tuːnɪst] *n* Karikaturist(in) *m(f)*.
cartridge ['kɑːtrɪdʒ] *n* (*for gun, pen*) Patrone *f*; (*music tape, for camera*) Kassette *f*; (*of record-player*) Tonabnehmer *m*.
cartwheel ['kɑːtwiːl] *n* Rad *nt*; **to turn a ~** radschlagen.
carve [kɑːv] *vt* (*meat*) (ab)schneiden; (*wood*) schnitzen; (*stone*) meißeln; (*initials, design*) einritzen.
▶**carve up** *vt* (*land etc*) aufteilen; (*meat*) aufschneiden.
carving ['kɑːvɪŋ] *n* Skulptur *f*; (*in wood etc*) Schnitzerei *f*.
carving knife *n* Tranchiermesser *nt*.
car wash *n* Autowaschanlage *f*.
Casablanca [kæsə'blæŋkə] *n* Casablanca *nt*.
cascade [kæs'keɪd] *n* Wasserfall *m*, Kaskade *f*; (*of money*) Regen *m*; (*of hair*) wallende Fülle *f* ♦ *vi* (in Kaskaden) herabfallen; (*hair etc*) wallen; (*people*) strömen.
case [keɪs] *n* Fall *m*; (*for spectacles etc*) Etui *nt*; (*BRIT: also:* **suit~**) Koffer *m*; (*of wine, whisky etc*) Kiste *f*; (*TYP*): **lower/upper ~** groß/klein geschrieben; **to have a good ~** gute Chancen haben, durchzukommen; **there's a strong ~ for reform** es spricht viel für eine Reform; **in ~** ... falls ...; **in ~ of fire** bei Feuer; **in ~ of emergency** im Notfall; **in ~ he comes** falls er kommt; **in any ~** sowieso; **just in ~** für alle Fälle.
case-hardened ['keɪshɑːdnd] *adj* (*fig*) abgebrüht (*inf*).
case history *n* (*MED*) Krankengeschichte *f*.
case study *n* Fallstudie *f*.
cash [kæʃ] *n* (Bar)geld *nt* ♦ *vt* (*cheque etc*) einlösen; **to pay (in) ~** bar bezahlen; **~ on delivery** per Nachnahme; **~ with order** zahlbar bei Bestellung.
▶**cash in** *vt* einlösen.
▶**cash in on** *vt fus* Kapital schlagen aus.
cash account *n* Kassenbuch *nt*.
cash-and-carry [kæʃən'kærɪ] *n* Abholmarkt *m*.
cash-book ['kæʃbuk] *n* Kassenkonto *nt*.
cash box *n* (Geld)kassette *f*.
cash card (*BRIT*) *n* (Geld)automatenkarte *f*.
cash crop *n* zum Verkauf bestimmte Ernte *f*.
cash desk (*BRIT*) *n* Kasse *f*.
cash discount *n* Skonto *m or nt*.
cash dispenser (*BRIT*) *n* Geldautomat *m*.
cashew [kæ'ʃuː] *n* (*also*: **~ nut**) Cashewnuß *f*.
cash flow *n* Cash-flow *m*.
cashier [kæ'ʃɪə*] *n* Kassierer(in) *m(f)*.
cashmere ['kæʃmɪə*] *n* Kaschmir *m*.
cash point *n* Geldautomat *m*.
cash price *n* Bar(zahlungs)preis *m*.
cash register *n* Registrierkasse *f*.
cash sale *n* Barverkauf *m*.
casing ['keɪsɪŋ] *n* Gehäuse *nt*.
casino [kə'siːnəu] *n* Kasino *nt*.
cask [kɑːsk] *n* Faß *nt*.
casket ['kɑːskɪt] *n* Schatulle *f*; (*US: coffin*) Sarg *m*.
Caspian Sea ['kæspɪən-] *n*: **the ~** das Kaspische Meer.
casserole ['kæsərəul] *n* Auflauf *m*; (*pot, container*) Kasserolle *f*.
cassette [kæ'sɛt] *n* Kassette *f*.
cassette deck *n* Kassettendeck *nt*.
cassette player *n* Kassettenrekorder *m*.
cassette recorder *n* Kassettenrekorder *m*.

cast [kɑːst] (*pt, pp* **cast**) *vt* werfen; (*net, fishing-line*) auswerfen; (*metal, statue*) gießen ♦ *vi* die Angel auswerfen ♦ *n* (*THEAT*) Besetzung *f*; (*mould*) (Guß)form *f*; (*also*: **plaster** ~) Gipsverband *m*; **to ~ sb as Hamlet** (*THEAT*) die Rolle des Hamlet mit jdm besetzen; **to ~ one's vote** seine Stimme abgeben; **to ~ one's eyes over sth** einen Blick auf etw *acc* werfen; **to ~ aspersions on sb/sth** abfällige Bemerkungen über jdn/etw machen; **to ~ doubts on sth** etw in Zweifel ziehen; **to ~ a spell on sb/sth** jdn/etw verzaubern; **to ~ its skin** sich häuten.
▸**cast aside** *vt* fallenlassen.
▸**cast off** *vi* (*NAUT*) losmachen; (*KNITTING*) abketten ♦ *vt* abketten.
▸**cast on** *vi, vt* (*KNITTING*) anschlagen, aufschlagen.
castaway ['kɑːstəweɪ] *n* Schiffbrüchige(r) *f(m)*.
caste [kɑːst] *n* Kaste *f*; (*system*) Kastenwesen *nt*.
caster sugar ['kɑːstə-] (*BRIT*) *n* Raffinade *f*.
casting vote ['kɑːstɪŋ-] (*BRIT*) *n* ausschlaggebende Stimme *f*.
cast iron *n* Gußeisen *nt* ♦ *adj*: **cast-iron** (*fig: will*) eisern; (: *alibi, excuse etc*) hieb- und stichfest.
castle ['kɑːsl] *n* Schloß *nt*; (*manor*) Herrenhaus *nt*; (*fortified*) Burg *f*; (*CHESS*) Turm *m*.
cast off *n* abgelegtes Kleidungsstück *nt*.
castor ['kɑːstə*] *n* Rolle *f*.
castor oil *n* Rizinusöl *nt*.
castrate [kæs'treɪt] *vt* kastrieren.
casual ['kæʒjul] *adj* (*by chance*) zufällig; (*work etc*) Gelegenheits-; (*unconcerned*) lässig, gleichgültig; (*clothes*) leger; **~ wear** Freizeitkleidung *f*.
casual labour *n* Gelegenheitsarbeit *f*.
casually ['kæʒjulɪ] *adv* lässig; (*glance*) beiläufig; (*dress*) leger; (*by chance*) zufällig.
casualty ['kæʒjultɪ] *n* (*of war etc*) Opfer *nt*; (*someone injured*) Verletzte(r) *f(m)*; (*someone killed*) Tote(r) *f(m)*; (*MED*) Unfallstation *f*; **heavy casualties** (*MIL*) schwere Verluste *pl*.
casualty ward (*BRIT*) *n* Unfallstation *f*.
cat [kæt] *n* Katze *f*; (*lion etc*) (Raub)katze *f*.
catacombs ['kætəkuːmz] *npl* Katakomben *pl*.
catalogue, (*US*) **catalog** ['kætəlɔg] *n* Katalog *m* ♦ *vt* katalogisieren.
catalyst ['kætəlɪst] *n* Katalysator *m*.
catalytic converter [kætə'lɪtɪk kən'vəːtə*] *n* (*AUT*) Katalysator *m*.
catapult ['kætəpʌlt] (*BRIT*) *n* Schleuder *f*; (*MIL*) Katapult *nt or m* ♦ *vi* geschleudert *or* katapultiert werden ♦ *vt* schleudern, katapultieren.
cataract ['kætərækt] *n* (*MED*) grauer Star *m*.
catarrh [kə'tɑː*] *n* Katarrh *m*.
catastrophe [kə'tæstrəfɪ] *n* Katastrophe *f*.
catastrophic [kætə'strɔfɪk] *adj* katastrophal.
catcalls ['kætkɔːlz] *npl* Pfiffe und Buhrufe *pl*.
catch-22 ['kætʃtwɛntɪ'tuː] *n*: **it's a ~ situation** es ist eine Zwickmühle.
catch [kætʃ] (*pt, pp* **caught**) *vt* fangen; (*take: bus, train etc*) nehmen; (*arrest*) festnehmen; (*surprise*) erwischen, ertappen; (*breath*) holen; (*attention*) erregen; (*hit*) treffen; (*hear*) mitbekommen; (*illness*) sich *dat* zuziehen *or* holen; (*person: also:* **~ up**) einholen ♦ *vi* (*fire*) (anfangen zu) brennen; (*become trapped*) hängenbleiben ♦ *n* Fang *m*; (*trick, hidden problem*) Haken *m*; (*of lock*) Riegel *m*; (*game*) Fangen *nt*; **to ~ sb's attention/eye** jdn auf sich *acc* aufmerksam machen; **to ~ fire** Feuer fangen; **to ~ sight of** erblicken.
▸**catch on** *vi* (*grow popular*) sich durchsetzen; **to ~ on (to sth)** (etw) kapieren.
▸**catch out** (*BRIT*) *vt* (*fig*) hereinlegen.
▸**catch up** *vi* (*fig: with person*) mitkommen; (: *on work*) aufholen ♦ *vt*: **to ~ sb up, to ~ up with sb** jdn einholen.
catching ['kætʃɪŋ] *adj* ansteckend.
catchment area ['kætʃmənt-] (*BRIT*) *n* Einzugsgebiet *nt*.
catch phrase *n* Schlagwort *nt*, Slogan *m*.
catchy ['kætʃɪ] *adj* (*tune*) eingängig.
catechism ['kætɪkɪzəm] *n* Katechismus *m*.
categoric(al) [kætɪ'gɔrɪk(l)] *adj* kategorisch.
categorize ['kætɪgəraɪz] *vt* kategorisieren.
category ['kætɪgərɪ] *n* Kategorie *f*.
cater ['keɪtə*] *vi*: **to ~ (for)** die Speisen und Getränke liefern (für).
▸**cater for** (*BRIT*) *vt fus* (*needs, tastes*) gerecht werden *+dat*; (*readers, consumers*) eingestellt *or* ausgerichtet sein auf *+acc*.
caterer ['keɪtərə*] *n* Lieferant(in) *m(f)* von Speisen und Getränken; (*company*) Lieferfirma *f* für Speisen und Getränke.
catering ['keɪtərɪŋ] *n* Gastronomie *f*.
caterpillar ['kætəpɪlə*] *n* Raupe *f* ♦ *cpd* (*vehicle*) Raupen-.
caterpillar track *n* Raupenkette *f*, Gleiskette *f*.
cat flap *n* Katzentür *f*.
cathedral [kə'θiːdrəl] *n* Kathedrale *f*, Dom *m*.
cathode ['kæθəud] *n* Kathode *f*.
cathode-ray tube [kæθəud'reɪ-] *n* Kathodenstrahlröhre *f*.
Catholic ['kæθəlɪk] *adj* katholisch ♦ *n* Katholik(in) *m(f)*.
catholic ['kæθəlɪk] *adj* vielseitig.
CAT scanner *n abbr* (*MED: = computerized axial tomography scanner*) CAT-Scanner *m*.
Catseye ® ['kæts'aɪ] (*BRIT*) *n* (*AUT*) Katzenauge *nt*.
catsup ['kætsəp] (*US*) *n* Ketchup *m or nt*.
cattle ['kætl] *npl* Vieh *nt*.
catty ['kætɪ] *adj* gehässig.
catwalk ['kætwɔːk] *n* Steg *m*; (*for models*) Laufsteg *m*.
Caucasian [kɔː'keɪzɪən] *adj* kaukasisch ♦ *n*

Kaukasier(in) *m(f)*.
Caucasus ['kɔːkəsəs] *n* Kaukasus *m*.
caucus ['kɔːkəs] *n* (*group*) Gremium *nt*, Ausschuß *m*; (*US*) Parteiversammlung *f*.

> **Caucus** *bedeutet vor allem in den USA ein privates Treffen von Parteifunktionären, bei dem z.B. Kandidaten ausgewählt oder Grundsatzentscheidungen getroffen werden. Meist wird ein solches Treffen vor einer öffentlichen Parteiversammlung abgehalten. Der Begriff bezieht sich im weiteren Sinne auch auf den kleinen, aber mächtigen Kreis von Parteifunktionären, der beim caucus zusammentrifft.*

caught [kɔːt] *pt, pp of* **catch**.
cauliflower ['kɔlɪflauə*] *n* Blumenkohl *m*.
cause [kɔːz] *n* Ursache *f*; (*reason*) Grund *m*; (*aim*) Sache *f* ♦ *vt* verursachen; **there is no ~ for concern** es besteht kein Grund zur Sorge; **to ~ sth to be done** veranlassen, daß etw getan wird; **to ~ sb to do sth** jdn veranlassen, etw zu tun.
causeway ['kɔːzweɪ] *n* Damm *m*.
caustic ['kɔːstɪk] *adj* ätzend, kaustisch; (*remark*) bissig.
cauterize ['kɔːtəraɪz] *vt* kauterisieren.
caution ['kɔːʃən] *n* Vorsicht *f*; (*warning*) Warnung *f*; (: *LAW*) Verwarnung *f* ♦ *vt* warnen; (*LAW*) verwarnen.
cautious ['kɔːʃəs] *adj* vorsichtig.
cautiously ['kɔːʃəslɪ] *adv* vorsichtig.
cautiousness ['kɔːʃəsnɪs] *n* Vorsicht *f*.
cavalier [kævə'lɪə*] *adj* unbekümmert.
cavalry ['kævəlrɪ] *n* Kavallerie *f*.
cave [keɪv] *n* Höhle *f* ♦ *vi*: **to go caving** auf Höhlenexpedition(en) gehen.
▸**cave in** *vi* einstürzen; (*to demands*) nachgeben.
caveman ['keɪvmæn] (*irreg: like* **man**) *n* Höhlenmensch *m*.
cavern ['kævən] *n* Höhle *f*.
caviar(e) ['kævɪɑː*] *n* Kaviar *m*.
cavity ['kævɪtɪ] *n* Hohlraum *m*; (*in tooth*) Loch *nt*.
cavity wall insulation *n* Schaumisolierung *f*.
cavort [kə'vɔːt] *vi* tollen, toben.
cayenne [keɪ'ɛn] *n* (*also*: **~ pepper**) Cayennepfeffer *m*.
CB *n abbr* (= *Citizens' Band (Radio)*) CB-Funk *m*.
CBC *n abbr* (= *Canadian Broadcasting Corporation*) *kanadische Rundfunkgesellschaft*.
CBE (*BRIT*) *n abbr* (= *Commander of (the Order of) the British Empire*) *britischer Ordenstitel*.
CBI *n abbr* (= *Confederation of British Industry*) *britischer Unternehmerverband*, ≈ BDI *m*.
CBS (*US*) *n abbr* (= *Columbia Broadcasting System*) *Rundfunkgesellschaft*.
CC (*BRIT*) *abbr* = **county council**.
cc *abbr* (= *cubic centimetre*) ccm; = **carbon copy**.
CCA (*US*) *n abbr* (= *Circuit Court of Appeals*) Berufungsgericht *nt*.
CCU (*US*) *n abbr* (= *cardiac or coronary care unit*) *Intensivstation für Herzpatienten*.
CD *abbr* (*BRIT*: = *Corps Diplomatique*) CD ♦ *n abbr* (*MIL*: *BRIT*: = *Civil Defence (Corps)*) Zivilschutz *m*; (: *US*: = *Civil Defense*) Zivilschutz *m*; (= *compact disk*) CD *f*; **~ player** CD-Spieler *m*.
CDC (*US*) *n abbr* (= *Center for Disease Control*) *Seuchenkontrollbehörde*.
CD-I *n abbr* (= *Compact Disk Interactive*) CD-I *f*.
Cdr *abbr* (*MIL*) = **commander**.
CD-ROM *n abbr* (= *compact disc read-only memory*) CD-ROM *f*.
CDT (*US*) *abbr* (= *Central Daylight Time*) *mittelamerikanische Sommerzeit*.
cease [siːs] *vt* beenden ♦ *vi* aufhören.
ceasefire ['siːsfaɪə*] *n* Waffenruhe *f*.
ceaseless ['siːslɪs] *adj* endlos, unaufhörlich.
CED (*US*) *n abbr* (= *Committee for Economic Development*) *Komitee für wirtschaftliche Entwicklung*.
cedar ['siːdə*] *n* Zeder *f*; (*wood*) Zedernholz *nt*.
cede [siːd] *vt* abtreten.
cedilla [sɪ'dɪlə] *n* Cedille *f*.
CEEB (*US*) *n abbr* (= *College Entry Examination Board*) *akademische Zulassungsstelle*.
ceilidh ['keɪlɪ] (*SCOT*) *n Fest mit Volksmusik, Gesang und Tanz*.
ceiling ['siːlɪŋ] *n* Decke *f*; (*upper limit*) Obergrenze *f*, Höchstgrenze *f*.
celebrate ['sɛlɪbreɪt] *vt* feiern; (*mass*) zelebrieren ♦ *vi* feiern.
celebrated ['sɛlɪbreɪtɪd] *adj* gefeiert.
celebration [sɛlɪ'breɪʃən] *n* Feier *f*.
celebrity [sɪ'lɛbrɪtɪ] *n* berühmte Persönlichkeit *f*.
celeriac [sə'lɛrɪæk] *n* (Knollen)sellerie *f*.
celery ['sɛlərɪ] *n* (Stangen)sellerie *f*.
celestial [sɪ'lɛstɪəl] *adj* himmlisch.
celibacy ['sɛlɪbəsɪ] *n* Zölibat *nt or m*.
cell [sɛl] *n* Zelle *f*.
cellar ['sɛlə*] *n* Keller *m*; (*for wine*) (Wein)keller *m*.
cellist ['tʃɛlɪst] *n* Cellist(in) *m(f)*.
cello ['tʃɛləu] *n* Cello *nt*.
cellophane ['sɛləfeɪn] *n* Cellophan *nt*.
cellphone ['sɛlfəun] *n* Funktelefon *nt*.
cellular ['sɛljulə*] *adj* (*BIOL*) zellular, Zell-; (*fabrics*) aus porösem Material.
Celluloid® ['sɛljulɔɪd] *n* Zelluloid *nt*.
cellulose ['sɛljuləus] *n* Zellulose *f*, Zellstoff *m*.
Celsius ['sɛlsɪəs] *adj* (*scale*) Celsius-.
Celt [kɛlt] *n* Kelte *m*, Keltin *f*.
Celtic ['kɛltɪk] *adj* keltisch ♦ *n* (*LING*) Keltisch *nt*.
cement [sə'mɛnt] *n* Zement *m*; (*concrete*) Beton *m*; (*glue*) Klebstoff *m* ♦ *vt* zementieren; (*stick, glue*) kleben; (*fig*) festigen.

cement mixer *n* Betonmischmaschine *f*.
cemetery ['sɛmɪtrɪ] *n* Friedhof *m*.
cenotaph ['sɛnətɑːf] *n* Ehrenmal *nt*.
censor ['sɛnsə*] *n* Zensor(in) *m(f)* ♦ *vt* zensieren.
censorship ['sɛnsəʃɪp] *n* Zensur *f*.
censure ['sɛnʃə*] *vt* tadeln ♦ *n* Tadel *m*.
census ['sɛnsəs] *n* Volkszählung *f*.
cent [sɛnt] *n* (*US: coin*) Cent *m*; *see also* **per cent**.
centenary [sɛn'tiːnərɪ] *n* hundertster Jahrestag *m*.
centennial [sɛn'tɛnɪəl] (*US*) *n* = **centenary**.
center *etc* ['sɛntə*] (*US*) = **centre** *etc*.
centigrade ['sɛntɪgreɪd] *adj* (*scale*) Celsius-.
centilitre, (*US*) **centiliter** ['sɛntɪliːtə*] *n* Zentiliter *m or nt*.
centimetre, (*US*) **centimeter** ['sɛntɪmiːtə*] *n* Zentimeter *m or nt*.
centipede ['sɛntɪpiːd] *n* Tausendfüßler *m*.
central ['sɛntrəl] *adj* zentral; (*committee, government*) Zentral-; (*idea*) wesentlich.
Central African Republic *n* Zentralafrikanische Republik *f*.
Central America *n* Mittelamerika *nt*.
central heating *n* Zentralheizung *f*.
centralize ['sɛntrəlaɪz] *vt* zentralisieren.
central processing unit *n* (*COMPUT*) Zentraleinheit *f*.
central reservation (*BRIT*) *n* Mittelstreifen *m*.
centre, (*US*) **center** ['sɛntə*] *n* Mitte *f*; (*health centre etc, town centre*) Zentrum *nt*; (*of attention, interest*) Mittelpunkt *m*; (*of action, belief etc*) Kern *m* ♦ *vt* zentrieren; (*ball*) zur Mitte spielen ♦ *vi* (*concentrate*): **to ~ on** sich konzentrieren auf *+acc*.
centrefold, (*US*) **centerfold** ['sɛntəfəuld] *n* *doppelseitiges Bild in der Mitte einer Zeitschrift*.
centre forward *n* Mittelstürmer(in) *m(f)*.
centre half *n* Stopper(in) *m(f)*.
centrepiece, (*US*) **centerpiece** ['sɛntəpiːs] *n* Tafelaufsatz *m*; (*fig*) Kernstück *nt*.
centre spread (*BRIT*) *n* *Doppelseite in der Mitte einer Zeitschrift*.
centre-stage [sɛntə'steɪdʒ] (*fig*) *adv*: **to be ~** im Mittelpunkt stehen ♦ *n* **to take centre stage** in den Mittelpunkt rücken.
centrifugal [sɛn'trɪfjugl] *adj* (*force*) Zentrifugal-.
centrifuge ['sɛntrɪfjuːʒ] *n* Zentrifuge *f*, Schleuder *f*.
century ['sɛntjurɪ] *n* Jahrhundert *nt*; (*CRICKET*) Hundert *f*; **in the twentieth ~** im zwanzigsten Jahrhundert.
CEO (*US*) *n abbr* = **chief executive officer**.
ceramic [sɪ'ræmɪk] *adj* keramisch; (*tiles*) Keramik-.
ceramics [sɪ'ræmɪks] *npl* Keramiken *pl*.
cereal ['siːrɪəl] *n* Getreide *nt*; (*food*) Getreideflocken *pl* (*Cornflakes etc*).
cerebral ['sɛrɪbrəl] *adj* (*MED*) zerebral; (*intellectual*) geistig.
ceremonial [sɛrɪ'məunɪəl] *n* Zeremoniell *nt* ♦ *adj* zeremoniell.
ceremony ['sɛrɪmənɪ] *n* Zeremonie *f*; (*behaviour*) Förmlichkeit *f*; **to stand on ~** förmlich sein.
cert [səːt] (*BRIT: inf*) *n*: **it's a dead ~** es ist todsicher.
certain ['səːtən] *adj* sicher; **a ~ Mr Smith** ein gewisser Herr Smith; **~ days/places** bestimmte Tage/Orte; **a ~ coldness** eine gewisse Kälte; **to make ~ of** sich vergewissern *+gen*; **for ~** ganz sicher, ganz genau.
certainly ['səːtənlɪ] *adv* bestimmt; (*of course*) sicherlich; ~! (aber) sicher!
certainty ['səːtəntɪ] *n* Sicherheit *f*; (*inevitability*) Gewißheit *f*.
certificate [sə'tɪfɪkɪt] *n* Urkunde *f*; (*diploma*) Zeugnis *nt*.
certified letter ['səːtɪfaɪd-] (*US*) *n* Einschreibebrief *m*.
certified mail (*US*) *n* Einschreiben *nt*.
certified public accountant ['səːtɪfaɪd-] (*US*) *n* geprüfter Buchhalter *m*, geprüfte Buchhalterin *f*.
certify ['səːtɪfaɪ] *vt* bescheinigen; (*award a diploma to*) ein Zeugnis verleihen *+dat*; (*declare insane*) für unzurechnungsfähig erklären ♦ *vi*: **to ~ to** sich verbürgen für.
cervical ['səːvɪkl] *adj*: **~ cancer** Gebärmutterhalskrebs *m*; **~ smear** Abstrich *m*.
cervix ['səːvɪks] *n* Gebärmutterhals *m*.
Cesarean [sɪ'zɛərɪən] (*US*) *n* = **Caesarean**.
cessation [sə'seɪʃən] *n* (*of hostilities etc*) Einstellung *f*, Ende *nt*.
cesspit ['sɛspɪt] *n* (*sewage tank*) Senkgrube *f*.
CET *abbr* (= *Central European Time*) MEZ.
Ceylon [sɪ'lɔn] *n* Ceylon *nt*.
cf. *abbr* (= *compare*) vgl.
c/f *abbr* (*COMM: = carried forward*) Übertr.
CFC *n abbr* (= *chlorofluorocarbon*) FCKW *m*.
CG (*US*) *n abbr* = **coastguard**.
cg *abbr* (= *centigram*) cg.
CH (*BRIT*) *n abbr* (= *Companion of Honour*) *britischer Ordenstitel*.
ch. *abbr* (= *chapter*) Kap.
c.h. (*BRIT*) *abbr* (= *central heating*) ZH.
Chad [tʃæd] *n* Tschad *m*.
chafe [tʃeɪf] *vt* (wund)reiben ♦ *vi* (*fig*): **to ~ against** sich ärgern über *+acc*.
chaffinch ['tʃæfɪntʃ] *n* Buchfink *m*.
chagrin ['ʃægrɪn] *n* Ärger *m*.
chain [tʃeɪn] *n* Kette *f* ♦ *vt* (*also*: **~ up**: *prisoner*) anketten; (: *dog*) an die Kette legen.
chain reaction *n* Kettenreaktion *f*.
chain-smoke ['tʃeɪnsməuk] *vi* eine Zigarette nach der anderen rauchen, kettenrauchen.
chain store *n* Kettenladen *m*.
chair [tʃɛə*] *n* Stuhl *m*; (*armchair*) Sessel *m*; (*of

university) Lehrstuhl *m*; (*of meeting, committee*) Vorsitz *m* ♦ *vt* den Vorsitz führen bei; **the ~** (*US*) der elektrische Stuhl.
chair lift *n* Sessellift *m*.
chairman ['tʃɛəmən] (*irreg: like* **man**) *n* Vorsitzende(r) *f(m)*; (*BRIT: of company*) Präsident *m*.
chairperson ['tʃɛəpəːsn] *n* Vorsitzende(r) *f(m)*.
chairwoman ['tʃɛəwumən] (*irreg: like* **woman**) *n* Vorsitzende *f*.
chalet ['ʃæleɪ] *n* Chalet *nt*.
chalice ['tʃælɪs] *n* Kelch *m*.
chalk [tʃɔːk] *n* Kalkstein *m*, Kreide *f*; (*for writing*) Kreide *f*.
►**chalk up** *vt* aufschreiben, notieren; (*fig: success etc*) verbuchen.
challenge ['tʃælɪndʒ] *n* (*of new job*) Anforderungen *pl*; (*of unknown etc*) Reiz *m*; (*to authority etc*) Infragestellung *f*; (*dare*) Herausforderung *f* ♦ *vt* herausfordern; (*authority, right, idea etc*) in Frage stellen; **to ~ sb to do sth** jdn dazu auffordern, etw zu tun; **to ~ sb to a fight/game** jdn zu einem Kampf/Spiel herausfordern.
challenger ['tʃælɪndʒə*] *n* Herausforderer *m*, Herausforderin *f*.
challenging ['tʃælɪndʒɪŋ] *adj* (*career, task*) anspruchsvoll; (*tone, look etc*) herausfordernd.
chamber ['tʃeɪmbə*] *n* Kammer *f*; (*BRIT: LAW: gen pl: of barristers*) Kanzlei *f*; (*: of judge*) Amtszimmer *nt*; **~ of commerce** Handelskammer *f*.
chambermaid ['tʃeɪmbəmeɪd] *n* Zimmermädchen *nt*.
chamber music *n* Kammermusik *f*.
chamber pot *n* Nachttopf *m*.
chameleon [kə'miːlɪən] *n* Chamäleon *nt*.
chamois ['ʃæmwɑː] *n* Gemse *f*; (*cloth*) Ledertuch *nt*, Fensterleder *nt*.
chamois leather ['ʃæmɪ-] *n* Ledertuch *nt*, Fensterleder *nt*.
champagne [ʃæm'peɪn] *n* Champagner *m*.
champers ['ʃæmpəz] (*inf*) *n* (*champagne*) Schampus *m*.
champion ['tʃæmpɪən] *n* Meister(in) *m(f)*; (*of cause, principle*) Verfechter(in) *m(f)*; (*of person*) Fürsprecher(in) *m(f)* ♦ *vt* eintreten für, sich engagieren für.
championship ['tʃæmpɪənʃɪp] *n* Meisterschaft *f*; (*title*) Titel *m*.
chance [tʃɑːns] *n* (*hope*) Aussicht *f*; (*likelihood, possibility*) Möglichkeit *f*; (*opportunity*) Gelegenheit *f*; (*risk*) Risiko *nt* ♦ *vt* riskieren ♦ *adj* zufällig; **the ~s are that ...** aller Wahrscheinlichkeit nach ..., wahrscheinlich ...; **there is little ~ of his coming** es ist unwahrscheinlich, daß er kommt; **to take a ~** es darauf ankommen lassen; **by ~** durch Zufall, zufällig; **it's the ~ of a lifetime** es ist eine einmalige Chance; **to ~ to do sth** zufällig etw tun; **to ~ it** es riskieren.
►**chance (up)on** *vt fus* (*person*) zufällig begegnen *+dat*, zufällig treffen; (*thing*) zufällig stoßen auf *+acc*.
chancel ['tʃɑːnsəl] *n* Altarraum *m*.
chancellor ['tʃɑːnsələ*] *n* Kanzler *m*.
Chancellor of the Exchequer (*BRIT*) *n* Schatzkanzler *m*, Finanzminister *m*.
chancy ['tʃɑːnsɪ] *adj* riskant.
chandelier [ʃændə'lɪə*] *n* Kronleuchter *m*.
change [tʃeɪndʒ] *vt* ändern; (*wheel, job, money, baby's nappy*) wechseln; (*bulb*) auswechseln; (*baby*) wickeln ♦ *vi* sich verändern; (*traffic lights*) umspringen ♦ *n* Veränderung *f*; (*difference*) Abwechslung *f*; (*coins*) Kleingeld *nt*; (*money returned*) Wechselgeld *nt*; **to ~ sb into** jdn verwandeln in *+acc*; **to ~ gear** (*AUT*) schalten; **to ~ one's mind** seine Meinung ändern, es sich *dat* anders überlegen; **to ~ hands** den Besitzer wechseln; **to ~ (trains/buses/planes** *etc*) umsteigen; **to ~ (one's clothes)** sich umziehen; **to ~ into** (*be transformed*) sich verwandeln in *+acc*; **she ~d into an old skirt** sie zog einen alten Rock an; **a ~ of clothes** Kleidung *f* zum Wechseln; **~ of government/climate/job** Regierungs-/Klima-/Berufswechsel *m*; **small ~** Kleingeld *nt*; **to give sb ~ for** *or* **of £10** jdm £10 wechseln; **keep the ~** das stimmt so, der Rest ist für Sie; **for a ~** zur Abwechslung.
changeable ['tʃeɪndʒəbl] *adj* (*weather*) wechselhaft, veränderlich; (*mood*) wechselnd; (*person*) unbeständig.
change machine *n* (Geld)wechselautomat *m*.
changeover ['tʃeɪndʒəuvə*] *n* Umstellung *f*.
changing ['tʃeɪndʒɪŋ] *adj* sich verändernd.
changing room (*BRIT*) *n* (Umkleide)kabine *f*; (*SPORT*) Umkleideraum *m*.
channel ['tʃænl] *n* (*TV*) Kanal *m*; (*of river, waterway*) (Fluß)bett *nt*; (*for boats*) Fahrrinne *f*; (*groove*) Rille *f*; (*fig: means*) Weg *m* ♦ *vt* leiten; (*fig*): **to ~ into** lenken auf *+acc*; **through the usual ~s** auf dem üblichen Wege; **green ~** (*CUSTOMS*) „nichts zu verzollen"; **red ~** (*CUSTOMS*) „Waren zu verzollen"; **the (English) C~** der Ärmelkanal; **the C~ Islands** die Kanalinseln *pl*.
Channel Tunnel *n*: **the ~** der Kanaltunnel.
chant [tʃɑːnt] *n* Sprechchor *m*; (*REL*) Gesang *m* ♦ *vt* im (Sprech)chor rufen; (*REL*) singen ♦ *vi* Sprechchöre anstimmen; (*REL*) singen; **the demonstrators ~ed their disapproval** die Demonstranten machten ihrem Unmut in Sprechchören Luft.
chaos ['keɪɔs] *n* Chaos *nt*, Durcheinander *nt*.
chaos theory *n* Chaostheorie *f*.
chaotic [keɪ'ɔtɪk] *adj* chaotisch.
chap [tʃæp] (*BRIT: inf*) *n* Kerl *m*, Typ *m*; **old ~** alter Knabe *or* Junge.
chapel ['tʃæpl] *n* Kapelle *f*; (*BRIT: non-conformist chapel*) Sektenkirche *f*; (*: of union*) *Betriebsgruppe innerhalb der*

Gewerkschaft der Drucker und Journalisten.
chaperone ['ʃæpərəun] *n* Anstandsdame *f* ♦ *vt* begleiten.
chaplain ['tʃæplɪn] *n* Pfarrer(in) *m(f)*; (*Roman Catholic*) Kaplan *m*.
chapped [tʃæpt] *adj* aufgesprungen, rauh.
chapter ['tʃæptə*] *n* Kapitel *nt*; **a ~ of accidents** eine Serie von Unfällen.
char [tʃɑː*] *vt* verkohlen ♦ *vi* (*BRIT*) putzen gehen ♦ *n* (*BRIT*) = **charlady.**
character ['kærɪktə*] *n* Charakter *m*; (*personality*) Persönlichkeit *f*; (*in novel, film*) Figur *f*, Gestalt *f*; (*eccentric*) Original *nt*; (*letter: also COMPUT*) Zeichen *nt*; **a person of good ~** ein guter Mensch.
character code *n* (*COMPUT*) Zeichencode *m*.
characteristic [kærɪktə'rɪstɪk] *n* Merkmal *nt* ♦ *adj*: **~ (of)** charakteristisch (für), typisch (für).
characterize ['kærɪktəraɪz] *vt* kennzeichnen, charakterisieren; (*describe the character of*): **to ~ (as)** beschreiben (als).
charade [ʃə'rɑːd] *n* Scharade *f*.
charcoal ['tʃɑːkəul] *n* Holzkohle *f*; (*for drawing*) Kohle *f*, Kohlestift *m*.
charge [tʃɑːdʒ] *n* (*fee*) Gebühr *f*; (*accusation*) Anklage *f*; (*responsibility*) Verantwortung *f*; (*attack*) Angriff *m* ♦ *vt* (*customer*) berechnen *+dat*; (*sum*) berechnen; (*battery*) (auf)laden; (*gun*) laden; (*enemy*) angreifen; (*sb with task*) beauftragen ♦ *vi* angreifen; (*usu with: up, along etc*) stürmen; **charges** *npl* Gebühren *pl*; **labour ~s** Arbeitskosten *pl*; **to reverse the ~s** (*BRIT: TEL*) ein R-Gespräch führen; **is there a ~?** kostet das etwas?; **there's no ~** es ist umsonst, es kostet nichts; **at no extra ~** ohne Aufpreis; **free of ~** kostenlos, gratis; **to take ~ of** (*child*) sich kümmern um; (*company*) übernehmen; **to be in ~ of** die Verantwortung haben für; (*business*) leiten; **they ~d us £10 for the meal** das Essen kostete £10; **how much do you ~?** was verlangen Sie?; **to ~ an expense (up) to sb's account** eine Ausgabe auf jds Rechnung *acc* setzen; **to ~ sb (with)** (*LAW*) jdn anklagen (wegen).
charge account *n* Kunden(kredit)konto *nt*.
charge card *n* Kundenkreditkarte *f*.
chargé d'affaires *n* Chargé d'affaires *m*.
charge hand (*BRIT*) *n* Vorarbeiter(in) *m(f)*.
charger ['tʃɑːdʒə*] *n* (*also*: **battery ~**) Ladegerät *nt*; (*warhorse*) (Schlacht)roß *nt*.
chariot ['tʃærɪət] *n* (Streit)wagen *m*.
charisma [kæ'rɪsmə] *n* Charisma *nt*.
charitable ['tʃærɪtəbl] *adj* (*organization*) karitativ, Wohltätigkeits-; (*remark*) freundlich.
charity ['tʃærɪtɪ] *n* (*organization*) karitative Organisation *f*, Wohltätigkeitsverein *m*; (*kindness, generosity*) Menschenfreundlichkeit *f*; (*money, gifts*) Almosen *nt*.
charlady ['tʃɑːleɪdɪ] (*irreg: like* **lady**) (*BRIT*) *n* Putzfrau *f*, Reinemachefrau *f*.
charlatan ['ʃɑːlətən] *n* Scharlatan *m*.
charm [tʃɑːm] *n* Charme *m*; (*to bring good luck*) Talisman *m*; (*on bracelet etc*) Anhänger *m* ♦ *vt* bezaubern.
charm bracelet *n* Armband *nt* mit Anhängern.
charming ['tʃɑːmɪŋ] *adj* reizend, charmant; (*place*) bezaubernd.
chart [tʃɑːt] *n* Schaubild *nt*, Diagramm *nt*; (*map*) Karte *f*; (*weather chart*) Wetterkarte *f* ♦ *vt* (*course*) planen; (*progress*) aufzeichnen; **charts** *npl* (*hit parade*) Hitliste *f*.
charter ['tʃɑːtə*] *vt* chartern ♦ *n* Charta *f*; (*of university, company*) Gründungsurkunde *f*; **on ~** gechartert.
chartered accountant ['tʃɑːtəd-] (*BRIT*) *n* Wirtschaftsprüfer(in) *m(f)*.
charter flight *n* Charterflug *m*.
charwoman ['tʃɑːwumən] (*irreg: like* **woman**) *n* Putzfrau *f*, Reinemachefrau *f*.
chary ['tʃɛərɪ] *adj*: **to be ~ of doing sth** zögern, etw zu tun.
chase [tʃeɪs] *vt* jagen, verfolgen; (*also*: **~ away**) wegjagen, vertreiben; (*business, job etc*) hersein hinter *+dat* (*inf*) ♦ *n* Verfolgungsjagd *f*.
►**chase down** (*US*) *vt* = **chase up.**
►**chase up** (*BRIT*) *vt* (*person*) rankriegen (*inf*); (*information*) ranschaffen (*inf*).
chasm ['kæzəm] *n* Kluft *f*.
chassis ['ʃæsɪ] *n* Fahrgestell *nt*.
chaste [tʃeɪst] *adj* keusch.
chastened ['tʃeɪsnd] *adj* zur Einsicht gebracht.
chastening ['tʃeɪsnɪŋ] *adj* ernüchternd.
chastise [tʃæs'taɪz] *vt* (*scold*) schelten.
chastity ['tʃæstɪtɪ] *n* Keuschheit *f*.
chat [tʃæt] *vi* (*also*: **have a ~**) plaudern, sich unterhalten ♦ *n* Plauderei *f*, Unterhaltung *f*.
►**chat up** (*BRIT: inf*) *vt* anmachen.
chatline ['tʃætlaɪn] *n* *Telefondienst, der Anrufern die Teilnahme an einer Gesprächsrunde ermöglicht.*
chat show (*BRIT*) *n* Talkshow *f*.
chattel ['tʃætl] *n*: **goods and ~s** *see* **good.**
chatter ['tʃætə*] *vi* schwatzen; (*monkey*) schnattern; (*teeth*) klappern ♦ *n* (*see vi*) Schwatzen *nt*; Schnattern *nt*; Klappern *nt*; **my teeth are ~ing** mir klappern die Zähne.
chatterbox ['tʃætəbɔks] (*inf*) *n* Quasselstrippe *f*.
chattering classes ['tʃætərɪŋ 'klɑːsɪz] *npl*: **the ~** die intellektuellen Schwätzer *pl*.
chatty ['tʃætɪ] *adj* geschwätzig; (*letter*) im Plauderton.
chauffeur ['ʃəufə*] *n* Chauffeur *m*, Fahrer *m*.
chauvinism ['ʃəuvɪnɪzəm] *n* (*also*: **male ~**) Chauvinismus *m*.
chauvinist ['ʃəuvɪnɪst] *n* Chauvinist *m*.
chauvinistic [ʃəuvɪ'nɪstɪk] *adj* chauvinistisch.

ChE *abbr* (= *chemical engineer*) *Titel für Chemotechniker.*
cheap [tʃiːp] *adj* billig; (*reduced*) ermäßigt; (*poor quality*) billig, minderwertig; (*behaviour, joke*) ordinär ♦ *adv:* **to buy/sell sth** ~ etw billig kaufen/verkaufen.
cheapen ['tʃiːpn] *vt* entwürdigen.
cheaper ['tʃiːpə*] *adj* billiger.
cheaply ['tʃiːplɪ] *adv* billig.
cheat [tʃiːt] *vi* mogeln (*inf*), schummeln (*inf*) ♦ *n* Betrüger(in) *m(f)* ♦ *vt:* **to ~ sb (out of sth)** jdn (um etw) betrügen; **to ~ on sb** (*inf*) jdn betrügen.
cheating ['tʃiːtɪŋ] *n* Mogeln *nt* (*inf*), Schummeln *nt* (*inf*).
check [tʃɛk] *vt* überprüfen; (*passport, ticket*) kontrollieren; (*facts*) nachprüfen; (*enemy, disease*) aufhalten; (*impulse*) unterdrücken; (*person*) zurückhalten ♦ *vi* nachprüfen ♦ *n* Kontrolle *f*; (*curb*) Beschränkung *f*; (*US*) = **cheque**; (: *bill*) Rechnung *f*; (*pattern: gen pl*) Karo(muster) *nt* ♦ *adj* kariert; **to ~ o.s.** sich beherrschen; **to ~ with sb** bei jdm nachfragen; **to keep a ~ on sb/sth** jdn/etw kontrollieren.
►**check in** *vi* (*at hotel*) sich anmelden; (*at airport*) einchecken ♦ *vt* (*luggage*) abfertigen lassen.
►**check off** *vt* abhaken.
►**check out** *vi* (*of hotel*) abreisen ♦ *vt* (*luggage*) abfertigen; (*investigate*) überprüfen.
►**check up** *vi:* **to ~ up on sth** etw überprüfen; **to ~ up on sb** Nachforschungen über jdn anstellen.
checkered ['tʃɛkəd] (*US*) *adj* = **chequered.**
checkers ['tʃɛkəz] (*US*) *npl* Damespiel *nt*.
check guarantee card (*US*) *n* Scheckkarte *f*.
check-in (desk) ['tʃɛkɪn-] *n* (*at airport*) Abfertigung *f*, Abfertigungsschalter *m*.
checking account ['tʃɛkɪŋ-] (*US*) *n* Girokonto *nt*.
check list *n* Prüfliste *f*, Checkliste *f*.
checkmate ['tʃɛkmeɪt] *n* Schachmatt *nt*.
checkout ['tʃɛkaut] *n* Kasse *f*.
checkpoint ['tʃɛkpɔɪnt] *n* Kontrollpunkt *m*.
checkroom ['tʃɛkrum] (*US*) *n* (*left-luggage office*) Gepäckaufbewahrung *f*.
checkup ['tʃɛkʌp] *n* Untersuchung *f*.
cheek [tʃiːk] *n* Backe *f*; (*impudence*) Frechheit *f*; (*nerve*) Unverschämtheit *f*.
cheekbone ['tʃiːkbəun] *n* Backenknochen *m*.
cheeky ['tʃiːkɪ] *adj* frech.
cheep [tʃiːp] *vi* (*bird*) piep(s)en ♦ *n* Piep(s) *m*, Piepser *m*.
cheer [tʃɪə*] *vt* zujubeln *+dat*; (*gladden*) aufmuntern, aufheitern ♦ *vi* jubeln, hurra rufen ♦ *n* (*gen pl*) Hurraruf *m*, Beifallsruf *m*; **cheers** *npl* Hurrageschrei *nt*, Jubel *m*; **~s!** prost!
►**cheer on** *vt* anspornen, anfeuern.
►**cheer up** *vi* vergnügter *or* fröhlicher werden ♦ *vt* aufmuntern, aufheitern.
cheerful ['tʃɪəful] *adj* fröhlich.
cheerfulness ['tʃɪəfulnɪs] *n* Fröhlichkeit *f*.
cheerio [tʃɪərɪ'əu] (*BRIT*) *excl* tschüs (*inf*).
cheerleader ['tʃɪəliːdə*] *n jd, der bei Sportveranstaltungen etc die Zuschauer zu Beifallsrufen anfeuert.*
cheerless ['tʃɪəlɪs] *adj* freudlos, trüb; (*room*) trostlos.
cheese [tʃiːz] *n* Käse *m*.
cheeseboard ['tʃiːzbɔːd] *n* Käsebrett *nt*; (*with cheese on it*) Käseplatte *f*.
cheeseburger ['tʃiːzbəːgə*] *n* Cheeseburger *m*.
cheesecake ['tʃiːzkeɪk] *n* Käsekuchen *m*.
cheetah ['tʃiːtə] *n* Gepard *m*.
chef [ʃɛf] *n* Küchenchef(in) *m(f)*.
chemical ['kɛmɪkl] *adj* chemisch ♦ *n* Chemikalie *f*.
chemical engineering *n* Chemotechnik *f*.
chemist ['kɛmɪst] *n* (*BRIT: pharmacist*) Apotheker(in) *m(f)*; (*scientist*) Chemiker(in) *m(f)*.
chemistry ['kɛmɪstrɪ] *n* Chemie *f*.
chemist's (shop) ['kɛmɪsts-] (*BRIT*) *n* Drogerie *f*; (*also:* **dispensing chemist's**) Apotheke *f*.
chemotherapy [kiːməu'θɛrəpɪ] *n* Chemotherapie *f*.
cheque [tʃɛk] (*BRIT*) *n* Scheck *m*; **to pay by ~** mit (einem) Scheck bezahlen.
chequebook ['tʃɛkbuk] *n* Scheckbuch *nt*.
cheque card (*BRIT*) *n* Scheckkarte *f*.
chequered, (*US*) checkered ['tʃɛkəd] *adj* (*fig*) bewegt.
cherish ['tʃɛrɪʃ] *vt* (*person*) liebevoll sorgen für; (*memory*) in Ehren halten; (*dream*) sich hingeben *+dat*; (*hope*) hegen.
cheroot [ʃə'ruːt] *n* Stumpen *m*.
cherry ['tʃɛrɪ] *n* Kirsche *f*; (*also:* **~ tree**) Kirschbaum *m*.
chervil ['tʃəːvɪl] *n* Kerbel *m*.
Ches. (*BRIT*) *abbr* (*POST:* = *Cheshire*).
chess [tʃɛs] *n* Schach(spiel) *nt*.
chessboard ['tʃɛsbɔːd] *n* Schachbrett *nt*.
chessman ['tʃɛsmən] (*irreg: like* **man**) *n* Schachfigur *f*.
chess player *n* Schachspieler(in) *m(f)*.
chest [tʃɛst] *n* Brust *f*, Brustkorb *m*; (*box*) Kiste *f*, Truhe *f*; **to get sth off one's ~** (*inf*) sich *dat* etw von der Seele reden.
chest measurement *n* Brustweite *f*, Brustumfang *m*.
chestnut ['tʃɛsnʌt] *n* Kastanie *f* ♦ *adj* kastanienbraun.
chest of drawers *n* Kommode *f*.
chesty ['tʃɛstɪ] *adj* (*cough*) tief sitzend.
chew [tʃuː] *vt* kauen.
chewing gum ['tʃuːɪŋ-] *n* Kaugummi *m*.
chic [ʃiːk] *adj* schick, elegant.
chick [tʃɪk] *n* Küken *nt*; (*inf: girl*) Mieze *f*.
chicken ['tʃɪkɪn] *n* Huhn *nt*; (*meat*) Hähnchen

nt; (*inf: coward*) Feigling *m*.
▸**chicken out** (*inf*) *vi*: **to ~ out of doing sth** davor kneifen, etw zu tun.
chicken feed *n* ein paar Pfennige *pl*; (*as salary*) ein Hungerlohn *m*.
chickenpox ['tʃɪkɪnpɔks] *n* Windpocken *pl*.
chickpea ['tʃɪkpiː] *n* Kichererbse *f*.
chicory ['tʃɪkərɪ] *n* (*in coffee*) Zichorie *f*; (*salad vegetable*) Chicorée *f or m*.
chide [tʃaɪd] *vt*: **to ~ sb (for)** jdn schelten (wegen).
chief [tʃiːf] *n* Häuptling *m*; (*of organization, department*) Leiter(in) *m(f)*, Chef(in) *m(f)* ♦ *adj* Haupt-, wichtigste(r, s).
chief constable (*BRIT*) *n* Polizeipräsident *m*, Polizeichef *m*.
chief executive, (*US*) **chief executive officer** *n* Generaldirektor(in) *m(f)*.
chiefly ['tʃiːflɪ] *adv* hauptsächlich.
Chief of Staff *n* Stabschef *m*.
chiffon ['ʃɪfɔn] *n* Chiffon *m*.
chilblain ['tʃɪlbleɪn] *n* Frostbeule *f*.
child [tʃaɪld] (*pl* **~ren**) *n* Kind *nt*; **do you have any ~ren?** haben Sie Kinder?
child benefit (*BRIT*) *n* Kindergeld *nt*.
childbirth ['tʃaɪldbəːθ] *n* Geburt *f*, Entbindung *f*.
childhood ['tʃaɪldhud] *n* Kindheit *f*.
childish ['tʃaɪldɪʃ] *adj* kindisch.
childless ['tʃaɪldlɪs] *adj* kinderlos.
childlike ['tʃaɪldlaɪk] *adj* kindlich.
child minder (*BRIT*) *n* Tagesmutter *f*.
child prodigy *n* Wunderkind *nt*.
children ['tʃɪldrən] *npl of* **child.**
children's home ['tʃɪldrənz-] *n* Kinderheim *nt*.
child's play ['tʃaɪldz-] *n*: **it was ~** es war ein Kinderspiel.
Chile ['tʃɪlɪ] *n* Chile *nt*.
Chilean ['tʃɪlɪən] *adj* chilenisch ♦ *n* Chilene *m*, Chilenin *f*.
chill [tʃɪl] *n* Kühle *f*; (*illness*) Erkältung *f* ♦ *adj* kühl; (*fig: reminder*) erschreckend ♦ *vt* kühlen; (*person*) frösteln *or* frieren lassen; **"serve ~ed"** „gekühlt servieren".
chilli, (*US*) **chili** ['tʃɪlɪ] *n* Peperoni *pl*.
chilling ['tʃɪlɪn] *adj* (*wind, morning*) eisig; (*fig: effect, prospect etc*) beängstigend.
chill out (*inf*) *vi* sich entspannen, relaxen.
chilly ['tʃɪlɪ] *adj* kühl; (*person, response, look*) kühl, frostig; **to feel ~** frösteln, frieren.
chime [tʃaɪm] *n* Glockenspiel *nt* ♦ *vi* läuten.
chimney ['tʃɪmnɪ] *n* Schornstein *m*.
chimney sweep *n* Schornsteinfeger(in) *m(f)*.
chimpanzee [tʃɪmpæn'ziː] *n* Schimpanse *m*.
chin [tʃɪn] *n* Kinn *nt*.
China ['tʃaɪnə] *n* China *nt*.
china ['tʃaɪnə] *n* Porzellan *nt*.
Chinese [tʃaɪ'niːz] *adj* chinesisch ♦ *n inv* Chinese *m*, Chinesin *f*; (*LING*) Chinesisch *nt*.
chink [tʃɪŋk] *n* (*in door, wall etc*) Ritze *f*, Spalt *m*; (*of bottles etc*) Klirren *nt*.
chintz [tʃɪnts] *n* Chintz *m*.
chinwag ['tʃɪnwæg] (*BRIT: inf*) *n* Schwatz *m*.
chip [tʃɪp] *n* (*gen pl*) Pommes frites *pl*; (*US: also:* **potato ~**) Chip *m*; (*of wood*) Span *m*; (*of glass, stone*) Splitter *m*; (*in glass, cup etc*) abgestoßene Stelle *f*; (*in gambling*) Chip *m*, Spielmarke *f*; (*COMPUT: also:* **microchip**) Chip *m* ♦ *vt* (*cup, plate*) anschlagen; **when the ~s are down** (*fig*) wenn es drauf ankommt.
▸**chip in** (*inf*) *vi* (*contribute*) etwas beisteuern; (*interrupt*) sich einschalten.
chipboard ['tʃɪpbɔːd] *n* Spanplatte *f*.
chipmunk ['tʃɪpmʌŋk] *n* Backenhörnchen *nt*.
chippings ['tʃɪpɪŋz] *npl*: **loose ~** (*on road*) Schotter *m*.

Chip shop, *auch fish-and-chip shop, ist die traditionelle britische Imbißbude, in der vor allem fritierte Fischfilets und Pommes frites, aber auch andere einfache Mahlzeiten angeboten werden. Früher wurde das Essen zum Mitnehmen in Zeitungspapier verpackt. Manche chip shops haben auch einen Eßraum.*

chiropodist [kɪ'rɔpədɪst] (*BRIT*) *n* Fußpfleger(in) *m(f)*.
chiropody [kɪ'rɔpədɪ] (*BRIT*) *n* Fußpflege *f*.
chirp [tʃəːp] *vi* (*bird*) zwitschern; (*crickets*) zirpen.
chirpy ['tʃəːpɪ] (*inf*) *adj* munter.
chisel ['tʃɪzl] *n* (*for stone*) Meißel *m*; (*for wood*) Beitel *m*.
chit [tʃɪt] *n* Zettel *m*.
chitchat ['tʃɪttʃæt] *n* Plauderei *f*.
chivalrous ['ʃɪvəlrəs] *adj* ritterlich.
chivalry ['ʃɪvəlrɪ] *n* Ritterlichkeit *f*.
chives [tʃaɪvz] *npl* Schnittlauch *m*.
chloride ['klɔːraɪd] *n* Chlorid *nt*.
chlorinate ['klɔrɪneɪt] *vt* chloren.
chlorine ['klɔːriːn] *n* Chlor *nt*.
chock [tʃɔk] *n* Bremskeil *m*, Bremsklotz *m*.
chock-a-block ['tʃɔkə'blɔk] *adj* gerammelt voll.
chock-full [tʃɔk'ful] *adj* = **chock-a-block.**
chocolate ['tʃɔklɪt] *n* Schokolade *f*; (*drink*) Kakao *m*, Schokolade *f*; (*sweet*) Praline *f* ♦ *cpd* Schokoladen-.
choice [tʃɔɪs] *n* Auswahl *f*; (*option*) Möglichkeit *f*; (*preference*) Wahl *f* ♦ *adj* Qualitäts-, erstklassig; **I did it by** *or* **from ~** ich habe es mir so ausgesucht; **a wide ~** eine große Auswahl.
choir ['kwaɪə*] *n* Chor *m*.
choirboy ['kwaɪə'bɔɪ] *n* Chorknabe *m*.
choke [tʃəuk] *vi* ersticken; (*with smoke, dust, anger etc*) keine Luft mehr bekommen ♦ *vt* erwürgen, erdrosseln ♦ *n* (*AUT*) Choke *m*, Starterklappe *f*; **to be ~d (with)** verstopft sein (mit).
cholera ['kɔlərə] *n* Cholera *f*.
cholesterol [kə'lɛstərɔl] *n* Cholesterin *nt*.
choose [tʃuːz] (*pt* **chose,** *pp* **chosen**) *vt*

(aus)wählen; (*profession, friend*) sich *dat* aussuchen ♦ *vi*: **to ~ between** wählen zwischen *+dat*, eine Wahl treffen zwischen *+dat*; **to ~ from** wählen aus *or* unter *+dat*, eine Wahl treffen aus *or* unter *+dat*; **to ~ to do sth** beschließen, etw zu tun.
choosy ['tʃu:zɪ] *adj* wählerisch.
chop [tʃɔp] *vt* (*wood*) hacken; (*also*: **~ up**: *vegetables, fruit, meat*) kleinschneiden ♦ *n* Kotelett *nt*; **chops** (*inf*) *npl* (*of animal*) Maul *nt*; (*of person*) Mund *m*; **to get the ~** (*BRIT: inf: project*) dem Rotstift zum Opfer fallen; (: : *be sacked*) rausgeschmissen werden.
►**chop down** *vt* (*tree*) fällen.
chopper ['tʃɔpə*] (*inf*) *n* Hubschrauber *m*.
choppy ['tʃɔpɪ] *adj* (*sea*) kabbelig, bewegt.
chopsticks ['tʃɔpstɪks] *npl* Stäbchen *pl*.
choral ['kɔ:rəl] *adj* (*singing*) Chor-; (*society*) Gesang-.
chord [kɔ:d] *n* Akkord *m*; (*MATH*) Sehne *f*.
chore [tʃɔ:*] *n* Hausarbeit *f*; (*routine task*) lästige Routinearbeit *f*; **household ~s** Hausarbeit.
choreographer [kɔrɪ'ɔgrəfə*] *n* Choreograph(in) *m(f)*.
choreography [kɔrɪ'ɔgrəfɪ] *n* Choreographie *f*.
chorister ['kɔrɪstə*] *n* Chorsänger(in) *m(f)*.
chortle ['tʃɔ:tl] *vi* glucksen.
chorus ['kɔ:rəs] *n* Chor *m*; (*refrain*) Refrain *m*; (*of complaints*) Flut *f*.
chose [tʃəuz] *pt of* **choose**.
chosen ['tʃəuzn] *pp of* **choose**.
chow [tʃau] *n* Chow-Chow *m*.
chowder ['tʃaudə*] *n* (sämige) Fischsuppe *f*.
Christ [kraɪst] *n* Christus *m*.
christen ['krɪsn] *vt* taufen.
christening ['krɪsnɪŋ] *n* Taufe *f*.
Christian ['krɪstɪən] *adj* christlich ♦ *n* Christ(in) *m(f)*.
Christianity [krɪstɪ'ænɪtɪ] *n* Christentum *nt*.
Christian name *n* Vorname *m*.
Christmas ['krɪsməs] *n* Weihnachten *nt*; **Happy** *or* **Merry ~**! frohe *or* fröhliche Weihnachten!
Christmas card *n* Weihnachtskarte *f*.
Christmas Day *n* der erste Weihnachtstag.
Christmas Eve *n* Heiligabend *m*.
Christmas Island *n* Weihnachtsinsel *f*.
Christmas tree *n* Weihnachtsbaum *m*, Christbaum *m*.
chrome [krəum] *n* = **chromium**.
chromium ['krəumɪəm] *n* Chrom *nt*; (*also*: **~ plating**) Verchromung *f*.
chromosome ['krəuməsəum] *n* Chromosom *nt*.
chronic ['krɔnɪk] *adj* (*also fig*) chronisch; (*severe*) schlimm.
chronicle ['krɔnɪkl] *n* Chronik *f*.
chronological [krɔnə'lɔdʒɪkl] *adj* chronologisch.
chrysanthemum [krɪ'sænθəməm] *n* Chrysantheme *f*.
chubby ['tʃʌbɪ] *adj* pummelig; **~ cheeks** Pausbacken *pl*.
chuck [tʃʌk] (*inf*) *vt* werfen, schmeißen; (*BRIT: also*: **~ up**, **~ in**) (*job*) hinschmeißen; (: *person*) Schluß machen mit.
►**chuck out** *vt* (*person*) rausschmeißen; (*rubbish etc*) wegschmeißen.
chuckle ['tʃʌkl] *vi* leise in sich *acc* hineinlachen.
chuffed [tʃʌft] (*BRIT: inf*) *adj* vergnügt und zufrieden; (*flattered*) gebauchpinselt.
chug [tʃʌg] *vi* (*also*: **~ along**) tuckern.
chum [tʃʌm] *n* Kumpel *m*.
chump [tʃʌmp] (*inf*) *n* Trottel *m*.
chunk [tʃʌŋk] *n* großes Stück *nt*.
chunky ['tʃʌŋkɪ] *adj* (*furniture etc*) klobig; (*person*) stämmig, untersetzt; (*knitwear*) dick.
church [tʃə:tʃ] *n* Kirche *f*; **the C~ of England** die Anglikanische Kirche.
churchyard ['tʃə:tʃjɑ:d] *n* Friedhof *m*.
churlish ['tʃə:lɪʃ] *adj* griesgrämig; (*behaviour*) ungehobelt.
churn [tʃə:n] *n* Butterfaß *nt*; (*also*: **milk ~**) Milchkanne *f*.
►**churn out** *vt* am laufenden Band produzieren.
chute [ʃu:t] *n* (*also*: **rubbish ~**) Müllschlucker *m*; (*for coal, parcels etc*) Rutsche *f*; (*BRIT: slide*) Rutschbahn *f*, Rutsche *f*.
chutney ['tʃʌtnɪ] *n* Chutney *nt*.
CIA (*US*) *n abbr* (= *Central Intelligence Agency*) CIA *f or m*.
cicada [sɪ'kɑ:də] *n* Zikade *f*.
CID (*BRIT*) *n abbr* = **Criminal Investigation Department**.
cider ['saɪdə*] *n* Apfelwein *m*.
c.i.f. *abbr* (*COMM*: = *cost, insurance and freight*) cif.
cigar [sɪ'gɑ:*] *n* Zigarre *f*.
cigarette [sɪgə'rɛt] *n* Zigarette *f*.
cigarette case *n* Zigarettenetui *nt*.
cigarette end *n* Zigarettenstummel *m*.
cigarette holder *n* Zigarettenspitze *f*.
C in C *abbr* (*MIL*) = **commander in chief**.
cinch [sɪntʃ] (*inf*) *n*: **it's a ~** das ist ein Kinderspiel *or* ein Klacks.
Cinderella [sɪndə'rɛlə] *n* Aschenputtel *nt*, Aschenbrödel *nt*.
cinders ['sɪndəz] *npl* Asche *f*.
cine camera ['sɪnɪ-] (*BRIT*) *n* (Schmal)filmkamera *f*.
cine film (*BRIT*) *n* Schmalfilm *m*.
cinema ['sɪnəmə] *n* Kino *nt*; (*film-making*) Film *m*.
cine projector (*BRIT*) *n* Filmprojektor *m*.
cinnamon ['sɪnəmən] *n* Zimt *m*.
cipher ['saɪfə*] *n* (*code*) Chiffre *f*; (*fig*) Niemand *m*; **in ~** chiffriert.
circa ['sə:kə] *prep* zirka, circa.
circle ['sə:kl] *n* Kreis *m*; (*in cinema, theatre*)

Rang *m* ♦ *vi* kreisen ♦ *vt* kreisen um; (*surround*) umgeben.
circuit ['sə:kɪt] *n* Runde *f*; (*ELEC*) Stromkreis *m*; (*track*) Rennbahn *f*.
circuit board *n* (*COMPUT, ELEC*) Platine *f*, Leiterplatte *f*.
circuitous [sə:'kjuɪtəs] *adj* umständlich.
circular ['sə:kjulə*] *adj* rund; (*route*) Rund- ♦ *n* (*letter*) Rundschreiben *nt*, Rundbrief *m*; (*as advertisement*) Wurfsendung *f*; ~ **argument** Zirkelschluß *m*.
circulate ['sə:kjuleɪt] *vi* (*traffic*) fließen; (*blood, report*) zirkulieren; (*news, rumour*) kursieren, in Umlauf sein; (*person*) die Runde machen ♦ *vt* herumgehen *or* zirkulieren lassen.
circulating capital [sə:kju'leɪtɪŋ-] *n* (*COMM*) flüssiges Kapital *nt*, Umlaufkapital *nt*.
circulation [sə:kju'leɪʃən] *n* (*of traffic*) Fluß *m*; (*of air etc*) Zirkulation *f*; (*of newspaper*) Auflage *f*; (*MED: of blood*) Kreislauf *m*.
circumcise ['sə:kəmsaɪz] *vt* beschneiden.
circumference [sə'kʌmfərəns] *n* Umfang *m*; (*edge*) Rand *m*.
circumflex ['sə:kəmflɛks] *n* (*also*: ~ **accent**) Zirkumflex *m*.
circumscribe ['sə:kəmskraɪb] *vt* (*MATH*) einen Kreis umbeschreiben; (*fig*) eingrenzen.
circumspect ['sə:kəmspɛkt] *adj* umsichtig.
circumstances ['sə:kəmstənsɪz] *npl* Umstände *pl*; (*financial condition*) (finanzielle) Verhältnisse *pl*; **in the** ~ unter diesen Umständen; **under no** ~ unter (gar) keinen Umständen, auf keinen Fall.
circumstantial [sə:kəm'stænʃl] *adj* ausführlich; ~ **evidence** Inizienbeweis *m*.
circumvent [sə:kəm'vɛnt] *vt* umgehen.
circus ['sə:kəs] *n* Zirkus *m*; (*also*: **C**~: *in place names*) Platz *m*.
cirrhosis [sɪ'rəusɪs] *n* (*also*: ~ **of the liver**) Leberzirrhose *f*.
CIS *n abbr* (= *Commonwealth of Independent States*) GUS *f*.
cissy ['sɪsɪ] *n, adj see* **sissy**.
cistern ['sɪstən] *n* Zisterne *f*; (*of toilet*) Spülkasten *m*.
citation [saɪ'teɪʃən] *n* Zitat *nt*; (*US*) Belobigung *f*; (*LAW*) Vorladung *f* (vor Gericht).
cite [saɪt] *vt* zitieren; (*example*) anführen; (*LAW*) vorladen.
citizen ['sɪtɪzn] *n* Staatsbürger(in) *m(f)*; (*of town*) Bürger(in) *m(f)*.
Citizens' Advice Bureau ['sɪtɪznz-] *n* ≈ Bürgerberatungsstelle *f*.
citizenship ['sɪtɪznʃɪp] *n* Staatsbürgerschaft *f*.
citric acid ['sɪtrɪk-] *n* Zitronensäure *f*.
citrus fruit ['sɪtrəs-] *n* Zitrusfrucht *f*.
city ['sɪtɪ] *n* (Groß)stadt *f*; **the C**~ (*FIN*) die City, das Londoner Banken- und Börsenviertel.
city centre *n* Stadtzentrum *nt*, Innenstadt *f*.
City Hall *n* Rathaus *nt*; (*US: municipal government*) Stadtverwaltung *f*.
civic ['sɪvɪk] *adj* (*authorities etc*) Stadt-, städtisch; (*duties, pride*) Bürger-, bürgerlich.
civic centre (*BRIT*) *n* Stadtverwaltung *f*.
civil ['sɪvɪl] *adj* (*disturbances, rights*) Bürger-; (*liberties, law*) bürgerlich; (*polite*) höflich.
Civil Aviation Authority (*BRIT*) *n* Behörde *f* für Zivilluftfahrt.
civil defence *n* Zivilschutz *m*.
civil disobedience *n* ziviler Ungehorsam *m*.
civil engineer *n* Bauingenieur(in) *m(f)*.
civil engineering *n* Hoch- und Tiefbau *m*.
civilian [sɪ'vɪlɪən] *adj* (*population*) Zivil- ♦ *n* Zivilist *m*; ~ **casualties** Verluste *pl* unter der Zivilbevölkerung.
civilization [sɪvɪlaɪ'zeɪʃən] *n* Zivilisation *f*; (*a society*) Kultur *f*.
civilized ['sɪvɪlaɪzd] *adj* zivilisiert; (*person*) kultiviert; (*place, experience*) gepflegt.
civil law *n* Zivilrecht *nt*, bürgerliches Recht *nt*.
civil liberties *n* (bürgerliche) Freiheitsrechte *pl*.
civil rights *npl* Bürgerrechte *pl*.
civil servant *n* (Staats)beamter *m*, (Staats)beamtin *f*.
Civil Service *n* Beamtenschaft *f*.
civil war *n* Bürgerkrieg *m*.
civvies ['sɪvɪz] (*inf*) *npl* Zivilklamotten *pl*.
cl *abbr* (= *centilitre*) cl.
clad [klæd] *adj*: ~ **(in)** gekleidet (in +*acc*).
claim [kleɪm] *vt* (*assert*) behaupten; (*responsibility*) übernehmen; (*credit*) in Anspruch nehmen; (*rights, inheritance*) Anspruch erheben auf +*acc*; (*expenses*) sich *dat* zurückerstatten lassen; (*compensation, damages*) verlangen ♦ *vi* (*for insurance*) Ansprüche geltend machen ♦ *n* (*assertion*) Behauptung *f*; (*for pension, wage rise, compensation*) Forderung *f*; (*right: to inheritance, land*) Anspruch *m*; (*for expenses*) Spesenabrechnung *f*; **(insurance)** ~ (Versicherungs)anspruch *m*; **to put in a** ~ **for** beantragen.
claimant ['kleɪmənt] *n* Antragsteller(in) *m(f)*.
claim form *n* Antragsformular *nt*.
clairvoyant [klɛə'vɔɪənt] *n* Hellseher(in) *m(f)*.
clam [klæm] *n* Venusmuschel *f*.
►**clam up** (*inf*) *vi* keinen Piep (mehr) sagen.
clamber ['klæmbə*] *vi* klettern.
clammy ['klæmɪ] *adj* feucht.
clamour, (*US*) **clamor** ['klæmə*] *n* Lärm *m*; (*protest*) Protest *m*, Aufschrei *m* ♦ *vi*: **to** ~ **for** schreien nach.
clamp [klæmp] *n* Schraubzwinge *f*, Klemme *f* ♦ *vt* (*two things together*) zusammenklemmen; (*one thing on another*) klemmen; (*wheel*) krallen.
►**clamp down on** *vt fus* rigoros vorgehen gegen.

clampdown ['klæmpdaun] *n:* ~ **(on)** hartes Durchgreifen *nt* (gegen).
clan [klæn] *n* Clan *m.*
clandestine [klæn'dɛstɪn] *adj* geheim, Geheim-.
clang [klæŋ] *vi* klappern; (*bell*) läuten ♦ *n* (*see vi*) Klappern *nt*; Läuten *nt.*
clanger ['klæŋə*] (*BRIT: inf*) *n* Fauxpas *m*; **to drop a** ~ ins Fettnäpfchen treten.
clansman ['klænzmən] *n* (*irreg: like* **man**) Clanmitglied *nt.*
clap [klæp] *vi* (Beifall) klatschen ♦ *vt:* **to** ~ **(one's hands)** (in die Hände) klatschen ♦ *n:* **a** ~ **of thunder** ein Donnerschlag *m.*
clapping ['klæpɪŋ] *n* Beifall *m.*
claptrap ['klæptræp] (*inf*) *n* Geschwafel *nt.*
claret ['klærət] *n* roter Bordeaux(wein) *m.*
clarification [klærɪfɪ'keɪʃən] *n* Klärung *f.*
clarify ['klærɪfaɪ] *vt* klären.
clarinet [klærɪ'nɛt] *n* Klarinette *f.*
clarity ['klærɪtɪ] *n* Klarheit *f.*
clash [klæʃ] *n* (*fight*) Zusammenstoß *m*; (*disagreement*) Streit *m*, Auseinandersetzung *f*; (*of beliefs, ideas, views*) Konflikt *m*; (*of colours, styles, personalities*) Unverträglichkeit *f*; (*of events, dates, appointments*) Überschneidung *f*; (*noise*) Klirren *nt* ♦ *vi* (*fight*) zusammenstoßen; (*disagree*) sich streiten, eine Auseinandersetzung haben; (*beliefs, ideas, views*) aufeinanderprallen; (*colours*) sich beißen; (*styles, personalities*) nicht zusammenpassen; (*two events, dates, appointments*) sich überschneiden; (*make noise*) klirrend aneinanderschlagen.
clasp [klɑːsp] *n* Griff *m*; (*embrace*) Umklammerung *f*; (*of necklace, bag*) Verschluß *m* ♦ *vt* (er)greifen; (*embrace*) umklammern.
class [klɑːs] *n* Klasse *f*; (*lesson*) (Unterrichts)stunde *f* ♦ *adj* (*struggle, distinction*) Klassen- ♦ *vt* einordnen, einstufen.
class-conscious ['klɑːs'kɔnʃəs] *adj* klassenbewußt, standesbewußt.
class-consciousness ['klɑːs'kɔnʃəsnɪs] *n* Klassenbewußtsein *nt*, Standesbewußtsein *nt.*
classic ['klæsɪk] *adj* klassisch ♦ *n* Klassiker *m*; (*race*) *bedeutendes Pferderennen für dreijährige Pferde*; **classics** *npl* (*SCOL*) Altphilologie *f.*
classical ['klæsɪkl] *adj* klassisch.
classification [klæsɪfɪ'keɪʃən] *n* Klassifikation *f*; (*category*) Klasse *f*; (*system*) Einteilung *f.*
classified ['klæsɪfaɪd] *adj* geheim.
classified advertisement *n* Kleinanzeige *f.*
classify ['klæsɪfaɪ] *vt* klassifizieren, (ein)ordnen.
classless ['klɑːslɪs] *adj:* ~ **society** klassenlose Gesellschaft *f.*
classmate ['klɑːsmeɪt] *n* Klassenkamerad(in) *m(f).*
classroom ['klɑːsrum] *n* Klassenzimmer *nt.*
classy ['klɑːsɪ] (*inf*) *adj* nobel, exklusiv; (*person*) todschick.
clatter ['klætə*] *n* Klappern *nt*; (*of hooves*) Trappeln *nt* ♦ *vi* (*see n*) klappern; trappeln.
clause [klɔːz] *n* (*LAW*) Klausel *f*; (*LING*) Satz *m.*
claustrophobia [klɔːstrə'fəubɪə] *n* Klaustrophobie *f*, Platzangst *f.*
claustrophobic [klɔːstrə'fəubɪk] *adj* (*place, situation*) beengend; (*person*): **to be/feel** ~ Platzangst haben/bekommen.
claw [klɔː] *n* Kralle *f*; (*of lobster*) Schere *f*, Zange *f.*
►**claw at** *vt fus* sich krallen an +*acc.*
clay [kleɪ] *n* Ton *m*; (*soil*) Lehm *m.*
clean [kliːn] *adj* sauber; (*fight*) fair; (*record, reputation*) einwandfrei; (*joke, story*) stubenrein, anständig; (*edge, MED: fracture*) glatt ♦ *vt* saubermachen; (*car, hands, face etc*) waschen ♦ *adv:* **he** ~ **forgot** er hat es glatt(weg) vergessen; **to have a** ~ **driving licence** *or* (*US*) **record** keine Strafpunkte haben; **to** ~ **one's teeth** (*BRIT*) sich *dat* die Zähne putzen; **the thief got** ~ **away** der Dieb konnte entkommen; **to come** ~ (*inf*) auspacken.
►**clean off** *vt* abwaschen, abwischen.
►**clean out** *vt* gründlich saubermachen; (*inf: person*) ausnehmen.
►**clean up** *vt* aufräumen; (*child*) saubermachen; (*fig*) für Ordnung sorgen in +*dat* ♦ *vi* aufräumen, saubermachen; (*inf: make profit*) absahnen.
clean-cut ['kliːn'kʌt] *adj* gepflegt; (*situation*) klar.
cleaner ['kliːnə*] *n* Raumpfleger(in) *m(f)*; (*woman*) Putzfrau *f*; (*substance*) Reinigungsmittel *nt*, Putzmittel *nt.*
cleaner's ['kliːnəz] *n* (*also:* **dry** ~) Reinigung *f.*
cleaning ['kliːnɪŋ] *n* Putzen *nt.*
cleaning lady *n* Putzfrau *f*, Reinemachefrau *f.*
cleanliness ['klɛnlɪnɪs] *n* Sauberkeit *f*, Reinlichkeit *f.*
cleanly ['kliːnlɪ] *adv* sauber.
cleanse [klɛnz] *vt* (*purify*) läutern; (*face, cut*) reinigen.
cleanser ['klɛnzə*] *n* (*for face*) Reinigungscreme *f*, Reinigungsmilch *f.*
clean-shaven ['kliːn'ʃeɪvn] *adj* glattrasiert.
cleansing department ['klɛnzɪŋ-] (*BRIT*) *n* ≈ Stadtreinigung *f.*
clean sweep *n:* **to make a** ~ (*SPORT*) alle Preise einstecken.
clean-up ['kliːnʌp] *n:* **to give sth a** ~ etw gründlich saubermachen.
clear [klɪə*] *adj* klar; (*footprint*) deutlich; (*photograph*) scharf; (*commitment*) eindeutig; (*glass, plastic*) durchsichtig; (*road, way, floor etc*) frei; (*conscience, skin*) rein ♦ *vt* (*room*) ausräumen; (*trees*) abholzen; (*weeds*

etc) entfernen; (*slums etc, stock*) räumen; (*LAW*) freisprechen; (*fence, wall*) überspringen; (*cheque*) verrechnen ♦ *vi* (*weather, sky*) aufklaren; (*fog, smoke*) sich auflösen; (*room etc*) sich leeren ♦ *adv*: **to be ~ of the ground** den Boden nicht berühren ♦ *n*: **to be in the ~** (*out of debt*) schuldenfrei sein; (*free of suspicion*) von jedem Verdacht frei sein; (*out of danger*) außer Gefahr sein; **~ profit** Reingewinn *m*; **I have a ~ day tomorrow** (*BRIT*) ich habe morgen nichts vor; **to make o.s. ~** sich klar ausdrücken; **to make it ~ to sb that ...** es jdm (unmißverständlich) klarmachen, daß ...; **to ~ the table** den Tisch abräumen; **to ~ a space (for sth)** (für etw) Platz schaffen; **to ~ one's throat** sich räuspern; **to ~ a profit** einen Gewinn machen; **to keep ~ of sb** jdm aus dem Weg gehen; **to keep ~ of sth** etw meiden; **to keep ~ of trouble** allem Ärger aus dem Weg gehen.

►**clear off** (*inf*) *vi* abhauen, verschwinden.

►**clear up** *vt* aufräumen; (*mystery*) aufklären; (*problem*) lösen ♦ *vi* (*bad weather*) sich aufklären; (*illness*) sich bessern.

clearance ['klɪərəns] *n* (*of slums*) Räumung *f*; (*of trees*) Abholzung *f*; (*permission*) Genehmigung *f*; (*free space*) lichte Höhe *f*.

clearance sale *n* Räumungsverkauf *m*.

clear-cut ['klɪə'kʌt] *adj* klar.

clearing ['klɪərɪŋ] *n* Lichtung *f*; (*BRIT: BANKING*) Clearing *nt*.

clearing bank (*BRIT*) *n* Clearingbank *f*.

clearing house *n* (*COMM*) Clearingstelle *f*.

clearly ['klɪəlɪ] *adv* klar; (*obviously*) eindeutig.

clearway ['klɪəweɪ] (*BRIT*) *n* Straße *f* mit Halteverbot.

cleavage ['kli:vɪdʒ] *n* (*of woman's breasts*) Dekolleté *nt*.

cleaver ['kli:və*] *n* Hackbeil *nt*.

clef [klɛf] *n* (Noten)schlüssel *m*.

cleft [klɛft] *n* Spalte *f*.

cleft palate *n* (*MED*) Gaumenspalte *f*.

clemency ['klɛmənsɪ] *n* Milde *f*.

clement ['klɛmənt] *adj* mild.

clench [klɛntʃ] *vt* (*fist*) ballen; (*teeth*) zusammenbeißen.

clergy ['klə:dʒɪ] *n* Klerus *m*, Geistlichkeit *f*.

clergyman ['klə:dʒɪmən] (*irreg: like* **man**) *n* Geistliche(r) *m*.

clerical ['klɛrɪkl] *adj* (*job, worker*) Büro-; (*error*) Schreib-; (*REL*) geistlich.

clerk [klɑ:k, (*US*) klə:rk] *n* (*BRIT*) Büroangestellte(r) *f(m)*; (*US: sales person*) Verkäufer(in) *m(f)*.

Clerk of Court *n* Protokollführer(in) *m(f)*.

clever ['klɛvə*] *adj* klug; (*deft, crafty*) schlau, clever (*inf*); (*device, arrangement*) raffiniert.

cleverly ['klɛvəlɪ] *adv* geschickt.

clew [klu:] (*US*) *n* = **clue**.

cliché ['kli:ʃeɪ] *n* Klischee *nt*.

click [klɪk] *vi* klicken ♦ *vt*: **to ~ one's tongue** mit der Zunge schnalzen; **to ~ one's heels** die Hacken zusammenschlagen.

client ['klaɪənt] *n* Kunde *m*, Kundin *f*; (*of bank, lawyer*) Klient(in) *m(f)*; (*of restaurant*) Gast *m*.

clientele [kli:ɑ̃:n'tɛl] *n* Kundschaft *f*.

cliff [klɪf] *n* Kliff *nt*.

cliffhanger ['klɪfhæŋə*] *n spannungsgeladene Szene am Ende einer Filmepisode*, Cliffhanger *m*.

climactic [klaɪ'mæktɪk] *adj*: **~ point** Höhepunkt *m*.

climate ['klaɪmɪt] *n* Klima *nt*.

climax ['klaɪmæks] *n* (*also*: **sexual**) Höhepunkt *m*.

climb [klaɪm] *vi* klettern; (*plane, sun, prices, shares*) steigen ♦ *vt* (*stairs, ladder*) hochsteigen, hinaufsteigen; (*tree*) klettern auf *+acc*; (*hill*) steigen auf *+acc* ♦ *n* Aufstieg *m*; (*of prices etc*) Anstieg *m*; **to ~ over a wall/into a car** über eine Mauer/in ein Auto steigen *or* klettern.

►**climb down** (*BRIT*) *vi* (*fig*) nachgeben.

climb-down ['klaɪmdaun] *n* Nachgeben *nt*, Rückzieher *m* (*inf*).

climber ['klaɪmə*] *n* Bergsteiger(in) *m(f)*; (*plant*) Kletterpflanze *f*.

climbing ['klaɪmɪŋ] *n* Bergsteigen *nt*.

clinch [klɪntʃ] *vt* (*deal*) perfekt machen; (*argument*) zum Abschluß bringen.

clincher ['klɪntʃə*] *n* ausschlaggebender Faktor *m*.

cling [klɪŋ] (*pt, pp* **clung**) *vi*: **to ~ to** (*mother, support*) sich festklammern an *+dat*; (*idea, belief*) festhalten an *+dat*; (*subj: clothes, dress*) sich anschmiegen *+dat*.

clingfilm ['klɪŋfɪlm] *n* Frischhaltefolie *f*.

clinic ['klɪnɪk] *n* Klinik *f*; (*session*) Sprechstunde *f*; (: *SPORT*) Trainingstunde *f*.

clinical ['klɪnɪkl] *adj* klinisch; (*fig*) nüchtern, kühl; (: *building, room*) steril.

clink [klɪŋk] *vi* klirren.

clip [klɪp] *n* (*also*: **paper ~**) Büroklammer *f*; (*BRIT: also:* **bulldog ~**) Klammer *f*; (*holding wire, hose etc*) Klemme *f*; (*for hair*) Spange *f*; (*TV, CINE*) Ausschnitt *m* ♦ *vt* festklemmen; (*also*: **~ together**) zusammenheften; (*cut*) schneiden.

clippers ['klɪpəz] *npl* (*for gardening*) Schere *f*; (*also*: **nail ~**) Nagelzange *f*.

clipping ['klɪpɪŋ] *n* (*from newspaper*) Ausschnitt *m*.

clique [kli:k] *n* Clique *f*, Gruppe *f*.

clitoris ['klɪtərɪs] *n* Klitoris *f*.

cloak [kləuk] *n* Umhang *m* ♦ *vt* (*fig*) hüllen.

cloakroom ['kləukrum] *n* Garderobe *f*; (*BRIT: WC*) Toilette *f*.

clobber ['klɔbə*] (*inf*) *n* Klamotten *pl* ♦ *vt* (*hit*) hauen, schlagen; (*defeat*) in die Pfanne hauen.

clock [klɔk] *n* Uhr *f*; **round the ~** rund um die Uhr; **30,000 on the ~** (*BRIT: AUT*) ein Tachostand von 30.000; **to work against the**

~ gegen die Uhr arbeiten.
▸**clock in** (*BRIT*) *vi* (den Arbeitsbeginn) stempeln *or* stechen.
▸**clock off** (*BRIT*) *vi* (das Arbeitsende) stempeln *or* stechen.
▸**clock on** (*BRIT*) *vi* = **clock in.**
▸**clock out** (*BRIT*) *vi* = **clock off.**
▸**clock up** *vt* (*miles*) fahren; (*hours*) arbeiten.
clockwise ['klɔkwaɪz] *adv* im Uhrzeigersinn.
clockwork ['klɔkwəːk] *n* Uhrwerk *nt* ♦ *adj* aufziehbar, zum Aufziehen; **like** ~ wie am Schnürchen.
clog [klɔg] *n* Clog *m*; (*wooden*) Holzschuh *m* ♦ *vt* verstopfen ♦ *vi* (*also*: ~ **up**) verstopfen.
cloister ['klɔɪstə*] *n* Kreuzgang *m*.
clone [kləun] *n* Klon *m*.
close¹ [kləus] *adj* (*writing, friend, contact*) eng; (*texture*) dicht, fest; (*relative*) nahe; (*examination*) genau, gründlich; (*watch*) streng, scharf; (*contest*) knapp; (*weather*) schwül; (*room*) stickig ♦ *adv* nahe; ~ **(to)** nahe (+*gen*); ~ **to** in der Nähe +*gen*; ~ **by,** ~ **at hand** in der Nähe; **how** ~ **is Edinburgh to Glasgow?** wie weit ist Edinburgh von Glasgow entfernt?; **a** ~ **friend** ein guter *or* enger Freund; **to have a** ~ **shave** (*fig*) gerade noch davonkommen; **at** ~ **quarters** aus der Nähe.
close² [kləuz] *vt* schließen, zumachen; (*sale, deal, case*) abschließen; (*speech*) schließen, beenden ♦ *vi* schließen, zumachen; (*door, lid*) sich schließen, zugehen; (*end*) aufhören ♦ *n* Ende *nt*, Schluß *m*; **to bring sth to a** ~ etw beenden.
▸**close down** *vi* (*factory*) stillgelegt werden; (*magazine etc*) eingestellt werden.
▸**close in** *vi* (*night*) hereinbrechen; (*fog*) sich verdichten; **to** ~ **in on sb/sth** jdm/etw auf den Leib rücken; **the days are closing in** die Tage werden kürzer.
▸**close off** *vt* (*area*) abriegeln; (*road*) sperren.
closed [kləuzd] *adj* geschlossen; (*road*) gesperrt.
closed-circuit television *n* Fernsehüberwachungsanlage *f*.
closed shop *n* Betrieb *m* mit Gewerkschaftszwang.
close-knit ['kləus'nɪt] *adj* eng zusammengewachsen.
closely ['kləuslɪ] *adv* (*examine, watch*) genau; (*connected*) eng; **we are** ~ **related** wir sind nah verwandt; **a** ~ **guarded secret** ein streng gehütetes Geheimnis.
close season ['kləus-] *n* Schonzeit *f*; (*SPORT*) Sommerpause *f*.
closet ['klɔzɪt] *n* Wandschrank *m*.
close-up ['kləusʌp] *n* Nahaufnahme *f*.
closing ['kləuzɪŋ] *adj* (*stages*) Schluß-; (*remarks*) abschließend.
closing price *n* (*STOCK EXCHANGE*) Schlußkurs *m*, Schlußnotierung *f*.
closing time (*BRIT*) *n* (*in pub*) Polizeistunde *f*, Sperrstunde *f*.
closure ['kləuʒə*] *n* (*of factory*) Stillegung *f*; (*of magazine*) Einstellung *f*; (*of road*) Sperrung *f*; (*of border*) Schließung *f*.
clot [klɔt] *n* (*blood clot*) (Blut)gerinnsel *nt*; (*inf: idiot*) Trottel *m* ♦ *vi* gerinnen; (*external bleeding*) zum Stillstand kommen.
cloth [klɔθ] *n* (*material*) Stoff *m*, Tuch *nt*; (*rag*) Lappen *m*; (*BRIT: also:* **teacloth**) (Spül)tuch *nt*; (*also*: **tablecloth**) Tischtuch *nt*, Tischdecke *f*.
clothe [kləuð] *vt* anziehen, kleiden.
clothes [kləuðz] *npl* Kleidung *f*, Kleider *pl*; **to put one's** ~ **on** sich anziehen; **to take one's** ~ **off** sich ausziehen.
clothes brush *n* Kleiderbürste *f*.
clothesline ['kləuðzlaɪn] *n* Wäscheleine *f*.
clothes peg, (*US*) **clothes pin** *n* Wäscheklammer *f*.
clothing ['kləuðɪŋ] *n* = **clothes.**
clotted cream ['klɔtɪd-] (*BRIT*) *n* *Sahne aus erhitzter Milch*.
cloud [klaud] *n* Wolke *f* ♦ *vt* trüben; **every** ~ **has a silver lining** (*proverb*) auf Regen folgt Sonnenschein; **to** ~ **the issue** es unnötig kompliziert machen; (*deliberately*) die Angelegenheit verschleiern.
▸**cloud over** *vi* (*sky*) sich bewölken, sich bedecken; (*face, eyes*) sich verfinstern.
cloudburst ['klaudbəːst] *n* Wolkenbruch *m*.
cloud-cuckoo-land [klaud'kukuːlænd] (*BRIT*) *n* Wolkenkuckucksheim *nt*.
cloudy ['klaudɪ] *adj* wolkig, bewölkt; (*liquid*) trüb.
clout [klaut] *vt* schlagen, hauen ♦ *n* (*fig*) Schlagkraft *f*.
clove [kləuv] *n* Gewürznelke *f*; ~ **of garlic** Knoblauchzehe *f*.
clover ['kləuvə*] *n* Klee *m*.
cloverleaf ['kləuvəliːf] *n* Kleeblatt *nt*.
clown [klaun] *n* Clown *m* ♦ *vi* (*also*: ~ **about,** ~ **around**) herumblödeln, herumkaspern.
cloying ['klɔɪɪŋ] *adj* süßlich.
club [klʌb] *n* Klub *m*, Verein *m*; (*weapon*) Keule *f*, Knüppel *m*; (*also*: **golf** ~: *object*) Golfschläger *m* ♦ *vt* knüppeln ♦ *vi*: **to** ~ **together** zusammenlegen; **clubs** *npl* (*CARDS*) Kreuz *nt*.
club car (*US*) *n* Speisewagen *m*.
club class *n* Club-Klasse *f*.
clubhouse ['klʌbhaus] *n* Klubhaus *nt*.
club soda (*US*) *n* (*soda water*) Sodawasser *nt*.
cluck [klʌk] *vi* glucken.
clue [kluː] *n* Hinweis *m*, Anhaltspunkt *m*; (*in crossword*) Frage *f*; **I haven't a** ~ ich habe keine Ahnung.
clued-up ['kluːdʌp], (*US*) **clued in** (*inf*) *adj*: **to be** ~ **on sth** über etw *acc* im Bilde sein.
clueless ['kluːlɪs] *adj* ahnungslos, unbedarft.
clump [klʌmp] *n* Gruppe *f*.
clumsy ['klʌmzɪ] *adj* ungeschickt; (*object*) unförmig; (*effort, attempt*) plump.
clung [klʌŋ] *pt, pp of* **cling.**

cluster ['klʌstə*] *n* Gruppe *f* ♦ *vi* (*people*) sich scharen; (*houses*) sich drängen.
clutch [klʌtʃ] *n* Griff *m*; (*AUT*) Kupplung *f* ♦ *vt* (*purse, hand*) umklammern; (*stick*) sich festklammern an *+dat* ♦ *vi*: **to ~ at** sich klammern an *+acc*.
clutter ['klʌtə*] *vt* (*also*: ~ **up**: *room*) vollstopfen; (: *table*) vollstellen ♦ *n* Kram *m* (*inf*).
CM (*US*) *abbr* (*POST*: = *North Mariana Islands*).
cm *abbr* (= *centimetre*) cm.
CNAA (*BRIT*) *n abbr* (= *Council for National Academic Awards*) *Zentralstelle zur Vergabe von Qualifikationsnachweisen*.
CND *n abbr* (= *Campaign for Nuclear Disarmament*) *Organisation für atomare Abrüstung*.
CO *n abbr* = **commanding officer**; (*BRIT*: = *Commonwealth Office*) *Regierungsstelle für Angelegenheiten des Commonwealth* ♦ *abbr* (*US: POST*: = *Colorado*).
Co. *abbr* = **company; county**.
c/o *abbr* (= *care of*) bei, c/o.
coach [kəutʃ] *n* (Reise)bus *m*; (*horse-drawn*) Kutsche *f*; (*of train*) Wagen *m*; (*SPORT*) Trainer *m*; (*SCOL*) Nachhilfelehrer(in) *m(f)* ♦ *vt* trainieren; (*student*) Nachhilfeunterricht geben *+dat*.
coach trip *n* Busfahrt *f*.
coagulate [kəu'ægjuleɪt] *vi* (*blood*) gerinnen; (*paint etc*) eindicken ♦ *vt* (*blood*) gerinnen lassen; (*paint*) dick werden lassen.
coal [kəul] *n* Kohle *f*.
coalface ['kəulfeɪs] *n* Streb *m*.
coalfield ['kəulfiːld] *n* Kohlenrevier *nt*.
coalition [kəuə'lɪʃən] *n* (*POL*) Koalition *f*; (*of pressure groups etc*) Zusammenschluß *m*.
coalman ['kəulmən] (*irreg*: *like* **man**) *n* Kohlenhändler *m*.
coal merchant *n* = **coalman**.
coal mine *n* Kohlenbergwerk *nt*, Zeche *f*.
coal miner *n* Bergmann *m*, Kumpel *m* (*inf*).
coal mining *n* (Kohlen)bergbau *m*.
coarse [kɔːs] *adj* (*texture*) grob; (*vulgar*) gewöhnlich, derb; (*salt, sand etc*) grobkörnig.
coast [kəust] *n* Küste *f* ♦ *vi* (im Leerlauf) fahren.
coastal ['kəustl] *adj* Küsten-.
coaster ['kəustə*] *n* (*NAUT*) Küstenfahrzeug *nt*; (*for glass*) Untersetzer *m*.
coastguard ['kəustgɑːd] *n* (*officer*) Küstenwächter *m*; (*service*) Küstenwacht *f*.
coastline ['kəustlaɪn] *n* Küste *f*.
coat [kəut] *n* Mantel *m*; (*of animal*) Fell *nt*; (*layer*) Schicht *f*; (: *of paint*) Anstrich *m* ♦ *vt* überziehen.
coat hanger *n* Kleiderbügel *m*.
coating ['kəutɪŋ] *n* (*of chocolate etc*) Überzug *m*; (*of dust etc*) Schicht *f*.
coat of arms *n* Wappen *nt*.
coauthor ['kəu'ɔːθə*] *n* Mitautor(in) *m(f)*, Mitverfasser(in) *m(f)*.
coax [kəuks] *vt* (*person*) überreden.
cob [kɔb] *n see* **corn**.
cobbler ['kɔblə*] *n* Schuster *m*.
cobbles ['kɔblz] *npl* Kopfsteinpflaster *nt*.
cobblestones ['kɔblstəunz] *npl* = **cobbles**.
COBOL ['kəubɔl] *n* COBOL *nt*.
cobra ['kəubrə] *n* Kobra *f*.
cobweb ['kɔbwɛb] *n* Spinnennetz *nt*.
cocaine [kə'keɪn] *n* Kokain *nt*.
cock [kɔk] *n* Hahn *m*; (*male bird*) Männchen *nt* ♦ *vt* (*gun*) entsichern; **to ~ one's ears** (*fig*) die Ohren spitzen.
cock-a-hoop [kɔkə'huːp] *adj* ganz aus dem Häuschen.
cockerel ['kɔkərl] *n* junger Hahn *m*.
cock-eyed ['kɔkaɪd] *adj* (*fig*) verrückt, widersinnig.
cockle ['kɔkl] *n* Herzmuschel *f*.
cockney ['kɔknɪ] *n* Cockney *m*, echter Londoner *m*; (*LING*) Cockney *nt*.
cockpit ['kɔkpɪt] *n* Cockpit *nt*.
cockroach ['kɔkrəutʃ] *n* Küchenschabe *f*, Kakerlak *m*.
cocktail ['kɔkteɪl] *n* Cocktail *m*; **fruit ~** Obstsalat *m*; **prawn ~** Krabbencocktail *m*.
cocktail cabinet *n* Hausbar *f*.
cocktail party *n* Cocktailparty *f*.
cocktail shaker [-'ʃeɪkə*] *n* Mixbecher *m*.
cock-up ['kɔkʌp] (*inf!*) *n* Schlamassel *m*.
cocky ['kɔkɪ] *adj* großspurig.
cocoa ['kəukəu] *n* Kakao *m*.
coconut ['kəukənʌt] *n* Kokosnuß *f*.
cocoon [kə'kuːn] *n* Puppe *f*, Kokon *m*; (*fig*) schützende Umgebung *f*.
COD *abbr* (*BRIT*) = **cash on delivery**; (*US*) = **collect on delivery**.
cod [kɔd] *n* Kabeljau *m*.
code [kəud] *n* (*cipher*) Chiffre *f*; (*dialling code*) Vorwahl *f*; (*post code*) Postleitzahl *f*; **~ of behaviour** Sittenkodex *m*; **~ of practice** Verfahrensregeln *pl*.
codeine ['kəudiːn] *n* Kodein *nt*.
codger ['kɔdʒə*] (*inf*) *n*: **old ~** komischer Kauz *m*.
codicil ['kɔdɪsɪl] *n* (*LAW*) Kodizill *nt*.
codify ['kəudɪfaɪ] *vt* kodifizieren.
cod-liver oil ['kɔdlɪvə-] *n* Lebertran *m*.
co-driver ['kəu'draɪvə*] *n* Beifahrer(in) *m(f)*.
co-ed ['kəu'ɛd] (*SCOL*) *adj abbr* = **coeducational** ♦ *n abbr* (*US: female pupil/student*) *Schülerin/Studentin an einer gemischten Schule/Universität*; (*BRIT: school*) gemischte Schule *f*.
coeducational ['kəuɛdju'keɪʃənl] *adj* (*school*) Koedukations-, gemischt.
coerce [kəu'əːs] *vt* zwingen.
coercion [kəu'əːʃən] *n* Zwang *m*.
coexistence ['kəuɪg'zɪstəns] *n* Koexistenz *f*.
C of C *n abbr* = **chamber of commerce**.
C of E *abbr* = **Church of England**.
coffee ['kɔfɪ] *n* Kaffee *m*; **black ~** schwarzer

Kaffee *m*; **white** ~ Kaffee mit Milch; ~ **with cream** Kaffee mit Sahne.
coffee bar (*BRIT*) *n* Café *nt*.
coffee bean *n* Kaffeebohne *f*.
coffee break *n* Kaffeepause *f*.
coffee cake (*US*) *n* Kuchen *m* zum Kaffee.
coffee cup *n* Kaffeetasse *f*.
coffeepot ['kɔfɪpɔt] *n* Kaffeekanne *f*.
coffee table *n* Couchtisch *m*.
coffin ['kɔfɪn] *n* Sarg *m*.
C of I *abbr* (= *Church of Ireland*) *anglikanische Kirche Irlands.*
C of S *abbr* (= *Church of Scotland*) *presbyterianische Kirche in Schottland.*
cog [kɔg] *n* (*wheel*) Zahnrad *nt*; (*tooth*) Zahn *m*.
cogent ['kəudʒənt] *adj* stichhaltig, zwingend.
cognac ['kɔnjæk] *n* Kognak *m*.
cogwheel ['kɔgwiːl] *n* Zahnrad *nt*.
cohabit [kəu'hæbɪt] *vi* (*formal*) in eheähnlicher Gemeinschaft leben; **to** ~ **(with sb)** (mit jdm) zusammenleben.
coherent [kəu'hɪərənt] *adj* (*speech*) zusammenhängend; (*answer, theory*) schlüssig; (*person*) bei klarem Verstand.
cohesion [kəu'hiːʒən] *n* Geschlossenheit *f*.
cohesive [kə'hiːsɪv] *adj* geschlossen.
COI (*BRIT*) *n abbr* (= *Central Office of Information*) *regierungsamtliche Informationsstelle.*
coil [kɔɪl] *n* Rolle *f*; (*one loop*) Windung *f*; (*of smoke*) Kringel *m*; (*AUT, ELEC*) Spule *f*; (*contraceptive*) Spirale *f* ♦ *vt* aufrollen, aufwickeln.
coin [kɔɪn] *n* Münze *f* ♦ *vt* prägen.
coinage ['kɔɪnɪdʒ] *n* Münzen *pl*; (*LING*) Prägung *f*.
coin box (*BRIT*) *n* Münzfernsprecher *m*.
coincide [kəuɪn'saɪd] *vi* (*events*) zusammenfallen; (*ideas, views*) übereinstimmen.
coincidence [kəu'ɪnsɪdəns] *n* Zufall *m*.
coin-operated ['kɔɪn'ɔpəreɪtɪd] *adj* Münz-.
Coke ® [kəuk] *n* Coca-Cola ® *nt or f*, Coke ® *nt*.
coke [kəuk] *n* Koks *m*.
Col. *abbr* = **colonel.**
COLA (*US*) *n abbr* (= *cost-of-living adjustment*) *Anpassung der Löhne und Gehälter an steigende Lebenshaltungskosten.*
colander ['kɔləndə*] *n* Durchschlag *m*.
cold [kəuld] *adj* kalt; (*unemotional*) kalt, kühl ♦ *n* Kälte *f*; (*MED*) Erkältung *f*; **it's** ~ es ist kalt; **to be/feel** ~ (*person*) frieren; (*object*) kalt sein; **in** ~ **blood** kaltblütig; **to have** ~ **feet** (*fig*) kalte Füße bekommen; **to give sb the** ~ **shoulder** jdm die kalte Schulter zeigen; **to catch** ~, **to catch a** ~ sich erkälten.
cold-blooded ['kəuld'blʌdɪd] *adj* kaltblütig.
cold cream *n* (halbfette) Feuchtigkeitscreme *f*.
coldly ['kəuldlɪ] *adv* kalt, kühl.
cold-shoulder [kəuld'ʃəuldə*] *vt* die kalte Schulter zeigen *+dat*.
cold sore *n* Bläschenausschlag *m*.
cold sweat *n*: **to come out in a** ~ **(about sth)** (wegen etw) in kalten Schweiß ausbrechen.
cold turkey *n*: **to do** ~ Totalentzug machen.
Cold War *n*: **the** ~ der kalte Krieg.
coleslaw ['kəulslɔː] *n* Krautsalat *m*.
colic ['kɔlɪk] *n* Kolik *f*.
colicky ['kɔlɪkɪ] *adj*: **to be** ~ Kolik *f or* Leibschmerzen *pl* haben.
collaborate [kə'læbəreɪt] *vi* zusammenarbeiten; (*with enemy*) kollaborieren.
collaboration [kəlæbə'reɪʃən] *n* (*see vb*) Zusammenarbeit *f*; Kollaboration *f*.
collaborator [kə'læbəreɪtə*] *n* (*see vb*) Mitarbeiter(in) *m(f)*; Kollaborateur(in) *m(f)*.
collage [kɔ'lɑːʒ] *n* Collage *f*.
collagen ['kɔlədʒən] *n* Kollagen *nt*.
collapse [kə'læps] *vi* zusammenbrechen; (*building*) einstürzen; (*plans*) scheitern; (*government*) stürzen ♦ *n* (*see vb*) Zusammenbruch *m*; Einsturz *m*; Scheitern *nt*; Sturz *m*.
collapsible [kə'læpsəbl] *adj* Klapp-, zusammenklappbar.
collar ['kɔlə*] *n* Kragen *m*; (*of dog, cat*) Halsband *nt*; (*TECH*) Bund *m* ♦ *vt* (*inf*) schnappen.
collarbone ['kɔləbəun] *n* Schlüsselbein *nt*.
collate [kɔ'leɪt] *vt* vergleichen.
collateral [kə'lætərl] *n* (*COMM*) (zusätzliche) Sicherheit *f*.
collateral damage *n* (*MIL*) Schäden *pl* in Wohngebieten; (: *casualties*) Opfer *pl* unter der Zivilbevölkerung.
collation [kə'leɪʃən] *n* Vergleich *m*; (*CULIN*): **a cold** ~ ein kalter Imbiß *m*.
colleague ['kɔliːg] *n* Kollege *m*, Kollegin *f*.
collect [kə'lɛkt] *vt* sammeln; (*mail, BRIT: fetch*) abholen; (*debts*) eintreiben; (*taxes*) einziehen ♦ *vi* sich ansammeln ♦ *adv* (*US: TEL*): **to call** ~ ein R-Gespräch führen; **to** ~ **one's thoughts** seine Gedanken ordnen, sich sammeln; ~ **on delivery** (*US: COMM*) per Nachnahme.
collected [kə'lɛktɪd] *adj*: ~ **works** gesammelte Werke *pl*.
collection [kə'lɛkʃən] *n* Sammlung *f*; (*from place, person, of mail*) Abholung *f*; (*in church*) Kollekte *f*.
collective [kə'lɛktɪv] *adj* kollektiv, gemeinsam ♦ *n* Kollektiv *nt*; ~ **farm** landwirtschaftliche Produktionsgenossenschaft *f*.
collective bargaining *n* Tarifverhandlungen *pl*.
collector [kə'lɛktə*] *n* Sammler(in) *m(f)*; (*of taxes etc*) Einnehmer(in) *m(f)*; (*of rent, cash*) Kassierer(in) *m(f)*; **~'s item** *or* **piece** Sammlerstück *nt*, Liebhaberstück *nt*.
college ['kɔlɪdʒ] *n* College *nt*; (*of agriculture, technology*) Fachhochschule *f*; **to go to** ~

studieren; ~ **of education** Pädagogische Hochschule *f.*

collide [kə'laɪd] *vi:* **to ~ (with)** zusammenstoßen (mit); (*fig: clash*) eine heftige Auseinandersetzung haben (mit).

collie ['kɔlɪ] *n* Collie *m.*

colliery ['kɔlɪərɪ] (*BRIT*) *n* (Kohlen)bergwerk *nt*, Zeche *f.*

collision [kə'lɪʒən] *n* Zusammenstoß *m*; **to be on a ~ course** (*also fig*) auf Kollisionskurs sein.

collision damage waiver *n* (*INSURANCE*) *Verzicht auf Haftungsbeschränkung bei Unfällen mit Mietwagen.*

colloquial [kə'ləukwɪəl] *adj* umgangssprachlich.

collusion [kə'lu:ʒən] *n* (geheime) Absprache *f*; **to be in ~ with** gemeinsame Sache machen mit.

Colo. (*US*) *abbr* (*POST:* = *Colorado*).

Cologne [kə'ləun] *n* Köln *nt.*

cologne [kə'ləun] *n* (*also*: **eau de ~**) Kölnischwasser *nt*, Eau de Cologne *nt.*

Colombia [kə'lɔmbɪə] *n* Kolumbien *nt.*

Colombian [kə'lɔmbɪən] *adj* kolumbianisch ♦ *n* Kolumbianer(in) *m(f).*

colon ['kəulən] *n* Doppelpunkt *m*; (*ANAT*) Dickdarm *m.*

colonel ['kə:nl] *n* Oberst *m.*

colonial [kə'ləunɪəl] *adj* Kolonial-.

colonize ['kɔlənaɪz] *vt* kolonisieren.

colony ['kɔlənɪ] *n* Kolonie *f.*

color *etc* ['kʌlə*] (*US*) = **colour** *etc.*

Colorado beetle [kɔlə'rɑ:dəu-] *n* Kartoffelkäfer *m.*

colossal [kə'lɔsl] *adj* riesig, kolossal.

colour, (*US*) **color** ['kʌlə*] *n* Farbe *f*; (*skin colour*) Hautfarbe *f*; (*of spectacle etc*) Atmosphäre *f* ♦ *vt* bemalen; (*with crayons*) ausmalen; (*dye*) färben; (*fig*) beeinflussen ♦ *vi* (*blush*) erröten, rot werden ♦ *cpd* Farb-; **colours** *npl* (*of party, club etc*) Farben *pl*; **in ~** (*film*) in Farbe; (*illustrations*) bunt.

►**colour in** *vt* ausmalen.

colour bar *n* Rassenschranke *f.*

colour-blind ['kʌləblaɪnd] *adj* farbenblind.

coloured ['kʌləd] *adj* farbig; (*photo*) Farb-; (*illustration etc*) bunt.

colour film *n* Farbfilm *m.*

colourful ['kʌləful] *adj* bunt; (*account, story*) farbig, anschaulich; (*personality*) schillernd.

colouring ['kʌlərɪŋ] *n* Gesichtsfarbe *f*, Teint *m*; (*in food*) Farbstoff *m.*

colour scheme *n* Farbzusammenstellung *f.*

colour supplement (*BRIT*) *n* Farbbeilage *f*, Magazin *nt.*

colour television *n* Farbfernsehen *nt*; (*set*) Farbfernseher *m.*

colt [kəult] *n* Hengstfohlen *nt.*

column ['kɔləm] *n* Säule *f*; (*of people*) Kolonne *f*; (*of print*) Spalte *f*; (*gossip/sports column*) Kolumne *f*; **the editorial ~** der Leitartikel.

columnist ['kɔləmnɪst] *n* Kolumnist(in) *m(f).*

coma ['kəumə] *n* Koma *nt*; **to be in a ~** im Koma liegen.

comb [kəum] *n* Kamm *m* ♦ *vt* kämmen; (*area*) durchkämmen.

combat ['kɔmbæt] *n* Kampf *m* ♦ *vt* bekämpfen.

combination [kɔmbɪ'neɪʃən] *n* Kombination *f.*

combination lock *n* Kombinationsschloß *nt.*

combine [*vti* kəm'baɪn, *n* 'kɔmbaɪn] *vt* verbinden ♦ *vi* sich zusammenschließen; (*CHEM*) sich verbinden ♦ *n* Konzern *m*; (*AGR*) = **combine harvester**; **~d effort** vereintes Unternehmen.

combine harvester *n* Mähdrescher *m.*

combo ['kɔmbəu] *n* Combo *f.*

combustible [kəm'bʌstɪbl] *adj* brennbar.

combustion [kəm'bʌstʃən] *n* Verbrennung *f.*

KEYWORD

come [kʌm] (*pt* **came,** *pp* **come**) *vi* **1** (*movement towards*) kommen; **~ with me** kommen Sie mit mir; **to ~ running** angelaufen kommen; **coming!** ich komme!

2 (*arrive*) kommen; **they came to a river** sie kamen an einen Fluß; **to ~ home** nach Hause kommen

3 (*reach*): **to ~ to** kommen an *+acc*; **her hair came to her waist** ihr Haar reichte ihr bis zur Hüfte; **to ~ to a decision** zu einer Entscheidung kommen

4 (*occur*): **an idea came to me** mir kam eine Idee

5 (*be, become*) werden; **I've ~ to like him** mittlerweile mag ich ihn; **if it ~s to it** wenn es darauf ankommt

►**come about** *vi* geschehen.

►**come across** *vt fus* (*find: person, thing*) stoßen auf *+acc* ♦ *vi:* **to ~ across well/badly** (*idea etc*) gut/schlecht ankommen; (*meaning*) gut/schlecht verstanden werden.

►**come along** *vi* (*arrive*) daherkommen; (*make progress*) vorankommen; **~ along!** komm schon!

►**come apart** *vi* (*break in pieces*) auseinandergehen.

►**come away** *vi* (*leave*) weggehen; (*become detached*) abgehen.

►**come back** *vi* (*return*) zurückkommen;: **to ~ back into fashion** wieder in Mode kommen.

►**come by** *vt fus* (*acquire*) kommen zu.

►**come down** *vi* (*price*) sinken, fallen; (*building: be demolished*) abgerissen werden; (*tree: during storm*) umstürzen.

►**come forward** *vi* (*volunteer*) sich melden.

►**come from** *vt fus* kommen von, stammen aus; (*person*) kommen aus.

►**come in** *vi* (*enter*) hereinkommen; (*report, news*) eintreffen; (*on deal etc*) sich beteiligen; **~ in!** herein!

►**come in for** *vt fus* (*criticism etc*) einstecken müssen.

▶**come into** *vt fus* (*inherit: money*) erben; **to ~ into fashion** in Mode kommen; **money doesn't ~ into it** Geld hat nichts damit zu tun.
▶**come off** *vi* (*become detached: button, handle*) sich lösen; (*succeed: attempt, plan*) klappen ♦ *vt fus* (*inf*): **~ off it!** mach mal halblang!
▶**come on** *vi* (*pupil, work, project*) vorankommen; (*lights etc*) angehen; **~ on!** (*hurry up*) mach schon!; (*giving encouragement*) los!
▶**come out** *vi* herauskommen; (*stain*) herausgehen; **to ~ out (on strike)** in den Streik treten.
▶**come over** *vt fus*: **I don't know what's ~ over him!** ich weiß nicht, was in ihn gefahren ist.
▶**come round** *vi* (*after faint, operation*) wieder zu sich kommen; (*visit*) vorbeikommen; (*agree*) zustimmen.
▶**come through** *vi* (*survive*) durchkommen; (*telephone call*) (durch)kommen ♦ *vt fus* (*illness etc*) überstehen.
▶**come to** *vi* (*regain consciousness*) wieder zu sich kommen ♦ *vt fus* (*add up to*): **how much does it ~ to?** was macht das zusammen?
▶**come under** *vt fus* (*heading*) kommen unter *+acc*; (*criticism, pressure, attack*) geraten unter *+acc*.
▶**come up** *vi* (*approach*) herankommen; (*sun*) aufgehen; (*problem*) auftauchen; (*event*) bevorstehen; (*in conversation*) genannt werden; **something's come up** etwas ist dazwischengekommen.
▶**come up against** *vt fus* (*resistance, difficulties*) stoßen auf *+acc*.
▶**come upon** *vt fus* (*find*) stoßen auf *+acc*.
▶**come up to** *vt fus*: **the film didn't come up to our expectations** der Film entsprach nicht unseren Erwartungen; **it's coming up to 10 o'clock** es ist gleich 10 Uhr.
▶**come up with** *vt fus* (*idea*) aufwarten mit; (*money*) aufbringen.

comeback ['kʌmbæk] *n* (*of film star etc*) Comeback *nt*; (*reaction, response*) Reaktion *f*.
Comecon ['kɔmɪkɔn] *n abbr* (= *Council for Mutual Economic Assistance*) Comecon *m*.
comedian [kə'mi:dɪən] *n* Komiker *m*.
comedienne [kəmi:dɪ'ɛn] *n* Komikerin *f*.
comedown ['kʌmdaun] (*inf*) *n* Enttäuschung *f*; (*professional*) Abstieg *m*.
comedy ['kɔmɪdɪ] *n* Komödie *f*; (*humour*) Witz *m*.
comet ['kɔmɪt] *n* Komet *m*.
comeuppance [kʌm'ʌpəns] *n*: **to get one's ~** die Quittung bekommen.
comfort ['kʌmfət] *n* (*physical*) Behaglichkeit *f*; (*material*) Komfort *m*; (*solace, relief*) Trost *m* ♦ *vt* trösten; **comforts** *npl* (*of home etc*) Komfort *m*, Annehmlichkeiten *pl*.
comfortable ['kʌmfətəbl] *adj* bequem; (*room*) komfortabel; (*walk, climb etc*) geruhsam; (*income*) ausreichend; (*majority*) sicher; **to be ~** (*physically*) sich wohl fühlen; (*financially*) sehr angenehm leben; **the patient is ~** dem Patienten geht es den Umständen entsprechend gut; **I don't feel very ~ about it** mir ist nicht ganz wohl bei der Sache.
comfortably ['kʌmfətəblɪ] *adv* (*sit*) bequem; (*live*) angenehm.
comforter ['kʌmfətə*] (*US*) *n* Schnuller *m*.
comfort station (*US*) *n* öffentliche Toilette *f*.
comic ['kɔmɪk] *adj* (*also*: **~al**) komisch ♦ *n* Komiker(in) *m(f)*; (*BRIT: magazine*) Comicheft *nt*.
comical ['kɔmɪkl] *adj* komisch.
comic strip *n* Comic strip *m*.
coming ['kʌmɪŋ] *n* Ankunft *f*, Kommen *nt* ♦ *adj* kommend; (*next*) nächste(r, s); **in the ~ weeks** in den nächsten Wochen.
coming(s) and going(s) *n(pl)* Kommen und Gehen *nt*.
Comintern ['kɔmɪntə:n] *n* (*POL*) Komintern *f*.
comma ['kɔmə] *n* Komma *nt*.
command [kə'ma:nd] *n* (*also COMPUT*) Befehl *m*; (*control, charge*) Führung *f*; (*MIL: authority*) Kommando *nt*, Befehlsgewalt *f*; (*mastery*) Beherrschung *f* ♦ *vt* (*troops*) befehligen, kommandieren; (*be able to get*) verfügen über *+acc*; (*deserve: respect, admiration etc*) verdient haben; **to be in ~ of** das Kommando *or* den (Ober)befehl haben über *+acc*; **to have ~ of** das Kommando haben über *+acc*; **to take ~ of** das Kommando übernehmen *+gen*; **to have at one's ~** verfügen über *+acc*; **to ~ sb to do sth** jdm befehlen, etw zu tun.
commandant ['kɔməndænt] *n* Kommandant *m*.
command economy *n* Kommandowirtschaft *f*.
commandeer [kɔmən'dɪə*] *vt* requirieren, beschlagnahmen; (*fig*) sich aneignen.
commander [kə'ma:ndə*] *n* Befehlshaber *m*, Kommandant *m*.
commander in chief *n* Oberbefehlshaber *m*.
commanding [kə'ma:ndɪŋ] *adj* (*appearance*) imposant; (*voice, tone*) gebieterisch; (*lead*) entscheidend; (*position*) vorherrschend.
commanding officer *n* befehlshabender Offizier *m*.
commandment [kə'ma:ndmənt] *n* Gebot *nt*.
command module *n* Kommandokapsel *f*.
commando [kə'ma:ndəu] *n* Kommando *nt*, Kommandotrupp *m*; (*soldier*) Angehörige(r) *m* eines Kommando(trupp)s.
commemorate [kə'mɛməreɪt] *vt* gedenken *+gen*.
commemoration [kəmɛmə'reɪʃən] *n* Gedenken *nt*.
commemorative [kə'mɛmərətɪv] *adj* Gedenk-.

commence [kə'mɛns] *vt, vi* beginnen.
commend [kə'mɛnd] *vt* loben; **to ~ sth to sb** jdm etw empfehlen.
commendable [kə'mɛndəbl] *adj* lobenswert.
commendation [kɔmɛn'deɪʃən] *n* Auszeichnung *f*.
commensurate [kə'mɛnʃərɪt] *adj*: **~ with** *or* **to** entsprechend *+dat*.
comment ['kɔmɛnt] *n* Bemerkung *f*; (*on situation etc*) Kommentar *m* ♦ *vi*: **to ~ (on)** sich äußern (über *+acc or* zu); (*on situation etc*) einen Kommentar abgeben (zu); **"no ~"** „kein Kommentar!"; **to ~ that ...** bemerken, daß ...
commentary ['kɔməntərɪ] *n* Kommentar *m*; (*SPORT*) Reportage *f*.
commentator ['kɔmənteɪtə*] *n* Kommentator(in) *m(f)*; (*SPORT*) Reporter(in) *m(f)*.
commerce ['kɔmə:s] *n* Handel *m*.
commercial [kə'mə:ʃəl] *adj* kommerziell; (*organization*) Wirtschafts- ♦ *n* (*advertisement*) Werbespot *m*.
commercial bank *n* Handelsbank *f*.
commercial break *n* Werbung *f*.
commercial college *n* Fachschule *f* für kaufmännische Berufe.
commercialism [kə'mə:ʃəlɪzəm] *n* Kommerzialisierung *f*.
commercialize [kə'mə:ʃəlaɪz] *vt* kommerzialisieren.
commercialized [kə'mə:ʃəlaɪzd] (*pej*) *adj* kommerzialisiert.
commercial radio *n* kommerzielles Radio *nt*.
commercial television *n* kommerzielles Fernsehen *nt*.
commercial traveller *n* Handelsvertreter(in) *m(f)*.
commercial vehicle *n* Lieferwagen *m*.
commiserate [kə'mɪzəreɪt] *vi*: **to ~ with sb** jdm sein Mitgefühl zeigen.
commission [kə'mɪʃən] *n* (*order for work*) Auftrag *m*; (*COMM*) Provision *f*; (*committee*) Kommission *f*; (*MIL*) Offizierspatent *nt* ♦ *vt* (*work of art*) in Auftrag geben; (*MIL*) (zum Offizier) ernennen; **out of ~** außer Betrieb; (*NAUT*) nicht im Dienst; **I get 10% ~** ich bekomme 10% Provision; **~ of inquiry** Untersuchungsausschuß *m*, Untersuchungskommission *f*; **to ~ sb to do sth** jdn damit beauftragen, etw zu tun; **to ~ sth from sb** jdm etw in Auftrag geben.
commissionaire [kəmɪʃə'nɛə*] (*BRIT*) *n* Portier *m*.
commissioner [kə'mɪʃənə*] *n* Polizeipräsident *m*.
commit [kə'mɪt] *vt* (*crime*) begehen; (*money, resources*) einsetzen; (*to sb's care*) anvertrauen; **to ~ o.s.** sich festlegen; **to ~ o.s. to do sth** sich (dazu) verpflichten, etw zu tun; **to ~ suicide** Selbstmord begehen; **to ~ to writing** zu Papier bringen; **to ~ sb for trial** jdn einem Gericht überstellen.
commitment [kə'mɪtmənt] *n* Verpflichtung *f*; (*to ideology, system*) Engagement *nt*.
committed [kə'mɪtɪd] *adj* engagiert.
committee [kə'mɪtɪ] *n* Ausschuß *m*, Komitee *nt*; **to be on a ~** in einem Ausschuß *or* Komitee sein *or* sitzen.
committee meeting *n* Ausschußsitzung *f*.
commodity [kə'mɔdɪtɪ] *n* Ware *f*; (*food*) Nahrungsmittel *nt*.
common ['kɔmən] *adj* (*shared by all*) gemeinsam; (*good*) Gemein-; (*property*) Gemeinschafts-; (*usual, ordinary*) häufig; (*vulgar*) gewöhnlich ♦ *n* Gemeindeland *nt*; **the Commons** (*BRIT: POL*) *npl* das Unterhaus; **in ~ use** allgemein gebräuchlich; **it's ~ knowledge that** es ist allgemein bekannt, daß; **to the ~ good** für das Gemeinwohl; **to have sth in ~ (with sb)** etw (mit jdm) gemein haben.
common cold *n* Schnupfen *m*.
common denominator *n* (*MATH, fig*) gemeinsamer Nenner *m*.
commoner ['kɔmənə*] *n* Bürgerliche(r) *f(m)*.
common ground *n* (*fig*) gemeinsame Basis *f*.
common land *n* Gemeindeland *nt*.
common law *n* Gewohnheitsrecht *nt*.
common-law ['kɔmənlɔ:] *adj*: **she is his ~ wife** sie lebt mit ihm in eheähnlicher Gemeinschaft.
commonly ['kɔmənlɪ] *adv* häufig.
Common Market *n*: **the ~** der Gemeinsame Markt.
commonplace ['kɔmənpleɪs] *adj* alltäglich.
common room *n* Aufenthaltsraum *m*, Tagesraum *m*.
common sense *n* gesunder Menschenverstand *m*.
Commonwealth ['kɔmənwɛlθ] (*BRIT*) *n*: **the ~** das Commonwealth.

Das **Commonwealth**, *offiziell Commonwealth of Nations, ist ein lockerer Zusammenschluß aus souveränen Staaten, die früher unter britischer Regierung standen, und von Großbritannien abhängigen Gebieten. Die Mitgliedsstaaten erkennen den britischen Monarchen als Oberhaupt des Commonwealth an. Bei der Commonwealth Conference, einem Treffen der Staatsoberhäupter der Commonwealthländer, werden Angelegenheiten von gemeinsamem Interesse diskutiert.*

commotion [kə'məuʃən] *n* Tumult *m*.
communal ['kɔmju:nl] *adj* gemeinsam, Gemeinschafts-; (*life*) Gemeinschafts-.
commune [*n* 'kɔmju:n, *vi* kə'mju:n] *n* Kommune *f* ♦ *vi*: **to ~ with** Zwiesprache halten mit.
communicate [kə'mju:nɪkeɪt] *vt* mitteilen;

(*idea, feeling*) vermitteln ♦ *vi:* **to ~ (with)** (*by speech, gesture*) sich verständigen (mit); (*in writing*) in Verbindung *or* Kontakt stehen (mit).

communication [kəmjuːnɪ'keɪʃən] *n* Kommunikation *f*; (*letter, call*) Mitteilung *f*.

communication cord (*BRIT*) *n* Notbremse *f*.

communications network [kəmjuːnɪ'keɪʃənz-] *n* Kommunikationsnetz *nt*.

communications satellite *n* Kommunikationssatellit *m*, Nachrichtensatellit *m*.

communicative [kə'mjuːnɪkətɪv] *adj* gesprächig, mitteilsam.

communion [kə'mjuːnɪən] *n* (*also*: **Holy C~**: *Catholic*) Kommunion *f*; (: *Protestant*) Abendmahl *nt*.

communiqué [kə'mjuːnɪkeɪ] *n* Kommuniqué *nt*, (amtliche) Verlautbarung *f*.

communism ['kɔmjunɪzəm] *n* Kommunismus *m*.

communist ['kɔmjunɪst] *adj* kommunistisch ♦ *n* Kommunist(in) *m(f)*.

community [kə'mjuːnɪtɪ] *n* Gemeinschaft *f*; (*within larger group*) Bevölkerungsgruppe *f*.

community centre *n* Gemeindezentrum *nt*.

community charge (*BRIT*) *n* (*formerly*) Gemeindesteuer *f*.

community chest (*US*) *n* Wohltätigkeitsfonds *m*, Hilfsfonds *m*.

community health centre *n* Gemeinde-Ärztezentrum *nt*.

community home (*BRIT*) *n* Erziehungsheim *nt*.

community service *n* Sozialdienst *m*.

community spirit *n* Gemeinschaftssinn *m*.

commutation ticket [kɔmju'teɪʃən-] (*US*) *n* Zeitkarte *f*.

commute [kə'mjuːt] *vi* pendeln ♦ *vt* (*LAW, MATH*) umwandeln.

commuter [kə'mjuːtə*] *n* Pendler(in) *m(f)*.

compact [*adj* kəm'pækt, *n* 'kɔmpækt] *adj* kompakt ♦ *n* (*also*: **powder ~**) Puderdose *f*.

compact disc *n* Compact Disk *f*, CD *f*.

compact disc player *n* CD-Spieler *m*.

companion [kəm'pænjən] *n* Begleiter(in) *m(f)*.

companionship [kəm'pænjənʃɪp] *n* Gesellschaft *f*.

companionway [kəm'pænjənweɪ] *n* (*NAUT*) Niedergang *m*.

company ['kʌmpənɪ] *n* Firma *f*; (*THEAT*) (Schauspiel)truppe *f*; (*MIL*) Kompanie *f*; (*companionship*) Gesellschaft *f*; **he's good ~** seine Gesellschaft ist angenehm; **to keep sb ~** jdm Gesellschaft leisten; **to part ~ with** sich trennen von; **Smith and C~** Smith & Co.

company car *n* Firmenwagen *m*.

company director *n* Direktor(in) *m(f)*, Firmenchef(in) *m(f)*.

company secretary (*BRIT*) *n* ≈ Prokurist(in) *m(f)*.

comparable ['kɔmpərəbl] *adj* vergleichbar.

comparative [kəm'pærətɪv] *adj* relativ; (*study, literature*) vergleichend; (*LING*) komparativ.

comparatively [kəm'pærətɪvlɪ] *adv* relativ.

compare [kəm'pɛə*] *vt:* **to ~ (with** *or* **to)** vergleichen (mit) ♦ *vi:* **to ~ (with)** sich vergleichen lassen (mit); **how do the prices ~?** wie lassen sich die Preise vergleichen?; **~d with** *or* **to** im Vergleich zu, verglichen mit.

comparison [kəm'pærɪsn] *n* Vergleich *m*; **in ~ (with)** im Vergleich (zu).

compartment [kəm'pɑːtmənt] *n* (*RAIL*) Abteil *nt*; (*section*) Fach *nt*.

compass ['kʌmpəs] *n* Kompaß *m*; (*fig: scope*) Bereich *m*; **compasses** *npl* (*also*: **pair of ~es**) Zirkel *m*; **within the ~ of** im Rahmen *or* Bereich *+gen*; **beyond the ~ of** über den Rahmen *or* Bereich *+gen* hinaus.

compassion [kəm'pæʃən] *n* Mitgefühl *nt*.

compassionate [kəm'pæʃənɪt] *adj* mitfühlend; **on ~ grounds** aus familiären Gründen.

compassionate leave *n* (*esp MIL*) *Beurlaubung wegen Krankheit oder Trauerfall in der Familie.*

compatibility [kəmpætɪ'bɪlɪtɪ] *n* (*see adj*) Vereinbarkeit *f*; Zueinanderpassen *nt*; Kompatibilität *f*.

compatible [kəm'pætɪbl] *adj* (*ideas etc*) vereinbar; (*people*) zueinander passend; (*COMPUT*) kompatibel.

compel [kəm'pɛl] *vt* zwingen.

compelling [kəm'pɛlɪŋ] *adj* zwingend.

compendium [kəm'pɛndɪəm] *n* Kompendium *nt*.

compensate ['kɔmpənseɪt] *vt* entschädigen ♦ *vi:* **to ~ for** (*loss*) ersetzen; (*disappointment, change etc*) (wieder) ausgleichen.

compensation [kɔmpən'seɪʃən] *n* (*see vb*) Entschädigung *f*; Ersatz *m*; Ausgleich *m*; (*money*) Schaden(s)ersatz *m*.

compère ['kɔmpɛə*] *n* Conférencier *m*.

compete [kəm'piːt] *vi* (*in contest, game*) teilnehmen; (*two theories, statements*) unvereinbar sein; **to ~ (with)** (*companies, rivals*) konkurrieren (mit).

competence ['kɔmpɪtəns] *n* Fähigkeit *f*.

competent ['kɔmpɪtənt] *adj* fähig.

competing [kəm'piːtɪŋ] *adj* konkurrierend.

competition [kɔmpɪ'tɪʃən] *n* Konkurrenz *f*; (*contest*) Wettbewerb *m*; **in ~ with** im Wettbewerb mit.

competitive [kəm'pɛtɪtɪv] *adj* (*industry, society*) wettbewerbsbetont, wettbewerbsorientiert; (*person*) vom Konkurrenzdenken geprägt; (*price, product*) wettbewerbsfähig, konkurrenzfähig; (*sport*) (Wett)kampf-.

competitive examination *n* (*for places*) Auswahlprüfung *f*; (*for prizes*) Wettbewerb *m*.

competitor [kəm'pɛtɪtə*] *n* Konkurrent(in)

m(f); (*participant*) Teilnehmer(in) *m(f)*.
compilation [kɔmpɪ'leɪʃən] *n* Zusammenstellung *f*.
compile [kəm'paɪl] *vt* zusammenstellen; (*book*) verfassen.
complacency [kəm'pleɪsnsɪ] *n* Selbstzufriedenheit *f*, Selbstgefälligkeit *f*.
complacent [kəm'pleɪsnt] *adj* selbstzufrieden, selbstgefällig.
complain [kəm'pleɪn] *vi* (*protest*) sich beschweren; **to ~ (about)** sich beklagen (über *+acc*); **to ~ of** (*headache etc*) klagen über *+acc*.
complaint [kəm'pleɪnt] *n* Klage *f*; (*in shop etc*) Beschwerde *f*; (*illness*) Beschwerden *pl*.
complement ['kɔmplɪmənt] *n* Ergänzung *f*; (*esp ship's crew*) Besatzung *f* ♦ *vt* ergänzen; **to have a full ~ of ...** (*people*) die volle Stärke an ... *dat* haben; (*items*) die volle Zahl an ... *dat* haben.
complementary [kɔmplɪ'mɛntərɪ] *adj* komplementär, einander ergänzend.
complete [kəm'pliːt] *adj* (*total: silence*) vollkommen; (*: change*) völlig; (*: success*) voll; (*whole*) ganz; (*: set*) vollständig; (*: edition*) Gesamt-; (*finished*) fertig ♦ *vt* fertigstellen; (*task*) beenden; (*set, group etc*) vervollständigen; (*fill in*) ausfüllen; **it's a ~ disaster** es ist eine totale Katastrophe.
completely [kəm'pliːtlɪ] *adv* völlig, vollkommen.
completion [kəm'pliːʃən] *n* Fertigstellung *f*; (*of contract*) Abschluß *m*; **to be nearing ~** kurz vor dem Abschluß sein *or* stehen; **on ~ of the contract** bei Vertragsabschluß.
complex ['kɔmplɛks] *adj* kompliziert ♦ *n* Komplex *m*.
complexion [kəm'plɛkʃən] *n* Teint *m*, Gesichtsfarbe *f*; (*of event etc*) Charakter *m*; (*political, religious*) Anschauung *f*; **to put a different ~ on sth** etw in einem anderen Licht erscheinen lassen.
complexity [kəm'plɛksɪtɪ] *n* Kompliziertheit *f*.
compliance [kəm'plaɪəns] *n* Fügsamkeit *f*; (*agreement*) Einverständnis *nt*; **~ with** Einverständnis mit, Zustimmung *f* zu; **in ~ with** gemäß *+dat*.
compliant [kəm'plaɪənt] *adj* gefällig, entgegenkommend.
complicate ['kɔmplɪkeɪt] *vt* komplizieren.
complicated ['kɔmplɪkeɪtɪd] *adj* kompliziert.
complication [kɔmplɪ'keɪʃən] *n* Komplikation *f*.
complicity [kəm'plɪsɪtɪ] *n* Mittäterschaft *f*.
compliment [*n* 'kɔmplɪmənt, *vt* 'kɔmplɪmɛnt] *n* Kompliment *nt* ♦ *vt* ein Kompliment/Komplimente machen; **compliments** *npl* (*regards*) Grüße *pl*; **to pay sb a ~** jdm ein Kompliment machen; **to ~ sb (on sth)** jdm Komplimente (wegen etw) machen; **to ~ sb on doing sth** jdm Komplimente machen, daß er/sie etw getan hat.
complimentary [kɔmplɪ'mɛntərɪ] *adj* schmeichelhaft; (*ticket, copy of book etc*) Frei-.
compliments slip *n* Empfehlungszettel *m*.
comply [kəm'plaɪ] *vi*: **to ~ with** (*law*) einhalten *+acc*; (*ruling*) sich richten nach.
component [kəm'pəunənt] *adj* einzeln ♦ *n* Bestandteil *m*.
compose [kəm'pəuz] *vt* (*music*) komponieren; (*poem*) verfassen; (*letter*) abfassen; **to be ~d of** bestehen aus; **to ~ o.s.** sich sammeln.
composed [kəm'pəuzd] *adj* ruhig, gelassen.
composer [kəm'pəuzə*] *n* Komponist(in) *m(f)*.
composite ['kɔmpəzɪt] *adj* zusammengesetzt; (*BOT*) Korbblütler-; (*MATH*) teilbar; (*BOT*): **~ plant** Korbblütler *m*.
composition [kɔmpə'zɪʃən] *n* Zusammensetzung *f*; (*essay*) Aufsatz *m*; (*MUS*) Komposition *f*.
compositor [kəm'pɔzɪtə*] *n* (Schrift)setzer(in) *m(f)*.
compos mentis ['kɔmpɔs 'mɛntɪs] *adj* zurechnungsfähig.
compost ['kɔmpɔst] *n* Kompost *m*; (*also*: **potting ~**) Blumenerde *f*.
composure [kəm'pəuʒə*] *n* Fassung *f*, Beherrschung *f*.
compound [*n, adj* 'kɔmpaund, *vt* kəm'paund] *n* (*CHEM*) Verbindung *f*; (*enclosure*) umzäuntes Gebiet *or* Gelände *nt*; (*LING*) Kompositum *nt* ♦ *adj* zusammengesetzt; (*eye*) Facetten- ♦ *vt* verschlimmern, vergrößern.
compound fracture *n* komplizierter Bruch *m*.
compound interest *n* Zinseszins *m*.
comprehend [kɔmprɪ'hɛnd] *vt* begreifen, verstehen.
comprehension [kɔmprɪ'hɛnʃən] *n* Verständnis *nt*.
comprehensive [kɔmprɪ'hɛnsɪv] *adj* umfassend; (*insurance*) Vollkasko- ♦ *n* = **comprehensive school**.
comprehensive school (*BRIT*) *n* Gesamtschule *f*.

> **Comprehensive school** *ist in Großbritannien eine nicht selektive weiterführende Schule, an der alle Kinder aus einem Einzugsgebiet gemeinsam unterrichtet werden. An einer solchen Gesamtschule können alle Schulabschlüsse gemacht werden. Die meisten staatlichen Schulen in Großbritannien sind comprehensive schools.*

compress [*vt* kəm'prɛs, *n* 'kɔmprɛs] *vt* (*information etc*) verdichten; (*air*) komprimieren; (*cotton, paper etc*) zusammenpressen ♦ *n* (*MED*) Kompresse *f*.
compressed air [kəm'prɛst-] *n* Druckluft *f*, Preßluft *f*.
compression [kəm'prɛʃən] *n* (*see vb*) Verdichtung *f*; Kompression *f*;

Zusammenpressen *nt*.
comprise [kəm'praɪz] *vt* (*also*: **be ~d of**) bestehen aus; (*constitute*) bilden, ausmachen.
compromise ['kɔmprəmaɪz] *n* Kompromiß *m* ♦ *vt* (*beliefs, principles*) verraten; (*person*) kompromittieren ♦ *vi* Kompromisse schließen ♦ *cpd* (*solution etc*) Kompromiß-.
compulsion [kəm'pʌlʃən] *n* Zwang *m*; (*force*) Druck *m*, Zwang *m*; **under ~** unter Druck *or* Zwang.
compulsive [kəm'pʌlsɪv] *adj* zwanghaft; **it makes ~ viewing/reading** das muß man einfach sehen/lesen; **he's a ~ smoker** das Rauchen ist bei ihm zur Sucht geworden.
compulsory [kəm'pʌlsərɪ] *adj* obligatorisch; (*retirement*) Zwangs-.
compulsory purchase *n* Enteignung *f*.
compunction [kəm'pʌŋkʃən] *n* Schuldgefühle *pl*, Gewissensbisse *pl*; **to have no ~ about doing sth** etw tun, ohne sich schuldig zu fühlen.
computer [kəm'pju:tə*] *n* Computer *m*, Rechner *m* ♦ *cpd* Computer-; **the process is done by ~** das Verfahren wird per Computer durchgeführt.
computer game *n* Computerspiel *nt*.
computerization [kəmpju:tərai'zeɪʃən] *n* Computerisierung *f*.
computerize [kəm'pju:təraɪz] *vt* auf Computer umstellen; (*information*) computerisieren.
computer literate *adj*: **to be ~** Computerkenntnisse haben.
computer programmer *n* Programmierer(in) *m(f)*.
computer programming *n* Programmieren *nt*.
computer science *n* Informatik *f*.
computer scientist *n* Informatiker(in) *m(f)*.
computing [kəm'pju:tɪŋ] *n* Informatik *f*; (*activity*) Computerarbeit *f*.
comrade ['kɔmrɪd] *n* Genosse *m*, Genossin *f*; (*friend*) Kamerad(in) *m(f)*.
comradeship ['kɔmrɪdʃɪp] *n* Kameradschaft *f*.
comsat ['kɔmsæt] *n abbr* = **communications satellite**.
con [kɔn] *vt* betrügen; (*cheat*) hereinlegen ♦ *n* Schwindel *m*; **to ~ sb into doing sth** jdn durch einen Trick dazu bringen, daß er/sie etw tut.
concave ['kɔnkeɪv] *adj* konkav.
conceal [kən'si:l] *vt* verbergen; (*information*) verheimlichen.
concede [kən'si:d] *vt* zugeben ♦ *vi* nachgeben; (*admit defeat*) sich geschlagen geben; **to ~ defeat** sich geschlagen geben; **to ~ a point to sb** jdm in einem Punkt recht geben.
conceit [kən'si:t] *n* Einbildung *f*.
conceited [kən'si:tɪd] *adj* eingebildet.
conceivable [kən'si:vəbl] *adj* denkbar, vorstellbar; **it is ~ that** ... es ist denkbar, daß ...
conceivably [kən'si:vəblɪ] *adv*: **he may ~ be right** es ist durchaus denkbar, daß er recht hat.
conceive [kən'si:v] *vt* (*child*) empfangen; (*plan*) kommen auf *+acc*; (*policy*) konzipieren ♦ *vi* empfangen; **to ~ of sth** sich *dat* etw vorstellen; **to ~ of doing sth** sich *dat* vorstellen, etw zu tun.
concentrate ['kɔnsəntreɪt] *vi* sich konzentrieren ♦ *vt* konzentrieren.
concentration [kɔnsən'treɪʃən] *n* Konzentration *f*.
concentration camp *n* Konzentrationslager *nt*, KZ *nt*.
concentric [kɔn'sɛntrɪk] *adj* konzentrisch.
concept ['kɔnsɛpt] *n* Vorstellung *f*; (*principle*) Begriff *m*.
conception [kən'sɛpʃən] *n* Vorstellung *f*; (*of child*) Empfängnis *f*.
concern [kən'sə:n] *n* Angelegenheit *f*; (*anxiety, worry*) Sorge *f*; (*COMM*) Konzern *m* ♦ *vt* Sorgen machen *+dat*; (*involve*) angehen; (*relate to*) betreffen; **to be ~ed (about)** sich *dat* Sorgen machen (um); **"to whom it may ~"** (*on certificate*) „Bestätigung"; (*on reference*) „Zeugnis"; **as far as I am ~ed** was mich betrifft; **to be ~ed with** sich interessieren für; **the department ~ed** (*under discussion*) die betreffende Abteilung; (*involved*) die zuständige Abteilung.
concerning [kən'sə:nɪŋ] *prep* bezüglich *+gen*, hinsichtlich *+gen*.
concert ['kɔnsət] *n* Konzert *nt*; **in ~** (*MUS*) live; (*activities, actions etc*) gemeinsam.
concerted [kən'sə:tɪd] *adj* gemeinsam.
concert hall *n* Konzerthalle *f*, Konzertsaal *m*.
concertina [kɔnsə'ti:nə] *n* Konzertina *f* ♦ *vi* sich wie eine Ziehharmonika zusammenschieben.
concerto [kən'tʃə:təu] *n* Konzert *nt*.
concession [kən'sɛʃən] *n* Zugeständnis *nt*, Konzession *f*; (*COMM*) Konzession; **tax ~** Steuervergünstigung *f*.
concessionaire [kənsɛʃə'nɛə*] *n* Konzessionär *m*.
concessionary [kən'sɛʃənrɪ] *adj* ermäßigt.
conciliation [kənsɪlɪ'eɪʃən] *n* Schlichtung *f*.
conciliatory [kən'sɪlɪətrɪ] *adj* versöhnlich.
concise [kən'saɪs] *adj* kurzgefaßt, prägnant.
conclave ['kɔnkleɪv] *n* Klausur *f*; (*REL*) Konklave *f*.
conclude [kən'klu:d] *vt* beenden, schließen; (*treaty, deal etc*) abschließen; (*decide*) schließen, folgern ♦ *vi* schließen; (*events*): **to ~ (with)** enden (mit); **"That," he ~d, "is why we did it."** „Darum", schloß er, „haben wir es getan"; **I ~ that** ... ich komme zu dem Schluß, daß ...
concluding [kən'klu:dɪŋ] *adj* (*remarks etc*)

abschließend, Schluß-.
conclusion [kən'klu:ʒən] *n* (*see vb*) Ende *nt*; Schluß *m*; Abschluß *m*; Folgerung *f*; **to come to the ~ that** ... zu dem Schluß kommen, daß ...
conclusive [kən'klu:sɪv] *adj* (*evidence*) schlüssig; (*defeat*) endgültig.
concoct [kən'kɔkt] *vt* (*excuse etc*) sich *dat* ausdenken; (*meal, sauce*) improvisieren.
concoction [kən'kɔkʃən] *n* Zusammenstellung *f*; (*drink*) Gebräu *nt*.
concord ['kɔŋkɔ:d] *n* Eintracht *f*; (*treaty*) Vertrag *m*.
concourse ['kɔŋkɔ:s] *n* (Eingangs)halle *f*; (*crowd*) Menge *f*.
concrete ['kɔŋkri:t] *n* Beton *m* ♦ *adj* (*ceiling, block*) Beton-; (*proposal, idea*) konkret.
concrete mixer *n* Betonmischmaschine *f*.
concur [kən'kə:*] *vi* übereinstimmen; **to ~ with** beipflichten *+dat*.
concurrently [kən'kʌrntlɪ] *adv* gleichzeitig.
concussion [kən'kʌʃən] *n* Gehirnerschütterung *f*.
condemn [kən'dɛm] *vt* verurteilen; (*building*) für abbruchreif erklären.
condemnation [kɔndɛm'neɪʃən] *n* Verurteilung *f*.
condensation [kɔndɛn'seɪʃən] *n* Kondenswasser *nt*.
condense [kən'dɛns] *vi* kondensieren, sich niederschlagen ♦ *vt* zusammenfassen.
condensed milk [kən'dɛnst-] *n* Kondensmilch *f*, Büchsenmilch *f*.
condescend [kɔndɪ'sɛnd] *vi* herablassend sein; **to ~ to do sth** sich dazu herablassen, etw zu tun.
condescending [kɔndɪ'sɛndɪŋ] *adj* herablassend.
condition [kən'dɪʃən] *n* Zustand *m*; (*requirement*) Bedingung *f*; (*illness*) Leiden *nt* ♦ *vt* konditionieren; (*hair*) in Form bringen; **conditions** *npl* (*circumstances*) Verhältnisse *pl*; **in good/poor ~** (*person*) in guter/schlechter Verfassung; (*thing*) in gutem/schlechtem Zustand; **a heart ~** ein Herzleiden *nt*; **weather ~s** die Wetterlage; **on ~ that** ... unter der Bedingung, daß ...
conditional [kən'dɪʃənl] *adj* bedingt; **to be ~ upon** abhängen von.
conditioner [kən'dɪʃənə*] *n* (*for hair*) Pflegespülung *f*; (*for fabrics*) Weichspüler *m*.
condo ['kɔndəu] (*US: inf*) *n abbr* = **condominium.**
condolences [kən'dəulənsɪz] *npl* Beileid *nt*.
condom ['kɔndəm] *n* Kondom *m or nt*.
condominium [kɔndə'mɪnɪəm] (*US*) *n* Haus *nt* mit Eigentumswohnungen; (*rooms*) Eigentumswohnung *f*.
condone [kən'dəun] *vt* gutheißen.
conducive [kən'dju:sɪv] *adj*: **~ to** förderlich *+dat*.
conduct [*n* 'kɔndʌkt, *vt* kən'dʌkt] *n* Verhalten *nt* ♦ *vt* (*investigation etc*) durchführen; (*manage*) führen; (*orchestra, choir etc*) dirigieren; (*heat, electricity*) leiten; **to ~ o.s.** sich verhalten.
conducted tour [kən'dʌktɪd-] *n* Führung *f*.
conductor [kən'dʌktə*] *n* (*of orchestra*) Dirigent(in) *m(f)*; (*on bus*) Schaffner *m*; (*US: on train*) Zugführer(in) *m(f)*; (*ELEC*) Leiter *m*.
conductress [kən'dʌktrɪs] *n* (*on bus*) Schaffnerin *f*.
conduit ['kɔndjuɪt] *n* (*TECH*) Leitungsrohr *nt*; (*ELEC*) Isolierrohr *nt*.
cone [kəun] *n* Kegel *m*; (*on road*) Leitkegel *m*; (*BOT*) Zapfen *m*; (*ice cream cornet*) (Eis)tüte *f*.
confectioner [kən'fɛkʃənə*] *n* (*maker*) Süßwarenhersteller(in) *m(f)*; (*seller*) Süßwarenhändler(in) *m(f)*; (*of cakes*) Konditor(in) *m(f)*.
confectioner's (shop) [kən'fɛkʃənəz-] *n* Süßwarenladen *m*; (*cake shop*) Konditorei *f*.
confectionery [kən'fɛkʃənrɪ] *n* Süßwaren *pl*, Süßigkeiten *pl*; (*cakes*) Konditorwaren *pl*.
confederate [kən'fɛdrɪt] *adj* verbündet ♦ *n* (*pej*) Komplize *m*, Komplizin *f*; (*US: HIST*) **the C~s** die Konföderierten *pl*.
confederation [kənfɛdə'reɪʃən] *n* Bund *m*; (*POL*) Bündnis *nt*; (*COMM*) Verband *m*.
confer [kən'fə:*] *vt*: **to ~ sth (on sb)** (jdm) etw verleihen ♦ *vi* sich beraten; **to ~ with sb about sth** sich mit jdm über etw *acc* beraten, etw mit jdm besprechen.
conference ['kɔnfərəns] *n* Konferenz *f*; (*more informal*) Besprechung *f*; **to be in ~** in *or* bei einer Konferenz/Besprechung sein.
conference room *n* Konferenzraum *m*; (*smaller*) Besprechungszimmer *nt*.
confess [kən'fɛs] *vt* bekennen; (*sin*) beichten; (*crime*) zugeben, gestehen ♦ *vi* (*admit*) gestehen; **to ~ to sth** (*crime*) etw gestehen; (*weakness etc*) sich zu etw bekennen; **I must ~ that I didn't enjoy it at all** ich muß sagen, daß es mir überhaupt keinen Spaß gemacht hat.
confession [kən'fɛʃən] *n* Geständnis *nt*; (*REL*) Beichte *f*; **to make a ~** ein Geständnis ablegen.
confessor [kən'fɛsə*] *n* Beichtvater *m*.
confetti [kən'fɛtɪ] *n* Konfetti *nt*.
confide [kən'faɪd] *vi*: **to ~ in** sich anvertrauen *+dat*.
confidence ['kɔnfɪdns] *n* Vertrauen *nt*; (*self-assurance*) Selbstvertrauen *nt*; (*secret*) vertrauliche Mitteilung *f*, Geheimnis *nt*; **to have ~ in sb/sth** Vertrauen zu jdm/etw haben; **to have (every) ~ that** ... ganz zuversichtlich sein, daß ...; **motion of no ~** Mißtrauensantrag *m*; **to tell sb sth in strict ~** jdm etw ganz im Vertrauen sagen; **in ~** vertraulich.
confidence trick *n* Schwindel *m*.
confident ['kɔnfɪdənt] *adj* (selbst)sicher; (*positive*) zuversichtlich.

confidential [kɔnfɪ'dɛnʃəl] *adj* vertraulich; (*secretary*) Privat-.
confidentiality [kɔnfɪdɛnʃɪ'ælɪtɪ] *n* Vertraulichkeit *f*.
configuration [kənfɪgju'reɪʃən] *n* Anordnung *f*; (*COMPUT*) Konfiguration *f*.
confine [kən'faɪn] *vt* (*shut up*) einsperren; **to ~ (to)** beschränken (auf *+acc*); **to ~ o.s. to sth** sich auf etw *acc* beschränken; **to ~ o.s. to doing sth** sich darauf beschränken, etw zu tun.
confined [kən'faɪnd] *adj* begrenzt.
confinement [kən'faɪnmənt] *n* Haft *f*; (*MED*) Entbindung *f*.
confines ['kɔnfaɪnz] *npl* Grenzen *pl*; (*of situation*) Rahmen *m*.
confirm [kən'fəːm] *vt* bestätigen; **to be ~ed** (*REL*) konfirmiert werden.
confirmation [kɔnfə'meɪʃən] *n* Bestätigung *f*; (*REL*) Konfirmation *f*.
confirmed [kən'fəːmd] *adj* (*bachelor*) eingefleischt; (*teetotaller*) überzeugt.
confiscate ['kɔnfɪskeɪt] *vt* beschlagnahmen, konfiszieren.
confiscation [kɔnfɪs'keɪʃən] *n* Beschlagnahme *f*, Konfiszierung *f*.
conflagration [kɔnflə'greɪʃən] *n* Feuersbrunst *f*.
conflict ['kɔnflɪkt] *n* Konflikt *m*; (*fighting*) Zusammenstoß *m*, Kampf *m* ♦ *vi*: **to ~ (with)** im Widerspruch stehen (zu).
conflicting [kən'flɪktɪŋ] *adj* widersprüchlich.
conform [kən'fɔːm] *vi* sich anpassen; **to ~ to** entsprechen *+dat*.
conformist [kən'fɔːmɪst] *n* Konformist(in) *m(f)*.
confound [kən'faund] *vt* verwirren; (*amaze*) verblüffen.
confounded [kən'faundɪd] *adj* verdammt, verflixt (*inf*).
confront [kən'frʌnt] *vt* (*problems, task*) sich stellen *+dat*; (*enemy, danger*) gegenübertreten *+dat*.
confrontation [kɔnfrən'teɪʃən] *n* Konfrontation *f*.
confuse [kən'fjuːz] *vt* verwirren; (*mix up*) verwechseln; (*complicate*) durcheinanderbringen.
confused [kən'fjuːzd] *adj* (*person*) verwirrt; (*situation*) verworren, konfus; **to get ~** konfus werden.
confusing [kən'fjuːzɪŋ] *adj* verwirrend.
confusion [kən'fjuːʒən] *n* (*mix-up*) Verwechslung *f*; (*perplexity*) Verwirrung *f*; (*disorder*) Durcheinander *nt*.
congeal [kən'dʒiːl] *vi* (*blood*) gerinnen; (*sauce, oil*) erstarren.
congenial [kən'dʒiːnɪəl] *adj* ansprechend, sympathisch; (*atmosphere, place, work, company*) angenehm.
congenital [kən'dʒɛnɪtl] *adj* angeboren.
conger eel ['kɔngər-] *n* Seeaal *m*.
congested [kən'dʒɛstɪd] *adj* (*road*) verstopft; (*area*) überfüllt; (*nose*) verstopft; **his lungs are ~** in seiner Lunge hat sich Blut angestaut.
congestion [kən'dʒɛstʃən] *n* (*MED*) Blutstau *m*; (*of road*) Verstopfung *f*; (*of area*) Überfüllung *f*.
conglomerate [kən'glɔmərɪt] *n* (*COMM*) Konglomerat *nt*.
conglomeration [kənglɔmə'reɪʃən] *n* Ansammlung *f*.
Congo ['kɔŋgəu] *n* (*state*) Kongo *m*.
congratulate [kən'grætjuleɪt] *vt* gratulieren; **to ~ sb (on sth)** jdm (zu etw) gratulieren.
congratulations [kəngrætju'leɪʃənz] *npl* Glückwunsch *m*, Glückwünsche *pl*; **~!** Herzlichen Glückwunsch!; **~ on** Glückwünsche zu.
congregate ['kɔŋgrɪgeɪt] *vi* sich versammeln.
congregation [kɔŋgrɪ'geɪʃən] *n* Gemeinde *f*.
congress ['kɔŋgrɛs] *n* Kongreß *m*; (*US*): **C~** der Kongreß.

> *Der* **Congress** *ist die nationale gesetzgebende Versammlung der USA, die in Washington im* **Capitol** *zusammentritt. Der Kongreß besteht aus dem Repräsentantenhaus (435 Abgeordnete, entsprechend den Bevölkerungszahlen auf die einzelnen Bundesstaaten verteilt und jeweils für 2 Jahre gewählt) und dem Senat (100 Senatoren, 2 für jeden Bundesstaat, für 6 Jahre gewählt, wobei ein Drittel alle zwei Jahre neu gewählt wird). Sowohl die Abgeordneten als auch die Senatoren werden in direkter Wahl vom Volk gewählt.*

congressman ['kɔŋgrɛsmən] (*US*) *n* (*irreg: like* **man**) Kongreßabgeordnete(r) *m*.
congresswoman ['kɔŋgrɛswumən] (*US*) (*irreg: like* **woman**) *n* Kongreßabgeordnete *f*.
conical ['kɔnɪkl] *adj* kegelförmig, konisch.
conifer ['kɔnɪfə*] *n* Nadelbaum *m*.
coniferous [kə'nɪfərəs] *adj* Nadel-.
conjecture [kən'dʒɛktʃə*] *n* Vermutung *f*, Mutmaßung *f* ♦ *vi* vermuten, mutmaßen.
conjugal ['kɔndʒugl] *adj* ehelich.
conjugate ['kɔndʒugeɪt] *vt* konjugieren.
conjugation [kɔndʒə'geɪʃən] *n* Konjugation *f*.
conjunction [kən'dʒʌŋkʃən] *n* Konjunktion *f*; **in ~ with** zusammen mit, in Verbindung mit.
conjunctivitis [kəndʒʌŋktɪ'vaɪtɪs] *n* Bindehautentzündung *f*.
conjure ['kʌndʒə*] *vi* zaubern ♦ *vt* (*also fig*) hervorzaubern.
▸**conjure up** *vt* (*ghost, spirit*) beschwören; (*memories*) heraufbeschwören.
conjurer ['kʌndʒərə*] *n* Zauberer *m*, Zauberkünstler(in) *m(f)*.
conjuring trick ['kʌndʒərɪŋ-] *n* Zaubertrick *m*, Zauberkunststück *nt*.

conker ['kɔŋkə*] (*BRIT*) *n* (Roß)kastanie *f*.
conk out [kɔŋk-] (*inf*) *vi* den Geist aufgeben.
con man *n* Schwindler *m*.
Conn. (*US*) *abbr* (*POST:* = *Connecticut*).
connect [kə'nɛkt] *vt* verbinden; (*ELEC*) anschließen; (*TEL: caller*) verbinden; (: *subscriber*) anschließen; (*fig: associate*) in Zusammenhang bringen ♦ *vi:* **to ~ with** (*train, plane etc*) Anschluß haben an *+acc*; **to ~ sth to sth** etw mit einer Sache verbinden; **to be ~ed with** (*associated*) in einer Beziehung *or* in Verbindung stehen zu; (*have dealings with*) zu tun haben mit; **I am trying to ~ you** (*TEL*) ich versuche, Sie zu verbinden.
connection [kə'nɛkʃən] *n* Verbindung *f*; (*ELEC*) Kontakt *m*; (*train, plane etc, TEL: subscriber*) Anschluß *m*; (*fig: association*) Beziehung *f*, Zusammenhang *m*; **in ~ with** in Zusammenhang mit; **what is the ~ between them?** welche Verbindung besteht zwischen ihnen?; **business ~s** Geschäftsbeziehungen *pl*; **to get/miss one's ~** seinen Anschluß erreichen/verpassen.
connexion [kə'nɛkʃən] (*BRIT*) *n* = **connection.**
conning tower ['kɔnɪŋ-] *n* Kommandoturm *m*.
connive [kə'naɪv] *vi:* **to ~ at** stillschweigend dulden.
connoisseur [kɔnɪ'sə:*] *n* Kenner(in) *m(f)*.
connotation [kɔnə'teɪʃən] *n* Konnotation *f*.
connubial [kə'nju:bɪəl] *adj* ehelich.
conquer ['kɔŋkə*] *vt* erobern; (*enemy, fear, feelings*) besiegen.
conqueror ['kɔŋkərə*] *n* Eroberer *m*.
conquest ['kɔŋkwɛst] *n* Eroberung *f*.
cons [kɔnz] *npl see* **convenience, pro.**
conscience ['kɔnʃəns] *n* Gewissen *nt*; **to have a guilty/clear ~** ein schlechtes/gutes Gewissen haben; **in all ~** allen Ernstes.
conscientious [kɔnʃɪ'ɛnʃəs] *adj* gewissenhaft.
conscientious objector *n* Wehrdienst- *or* Kriegsdienstverweigerer *m* (*aus Gewissensgründen*).
conscious ['kɔnʃəs] *adj* bewußt; (*awake*) bei Bewußtsein; **to become ~ of sth** sich *dat* einer Sache *gen* bewußt werden; **to become ~ that** ... sich *dat* bewußt werden, daß ...
consciousness ['kɔnʃəsnɪs] *n* Bewußtsein *nt*; **to lose ~** bewußtlos werden; **to regain ~** wieder zu sich kommen.
conscript ['kɔnskrɪpt] *n* Wehrpflichtige(r) *m*.
conscription [kən'skrɪpʃən] *n* Wehrpflicht *f*.
consecrate ['kɔnsɪkreɪt] *vt* weihen.
consecutive [kən'sɛkjutɪv] *adj* aufeinanderfolgend; **on three ~ occasions** dreimal hintereinander.
consensus [kən'sɛnsəs] *n* Übereinstimmung *f*; **the ~ (of opinion)** die allgemeine Meinung.
consent [kən'sɛnt] *n* Zustimmung *f* ♦ *vi:* **to ~ to** zustimmen *+dat*; **age of ~** Ehemündigkeitsalter *nt*; **by common ~** auf allgemeinen Wunsch.
consenting [kən'sɛntɪŋ] *adj:* **between ~ adults** ≈ zwischen Erwachsenen.
consequence ['kɔnsɪkwəns] *n* Folge *f*; **of ~** bedeutend, wichtig; **it's of little ~** es spielt kaum eine Rolle; **in ~** folglich.
consequently ['kɔnsɪkwəntlɪ] *adv* folglich.
conservation [kɔnsə'veɪʃən] *n* Erhaltung *f*, Schutz *m*; (*of energy*) Sparen *nt*; (*also:* **nature ~**) Umweltschutz *m*; (*of paintings, books*) Erhaltung *f*, Konservierung *f*; **energy ~** Energieeinsparung *f*.
conservationist [kɔnsə'veɪʃnɪst] *n* Umweltschützer(in) *m(f)*.
conservative [kən'sə:vətɪv] *adj* konservativ; (*cautious*) vorsichtig; (*BRIT: POL*): **C~** konservativ ♦ *n* (*BRIT: POL*): **C~** Konservative(r) *f(m)*.
Conservative Party *n:* **the ~** die Konservative Partei *f*.
conservatory [kən'sə:vətrɪ] *n* Wintergarten *m*; (*MUS*) Konservatorium *nt*.
conserve [kən'sə:v] *vt* erhalten; (*supplies, energy*) sparen ♦ *n* Konfitüre *f*.
consider [kən'sɪdə*] *vt* (*study*) sich *dat* überlegen; (*take into account*) in Betracht ziehen; **to ~ that** ... der Meinung sein, daß ...; **to ~ sb/sth as** ... jdn/etw für ... halten; **to ~ doing sth** in Erwägung ziehen, etw zu tun; **they ~ themselves to be superior** sie halten sich für etwas Besseres; **she ~ed it a disaster** sie betrachtete es als eine Katastrophe; **~ yourself lucky** Sie können sich glücklich schätzen; **all things ~ed** alles in allem.
considerable [kən'sɪdərəbl] *adj* beträchtlich.
considerably [kən'sɪdərəblɪ] *adv* beträchtlich; (*bigger, smaller etc*) um einiges.
considerate [kən'sɪdərɪt] *adj* rücksichtsvoll.
consideration [kənsɪdə'reɪʃən] *n* Überlegung *f*; (*factor*) Gesichtspunkt *m*, Faktor *m*; (*thoughtfulness*) Rücksicht *f*; (*reward*) Entgelt *nt*; **out of ~ for** aus Rücksicht auf *+acc*; **to be under ~** geprüft werden; **my first ~ is my family** ich denke zuerst an meine Familie.
considered [kən'sɪdəd] *adj:* **~ opinion** ernsthafte Überzeugung.
considering [kən'sɪdərɪŋ] *prep* in Anbetracht *+gen*; **~ (that)** wenn man bedenkt(, daß).
consign [kən'saɪn] *vt:* **to ~ to** (*object: to place*) verbannen in *+acc*; (*person: to sb's care*) anvertrauen *+dat*; (: *to poverty*) verurteilen zu; (*send*) versenden an *+acc*.
consignment [kən'saɪnmənt] *n* Sendung *f*, Lieferung *f*.
consignment note *n* Frachtbrief *m*.
consist [kən'sɪst] *vi:* **to ~ of** bestehen aus.
consistency [kən'sɪstənsɪ] *n* (*of actions etc*) Konsequenz *f*; (*of cream etc*) Konsistenz *f*, Dicke *f*.
consistent [kən'sɪstənt] *adj* konsequent;

(*argument, idea*) logisch, folgerichtig; **to be ~ with** entsprechen *+dat*.
consolation [kɔnsə'leɪʃən] *n* Trost *m*.
console [kən'səul] *vt* trösten ♦ *n* (*panel*) Schalttafel *f*.
consolidate [kən'sɔlɪdeɪt] *vt* festigen.
consols ['kɔnsɔlz] (*BRIT*) *npl* (*STOCK EXCHANGE*) Konsols *pl*, konsolidierte Staatsanleihen *pl*.
consommé [kən'sɔmeɪ] *n* Kraftbrühe *f*, Consommé *f*.
consonant ['kɔnsənənt] *n* Konsonant *m*, Mitlaut *m*.
consort ['kɔnsɔːt] *n* Gemahl(in) *m(f)*, Gatte *m*, Gattin *f* ♦ *vi*: **to ~ with sb** mit jdm verkehren; **prince ~** Prinzgemahl *m*.
consortium [kən'sɔːtɪəm] *n* Konsortium *nt*.
conspicuous [kən'spɪkjuəs] *adj* auffallend; **to make o.s. ~** auffallen.
conspiracy [kən'spɪrəsɪ] *n* Verschwörung *f*, Komplott *nt*.
conspiratorial [kənspɪrə'tɔːrɪəl] *adj* verschwörerisch.
conspire [kən'spaɪə*] *vi* sich verschwören; (*events*) zusammenkommen.
constable ['kʌnstəbl] (*BRIT*) *n* Polizist *m*; **chief ~** Polizeipräsident *m*, Polizeichef *m*.
constabulary [kən'stæbjulərɪ] (*BRIT*) *n* Polizei *f*.
constant ['kɔnstənt] *adj* dauernd, ständig; (*fixed*) konstant, gleichbleibend.
constantly ['kɔnstəntlɪ] *adv* (an)dauernd, ständig.
constellation [kɔnstə'leɪʃən] *n* Sternbild *nt*.
consternation [kɔnstə'neɪʃən] *n* Bestürzung *f*.
constipated ['kɔnstɪpeɪtɪd] *adj*: **to be ~** Verstopfung haben, verstopft sein.
constipation [kɔnstɪ'peɪʃən] *n* Verstopfung *f*.
constituency [kən'stɪtjuənsɪ] *n* (*POL*) Wahlkreis *m*; (*electors*) Wähler *pl* (*eines Wahlkreises*).
constituency party *n Parteiorganisation in einem Wahlkreis*.
constituent [kən'stɪtjuənt] *n* (*POL*) Wähler(in) *m(f)*; (*component*) Bestandteil *m*.
constitute ['kɔnstɪtjuːt] *vt* (*represent*) darstellen; (*make up*) bilden, ausmachen.
constitution [kɔnstɪ'tjuːʃən] *n* (*POL*) Verfassung *f*; (*of club etc*) Satzung *f*; (*health*) Konstitution *f*, Gesundheit *f*; (*make-up*) Zusammensetzung *f*.
constitutional [kɔnstɪ'tjuːʃənl] *adj* (*government*) verfassungsmäßig; (*reform etc*) Verfassungs-.
constitutional monarchy *n* konstitutionelle Monarchie *f*.
constrain [kən'streɪn] *vt* zwingen.
constrained [kən'streɪnd] *adj* gezwungen.
constraint [kən'streɪnt] *n* Beschränkung *f*, Einschränkung *f*; (*compulsion*) Zwang *m*; (*embarrassment*) Befangenheit *f*.
constrict [kən'strɪkt] *vt* einschnüren; (*blood vessel*) verengen; (*limit, restrict*) einschränken.
constriction [kən'strɪkʃən] *n* Einschränkung *f*; (*tightness*) Verengung *f*; (*squeezing*) Einschnürung *f*.
construct [kən'strʌkt] *vt* bauen; (*machine*) konstruieren; (*theory, argument*) entwickeln.
construction [kən'strʌkʃən] *n* Bau *m*; (*structure*) Konstruktion *f*; (*fig: interpretation*) Deutung *f*; **under ~** in *or* im Bau.
construction industry *n* Bauindustrie *f*.
constructive [kən'strʌktɪv] *adj* konstruktiv.
construe [kən'struː] *vt* auslegen, deuten.
consul ['kɔnsl] *n* Konsul(in) *m(f)*.
consulate ['kɔnsjulɪt] *n* Konsulat *nt*.
consult [kən'sʌlt] *vt* (*doctor, lawyer*) konsultieren; (*friend*) sich beraten *or* besprechen mit; (*reference book*) nachschlagen in *+dat*; **to ~ sb (about sth)** jdn (wegen etw) fragen.
consultancy [kən'sʌltənsɪ] *n* Beratungsbüro *nt*; (*MED: job*) Facharztstelle *f*.
consultant [kən'sʌltənt] *n* (*MED*) Facharzt *m*, Fachärztin *f*; (*other specialist*) Berater(in) *m(f)* ♦ *cpd*: **~ engineer** beratender Ingenieur *m*; **~ paediatrician** Facharzt/-ärztin *m/f* für Pädiatrie *or* Kinderheilkunde; **legal/management ~** Rechts-/Unternehmensberater(in) *m(f)*.
consultation [kɔnsəl'teɪʃən] *n* (*MED, LAW*) Konsultation *f*; (*discussion*) Beratung *f*, Besprechung *f*; **in ~ with** in gemeinsamer Beratung mit.
consultative [kən'sʌltətɪv] *adj* beratend.
consulting room [kən'sʌltɪŋ-] (*BRIT*) *n* Sprechzimmer *nt*.
consume [kən'sjuːm] *vt* (*food, drink*) zu sich nehmen, konsumieren; (*fuel, energy*) verbrauchen; (*time*) in Anspruch nehmen; (*subj: emotion*) verzehren; (*: fire*) vernichten.
consumer [kən'sjuːmə*] *n* Verbraucher(in) *m(f)*.
consumer credit *n* Verbraucherkredit *m*.
consumer durables *npl* (langlebige) Gebrauchsgüter *pl*.
consumer goods *npl* Konsumgüter *pl*.
consumerism [kən'sjuːmərɪzəm] *n* Verbraucherschutz *m*.
consumer society *n* Konsumgesellschaft *f*.
consumer watchdog *n* Verbraucherschutzorganisation *f*.
consummate ['kɔnsʌmeɪt] *vt* (*marriage*) vollziehen; (*ambition etc*) erfüllen.
consumption [kən'sʌmpʃən] *n* Verbrauch *m*; (*of food*) Verzehr *m*; (*of drinks, buying*) Konsum *m*; (*MED*) Schwindsucht *f*; **not fit for human ~** zum Verzehr ungeeignet.
cont. *abbr* (= *continued*) Forts.
contact ['kɔntækt] *n* Kontakt *m*; (*touch*) Berührung *f*; (*person*) Kontaktperson *f* ♦ *vt* sich in Verbindung setzen mit; **to be in ~ with sb/sth** mit jdm/etw in Verbindung *or*

Kontakt stehen; (*touch*) jdn/etw berühren; **business ~s** Geschäftsverbindungen *pl.*
contact lenses *npl* Kontaktlinsen *pl.*
contagious [kən'teɪdʒəs] *adj* ansteckend.
contain [kən'teɪn] *vt* enthalten; (*growth, spread*) in Grenzen halten; (*feeling*) beherrschen; **to ~ o.s.** an sich *acc* halten.
container [kən'teɪnə*] *n* Behälter *m*; (*for shipping etc*) Container *m* ♦ *cpd* Container-.
containerize [kən'teɪnəraɪz] *vt* in Container verpacken; (*port*) auf Container umstellen.
container ship *n* Containerschiff *nt.*
contaminate [kən'tæmɪneɪt] *vt* (*water, food*) verunreinigen; (*soil etc*) verseuchen.
contamination [kəntæmɪ'neɪʃən] *n* (*see vb*) Verunreinigung *f*; Verseuchung *f.*
cont'd *abbr* (= *continued*) Forts.
contemplate ['kɔntəmpleɪt] *vt* nachdenken über *+acc*; (*course of action*) in Erwägung ziehen; (*person, painting etc*) betrachten.
contemplation [kɔntəm'pleɪʃən] *n* Betrachtung *f.*
contemporary [kən'tɛmpərərɪ] *adj* zeitgenössisch; (*present-day*) modern ♦ *n* Altersgenosse *m*, Altersgenossin *f*; **Samuel Pepys and his contemporaries** Samuel Pepys und seine Zeitgenossen.
contempt [kən'tɛmpt] *n* Verachtung *f*; **~ of court** (*LAW*) Mißachtung *f* (der Würde) des Gerichts, Ungebühr *f* vor Gericht; **to have ~ for sb/sth** jdn/etw verachten; **to hold sb in ~** jdn verachten.
contemptible [kən'tɛmptəbl] *adj* verachtenswert.
contemptuous [kən'tɛmptjuəs] *adj* verächtlich, geringschätzig.
contend [kən'tɛnd] *vt*: **to ~ that ...** behaupten, daß ...; **to ~ with** fertigwerden mit; **to ~ for** kämpfen um; **to have to ~ with** es zu tun haben mit; **he has a lot to ~ with** er hat viel um die Ohren.
contender [kən'tɛndə*] *n* (*SPORT*) Wettkämpfer(in) *m(f)*; (*for title*) Anwärter(in) *m(f)*; (*POL*) Kandidat(in) *m(f).*
content [*adj, vt* kən'tɛnt, *n* 'kɔntɛnt] *adj* zufrieden ♦ *vt* zufriedenstellen ♦ *n* Inhalt *m*; (*fat content, moisture content etc*) Gehalt *m*; **contents** *npl* Inhalt; **(table of) ~s** Inhaltsverzeichnis *nt*; **to be ~ with** zufrieden sein mit; **to ~ o.s. with sth** sich mit etw zufriedengeben *or* begnügen; **to ~ o.s. with doing sth** sich damit zufriedengeben *or* begnügen, etw zu tun.
contented [kən'tɛntɪd] *adj* zufrieden.
contentedly [kən'tɛntɪdlɪ] *adv* zufrieden.
contention [kən'tɛnʃən] *n* Behauptung *f*; (*disagreement, argument*) Streit *m*; **bone of ~** Zankapfel *m.*
contentious [kən'tɛnʃəs] *adj* strittig, umstritten.
contentment [kən'tɛntmənt] *n* Zufriedenheit *f.*
contest [*n* 'kɔntɛst, *vt* kən'tɛst] *n* (*competition*) Wettkampf *m*; (*for control, power etc*) Kampf *m* ♦ *vt* (*election, competition*) teilnehmen an *+dat*; (*compete for*) kämpfen um; (*statement*) bestreiten; (*decision*) angreifen; (*LAW*) anfechten.
contestant [kən'tɛstənt] *n* (*in quiz*) Kandidat(in) *m(f)*; (*in competition*) Teilnehmer(in) *m(f)*; (*in fight*) Kämpfer(in) *m(f).*
context ['kɔntɛkst] *n* Zusammenhang *m*, Kontext *m*; **in ~** im Zusammenhang; **out of ~** aus dem Zusammenhang gerissen.
continent ['kɔntɪnənt] *n* Kontinent *m*, Erdteil *m*; **the C~** (*BRIT*) (Kontinental)europa *nt*; **on the C~** in (Kontinental)europa, auf dem Kontinent.
continental [kɔntɪ'nɛntl] *adj* kontinental; (*European*) europäisch ♦ *n* (*BRIT*) (Festlands)europäer(in) *m(f).*
continental breakfast *n* kleines Frühstück *nt.*
continental quilt (*BRIT*) *n* Steppdecke *f.*
contingency [kən'tɪndʒənsɪ] *n* möglicher Fall *m*, Eventualität *f.*
contingency plan *n* Plan *m* für den Eventualfall.
contingent [kən'tɪndʒənt] *n* Kontingent *nt* ♦ *adj*: **to be ~ upon** abhängen von.
continual [kən'tɪnjuəl] *adj* ständig; (*process*) ununterbrochen.
continually [kən'tɪnjuəlɪ] *adv* (*see adj*) ständig; ununterbrochen.
continuation [kəntɪnju'eɪʃən] *n* Fortsetzung *f*; (*extension*) Weiterführung *f.*
continue [kən'tɪnjuː] *vi* andauern; (*performance, road*) weitergehen; (*person: talking*) fortfahren ♦ *vt* fortsetzen; **to ~ to do sth/doing sth** etw weiter tun; **"to be ~d"** „Fortsetzung folgt"; **"~d on page 10"** „Fortsetzung auf Seite 10".
continuing education [kən'tɪnjuɪŋ-] *n* Erwachsenenbildung *f.*
continuity [kɔntɪ'njuːɪtɪ] *n* Kontinuität *f* ♦ *cpd* (*TV*): **~ announcer** Ansager(in) *m(f)*; **~ studio** Ansagestudio *nt.*
continuous [kən'tɪnjuəs] *adj* ununterbrochen; (*growth etc*) kontinuierlich; **~ form** (*LING*) Verlaufsform *f*; **~ performance** (*CINE*) durchgehende Vorstellung *f.*
continuously [kən'tɪnjuəslɪ] *adv* dauernd, ständig; (*uninterruptedly*) ununterbrochen.
continuous stationery *n* (*COMPUT*) Endlospapier *nt.*
contort [kən'tɔːt] *vt* (*body*) verrenken, verdrehen; (*face*) verziehen.
contortion [kən'tɔːʃən] *n* Verrenkung *f.*
contortionist [kən'tɔːʃənɪst] *n* Schlangenmensch *m.*
contour ['kɔntuə*] *n* (*also*: **~ line**) Höhenlinie *f*; (*shape, outline: gen pl*) Kontur *f*, Umriß *m.*
contraband ['kɔntrəbænd] *n* Schmuggelware *f*

♦ *adj* Schmuggel-.
contraception [kɔntrə'sɛpʃən] *n* Empfängnisverhütung *f*.
contraceptive [kɔntrə'sɛptɪv] *adj* empfängnisverhütend ♦ *n* Verhütungsmittel *nt*.
contract [*n, cpd* 'kɔntrækt, *vb* kən'trækt] *n* Vertrag *m* ♦ *vi* schrumpfen; (*metal, muscle*) sich zusammenziehen ♦ *vt* (*illness*) erkranken an *+dat* ♦ *cpd* vertraglich festgelegt; (*work*) Auftrags-; ~ **of employment/service** Arbeitsvertrag *m*; **to ~ to do sth** (*COMM*) sich vertraglich verpflichten, etw zu tun.
▸**contract in** (*BRIT*) *vi* beitreten.
▸**contract out** (*BRIT*) *vi* austreten.
contraction [kən'trækʃən] *n* Zusammenziehen *nt*; (*LING*) Kontraktion *f*; (*MED*) Wehe *f*.
contractor [kən'træktə*] *n* Auftragnehmer *m*; (*building contractor*) Bauunternehmer *m*.
contractual [kən'træktʃuəl] *adj* vertraglich.
contradict [kɔntrə'dɪkt] *vt* widersprechen *+dat*.
contradiction [kɔntrə'dɪkʃən] *n* Widerspruch *m*; **to be in ~ with** im Widerspruch stehen zu; **a ~ in terms** ein Widerspruch in sich.
contradictory [kɔntrə'dɪktərɪ] *adj* widersprüchlich.
contralto [kən'træltəu] *n* (*MUS*) Altistin *f*; (: *voice*) Alt *m*.
contraption [kən'træpʃən] (*pej*) *n* (*device*) Vorrichtung *f*; (*machine*) Gerät *nt*, Apparat *m*.
contrary[1] ['kɔntrərɪ] *adj* entgegengesetzt; (*ideas, opinions*) gegensätzlich; (*unfavourable*) widrig ♦ *n* Gegenteil *nt*; ~ **to what we thought** im Gegensatz zu dem, was wir dachten; **on the ~** im Gegenteil; **unless you hear to the ~** sofern Sie nichts Gegenteiliges hören.
contrary[2] [kən'trɛərɪ] *adj* widerspenstig.
contrast ['kɔntrɑːst] *n* Gegensatz *m*, Kontrast *m* ♦ *vt* vergleichen, gegenüberstellen; **in ~ to** *or* **with** im Gegensatz zu.
contrasting [kən'trɑːstɪŋ] *adj* (*colours*) kontrastierend; (*attitudes*) gegensätzlich.
contravene [kɔntrə'viːn] *vt* verstoßen gegen.
contravention [kɔntrə'vɛnʃən] *n* Verstoß *m*; **to be in ~ of sth** gegen etw verstoßen.
contribute [kən'trɪbjuːt] *vi* beitragen ♦ *vt*: **to ~ £10/an article to** £10/einen Artikel beisteuern zu; **to ~ to** (*charity*) spenden für; (*newspaper*) schreiben für; (*discussion, problem etc*) beitragen zu.
contribution [kɔntrɪ'bjuːʃən] *n* Beitrag *m*; (*donation*) Spende *f*.
contributor [kən'trɪbjutə*] *n* (*to appeal*) Spender(in) *m(f)*; (*to newspaper*) Mitarbeiter(in) *m(f)*.
contributory [kən'trɪbjutərɪ] *adj*: **a ~ cause** ein Faktor, der mit eine Rolle spielt; **it was a ~ factor in** ... es trug zu ... bei.
contributory pension scheme (*BRIT*) *n* beitragspflichtige Rentenversicherung *f*.
contrite ['kɔntraɪt] *adj* zerknirscht.
contrivance [kən'traɪvəns] *n* (*scheme*) List *f*; (*device*) Vorrichtung *f*.
contrive [kən'traɪv] *vt* (*meeting*) arrangieren ♦ *vi*: **to ~ to do sth** es fertigbringen, etw zu tun.
control [kən'trəul] *vt* (*country*) regieren; (*organization*) leiten; (*machinery, process*) steuern; (*wages, prices*) kontrollieren; (*temper*) zügeln; (*disease, fire*) unter Kontrolle bringen ♦ *n* (*of country*) Kontrolle *f*; (*of organization*) Leitung *f*; (*of oneself, emotions*) Beherrschung *f*; (*SCI: also:* ~ **group**) Kontrollgruppe *f*; **controls** *npl* (*of vehicle*) Steuerung *f*; (*on radio, television etc*) Bedienungsfeld *nt*; (*governmental*) Kontrolle *f*; **to ~ o.s.** sich beherrschen; **to take ~ of** die Kontrolle übernehmen über *+acc*; (*COMM*) übernehmen; **to be in ~ of** unter Kontrolle haben; (*in charge of*) unter sich *dat* haben; **out of/under ~** außer/unter Kontrolle; **everything is under ~** ich habe/wir haben *etc* die Sache im Griff (*inf*); **the car went out of ~** der Fahrer verlor die Kontrolle über den Wagen; **circumstances beyond our ~** unvorhersehbare Umstände.
control key *n* (*COMPUT*) Control-Taste *f*.
controller [kən'trəulə*] *n* (*RADIO, TV*) Intendant(in) *m(f)*.
controlling interest [kən'trəulɪŋ-] *n* Mehrheitsanteil *m*.
control panel *n* Schalttafel *f*; (*on television*) Bedienungsfeld *nt*.
control point *n* Kontrollpunkt *m*, Kontrollstelle *f*.
control room *n* (*NAUT*) Kommandoraum *m*; (*MIL*) (Operations)zentrale *f*; (*RADIO, TV*) Regieraum *m*.
control tower *n* Kontrollturm *m*.
control unit *n* (*COMPUT*) Steuereinheit *f*.
controversial [kɔntrə'vəːʃl] *adj* umstritten, kontrovers.
controversy ['kɔntrəvəːsɪ] *n* Streit *m*, Kontroverse *f*.
conurbation [kɔnə'beɪʃən] *n* Ballungsgebiet *nt*, Ballungsraum *m*.
convalesce [kɔnvə'lɛs] *vi* genesen.
convalescence [kɔnvə'lɛsns] *n* Genesungszeit *f*.
convalescent [kɔnvə'lɛsnt] *adj* (*leave etc*) Genesungs-, Kur- ♦ *n* Genesende(r) *f(m)*.
convector [kən'vɛktə*] *n* Heizlüfter *m*.
convene [kən'viːn] *vt* einberufen ♦ *vi* zusammentreten.
convener [kən'viːnə*] *n* (*organizer*) Organisator(in) *m(f)*; (*chairperson*) Vorsitzende(r) *f(m)*.
convenience [kən'viːnɪəns] *n* Annehmlichkeit *f*; (*suitability*): **the ~ of this arrangement/location** diese günstige Vereinbarung/Lage;

I like the ~ of having a shower mir gefällt, wie angenehm es ist, eine Dusche zu haben; **I like the ~ of living in the city** mir gefällt, wie praktisch es ist, in der Stadt zu wohnen; **at your ~** wann es Ihnen paßt; **at your earliest ~** möglichst bald, baldmöglichst; **with all modern ~s** *or* (*BRIT*) **all mod cons** mit allem modernen Komfort; *see also* **public convenience**.
convenience foods *npl* Fertiggerichte *pl*.
convenient [kən'viːnɪənt] *adj* günstig; (*handy*) praktisch; (*house etc*) günstig gelegen; **if it is ~ to you** wenn es Ihnen (so) paßt, wenn es Ihnen keine Umstände macht.
conveniently [kən'viːnɪəntlɪ] *adv* (*happen*) günstigerweise; (*situated*) günstig.
convenor [kən'viːnə*] *n* = **convener**.
convent ['kɔnvənt] *n* Kloster *nt*.
convention [kən'vɛnʃən] *n* Konvention *f*; (*conference*) Tagung *f*, Konferenz *f*; (*agreement*) Abkommen *nt*.
conventional [kən'vɛnʃənl] *adj* konventionell.
convent school *n* Klosterschule *f*.
converge [kən'vəːdʒ] *vi* (*roads*) zusammenlaufen ♦ *vi* sich einander annähern; **to ~ on sb/a place** (*people*) von überallher zu jdm/an einen Ort strömen.
conversant [kən'vəːsnt] *adj*: **to be ~ with** vertraut sein mit.
conversation [kɔnvə'seɪʃən] *n* Gespräch *nt*, Unterhaltung *f*.
conversational [kɔnvə'seɪʃənl] *adj* (*tone, style*) Unterhaltungs-; (*language*) gesprochen; **~ mode** (*COMPUT*) Dialogbetrieb *m*.
conversationalist [kɔnvə'seɪʃnəlɪst] *n* Unterhalter(in) *m(f)*, Gesprächspartner(in) *m(f)*.
converse [*n* 'kɔnvəːs, *vi* kən'vəːs] *n* Gegenteil *nt* ♦ *vi*: **to ~ (with sb) (about sth)** sich (mit jdm) (über etw) unterhalten.
conversely [kɔn'vəːslɪ] *adv* umgekehrt.
conversion [kən'vəːʃən] *n* Umwandlung *f*; (*of weights etc*) Umrechnung *f*; (*REL*) Bekehrung *f*; (*BRIT: of house*) Umbau *m*.
conversion table *n* Umrechnungstabelle *f*.
convert [*vt* kən'vəːt, *n* 'kɔnvəːt] *vt* umwandeln; (*person*) bekehren; (*building*) umbauen; (*vehicle*) umrüsten; (*COMM*) konvertieren; (*RUGBY*) verwandeln ♦ *n* Bekehrte(r) *f(m)*.
convertible [kən'vəːtəbl] *adj* (*currency*) konvertierbar ♦ *n* (*AUT*) Kabriolett *nt*.
convex ['kɔnvɛks] *adj* konvex.
convey [kən'veɪ] *vt* (*information etc*) vermitteln; (*cargo, traveller*) befördern; (*thanks*) übermitteln.
conveyance [kən'veɪəns] *n* Beförderung *f*, Spedition *f*; (*vehicle*) Gefährt *nt*.
conveyancing [kən'veɪənsɪŋ] *n* (Eigentums)übertragung *f*.
conveyor belt *n* Fließband *nt*.
convict [*vt* kən'vɪkt, *n* 'kɔnvɪkt] *vt* verurteilen ♦ *n* Sträfling *m*.
conviction [kən'vɪkʃən] *n* Überzeugung *f*; (*LAW*) Verurteilung *f*.
convince [kən'vɪns] *vt* überzeugen; **to ~ sb (of sth)** jdn (von etw) überzeugen; **to ~ sb that ...** jdn davon überzeugen, daß ...
convinced [kən'vɪnst] *adj*: **~ (of)** überzeugt (von); **~ that ...** überzeugt davon, daß ...
convincing [kən'vɪnsɪŋ] *adj* überzeugend.
convincingly [kən'vɪnsɪŋlɪ] *adv* überzeugend.
convivial [kən'vɪvɪəl] *adj* freundlich; (*event*) gesellig.
convoluted ['kɔnvəluːtɪd] *adj* verwickelt, kompliziert; (*shape*) gewunden.
convoy ['kɔnvɔɪ] *n* Konvoi *m*.
convulse [kən'vʌls] *vt*: **to be ~d with laughter/pain** sich vor Lachen schütteln/ Schmerzen krümmen.
convulsion [kən'vʌlʃən] *n* Schüttelkrampf *m*.
coo [kuː] *vi* gurren.
cook [kuk] *vt* kochen, zubereiten ♦ *vi* (*person, food*) kochen; (*fry, roast*) braten; (*pie*) backen ♦ *n* Koch *m*, Köchin *f*.
►**cook up** (*inf*) *vt* sich *dat* einfallen lassen, zurechtbasteln.
cookbook ['kukbuk] *n* Kochbuch *nt*.
cook-chill ['kuktʃɪl] *adj* durch rasches Kühlen haltbar gemacht.
cooker ['kukə*] *n* Herd *m*.
cookery ['kukərɪ] *n* Kochen *nt*, Kochkunst *f*.
cookery book (*BRIT*) *n* = **cookbook**.
cookie ['kukɪ] (*US*) *n* Keks *m or nt*, Plätzchen *nt*.
cooking ['kukɪŋ] *n* Kochen *nt*; (*food*) Essen *nt* ♦ *cpd* Koch-; (*chocolate*) Block-.
cookout ['kukaut] (*US*) *n* ≈ Grillparty *f*.
cool [kuːl] *adj* kühl; (*dress, clothes*) leicht, luftig; (*person: calm*) besonnen; (: *unfriendly*) kühl ♦ *vt* kühlen ♦ *vi* abkühlen; **it's ~** es ist kühl; **to keep sth ~** *or* **in a ~ place** etw kühl aufbewahren; **to keep one's ~** die Ruhe bewahren.
►**cool down** *vi* abkühlen; (*fig*) sich beruhigen.
coolant ['kuːlənt] *n* Kühlflüssigkeit *f*.
cool box *n* Kühlbox *f*.
cooler ['kuːlə*] (*US*) *n* = **cool box**.
cooling ['kuːlɪŋ] *adj* (*drink, shower*) kühlend; (*feeling, emotion*) abkühlend.
cooling tower ['kuːlɪŋ-] *n* Kühlturm *m*.
coolly ['kuːlɪ] *adv* (*calmly*) besonnen, ruhig; (*in unfriendly way*) kühl.
coolness ['kuːlnɪs] *n* (*see adj*) Kühle *f*; Leichtigkeit *f*, Luftigkeit *f*; Besonnenheit *f*.
coop [kuːp] *n* (*for rabbits*) Kaninchenstall *m*; (*for poultry*) Hühnerstall *m* ♦ *vt*: **to ~ up** (*fig*) einsperren.
co-op ['kəuɔp] *n abbr* (= *cooperative (society)*) Genossenschaft *f*.
cooperate [kəu'ɔpəreɪt] *vi* zusammenarbeiten; (*assist*) mitmachen, kooperieren; **to ~ with sb** mit jdm zusammenarbeiten.

cooperation [kəuɔpə'reɪʃən] *n* (*see vb*) Zusammenarbeit *f*, Mitarbeit *f*, Kooperation *f*.
cooperative [kəu'ɔpərətɪv] *adj* (*farm, business*) auf Genossenschaftsbasis; (*person*) kooperativ; (: *helpful*) hilfsbereit ♦ *n* Genossenschaft *f*, Kooperative *f*.
coopt [kəu'ɔpt] *vt*: **to ~ sb onto a committee** jdn in ein Komitee hinzuwählen *or* kooptieren.
coordinate [kəu'ɔːdɪneɪt] *vt* koordinieren ♦ *n* (*MATH*) Koordinate *f*; **coordinates** *npl* (*clothes*) Kleidung *f* zum Kombinieren.
coordination [kəuɔːdɪ'neɪʃən] *n* Koordinierung *f*, Koordination *f*.
coownership [kəu'əunəʃɪp] *n* Mitbesitz *m*.
cop [kɔp] (*inf*) *n* Polizist(in) *m(f)*, Bulle *m* (*pej*).
cope [kəup] *vi* zurechtkommen; **to ~ with** fertigwerden mit.
Copenhagen ['kəupn'heɪgən] *n* Kopenhagen *nt*.
copier ['kɔpɪə*] *n* (*also*: **photocopier**) Kopiergerät *nt*, Kopierer *m*.
copilot ['kəupaɪlət] *n* Kopilot(in) *m(f)*.
copious ['kəupɪəs] *adj* reichlich.
copper ['kɔpə*] *n* Kupfer *nt*; (*BRIT: inf*) Polizist(in) *m(f)*, Bulle *m* (*pej*); **coppers** *npl* (*small change, coins*) Kleingeld *nt*.
coppice ['kɔpɪs] *n* Wäldchen *nt*.
copse [kɔps] *n* = **coppice**.
copulate ['kɔpjuleɪt] *vi* kopulieren.
copy ['kɔpɪ] *n* Kopie *f*; (*of book, record, newspaper*) Exemplar *nt*; (*for printing*) Artikel *m* ♦ *vt* (*person*) nachahmen; (*idea etc*) nachmachen; (*something written*) abschreiben; **this murder story will make good ~** (*PRESS*) aus diesem Mord kann man etwas machen.
▸**copy out** *vt* abschreiben.
copycat ['kɔpɪkæt] (*pej*) *n* Nachahmer(in) *m(f)*.
copyright ['kɔpɪraɪt] *n* Copyright *nt*, Urheberrecht *nt*; **~ reserved** urheberrechtlich geschützt.
copy typist *n* Schreibkraft *f* (*die mit Textvorlagen arbeitet*).
copywriter ['kɔpɪraɪtə*] *n* Werbetexter(in) *m(f)*.
coral ['kɔrəl] *n* Koralle *f*.
coral reef *n* Korallenriff *nt*.
Coral Sea *n*: **the ~** das Korallenmeer.
cord [kɔːd] *n* Schnur *f*; (*string*) Kordel *f*; (*ELEC*) Kabel *nt*, Schnur *f*; (*fabric*) Kord(samt) *m*; **cords** *npl* (*trousers*) Kordhosen *pl*.
cordial ['kɔːdɪəl] *adj* herzlich ♦ *n* (*BRIT*) Fruchtsaftkonzentrat *nt*.
cordless ['kɔːdlɪs] *adj* schnurlos.
cordon ['kɔːdn] *n* Kordon *m*, Absperrkette *f*.
▸**cordon off** *vt* (*area*) absperren, abriegeln; (*crowd*) mit einer Absperrkette zurückhalten.
corduroy ['kɔːdərɔɪ] *n* Kord(samt) *m*.
CORE [kɔː*] (*US*) *n abbr* (= *Congress of Racial Equality*) *Ausschuß für Rassengleichheit*.
core [kɔː*] *n* Kern *m*; (*of fruit*) Kerngehäuse *nt* ♦ *vt* das Kerngehäuse ausschneiden aus; **rotten to the ~** durch und durch schlecht.
Corfu [kɔː'fuː] *n* Korfu *nt*.
coriander [kɔrɪ'ændə*] *n* Koriander *m*.
cork [kɔːk] *n* (*stopper*) Korken *m*; (*substance*) Kork *m*.
corkage ['kɔːkɪdʒ] *n* Korkengeld *nt*.
corked [kɔːkt] *adj*: **the wine is ~** der Wein schmeckt nach Kork.
corkscrew ['kɔːkskruː] *n* Korkenzieher *m*.
corky ['kɔːkɪ] (*US*) *adj* = **corked**.
corm [kɔːm] *n* Knolle *f*.
cormorant ['kɔːmərnt] *n* Kormoran *m*.
Corn (*BRIT*) *abbr* (*POST:* = *Cornwall*).
corn [kɔːn] *n* (*BRIT*) Getreide *nt*, Korn *nt*; (*US*) Mais *m*; (*on foot*) Hühnerauge *nt*; **~ on the cob** Maiskolben *m*.
cornea ['kɔːnɪə] *n* Hornhaut *f*.
corned beef ['kɔːnd-] *n* Corned beef *nt*.
corner ['kɔːnə*] *n* Ecke *f*; (*bend*) Kurve *f* ♦ *vt* in die Enge treiben; (*COMM: market*) monopolisieren ♦ *vi* (*in car*) die Kurve nehmen; **to cut ~s** (*fig*) das Verfahren abkürzen.
corner flag *n* Eckfahne *f*.
corner kick *n* Eckball *m*.
cornerstone ['kɔːnəstəun] *n* (*fig*) Grundstein *m*, Eckstein *m*.
cornet ['kɔːnɪt] *n* (*MUS*) Kornett *nt*; (*BRIT: for ice cream*) Eistüte *f*.
cornflakes ['kɔːnfleɪks] *npl* Corn-flakes *pl*.
cornflour ['kɔːnflauə*] (*BRIT*) *n* Stärkemehl *nt*.
cornice ['kɔːnɪs] *n* (Ge)sims *nt*.
Cornish ['kɔːnɪʃ] *adj* kornisch, aus Cornwall.
corn oil *n* (Mais)keimöl *nt*.
cornstarch ['kɔːnstɑːtʃ] (*US*) *n* = **cornflour**.
cornucopia [kɔːnju'kəupɪə] *n* Fülle *f*.
Cornwall ['kɔːnwəl] *n* Cornwall *nt*.
corny ['kɔːnɪ] (*inf*) *adj* (*joke*) blöd.
corollary [kə'rɔlərɪ] *n* (logische) Folge *f*.
coronary ['kɔrənərɪ] *n* (*also*: **~ thrombosis**) Herzinfarkt *m*.
coronation [kɔrə'neɪʃən] *n* Krönung *f*.
coroner ['kɔrənə*] *n* *Beamter, der Todesfälle untersucht, die nicht eindeutig eine natürliche Ursache haben*.
coronet ['kɔrənɪt] *n* Krone *f*.
Corp. *abbr* = **corporation**; (*MIL*) = **corporal**.
corporal ['kɔːpərl] *n* Stabsunteroffizier *m*.
corporal punishment *n* Prügelstrafe *f*.
corporate ['kɔːpərɪt] *adj* (*organization*) körperschaftlich; (*action, effort, ownership*) gemeinschaftlich; (*finance*) Unternehmens-; (*image, identity*) Firmen-.
corporate hospitality *n* *Empfänge, Diners etc auf Kosten der ausrichtenden Firma*.
corporation [kɔːpə'reɪʃən] *n* (*COMM*) Körperschaft *f*; (*of town*) Gemeinde *f*, Stadt *f*.
corporation tax *n* Körperschaftssteuer *f*.

corps [kɔː*] (*pl* ~) *n* Korps *nt*; **the press** ~ die Presse.
corpse [kɔːps] *n* Leiche *f*.
corpuscle ['kɔːpʌsl] *n* Blutkörperchen *nt*.
corral [kə'rɑːl] *n* Korral *m*.
correct [kə'rɛkt] *adj* richtig; (*proper*) korrekt ♦ *vt* korrigieren; (*mistake*) berichtigen, verbessern; **you are** ~ Sie haben recht.
correction [kə'rɛkʃən] *n* (*see vb*) Korrektur *f*, Berichtigung *f*, Verbesserung *f*.
correctly [kə'rɛktlı] *adv* (*see adj*) richtig; korrekt.
correlate ['kɔrıleıt] *vt* zueinander in Beziehung setzen ♦ *vi*: **to** ~ **with** in einer Beziehung stehen zu.
correlation [kɔrı'leıʃən] *n* Beziehung *f*, Zusammenhang *m*.
correspond [kɔrıs'pɔnd] *vi*: **to** ~ **(with)** (*write*) korrespondieren (mit); (*be in accordance*) übereinstimmen (mit); **to** ~ **to** (*be equivalent*) entsprechen *+dat*.
correspondence [kɔrıs'pɔndəns] *n* Korrespondenz *f*, Briefwechsel *m*; (*relationship*) Beziehung *f*.
correspondence column *n* Leserbriefspalte *f*.
correspondence course *n* Fernkurs *m*.
correspondent [kɔrıs'pɔndənt] *n* Korrespondent(in) *m(f)*.
corresponding [kɔrıs'pɔndıŋ] *adj* entsprechend.
corridor ['kɔrıdɔː*] *n* Korridor *m*; (*in train*) Gang *m*.
corroborate [kə'rɔbəreıt] *vt* bestätigen.
corrode [kə'rəud] *vt* zerfressen ♦ *vi* korrodieren.
corrosion [kə'rəuʒən] *n* Korrosion *f*.
corrosive [kə'rəuzıv] *adj* korrosiv.
corrugated ['kɔrəgeıtıd] *adj* (*roof*) gewellt; (*cardboard*) Well-.
corrugated iron *n* Wellblech *nt*.
corrupt [kə'rʌpt] *adj* korrupt; (*depraved*) verdorben ♦ *vt* korrumpieren; (*morally*) verderben; ~ **practices** Korruption *f*.
corruption [kə'rʌpʃən] *n* Korruption *f*.
corset ['kɔːsıt] *n* Korsett *nt*; (*MED*) Stützkorsett *nt*.
Corsica ['kɔːsıkə] *n* Korsika *nt*.
Corsican ['kɔːsıkən] *adj* korsisch ♦ *n* Korse *m*, Korsin *f*.
cortège [kɔː'teıʒ] *n* (*also*: **funeral** ~) Leichenzug *m*.
cortisone ['kɔːtızəun] *n* Kortison *nt*.
coruscating ['kɔrəskeıtıŋ] *adj* sprühend.
c.o.s. *abbr* (= *cash on shipment*) Barzahlung bei Versand.
cosh [kɔʃ] (*BRIT*) *n* Totschläger *m*.
cosignatory ['kəu'sıgnətərı] *n* Mitunterzeichner(in) *m(f)*.
cosiness ['kəuzınıs] *n* Gemütlichkeit *f*, Behaglichkeit *f*.
cos lettuce ['kɔs-] *n* römischer Salat *m*.
cosmetic [kɔz'mɛtık] *n* Kosmetikum *nt* ♦ *adj* kosmetisch; ~ **surgery** (*MED*) kosmetische Chirurgie *f*.
cosmic ['kɔzmık] *adj* kosmisch.
cosmonaut ['kɔzmənɔːt] *n* Kosmonaut(in) *m(f)*.
cosmopolitan [kɔzmə'pɔlıtn] *adj* kosmopolitisch.
cosmos ['kɔzmɔs] *n*: **the** ~ der Kosmos.
cosset ['kɔsıt] *vt* verwöhnen.
cost [kɔst] (*pt, pp* **cost**) *n* Kosten *pl*; (*fig: loss, damage etc*) Preis *m* ♦ *vt* kosten; (*find out cost of*) (*pt, pp* **costed**) veranschlagen; **costs** *npl* (*COMM, LAW*) Kosten *pl*; **the** ~ **of living** die Lebenshaltungskosten *pl*; **at all** ~**s** um jeden Preis; **how much does it** ~**?** wieviel *or* was kostet es?; **it** ~**s £5/too much** es kostet £5/ ist zu teuer; **what will it** ~ **to have it repaired?** wieviel kostet die Reparatur?; **to** ~ **sb time/effort** jdn Zeit/Mühe kosten; **it** ~ **him his life/job** es kostete ihn das Leben/ seine Stelle.
cost accountant *n* Kostenbuchhalter(in) *m(f)*.
co-star ['kəustɑː*] *n* einer der Hauptdarsteller *m*, eine der Hauptdarstellerinnen *f*; **she was Sean Connery's** ~ **in** ... sie spielte neben Sean Connery in ...
Costa Rica ['kɔstə'riːkə] *n* Costa Rica *nt*.
cost centre *n* Kostenstelle *f*.
cost control *n* Kostenkontrolle *f*.
cost-effective ['kɔstı'fɛktıv] *adj* rentabel; (*COMM*) kostengünstig.
cost-effectiveness ['kɔstı'fɛktıvnıs] *n* Rentabilität *f*.
costing ['kɔstıŋ] *n* Kalkulation *f*.
costly ['kɔstlı] *adj* teuer, kostspielig; (*in time, effort*) aufwendig.
cost-of-living ['kɔstəv'lıvıŋ] *adj* Lebenshaltungskosten-; (*index*) Lebenshaltungs-.
cost price (*BRIT*) *n* Selbstkostenpreis *m*; **to sell/buy at** ~ zum Selbstkostenpreis verkaufen/kaufen.
costume ['kɔstjuːm] *n* Kostüm *nt*; (*BRIT: also*: **swimming** ~) Badeanzug *m*.
costume jewellery *n* Modeschmuck *m*.
cosy, (*US*) **cozy** ['kəuzı] *adj* gemütlich, behaglich; (*bed, scarf, gloves*) warm; (*chat, evening*) gemütlich; **I'm very** ~ **here** ich fühle mich hier sehr wohl, ich finde es hier sehr gemütlich.
cot [kɔt] *n* (*BRIT*) Kinderbett *nt*; (*US: campbed*) Feldbett *nt*.
cot death *n* Krippentod *m*, plötzlicher Kindstod *m*.
Cotswolds ['kɔtswəuldz] *npl*: **the** ~ die Cotswolds *pl*.
cottage ['kɔtıdʒ] *n* Cottage *nt*, Häuschen *nt*.
cottage cheese *n* Hüttenkäse *m*.
cottage industry *n* Heimindustrie *f*.
cottage pie *n* *Hackfleisch mit Kartoffelbrei überbacken*.

cotton ['kɔtn] *n* (*fabric*) Baumwollstoff *m*; (*plant*) Baumwollstrauch *m*; (*thread*) (Baumwoll)garn *nt* ♦ *cpd* (*dress etc*) Baumwoll-.
►**cotton on** (*inf*) *vi*: **to ~ on** es kapieren *or* schnallen; **to ~ on to sth** etw kapieren *or* schnallen.
cotton candy (*US*) *n* Zuckerwatte *f*.
cotton wool (*BRIT*) *n* Watte *f*.
couch [kautʃ] *n* Couch *f* ♦ *vt* formulieren.
couchette [ku:'ʃɛt] *n* Liegewagen(platz) *m*.
couch potato (*esp US: inf*) *n* Dauerglotzer(in) *m(f)*.
cough [kɔf] *vi* husten; (*engine*) stottern ♦ *n* Husten *m*.
cough drop *n* Hustenpastille *f*.
cough mixture *n* Hustensaft *m*.
cough syrup *n* = **cough mixture**.
could [kud] *pt of* **can²**.
couldn't ['kudnt] = **could not**.
council ['kaunsl] *n* Rat *m*; **city/town ~** Stadtrat *m*; **C~ of Europe** Europarat *m*.
council estate (*BRIT*) *n* Siedlung *f* mit Sozialwohnungen.
council house (*BRIT*) *n* Sozialwohnung *f*.
council housing *n* sozialer Wohnungsbau *m*; (*accommodation*) Sozialwohnungen *pl*.
councillor ['kaunslə*] *n* Stadtrat *m*, Stadträtin *f*.
council tax (*BRIT*) *n* Gemeindesteuer *f*.
counsel ['kaunsl] *n* Rat(schlag) *m*; (*lawyer*) Rechtsanwalt *m*, Rechtsanwältin *f* ♦ *vt* beraten; **to ~ sth** etw raten *or* empfehlen; **to ~ sb to do sth** jdm raten *or* empfehlen, etw zu tun; **~ for the defence** Verteidiger(in) *m(f)*; **~ for the prosecution** Vertreter(in) *m(f)* der Anklage.
counsellor ['kaunslə*] *n* Berater(in) *m(f)*; (*US: lawyer*) Rechtsanwalt *m*, Rechtsanwältin *f*.
count [kaunt] *vt* zählen; (*include*) mitrechnen, mitzählen ♦ *vi* zählen; (*be considered*) betrachtet *or* angesehen werden ♦ *n* Zählung *f*; (*level*) Zahl *f*; (*nobleman*) Graf *m*; **to ~ (up) to 10** bis 10 zählen; **not ~ing the children** die Kinder nicht mitgerechnet; **10 ~ing him** 10, wenn man ihn mitrechnet; **to ~ the cost of sth** die Folgen von etw abschätzen; **it ~s for very little** es zählt nicht viel; **~ yourself lucky** Sie können sich glücklich schätzen; **to keep ~ of sth** die Übersicht über etw *acc* behalten; **blood ~** Blutbild *nt*; **cholesterol/alcohol ~** Cholesterin-/Alkoholspiegel *m*.
►**count on** *vt fus* rechnen mit; (*depend on*) sich verlassen auf *+acc*; **to ~ on doing sth** die feste Absicht haben, etw zu tun.
►**count up** *vt* zusammenzählen, zusammenrechnen.
countdown ['kauntdaun] *n* Countdown *m*.
countenance ['kauntɪnəns] *n* Gesicht *nt* ♦ *vt* gutheißen.
counter ['kauntə*] *n* (*in shop*) Ladentisch *m*; (*in café*) Theke *f*; (*in bank, post office*) Schalter *m*; (*in game*) Spielmarke *f*; (*TECH*) Zähler *m* ♦ *vt* (*oppose: sth said, sth done*) begegnen *+dat*; (*blow*) kontern ♦ *adv*: **~ to** gegen *+acc*; **to buy sth under the ~** (*fig*) etw unter dem Ladentisch bekommen; **to ~ sth with sth** auf etw *acc* mit etw antworten; **to ~ sth by doing sth** einer Sache damit begegnen, daß man etw tut.
counteract ['kauntər'ækt] *vt* entgegenwirken *+dat*; (*effect*) neutralisieren.
counterattack ['kauntərə'tæk] *n* Gegenangriff *m* ♦ *vi* einen Gegenangriff starten.
counterbalance ['kauntə'bæləns] *vt* Gegengewicht *nt*.
counterclockwise ['kauntə'klɔkwaɪz] *adv* gegen den Uhrzeigersinn.
counterespionage ['kauntər'ɛspɪənɑ:ʒ] *n* Gegenspionage *f*, Spionageabwehr *f*.
counterfeit ['kauntəfɪt] *n* Fälschung *f* ♦ *vt* fälschen ♦ *adj* (*coin*) Falsch-.
counterfoil ['kauntəfɔɪl] *n* Kontrollabschnitt *m*.
counterintelligence ['kauntərɪn'tɛlɪdʒəns] *n* Gegenspionage *f*, Spionageabwehr *f*.
countermand ['kauntəmɑ:nd] *vt* aufheben, widerrufen.
countermeasure ['kauntəmɛʒə*] *n* Gegenmaßnahme *f*.
counteroffensive ['kauntərə'fɛnsɪv] *n* Gegenoffensive *f*.
counterpane ['kauntəpeɪn] *n* Tagesdecke *f*.
counterpart ['kauntəpɑ:t] *n* Gegenüber *nt*; (*of document etc*) Gegenstück *nt*, Pendant *nt*.
counterproductive ['kauntəprə'dʌktɪv] *adj* widersinnig.
counterproposal ['kauntəprə'pəuzl] *n* Gegenvorschlag *m*.
countersign ['kauntəsaɪn] *vt* gegenzeichnen.
countersink ['kauntəsɪŋk] *vt* senken.
countess ['kauntɪs] *n* Gräfin *f*.
countless ['kauntlɪs] *adj* unzählig, zahllos.
countrified ['kʌntrɪfaɪd] *adj* ländlich.
country ['kʌntrɪ] *n* Land *nt*; (*native land*) Heimatland *nt*; **in the ~** auf dem Land; **mountainous ~** gebirgige Landschaft *f*.
country and western (music) *n* Country-und-Western-Musik *f*.
country dancing (*BRIT*) *n* Volkstanz *m*.
country house *n* Landhaus *nt*.
countryman ['kʌntrɪmən] (*irreg: like* **man**) *n* (*compatriot*) Landsmann *m*; (*country dweller*) Landmann *m*.
countryside ['kʌntrɪsaɪd] *n* Land *nt*; (*scenery*) Landschaft *f*, Gegend *f*.
country-wide ['kʌntrɪ'waɪd] *adj, adv* landesweit.
county ['kauntɪ] *n* (*BRIT*) Grafschaft *f*; (*US*) (Verwaltungs)bezirk *m*.
county council (*BRIT*) *n* Gemeinderat *m* (*einer Grafschaft*).

county town (*BRIT*) *n* *Hauptstadt einer Grafschaft.*
coup [kuː] (*pl* **~s**) *n* (*also:* ~ **d'état**) Staatsstreich *m*, Coup d'Etat *m*; (*achievement*) Coup *m*.
coupé [kuː'peɪ] *n* Coupé *nt*.
couple ['kʌpl] *n* Paar *nt*; (*married couple*) Ehepaar *nt* ♦ *vt* verbinden; (*vehicles*) koppeln; **a** ~ **of** (*two*) zwei; (*a few*) ein paar.
couplet ['kʌplɪt] *n* Verspaar *nt*.
coupling ['kʌplɪŋ] *n* Kupplung *f*.
coupon ['kuːpɔn] *n* Gutschein *m*; (*detachable form*) Abschnitt *m*; (*COMM*) Coupon *m*.
courage ['kʌrɪdʒ] *n* Mut *m*.
courageous [kə'reɪdʒəs] *adj* mutig.
courgette [kuə'ʒɛt] (*BRIT*) *n* Zucchino *m*.
courier ['kurɪə*] *n* (*messenger*) Kurier(in) *m(f)*; (*for tourists*) Reiseleiter(in) *m(f)*.
course [kɔːs] *n* (*SCOL*) Kurs(us) *m*; (*of ship*) Kurs *m*; (*of life, events, time etc, of river*) Lauf *m*; (*of argument*) Richtung *f*; (*part of meal*) Gang *m*; (*for golf*) Platz *m*; **of** ~ natürlich; **of** ~! (aber) natürlich!, (aber) selbstverständlich!; **(no) of** ~ **not!** natürlich nicht!; **in the** ~ **of the next few days** während *or* im Laufe der nächsten paar Tage; **in due** ~ zu gegebener Zeit; ~ **(of action)** Vorgehensweise *f*; **the best** ~ **would be to** ... das beste wäre es, zu ...; **we have no other** ~ **but to** ... es bleibt uns nichts anderes übrig, als zu ...; ~ **of lectures** Vorlesungsreihe *f*; ~ **of treatment** (*MED*) Behandlung *f*; **first/last** ~ erster/letzter Gang, Vor-/Nachspeise *f*.
court [kɔːt] *n* Hof *m*; (*LAW*) Gericht *nt*; (*for tennis, badminton etc*) Platz *m* ♦ *vt* den Hof machen *+dat*; (*favour, popularity*) werben um; (*death, disaster*) herausfordern; **out of** ~ (*LAW*) außergerichtlich; **to take to** ~ (*LAW*) verklagen, vor Gericht bringen.
courteous ['kəːtɪəs] *adj* höflich.
courtesan [kɔːtɪ'zæn] *n* Kurtisane *f*.
courtesy ['kəːtəsɪ] *n* Höflichkeit *f*; **(by)** ~ **of** freundlicherweise zur Verfügung gestellt von.
courtesy coach *n* gebührenfreier Bus *m*.
courtesy light *n* Innenleuchte *f*.
courthouse ['kɔːthaus] (*US*) *n* Gerichtsgebäude *nt*.
courtier ['kɔːtɪə*] *n* Höfling *m*.
court martial (*pl* **courts martial**) *n* Militärgericht *nt*.
court of appeal (*pl* **courts of appeal**) *n* Berufungsgericht *nt*.
court of inquiry (*pl* **courts of inquiry**) *n* Untersuchungskommission *f*.
courtroom ['kɔːtrum] *n* Gerichtssaal *m*.
court shoe *n* Pumps *m*.
courtyard ['kɔːtjɑːd] *n* Hof *m*.
cousin ['kʌzn] *n* (*male*) Cousin *m*, Vetter *m*; (*female*) Cousine *f*, Kusine *f*; **first** ~ Cousin(e) ersten Grades.
cove [kəuv] *n* (kleine) Bucht *f*.
covenant ['kʌvənənt] *n* Schwur *m* ♦ *vt*: **to** ~ **£200 per year to a charity** sich vertraglich verpflichten, £200 im Jahr für wohltätige Zwecke zu spenden.
Coventry ['kɔvəntrɪ] *n*: **to send sb to** ~ (*fig*) jdn schneiden (*inf*).
cover ['kʌvə*] *vt* bedecken; (*distance*) zurücklegen; (*INSURANCE*) versichern; (*topic*) behandeln; (*include*) erfassen; (*PRESS: report on*) berichten über *+acc* ♦ *n* (*for furniture*) Bezug *m*; (*for typewriter, PC etc*) Hülle *f*; (*of book, magazine*) Umschlag *m*; (*shelter*) Schutz *m*; (*INSURANCE*) Versicherung *f*; (*fig: for illegal activities*) Tarnung *f*; **to be** ~**ed in** *or* **with** bedeckt sein mit; **£10 will** ~ **my expenses** £10 decken meine Unkosten; **to take** ~ (*from rain*) sich unterstellen; **under** ~ geschützt; **under** ~ **of darkness** im Schutz(e) der Dunkelheit; **under separate** ~ getrennt.
►**cover up** *vt* zudecken; (*fig: facts, feelings*) verheimlichen; (*: mistakes*) vertuschen ♦ *vi* (*fig*): **to** ~ **up for sb** jdn decken.
coverage ['kʌvərɪdʒ] *n* Berichterstattung *f*; **television** ~ **of the conference** Fernsehberichte *pl* über die Konferenz; **to give full** ~ **to** ausführlich berichten über *+acc*.
coveralls ['kʌvərɔːlz] (*US*) *npl* Overall *m*.
cover charge *n* Kosten *pl* für ein Gedeck.
covering ['kʌvərɪŋ] *n* Schicht *f*; (*of snow, dust etc*) Decke *f*.
covering letter, (*US*) **cover letter** *n* Begleitbrief *m*.
cover note *n* (*INSURANCE*) Deckungszusage *f*.
cover price *n* Einzel(exemplar)preis *m*.
covert ['kʌvət] *adj* versteckt; (*glance*) verstohlen.
cover-up ['kʌvərʌp] *n* Vertuschung *f*, Verschleierung *f*.
covet ['kʌvɪt] *vt* begehren.
cow [kau] *n* (*animal, inf!: woman*) Kuh *f* ♦ *cpd* Kuh- ♦ *vt* einschüchtern.
coward ['kauəd] *n* Feigling *m*.
cowardice ['kauədɪs] *n* Feigheit *f*.
cowardly ['kauədlɪ] *adj* feige.
cowboy ['kaubɔɪ] *n* (*in US*) Cowboy *m*; (*pej: tradesman*) Pfuscher *m*.
cow elephant *n* Elefantenkuh *f*.
cower ['kauə*] *vi* sich ducken; (*squatting*) kauern.
cowshed ['kauʃɛd] *n* Kuhstall *m*.
cowslip ['kauslɪp] *n* Schlüsselblume *f*.
cox [kɔks] *n abbr* = **coxswain.**
coxswain ['kɔksn] *n* Steuermann *m*; (*of ship*) Boot(s)führer *m*.
coy [kɔɪ] *adj* verschämt.
coyote [kɔɪ'əutɪ] *n* Kojote *m*.
cozy ['kəuzɪ] (*US*) *adj* = **cosy.**
CP *n abbr* (= *Communist Party*) KP *f*.

cp. *abbr* (= *compare*) vgl.
c/p (*BRIT*) *abbr* = **carriage paid.**
CPA (*US*) *n abbr* = **certified public accountant.**
CPI *n abbr* (= *Consumer Price Index*) (Verbraucher)preisindex *m.*
Cpl *abbr* (*MIL*) = **corporal.**
CP/M *n abbr* (= *Control Program for Microprocessors*) CP/M *nt.*
cps *abbr* (*COMPUT, TYP:* = *characters per second*) cps, Zeichen *pl* pro Sekunde.
CPSA (*BRIT*) *n abbr* (= *Civil and Public Services Association*) *Gewerkschaft im öffentlichen Dienst.*
CPU *n abbr* (*COMPUT*) = **central processing unit.**
cr. *abbr* = **credit**; **creditor.**
crab [kræb] *n* Krabbe *f*, Krebs *m*; (*meat*) Krabbe *f.*
crab apple *n* Holzapfel *m.*
crack [kræk] *n* (*noise*) Knall *m*; (*of wood breaking*) Knacks *m*; (*gap*) Spalte *f*; (*in bone, dish, glass*) Sprung *m*; (*in wall*) Riß *m*; (*joke*) Witz *m*; (*DRUGS*) Crack *nt* ♦ *vt* (*whip*) knallen mit; (*twig*) knacken mit; (*dish, glass*) einen Sprung machen in +*acc*; (*bone*) anbrechen; (*nut, code*) knacken; (*wall*) rissig machen; (*problem*) lösen; (*joke*) reißen ♦ *adj* erstklassig; **to have a ~ at sth** (*inf*) etw mal probieren; **to ~ jokes** (*inf*) Witze reißen; **to get ~ing** (*inf*) loslegen.
▶**crack down on** *vt fus* hart durchgreifen gegen.
▶**crack up** *vi* durchdrehen, zusammenbrechen.
crackdown ['krækdaun] *n:* ~ **(on)** scharfes Durchgreifen *nt* (gegen).
cracked [krækt] (*inf*) *adj* übergeschnappt.
cracker ['krækə*] *n* (*biscuit*) Kräcker *m*; (*Christmas cracker*) Knallbonbon *nt*; (*firework*) Knallkörper *m*, Kracher *m*; **a ~ of a ...** (*BRIT: inf*) ein(e) tolle(r, s) ...; **he's ~s** (*BRIT: inf*) er ist übergeschnappt.
crackle ['krækl] *vi* (*fire*) knistern, prasseln; (*twig*) knacken.
crackling ['kræklıŋ] *n* (*of fire*) Knistern *nt*, Prasseln *nt*; (*of twig, on radio, telephone*) Knacken *nt*; (*of pork*) Kruste *f* (*des Schweinebratens*).
crackpot ['krækpɔt] (*inf*) *n* Spinner(in) *m(f)* ♦ *adj* verrückt.
cradle ['kreıdl] *n* Wiege *f* ♦ *vt* fest in den Armen halten.
craft [krɑːft] *n* (*skill*) Geschicklichkeit *f*; (*art*) Kunsthandwerk *nt*; (*trade*) Handwerk *nt*; (*pl inv: boat*) Boot *nt*; (*pl inv: plane*) Flugzeug *nt.*
craftsman ['krɑːftsmən] (*irreg: like* **man**) *n* Handwerker *m.*
craftsmanship ['krɑːftsmənʃıp] *n* handwerkliche Ausführung *f.*
crafty ['krɑːftı] *adj* schlau, clever.
crag [kræg] *n* Fels *m.*
craggy ['krægı] *adj* (*mountain*) zerklüftet; (*cliff*) felsig; (*face*) kantig.
cram [kræm] *vt* vollstopfen ♦ *vi* pauken (*inf*), büffeln (*inf*); **to ~ with** vollstopfen mit; **to ~ sth into** etw hineinstopfen in +*acc.*
cramming ['kræmıŋ] *n* (*for exams*) Pauken *nt*, Büffeln *nt.*
cramp [kræmp] *n* Krampf *m* ♦ *vt* hemmen.
cramped [kræmpt] *adj* eng.
crampon ['kræmpən] *n* Steigeisen *nt.*
cranberry ['krænbərı] *n* Preiselbeere *f.*
crane [kreın] *n* Kran *m*; (*bird*) Kranich *m* ♦ *vt:* **to ~ one's neck** den Hals recken ♦ *vi:* **to ~ forward** den Hals recken.
crania ['kreınıə] *npl of* **cranium.**
cranium ['kreınıəm] (*pl* **crania**) *n* Schädel *m.*
crank [kræŋk] *n* Spinner(in) *m(f)*; (*handle*) Kurbel *f.*
crankshaft ['kræŋkʃɑːft] *n* Kurbelwelle *f.*
cranky ['kræŋkı] *adj* verrückt.
cranny ['krænı] *n see* **nook.**
crap [kræp] (*inf!*) *n* Scheiße *f* (*!*) ♦ *vi* scheißen (*!*); **to have a ~** scheißen (*!*).
crappy ['kræpı] (*inf!*) *adj* beschissen (*!*).
crash [kræʃ] *n* (*noise*) Krachen *nt*; (*of car*) Unfall *m*; (*of plane etc*) Unglück *nt*; (*collision*) Zusammenstoß *m*; (*of stock market, business etc*) Zusammenbruch *m* ♦ *vt* (*car*) einen Unfall haben mit; (*plane etc*) abstürzen mit ♦ *vi* (*plane*) abstürzen; (*car*) einen Unfall haben; (*two cars*) zusammenstoßen; (*market*) zusammenbrechen; (*firm*) Pleite machen; **to ~ into** krachen *or* knallen gegen; **he ~ed the car into a wall** er fuhr mit dem Auto gegen eine Mauer.
crash barrier (*BRIT*) *n* Leitplanke *f.*
crash course *n* Schnellkurs *m*, Intensivkurs *m.*
crash helmet *n* Sturzhelm *m.*
crash-landing ['kræʃlændıŋ] *n* Bruchlandung *f.*
crass [kræs] *adj* kraß; (*behaviour*) unfein, derb.
crate [kreıt] *n* (*also inf*) Kiste *f*; (*for bottles*) Kasten *m.*
crater ['kreıtə*] *n* Krater *m.*
cravat [krə'væt] *n* Halstuch *nt.*
crave [kreıv] *vt, vi:* **to ~ (for)** sich sehnen nach.
craven ['kreıvən] *adj* feige.
craving ['kreıvıŋ] *n:* ~ **(for)** Verlangen *nt* (nach).
crawl [krɔːl] *vi* kriechen; (*child*) krabbeln ♦ *n* (*SWIMMING*) Kraulstil *m*, Kraul(en) *nt*; **to ~ to sb** (*inf*) vor jdm kriechen; **to drive along at a ~** im Schneckentempo *or* Kriechtempo vorankommen.
crawler lane (*BRIT*) *n* (*AUT*) Kriechspur *f.*
crayfish ['kreıfıʃ] *n inv* (*freshwater*) Flußkrebs *m*; (*saltwater*) Languste *f.*
crayon ['kreıən] *n* Buntstift *m.*
craze [kreız] *n* Fimmel *m*; **to be all the ~** große Mode sein.
crazed [kreızd] *adj* wahnsinnig; (*pottery, glaze*) rissig.

crazy ['kreɪzɪ] *adj* wahnsinnig, verrückt; ~ **about sb/sth** (*inf*) verrückt *or* wild auf jdn/etw; **to go** ~ wahnsinnig *or* verrückt werden.
crazy paving (*BRIT*) *n* Mosaikpflaster *nt*.
creak [kri:k] *vi* knarren.
cream [kri:m] *n* Sahne *f*, Rahm *m* (*S Ger*); (*artificial cream, cosmetic*) Creme *f*; (*élite*) Crème *f*, Elite *f* ♦ *adj* cremefarben; **whipped** ~ Schlagsahne *f*.
►**cream off** *vt* absahnen (*inf*).
cream cake *n* Sahnetorte *f*; (*small*) Sahnetörtchen *nt*.
cream cheese *n* (Doppelrahm)frischkäse *m*.
creamery ['kri:mərɪ] *n* (*shop*) Milchgeschäft *nt*; (*factory*) Molkerei *f*.
creamy ['kri:mɪ] *adj* (*colour*) cremefarben; (*taste*) sahnig.
crease [kri:s] *n* Falte *f*; (*in trousers*) Bügelfalte *f* ♦ *vt* zerknittern; (*forehead*) runzeln ♦ *vi* knittern; (*forehead*) sich runzeln.
crease-resistant ['kri:srɪzɪstənt] *adj* knitterfrei.
create [kri:'eɪt] *vt* schaffen; (*interest*) hervorrufen; (*problems*) verursachen; (*produce*) herstellen; (*design*) entwerfen, kreieren; (*impression, fuss*) machen.
creation [kri:'eɪʃən] *n* (*see vb*) Schaffung *f*; Hervorrufen *nt*; Verursachung *f*; Herstellung *f*; Entwurf *m*, Kreation *f*; (*REL*) Schöpfung *f*.
creative [kri:'eɪtɪv] *adj* kreativ, schöpferisch.
creativity [kri:eɪ'tɪvɪtɪ] *n* Kreativität *f*.
creator [kri:'eɪtə*] *n* Schöpfer(in) *m(f)*.
creature ['kri:tʃə*] *n* Geschöpf *nt*; (*living animal*) Lebewesen *nt*.
creature comforts [- 'kʌmfəts] *npl* Lebensgenüsse *pl*.
crèche [krɛʃ] *n* (Kinder)krippe *f*; (*all day*) (Kinder)tagesstätte *f*.
credence ['kri:dns] *n*: **to lend** *or* **give** ~ **to sth** etw glaubwürdig erscheinen lassen *or* machen.
credentials [krɪ'dɛnʃlz] *npl* Referenzen *pl*, Zeugnisse *pl*; (*papers of identity*) (Ausweis)papiere *pl*.
credibility [krɛdɪ'bɪlɪtɪ] *n* Glaubwürdigkeit *f*.
credible ['krɛdɪbl] *adj* glaubwürdig.
credit ['krɛdɪt] *n* (*loan*) Kredit *m*; (*recognition*) Anerkennung *f*; (*SCOL*) Schein *m* ♦ *adj* (*COMM: terms etc*) Kredit- ♦ *vt* (*COMM*) gutschreiben; (*believe: also:* **give** ~ **to**) glauben; **credits** *npl* (*CINE, TV: at beginning*) Vorspann *m*; (*: at end*) Nachspann *m*; **to be in** ~ (*person*) Geld auf dem Konto haben; (*bank account*) im Haben sein; **on** ~ auf Kredit; **it is to his** ~ **that ...** es ehrt ihn, daß ...; **to take the** ~ **for** das Verdienst in Anspruch nehmen für; **it does him** ~ es spricht für ihn; **he's a** ~ **to his family** er macht seiner Familie Ehre; **to** ~ **sb with sth** (*fig*) jdm etw zuschreiben; **to** ~ **£5 to sb** jdm £5 gutschreiben.
creditable ['krɛdɪtəbl] *adj* lobenswert, anerkennenswert.
credit account *n* Kreditkonto *nt*.
credit agency (*BRIT*) *n* Kreditauskunftei *f*.
credit balance *n* Kontostand *m*.
credit bureau (*US*) *n* = **credit agency**.
credit card *n* Kreditkarte *f*.
credit control *n* Kreditüberwachung *f*.
credit facilities *npl* (*COMM*) Kreditmöglichkeiten *pl*.
credit limit *n* Kreditgrenze *f*.
credit note (*BRIT*) *n* Gutschrift *f*.
creditor ['krɛdɪtə*] *n* Gläubiger *m*.
credit transfer *n* Banküberweisung *f*.
creditworthy ['krɛdɪt'wə:ðɪ] *adj* kreditwürdig.
credulity [krɪ'dju:lɪtɪ] *n* Leichtgläubigkeit *f*.
creed [kri:d] *n* Glaubensbekenntnis *nt*.
creek [kri:k] *n* (kleine) Bucht *f*; (*US: stream*) Bach *m*; **to be up the** ~ (*inf*) in der Tinte sitzen.
creel [kri:l] *n* (*also:* **lobster** ~) Hummer(fang)korb *m*.
creep [kri:p] (*pt, pp* **crept**) *vi* schleichen; (*plant: horizontally*) kriechen; (*: vertically*) klettern ♦ *n* (*inf*) Kriecher *m*; **to** ~ **up on sb** sich an jdn heranschleichen; (*time etc*) langsam auf jdn zukommen; **he's a** ~ er ist ein widerlicher *or* fieser Typ; **it gives me the** ~**s** davon kriege ich das kalte Grausen.
creeper ['kri:pə*] *n* Kletterpflanze *f*.
creepers ['kri:pəz] (*US*) *npl* *Schuhe mit weichen Sohlen*.
creepy ['kri:pɪ] *adj* gruselig; (*experience*) unheimlich, gruselig.
creepy-crawly ['kri:pɪ'krɔ:lɪ] (*inf*) *n* Krabbeltier *nt*.
cremate [krɪ'meɪt] *vt* einäschern.
cremation [krɪ'meɪʃən] *n* Einäscherung *f*, Kremation *f*.
crematoria [krɛmə'tɔ:rɪə] *npl of* **crematorium**.
crematorium [krɛmə'tɔ:rɪəm] (*pl* **crematoria**) *n* Krematorium *nt*.
creosote ['krɪəsəut] *n* Kreosot *nt*.
crepe [kreɪp] *n* Krepp *m*, Crêpe *m*; (*rubber*) Krepp(gummi) *m*.
crepe bandage (*BRIT*) *n* elastische Binde *f*.
crepe paper *n* Kreppapier *nt*.
crepe sole *n* Kreppsohle *f*.
crept [krɛpt] *pt, pp of* **creep**.
crescendo [krɪ'ʃɛndəu] *n* Höhepunkt *m*; (*MUS*) Crescendo *nt*.
crescent ['krɛsnt] *n* Halbmond *m*; (*street*) *halbkreisförmig verlaufende Straße*.
cress [krɛs] *n* Kresse *f*.
crest [krɛst] *n* (*of hill*) Kamm *m*; (*of bird*) Haube *f*; (*coat of arms*) Wappen *nt*.
crestfallen ['krɛstfɔ:lən] *adj* niedergeschlagen.
Crete [kri:t] *n* Kreta *nt*.
crevasse [krɪ'væs] *n* Gletscherspalte *f*.

crevice ['krɛvɪs] *n* Spalte *f.*
crew [kruː] *n* Besatzung *f*; (*TV, CINE*) Crew *f*; (*gang*) Bande *f.*
crew cut *n* Bürstenschnitt *m.*
crew neck *n* runder (Hals)ausschnitt *m.*
crib [krɪb] *n* Kinderbett *nt*; (*REL*) Krippe *f* ♦ *vt* (*inf: copy*) abschreiben.
cribbage ['krɪbɪdʒ] *n* Cribbage *nt.*
crib death (*US*) *n* = **cot death.**
crick [krɪk] *n* Krampf *m.*
cricket ['krɪkɪt] *n* Kricket *nt*; (*insect*) Grille *f.*
cricketer ['krɪkɪtə*] *n* Kricketspieler(in) *m(f).*
crime [kraɪm] *n* (*no pl: illegal activities*) Verbrechen *pl*; (*illegal action, fig*) Verbrechen *nt*; **minor ~** kleinere Vergehen *pl.*
crime wave *n* Verbrechenswelle *f.*
criminal ['krɪmɪnl] *n* Kriminelle(r) *f(m)*, Verbrecher(in) *m(f)* ♦ *adj* kriminell; **C~ Investigation Department** Kriminalpolizei *f.*
criminal code *n* Strafgesetzbuch *nt.*
crimp [krɪmp] *vt* kräuseln; (*hair*) wellen.
crimson ['krɪmzn] *adj* purpurrot.
cringe [krɪndʒ] *vi* (*in fear*) zurückweichen; (*in embarrassment*) zusammenzucken.
crinkle ['krɪŋkl] *vt* (zer)knittern.
cripple ['krɪpl] *n* Krüppel *m* ♦ *vt* zum Krüppel machen; (*ship, plane*) aktionsunfähig machen; (*production, exports*) lahmlegen, lähmen; **~d with rheumatism** von Rheuma praktisch gelähmt.
crippling ['krɪplɪŋ] *adj* (*disease*) schwer; (*taxation, debts*) erdrückend.
crises ['kraɪsiːz] *npl of* **crisis.**
crisis ['kraɪsɪs] (*pl* **crises**) *n* Krise *f.*
crisp [krɪsp] *adj* (*vegetables etc*) knackig; (*bacon etc*) knusprig; (*weather*) frisch; (*manner, tone, reply*) knapp.
crisps [krɪsps] (*BRIT*) *npl* Chips *pl.*
crisscross ['krɪskrɔs] *adj* (*pattern*) Kreuz- ♦ *vt* kreuz und quer durchziehen.
criteria [kraɪ'tɪərɪə] *npl of* **criterion.**
criterion [kraɪ'tɪərɪən] (*pl* **criteria**) *n* Kriterium *nt.*
critic ['krɪtɪk] *n* Kritiker(in) *m(f).*
critical ['krɪtɪkl] *adj* kritisch; **to be ~ of sb/sth** jdn/etw kritisieren; **he is in a ~ condition** sein Zustand ist kritisch.
critically ['krɪtɪklɪ] *adv* kritisch; (*ill*) schwer.
criticism ['krɪtɪsɪzəm] *n* Kritik *f.*
criticize ['krɪtɪsaɪz] *vt* kritisieren.
critique [krɪ'tiːk] *n* Kritik *f.*
croak [krəuk] *vi* (*frog*) quaken; (*bird, person*) krächzen.
Croat *n* Kroate *m*, Kroatin *f*; (*LING*) Kroatisch *nt.*
Croatia [krəu'eɪʃə] *n* Kroatien *nt.*
Croatian [krəu'eɪʃən] *adj* kroatisch.
crochet ['krəuʃeɪ] *n* (*activity*) Häkeln *nt*; (*result*) Häkelei *f.*
crock [krɔk] *n* Topf *m*; (*inf: also:* **old ~**) (*vehicle*) Kiste *f*; (*: person*) Wrack *nt.*
crockery ['krɔkərɪ] *n* Geschirr *nt.*
crocodile ['krɔkədaɪl] *n* Krokodil *nt.*
crocus ['krəukəs] *n* Krokus *m.*
croft [krɔft] (*BRIT*) *n* kleines Pachtgut *nt.*
crofter ['krɔftə*] (*BRIT*) *n* Kleinpächter(in) *m(f).*
crone [krəun] *n* alte Hexe *f.*
crony ['krəunɪ] (*inf: pej*) *n* Kumpan(in) *m(f).*
crook [kruk] *n* (*criminal*) Gauner *m*; (*of shepherd*) Hirtenstab *m*; (*of arm*) Beuge *f.*
crooked ['krukɪd] *adj* krumm; (*dishonest*) unehrlich.
crop [krɔp] *n* (Feld)frucht *f*; (*amount produced*) Ernte *f*; (*riding crop*) Reitpeitsche *f*; (*of bird*) Kropf *m* ♦ *vt* (*hair*) stutzen; (*subj: animal: grass*) abfressen.
►**crop up** *vi* aufkommen.
cropper ['krɔpə*] (*inf*) *n*: **to come a ~** hinfallen; (*fig: fail*) auf die Nase fallen.
crop spraying [-'spreɪɪŋ] *n* Schädlingsbekämpfung *f* (*durch Besprühen*).
croquet ['krəukeɪ] (*BRIT*) *n* Krocket *nt.*
croquette [krə'kɛt] *n* Krokette *f.*
cross [krɔs] *n* Kreuz *nt*; (*BIOL, BOT*) Kreuzung *f* ♦ *vt* (*street*) überqueren; (*room etc*) durchqueren; (*cheque*) zur Verrechnung ausstellen; (*arms*) verschränken; (*legs*) übereinanderschlagen; (*animal, plant*) kreuzen; (*thwart: person*) verärgern; (*: plan*) durchkreuzen ♦ *adj* ärgerlich, böse ♦ *vi*: **the boat ~es from ... to ...** das Schiff fährt von ... nach ...; **to ~ o.s.** sich bekreuzigen; **we have a ~ed line** (*BRIT*) es ist jemand in der Leitung; **they've got their lines** *or* **wires ~ed** (*fig*) sie reden aneinander vorbei; **to be/get ~ with sb (about sth)** mit jdm *or* auf jdn (wegen etw) böse sein/werden.
►**cross out** *vt* streichen.
►**cross over** *vi* hinübergehen.
crossbar ['krɔsbɑː*] *n* (*SPORT*) Querlatte *f*; (*of bicycle*) Stange *f.*
crossbow *n* Armbrust *f.*
crossbreed ['krɔsbriːd] *n* Kreuzung *f.*
cross-Channel ferry ['krɔs'tʃænl-] *n* Kanalfähre *f.*
crosscheck ['krɔstʃɛk] *n* Gegenprobe *f* ♦ *vt* überprüfen.
cross-country (race) ['krɔs'kʌntrɪ-] *n* Querfeldeinrennen *nt.*
cross-dressing [krɔs'drɛsɪŋ] *n* (*transvestism*) Transvestismus *m.*
cross-examination ['krɔsɪgzæmɪ'neɪʃən] *n* Kreuzverhör *nt.*
cross-examine ['krɔsɪg'zæmɪn] *vt* ins Kreuzverhör nehmen.
cross-eyed ['krɔsaɪd] *adj* schielend; **to be ~** schielen.
crossfire ['krɔsfaɪə*] *n* Kreuzfeuer *nt*; **to get caught in the ~** (*also fig*) ins Kreuzfeuer geraten.
crossing ['krɔsɪŋ] *n* Überfahrt *f*; (*also:*

pedestrian ~) Fußgängerüberweg *m.*
crossing guard (*US*) *n* ≈ Schülerlotse *m.*
crossing point *n* Übergangsstelle *f.*
cross-purposes ['krɔs'pəːpəsız] *npl:* **to be at ~ with sb** jdn mißverstehen; **we're (talking) at ~** wir reden aneinander vorbei.
cross-question ['krɔs'kwɛstʃən] *vt* ins Kreuzverhör nehmen.
cross-reference ['krɔs'rɛfrəns] *n* (Quer)verweis *m.*
crossroads ['krɔsrəudz] *n* Kreuzung *f.*
cross section *n* Querschnitt *m.*
crosswalk ['krɔswɔːk] (*US*) *n* Fußgängerüberweg *m.*
crosswind ['krɔswınd] *n* Seitenwind *m.*
crosswise ['krɔswaız] *adv* quer.
crossword ['krɔswəːd] *n* (*also:* ~ **puzzle**) Kreuzworträtsel *nt.*
crotch [krɔtʃ] *n* Unterleib *m*; (*of garment*) Schritt *m.*
crotchet ['krɔtʃıt] *n* Viertelnote *f.*
crotchety ['krɔtʃıtı] *adj* reizbar.
crouch [krautʃ] *vi* kauern.
croup [kruːp] *n* (*MED*) Krupp *m.*
croupier ['kruːpıə*] *n* Croupier *m.*
crouton ['kruːtɔn] *n* Crouton *m.*
crow [krəu] *n* (*bird*) Krähe *f*; (*of cock*) Krähen *nt* ♦ *vi* krähen; (*fig*) sich brüsten, angeben.
crowbar ['krəubaː*] *n* Brechstange *f.*
crowd [kraud] *n* (Menschen)menge *f* ♦ *vt* (*room, stadium*) füllen ♦ *vi:* **to ~ round** sich herumdrängen; **~s of people** Menschenmassen *pl*; **the/our ~** (*of friends*) die/unsere Clique *f*; **to ~ sb/sth in** jdn/etw hineinstopfen; **to ~ sb/sth into** jdn pferchen/etw stopfen in *+acc*; **to ~ in** sich hineindrängen.
crowded ['kraudıd] *adj* überfüllt; (*densely populated*) dicht besiedelt; **~ with** voll von.
crowd scene *n* Massenszene *f.*
crown [kraun] *n* (*also of tooth*) Krone *f*; (*of head*) Wirbel *m*; (*of hill*) Kuppe *f*; (*of hat*) Kopf *m* ♦ *vt* krönen; (*tooth*) überkronen; **the C~** die Krone; **and to ~ it all ...** (*fig*) und zur Krönung des Ganzen ...

> **Crown Court** *ist ein Strafgericht, das in etwa 90 verschiedenen Städten in England und Wales zusammentritt. Schwere Verbrechen wie Mord, Totschlag, Vergewaltigung und Raub werden nur vor dem crown court unter Vorsitz eines Richters mit Geschworenen verhandelt.*

crowning ['kraunıŋ] *adj* krönend.
crown jewels *npl* Kronjuwelen *pl.*
crown prince *n* Kronprinz *m.*
crow's-feet ['krəuzfiːt] *npl* Krähenfüße *pl.*
crow's-nest ['krəuznɛst] *n* Krähennest *nt*, Mastkorb *m.*
crucial ['kruːʃl] *adj* (*decision*) äußerst wichtig; (*vote*) entscheidend; **~ to** äußerst wichtig für.
crucifix ['kruːsıfıks] *n* Kruzifix *nt.*
crucifixion [kruːsı'fıkʃən] *n* Kreuzigung *f.*
crucify ['kruːsıfaı] *vt* kreuzigen; (*fig*) in der Luft zerreißen.
crude [kruːd] *adj* (*oil, fibre*) Roh-; (*fig: basic*) primitiv; (*: vulgar*) ordinär ♦ *n* = **crude oil.**
crude oil *n* Rohöl *nt.*
cruel ['kruəl] *adj* grausam.
cruelty ['kruəltı] *n* Grausamkeit *f.*
cruet ['kruːıt] *n* Gewürzständer *m.*
cruise [kruːz] *n* Kreuzfahrt *f* ♦ *vi* (*ship*) kreuzen; (*car*) (mit Dauergeschwindigkeit) fahren; (*aircraft*) (mit Reisegeschwindigkeit) fliegen; (*taxi*) gemächlich fahren.
cruise missile *n* Marschflugkörper *m.*
cruiser ['kruːzə*] *n* Motorboot *nt*; (*warship*) Kreuzer *m.*
cruising speed *n* Reisegeschwindigkeit *f.*
crumb [krʌm] *n* Krümel *m*; (*fig: of information*) Brocken *m*; **a ~ of comfort** ein winziger Trost.
crumble ['krʌmbl] *vt* (*bread*) zerbröckeln; (*biscuit etc*) zerkrümeln ♦ *vi* (*building, earth etc*) zerbröckeln; (*plaster*) abbröckeln; (*fig: opposition*) sich auflösen; (*: belief*) ins Wanken geraten.
crumbly ['krʌmblı] *adj* krümelig.
crummy ['krʌmı] (*inf*) *adj* mies.
crumpet ['krʌmpıt] *n* Teekuchen *m* (*zum Toasten*).
crumple ['krʌmpl] *vt* zerknittern.
crunch [krʌntʃ] *vt* (*biscuit, apple etc*) knabbern; (*underfoot*) zertreten ♦ *n:* **the ~** der große Krach; **if it comes to the ~** wenn es wirklich dahin kommt; **when the ~ comes** wenn es hart auf hart geht.
crunchy ['krʌntʃı] *adj* knusprig; (*apple etc*) knackig; (*gravel, snow etc*) knirschend.
crusade [kruː'seıd] *n* Feldzug *m* ♦ *vi:* **to ~ for/against sth** für/gegen etw zu Felde ziehen.
crusader [kruː'seıdə*] *n* Kreuzritter *m*; (*fig*): **~ (for)** Apostel *m* (*+gen*).
crush [krʌʃ] *n* (*crowd*) Gedränge *nt* ♦ *vt* quetschen; (*grapes*) zerquetschen; (*paper, clothes*) zerknittern; (*garlic, ice*) (zer)stoßen; (*defeat*) niederschlagen; (*devastate*) vernichten; **to have a ~ on sb** (*love*) für jdn schwärmen; **lemon ~** Zitronensaftgetränk *nt.*
crush barrier (*BRIT*) *n* Absperrung *f.*
crushing ['krʌʃıŋ] *adj* vernichtend.
crust [krʌst] *n* Kruste *f.*
crustacean [krʌs'teıʃən] *n* Schalentier *nt*, Krustazee *f.*
crusty ['krʌstı] *adj* knusprig.
crutch [krʌtʃ] *n* Krücke *f*; (*support*) Stütze *f*; *see also* **crotch.**
crux [krʌks] *n* Kern *m.*
cry [kraı] *vi* weinen; (*also:* **~ out**) aufschreien ♦ *n* Schrei *m*; (*shout*) Ruf *m*; **what are you ~ing about?** warum weinst du?; **to ~ for**

help um Hilfe rufen; **she had a good** ~ sie hat sich (mal richtig) ausgeweint; **it's a far** ~ **from** ... (*fig*) das ist etwas ganz anderes als ...
▸**cry off** (*inf*) *vi* absagen.
crying ['kraɪɪŋ] *adj* (*fig: need*) dringend; **it's a** ~ **shame** es ist ein Jammer.
crypt [krɪpt] *n* Krypta *f*.
cryptic ['krɪptɪk] *adj* hintergründig, rätselhaft; (*clue*) verschlüsselt.
crystal ['krɪstl] *n* Kristall *m*; (*glass*) Kristall(glas) *nt*.
crystal clear *adj* glasklar.
crystallize ['krɪstəlaɪz] *vt* (*opinion, thoughts*) (feste) Form geben *+dat* ♦ *vi* (*sugar etc*) kristallisieren; ~**d fruits** (*BRIT*) kandierte Früchte *pl*.
CSA *n abbr* (= *Child Support Agency*) *Amt zur Regelung von Unterhaltszahlungen für Kinder*.
CSC *n abbr* (= *Civil Service Commission*) *Einstellungsbehörde für den öffentlichen Dienst*.
CSE (*BRIT*) *n abbr* (*formerly:* = *Certificate of Secondary Education*) *Schulabschlußzeugnis*, ≈ mittlere Reife *f*.
CS gas (*BRIT*) *n* ≈ Tränengas *nt*.
CST (*US*) *abbr* (= *Central Standard Time*) *mittelamerikanische Standardzeit*.
CT (*US*) *abbr* (*POST:* = *Connecticut*).
ct *abbr* = **carat**.
CTC (*BRIT*) *n abbr* = **city technology college**.
CT scanner *n abbr* (*MED:* = *computerized tomography scanner*) CT-Scanner *m*.
cu. *abbr* = **cubic**.
cub [kʌb] *n* Junge(s) *nt*; (*also:* ~ **scout**) Wölfling *m*.
Cuba ['kjuːbə] *n* Kuba *nt*.
Cuban ['kjuːbən] *adj* kubanisch ♦ *n* Kubaner(in) *m(f)*.
cubbyhole ['kʌbɪhəul] *n* (*room*) Kabuff *nt*; (*space*) Eckchen *nt*.
cube [kjuːb] *n* Würfel *m*; (*MATH: of number*) dritte Potenz *f* ♦ *vt* (*MATH*) in die dritte Potenz erheben, hoch drei nehmen.
cube root *n* Kubikwurzel *f*.
cubic ['kjuːbɪk] *adj* (*volume*) Kubik-; ~ **metre** *etc* Kubikmeter *m etc*.
cubic capacity *n* Hubraum *m*.
cubicle ['kjuːbɪkl] *n* Kabine *f*; (*in hospital*) Bettnische *f*.
cuckoo ['kukuː] *n* Kuckuck *m*.
cuckoo clock *n* Kuckucksuhr *f*.
cucumber ['kjuːkʌmbə*] *n* Gurke *f*.
cud [kʌd] *n*: **to chew the** ~ (*animal*) wiederkäuen; (*fig: person*) vor sich *acc* hin grübeln.
cuddle ['kʌdl] *vt* in den Arm nehmen, drücken ♦ *vi* schmusen.
cuddly ['kʌdlɪ] *adj* (*toy*) zum Liebhaben *or* Drücken; (*person*) knuddelig (*inf*).
cudgel ['kʌdʒl] *n* Knüppel *m* ♦ *vt*: **to** ~ **one's brains** sich *dat* das (Ge)hirn zermartern.
cue [kjuː] *n* (*SPORT*) Billardstock *m*, Queue *nt*; (*THEAT: word*) Stichwort *nt*; (: *action*) (Einsatz)zeichen *nt*; (*MUS*) Einsatz *m*.
cuff [kʌf] *n* (*of sleeve*) Manschette *f*; (*US: of trousers*) Aufschlag *m*; (*blow*) Klaps *m* ♦ *vt* einen Klaps geben *+dat*; **off the** ~ aus dem Stegreif.
cuff links *npl* Manschettenknöpfe *pl*.
cu. in. *abbr* (= *cubic inches*) Kubikzoll.
cuisine [kwɪ'ziːn] *n* Küche *f*.
cul-de-sac ['kʌldəsæk] *n* Sackgasse *f*.
culinary ['kʌlɪnərɪ] *adj* (*skill*) Koch-; (*delight*) kulinarisch.
cull [kʌl] *vt* (zusammen)sammeln; (*animals*) ausmerzen ♦ *n Erlegen überschüssiger Tierbestände*.
culminate ['kʌlmɪneɪt] *vi*: **to** ~ **in** gipfeln in *+dat*.
culmination [kʌlmɪ'neɪʃən] *n* Höhepunkt *m*.
culottes [kjuː'lɔts] *npl* Hosenrock *m*.
culpable ['kʌlpəbl] *adj* schuldig.
culprit ['kʌlprɪt] *n* Täter(in) *m(f)*.
cult [kʌlt] *n* Kult *m*.
cult figure *n* Kultfigur *f*.
cultivate ['kʌltɪveɪt] *vt* (*land*) bebauen, landwirtschaftlich nutzen; (*crop*) anbauen; (*feeling*) entwickeln; (*person*) sich *dat* warmhalten (*inf*), die Beziehung pflegen zu.
cultivation [kʌltɪ'veɪʃən] *n* (*of land*) Bebauung *f*, landwirtschaftliche Nutzung *f*; (*of crop*) Anbau *m*.
cultural ['kʌltʃərəl] *adj* kulturell.
culture ['kʌltʃə*] *n* Kultur *f*.
cultured ['kʌltʃəd] *adj* kultiviert; (*pearl*) Zucht-.
cumbersome ['kʌmbəsəm] *adj* (*suitcase etc*) sperrig, unhandlich; (*piece of machinery*) schwer zu handhaben; (*clothing*) hinderlich; (*process*) umständlich.
cumin ['kʌmɪn] *n* Kreuzkümmel *m*.
cumulative ['kjuːmjulətɪv] *adj* (*effect, result*) Gesamt-.
cunning ['kʌnɪŋ] *n* Gerissenheit *f* ♦ *adj* gerissen; (*device, idea*) schlau.
cunt [kʌnt] (*inf!*) *n* (*vagina*) Fotze *f* (*!*); (*term of abuse*) Arsch *m* (*!*).
cup [kʌp] *n* Tasse *f*; (*as prize*) Pokal *m*; (*of bra*) Körbchen *nt*; **a** ~ **of tea** eine Tasse Tee.
cupboard ['kʌbəd] *n* Schrank *m*.
cup final (*BRIT*) *n* Pokalendspiel *nt*.
cupful ['kʌpful] *n* Tasse *f*.
Cupid ['kjuːpɪd] *n* Amor *m*; (*figurine*) Amorette *f*.
cupidity [kjuː'pɪdɪtɪ] *n* Begierde *f*, Gier *f*.
cupola ['kjuːpələ] *n* Kuppel *f*.
cuppa ['kʌpə] (*BRIT: inf*) *n* Tasse *f* Tee.
cup tie (*BRIT*) *n* Pokalspiel *nt*.
curable ['kjuərəbl] *adj* heilbar.
curate ['kjuərɪt] *n* Vikar *m*.
curator [kjuə'reɪtə*] *n* Kustos *m*.
curb [kəːb] *vt* einschränken; (*person*) an die

Kandare nehmen ♦ *n* Einschränkung *f*; (*US: kerb*) Bordstein *m*.
curd cheese *n* Weißkäse *m*.
curdle ['kə:dl] *vi* gerinnen.
curds [kə:dz] *npl* ≈ Quark *m*.
cure [kjuə*] *vt* heilen; (*CULIN: salt*) pökeln; (: *smoke*) räuchern; (: *dry*) trocknen; (*problem*) abhelfen *+dat* ♦ *n* (*remedy*) (Heil)mittel *nt*; (*treatment*) Heilverfahren *nt*; (*solution*) Abhilfe *f*; **to be ~d of sth** von etw geheilt sein.
cure-all ['kjuərɔ:l] *n* (*also fig*) Allheilmittel *nt*.
curfew ['kə:fju:] *n* Ausgangssperre *f*; (*time*) Sperrstunde *f*.
curio ['kjuərɪəu] *n* Kuriosität *f*.
curiosity [kjuərɪ'ɔsɪtɪ] *n* (*see adj*) Wißbegier(de) *f*; Neugier *f*; Merkwürdigkeit *f*.
curious ['kjuərɪəs] *adj* (*interested*) wißbegierig; (*nosy*) neugierig; (*strange, unusual*) sonderbar, merkwürdig; **I'm ~ about him** ich bin gespannt auf ihn.
curiously ['kjuərɪəslɪ] *adv* neugierig; (*inquisitively*) wißbegierig; ~ **enough, ...** merkwürdigerweise ...
curl [kə:l] *n* Locke *f*; (*of smoke etc*) Kringel *m* ♦ *vt* (*hair: loosely*) locken; (: *tightly*) kräuseln ♦ *vi* sich locken; sich kräuseln; (*smoke*) sich kringeln.
►**curl up** *vi* sich zusammenrollen.
curler ['kə:lə*] *n* Lockenwickler *m*; (*SPORT*) Curlingspieler(in) *m(f)*.
curlew ['kə:lu:] *n* Brachvogel *m*.
curling ['kə:lɪŋ] *n* (*SPORT*) Curling *nt*.
curling tongs, (*US*) **curling irons** *npl* Lockenschere *f*, Brennschere *f*.
curly ['kə:lɪ] *adj* lockig; (*tightly curled*) kraus.
currant ['kʌrnt] *n* Korinthe *f*; (*blackcurrant, redcurrant*) Johannisbeere *f*.
currency ['kʌrnsɪ] *n* (*system*) Währung *f*; (*money*) Geld *nt*; **foreign** ~ Devisen *pl*; **to gain** ~ (*fig*) sich verbreiten, um sich greifen.
current ['kʌrnt] *n* Strömung *f*; (*ELEC*) Strom *m*; (*of opinion*) Tendenz *f*, Trend *m* ♦ *adj* gegenwärtig; (*expression*) gebräuchlich; (*idea, custom*) verbreitet; **direct/alternating** ~ (*ELEC*) Gleich-/Wechselstrom *m*; **the ~ issue of a magazine** die neueste *or* letzte Nummer einer Zeitschrift; **in ~ use** allgemein gebräuchlich.
current account (*BRIT*) *n* Girokonto *nt*.
current affairs *npl* Tagespolitik *f*.
current assets *npl* (*COMM*) Umlaufvermögen *nt*.
current liabilities *npl* (*COMM*) kurzfristige Verbindlichkeiten *pl*.
currently ['kʌrntlɪ] *adv* zur Zeit.
curricula [kə'rɪkjulə] *npl of* **curriculum.**
curriculum [kə'rɪkjuləm] (*pl* **~s** *or* **curricula**) *n* Lehrplan *m*.
curriculum vitae [-'vi:taɪ] *n* Lebenslauf *m*.
curry ['kʌrɪ] *n* (*dish*) Currygericht *nt* ♦ *vt*: **to ~ favour with** sich einschmeicheln bei.
curry powder *n* Curry *m or nt*, Currypulver *nt*.
curse [kə:s] *vi* fluchen ♦ *vt* verfluchen ♦ *n* Fluch *m*.
cursor ['kə:sə*] *n* (*COMPUT*) Cursor *m*.
cursory ['kə:sərɪ] *adj* flüchtig; (*examination*) oberflächlich.
curt [kə:t] *adj* knapp, kurz angebunden.
curtail [kə:'teɪl] *vt* einschränken; (*visit etc*) abkürzen.
curtain ['kə:tn] *n* Vorhang *m*; (*net*) Gardine *f*; **to draw the ~s** (*together*) die Vorhänge zuziehen; (*apart*) die Vorhänge aufmachen.
curtain call *n* (*THEAT*) Vorhang *m*.
curts(e)y ['kə:tsɪ] *vi* knicksen ♦ *n* Knicks *m*.
curvature ['kə:vətʃə*] *n* Krümmung *f*.
curve [kə:v] *n* Bogen *m*; (*in the road*) Kurve *f* ♦ *vi* einen Bogen machen; (*surface, arch*) sich wölben ♦ *vt* biegen.
curved [kə:vd] *adj* (*line*) gebogen; (*table legs etc*) geschwungen; (*surface, arch, sides of ship*) gewölbt.
cushion ['kuʃən] *n* Kissen *nt* ♦ *vt* dämpfen; (*seat*) polstern.
cushy ['kuʃɪ] (*inf*) *adj*: **a ~ job** ein gemütlicher *or* ruhiger Job; **to have a ~ time** eine ruhige Kugel schieben.
custard ['kʌstəd] *n* (*for pouring*) Vanillesoße *f*.
custard powder (*BRIT*) *n* Vanillesoßenpulver *nt*.
custodial [kʌs'təudɪəl] *adj*: ~ **sentence** Gefängnisstrafe *f*.
custodian [kʌs'təudɪən] *n* Verwalter(in) *m(f)*; (*of museum etc*) Aufseher(in) *m(f)*, Wächter(in) *m(f)*.
custody ['kʌstədɪ] *n* (*of child*) Vormundschaft *f*; (*for offenders*) (polizeilicher) Gewahrsam *m*, Haft *f*; **to take into ~** verhaften; **in the ~ of** unter der Obhut *+gen*; **the mother has ~ of the children** die Kinder sind der Mutter zugesprochen worden.
custom ['kʌstəm] *n* Brauch *m*; (*habit*) (An)gewohnheit *f*; (*LAW*) Gewohnheitsrecht *nt*; (*COMM*) Kundschaft *f*.
customary ['kʌstəmərɪ] *adj* (*conventional*) üblich; (*habitual*) gewohnt; **it is ~ to do it** es ist üblich, es zu tun.
custom-built ['kʌstəm'bɪlt] *adj* spezialangefertigt.
customer ['kʌstəmə*] *n* Kunde *m*, Kundin *f*; **he's an awkward ~** (*inf*) er ist ein schwieriger Typ.
customer profile *n* Kundenprofil *nt*.
customized ['kʌstəmaɪzd] *adj* individuell aufgemacht.
custom-made ['kʌstəm'meɪd] *adj* (*shirt etc*) maßgefertigt, nach Maß; (*car etc*) spezialangefertigt.
customs ['kʌstəmz] *npl* Zoll *m*; **to go through (the) ~** durch den Zoll gehen.

Customs and Excise (*BRIT*) *n* die Zollbehörde *f*.
customs duty *n* Zoll *m*.
customs officer *n* Zollbeamte(r) *m*, Zollbeamtin *f*.
cut [kʌt] (*pt, pp* **cut**) *vt* schneiden; (*text, programme, spending*) kürzen; (*prices*) senken, heruntersetzen, herabsetzen; (*supply*) einschränken; (*cloth*) zuschneiden; (*road*) schlagen, hauen; (*inf: lecture, appointment*) schwänzen ♦ *vi* schneiden; (*lines*) sich schneiden ♦ *n* Schnitt *m*; (*in skin*) Schnittwunde *f*; (*in salary, spending etc*) Kürzung *f*; (*of meat*) Stück *nt*; (*of jewel*) Schnitt *m*, Schliff *m*; **to ~ a tooth** zahnen, einen Zahn bekommen; **to ~ one's finger/hand/knee** sich in den Finger/in die Hand/am Knie schneiden; **to get one's hair ~** sich *dat* die Haare schneiden lassen; **to ~ sth short** etw vorzeitig abbrechen; **to ~ sb dead** jdn wie Luft behandeln; **cold ~s** (*US*) Aufschnitt *m*; **power ~** Stromausfall *m*.
►**cut back** *vt* (*plants*) zurückschneiden; (*production*) zurückschrauben; (*expenditure*) einschränken.
►**cut down** *vt* (*tree*) fällen; (*consumption*) einschränken; **to ~ sb down to size** (*fig*) jdn auf seinen Platz verweisen.
►**cut down on** *vt fus* einschränken.
►**cut in** *vi* (*AUT*) sich direkt vor ein anderes Auto setzen; **to ~ in (on)** (*conversation*) sich einschalten (in *+acc*).
►**cut off** *vt* abschneiden; (*supply*) sperren; (*TEL*) unterbrechen; **we've been ~ off** (*TEL*) wir sind unterbrochen worden.
►**cut out** *vt* ausschneiden; (*an activity etc*) aufhören mit; (*remove*) herausschneiden.
►**cut up** *vt* kleinschneiden; **it really ~ me up** (*inf*) es hat mich ziemlich mitgenommen; **to feel ~ up about sth** (*inf*) betroffen über etw *acc* sein.
cut and dried *adj* (*also*: **cut-and-dry**: *answer*) eindeutig; (: *solution*) einfach.
cutaway ['kʌtəweɪ] *n* (*coat*) Cut(away) *m*; (*drawing*) Schnittdiagramm *nt*; (*model*) Schnittmodell *nt*; (*CINE, TV*) Schnitt *m*.
cutback ['kʌtbæk] *n* Kürzung *f*.
cute [kjuːt] *adj* süß, niedlich; (*clever*) schlau.
cut glass *n* geschliffenes Glas *nt*.
cuticle ['kjuːtɪkl] *n* Nagelhaut *f*; **~ remover** Nagelhautentferner *m*.
cutlery ['kʌtlərɪ] *n* Besteck *nt*.
cutlet ['kʌtlɪt] *n* Schnitzel *nt*; (*vegetable cutlet, nut cutlet*) Bratling *m*.
cutoff ['kʌtɔf] *n* (*also*: **~ point**) Trennlinie *f*.
cutoff switch *n* Ausschaltmechanismus *m*.
cutout ['kʌtaut] *n* (*switch*) Unterbrecher *m*; (*shape*) Ausschneidemodell *nt*; (*paper figure*) Ausschneidepuppe *f*.
cut-price ['kʌt'praɪs] *adj* (*goods*) heruntergesetzt; (*offer*) Billig-.
cut-rate ['kʌt'reɪt] (*US*) *adj* = **cut-price**.
cutthroat ['kʌtθrəut] *n* Mörder(in) *m(f)* ♦ *adj* unbarmherzig, mörderisch.
cutting ['kʌtɪŋ] *adj* (*edge, remark*) scharf ♦ *n* (*BRIT: from newspaper*) Ausschnitt *m*; (: *RAIL*) Durchstich *m*; (*from plant*) Ableger *m*.
cutting edge *n* (*fig*) Spitzenstellung *f*; **on the ~ (of)** an der Spitze *+gen*.
cuttlefish ['kʌtlfɪʃ] *n* Tintenfisch *m*.
CV *n abbr* = **curriculum vitae.**
c.w.o. *abbr* (*COMM*) = **cash with order.**
cwt *abbr* = **hundredweight.**
cyanide ['saɪənaɪd] *n* Zyanid *nt*.
cybernetics [saɪbə'nɛtɪks] *n* Kybernetik *f*.
cyclamen ['sɪkləmən] *n* Alpenveilchen *nt*.
cycle ['saɪkl] *n* (*bicycle*) (Fahr)rad *nt*; (*series: of seasons, songs etc*) Zyklus *m*; (: *of events*) Gang *m*; (: *TECH*) Periode *f* ♦ *vi* radfahren.
cycle race *n* Radrennen *nt*.
cycle rack *n* Fahrradständer *m*.
cycling ['saɪklɪŋ] *n* Radfahren *nt*; **to go on a ~ holiday** (*BRIT*) Urlaub mit dem Fahrrad machen.
cyclist ['saɪklɪst] *n* (Fahr)radfahrer(in) *m(f)*.
cyclone ['saɪkləun] *n* Zyklon *m*.
cygnet ['sɪgnɪt] *n* Schwanjunge(s) *nt*.
cylinder ['sɪlɪndə*] *n* Zylinder *m*; (*of gas*) Gasflasche *f*.
cylinder block *n* Zylinderblock *m*.
cylinder head *n* Zylinderkopf *m*.
cylinder-head gasket ['sɪlɪndəhɛd-] *n* Zylinderkopfdichtung *f*.
cymbals ['sɪmblz] *npl* (*MUS*) Becken *nt*.
cynic ['sɪnɪk] *n* Zyniker(in) *m(f)*.
cynical ['sɪnɪkl] *adj* zynisch.
cynicism ['sɪnɪsɪzəm] *n* Zynismus *m*.
CYO (*US*) *n abbr* (= *Catholic Youth Organization*) *katholische Jugendorganisation*.
cypress ['saɪprɪs] *n* Zypresse *f*.
Cypriot ['sɪprɪət] *adj* zypriotisch, zyprisch ♦ *n* Zypriot(in) *m(f)*.
Cyprus ['saɪprəs] *n* Zypern *nt*.
cyst [sɪst] *n* Zyste *f*.
cystitis [sɪs'taɪtɪs] *n* Blasenentzündung *f*, Zystitis *f*.
CZ (*US*) *n abbr* (= *Canal Zone*) *Bereich des Panamakanals*.
czar [zɑː*] *n* = **tsar.**
Czech [tʃɛk] *adj* tschechisch ♦ *n* Tscheche *m*, Tschechin *f*; (*language*) Tschechisch *nt*; **the ~ Republic** die Tschechische Republik *f*.
Czechoslovak [tʃɛkə'sləuvæk] *adj, n* = **Czechoslovak(ian).**
Czechoslovakia [tʃɛkəslə'vækɪə] *n* (*formerly*) die Tschechoslowakei *f*.
Czechoslovak(ian) [tʃɛkə'sləuvæk, tʃɛkəslə'vækɪən] (*formerly*) *adj* tschechoslowakisch ♦ *n* Tschechoslowake *m*, Tschechoslowakin *f*.

D, d

D¹, d¹ [diː] *n* (*letter*) D *nt*, d *nt*; ~ **for David,** (*US*) ~ **for Dog** ≈ D wie Dora.
D² [diː] *n* (*MUS*) D *nt*, d *nt*.
D³ [diː] (*US*) *abbr* (*POL*) = **democrat; democratic.**
d² (*BRIT: formerly*) *abbr* = **penny.**
d. *abbr* (= *died*): **Henry Jones, ~ 1754** Henry Jones, gest. 1754.
DA (*US*) *n abbr* = **district attorney.**
dab [dæb] *vt* betupfen; (*paint, cream*) tupfen ♦ *n* Tupfer *m*; **to be a ~ hand at sth** gut in etw *dat* sein; **to be a ~ hand at doing sth** sich darauf verstehen, etw zu tun.
▸**dab at** *vt* betupfen.
dabble ['dæbl] *vi*: **to ~ in** sich (nebenbei) beschäftigen mit.
dachshund ['dækshund] *n* Dackel *m*.
dad [dæd] (*inf*) *n* Papa *m*, Vati *m*.
daddy ['dædɪ] (*inf*) *n* = **dad.**
daddy-longlegs [dædɪ'lɔŋlɛgz] (*inf*) *n* Schnake *f*.
daffodil ['dæfədɪl] *n* Osterglocke *f*, Narzisse *f*.
daft [dɑːft] (*inf*) *adj* doof (*inf*), blöd (*inf*); **to be ~ about sb/sth** verrückt nach jdm/etw sein.
dagger ['dægə*] *n* Dolch *m*; **to be at ~s drawn with sb** mit jdm auf Kriegsfuß stehen; **to look ~s at sb** jdn mit Blicken durchbohren.
dahlia ['deɪljə] *n* Dahlie *f*.
daily ['deɪlɪ] *adj* täglich; (*wages*) Tages- ♦ *n* (*paper*) Tageszeitung *f*; (*BRIT: also:* ~ **help**) Putzfrau *f* ♦ *adv* täglich; **twice ~** zweimal täglich *or* am Tag.
dainty ['deɪntɪ] *adj* zierlich.
dairy ['dɛərɪ] *n* (*BRIT: shop*) Milchgeschäft *nt*; (*company*) Molkerei *f*; (*on farm*) Milchkammer *f* ♦ *cpd* Milch-; (*herd, industry, farming*) Milchvieh-.
dairy farm *n auf Milchviehhaltung spezialisierter Bauernhof.*
dairy products *npl* Milchprodukte *pl*, Molkereiprodukte *pl*.
dairy store (*US*) *n* Milchgeschäft *nt*.
dais ['deɪɪs] *n* Podium *nt*.
daisy ['deɪzɪ] *n* Gänseblümchen *nt*.
daisywheel ['deɪzɪwiːl] *n* Typenrad *nt*.
daisywheel printer *n* Typenraddrucker *m*.
Dakar ['dækə*] *n* Dakar *nt*.
dale [deɪl] (*BRIT*) *n* Tal *nt*.
dally ['dælɪ] *vi* (herum)trödeln; **to ~ with** (*plan, idea*) spielen mit.
dalmatian [dæl'meɪʃən] *n* Dalmatiner *m*.
dam [dæm] *n* (Stau)damm *m*; (*reservoir*) Stausee *m* ♦ *vt* stauen.
damage ['dæmɪdʒ] *n* Schaden *m* ♦ *vt* schaden *+dat*; (*spoil, break*) beschädigen; **damages** *npl* (*LAW*) Schaden(s)ersatz *m*; ~ **to property** Sachbeschädigung *f*; **to pay £5,000 in ~s** 5000 Pfund Schaden(s)ersatz (be)zahlen.
damaging ['dæmɪdʒɪŋ] *adj*: ~ **(to)** schädlich (für).
Damascus [də'mɑːskəs] *n* Damaskus *nt*.
dame [deɪm] *n* Dame *f*; (*US: inf*) Weib *nt*; (*THEAT*) (komische) Alte *f* (*von einem Mann gespielt*).
damn [dæm] *vt* verfluchen; (*condemn*) verurteilen ♦ *adj* (*inf: also:* ~**ed**) verdammt ♦ *n* (*inf*): **I don't give a ~** das ist mir scheißegal (*!*); ~ **(it)**! verdammt (noch mal)!
damnable ['dæmnəbl] *adj* gräßlich.
damnation [dæm'neɪʃən] *n* Verdammnis *f* ♦ *excl* (*inf*) verdammt.
damning ['dæmɪŋ] *adj* belastend.
damp [dæmp] *adj* feucht ♦ *n* Feuchtigkeit *f* ♦ *vt* (*also*: ~**en**) befeuchten, anfeuchten; (*enthusiasm etc*) dämpfen.
dampcourse ['dæmpkɔːs] *n* Dämmschicht *f*.
damper ['dæmpə*] *n* (*MUS*) Dämpfer *m*; (*of fire*) (Luft)klappe *f*; **to put a ~ on** (*fig*) einen Dämpfer aufsetzen *+dat*.
dampness ['dæmpnɪs] *n* Feuchtigkeit *f*.
damson ['dæmzən] *n* Damaszenerpflaume *f*.
dance [dɑːns] *n* Tanz *m*; (*social event*) Tanz(abend) *m* ♦ *vi* tanzen; **to ~ about** (herum)tänzeln.
dance hall *n* Tanzsaal *m*.
dancer ['dɑːnsə*] *n* Tänzer(in) *m(f)*.
dancing ['dɑːnsɪŋ] *n* Tanzen *nt* ♦ *cpd* (*teacher, school, class etc*) Tanz-.
D and C *n abbr* (*MED:* = *dilation and curettage*) Ausschabung *f*.
dandelion ['dændɪlaɪən] *n* Löwenzahn *m*.
dandruff ['dændrəf] *n* Schuppen *pl*.
dandy ['dændɪ] *n* Dandy *m* ♦ *adj* (*US: inf*) prima.
Dane [deɪn] *n* Däne *m*, Dänin *f*.
danger ['deɪndʒə*] *n* Gefahr *f*; **there is ~ of fire/poisoning** es besteht Feuer-/Vergiftungsgefahr; **there is a ~ of sth happening** es besteht die Gefahr, daß etw geschieht; **"~!"** „Achtung!"; **in ~** in Gefahr; **to be in ~ of doing sth** Gefahr laufen, etw zu tun; **out of ~** außer Gefahr.
danger list *n*: **on the ~** in Lebensgefahr.
dangerous ['deɪndʒrəs] *adj* gefährlich.
dangerously ['deɪndʒrəslɪ] *adv* gefährlich; (*close*) bedenklich; ~ **ill** schwer krank.
danger zone *n* Gefahrenzone *f*.
dangle ['dæŋgl] *vt* baumeln lassen ♦ *vi* baumeln.
Danish ['deɪnɪʃ] *adj* dänisch ♦ *n* (*LING*) Dänisch *nt*.
Danish pastry *n* Plundergebäck *nt*.
dank [dæŋk] *adj* (unangenehm) feucht.
Danube ['dænjuːb] *n*: **the ~** die Donau.

dapper ['dæpə*] *adj* gepflegt.
Dardanelles [dɑːdə'nɛlz] *npl*: **the ~** die Dardanellen *pl*.
dare [dɛə*] *vt*: **to ~ sb to do sth** jdn dazu herausfordern, etw zu tun ♦ *vi*: **to ~ (to) do sth** es wagen, etw zu tun; **I ~n't tell him** (*BRIT*) ich wage nicht, es ihm zu sagen; **I ~ say** ich nehme an.
daredevil ['dɛədɛvl] *n* Draufgänger *m*.
Dar-es-Salaam ['dɑːrɛssə'lɑːm] *n* Daressalam *nt*.
daring ['dɛərɪŋ] *adj* kühn, verwegen; (*bold*) gewagt ♦ *n* Kühnheit *f*.
dark [dɑːk] *adj* dunkel; (*look*) finster ♦ *n*: **in the ~** im Dunkeln; **to be in the ~ about** (*fig*) keine Ahnung haben von; **after ~** nach Einbruch der Dunkelheit; **it is/is getting ~** es ist/wird dunkel; **~ chocolate** Zartbitterschokolade *f*.
Dark Ages *npl*: **the ~** das finstere Mittelalter.
darken [dɑːkn] *vt* dunkel machen ♦ *vi* sich verdunkeln.
dark glasses *npl* Sonnenbrille *f*.
dark horse *n* (*fig: in competition*) Unbekannte(r) *f(m)* (mit Außenseiterchancen); (*quiet person*) stilles Wasser *nt*.
darkly ['dɑːklɪ] *adv* finster.
darkness ['dɑːknɪs] *n* Dunkelheit *f*, Finsternis *f*.
darkroom ['dɑːkrum] *n* Dunkelkammer *f*.
darling ['dɑːlɪŋ] *adj* lieb ♦ *n* Liebling *m*; **to be the ~ of** der Liebling *+gen* sein; **she is a ~** sie ist ein Schatz.
darn [dɑːn] *vt* stopfen.
dart [dɑːt] *n* (*in game*) (Wurf)pfeil *m*; (*in sewing*) Abnäher *m* ♦ *vi*: **to ~ towards** (*also*: **make a ~ towards**) zustürzen auf *+acc*; **to ~ away/along** davon-/entlangflitzen.
dartboard ['dɑːtbɔːd] *n* Dartscheibe *f*.
darts [dɑːts] *n* Darts *nt*, Pfeilwurfspiel *nt*.
dash [dæʃ] *n* (*sign*) Gedankenstrich *m*; (*rush*) Jagd *f* ♦ *vt* (*throw*) schleudern; (*hopes*) zunichte machen ♦ *vi*: **to ~ towards** zustürzen auf *+acc*; **a ~ of ...** (*small quantity*) etwas ..., ein Schuß *m* ...; **to make a ~ for sth** auf etw *acc* zustürzen; **we'll have to make a ~ for it** wir müssen rennen, so schnell wir können.
▸**dash away** *vi* losstürzen.
▸**dash off** *vi* = **dash away**.
dashboard ['dæʃbɔːd] *n* Armaturenbrett *nt*.
dashing ['dæʃɪŋ] *adj* flott.
dastardly ['dæstədlɪ] *adj* niederträchtig.
DAT *n abbr* (= *digital audio tape*) DAT *nt*.
data ['deɪtə] *npl* Daten *pl*.
database ['deɪtəbeɪs] *n* Datenbank *f*.
data capture *n* Datenerfassung *f*.
data processing *n* Datenverarbeitung *f*.
data transmission *n* Datenübertragung *f*.
date [deɪt] *n* Datum *nt*; (*with friend*) Verabredung *f*; (*fruit*) Dattel *f* ♦ *vt* datieren; (*person*) ausgehen mit; **what's the ~ today?** der Wievielte ist heute?; **~ of birth** Geburtsdatum *nt*; **closing ~** Einsendeschluß *m*; **to ~** bis heute; **out of ~** altmodisch; (*expired*) abgelaufen; **up to ~** auf dem neuesten Stand; **to bring up to ~** auf den neuesten Stand bringen; (*person*) über den neuesten Stand der Dinge informieren; **a letter ~d 5th July** *or* (*US*) **July 5th** ein vom 5. Juli datierter Brief.
dated ['deɪtɪd] *adj* altmodisch.
dateline ['deɪtlaɪn] *n* (*GEOG*) Datumsgrenze *f*; (*PRESS*) Datumszeile *f*.
date rape *n* Vergewaltigung *f* einer Bekannten (*mit der der Täter eine Verabredung hatte*).
date stamp *n* Datumsstempel *m*.
dative ['deɪtɪv] *n* Dativ *m*.
daub [dɔːb] *vt* schmieren; **to ~ with** beschmieren mit.
daughter ['dɔːtə*] *n* Tochter *f*.
daughter-in-law ['dɔːtərɪnlɔː] *n* Schwiegertochter *f*.
daunt [dɔːnt] *vt* entmutigen.
daunting ['dɔːntɪŋ] *adj* entmutigend.
dauntless ['dɔːntlɪs] *adj* unerschrocken, beherzt.
dawdle ['dɔːdl] *vi* trödeln; **to ~ over one's work** bei der Arbeit bummeln *or* trödeln.
dawn [dɔːn] *n* Tagesanbruch *m*, Morgengrauen *nt*; (*of period*) Anbruch *m* ♦ *vi* dämmern; (*fig*): **it ~ed on him that ...** es dämmerte ihm, daß ...; **from ~ to dusk** von morgens bis abends.
dawn chorus (*BRIT*) *n* Morgenkonzert *nt* der Vögel.
day [deɪ] *n* Tag *m*; (*heyday*) Zeit *f*; **the ~ before/after** am Tag zuvor/danach; **the ~ after tomorrow** übermorgen; **the ~ before yesterday** vorgestern; **(on) the following ~** am Tag danach; **the ~ that ...** (am Tag,) als ...; **~ by ~** jeden Tag, täglich; **by ~** tagsüber; **paid by the ~** tageweise bezahlt; **to work an eight hour ~** einen Achtstundentag haben; **these ~s, in the present ~** heute, heutzutage.
daybook ['deɪbuk] (*BRIT*) *n* Journal *nt*.
dayboy ['deɪbɔɪ] *n* Externe(r) *m*.
daybreak ['deɪbreɪk] *n* Tagesanbruch *m*.
day-care centre ['deɪkɛə-] *n* (*for children*) (Kinder)tagesstätte *f*; (*for old people*) Altentagesstätte *f*.
daydream ['deɪdriːm] *vi* (mit offenen Augen) träumen ♦ *n* Tagtraum *m*, Träumerei *f*.
daygirl ['deɪgəːl] *n* Externe *f*.
daylight ['deɪlaɪt] *n* Tageslicht *nt*.
daylight robbery (*inf*) *n* Halsabschneiderei *f*.
daylight-saving time (*US*) *n* Sommerzeit *f*.
day release *n*: **to be on ~** tageweise (zur Weiterbildung) freigestellt sein.
day return (*BRIT*) *n* Tagesrückfahrkarte *f*.
day shift *n* Tagschicht *f*.
daytime ['deɪtaɪm] *n* Tag *m*; **in the ~**

tagsüber, bei Tage.

day-to-day ['deɪtə'deɪ] *adj* täglich, Alltags-; **on a ~ basis** tageweise.

day trip *n* Tagesausflug *m*.

day-tripper ['deɪ'trɪpə*] *n* Tagesausflügler(in) *m(f)*.

daze [deɪz] *vt* benommen machen ♦ *n*: **in a ~** ganz benommen.

dazed [deɪzd] *adj* benommen.

dazzle ['dæzl] *vt* blenden.

dazzling ['dæzlɪŋ] *adj* (*light*) blendend; (*smile*) strahlend; (*career, achievements*) glänzend.

DC *abbr* = **direct current**; (*US: POST:* = *District of Columbia*).

DCC *n abbr* (= *digital compact cassette*) DCC *f*.

DD *n abbr* (= *Doctor of Divinity*) ≈ Dr. theol.

D/D *abbr* = **direct debit.**

dd. *abbr* (*COMM:* = *delivered*) geliefert.

D-day ['di:deɪ] *n* der Tag X.

DDS (*US*) *n abbr* (= *Doctor of Dental Surgery*) ≈ Dr. med. dent.

DDT *n abbr* (= *dichlorodiphenyltrichloroethane*) DDT *nt*.

DE (*US*) *abbr* (*POST:* = *Delaware*).

DEA (*US*) *n abbr* (= *Drug Enforcement Administration*) *amerikanische Drogenbehörde*.

deacon ['di:kən] *n* Diakon *m*.

dead [dɛd] *adj* tot; (*flowers*) verwelkt; (*numb*) abgestorben, taub; (*battery*) leer; (*place*) wie ausgestorben ♦ *adv* total, völlig; (*directly, exactly*) genau ♦ *npl*: **the ~** die Toten *pl*; **to shoot sb ~** jdn erschießen; **~ silence** Totenstille *f*; **in the ~ centre (of)** genau in der Mitte *+gen*; **the line has gone ~** (*TEL*) die Leitung ist tot; **~ on time** auf die Minute pünktlich; **~ tired** todmüde; **to stop ~** abrupt stehenbleiben.

dead beat (*inf*) *adj* (*tired*) völlig kaputt.

deaden [dɛdn] *vt* (*blow*) abschwächen; (*pain*) mildern; (*sound*) dämpfen.

dead end *n* Sackgasse *f*.

dead-end ['dɛdɛnd] *adj*: **a ~ job** ein Job *m* ohne Aufstiegsmöglichkeiten.

dead heat *n*: **to finish in a ~** unentschieden ausgehen.

dead letter office *n* Amt *nt* für unzustellbare Briefe.

deadline ['dɛdlaɪn] *n* (letzter) Termin *m*; **to work to a ~** auf einen Termin hinarbeiten.

deadlock ['dɛdlɔk] *n* Stillstand *m*; **the meeting ended in ~** die Verhandlung war festgefahren.

dead loss (*inf*) *n*: **to be a ~** ein hoffnungsloser Fall sein.

deadly ['dɛdlɪ] *adj* tödlich ♦ *adv*: **~ dull** tödlich langweilig.

deadpan ['dɛdpæn] *adj* (*look*) unbewegt; (*tone*) trocken.

Dead Sea *n*: **the ~** das Tote Meer.

dead season *n* tote Saison *f*.

deaf [dɛf] *adj* taub; (*partially*) schwerhörig; **to turn a ~ ear to sth** sich einer Sache *dat* gegenüber taub stellen.

deaf aid (*BRIT*) *n* Hörgerät *nt*.

deaf-and-dumb ['dɛfən'dʌm] *adj* taubstumm; **~ alphabet** Taubstummensprache *f*.

deafen ['dɛfn] *vt* taub machen.

deafening ['dɛfnɪŋ] *adj* ohrenbetäubend.

deaf-mute ['dɛfmju:t] *n* Taubstumme(r) *f(m)*.

deafness ['dɛfnɪs] *n* Taubheit *f*.

deal [di:l] (*pt, pp* **dealt**) *n* Geschäft *nt*, Handel *m* ♦ *vt* (*blow*) versetzen; (*card*) geben, austeilen; **to strike a ~ with sb** ein Geschäft mit jdm abschließen; **it's a ~!** (*inf*) abgemacht!; **he got a fair/bad ~ from them** er ist von ihnen anständig/schlecht behandelt worden; **a good ~** (*a lot*) ziemlich viel; **a great ~ (of)** ziemlich viel.

►**deal in** *vt fus* handeln mit.

►**deal with** *vt fus* (*person*) sich kümmern um; (*problem*) sich befassen mit; (*successfully*) fertigwerden mit; (*subject*) behandeln.

dealer ['di:lə*] *n* Händler(in) *m(f)*; (*in drugs*) Dealer *m*; (*CARDS*) Kartengeber(in) *m(f)*.

dealership ['di:ləʃɪp] *n* (Vertrags)händler *m*.

dealings ['di:lɪŋz] *npl* Geschäfte *pl*; (*relations*) Beziehungen *pl*.

dealt [dɛlt] *pt, pp of* **deal.**

dean [di:n] *n* Dekan *m*; (*US: SCOL: administrator*) *Schul- oder Collegeverwalter mit Beratungs- und Disziplinarfunktion*.

dear [dɪə*] *adj* lieb; (*expensive*) teuer ♦ *n*: **(my) ~** (mein) Liebling *m* ♦ *excl*: **~ me!** (ach) du liebe Zeit!; **D~ Sir/Madam** Sehr geehrte Damen und Herren; **D~ Mr/Mrs X** Sehr geehrter Herr/geehrte Frau X; (*less formal*) Lieber Herr/Liebe Frau X.

dearly ['dɪəlɪ] *adv* (*love*) von ganzem Herzen; (*pay*) teuer.

dear money *n* (*COMM*) teures Geld *nt*.

dearth [də:θ] *n*: **a ~ of** ein Mangel *m* an *+dat*.

death [dɛθ] *n* Tod *m*; (*fatality*) Tote(r) *f(m)*, Todesfall *m*.

deathbed ['dɛθbɛd] *n*: **to be on one's ~** auf dem Sterbebett liegen.

death certificate *n* Sterbeurkunde *f*, Totenschein *m*.

deathly ['dɛθlɪ] *adj* (*silence*) eisig ♦ *adv* (*pale etc*) toten-.

death penalty *n* Todesstrafe *f*.

death rate *n* Sterbeziffer *f*.

death row [-rəu] (*US*) *n* Todestrakt *m*.

death sentence *n* Todesurteil *nt*.

death squad *n* Todeskommando *nt*.

death toll *n* Zahl *f* der Todesopfer *or* Toten.

deathtrap ['dɛθtræp] *n* Todesfalle *f*.

deb [dɛb] (*inf*) *n abbr* = **debutante.**

debacle [deɪ'bɑ:kl] *n* Debakel *nt*.

debar [dɪ'bɑ:*] *vt*: **to ~ sb from doing sth** jdn davon ausschließen, etw zu tun; **to ~ sb from a club** jdn aus einem Klub ausschließen.

debase [dɪ'beɪs] *vt* (*value, quality*) mindern,

herabsetzen; (*person*) erniedrigen, entwürdigen.
debatable [dɪ'beɪtəbl] *adj* fraglich.
debate [dɪ'beɪt] *n* Debatte *f* ♦ *vt* debattieren über *+acc*; (*course of action*) überlegen ♦ *vi*: **to ~ whether** hin und her überlegen, ob.
debauchery [dɪ'bɔːtʃərɪ] *n* Ausschweifungen *pl*.
debenture [dɪ'bɛntʃə*] *n* Schuldschein *m*.
debilitate [dɪ'bɪlɪteɪt] *vt* schwächen.
debilitating [dɪ'bɪlɪteɪtɪŋ] *adj* schwächend.
debit ['dɛbɪt] *n* Schuldposten *m* ♦ *vt*: **to ~ a sum to sb/sb's account** jdn/jds Konto mit einer Summe belasten; *see also* **direct**.
debit balance *n* Sollsaldo *nt*, Debetsaldo *nt*.
debit note *n* Lastschriftanzeige *f*.
debonair *adj* flott.
debrief [diː'briːf] *vt* befragen.
debriefing [diː'briːfɪŋ] *n* Befragung *f*.
debris ['dɛbriː] *n* Trümmer *pl*, Schutt *m*.
debt [dɛt] *n* Schuld *f*; (*state of owing money*) Schulden *pl*, Verschuldung *f*; **to be in ~** Schulden haben, verschuldet sein; **bad ~** uneinbringliche Forderung *f*.
debt collector *n* Inkassobeauftragte(r) *f(m)*, Schuldeneintreiber(in) *m(f)*.
debtor ['dɛtə*] *n* Schuldner(in) *m(f)*.
debug ['diː'bʌg] *vt* (*COMPUT*) Fehler beseitigen in *+dat*.
debunk [diː'bʌŋk] *vt* (*myths, ideas*) bloßstellen; (*claim*) entlarven; (*person, institution*) vom Sockel stoßen.
debut ['deɪbjuː] *n* Debüt *nt*.
debutante ['dɛbjutænt] *n* Debütantin *f*.
Dec. *abbr* = **December**.
decade ['dɛkeɪd] *n* Jahrzehnt *nt*.
decadence ['dɛkədəns] *n* Dekadenz *f*.
decadent ['dɛkədənt] *adj* dekadent.
decaff ['diːkæf] *n* koffeinfreier Kaffee *m*.
decaffeinated [dɪ'kæfɪneɪtɪd] *adj* koffeinfrei.
decamp [dɪ'kæmp] (*inf*) *vi* verschwinden, sich aus dem Staub machen.
decant [dɪ'kænt] *vt* umfüllen.
decanter [dɪ'kæntə*] *n* Karaffe *f*.
decarbonize [diː'kɑːbənaɪz] *vt* entkohlen.
decathlon [dɪ'kæθlən] *n* Zehnkampf *m*.
decay [dɪ'keɪ] *n* Verfall *m*; (*of tooth*) Fäule *f* ♦ *vi* (*body*) verwesen; (*teeth*) faulen; (*leaves*) verrotten; (*fig: society etc*) verfallen.
decease [dɪ'siːs] *n* (*LAW*): **upon your ~** bei Ihrem Ableben.
deceased [dɪ'siːst] *n*: **the ~** der/die Tote *or* Verstorbene.
deceit [dɪ'siːt] *n* Betrug *m*.
deceitful [dɪ'siːtful] *adj* betrügerisch.
deceive [dɪ'siːv] *vt* täuschen; (*husband, wife etc*) betrügen; **to ~ o.s.** sich *dat* etwas vormachen.
decelerate [diː'sɛləreɪt] *vi* (*car etc*) langsamer werden; (*driver*) die Geschwindigkeit herabsetzen.
December [dɪ'sɛmbə*] *n* Dezember *m*; *see also* **July**.
decency ['diːsənsɪ] *n* (*propriety*) Anstand *m*; (*kindness*) Anständigkeit *f*.
decent ['diːsənt] *adj* anständig; **we expect you to do the ~ thing** wir erwarten, daß Sie die Konsequenzen ziehen; **they were very ~ about it** sie haben sich sehr anständig verhalten; **that was very ~ of him** das war sehr anständig von ihm; **are you ~?** (*dressed*) hast du etwas an?
decently ['diːsəntlɪ] *adv* anständig.
decentralization ['diːsɛntrəlaɪ'zeɪʃən] *n* Dezentralisierung *f*.
decentralize [diː'sɛntrəlaɪz] *vt* dezentralisieren.
deception [dɪ'sɛpʃən] *n* Täuschung *f*, Betrug *m*.
deceptive [dɪ'sɛptɪv] *adj* irreführend, täuschend.
decibel ['dɛsɪbɛl] *n* Dezibel *nt*.
decide [dɪ'saɪd] *vt* entscheiden; (*persuade*) veranlassen ♦ *vi* sich entscheiden; **to ~ to do sth/that** beschließen, etw zu tun/daß; **to ~ on sth** sich für etw entscheiden; **to ~ on/against doing sth** sich dafür/dagegen entscheiden, etw zu tun.
decided [dɪ'saɪdɪd] *adj* entschieden; (*character*) entschlossen; (*difference*) deutlich.
decidedly [dɪ'saɪdɪdlɪ] *adv* entschieden; (*emphatically*) entschlossen.
deciding [dɪ'saɪdɪŋ] *adj* entscheidend.
deciduous [dɪ'sɪdjuəs] *adj* (*tree, woods*) Laub-.
decimal ['dɛsɪməl] *adj* (*system, number*) Dezimal- ♦ *n* Dezimalzahl *f*; **to three ~ places** auf drei Dezimalstellen.
decimalize ['dɛsɪməlaɪz] (*BRIT*) *vt* auf das Dezimalsystem umstellen.
decimal point *n* Komma *nt*.
decimate ['dɛsɪmeɪt] *vt* dezimieren.
decipher [dɪ'saɪfə*] *vt* entziffern.
decision [dɪ'sɪʒən] *n* Entscheidung *f*; (*decisiveness*) Bestimmtheit *f*, Entschlossenheit *f*; **to make a ~** eine Entscheidung treffen.
decisive [dɪ'saɪsɪv] *adj* (*action etc*) entscheidend; (*person*) entschlußfreudig; (*manner, reply*) bestimmt, entschlossen.
deck [dɛk] *n* Deck *nt*; (*record deck*) Plattenspieler *m*; (*of cards*) Spiel *nt*; **to go up on ~** an Deck gehen; **below ~** unter Deck; **top ~** (*of bus*) Oberdeck *nt*; **cassette ~** Tape-deck *nt*.
deck chair *n* Liegestuhl *m*.
deck hand *n* Deckshelfer(in) *m(f)*.
declaration [dɛklə'reɪʃən] *n* Erklärung *f*.
declare [dɪ'klɛə*] *vt* erklären; (*result*) bekanntgeben, veröffentlichen; (*income etc*) angeben; (*goods at customs*) verzollen.
declassify [diː'klæsɪfaɪ] *vt* freigeben.
decline [dɪ'klaɪn] *n* Rückgang *m*; (*decay*) Verfall *m* ♦ *vt* ablehnen ♦ *vi* (*strength*) nachlassen; (*business*) zurückgehen; (*old*

person) abbauen; ~ **in/of** Rückgang *m +gen*; ~ **in living standards** Sinken *nt* des Lebensstandards.
declutch ['diː'klʌtʃ] *vi* auskuppeln.
decode ['diː'kəud] *vt* entschlüsseln.
decoder [diː'kəudə*] *n* Decoder *m*.
decompose [diːkəm'pəuz] *vi* (*organic matter*) sich zersetzen; (*corpse*) verwesen.
decomposition [diːkɔmpə'zɪʃən] *n* Zersetzung *f*.
decompression [diːkəm'prɛʃən] *n* Dekompression *f*, Druckverminderung *f*.
decompression chamber *n* Dekompressionskammer *f*.
decongestant [diːkən'dʒɛstənt] *n* (*MED*) abschwellendes Mittel *nt*; (: *drops*) Nasentropfen *pl*.
decontaminate [diːkən'tæmɪneɪt] *vt* entgiften.
decontrol [diːkən'trəul] *vt* freigeben.
décor ['deɪkɔː*] *n* Ausstattung *f*; (*THEAT*) Dekor *m or nt*.
decorate ['dɛkəreɪt] *vt*: **to** ~ **(with)** verzieren (mit); (*tree, building*) schmücken (mit) ♦ *vt* (*room, house: from bare walls*) anstreichen und tapezieren; (*redecorate*) renovieren.
decoration [dɛkə'reɪʃən] *n* Verzierung *f*; (*on tree, building*) Schmuck *m*; (*act: see verb*) Verzieren *nt*; Schmücken *nt*; (An)streichen *nt*; Tapezieren *nt*; (*medal*) Auszeichnung *f*.
decorative ['dɛkərətɪv] *adj* dekorativ.
decorator ['dɛkəreɪtə*] *n* Maler(in) *m(f)*, Anstreicher(in) *m(f)*.
decorum [dɪ'kɔːrəm] *n* Anstand *m*.
decoy ['diːkɔɪ] *n* Lockvogel *m*; (*object*) Köder *m*; **they used him as a** ~ **for the enemy** sie benutzten ihn dazu, den Feind anzulocken.
decrease ['diːkriːs] *vt* verringern, reduzieren ♦ *vi* abnehmen, zurückgehen ♦ *n*: ~ **(in)** Abnahme *f* (*+gen*); Rückgang *m* (*+gen*); **to be on the** ~ abnehmen, zurückgehen.
decreasing [diː'kriːsɪŋ] *adj* abnehmend, zurückgehend.
decree [dɪ'kriː] *n* (*ADMIN, LAW*) Verfügung *f*; (*POL*) Erlaß *m*; (*REL*) Dekret *nt* ♦ *vt*: **to** ~ **(that)** verfügen(, daß), verordnen(, daß).
decree absolute *n* endgültiges Scheidungsurteil *nt*.
decree nisi [-'naɪsaɪ] *n* vorläufiges Scheidungsurteil *nt*.
decrepit [dɪ'krɛpɪt] *adj* (*shack*) baufällig; (*person*) klapprig (*inf*).
decry [dɪ'kraɪ] *vt* schlechtmachen.
dedicate ['dɛdɪkeɪt] *vt*: **to** ~ **to** widmen *+dat*.
dedicated ['dɛdɪkeɪtɪd] *adj* hingebungsvoll, engagiert; (*COMPUT*) dediziert; ~ **word processor** dediziertes Textverarbeitungssystem *nt*.
dedication [dɛdɪ'keɪʃən] *n* Hingabe *f*; (*in book, on radio*) Widmung *f*.
deduce [dɪ'djuːs] *vt*: **to** ~ **(that)** schließen(, daß), folgern(, daß).
deduct [dɪ'dʌkt] *vt* abziehen; **to** ~ **sth (from)** etw abziehen (von); (*esp from wage etc*) etw einbehalten (von).
deduction [dɪ'dʌkʃən] *n* (*act of deducting*) Abzug *m*; (*act of deducing*) Folgerung *f*.
deed [diːd] *n* Tat *f*; (*LAW*) Urkunde *f*; ~ **of covenant** Vertragsurkunde *f*.
deem [diːm] *vt* (*formal*) erachten für, halten für; **to** ~ **it wise/helpful to do sth** es für klug/hilfreich halten, etw zu tun.
deep [diːp] *adj* tief ♦ *adv*: **the spectators stood 20** ~ die Zuschauer standen in 20 Reihen hintereinander; **to be 4 metres** ~ 4 Meter tief sein; **knee-**~ **in water** bis zu den Knien im Wasser; **he took a** ~ **breath** er holte tief Luft.
deepen ['diːpn] *vt* vertiefen ♦ *vi* (*crisis*) sich verschärfen; (*mystery*) größer werden.
deepfreeze ['diːp'friːz] *n* Tiefkühltruhe *f*.
deep-fry ['diːp'fraɪ] *vt* fritieren.
deeply ['diːplɪ] *adv* (*breathe*) tief; (*interested*) höchst; (*moved, grateful*) zutiefst.
deep-rooted ['diːp'ruːtɪd] *adj* tief verwurzelt; (*habit*) fest eingefahren.
deep-sea ['diːp'siː] *cpd* Tiefsee-; (*fishing*) Hochsee-.
deep-seated ['diːp'siːtɪd] *adj* tiefsitzend.
deep-set ['diːpsɛt] *adj* tiefliegend.
deer [dɪə*] *n inv* Reh *nt*; (*male*) Hirsch *m*; **(red)** ~ Rotwild *nt*; **(roe)** ~ Reh *nt*; **(fallow)** ~ Damwild *nt*.
deerskin ['dɪəskɪn] *n* Hirschleder *nt*, Rehleder *nt*.
deerstalker ['dɪəstɔːkə*] *n* ≈ Sherlock-Holmes-Mütze *f*.
deface [dɪ'feɪs] *vt* (*with paint etc*) beschmieren; (*slash, tear*) zerstören.
defamation [dɛfə'meɪʃən] *n* Diffamierung *f*, Verleumdung *f*.
defamatory [dɪ'fæmətrɪ] *adj* diffamierend, verleumderisch.
default [dɪ'fɔːlt] *n* (*also*: ~ **value**) Voreinstellung *f* ♦ *vi*: **to** ~ **on a debt** einer Zahlungsverpflichtung nicht nachkommen; **to win by** ~ kampflos gewinnen.
defaulter [dɪ'fɔːltə*] *n* säumiger Zahler *m*, säumige Zahlerin *f*.
default option *n* Voreinstellung *f*.
defeat [dɪ'fiːt] *vt* besiegen, schlagen ♦ *n* (*failure*) Niederlage *f*; (*of enemy*): ~ **(of)** Sieg *m* (über *+acc*).
defeatism [dɪ'fiːtɪzəm] *n* Defätismus *m*.
defeatist [dɪ'fiːtɪst] *adj* defätistisch ♦ *n* Defätist(in) *m(f)*.
defect [*n* 'diːfɛkt, *vi* dɪ'fɛkt] *n* Fehler *m* ♦ *vi*: **to** ~ **to the enemy** zum Feind überlaufen; **physical/mental** ~ körperlicher/geistiger Schaden *m or* Defekt *m*; **to** ~ **to the West** sich in den Westen absetzen.
defective [dɪ'fɛktɪv] *adj* fehlerhaft.
defector [dɪ'fɛktə*] *n* Überläufer(in) *m(f)*.
defence, (*US*) **defense** [dɪ'fɛns] *n*

Verteidigung *f*; (*justification*) Rechtfertigung *f*; **in ~ of** zur Verteidigung *+gen*; **witness for the ~** Zeuge *m*/Zeugin *f* der Verteidigung; **the Ministry of D~**, (*US*) **the Department of Defense** das Verteidigungsministerium.
defenceless [dɪ'fɛnslɪs] *adj* schutzlos.
defend [dɪ'fɛnd] *vt* verteidigen.
defendant [dɪ'fɛndənt] *n* Angeklagte(r) *f(m)*; (*in civil case*) Beklagte(r) *f(m)*.
defender [dɪ'fɛndə*] *n* Verteidiger(in) *m(f)*.
defending champion [dɪ'fɛndɪŋ-] *n* (*SPORT*) Titelverteidiger(in) *m(f)*.
defending counsel [dɪ'fɛndɪŋ-] *n* Verteidiger(in) *m(f)*.
defense [dɪ'fɛns] (*US*) *n* = **defence**.
defensive [dɪ'fɛnsɪv] *adj* defensiv ♦ *n*: **on the ~** in der Defensive.
defer [dɪ'fəː*] *vt* verschieben.
deference ['dɛfərəns] *n* Achtung *f*, Respekt *m*; **out of** *or* **in ~ to** aus Rücksicht auf *+acc*.
deferential [dɛfə'rɛnʃəl] *adj* ehrerbietig, respektvoll.
defiance [dɪ'faɪəns] *n* Trotz *m*; **in ~ of sth** einer Sache *dat* zum Trotz, unter Mißachtung einer Sache *gen*.
defiant [dɪ'faɪənt] *adj* trotzig; (*challenging*) herausfordernd.
defiantly [dɪ'faɪəntlɪ] *adv* (*see adj*) trotzig; herausfordernd.
deficiency [dɪ'fɪʃənsɪ] *n* Mangel *m*; (*defect*) Unzulänglichkeit *f*; (*deficit*) Defizit *nt*.
deficiency disease *n* Mangelkrankheit *f*.
deficient [dɪ'fɪʃənt] *adj*: **sb/sth is ~ in sth** jdm/etw fehlt es an etw *dat*.
deficit ['dɛfɪsɪt] *n* Defizit *nt*.
defile [dɪ'faɪl] *vt* (*memory*) beschmutzen; (*statue etc*) schänden ♦ *n* Hohlweg *m*.
define [dɪ'faɪn] *vt* (*limits, boundaries*) bestimmen, festlegen; (*word*) definieren.
definite ['dɛfɪnɪt] *adj* definitiv; (*date etc*) fest; (*clear, obvious*) klar, eindeutig; (*certain*) bestimmt; **he was ~ about it** er war sich *dat* sehr sicher.
definite article *n* bestimmter Artikel *m*.
definitely ['dɛfɪnɪtlɪ] *adv* bestimmt; (*decide*) fest, definitiv.
definition [dɛfɪ'nɪʃən] *n* (*of word*) Definition *f*; (*of photograph etc*) Schärfe *f*.
definitive [dɪ'fɪnɪtɪv] *adj* (*account*) definitiv; (*version*) maßgeblich.
deflate [diː'fleɪt] *vt* (*tyre, balloon*) die Luft ablassen aus; (*person*) einen Dämpfer versetzen *+dat*; (*ECON*) deflationieren.
deflation [diː'fleɪʃən] *n* Deflation *f*.
deflationary [diː'fleɪʃənrɪ] *adj* deflationistisch.
deflect [dɪ'flɛkt] *vt* (*attention*) ablenken; (*criticism*) abwehren; (*shot*) abfälschen; (*light*) brechen, beugen.
defog ['diː'fɔg] (*US*) *vt* von Beschlag freimachen.
defogger ['diː'fɔgə*] (*US*) *n* Gebläse *nt*.
deform [dɪ'fɔːm] *vt* deformieren, verunstalten.
deformed [dɪ'fɔːmd] *adj* deformiert, mißgebildet.
deformity [dɪ'fɔːmɪtɪ] *n* Deformität *f*, Mißbildung *f*.
defraud [dɪ'frɔːd] *vt*: **to ~ sb (of sth)** jdn (um etw) betrügen.
defray [dɪ'freɪ] *vt*: **to ~ sb's expenses** jds Unkosten tragen *or* übernehmen.
defrost [diː'frɔst] *vt* (*fridge*) abtauen; (*windscreen*) entfrosten; (*food*) auftauen.
defroster [diː'frɔstə*] (*US*) *n* (*AUT*) Gebläse *nt*.
deft [dɛft] *adj* geschickt.
defunct [dɪ'fʌŋkt] *adj* (*industry*) stillgelegt; (*organization*) nicht mehr bestehend.
defuse [diː'fjuːz] *vt* entschärfen.
defy [dɪ'faɪ] *vt* sich widersetzen *+dat*; (*challenge*) auffordern; **it defies description** es spottet jeder Beschreibung.
degenerate [dɪ'dʒɛnəreɪt] *vi* degenerieren ♦ *adj* degeneriert.
degradation [dɛgrə'deɪʃən] *n* Erniedrigung *f*.
degrade [dɪ'greɪd] *vt* erniedrigen; (*reduce the quality of*) degradieren.
degrading [dɪ'greɪdɪŋ] *adj* erniedrigend.
degree [dɪ'griː] *n* Grad *m*; (*SCOL*) akademischer Grad *m*; **10 ~s below (zero)** 10 Grad unter Null; **6 ~s of frost** 6 Grad Kälte *or* unter Null; **a considerable ~ of risk** ein gewisses Risiko; **a ~ in maths** ein Hochschulabschluß *m* in Mathematik; **by ~s** nach und nach; **to some ~, to a certain ~** einigermaßen, in gewissem Maße.
dehydrated [diːhaɪ'dreɪtɪd] *adj* ausgetrocknet, dehydriert; (*milk, eggs*) pulverisiert, Trocken-.
dehydration [diːhaɪ'dreɪʃən] *n* Austrocknung *f*, Dehydration *f*.
de-ice ['diː'aɪs] *vt* enteisen.
de-icer ['diː'aɪsə*] *n* Defroster *m*.
deign [deɪn] *vi*: **to ~ to do sth** sich herablassen, etw zu tun.
deity ['diːɪtɪ] *n* Gottheit *f*.
dejected [dɪ'dʒɛktɪd] *adj* niedergeschlagen, deprimiert.
dejection [dɪ'dʒɛkʃən] *n* Niedergeschlagenheit *f*, Depression *f*.
Del. (*US*) *abbr* (*POST*: = *Delaware*).
del. *abbr* = **delete**.
delay [dɪ'leɪ] *vt* (*decision, ceremony*) verschieben, aufschieben; (*person, plane, train*) aufhalten ♦ *vi* zögern ♦ *n* Verzögerung *f*; (*postponement*) Aufschub *m*; **to be ~ed** (*person*) sich verspäten; (*departure etc*) verspätet sein; (*flight etc*) Verspätung haben; **without ~** unverzüglich.
delayed-action [dɪ'leɪd'ækʃən] *adj* (*bomb, mine*) mit Zeitzünder; (*PHOT*): **~ shutter release** Selbstauslöser *m*.
delectable [dɪ'lɛktəbl] *adj* (*person*) reizend; (*food*) köstlich.
delegate ['dɛlɪgɪt] *n* Delegierte(r) *f(m)* ♦ *vt*

delegieren; **to ~ sth to sb** jdm mit etw beauftragen; **to ~ sb to do sth** jdn damit beauftragen, etw zu tun.

delegation [dɛlɪ'geɪʃən] *n* Delegation *f*; (*group*) Abordnung *f*, Delegation *f*.

delete [dɪ'liːt] *vt* streichen; (*COMPUT*) löschen.

Delhi ['dɛlɪ] *n* Delhi *nt*.

deli ['dɛlɪ] *n* Feinkostgeschäft *nt*.

deliberate [*adj* dɪ'lɪbərɪt, *vi* dɪ'lɪbəreɪt] *adj* absichtlich; (*action, insult*) bewußt; (*slow*) bedächtig ♦ *vi* überlegen.

deliberately [dɪ'lɪbərɪtlɪ] *adv* absichtlich, bewußt; (*slowly*) bedächtig.

deliberation [dɪlɪbə'reɪʃən] *n* Überlegung *f*; (*usu pl: discussions*) Beratungen *pl*.

delicacy ['dɛlɪkəsɪ] *n* Feinheit *f*, Zartheit *f*; (*of problem*) Delikatheit *f*; (*choice food*) Delikatesse *f*.

delicate ['dɛlɪkɪt] *adj* fein; (*colour, health*) zart; (*approach*) feinfühlig; (*problem*) delikat, heikel.

delicately ['dɛlɪkɪtlɪ] *adv* zart, fein; (*act, express*) feinfühlig.

delicatessen [dɛlɪkə'tɛsn] *n* Feinkostgeschäft *nt*.

delicious [dɪ'lɪʃəs] *adj* köstlich; (*feeling, person*) herrlich.

delight [dɪ'laɪt] *n* Freude *f* ♦ *vt* erfreuen; **sb takes (a) ~ in sth** etw bereitet jdm große Freude; **sb takes (a) ~ in doing sth** es bereitet jdm große Freude, etw zu tun; **to be the ~ of** die Freude *+gen* sein; **she was a ~ to interview** es war eine Freude, sie zu interviewen; **the ~s of country life** die Freuden des Landlebens.

delighted [dɪ'laɪtɪd] *adj*: **~ (at** *or* **with)** erfreut (über *+acc*), entzückt (über *+acc*); **to be ~ to do sth** etw gern tun; **I'd be ~** ich würde mich sehr freuen.

delightful [dɪ'laɪtful] *adj* reizend, wunderbar.

delimit [diː'lɪmɪt] *vt* abgrenzen.

delineate [dɪ'lɪnɪeɪt] *vt* (*fig*) beschreiben.

delinquency [dɪ'lɪŋkwənsɪ] *n* Kriminalität *f*.

delinquent [dɪ'lɪŋkwənt] *adj* straffällig ♦ *n* Delinquent(in) *m(f)*.

delirious [dɪ'lɪrɪəs] *adj*: **to be ~** (*with fever*) im Delirium sein; (*with excitement*) im Taumel sein.

delirium [dɪ'lɪrɪəm] *n* Delirium *nt*.

deliver [dɪ'lɪvə*] *vt* liefern; (*letters, papers*) zustellen; (*hand over*) übergeben; (*message*) überbringen; (*speech*) halten; (*blow*) versetzen; (*MED: baby*) zur Welt bringen; (*warning*) geben; (*ultimatum*) stellen; (*free*): **to ~ (from)** befreien (von); **to ~ the goods** (*fig*) halten, was man versprochen hat.

deliverance [dɪ'lɪvrəns] *n* Befreiung *f*.

delivery [dɪ'lɪvərɪ] *n* Lieferung *f*; (*of letters, papers*) Zustellung *f*; (*of speaker*) Vortrag *m*; (*MED*) Entbindung *f*; **to take ~ of sth** etw in Empfang nehmen.

delivery note *n* Lieferschein *m*.

delivery van, (*US*) **delivery truck** *n* Lieferwagen *m*.

delouse ['diː'laus] *vt* entlausen.

delta ['dɛltə] *n* Delta *nt*.

delude [dɪ'luːd] *vt* täuschen; **to ~ o.s.** sich *dat* etwas vormachen.

deluge ['dɛljuːdʒ] *n* (*of rain*) Guß *m*; (*fig: of petitions, requests*) Flut *f*.

delusion [dɪ'luːʒən] *n* Irrglaube *m*; **to have ~s of grandeur** größenwahnsinnig sein.

de luxe [də'lʌks] *adj* (*hotel, model*) Luxus-.

delve [dɛlv] *vi*: **to ~ into** (*subject*) sich eingehend befassen mit; (*cupboard, handbag*) tief greifen in *+acc*.

Dem. (*US*) *abbr* (*POL*) = **democrat; democratic.**

demagogue ['dɛməgɔg] *n* Demagoge *m*, Demagogin *f*.

demand [dɪ'mɑːnd] *vt* verlangen; (*rights*) fordern; (*need*) erfordern, verlangen ♦ *n* Verlangen *nt*; (*claim*) Forderung *f*; (*ECON*) Nachfrage *f*; **to ~ sth (from** *or* **of sb)** etw (von jdm) verlangen *or* fordern; **to be in ~** gefragt sein; **on ~** (*available*) auf Verlangen; (*payable*) bei Vorlage *or* Sicht.

demand draft *n* Sichtwechsel *m*.

demanding [dɪ'mɑːndɪŋ] *adj* anspruchsvoll; (*work, child*) anstrengend.

demarcation [diːmɑː'keɪʃən] *n* (*of area, tasks*) Abgrenzung *f*.

demarcation dispute *n* Streit *m* um den Zuständigkeitsbereich.

demean [dɪ'miːn] *vt*: **to ~ o.s.** sich erniedrigen.

demeanour, (*US*) **demeanor** [dɪ'miːnə*] *n* Benehmen *nt*, Auftreten *nt*.

demented [dɪ'mɛntɪd] *adj* wahnsinnig.

demilitarized zone [diː'mɪlɪtəraɪzd-] *n* entmilitarisierte Zone *f*.

demise [dɪ'maɪz] *n* Ende *nt*; (*death*) Tod *m*.

demist [diː'mɪst] (*BRIT*) *vt* (*AUT: windscreen*) von Beschlag freimachen.

demister [diː'mɪstə*] (*BRIT*) *n* (*AUT*) Gebläse *nt*.

demo ['dɛməu] (*inf*) *n abbr* = **demonstration.**

demob [diː'mɔb] (*inf*) *vt* = **demobilize.**

demobilize [diː'məubɪlaɪz] *vt* aus dem Kriegsdienst entlassen, demobilisieren.

democracy [dɪ'mɔkrəsɪ] *n* Demokratie *f*.

democrat ['dɛməkræt] *n* Demokrat(in) *m(f)*.

democratic [dɛmə'krætɪk] *adj* demokratisch.

Democratic Party (*US*) *n*: **the ~** die Demokratische Partei.

demography [dɪ'mɔgrəfɪ] *n* Demographie *f*.

demolish [dɪ'mɔlɪʃ] *vt* abreißen, abbrechen; (*fig: argument*) widerlegen.

demolition [dɛmə'lɪʃən] *n* Abriß *m*, Abbruch *m*; (*of argument*) Widerlegung *f*.

demon ['diːmən] *n* Dämon *m* ♦ *adj* teuflisch gut.

demonstrate ['dɛmənstreɪt] *vt* (*theory*)

demonstrieren; (*skill*) zeigen, beweisen; (*appliance*) vorführen ♦ *vi*: **to ~ (for/against)** demonstrieren (für/gegen).
demonstration [dɛmən'streɪʃən] *n* Demonstration *f*; (*of gadget, machine etc*) Vorführung *f*; **to hold a ~** eine Demonstration veranstalten *or* durchführen.
demonstrative [dɪ'mɔnstrətɪv] *adj* demonstrativ.
demonstrator ['dɛmənstreɪtə*] *n* Demonstrant(in) *m(f)*; (*sales person*) Vorführer(in) *m(f)*; (*car*) Vorführwagen *m*; (*computer etc*) Vorführgerät *nt*.
demoralize [dɪ'mɔrəlaɪz] *vt* entmutigen.
demote [dɪ'məut] *vt* zurückstufen; (*MIL*) degradieren.
demotion [dɪ'məuʃən] *n* Zurückstufung *f*; (*MIL*) Degradierung *f*.
demur [dɪ'mə:*] (*form*) *vi* Einwände *pl* erheben ♦ *n*: **without ~** widerspruchslos; **they ~red at the suggestion** sie erhoben Einwände gegen den Vorschlag.
demure [dɪ'mjuə*] *adj* zurückhaltend; (*smile*) höflich; (*dress*) schlicht.
demurrage [dɪ'mʌrɪdʒ] *n* Liegegeld *nt*.
den [dɛn] *n* Höhle *f*; (*of fox*) Bau *m*; (*room*) Bude *f*.
denationalization ['di:næʃnəlaɪ'zeɪʃən] *n* Privatisierung *f*.
denationalize [di:'næʃnəlaɪz] *vt* privatisieren.
denatured alcohol [di:'neɪtʃəd-] (*US*) *n* vergällter Alkohol *m*.
denial [dɪ'naɪəl] *n* Leugnen *nt*; (*of rights*) Verweigerung *f*.
denier ['dɛnɪə*] *n* Denier *nt*.
denigrate ['dɛnɪgreɪt] *vt* verunglimpfen.
denim ['dɛnɪm] *n* Jeansstoff *m*; **denims** *npl* (Blue) Jeans *pl*.
denim jacket *n* Jeansjacke *f*.
denizen ['dɛnɪzn] *n* Bewohner(in) *m(f)*; (*person in town*) Einwohner(in) *m(f)*; (*foreigner*) eingebürgerter Ausländer *m*, eingebürgerte Ausländerin *f*.
Denmark ['dɛnma:k] *n* Dänemark *nt*.
denomination [dɪnɔmɪ'neɪʃən] *n* (*of money*) Nennwert *m*; (*REL*) Konfession *f*.
denominator [dɪ'nɔmɪneɪtə*] *n* Nenner *m*.
denote [dɪ'nəut] *vt* (*indicate*) hindeuten auf *+acc*; (*represent*) bezeichnen.
denounce [dɪ'nauns] *vt* (*person*) anprangern; (*action*) verurteilen.
dense [dɛns] *adj* dicht; (*inf: person*) beschränkt.
densely ['dɛnslɪ] *adv* dicht.
density ['dɛnsɪtɪ] *n* Dichte *f*; **single/double-~ disk** (*COMPUT*) Diskette *f* mit einfacher/doppelter Dichte.
dent [dɛnt] *n* Beule *f*; (*in pride, ego*) Knacks *m* ♦ *vt* (*also*: **make a ~ in**) einbeulen; (*pride, ego*) anknacksen.
dental ['dɛntl] *adj* (*filling, hygiene etc*) Zahn-; (*treatment*) zahnärztlich.
dental floss [-flɔs] *n* Zahnseide *f*.
dental surgeon *n* Zahnarzt *m*, Zahnärztin *f*.
dentifrice ['dɛntɪfrɪs] *n* Zahnpasta *f*.
dentist ['dɛntɪst] *n* Zahnarzt *m*, Zahnärztin *f*; (*also*: **~'s (surgery)**) Zahnarzt *m*, Zahnarztpraxis *f*.
dentistry ['dɛntɪstrɪ] *n* Zahnmedizin *f*.
dentures ['dɛntʃəz] *npl* Zahnprothese *f*; (*full*) Gebiß *nt*.
denuded [di:'nju:dɪd] *adj*: **~ of** entblößt von.
denunciation [dɪnʌnsɪ'eɪʃən] *n* (*of person*) Anprangerung *f*; (*of action*) Verurteilung *f*.
deny [dɪ'naɪ] *vt* leugnen; (*involvement*) abstreiten; (*permission, chance*) verweigern; (*country, religion etc*) verleugnen; **he denies having said it** er leugnet *or* bestreitet, das gesagt zu haben.
deodorant [di:'əudərənt] *n* Deodorant *nt*.
depart [dɪ'pa:t] *vi* (*visitor*) abreisen; (: *on foot*) weggehen; (*bus, train*) abfahren; (*plane*) abfliegen; **to ~ from** (*fig*) abweichen von.
departed [dɪ'pa:tɪd] *adj*: **the (dear) ~** der/die (liebe) Verstorbene *m/f*; die (lieben) Verstorbenen *pl*.
department [dɪ'pa:tmənt] *n* Abteilung *f*; (*SCOL*) Fachbereich *m*; (*POL*) Ministerium *nt*; **that's not my ~** (*fig*) dafür bin ich nicht zuständig; **D~ of State** (*US*) Außenministerium *nt*.
departmental [di:pa:t'mɛntl] *adj* (*budget, costs*) der Abteilung; (*level*) Abteilungs-; **~ manager** Abteilungsleiter(in) *m(f)*.
department store *n* Warenhaus *nt*.
departure [dɪ'pa:tʃə*] *n* (*of visitor*) Abreise *f*; (*on foot, of employee etc*) Weggang *m*; (*of bus, train*) Abfahrt *f*; (*of plane*) Abflug *m*; (*fig*): **~ from** Abweichen *nt* von; **a new ~** ein neuer Weg *m*.
departure lounge *n* Abflughalle *f*.
depend [dɪ'pɛnd] *vi*: **to ~ on** abhängen von; (*rely on, trust*) sich verlassen auf *+acc*; (*financially*) abhängig sein von, angewiesen sein auf *+acc*; **it ~s** es kommt darauf an; **~ing on the result** ... je nachdem, wie das Ergebnis ausfällt, ...
dependable [dɪ'pɛndəbl] *adj* zuverlässig.
dependant [dɪ'pɛndənt] *n* abhängige(r) (Familien)angehörige(r) *f(m)*.
dependence [dɪ'pɛndəns] *n* Abhängigkeit *f*.
dependent [dɪ'pɛndənt] *adj*: **to be ~ on** (*person*) abhängig sein von, angewiesen sein auf *+acc*; (*decision*) abhängen von ♦ *n* **= dependant.**
depict [dɪ'pɪkt] *vt* (*in picture*) darstellen; (*describe*) beschreiben.
depilatory [dɪ'pɪlətrɪ] *n* (*also*: **~ cream**) Enthaarungsmittel *nt*.
depleted [dɪ'pli:tɪd] *adj* (*reserves*) aufgebraucht; (*stocks*) erschöpft.
deplorable [dɪ'plɔ:rəbl] *adj* bedauerlich.
deplore [dɪ'plɔ:*] *vt* verurteilen.

deploy [dɪ'plɔɪ] *vt* einsetzen.
depopulate [diː'pɔpjuleɪt] *vt* entvölkern.
depopulation ['diːpɔpju'leɪʃən] *n* Entvölkerung *f*.
deport [dɪ'pɔːt] *vt* (*criminal*) deportieren; (*illegal immigrant*) abschieben.
deportation [diːpɔː'teɪʃən] *n* (*see vb*) Deportation *f*; Abschiebung *f*.
deportation order *n* Ausweisung *f*.
deportee [diːpɔː'tiː] *n* Deportierte(r) *f(m)*.
deportment [dɪ'pɔːtmənt] *n* Benehmen *nt*.
depose [dɪ'pəuz] *vt* absetzen.
deposit [dɪ'pɔzɪt] *n* (*in account*) Guthaben *nt*; (*down payment*) Anzahlung *f*; (*for hired goods etc*) Sicherheit *f*, Kaution *f*; (*on bottle etc*) Pfand *nt*; (*CHEM*) Ablagerung *f*; (*of ore, oil*) Lagerstätte *f* ♦ *vt* deponieren; (*subj: river: sand etc*) ablagern; **to put down a ~ of £50** eine Anzahlung von £50 machen.
deposit account *n* Sparkonto *nt*.
depositary [dɪ'pɔzɪtərɪ] *n* Treuhänder(in) *m(f)*.
depositor [dɪ'pɔzɪtə*] *n* Deponent(in) *m(f)*, Einzahler(in) *m(f)*.
depository [dɪ'pɔzɪtərɪ] *n* (*person*) Treuhänder(in) *m(f)*; (*place*) Lager(haus) *nt*.
depot ['dɛpəu] *n* Lager(haus) *nt*; (*for vehicles*) Depot *nt*; (*US: station*) Bahnhof *m*; (*: bus station*) Busbahnhof *m*.
depraved [dɪ'preɪvd] *adj* verworfen.
depravity [dɪ'prævɪtɪ] *n* Verworfenheit *f*.
deprecate ['dɛprɪkeɪt] *vt* mißbilligen.
deprecating ['dɛprɪkeɪtɪŋ] *adj* (*disapproving*) mißbilligend; (*apologetic*) entschuldigend.
depreciate [dɪ'priːʃɪeɪt] *vi* an Wert verlieren; (*currency*) an Kaufkraft verlieren; (*value*) sinken.
depreciation [dɪpriːʃɪ'eɪʃən] *n* (*see vb*) Wertminderung *f*; Kaufkraftverlust *m*; Sinken *nt*.
depress [dɪ'prɛs] *vt* deprimieren; (*price, wages*) drücken; (*press down*) herunterdrücken.
depressant [dɪ'prɛsnt] *n* Beruhigungsmittel *nt*.
depressed [dɪ'prɛst] *adj* deprimiert, niedergeschlagen; (*price*) gesunken; (*industry*) geschwächt; (*area*) Notstands-; **to get ~** deprimiert werden.
depressing [dɪ'prɛsɪŋ] *adj* deprimierend.
depression [dɪ'prɛʃən] *n* (*PSYCH*) Depressionen *pl*; (*ECON*) Wirtschaftskrise *f*; (*MET*) Tief(druckgebiet) *nt*; (*hollow*) Vertiefung *f*.
deprivation [dɛprɪ'veɪʃən] *n* Entbehrung *f*, Not *f*; (*of freedom, rights etc*) Entzug *m*.
deprive [dɪ'praɪv] *vt*: **to ~ sb of sth** (*liberty*) jdm etw entziehen; (*life*) jdm etw nehmen.
deprived [dɪ'praɪvd] *adj* benachteiligt; (*area*) notleidend.
dept *abbr* = **department.**
depth [dɛpθ] *n* Tiefe *f*; **in the ~s of** in den Tiefen *+gen*; **in the ~s of despair** in tiefster Verzweiflung; **in the ~s of winter** im tiefsten Winter; **at a ~ of 3 metres** in 3 Meter Tiefe; **to be out of one's ~** (*in water*) nicht mehr stehen können; (*fig*) überfordert sein; **to study sth in ~** etw gründlich *or* eingehend studieren.
depth charge *n* Wasserbombe *f*.
deputation [dɛpju'teɪʃən] *n* Abordnung *f*.
deputize ['dɛpjutaɪz] *vi*: **to ~ for sb** jdn vertreten.
deputy ['dɛpjutɪ] *cpd* stellvertretend ♦ *n* (Stell)vertreter(in) *m(f)*; (*POL*) Abgeordnete(r) *f(m)*; (*US: also:* **~ sheriff**) Hilfssheriff *m*; **~ head** (*BRIT: SCOL*) Konrektor(in) *m(f)*.
derail [dɪ'reɪl] *vt*: **to be ~ed** entgleisen.
derailment [dɪ'reɪlmənt] *n* Entgleisung *f*.
deranged [dɪ'reɪndʒd] *adj*: **to be mentally ~** geistesgestört sein.
derby ['dəːrbɪ] *n* Derby *nt*; (*US: hat*) Melone *f*.
Derbys (*BRIT*) *abbr* (*POST:* = *Derbyshire*).
deregulate [dɪ'rɛgjuleɪt] *vt* staatliche Kontrollen aufheben bei.
deregulation [dɪ'rɛgju'leɪʃən] *n* Aufhebung *f* staatlicher Kontrollen.
derelict ['dɛrɪlɪkt] *adj* verfallen.
deride [dɪ'raɪd] *vt* sich lustig machen über *+acc*.
derision [dɪ'rɪʒən] *n* Hohn *m*, Spott *m*.
derisive [dɪ'raɪsɪv] *adj* spöttisch.
derisory [dɪ'raɪsərɪ] *adj* spöttisch; (*sum*) lächerlich.
derivation [dɛrɪ'veɪʃən] *n* Ableitung *f*.
derivative [dɪ'rɪvətɪv] *n* (*LING*) Ableitung *f*; (*CHEM*) Derivat *nt* ♦ *adj* nachahmend.
derive [dɪ'raɪv] *vt*: **to ~ (from)** gewinnen (aus); (*benefit*) ziehen (aus) ♦ *vi*: **to ~ from** (*originate in*) sich herleiten *or* ableiten von; **to ~ pleasure from** Freude haben an *+dat*.
dermatitis [dəːmə'taɪtɪs] *n* Hautentzündung *f*, Dermatitis *f*.
dermatology [dəːmə'tɔlədʒɪ] *n* Dermatologie *f*.
derogatory [dɪ'rɔgətərɪ] *adj* abfällig.
derrick ['dɛrɪk] *n* (*on ship*) Derrickkran *m*; (*on well*) Bohrturm *m*.
derv [dəːv] (*BRIT*) *n* (*AUT*) Diesel(kraftstoff) *m*.
desalination [diːsælɪ'neɪʃən] *n* Entsalzung *f*.
descend [dɪ'sɛnd] *vt* hinuntergehen, hinuntersteigen; (*lift, vehicle*) hinunterfahren; (*road*) hinunterführen ♦ *vi* hinuntergehen; (*lift*) nach unten fahren; **to ~ from** abstammen von; **to ~ to** sich erniedrigen zu; **in ~ing order of importance** nach Wichtigkeit geordnet.
▸**descend on** *vt fus* überfallen; (*subj: misfortune*) hereinbrechen über *+acc*; (*: gloom*) befallen; (*: silence*) sich senken auf *+acc*; **visitors ~ed (up)on us** der Besuch hat uns überfallen.
descendant [dɪ'sɛndənt] *n* Nachkomme *m*.

descent [dɪ'sɛnt] *n* Abstieg *m*; (*origin*) Abstammung *f*.
describe [dɪs'kraɪb] *vt* beschreiben.
description [dɪs'krɪpʃən] *n* Beschreibung *f*; (*sort*): **of every ~** aller Art.
descriptive [dɪs'krɪptɪv] *adj* (*writing, painting*) deskriptiv.
desecrate ['dɛsɪkreɪt] *vt* schänden.
desegregate [diː'sɛgrɪgeɪt] *vt* die Rassentrennung aufheben in *+dat*.
desert [*n* 'dɛzət, *vb* dɪ'zəːt] *n* Wüste *f* ♦ *vt* verlassen ♦ *vi* desertieren; *see also* **deserts**.
deserter [dɪ'zəːtə*] *n* Deserteur *m*.
desertion [dɪ'zəːʃən] *n* Desertion *f*, Fahnenflucht *f*; (*LAW*) böswilliges Verlassen *nt*.
desert island *n* einsame *or* verlassene Insel *f*.
deserts [dɪ'zəːts] *npl*: **to get one's just ~** bekommen, was man verdient.
deserve [dɪ'zəːv] *vt* verdienen.
deservedly [dɪ'zəːvɪdlɪ] *adv* verdientermaßen.
deserving [dɪ'zəːvɪŋ] *adj* verdienstvoll.
desiccated ['dɛsɪkeɪtɪd] *adj* vertrocknet; (*coconut*) getrocknet.
design [dɪ'zaɪn] *n* Design *nt*; (*process*) Entwurf *m*, Gestaltung *f*; (*sketch*) Entwurf *m*; (*layout, shape*) Form *f*; (*pattern*) Muster *nt*; (*of car*) Konstruktion *f*; (*intention*) Plan *m*, Absicht *f* ♦ *vt* entwerfen; **to have ~s on** es abgesehen haben auf *+acc*; **well-~ed** mit gutem Design.
designate [*vt* 'dɛzɪgneɪt, *adj* 'dɛzɪgnɪt] *vt* bestimmen, ernennen ♦ *adj* designiert.
designation [dɛzɪg'neɪʃən] *n* Bezeichnung *f*.
designer [dɪ'zaɪnə*] *n* Designer(in) *m(f)*; (*TECH*) Konstrukteur(in) *m(f)*; (*fashion designer*) Modeschöpfer(in) *m(f)* ♦ *adj* (*clothes etc*) Designer-.
desirability [dɪzaɪərə'bɪlɪtɪ] *n*: **they discussed the ~ of the plan** sie besprachen, ob der Plan wünschenswert sei.
desirable [dɪ'zaɪərəbl] *adj* (*proper*) wünschenswert; (*attractive*) reizvoll, attraktiv.
desire [dɪ'zaɪə*] *n* Wunsch *m*; (*sexual*) Verlangen *nt*, Begehren *nt* ♦ *vt* wünschen; (*lust after*) begehren; **to ~ to do sth/that** wünschen, etw zu tun/daß.
desirous [dɪ'zaɪərəs] *adj*: **to be ~ of doing sth** den Wunsch haben, etw zu tun.
desist [dɪ'zɪst] *vi*: **to ~ (from)** absehen (von), Abstand nehmen (von).
desk [dɛsk] *n* Schreibtisch *m*; (*for pupil*) Pult *nt*; (*in hotel*) Empfang *m*; (*at airport*) Schalter *m*; (*BRIT: in shop, restaurant*) Kasse *f*.
desk job *n* Bürojob *m*.
desktop ['dɛsktɔp] *n* Arbeitsfläche *f*.
desktop publishing *n* Desktop-Publishing *nt*.
desolate ['dɛsəlɪt] *adj* trostlos.
desolation [dɛsə'leɪʃən] *n* Trostlosigkeit *f*.
despair [dɪs'pɛə*] *n* Verzweiflung *f* ♦ *vi*: **to ~ of** alle Hoffnung aufgeben auf *+acc*; **to be in ~** verzweifelt sein.
despatch [dɪs'pætʃ] *n*, *vt* = **dispatch**.
desperate ['dɛspərɪt] *adj* verzweifelt; (*shortage*) akut; (*criminal*) zum Äußersten entschlossen; **to be ~ for sth/to do sth** etw dringend brauchen/unbedingt tun wollen.
desperately ['dɛspərɪtlɪ] *adv* (*shout, struggle etc*) verzweifelt; (*ill*) schwer; (*unhappy etc*) äußerst.
desperation [dɛspə'reɪʃən] *n* Verzweiflung *f*; **in (sheer) ~** aus (reiner) Verzweiflung.
despicable [dɪs'pɪkəbl] *adj* (*action*) verabscheuungswürdig; (*person*) widerwärtig.
despise [dɪs'paɪz] *vt* verachten.
despite [dɪs'paɪt] *prep* trotz *+gen*.
despondent [dɪs'pɔndənt] *adj* niedergeschlagen, mutlos.
despot ['dɛspɔt] *n* Despot *m*.
dessert [dɪ'zəːt] *n* Nachtisch *m*, Dessert *nt*.
dessertspoon [dɪ'zəːtspuːn] *n* Dessertlöffel *m*.
destabilize [diː'steɪbɪlaɪz] *vt* destabilisieren.
destination [dɛstɪ'neɪʃən] *n* (Reise)ziel *nt*; (*of mail*) Bestimmungsort *m*.
destined ['dɛstɪnd] *adj*: **to be ~ to do sth** dazu bestimmt *or* ausersehen sein, etw zu tun; **to be ~ for** bestimmt *or* ausersehen sein für.
destiny ['dɛstɪnɪ] *n* Schicksal *nt*.
destitute ['dɛstɪtjuːt] *adj* mittellos.
destroy [dɪs'trɔɪ] *vt* zerstören; (*animal*) töten.
destroyer [dɪs'trɔɪə*] *n* Zerstörer *m*.
destruction [dɪs'trʌkʃən] *n* Zerstörung *f*.
destructive [dɪs'trʌktɪv] *adj* zerstörerisch; (*child, criticism etc*) destruktiv.
desultory ['dɛsəltərɪ] *adj* flüchtig; (*conversation*) zwanglos.
detach [dɪ'tætʃ] *vt* (*remove*) entfernen; (*unclip*) abnehmen; (*unstick*) ablösen.
detachable [dɪ'tætʃəbl] *adj* abnehmbar.
detached [dɪ'tætʃt] *adj* distanziert; (*house*) freistehend, Einzel-.
detachment [dɪ'tætʃmənt] *n* Distanz *f*; (*MIL*) Sonderkommando *nt*.
detail ['diːteɪl] *n* Einzelheit *f*; (*no pl: in picture, one's work etc*) Detail *nt*; (*trifle*) unwichtige Einzelheit ♦ *vt* (einzeln) aufführen; **in ~** in Einzelheiten; **to go into ~s** auf Einzelheiten eingehen, ins Detail gehen.
detailed ['diːteɪld] *adj* detailliert, genau.
detain [dɪ'teɪn] *vt* aufhalten; (*in captivity*) in Haft halten; (*in hospital*) festhalten.
detainee [diːteɪ'niː] *n* Häftling *m*.
detect [dɪ'tɛkt] *vt* wahrnehmen; (*MED, TECH*) feststellen; (*MIL*) ausfindig machen.
detection [dɪ'tɛkʃən] *n* Entdeckung *f*, Feststellung *f*; **crime ~** Ermittlungsarbeit *f*; **to escape ~** (*criminal*) nicht gefaßt werden; (*mistake*) der Aufmerksamkeit *dat* entgehen.
detective [dɪ'tɛktɪv] *n* Kriminalbeamte(r) *m*; **private ~** Privatdetektiv *m*.

detective story *n* Kriminalgeschichte *f*, Detektivgeschichte *f*.
detector [dɪ'tɛktə*] *n* Detektor *m*.
détente [deɪ'tɑːnt] *n* Entspannung *f*, Détente *f*.
detention [dɪ'tɛnʃən] *n* (*arrest*) Festnahme *f*; (*captivity*) Haft *f*; (*SCOL*) Nachsitzen *nt*.
deter [dɪ'təː*] *vt* (*discourage*) abschrecken; (*dissuade*) abhalten.
detergent [dɪ'təːdʒənt] *n* Reinigungsmittel *nt*; (*for clothes*) Waschmittel *nt*; (*for dishes*) Spülmittel *nt*.
deteriorate [dɪ'tɪərɪəreɪt] *vi* sich verschlechtern.
deterioration [dɪtɪərɪə'reɪʃən] *n* Verschlechterung *f*.
determination [dɪtəːmɪ'neɪʃən] *n* Entschlossenheit *f*; (*establishment*) Festsetzung *f*.
determine [dɪ'təːmɪn] *vt* (*facts*) feststellen; (*limits etc*) festlegen; **to ~ that** beschließen, daß; **to ~ to do sth** sich entschließen, etw zu tun.
determined [dɪ'təːmɪnd] *adj* entschlossen; (*quantity*) bestimmt; **to be ~ to do sth** (fest) entschlossen sein, etw zu tun.
deterrence [dɪ'tɛrəns] *n* Abschreckung *f*.
deterrent [dɪ'tɛrənt] *n* Abschreckungsmittel *nt*; **to act as a ~** als Abschreckung(smittel) dienen.
detest [dɪ'tɛst] *vt* verabscheuen.
detestable [dɪ'tɛstəbl] *adj* abscheulich, widerwärtig.
detonate ['dɛtəneɪt] *vi* detonieren ♦ *vt* zur Explosion bringen.
detonator ['dɛtəneɪtə*] *n* Sprengkapsel *f*.
detour ['diːtuə*] *n* Umweg *m*; (*US: AUT*) Umleitung *f*.
detract [dɪ'trækt] *vi*: **to ~ from** schmälern; (*effect*) beeinträchtigen.
detractor [dɪ'træktə*] *n* Kritiker(in) *m(f)*.
detriment ['dɛtrɪmənt] *n*: **to the ~ of** zum Schaden *+gen*; **without ~ to** ohne Schaden für.
detrimental [dɛtrɪ'mɛntl] *adj*: **to be ~ to** schaden *+dat*.
deuce [djuːs] *n* (*TENNIS*) Einstand *m*.
devaluation [dɪvælju'eɪʃən] *n* Abwertung *f*.
devalue ['diː'væljuː] *vt* abwerten.
devastate ['dɛvəsteɪt] *vt* verwüsten; (*fig: shock*): **to be ~d by** niedergeschmettert sein von.
devastating ['dɛvəsteɪtɪŋ] *adj* verheerend; (*announcement, news*) niederschmetternd.
devastation [dɛvəs'teɪʃən] *n* Verwüstung *f*.
develop [dɪ'vɛləp] *vt* entwickeln; (*business*) erweitern, ausbauen; (*land, resource*) erschließen; (*disease*) bekommen ♦ *vi* sich entwickeln; (*facts*) an den Tag kommen; (*symptoms*) auftreten; **to ~ a taste for sth** Geschmack an etw finden; **the machine/car ~ed a fault/engine trouble** an dem Gerät/dem Wagen trat ein Defekt/ein Motorschaden auf; **to ~ into** sich entwickeln zu, werden.
developer [dɪ'vɛləpə*] *n* (*also*: **property ~**) *Bauunternehmer und Immobilienmakler.*
developing country [dɪ'vɛləpɪŋ-] *n* Entwicklungsland *nt*.
development [dɪ'vɛləpmənt] *n* Entwicklung *f*; (*of land*) Erschließung *f*.
development area *n* Entwicklungsgebiet *nt*.
deviant ['diːvɪənt] *adj* abweichend.
deviate ['diːvɪeɪt] *vi*: **to ~ (from)** abweichen (von).
deviation [diːvɪ'eɪʃən] *n* Abweichung *f*.
device [dɪ'vaɪs] *n* Gerät *nt*; (*ploy, stratagem*) Trick *m*; **explosive ~** Sprengkörper *m*.
devil ['dɛvl] *n* Teufel *m*; **go on, be a ~!** nur zu, riskier mal was!; **talk of the ~!** wenn man vom Teufel spricht!
devilish ['dɛvlɪʃ] *adj* teuflisch.
devil's advocate ['dɛvlz-] *n* Advocatus Diaboli *m*.
devious ['diːvɪəs] *adj* (*person*) verschlagen; (*route, path*) gewunden.
devise [dɪ'vaɪz] *vt* sich *dat* ausdenken; (*machine*) entwerfen.
devoid [dɪ'vɔɪd] *adj*: **~ of** bar *+gen*, ohne *+acc*.
devolution [diːvə'luːʃən] *n* Dezentralisierung *f*.
devolve [dɪ'vɔlv] *vt* übertragen ♦ *vi*: **to ~ (up)on** übergehen auf *+acc*.
devote [dɪ'vəut] *vt*: **to ~ sth/o.s. to** etw/sich widmen *+dat*.
devoted [dɪ'vəutɪd] *adj* treu; (*admirer*) eifrig; **to be ~ to sb** jdn innig lieben; **the book is ~ to politics** das Buch widmet sich ganz der Politik *dat*.
devotee [dɛvəu'tiː] *n* (*fan*) Liebhaber(in) *m(f)*; (*REL*) Anhänger(in) *m(f)*.
devotion [dɪ'vəuʃən] *n* (*affection*) Ergebenheit *f*; (*dedication*) Hingabe *f*; (*REL*) Andacht *f*.
devour [dɪ'vauə*] *vt* verschlingen.
devout [dɪ'vaut] *adj* fromm.
dew [djuː] *n* Tau *m*.
dexterity [dɛks'tɛrɪtɪ] *n* Geschicklichkeit *f*; (*mental*) Gewandtheit *f*.
dext(e)rous ['dɛkstrəs] *adj* geschickt.
DFE (*BRIT*) *n abbr* (= *Department for Education*) ≈ Bildungsministerium *nt*.
dg *abbr* (= *decigram*) dg.
DH (*BRIT*) *n abbr* (= *Department of Health*) ≈ Gesundheitsministerium *nt*.
Dhaka ['dækə] *n* Dhaka *nt*.
DHSS (*BRIT*) *n abbr* (*formerly*: = *Department of Health and Social Security*) *Ministerium für Gesundheit und Sozialfürsorge.*
diabetes [daɪə'biːtiːz] *n* Zuckerkrankheit *f*.
diabetic [daɪə'bɛtɪk] *adj* zuckerkrank; (*chocolate, jam*) Diabetiker- ♦ *n* Diabetiker(in) *m(f)*.
diabolical [daɪə'bɔlɪkl] (*inf*) *adj* schrecklich, fürchterlich.
diaeresis [daɪ'ɛrɪsɪs] *n* Diärese *f*.

diagnose [daɪəg'nəuz] *vt* diagnostizieren.
diagnoses [-si:z] *pl of* **diagnosis.**
diagnosis [daɪəg'nəusɪs] (*pl* **diagnoses**) *n* Diagnose *f*.
diagonal [daɪ'ægənl] *adj* diagonal ♦ *n* Diagonale *f*.
diagram ['daɪəgræm] *n* Diagramm *nt*, Schaubild *nt*.
dial ['daɪəl] *n* Zifferblatt *nt*; (*on radio set*) Einstellskala *f*; (*of phone*) Wählscheibe *f* ♦ *vt* wählen; **to ~ a wrong number** sich verwählen; **can I ~ London direct?** kann ich nach London durchwählen?
dial. *abbr* = **dialect.**
dial code (*US*) *n* = **dialling code.**
dialect ['daɪəlɛkt] *n* Dialekt *m*.
dialling code ['daɪəlɪŋ-], (*US*) **dial code** *n* Vorwahl *f*.
dialling tone, (*US*) **dial tone** *n* Amtszeichen *nt*.
dialogue, (*US*) **dialog** ['daɪəlɔg] *n* Dialog *m*; (*conversation*) Gespräch *nt*, Dialog *m*.
dial tone (*US*) *n* = **dialling tone.**
dialysis [daɪ'ælɪsɪs] *n* Dialyse *f*.
diameter [daɪ'æmɪtə*] *n* Durchmesser *m*.
diametrically [daɪə'mɛtrɪklɪ] *adv*: **~ opposed (to)** diametral entgegengesetzt (+*dat*).
diamond ['daɪəmənd] *n* Diamant *m*; (*shape*) Raute *f*; **diamonds** *npl* (*CARDS*) Karo *nt*.
diamond ring *n* Diamantring *m*.
diaper ['daɪəpə*] (*US*) *n* Windel *f*.
diaphragm ['daɪəfræm] *n* Zwerchfell *nt*; (*contraceptive*) Pessar *nt*.
diarrhoea, (*US*) **diarrhea** [daɪə'ri:ə] *n* Durchfall *m*.
diary ['daɪərɪ] *n* (Termin)kalender *m*; (*daily account*) Tagebuch *nt*; **to keep a ~** Tagebuch führen.
diatribe ['daɪətraɪb] *n* Schmährede *f*; (*written*) Schmähschrift *f*.
dice [daɪs] *n inv* Würfel *m* ♦ *vt* in Würfel schneiden.
dicey ['daɪsɪ] (*inf*) *adj* riskant.
dichotomy [daɪ'kɔtəmɪ] *n* Dichotomie *f*, Kluft *f*.
dickhead ['dɪkhɛd] (*inf*) *n* Knallkopf *m*.
Dictaphone ® ['dɪktəfəun] *n* Diktaphon *nt*, Diktiergerät *nt*.
dictate [dɪk'teɪt] *vt* diktieren ♦ *n* Diktat *nt*; (*principle*): **the ~s of** die Gebote +*gen* ♦ *vi*: **to ~ to** diktieren +*dat*; **I won't be ~d to** ich lasse mir keine Vorschriften machen.
dictation [dɪk'teɪʃən] *n* Diktat *nt*; **at ~ speed** im Diktiertempo.
dictator [dɪk'teɪtə*] *n* Diktator *m*.
dictatorship [dɪk'teɪtəʃɪp] *n* Diktatur *f*.
diction ['dɪkʃən] *n* Diktion *f*.
dictionary ['dɪkʃənrɪ] *n* Wörterbuch *nt*.
did [dɪd] *pt of* **do.**
didactic [daɪ'dæktɪk] *adj* didaktisch.
diddle ['dɪdl] (*inf*) *vt* übers Ohr hauen.
didn't ['dɪdnt] = **did not.**
die [daɪ] *n* (*pl: dice*) Würfel *m*; (*: dies*) Gußform *f* ♦ *vi* sterben; (*plant*) eingehen; (*fig: noise*) aufhören; (*: smile*) vergehen; (*engine*) stehenbleiben; **to ~ of** *or* **from** sterben an +*dat*; **to be dying** im Sterben liegen; **to be dying for sth** etw unbedingt brauchen; **to be dying to do sth** darauf brennen, etw zu tun.
►**die away** *vi* (*sound*) schwächer werden; (*light*) nachlassen.
►**die down** *vi* (*wind*) sich legen; (*fire*) herunterbrennen; (*excitement, noise*) nachlassen.
►**die out** *vi* aussterben.
die-hard ['daɪhɑ:d] *n* Ewiggestrige(r) *f*(*m*).
diesel ['di:zl] *n* (*vehicle*) Diesel *m*; (*also*: **~ oil**) Diesel(kraftstoff) *m*.
diesel engine *n* Dieselmotor *m*.
diet ['daɪət] *n* Ernährung *f*; (*MED*) Diät *f*; (*when slimming*) Schlankheitskur *f* ♦ *vi* (*also*: **be on a ~**) eine Schlankheitskur machen; **to live on a ~ of** sich ernähren von, leben von.
dietician [daɪə'tɪʃən] *n* Diätassistent(in) *m*(*f*).
differ ['dɪfə*] *vi* (*be different*): **to ~ (from)** sich unterscheiden (von); (*disagree*): **to ~ (about)** anderer Meinung sein (über +*acc*); **to agree to ~** sich *dat* verschiedene Meinungen zugestehen.
difference ['dɪfrəns] *n* Unterschied *m*; (*disagreement*) Differenz *f*, Auseinandersetzung *f*; **it makes no ~ to me** das ist mir egal *or* einerlei; **to settle one's ~s** die Differenzen *or* Meinungsverschiedenheiten beilegen.
different ['dɪfrənt] *adj* (*various people, things*) verschieden, unterschiedlich; **to be ~ (from)** anders sein (als).
differential [dɪfə'rɛnʃəl] *n* (*MATH*) Differential *nt*; (*BRIT: in wages*) (Einkommens)unterschied *m*.
differentiate [dɪfə'rɛnʃɪeɪt] *vi*: **to ~ (between)** unterscheiden (zwischen) ♦ *vt*: **to ~ A from B** A von B unterscheiden.
differently ['dɪfrəntlɪ] *adv* anders; (*shaped, designed*) verschieden, unterschiedlich.
difficult ['dɪfɪkəlt] *adj* schwierig; (*task, problem*) schwer, schwierig; **~ to understand** schwer zu verstehen.
difficulty ['dɪfɪkəltɪ] *n* Schwierigkeit *f*; **to be in/get into difficulties** in Schwierigkeiten sein/geraten.
diffidence ['dɪfɪdəns] *n* Bescheidenheit *f*, Zurückhaltung *f*.
diffident ['dɪfɪdənt] *adj* bescheiden, zurückhaltend.
diffuse [dɪ'fju:s] *adj* diffus ♦ *vt* verbreiten.
dig [dɪg] (*pt, pp* **dug**) *vt* graben; (*garden*) umgraben ♦ *n* (*prod*) Stoß *m*; (*archaeological*) (Aus)grabung *f*; (*remark*) Seitenhieb *m*, spitze Bemerkung *f*; **to ~ one's nails into sth** seine Nägel in etw *acc* krallen.
►**dig in** *vi* (*fig: inf: eat*) reinhauen ♦ *vt* (*compost*) untergraben, eingraben; (*knife*)

hineinstoßen; (*claw*) festkrallen; **to ~ one's heels in** (*fig*) sich auf die Hinterbeine stellen (*inf*).
▶**dig into** *vt fus* (*savings*) angreifen; (*snow, soil*) ein Loch graben in *+acc*; **to ~ into one's pockets for sth** in seinen Taschen nach etw suchen *or* wühlen.
▶**dig out** *vt* ausgraben.
▶**dig up** *vt* ausgraben.
digest [daɪ'dʒɛst] *vt* verdauen ♦ *n* Digest *m or nt*, Auswahl *f*.
digestible [dɪ'dʒɛstəbl] *adj* verdaulich.
digestion [dɪ'dʒɛstʃən] *n* Verdauung *f*.
digestive [dɪ'dʒɛstɪv] *adj* (*system, upsets*) Verdauungs- ♦ *n Keks aus Vollkornmehl.*
digit ['dɪdʒɪt] *n* (*number*) Ziffer *f*; (*finger*) Finger *m*.
digital ['dɪdʒɪtl] *adj* (*watch, display etc*) Digital-.
digital computer *n* Digitalrechner *m*.
dignified ['dɪgnɪfaɪd] *adj* würdevoll.
dignitary ['dɪgnɪtərɪ] *n* Würdenträger(in) *m(f)*.
dignity ['dɪgnɪtɪ] *n* Würde *f*.
digress [daɪ'grɛs] *vi*: **to ~ (from)** abschweifen (von).
digression [daɪ'grɛʃən] *n* Abschweifung *f*.
digs [dɪgz] (*BRIT: inf*) *npl* Bude *f*.
dike [daɪk] *n* = **dyke**.
dilapidated [dɪ'læpɪdeɪtɪd] *adj* verfallen.
dilate [daɪ'leɪt] *vi* sich weiten ♦ *vt* weiten.
dilatory ['dɪlətərɪ] *adj* langsam.
dilemma [daɪ'lɛmə] *n* Dilemma *nt*; **to be in a ~** sich in einem Dilemma befinden, in der Klemme sitzen (*inf*).
diligence ['dɪlɪdʒəns] *n* Fleiß *m*.
diligent ['dɪlɪdʒənt] *adj* fleißig; (*research*) sorgfältig, genau.
dill [dɪl] *n* Dill *m*.
dilly-dally ['dɪlɪ'dælɪ] *vi* trödeln.
dilute [daɪ'lu:t] *vt* verdünnen; (*belief, principle*) schwächen ♦ *adj* verdünnt.
dim [dɪm] *adj* schwach; (*outline, figure*) undeutlich, verschwommen; (*room*) dämmerig; (*future*) düster; (*prospects*) schlecht; (*inf: person*) schwer von Begriff ♦ *vt* (*light*) dämpfen; (*US: AUT*) abblenden; **to take a ~ view of sth** wenig *or* nicht viel von etw halten.
dime [daɪm] (*US*) *n* Zehncentstück *nt*.
dimension [daɪ'mɛnʃən] *n* (*aspect*) Dimension *f*; (*measurement*) Abmessung *f*, Maß *nt*; (*also pl: scale, size*) Ausmaß *nt*.
-dimensional [dɪ'mɛnʃənl] *adj suff* -dimensional.
diminish [dɪ'mɪnɪʃ] *vi* sich verringern ♦ *vt* verringern.
diminished responsibility *n* verminderte Zurechnungsfähigkeit *f*.
diminutive [dɪ'mɪnjutɪv] *adj* winzig ♦ *n* Verkleinerungsform *f*.
dimly ['dɪmlɪ] *adv* schwach; (*see*) undeutlich, verschwommen.
dimmer ['dɪmə*] *n* (*also*: **~ switch**) Dimmer *m*; (*US: AUT*) Abblendschalter *m*.
dimmers ['dɪməz] (*US*) *npl* (*AUT: dipped headlights*) Abblendlicht *nt*; (*parking lights*) Parklicht *nt*.
dimmer (switch) ['dɪmə-] *n* (*ELEC*) Dimmer *m*; (*US: AUT*) Abblendschalter *m*.
dimple ['dɪmpl] *n* Grübchen *nt*.
dim-witted ['dɪm'wɪtɪd] (*inf*) *adj* dämlich.
din [dɪn] *n* Lärm *m*, Getöse *nt* ♦ *vt* (*inf*): **to ~ sth into sb** jdm etw einbleuen.
dine [daɪn] *vi* speisen.
diner ['daɪnə*] *n* Gast *m*; (*US: restaurant*) Eßlokal *nt*.
dinghy ['dɪŋgɪ] *n* (*also*: **rubber ~**) Schlauchboot *nt*; (*also*: **sailing ~**) Dingi *nt*.
dingy ['dɪndʒɪ] *adj* schäbig; (*clothes, curtains etc*) schmuddelig.
dining car ['daɪnɪŋ-] (*BRIT*) *n* Speisewagen *m*.
dining room *n* Eßzimmer *nt*; (*in hotel*) Speiseraum *m*.
dinner ['dɪnə*] *n* (*evening meal*) Abendessen *nt*; (*lunch*) Mittagessen *nt*; (*banquet*) (Fest)essen *nt*.
dinner jacket *n* Smokingjackett *nt*.
dinner party *n* Abendgesellschaft *f* (mit Essen).
dinner service *n* Tafelservice *nt*.
dinner time *n* Essenszeit *f*.
dinosaur ['daɪnəsɔ:*] *n* Dinosaurier *m*.
dint [dɪnt] *n*: **by ~ of** durch *+acc*.
diocese ['daɪəsɪs] *n* Diözese *f*.
dioxide [daɪ'ɔksaɪd] *n* Dioxyd *nt*.
Dip. (*BRIT*) *abbr* = **diploma.**
dip [dɪp] *n* Senke *f*; (*in sea*) kurzes Bad *nt*; (*CULIN*) Dip *m*; (*for sheep*) Desinfektionslösung *f* ♦ *vt* eintauchen; (*BRIT: AUT*) abblenden ♦ *vi* abfallen.
diphtheria [dɪf'θɪərɪə] *n* Diphtherie *f*.
diphthong ['dɪfθɔŋ] *n* Diphthong *m*.
diploma [dɪ'pləumə] *n* Diplom *nt*.
diplomacy [dɪ'pləuməsɪ] *n* Diplomatie *f*.
diplomat ['dɪpləmæt] *n* Diplomat(in) *m(f)*.
diplomatic [dɪplə'mætɪk] *adj* diplomatisch; **to break off ~ relations (with)** die diplomatischen Beziehungen abbrechen (mit).
diplomatic corps *n* diplomatisches Korps *nt*.
diplomatic immunity *n* Immunität *f*.
dip rod ['dɪprɔd] (*US*) *n* Ölmeßstab *m*.
dipstick ['dɪpstɪk] (*BRIT*) *n* Ölmeßstab *m*.
dip switch (*BRIT*) *n* Abblendschalter *m*.
dire [daɪə*] *adj* (*consequences, effects*) schrecklich.
direct [daɪ'rɛkt] *adj, adv* direkt ♦ *vt* richten; (*company, project, programme etc*) leiten; (*play, film*) Regie führen bei; **to ~ sb to do sth** jdn anweisen, etw zu tun; **can you ~ me to ...?** können Sie mir den Weg nach ... sagen?
direct access *n* (*COMPUT*) Direktzugriff *m*.
direct cost *n* direkte Kosten *pl*.

direct current *n* Gleichstrom *m*.
direct debit (*BRIT*) *n* Einzugsauftrag *m*; (*transaction*) automatische Abbuchung *f*.
direct dialling *n* Selbstwahl *f*.
direct hit *n* Volltreffer *m*.
direction [dɪ'rɛkʃən] *n* Richtung *f*; (*TV, RADIO*) Leitung *f*; (*CINE*) Regie *f*; **directions** *npl* (*instructions*) Anweisungen *pl*; **sense of ~** Orientierungssinn *m*; **~s for use** Gebrauchsanweisung *f*, Gebrauchsanleitung *f*; **to ask for ~s** nach dem Weg fragen; **in the ~ of** in Richtung.
directional [dɪ'rɛkʃənl] *adj* (*aerial*) Richt-.
directive [dɪ'rɛktɪv] *n* Direktive *f*, Weisung *f*; **government ~** Regierungserlaß *m*.
direct labour *n* (*COMM*) Produktionsarbeit *f*; (*BRIT*) eigene Arbeitskräfte *pl*.
directly [dɪ'rɛktlɪ] *adv* direkt; (*at once*) sofort, gleich.
direct mail *n* Werbebriefe *pl*.
direct mailshot (*BRIT*) *n* Direktwerbung *f* per Post.
directness [daɪ'rɛktnɪs] *n* Direktheit *f*.
director [dɪ'rɛktə*] *n* Direktor(in) *m(f)*; (*of project, TV, RADIO*) Leiter(in) *m(f)*; (*CINE*) Regisseur(in) *m(f)*.
Director of Public Prosecutions (*BRIT*) *n* ≈ Generalstaatsanwalt *m*, Generalstaatsanwältin *f*.
directory [dɪ'rɛktərɪ] *n* (*also*: **telephone ~**) Telefonbuch *nt*; (*also*: **street ~**) Einwohnerverzeichnis *nt*; (*COMPUT*) Verzeichnis *nt*; (*COMM*) Branchenverzeichnis *nt*.
directory enquiries, (*US*) **directory assistance** *n* (Fernsprech)auskunft *f*.
dirt [də:t] *n* Schmutz *m*; (*earth*) Erde *f*; **to treat sb like ~** jdn wie (den letzten) Dreck behandeln.
dirt-cheap ['də:t'tʃi:p] *adj* spottbillig.
dirt road *n* unbefestigte Straße *f*.
dirty ['də:tɪ] *adj* schmutzig; (*story*) unanständig ♦ *vt* beschmutzen.
dirty trick *n* gemeiner Trick *m*.
disability [dɪsə'bɪlɪtɪ] *n* Behinderung *f*.
disability allowance *n* Behindertenbeihilfe *f*.
disable [dɪs'eɪbl] *vt* zum Invaliden machen; (*tank, gun*) unbrauchbar machen.
disabled [dɪs'eɪbld] *adj* behindert ♦ *npl*: **the ~** die Behinderten *pl*.
disabuse [dɪsə'bju:z] *vt*: **to ~ sb (of)** jdn befreien (von).
disadvantage [dɪsəd'vɑ:ntɪdʒ] *n* Nachteil *m*; (*detriment*) Schaden *m*; **to be at a ~** benachteiligt *or* im Nachteil sein.
disadvantaged [dɪsəd'vɑ:ntɪdʒd] *adj* benachteiligt.
disadvantageous [dɪsædvɑ:n'teɪdʒəs] *adj* ungünstig.
disaffected [dɪsə'fɛktɪd] *adj* entfremdet.
disaffection [dɪsə'fɛkʃən] *n* Entfremdung *f*.
disagree [dɪsə'gri:] *vi* nicht übereinstimmen; (*to be against, think differently*): **to ~ (with)** nicht einverstanden sein (mit); **I ~ with you** ich bin anderer Meinung; **garlic ~s with me** ich vertrage keinen Knoblauch, Knoblauch bekommt mir nicht.
disagreeable [dɪsə'gri:əbl] *adj* unangenehm; (*person*) unsympathisch.
disagreement [dɪsə'gri:mənt] *n* Uneinigkeit *f*; (*argument*) Meinungsverschiedenheit *f*; **to have a ~ with sb** sich mit jdm nicht einig sein.
disallow ['dɪsə'lau] *vt* (*appeal*) abweisen; (*goal*) nicht anerkennen, nicht geben.
disappear [dɪsə'pɪə*] *vi* verschwinden; (*custom etc*) aussterben.
disappearance [dɪsə'pɪərəns] *n* (*see vi*) Verschwinden *nt*; Aussterben *nt*.
disappoint [dɪsə'pɔɪnt] *vt* enttäuschen.
disappointed [dɪsə'pɔɪntɪd] *adj* enttäuscht.
disappointing [dɪsə'pɔɪntɪŋ] *adj* enttäuschend.
disappointment [dɪsə'pɔɪntmənt] *n* Enttäuschung *f*.
disapproval [dɪsə'pru:vəl] *n* Mißbilligung *f*.
disapprove [dɪsə'pru:v] *vi* dagegen sein; **to ~ of** mißbilligen *+acc*.
disapproving [dɪsə'pru:vɪŋ] *adj* mißbilligend.
disarm [dɪs'ɑ:m] *vt* entwaffnen; (*criticism*) zum Verstummen bringen ♦ *vi* abrüsten.
disarmament [dɪs'ɑ:məmənt] *n* Abrüstung *f*.
disarming [dɪs'ɑ:mɪŋ] *adj* entwaffnend.
disarray [dɪsə'reɪ] *n*: **in ~** (*army, organization*) in Auflösung (begriffen); (*hair, clothes*) unordentlich; (*thoughts*) durcheinander; **to throw into ~** durcheinanderbringen.
disaster [dɪ'zɑ:stə*] *n* Katastrophe *f*; (*AVIAT etc*) Unglück *nt*; (*fig: mess*) Fiasko *nt*.
disaster area *n* Katastrophengebiet *nt*; (*fig: person*) Katastrophe *f*; **my office is a ~** in meinem Büro sieht es katastrophal aus.
disastrous [dɪ'zɑ:strəs] *adj* katastrophal.
disband [dɪs'bænd] *vt* auflösen ♦ *vi* sich auflösen.
disbelief ['dɪsbə'li:f] *n* Ungläubigkeit *f*; **in ~** ungläubig.
disbelieve ['dɪsbə'li:v] *vt* (*person*) nicht glauben *+dat*; (*story*) nicht glauben; **I don't ~ you** ich bezweifle nicht, was Sie sagen.
disc [dɪsk] *n* (*ANAT*) Bandscheibe *f*; (*record*) Platte *f*; (*COMPUT*) = **disk**.
disc. *abbr* (*COMM*) = **discount**.
discard [dɪs'kɑ:d] *vt* ausrangieren; (*fig: idea, plan*) verwerfen.
disc brake *n* Scheibenbremse *f*.
discern [dɪ'sə:n] *vt* wahrnehmen; (*identify*) erkennen.
discernible [dɪ'sə:nəbl] *adj* erkennbar; (*object*) wahrnehmbar.
discerning [dɪ'sə:nɪŋ] *adj* (*judgement*) scharfsinnig; (*look*) kritisch; (*listeners etc*) anspruchsvoll.

discharge [dɪs'tʃɑːdʒ] *vt* (*duties*) nachkommen *+dat*; (*debt*) begleichen; (*waste*) ablassen; (*ELEC*) entladen; (*MED*) ausscheiden, absondern; (*patient, employee, soldier*) entlassen; (*defendant*) freisprechen ♦ *n* (*of gas*) Ausströmen *nt*; (*of liquid*) Ausfließen *nt*; (*ELEC*) Entladung *f*; (*MED*) Ausfluß *m*; (*of patient, employee, soldier*) Entlassung *f*; (*of defendant*) Freispruch *m*; **to ~ a gun** ein Gewehr abfeuern.
discharged bankrupt [dɪs'tʃɑːdʒd-] *n* (*LAW*) entlasteter Konkursschuldner *m*, entlastete Konkursschuldnerin *f*.
disciple [dɪ'saɪpl] *n* Jünger *m*; (*fig: follower*) Schüler(in) *m(f)*.
disciplinary ['dɪsɪplɪnərɪ] *adj* (*powers etc*) Disziplinar-; **to take ~ action against sb** ein Disziplinarverfahren gegen jdn einleiten.
discipline ['dɪsɪplɪn] *n* Disziplin *f* ♦ *vt* disziplinieren; (*punish*) bestrafen; **to ~ o.s. to do sth** sich dazu anhalten *or* zwingen, etw zu tun.
disc jockey *n* Diskjockey *m*.
disclaim [dɪs'kleɪm] *vt* (*knowledge*) abstreiten; (*responsibility*) von sich weisen.
disclaimer [dɪs'kleɪmə*] *n* Dementi *nt*; **to issue a ~** eine Gegenerklärung abgeben.
disclose [dɪs'kləuz] *vt* enthüllen, bekanntgeben.
disclosure [dɪs'kləuʒə*] *n* Enthüllung *f*.
disco ['dɪskəu] *n abbr* = **discotheque**.
discolor *etc* [dɪs'kʌlə*] (*US*) = **discolour** *etc*.
discolour [dɪs'kʌlə*] *vt* verfärben ♦ *vi* sich verfärben.
discolouration [dɪskʌlə'reɪʃən] *n* Verfärbung *f*.
discoloured [dɪs'kʌləd] *adj* verfärbt.
discomfort [dɪs'kʌmfət] *n* (*unease*) Unbehagen *nt*; (*physical*) Beschwerden *pl*.
disconcert [dɪskən'səːt] *vt* beunruhigen, irritieren.
disconcerting [dɪskən'səːtɪŋ] *adj* beunruhigend, irritierend.
disconnect [dɪskə'nɛkt] *vt* abtrennen; (*ELEC, RADIO*) abstellen; **I've been ~ed** (*TEL*) das Gespräch ist unterbrochen worden; (*supply, connection*) man hat mir das Telefon/den Strom/das Gas *etc* abgestellt.
disconnected [dɪskə'nɛktɪd] *adj* unzusammenhängend.
disconsolate [dɪs'kɔnsəlɪt] *adj* niedergeschlagen.
discontent [dɪskən'tɛnt] *n* Unzufriedenheit *f*.
discontented [dɪskən'tɛntɪd] *adj* unzufrieden.
discontinue [dɪskən'tɪnjuː] *vt* einstellen; **"~d"** (*COMM*) „ausgelaufene Serie".
discord ['dɪskɔːd] *n* Zwietracht *f*; (*MUS*) Dissonanz *f*.
discordant [dɪs'kɔːdənt] *adj* unharmonisch.
discotheque ['dɪskəutɛk] *n* Diskothek *f*.
discount [*n* 'dɪskaunt, *vt* dɪs'kaunt] *n* Rabatt *m* ♦ *vt* nachlassen; (*idea, fact*) unberücksichtigt lassen; **to give sb a ~ on sth** jdm auf etw *acc* Rabatt geben; **~ for cash** Skonto *nt or m* (bei Barzahlung); **at a ~** mit Rabatt.
discount house *n* Diskontbank *f*; (*also*: **discount store**) Diskontgeschäft *nt*.
discount rate *n* Diskontsatz *m*.
discourage [dɪs'kʌrɪdʒ] *vt* entmutigen; **to ~ sb from doing sth** jdm davon abraten, etw zu tun.
discouragement [dɪs'kʌrɪdʒmənt] *n* Mutlosigkeit *f*; **to act as a ~ to sb** entmutigend für jdn sein.
discouraging [dɪs'kʌrɪdʒɪŋ] *adj* entmutigend.
discourteous [dɪs'kəːtɪəs] *adj* unhöflich.
discover [dɪs'kʌvə*] *vt* entdecken; (*missing person*) finden; **to ~ that ...** herausfinden, daß ...
discovery [dɪs'kʌvərɪ] *n* Entdeckung *f*.
discredit [dɪs'krɛdɪt] *vt* in Mißkredit bringen ♦ *n*: **to sb's ~** zu jds Schande.
discreet [dɪs'kriːt] *adj* diskret; (*unremarkable*) dezent.
discreetly [dɪs'kriːtlɪ] *adv* diskret; (*unremarkably*) dezent.
discrepancy [dɪs'krɛpənsɪ] *n* Diskrepanz *f*.
discretion [dɪs'krɛʃən] *n* Diskretion *f*; **at the ~ of** im Ermessen *+gen*; **use your own ~** Sie müssen nach eigenem Ermessen handeln.
discretionary [dɪs'krɛʃənrɪ] *adj*: **~ powers** Ermessensspielraum *m*; **~ payments** Ermessenszahlungen *pl*.
discriminate [dɪs'krɪmɪneɪt] *vi*: **to ~ between** unterscheiden zwischen *+dat*; **to ~ against** diskriminieren *+acc*.
discriminating [dɪs'krɪmɪneɪtɪŋ] *adj* anspruchsvoll, kritisch; (*tax, duty*) Differential-.
discrimination [dɪskrɪmɪ'neɪʃən] *n* Diskriminierung *f*; (*discernment*) Urteilsvermögen *nt*; **racial ~** Rassendiskriminierung *f*; **sexual ~** Diskriminierung aufgrund des Geschlechts.
discus ['dɪskəs] *n* Diskus *m*; (*event*) Diskuswerfen *nt*.
discuss [dɪs'kʌs] *vt* besprechen; (*debate*) diskutieren; (*analyse*) erörtern, behandeln.
discussion [dɪs'kʌʃən] *n* Besprechung *f*; (*debate*) Diskussion *f*; **under ~** in der Diskussion.
disdain [dɪs'deɪn] *n* Verachtung *f* ♦ *vt* verachten ♦ *vi*: **to ~ to do sth** es für unter seiner Würde halten, etw zu tun.
disease [dɪ'ziːz] *n* Krankheit *f*.
diseased [dɪ'ziːzd] *adj* krank; (*tree*) befallen.
disembark [dɪsɪm'bɑːk] *vt* ausschiffen ♦ *vi* (*passengers*) von Bord gehen.
disembarkation [dɪsɛmbɑː'keɪʃən] *n* Ausschiffung *f*.
disembodied ['dɪsɪm'bɔdɪd] *adj* (*voice*) geisterhaft; (*hand*) körperlos.
disembowel ['dɪsɪm'bauəl] *vt* die Eingeweide

herausnehmen *+dat*.
disenchanted ['dɪsɪn'tʃɑːntɪd] *adj:* ~ **(with)** enttäuscht (von).
disenfranchise ['dɪsɪn'fræntʃaɪz] *vt* (*POL*) das Wahlrecht entziehen *+dat*; (*COMM*) die Konzession entziehen *+dat*.
disengage [dɪsɪn'geɪdʒ] *vt* (*TECH*) ausrasten; **to ~ the clutch** auskuppeln.
disengagement [dɪsɪn'geɪdʒmənt] *n* (*POL*) Disengagement *nt*.
disentangle [dɪsɪn'tæŋgl] *vt* befreien; (*wool, wire*) entwirren.
disfavour, (*US*) **disfavor** [dɪs'feɪvə*] *n* Mißfallen *nt*; **to fall into ~ (with sb)** (bei jdm) in Ungnade fallen.
disfigure [dɪs'fɪgə*] *vt* entstellen; (*object, place*) verunstalten.
disgorge [dɪs'gɔːdʒ] *vt* (*liquid*) ergießen; (*people*) ausspeien.
disgrace [dɪs'greɪs] *n* Schande *f*; (*scandal*) Skandal *m* ♦ *vt* Schande bringen über *+acc*.
disgraceful [dɪs'greɪsful] *adj* skandalös.
disgruntled [dɪs'grʌntld] *adj* verärgert.
disguise [dɪs'gaɪz] *n* Verkleidung *f* ♦ *vt:* **to ~ (as)** (*person*) verkleiden (als); (*object*) tarnen (als); **in ~** (*person*) verkleidet; **there's no disguising the fact that ...** es kann nicht geleugnet werden, daß ...; **to ~ o.s. as** sich verkleiden als.
disgust [dɪs'gʌst] *n* Abscheu *m* ♦ *vt* anwidern; **she walked off in ~** sie ging voller Empörung weg.
disgusting [dɪs'gʌstɪŋ] *adj* widerlich.
dish [dɪʃ] *n* Schüssel *f*; (*flat*) Schale *f*; (*recipe, food*) Gericht *nt*; (*also:* **satellite ~**) Parabolantenne *f*, Schüssel (*inf*); **to do** *or* **wash the ~es** Geschirr spülen, abwaschen.
▸**dish out** *vt* verteilen; (*food, money*) austeilen; (*advice*) erteilen.
▸**dish up** *vt* (*food*) auftragen, servieren; (*facts, statistics*) auftischen (*inf*).
dishcloth ['dɪʃklɔθ] *n* Spültuch *nt*, Spüllappen *m*.
dishearten [dɪs'hɑːtn] *vt* entmutigen.
dishevelled, (*US*) **disheveled** [dɪ'ʃɛvəld] *adj* unordentlich; (*hair*) zerzaust.
dishonest [dɪs'ɔnɪst] *adj* unehrlich; (*means*) unlauter.
dishonesty [dɪs'ɔnɪstɪ] *n* Unehrlichkeit *f*.
dishonor *etc* [dɪs'ɔnə*] (*US*) = **dishonour** *etc.*
dishonour [dɪs'ɔnə*] *n* Schande *f*.
dishonourable [dɪs'ɔnərəbl] *adj* unehrenhaft.
dish soap (*US*) *n* Spülmittel *nt*.
dishtowel ['dɪʃtauəl] (*US*) *n* Geschirrtuch *nt*.
dishwasher ['dɪʃwɔʃə*] *n* (*machine*) (Geschirr)spülmaschine *f*.
dishy ['dɪʃɪ] (*inf: BRIT*) *adj* attraktiv.
disillusion [dɪsɪ'luːʒən] *vt* desillusionieren ♦ *n* = **disillusionment; to become ~ed (with)** seine Illusionen (über *+acc*) verlieren.
disillusionment [dɪsɪ'luːʒənmənt] *n* Desillusionierung *f*.
disincentive [dɪsɪn'sɛntɪv] *n* Entmutigung *f*; **it's a ~** es hält die Leute ab; **to be a ~ to sb** jdm keinen Anreiz bieten.
disinclined [dɪsɪn'klaɪnd] *adj:* **to be ~ to do sth** abgeneigt sein, etw zu tun.
disinfect [dɪsɪn'fɛkt] *vt* desinfizieren.
disinfectant [dɪsɪn'fɛktənt] *n* Desinfektionsmittel *nt*.
disinflation [dɪsɪn'fleɪʃən] *n* (*ECON*) Rückgang *m* einer inflationären Entwicklung.
disinformation [dɪsɪnfə'meɪʃən] *n* Desinformation *f*.
disingenuous [dɪsɪn'dʒɛnjuəs] *adj* unaufrichtig.
disinherit [dɪsɪn'hɛrɪt] *vt* enterben.
disintegrate [dɪs'ɪntɪgreɪt] *vi* zerfallen; (*marriage, partnership*) scheitern; (*organization*) sich auflösen.
disinterested [dɪs'ɪntrəstɪd] *adj* (*advice*) unparteiisch, unvoreingenommen; (*help*) uneigennützig.
disjointed [dɪs'dʒɔɪntɪd] *adj* unzusammenhängend.
disk [dɪsk] *n* Diskette *f*; **single-/double-sided ~** einseitige/zweiseitige Diskette.
disk drive *n* Diskettenlaufwerk *nt*.
diskette [dɪs'kɛt] (*US*) *n* = **disk**.
disk operating system *n* Betriebssystem *nt*.
dislike [dɪs'laɪk] *n* Abneigung *f* ♦ *vt* nicht mögen; **to take a ~ to sb/sth** eine Abneigung gegen jdn/etw entwickeln; **I ~ the idea** die Idee gefällt mir nicht; **he ~s it** er kann es nicht leiden, er mag es nicht.
dislocate ['dɪsləkeɪt] *vt* verrenken, ausrenken; **he has ~d his shoulder** er hat sich *dat* den Arm ausgekugelt.
dislodge [dɪs'lɔdʒ] *vt* verschieben.
disloyal [dɪs'lɔɪəl] *adj* illoyal.
dismal ['dɪzml] *adj* trübe, trostlos; (*song, person, mood*) trübsinnig; (*failure*) kläglich.
dismantle [dɪs'mæntl] *vt* (*machine*) demontieren.
dismast [dɪs'mɑːst] *vt* (*NAUT*) entmasten.
dismay [dɪs'meɪ] *n* Bestürzung *f* ♦ *vt* bestürzen; **much to my ~** zu meiner Bestürzung; **in ~** bestürzt.
dismiss [dɪs'mɪs] *vt* entlassen; (*case*) abweisen; (*possibility, idea*) abtun.
dismissal [dɪs'mɪsl] *n* Entlassung *f*.
dismount [dɪs'maunt] *vi* absteigen.
disobedience [dɪsə'biːdɪəns] *n* Ungehorsam *m*.
disobedient [dɪsə'biːdɪənt] *adj* ungehorsam.
disobey [dɪsə'beɪ] *vt* nicht gehorchen *+dat*; (*order*) nicht befolgen.
disorder [dɪs'ɔːdə*] *n* Unordnung *f*; (*rioting*) Unruhen *pl*; (*MED*) (Funktions)störung *f*; **civil ~** öffentliche Unruhen *pl*.
disorderly [dɪs'ɔːdəlɪ] *adj* unordentlich; (*meeting*) undiszipliniert; (*behaviour*) ungehörig.
disorderly conduct *n* (*LAW*) ungebührliches

Benehmen *nt*.
disorganize [dɪs'ɔːgənaɪz] *vt* durcheinanderbringen.
disorganized [dɪs'ɔːgənaɪzd] *adj* chaotisch.
disorientated [dɪs'ɔːrɪɛnteɪtɪd] *adj* desorientiert, verwirrt.
disown [dɪs'əun] *vt* (*action*) verleugnen; (*child*) verstoßen.
disparaging [dɪs'pærɪdʒɪŋ] *adj* (*remarks*) abschätzig, geringschätzig; **to be ~ about sb/sth** (*person*) abschätzig *or* geringschätzig über jdn/etw urteilen.
disparate ['dɪspərɪt] *adj* völlig verschieden.
disparity [dɪs'pærɪtɪ] *n* Unterschied *m*.
dispassionate [dɪs'pæʃənət] *adj* nüchtern.
dispatch [dɪs'pætʃ] *vt* senden, schicken; (*deal with*) erledigen; (*kill*) töten ♦ *n* Senden *nt*, Schicken *nt*; (*PRESS*) Bericht *m*; (*MIL*) Depesche *f*.
dispatch department *n* Versandabteilung *f*.
dispatch rider *n* (*MIL*) Meldefahrer *m*.
dispel [dɪs'pɛl] *vt* (*myths*) zerstören; (*fears*) zerstreuen.
dispensary [dɪs'pɛnsərɪ] *n* Apotheke *f*; (*in chemist's*) *Raum in einer Apotheke, wo Arzneimittel abgefüllt werden*.
dispensation [dɪspən'seɪʃən] *n* (*of treatment*) Vergabe *f*; (*special permission*) Dispens *m*; **~ of justice** Rechtsprechung *f*.
dispense [dɪs'pɛns] *vt* (*medicines*) abgeben; (*charity*) austeilen; (*advice*) erteilen.
▸**dispense with** *vt fus* verzichten auf *+acc*.
dispenser [dɪs'pɛnsə*] *n* (*machine*) Automat *m*.
dispensing chemist [dɪs'pɛnsɪŋ-] (*BRIT*) *n* (*shop*) Apotheke *f*.
dispersal [dɪs'pəːsl] *n* (*of objects*) Verstreuen *nt*; (*of group, crowd*) Auflösung *f*, Zerstreuen *nt*.
disperse [dɪs'pəːs] *vt* (*objects*) verstreuen; (*crowd etc*) auflösen, zerstreuen; (*knowledge, information*) verbreiten ♦ *vi* (*crowd*) sich auflösen *or* zerstreuen.
dispirited [dɪs'pɪrɪtɪd] *adj* entmutigt.
displace [dɪs'pleɪs] *vt* ablösen.
displaced person [dɪs'pleɪst-] *n* Verschleppte(r) *f(m)*.
displacement [dɪs'pleɪsmənt] *n* Ablösung *f*; (*of people*) Vertreibung *f*; (*PHYS*) Verdrängung *f*.
display [dɪs'pleɪ] *n* (*in shop*) Auslage *f*; (*exhibition*) Ausstellung *f*; (*of feeling*) Zeigen *nt*; (*pej*) Zurschaustellung *f*; (*COMPUT, TECH*) Anzeige *f* ♦ *vt* zeigen; (*ostentatiously*) zur Schau stellen; (*results, departure times*) aushängen; **on ~** ausgestellt.
display advertising *n* Displaywerbung *f*.
displease [dɪs'pliːz] *vt* verstimmen, verärgern.
displeased [dɪs'pliːzd] *adj*: **I am very ~ with you** ich bin sehr enttäuscht von dir.
displeasure [dɪs'plɛʒə*] *n* Mißfallen *nt*.
disposable [dɪs'pəuzəbl] *adj* (*lighter*) Wegwerf-; (*bottle*) Einweg-; (*income*) verfügbar.
disposable nappy (*BRIT*) *n* Papierwindel *f*.
disposal [dɪs'pəuzl] *n* (*of goods for sale*) Loswerden *nt*; (*of property, belongings: by selling*) Verkauf *m*; (*: by giving away*) Abgeben *nt*; (*of rubbish*) Beseitigung *f*; **at one's ~** zur Verfügung; **to put sth at sb's ~** jdm etw zur Verfügung stellen.
dispose [dɪs'pəuz]: **~ of** *vt fus* (*body*) aus dem Weg schaffen; (*unwanted goods*) loswerden; (*problem, task*) erledigen; (*stock*) verkaufen.
disposed [dɪs'pəuzd] *adj*: **to be ~ to do sth** (*inclined*) geneigt sein, etw zu tun; (*willing*) bereit sein, etw zu tun; **to be well ~ towards sb** jdm wohlwollen.
disposition [dɪspə'zɪʃən] *n* (*nature*) Veranlagung *f*; (*inclination*) Neigung *f*.
dispossess ['dɪspə'zɛs] *vt* enteignen; **to ~ sb of his/her land** jds Land enteignen.
disproportion [dɪsprə'pɔːʃən] *n* Mißverhältnis *nt*.
disproportionate [dɪsprə'pɔːʃənət] *adj* unverhältnismäßig; (*amount*) unverhältnismäßig hoch/niedrig.
disprove [dɪs'pruːv] *vt* widerlegen.
dispute [dɪs'pjuːt] *n* Streit *m*; (*also*: **industrial ~**) Auseinandersetzung *f* zwischen Arbeitgebern und Arbeitnehmern; (*POL, MIL*) Streitigkeiten *pl* ♦ *vt* bestreiten; (*ownership etc*) anfechten; **to be in** *or* **under ~** umstritten sein.
disqualification [dɪskwɔlɪfɪ'keɪʃən] *n*: **~ (from)** Ausschluß *m* (von); (*SPORT*) Disqualifizierung *f* (von); **~ (from driving)** (*BRIT*) Führerscheinentzug *m*.
disqualify [dɪs'kwɔlɪfaɪ] *vt* disqualifizieren; **to ~ sb for sth** jdn für etw ungeeignet machen; **to ~ sb from doing sth** jdn ungeeignet machen, etw zu tun; **to ~ sb from driving** (*BRIT*) jdm den Führerschein entziehen.
disquiet [dɪs'kwaɪət] *n* Unruhe *f*.
disquieting [dɪs'kwaɪətɪŋ] *adj* beunruhigend.
disregard [dɪsrɪ'gɑːd] *vt* nicht beachten, ignorieren ♦ *n*: **~ (for)** Mißachtung *f* (*+gen*); (*for danger, money*) Geringschätzung *f* (*+gen*).
disrepair ['dɪsrɪ'pɛə*] *n*: **to fall into ~** (*machine*) vernachlässigt werden; (*building*) verfallen.
disreputable [dɪs'rɛpjutəbl] *adj* (*person*) unehrenhaft; (*behaviour*) unfein.
disrepute ['dɪsrɪ'pjuːt] *n* schlechter Ruf *m*; **to bring/fall into ~** in Verruf bringen/kommen.
disrespectful [dɪsrɪ'spɛktful] *adj* respektlos.
disrupt [dɪs'rʌpt] *vt* (*plans*) durcheinanderbringen; (*conversation, proceedings*) unterbrechen.
disruption [dɪs'rʌpʃən] *n* Unterbrechung *f*; (*disturbance*) Störung *f*.
disruptive [dɪs'rʌptɪv] *adj* störend; (*action*) Stör-.

dissatisfaction [dıssætıs'fækʃən] *n* Unzufriedenheit *f*.
dissatisfied [dıs'sætısfaıd] *adj:* ~ **(with)** unzufrieden (mit).
dissect [dı'sɛkt] *vt* sezieren.
disseminate [dı'sɛmıneıt] *vt* verbreiten.
dissent [dı'sɛnt] *n* abweichende Meinungen *pl*.
dissenter [dı'sɛntə*] *n* Abweichler(in) *m(f)*.
dissertation [dısə'teıʃən] *n* (*speech*) Vortrag *m*; (*piece of writing*) Abhandlung *f*; (*for PhD*) Dissertation *f*.
disservice [dıs'səːvıs] *n:* **to do sb a** ~ jdm einen schlechten Dienst erweisen.
dissident ['dısıdnt] *adj* andersdenkend; (*voice*) kritisch ♦ *n* Dissident(in) *m(f)*.
dissimilar [dı'sımılə*] *adj:* ~ **(to)** anders (als).
dissipate ['dısıpeıt] *vt* (*heat*) neutralisieren; (*clouds*) auflösen; (*money, effort*) verschwenden.
dissipated ['dısıpeıtıd] *adj* zügellos, ausschweifend.
dissociate [dı'səuʃıeıt] *vt* trennen; **to** ~ **o.s. from** sich distanzieren von.
dissolute ['dısəluːt] *adj* zügellos, ausschweifend.
dissolution [dısə'luːʃən] *n* Auflösung *f*.
dissolve [dı'zɔlv] *vt* auflösen ♦ *vi* sich auflösen; **to** ~ **in(to) tears** in Tränen zerfließen.
dissuade [dı'sweıd] *vt:* **to** ~ **sb (from sth)** jdn (von etw) abbringen.
distaff ['dıstɑːf] *n:* **the** ~ **side** die mütterliche Seite.
distance ['dıstns] *n* Entfernung *f*; (*in time*) Abstand *m*; (*reserve*) Abstand, Distanz *f* ♦ *vt:* **to** ~ **o.s. (from)** sich distanzieren (von); **in the** ~ in der Ferne; **what's the** ~ **to London?** wie weit ist es nach London?; **it's within walking** ~ es ist zu Fuß erreichbar; **at a** ~ **of 2 metres** in 2 Meter(n) Entfernung; **keep your** ~! halten Sie Abstand!
distant ['dıstnt] *adj* (*place*) weit entfernt, fern; (*time*) weit zurückliegend; (*relative*) entfernt; (*manner*) distanziert, kühl.
distaste [dıs'teıst] *n* Widerwille *m*.
distasteful [dıs'teıstful] *adj* widerlich; **to be** ~ **to sb** jdm zuwider sein.
Dist. Atty. (*US*) *abbr* = **district attorney**.
distemper [dıs'tɛmpə*] *n* (*paint*) Temperafarbe *f*; (*disease of dogs*) Staupe *f*.
distend [dıs'tɛnd] *vt* blähen ♦ *vi* sich blähen.
distended [dıs'tɛndıd] *adj* aufgebläht.
distil, (*US*) **distill** [dıs'tıl] *vt* destillieren; (*fig*) (heraus)destillieren.
distillery [dıs'tılərı] *n* Brennerei *f*.
distinct [dıs'tıŋkt] *adj* deutlich, klar; (*possibility*) eindeutig; (*different*) verschieden; **as** ~ **from** im Unterschied zu.
distinction [dıs'tıŋkʃən] *n* Unterschied *m*; (*honour*) Ehre *f*; (*in exam*) Auszeichnung *f*; **to draw a** ~ **between** einen Unterschied machen zwischen *+dat*; **a writer of** ~ ein Schriftsteller von Rang.
distinctive [dıs'tıŋktıv] *adj* unverwechselbar.
distinctly [dıs'tıŋktlı] *adv* deutlich, klar; (*tell*) ausdrücklich; (*unhappy*) ausgeprochen; (*better*) entschieden.
distinguish [dıs'tıŋgwıʃ] *vt* unterscheiden; (*details etc*) erkennen, ausmachen; **to** ~ **(between)** unterscheiden (zwischen *+dat*); **to** ~ **o.s.** sich hervortun.
distinguished [dıs'tıŋgwıʃt] *adj* von hohem Rang; (*career*) hervorragend; (*in appearance*) distinguiert.
distinguishing [dıs'tıŋgwıʃıŋ] *adj* charakteristisch.
distort [dıs'tɔːt] *vt* verzerren; (*argument*) verdrehen.
distortion [dıs'tɔːʃən] *n* (*see vb*) Verzerrung *f*; Verdrehung *f*.
distract [dıs'trækt] *vt* ablenken.
distracted [dıs'træktıd] *adj* unaufmerksam; (*anxious*) besorgt, beunruhigt.
distraction [dıs'trækʃən] *n* Unaufmerksamkeit *f*; (*confusion*) Verstörtheit *f*; (*sth which distracts*) Ablenkung *f*; (*amusement*) Zerstreuung *f*; **to drive sb to** ~ jdn zur Verzweiflung treiben.
distraught [dıs'trɔːt] *adj* verzweifelt.
distress [dıs'trɛs] *n* Verzweiflung *f* ♦ *vt* Kummer machen *+dat*; **in** ~ (*ship*) in Seenot; (*person*) verzweifelt; ~**ed area** (*BRIT*) Notstandsgebiet *nt*.
distressing [dıs'trɛsıŋ] *adj* beunruhigend.
distress signal *n* Notsignal *nt*.
distribute [dıs'trıbjuːt] *vt* verteilen; (*profits*) aufteilen.
distribution [dıstrı'bjuːʃən] *n* Vertrieb *m*; (*of profits*) Aufteilung *f*.
distribution costs *npl* Vertriebskosten *pl*.
distributor [dıs'trıbjutə*] *n* (*COMM*) Vertreiber(in) *m(f)*; (*AUT, TECH*) Verteiler *m*.
district ['dıstrıkt] *n* Gebiet *nt*; (*of town*) Stadtteil *m*; (*ADMIN*) (Verwaltungs)bezirk *m*.
district attorney (*US*) *n* Bezirksstaatsanwalt *m*, Bezirksstaatsanwältin *f*.

> **District Council** *heißt der in jedem der britischen* **districts** *(Bezirke) alle vier Jahre neu gewählte Bezirksrat, der für bestimmte Bereiche der Kommunalverwaltung (Gesundheitsschutz, Wohnungsbeschaffung, Baugenehmigungen, Müllabfuhr) zuständig ist. Die district councils werden durch Kommunalabgaben und durch einen Zuschuß von der Regierung finanziert. Ihre Ausgaben werden von einer unabhängigen Prüfungskommission kontrolliert, und bei zu hohen Ausgaben wird der Regierungszuschuß gekürzt.*

district nurse (*BRIT*) *n* Gemeindeschwester *f*.
distrust [dıs'trʌst] *n* Mißtrauen *nt* ♦ *vt*

mißtrauen *+dat*.
distrustful [dɪs'trʌstful] *adj:* ~ **(of)** mißtrauisch (gegenüber *+dat*).
disturb [dɪs'tə:b] *vt* stören; (*upset*) beunruhigen; (*disorganize*) durcheinanderbringen; **sorry to ~ you** entschuldigen Sie bitte die Störung.
disturbance [dɪs'tə:bəns] *n* Störung *f*; (*political etc*) Unruhe *f*; (*violent event*) Unruhen *pl*; (*by drunks etc*) (Ruhe)störung *f*; **to cause a ~** Unruhe/eine Ruhestörung verursachen; **~ of the peace** Ruhestörung.
disturbed [dɪs'tə:bd] *adj* beunruhigt; (*childhood*) unglücklich; **mentally/emotionally ~** geistig/seelisch gestört.
disturbing [dɪs'tə:bɪŋ] *adj* beunruhigend.
disuse [dɪs'ju:s] *n:* **to fall into ~** nicht mehr benutzt werden.
disused [dɪs'ju:zd] *adj* (*building*) leerstehend; (*airfield*) stillgelegt.
ditch [dɪtʃ] *n* Graben *m* ♦ *vt* (*inf: partner*) sitzenlassen; (*: plan*) sausenlassen; (*: car etc*) loswerden.
dither ['dɪðə*] (*pej*) *vi* zaudern.
ditto ['dɪtəu] *adv* dito, ebenfalls.
divan [dɪ'væn] *n* (*also:* **~ bed**) Polsterbett *nt*.
dive [daɪv] *n* Sprung *m*; (*underwater*) Tauchen *nt*; (*of submarine*) Untertauchen *nt*; (*pej: place*) Spelunke *f* (*inf*) ♦ *vi* springen; (*under water*) tauchen; (*bird*) einen Sturzflug machen; (*submarine*) untertauchen; **to ~ into** (*bag, drawer etc*) greifen in *+acc*; (*shop, car etc*) sich stürzen in *+acc*.
diver ['daɪvə*] *n* Taucher(in) *m(f)*; (*deep-sea diver*) Tiefseetaucher(in) *m(f)*.
diverge [daɪ'və:dʒ] *vi* auseinandergehen.
divergent [daɪ'və:dʒənt] *adj* unterschiedlich; (*views*) voneinander abweichend; (*interests*) auseinandergehend.
diverse [daɪ'və:s] *adj* verschiedenartig.
diversification [daɪvə:sɪfɪ'keɪʃən] *n* Diversifikation *f*.
diversify [daɪ'və:sɪfaɪ] *vi* diversifizieren.
diversion [daɪ'və:ʃən] *n* (*BRIT: AUT*) Umleitung *f*; (*distraction*) Ablenkung *f*; (*of funds*) Umlenkung *f*.
diversionary [daɪ'və:ʃənrɪ] *adj:* **~ tactics** Ablenkungsmanöver *pl*.
diversity [daɪ'və:sɪtɪ] *n* Vielfalt *f*.
divert [daɪ'və:t] *vt* (*sb's attention*) ablenken; (*funds*) umlenken; (*re-route*) umleiten.
divest [daɪ'vɛst] *vt:* **to ~ sb of office/his authority** jdn seines Amtes entkleiden/seiner Macht entheben.
divide [dɪ'vaɪd] *vt* trennen; (*MATH*) dividieren, teilen; (*share out*) verteilen ♦ *vi* sich teilen; (*road*) sich gabeln; (*people, groups*) sich aufteilen ♦ *n* Kluft *f*; **to ~ (between** *or* **among)** aufteilen (unter *+dat*); **40 ~d by 5** 40 geteilt *or* dividiert durch 5.
▸**divide out** *vt:* **to ~ out (between** *or* **among)** aufteilen (unter *+dat*).
divided [dɪ'vaɪdɪd] *adj* geteilt; **to be ~ about** *or* **over sth** geteilter Meinung über etw *acc* sein.
divided highway (*US*) *n* ≈ Schnellstraße *f*.
dividend ['dɪvɪdɛnd] *n* Dividende *f*; (*fig*): **to pay ~s** sich bezahlt machen.
dividend cover *n* (*COMM*) Dividendendeckung *f*.
dividers [dɪ'vaɪdəz] *npl* (*MATH, TECH*) Stechzirkel *m*; (*between pages*) Register *nt*.
divine [dɪ'vaɪn] *adj* göttlich ♦ *vt* (*future*) weissagen, prophezeien; (*truth*) erahnen; (*water, metal*) aufspüren.
diving ['daɪvɪŋ] *n* Tauchen *nt*; (*SPORT*) Kunstspringen *nt*.
diving board *n* Sprungbrett *nt*.
diving suit *n* Taucheranzug *m*.
divinity [dɪ'vɪnɪtɪ] *n* Göttlichkeit *f*; (*god or goddess*) Gottheit *f*; (*SCOL*) Theologie *f*.
divisible [dɪ'vɪzəbl] *adj:* ~ **(by)** teilbar (durch); **to be ~ into** teilbar sein in *+acc*.
division [dɪ'vɪʒən] *n* Teilung *f*; (*MATH*) Teilen *nt*, Division *f*; (*sharing out*) Verteilung *f*; (*disagreement*) Uneinigkeit *f*; (*BRIT: POL*) Abstimmung *f* durch Hammelsprung; (*COMM*) Abteilung *f*; (*MIL*) Division *f*; (*esp FOOTBALL*) Liga *f*; **~ of labour** Arbeitsteilung *f*.
divisive [dɪ'vaɪsɪv] *adj:* **to be ~** (*tactics*) auf Spaltung abzielen; (*system*) zu Feindseligkeit führen.
divorce [dɪ'vɔ:s] *n* Scheidung *f* ♦ *vt* sich scheiden lassen von; (*dissociate*) trennen.
divorced [dɪ'vɔ:st] *adj* geschieden.
divorcee [dɪvɔ:'si:] *n* Geschiedene(r) *f(m)*.
divot ['dɪvət] *n vom Golfschläger etc ausgehacktes Rasenstück*.
divulge [daɪ'vʌldʒ] *vt* preisgeben.
DIY (*BRIT*) *n abbr* = **do-it-yourself**.
dizziness ['dɪzɪnɪs] *n* Schwindel *m*.
dizzy ['dɪzɪ] *adj* schwind(e)lig; (*turn, spell*) Schwindel-; (*height*) schwindelerregend; **I feel ~** mir ist *or* ich bin schwind(e)lig.
DJ *n abbr* = **disc jockey**.
d.j. *n abbr* = **dinner jacket**.
Djakarta [dʒə'kɑ:tə] *n* Jakarta *nt*.
DJIA (*US*) *n abbr* (= *Dow-Jones Industrial Average*) Dow-Jones-Index *m*.
dl *abbr* (= *decilitre*) dl.
DLit(t) *n abbr* (= *Doctor of Literature, Doctor of Letters*) *akademischer Grad in Literaturwissenschaft*.
DLO *n abbr* = **dead letter office**.
dm *abbr* (= *decimetre*) dm.
DMus *n abbr* (= *Doctor of Music*) *Doktor der Musikwissenschaft*.
DMZ *n abbr* = **demilitarized zone**.
DNA *n abbr* (= *deoxyribonucleic acid*) DNS *f*.

KEYWORD

do [du:] (*pt* **did,** *pp* **done**) *aux vb* **1** (*in negative constructions*): **I don't understand** ich verstehe nicht
2 (*to form questions*): **didn't you know?** wußtest du das nicht?; **what ~ you think?** was meinst du?
3 (*for emphasis*): **she does seem rather upset** sie scheint wirklich recht aufgeregt zu sein; **~ sit down/help yourself** bitte nehmen Sie Platz/bedienen Sie sich; **oh ~ shut up!** halte endlich den Mund!
4 (*to avoid repeating vb*): **she swims better than I ~** sie schwimmt besser als ich; **she lives in Glasgow - so ~ I** sie wohnt in Glasgow - ich auch; **who made this mess? - I did** wer hat dieses Durcheinander gemacht? - ich
5 (*in question tags*): **you like him, don't you?** du magst ihn, nicht wahr?; **I don't know him, ~ I?** ich kenne ihn nicht, oder?
⧫ *vt* **1** (*carry out, perform*) tun, machen; **what are you ~ing tonight?** was machen Sie heute abend?; **what ~ you ~ (for a living)?** was machen Sie beruflich?; **to ~ one's teeth/nails** sich *dat* die Zähne putzen/die Nägel schneiden
2 (*AUT etc*) fahren; **the car was ~ing 100** das Auto fuhr 100
⧫ *vi* **1** (*act, behave*): **~ as I ~** mach es wie ich
2 (*get on, fare*): **he's ~ing well/badly at school** er ist gut/schlecht in der Schule; **the company is ~ing well** der Firma geht es gut; **how ~ you ~?** guten Tag/Morgen/Abend!
3 (*suit, be sufficient*) reichen; **will that ~?** reicht das?; **will this dress ~ for the party?** ist dieses Kleid gut genug für die Party?; **will £10 ~?** reichen £10?; **that'll ~** das reicht; (*in annoyance*) jetzt reicht's aber!; **to make ~ with** auskommen mit
⧫ *n* (*inf: party etc*) Party *f*, Fete *f*; **it was quite a ~** es war ganz schön was los
▸**do away with** *vt fus* (*get rid of*) abschaffen.
▸**do for** (*inf*) *vt fus*: **to be done for** erledigt sein.
▸**do in** (*inf*) *vt* (*kill*) umbringen.
▸**do out of** (*inf*) *vt* (*deprive*) bringen um.
▸**do up** *vt fus* (*laces, dress, buttons*) zumachen; (*renovate: room, house*) renovieren.
▸**do with** *vt fus* **1** (*need*) brauchen; **I could ~ with some help/a drink** ich könnte Hilfe/einen Drink gebrauchen
2 it has to ~ with money es hat mit Geld zu tun.
▸**do without** *vt fus* auskommen ohne.

do. *abbr* = **ditto.**
DOA *abbr* (= *dead on arrival*) bei Einlieferung ins Krankenhaus bereits tot.
d.o.b. *abbr* = **date of birth.**
doc [dɔk] (*inf*) *n* Doktor *m*.
docile ['dəusaɪl] *adj* sanft(mütig).
dock [dɔk] *n* Dock *nt*; (*LAW*) Anklagebank *f*; (*BOT*) Ampfer *m* ⧫ *vi* anlegen; (*SPACE*) docken ⧫ *vt*: **they ~ed a third of his wages** sie kürzten seinen Lohn um ein Drittel; **docks** *npl* (*NAUT*) Hafen *m*.
dock dues [-dju:z] *npl* Hafengebühr *f*.
docker ['dɔkə*] *n* Hafenarbeiter *m*, Docker *m*.
docket ['dɔkɪt] *n* Inhaltserklärung *f*; (*on parcel etc*) Warenbegleitschein *m*, Laufzettel *m*.
dockyard ['dɔkjɑ:d] *n* Werft *f*.
doctor ['dɔktə*] *n* Arzt *m*, Ärztin *f*; (*PhD etc*) Doktor *m* ⧫ *vt*: **to ~ a drink** *etc* einem Getränk *etc* etwas beimischen; **~'s office** (*US*) Sprechzimmer *nt*.
doctorate ['dɔktərɪt] *n* Doktorwürde *f*.

Doctorate *ist der höchste akademische Grad auf jedem Wissensgebiet und wird nach erfolgreicher Vorlage einer Doktorarbeit verliehen. Die Studienzeit (meist mindestens 3 Jahre) und Länge der Doktorarbeit ist je nach Hochschule verschieden. Am häufigsten wird der Titel* **PhD** *(Doctor of Philosophy) auf dem Gebiet der Geisteswissenschaften, Naturwissenschaften und des Ingenieurwesens verliehen, obwohl es auch andere Doktortitel (in Musik, Jura usw.) gibt. Siehe auch* **bachelor's degree, master's degree.**

Doctor of Philosophy *n* Doktor *m* der Philosophie.
doctrine ['dɔktrɪn] *n* Doktrin *f*.
docudrama ['dɔkjudrɑ:mə] *n* Dokumentarspiel *nt*.
document ['dɔkjumənt] *n* Dokument *nt* ⧫ *vt* dokumentieren.
documentary [dɔkju'mɛntərɪ] *adj* dokumentarisch ⧫ *n* Dokumentarfilm *m*.
documentation [dɔkjumən'teɪʃən] *n* Dokumentation *f*.
DOD (*US*) *n abbr* (= *Department of Defense*) Verteidigungsministerium *nt*.
doddering ['dɔdərɪŋ] *adj* (*shaky, unsteady*) zittrig.
doddery ['dɔdərɪ] *adj* = **doddering.**
doddle ['dɔdl] (*inf*) *n*: **a ~** ein Kinderspiel *nt*.
Dodecanese (Islands) [dəudɪkə'ni:z ('aɪləndz)] *n(pl)*: **the ~** der Dodekanes.
dodge [dɔdʒ] *n* Trick *m* ⧫ *vt* ausweichen *+dat*; (*tax*) umgehen ⧫ *vi* ausweichen; **to ~ out of the way** zur Seite springen; **to ~ through the traffic** sich durch den Verkehr schlängeln.
dodgems ['dɔdʒəmz] (*BRIT*) *npl* Autoskooter *pl*.
dodgy ['dɔdʒɪ] (*inf*) *adj* (*person*) zweifelhaft; (*plan etc*) gewagt.
DOE *n abbr* (*BRIT*: = *Department of the Environment*) Umweltministerium; (*US*: = *Department of Energy*) Energie-

ministerium.
doe [dəu] *n* Reh *nt*, Ricke *f*; (*rabbit*) (Kaninchen)weibchen *nt*.
does [dʌz] *vb see* **do.**
doesn't ['dʌznt] = **does not.**
dog [dɔg] *n* Hund *m* ♦ *vt* (*subj: person*) auf den Fersen bleiben *+dat*; (: *bad luck, memory etc*) verfolgen; **to go to the ~s** (*inf*) vor die Hunde gehen.
dog biscuits *npl* Hundekuchen *pl*.
dog collar *n* Hundehalsband *nt*; (*REL*) Kragen *m* des Geistlichen.
dog-eared ['dɔgɪəd] *adj* mit Eselsohren.
dog food *n* Hundefutter *nt*.
dogged ['dɔgɪd] *adj* beharrlich.
doggy ['dɔgɪ] *n* Hündchen *nt*.
doggy bag ['dɔgɪ-] *n Tüte für Essensreste, die man nach Hause mitnehmen möchte.*
dogma ['dɔgmə] *n* Dogma *nt*.
dogmatic [dɔg'mætɪk] *adj* dogmatisch.
do-gooder [du:'gudə*] (*pej*) *n* Weltverbesserer(in) *m(f)*.
dogsbody ['dɔgzbɔdɪ] (*BRIT: inf*) *n* Mädchen *nt* für alles.
doily ['dɔɪlɪ] *n* Deckchen *nt*.
doing ['duɪŋ] *n*: **this is your ~** das ist dein Werk.
doings ['duɪŋz] *npl* Treiben *nt*.
do-it-yourself ['du:ɪtjɔ:'sɛlf] *n* Heimwerken *nt*, Do-it-yourself *nt*.
doldrums ['dɔldrəmz] *npl*: **to be in the ~** (*person*) niedergeschlagen sein; (*business*) in einer Flaute stecken.
dole [dəul] (*BRIT*) *n* Arbeitslosenunterstützung *f*; **on the ~** arbeitslos.
▸**dole out** *vt* austeilen, verteilen.
doleful ['dəulful] *adj* traurig.
doll [dɔl] *n* (*toy, also US: inf: woman*) Puppe *f*.
dollar ['dɔlə*] (*US etc*) *n* Dollar *m*.
dollar area *n* Dollarblock *m*.
dolled up (*inf*) *adj* aufgedonnert.
dollop ['dɔləp] (*inf*) *n* Schlag *m*.
dolly ['dɔlɪ] (*inf*) *n* (*doll, woman*) Puppe *f*.
Dolomites ['dɔləmaɪts] *npl*: **the ~** die Dolomiten *pl*.
dolphin ['dɔlfɪn] *n* Delphin *m*.
domain [də'meɪn] *n* Bereich *m*; (*empire*) Reich *nt*.
dome [dəum] *n* Kuppel *f*.
domestic [də'mɛstɪk] *adj* (*trade*) Innen-; (*situation*) innenpolitisch; (*news*) Inland-, aus dem Inland; (*tasks, appliances*) Haushalts-; (*animal*) Haus-; (*duty, happiness*) häuslich.
domesticated [də'mɛstɪkeɪtɪd] *adj* (*animal*) zahm; (*person*) häuslich.
domesticity [dəumɛs'tɪsɪtɪ] *n* häusliches Leben *nt*.
domestic servant *n* Hausangestellte(r) *f(m)*.
domicile ['dɔmɪsaɪl] *n* Wohnsitz *m*.
dominant ['dɔmɪnənt] *adj* dominierend; (*share*) größte(r, s).
dominate ['dɔmɪneɪt] *vt* dominieren, beherrschen.
domination [dɔmɪ'neɪʃən] *n* (Vor)herrschaft *f*.
domineering [dɔmɪ'nɪərɪŋ] *adj* herrschsüchtig.
Dominican Republic [də'mɪnɪkən-] *n*: **the ~** die Dominikanische Republik.
dominion [də'mɪnɪən] *n* (*territory*) Herrschaftsgebiet *nt*; (*authority*): **to have ~ over** Macht haben über *+acc*.
domino ['dɔmɪnəu] (*pl* **~es**) *n* (*block*) Domino(stein) *m*.
domino effect *n* Dominoeffekt *m*.
dominoes ['dɔmɪnəuz] *n* (*game*) Domino(spiel) *nt*.
don [dɔn] *n* (*BRIT*) (Universitäts)dozent *m* (*besonders in Oxford und Cambridge*) ♦ *vt* anziehen.
donate [də'neɪt] *vt*: **to ~ (to)** (*organization, cause*) spenden (für).
donation [də'neɪʃən] *n* (*act of donating*) Spenden *nt*; (*contribution*) Spende *f*.
done [dʌn] *pp of* **do.**
donkey ['dɔŋkɪ] *n* Esel *m*.
donkey-work ['dɔŋkɪwə:k] (*BRIT: inf*) *n* Dreckarbeit *f*.
donor ['dəunə*] *n* Spender(in) *m(f)*.
donor card *n* Organspenderausweis *m*.
don't [dəunt] = **do not.**
donut ['dəunʌt] (*US*) *n* = **doughnut.**
doodle ['du:dl] *vi* Männchen malen ♦ *n* Kritzelei *f*.
doom [du:m] *n* Unheil *nt* ♦ *vt*: **to be ~ed to failure** zum Scheitern verurteilt sein.
doomsday ['du:mzdeɪ] *n* der Jüngste Tag.
door [dɔ:*] *n* Tür *f*; **to go from ~ to ~** von Tür zu Tür gehen.
door bell *n* Türklingel *f*.
door handle *n* Türklinke *f*; (*of car*) Türgriff *m*.
doorman ['dɔ:mən] (*irreg: like* **man**) *n* Portier *m*.
doormat ['dɔ:mæt] *n* Fußmatte *f*; (*fig*) Fußabtreter *m*.
doorpost ['dɔ:pəust] *n* Türpfosten *m*.
doorstep ['dɔ:stɛp] *n* Eingangsstufe *f*, Türstufe *f*; **on the ~** vor der Haustür.
door-to-door ['dɔ:tə'dɔ:*] *adj* (*selling*) von Haus zu Haus; **~ salesman** Vertreter *m*.
doorway ['dɔ:weɪ] *n* Eingang *m*.
dope [dəup] *n* (*inf*) Stoff *m*, Drogen *pl*; (: *person*) Esel *m*, Trottel *m*; (: *information*) Informationen *pl* ♦ *vt* dopen.
dopey ['dəupɪ] (*inf*) *adj* (*groggy*) benebelt; (*stupid*) blöd, bekloppt.
dormant ['dɔ:mənt] *adj* (*plant*) ruhend; (*volcano*) untätig; (*idea, report etc*): **to lie ~** schlummern.
dormer ['dɔ:mə*] *n* (*also*: **~ window**) Mansardenfenster *nt*.
dormice ['dɔ:maɪs] *npl of* **dormouse.**
dormitory ['dɔ:mɪtrɪ] *n* Schlafsaal *m*; (*US:*

building) Wohnheim *nt*.
dormouse ['dɔːmaus] (*pl* **dormice**) *n* Haselmaus *f*.
Dors (*BRIT*) *abbr* (*POST:* = *Dorset*).
DOS [dɔs] *n abbr* (*COMPUT:* = *disk operating system*) DOS.
dosage ['dəusɪdʒ] *n* Dosis *f*; (*on label*) Dosierung *f*.
dose [dəus] *n* Dosis *f*; (*BRIT: bout*) Ration *f* ♦ *vt:* **to ~ o.s.** Medikamente nehmen; **a ~ of flu** eine Grippe.
dosser ['dɔsə*] (*BRIT: inf*) *n* Penner(in) *m(f)*.
dosshouse ['dɔshaus] (*BRIT: inf*) *n* Obdachlosenheim *nt*.
dossier ['dɔsɪeɪ] *n* Dossier *nt*.
DOT (*US*) *n abbr* (= *Department of Transportation*) ≈ Verkehrsministerium *nt*.
dot [dɔt] *n* Punkt *m* ♦ *vt:* **~ted with** übersät mit; **on the ~** (auf die Minute) pünktlich.
dote [dəut]: **~ on** *vt fus* abgöttisch lieben.
dot-matrix printer [dɔt'meɪtrɪks-] *n* Nadeldrucker *m*.
dotted line ['dɔtɪd-] *n* punktierte Linie *f*; **to sign on the ~** (*fig*) seine formelle Zustimmung geben.
dotty ['dɔtɪ] (*inf*) *adj* schrullig.
double ['dʌbl] *adj* doppelt; (*chin*) Doppel- ♦ *adv* (*cost*) doppelt soviel ♦ *n* Doppelgänger(in) *m(f)* ♦ *vt* verdoppeln; (*paper, blanket*) (einmal) falten ♦ *vi* sich verdoppeln; **~ five two six (5526)** (*BRIT: TEL*) fünfundfünfzig sechsundzwanzig; **it's spelt with a ~ "l"** es wird mit zwei l geschrieben; **an egg with a ~ yolk** ein Ei mit zwei Dottern; **on the ~**, (*BRIT*) **at the ~** (*quickly*) schnell; (*immediately*) unverzüglich; **to ~ as ...** (*person*) auch als ... fungieren; (*thing*) auch als ... dienen.
▸**double back** *vi* kehrtmachen, zurückgehen/-fahren.
▸**double up** *vi* sich krümmen; (*share room*) sich ein Zimmer teilen.
double bass *n* Kontrabaß *m*.
double bed *n* Doppelbett *nt*.
double bend (*BRIT*) *n* S-Kurve *f*.
double-blind *adj:* **~ experiment** Doppelblindversuch *m*.
double-breasted ['dʌbl'brɛstɪd] *adj* (*jacket, coat*) zweireihig.
double-check ['dʌbl'tʃɛk] *vt* noch einmal (über)prüfen ♦ *vi* es noch einmal (über)prüfen.
double-clutch ['dʌbl'klʌtʃ] (*US*) *vi* mit Zwischengas schalten.
double cream (*BRIT*) *n* Sahne *f* mit hohem Fettgehalt, ≈ Schlagsahne *f*.
double-cross [dʌbl'krɔs] *vt* ein Doppelspiel treiben mit.
double-decker [dʌbl'dɛkə*] *n* Doppeldecker *m*.
double-declutch ['dʌbldiː'klʌtʃ] (*BRIT*) *vi* mit Zwischengas schalten.
double exposure *n* doppelt belichtetes Foto *nt*.
double glazing [-'gleɪzɪŋ] (*BRIT*) *n* Doppelverglasung *f*.
double-page spread ['dʌblpeɪdʒ-] *n* Doppelseite *f*.
double-parking [dʌbl'pɑːkɪŋ] *n* Parken *nt* in der zweiten Reihe.
double room *n* Doppelzimmer *nt*.
doubles ['dʌblz] *n* (*TENNIS*) Doppel *nt*.
double time *n* doppelter Lohn *m*.
double whammy [-'wæmɪ] (*inf*) *n* Doppelschlag *m*.
doubly ['dʌblɪ] *adv* (ganz) besonders.
doubt [daut] *n* Zweifel *m* ♦ *vt* bezweifeln; **without (a) ~** ohne Zweifel; **to ~ sb** jdm nicht glauben; **I ~ it (very much)** das bezweifle ich (sehr), das möchte ich (stark) bezweifeln; **to ~ if** *or* **whether** ... bezweifeln, daß ...; **I don't ~ that** ... ich bezweifle nicht, daß ...
doubtful ['dautful] *adj* zweifelhaft; **to be ~ about sth** an etw *dat* zweifeln; **to be ~ about doing sth** Bedenken haben, ob man etw tun soll; **I'm a bit ~** ich bin nicht ganz sicher.
doubtless ['dautlɪs] *adv* ohne Zweifel, sicherlich.
dough [dəu] *n* Teig *m*; (*inf: money*) Kohle *f*, Knete *f*.
doughnut, (*US*) **donut** ['dəunʌt] *n* ≈ Berliner (Pfannkuchen) *m*.
dour [duə*] *adj* mürrisch, verdrießlich.
douse [dauz] *vt* Wasser schütten über *+acc*; (*extinguish*) löschen; **to ~ with** übergießen mit.
dove [dʌv] *n* Taube *f*.
Dover ['dəuvə*] *n* Dover *nt*.
dovetail ['dʌvteɪl] *vi* übereinstimmen ♦ *n* (*also:* **~ joint**) Schwalbenschwanzverbindung *f*.
dowager ['dauədʒə*] *n* (adlige) Witwe *f*.
dowdy ['daudɪ] *adj* ohne jeden Schick; (*clothes*) unmodern.
Dow-Jones average ['dau'dʒəunz-] (*US*) *n* Dow-Jones-Index *m*.
down [daun] *n* Daunen *pl* ♦ *adv* hinunter, herunter; (*on the ground*) unten ♦ *prep* hinunter, herunter; (*movement along*) entlang ♦ *vt* (*inf: drink*) runterkippen; **~ there/here** da/hier unten; **the price of meat is ~** die Fleischpreise sind gefallen; **I've got it ~ in my diary** ich habe es in meinem Kalender notiert; **to pay £2 ~** £2 anzahlen; **England is two goals ~** England liegt mit zwei Toren zurück; **to ~ tools** (*BRIT*) die Arbeit niederlegen; **~ with ...!** nieder mit ...!
down-and-out ['daunəndaut] *n* Penner(in) *m(f)* (*inf*).
down-at-heel ['daunət'hiːl] *adj* (*appearance, person*) schäbig, heruntergekommen; (*shoes*) abgetreten.

downbeat ['daunbi:t] *n* (*MUS*) erster betonter Taktteil *m* ♦ *adj* zurückhaltend.
downcast ['daunkɑ:st] *adj* niedergeschlagen.
downer ['daunə*] (*inf*) *n* (*drug*) Beruhigungsmittel *nt*; **to be on a ~** deprimiert sein.
downfall ['daunfɔ:l] *n* Ruin *m*; (*of dictator etc*) Sturz *m*, Fall *m*.
downgrade ['daungreɪd] *vt* herunterstufen.
downhearted ['daun'hɑ:tɪd] *adj* niedergeschlagen, entmutigt.
downhill ['daun'hɪl] *adv* bergab ♦ *n* (*SKI: also:* **~ race**) Abfahrtslauf *m*; **to go ~** (*road*) bergab führen; (*person*) hinuntergehen, heruntergehen; (*car*) hinunterfahren, herunterfahren; (*fig*) auf dem absteigenden Ast sein.

Downing Street *ist die Straße in London, die von Whitehall zum St James Park führt und in der sich der offizielle Wohnsitz des Premierministers (Nr. 10) und des Finanzministers (Nr. 11) befindet. Im weiteren Sinne bezieht sich der Begriff Downing Street auf die britische Regierung.*

download ['daunləud] *vt* laden.
down-market ['daun'mɑ:kɪt] *adj* (*product*) für den Massenmarkt.
down payment *n* Anzahlung *f*.
downplay ['daunpleɪ] (*US*) *vt* herunterspielen.
downpour ['daunpɔ:*] *n* Wolkenbruch *m*.
downright ['daunraɪt] *adj* (*liar etc*) ausgesprochen; (*refusal, lie*) glatt.
Downs [daunz] (*BRIT*) *npl*: **the ~** die Downs *pl*, *Hügellandschaft in Südengland.*
downsize ['daun'saɪz] *vi* (*ECON: company*) sich verkleinern.
Down's Syndrome *n* (*MED*) Down-Syndrom *nt*.
downstairs ['daun'stɛəz] *adv* unten; (*downwards*) nach unten.
downstream ['daunstri:m] *adv* flußabwärts, stromabwärts.
downtime ['dauntaɪm] *n* Ausfallzeit *f*.
down-to-earth ['dauntu'ə:θ] *adj* (*person*) nüchtern; (*solution*) praktisch.
downtown ['daun'taun] (*esp US*) *adv* im Zentrum, in der (Innen)stadt; (*go*) ins Zentrum, in die (Innen)stadt ♦ *adj*: **~ Chicago** das Zentrum von Chicago.
downtrodden ['dauntrɔdn] *adj* unterdrückt, geknechtet.
down under *adv* (*be*) in Australien/Neuseeland; (*go*) nach Australien/Neuseeland.
downward ['daunwəd] *adj*, *adv* nach unten; **a ~ trend** ein Abwärtstrend *m*.
downwards ['daunwədz] *adv* = **downward**.
dowry ['daurɪ] *n* Mitgift *f*.
doz. *abbr* = **dozen**.
doze [dəuz] *vi* ein Nickerchen machen.
▸**doze off** *vi* einschlafen, einnicken.
dozen ['dʌzn] *n* Dutzend *nt*; **a ~ books** ein Dutzend Bücher; **80p a ~** 80 Pence das Dutzend; **~s of** Dutzende von.
DPh *n abbr* (= *Doctor of Philosophy*) ≈ Dr. phil.
DPhil *n abbr* (= *Doctor of Philosophy*) ≈ Dr. phil.
DPP (*BRIT*) *n abbr* = **Director of Public Prosecutions**.
DPT *n abbr* (= *diphtheria, pertussis, tetanus*) Diphtherie, Keuchhusten und Tetanus.
DPW (*US*) *n abbr* (= *Department of Public Works*) *Ministerium für öffentliche Bauprojekte*.
Dr *abbr* = **doctor**; (*in street names:* = *Drive*) ≈ Str.
dr *abbr* (*COMM*) = **debtor**.
drab [dræb] *adj* trist.
draft [drɑ:ft] *n* Entwurf *m*; (*bank draft*) Tratte *f*; (*US: call-up*) Einberufung *f* ♦ *vt* entwerfen; *see also* **draught**.
draftsman *etc* ['drɑ:ftsmən] (*US*) *n* = **draughtsman** *etc*.
drag [dræg] *vt* schleifen, schleppen; (*river*) absuchen ♦ *vi* sich hinziehen ♦ *n* (*AVIAT*) Luftwiderstand *m*; (*NAUT*) Wasserwiderstand *m*; (*inf*): **to be a ~** (*boring*) langweilig sein; (*a nuisance*) lästig sein; (*women's clothing*): **in ~** in Frauenkleidung.
▸**drag away** *vt*: **to ~ away (from)** wegschleppen *or* wegziehen (von).
▸**drag on** *vi* sich hinziehen.
dragnet ['drægnɛt] *n* Schleppnetz *nt*; (*fig*) großangelegte Polizeiaktion *f*.
dragon ['drægn] *n* Drache *m*.
dragonfly ['drægənflaɪ] *n* Libelle *f*.
dragoon [drə'gu:n] *n* Dragoner *m* ♦ *vt*: **to ~ sb into doing sth** (*BRIT*) jdn zwingen, etw zu tun.
drain [dreɪn] *n* Belastung *f*; (*in street*) Gully *m* ♦ *vt* entwässern; (*pond*) trockenlegen; (*vegetables*) abgießen; (*glass, cup*) leeren ♦ *vi* ablaufen; **to feel ~ed (of energy/emotion)** sich ausgelaugt fühlen.
drainage ['dreɪnɪdʒ] *n* Entwässerungssystem *nt*; (*process*) Entwässerung *f*.
draining board ['dreɪnɪŋ-], (*US*) **drainboard** ['dreɪnbɔ:d] *n* Ablaufbrett *nt*.
drainpipe ['dreɪnpaɪp] *n* Abflußrohr *nt*.
drake [dreɪk] *n* Erpel *m*, Enterich *m*.
dram [dræm] (*SCOT*) *n* (*drink*) Schluck *m*.
drama ['drɑ:mə] *n* Drama *nt*.
dramatic [drə'mætɪk] *adj* dramatisch; (*theatrical*) theatralisch.
dramatically [drə'mætɪklɪ] *adv* dramatisch; (*say, announce, pause*) theatralisch.
dramatist ['dræmətɪst] *n* Dramatiker(in) *m(f)*.
dramatize ['dræmətaɪz] *vt* dramatisieren; (*for TV/cinema*) für das Fernsehen/den Film bearbeiten.
drank [dræŋk] *pt of* **drink**.
drape [dreɪp] *vt* drapieren.

drapes [dreɪps] (*US*) *npl* Vorhänge *pl*.
drastic ['dræstɪk] *adj* drastisch.
drastically ['dræstɪklɪ] *adv* drastisch.
draught, (*US*) **draft** [drɑːft] *n* (Luft)zug *m*; (*NAUT*) Tiefgang *m*; (*of chimney*) Zug *m*; **on ~** vom Faß.
draught beer *n* Bier *nt* vom Faß.
draughtboard ['drɑːftbɔːd] (*BRIT*) *n* Damebrett *nt*.
draughts [drɑːfts] (*BRIT*) *n* Damespiel *nt*.
draughtsman, (*US*) **draftsman** ['drɑːftsmən] (*irreg: like* **man**) *n* Zeichner(in) *m(f)*; (*as job*) technischer Zeichner *m*, technische Zeichnerin *f*.
draughtsmanship, (*US*) **draftsmanship** ['drɑːftsmənʃɪp] *n* zeichnerisches Können *nt*; (*art*) Zeichenkunst *f*.
draw [drɔː] (*pt* **drew,** *pp* **drawn**) *vt* zeichnen; (*cart, gun, tooth, conclusion*) ziehen; (*curtain: open*) aufziehen; (*: close*) zuziehen; (*admiration, attention*) erregen; (*money*) abheben; (*wages*) bekommen ♦ *vi* (*SPORT*) unentschieden spielen ♦ *n* (*SPORT*) Unentschieden *nt*; (*lottery*) Lotterie *f*; (*: picking of ticket*) Ziehung *f*; **to ~ a comparison/distinction (between)** einen Vergleich ziehen/Unterschied machen (zwischen *+dat*); **to ~ near** näherkommen; (*event*) nahen; **to ~ to a close** zu Ende gehen.
▸**draw back** *vi*: **to ~ back (from)** zurückweichen (von).
▸**draw in** *vi* (*BRIT: car*) anhalten; (*: train*) einfahren; (*nights*) länger werden.
▸**draw on** *vt* (*resources*) zurückgreifen auf *+acc*; (*imagination*) zu Hilfe nehmen; (*person*) einsetzen.
▸**draw out** *vi* länger werden ♦ *vt* (*money*) abheben.
▸**draw up** *vi* (an)halten ♦ *vt* (*chair etc*) heranziehen; (*document*) aufsetzen.
drawback ['drɔːbæk] *n* Nachteil *m*.
drawbridge ['drɔːbrɪdʒ] *n* Zugbrücke *f*.
drawee [drɔː'iː] *n* Bezogene(r) *f(m)*.
drawer [drɔː*] *n* Schublade *f*.
drawing ['drɔːɪŋ] *n* Zeichnung *f*; (*skill, discipline*) Zeichnen *nt*.
drawing board *n* Reißbrett *nt*; **back to the ~** (*fig*) das muß noch einmal neu überdacht werden.
drawing pin (*BRIT*) *n* Reißzwecke *f*.
drawing room *n* Salon *m*.
drawl [drɔːl] *n* schleppende Sprechweise *f* ♦ *vi* schleppend sprechen.
drawn [drɔːn] *pp of* **draw** ♦ *adj* abgespannt.
drawstring ['drɔːstrɪŋ] *n* Kordel *f* zum Zuziehen.
dread [drɛd] *n* Angst *f*, Furcht *f* ♦ *vt* große Angst haben vor *+dat*.
dreadful ['drɛdful] *adj* schrecklich, furchtbar; **I feel ~!** (*ill*) ich fühle mich schrecklich; (*ashamed*) es ist mir schrecklich peinlich.
dream [driːm] (*pt, pp* **dreamed** *or* **dreamt**) *n* Traum *m* ♦ *vt, vi* träumen; **to have a ~ about sb/sth** von jdm/etw träumen; **sweet ~s!** träume süß!
▸**dream up** *vt* sich *dat* einfallen lassen, sich *dat* ausdenken.
dreamer ['driːmə*] *n* Träumer(in) *m(f)*.
dreamt [drɛmt] *pt, pp of* **dream.**
dream world *n* Traumwelt *f*.
dreamy ['driːmɪ] *adj* verträumt; (*music*) zum Träumen.
dreary ['drɪərɪ] *adj* langweilig; (*weather*) trüb.
dredge [drɛdʒ] *vt* ausbaggern.
▸**dredge up** *vt* ausbaggern; (*fig: unpleasant facts*) ausgraben.
dredger ['drɛdʒə*] *n* (*ship*) Schwimmbagger *m*; (*machine*) Bagger *m*; (*BRIT: also:* **sugar ~**) Zuckerstreuer *m*.
dregs [drɛgz] *npl* Bodensatz *m*; (*of humanity*) Abschaum *m*.
drench [drɛntʃ] *vt* durchnässen; **~ed to the skin** naß bis auf die Haut.
dress [drɛs] *n* Kleid *nt*; (*no pl: clothing*) Kleidung *f* ♦ *vt* anziehen; (*wound*) verbinden ♦ *vi* sich anziehen; **she ~es very well** sie kleidet sich sehr gut; **to ~ a shop window** ein Schaufenster dekorieren; **to get ~ed** sich anziehen.
▸**dress up** *vi* sich feinmachen; (*in fancy dress*) sich verkleiden.
dress circle (*BRIT*) *n* (*THEAT*) erster Rang *m*.
dress designer *n* Modezeichner(in) *m(f)*.
dresser ['drɛsə*] *n* (*BRIT*) Anrichte *f*; (*US*) Kommode *f*; (*also:* **window ~**) Dekorateur(in) *m(f)*.
dressing ['drɛsɪŋ] *n* Verband *m*; (*CULIN*) (Salat)soße *f*.
dressing gown (*BRIT*) *n* Morgenrock *m*.
dressing room *n* Umkleidekabine *f*; (*THEAT*) (Künstler)garderobe *f*.
dressing table *n* Frisierkommode *f*.
dressmaker ['drɛsmeɪkə*] *n* (Damen)schneider(in) *m(f)*.
dressmaking ['drɛsmeɪkɪŋ] *n* Schneidern *nt*.
dress rehearsal *n* Generalprobe *f*.
dressy ['drɛsɪ] (*inf*) *adj* elegant.
drew [druː] *pt of* **draw.**
dribble ['drɪbl] *vi* tropfen; (*baby*) sabbern; (*FOOTBALL*) dribbeln ♦ *vt* (*ball*) dribbeln mit.
dried [draɪd] *adj* (*fruit*) getrocknet, Dörr-; **~ egg** Trockenei *nt*, Eipulver *nt*; **~ milk** Trockenmilch *f*, Milchpulver *nt*.
drier ['draɪə*] *n* = **dryer.**
drift [drɪft] *n* Strömung *f*; (*of snow*) Schneewehe *f*; (*of questions*) Richtung *f* ♦ *vi* treiben; (*sand*) wehen; **to let things ~** die Dinge treiben lassen; **to ~ apart** sich auseinanderleben; **I get** *or* **catch your ~** ich verstehe, worauf Sie hinauswollen.
drifter ['drɪftə*] *n*: **to be a ~** sich treiben lassen.
driftwood ['drɪftwud] *n* Treibholz *nt*.

drill [drɪl] *n* Bohrer *m*; (*machine*) Bohrmaschine *f*; (*MIL*) Drill *m* ♦ *vt* bohren; (*troops*) drillen ♦ *vi*: **to ~ (for)** bohren (nach); **to ~ pupils in grammar** mit den Schülern Grammatik pauken.
drilling ['drɪlɪŋ] *n* Bohrung *f*.
drilling rig *n* Bohrturm *m*; (*at sea*) Bohrinsel *f*.
drily ['draɪlɪ] *adv* = **dryly**.
drink [drɪŋk] (*pt* **drank,** *pp* **drunk**) *n* Getränk *nt*; (*alcoholic*) Glas *nt*, Drink *m*; (*sip*) Schluck *m* ♦ *vt, vi* trinken; **to have a ~** etwas trinken; **a ~ of water** etwas Wasser; **we had ~s before lunch** vor dem Mittagessen gab es einen Drink; **would you like something to ~?** möchten Sie etwas trinken?
▸**drink in** *vt* (*fresh air*) einatmen, einsaugen; (*story, sight*) (begierig) in sich aufnehmen.
drinkable ['drɪŋkəbl] *adj* trinkbar.
drink-driving ['drɪŋk'draɪvɪŋ] *n* Trunkenheit *f* am Steuer.
drinker ['drɪŋkə*] *n* Trinker(in) *m(f)*.
drinking ['drɪŋkɪŋ] *n* Trinken *nt*.
drinking fountain *n* Trinkwasserbrunnen *m*.
drinking water *n* Trinkwasser *nt*.
drip [drɪp] *n* Tropfen *nt*; (*one drip*) Tropfen *m*; (*MED*) Tropf *m* ♦ *vi* tropfen; (*wall*) triefnaß sein.
drip-dry ['drɪp'draɪ] *adj* bügelfrei.
drip-feed ['drɪpfi:d] *vt* künstlich ernähren ♦ *n*: **to be on a ~** künstlich ernährt werden.
dripping ['drɪpɪŋ] *n* Bratenfett *nt* ♦ *adj* triefend; **I'm ~** ich bin klatschnaß (*inf*); **~ wet** triefnaß.
drive [draɪv] (*pt* **drove,** *pp* **driven**) *n* Fahrt *f*; (*also*: **~way**) Einfahrt *f*; (: *longer*) Auffahrt *f*; (*energy*) Schwung *m*, Elan *m*; (*campaign*) Aktion *f*; (*SPORT*) Treibschlag *m*; (*COMPUT*: *also*: **disk ~**) Laufwerk *nt* ♦ *vt* fahren; (*TECH*) antreiben ♦ *vi* fahren; **to go for a ~** ein bißchen (raus)fahren; **it's 3 hours' ~ from London** es ist drei Stunden Fahrt von London (entfernt); **left-/right-hand ~** Links-/Rechtssteuerung *f*; **front-/rear-wheel ~** Vorderrad-/Hinterradantrieb *m*; **he ~s a taxi** er ist Taxifahrer; **to ~ sth into sth** (*nail, stake etc*) etw in etw schlagen *acc*; (*animal*) treiben; (*ball*) weit schlagen; (*incite, encourage*: *also*: **~ on**) antreiben; **to ~ sb home/to the airport** jdn nach Hause/zum Flughafen fahren; **to ~ sb mad** jdn verrückt machen; **to ~ sb to (do) sth** jdn dazu treiben, etw zu tun; **to ~ at 50 km an hour** mit (einer Geschwindigkeit von) 50 Stundenkilometern fahren; **what are you driving at?** worauf wollen Sie hinaus?
▸**drive off** *vt* vertreiben.
▸**drive out** *vt* (*evil spirit*) austreiben; (*person*) verdrängen.
drive-by shooting ['draɪvbaɪ-] *n* *Schußwaffenangriff aus einem vorbeifahrenden Wagen.*
drive-in ['draɪvɪn] (*esp US*) *adj, n*: **~ (cinema)** Autokino *nt*; **~ (restaurant)** Autorestaurant *nt*.
drive-in window (*US*) *n* Autoschalter *m*.
drivel ['drɪvl] (*inf*) *n* Blödsinn *m*.
driven ['drɪvn] *pp of* **drive.**
driver ['draɪvə*] *n* Fahrer(in) *m(f)*; (*RAIL*) Führer(in) *m(f)*.
driver's license ['draɪvəz-] (*US*) *n* Führerschein *m*.
driveway ['draɪvweɪ] *n* Einfahrt *f*; (*longer*) Auffahrt *f*.
driving ['draɪvɪŋ] *n* Fahren *nt* ♦ *adj*: **~ rain** strömender Regen *m*; **~ snow** Schneetreiben *nt*.
driving belt *n* Treibriemen *m*.
driving force *n* treibende Kraft *f*.
driving instructor *n* Fahrlehrer(in) *m(f)*.
driving lesson *n* Fahrstunde *f*.
driving licence (*BRIT*) *n* Führerschein *m*.
driving mirror *n* Rückspiegel *m*.
driving school *n* Fahrschule *f*.
driving test *n* Fahrprüfung *f*.
drizzle ['drɪzl] *n* Nieselregen *m* ♦ *vi* nieseln.
droll [drəul] *adj* drollig.
dromedary ['drɔmədərɪ] *n* Dromedar *nt*.
drone [drəun] *n* Brummen *nt*; (*male bee*) Drohne *f* ♦ *vi* brummen; (*bee*) summen; (*also*: **~ on**) eintönig sprechen.
drool [dru:l] *vi* sabbern; **to ~ over sth/sb** etw/jdn sehnsüchtig anstarren.
droop [dru:p] *vi* (*flower*) den Kopf hängen lassen; **his shoulders/head ~ed** er ließ die Schultern/den Kopf herabhängen.
drop [drɔp] *n* Tropfen *m*; (*lessening*) Rückgang *m*; (*distance*) Höhenunterschied *m*; (*in salary*) Verschlechterung *f*; (*also*: **parachute ~**) (Ab)sprung *m* ♦ *vt* fallen lassen; (*voice, eyes, price*) senken; (*set down from car*) absetzen; (*omit*) weglassen ♦ *vi* (herunter)fallen; (*wind*) sich legen; **drops** *npl* Tropfen *pl*; **a 300 ft ~** ein Höhenunterschied von 300 Fuß; **a ~ of 10%** ein Rückgang um 10%; **cough ~s** Hustentropfen *pl*; **to ~ anchor** ankern, vor Anker gehen; **to ~ sb a line** jdm ein paar Zeilen schreiben.
▸**drop in** (*inf*) *vi*: **to ~ in (on sb)** (bei jdm) vorbeikommen.
▸**drop off** *vi* einschlafen ♦ *vt* (*passenger*) absetzen.
▸**drop out** *vi* (*withdraw*) ausscheiden; (*student*) sein Studium abbrechen.
droplet ['drɔplɪt] *n* Tröpfchen *nt*.
dropout ['drɔpaut] *n* Aussteiger(in) *m(f)*; (*SCOL*) Studienabbrecher(in) *m(f)*.
dropper ['drɔpə*] *n* Pipette *f*.
droppings ['drɔpɪŋz] *npl* Kot *m*.
dross [drɔs] *n* Schlacke *f*; (*fig*) Schund *m*.
drought [draut] *n* Dürre *f*.
drove [drəuv] *pt of* **drive** ♦ *n*: **~s of people** Scharen *pl* von Menschen.
drown [draun] *vt* ertränken; (*fig*: *also*: **~ out**)

übertönen ♦ *vi* ertrinken.
drowse [drauz] *vi* (vor sich *acc* hin) dösen *or* dämmern.
drowsy ['drauzɪ] *adj* schläfrig.
drudge [drʌdʒ] *n* Arbeitstier *nt*.
drudgery ['drʌdʒərɪ] *n* (stumpfsinnige) Plackerei *f* (*inf*); **housework is sheer ~** Hausarbeit ist eine einzige Plackerei.
drug [drʌg] *n* Medikament *nt*, Arzneimittel *nt*; (*narcotic*) Droge *f*, Rauschgift *nt* ♦ *vt* betäuben; **to be on ~s** drogensüchtig sein; **hard/soft ~s** harte/weiche Drogen *pl*.
drug addict *n* Drogensüchtige(r) *f(m)*, Rauschgiftsüchtige(r) *f(m)*.
druggist ['drʌgɪst] (*US*) *n* Drogist(in) *m(f)*.
drug peddler *n* Drogenhändler(in) *m(f)*, Dealer *m* (*inf*).
drugstore ['drʌgstɔː*] (*US*) *n* Drogerie *f*.
drum [drʌm] *n* Trommel *f*; (*for oil, petrol*) Faß *nt* ♦ *vi* trommeln; **drums** *npl* (*kit*) Schlagzeug *nt*.
▸**drum up** *vt* (*enthusiasm*) erwecken; (*support*) auftreiben.
drummer ['drʌmə*] *n* Trommler(in) *m(f)*; (*in band, pop group*) Schlagzeuger(in) *m(f)*.
drum roll *n* Trommelwirbel *m*.
drumstick ['drʌmstɪk] *n* Trommelstock *m*; (*of chicken*) Keule *f*.
drunk [drʌŋk] *pp of* **drink** ♦ *adj* betrunken ♦ *n* (*also*: **~ard**) Trinker(in) *m(f)*; **to get ~** sich betrinken; **a ~ driving offence** Trunkenheit *f* am Steuer.
drunken ['drʌŋkən] *adj* betrunken; (*party*) feucht-fröhlich; **~ driving** Trunkenheit *f* am Steuer.
drunkenness ['drʌŋkənnɪs] *n* (*state*) Betrunkenheit *f*; (*habit*) Trunksucht *f*.
dry [draɪ] *adj* trocken ♦ *vt, vi* trocknen; **on ~ land** auf festem Boden; **to ~ one's hands/hair/eyes** sich *dat* die Hände (ab)trocknen/die Haare trocknen/die Tränen abwischen; **to ~ the dishes** (das Geschirr) abtrocknen.
▸**dry up** *vi* austrocknen; (*in speech*) den Faden verlieren.
dry-clean ['draɪ'kliːn] *vt* chemisch reinigen.
dry-cleaner ['draɪ'kliːnə*] *n* (*job*) Inhaber(in) *m(f)* einer chemischen Reinigung; (*shop*: *also*: **~'s**) chemische Reinigung *f*.
dry-cleaning ['draɪ'kliːnɪŋ] *n* (*process*) chemische Reinigung *f*.
dry dock *n* Trockendock *nt*.
dryer ['draɪə*] *n* Wäschetrockner *m*; (*US: spin-dryer*) Wäscheschleuder *f*.
dry goods *npl* Kurzwaren *pl*.
dry ice *n* Trockeneis *nt*.
dryly ['draɪlɪ] *adv* (*say, remark*) trocken.
dryness ['draɪnɪs] *n* Trockenheit *f*.
dry rot *n* (Haus)schwamm *m*, (Holz)schwamm *m*.
dry run *n* (*fig*) Probe *f*.
dry ski slope *n* Trockenskipiste *f*.
DSc *n abbr* (= *Doctor of Science*) ≈ Dr. rer. nat.
DSS (*BRIT*) *n abbr* (= *Department of Social Security*) Ministerium für Sozialfürsorge.
DST (*US*) *abbr* = **daylight-saving time.**
DT *n abbr* (*COMPUT*) = **data transmission.**
DTI (*BRIT*) *n abbr* (= *Department of Trade and Industry*) ≈ Wirtschaftsministerium *nt*.
DTP *n abbr* (= *desktop publishing*) DTP *nt*; *see also* **desktop publishing.**
DT's (*inf*) *npl abbr* (= *delirium tremens*) Delirium tremens *nt*; **to have the ~** vom Trinken den Tatterich haben (*inf*).
dual ['djuəl] *adj* doppelt; (*personality*) gespalten.
dual carriageway (*BRIT*) *n* ≈ Schnellstraße *f*.
dual nationality *n* doppelte Staatsangehörigkeit *f*.
dual-purpose ['djuəl'pəːpəs] *adj* zweifach verwendbar.
dubbed [dʌbd] *adj* synchronisiert; (*nicknamed*) getauft.
dubious ['djuːbɪəs] *adj* zweifelhaft; **I'm very ~ about it** ich habe da (doch) starke Zweifel.
Dublin ['dʌblɪn] *n* Dublin *nt*.
Dubliner ['dʌblɪnə*] *n* Dubliner(in) *m(f)*.
duchess ['dʌtʃɪs] *n* Herzogin *f*.
duck [dʌk] *n* Ente *f* ♦ *vi* (*also*: **~ down**) sich ducken ♦ *vt* (*blow*) ausweichen *+dat*; (*duty, responsibility*) aus dem Weg gehen *+dat*.
duckling ['dʌklɪŋ] *n* Entenküken *nt*; (*CULIN*) (junge) Ente *f*.
duct [dʌkt] *n* Rohr *nt*; (*ANAT*) Röhre *f*; **tear ~** Tränenkanal *m*.
dud [dʌd] *n* Niete *f* (*inf*); (*note*) Blüte *f* (*inf*) ♦ *adj*: **~ cheque** (*BRIT*) ungedeckter Scheck *m*.
due [djuː] *adj* fällig; (*attention etc*) gebührend; (*consideration*) reiflich ♦ *n*: **to give sb his/her ~** jdn gerecht behandeln ♦ *adv*: **~ north** direkt nach Norden; **dues** *npl* Beitrag *m*; (*in harbour*) Gebühren *pl*; **in ~ course** zu gegebener Zeit; (*eventually*) im Laufe der Zeit; **~ to** (*owing to*) wegen *+gen*, aufgrund *+gen*; **to be ~ to do sth** etw tun sollen; **the rent is ~ on the 30th** die Miete ist am 30. fällig; **the train is ~ at 8** der Zug soll (laut Fahrplan) um 8 ankommen; **she is ~ back tomorrow** sie müßte morgen zurück sein; **I am ~ 6 days' leave** mir stehen 6 Tage Urlaub zu.
due date *n* Fälligkeitsdatum *nt*.
duel ['djuəl] *n* Duell *nt*.
duet [djuː'ɛt] *n* Duett *nt*.
duff [dʌf] (*BRIT: inf*) *adj* kaputt.
▸**duff up** *vt* vermöbeln.
duffel bag ['dʌfl-] *n* Matchbeutel *m*.
duffel coat *n* Dufflecoat *m*.
duffer ['dʌfə*] (*inf*) *n* Versager *m*, Flasche *f*.
dug [dʌg] *pt, pp of* **dig.**
dugout ['dʌgaut] *n* (*canoe*) Einbaum *m*; (*shelter*) Unterstand *m*.

duke [dju:k] *n* Herzog *m*.
dull [dʌl] *adj* trüb; (*intelligence, wit*) schwerfällig, langsam; (*event*) langweilig; (*sound, pain*) dumpf ♦ *vt* (*pain, grief*) betäuben; (*mind, senses*) abstumpfen.
duly ['dju:lɪ] *adv* (*properly*) gebührend; (*on time*) pünktlich.
dumb [dʌm] *adj* stumm; (*pej: stupid*) dumm, doof (*inf*); **he was struck ~** es verschlug ihm die Sprache.
dumbbell ['dʌmbɛl] *n* Hantel *f*.
dumbfounded [dʌm'faundɪd] *adj* verblüfft.
dummy ['dʌmɪ] *n* (Schneider)puppe *f*; (*mock-up*) Attrappe *f*; (*SPORT*) Finte *f*; (*BRIT: for baby*) Schnuller *m* ♦ *adj* (*firm*) fiktiv; **~ bullets** Übungsmunition *f*.
dummy run *n* Probe *f*.
dump [dʌmp] *n* (*also*: **rubbish ~**) Abfallhaufen *m*; (*inf: place*) Müllkippe *f*; (*MIL*) Depot *nt* ♦ *vt* fallen lassen; (*get rid of*) abladen; (*car*) abstellen; (*COMPUT: data*) ausgeben; **to be down in the ~s** (*inf*) deprimiert *or* down sein; **"no ~ing"** „Schuttabladen verboten".
dumpling ['dʌmplɪŋ] *n* Kloß *m*, Knödel *m*.
dumpy ['dʌmpɪ] *adj* pummelig.
dunce [dʌns] *n* Niete *f*.
dune [dju:n] *n* Düne *f*.
dung [dʌŋ] *n* (*AGR*) Dünger *m*, Mist *m*; (*ZOOL*) Dung *m*.
dungarees [dʌŋgə'ri:z] *npl* Latzhose *f*.
dungeon ['dʌndʒən] *n* Kerker *m*, Verlies *nt*.
dunk [dʌŋk] *vt* (ein)tunken.
Dunkirk [dʌn'kə:k] *n* Dünkirchen *nt*.
duo ['dju:əu] *n* Duo *nt*.
duodenal [dju:əu'di:nl] *adj* Duodenal-; **~ ulcer** Zwölffingerdarmgeschwür *nt*.
duodenum [dju:əu'di:nəm] *n* Zwölffingerdarm *m*.
dupe [dju:p] *n* Betrogene(r) *f(m)* ♦ *vt* betrügen.
duplex ['dju:plɛks] (*US*) *n* Zweifamilienhaus *nt*; (*apartment*) zweistöckige Wohnung *f*.
duplicate [*n, adj* 'dju:plɪkət, *vt* 'dju:plɪkeɪt] *n* (*also*: **~ copy**) Duplikat *nt*, Kopie *f*; (*also*: **~ key**) Zweitschlüssel *m* ♦ *adj* doppelt ♦ *vt* kopieren; (*repeat*) wiederholen; **in ~** in doppelter Ausfertigung.
duplicating machine ['dju:plɪkeɪtɪŋ-] *n* Vervielfältigungsapparat *m*.
duplicator ['dju:plɪkeɪtə*] *n* Vervielfältigungsapparat *m*.
duplicity [dju:'plɪsɪtɪ] *n* Doppelspiel *nt*.
Dur. (*BRIT*) *abbr* (*POST:* = *Durham*).
durability [djuərə'bɪlɪtɪ] *n* Haltbarkeit *f*.
durable ['djuərəbl] *adj* haltbar.
duration [djuə'reɪʃən] *n* Dauer *f*.
duress [djuə'rɛs] *n*: **under ~** unter Zwang.
Durex® ['djuərɛks] (*BRIT*) *n* Gummi *m* (*inf*).
during ['djuərɪŋ] *prep* während *+gen*.
dusk [dʌsk] *n* (Abend)dämmerung *f*.
dusky ['dʌskɪ] *adj* (*room*) dunkel; (*light*) Dämmer-.
dust [dʌst] *n* Staub *m* ♦ *vt* abstauben; (*cake etc*): **to ~ with** bestäuben mit.
▸**dust off** *vt* abwischen, wegwischen; (*fig*) hervorkramen.
dustbin ['dʌstbɪn] (*BRIT*) *n* Mülltonne *f*.
dustbin liner (*BRIT*) *n* Müllsack *m*.
duster ['dʌstə*] *n* Staubtuch *nt*.
dust jacket *n* (Schutz)umschlag *m*.
dustman ['dʌstmən] (*BRIT: irreg: like* **man**) *n* Müllmann *m*.
dustpan ['dʌstpæn] *n* Kehrschaufel *f*, Müllschaufel *f*.
dusty ['dʌstɪ] *adj* staubig.
Dutch [dʌtʃ] *adj* holländisch, niederländisch ♦ *n* Holländisch *nt*, Niederländisch *nt* ♦ *adv*: **to go ~** (*inf*) getrennte Kasse machen; **the Dutch** *npl* die Holländer *pl*, die Niederländer *pl*.
Dutch auction *n Versteigerung mit stufenweise erniedrigtem Ausbietungspreis.*
Dutchman ['dʌtʃmən] (*irreg: like* **man**) *n* Holländer *m*, Niederländer *m*.
Dutchwoman ['dʌtʃwumən] (*irreg: like* **woman**) *n* Holländerin *f*, Niederländerin *f*.
dutiable ['dju:tɪəbl] *adj* zollpflichtig.
dutiful ['dju:tɪful] *adj* pflichtbewußt; (*son, daughter*) gehorsam.
duty ['dju:tɪ] *n* Pflicht *f*; (*tax*) Zoll *m*; **duties** *npl* (*functions*) Aufgaben *pl*; **to make it one's ~ to do sth** es sich *dat* zur Pflicht machen, etw zu tun; **to pay ~ on sth** Zoll auf etw *acc* zahlen; **on/off ~** im/nicht im Dienst.
duty-free ['dju:tɪ'fri:] *adj* zollfrei; **~ shop** Duty-free-Shop *m*.
duty officer *n* Offizier *m* vom Dienst.
duvet ['du:veɪ] (*BRIT*) *n* Federbett *nt*.
DV *abbr* (= *Deo volente*) so Gott will.
DVLA *n abbr* (= *Driver and Vehicle Licensing Authority*) *Zulassungsbehörde für Kraftfahrzeuge.*
DVLC (*BRIT*) *n abbr* (= *Driver and Vehicle Licensing Centre*) *Zulassungsstelle für Kraftfahrzeuge.*
DVM (*US*) *n abbr* (= *Doctor of Veterinary Medicine*) ≈ Dr. med. vet.
dwarf [dwɔ:f] (*pl* **dwarves**) *n* Zwerg(in) *m(f)* ♦ *vt*: **to be ~ed by sth** neben etw *dat* klein erscheinen.
dwarves [dwɔ:vz] *npl of* **dwarf**.
dwell [dwɛl] (*pt, pp* **dwelt**) *vi* wohnen, leben.
▸**dwell on** *vt fus* (in Gedanken) verweilen bei.
dweller ['dwɛlə*] *n* Bewohner(in) *m(f)*; **city ~** Stadtbewohner(in) *m(f)*.
dwelling ['dwɛlɪŋ] *n* Wohnhaus *nt*.
dwelt [dwɛlt] *pt, pp of* **dwell**.
dwindle ['dwɪndl] *vi* abnehmen; (*interest*) schwinden; (*attendance*) zurückgehen.
dwindling ['dwɪndlɪŋ] *adj* (*strength, interest*) schwindend; (*resources, supplies*) versiegend.
dye [daɪ] *n* Farbstoff *m*; (*for hair*) Färbemittel *nt* ♦ *vt* färben.

dyestuffs ['daɪstʌfs] *npl* Farbstoffe *pl.*
dying ['daɪɪŋ] *adj* sterbend; (*moments, words*) letzte(r, s).
dyke [daɪk] *n* (*BRIT: wall*) Deich *m*, Damm *m*; (*channel*) (Entwässerungs)graben *m*; (*causeway*) Fahrdamm *m*.
dynamic [daɪ'næmɪk] *adj* dynamisch.
dynamics [daɪ'næmɪks] *n or npl* Dynamik *f.*
dynamite ['daɪnəmaɪt] *n* Dynamit *nt* ♦ *vt* sprengen.
dynamo ['daɪnəməu] *n* Dynamo *m*; (*AUT*) Lichtmaschine *f.*
dynasty ['dɪnəstɪ] *n* Dynastie *f.*
dysentery ['dɪsntrɪ] *n* (*MED*) Ruhr *f.*
dyslexia [dɪs'lɛksɪə] *n* Legasthenie *f.*
dyslexic [dɪs'lɛksɪk] *adj* legasthenisch ♦ *n* Legastheniker(in) *m(f).*
dyspepsia [dɪs'pɛpsɪə] *n* Dyspepsie *f*, Verdauungsstörung *f.*
dystrophy ['dɪstrəfɪ] *n* Dystrophie *f*, Ernährungsstörung *f*; **muscular ~** Muskelschwund *m.*

E, e

E[1]**, e** [iː] *n* (*letter*) E *nt*, e *nt*; **~ for Edward,** (*US*) **~ for Easy** E wie Emil.
E[2] [iː] *n* (*MUS*) E *nt*, e *nt.*
E[3] [iː] *abbr* (= *east*) O ♦ *n abbr* (*drug: = Ecstasy*) Ecstasy *nt.*
E111 *n abbr* (*also*: **form ~**) E111-Formular *nt.*
E.A. (*US*) *n abbr* (= *educational age*) Bildungsstand *m.*
ea. *abbr* = **each.**
each [iːtʃ] *adj, pron* jede(r, s); **~ other** sich, einander; **they hate ~ other** sie hassen sich *or* einander; **you are jealous of ~ other** ihr seid eifersüchtig aufeinander; **~ day** jeden Tag; **they have 2 books ~** sie haben je 2 Bücher; **they cost £5 ~** sie kosten 5 Pfund das Stück; **~ of us** jede(r, s) von uns.
eager ['iːgə*] *adj* eifrig; **to be ~ to do sth** etw unbedingt tun wollen; **to be ~ for sth** auf etw *acc* erpicht *or* aus (*inf*) sein.
eagerly ['iːgəlɪ] *adv* eifrig; (*awaited*) gespannt, ungeduldig.
eagle ['iːgl] *n* Adler *m.*
ear [ɪə*] *n* Ohr *nt*; (*of corn*) Ähre *f*; **to be up to one's ~s in debt/work** bis über beide Ohren in Schulden/Arbeit stecken; **to be up to one's ~s in paint/baking** mitten im Anstreichen/Backen stecken; **to give sb a thick ~** jdm ein paar hinter die Ohren geben; **we'll play it by ~** (*fig*) wir werden es auf uns zukommen lassen.
earache ['ɪəreɪk] *n* Ohrenschmerzen *pl.*
eardrum ['ɪədrʌm] *n* Trommelfell *nt.*
earful ['ɪəful] (*inf*) *n*: **to give sb an ~** jdm was erzählen; **to get an ~** was zu hören bekommen.
earl [əːl] (*BRIT*) *n* Graf *m.*
earlier ['əːlɪə*] *adj, adv* früher; **I can't come any ~** ich kann nicht früher *or* eher kommen.
early ['əːlɪ] *adv* früh; (*ahead of time*) zu früh ♦ *adj* früh; (*Christians*) Ur-; (*death, departure*) vorzeitig; (*reply*) baldig; **~ in the morning** früh am Morgen; **to have an ~ night** früh ins Bett gehen; **in the ~ hours** in den frühen Morgenstunden; **in the ~** *or* **~ in the spring/19th century** Anfang des Frühjahrs/des 19. Jahrhunderts; **take the ~ train** nimm den früheren Zug; **you're ~!** Sie sind früh dran!; **she's in her ~ forties** sie ist Anfang Vierzig; **at your earliest convenience** so bald wie möglich.
early retirement *n*: **to take ~** vorzeitig in den Ruhestand gehen.
early warning system *n* Frühwarnsystem *nt.*
earmark ['ɪəmɑːk] *vt*: **to ~ (for)** bestimmen (für), vorsehen (für).
earn [əːn] *vt* verdienen; (*interest*) bringen; **to ~ one's living** seinen Lebensunterhalt verdienen; **this ~ed him much praise, he ~ed much praise for this** das trug ihm viel Lob ein; **he's ~ed his rest/reward** er hat sich seine Pause/Belohnung verdient.
earned income [əːnd-] *n* Arbeitseinkommen *nt.*
earnest ['əːnɪst] *adj* ernsthaft; (*wish, desire*) innig ♦ *n* (*also*: **~ money**) Angeld *nt*; **in ~** (*adv*) richtig; (*adj*): **to be in ~** es ernst meinen; **work on the tunnel soon began in ~** die Tunnelarbeiten begannen bald richtig; **is the Minister in ~ about these proposals?** meint der Minister diese Vorschläge ernst?
earnings ['əːnɪŋz] *npl* Verdienst *m*; (*of company etc*) Ertrag *m.*
ear, nose and throat specialist *n* Hals-Nasen-Ohren-Arzt *m*, Hals-Nasen-Ohren-Ärztin *f.*
earphones ['ɪəfəunz] *npl* Kopfhörer *pl.*
earplugs ['ɪəplʌgz] *npl* Ohropax ® *nt.*
earring ['ɪərɪŋ] *n* Ohrring *m.*
earshot ['ɪəʃɔt] *n*: **within/out of ~** in/außer Hörweite.
earth [əːθ] *n* Erde *f*; (*of fox*) Bau *m* ♦ *vt* (*BRIT: ELEC*) erden.
earthenware ['əːθnwɛə*] *n* Tongeschirr *nt* ♦ *adj* Ton-.
earthly ['əːθlɪ] *adj* irdisch; **~ paradise** Paradies *nt* auf Erden; **there is no ~ reason to think ...** es besteht nicht der geringste Grund für die Annahme ...
earthquake ['əːθkweɪk] *n* Erdbeben *nt.*
earthshattering ['əːθʃætərɪŋ] *adj* (*fig*) weltbewegend.

earth tremor *n* Erdstoß *m*.
earthworks ['ə:θwə:ks] *npl* Erdarbeiten *pl*.
earthworm ['ə:θwə:m] *n* Regenwurm *m*.
earthy ['ə:θɪ] *adj* (*humour*) derb.
earwig ['ɪəwɪg] *n* Ohrwurm *m*.
ease [i:z] *n* Leichtigkeit *f*; (*comfort*) Behagen *nt* ♦ *vt* (*problem*) vereinfachen; (*pain*) lindern; (*tension*) verringern; (*loosen*) lockern ♦ *vi* nachlassen; (*situation*) sich entspannen; **to ~ sth in/out** (*push/pull*) etw behutsam hineinschieben/herausziehen; **at ~!** (*MIL*) rührt euch!; **with ~** mit Leichtigkeit; **life of ~** Leben der Muße; **to ~ in the clutch** die Kupplung behutsam kommen lassen.
▶**ease off** *vi* nachlassen; (*slow down*) langsamer werden.
▶**ease up** *vi* = **ease off.**
easel ['i:zl] *n* Staffelei *f*.
easily ['i:zɪlɪ] *adv* (*see adj*) leicht; ungezwungen; bequem.
easiness ['i:zɪnɪs] *n* Leichtigkeit *f*; (*of manner*) Ungezwungenheit *f*.
east [i:st] *n* Osten *m* ♦ *adj* (*coast, Asia etc*) Ost- ♦ *adv* ostwärts, nach Osten; **the E~** der Osten.
Easter ['i:stə*] *n* Ostern *nt* ♦ *adj* (*holidays etc*) Oster-.
Easter egg *n* Osterei *nt*.
Easter Island *n* Osterinsel *f*.
easterly ['i:stəlɪ] *adj* östlich; (*wind*) Ost-.
Easter Monday *n* Ostermontag *m*.
eastern ['i:stən] *adj* östlich; **E~ Europe** Osteuropa *nt*; **the E~ bloc** (*formerly*) der Ostblock.
Easter Sunday *n* Ostersonntag *m*.
East Germany *n* (*formerly*) die DDR *f*.
eastward(s) ['i:stwəd(z)] *adv* ostwärts, nach Osten.
easy ['i:zɪ] *adj* leicht; (*relaxed*) ungezwungen; (*comfortable*) bequem ♦ *adv*: **to take it/things ~** (*go slowly*) sich *dat* Zeit lassen; (*not worry*) es nicht so schwer nehmen; (*rest*) sich schonen; **payment on ~ terms** Zahlung zu günstigen Bedingungen; **that's easier said than done** das ist leichter gesagt als getan; **I'm ~** (*inf*) mir ist alles recht.
easy chair *n* Sessel *m*.
easy-going ['i:zɪ'gəuɪŋ] *adj* gelassen.
easy touch (*inf*) *n*: **to be an ~** (*for money etc*) leicht anzuzapfen sein.
eat [i:t] (*pt* **ate,** *pp* **eaten**) *vt, vi* essen; (*animal*) fressen.
▶**eat away** *vt* (*subj: sea*) auswaschen; (*: acid*) zerfressen.
▶**eat away at** *vt fus* (*metal*) anfressen; (*savings*) angreifen.
▶**eat into** *vt fus* = **eat away at.**
▶**eat out** *vi* essen gehen.
▶**eat up** *vt* aufessen; **it ~s up electricity** es verbraucht viel Strom.
eatable ['i:təbl] *adj* genießbar.
eau de Cologne ['əudəkə'ləun] *n* Kölnisch Wasser *nt*, Eau de Cologne *nt*.
eaves [i:vz] *npl* Dachvorsprung *m*.
eavesdrop ['i:vzdrɔp] *vi* lauschen; **to ~ on** belauschen *+acc*.
ebb [ɛb] *n* Ebbe *f* ♦ *vi* ebben; (*fig: also:* **~ away**) dahinschwinden; (*: feeling*) abebben; **the ~ and flow** (*fig*) das Auf und Ab; **to be at a low ~** (*fig*) auf einem Tiefpunkt angelangt sein.
ebb tide *n* Ebbe *f*.
ebony ['ɛbənɪ] *n* Ebenholz *nt*.
ebullient [ɪ'bʌlɪənt] *adj* überschäumend, übersprudelnd.
EC *n abbr* (= *European Community*) EG *f*.
eccentric [ɪk'sɛntrɪk] *adj* exzentrisch ♦ *n* Exzentriker(in) *m(f)*.
ecclesiastic(al) [ɪkli:zɪ'æstɪk(l)] *adj* kirchlich.
ECG *n abbr* (= *electrocardiogram*) EKG *nt*.
echo ['ɛkəu] (*pl* **~es**) *n* Echo *nt* ♦ *vt* wiederholen ♦ *vi* widerhallen; (*place*) hallen.
éclair [eɪ'klɛə*] *n* Eclair *nt*.
eclipse [ɪ'klɪps] *n* Finsternis *f* ♦ *vt* in den Schatten stellen.
ECM (*US*) *n abbr* (= *European Common Market*) EG *f*.
eco- ['i:kəu] *pref* Öko-, öko-.
ecofriendly *adj* umweltfreundlich.
ecological [i:kə'lɔdʒɪkəl] *adj* ökologisch; (*damage, disaster*) Umwelt-.
ecologist [ɪ'kɔlədʒɪst] *n* Ökologe *m*, Ökologin *f*.
ecology [ɪ'kɔlədʒɪ] *n* Ökologie *f*.
economic [i:kə'nɔmɪk] *adj* (*system, policy etc*) Wirtschafts-; (*profitable*) wirtschaftlich.
economical [i:kə'nɔmɪkl] *adj* wirtschaftlich; (*person*) sparsam.
economically [i:kə'nɔmɪklɪ] *adv* wirtschaftlich; (*thriftily*) sparsam.
economics [i:kə'nɔmɪks] *n* Wirtschaftswissenschaften *pl* ♦ *npl* Wirtschaftlichkeit *f*; (*of situation*) wirtschaftliche Seite *f*.
economist [ɪ'kɔnəmɪst] *n* Wirtschaftswissenschaftler(in) *m(f)*.
economize [ɪ'kɔnəmaɪz] *vi* sparen.
economy [ɪ'kɔnəmɪ] *n* Wirtschaft *f*; (*financial prudence*) Sparsamkeit *f*; **economies of scale** (*COMM*) Einsparungen *pl* durch erhöhte Produktion.
economy class *n* Touristenklasse *f*.
economy size *n* Sparpackung *f*.
ecosystem ['i:kəusɪstəm] *n* Ökosystem *nt*.
ecotourism ['i:kəu'tuərɪzm] *n* Ökotourismus *m*.
ECSC *n abbr* (= *European Coal and Steel Community*) *Europäische Gemeinschaft für Kohle und Stahl.*
ecstasy ['ɛkstəsɪ] *n* Ekstase *f*; (*drug*) Ecstasy *nt*; **to go into ecstasies over** in Verzückung geraten über *+acc*; **in ~** verzückt.
ecstatic [ɛks'tætɪk] *adj* ekstatisch.

ECT *n abbr* = **electroconvulsive therapy.**
ECU ['eɪkjuː] *n abbr* (= *European Currency Unit*) Ecu *m.*
Ecuador ['ɛkwədɔː*] *n* Ecuador *nt*, Ekuador *nt.*
ecumenical [iːkju'mɛnɪkl] *adj* ökumenisch.
eczema ['ɛksɪmə] *n* Ekzem *nt.*
eddy ['ɛdɪ] *n* Strudel *m.*
edge [ɛdʒ] *n* Rand *m*; (*of table, chair*) Kante *f*; (*of lake*) Ufer *nt*; (*of knife etc*) Schneide *f* ♦ *vt* einfassen ♦ *vi*: **to ~ forward** sich nach vorne schieben; **on ~** (*fig*) = **edgy; to have the ~ on** überlegen sein *+dat*; **to ~ away from** sich allmählich entfernen von; **to ~ past** sich vorbeischieben, sich vorbeidrücken.
edgeways ['ɛdʒweɪz] *adv*: **he couldn't get a word in ~** er kam überhaupt nicht zu Wort.
edging ['ɛdʒɪŋ] *n* Einfassung *f.*
edgy ['ɛdʒɪ] *adj* nervös.
edible ['ɛdɪbl] *adj* eßbar, genießbar.
edict ['iːdɪkt] *n* Erlaß *m.*
edifice ['ɛdɪfɪs] *n* Gebäude *nt.*
edifying ['ɛdɪfaɪɪŋ] *adj* erbaulich.
Edinburgh ['ɛdɪnbərə] *n* Edinburg(h) *nt.*
edit ['ɛdɪt] *vt* (*text*) redigieren; (*book*) lektorieren; (*film, broadcast*) schneiden, cutten; (*newspaper, magazine*) herausgeben; (*COMPUT*) editieren.
edition [ɪ'dɪʃən] *n* Ausgabe *f.*
editor ['ɛdɪtə*] *n* Redakteur(in) *m(f)*; (*of newspaper, magazine*) Herausgeber(in) *m(f)*; (*of book*) Lektor(in) *m(f)*; (*CINE, RADIO, TV*) Cutter(in) *m(f).*
editorial [ɛdɪ'tɔːrɪəl] *adj* redaktionell; (*staff*) Redaktions- ♦ *n* Leitartikel *m.*
EDP *n abbr* (*COMPUT*) (= *electronic data processing*) EDV *f.*
EDT (*US*) *abbr* (= *Eastern Daylight Time*) *ostamerikanische Sommerzeit.*
educate ['ɛdjukeɪt] *vt* erziehen; **~d at** ... zur Schule/Universität gegangen in ...
educated ['ɛdjukeɪtɪd] *adj* gebildet.
educated guess ['ɛdjukeɪtɪd-] *n* wohlbegründete Vermutung *f.*
education [ɛdju'keɪʃən] *n* Erziehung *f*; (*schooling*) Ausbildung *f*; (*knowledge, culture*) Bildung *f*; **primary** *or* (*US*) **elementary ~** Grundschul(aus)bildung *f*; **secondary ~** höhere Schul(aus)bildung *f.*
educational [ɛdju'keɪʃənl] *adj* pädagogisch; (*experience*) lehrreich; (*toy*) pädagogisch wertvoll; **~ technology** Unterrichtstechnologie *f.*
Edwardian [ɛd'wɔːdɪən] *adj* aus der Zeit Edwards VII.
EE *abbr* = **electrical engineer.**
EEC *n abbr* (= *European Economic Community*) EWG *f.*
EEG *n abbr* (= *electroencephalogram*) EEG *nt.*
eel [iːl] *n* Aal *m.*
EENT (*US*) *n abbr* (*MED*: = *eye, ear, nose and throat*) *Augen und Hals-Nasen-Ohren.*
EEOC (*US*) *n abbr* (= *Equal Employment Opportunity Commission*) *Kommission für Gleichberechtigung am Arbeitsplatz.*
eerie ['ɪərɪ] *adj* unheimlich.
EET *abbr* (= *Eastern European Time*) OEZ *f.*
efface [ɪ'feɪs] *vt* auslöschen; **to ~ o.s.** sich im Hintergrund halten.
effect [ɪ'fɛkt] *n* Wirkung *f*, Effekt *m* ♦ *vt* bewirken; (*repairs*) durchführen; **effects** *npl* Effekten *pl*; (*THEAT, CINE etc*) Effekte *pl*; **to take ~** (*law*) in Kraft treten; (*drug*) wirken; **to put into ~** in Kraft setzen; **to have an ~ on sb/sth** eine Wirkung auf jdn/etw haben; **in ~** eigentlich, praktisch; **his letter is to the ~ that** ... sein Brief hat zum Inhalt, daß ...
effective [ɪ'fɛktɪv] *adj* effektiv, wirksam; (*actual*) eigentlich, wirklich; **to become ~** in Kraft treten; **~ date** Zeitpunkt *m* des Inkrafttretens.
effectively [ɪ'fɛktɪvlɪ] *adv* effektiv.
effectiveness [ɪ'fɛktɪvnɪs] *n* Wirksamkeit *f*, Effektivität *f.*
effeminate [ɪ'fɛmɪnɪt] *adj* feminin, effeminiert.
effervescent [ɛfə'vɛsnt] *adj* sprudelnd.
efficacy ['ɛfɪkəsɪ] *n* Wirksamkeit *f.*
efficiency [ɪ'fɪʃənsɪ] *n* (*see adj*) Fähigkeit *f*, Tüchtigkeit *f*; Rationalität *f*; Leistungsfähigkeit *f.*
efficiency apartment (*US*) *n* Einzimmerwohnung *f.*
efficient [ɪ'fɪʃənt] *adj* fähig, tüchtig; (*organization*) rationell; (*machine*) leistungsfähig.
efficiently [ɪ'fɪʃəntlɪ] *adv* gut, effizient.
effigy ['ɛfɪdʒɪ] *n* Bildnis *nt.*
effluent ['ɛfluənt] *n* Abwasser *nt.*
effort ['ɛfət] *n* Anstrengung *f*; (*attempt*) Versuch *m*; **to make an ~ to do sth** sich bemühen, etw zu tun.
effortless ['ɛfətlɪs] *adj* mühelos; (*style*) flüssig.
effrontery [ɪ'frʌntərɪ] *n* Unverschämtheit *f*; **to have the ~ to do sth** die Frechheit besitzen, etw zu tun.
effusive [ɪ'fjuːsɪv] *adj* überschwenglich.
EFL *n abbr* (*SCOL*: = *English as a Foreign Language*) Englisch *nt* als Fremdsprache.
EFTA ['ɛftə] *n abbr* (= *European Free Trade Association*) EFTA *f.*
e.g. *adv abbr* (= *exempli gratia*) z.B.
egalitarian [ɪgælɪ'tɛərɪən] *adj* egalitär; (*principles*) Gleichheits- ♦ *n* Verfechter(in) *m(f)* des Egalitarismus.
egg [ɛg] *n* Ei *nt*; **hard-boiled/soft-boiled ~** hart-/weichgekochtes Ei *nt.*
►**egg on** *vt* anstacheln.
egg cup *n* Eierbecher *m.*
eggplant ['ɛgplɑːnt] *n* (*esp US*) Aubergine *f.*
eggshell ['ɛgʃɛl] *n* Eierschale *f* ♦ *adj* eierschalenfarben.
egg timer *n* Eieruhr *f.*
egg white *n* Eiweiß *nt.*

egg yolk *n* Eigelb *nt.*
ego ['i:gəu] *n* (*self-esteem*) Selbstbewußtsein *nt.*
egoism ['ɛgəuɪzəm] *n* Egoismus *m.*
egoist ['ɛgəuɪst] *n* Egoist(in) *m(f).*
egotism ['ɛgəutɪzəm] *n* Ichbezogenheit *f,* Egotismus *m.*
egotist ['ɛgəutɪst] *n* ichbezogener Mensch *m,* Egotist(in) *m(f).*
ego trip (*inf*) *n* Egotrip *m.*
Egypt ['i:dʒɪpt] *n* Ägypten *nt.*
Egyptian [ɪ'dʒɪpʃən] *adj* ägyptisch ♦ *n* Ägypter(in) *m(f).*
eiderdown ['aɪdədaun] *n* Federbett *nt,* Daunendecke *f.*
eight [eɪt] *num* acht.
eighteen [eɪ'ti:n] *num* achtzehn.
eighteenth [eɪ'ti:nθ] *num* achtzehnte(r, s).
eighth [eɪtθ] *num* achte(r, s) ♦ *n* Achtel *nt.*
eighty ['eɪtɪ] *num* achtzig.
Eire ['ɛərə] *n* (Republik *f*) Irland *nt.*
EIS *n abbr* (= *Educational Institute of Scotland*) *schottische Lehrergewerkschaft.*
either ['aɪðə*] *adj* (*one or other*) eine(r, s) (von beiden); (*both, each*) beide *pl,* jede(r, s) ♦ *pron:* ~ **(of them)** eine(r, s) (davon) ♦ *adv* auch nicht ♦ *conj:* ~ **yes or no** entweder ja oder nein; **on** ~ **side** (*on both sides*) auf beiden Seiten; (*on one or other side*) auf einer der beiden Seiten; **I don't like** ~ ich mag beide nicht *or* keinen von beiden; **no, I don't** ~ nein, ich auch nicht; **I haven't seen** ~ **one or the other** ich habe weder den einen noch den anderen gesehen.
ejaculation [ɪdʒækju'leɪʃən] *n* Ejakulation *f,* Samenerguß *m.*
eject [ɪ'dʒɛkt] *vt* ausstoßen; (*tenant, gatecrasher*) hinauswerfen ♦ *vi* den Schleudersitz betätigen.
ejector seat [ɪ'dʒɛktə-] *n* Schleudersitz *m.*
eke out *vt* (*make last*) strecken.
EKG (*US*) *n abbr* = **electrocardiogram.**
el [ɛl] (*US: inf*) *n abbr* = **elevated railroad.**
elaborate [*adj* ɪ'læbərɪt, *vb* ɪ'læbəreɪt] *adj* kompliziert; (*plan*) ausgefeilt ♦ *vt* näher ausführen; (*refine*) ausarbeiten ♦ *vi* mehr ins Detail gehen; **to** ~ **on** näher ausführen.
elapse [ɪ'læps] *vi* vergehen, verstreichen.
elastic [ɪ'læstɪk] *n* Gummi *nt* ♦ *adj* elastisch.
elastic band (*BRIT*) *n* Gummiband *nt.*
elasticity [ɪlæs'tɪsɪtɪ] *n* Elastizität *f.*
elated [ɪ'leɪtɪd] *adj:* **to be** ~ hocherfreut *or* in Hochstimmung sein.
elation [ɪ'leɪʃən] *n* große Freude *f,* Hochstimmung *f.*
elbow ['ɛlbəu] *n* Ellbogen *m* ♦ *vt:* **to** ~ **one's way through the crowd** sich durch die Menge boxen.
elbow grease (*inf*) *n* Muskelkraft *f.*
elbowroom ['ɛlbəurum] *n* Ellbogenfreiheit *f.*
elder ['ɛldə*] *adj* älter ♦ *n* (*BOT*) Holunder *m;* (*older person: gen pl*) Ältere(r) *f(m).*
elderly ['ɛldəlɪ] *adj* ältere(r, s) ♦ *npl:* **the** ~ ältere Leute *pl.*
elder statesman *n* erfahrener Staatsmann *m.*
eldest ['ɛldɪst] *adj* älteste(r, s) ♦ *n* Älteste(r) *f(m).*
elect [ɪ'lɛkt] *vt* wählen ♦ *adj:* **the president** ~ der designierte *or* künftige Präsident; **to** ~ **to do sth** sich dafür entscheiden, etw zu tun.
election [ɪ'lɛkʃən] *n* Wahl *f;* **to hold an** ~ eine Wahl abhalten.
election campaign *n* Wahlkampf *m.*
electioneering [ɪlɛkʃə'nɪərɪŋ] *n* Wahlkampf *m.*
elector [ɪ'lɛktə*] *n* Wähler(in) *m(f).*
electoral [ɪ'lɛktərəl] *adj* Wähler-.
electoral college *n* Wahlmännergremium *nt.*
electorate [ɪ'lɛktərɪt] *n* Wähler *pl,* Wählerschaft *f.*
electric [ɪ'lɛktrɪk] *adj* elektrisch.
electrical [ɪ'lɛktrɪkl] *adj* elektrisch; (*appliance*) Elektro-; (*failure*) Strom-.
electrical engineer *n* Elektrotechniker *m.*
electric blanket *n* Heizdecke *f.*
electric chair (*US*) *n* elektrischer Stuhl *m.*
electric cooker *n* Elektroherd *m.*
electric current *n* elektrischer Strom *m.*
electric fire (*BRIT*) *n* elektrisches Heizgerät *nt.*
electrician [ɪlɛk'trɪʃən] *n* Elektriker(in) *m(f).*
electricity [ɪlɛk'trɪsɪtɪ] *n* Elektrizität *f;* (*supply*) (elektrischer) Strom *m* ♦ *cpd* Strom-; **to switch on/off the** ~ den Strom an-/abschalten.
electricity board (*BRIT*) *n* Elektrizitätswerk *nt.*
electric light *n* elektrisches Licht *nt.*
electric shock *n* elektrischer Schlag *m,* Stromschlag *m.*
electrify [ɪ'lɛktrɪfaɪ] *vt* (*fence*) unter Strom setzen; (*rail network*) elektrifizieren; (*audience*) elektrisieren.
electro... [ɪ'lɛktrəu] *pref* Elektro-.
electrocardiogram [ɪ'lɛktrə'kɑ:dɪəgræm] *n* Elektrokardiogramm *nt.*
electroconvulsive therapy [ɪ'lɛktrəkən'vʌlsɪv-] *n* Elektroschocktherapie *f.*
electrocute [ɪ'lɛktrəkju:t] *vt* durch einen Stromschlag töten; (*US: criminal*) auf dem elektrischen Stuhl hinrichten.
electrode [ɪ'lɛktrəud] *n* Elektrode *f.*
electroencephalogram [ɪ'lɛktrəuɛn'sɛfələgræm] *n* Elektroenzephalogramm *nt.*
electrolysis [ɪlɛk'trɔlɪsɪs] *n* Elektrolyse *f.*
electromagnetic [ɪ'lɛktrəmæg'nɛtɪk] *adj* elektromagnetisch.
electron [ɪ'lɛktrɔn] *n* Elektron *nt.*
electronic [ɪlɛk'trɔnɪk] *adj* elektronisch.
electronic data processing *n* elektronische Datenverarbeitung *f.*
electronic mail *n* elektronische Post *f.*

electronics [ɪlɛk'trɔnɪks] *n* Elektronik *f*.
electron microscope *n* Elektronenmikroskop *nt*.
electroplated [ɪ'lɛktrə'pleɪtɪd] *adj* galvanisiert.
electrotherapy [ɪ'lɛktrə'θɛrəpɪ] *n* Elektrotherapie *f*.
elegance ['ɛlɪgəns] *n* Eleganz *f*.
elegant ['ɛlɪgənt] *adj* elegant.
element ['ɛlɪmənt] *n* Element *nt*; (*of heater, kettle etc*) Heizelement *nt*.
elementary [ɛlɪ'mɛntərɪ] *adj* grundlegend; ~ **school** Grundschule *f*; ~ **education** Elementarunterricht *m*; ~ **maths/French** Grundbegriffe *pl* der Mathematik/des Französischen.

> **Elementary School** *ist in den USA und Kanada eine Grundschule, an der ein Kind die ersten sechs bis acht Schuljahre verbringt. In den USA heißt diese Schule auch grade school oder grammar school. Siehe auch* **high school**.

elephant ['ɛlɪfənt] *n* Elefant *m*.
elevate ['ɛlɪveɪt] *vt* erheben; (*physically*) heben.
elevated railroad ['ɛlɪveɪtɪd-] (*US*) *n* Hochbahn *f*.
elevation [ɛlɪ'veɪʃən] *n* Erhebung *f*; (*height*) Höhe *f* über dem Meeresspiegel; (*ARCHIT*) Aufriß *m*.
elevator ['ɛlɪveɪtə*] *n* (*US*) Aufzug *m*, Fahrstuhl *m*; (*in warehouse etc*) Lastenaufzug *m*.
eleven [ɪ'lɛvn] *num* elf.
elevenses [ɪ'lɛvnzɪz] (*BRIT*) *npl* zweites Frühstück *nt*.
eleventh [ɪ'lɛvnθ] *num* elfte(r, s); **at the ~ hour** (*fig*) in letzter Minute.
elf [ɛlf] (*pl* **elves**) *n* Elf *m*, Elfe *f*; (*mischievous*) Kobold *m*.
elicit [ɪ'lɪsɪt] *vt*: **to ~ (from sb)** (*information*) (aus jdm) herausbekommen; (*reaction, response*) (von jdm) bekommen.
eligible ['ɛlɪdʒəbl] *adj* (*marriage partner*) begehrt; **to be ~ for sth** für etw in Frage kommen; **to be ~ for a pension** pensionsberechtigt sein.
eliminate [ɪ'lɪmɪneɪt] *vt* beseitigen; (*candidate etc*) ausschließen; (*team, contestant*) aus dem Wettbewerb werfen.
elimination [ɪlɪmɪ'neɪʃən] *n* (*see vb*) Beseitigung *f*; Ausschluß *m*; Ausscheiden *nt*; **by process of ~** durch negative Auslese.
élite [eɪ'li:t] *n* Elite *f*.
élitist [eɪ'li:tɪst] (*pej*) *adj* elitär.
elixir [ɪ'lɪksə*] *n* Elixier *nt*.
Elizabethan [ɪlɪzə'bi:θən] *adj* elisabethanisch.
ellipse [ɪ'lɪps] *n* Ellipse *f*.
elliptical [ɪ'lɪptɪkl] *adj* elliptisch.
elm [ɛlm] *n* Ulme *f*.
elocution [ɛlə'kju:ʃən] *n* Sprechtechnik *f*.
elongated ['i:lɔŋgeɪtɪd] *adj* langgestreckt; (*shadow*) verlängert.
elope [ɪ'ləup] *vi* weglaufen.
elopement [ɪ'ləupmənt] *n* Weglaufen *nt*.
eloquence ['ɛləkwəns] *n* (*see adj*) Beredtheit *f*, Wortgewandtheit *f*; Ausdrucksfülle *f*.
eloquent ['ɛləkwənt] *adj* beredt, wortgewandt; (*speech, description*) ausdrucksvoll.
else [ɛls] *adv* andere(r, s); **something ~** etwas anderes; **somewhere ~** woanders, anderswo; **everywhere ~** sonst überall; **where ~?** wo sonst?; **is there anything ~ I can do?** kann ich sonst noch etwas tun?; **there was little ~ to do** es gab nicht viel anderes zu tun; **everyone ~** alle anderen; **nobody ~ spoke** niemand anders sagte etwas, sonst sagte niemand etwas.
elsewhere [ɛls'wɛə*] *adv* woanders, anderswo; (*go*) woandershin, anderswohin.
ELT *n abbr* (*SCOL*: = *English Language Teaching*) *Englisch als Unterrichtsfach*.
elucidate [ɪ'lu:sɪdeɪt] *vt* erläutern.
elude [ɪ'lu:d] *vt* (*captor*) entkommen *+dat*; (*capture*) sich entziehen *+dat*; **this fact/idea ~d him** diese Tatsache/Idee entging ihm.
elusive [ɪ'lu:sɪv] *adj* schwer zu fangen; (*quality*) unerreichbar; **he's very ~** er ist sehr schwer zu erreichen.
elves [ɛlvz] *npl of* **elf**.
emaciated [ɪ'meɪsɪeɪtɪd] *adj* abgezehrt, ausgezehrt.
E-mail *n abbr* (= *electronic mail*) E-Mail *f*.
emanate ['ɛməneɪt] *vi*: **to ~ from** stammen von; (*sound, light etc*) ausgehen von.
emancipate [ɪ'mænsɪpeɪt] *vt* (*women*) emanzipieren; (*poor*) befreien; (*slave*) freilassen.
emancipation [ɪmænsɪ'peɪʃən] *n* (*see vb*) Emanzipation *f*; Befreiung *f*; Freilassung *f*.
emasculate [ɪ'mæskjuleɪt] *vt* schwächen.
embalm [ɪm'bɑ:m] *vt* einbalsamieren.
embankment [ɪm'bæŋkmənt] *n* Böschung *f*; (*of railway*) Bahndamm *m*; (*of river*) Damm *m*.
embargo [ɪm'bɑ:gəu] (*pl* **~es**) *n* Embargo *nt* ♦ *vt* mit einem Embargo belegen; **to put** *or* **impose** *or* **place an ~ on sth** ein Embargo über etw *acc* verhängen; **to lift an ~** ein Embargo aufheben.
embark [ɪm'bɑ:k] *vt* einschiffen ♦ *vi*: **to ~ (on)** sich einschiffen (auf); **to ~ on** (*journey*) beginnen; (*task*) in Angriff nehmen; (*course of action*) einschlagen.
embarkation [ɛmbɑ:'keɪʃən] *n* Einschiffung *f*.
embarkation card *n* Bordkarte *f*.
embarrass [ɪm'bærəs] *vt* in Verlegenheit bringen.
embarrassed [ɪm'bærəst] *adj* verlegen.
embarrassing [ɪm'bærəsɪŋ] *adj* peinlich.
embarrassment [ɪm'bærəsmənt] *n* Verlegenheit *f*; (*embarrassing problem*) Peinlichkeit *f*.

embassy [ˈɛmbəsɪ] *n* Botschaft *f*; **the Swiss E~** die Schweizer Botschaft.
embedded [ɪmˈbɛdɪd] *adj* eingebettet; (*attitude, belief, feeling*) verwurzelt.
embellish [ɪmˈbɛlɪʃ] *vt* (*account*) ausschmücken; **to be ~ed with** geschmückt sein mit.
embers [ˈɛmbəz] *npl* Glut *f*.
embezzle [ɪmˈbɛzl] *vt* unterschlagen.
embezzlement [ɪmˈbɛzlmənt] *n* Unterschlagung *f*.
embezzler [ɪmˈbɛzlə*] *n jd, der eine Unterschlagung begangen hat.*
embitter [ɪmˈbɪtə*] *vt* verbittern.
embittered [ɪmˈbɪtəd] *adj* verbittert.
emblem [ˈɛmbləm] *n* Emblem *nt*; (*symbol*) Wahrzeichen *nt*.
embodiment [ɪmˈbɔdɪmənt] *n* Verkörperung *f*; **to be the ~ of ...** (*subj: thing*) ... verkörpern; (: *person*) ... in Person sein.
embody [ɪmˈbɔdɪ] *vt* verkörpern; (*include, contain*) enthalten.
embolden [ɪmˈbəuldn] *vt* ermutigen.
embolism [ˈɛmbəlɪzəm] *n* Embolie *f*.
embossed [ɪmˈbɔst] *adj* geprägt; **~ with a logo** mit geprägtem Logo.
embrace [ɪmˈbreɪs] *vt* umarmen; (*include*) umfassen ♦ *vi* sich umarmen ♦ *n* Umarmung *f*.
embroider [ɪmˈbrɔɪdə*] *vt* (*cloth*) besticken; (*fig: story*) ausschmücken.
embroidery [ɪmˈbrɔɪdərɪ] *n* Stickerei *f*; (*activity*) Sticken *nt*.
embroil [ɪmˈbrɔɪl] *vt*: **to become ~ed (in sth)** (in etw *acc*) verwickelt *or* hineingezogen werden.
embryo [ˈɛmbrɪəu] *n* Embryo *m*; (*fig*) Keim *m*.
emcee [ɛmˈsiː] *n* Conférencier *m*.
emend [ɪˈmɛnd] *vt* verbessern, korrigieren.
emerald [ˈɛmərəld] *n* Smaragd *m*.
emerge [ɪˈməːdʒ] *vi*: **to ~ (from)** auftauchen (aus); (*from sleep*) erwachen (aus); (*from imprisonment*) entlassen werden (aus); (*from discussion etc*) sich herausstellen (bei); (*new idea, industry, society*) entstehen (aus); **it ~s that** (*BRIT*) es stellt sich heraus, daß.
emergence [ɪˈməːdʒəns] *n* Entstehung *f*.
emergency [ɪˈməːdʒənsɪ] *n* Notfall *m* ♦ *cpd* Not-; (*repair*) notdürftig; **in an ~** im Notfall; **state of ~** Notstand *m*.
emergency cord (*US*) *n* Notbremse *f*.
emergency exit *n* Notausgang *m*.
emergency landing *n* Notlandung *f*.
emergency lane (*US*) *n* Seitenstreifen *m*.
emergency road service (*US*) *n* Pannendienst *m*.
emergency services *npl*: **the ~** der Notdienst.
emergency stop (*BRIT*) *n* Vollbremsung *f*.
emergent [ɪˈməːdʒənt] *adj* jung, aufstrebend.
emeritus [ɪˈmɛrɪtəs] *adj* emeritiert.
emery board [ˈɛmərɪ-] *n* Papiernagelfeile *f*.
emery paper [ˈɛmərɪ-] *n* Schmirgelpapier *nt*.
emetic [ɪˈmɛtɪk] *n* Brechmittel *nt*.
emigrant [ˈɛmɪgrənt] *n* Auswanderer *m*, Auswanderin *f*, Emigrant(in) *m(f)*.
emigrate [ˈɛmɪgreɪt] *vi* auswandern, emigrieren.
emigration [ɛmɪˈgreɪʃən] *n* Auswanderung *f*, Emigration *f*.
émigré [ˈɛmɪgreɪ] *n* Emigrant(in) *m(f)*.
eminence [ˈɛmɪnəns] *n* Bedeutung *f*.
eminent [ˈɛmɪnənt] *adj* bedeutend.
eminently [ˈɛmɪnəntlɪ] *adv* ausgesprochen.
emirate [ˈɛmɪrɪt] *n* Emirat *nt*.
emission [ɪˈmɪʃən] *n* Emission *f*.
emissions [ɪˈmɪʃənz] *npl* Emissionen *pl*.
emit [ɪˈmɪt] *vt* abgeben; (*smell*) ausströmen; (*light, heat*) ausstrahlen.
emolument [ɪˈmɔljumənt] *n* (*often pl*) Vergütung *f*; (*fee*) Honorar *nt*; (*salary*) Bezüge *pl*.
emotion [ɪˈməuʃən] *n* Gefühl *nt*.
emotional [ɪˈməuʃənl] *adj* emotional; (*exhaustion*) seelisch; (*scene*) ergreifend; (*speech*) gefühlsbetont.
emotionally [ɪˈməuʃnəlɪ] *adv* emotional; (*be involved*) gefühlsmäßig; (*speak*) gefühlvoll; **~ disturbed** seelisch gestört.
emotive [ɪˈməutɪv] *adj* emotional.
empathy [ˈɛmpəθɪ] *n* Einfühlungsvermögen *nt*; **to feel ~ with sb** sich in jdn einfühlen.
emperor [ˈɛmpərə*] *n* Kaiser *m*.
emphases [ˈɛmfəsiːz] *npl of* **emphasis.**
emphasis [ˈɛmfəsɪs] (*pl* **emphases**) *n* Betonung *f*; (*importance*) (Schwer)gewicht *nt*; **to lay** *or* **place ~ on sth** etw betonen; **the ~ is on reading** das Schwergewicht liegt auf dem Lesen.
emphasize [ˈɛmfəsaɪz] *vt* betonen; (*feature*) hervorheben; **I must ~ that ...** ich möchte betonen, daß ...
emphatic [ɛmˈfætɪk] *adj* nachdrücklich; (*denial*) energisch; (*person, manner*) bestimmt, entschieden.
emphatically [ɛmˈfætɪklɪ] *adv* nachdrücklich; (*certainly*) eindeutig.
emphysema [ɛmfɪˈsiːmə] *n* Emphysem *nt*.
empire [ˈɛmpaɪə*] *n* Reich *nt*.
empirical [ɛmˈpɪrɪkl] *adj* empirisch.
employ [ɪmˈplɔɪ] *vt* beschäftigen; (*tool, weapon*) verwenden; **he's ~ed in a bank** er ist bei einer Bank angestellt.
employee [ɪmplɔɪˈiː] *n* Angestellte(r) *f(m)*.
employer [ɪmˈplɔɪə*] *n* Arbeitgeber(in) *m(f)*.
employment [ɪmˈplɔɪmənt] *n* Arbeit *f*; **to find ~** Arbeit *or* eine (An)stellung finden; **without ~** stellungslos; **your place of ~** Ihre Arbeitsstätte *f*.
employment agency *n* Stellenvermittlung *f*.
employment exchange (*BRIT*) *n* Arbeitsamt *nt*.
empower [ɪmˈpauə*] *vt*: **to ~ sb to do sth** jdn ermächtigen, etw zu tun.

empress ['ɛmprɪs] *n* Kaiserin *f*.
empties ['ɛmptɪz] *npl* Leergut *nt*.
emptiness ['ɛmptɪnɪs] *n* Leere *f*.
empty ['ɛmptɪ] *adj* leer; (*house, room*) leerstehend; (*space*) frei ♦ *vt* leeren; (*place, house etc*) räumen ♦ *vi* sich leeren; (*liquid*) abfließen; (*river*) münden; **on an ~ stomach** auf nüchternen Magen; **to ~ into** (*river*) münden *or* sich ergießen in *+acc*.
empty-handed ['ɛmptɪ'hændɪd] *adj* mit leeren Händen; **he returned ~** er kehrte unverrichteterdinge zurück.
empty-headed ['ɛmptɪ'hɛdɪd] *adj* strohdumm.
EMS *n abbr* (= *European Monetary System*) EWS *nt*.
EMT (*US*) *n abbr* (= *emergency medical technician*) ≈ Sanitäter(in) *m(f)*.
EMU *n abbr* (= *economic and monetary union*) EWU *f*.
emu ['iːmjuː] *n* Emu *m*.
emulate ['ɛmjuleɪt] *vt* nacheifern *+dat*.
emulsion [ɪ'mʌlʃən] *n* Emulsion *f*; (*also*: **~ paint**) Emulsionsfarbe *f*.
enable [ɪ'neɪbl] *vt*: **to ~ sb to do sth** (*permit*) es jdm erlauben, etw zu tun; (*make possible*) es jdm ermöglichen, etw zu tun.
enact [ɪ'nækt] *vt* (*law*) erlassen; (*play*) aufführen; (*role*) darstellen, spielen.
enamel [ɪ'næməl] *n* Email *nt*, Emaille *f*; (*also*: **~ paint**) Email(le)lack *m*; (*of tooth*) Zahnschmelz *m*.
enamoured [ɪ'næməd] *adj*: **to be ~ of** (*person*) verliebt sein in *+acc*; (*pastime, idea, belief*) angetan sein von.
encampment [ɪn'kæmpmənt] *n* Lager *nt*.
encased [ɪn'keɪst] *adj*: **~ in** (*shell*) umgeben von; **to be ~ in** (*limb*) in Gips liegen *or* sein.
encash [ɪn'kæʃ] (*BRIT*) *vt* einlösen.
enchant [ɪn'tʃɑːnt] *vt* bezaubern.
enchanted [ɪn'tʃɑːntɪd] *adj* verzaubert.
enchanting [ɪn'tʃɑːntɪŋ] *adj* bezaubernd.
encircle [ɪn'səːkl] *vt* umgeben; (*person*) umringen; (*building: police etc*) umstellen.
encl. *abbr* (*on letters etc*: = *enclosed, enclosure*) Anl.
enclave ['ɛnkleɪv] *n*: **an ~ (of)** eine Enklave (*+gen*).
enclose [ɪn'kləuz] *vt* umgeben; (*land, space*) begrenzen; (*with fence*) einzäunen; (*letter etc*): **to ~ (with)** beilegen (*+dat*); **please find ~d** als Anlage übersenden wir Ihnen.
enclosure [ɪn'kləuʒə*] *n* eingefriedeter Bereich *m*; (*in letter etc*) Anlage *f*.
encoder [ɪn'kəudə*] *n* Kodierer *m*.
encompass [ɪn'kʌmpəs] *vt* umfassen.
encore [ɔŋ'kɔː*] *excl* Zugabe! ♦ *n* Zugabe *f*.
encounter [ɪn'kauntə*] *n* Begegnung *f* ♦ *vt* begegnen *+dat*; (*problem*) stoßen auf *+acc*.
encourage [ɪn'kʌrɪdʒ] *vt* (*activity, attitude*) unterstützen; (*growth, industry*) fördern; **to ~ sb (to do sth)** jdn ermutigen(, etw zu tun).
encouragement [ɪn'kʌrɪdʒmənt] *n* (*see vb*) Unterstützung *f*; Förderung *f*; Ermutigung *f*.
encouraging [ɪn'kʌrɪdʒɪŋ] *adj* ermutigend.
encroach [ɪn'krəutʃ] *vi*: **to ~ (up)on** (*rights*) eingreifen in *+acc*; (*property*) eindringen in *+acc*; (*time*) in Anspruch nehmen.
encrusted [ɪn'krʌstɪd] *adj*: **~ with** (*gems*) besetzt mit; (*snow, dirt*) verkrustet mit.
encumber [ɪn'kʌmbə*] *vt*: **to be ~ed with** beladen sein mit; (*debts*) belastet sein mit.
encyclop(a)edia [ɛnsaɪkləu'piːdɪə] *n* Lexikon *nt*, Enzyklopädie *f*.
end [ɛnd] *n* Ende *nt*; (*of film, book*) Schluß *m*, Ende *nt*; (*of table*) Schmalseite *f*; (*of pointed object*) Spitze *f*; (*aim*) Zweck *m*, Ziel *nt* ♦ *vt* (*also*: **bring to an ~, put an ~ to**) beenden ♦ *vi* enden; **from ~ to ~** von einem Ende zum anderen; **to come to an ~** zu Ende gehen; **to be at an ~** zu Ende sein; **in the ~** schließlich; **on ~** hochkant; **to stand on ~** (*hair*) zu Berge stehen; **for hours on ~** stundenlang ununterbrochen; **for 5 hours on ~** 5 Stunden ununterbrochen; **at the ~ of the street** am Ende der Straße; **at the ~ of the day** (*BRIT, fig*) letztlich; **to this ~, with this ~ in view** mit diesem Ziel vor Augen.
▸**end up** *vi*: **to ~ up in** (*place*) landen in *+dat*; **to ~ up in trouble** Ärger bekommen; **to ~ up doing sth** etw schließlich tun.
endanger [ɪn'deɪndʒə*] *vt* gefährden; **an ~ed species** eine vom Aussterben bedrohte Art.
endear [ɪn'dɪə*] *vt*: **to ~ o.s. to sb** sich bei jdm beliebt machen.
endearing [ɪn'dɪərɪŋ] *adj* gewinnend.
endearment [ɪn'dɪəmənt] *n*: **to whisper ~s** zärtliche Worte flüstern; **term of ~** Kosewort *nt*, Kosename *m*.
endeavour, (*US*) **endeavor** [ɪn'dɛvə*] *n* Anstrengung *f*, Bemühung *f*; (*effort*) Bestrebung *f* ♦ *vi*: **to ~ to do sth** (*attempt*) sich anstrengen *or* bemühen, etw zu tun; (*strive*) bestrebt sein, etw zu tun.
endemic [ɛn'dɛmɪk] *adj* endemisch, verbreitet.
ending ['ɛndɪŋ] *n* Ende *nt*, Schluß *m*; (*LING*) Endung *f*.
endive ['ɛndaɪv] *n* Endivie *f*; (*chicory*) Chicorée *f or m*.
endless ['ɛndlɪs] *adj* endlos; (*patience, resources, possibilities*) unbegrenzt.
endorse [ɪn'dɔːs] *vt* (*cheque*) indossieren, auf der Rückseite unterzeichnen; (*proposal, plan*) billigen; (*candidate*) unterstützen.
endorsee [ɪndɔː'siː] *n* Indossat *m*.
endorsement [ɪn'dɔːsmənt] *n* Billigung *f*; (*of candidate*) Unterstützung *f*; (*BRIT: on driving licence*) Strafvermerk *m*.
endow [ɪn'dau] *vt* (*institution*) eine Stiftung machen an *+acc*; **to be ~ed with** besitzen.
endowment [ɪn'daumənt] *n* Stiftung *f*; (*quality*) Begabung *f*.
endowment assurance *n* Versicherung *f* auf den Erlebensfall, Erlebensversiche-

rung *f*.
endowment mortgage *n* Hypothek *f* mit Lebensversicherung.
end product *n* Endprodukt *nt*; (*fig*) Produkt *nt*.
end result *n* Endergebnis *nt*.
endurable [ɪn'djuərəbl] *adj* erträglich.
endurance [ɪn'djuərəns] *n* Durchhaltevermögen *nt*; (*patience*) Geduld *f*.
endurance test *n* Belastungsprobe *f*.
endure [ɪn'djuə*] *vt* ertragen ♦ *vi* Bestand haben.
enduring [ɪn'djuərɪŋ] *adj* dauerhaft.
end user *n* (*COMPUT*) Endbenutzer *m*.
enema ['ɛnɪmə] *n* Klistier *nt*, Einlauf *m*.
enemy ['ɛnəmɪ] *adj* feindlich; (*strategy*) des Feindes ♦ *n* Feind(in) *m(f)*; **to make an ~ of sb** sich *dat* jdn zum Feind machen.
energetic [ɛnə'dʒɛtɪk] *adj* aktiv.
energy ['ɛnədʒɪ] *n* Energie *f*; **Department of E~** Energieministerium *nt*.
energy crisis *n* Energiekrise *f*.
energy-saving ['ɛnədʒɪ'seɪvɪŋ] *adj* energiesparend; (*policy*) energiebewußt.
enervating ['ɛnəveɪtɪŋ] *adj* strapazierend.
enforce [ɪn'fɔːs] *vt* (*law, rule, decision*) Geltung verschaffen *+dat*.
enforced [ɪn'fɔːst] *adj* erzwungen.
enfranchise [ɪn'fræntʃaɪz] *vt* das Wahlrecht geben *or* erteilen *+dat*.
engage [ɪn'geɪdʒ] *vt* in Anspruch nehmen; (*employ*) einstellen; (*lawyer*) sich *dat* nehmen; (*MIL*) angreifen ♦ *vi* (*TECH*) einrasten; **to ~ the clutch** einkuppeln; **to ~ sb in conversation** jdn in ein Gespräch verwickeln; **to ~ in** sich beteiligen an *+dat*; **to ~ in commerce** kaufmännisch tätig sein; **to ~ in study** studieren.
engaged [ɪn'geɪdʒd] *adj* verlobt; (*BRIT: busy, in use*) besetzt; **to get ~** sich verloben; **he is ~ in research/a survey** er ist mit Forschungsarbeit/einer Umfrage beschäftigt.
engaged tone (*BRIT*) *n* Besetztzeichen *nt*.
engagement [ɪn'geɪdʒmənt] *n* Verabredung *f*; (*booking*) Engagement *nt*; (*to marry*) Verlobung *f*; (*MIL*) Gefecht *nt*, Kampf *m*; **I have a previous ~** ich habe schon eine Verabredung.
engagement ring *n* Verlobungsring *m*.
engaging [ɪn'geɪdʒɪŋ] *adj* einnehmend.
engender [ɪn'dʒɛndə*] *vt* erzeugen.
engine ['ɛndʒɪn] *n* Motor *m*; (*RAIL*) Lok(omotive) *f*.
engine driver *n* (*RAIL*) Lok(omotiv)-führer(in) *m(f)*.
engineer [ɛndʒɪ'nɪə*] *n* Ingenieur(in) *m(f)*; (*BRIT: for repairs*) Techniker(in) *m(f)*; (*US: RAIL*) Lok(omotiv)führer(in) *m(f)*; (*on ship*) Maschinist(in) *m(f)*; **civil/mechanical ~** Bau-/Maschinenbauingenieur(in) *m(f)*.
engineering [ɛndʒɪ'nɪərɪŋ] *n* Technik *f*; (*design, construction*) Konstruktion *f* ♦ *cpd:* **~ works** *or* **factory** Maschinenfabrik *f*.
engine failure *n* Maschinenschaden *m*; (*AUT*) Motorschaden *m*.
engine trouble *n* Maschinenschaden *m*; (*AUT*) Motorschaden *m*.
England ['ɪŋglənd] *n* England *nt*.
English ['ɪŋglɪʃ] *adj* englisch ♦ *n* Englisch *nt*; **the English** *npl* die Engländer *pl*; **an ~ speaker** *jd, der Englisch spricht*.
English Channel *n*: **the ~** der Ärmelkanal.
Englishman ['ɪŋglɪʃmən] (*irreg: like* **man**) *n* Engländer *m*.
English-speaking ['ɪŋglɪʃ'spiːkɪŋ] *adj* (*country*) englischsprachig.
Englishwoman ['ɪŋglɪʃwumən] (*irreg: like* **woman**) *n* Engländerin *f*.
engrave [ɪn'greɪv] *vt* gravieren; (*name etc*) eingravieren; (*fig*) einprägen.
engraving [ɪn'greɪvɪŋ] *n* Stich *m*.
engrossed [ɪn'grəust] *adj*: **~ in** vertieft in *+acc*.
engulf [ɪn'gʌlf] *vt* verschlingen; (*subj: panic, fear*) überkommen.
enhance [ɪn'hɑːns] *vt* verbessern; (*enjoyment, beauty*) erhöhen.
enigma [ɪ'nɪgmə] *n* Rätsel *nt*.
enigmatic [ɛnɪg'mætɪk] *adj* rätselhaft.
enjoy [ɪn'dʒɔɪ] *vt* genießen; (*health, fortune*) sich erfreuen *+gen*; (*success*) haben; **to ~ o.s.** sich amüsieren; **I ~ dancing** ich tanze gerne.
enjoyable [ɪn'dʒɔɪəbl] *adj* nett, angenehm.
enjoyment [ɪn'dʒɔɪmənt] *n* Vergnügen *nt*; (*activity*) Freude *f*.
enlarge [ɪn'lɑːdʒ] *vt* vergrößern; (*scope*) erweitern ♦ *vi*: **to ~ on** weiter ausführen.
enlarged [ɪn'lɑːdʒd] *adj* erweitert; (*MED*) vergrößert.
enlargement [ɪn'lɑːdʒmənt] *n* Vergrößerung *f*.
enlighten [ɪn'laɪtn] *vt* aufklären.
enlightened [ɪn'laɪtnd] *adj* aufgeklärt.
enlightening [ɪn'laɪtnɪŋ] *adj* aufschlußreich.
enlightenment [ɪn'laɪtnmənt] *n* (*also HIST: Enlightenment*) Aufklärung *f*.
enlist [ɪn'lɪst] *vt* anwerben; (*support, help*) gewinnen ♦ *vi*: **to ~ in** eintreten in *+acc*; **~ed man** (*US: MIL*) gemeiner Soldat *m*; (*US: in navy*) Matrose *m*.
enliven [ɪn'laɪvn] *vt* beleben.
enmity ['ɛnmɪtɪ] *n* Feindschaft *f*.
ennoble [ɪ'nəubl] *vt* adeln; (*fig: dignify*) erheben.
enormity [ɪ'nɔːmɪtɪ] *n* ungeheure Größe *f*.
enormous [ɪ'nɔːməs] *adj* gewaltig, ungeheuer; (*pleasure, success etc*) riesig.
enormously [ɪ'nɔːməslɪ] *adv* enorm; (*rich*) ungeheuer.
enough [ɪ'nʌf] *adj* genug, genügend ♦ *pron* genug ♦ *adv*: **big ~** groß genug; **he has not worked ~** er hat nicht genug *or* genügend gearbeitet; **have you got ~?** haben Sie

genug?; ~ **to eat** genug zu essen; **will 5 be ~?** reichen 5?; **I've had ~!** jetzt reicht's mir aber!; **it's hot ~ (as it is)** es ist heiß genug; **he was kind ~ to lend me the money** er war so gut und hat mir das Geld geliehen; ~! es reicht!; **that's ~, thanks** danke, das reicht *or* ist genug; **I've had ~ of him** ich habe genug von ihm; **funnily/oddly ~** ... komischerweise ...
enquire [ɪn'kwaɪə*] *vt, vi* = **inquire.**
enrage [ɪn'reɪdʒ] *vt* wütend machen.
enrich [ɪn'rɪtʃ] *vt* bereichern.
enrol, (*US*) **enroll** [ɪn'rəul] *vt* anmelden; (*at university*) einschreiben, immatrikulieren ♦ *vi* (*see vt*) sich anmelden; sich einschreiben, sich immatrikulieren.
enrolment, (*US*) **enrollment** [ɪn'rəulmənt] *n* (*v vb*) Anmeldung *f*; Einschreibung *f*, Immatrikulation *f*.
en route [ɔn'ru:t] *adv* unterwegs; ~ **for** auf dem Weg nach; ~ **from London to Berlin** auf dem Weg von London nach Berlin.
ensconced [ɪn'skɔnst] *adj*: **she is ~ in** ... sie hat es sich *dat* in ... *dat* gemütlich gemacht.
ensemble [ɔn'sɔmbl] *n* Ensemble *nt*.
enshrine [ɪn'ʃraɪn] *vt* bewahren; **to be ~d in** verankert sein in *+dat*.
ensue [ɪn'sju:] *vi* folgen.
ensuing [ɪn'sju:ɪŋ] *adj* folgend.
ensure [ɪn'ʃuə*] *vt* garantieren; **to ~ that** sicherstellen, daß.
ENT *n abbr* (*MED: = ear, nose and throat*) HNO.
entail [ɪn'teɪl] *vt* mit sich bringen.
entangled [ɪn'tæŋgld] *adj*: **to become ~ (in)** sich verfangen (in *+dat*).
enter ['ɛntə*] *vt* betreten; (*club*) beitreten *+dat*; (*army*) gehen zu; (*profession*) ergreifen; (*race, contest*) sich beteiligen an *+dat*; (*sb for a competition*) anmelden; (*write down*) eintragen; (*COMPUT: data*) eingeben ♦ *vi* (*come in*) hereinkommen; (*go in*) hineingehen.
▸**enter for** *vt fus* anmelden für.
▸**enter into** *vt fus* (*discussion, negotiations*) aufnehmen; (*correspondence*) treten in *+acc*; (*agreement*) schließen.
▸**enter up** *vt* eintragen.
▸**enter (up)on** *vt fus* (*career, policy*) einschlagen.
enteritis [ɛntə'raɪtɪs] *n* Dünndarmentzündung *f*.
enterprise ['ɛntəpraɪz] *n* Unternehmen *nt*; (*initiative*) Initiative *f*; **free ~** freies Unternehmertum *nt*; **private ~** Privatunternehmertum *nt*.
enterprising ['ɛntəpraɪzɪŋ] *adj* einfallsreich.
entertain [ɛntə'teɪn] *vt* unterhalten; (*invite*) einladen; (*idea, plan*) erwägen.
entertainer [ɛntə'teɪnə*] *n* Unterhalter(in) *m(f)*, Entertainer(in) *m(f)*.
entertaining [ɛntə'teɪnɪŋ] *adj* amüsant ♦ *n*: **to do a lot of ~** sehr oft Gäste haben.
entertainment [ɛntə'teɪnmənt] *n* Unterhaltung *f*; (*show*) Darbietung *f*.
entertainment allowance *n* Aufwandspauschale *f*.
enthral [ɪn'θrɔ:l] *vt* begeistern; (*story*) fesseln.
enthralled [ɪn'θrɔ:ld] *adj* gefesselt; **he was ~ by** *or* **with the book** das Buch fesselte ihn.
enthralling [ɪn'θrɔ:lɪŋ] *adj* fesselnd; (*details*) spannend.
enthuse [ɪn'θu:z] *vi*: **to ~ about** *or* **over** schwärmen von.
enthusiasm [ɪn'θu:zɪæzəm] *n* Begeisterung *f*.
enthusiast [ɪn'θu:zɪæst] *n* Enthusiast(in) *m(f)*; **he's a jazz/sports ~** er begeistert sich für Jazz/Sport.
enthusiastic [ɪnθu:zɪ'æstɪk] *adj* begeistert; (*response, reception*) enthusiastisch; **to be ~ about** begeistert sein von.
entice [ɪn'taɪs] *vt* locken; (*tempt*) verleiten.
enticing [ɪn'taɪsɪŋ] *adj* verlockend.
entire [ɪn'taɪə*] *adj* ganz.
entirely [ɪn'taɪəlɪ] *adv* völlig.
entirety [ɪn'taɪərətɪ] *n*: **in its ~** in seiner Gesamtheit.
entitle [ɪn'taɪtl] *vt*: **to ~ sb to sth** jdn zu etw berechtigen; **to ~ sb to do sth** jdn dazu berechtigen, etw zu tun.
entitled [ɪn'taɪtld] *adj*: **a book/film** *etc* **~** ... ein Buch/Film *etc* mit dem Titel ...; **to be ~ to do sth** das Recht haben, etw zu tun.
entity ['ɛntɪtɪ] *n* Wesen *nt*.
entourage [ɔntu'rɑ:ʒ] *n* Gefolge *nt*.
entrails ['ɛntreɪlz] *npl* Eingeweide *pl*.
entrance [*n* 'ɛntrns, *vt* ɪn'trɑ:ns] *n* Eingang *m*; (*arrival*) Ankunft *f*; (*on stage*) Auftritt *m* ♦ *vt* bezaubern; **to gain ~ to** (*building etc*) sich *dat* Zutritt verschaffen zu; (*university*) die Zulassung erhalten zu; (*profession etc*) Zugang erhalten zu.
entrance examination *n* Aufnahmeprüfung *f*.
entrance fee *n* Eintrittsgeld *nt*.
entrance ramp (*US*) *n* Auffahrt *f*.
entrancing [ɪn'trɑ:nsɪŋ] *adj* bezaubernd.
entrant ['ɛntrnt] *n* Teilnehmer(in) *m(f)*; (*BRIT: in exam*) Prüfling *m*.
entreat [ɛn'tri:t] *vt*: **to ~ sb to do sth** jdn anflehen, etw zu tun.
entreaty [ɛn'tri:tɪ] *n* (flehentliche) Bitte *f*.
entrée ['ɔntreɪ] *n* Hauptgericht *nt*.
entrenched [ɛn'trɛntʃt] *adj* verankert; (*ideas*) festgesetzt.
entrepreneur ['ɔntrəprə'nə:*] *n* Unternehmer(in) *m(f)*.
entrepreneurial ['ɔntrəprə'nə:rɪəl] *adj* unternehmerisch.
entrust [ɪn'trʌst] *vt*: **to ~ sth to sb** jdm etw anvertrauen; **to ~ sb with sth** (*task*) jdn mit etw betrauen; (*secret, valuables*) jdm etw anvertrauen.
entry ['ɛntrɪ] *n* Eingang *m*; (*in competition*)

Meldung *f*; (*in register, account book, reference book*) Eintrag *m*; (*arrival*) Eintritt *m*; (*to country*) Einreise *f*; **"no ~"** „Zutritt verboten"; (*AUT*) „Einfahrt verboten"; **single/double ~ book-keeping** einfache/doppelte Buchführung *f*.
entry form *n* Anmeldeformular *nt*.
entry phone (*BRIT*) *n* Türsprechanlage *f*.
entwine [ɪn'twaɪn] *vt* verflechten.
enumerate [ɪ'njuːməreɪt] *vt* aufzählen.
enunciate [ɪ'nʌnsɪeɪt] *vt* artikulieren; (*principle, plan etc*) formulieren.
envelop [ɪn'vɛləp] *vt* einhüllen.
envelope ['ɛnvələup] *n* Umschlag *m*.
enviable ['ɛnvɪəbl] *adj* beneidenswert.
envious ['ɛnvɪəs] *adj* neidisch; **to be ~ of sth/sb** auf etw/jdn neidisch sein.
environment [ɪn'vaɪərnmənt] *n* Umwelt *f*; **Department of the E~** (*BRIT*) Umweltministerium *nt*.
environmental [ɪnvaɪərn'mɛntl] *adj* (*problems, pollution etc*) Umwelt-; **~ studies** Umweltkunde *f*.
environmentalist [ɪnvaɪərn'mɛntlɪst] *n* Umweltschützer(in) *m(f)*.
Environmental Protection Agency (*US*) *n* *staatliche Umweltbehörde der USA*.
environment-friendly *adj* umweltfreundlich.
envisage [ɪn'vɪzɪdʒ] *vt* sich *dat* vorstellen; **I ~ that** ... ich stelle mir vor, daß ...
envision [ɪn'vɪʒən] (*US*) *vt* = **envisage**.
envoy ['ɛnvɔɪ] *n* Gesandte(r) *f(m)*.
envy ['ɛnvɪ] *n* Neid *m* ♦ *vt* beneiden; **to ~ sb sth** jdn um etw beneiden.
enzyme ['ɛnzaɪm] *n* Enzym *nt*.
eon ['iːən] *n* Äon *m*, Ewigkeit *f*.
EPA (*US*) *n abbr* = **Environmental Protection Agency**.
ephemeral [ɪ'fɛmərl] *adj* kurzlebig.
epic ['ɛpɪk] *n* Epos *nt* ♦ *adj* (*journey*) lang und abenteuerlich.
epicentre, (*US*) epicenter ['ɛpɪsɛntə*] *n* Epizentrum *nt*.
epidemic [ɛpɪ'dɛmɪk] *n* Epidemie *f*.
epigram ['ɛpɪgræm] *n* Epigramm *nt*.
epilepsy ['ɛpɪlɛpsɪ] *n* Epilepsie *f*.
epileptic [ɛpɪ'lɛptɪk] *adj* epileptisch ♦ *n* Epileptiker(in) *m(f)*.
epilogue ['ɛpɪlɔg] *n* Epilog *m*, Nachwort *nt*.
Epiphany [ɪ'pɪfənɪ] *n* Dreikönigsfest *nt*.
episcopal [ɪ'pɪskəpl] *adj* bischöflich; **the E~ Church** die Episkopalkirche.
episode ['ɛpɪsəud] *n* Episode *f*; (*TV, RADIO*) Folge *f*.
epistle [ɪ'pɪsl] *n* Epistel *f*; (*REL*) Brief *m*.
epitaph ['ɛpɪtɑːf] *n* Epitaph *nt*; (*on gravestone etc*) Grab(in)schrift *f*.
epithet ['ɛpɪθɛt] *n* Beiname *m*.
epitome [ɪ'pɪtəmɪ] *n* Inbegriff *m*.
epitomize [ɪ'pɪtəmaɪz] *vt* verkörpern.
epoch ['ɪːpɔk] *n* Epoche *f*.
epoch-making ['iːpɔkmeɪkɪŋ] *adj* epochal; (*discovery*) epochemachend.
eponymous [ɪ'pɔnɪməs] *adj* namengebend.
equable ['ɛkwəbl] *adj* ausgeglichen; (*reply*) sachlich.
equal ['iːkwl] *adj* gleich ♦ *n* Gleichgestellte(r) *f(m)* ♦ *vt* gleichkommen *+dat*; (*number*) gleich sein *+dat*; **they are roughly ~ in size** sie sind ungefähr gleich groß; **the number of exports should be ~ to imports** Export- und Importzahlen sollten gleich sein; **~ opportunities** Chancengleichheit *f*; **to be ~ to** (*task*) gewachsen sein *+dat*; **two times two ~s four** zwei mal zwei ist (gleich) vier.
equality [iː'kwɔlɪtɪ] *n* Gleichheit *f*; **~ of opportunity** Chancengleichheit *f*.
equalize ['iːkwəlaɪz] *vt* angleichen ♦ *vi* (*SPORT*) ausgleichen.
equally ['iːkwəlɪ] *adv* gleichmäßig; (*good, bad etc*) gleich; **they are ~ clever** sie sind beide gleich klug.
Equal Opportunities Commission, (*US*) Equal Employment Opportunity Commission *n* Ausschuß *m* für Chancengleichheit am Arbeitsplatz.
equal(s) sign *n* Gleichheitszeichen *nt*.
equanimity [ɛkwə'nɪmɪtɪ] *n* Gleichmut *m*, Gelassenheit *f*.
equate [ɪ'kweɪt] *vt*: **to ~ sth with** etw gleichsetzen mit ♦ *vt* (*compare*) auf die gleiche Stufe stellen; **to ~ A to B** A und B auf die gleiche Stufe stellen.
equation [ɪ'kweɪʃən] *n* Gleichung *f*.
equator [ɪ'kweɪtə*] *n* Äquator *m*.
equatorial [ɛkwə'tɔːrɪəl] *adj* äquatorial.
Equatorial Guinea *n* Äquatorial-Guinea *nt*.
equestrian [ɪ'kwɛstrɪən] *adj* (*sport, dress etc*) Reit-; (*statue*) Reiter- ♦ *n* Reiter(in) *m(f)*.
equilibrium [iːkwɪ'lɪbrɪəm] *n* Gleichgewicht *nt*.
equinox ['iːkwɪnɔks] *n* Tagundnachtgleiche *f*; **the spring/autumn ~** die Frühjahrs-/die Herbst-Tagundnachtgleiche *f*.
equip [ɪ'kwɪp] *vt*: **to ~ (with)** (*person, army*) ausrüsten (mit); (*room, car etc*) ausstatten (mit); **to ~ sb for** jdn vorbereiten auf *+acc*; **to be well ~ped** gut ausgerüstet sein.
equipment [ɪ'kwɪpmənt] *n* Ausrüstung *f*.
equitable ['ɛkwɪtəbl] *adj* gerecht.
equities ['ɛkwɪtɪz] (*BRIT*) *npl* Stammaktien *pl*.
equity ['ɛkwɪtɪ] *n* Gerechtigkeit *f*.
equity capital *n* Eigenkapital *nt*.
equivalent [ɪ'kwɪvələnt] *adj* gleich, gleichwertig ♦ *n* Gegenstück *nt*; **to be ~ to** *or* **the ~ of** entsprechen *+dat*.
equivocal [ɪ'kwɪvəkl] *adj* vieldeutig; (*open to suspicion*) zweifelhaft.
equivocate [ɪ'kwɪvəkeɪt] *vi* ausweichen, ausweichend antworten.
equivocation [ɪkwɪvə'keɪʃən] *n* Ausflucht *f*, ausweichende Antwort *f*.
ER (*BRIT*) *abbr* (= *Elizabeth Regina*) *offizieller*

Namenszug der Königin.
ERA (*US*) *n abbr* (*POL:* = *Equal Rights Amendment*) *Artikel der amerikanischen Verfassung zur Gleichberechtigung*; (*BASEBALL:* = *earned run average*) *durch Eigenleistung erzielte Läufe.*
era [ˈɪərə] *n* Ära *f*, Epoche *f*.
eradicate [ɪˈrædɪkeɪt] *vt* ausrotten.
erase [ɪˈreɪz] *vt* (*tape, COMPUT*) löschen; (*writing*) ausradieren; (*thought, feeling*) auslöschen.
eraser [ɪˈreɪzə*] *n* Radiergummi *m*.
erect [ɪˈrɛkt] *adj* aufrecht; (*tail*) hocherhoben; (*ears*) gespitzt ♦ *vt* bauen; (*assemble*) aufstellen.
erection [ɪˈrɛkʃən] *n* Bauen *nt*; (*of statue*) Errichten *nt*; (*of tent, machinery etc*) Aufstellen *nt*; (*PHYSIOL*) Erektion *f*.
ergonomics [əːgəˈnɔmɪks] *n sing* Ergonomie *f*, Ergonomik *f*.
ERISA (*US*) *n abbr* (= *Employee Retirement Income Security Act*) *Gesetz zur Regelung der Rentenversicherung.*
Eritrea *n* Eritrea *nt*.
ERM *n abbr* (= *Exchange Rate Mechanism*) Wechselkursmechanismus *m*.
ermine [ˈəːmɪn] *n* (*fur*) Hermelin *m*.
ERNIE, Ernie [ˈəːnɪ] (*BRIT*) *n abbr* (= *Electronic Random Number Indicator Equipment*) *Gerät zur Ermittlung von Gewinnummern für Prämiensparer.*
erode [ɪˈrəud] *vt* erodieren, auswaschen; (*metal*) zerfressen; (*confidence, power*) untergraben.
erogenous [ɪˈrɔdʒənəs] *adj* erogen.
erosion [ɪˈrəuʒən] *n* (*see vb*) Erosion *f*, Auswaschen *nt*; Zerfressen *nt*; Untergraben *nt*.
erotic [ɪˈrɔtɪk] *adj* erotisch.
eroticism [ɪˈrɔtɪsɪzəm] *n* Erotik *f*.
err [əː*] *vi* sich irren; **to ~ on the side of caution/simplicity** (im Zweifelsfall) zur Vorsicht/Vereinfachung neigen.
errand [ˈɛrənd] *n* Besorgung *f*; (*to give a message etc*) Botengang *m*; **to run ~s** Besorgungen/Botengänge machen; **~ of mercy** Rettungsaktion *f*.
erratic [ɪˈrætɪk] *adj* unberechenbar; (*attempts*) unkoordiniert; (*noise*) unregelmäßig.
erroneous [ɪˈrəunɪəs] *adj* irrig.
error [ˈɛrə*] *n* Fehler *m*; **typing/spelling ~** Tipp-/Rechtschreibfehler *m*; **in ~** irrtümlicherweise; **~s and omissions excepted** Irrtum vorbehalten.
error message *n* Fehlermeldung *f*.
erstwhile [ˈəːstwaɪl] *adj* einstig, vormalig.
erudite [ˈɛrjudaɪt] *adj* gelehrt.
erupt [ɪˈrʌpt] *vi* ausbrechen.
eruption [ɪˈrʌpʃən] *n* Ausbruch *m*.
ESA *n abbr* (= *European Space Agency*) Europäische Weltraumbehörde *f*.
escalate [ˈɛskəleɪt] *vi* eskalieren, sich ausweiten.
escalation [ɛskəˈleɪʃən] *n* Eskalation *f*.
escalator [ˈɛskəleɪtə*] *n* Rolltreppe *f*.
escalator clause *n* Gleitklausel *f*.
escapade [ɛskəˈpeɪd] *n* Eskapade *f*.
escape [ɪsˈkeɪp] *n* Flucht *f*; (*TECH: of liquid*) Ausfließen *nt*; (*of gas*) Ausströmen *nt*; (*of air, heat*) Entweichen *nt* ♦ *vi* entkommen; (*from prison*) ausbrechen; (*liquid*) ausfließen; (*gas*) ausströmen; (*air, heat*) entweichen ♦ *vt* (*pursuers etc*) entkommen *+dat*; (*punishment etc*) entgehen *+dat*; **his name ~s me** sein Name ist mir entfallen; **to ~ from** flüchten aus; (*prison*) ausbrechen aus; (*person*) entkommen *+dat*; **to ~ to Peru** nach Peru fliehen; **to ~ to safety** sich in Sicherheit bringen; **to ~ notice** unbemerkt bleiben.
escape artist *n* Entfesselungskünstler(in) *m(f)*.
escape clause *n* (*in contract*) Befreiungsklausel *f*.
escapee [ɪskeɪˈpiː] *n* entwichener Häftling *m*.
escape hatch *n* Notluke *f*.
escape key *n* (*COMPUT*) Escape-Taste *f*.
escape route *n* Fluchtweg *m*.
escapism [ɪsˈkeɪpɪzəm] *n* Wirklichkeitsflucht *f*, Eskapismus *m*.
escapist [ɪsˈkeɪpɪst] *adj* eskapistisch.
escapologist [ɛskəˈpɔlədʒɪst] (*BRIT*) *n* = **escape artist.**
escarpment [ɪsˈkɑːpmənt] *n* Steilhang *m*.
eschew [ɪsˈtʃuː] *vt* meiden.
escort [*n* ˈɛskɔːt, *vt* ɪsˈkɔːt] *n* Eskorte *f*; (*companion*) Begleiter(in) *m(f)* ♦ *vt* begleiten; **his ~** seine Begleiterin; **her ~** ihr Begleiter.
escort agency *n* Agentur *f* für Begleiter(innen).
Eskimo [ˈɛskɪməu] *n* Eskimo(frau) *m(f)*.
ESL *n abbr* (*SCOL:* = *English as a Second Language*) Englisch *nt* als Zweitsprache.
esophagus [iːˈsɔfəgəs] (*US*) *n* = **oesophagus.**
esoteric [ɛsəˈtɛrɪk] *adj* esoterisch.
ESP *n abbr* = **extrasensory perception**; (*SCOL:* = *English for Special Purposes*) *Englischunterricht für spezielle Fachbereiche.*
esp. *abbr* = **especially.**
especially [ɪsˈpɛʃlɪ] *adv* besonders.
espionage [ˈɛspɪənɑːʒ] *n* Spionage *f*.
esplanade [ɛspləˈneɪd] *n* Promenade *f*.
espouse [ɪsˈpauz] *vt* eintreten für.
Esquire [ɪsˈkwaɪə*] *n* (*abbr Esq.*): **J. Brown, ~** Herrn J. Brown.
essay [ˈɛseɪ] *n* Aufsatz *m*; (*LITER*) Essay *m or nt*.
essence [ˈɛsns] *n* Wesen *nt*; (*CULIN*) Essenz *f*; **in ~** im wesentlichen; **speed is of the ~** Geschwindigkeit ist von entscheidender Bedeutung.
essential [ɪˈsɛnʃl] *adj* notwendig; (*basic*) wesentlich ♦ *n* (*see adj*) Notwendigste(s) *nt*; Wesentliche(s) *nt*; **it is ~ that** es ist unbedingt *or* absolut erforderlich, daß.

essentially [ɪ'sɛnʃəlɪ] *adv* im Grunde genommen.
EST (*US*) *abbr* (= *Eastern Standard Time*) *ostamerikanische Standardzeit.*
est. *abbr* = **established; estimate(d).**
establish [ɪs'tæblɪʃ] *vt* gründen; (*facts*) feststellen; (*proof*) erstellen; (*relations, contact*) aufnehmen; (*reputation*) sich *dat* verschaffen.
established [ɪs'tæblɪʃt] *adj* üblich; (*business*) eingeführt.
establishment [ɪs'tæblɪʃmənt] *n* (*see vb*) Gründung *f*; Feststellung *f*; Erstellung *f*; Aufnahme *f*; (*of reputation*) Begründung *f*; (*shop etc*) Unternehmen *nt*; **the E~** das Establishment.
estate [ɪs'teɪt] *n* Gut *nt*; (*BRIT: also:* **housing ~**) Siedlung *f*; (*LAW*) Nachlaß *m*.
estate agency (*BRIT*) *n* Maklerbüro *nt*.
estate agent (*BRIT*) *n* Immobilienmakler(in) *m(f)*.
estate car (*BRIT*) *n* Kombiwagen *m*.
esteem [ɪs'tiːm] *n*: **to hold sb in high ~** eine hohe Meinung von jdm haben.
esthetic [ɪs'θɛtɪk] (*US*) *adj* = **aesthetic.**
estimate ['ɛstɪmət] *n* Schätzung *f*; (*assessment*) Einschätzung *f*; (*COMM*) (Kosten)voranschlag *m* ♦ *vt* schätzen ♦ *vi* (*BRIT: COMM*): **to ~ for** einen Kostenvoranschlag machen für; **to give sb an ~ of sth** jdm eine Vorstellung von etw geben; **to ~ for** einen Kostenvoranschlag machen für; **at a rough ~** grob geschätzt, über den Daumen gepeilt (*inf*); **I ~ that** ich schätze, daß.
estimation [ɛstɪ'meɪʃən] *n* Schätzung *f*; (*opinion*) Einschätzung *f*; **in my ~** meiner Einschätzung nach.
estimator ['ɛstɪmeɪtə*] *n* Schätzer(in) *m(f)*.
Estonia [ɛs'təunɪə] *n* Estland *nt*.
Estonian [ɛs'təunɪən] *adj* estnisch ♦ *n* Este *m*, Estin *f*; (*LING*) Estnisch *nt*.
estranged [ɪs'treɪndʒd] *adj* entfremdet; (*from spouse*) getrennt; (*couple*) getrennt lebend.
estrangement [ɪs'treɪndʒmənt] *n* Entfremdung *f*; (*from spouse*) Trennung *f*.
estrogen ['iːstrəudʒən] (*US*) *n* = **oestrogen.**
estuary ['ɛstjuərɪ] *n* Mündung *f*.
ET (*BRIT*) *n abbr* (= *Employment Training*) *Ausbildungsmaßnahmen für Arbeitslose.*
ETA *n abbr* (= *estimated time of arrival*) voraussichtliche Ankunftszeit *f*.
et al. *abbr* (= *et alii*) u.a.
etc. *abbr* (= *et cetera*) etc.
etch [ɛtʃ] *vt* (*design, surface: with needle*) radieren; (: *with acid*) ätzen; (: *with chisel*) meißeln; **it will be ~ed on my memory** es wird sich tief in mein Gedächtnis eingraben.
etching ['ɛtʃɪŋ] *n* Radierung *f*.
ETD *n abbr* (= *estimated time of departure*) voraussichtliche Abflugzeit *f*.
eternal [ɪ'təːnl] *adj* ewig.
eternity [ɪ'təːnɪtɪ] *n* Ewigkeit *f*.
ether ['iːθə*] *n* Äther *m*.
ethereal [ɪ'θɪərɪəl] *adj* ätherisch.
ethical ['ɛθɪkl] *adj* ethisch.
ethics ['ɛθɪks] *n* Ethik *f* ♦ *npl* (*morality*) Moral *f*.
Ethiopia [iːθɪ'əupɪə] *n* Äthiopien *nt*.
Ethiopian [iːθɪ'əupɪən] *adj* äthiopisch ♦ *n* Äthiopier(in) *m(f)*.
ethnic ['ɛθnɪk] *adj* ethnisch; (*music*) folkloristisch; (*culture etc*) urwüchsig.
ethnic cleansing [-'klɛnzɪŋ] *n* ethnische Säuberung *f*.
ethnology [ɛθ'nɔlədʒɪ] *n* Ethnologie *f*, Völkerkunde *f*.
ethos ['iːθɔs] *n* Ethos *nt*.
etiquette ['ɛtɪkɛt] *n* Etikette *f*.
ETV (*US*) *n abbr* (= *educational television*) *Fernsehsender, der Bildungs- und Kulturprogramme ausstrahlt.*
etymology [ɛtɪ'mɔlədʒɪ] *n* Etymologie *f*; (*of word*) Herkunft *f*.
EU *n abbr* (= *European Union*) EU *f*.
eucalyptus [juːkə'lɪptəs] *n* Eukalyptus *m*.
Eucharist ['juːkərɪst] *n*: **the ~** die Eucharistie, das (heilige) Abendmahl.
eulogy ['juːlədʒɪ] *n* Lobrede *f*.
euphemism ['juːfəmɪzəm] *n* Euphemismus *m*.
euphemistic [juːfə'mɪstɪk] *adj* euphemistisch, verhüllend.
euphoria [juː'fɔːrɪə] *n* Euphorie *f*.
Eurasia [juə'reɪʃə] *n* Eurasien *nt*.
Eurasian [juə'reɪʃən] *adj* eurasisch ♦ *n* Eurasier(in) *m(f)*.
Euratom [juə'rætəm] *n abbr* (= *European Atomic Energy Community*) Euratom *f*.
Euro- ['juərəu] *pref* Euro-.
Eurocheque ['juərəutʃɛk] *n* Euroscheck *m*.
Eurocrat ['juərəukræt] *n* Eurokrat(in) *m(f)*.
Eurodollar ['juərəudɔlə*] *n* Eurodollar *m*.
Europe ['juərəp] *n* Europa *nt*.
European [juərə'piːən] *adj* europäisch ♦ *n* Europäer(in) *m(f)*.
European Community *n*: **the ~** die Europäische Gemeinschaft.
European Court of Justice *n*: **the ~** der Europäische Gerichtshof.
European Economic Community *n*: **the ~** die Europäische Wirtschaftsgemeinschaft.
Euro-sceptic ['juərəuskɛptɪk] *n* Euroskeptiker(in) *m(f)*.
euthanasia [juːθə'neɪzɪə] *n* Euthanasie *f*.
evacuate [ɪ'vækjueɪt] *vt* evakuieren; (*place*) räumen.
evacuation [ɪvækju'eɪʃən] *n* (*see verb*) Evakuierung *f*; Räumung *f*.
evacuee [ɪvækju'iː] *n* Evakuierte(r) *f(m)*.
evade [ɪ'veɪd] *vt* (*person, question*) ausweichen *+dat*; (*tax*) hinterziehen; (*duty, responsibility*) sich entziehen *+dat*.
evaluate [ɪ'væljueɪt] *vt* bewerten; (*situation*) einschätzen.

evangelical [iːvæn'dʒɛlɪkl] *adj* evangelisch.
evangelist [ɪ'vændʒəlɪst] *n* Evangelist(in) *m(f)*.
evangelize [ɪ'vændʒəlaɪz] *vi* evangelisieren.
evaporate [ɪ'væpəreɪt] *vi* verdampfen; (*feeling, attitude*) dahinschwinden.
evaporated milk [ɪ'væpəreɪtɪd-] *n* Kondensmilch *f*, Büchsenmilch *f*.
evaporation [ɪvæpə'reɪʃən] *n* Verdampfung *f*.
evasion [ɪ'veɪʒən] *n* Ausweichen *nt*; (*of tax*) Hinterziehung *f*.
evasive [ɪ'veɪsɪv] *adj* ausweichend; **to take ~ action** ein Ausweichmanöver machen.
eve [iːv] *n*: **on the ~ of** am Tag vor *+dat*; **Christmas E~** Heiligabend *m*; **New Year's E~** Silvester *m or nt*.
even ['iːvn] *adj* (*level*) eben; (*smooth*) glatt; (*equal*) gleich; (*number*) gerade ♦ *adv* sogar, selbst; (*introducing a comparison*) sogar noch; **~ if, ~ though** selbst wenn; **~ more** sogar noch mehr; **he loves her ~ more** er liebt sie um so mehr; **it's going ~ faster now** es fährt jetzt sogar noch schneller; **~ so** (aber) trotzdem; **not ~** nicht einmal; **~ he was there** sogar er war da; **to break ~** die Kosten decken; **to get ~ with sb** es jdm heimzahlen.
►**even out** *vi* sich ausgleichen ♦ *vt* ausgleichen.
even-handed ['iːvnhændɪd] *adj* gerecht.
evening ['iːvnɪŋ] *n* Abend *m*; **in the ~** abends, am Abend; **this ~** heute abend; **tomorrow/yesterday ~** morgen/gestern abend.
evening class *n* Abendkurs *m*.
evening dress *n* (*no pl*) Abendkleidung *f*; (*woman's*) Abendkleid *nt*.
evenly ['iːvnlɪ] *adv* gleichmäßig.
evensong ['iːvnsɔŋ] *n* Abendandacht *f*.
event [ɪ'vɛnt] *n* Ereignis *nt*; (*SPORT*) Wettkampf *m*; **in the normal course of ~s** normalerweise; **in the ~ of** im Falle *+gen*; **in the ~** schließlich; **at all ~s** (*BRIT*), **in any ~** auf jeden Fall.
eventful [ɪ'vɛntful] *adj* ereignisreich.
eventing [ɪ'vɛntɪŋ] *n* (*HORSERIDING*) Military *f*.
eventual [ɪ'vɛntʃuəl] *adj* schließlich; (*goal*) letztlich.
eventuality [ɪvɛntʃu'ælɪtɪ] *n* Eventualität *f*.
eventually [ɪ'vɛntʃuəlɪ] *adv* endlich; (*in time*) schließlich.
ever ['ɛvə*] *adv* immer; (*at any time*) je(mals); **why ~ not?** warum denn bloß nicht?; **the best ~** der/die/das Allerbeste; **have you ~ seen it?** haben Sie es schon einmal gesehen?; **for ~** für immer; **hardly ~** kaum je(mals); **better than ~** besser als je zuvor; **~ since** *adv* seitdem ♦ *conj* seit, seitdem; **~ so pretty** unheimlich hübsch (*inf*); **thank you ~ so much** ganz herzlichen Dank; **yours ~** (*BRIT: in letters*) alles Liebe.
Everest ['ɛvərɪst] *n* (*also*: **Mount ~**) Mount Everest *m*.
evergreen ['ɛvəgriːn] *n* (*tree/bush*) immergrüner Baum/Strauch *m*.
everlasting [ɛvə'lɑːstɪŋ] *adj* ewig.

KEYWORD

every ['ɛvrɪ] *adj* **1** jede(r, s); **~ one of them** (*persons*) jede(r) (einzelne) von ihnen; (*objects*) jedes einzelne Stück; **~ day** jeden Tag; **~ week** jede Woche; **~ other car** jedes zweite Auto; **~ other/third day** alle zwei/drei Tage; **~ shop in the town was closed** alle Geschäfte der Stadt waren geschlossen; **~ now and then** ab und zu, hin und wieder
2 (*all possible*): **I have ~ confidence in him** ich habe volles Vertrauen in ihn; **we wish you ~ success** wir wünschen Ihnen alles Gute.

everybody ['ɛvrɪbɔdɪ] *pron* jeder, alle *pl*; **~ knows about it** alle wissen es; **~ else** alle anderen *pl*.
everyday ['ɛvrɪdeɪ] *adj* täglich; (*usual, common*) alltäglich; (*life, language*) Alltags-.
everyone ['ɛvrɪwʌn] *pron* = **everybody**.
everything ['ɛvrɪθɪŋ] *pron* alles; **he did ~ possible** er hat sein Möglichstes getan.
everywhere ['ɛvrɪwɛə*] *adv* überall; (*wherever*) wo auch *or* immer; **~ you go you meet ...** wo man auch *or* wo immer man hingeht, trifft man ...
evict [ɪ'vɪkt] *vt* zur Räumung zwingen.
eviction [ɪ'vɪkʃən] *n* Ausweisung *f*.
eviction notice *n* Räumungskündigung *f*.
eviction order *n* Räumungsbefehl *m*.
evidence ['ɛvɪdns] *n* Beweis *m*; (*of witness*) Aussage *f*; (*sign, indication*) Zeichen *nt*, Spur *f*; **to give ~** (als Zeuge) aussagen; **to show ~ of** zeigen; **in ~** sichtbar.
evident ['ɛvɪdnt] *adj* offensichtlich.
evidently ['ɛvɪdntlɪ] *adv* offensichtlich.
evil ['iːvl] *adj* böse; (*influence*) schlecht ♦ *n* Böse(s) *nt*; (*unpleasant situation or activity*) Übel *nt*.
evocative [ɪ'vɔkətɪv] *adj* evokativ.
evoke [ɪ'vəuk] *vt* hervorrufen; (*memory*) wecken.
evolution [iːvə'luːʃən] *n* Evolution *f*; (*development*) Entwicklung *f*.
evolve [ɪ'vɔlv] *vt* entwickeln ♦ *vi* sich entwickeln.
ewe [juː] *n* Mutterschaf *nt*.
ewer ['juːə*] *n* (Wasser)krug *m*.
ex- [ɛks] *pref* Ex-, frühere(r, s); **the price ~ works** der Preis ab Werk.
exacerbate [ɛks'æsəbeɪt] *vt* verschärfen; (*pain*) verschlimmern.
exact [ɪg'zækt] *adj* genau; (*word*) richtig ♦ *vt*: **to ~ sth (from)** etw verlangen (von); (*payment*) etw eintreiben (von).
exacting [ɪg'zæktɪŋ] *adj* anspruchsvoll.
exactly [ɪg'zæktlɪ] *adv* genau; **~!** (ganz)

genau!; **not** ~ (*hardly*) nicht gerade.
exaggerate [ɪg'zædʒəreɪt] *vt, vi* übertreiben.
exaggerated [ɪg'zædʒəreɪtɪd] *adj* übertrieben.
exaggeration [ɪgzædʒə'reɪʃən] *n* Übertreibung *f*.
exalt [ɪg'zɔːlt] *vt* preisen.
exalted [ɪg'zɔːltɪd] *adj* hoch; (*elated*) exaltiert.
exam [ɪg'zæm] *n abbr* = **examination.**
examination [ɪgzæmɪ'neɪʃən] *n* (*see vb*) Untersuchung *f*; Prüfung *f*; Verhör *nt*; **to take** *or* (*BRIT*) **sit an** ~ eine Prüfung machen; **the matter is under** ~ die Angelegenheit wird geprüft *or* untersucht.
examine [ɪg'zæmɪn] *vt* untersuchen; (*accounts, candidate*) prüfen; (*witness*) verhören.
examiner [ɪg'zæmɪnə*] *n* Prüfer(in) *m(f)*.
example [ɪg'zɑːmpl] *n* Beispiel *nt*; **for** ~ zum Beispiel; **to set a good/bad** ~ ein gutes/ schlechtes Beispiel geben.
exasperate [ɪg'zɑːspəreɪt] *vt* (*annoy*) verärgern; (*frustrate*) zur Verzweiflung bringen; **~d by** *or* **with** verärgert/ verzweifelt über *+acc*.
exasperating [ɪg'zɑːspəreɪtɪŋ] *adj* ärgerlich; (*job*) leidig.
exasperation [ɪgzɑːspə'reɪʃən] *n* Verzweiflung *f*; **in** ~ verzweifelt.
excavate ['ɛkskəveɪt] *vt* ausgraben; (*hole*) graben ♦ *vi* Ausgrabungen machen.
excavation [ɛkskə'veɪʃən] *n* Ausgrabung *f*.
excavator ['ɛkskəveɪtə*] *n* Bagger *m*.
exceed [ɪk'siːd] *vt* übersteigen; (*hopes*) übertreffen; (*limit, budget, powers*) überschreiten.
exceedingly [ɪk'siːdɪŋlɪ] *adv* äußerst.
excel [ɪk'sɛl] *vt* übertreffen ♦ *vi*: **to** ~ **(in** *or* **at)** sich auszeichnen (in *+dat*); **to** ~ **o.s.** (*BRIT*) sich selbst übertreffen.
excellence ['ɛksələns] *n* hervorragende Leistung *f*.
Excellency ['ɛksələnsɪ] *n*: **His** ~ Seine Exzellenz.
excellent ['ɛksələnt] *adj* ausgezeichnet, hervorragend.
except [ɪk'sɛpt] *prep* (*also*: ~ **for**) außer *+dat* ♦ *vt*: **to** ~ **sb (from)** jdn ausnehmen (bei); ~ **if,** ~ **when** außer wenn; ~ **that** nur daß.
excepting [ɪk'sɛptɪŋ] *prep* außer *+dat*, mit Ausnahme *+gen*.
exception [ɪk'sɛpʃən] *n* Ausnahme *f*; **to take** ~ **to** Anstoß nehmen an *+dat*; **with the** ~ **of** mit Ausnahme von.
exceptional [ɪk'sɛpʃənl] *adj* außergewöhnlich.
excerpt ['ɛksəːpt] *n* Auszug *m*.
excess [ɪk'sɛs] *n* Übermaß *nt*; (*INSURANCE*) Selbstbeteiligung *f*; **excesses** *npl* Exzesse *pl*; **an** ~ **of £15, a £15** ~ eine Selbstbeteiligung von £15; **in** ~ **of** über *+dat*.
excess baggage *n* Übergepäck *nt*.
excess fare (*BRIT*) *n* Nachlösegebühr *f*.
excessive [ɪk'sɛsɪv] *adj* übermäßig.
excess supply *n* Überangebot *nt*.
exchange [ɪks'tʃeɪndʒ] *n* Austausch *m*; (*conversation*) Wortwechsel *m*; (*also*: **telephone** ~) Fernsprechamt *nt* ♦ *vt*: **to** ~ **(for)** tauschen (gegen); (*in shop*) umtauschen (gegen); **in** ~ **for** für; **foreign** ~ Devisenhandel *m*; (*money*) Devisen *pl*.
exchange control *n* Devisenkontrolle *f*.
exchange market *n* Devisenmarkt *m*.
exchange rate *n* Wechselkurs *m*.
Exchequer [ɪks'tʃɛkə*] (*BRIT*) *n*: **the** ~ das Finanzministerium.
excisable [ɪk'saɪzəbl] *adj* steuerpflichtig.
excise ['ɛksaɪz] *n* Verbrauchssteuer *f* ♦ *vt* entfernen.
excise duties *npl* Verbrauchssteuern *pl*.
excitable [ɪk'saɪtəbl] *adj* (leicht) erregbar.
excite [ɪk'saɪt] *vt* aufregen; (*arouse*) erregen; **to get ~d** sich aufregen.
excitement [ɪk'saɪtmənt] *n* Aufregung *f*; (*exhilaration*) Hochgefühl *nt*.
exciting [ɪk'saɪtɪŋ] *adj* aufregend.
excl. *abbr* = **excluding; exclusive (of).**
exclaim [ɪks'kleɪm] *vi* aufschreien.
exclamation [ɛksklə'meɪʃən] *n* Ausruf *m*; ~ **of joy** Freudenschrei *m*.
exclamation mark *n* Ausrufezeichen *nt*.
exclude [ɪks'kluːd] *vt* ausschließen.
excluding [ɪks'kluːdɪŋ] *prep*: ~ **VAT** ohne Mehrwertsteuer.
exclusion [ɪks'kluːʒən] *n* Ausschluß *m*; **to concentrate on sth to the** ~ **of everything else** sich ausschließlich auf etw *dat* konzentrieren.
exclusion clause *n* Freizeichnungsklausel *f*.
exclusion zone *n* Sperrzone *f*.
exclusive [ɪks'kluːsɪv] *adj* exklusiv; (*story, interview*) Exklusiv-; (*use*) ausschließlich ♦ *n* Exklusivbericht *m* ♦ *adv*: **from 1st to 15th March** ~ vom 1. bis zum 15. März ausschließlich; ~ **of postage** ohne *or* exklusive Porto; ~ **of tax** ausschließlich *or* exklusive Steuern; **to be mutually** ~ sich *or* einander ausschließen.
exclusively [ɪks'kluːsɪvlɪ] *adv* ausschließlich.
exclusive rights *npl* Exklusivrechte *pl*.
excommunicate [ɛkskə'mjuːnɪkeɪt] *vt* exkommunizieren.
excrement ['ɛkskrəmənt] *n* Kot *m*, Exkremente *pl*.
excruciating [ɪks'kruːʃɪeɪtɪŋ] *adj* gräßlich, fürchterlich; (*noise, embarrassment*) unerträglich.
excursion [ɪks'kəːʃən] *n* Ausflug *m*.
excursion ticket *n* verbilligte Fahrkarte *f*.
excusable [ɪks'kjuːzəbl] *adj* verzeihlich, entschuldbar.
excuse [ɪks'kjuːs] *n* Entschuldigung *f* ♦ *vt* entschuldigen; (*forgive*) verzeihen; **to** ~ **sb from sth** jdm etw erlassen; **to** ~ **sb from doing sth** jdn davon befreien, etw zu tum; ~ **me!** entschuldigen Sie!, Entschuldigung!; **if you will** ~ **me ...** entschuldigen Sie mich

bitte ...; **to ~ o.s. for sth** sich für *or* wegen etw entschuldigen; **to ~ o.s. for doing sth** sich entschuldigen, daß man etw tut; **to make ~s for sb** jdn entschuldigen; **that's no ~!** das ist keine Ausrede!

ex-directory ['ɛksdɪ'rɛktərɪ] (*BRIT*) *adj* (*number*) geheim; **she's ~** sie steht nicht im Telefonbuch.

execrable ['ɛksɪkrəbl] *adj* scheußlich; (*manners*) abscheulich.

execute ['ɛksɪkjuːt] *vt* ausführen; (*person*) hinrichten.

execution [ɛksɪ'kjuːʃən] *n* (*see vb*) Ausführung *f*; Hinrichtung *f*.

executioner [ɛksɪ'kjuːʃnə*] *n* Scharfrichter *m*.

executive [ɪg'zɛkjutɪv] *n* leitende(r) Angestellte(r) *f(m)*; (*committee*) Vorstand *m* ♦ *adj* geschäftsführend; (*role*) führend; (*secretary*) Chef-; (*car, chair*) für gehobene Ansprüche; (*toys*) Manager-; (*plane*) ≈ Privat-.

executive director *n* leitender Direktor *m*, leitende Direktorin *f*.

executor [ɪg'zɛkjutə*] *n* Testamentsvollstrecker(in) *m(f)*.

exemplary [ɪg'zɛmplərɪ] *adj* vorbildlich, beispielhaft; (*punishment*) exemplarisch.

exemplify [ɪg'zɛmplɪfaɪ] *vt* verkörpern; (*illustrate*) veranschaulichen.

exempt [ɪg'zɛmpt] *adj*: **~ from** befreit von ♦ *vt*: **to ~ sb from** jdn befreien von.

exemption [ɪg'zɛmpʃən] *n* Befreiung *f*.

exercise ['ɛksəsaɪz] *n* Übung *f*; (*no pl: keep-fit*) Gymnastik *f*; (: *energetic movement*) Bewegung *f*; (: *of authority etc*) Ausübung *f* ♦ *vt* (*patience*) üben; (*right*) ausüben; (*dog*) ausführen; (*mind*) beschäftigen ♦ *vi* (*also*: **to take ~**) Sport treiben.

exercise book *n* (Schul)heft *nt*.

exert [ɪg'zəːt] *vt* (*influence*) ausüben; (*authority*) einsetzen; **to ~ o.s.** sich anstrengen.

exertion [ɪg'zəːʃən] *n* Anstrengung *f*.

ex gratia ['ɛks'greɪʃə] *adj*: **~ payment** freiwillige Zahlung *f*.

exhale [ɛks'heɪl] *vt, vi* ausatmen.

exhaust [ɪg'zɔːst] *n* (*also*: **~ pipe**) Auspuff *m*; (*fumes*) Auspuffgase *pl* ♦ *vt* erschöpfen; (*money*) aufbrauchen; (*topic*) erschöpfend behandeln; **to ~ o.s.** sich verausgaben.

exhausted [ɪg'zɔːstɪd] *adj* erschöpft.

exhausting [ɪg'zɔːstɪŋ] *adj* anstrengend.

exhaustion [ɪg'zɔːstʃən] *n* Erschöpfung *f*; **nervous ~** nervöse Erschöpfung.

exhaustive [ɪg'zɔːstɪv] *adj* erschöpfend.

exhibit [ɪg'zɪbɪt] *n* Ausstellungsstück *nt*; (*LAW*) Beweisstück *nt* ♦ *vt* zeigen, an den Tag legen; (*paintings*) ausstellen.

exhibition [ɛksɪ'bɪʃən] *n* Ausstellung *f*; **to make an ~ of o.s.** sich unmöglich aufführen; **an ~ of bad manners** schlechte Manieren *pl*; **an ~ of draughtsmanship** zeichnerisches Können *nt*.

exhibitionist [ɛksɪ'bɪʃənɪst] *n* Exhibitionist(in) *m(f)*.

exhibitor [ɪg'zɪbɪtə*] *n* Aussteller(in) *m(f)*.

exhilarating [ɪg'zɪləreɪtɪŋ] *adj* erregend, berauschend; (*news*) aufregend.

exhilaration [ɪgzɪlə'reɪʃən] *n* Hochgefühl *nt*.

exhort [ɪg'zɔːt] *vt*: **to ~ sb to do sth** jdn ermahnen, etw zu tun.

exile ['ɛksaɪl] *n* Exil *nt*; (*person*) Verbannte(r) *f(m)* ♦ *vt* verbannen; **in ~** im Exil.

exist [ɪg'zɪst] *vi* existieren.

existence [ɪg'zɪstəns] *n* Existenz *f*; **to be in ~** existieren.

existentialism [ɛgzɪs'tɛnʃlɪzəm] *n* Existentialismus *m*.

existing [ɪg'zɪstɪŋ] *adj* bestehend.

exit ['ɛksɪt] *n* Ausgang *m*; (*from motorway*) Ausfahrt *f*; (*departure*) Abgang *m* ♦ *vi* (*THEAT*) abgehen; (*COMPUT: from program/file etc*) das Programm/die Datei *etc* verlassen; **to ~ from** hinausgehen aus; (*motorway etc*) abfahren von.

exit poll *n bei Wählern unmittelbar nach Verlassen der Wahllokale durchgeführte Umfrage*.

exit ramp (*US*) *n* Ausfahrt *f*.

exit visa *n* Ausreisevisum *nt*.

exodus ['ɛksədəs] *n* Auszug *m*; **the ~ to the cities** die Abwanderung in die Städte.

ex officio ['ɛksə'fɪʃɪəu] *adj* von Amts wegen ♦ *adv* kraft seines Amtes.

exonerate [ɪg'zɔnəreɪt] *vt*: **to ~ from** entlasten von.

exorbitant [ɪg'zɔːbɪtnt] *adj* (*prices, rents*) astronomisch, unverschämt; (*demands*) maßlos, übertrieben.

exorcize ['ɛksɔːsaɪz] *vt* exorzieren; (*spirit*) austreiben.

exotic [ɪg'zɔtɪk] *adj* exotisch.

expand [ɪks'pænd] *vt* erweitern; (*staff, numbers etc*) vergrößern; (*influence*) ausdehnen ♦ *vi* expandieren; (*population*) wachsen; (*gas, metal*) sich ausdehnen; **to ~ on** weiter ausführen.

expanse [ɪks'pæns] *n* Weite *f*.

expansion [ɪks'pænʃən] *n* Expansion *f*; (*of population*) Wachstum *nt*; (*of gas, metal*) Ausdehnung *f*.

expansionism [ɪks'pænʃənɪzəm] *n* Expansionspolitik *f*.

expansionist [ɪks'pænʃənɪst] *adj* Expansions-, expansionistisch.

expatriate [ɛks'pætrɪət] *n* im Ausland Lebende(r) *f(m)*.

expect [ɪks'pɛkt] *vt* erwarten; (*suppose*) denken, glauben; (*count on*) rechnen mit ♦ *vi*: **to be ~ing** ein Kind erwarten; **to ~ sb to do sth** erwarten, daß jd etw tut; **to ~ to do sth** vorhaben, etw zu tun; **as ~ed** wie erwartet; **I ~ so** ich glaube schon.

expectancy [ɪks'pɛktənsɪ] *n* Erwartung *f*; **life**

~ Lebenserwartung *f*.
expectant [ɪks'pɛktənt] *adj* erwartungsvoll.
expectantly [ɪks'pɛktəntlɪ] *adv* erwartungsvoll.
expectant mother *n* werdende Mutter *f*.
expectation [ɛkspɛk'teɪʃən] *n* Erwartung *f*; (*hope*) Hoffnung *f*; **in ~ of** in Erwartung *+gen*; **against** *or* **contrary to all ~(s)** wider Erwarten; **to come** *or* **live up to sb's ~s** jds Erwartungen *dat* entsprechen.
expedience [ɪks'piːdɪəns] *n* = **expediency.**
expediency [ɪks'piːdɪənsɪ] *n* Zweckmäßigkeit *f*; **for the sake of ~** aus Gründen der Zweckmäßigkeit.
expedient [ɪks'piːdɪənt] *adj* zweckmäßig ♦ *n* Hilfsmittel *nt*.
expedite ['ɛkspədaɪt] *vt* beschleunigen.
expedition [ɛkspə'dɪʃən] *n* Expedition *f*; (*for shopping etc*) Tour *f*.
expeditionary force [ɛkspə'dɪʃənrɪ-] *n* Expeditionskorps *nt*.
expeditious [ɛkspə'dɪʃəs] *adj* schnell.
expel [ɪks'pɛl] *vt* (*from school*) verweisen; (*from organization*) ausschließen; (*from place*) vertreiben; (*gas, liquid*) ausstoßen.
expend [ɪks'pɛnd] *vt* ausgeben; (*time, energy*) aufwenden.
expendable [ɪks'pɛndəbl] *adj* entbehrlich.
expenditure [ɪks'pɛndɪtʃə*] *n* Ausgaben *pl*; (*of energy, time*) Aufwand *m*.
expense [ɪks'pɛns] *n* Kosten *pl*; (*expenditure*) Ausgabe *f*; **expenses** *npl* Spesen *pl*; **at the ~ of** auf Kosten *+gen*; **to go to the ~ of buying a new car** (viel) Geld für ein neues Auto anlegen; **at great/little ~** mit hohen/ geringen Kosten.
expense account *n* Spesenkonto *nt*.
expensive [ɪks'pɛnsɪv] *adj* teuer; **to have ~ tastes** einen teuren Geschmack haben.
experience [ɪks'pɪərɪəns] *n* Erfahrung *f*; (*event, activity*) Erlebnis *nt* ♦ *vt* erleben; **by** *or* **from ~** aus Erfahrung; **to learn by ~** durch eigene Erfahrung lernen.
experienced [ɪks'pɪərɪənst] *adj* erfahren.
experiment [ɪks'pɛrɪmənt] *n* Experiment *nt*, Versuch *m* ♦ *vi*: **to ~ (with/on)** experimentieren (mit/an *+dat*); **to perform** *or* **carry out an ~** einen Versuch *or* ein Experiment durchführen; **as an ~** versuchsweise.
experimental [ɪkspɛrɪ'mɛntl] *adj* experimentell; **at the ~ stage** im Versuchsstadium.
expert ['ɛkspəːt] *adj* ausgezeichnet, geschickt; (*opinion, help etc*) eines Fachmanns ♦ *n* Fachmann *m*, Fachfrau *f*, Experte *m*, Expertin *f*; **to be ~ in** *or* **at doing sth** etw ausgezeichnet können; **an ~ on sth/on the subject of sth** ein Experte für etw/auf dem Gebiet einer Sache *gen*; **~ witness** (*LAW*) sachverständiger Zeuge *m*.
expertise [ɛkspəː'tiːz] *n* Sachkenntnis *f*.
expire [ɪks'paɪə*] *vi* ablaufen.
expiry [ɪks'paɪərɪ] *n* Ablauf *m*.
expiry date *n* Ablauftermin *m*; (*of voucher, special offer etc*) Verfallsdatum *nt*.
explain [ɪks'pleɪn] *vt* erklären.
►**explain away** *vt* eine Erklärung finden für.
explanation [ɛksplə'neɪʃən] *n* Erklärung *f*; **to find an ~ for sth** eine Erklärung für etw finden.
explanatory [ɪks'plænətrɪ] *adj* erklärend.
expletive [ɪks'pliːtɪv] *n* Kraftausdruck *m*.
explicable [ɪks'plɪkəbl] *adj* erklärbar; **for no ~ reason** aus unerfindlichen Gründen.
explicit [ɪks'plɪsɪt] *adj* ausdrücklich; (*sex, violence*) deutlich, unverhüllt; **to be ~** (*frank*) sich deutlich ausdrücken.
explode [ɪks'pləud] *vi* explodieren; (*population*) sprunghaft ansteigen ♦ *vt* zur Explosion bringen; (*myth, theory*) zu Fall bringen.
exploit ['ɛksplɔɪt] *n* Heldentat *f* ♦ *vt* ausnutzen; (*workers etc*) ausbeuten; (*resources*) nutzen.
exploitation [ɛksplɔɪ'teɪʃən] *n* (*see vb*) Ausnutzung *f*; Ausbeutung *f*; Nutzung *f*.
exploration [ɛksplə'reɪʃən] *n* (*see vb*) Erforschung *f*; Erkundung *f*; Untersuchung *f*.
exploratory [ɪks'plɔrətrɪ] *adj* exploratorisch; (*expedition*) Forschungs-; **~ operation** (*MED*) Explorationsoperation *f*; **~ talks** Sondierungsgespräche *pl*.
explore [ɪks'plɔː*] *vt* erforschen; (*with hands etc, idea*) untersuchen.
explorer [ɪks'plɔːrə*] *n* Forschungsreisende(r) *f(m)*; (*of place*) Erforscher(in) *m(f)*.
explosion [ɪks'pləuʒən] *n* Explosion *f*; (*outburst*) Ausbruch *m*.
explosive [ɪks'pləusɪv] *adj* explosiv; (*device*) Spreng-; (*temper*) aufbrausend ♦ *n* Sprengstoff *m*; (*device*) Sprengkörper *m*.
exponent [ɪks'pəunənt] *n* Vertreter(in) *m(f)*, Exponent(in) *m(f)*; (*MATH*) Exponent *m*.
exponential [ɛkspəu'nɛnʃl] *adj* exponentiell; (*MATH: function etc*) Exponential-.
export [ɛks'pɔːt] *vt* exportieren, ausführen; (*ideas, values*) verbreiten ♦ *n* Export *m*, Ausfuhr *f*; (*product*) Exportgut *nt* ♦ *cpd* Export-, Ausfuhr-.
exportation [ɛkspɔː'teɪʃən] *n* Export *m*, Ausfuhr *f*.
exporter [ɛks'pɔːtə*] *n* Exporteur *m*.
expose [ɪks'pəuz] *vt* freilegen; (*to heat, radiation*) aussetzen; (*unmask*) entlarven; **to ~ o.s.** sich entblößen.
exposé [ɪk'spəuzeɪ] *n* Enthüllung *f*.
exposed [ɪks'pəuzd] *adj* ungeschützt; (*wire*) bloßliegend; **to be ~ to** (*radiation, heat etc*) ausgesetzt sein *+dat*.
exposition [ɛkspə'zɪʃən] *n* Erläuterung *f*; (*exhibition*) Ausstellung *f*.
exposure [ɪks'pəuʒə*] *n* (*to heat, radiation*)

Aussetzung *f*; (*publicity*) Publicity *f*; (*of person*) Entlarvung *f*; (*PHOT*) Belichtung *f*; (: *shot*) Aufnahme *f*; **to be suffering from ~** an Unterkühlung leiden; **to die from ~** erfrieren.
exposure meter *n* Belichtungsmesser *m*.
expound [ɪks'paund] *vt* darlegen, erläutern.
express [ɪks'prɛs] *adj* ausdrücklich; (*intention*) bestimmt; (*BRIT: letter etc*) Expreß-, Eil- ♦ *n* (*train*) Schnellzug *m*; (*bus*) Schnellbus *m* ♦ *adv* (*send*) per Expreß ♦ *vt* ausdrücken; (*view, emotion*) zum Ausdruck bringen; **to ~ o.s.** sich ausdrücken.
expression [ɪks'prɛʃən] *n* Ausdruck *m*; (*on face*) (Gesichts)ausdruck *m*.
expressionism [ɪks'prɛʃənɪzəm] *n* Expressionismus *m*.
expressive [ɪks'prɛsɪv] *adj* ausdrucksvoll; **~ ability** Ausdrucksfähigkeit *f*.
expressly [ɪks'prɛslɪ] *adv* ausdrücklich; (*intentionally*) absichtlich.
expressway [ɪks'prɛsweɪ] (*US*) *n* Schnellstraße *f*.
expropriate [ɛks'prəuprɪeɪt] *vt* enteignen.
expulsion [ɪks'pʌlʃən] *n* (*SCOL*) Verweisung *f*; (*POL*) Ausweisung *f*; (*of gas, liquid etc*) Ausstoßen *nt*.
expurgate ['ɛkspəːgeɪt] *vt* zensieren; **the ~d version** die zensierte *or* bereinigte Fassung.
exquisite [ɛks'kwɪzɪt] *adj* exquisit, erlesen; (*keenly felt*) köstlich.
exquisitely [ɛks'kwɪzɪtlɪ] *adv* exquisit; (*carved*) kunstvoll; (*polite, sensitive*) äußerst.
ex-serviceman ['ɛks'səːvɪsmən] (*irreg: like* **man**) *n* ehemaliger Soldat *m*.
ext. *abbr* (*TEL*) = **extension**.
extemporize [ɪks'tɛmpəraɪz] *vi* improvisieren.
extend [ɪks'tɛnd] *vt* verlängern; (*building*) anbauen an *+acc*; (*offer, invitation*) aussprechen; (*arm, hand*) ausstrecken; (*deadline*) verschieben ♦ *vi* sich erstrecken; (*period*) dauern.
extension [ɪks'tɛnʃən] *n* Verlängerung *f*; (*of building*) Anbau *m*; (*of time*) Aufschub *m*; (*of campaign, rights*) Erweiterung *f*; (*TEL*) (Neben)anschluß *m*; **~ 3718** (*TEL*) Apparat 3718.
extension cable *n* Verlängerungskabel *nt*.
extension lead *n* Verlängerungsschnur *f*.
extensive [ɪks'tɛnsɪv] *adj* ausgedehnt; (*effect*) weitreichend; (*damage*) beträchtlich; (*coverage, discussion*) ausführlich; (*inquiries*) umfangreich; (*use*) häufig.
extensively [ɪks'tɛnsɪvlɪ] *adv*: **he's travelled ~** er ist viel gereist.
extent [ɪks'tɛnt] *n* Ausdehnung *f*; (*of problem, damage, loss etc*) Ausmaß *nt*; **to some ~** bis zu einem gewissen Grade; **to a certain ~** in gewissem Maße; **to a large ~** in hohem Maße; **to the ~ of ...** (*debts*) in Höhe von ...; **to go to the ~ of doing sth** so weit gehen, etw zu tun; **to such an ~ that ...** dermaßen, daß ...; **to what ~?** inwieweit?
extenuating [ɪks'tɛnjueɪtɪŋ] *adj*: **~ circumstances** mildernde Umstände *pl*.
exterior [ɛks'tɪərɪə*] *adj* (*surface, angle, world*) Außen- ♦ *n* Außenseite *f*; (*appearance*) Äußere(s) *nt*.
exterminate [ɪks'təːmɪneɪt] *vt* ausrotten.
extermination [ɪkstəːmɪ'neɪʃən] *n* Ausrottung *f*.
external [ɛks'təːnl] *adj* (*wall etc*) Außen-; (*use*) äußerlich; (*evidence*) unabhängig; (*examiner, auditor*) extern ♦ *n*: **the ~s** die Äußerlichkeiten *pl*; **for ~ use only** nur äußerlich (anzuwenden); **~ affairs** (*POL*) auswärtige Angelegenheiten *pl*.
externally [ɛks'təːnəlɪ] *adv* äußerlich.
extinct [ɪks'tɪŋkt] *adj* ausgestorben; (*volcano*) erloschen.
extinction [ɪks'tɪŋkʃən] *n* Aussterben *nt*.
extinguish [ɪks'tɪŋgwɪʃ] *vt* löschen; (*hope*) zerstören.
extinguisher [ɪks'tɪŋgwɪʃə*] *n* (*also*: **fire ~**) Feuerlöscher *m*.
extol, (*US*) extoll [ɪks'təul] *vt* preisen, rühmen.
extort [ɪks'tɔːt] *vt* erpressen; (*confession*) erzwingen.
extortion [ɪks'tɔːʃən] *n* (*see vb*) Erpressung *f*; Erzwingung *f*.
extortionate [ɪks'tɔːʃnɪt] *adj* überhöht; (*price*) Wucher-.
extra ['ɛkstrə] *adj* zusätzlich ♦ *adv* extra ♦ *n* Extra *nt*; (*surcharge*) zusätzliche Kosten *pl*; (*CINE, THEAT*) Statist(in) *m(f)*; **wine will cost ~** Wein wird extra berechnet.
extra... ['ɛkstrə] *pref* außer-, extra-.
extract [*vt* ɪks'trækt, *n* 'ekstrækt] *vt* (*tooth*) ziehen; (*mineral*) gewinnen ♦ *n* Auszug *m*; (*malt extract, vanilla extract etc*) Extrakt *m*; **to ~ (from)** (*object*) herausziehen (aus); (*money*) herausholen (aus); (*promise*) abringen *+dat*.
extraction [ɪks'trækʃən] *n* (*see vb*) Ziehen *nt*; Gewinnung *f*; Herausziehen *nt*; Herausholen *nt*; Abringen *nt*; (*DENTISTRY*) Extraktion *f*; (*descent*) Herkunft *f*, Abstammung *f*; **to be of Scottish ~, to be Scottish by ~** schottischer Herkunft *or* Abstammung sein.
extractor fan [ɪks'træktə-] *n* Sauglüfter *m*.
extracurricular ['ɛkstrəkə'rɪkjulə*] *adj* außerhalb des Lehrplans.
extradite ['ɛkstrədaɪt] *vt* ausliefern.
extradition [ɛkstrə'dɪʃən] *n* Auslieferung *f* ♦ *cpd* Auslieferungs-.
extramarital ['ɛkstrə'mærɪtl] *adj* außerehelich.
extramural ['ɛkstrə'mjuərl] *adj* außerhalb der Universität; **~ classes** von der Universität veranstaltete Teilzeitkurse *pl*.
extraneous [ɛks'treɪnɪəs] *adj* unwesentlich.

extraordinary [ɪks'trɔːdnrɪ] *adj* ungewöhnlich; (*special*) außerordentlich; **the ~ thing is that** ... das Merkwürdige ist, daß ...
extraordinary general meeting *n* außerordentliche Hauptversammlung *f*.
extrapolation [ɛkstræpə'leɪʃən] *n* Extrapolation *f*.
extrasensory perception ['ɛkstrə'sɛnsərɪ-] *n* außersinnliche Wahrnehmung *f*.
extra time *n* (*FOOTBALL*) Verlängerung *f*.
extravagance [ɪks'trævəgəns] *n* (*no pl*) Verschwendungssucht *f*; (*example of spending*) Luxus *m*.
extravagant [ɪks'trævəgənt] *adj* extravagant; (*tastes, gift*) teuer; (*wasteful*) verschwenderisch; (*praise*) übertrieben; (*ideas*) ausgefallen.
extreme [ɪks'triːm] *adj* extrem; (*point, edge, poverty*) äußerste(r, s) ♦ *n* Extrem *nt*; **the ~ right/left** (*POL*) die äußerste *or* extreme Rechte/Linke; **~s of temperature** extreme Temperaturen *pl*.
extremely [ɪks'triːmlɪ] *adv* äußerst, extrem.
extremist [ɪks'triːmɪst] *n* Extremist(in) *m(f)* ♦ *adj* extremistisch.
extremities [ɪks'trɛmɪtɪz] *npl* Extremitäten *pl*.
extremity [ɪks'trɛmɪtɪ] *n* Rand *m*; (*end*) äußerstes Ende *nt*; (*of situation*) Ausmaß *nt*.
extricate ['ɛkstrɪkeɪt] *vt*: **to ~ sb/sth (from)** jdn/etw befreien (aus).
extrovert ['ɛkstrəvəːt] *n* extravertierter Mensch *m*.
exuberance [ɪg'zjuːbərns] *n* Überschwenglichkeit *f*.
exuberant [ɪg'zjuːbərnt] *adj* überschwenglich; (*imagination etc*) lebhaft.
exude [ɪg'zjuːd] *vt* ausstrahlen; (*liquid*) absondern; (*smell*) ausströmen.
exult [ɪg'zʌlt] *vi*: **to ~ (in)** jubeln (über *+acc*).
exultant [ɪg'zʌltənt] *adj* jubelnd; (*shout*) Jubel-; **to be ~** jubeln.
exultation [ɛgzʌl'teɪʃən] *n* Jubel *m*.
eye [aɪ] *n* Auge *nt*; (*of needle*) Öhr *nt* ♦ *vt* betrachten; **to keep an ~ on** aufpassen auf *+acc*; **as far as the ~ can see** soweit das Auge reicht; **in the public ~** im Blickpunkt der Öffentlichkeit; **to have an ~ for sth** einen Blick für etw haben; **with an ~ to doing sth** (*BRIT*) mit der Absicht, etw zu tun; **there's more to this than meets the ~** da steckt mehr dahinter(, als man auf den ersten Blick meint).
eyeball ['aɪbɔːl] *n* Augapfel *m*.
eyebath ['aɪbɑːθ] (*BRIT*) *n* Augenbadewanne *f*.
eyebrow ['aɪbrau] *n* Augenbraue *f*.
eyebrow pencil *n* Augenbrauenstift *m*.
eye-catching ['aɪkætʃɪŋ] *adj* auffallend.
eyecup ['aɪkʌp] (*US*) *n* = **eyebath**.
eye drops *npl* Augentropfen *pl*.
eyeful ['aɪful] *n*: **to get an ~ of sth** (*lit*) etw ins Auge bekommen; (*fig: have a good look*) einiges von etw zu sehen bekommen; **she's quite an ~** sie hat allerhand zu bieten.
eyeglass ['aɪglɑːs] *n* Augenglas *nt*.
eyelash ['aɪlæʃ] *n* Augenwimper *f*.
eyelet ['aɪlɪt] *n* Öse *f*.
eye level *n*: **at ~** in Augenhöhe.
eyelevel ['aɪlɛvl] *adj* in Augenhöhe.
eyelid ['aɪlɪd] *n* Augenlid *nt*.
eyeliner ['aɪlaɪnə*] *n* Eyeliner *m*.
eye-opener ['aɪəupnə*] *n* Überraschung *f*; **to be an ~ to sb** jdm die Augen öffnen.
eye shadow *n* Lidschatten *m*.
eyesight ['aɪsaɪt] *n* Sehvermögen *nt*.
eyesore ['aɪsɔː*] *n* Schandfleck *m*.
eyestrain ['aɪstreɪn] *n*: **to get ~** seine Augen überanstrengen.
eyetooth ['aɪtuːθ] (*pl* **eyeteeth**) *n* Eckzahn *m*, Augenzahn *m*; **to give one's eyeteeth for sth** alles für etw geben; **to give one's eyeteeth to do sth** alles darum geben, etw zu tun.
eyewash ['aɪwɔʃ] *n* Augenwasser *nt*; (*fig*) Gewäsch *nt*.
eyewitness ['aɪwɪtnɪs] *n* Augenzeuge *m*, Augenzeugin *f*.
eyrie ['ɪərɪ] *n* Horst *m*.

F, f

F[1], **f** [ɛf] *n* (*letter*) F *nt*, f *nt*; **~ for Frederick**, (*US*) **~ for Fox** ≈ F wie Friedrich.
F[2] [ɛf] *n* (*MUS*) F *nt*, f *nt*.
F[3] [ɛf] *abbr* (= *Fahrenheit*) F.
FA (*BRIT*) *n abbr* (= *Football Association*) *englischer Fußball-Dachverband*, ≈ DFB *m*.
FAA (*US*) *n abbr* (= *Federal Aviation Administration*) *amerikanische Luftfahrtbehörde*.
fable ['feɪbl] *n* Fabel *f*.
fabric ['fæbrɪk] *n* Stoff *m*; (*of society*) Gefüge *nt*; (*of building*) Bausubstanz *f*.
fabricate ['fæbrɪkeɪt] *vt* herstellen; (*story*) erfinden; (*evidence*) fälschen.
fabrication [fæbrɪ'keɪʃən] *n* Herstellung *f*; (*lie*) Erfindung *f*.
fabric ribbon *n* (*for typewriter*) Gewebefarbband *nt*.
fabulous ['fæbjuləs] *adj* fabelhaft, toll (*inf*); (*extraordinary*) sagenhaft; (*mythical*) legendär.
façade [fə'sɑːd] *n* Fassade *f*.
face [feɪs] *n* Gesicht *nt*; (*expression*) Gesichtsausdruck *m*; (*grimace*) Grimasse *f*; (*of clock*) Zifferblatt *nt*; (*of mountain, cliff*) (Steil)wand *f*; (*of building*) Fassade *f*; (*side, surface*) Seite *f* ♦ *vt* (*subj: person*) gegenübersitzen/-stehen *+dat etc*; (*: building,*

street etc) liegen zu; (: : *north, south etc*) liegen nach; (*unpleasant situation*) sich gegenübersehen *+dat*; (*facts*) ins Auge sehen *+dat*; ~ **down** mit dem Gesicht nach unten; (*card*) mit der Bildseite nach unten; (*object*) mit der Vorderseite nach unten; **to lose/save** ~ das Gesicht verlieren/wahren; **to make** *or* **pull a** ~ das Gesicht verziehen; **in the** ~ **of** trotz *+gen*; **on the** ~ **of it** so, wie es aussieht; **to come** ~ **to** ~ **with sb** jdn treffen; **to come** ~ **to** ~ **with a problem** einem Problem gegenüberstehen; **to** ~ **each other** einander gegenüberstehen/-liegen/-sitzen *etc*; **to** ~ **the fact that** ... der Tatsache ins Auge sehen, daß ...; **the man facing me** der Mann mir gegenüber.
▸**face up to** *vt fus* (*obligations, difficulty*) auf sich *acc* nehmen; (*situation, possibility*) sich abfinden mit; (*danger, fact*) ins Auge sehen *+dat*.
face cloth (*BRIT*) *n* Waschlappen *m*.
face cream *n* Gesichtscreme *f*.
faceless ['feɪslɪs] *adj* (*fig*) anonym.
face-lift ['feɪslɪft] *n* Facelifting *nt*; (*of building etc*) Verschönerung *f*.
face powder *n* Gesichtspuder *m*.
face-saving ['feɪs'seɪvɪŋ] *adj*: **a** ~ **excuse/tactic** eine Entschuldigung/Taktik, um das Gesicht zu wahren.
facet ['fæsɪt] *n* Seite *f*, Aspekt *m*; (*of gem*) Facette *f*.
facetious [fə'si:ʃəs] *adj* witzelnd.
face-to-face [feɪstə'feɪs] *adj* persönlich; (*confrontation*) direkt.
face value *n* Nennwert *m*; **to take sth at** ~ (*fig*) etw für bare Münze nehmen.
facia ['feɪʃə] *n* = **fascia**.
facial ['feɪʃl] *adj* (*expression, massage etc*) Gesichts- ♦ *n* kosmetische Gesichtsbehandlung *f*.
facile ['fæsaɪl] *adj* oberflächlich; (*comment*) nichtssagend.
facilitate [fə'sɪlɪteɪt] *vt* erleichtern.
facilities [fə'sɪlɪtɪz] *npl* Einrichtungen *pl*; **cooking** ~ Kochgelegenheit *f*; **credit** ~ Kreditmöglichkeiten *pl*.
facility [fə'sɪlɪtɪ] *n* Einrichtung *f*; **to have a** ~ **for** (*skill, aptitude*) eine Begabung haben für.
facing ['feɪsɪŋ] *prep* gegenüber *+dat* ♦ *n* (*SEWING*) Besatz *m*.
facsimile [fæk'sɪmɪlɪ] *n* Faksimile *nt*; (*also*: ~ **machine**) Fernkopierer *m*, (Tele)faxgerät *nt*; (*transmitted document*) Fernkopie *f*, (Tele)fax *nt*.
fact [fækt] *n* Tatsache *f*; (*truth*) Wirklichkeit *f*; **in** ~ eigentlich; (*in reality*) tatsächlich, in Wirklichkeit; **to know for a** ~ **that** ... ganz genau wissen, daß ...; **the** ~ **(of the matter) is that** ... die Sache ist die, daß ...; **it's a** ~ **of life that** ... es ist eine Tatsache, daß ...; **to tell sb the** ~**s of life** (*sex*) jdn aufklären.
fact-finding ['fæktfaɪndɪŋ] *adj*: **a** ~ **tour** *or* **mission** eine Informationstour.
faction ['fækʃən] *n* Fraktion *f*.
factional ['fækʃənl] *adj* (*dispute, system*) Fraktions-.
factor ['fæktə*] *n* Faktor *m*; (*COMM*) Kommissionär *m*; (: *agent*) Makler *m*; **safety** ~ Sicherheitsfaktor *m*; **human** ~ menschlicher Faktor.
factory ['fæktərɪ] *n* Fabrik *f*.
factory farming (*BRIT*) *n* industriell betriebene Viehzucht *f*.
factory floor *n*: **the** ~ (*workers*) die Fabrikarbeiter *pl*; **on the** ~ bei *or* unter den Fabrikarbeitern.
factory ship *n* Fabrikschiff *nt*.
factual ['fæktjuəl] *adj* sachlich; (*information*) Sach-.
faculty ['fækəltɪ] *n* Vermögen *nt*, Kraft *f*; (*ability*) Talent *nt*; (*of university*) Fakultät *f*; (*US: teaching staff*) Lehrkörper *m*.
fad [fæd] *n* Fimmel *m*, Tick *m*.
fade [feɪd] *vi* verblassen; (*light*) nachlassen; (*sound*) schwächer werden; (*flower*) verblühen; (*hope*) zerrinnen; (*smile*) verschwinden.
▸**fade in** *vt sep* allmählich einblenden.
▸**fade out** *vt sep* ausblenden.
faeces, (*US*) **feces** ['fi:si:z] *npl* Kot *m*.
fag [fæg] *n* (*BRIT: inf: cigarette*) Glimmstengel *m*; (: : *chore*) Schinderei *f* (*inf*), Plackerei *f* (*inf*); (*US: inf: homosexual*) Schwule(r) *m*.
fail [feɪl] *vt* (*exam*) nicht bestehen; (*candidate*) durchfallen lassen; (*subj: courage*) verlassen; (: *leader, memory*) im Stich lassen ♦ *vi* (*candidate*) durchfallen; (*attempt*) fehlschlagen; (*brakes*) versagen; (*also*: **be** ~**ing**: *health*) sich verschlechtern; (: *eyesight, light*) nachlassen; **to** ~ **to do sth** etw nicht tun; (*neglect*) (es) versäumen, etw zu tun; **without** ~ ganz bestimmt.
failing ['feɪlɪŋ] *n* Schwäche *f*, Fehler *m* ♦ *prep* in Ermangelung *+gen*; ~ **that** (oder) sonst, und wenn das nicht möglich ist.
fail-safe ['feɪlseɪf] *adj* (ab)gesichert.
failure ['feɪljə*] *n* Mißerfolg *m*; (*person*) Versager(in) *m(f)*; (*of brakes, heart*) Versagen *nt*; (*of engine, power*) Ausfall *m*; (*of crops*) Mißernte *f*; (*in exam*) Durchfall *m*; **his** ~ **to turn up meant that we had to** ... weil er nicht kam, mußten wir ...; **it was a complete** ~ es war ein totaler Fehlschlag.
faint [feɪnt] *adj* schwach; (*breeze, trace*) leicht ♦ *n* Ohnmacht *f* ♦ *vi* ohnmächtig werden, in Ohnmacht fallen; **she felt** ~ ihr wurde schwach.
faintest ['feɪntɪst] *adj*, *n*: **I haven't the** ~ **(idea)** ich habe keinen blassen Schimmer.
faint-hearted ['feɪnt'hɑ:tɪd] *adj* zaghaft.
faintly ['feɪntlɪ] *adv* schwach.
fair [fɛə*] *adj* gerecht, fair; (*size, number*) ansehnlich; (*chance, guess*) recht gut; (*hair*)

blond; (*skin, complexion*) hell; (*weather*) schön ♦ *adv*: **to play ~** fair spielen ♦ *n* (*also*: **trade ~**) Messe *f*; (*BRIT: funfair*) Jahrmarkt *m*, Rummel *m*; **it's not ~!** das ist nicht fair!; **a ~ amount of** ziemlich viel.
fair copy *n* Reinschrift *f*.
fair game *n*: **to be ~ (for)** (*for attack, criticism*) Freiwild *nt* sein (für).
fairground ['fɛəgraund] *n* Rummelplatz *m*.
fair-haired [fɛə'hɛəd] *adj* blond.
fairly ['fɛəlɪ] *adv* gerecht; (*quite*) ziemlich; **I'm ~ sure** ich bin (mir) ziemlich sicher.
fairness ['fɛənɪs] *n* Gerechtigkeit *f*; **in all ~** gerechterweise, fairerweise.
fair play *n* faires Verhalten *nt*, Fair play *nt*.
fairway ['fɛəweɪ] *n* (*GOLF*): **the ~** das Fairway.
fairy ['fɛərɪ] *n* Fee *f*.
fairy godmother *n* gute Fee *f*.
fairy lights (*BRIT*) *npl* bunte Lichter *pl*.
fairy tale *n* Märchen *nt*.
faith [feɪθ] *n* Glaube *m*; (*trust*) Vertrauen *nt*; **to have ~ in sb** jdm vertrauen; **to have ~ in sth** Vertrauen in etw *acc* haben.
faithful ['feɪθful] *adj* (*account*) genau; **~ (to)** (*person*) treu *+dat*.
faithfully ['feɪθfəlɪ] *adv* (*see adj*) genau; treu.
faith healer *n* Gesundbeter(in) *m(f)*.
fake [feɪk] *n* Fälschung *f*; (*person*) Schwindler(in) *m(f)* ♦ *adj* gefälscht ♦ *vt* fälschen; (*illness, emotion*) vortäuschen; **his illness is a ~** er simuliert seine Krankheit nur.
falcon ['fɔːlkən] *n* Falke *m*.
Falkland Islands ['fɔːlklənd-] *npl*: **the ~** die Falkland-Inseln *pl*.
fall [fɔːl] (*pt* **fell**, *pp* **fallen**) *n* Fall *m*; (*of price, temperature*) Sinken *nt*; (*: sudden*) Sturz *m*; (*US: autumn*) Herbst *m* ♦ *vi* fallen; (*night, darkness*) hereinbrechen; (*silence*) eintreten; **falls** *npl* (*waterfall*) Wasserfall *m*; **a ~ of snow** ein Schneefall *m*; **a ~ of earth** ein Erdrutsch *m*; **to ~ flat** auf die Nase fallen; (*plan*) ins Wasser fallen; (*joke*) nicht ankommen; **to ~ in love (with sb/sth)** sich (in jdn/etw) verlieben; **to ~ short of sb's expectations** jds Erwartungen nicht erfüllen.
►**fall apart** *vi* auseinanderfallen, kaputtgehen; (*inf: emotionally*) durchdrehen.
►**fall back** *vi* zurückweichen.
►**fall back on** *vi* zurückgreifen auf *+acc*; **to have sth to ~ back on** auf etw *acc* zurückgreifen können.
►**fall behind** *vi* zurückbleiben; (*fig: with payment*) in Rückstand geraten.
►**fall down** *vi* hinfallen; (*building*) einstürzen.
►**fall for** *vt fus* (*trick, story*) hereinfallen auf *+acc*; (*person*) sich verlieben in *+acc*.
►**fall in** *vi* einstürzen; (*MIL*) antreten.
►**fall in with** *vt fus* eingehen auf *+acc*.
►**fall off** *vi* herunterfallen; (*takings, attendance*) zurückgehen.
►**fall out** *vi* (*hair, teeth*) ausfallen; **to ~ out with sb** sich mit jdm zerstreiten.
►**fall over** *vi* hinfallen; (*object*) umfallen ♦ *vt*: **to ~ over o.s. to do sth** sich *dat* die größte Mühe geben, etw zu tun.
►**fall through** *vi* (*plan, project*) ins Wasser fallen.
fallacy ['fæləsɪ] *n* Irrtum *m*.
fall-back ['fɔːlbæk] *adj*: **~ position** Rückzugsbasis *f*.
fallen ['fɔːlən] *pp of* **fall**.
fallible ['fæləbl] *adj* fehlbar.
falling ['fɔːlɪŋ] *adj*: **~ market** (*COMM*) Baissemarkt *m*.
falling off *n* Rückgang *m*.
falling-out ['fɔːlɪŋ'aut] *n* (*break-up*) Bruch *m*.
Fallopian tube [fə'ləupɪən-] *n* Eileiter *m*.
fallout ['fɔːlaut] *n* radioaktiver Niederschlag *m*.
fallout shelter *n* Atombunker *m*.
fallow ['fæləu] *adj* brach(liegend).
false [fɔːls] *adj* falsch; (*imprisonment*) widerrechtlich.
false alarm *n* falscher *or* blinder Alarm *m*.
falsehood ['fɔːlshud] *n* Unwahrheit *f*.
falsely ['fɔːlslɪ] *adv* (*accuse*) zu Unrecht.
false pretences *npl*: **under ~** unter Vorspiegelung falscher Tatsachen.
false teeth (*BRIT*) *npl* Gebiß *nt*.
falsify ['fɔːlsɪfaɪ] *vt* fälschen.
falter ['fɔːltə*] *vi* stocken; (*hesitate*) zögern.
fame [feɪm] *n* Ruhm *m*.
familiar [fə'mɪlɪə*] *adj* vertraut; (*intimate*) vertraulich; **to be ~ with** vertraut sein mit; **to make o.s. ~ with sth** sich mit etw vertraut machen; **to be on ~ terms with sb** mit jdm auf vertrautem Fuß stehen.
familiarity [fəmɪlɪ'ærɪtɪ] *n* (*see adj*) Vertrautheit *f*; Vertraulichkeit *f*.
familiarize [fə'mɪlɪəraɪz] *vt*: **to ~ o.s. with sth** sich mit etw vertraut machen.
family ['fæmɪlɪ] *n* Familie *f*; (*relations*) Verwandtschaft *f*.
family business *n* Familienbetrieb *m*.
family credit *n* *Beihilfe für einkommensschwache Familien.*
family doctor *n* Hausarzt *m*, Hausärztin *f*.
family life *n* Familienleben *nt*.
family man *n* (*home-loving*) häuslich veranlagter Mann *m*; (*with a family*) Familienvater *m*.
family planning *n* Familienplanung *f*; **~ clinic** ≈ Familienberatungsstelle *f*.
family tree *n* Stammbaum *m*.
famine ['fæmɪn] *n* Hungersnot *f*.
famished ['fæmɪʃt] (*inf*) *adj* ausgehungert; **I'm ~** ich sterbe vor Hunger.
famous ['feɪməs] *adj* berühmt.
famously ['feɪməslɪ] *adv* (*get on*) prächtig.
fan [fæn] *n* (*person*) Fan *m*; (*object: folding*) Fächer *m*; (*: ELEC*) Ventilator *m* ♦ *vt* fächeln; (*fire*) anfachen; (*quarrel*) schüren.

▸**fan out** *vi* ausschwärmen; (*unfurl*) sich fächerförmig ausbreiten.
fanatic [fə'nætık] *n* Fanatiker(in) *m(f)*; (*enthusiast*) Fan *m*.
fanatical [fə'nætıkl] *adj* fanatisch.
fan belt *n* (*AUT*) Keilriemen *m*.
fanciful ['fænsıful] *adj* (*idea*) abstrus, seltsam; (*design, name*) phantasievoll; (*object*) reich verziert.
fan club *n* Fanclub *m*.
fancy ['fænsı] *n* Laune *f*; (*imagination*) Phantasie *f*; (*fantasy*) Phantasievorstellung *f* ♦ *adj* (*clothes, hat*) toll, schick; (*hotel*) fein, vornehm; (*food*) ausgefallen ♦ *vt* mögen; (*imagine*) sich *dat* einbilden; (*think*) glauben; **to take a ~ to sth** Lust auf etw *acc* bekommen; **when the ~ takes him** wenn ihm gerade danach ist; **it took** *or* **caught my ~** es gefiel mir; **to ~ that** ... meinen, daß ...; **~ that!** (nein) so was!; **he fancies her** (*inf*) sie gefällt ihm.
fancy dress *n* Verkleidung *f*, (Masken)kostüm *nt*.
fancy-dress ball ['fænsıdrɛs-] *n* Maskenball *m*.
fancy goods *npl* Geschenkartikel *pl*.
fanfare ['fænfɛə*] *n* Fanfare *f*.
fanfold paper ['fænfəuld-] *n* Endlospapier *nt*.
fang [fæŋ] *n* (*tooth*) Fang *m*; (*: of snake*) Giftzahn *m*.
fan heater (*BRIT*) *n* Heizlüfter *m*.
fanlight ['fænlaıt] *n* Oberlicht *nt*.
fanny ['fænı] *n* (*US: inf: bottom*) Po *m*; (*BRIT: inf!: genitals*) Möse *f* (*!*).
fantasize ['fæntəsaız] *vi* phantasieren.
fantastic [fæn'tæstık] *adj* phantastisch.
fantasy ['fæntəsı] *n* Phantasie *f*; (*dream*) Traum *m*.
fanzine ['fænzi:n] *n* Fanmagazin *nt*.
FAO *n abbr* (= *Food and Agriculture Organization*) FAO *f*.
f.a.q. *abbr* (= *free alongside quay*) frei Kai.
far [fɑ:*] *adj*: **at the ~ side** auf der anderen Seite ♦ *adv* weit; **at the ~ end** am anderen Ende; **the ~ left/right** die extreme Linke/Rechte; **~ away, ~ off** weit entfernt *or* weg; **her thoughts were ~ away** sie war mit ihren Gedanken weit weg; **~ from** (*fig*) alles andere als; **by ~** bei weitem; **is it ~ to London?** ist es weit bis nach London?; **it's not ~ from here** es ist nicht weit von hier; **go as ~ as the church** gehen/fahren Sie bis zur Kirche; **as ~ back as the 13th century** schon im 13. Jahrhundert; **as ~ as I know** soweit ich weiß; **as ~ as possible** soweit wie möglich; **how ~?** wie weit?; **how ~ have you got with your work?** wie weit sind Sie mit Ihrer Arbeit (gekommen)?
faraway ['fɑ:rəweı] *adj* weit entfernt; (*look, voice*) abwesend.
farce [fɑ:s] *n* Farce *f*.
farcical ['fɑ:sıkl] *adj* absurd, grotesk.
fare [fɛə*] *n* Fahrpreis *m*; (*money*) Fahrgeld *nt*; (*passenger*) Fahrgast *m*; (*food*) Kost *f* ♦ *vi*: **he ~d well/badly** es ging ihm gut/schlecht; **half/full ~** halber/voller Fahrpreis; **how did you ~?** wie ist es Ihnen ergangen?; **they ~d badly in the recent elections** sie haben bei den letzten Wahlen schlecht abgeschnitten.
Far East *n*: **the ~** der Ferne Osten.
farewell [fɛə'wɛl] *excl* lebe/lebt *etc* wohl! ♦ *n* Abschied *m* ♦ *cpd* Abschieds-.
far-fetched ['fɑ:'fɛtʃt] *adj* weit hergeholt.
farm [fɑ:m] *n* Bauernhof *m* ♦ *vt* bebauen.
▸**farm out** *vt* (*work etc*) vergeben.
farmer ['fɑ:mə*] *n* Bauer *m*, Bäu(e)rin *f*, Landwirt(in) *m(f)*.
farm hand *n* Landarbeiter(in) *m(f)*.
farmhouse ['fɑ:mhaus] *n* Bauernhaus *nt*.
farming ['fɑ:mıŋ] *n* Landwirtschaft *f*; (*of crops*) Ackerbau *m*; (*of animals*) Viehzucht *f*; **sheep ~** Schafzucht *f*; **intensive ~** (*of crops*) Intensivanbau *m*; (*of animals*) Intensivhaltung *f*.
farm labourer *n* = **farm hand**.
farmland ['fɑ:mlænd] *n* Ackerland *nt*.
farm produce *n* landwirtschaftliche Produkte *pl*.
farm worker *n* = **farm hand**.
farmyard ['fɑ:mjɑ:d] *n* Hof *m*.
Faroe Islands ['fɛərəu-] *npl*: **the ~** die Färöer *pl*.
Faroes ['fɛərəuz] *npl* = **Faroe Islands**.
far-reaching ['fɑ:'ri:tʃıŋ] *adj* weitreichend.
far-sighted ['fɑ:'saıtıd] *adj* weitsichtig; (*fig*) weitblickend.
fart [fɑ:t] *vi* furzen (*inf!*) ♦ *n* Furz *m* (*inf!*).
farther ['fɑ:ðə*] *adv* weiter ♦ *adj* weiter entfernt.
farthest ['fɑ:ðıst] *superl of* **far**.
FAS, f.a.s. (*BRIT*) *abbr* (= *free alongside ship*) frei Kai.
fascia ['feıʃə] *n* (*AUT*) Armaturenbrett *nt*.
fascinate ['fæsıneıt] *vt* faszinieren.
fascinating ['fæsıneıtıŋ] *adj* faszinierend.
fascination [fæsı'neıʃən] *n* Faszination *f*.
fascism ['fæʃızəm] *n* Faschismus *m*.
fascist ['fæʃıst] *adj* faschistisch ♦ *n* Faschist(in) *m(f)*.
fashion ['fæʃən] *n* Mode *f*; (*manner*) Art *f* ♦ *vt* formen; **in ~** modern; **out of ~** unmodern; **after a ~** recht und schlecht; **in the Greek ~** im griechischen Stil.
fashionable ['fæʃnəbl] *adj* modisch, modern; (*subject*) Mode-; (*club, writer*) in Mode.
fashion designer *n* Modezeichner(in) *m(f)*.
fashion show *n* Modenschau *f*.
fast [fɑ:st] *adj* schnell; (*dye, colour*) farbecht ♦ *adv* schnell; (*stuck, held*) fest ♦ *n* Fasten *nt*; (*period of fasting*) Fastenzeit *f* ♦ *vi* fasten; **my watch is (5 minutes) ~** meine Uhr geht (5 Minuten) vor; **to be ~ asleep** tief *or* fest schlafen; **as ~ as I can** so schnell ich kann; **to make a boat ~** (*BRIT*) ein Boot

festmachen.

fasten ['fɑːsn] *vt* festmachen; (*coat, belt etc*) zumachen ♦ *vi* (*see vt*) festgemacht werden; zugemacht werden.

▸**fasten (up)on** *vt fus* sich *dat* in den Kopf setzen.

fastener ['fɑːsnə*] *n* Verschluß *m*.

fastening ['fɑːsnɪŋ] *n* = **fastener**.

fast food *n* Fast food *nt*, Schnellgerichte *pl*.

fast-food ['fɑːstfuːd] *cpd* (*industry, chain*) Fast-food-; ~ **restaurant** Schnellimbiß *m*.

fastidious [fæs'tɪdɪəs] *adj* penibel.

fast lane *n* (*AUT*): **the** ~ die Überholspur.

fat [fæt] *adj* dick; (*person*) dick, fett (*pej*); (*animal*) fett; (*profit*) üppig ♦ *n* Fett *nt*; **that's a** ~ **lot of use** (*inf*) das hilft herzlich wenig; **to live off the** ~ **of the land** wie Gott in Frankreich *or* wie die Made im Speck leben.

fatal ['feɪtl] *adj* tödlich; (*mistake*) verhängnisvoll.

fatalistic [feɪtə'lɪstɪk] *adj* fatalistisch.

fatality [fə'tælɪtɪ] *n* Todesopfer *nt*.

fatally ['feɪtəlɪ] *adv* (*see adj*) tödlich; verhängnisvoll.

fate [feɪt] *n* Schicksal *nt*; **to meet one's** ~ vom Schicksal ereilt werden.

fated ['feɪtɪd] *adj* (*person*) unglückselig; (*project*) zum Scheitern verurteilt; (*governed by fate*) vorherbestimmt.

fateful ['feɪtful] *adj* schicksalhaft.

fat-free ['fæt'friː] *adj* fettfrei.

father ['fɑːðə*] *n* Vater *m*.

Father Christmas *n* der Weihnachtsmann.

fatherhood ['fɑːðəhud] *n* Vaterschaft *f*.

father-in-law ['fɑːðərənlɔː] *n* Schwiegervater *m*.

fatherland ['fɑːðəlænd] *n* Vaterland *nt*.

fatherly ['fɑːðəlɪ] *adj* väterlich.

fathom ['fæðəm] *n* (*NAUT*) Faden *m* ♦ *vt* (*also*: ~ **out**) verstehen.

fatigue [fə'tiːg] *n* Erschöpfung *f*; **fatigues** *npl* (*MIL*) Arbeitsanzug *m*; **metal** ~ Metallermüdung *f*.

fatness ['fætnɪs] *n* Dicke *f*.

fatten ['fætn] *vt* mästen ♦ *vi* (*person*) dick werden; (*animal*) fett werden; **chocolate is ~ing** Schokolade macht dick.

fatty ['fætɪ] *adj* fett ♦ *n* (*inf*) Dickerchen *nt*.

fatuous ['fætjuəs] *adj* albern, töricht.

faucet ['fɔːsɪt] (*US*) *n* (Wasser)hahn *m*.

fault [fɔːlt] *n* Fehler *m*; (*blame*) Schuld *f*; (*in machine*) Defekt *m*; (*GEOG*) Verwerfung *f* ♦ *vt* (*also*: **find** ~ **with**) etwas auszusetzen haben an *+dat*; **it's my** ~ es ist meine Schuld; **at** ~ im Unrecht; **generous to a** ~ übermäßig großzügig.

faultless ['fɔːltlɪs] *adj* fehlerlos.

faulty ['fɔːltɪ] *adj* defekt.

fauna ['fɔːnə] *n* Fauna *f*.

faux pas ['fəu'pɑː] *n inv* Fauxpas *m*.

favor *etc* (*US*) = **favour** *etc*.

favour, (*US*) **favor** ['feɪvə*] *n* (*approval*) Wohlwollen *nt*; (*help*) Gefallen *m* ♦ *vt* bevorzugen; (*be favourable for*) begünstigen; **to ask a** ~ **of sb** jdn um einen Gefallen bitten; **to do sb a** ~ jdm einen Gefallen tun; **to find** ~ **with sb** bei jdm Anklang finden; **in** ~ **of** (*biased*) zugunsten von; (*rejected*) zugunsten *+gen*; **to be in** ~ **of sth** für etw sein; **to be in** ~ **of doing sth** dafür sein, etw zu tun.

favourable ['feɪvrəbl] *adj* günstig; (*reaction*) positiv; (*comparison*) vorteilhaft.

favourably ['feɪvrəblɪ] *adv* (*react*) positiv; (*compare*) vorteilhaft.

favourite ['feɪvrɪt] *adj* Lieblings- ♦ *n* Liebling *m*; (*in race*) Favorit(in) *m(f)*.

favouritism ['feɪvrɪtɪzəm] *n* Günstlingswirtschaft *f*.

fawn [fɔːn] *n* Rehkitz *nt* ♦ *adj* (*also*: ~**-coloured**) hellbraun ♦ *vi*: **to** ~ **(up)on** sich einschmeicheln bei.

fax [fæks] *n* Fax *nt*; (*machine*) Fax(gerät) *nt* ♦ *vt* faxen.

FBI (*US*) *n abbr* (= *Federal Bureau of Investigation*) FBI *nt*.

FCC (*US*) *n abbr* (= *Federal Communications Commission*) *Aufsichtsbehörde im Medienbereich*.

FCO (*BRIT*) *n abbr* (= *Foreign and Commonwealth Office*) ≈ Auswärtiges Amt *nt*.

FD (*US*) *n abbr* = **fire department**.

FDA (*US*) *n abbr* (= *Food and Drug Administration*) *Nahrungs- und Arzneimittelbehörde*.

FE *n abbr* (= *further education*) Fortbildung *f*.

fear [fɪə*] *n* Furcht *f*, Angst *f* ♦ *vt* fürchten, Angst haben vor *+dat*; (*be worried about*) befürchten ♦ *vi* sich fürchten; ~ **of heights** Höhenangst *f*; **for** ~ **of doing sth** aus Angst, etw zu tun; **to** ~ **for** fürchten um; **to** ~ **that** ... befürchten, daß ....

fearful ['fɪəful] *adj* (*frightening*) furchtbar, schrecklich; (*apprehensive*) ängstlich; **to be** ~ **of** Angst haben vor *+dat*.

fearfully ['fɪəfəlɪ] *adv* ängstlich; (*inf: very*) furchtbar, schrecklich.

fearless ['fɪəlɪs] *adj* furchtlos.

fearsome ['fɪəsəm] *adj* furchterregend.

feasibility [fiːzə'bɪlɪtɪ] *n* Durchführbarkeit *f*.

feasibility study *n* Durchführbarkeitsstudie *f*.

feasible ['fiːzəbl] *adj* machbar; (*proposal, plan*) durchführbar.

feast [fiːst] *n* Festmahl *nt*; (*REL: also*: ~ **day**) Festtag *m*, Feiertag *m* ♦ *vi* schlemmen; **to** ~ **on** sich gütlich tun an *+dat*.

feat [fiːt] *n* Leistung *f*.

feather ['fɛðə*] *n* Feder *f* ♦ *cpd* Feder-; (*mattress*) Federkern- ♦ *vt*: **to** ~ **one's nest** (*fig*) sein Schäfchen ins trockene bringen.

featherweight ['fɛðəweɪt] *n* Leichtgewicht *nt*;

(*BOXING*) Federgewicht *nt*.

feature ['fi:tʃə*] *n* Merkmal *nt*; (*PRESS, TV*) Feature *nt* ♦ *vt*: **the film ~s Marlon Brando** Marlon Brando spielt in dem Film mit ♦ *vi*: **to ~ in** vorkommen in *+dat*; (*film*) mitspielen in *+dat*; **features** *npl* (*of face*) (Gesichts)züge *pl*; **it ~d prominently in** es spielte eine große Rolle in *+dat*; **a special ~ on sth/sb** ein Sonderbeitrag *m* über etw/jdn.

feature film *n* Spielfilm *m*.

featureless ['fi:tʃəlɪs] *adj* (*landscape*) eintönig.

Feb. *abbr* (= *February*) Feb.

February ['fɛbruərɪ] *n* Februar *m*; *see also* **July**.

feces ['fi:si:z] (*US*) *npl* = **faeces.**

feckless ['fɛklɪs] *adj* nutzlos.

Fed (*US*) *abbr* = **federal; federation.**

Fed. [fɛd] (*US: inf*) *n abbr* = **Federal Reserve Board.**

fed [fɛd] *pt, pp of* **feed.**

federal ['fɛdərəl] *adj* föderalistisch.

Federal Republic of Germany *n* Bundesrepublik *f* Deutschland.

Federal Reserve Board (*US*) *n Kontrollorgan der US-Zentralbank.*

Federal Trade Commission (*US*) *n Handels-Kontrollbehörde.*

federation [fɛdə'reɪʃən] *n* Föderation *f*, Bund *m*.

fed up *adj*: **to be ~ with** die Nase voll haben von.

fee [fi:] *n* Gebühr *f*; (*of doctor, lawyer*) Honorar *nt*; **school ~s** Schulgeld *nt*; **entrance ~** Eintrittsgebühr *f*; **membership ~** Mitgliedsbeitrag *m*; **for a small ~** gegen eine geringe Gebühr.

feeble ['fi:bl] *adj* schwach; (*joke*) lahm.

feeble-minded ['fi:bl'maɪndɪd] *adj* dümmlich.

feed [fi:d] (*pt, pp* **fed**) *n* Mahlzeit *f*; (*of animal*) Fütterung *f*; (*on printer*) Papiervorschub *m* ♦ *vt* füttern; (*family etc*) ernähren; (*machine*) versorgen; **to ~ sth into sth** etw in etw *acc* einfüllen *or* eingeben; (*data, information*) etw in etw *acc* eingeben; **to ~ material into sth** Material in etw *acc* eingeben.

▸**feed back** *vt* zurückleiten.

▸**feed on** *vt fus* sich nähren von.

feedback ['fi:dbæk] *n* Feedback *nt*, Rückmeldung *f*; (*from person*) Reaktion *f*.

feeder ['fi:də*] *n* (*road*) Zubringer *m*; (*railway line, air route*) Zubringerlinie *f*; (*baby's bottle*) Flasche *f*.

feeding bottle ['fi:dɪŋ-] (*BRIT*) *n* Flasche *f*.

feel [fi:l] (*pt, pp* **felt**) *n* (*sensation, touch*) Gefühl *nt*; (*impression*) Atmosphäre *f* ♦ *vt* (*object*) fühlen; (*desire, anger, grief*) empfinden; (*pain*) spüren; (*cold*) leiden unter *+dat*; (*think, believe*): **I ~ that you ought to do it** ich meine *or* ich bin der Meinung, daß Sie es tun sollten; **it has a soft ~** es fühlt sich weich an; **I ~ hungry** ich habe Hunger; **I ~ cold** mir ist kalt; **to ~ lonely/better** sich einsam/besser fühlen; **I don't ~ well** mir geht es nicht gut; **I ~ sorry for him** er tut mir leid; **it ~s soft** es fühlt sich weich an; **it ~s colder here** es kommt mir hier kälter vor; **it ~s like velvet** es fühlt sich wie Samt an; **to ~ like** (*desire*) Lust haben auf *+acc*; **to ~ like doing sth** Lust haben, etw zu tun; **to get the ~ of sth** ein Gefühl für etw bekommen; **I'm still ~ing my way** ich versuche noch, mich zu orientieren.

▸**feel about** *vi* umhertasten; **to ~ about** *or* **around in one's pocket for** in seiner Tasche herumsuchen nach.

▸**feel around** *vi* = **feel about.**

feeler ['fi:lə*] *n* Fühler *m*; **to put out a ~** *or* **~s** (*fig*) seine Fühler ausstrecken.

feeling ['fi:lɪŋ] *n* Gefühl *nt*; (*impression*) Eindruck *m*; **~s ran high about it** man ereiferte sich sehr darüber; **what are your ~s about the matter?** was meinen Sie dazu?; **I have a ~ that ...** ich habe das Gefühl, daß ...; **my ~ is that ...** meine Meinung ist, daß ...; **to hurt sb's ~s** jdn verletzen.

fee-paying ['fi:peɪɪŋ] *adj* (*school*) Privat-; **~ pupils** *Schüler, deren Eltern Schulgeld zahlen.*

feet [fi:t] *npl of* **foot.**

feign [feɪn] *vt* vortäuschen.

feigned [feɪnd] *adj* vorgetäuscht.

feint [feɪnt] *n* fein liniertes Papier *nt*.

felicitous [fɪ'lɪsɪtəs] *adj* glücklich.

feline ['fi:laɪn] *adj* (*eyes etc*) Katzen-; (*features, grace*) katzenartig.

fell [fɛl] *pt of* **fall** ♦ *vt* fällen; (*opponent*) niederstrecken ♦ *n* (*BRIT: mountain*) Berg *m*; (*: moorland*): **the ~s** das Moor(land) ♦ *adj*: **in one ~ swoop** auf einen Schlag.

fellow ['fɛləu] *n* Mann *m*, Typ *m* (*inf*); (*comrade*) Kamerad *m*; (*of learned society*) Mitglied *nt*; (*of university*) Fellow *m*; **their ~ prisoners/students** ihre Mitgefangenen/ Kommilitonen (und Kommilitoninnen); **his ~ workers** seine Kollegen (und Kolleginnen).

fellow citizen *n* Mitbürger(in) *m(f)*.

fellow countryman (*irreg: like* **man**) *n* Landsmann *m*, Landsmännin *f*.

fellow men *npl* Mitmenschen *pl*.

fellowship ['fɛləuʃɪp] *n* Kameradschaft *f*; (*society*) Gemeinschaft *f*; (*SCOL*) Forschungsstipendium *nt*.

fell-walking ['fɛlwɔ:kɪŋ] (*BRIT*) *n* Bergwandern *nt*.

felon ['fɛlən] *n* (*LAW*) (Schwer)verbrecher *m*.

felony ['fɛlənɪ] *n* (*LAW*) (schweres) Verbrechen *nt*.

felt [fɛlt] *pt, pp of* **feel** ♦ *n* Filz *m*.

felt-tip pen ['fɛlttɪp-] *n* Filzstift *m*.

female ['fi:meɪl] *n* Weibchen *nt*; (*pej: woman*) Frau *f*, Weib *nt* (*pej*) ♦ *adj* weiblich; (*vote etc*) Frauen-; (*ELEC: connector, plug*) Mutter-, Innen-; **male and ~ students** Studenten und Studentinnen.

female impersonator *n* Damen-Imitator *m*.
Femidom ® ['fɛmɪdɔm] *n* Kondom *nt* für die Frau, Femidom ® *nt*.
feminine ['fɛmɪnɪn] *adj* weiblich, feminin ♦ *n* Femininum *nt*.
femininity [fɛmɪ'nɪnɪtɪ] *n* Weiblichkeit *f*.
feminism ['fɛmɪnɪzəm] *n* Feminismus *m*.
feminist ['fɛmɪnɪst] *n* Feminist(in) *m(f)*.
fen [fɛn] (*BRIT*) *n*: **the F~s** *die Niederungen in East Anglia*.
fence [fɛns] *n* Zaun *m*; (*SPORT*) Hindernis *nt* ♦ *vt* (*also*: ~ **in**) einzäunen ♦ *vi* (*SPORT*) fechten; **to sit on the** ~ (*fig*) neutral bleiben, nicht Partei ergreifen.
fencing ['fɛnsɪŋ] *n* (*SPORT*) Fechten *nt*.
fend [fɛnd] *vi*: **to** ~ **for o.s.** für sich (selbst) sorgen, sich allein durchbringen.
▸**fend off** *vt* abwehren.
fender ['fɛndə*] *n* Kamingitter *nt*; (*on boat*) Fender *m*; (*US: of car*) Kotflügel *m*.
fennel ['fɛnl] *n* Fenchel *m*.
ferment [*vi* fə'mɛnt, *n* 'fəːmɛnt] *vi* gären ♦ *n* (*fig: unrest*) Unruhe *f*.
fermentation [fəːmɛn'teɪʃən] *n* Gärung *f*.
fern [fəːn] *n* Farn *m*.
ferocious [fə'rəuʃəs] *adj* wild; (*behaviour*) heftig; (*competition*) scharf.
ferocity [fə'rɔsɪtɪ] *n* (*see adj*) Wildheit *f*; Heftigkeit *f*; Schärfe *f*.
ferret ['fɛrɪt] *n* Frettchen *nt*.
▸**ferret about** *vi* herumstöbern.
▸**ferret around** *vi* = **ferret about**.
▸**ferret out** *vt* aufspüren.
ferry ['fɛrɪ] *n* (*also*: ~**boat**) Fähre *f* ♦ *vt* transportieren; **to** ~ **sth/sb across** *or* **over** jdn/etw übersetzen.
ferryman ['fɛrɪmən] (*irreg: like* **man**) *n* Fährmann *m*.
fertile ['fəːtaɪl] *adj* fruchtbar; ~ **period** fruchtbare Tage *pl*.
fertility [fə'tɪlɪtɪ] *n* Fruchtbarkeit *f*.
fertility drug *n* Fruchtbarkeitsmedikament *nt*.
fertilization [fəːtɪlaɪ'zeɪʃən] *n* (*BIOL*) Befruchtung *f*.
fertilize ['fəːtɪlaɪz] *vt* düngen; (*BIOL*) befruchten.
fertilizer ['fəːtɪlaɪzə*] *n* Dünger *m*.
fervent ['fəːvənt] *adj* leidenschaftlich; (*admirer*) glühend.
fervour, (*US*) **fervor** ['fəːvə*] *n* Leidenschaft *f*.
fester ['fɛstə*] *vi* (*wound*) eitern; (*insult*) nagen; (*row*) sich verschlimmern.
festival ['fɛstɪvəl] *n* Fest *nt*; (*ART, MUS*) Festival *nt*, Festspiele *pl*.
festive ['fɛstɪv] *adj* festlich; **the** ~ **season** (*BRIT: Christmas and New Year*) die Festzeit *f*.
festivities [fɛs'tɪvɪtɪz] *npl* Feierlichkeiten *pl*.
festoon [fɛs'tuːn] *vt*: **to** ~ **with** schmücken mit.
fetch [fɛtʃ] *vt* holen; (*sell for*) (ein)bringen; **would you** ~ **me a glass of water please?** kannst du mir bitte ein Glas Wasser bringen?; **how much did it** ~**?** wieviel hat es eingebracht?
▸**fetch up** (*inf*) *vi* landen (*inf*).
fetching ['fɛtʃɪŋ] *adj* bezaubernd, reizend.
fête [feɪt] *n* Fest *nt*.
fetid ['fɛtɪd] *adj* übelriechend.
fetish ['fɛtɪʃ] *n* Fetisch *m*.
fetter ['fɛtə*] *vt* fesseln; (*horse*) anpflocken; (*fig*) in Fesseln legen.
fetters ['fɛtəz] *npl* Fesseln *pl*.
fettle ['fɛtl] (*BRIT*) *n*: **in fine** ~ in bester Form.
fetus ['fiːtəs] (*US*) *n* = **foetus**.
feud [fjuːd] *n* Streit *m* ♦ *vi* im Streit liegen; **a family** ~ ein Familienstreit *m*.
feudal ['fjuːdl] *adj* (*society etc*) Feudal-.
feudalism ['fjuːdlɪzəm] *n* Feudalismus *m*.
fever ['fiːvə*] *n* Fieber *nt*; **he has a** ~ er hat Fieber.
feverish ['fiːvərɪʃ] *adj* fiebrig; (*activity, emotion*) fieberhaft.
few [fjuː] *adj* wenige; **a** ~ (*adj*) ein paar, einige; (*pron*) ein paar; **a** ~ **more (days)** noch ein paar (Tage); **they were** ~ sie waren nur wenige; ~ **succeed** nur wenigen gelingt es; **very** ~ **survive** nur sehr wenige überleben; **I know a** ~ ich kenne einige; **a good** ~**, quite a** ~ ziemlich viele; **in the next/past** ~ **days** in den nächsten/letzten paar Tagen; **every** ~ **days/months** alle paar Tage/Monate.
fewer ['fjuːə*] *adj* weniger; **there are** ~ **buses on Sundays** Sonntags fahren weniger Busse.
fewest ['fjuːɪst] *adj* die wenigsten.
FFA *n abbr* (= *Future Farmers of America*) *Verband von Landwirtschaftsstudenten*.
FH (*BRIT*) *n abbr* = **fire hydrant**.
FHA (*US*) *n abbr* (= *Federal Housing Administration*): ~ **loan** Baudarlehen *nt*.
fiancé [fɪ'ɑ̃ːŋseɪ] *n* Verlobte(r) *m*.
fiancée [fɪ'ɑ̃ːŋseɪ] *n* Verlobte *f*.
fiasco [fɪ'æskəu] *n* Fiasko *nt*.
fib [fɪb] *n* Flunkerei *f* (*inf*).
fibre, (*US*) **fiber** ['faɪbə*] *n* Faser *f*; (*cloth*) (Faser)stoff *m*; (*roughage*) Ballaststoffe *pl*; (*ANAT: tissue*) Gewebe *nt*.
fibreboard, (*US*) **fiberboard** ['faɪbəbɔːd] *n* Faserplatte *f*.
fibreglass, (*US*) **fiberglass** ['faɪbəglɑːs] *n* Fiberglas *nt*.
fibrositis [faɪbrə'saɪtɪs] *n* Bindegewebs-entzündung *f*.
FICA (*US*) *n abbr* (= *Federal Insurance Contributions Act*) *Abgabe zur Sozialversicherung*.
fickle ['fɪkl] *adj* unbeständig; (*weather*) wechselhaft.
fiction ['fɪkʃən] *n* Erfindung *f*; (*LITER*) Erzählliteratur *f*, Prosaliteratur *f*.
fictional ['fɪkʃənl] *adj* erfunden.
fictionalize ['fɪkʃnəlaɪz] *vt* fiktionalisieren.

fictitious [fɪk'tɪʃəs] *adj* (*false*) falsch; (*invented*) fiktiv, frei erfunden.
fiddle ['fɪdl] *n* Fiedel *f* (*inf*), Geige *f*; (*fraud, swindle*) Schwindelei *f* ♦ *vt* (*BRIT: accounts*) frisieren (*inf*); **tax ~** Steuermanipulation *f*; **to work a ~** ein krummes Ding drehen (*inf*).
▸**fiddle with** *vt fus* herumspielen mit.
fiddler ['fɪdlə*] *n* Geiger(in) *m(f)*.
fiddly ['fɪdlɪ] *adj* knifflig (*inf*); (*object*) fummelig.
fidelity [fɪ'dɛlɪtɪ] *n* Treue *f*; (*accuracy*) Genauigkeit *f*.
fidget ['fɪdʒɪt] *vi* zappeln.
fidgety ['fɪdʒɪtɪ] *adj* zappelig.
fiduciary [fɪ'dju:ʃɪərɪ] *n* (*LAW*) Treuhänder *m*.
field [fi:ld] *n* Feld *nt*; (*SPORT: ground*) Platz *m*; (*subject, area of interest*) Gebiet *nt*; (*COMPUT*) Datenfeld *nt* ♦ *cpd* Feld-; **to lead the ~** das Feld anführen; **~ trip** Exkursion *f*.
field day *n*: **to have a ~** einen herrlichen Tag haben.
field glasses *npl* Feldstecher *m*.
field hospital *n* Feldlazarett *nt*.
field marshal *n* Feldmarschall *m*.
field work *n* Feldforschung *f*; (*ARCHAEOLOGY, GEOG*) Arbeit *f* im Gelände.
fiend [fi:nd] *n* Teufel *m*.
fiendish ['fi:ndɪʃ] *adj* teuflisch; (*problem*) verzwickt.
fierce [fɪəs] *adj* wild; (*look*) böse; (*fighting, wind*) heftig; (*loyalty*) leidenschaftlich; (*enemy*) erbittert; (*heat*) glühend.
fiery ['faɪərɪ] *adj* glühend; (*temperament*) feurig, hitzig.
FIFA ['fi:fə] *n abbr* (= *Fédération Internationale de Football Association*) FIFA *f*.
fifteen [fɪf'ti:n] *num* fünfzehn.
fifteenth [fɪf'ti:nθ] *num* fünfzehnte(r, s).
fifth [fɪfθ] *num* fünfte(r, s) ♦ *n* Fünftel *nt*.
fiftieth ['fɪftɪɪθ] *num* fünfzigste(r, s).
fifty ['fɪftɪ] *num* fünfzig.
fifty-fifty ['fɪftɪ'fɪftɪ] *adj, adv* halbe-halbe, fifty-fifty; **to go/share ~ with sb** mit jdm halbe-halbe *or* fifty-fifty machen; **we have a ~ chance (of success)** unsere Chancen stehen fifty-fifty.
fig [fɪg] *n* Feige *f*.
fight [faɪt] (*pt, pp* **fought**) *n* Kampf *m*; (*quarrel*) Streit *m*; (*punch-up*) Schlägerei *f* ♦ *vt* kämpfen mit *or* gegen; (*prejudice etc*) bekämpfen; (*election*) kandidieren bei; (*emotion*) ankämpfen gegen; (*LAW: case*) durchkämpfen, durchfechten ♦ *vi* kämpfen; (*quarrel*) sich streiten; (*punch-up*) sich schlagen; **to put up a ~** sich zur Wehr setzen; **to ~ one's way through a crowd/the undergrowth** sich *dat* einen Weg durch die Menge/das Unterholz bahnen; **to ~ against** bekämpfen; **to ~ for one's rights** für seine Rechte kämpfen.
▸**fight back** *vi* zurückschlagen; (*SPORT*) zurückkämpfen; (*after illness*) zu Kräften kommen ♦ *vt fus* unterdrücken.
▸**fight down** *vt* unterdrücken.
▸**fight off** *vt* abwehren; (*sleep, urge*) ankämpfen gegen.
▸**fight out** *vt*: **to ~ it out** es untereinander ausfechten.
fighter ['faɪtə*] *n* Kämpfer(in) *m(f)*; (*plane*) Jagdflugzeug *nt*; (*fig*) Kämpfernatur *f*.
fighter pilot *n* Jagdflieger *m*.
fighting ['faɪtɪŋ] *n* Kämpfe *pl*; (*brawl*) Schlägereien *pl*.
figment ['fɪgmənt] *n*: **a ~ of the imagination** ein Hirngespinst *nt*, pure Einbildung *f*.
figurative ['fɪgjurətɪv] *adj* bildlich, übertragen; (*style*) gegenständlich.
figure ['fɪgə*] *n* Figur *f*; (*illustration*) Abbildung *f*; (*number, statistic, cipher*) Zahl *f*; (*person*) Gestalt *f*; (*personality*) Persönlichkeit *f* ♦ *vt* (*esp US*) glauben, schätzen ♦ *vi* eine Rolle spielen; **to put a ~ on sth** eine Zahl für etw angeben; **public ~** Persönlichkeit *f* des öffentlichen Lebens.
▸**figure out** *vt* ausrechnen.
figurehead ['fɪgəhɛd] *n* Galionsfigur *f*.
figure of speech *n* Redensart *f*, Redewendung *f*.
figure skating *n* Eiskunstlaufen *nt*.
Fiji (Islands) ['fi:dʒi:-] *n(pl)* Fidschiinseln *pl*.
filament ['fɪləmənt] *n* Glühfaden *m*; (*BOT*) Staubfaden *m*.
filch [fɪltʃ] (*inf*) *vt* filzen.
file [faɪl] *n* Akte *f*; (*folder*) (Akten)ordner *m*; (*for loose leaf*) (Akten)mappe *f*; (*COMPUT*) Datei *f*; (*row*) Reihe *f*; (*tool*) Feile *f* ♦ *vt* ablegen, abheften; (*claim*) einreichen; (*wood, metal, fingernails*) feilen ♦ *vi*: **to ~ in/out** nacheinander hereinkommen/hinausgehen; **to ~ a suit against sb** eine Klage gegen jdn erheben; **to ~ past** in einer Reihe vorbeigehen; **to ~ for divorce** die Scheidung einreichen.
filename ['faɪlneɪm] *n* (*COMPUT*) Dateiname *m*.
filibuster ['fɪlɪbʌstə*] (*esp US: POL*) *n* (*also*: **~er**) Dauerredner(in) *m(f)* ♦ *vi* filibustern, Obstruktion betreiben.
filing ['faɪlɪŋ] *n* Ablegen *nt*, Abheften *nt*.
filing cabinet *n* Aktenschrank *m*.
filing clerk *n* Angestellte(r) *f(m)* in der Registratur.
Filipino [fɪlɪ'pi:nəu] *n* Filipino *m*, Filipina *f*; (*LING*) Philippinisch *nt*.
fill [fɪl] *vt* füllen; (*space, area*) ausfüllen; (*tooth*) plombieren; (*need*) erfüllen ♦ *vi* sich füllen ♦ *n*: **to eat one's ~** sich satt essen; **we've already ~ed that vacancy** wir haben diese Stelle schon besetzt.
▸**fill in** *vt* füllen; (*time*) überbrücken; (*form*) ausfüllen ♦ *vi*: **to ~ in for sb** für jdn einspringen; **to ~ sb in on sth** (*inf*) jdn über etw *acc* ins Bild setzen.
▸**fill out** *vt* ausfüllen.

▸**fill up** *vt* füllen ♦ *vi* (*AUT*) tanken; ~ **it up, please** (*AUT*) bitte volltanken.
fillet ['fɪlɪt] *n* Filet *nt* ♦ *vt* filetieren.
fillet steak *n* Filetsteak *nt*.
filling ['fɪlɪŋ] *n* Füllung *f*; (*for tooth*) Plombe *f*.
filling station *n* Tankstelle *f*.
fillip ['fɪlɪp] *n* (*stimulus*) Ansporn *m*.
filly ['fɪlɪ] *n* Stutfohlen *nt*.
film [fɪlm] *n* Film *m*; (*of powder etc*) Schicht *f*; (*for wrapping*) Plastikfolie *f* ♦ *vt, vi* filmen.
film star *n* Filmstar *m*.
film strip *n* Filmstreifen *m*.
film studio *n* Filmstudio *nt*.
Filofax ® ['faɪleufæks] *n* Filofax ® *nt*, Terminplaner *m*.
filter ['fɪltə*] *n* Filter *m* ♦ *vt* filtern.
▸**filter in** *vi* durchsickern.
▸**filter through** *vi* = **filter in**.
filter coffee *n* Filterkaffee *m*.
filter lane (*BRIT*) *n* Abbiegespur *f*.
filter tip *n* Filter *m*.
filter-tipped ['fɪltə'tɪpt] *adj* (*cigarette*) Filter-.
filth [fɪlθ] *n* Dreck *m*, Schmutz *m*.
filthy ['fɪlθɪ] *adj* dreckig, schmutzig; (*language*) unflätig.
fin [fɪn] *n* Flosse *f*; (*TECH*) Seitenflosse *f*.
final ['faɪnl] *adj* letzte(r, s); (*ultimate*) letztendlich; (*definitive*) endgültig ♦ *n* Finale *nt*, Endspiel *nt*; **finals** *npl* (*UNIV*) Abschlußprüfung *f*.
final demand *n* letzte Zahlungsaufforderung *f*.
finale [fɪ'nɑːlɪ] *n* Finale *nt*; (*THEAT*) Schlußszene *f*.
finalist ['faɪnəlɪst] *n* Endrundenteilnehmer(in) *m(f)*, Finalist(in) *m(f)*.
finality [faɪ'nælɪtɪ] *n* Endgültigkeit *f*; **with an air of** ~ mit Bestimmtheit.
finalize ['faɪnəlaɪz] *vt* endgültig festlegen.
finally ['faɪnəlɪ] *adv* endlich, schließlich; (*lastly*) schließlich, zum Schluß; (*irrevocably*) endgültig.
finance [faɪ'næns] *n* Geldmittel *pl*; (*money management*) Finanzwesen *nt* ♦ *vt* finanzieren; **finances** *npl* (*personal*) Finanzen *pl*, Finanzlage *f*.
financial [faɪ'nænʃəl] *adj* finanziell; ~ **statement** Bilanz *f*.
financially [faɪ'nænʃəlɪ] *adv* finanziell.
financial year *n* Geschäftsjahr *nt*.
financier [faɪ'nænsɪə*] *n* Finanzier *m*.
find [faɪnd] (*pt, pp* **found**) *vt* finden; (*discover*) entdecken ♦ *n* Fund *m*; **to** ~ **sb guilty** jdn für schuldig befinden; **to** ~ **(some) difficulty in doing sth** (einige) Schwierigkeiten haben, etw zu tun.
▸**find out** *vt* herausfinden; (*person*) erwischen ♦ *vi*: **to** ~ **out about** etwas herausfinden über *+acc*; (*by chance*) etwas erfahren über *+acc*.
findings ['faɪndɪŋz] *npl* (*LAW*) Urteil *nt*; (*of report*) Ergebnis *nt*.
fine [faɪn] *adj* fein; (*excellent*) gut; (*thin*) dünn ♦ *adv* gut; (*small*) fein ♦ *n* Geldstrafe *f* ♦ *vt* mit einer Geldstrafe belegen; **he's** ~ es geht ihm gut; **the weather is** ~ das Wetter ist schön; **that's cutting it (a bit)** ~ das ist aber (ein bißchen) knapp; **you're doing** ~ das machen Sie gut.
fine arts *npl* schöne Künste *pl*.
finely ['faɪnlɪ] *adv* schön; (*chop*) klein; (*slice*) dünn; (*adjust*) fein.
fine print *n*: **the** ~ das Kleingedruckte.
finery ['faɪnərɪ] *n* (*of dress*) Staat *m*.
finesse [fɪ'nɛs] *n* Geschick *nt*.
fine-tooth comb ['faɪntuːθ-] *n*: **to go through sth with a** ~ (*fig*) etw genau unter die Lupe nehmen.
finger ['fɪŋgə*] *n* Finger *m* ♦ *vt* befühlen; **little** ~ kleiner Finger; **index** ~ Zeigefinger *m*.
fingernail ['fɪŋgəneɪl] *n* Fingernagel *m*.
fingerprint ['fɪŋgəprɪnt] *n* Fingerabdruck *m* ♦ *vt* Fingerabdrücke abnehmen *+dat*.
fingerstall ['fɪŋgəstɔːl] *n* Fingerling *m*.
fingertip ['fɪŋgətɪp] *n* Fingerspitze *f*; **to have sth at one's** ~**s** (*to hand*) etw parat haben; (*know well*) etw aus dem Effeff kennen (*inf*).
finicky ['fɪnɪkɪ] *adj* pingelig.
finish ['fɪnɪʃ] *n* Schluß *m*, Ende *nt*; (*SPORT*) Finish *nt*; (*polish etc*) Verarbeitung *f* ♦ *vt* fertig sein mit; (*work*) erledigen; (*book*) auslesen; (*use up*) aufbrauchen ♦ *vi* enden; (*person*) fertig sein; **to** ~ **doing sth** mit etw fertig werden; **to** ~ **third** als dritter durchs Ziel gehen; **to have** ~**ed with sth** mit etw fertig sein; **she's** ~**ed with him** sie hat mit ihm Schluß gemacht.
▸**finish off** *vt* fertigmachen; (*kill*) den Gnadenstoß geben.
▸**finish up** *vt* (*food*) aufessen; (*drink*) austrinken ♦ *vi* (*end up*) landen.
finished ['fɪnɪʃt] *adj* fertig; (*performance*) ausgereift; (*inf: tired*) erledigt.
finishing line ['fɪnɪʃɪŋ-] *n* Ziellinie *f*.
finishing school *n* höhere Mädchenschule *f* (*in der auch Etikette und gesellschaftliches Verhalten gelehrt wird*).
finishing touches *npl*: **the** ~ der letzte Schliff.
finite ['faɪnaɪt] *adj* begrenzt; (*verb*) finit.
Finland ['fɪnlənd] *n* Finnland *nt*.
Finn [fɪn] *n* Finne *m*, Finnin *f*.
Finnish ['fɪnɪʃ] *adj* finnisch ♦ *n* (*LING*) Finnisch *nt*.
fiord [fjɔːd] *n* = **fjord**.
fir [fəː*] *n* Tanne *f*.
fire ['faɪə*] *n* Feuer *nt*; (*in hearth*) (Kamin)feuer *nt*; (*accidental fire*) Brand *m* ♦ *vt* abschießen; (*imagination*) beflügeln; (*enthusiasm*) befeuern; (*inf: dismiss*) feuern ♦ *vi* feuern, schießen; **to** ~ **a gun** ein Gewehr abschießen; **to be on** ~ brennen; **to set** ~ **to sth, set sth on** ~ etw anzünden; **insured against** ~ feuerversichert; **electric/gas** ~

Elektro-/Gasofen *m*; **to come/be under ~ (from)** unter Beschuß (von) geraten/stehen.
fire alarm *n* Feuermelder *m*.
firearm ['faɪərɑːm] *n* Feuerwaffe *f*, Schußwaffe *f*.
fire brigade *n* Feuerwehr *f*.
fire chief *n* Branddirektor *m*.
fire department (*US*) *n* Feuerwehr *f*.
fire door *n* Feuertür *f*.
fire drill *n* Probealarm *m*.
fire engine *n* Feuerwehrauto *nt*.
fire escape *n* Feuertreppe *f*.
fire-extinguisher ['faɪərɪk'stɪŋgwɪʃə*] *n* Feuerlöscher *m*.
fireguard ['faɪəgɑːd] (*BRIT*) *n* (Schutz)gitter *nt* (*vor dem Kamin*).
fire hazard *n*: **that's a ~** das ist feuergefährlich.
fire hydrant *n* Hydrant *m*.
fire insurance *n* Feuerversicherung *f*.
fireman ['faɪəmən] (*irreg: like* **man**) *n* Feuerwehrmann *m*.
fireplace ['faɪəpleɪs] *n* Kamin *m*.
fireplug ['faɪəplʌg] (*US*) *n* = **fire hydrant.**
fire practice *n* = **fire drill.**
fireproof ['faɪəpruːf] *adj* feuerfest.
fire regulations *npl* Brandschutzbestimmungen *pl*.
fire screen *n* Ofenschirm *m*.
fireside ['faɪəsaɪd] *n*: **by the ~** am Kamin.
fire station *n* Feuerwache *f*.
firewood ['faɪəwud] *n* Brennholz *nt*.
fireworks ['faɪəwəːks] *npl* Feuerwerkskörper *pl*; (*display*) Feuerwerk *nt*.
firing line ['faɪərɪŋ-] *n* Feuerlinie *f*, Schußlinie *f*; **to be in the ~** (*fig*) in der Schußlinie sein.
firing squad *n* Exekutionskommando *nt*.
firm [fəːm] *adj* fest; (*mattress*) hart; (*measures*) durchgreifend ♦ *n* Firma *f*; **to be a ~ believer in sth** fest von etw überzeugt sein.
firmly ['fəːmlɪ] *adv* (*see adj*) fest; hart; (*definitely*) entschlossen.
firmness ['fəːmnɪs] *n* (*see adj*) Festigkeit *f*; Härte *f*; (*definiteness*) Entschlossenheit *f*.
first [fəːst] *adj* erste(r, s) ♦ *adv* als erste(r, s); (*before other things*) zuerst; (*when listing reasons etc*) erstens; (*for the first time*) zum ersten Mal ♦ *n* Erste(r, s); (*AUT: also:* **~ gear**) der erste Gang; (*BRIT: SCOL*) ≈ Eins *f*; **the ~ of January** der erste Januar; **at ~** zuerst, zunächst; **~ of all** vor allem; **in the ~ instance** zuerst *or* zunächst einmal; **I'll do it ~ thing (tomorrow)** ich werde es (morgen) als erstes tun; **from the very ~** gleich von Anfang an.
first aid *n* Erste Hilfe *f*.
first-aid kit [fəːst'eɪd-] *n* Erste-Hilfe-Ausrüstung *f*.
first-class ['fəːst'klɑːs] *adj* erstklassig; (*carriage, ticket*) Erste(r)-Klasse-; (*post*) bevorzugt befördert ♦ *adv* (*travel, send*) erster Klasse.
first-hand ['fəːst'hænd] *adj* aus erster Hand.
first lady (*US*) *n* First Lady *f*; **the ~ of jazz** die Königin des Jazz.
firstly ['fəːstlɪ] *adv* erstens, zunächst einmal.
first name *n* Vorname *m*.
first night *n* Premiere *f*.
first-rate ['fəːst'reɪt] *adj* erstklassig.
first-time buyer ['fəːsttaɪm-] *n jd, der zum ersten Mal ein Haus/eine Wohnung kauft.*
fir tree *n* Tannenbaum *m*.
FIS (*BRIT*) *n abbr* (= *Family Income Supplement*) *Beihilfe für einkommensschwache Familien.*
fiscal ['fɪskl] *adj* (*year*) Steuer-; (*policies*) Finanz-.
fish [fɪʃ] *n inv* Fisch *m* ♦ *vt* (*area*) fischen in +*dat*; (*river*) angeln in +*dat* ♦ *vi* fischen; (*as sport, hobby*) angeln; **to go ~ing** fischen/angeln gehen.
▸**fish out** *vt* herausfischen.
fish bone *n* (Fisch)gräte *f*.
fish cake *n* Fischfrikadelle *f*.
fisherman ['fɪʃəmən] (*irreg: like* **man**) *n* Fischer *m*.
fishery ['fɪʃərɪ] *n* Fischereigebiet *nt*.
fish factory (*BRIT*) *n* Fischfabrik *f*.
fish farm *n* Fischzucht(anlage) *f*.
fishfingers [fɪʃ'fɪŋgəz] (*BRIT*) *npl* Fischstäbchen *pl*.
fish-hook ['fɪʃhuk] *n* Angelhaken *m*.
fishing boat ['fɪʃɪŋ-] *n* Fischerboot *nt*.
fishing line *n* Angelschnur *f*.
fishing net *n* Fischnetz *nt*.
fishing rod *n* Angelrute *f*.
fishing tackle *n* Angelgeräte *pl*.
fish market *n* Fischmarkt *m*.
fishmonger ['fɪʃmʌŋgə*] (*esp BRIT*) *n* Fischhändler(in) *m(f)*.
fishmonger's (shop) ['fɪʃmʌŋgəz-] (*esp BRIT*) *n* Fischgeschäft *nt*.
fish slice (*BRIT*) *n* Fischvorlegemesser *nt*.
fish sticks (*US*) *npl* = **fishfingers.**
fishy ['fɪʃɪ] (*inf*) *adj* verdächtig, faul.
fission ['fɪʃən] *n* Spaltung *f*; **atomic** *or* **nuclear ~** Atomspaltung *f*, Kernspaltung *f*.
fissure ['fɪʃə*] *n* Riß *m*, Spalte *f*.
fist [fɪst] *n* Faust *f*.
fist fight *n* Faustkampf *m*.
fit [fɪt] *adj* geeignet; (*healthy*) gesund; (*SPORT*) fit ♦ *vt* passen +*dat*; (*adjust*) anpassen; (*match*) entsprechen +*dat*; (*be suitable for*) passen auf +*acc*; (*put in*) einbauen; (*attach*) anbringen; (*equip*) ausstatten ♦ *vi* passen; (*parts*) zusammenpassen; (*in space, gap*) hineinpassen ♦ *n* (*MED*) Anfall *m*; **to ~ the description** der Beschreibung entsprechen; **~ to** bereit zu; **~ to eat** eßbar; **~ to drink** trinkbar; **to be ~ to keep** es wert sein, aufbewahrt zu werden; **~ for** geeignet für; **~ for work** arbeitsfähig; **to keep ~** sich fit

halten; **do as you think** *or* **see ~** tun Sie, was Sie für richtig halten; **a ~ of anger** ein Wutanfall *m*; **a ~ of pride** eine Anwandlung von Stolz; **to have a ~** einen Anfall haben; (*inf, fig*) einen Anfall kriegen; **this dress is a good ~** dieses Kleid sitzt *or* paßt gut; **by ~s and starts** unregelmäßig.

►**fit in** *vi* (*person*) sich einfügen; (*object*) hineinpassen ♦ *vt* (*fig: appointment*) unterbringen, einschieben; (*visitor*) Zeit finden für; **to ~ in with sb's plans** sich mit jds Plänen vereinbaren lassen.

fitful ['fɪtful] *adj* unruhig.

fitment ['fɪtmənt] *n* Einrichtungsgegenstand *m*.

fitness ['fɪtnɪs] *n* Gesundheit *f*; (*SPORT*) Fitneß *f*.

fitted carpet ['fɪtɪd-] *n* Teppichboden *m*.

fitted cupboards *npl* Einbauschränke *pl*.

fitted kitchen (*BRIT*) *n* Einbauküche *f*.

fitter ['fɪtə*] *n* Monteur *m*; (*for machines*) (Maschinen)schlosser *m*.

fitting ['fɪtɪŋ] *adj* passend; (*thanks*) gebührend ♦ *n* (*of dress*) Anprobe *f*; (*of piece of equipment*) Installation *f*; **fittings** *npl* Ausstattung *f*.

fitting room *n* Anprobe(kabine) *f*.

five [faɪv] *num* fünf.

five-day week ['faɪvdeɪ-] *n* Fünftagewoche *f*.

fiver ['faɪvə*] (*inf*) *n* (*BRIT*) Fünfpfundschein *m*; (*US*) Fünfdollarschein *m*.

fix [fɪks] *vt* (*attach*) befestigen; (*arrange*) festsetzen, festlegen; (*mend*) reparieren; (*meal, drink*) machen; (*inf*) manipulieren ♦ *n*: **to be in a ~** in der Patsche *or* Klemme sitzen; **to ~ sth to/on sth** etw an/auf etw *dat* befestigen; **to ~ one's eyes/attention on** seinen Blick/seine Aufmerksamkeit richten auf *+acc*; **the fight was a ~** (*inf*) der Kampf war eine abgekartete Sache.

►**fix up** *vt* arrangieren; **to ~ sb up with sth** jdm etw besorgen.

fixation [fɪk'seɪʃən] *n* Fixierung *f*.

fixative ['fɪksətɪv] *n* Fixativ *nt*.

fixed [fɪkst] *adj* fest; (*ideas*) fix; (*smile*) starr; **~ charge** Pauschale *f*; **how are you ~ for money?** wie sieht es bei dir mit dem Geld aus?

fixed assets *npl* Anlagevermögen *nt*.

fixture ['fɪkstʃə*] *n* Ausstattungsgegenstand *m*; (*FOOTBALL etc*) Spiel *nt*; (*ATHLETICS etc*) Veranstaltung *f*.

fizz [fɪz] *vi* sprudeln; (*firework*) zischen.

fizzle out ['fɪzl-] *vi* (*plan*) im Sande verlaufen; (*interest*) sich verlieren.

fizzy ['fɪzɪ] *adj* sprudelnd.

fjord [fjɔːd] *n* Fjord *m*.

FL, Fla. (*US*) *abbr* (*POST:* = *Florida*).

flabbergasted ['flæbəgɑːstɪd] *adj* verblüfft.

flabby ['flæbɪ] *adj* schwammig, wabbelig (*inf*).

flag [flæg] *n* Fahne *f*; (*of country*) Flagge *f*; (*for signalling*) Signalflagge *f*; (*also*: **~stone**) (Stein)platte *f* ♦ *vi* erlahmen; **~ of convenience** Billigflagge *f*; **to ~ down** anhalten.

flagon ['flægən] *n* Flasche *f*; (*jug*) Krug *m*.

flagpole ['flægpəul] *n* Fahnenstange *f*.

flagrant ['fleɪgrənt] *adj* flagrant; (*injustice*) himmelschreiend.

flagship ['flægʃɪp] *n* Flaggschiff *nt*.

flagstone ['flægstəun] *n* (Stein)platte *f*.

flag stop (*US*) *n* Bedarfshaltestelle *f*.

flair [flɛə*] *n* Talent *nt*; (*style*) Flair *nt*.

flak [flæk] *n* Flakfeuer *nt*; **to get a lot of ~ (for sth)** (*inf: criticism*) (wegen etw) unter Beschuß geraten.

flake [fleɪk] *n* Splitter *m*; (*of snow, soap powder*) Flocke *f* ♦ *vi* (*also*: **~ off**) abblättern, absplittern.

►**flake out** (*inf*) *vi* aus den Latschen kippen; (*go to sleep*) einschlafen.

flaky ['fleɪkɪ] *adj* brüchig; (*skin*) schuppig.

flaky pastry *n* Blätterteig *m*.

flamboyant [flæm'bɔɪənt] *adj* extravagant.

flame [fleɪm] *n* Flamme *f*; **to burst into ~s** in Flammen aufgehen; **an old ~** (*inf*) eine alte Flamme.

flaming ['fleɪmɪŋ] (*inf!*) *adj* verdammt.

flamingo [flə'mɪŋgəu] *n* Flamingo *m*.

flammable ['flæməbl] *adj* leicht entzündbar.

flan [flæn] *n* Kuchen *m*; **~ case** Tortenboden *m*.

Flanders ['flɑːndəz] *n* Flandern *nt*.

flange [flændʒ] *n* Flansch *m*.

flank [flæŋk] *n* Flanke *f* ♦ *vt* flankieren.

flannel ['flænl] *n* Flanell *m*; (*BRIT: also:* **face ~**) Waschlappen *m*; (*: inf*) Geschwafel *nt*; **flannels** *npl* (*trousers*) Flanellhose *f*.

flannelette [flænə'lɛt] *n* Baumwollflanell *m*, Biber *m or nt*.

flap [flæp] *n* Klappe *f*; (*of envelope*) Lasche *f* ♦ *vt* schlagen mit ♦ *vi* flattern; (*inf: also:* **be in a ~**) in heller Aufregung sein.

flapjack ['flæpdʒæk] *n* (*US: pancake*) Pfannkuchen *m*; (*BRIT: biscuit*) Haferkeks *m*.

flare [flɛə*] *n* Leuchtsignal *nt*; (*in skirt etc*) Weite *f*.

►**flare up** *vi* auflodern; (*person*) aufbrausen; (*fighting, violence, trouble*) ausbrechen; *see also* **flared**.

flared ['flɛəd] *adj* (*trousers*) mit Schlag; (*skirt*) ausgestellt.

flash [flæʃ] *n* Aufblinken *nt*; (*also*: **news~**) Eilmeldung *f*; (*PHOT*) Blitz *m*, Blitzlicht *nt*; (*US: torch*) Taschenlampe *f* ♦ *vt* aufleuchten lassen; (*news, message*) durchgeben; (*look, smile*) zuwerfen ♦ *vi* aufblinken; (*light on ambulance*) blinken; (*eyes*) blitzen; **in a ~** im Nu; **quick as a ~** blitzschnell; **~ of inspiration** Geistesblitz *m*; **to ~ one's headlights** die Lichthupe betätigen; **the thought ~ed through his mind** der Gedanke schoß ihm durch den Kopf; **to ~ by** *or* **past** vorbeiflitzen (*inf*).

flashback ['flæʃbæk] *n* Rückblende *f*.
flashbulb ['flæʃbʌlb] *n* Blitzbirne *f*.
flash card *n* Leselernkarte *f*.
flashcube ['flæʃkjuːb] *n* Blitzwürfel *m*.
flasher ['flæʃə*] *n* (*AUT*) Lichthupe *f*; (*inf!: man*) Exhibitionist *m*.
flashlight ['flæʃlaɪt] *n* Blitzlicht *nt*.
flash point *n* (*fig*): **to be at ~** auf dem Siedepunkt sein.
flashy ['flæʃɪ] (*pej*) *adj* auffällig, protzig.
flask [flɑːsk] *n* Flakon *m*; (*CHEM*) Glaskolben *m*; (*also*: **vacuum ~**) Thermosflasche ® *f*.
flat [flæt] *adj* flach; (*surface*) eben; (*tyre*) platt; (*battery*) leer; (*beer*) schal; (*refusal, denial*) glatt; (*note, voice*) zu tief; (*rate, fee*) Pauschal- ♦ *n* (*BRIT: apartment*) Wohnung *f*; (*AUT*) (Reifen)panne *f*; (*MUS*) Erniedrigungszeichen *nt*; **to work ~ out** auf Hochtouren arbeiten; **~ rate of pay** Pauschallohn *m*.
flat-footed ['flæt'futɪd] *adj*: **to be ~** Plattfüße *pl* haben.
flatly ['flætlɪ] *adv* (*refuse, deny*) glatt, kategorisch.
flatmate ['flætmeɪt] (*BRIT*) *n* Mitbewohner(in) *m(f)*.
flatness ['flætnɪs] *n* Flachheit *f*.
flat screen *n* Flachbildschirm *m*.
flatten ['flætn] *vt* (*also*: **~ out**) (ein)ebnen; (*paper, fabric etc*) glätten; (*building, city*) dem Erdboden gleichmachen; (*crop*) zu Boden drücken; (*inf: person*) umhauen; **to ~ o.s. against a wall/door** *etc* sich platt gegen *or* an eine Wand/Tür *etc* drücken.
flatter ['flætə*] *vt* schmeicheln *+dat*.
flatterer ['flætərə*] *n* Schmeichler(in) *m(f)*.
flattering ['flætərɪŋ] *adj* schmeichelhaft; (*dress etc*) vorteilhaft.
flattery ['flætərɪ] *n* Schmeichelei *f*.
flatulence ['flætjuləns] *n* Blähungen *pl*.
flaunt [flɔːnt] *vt* zur Schau stellen, protzen mit.
flavour, (*US*) **flavor** ['fleɪvə*] *n* Geschmack *m*; (*of ice-cream etc*) Geschmacksrichtung *f* ♦ *vt* Geschmack verleihen *+dat*; **to give** *or* **add ~ to** Geschmack verleihen *+dat*; **music with an African ~** (*fig*) Musik mit einer afrikanischen Note; **strawberry-~ed** mit Erdbeergeschmack.
flavouring ['fleɪvərɪŋ] *n* Aroma *nt*.
flaw [flɔː] *n* Fehler *m*.
flawless ['flɔːlɪs] *adj* (*performance*) fehlerlos; (*complexion*) makellos.
flax [flæks] *n* Flachs *m*.
flaxen ['flæksən] *adj* (*hair*) flachsblond.
flea [fliː] *n* Floh *m*.
flea market *n* Flohmarkt *m*.
fleck [flɛk] *n* Tupfen *m*, Punkt *m*; (*of dust*) Flöckchen *nt*; (*of mud, paint, colour*) Fleck(en) *m* ♦ *vt* bespritzen; **brown ~ed with white** braun mit weißen Punkten.
fled [flɛd] *pt, pp of* **flee**.
fledg(e)ling ['flɛdʒlɪŋ] *n* Jungvogel *m* ♦ *adj* (*inexperienced: actor etc*) Nachwuchs-; (*newly started: business etc*) jung.
flee [fliː] (*pt, pp* **fled**) *vt* fliehen *or* flüchten vor *+dat*; (*country*) fliehen *or* flüchten aus ♦ *vi* fliehen, flüchten.
fleece [fliːs] *n* Schafwolle *f*; (*sheep's coat*) Schaffell *nt*, Vlies *nt* ♦ *vt* (*inf: cheat*) schröpfen.
fleecy ['fliːsɪ] *adj* flauschig; (*cloud*) Schäfchen-.
fleet [fliːt] *n* Flotte *f*; (*of lorries, cars*) Fuhrpark *m*.
fleeting ['fliːtɪŋ] *adj* flüchtig.
Flemish ['flɛmɪʃ] *adj* flämisch ♦ *n* (*LING*) Flämisch *nt*; **the Flemish** *npl* die Flamen.
flesh [flɛʃ] *n* Fleisch *nt*; (*of fruit*) Fruchtfleisch *nt*.
▸**flesh out** *vt* ausgestalten.
flesh wound [-wuːnd] *n* Fleischwunde *f*.
flew [fluː] *pt of* **fly**.
flex [flɛks] *n* Kabel *nt* ♦ *vt* beugen; (*muscles*) spielen lassen.
flexibility [flɛksɪ'bɪlɪtɪ] *n* (*see adj*) Flexibilität *f*, Biegsamkeit *f*.
flexible ['flɛksəbl] *adj* flexibel; (*material*) biegsam.
flexitime ['flɛksɪtaɪm] *n* gleitende Arbeitszeit *f*, Gleitzeit *f*.
flick [flɪk] *n* (*of finger*) Schnipsen *nt*; (*of hand*) Wischen *nt*; (*of whip*) Schnalzen *nt*; (*of towel etc*) Schlagen *nt*; (*of switch*) Knipsen *nt* ♦ *vt* schnipsen; (*with hand*) wischen; (*whip*) knallen mit; (*switch*) knipsen; **flicks** (*inf*) *npl* Kino *nt*; **to ~ a towel at sb** mit einem Handtuch nach jdm schlagen.
▸**flick through** *vt fus* durchblättern.
flicker ['flɪkə*] *vi* flackern; (*eyelids*) zucken ♦ *n* Flackern *nt*; (*of pain, fear*) Aufflackern *nt*; (*of smile*) Anflug *m*; (*of eyelid*) Zucken *nt*.
flick knife (*BRIT*) *n* Klappmesser *nt*.
flier ['flaɪə*] *n* Flieger(in) *m(f)*.
flight [flaɪt] *n* Flug *m*; (*escape*) Flucht *f*; (*also*: **~ of steps**) Treppe *f*; **to take ~** die Flucht ergreifen; **to put to ~** in die Flucht schlagen.
flight attendant (*US*) *n* Flugbegleiter(in) *m(f)*.
flight crew *n* Flugbesatzung *f*.
flight deck *n* (*AVIAT*) Cockpit *nt*; (*NAUT*) Flugdeck *nt*.
flight path *n* Flugbahn *f*.
flight recorder *n* Flugschreiber *m*.
flimsy ['flɪmzɪ] *adj* leicht, dünn; (*building*) leicht gebaut; (*excuse*) fadenscheinig; (*evidence*) nicht stichhaltig.
flinch [flɪntʃ] *vi* zusammenzucken; **to ~ from** zurückschrecken vor *+dat*.
fling [flɪŋ] (*pt, pp* **flung**) *vt* schleudern; (*arms*) werfen; (*oneself*) stürzen ♦ *n* (flüchtige) Affäre *f*.
flint [flɪnt] *n* Feuerstein *m*.

flip [flɪp] *vt* (*switch*) knipsen; (*coin*) werfen; (*US: pancake*) umdrehen ♦ *vi:* **to ~ for sth** (*US*) um etw mit einer Münze knobeln.
►**flip through** *vt fus* durchblättern; (*records etc*) durchgehen.
flippant ['flɪpənt] *adj* leichtfertig.
flipper ['flɪpə*] *n* Flosse *f*; (*for swimming*) (Schwimm)flosse *f*.
flip side *n* (*of record*) B-Seite *f*.
flirt [flə:t] *vi* flirten; (*with idea*) liebäugeln ♦ *n:* **he/she is a ~** er/sie flirtet gern.
flirtation [flə:'teɪʃən] *n* Flirt *m*.
flit [flɪt] *vi* flitzen; (*expression, smile*) huschen.
float [fləut] *n* Schwimmkork *m*; (*for fishing*) Schwimmer *m*; (*lorry*) Festwagen *m*; (*money*) Wechselgeld *nt* ♦ *vi* schwimmen; (*swimmer*) treiben; (*through air*) schweben; (*currency*) floaten ♦ *vt* (*currency*) freigeben, floaten lassen; (*company*) gründen; (*idea, plan*) in den Raum stellen.
►**float around** *vi* im Umlauf sein; (*person*) herumschweben (*inf*); (*object*) herumfliegen (*inf*).
flock [flɔk] *n* Herde *f*; (*of birds*) Schwarm *m* ♦ *vi:* **to ~ to** (*place*) strömen nach; (*event*) in Scharen kommen zu.
floe [fləu] *n* (*also:* **ice ~**) Eisscholle *f*.
flog [flɔg] *vt* auspeitschen; (*inf: sell*) verscherbeln.
flood [flʌd] *n* Überschwemmung *f*; (*of letters, imports etc*) Flut *f* ♦ *vt* überschwemmen; (*AUT*) absaufen lassen (*inf*) ♦ *vi* überschwemmt werden; **to be in ~** Hochwasser führen; **to ~ the market** den Markt überschwemmen; **to ~ into Hungary/the square/the palace** nach Ungarn/auf den Platz/in den Palast strömen.
flooding ['flʌdɪŋ] *n* Überschwemmung *f*.
floodlight ['flʌdlaɪt] *n* Flutlicht *nt* ♦ *vt* (mit Flutlicht) beleuchten; (*building*) anstrahlen.
floodlit ['flʌdlɪt] *pt, pp of* **floodlight** ♦ *adj* (mit Flutlicht) beleuchtet; (*building*) angestrahlt.
flood tide *n* Flut *f*.
floodwater ['flʌdwɔ:tə*] *n* Hochwasser *nt*.
floor [flɔ:*] *n* (Fuß)boden *m*; (*storey*) Stock *nt*; (*of sea, valley*) Boden *m* ♦ *vt* (*subj: blow*) zu Boden werfen; (: *question, remark*) die Sprache verschlagen *+dat*; **on the ~** auf dem Boden; **ground** (*BRIT*) *or* **first** (*US*) **~** Erdgeschoß *nt*; **first** (*BRIT*) *or* **second** (*US*) **~** erster Stock *m*; **top ~** oberstes Stockwerk *nt*; **to have the ~** (*speaker: at meeting*) das Wort haben.
floorboard ['flɔ:bɔ:d] *n* Diele *f*.
flooring ['flɔ:rɪŋ] *n* (Fuß)boden *m*; (*covering*) Fußbodenbelag *m*.
floor lamp (*US*) *n* Stehlampe *f*.
floor show *n* Show *f*, Vorstellung *f*.
floorwalker ['flɔ:wɔ:kə*] (*esp US*) *n* Ladenaufsicht *f*.
floozy ['flu:zɪ] (*inf*) *n* Flittchen *nt*.
flop [flɔp] *n* Reinfall *m* ♦ *vi* (*play, book*) durchfallen; (*fall*) sich fallenlassen; (*scheme*) ein Reinfall sein.
floppy ['flɔpɪ] *adj* schlaff, schlapp ♦ *n* (*also:* **~ disk**) Diskette *f*, Floppy disk *f*; **~ hat** Schlapphut *m*.
floppy disk *n* Diskette *f*, Floppy disk *f*.
flora ['flɔ:rə] *n* Flora *f*.
floral ['flɔ:rl] *adj* geblümt.
Florence ['flɔrəns] *n* Florenz *nt*.
Florentine ['flɔrəntaɪn] *adj* florentinisch.
florid ['flɔrɪd] *adj* (*style*) blumig; (*complexion*) kräftig.
florist ['flɔrɪst] *n* Blumenhändler(in) *m(f)*.
florist's (shop) ['flɔrɪsts-] *n* Blumengeschäft *nt*.
flotation [fləu'teɪʃən] *n* (*of shares*) Auflegung *f*; (*of company*) Umwandlung *f* in eine Aktiengesellschaft.
flotsam ['flɔtsəm] *n* (*also:* **~ and jetsam**) Strandgut *nt*; (*floating*) Treibgut *nt*.
flounce [flauns] *n* Volant *m*.
►**flounce out** *vi* hinausstolzieren.
flounder ['flaundə*] *vi* sich abstrampeln; (*fig: speaker*) ins Schwimmen kommen; (*economy*) in Schwierigkeiten geraten ♦ *n* Flunder *f*.
flour ['flauə*] *n* Mehl *nt*.
flourish ['flʌrɪʃ] *vi* gedeihen; (*business*) blühen, florieren ♦ *vt* schwenken ♦ *n* (*in writing*) Schnörkel *m*; (*bold gesture*): **with a ~** mit einer schwungvollen Bewegung.
flourishing ['flʌrɪʃɪŋ] *adj* gutgehend, florierend.
flout [flaut] *vt* sich hinwegsetzen über *+acc*.
flow [fləu] *n* Fluß *m*; (*of sea*) Flut *f* ♦ *vi* fließen; (*clothes, hair*) wallen.
flow chart *n* Flußdiagramm *nt*.
flow diagram *n* = **flow chart**.
flower ['flauə*] *n* Blume *f*; (*blossom*) Blüte *f* ♦ *vi* blühen; **to be in ~** blühen.
flowerbed ['flauəbɛd] *n* Blumenbeet *nt*.
flowerpot ['flauəpɔt] *n* Blumentopf *m*.
flowery ['flauərɪ] *adj* blumig; (*pattern*) Blumen-.
flown [fləun] *pp of* **fly**.
flu [flu:] *n* Grippe *f*.
fluctuate ['flʌktjueɪt] *vi* schwanken; (*opinions, attitudes*) sich ändern.
fluctuation [flʌktju'eɪʃən] *n:* **~ (in)** Schwankung *f* (*+gen*).
flue [flu:] *n* Rauchfang *m*, Rauchabzug *m*.
fluency ['flu:ənsɪ] *n* Flüssigkeit *f*; **his ~ in German** sein flüssiges Deutsch.
fluent ['flu:ənt] *adj* flüssig; **he speaks ~ German, he's ~ in German** er spricht fließend Deutsch.
fluently ['flu:əntlɪ] *adv* flüssig; (*speak a language*) fließend.
fluff [flʌf] *n* Fussel *m*; (*fur*) Flaum *m* ♦ *vt* (*inf: do badly*) verpatzen; (*also:* **~ out**) aufplustern.
fluffy ['flʌfɪ] *adj* flaumig; (*jacket etc*) weich,

kuschelig; ~ **toy** Kuscheltier *nt*.
fluid ['flu:ɪd] *adj* fließend; (*situation, arrangement*) unklar ♦ *n* Flüssigkeit *f*.
fluid ounce (*BRIT*) *n* flüssige Unze *f* (= *28 ml*).
fluke [flu:k] (*inf*) *n* Glücksfall *m*; **by a ~** durch einen glücklichen Zufall.
flummox ['flʌməks] *vt* verwirren, durcheinanderbringen.
flung [flʌŋ] *pt, pp of* **fling.**
flunky ['flʌŋkɪ] *n* Lakai *m*.
fluorescent [fluə'rɛsnt] *adj* fluoreszierend; (*paint*) Leucht-; (*light*) Neon-.
fluoride ['fluəraɪd] *n* Fluorid *nt*.
fluorine ['fluəri:n] *n* Fluor *nt*.
flurry ['flʌrɪ] *n* (*of snow*) Gestöber *nt*; **a ~ of activity/excitement** hektische Aktivität/ Aufregung.
flush [flʌʃ] *n* Röte *f*; (*fig: of beauty etc*) Blüte *f* ♦ *vt* (durch)spülen, (aus)spülen ♦ *vi* erröten ♦ *adj*: **~ with** auf gleicher Ebene mit; **~ against** direkt an *+dat*; **in the first ~ of youth** in der ersten Jugendblüte; **in the first ~ of freedom** im ersten Freiheitstaumel; **hot ~es** (*BRIT*) Hitzewallungen *pl*; **to ~ the toilet** spülen, die Wasserspülung betätigen.
▸**flush out** *vt* aufstöbern.
flushed [flʌʃt] *adj* rot.
fluster ['flʌstə*] *n*: **in a ~** nervös; (*confused*) durcheinander ♦ *vt* nervös machen; (*confuse*) durcheinanderbringen.
flustered ['flʌstəd] *adj* nervös; (*confused*) durcheinander.
flute [flu:t] *n* Querflöte *f*.
fluted ['flu:tɪd] *adj* gerillt; (*column*) kanneliert.
flutter ['flʌtə*] *n* Flattern *nt*; (*of panic, nerves*) kurzer Anfall *m*; (*of excitement*) Beben *nt* ♦ *vi* flattern; (*person*) tänzeln; **to have a ~** (*BRIT: inf: gamble*) sein Glück (beim Wetten) versuchen.
flux [flʌks] *n*: **in a state of ~** im Fluß.
fly [flaɪ] (*pt* **flew**, *pp* **flown**) *n* Fliege *f*; (*on trousers: also:* **flies**) (Hosen)schlitz *m* ♦ *vt* fliegen; (*kite*) steigen lassen ♦ *vi* fliegen; (*escape*) fliehen; (*flag*) wehen; **to ~ open** auffliegen; **to ~ off the handle** an die Decke gehen (*inf*); **pieces of metal went ~ing everywhere** überall flogen Metallteile herum; **she came ~ing into the room** sie kam ins Zimmer gesaust; **her glasses flew off** die Brille flog ihr aus dem Gesicht.
▸**fly away** *vi* wegfliegen.
▸**fly in** *vi* einfliegen; **he flew in yesterday** er ist gestern mit dem Flugzeug gekommen.
▸**fly off** *vi* = **fly away.**
▸**fly out** *vi* ausfliegen; **he flew out yesterday** er ist gestern hingeflogen.
fly-fishing ['flaɪfɪʃɪŋ] *n* Fliegenfischen *nt*.
flying ['flaɪɪŋ] *n* Fliegen *nt* ♦ *adj*: **a ~ visit** ein Blitzbesuch *m*; **he doesn't like ~** er fliegt nicht gerne; **with ~ colours** mit fliegenden Fahnen.
flying buttress *n* Strebebogen *m*.
flying picket *n* mobiler Streikposten *m*.
flying saucer *n* fliegende Untertasse *f*.
flying squad *n* mobiles Einsatzkommando *nt*.
flying start *n*: **to get off to a ~** (*SPORT*) hervorragend wegkommen; (*fig*) einen glänzenden Start haben.
flyleaf ['flaɪli:f] *n* Vorsatzblatt *nt*.
flyover ['flaɪəuvə*] *n* (*BRIT*) Überführung *f*; (*US*) Luftparade *f*.
fly-past ['flaɪpɑ:st] *n* Luftparade *f*.
flysheet ['flaɪʃi:t] *n* (*for tent*) Überzelt *nt*.
flyweight ['flaɪweɪt] *n* (*BOXING*) Fliegengewicht *nt*.
flywheel ['flaɪwi:l] *n* Schwungrad *nt*.
FM *abbr* (*BRIT: MIL*) = **field marshal**; (*RADIO: = frequency modulation*) FM, ≈ UKW.
FMB (*US*) *n abbr* (= *Federal Maritime Board*) *Dachausschuß der Handelsmarine.*
FMCS (*US*) *n abbr* (= *Federal Mediation and Conciliation Service*) *Schlichtungsstelle für Arbeitskonflikte.*
FO (*BRIT*) *n abbr* = **Foreign Office.**
foal [fəul] *n* Fohlen *nt*.
foam [fəum] *n* Schaum *m*; (*also:* **~ rubber**) Schaumgummi *m* ♦ *vi* schäumen.
fob [fɔb] *vt*: **to ~ sb off** jdn abspeisen ♦ *n* (*also:* **watch ~**) Uhrkette *f*.
f.o.b. *abbr* (*COMM: = free on board*) frei Schiff.
foc (*BRIT*) *abbr* (*COMM: = free of charge*) gratis.
focal point ['fəukl-] *n* Mittelpunkt *m*; (*of camera, telescope etc*) Brennpunkt *m*.
focus ['fəukəs] (*pl* **~es**) *n* Brennpunkt *m*; (*of storm*) Zentrum *nt* ♦ *vt* einstellen; (*light rays*) bündeln ♦ *vi*: **to ~ (on)** (*with camera*) klar *or* scharf einstellen *+acc*; (*person*) sich konzentrieren (auf *+acc*); **in/out of ~** (*camera etc*) scharf/unscharf eingestellt; (*photograph*) scharf/unscharf.
fodder ['fɔdə*] *n* Futter *nt*.
FoE *n abbr* (= *Friends of the Earth*) *Umweltschutzorganisation.*
foe [fəu] *n* Feind(in) *m(f)*.
foetus, (*US*) **fetus** ['fi:təs] *n* Fötus *m*.
fog [fɔg] *n* Nebel *m*.
fogbound ['fɔgbaund] *adj* (*airport*) wegen Nebel geschlossen.
foggy ['fɔgɪ] *adj* neb(e)lig.
fog lamp, (*US*) **fog light** *n* (*AUT*) Nebelscheinwerfer *m*.
foible ['fɔɪbl] *n* Eigenheit *f*.
foil [fɔɪl] *vt* vereiteln ♦ *n* Folie *f*; (*complement*) Kontrast *m*; (*FENCING*) Florett *nt*; **to act as a ~ to** einen Kontrast darstellen zu.
foist [fɔɪst] *vt*: **to ~ sth on sb** (*goods*) jdm etw andrehen; (*task*) etw an jdn abschieben; (*ideas, views*) jdm etw aufzwingen.
fold [fəuld] *n* Falte *f*; (*AGR*) Pferch *m*; (*fig*) Schoß *m* ♦ *vt* (zusammen)falten; (*arms*) verschränken ♦ *vi* (*business*) eingehen (*inf*).
▸**fold up** *vi* sich zusammenfalten lassen; (*bed, table*) sich zusammenklappen lassen; (*business*) eingehen (*inf*) ♦ *vt*

zusammenfalten.
folder ['fəuldə*] *n* Aktenmappe *f*; (*binder*) Hefter *m*; (*brochure*) Informationsblatt *nt*.
folding ['fəuldıŋ] *adj* (*chair, bed*) Klapp-.
foliage ['fəulııdʒ] *n* Laubwerk *nt*.
folk [fəuk] *npl* Leute *pl* ♦ *cpd* Volks-; **my ~s** (*parents*) meine alten Herrschaften.
folklore ['fəuklɔ:*] *n* Folklore *f*.
folk music *n* Volksmusik *f*; (*contemporary*) Folk *m*.
folk song *n* Volkslied *nt*; (*contemporary*) Folksong *m*.
follow ['fɔləu] *vt* folgen *+dat*; (*with eyes*) verfolgen; (*advice, instructions*) befolgen ♦ *vi* folgen; **to ~ in sb's footsteps** in jds Fußstapfen *acc* treten; **I don't quite ~ you** ich kann Ihnen nicht ganz folgen; **it ~s that** daraus folgt, daß; **to ~ suit** (*fig*) jds Beispiel *dat* folgen.
▸**follow on** *vi* (*continue*): **to ~ on from** aufbauen auf *+dat*.
▸**follow out** *vt* (*idea, plan*) zu Ende verfolgen.
▸**follow through** *vt* = **follow out**.
▸**follow up** *vt* nachgehen *+dat*; (*offer*) aufgreifen; (*case*) weiterverfolgen.
follower ['fɔləuə*] *n* Anhänger(in) *m(f)*.
following ['fɔləuıŋ] *adj* folgend ♦ *n* Anhängerschaft *f*.
follow-up ['fɔləuʌp] *n* Weiterführung *f* ♦ *adj*: **~ treatment** Nachbehandlung *f*.
folly ['fɔlı] *n* Torheit *f*; (*building*) exzentrisches Bauwerk *nt*.
fond [fɔnd] *adj* liebevoll; (*memory*) lieb; (*hopes, dreams*) töricht; **to be ~ of** mögen; **she's ~ of swimming** sie schwimmt gerne.
fondle ['fɔndl] *vt* streicheln.
fondly ['fɔndlı] *adv* liebevoll; (*naïvely*) törichterweise; **he ~ believed that** ... er war so naiv zu glauben, daß ...
fondness ['fɔndnıs] *n* (*for things*) Vorliebe *f*; (*for people*) Zuneigung *f*; **a special ~ for** eine besondere Vorliebe für/Zuneigung zu.
font [fɔnt] *n* Taufbecken *nt*; (*TYP*) Schrift *f*.
food [fu:d] *n* Essen *nt*; (*for animals*) Futter *nt*; (*nourishment*) Nahrung *f*; (*groceries*) Lebensmittel *pl*.
food chain *n* Nahrungskette *f*.
food mixer *n* Küchenmixer *m*.
food poisoning *n* Lebensmittelvergiftung *f*.
food processor *n* Küchenmaschine *f*.
food stamp *n* Lebensmittelmarke *f*.
foodstuffs ['fu:dstʌfs] *npl* Lebensmittel *pl*.
fool [fu:l] *n* Dummkopf *m*; (*CULIN*) *Sahnespeise aus Obstpüree* ♦ *vt* hereinlegen, täuschen ♦ *vi* herumalbern; **to make a ~ of sb** jdn lächerlich machen; (*trick*) jdn hereinlegen; **to make a ~ of o.s.** sich blamieren; **you can't ~ me** du kannst mich nicht zum Narren halten.
▸**fool about** (*pej*) *vi* herumtrödeln; (*behave foolishly*) herumalbern.
▸**fool around** *vi* = **fool about**.
foolhardy ['fu:lhɑ:dı] *adj* tollkühn.
foolish ['fu:lıʃ] *adj* dumm.
foolishly ['fu:lıʃlı] *adv* dumm; **~, I forgot** ... dummerweise habe ich ... vergessen.
foolishness ['fu:lıʃnıs] *n* Dummheit *f*.
foolproof ['fu:lpru:f] *adj* idiotensicher.
foolscap ['fu:lskæp] *n* ≈ Kanzleipapier *nt*.
foot [fut] (*pl* **feet**) *n* Fuß *m*; (*of animal*) Pfote *f* ♦ *vt* (*bill*) bezahlen; **on ~** zu Fuß; **to find one's feet** sich eingewöhnen; **to put one's ~ down** (*AUT*) Gas geben; (*say no*) ein Machtwort sprechen.
footage ['futıdʒ] *n* Filmmaterial *nt*.
foot-and-mouth (disease) [futən'mauθ-] *n* Maul- und Klauenseuche *f*.
football ['futbɔ:l] *n* Fußball *m*; (*US*) Football *m*, amerikanischer Fußball *m*.
footballer ['futbɔ:lə*] (*BRIT*) *n* Fußballspieler(in) *m(f)*.
football ground *n* Fußballplatz *m*.
football match (*BRIT*) *n* Fußballspiel *nt*.
football player *n* (*BRIT*) Fußballspieler(in) *m(f)*; (*US*) Football-Spieler(in) *m(f)*.

Football Pools, *umgangssprachlich auch* **the pools** *genannt, ist das in Großbritannien sehr beliebte Fußballtoto, bei dem auf die Ergebnisse der samstäglichen Fußballspiele gewettet wird. Teilnehmer schicken ihren ausgefüllten Totoschein vor den Spielen an die Totogesellschaft und vergleichen nach den Spielen die Ergebnisse mit ihrem Schein. Die Gewinne können sehr hoch sein und gelegentlich Millionen von Pfund betragen.*

foot brake *n* Fußbremse *f*.
footbridge ['futbrıdʒ] *n* Fußgängerbrücke *f*.
foothills ['futhılz] *npl* (Gebirgs)ausläufer *pl*.
foothold ['futhəuld] *n* Halt *m*; **to get a ~** Fuß fassen.
footing ['futıŋ] *n* Stellung *f*; (*relationship*) Verhältnis *nt*; **to lose one's ~** den Halt verlieren; **on an equal ~** auf gleicher Basis.
footlights ['futlaıts] *npl* Rampenlicht *nt*.
footman ['futmən] (*irreg: like* **man**) *n* Lakai *m*.
footnote ['futnəut] *n* Fußnote *f*.
footpath ['futpɑ:θ] *n* Fußweg *m*; (*in street*) Bürgersteig *m*.
footprint ['futprınt] *n* Fußabdruck *m*; (*of animal*) Spur *f*.
footrest ['futrɛst] *n* Fußstütze *f*.
Footsie ['futsı] (*inf*) *n* = **FTSE 100 Index**.
footsie ['futsı] (*inf*) *n*: **to play ~ with sb** mit jdm füßeln.
footsore ['futsɔ:*] *adj*: **to be ~** wunde Füße haben.
footstep ['futstɛp] *n* Schritt *m*; (*footprint*) Fußabdruck *m*; **to follow in sb's ~s** in jds Fußstapfen *acc* treten.
footwear ['futwɛə*] *n* Schuhe *pl*, Schuhwerk *nt*.

KEYWORD

for [fɔː*] *prep* **1** für *+acc*; **is this ~ me?** ist das für mich?; **the train ~ London** der Zug nach London; **it's time ~ lunch** es ist Zeit zum Mittagessen; **what's it ~?** wofür ist das?; **he works ~ the government/a local firm** er arbeitet für die Regierung/eine Firma am Ort; **he's mature ~ his age** er ist reif für sein Alter; **I sold it ~ £20** ich habe es für £20 verkauft; **I'm all ~ it** ich bin ganz dafür; **G ~ George** ≈ G wie Gustav
2 (*because of*): **~ this reason** aus diesem Grund; **~ fear of being criticised** aus Angst, kritisiert zu werden
3 (*referring to distance*): **there are roadworks ~ 5 km** die Straßenbauarbeiten erstrecken sich über 5 km; **we walked ~ miles** wir sind meilenweit gelaufen
4 (*referring to time*): **he was away ~ 2 years** er war 2 Jahre lang weg; **I have known her ~ years** ich kenne sie bereits seit Jahren
5 (*with infinitive clause*): **it is not ~ me to decide** es liegt nicht an mir, das zu entscheiden; **~ this to be possible ...** um dies möglich zu machen, ...
6 (*in spite of*) trotz *+gen or dat*; **~ all his complaints, he is very fond of her** trotz seiner vielen Klagen mag er sie sehr
♦ *conj* (*form: since, as*) denn; **she was very angry, ~ he was late again** sie war sehr böse, denn er kam wieder zu spät.

f.o.r. *abbr* (*COMM: = free on rail*) frei Bahn.
forage ['fɔrɪdʒ] *n* Futter *nt* ♦ *vi* herumstöbern; **to ~ (for food)** nach Futter suchen.
forage cap *n* Schiffchen *nt*.
foray ['fɔreɪ] *n* (Raub)überfall *m*.
forbad(e) [fə'bæd] *pt of* **forbid**.
forbearing [fɔː'bɛərɪŋ] *adj* geduldig.
forbid [fə'bɪd] (*pt* **forbade**, *pp* **forbidden**) *vt* verbieten; **to ~ sb to do sth** jdm verbieten, etw zu tun.
forbidden [fə'bɪdn] *pp of* **forbid** ♦ *adj* verboten.
forbidding [fə'bɪdɪŋ] *adj* (*look*) streng; (*prospect*) grauenhaft.
force [fɔːs] *n* Kraft *f*; (*violence*) Gewalt *f*; (*of blow, impact*) Wucht *f*; (*influence*) Macht *f* ♦ *vt* zwingen; (*push*) drücken; (: *person*) drängen; (*lock, door*) aufbrechen; **the Forces** (*BRIT*) *npl* die Streitkräfte *pl*; **in ~** (*law etc*) geltend; (*people: arrive etc*) zahlreich; **to come into ~** in Kraft treten; **to join ~s** sich zusammentun; **a ~ 5 wind** Windstärke 5; **the sales ~** das Verkaufspersonal; **to ~ o.s./sb to do sth** sich/jdn zwingen, etw zu tun.
▸**force back** *vt* zurückdrängen; (*tears*) unterdrücken.
▸**force down** *vt* (*food*) hinunterwürgen (*inf*).
forced [fɔːst] *adj* gezwungen; **~ labour** Zwangsarbeit *f*; **~ landing** Notlandung *f*.
force-feed ['fɔːsfiːd] *vt* zwangsernähren; (*animal*) stopfen.
forceful ['fɔːsful] *adj* energisch; (*attack*) wirkungsvoll; (*point*) überzeugend.
forceps ['fɔːsɛps] *npl* Zange *f*.
forcible ['fɔːsəbl] *adj* gewaltsam; (*reminder, lesson*) eindringlich.
forcibly ['fɔːsəblɪ] *adv* mit Gewalt; (*express*) eindringlich.
ford [fɔːd] *n* Furt *f* ♦ *vt* durchqueren; (*on foot*) durchwaten.
fore [fɔː*] *n*: **to come to the ~** ins Blickfeld geraten.
forearm ['fɔːrɑːm] *n* Unterarm *m*.
forebear ['fɔːbɛə*] *n* Vorfahr(in) *m(f)*, Ahn(e) *m(f)*.
foreboding [fɔː'bəudɪŋ] *n* Vorahnung *f*.
forecast ['fɔːkɑːst] *n* Prognose *f*; (*of weather*) (Wetter)vorhersage *f* ♦ *vt* (*irreg: like* **cast**) voraussagen.
foreclose [fɔː'kləuz] *vt* (*LAW: also:* **~ on**) kündigen; **to ~ sb** (*on loan/mortgage*) jds Darlehen/Hypothek kündigen.
foreclosure [fɔː'kləuʒə*] *n* Zwangsvollstreckung *f*.
forecourt ['fɔːkɔːt] *n* Vorplatz *m*.
forefathers ['fɔːfɑːðəz] *npl* Vorfahren *pl*.
forefinger ['fɔːfɪŋgə*] *n* Zeigefinger *m*.
forefront ['fɔːfrʌnt] *n*: **in the ~ of** an der Spitze *+gen*.
forego [fɔː'gəu] (*irreg: like* **go**) *vt* verzichten auf *+acc*.
foregoing ['fɔːgəuɪŋ] *adj* vorhergehend ♦ *n*: **the ~** das Vorhergehende.
foregone ['fɔːgɔn] *pp of* **forego** ♦ *adj*: **it's a ~ conclusion** es steht von vornherein fest.
foreground ['fɔːgraund] *n* Vordergrund *m*.
forehand ['fɔːhænd] *n* (*TENNIS*) Vorhand *f*.
forehead ['fɔrɪd] *n* Stirn *f*.
foreign ['fɔrɪn] *adj* ausländisch; (*holiday*) im Ausland; (*customs, appearance*) fremdartig; (*trade, policy*) Außen-; (*correspondent*) Auslands-; (*object, matter*) fremd; **goods from ~ countries/a ~ country** Waren aus dem Ausland.
foreign body *n* Fremdkörper *m*.
foreign currency *n* Devisen *pl*.
foreigner ['fɔrɪnə*] *n* Ausländer(in) *m(f)*.
foreign exchange *n* Devisenhandel *m*; (*money*) Devisen *pl*.
foreign exchange market *n* Devisenmarkt *m*.
foreign exchange rate *n* Devisenkurs *m*.
foreign investment *n* Auslandsinvestition *f*.
foreign minister *n* Außenminister(in) *m(f)*.
Foreign Office (*BRIT*) *n* Außenministerium *nt*.
Foreign Secretary (*BRIT*) *n* Außenminister(in) *m(f)*.
foreleg ['fɔːlɛg] *n* Vorderbein *nt*.
foreman ['fɔːmən] (*irreg: like* **man**) *n* Vorarbeiter *m*; (*of jury*) Obmann *m*.
foremost ['fɔːməust] *adj* führend ♦ *adv*: **first**

and ~ zunächst, vor allem.
forename ['fɔːneɪm] *n* Vorname *m*.
forensic [fə'rɛnsɪk] *adj* (*test*) forensisch; (*medicine*) Gerichts-; (*expert*) Spurensicherungs-.
foreplay ['fɔːpleɪ] *n* Vorspiel *nt*.
forerunner ['fɔːrʌnə*] *n* Vorläufer *m*.
foresee [fɔː'siː] (*irreg: like* **see**) *vt* vorhersehen.
foreseeable [fɔː'siːəbl] *adj* vorhersehbar; **in the** ~ **future** in absehbarer Zeit.
foreseen [fɔː'siːn] *pp of* **foresee**.
foreshadow [fɔː'ʃædəu] *vt* andeuten.
foreshore ['fɔːʃɔː*] *n* Strand *m*.
foreshorten [fɔː'ʃɔːtn] *vt* perspektivisch verkürzen.
foresight ['fɔːsaɪt] *n* Voraussicht *f*, Weitblick *m*.
foreskin ['fɔːskɪn] *n* (*ANAT*) Vorhaut *f*.
forest ['fɔrɪst] *n* Wald *m*.
forestall [fɔː'stɔːl] *vt* zuvorkommen *+dat*; (*discussion*) im Keim ersticken.
forestry ['fɔrɪstrɪ] *n* Forstwirtschaft *f*.
foretaste ['fɔːteɪst] *n*: **a** ~ **of** ein Vorgeschmack von.
foretell [fɔː'tɛl] (*irreg: like* **tell**) *vt* vorhersagen.
forethought ['fɔːθɔːt] *n* Vorbedacht *m*.
foretold [fɔː'təuld] *pt, pp of* **foretell**.
forever [fə'rɛvə*] *adv* für immer; (*endlessly*) ewig; (*consistently*) dauernd, ständig; **you're** ~ **finding difficulties** du findest ständig *or* dauernd neue Schwierigkeiten.
forewarn [fɔː'wɔːn] *vt* vorwarnen.
forewent [fɔː'wɛnt] *pt of* **forego**.
forewoman ['fɔːwumən] (*irreg: like* **woman**) *n* Vorarbeiterin *f*; (*of jury*) Obmännin *f*.
foreword ['fɔːwəːd] *n* Vorwort *nt*.
forfeit ['fɔːfɪt] *n* Strafe *f*, Buße *f* ♦ *vt* (*right*) verwirken; (*friendship etc*) verlieren; (*one's happiness, health*) einbüßen.
forgave [fə'geɪv] *pt of* **forgive**.
forge [fɔːdʒ] *n* Schmiede *f* ♦ *vt* fälschen; (*wrought iron*) schmieden.
▸**forge ahead** *vi* große *or* schnelle Fortschritte machen.
forger ['fɔːdʒə*] *n* Fälscher(in) *m(f)*.
forgery ['fɔːdʒərɪ] *n* Fälschung *f*.
forget [fə'gɛt] (*pt* **forgot**, *pp* **forgotten**) *vt* vergessen ♦ *vi* es vergessen; **to** ~ **o.s.** sich vergessen.
forgetful [fə'gɛtful] *adj* vergeßlich; ~ **of sth** (*of duties etc*) nachlässig gegenüber etw.
forgetfulness [fə'gɛtfulnɪs] *n* Vergeßlichkeit *f*; (*oblivion*) Vergessenheit *f*.
forget-me-not [fə'gɛtmɪnɔt] *n* Vergißmeinnicht *nt*.
forgive [fə'gɪv] (*pt* **forgave**, *pp* **forgiven**) *vt* verzeihen *+dat*, vergeben *+dat*; **to** ~ **sb for sth** jdm etw verzeihen *or* vergeben; **to** ~ **sb for doing sth** jdm verzeihen *or* vergeben, daß er etw getan hat; ~ **me, but ...** entschuldigen Sie, aber ...; **they could be** ~**n for thinking that ...** es ist verständlich, wenn sie denken, daß ...
forgiveness [fə'gɪvnɪs] *n* Verzeihung *f*.
forgiving [fə'gɪvɪŋ] *adj* versöhnlich.
forgo [fɔː'gəu] (*pt* **forwent**, *pp* **forgone**) *vt* = **forego**.
forgot [fə'gɔt] *pt of* **forget**.
forgotten [fə'gɔtn] *pp of* **forget**.
fork [fɔːk] *n* Gabel *f*; (*in road, river, railway*) Gabelung *f* ♦ *vi* (*road*) sich gabeln.
▸**fork out** (*inf*) *vt, vi* (*pay*) blechen.
forked [fɔːkt] *adj* (*lightning*) zickzackförmig.
fork-lift truck ['fɔːklɪft-] *n* Gabelstapler *m*.
forlorn [fə'lɔːn] *adj* verlassen; (*person*) einsam und verlassen; (*attempt*) verzweifelt; (*hope*) schwach.
form [fɔːm] *n* Form *f*; (*SCOL*) Klasse *f*; (*questionnaire*) Formular *nt* ♦ *vt* formen, gestalten; (*queue, organization, group*) bilden; (*idea, habit*) entwickeln; **in the** ~ **of** in Form von *or +gen*; **in the** ~ **of Peter** in Gestalt von Peter; **to be in good** ~ gut in Form sein; **in top** ~ in Hochform; **on** ~ in Form; **to** ~ **part of sth** Teil von etw sein.
formal ['fɔːməl] *adj* offiziell; (*person, behaviour*) förmlich, formell; (*occasion, dinner*) feierlich; (*clothes*) Gesellschafts-; (*garden*) formell angelegt; (*ART, PHILOSOPHY*) formal; ~ **dress** Gesellschaftskleidung *f*.
formalities [fɔː'mælɪtɪz] *npl* Formalitäten *pl*.
formality [fɔː'mælɪtɪ] *n* Förmlichkeit *f*; (*procedure*) Formalität *f*.
formalize ['fɔːməlaɪz] *vt* formell machen.
formally ['fɔːməlɪ] *adv* (*see adj*) offiziell; förmlich, formell; feierlich; **to be** ~ **invited** ausdrücklich eingeladen sein.
format ['fɔːmæt] *n* Format *nt*; (*form, style*) Aufmachung *f* ♦ *vt* (*COMPUT*) formatieren.
formation [fɔː'meɪʃən] *n* Bildung *f*; (*of theory*) Entstehung *f*; (*of business*) Gründung *f*; (*pattern: of rocks, clouds*) Formation *f*.
formative ['fɔːmətɪv] *adj* (*influence*) prägend; (*years*) entscheidend.
former ['fɔːmə*] *adj* früher; **the** ~ **... the latter ...** erstere(r, s) ... letztere(r, s); **the** ~ **president** der ehemalige Präsident; **the** ~ **East Germany** die ehemalige DDR.
formerly ['fɔːməlɪ] *adv* früher.
form feed *n* (*on printer*) Papiervorschub *m*.
Formica ® [fɔː'maɪkə] *n* Resopal ® *nt*.
formidable ['fɔːmɪdəbl] *adj* (*task*) gewaltig, enorm; (*opponent*) furchterregend.
formula ['fɔːmjulə] (*pl* ~**e** *or* ~**s**) *n* Formel *f*; **F**~ **One** (*AUT*) Formel Eins.
formulate ['fɔːmjuleɪt] *vt* formulieren.
fornicate ['fɔːnɪkeɪt] *vi* Unzucht treiben.
forsake [fə'seɪk] (*pt* **forsook**, *pp* **forsaken**) *vt* im Stich lassen; (*belief*) aufgeben.
forsook [fə'suk] *pt of* **forsake**.
fort [fɔːt] *n* Fort *nt*; **to hold the** ~ die Stellung halten.
forte ['fɔːtɪ] *n* Stärke *f*, starke Seite *f*.

forth [fɔːθ] *adv* aus; **back and** ~ hin und her; **to go back and** ~ auf und ab gehen; **to bring** ~ hervorbringen; **and so** ~ und so weiter.
forthcoming [fɔːθ'kʌmɪŋ] *adj* (*event*) bevorstehend; (*person*) mitteilsam; **to be** ~ (*help*) erfolgen; (*evidence*) geliefert werden.
forthright ['fɔːθraɪt] *adj* offen.
forthwith ['fɔːθ'wɪθ] *adv* umgehend.
fortieth ['fɔːtɪɪθ] *num* vierzigste(r, s).
fortification [fɔːtɪfɪ'keɪʃən] *n* Befestigung *f*, Festungsanlage *f*.
fortified wine ['fɔːtɪfaɪd-] *n* weinhaltiges Getränk *nt* (*Sherry, Portwein etc*).
fortify ['fɔːtɪfaɪ] *vt* (*city*) befestigen; (*person*) bestärken; (: *subj: food, drink*) stärken.
fortitude ['fɔːtɪtjuːd] *n* innere Kraft *or* Stärke *f*.
fortnight ['fɔːtnaɪt] (*BRIT*) *n* vierzehn Tage *pl*, zwei Wochen *pl*; **it's a** ~ **since** ... es ist vierzehn Tage *or* zwei Wochen her, daß ...
fortnightly ['fɔːtnaɪtlɪ] *adj* vierzehntägig, zweiwöchentlich ♦ *adv* alle vierzehn Tage, alle zwei Wochen.
FORTRAN ['fɔːtræn] *n* FORTRAN *nt*.
fortress ['fɔːtrɪs] *n* Festung *f*.
fortuitous [fɔː'tjuːɪtəs] *adj* zufällig.
fortunate ['fɔːtʃənɪt] *adj* glücklich; **to be** ~ Glück haben; **he is** ~ **to have** ... er kann sich glücklich schätzen, ... zu haben; **it is** ~ **that** ... es ist ein Glück, daß ...
fortunately ['fɔːtʃənɪtlɪ] *adv* glücklicherweise, zum Glück.
fortune ['fɔːtʃən] *n* Glück *nt*; (*wealth*) Vermögen *nt*; **to make a** ~ ein Vermögen machen; **to tell sb's** ~ jdm wahrsagen.
fortune-teller ['fɔːtʃəntɛlə*] *n* Wahrsager(in) *m(f)*.
forty ['fɔːtɪ] *num* vierzig.
forum ['fɔːrəm] *n* Forum *nt*.
forward ['fɔːwəd] *adj* vordere(r, s); (*movement*) Vorwärts-; (*not shy*) dreist; (*COMM: buying, price*) Termin- ♦ *adv* nach vorn; (*movement*) vorwärts; (*in time*) voraus ♦ *n* (*SPORT*) Stürmer *m* ♦ *vt* (*letter etc*) nachsenden; (*career, plans*) voranbringen; ~ **planning** Vorausplanung *f*; **to move** ~ vorwärtskommen; **"please** ~**"** „bitte nachsenden".
forwards ['fɔːwədz] *adv* nach vorn; (*movement*) vorwärts; (*in time*) voraus.
fossil ['fɔsl] *n* Fossil *nt*.
fossil fuel *n* fossiler Brennstoff *m*.
foster ['fɔstə*] *vt* (*child*) in Pflege nehmen; (*idea, activity*) fördern.
foster child *n* Pflegekind *nt*.
foster mother *n* Pflegemutter *f*.
fought [fɔːt] *pt, pp of* **fight**.
foul [faul] *adj* abscheulich; (*taste, smell, temper*) übel; (*water*) faulig; (*air*) schlecht; (*language*) unflätig ♦ *n* (*SPORT*) Foul *nt* ♦ *vt* beschmutzen; (*SPORT*) foulen; (*entangle*) sich verheddern in +*dat*.
foul play *n* unnatürlicher *or* gewaltsamer Tod *m*; ~ **is not suspected** es besteht kein Verdacht auf ein Verbrechen.
found [faund] *pt, pp of* **find** ♦ *vt* gründen.
foundation [faun'deɪʃən] *n* Gründung *f*; (*base: also fig*) Grundlage *f*; (*organization*) Stiftung *f*; (*also*: ~ **cream**) Grundierungscreme *f*; **foundations** *npl* (*of building*) Fundament *nt*; **the rumours are without** ~ die Gerüchte entbehren jeder Grundlage; **to lay the** ~**s** (*fig*) die Grundlagen schaffen.
foundation stone *n* Grundstein *m*.
founder ['faundə*] *n* Gründer(in) *m(f)* ♦ *vi* (*ship*) sinken.
founder member *n* Gründungsmitglied *nt*.
founding ['faundɪŋ] *adj*: ~ **fathers** (*esp US*) Väter *pl*.
foundry ['faundrɪ] *n* Gießerei *f*.
fount [faunt] *n* Quelle *f*; (*TYP*) Schrift *f*.
fountain ['fauntɪn] *n* Brunnen *m*.
fountain pen *n* Füllfederhalter *m*, Füller *m*.
four [fɔː*] *num* vier; **on all** ~**s** auf allen vieren.
four-letter word ['fɔːlɛtə-] *n* Vulgärausdruck *m*.
four-poster ['fɔː'pəustə*] *n* (*also*: ~ **bed**) Himmelbett *nt*.
foursome ['fɔːsəm] *n* Quartett *nt*; **in** *or* **as a** ~ zu viert.
fourteen ['fɔː'tiːn] *num* vierzehn.
fourteenth ['fɔː'tiːnθ] *num* vierzehnte(r, s).
fourth [fɔːθ] *num* vierte(r, s) ♦ *n* (*AUT: also:* ~ **gear**) der vierte (Gang).
four-wheel drive ['fɔːwiːl-] *n* (*AUT*): **with** ~ mit Vierradantrieb *m*.
fowl [faul] *n* Vogel *m* (*besonders Huhn, Gans, Ente etc*).
fox [fɔks] *n* Fuchs *m* ♦ *vt* verblüffen.
foxglove ['fɔksglʌv] *n* (*BOT*) Fingerhut *m*.
fox-hunting ['fɔkshʌntɪŋ] *n* Fuchsjagd *f*.
foxtrot ['fɔkstrɔt] *n* Foxtrott *m*.
foyer ['fɔɪeɪ] *n* Foyer *nt*.
FPA (*BRIT*) *n abbr* (= *Family Planning Association*) *Organisation für Familienplanung*.
Fr. *abbr* (*REL*) = **father; friar**.
fr. *abbr* (= *franc*) Fr.
fracas ['frækɑː] *n* Aufruhr *m*, Tumult *m*.
fraction ['frækʃən] *n* Bruchteil *m*; (*MATH*) Bruch *m*.
fractionally ['frækʃnəlɪ] *adv* geringfügig.
fractious ['frækʃəs] *adj* verdrießlich.
fracture ['fræktʃə*] *n* Bruch *m* ♦ *vt* brechen.
fragile ['frædʒaɪl] *adj* zerbrechlich; (*economy*) schwach; (*health*) zart; (*person*) angeschlagen.
fragment [*n* 'frægmənt, *vb* fræg'mɛnt] *n* Stück *nt* ♦ *vt* aufsplittern ♦ *vi* sich aufsplittern.
fragmentary ['frægməntərɪ] *adj* fragmentarisch, bruchstückhaft.
fragrance ['freɪgrəns] *n* Duft *m*.
fragrant ['freɪgrənt] *adj* duftend.
frail [freɪl] *adj* schwach, gebrechlich;

(*structure*) zerbrechlich.
frame [freɪm] *n* Rahmen *m*; (*of building*) (Grund)gerippe *nt*; (*of human, animal*) Gestalt *f*; (*of spectacles: also:* ~**s**) Gestell *nt* ♦ *vt* (*picture*) rahmen; (*reply*) formulieren; (*law, theory*) entwerfen; ~ **of mind** Stimmung *f*, Laune *f*; **to** ~ **sb** (*inf*) jdm etwas anhängen.
framework ['freɪmwɔːk] *n* Rahmen *m*.
France [frɑːns] *n* Frankreich *nt*.
franchise ['fræntʃaɪz] *n* Wahlrecht *nt*; (*COMM*) Konzession *f*, Franchise *f*.
franchisee [fræntʃaɪ'ziː] *n* Franchisenehmer(in) *m(f)*.
franchiser ['fræntʃaɪzə*] *n* Franchisegeber(in) *m(f)*.
frank [fræŋk] *adj* offen ♦ *vt* (*letter*) frankieren.
Frankfurt ['fræŋkfəːt] *n* Frankfurt *nt*.
frankfurter ['fræŋkfəːtə*] *n* (Frankfurter) Würstchen *nt*.
franking machine ['fræŋkɪŋ-] *n* Frankiermaschine *f*.
frankly ['fræŋklɪ] *adv* ehrlich gesagt; (*candidly*) offen.
frankness ['fræŋknɪs] *n* Offenheit *f*.
frantic ['fræntɪk] *adj* verzweifelt; (*hectic*) hektisch; (*desperate*) übersteigert.
frantically ['fræntɪklɪ] *adv* verzweifelt; (*hectically*) hektisch.
fraternal [frə'təːnl] *adj* brüderlich.
fraternity [frə'təːnɪtɪ] *n* Brüderlichkeit *f*; (*US: UNIV*) Verbindung *f*; **the legal/medical/golfing** ~ die Juristen/Mediziner/Golfer *pl*.
fraternize ['frætənaɪz] *vi* Umgang haben.
fraud [frɔːd] *n* Betrug *m*; (*person*) Betrüger(in) *m(f)*.
fraudulent ['frɔːdjulənt] *adj* betrügerisch.
fraught [frɔːt] *adj* (*person*) nervös; **to be** ~ **with danger/problems** voller Gefahren/Probleme sein.
fray [freɪ] *n*: **the** ~ der Kampf ♦ *vi* (*cloth*) ausfransen; (*rope*) sich durchscheuern; **to return to the** ~ sich wieder ins Getümmel stürzen; **tempers were** ~**ed** die Gemüter erhitzten sich; **her nerves were** ~**ed** sie war mit den Nerven am Ende.
FRB (*US*) *n abbr* = **Federal Reserve Board.**
FRCM (*BRIT*) *n abbr* (= *Fellow of the Royal College of Music*) *Qualifikationsnachweis in Musik*.
FRCO (*BRIT*) *n abbr* (= *Fellow of the Royal College of Organists*) *Qualifikationsnachweis für Organisten*.
FRCP (*BRIT*) *n abbr* (= *Fellow of the Royal College of Physicians*) *Qualifikationsnachweis für Ärzte*.
FRCS (*BRIT*) *n abbr* (= *Fellow of the Royal College of Surgeons*) *Qualifikationsnachweis für Chirurgen*.
freak [friːk] *n* Irre(r) *f(m)*; (*in appearance*) Mißgeburt *f*; (*event, accident*) außergewöhnlicher Zufall *m*; (*pej: fanatic*): **health** ~ Gesundheitsapostel *m*.
►**freak out** (*inf*) *vi* aussteigen; (*on drugs*) ausflippen.
freakish ['friːkɪʃ] *adj* verrückt.
freckle ['frɛkl] *n* Sommersprosse *f*.
freckled ['frɛkld] *adj* sommersprossig.
free [friː] *adj* frei; (*costing nothing*) kostenlos, gratis ♦ *vt* freilassen; (*jammed object*) lösen; **to give sb a** ~ **hand** jdm freie Hand lassen; ~ **and easy** ungezwungen; **admission** ~ Eintritt frei; ~ **(of charge), for** ~ umsonst, gratis.
free agent *n*: **to be a** ~ sein eigener Herr sein.
freebie ['friːbɪ] (*inf*) *n* (*promotional gift*) Werbegeschenk *nt*.
freedom ['friːdəm] *n* Freiheit *f*.
freedom fighter *n* Freiheitskämpfer(in) *m(f)*.
free enterprise *n* freies Unternehmertum *nt*.
Freefone ® ['friːfəun] *n*: **call** ~ **0800** rufen Sie gebührenfrei 0800 an.
free-for-all ['friːfərɔːl] *n* Gerangel *nt*; **the fight turned into a** ~ schließlich beteiligten sich alle an der Schlägerei.
free gift *n* Werbegeschenk *nt*.
freehold ['friːhəuld] *n* (*of property*) Besitzrecht *nt*.
free kick *n* Freistoß *m*.
freelance ['friːlɑːns] *adj* (*journalist etc*) frei(schaffend), freiberuflich tätig.
freelance work *n* freiberufliche Arbeit *f*.
freeloader ['friːləudə*] (*pej*) *n* Schmarotzer(in) *m(f)*.
freely ['friːlɪ] *adv* frei; (*spend*) mit vollen Händen; (*liberally*) großzügig; **drugs are** ~ **available in the city** Drogen sind in der Stadt frei erhältlich.
free-market economy ['friː'mɑːkɪt-] *n* freie Marktwirtschaft *f*.
Freemason ['friːmeɪsn] *n* Freimaurer *m*.
Freemasonry ['friːmeɪsnrɪ] *n* Freimaurerei *f*.
Freepost ® ['friːpəust] *n* ≈ „Gebühr zahlt Empfänger".
free-range ['friː'reɪndʒ] *adj* (*eggs*) von freilaufenden Hühnern.
free sample *n* Gratisprobe *f*.
freesia ['friːzɪə] *n* Freesie *f*.
free speech *n* Redefreiheit *f*.
freestyle ['friːstaɪl] *n* Freistil *m*.
free trade *n* Freihandel *m*.
freeway ['friːweɪ] (*US*) *n* Autobahn *f*.
freewheel [friː'wiːl] *vi* im Freilauf fahren.
free will *n* freier Wille *m*; **of one's own** ~ aus freien Stücken.
freeze [friːz] (*pt* **froze**, *pp* **frozen**) *vi* frieren; (*liquid*) gefrieren; (*pipe*) einfrieren; (*person: stop moving*) erstarren ♦ *vt* einfrieren; (*water, lake*) gefrieren ♦ *n* Frost *m*; (*on arms, wages*) Stopp *m*.
►**freeze over** *vi* (*river*) überfrieren; (*windscreen, windows*) vereisen.
►**freeze up** *vi* zufrieren.

freeze-dried ['fri:zdraɪd] *adj* gefriergetrocknet.
freezer ['fri:zə*] *n* Tiefkühltruhe *f*; (*upright*) Gefrierschrank *m*; (*in fridge: also:* ~ **compartment**) Gefrierfach *nt*.
freezing ['fri:zɪŋ] *adj*: ~ **(cold)** eiskalt ♦ *n*: **3 degrees below** ~ 3 Grad unter Null; **I'm** ~ mir ist eiskalt.
freezing point *n* Gefrierpunkt *m*.
freight [freɪt] *n* Fracht *f*; (*money charged*) Frachtkosten *pl*; ~ **forward** Fracht gegen Nachnahme; ~ **inward** Eingangsfracht *f*.
freight car (*US*) *n* Güterwagen *m*.
freighter ['freɪtə*] *n* (*NAUT*) Frachter *m*, Frachtschiff *nt*; (*AVIAT*) Frachtflugzeug *nt*.
freight forwarder [-'fɔ:wədə*] *n* Spediteur *m*.
freight train (*US*) *n* Güterzug *m*.
French [frɛntʃ] *adj* französisch ♦ *n* (*LING*) Französisch *nt*; **the French** *npl* die Franzosen *pl*.
French bean (*BRIT*) *n* grüne Bohne *f*.
French Canadian *adj* frankokanadisch ♦ *n* Frankokanadier(in) *m(f)*.
French dressing *n* Vinaigrette *f*.
French fried potatoes *npl* Pommes frites *pl*.
French fries [-fraɪz] (*US*) *npl* = **French fried potatoes.**
French Guiana [-gaɪ'ænə] *n* Französisch-Guyana *nt*.
Frenchman ['frɛntʃmən] (*irreg: like* **man**) *n* Franzose *m*.
French Riviera *n*: **the** ~ die französische Riviera.
French stick *n* Stangenbrot *nt*.
French window *n* Verandatür *f*.
Frenchwoman ['frɛntʃwumən] (*irreg: like* **woman**) *n* Französin *f*.
frenetic [frə'nɛtɪk] *adj* frenetisch, rasend.
frenzied ['frɛnzɪd] *adj* rasend.
frenzy ['frɛnzɪ] *n* Raserei *f*; (*of joy, excitement*) Taumel *m*; **to drive sb into a** ~ jdn zum Rasen bringen; **to be in a** ~ in wilder Aufregung sein.
frequency ['fri:kwənsɪ] *n* Häufigkeit *f*; (*RADIO*) Frequenz *f*.
frequency modulation *n* Frequenzmodulation *f*.
frequent [*adj* 'fri:kwənt, *vt* frɪ'kwɛnt] *adj* häufig ♦ *vt* (*pub, restaurant*) oft *or* häufig besuchen.
frequently ['fri:kwəntlɪ] *adv* oft, häufig.
fresco ['frɛskəu] *n* Fresko *nt*.
fresh [frɛʃ] *adj* frisch; (*instructions, approach, start*) neu; (*cheeky*) frech; **to make a** ~ **start** einen neuen Anfang machen.
freshen ['frɛʃən] *vi* (*wind*) auffrischen; (*air*) frisch werden.
▸**freshen up** *vi* sich frisch machen.
freshener ['frɛʃnə*] *n*: **skin** ~ Gesichtswasser *nt*; **air** ~ Raumspray *m or nt*.
fresher ['frɛʃə*] (*BRIT: inf*) *n* Erstsemester(in) *m(f)*.
freshly ['frɛʃlɪ] *adv* frisch.
freshman ['frɛʃmən] (*US*: *irreg: like* **man**) *n* = **fresher.**
freshness ['frɛʃnɪs] *n* Frische *f*.
freshwater ['frɛʃwɔ:tə*] *adj* (*fish etc*) Süßwasser-.
fret [frɛt] *vi* sich *dat* Sorgen machen.
fretful ['frɛtful] *adj* (*child*) quengelig.
Freudian ['frɔɪdɪən] *adj* freudianisch, Freudsch; ~ **slip** Freudscher Versprecher *m*.
FRG *n abbr* (= *Federal Republic of Germany*) BRD *f*.
Fri. *abbr* (= *Friday*) Fr.
friar ['fraɪə*] *n* Mönch *m*, (Ordens)bruder *m*.
friction ['frɪkʃən] *n* Reibung *f*; (*between people*) Reibereien *pl*.
friction feed *n* (*on printer*) Friktionsvorschub *m*.
Friday ['fraɪdɪ] *n* Freitag *m*; *see also* **Tuesday.**
fridge [frɪdʒ] (*BRIT*) *n* Kühlschrank *m*.
fridge-freezer ['frɪdʒ'fri:zə*] *n* Kühl- und Gefrierkombination *f*.
fried [fraɪd] *pt, pp of* **fry** ♦ *adj* gebraten; ~ **egg** Spiegelei *nt*; ~ **fish** Bratfisch *m*.
friend [frɛnd] *n* Freund(in) *m(f)*; (*less intimate*) Bekannte(r) *f(m)*; **to make** ~**s with** sich anfreunden mit.
friendliness ['frɛndlɪnɪs] *n* Freundlichkeit *f*.
friendly ['frɛndlɪ] *adj* freundlich; (*government*) befreundet; (*game, match*) Freundschafts- ♦ *n* (*also*: ~ **match**) Freundschaftsspiel *nt*; **to be** ~ **with** befreundet sein mit; **to be** ~ **to** freundlich *or* nett sein zu.
friendly fire *n* Beschuß *m* durch die eigene Seite.
friendly society *n* Versicherungsverein *m* auf Gegenseitigkeit.
friendship ['frɛndʃɪp] *n* Freundschaft *f*.
frieze [fri:z] *n* Fries *m*.
frigate ['frɪgɪt] *n* Fregatte *f*.
fright [fraɪt] *n* Schreck(en) *m*; **to take** ~ es mit der Angst zu tun bekommen; **she looks a** ~ sie sieht verboten *or* zum Fürchten aus (*inf*).
frighten ['fraɪtn] *vt* erschrecken.
▸**frighten away** *or* **off** *vt* verscheuchen.
frightened ['fraɪtnd] *adj* ängstlich; **to be** ~ **(of)** Angst haben (vor *+dat*).
frightening ['fraɪtnɪŋ] *adj* furchterregend.
frightful ['fraɪtful] *adj* schrecklich, furchtbar.
frightfully ['fraɪtfəlɪ] *adv* schrecklich, furchtbar; **I'm** ~ **sorry** es tut mir schrecklich leid.
frigid ['frɪdʒɪd] *adj* frigide.
frigidity [frɪ'dʒɪdɪtɪ] *n* Frigidität *f*.
frill [frɪl] *n* Rüsche *f*; **without** ~**s** (*fig*) schlicht.
fringe [frɪndʒ] *n* (*BRIT: of hair*) Pony *m*; (*decoration*) Fransen *pl*; (*edge: also fig*) Rand *m*.
fringe benefits *npl* zusätzliche Leistungen *pl*.
fringe theatre *n* avantgardistisches Theater *nt*.

Frisbee® ['frɪzbɪ] *n* Frisbee® *nt*.
frisk [frɪsk] *vt* durchsuchen, filzen (*inf*) ♦ *vi* umhertollen.
frisky ['frɪskɪ] *adj* lebendig, ausgelassen.
fritter ['frɪtə*] *n* Schmalzgebackenes *nt no pl* mit Füllung.
▸**fritter away** *vt* vergeuden.
frivolity [frɪ'vɔlɪtɪ] *n* Frivolität *f*.
frivolous ['frɪvələs] *adj* frivol; (*activity*) leichtfertig.
frizzy ['frɪzɪ] *adj* kraus.
fro [frəu] *adv*: **to and ~** hin und her; (*walk*) auf und ab.
frock [frɔk] *n* Kleid *nt*.
frog [frɔg] *n* Frosch *m*; **to have a ~ in one's throat** einen Frosch im Hals haben.
frogman ['frɔgmən] (*irreg: like* **man**) *n* Froschmann *m*.
frogmarch ['frɔgmɑːtʃ] (*BRIT*) *vt*: **to ~ sb in/out** jdn herein-/herausschleppen.
frolic ['frɔlɪk] *vi* umhertollen ♦ *n* Ausgelassenheit *f*; (*fun*) Spaß *m*.

KEYWORD

from [frɔm] *prep* **1** (*indicating starting place, origin*) von *+dat*; **where do you come ~?** woher kommen Sie?; **~ London to Glasgow** von London nach Glasgow; **a letter/telephone call ~ my sister** ein Brief/Anruf von meiner Schwester; **to drink ~ the bottle** aus der Flasche trinken
2 (*indicating time*) von (... an); **~ one o'clock to** *or* **until** *or* **till now** von ein Uhr bis jetzt; **~ January (on)** von Januar an, ab Januar
3 (*indicating distance*) von ... entfernt; **the hotel is 1 km ~ the beach** das Hotel ist 1 km vom Strand entfernt
4 (*indicating price, number etc*): **trousers ~ £20** Hosen ab £20; **prices range ~ £10 to £50** die Preise liegen zwischen £10 und £50
5 (*indicating difference*): **he can't tell red ~ green** er kann rot und grün nicht unterscheiden; **to be different ~ sb/sth** anders sein als jd/etw
6 (*because of, on the basis of*): **~ what he says** nach dem, was er sagt; **to act ~ conviction** aus Überzeugung handeln; **weak ~ hunger** schwach vor Hunger.

frond [frɔnd] *n* Wedel *m*.
front [frʌnt] *n* Vorderseite *f*; (*of dress*) Vorderteil *nt*; (*promenade: also:* **sea ~**) Strandpromenade *f*; (*MIL, MET*) Front *f*; (*fig: appearances*) Fassade *f* ♦ *adj* vorderste(r, s); (*wheel, tooth, view*) Vorder- ♦ *vi*: **to ~ onto sth** (*house*) auf etw *acc* hinausliegen; (*window*) auf etw *acc* hinausgehen; **in ~** vorne; **in ~ of** vor; **at the ~ of the coach/train/car** vorne im Bus/Zug/Auto; **on the political ~, little progress has been made** an der politischen Front sind kaum Fortschritte gemacht worden.
frontage ['frʌntɪdʒ] *n* Vorderseite *f*, Front *f*; (*of shop*) Front.
frontal ['frʌntl] *adj* (*attack etc*) Frontal-.
front bench (*BRIT*) *n* (*POL*) vorderste *or* erste Reihe *f*.

Front Bench *bezeichnet im britischen Unterhaus die vorderste Bank auf der Regierungs- und Oppositionsseite zur Rechten und Linken des Sprechers. Im weiteren Sinne bezieht sich front bench auf die Spitzenpolitiker der verschiedenen Parteien, die auf dieser Bank sitzen (auch frontbenchers genannt), d.h. die Minister auf der einen Seite und die Mitglieder des Schattenkabinetts auf der anderen.*

front desk (*US*) *n* Rezeption *f*.
front door *n* Haustür *f*.
frontier ['frʌntɪə*] *n* Grenze *f*.
frontispiece ['frʌntɪspiːs] *n* zweite Titelseite *f*, Frontispiz *nt*.
front page *n* erste Seite *f*, Titelseite *f*.
front room (*BRIT*) *n* Wohnzimmer *nt*.
frontrunner ['frʌntrʌnə*] *n* Spitzenreiter *m*.
front-wheel drive ['frʌntwiːl-] *n* (*AUT*) Vorderradantrieb *m*.
frost [frɔst] *n* Frost *m*; (*also:* **hoar~**) Rauhreif *m*.
frostbite ['frɔstbaɪt] *n* Erfrierungen *pl*.
frosted ['frɔstɪd] *adj* (*glass*) Milch-; (*esp US*) glasiert, mit Zuckerguß überzogen.
frosting ['frɔstɪŋ] (*esp US*) *n* Zuckerguß *m*.
frosty ['frɔstɪ] *adj* frostig; (*look*) eisig; (*window*) bereift.
froth [frɔθ] *n* Schaum *m*.
frothy ['frɔθɪ] *adj* schäumend.
frown [fraun] *n* Stirnrunzeln *nt* ♦ *vi* die Stirn runzeln.
▸**frown on** *vt fus* mißbilligen.
froze [frəuz] *pt of* **freeze**.
frozen ['frəuzn] *pp of* **freeze** ♦ *adj* tiefgekühlt; (*food*) Tiefkühl-; (*COMM*) eingefroren.
FRS *n abbr* (*BRIT: = Fellow of the Royal Society*) *Auszeichnung für Naturwissenschaftler*; (*US: = Federal Reserve System*) *amerikanische Zentralbank*.
frugal ['fruːgl] *adj* genügsam; (*meal*) einfach.
fruit [fruːt] *n inv* Frucht *f*; (*collectively*) Obst *nt*; (*fig: results*) Früchte *pl*.
fruiterer ['fruːtərə*] (*esp BRIT*) *n* Obsthändler(in) *m(f)*.
fruit fly *n* Fruchtfliege *f*.
fruitful ['fruːtful] *adj* fruchtbar.
fruition [fruː'ɪʃən] *n*: **to come to ~** (*plan*) Wirklichkeit werden; (*efforts*) Früchte tragen; (*hope*) in Erfüllung gehen.
fruit juice *n* Fruchtsaft *m*.
fruitless ['fruːtlɪs] *adj* fruchtlos, ergebnislos.
fruit machine (*BRIT*) *n* Spielautomat *m*.
fruit salad *n* Obstsalat *m*.
fruity ['fruːtɪ] *adj* (*taste, smell etc*) Frucht-,

Obst-; (*wine*) fruchtig; (*voice, laugh*) volltönend.
frump [frʌmp] *n*: **to feel a ~** sich *dat* wie eine Vogelscheuche vorkommen.
frustrate [frʌs'treɪt] *vt* frustrieren; (*attempt*) vereiteln; (*plan*) durchkreuzen.
frustrated [frʌs'treɪtɪd] *adj* frustriert.
frustrating [frʌs'treɪtɪŋ] *adj* frustrierend.
frustration [frʌs'treɪʃən] *n* Frustration *f*; (*of attempt*) Vereitelung *f*; (*of plan*) Zerschlagung *f*.
fry [fraɪ] (*pt, pp* **fried**) *vt* braten; *see also* **small**.
frying pan ['fraɪɪŋ-] *n* Bratpfanne *f*.
FT (*BRIT*) *n abbr* (= *Financial Times*) *Wirtschaftszeitung*; **the ~ index** der Aktienindex der „Financial Times".
ft. *abbr* = **foot; feet.**
FTC (*US*) *n abbr* = **Federal Trade Commission.**
FTSE 100 Index *n Aktienindex der „Financial Times"*.
fuchsia ['fju:ʃə] *n* Fuchsie *f*.
fuck [fʌk] (*inf!*) *vt, vi* ficken (*!*); **~ off!** (*inf!*) verpiß dich! (*!*).
fuddled ['fʌdld] *adj* verwirrt.
fuddy-duddy ['fʌdɪdʌdɪ] (*pej*) *n* Langweiler *m*.
fudge [fʌdʒ] *n* Fondant *m* ♦ *vt* (*issue, problem*) ausweichen *+dat*, aus dem Weg gehen *+dat*.
fuel ['fjuəl] *n* Brennstoff *m*; (*for vehicle*) Kraftstoff *m*; (: *petrol*) Benzin *nt*; (*for aircraft, rocket*) Treibstoff *m* ♦ *vt* (*furnace etc*) betreiben; (*aircraft, ship etc*) antreiben.
fuel oil *n* Gasöl *nt*.
fuel pump *n* (*AUT*) Benzinpumpe *f*.
fuel tank *n* Öltank *m*; (*in vehicle*) (Benzin)tank *m*.
fug [fʌg] (*BRIT: inf*) *n* Mief *m* (*inf*).
fugitive ['fju:dʒɪtɪv] *n* Flüchtling *m*.
fulfil, (*US*) **fulfill** [ful'fɪl] *vt* erfüllen; (*order*) ausführen.
fulfilled [ful'fɪld] *adj* ausgefüllt.
fulfilment, (*US*) **fulfillment** [ful'fɪlmənt] *n* Erfüllung *f*.
full [ful] *adj* voll; (*complete*) vollständig; (*skirt*) weit; (*life*) ausgefüllt ♦ *adv*: **to know ~ well that** ... sehr wohl wissen, daß ...; **~ up** (*hotel etc*) ausgebucht; **I'm ~ (up)** ich bin satt; **a ~ two hours** volle zwei Stunden; **~ marks** die beste Note, ≈ eine Eins; (*fig*) höchstes Lob *nt*; **at ~ speed** in voller Fahrt; **in ~** ganz, vollständig; **to pay in ~** den vollen Betrag bezahlen; **to write one's name** *etc* **in ~** seinen Namen *etc* ausschreiben.
fullback ['fulbæk] *n* (*RUGBY, FOOTBALL*) Verteidiger *m*.
full-blooded ['ful'blʌdɪd] *adj* (*vigorous*) kräftig; (*virile*) vollblütig.
full board *n* Vollpension *f*.
full-cream ['ful'kri:m] *adj*: **~ milk** (*BRIT*) Vollmilch *f*.
full employment *n* Vollbeschäftigung *f*.
full grown *adj* ausgewachsen.
full-length ['ful'lɛŋθ] *adj* (*film*) abendfüllend; (*coat*) lang; (*portrait*) lebensgroß; (*mirror*) groß; **~ novel** Roman *m*.
full moon *n* Vollmond *m*.
fullness ['fulnɪs] *n*: **in the ~ of time** zu gegebener Zeit.
full-page ['fulpeɪdʒ] *adj* ganzseitig.
full-scale ['fulskeɪl] *adj* (*war*) richtig; (*attack*) Groß-; (*model*) in Originalgröße; (*search*) großangelegt.
full-sized ['ful'saɪzd] *adj* lebensgroß.
full stop *n* Punkt *m*.
full-time ['ful'taɪm] *adj* (*work*) Ganztags-; (*study*) Voll- ♦ *adv* ganztags.
fully ['fulɪ] *adv* völlig; **~ as big as** mindestens so groß wie.
fully fledged [-'flɛdʒd] *adj* richtiggehend; (*doctor etc*) voll qualifiziert; (*member*) Voll-; (*bird*) flügge.
fulsome ['fulsəm] (*pej*) *adj* übertrieben.
fumble ['fʌmbl] *vi*: **to ~ with** herumfummeln an *+dat* ♦ *vt* (*ball*) nicht sicher fangen.
fume [fju:m] *vi* wütend sein, kochen (*inf*).
fumes [fju:mz] *npl* (*of fire*) Rauch *m*; (*of fuel*) Dämpfe *pl*; (*of car*) Abgase *pl*.
fumigate ['fju:mɪgeɪt] *vt* ausräuchern.
fun [fʌn] *n* Spaß *m*; **he's good ~ (to be with)** es macht viel Spaß, mit ihm zusammenzusein; **for ~** aus *or* zum Spaß; **it's not much ~** es macht keinen Spaß; **to make ~ of, to poke ~ at** sich lustig machen über *+acc*.
function ['fʌŋkʃən] *n* Funktion *f*; (*social occasion*) Veranstaltung *f*, Feier *f* ♦ *vi* funktionieren; **to ~ as** (*thing*) dienen als; (*person*) fungieren als.
functional ['fʌŋkʃənl] *adj* (*operational*) funktionsfähig; (*practical*) funktionell, zweckmäßig.
function key *n* (*COMPUT*) Funktionstaste *f*.
fund [fʌnd] *n* (*of money*) Fonds *m*; (*source, store*) Schatz *m*, Vorrat *m*; **funds** *npl* (*money*) Mittel *pl*, Gelder *pl*.
fundamental [fʌndə'mɛntl] *adj* fundamental, grundlegend.
fundamentalism [fʌndə'mɛntəlɪzəm] *n* Fundamentalismus *m*.
fundamentalist [fʌndə'mɛntəlɪst] *n* Fundamentalist(in) *m(f)*.
fundamentally [fʌndə'mɛntəlɪ] *adv* im Grunde; (*radically*) von Grund auf.
fundamentals [fʌndə'mɛntlz] *npl* Grundbegriffe *pl*.
funding ['fʌndɪŋ] *n* Finanzierung *f*.
fund-raising ['fʌndreɪzɪŋ] *n* Geldbeschaffung *f*.
funeral ['fju:nərəl] *n* Beerdigung *f*.
funeral director *n* Beerdigungs-unternehmer(in) *m(f)*.
funeral parlour *n* Leichenhalle *f*.
funeral service *n* Trauergottesdienst *m*.
funereal [fju:'nɪərɪəl] *adj* traurig, trübselig.
funfair ['fʌnfɛə*] (*BRIT*) *n* Jahrmarkt *m*.
fungi ['fʌŋgaɪ] *npl of* **fungus**.

fungus ['fʌŋgəs] (*pl* **fungi**) *n* Pilz *m*; (*mould*) Schimmel(pilz) *m*.
funicular [fjuːˈnɪkjulə*] *n* (*also*: ~ **railway**) Seilbahn *f*.
funky ['fʌŋkɪ] *adj* (*music*) Funk-.
funnel ['fʌnl] *n* Trichter *m*; (*of ship*) Schornstein *m*.
funnily ['fʌnɪlɪ] *adv* komisch; ~ **enough** komischerweise.
funny ['fʌnɪ] *adj* komisch; (*strange*) seltsam, komisch.
funny bone *n* Musikantenknochen *m*.
fun run *n* ≈ Volkslauf *m*.
fur [fəː*] *n* Fell *nt*, Pelz *m*; (*BRIT: in kettle etc*) Kesselstein *m*.
fur coat *n* Pelzmantel *m*.
furious ['fjuərɪəs] *adj* wütend; (*exchange, argument*) heftig; (*effort*) riesig; (*speed*) rasend; **to be ~ with sb** wütend auf jdn sein.
furiously ['fjuərɪəslɪ] *adv* (*see adj*) wütend; (*struggle etc*) heftig; (*run*) schnell.
furl [fəːl] *vt* (*NAUT*) einrollen.
furlong ['fəːlɔŋ] *n* Achtelmeile *f* (= *201,17 m*).
furlough ['fəːləu] *n* (*MIL*) Urlaub *m*.
furnace ['fəːnɪs] *n* (*in foundry*) Schmelzofen *m*; (*in power plant*) Hochofen *m*.
furnish ['fəːnɪʃ] *vt* einrichten; (*room*) möblieren; **to ~ sb with sth** jdm etw liefern; **~ed flat** *or* (*US*) **apartment** möblierte Wohnung *f*.
furnishings ['fəːnɪʃɪŋz] *npl* Einrichtung *f*.
furniture ['fəːnɪtʃə*] *n* Möbel *pl*; **piece of ~** Möbelstück *nt*.
furniture polish *n* Möbelpolitur *f*.
furore [fjuəˈrɔːrɪ] *n* (*protests*) Proteste *pl*; (*enthusiasm*) Furore *f or nt*.
furrier ['fʌrɪə*] *n* Kürschner(in) *m(f)*.
furrow ['fʌrəu] *n* Furche *f*; (*in skin*) Runzel *f* ♦ *vt* (*brow*) runzeln.
furry ['fəːrɪ] *adj* (*coat, tail*) flauschig; (*animal*) Pelz-; (*toy*) Plüsch-.
further ['fəːðə*] *adj* weitere(r, s) ♦ *adv* weiter; (*moreover*) darüber hinaus ♦ *vt* fördern; **until ~ notice** bis auf weiteres; **how much ~ is it?** wie weit ist es noch?; **~ to your letter of ...** (*COMM*) bezugnehmend auf Ihr Schreiben vom ...
further education (*BRIT*) *n* Weiterbildung *f*, Fortbildung *f*.
furthermore [fəːðəˈmɔː*] *adv* außerdem.
furthermost ['fəːðəməust] *adj* äußerste(r, s).
furthest ['fəːðɪst] *superl of* **far**.
furtive ['fəːtɪv] *adj* verstohlen.
furtively ['fəːtɪvlɪ] *adv* verstohlen.
fury ['fjuərɪ] *n* Wut *f*; **to be in a ~** in Rage sein.
fuse, (*US*) **fuze** [fjuːz] *n* (*ELEC*) Sicherung *f*; (*for bomb etc*) Zündschnur *f* ♦ *vt* (*pieces of metal*) verschmelzen; (*fig*) vereinigen ♦ *vi* (*pieces of metal*) sich verbinden; (*fig*) sich vereinigen; **to ~ the lights** (*BRIT*) die Sicherung durchbrennen lassen; **a ~ has blown** eine Sicherung ist durchgebrannt.
fuse box *n* Sicherungskasten *m*.
fuselage ['fjuːzəlɑːʒ] *n* Rumpf *m*.
fuse wire *n* Schmelzdraht *m*.
fusillade [fjuːzɪˈleɪd] *n* Salve *f*.
fusion ['fjuːʒən] *n* Verschmelzung *f*; (*also*: **nuclear ~**) Kernfusion *f*.
fuss [fʌs] *n* Theater *nt* (*inf*) ♦ *vi* sich (unnötig) aufregen ♦ *vt* keine Ruhe lassen *+dat*; **to make a ~** Krach schlagen (*inf*); **to make a ~ of sb** viel Getue um jdn machen (*inf*).
▶**fuss over** *vt fus* bemuttern.
fusspot ['fʌspɔt] *n* Nörgler(in) *m(f)*.
fussy ['fʌsɪ] *adj* kleinlich, pingelig (*inf*); (*clothes, room etc*) verspielt; **I'm not ~** es ist mir egal.
fusty ['fʌstɪ] *adj* muffig.
futile ['fjuːtaɪl] *adj* vergeblich; (*existence*) sinnlos; (*comment*) zwecklos.
futility [fjuːˈtɪlɪtɪ] *n* (*see adj*) Vergeblichkeit *f*; Sinnlosigkeit *f*; Zwecklosigkeit *f*.
futon ['fuːtɔn] *n* Futon *m*.
future ['fjuːtʃə*] *adj* zukünftig ♦ *n* Zukunft *f*; (*LING*) Futur *nt*; **futures** *npl* (*COMM*) Termingeschäfte *pl*; **in (the) ~** in Zukunft; **in the near ~** in der nahen Zukunft; **in the immediate ~** sehr bald.
futuristic [fjuːtʃəˈrɪstɪk] *adj* futuristisch.
fuze [fjuːz] (*US*) *n, vt, vi* = **fuse.**
fuzz [fʌz] (*inf*) *n* (*police*): **the ~** die Bullen *pl*.
fuzzy ['fʌzɪ] *adj* verschwommen; (*hair*) kraus; (*thoughts*) verworren.
fwd. *abbr* = **forward.**
fwy (*US*) *abbr* = **freeway.**
FY *abbr* (= *fiscal year*) Steuerjahr *nt*.
FYI *abbr* (= *for your information*) zu Ihrer Information.

G, g

G¹, g¹ [dʒiː] *n* (*letter*) G *nt*, g *nt*; **~ for George** ≈ G wie Gustav.
G² [dʒiː] *n* (*MUS*) G *nt*, g *nt*.
G³ [dʒiː] *n abbr* (*BRIT: SCOL*) = **good**; (*US: CINE:* = *general (audience)*) *Klassifikation für jugendfreie Filme*; (*PHYS*): **~-force** g-Druck *m*.
G7 *n abbr* (*POL:* = *Group of Seven*) G7 *f*.
g² *abbr* (= *gram(me)*) g; (*PHYS*) = **gravity.**
GA (*US*) *n abbr* (*POST:* = *Georgia*).
gab [gæb] (*inf*) *n*: **to have the gift of the ~** reden können, nicht auf den Mund gefallen sein.
gabble ['gæbl] *vi* brabbeln (*inf*).
gaberdine [gæbəˈdiːn] *n* Gabardine *m*.

gable ['geɪbl] *n* Giebel *m*.
Gabon [gə'bɔn] *n* Gabun *nt*.
gad about [gæd-] (*inf*) *vi* herumziehen.
gadget ['gædʒɪt] *n* Gerät *nt*.
gadgetry ['gædʒɪtrɪ] *n* Geräte *pl*.
Gaelic ['geɪlɪk] *adj* gälisch ♦ *n* (*LING*) Gälisch *nt*.
gaffe [gæf] *n* Fauxpas *m*.
gaffer ['gæfə*] (*BRIT: inf*) *n* (*boss*) Chef *m*; (*foreman*) Vorarbeiter *m*; (*old man*) Alte(r) *m*.
gag [gæg] *n* Knebel *m*; (*joke*) Gag *m* ♦ *vt* knebeln ♦ *vi* würgen.
gaga ['gɑːgɑː] (*inf*) *adj*: **to go** ~ verkalken.
gage [geɪdʒ] (*US*) *n, vt* = **gauge**.
gaiety ['geɪɪtɪ] *n* Fröhlichkeit *f*.
gaily ['geɪlɪ] *adv* fröhlich; ~ **coloured** farbenfroh, farbenprächtig.
gain [geɪn] *n* Gewinn *m* ♦ *vt* gewinnen ♦ *vi* (*clock, watch*) vorgehen; **to do sth for** ~ etw aus Berechnung tun; (*for money*) etw des Geldes wegen tun; ~ **(in)** (*increase*) Zunahme *f* (an *+dat*); (*in rights, conditions*) Verbesserung *f +gen*; **to** ~ **ground** (an) Boden gewinnen; **to** ~ **speed** schneller werden; **to** ~ **weight** zunehmen; **to** ~ **3lbs (in weight)** 3 Pfund zunehmen; **to** ~ **(in) confidence** sicherer werden;: **to** ~ **from sth** von etw profitieren; **to** ~ **in strength** stärker werden; **to** ~ **by doing sth** davon profitieren, etw zu tun; **to** ~ **on sb** jdn einholen.
gainful ['geɪnful] *adj*: ~ **employment** Erwerbstätigkeit *f*.
gainfully ['geɪnfəlɪ] *adv*: ~ **employed** erwerbstätig.
gainsay [geɪn'seɪ] (*irreg: like* **say**) *vt* widersprechen *+dat*; (*fact*) leugnen.
gait [geɪt] *n* Gang *m*; **to walk with a slow/confident** ~ mit langsamen Schritten/selbstbewußt gehen.
gal. *abbr* = **gallon**.
gala ['gɑːlə] *n* Galaveranstaltung *f*; **swimming** ~ großes Schwimmfest *nt*.
Galapagos (Islands) [gə'læpəgəs-] *npl*: **(the)** ~ die Galapagosinseln *pl*.
galaxy ['gæləksɪ] *n* Galaxis *f*, Sternsystem *nt*.
gale [geɪl] *n* Sturm *m*; ~ **force 10** Sturmstärke 10.
gall [gɔːl] *n* Galle *f*; (*fig: impudence*) Frechheit *f* ♦ *vt* maßlos ärgern.
gall. *abbr* = **gallon**.
gallant ['gælənt] *adj* tapfer; (*polite*) galant.
gallantry ['gæləntrɪ] *n* (*see adj*) Tapferkeit *f*; Galanterie *f*.
gall bladder *n* Gallenblase *f*.
galleon ['gælɪən] *n* Galeone *f*.
gallery ['gælərɪ] *n* (*also*: **art** ~) Galerie *f*, Museum *nt*; (*private*) (Privat)galerie *f*; (*in hall, church*) Galerie *f*; (*in theatre*) oberster Rang *m*, Balkon *m*.
galley ['gælɪ] *n* Kombüse *f*; (*ship*) Galeere *f*; (*also*: ~ **proof**) Fahne *f*, Fahnenabzug *m*.
Gallic ['gælɪk] *adj* gallisch; (*French*) französisch.
galling ['gɔːlɪŋ] *adj* äußerst ärgerlich.
gallon ['gæln] *n* Gallone *f* (*BRIT* = *4,5 l, US* = *3,8 l*).
gallop ['gæləp] *n* Galopp *m* ♦ *vi* galoppieren; ~**ing inflation** galoppierende Inflation *f*.
gallows ['gæləuz] *n* Galgen *m*.
gallstone ['gɔːlstəun] *n* Gallenstein *m*.
Gallup poll ['gæləp-] *n* Meinungsumfrage *f*.
galore [gə'lɔː*] *adv* in Hülle und Fülle.
galvanize ['gælvənaɪz] *vt* (*fig*) mobilisieren; **to** ~ **sb into action** jdn plötzlich aktiv werden lassen.
galvanized ['gælvənaɪzd] *adj* (*metal*) galvanisiert.
Gambia ['gæmbɪə] *n* Gambia *nt*.
gambit ['gæmbɪt] *n*: **(opening)** ~ (einleitender) Schachzug *m*; (*in conversation*) (einleitende) Bemerkung *f*.
gamble ['gæmbl] *n* Risiko *nt* ♦ *vt* einsetzen ♦ *vi* ein Risiko eingehen; (*bet*) spielen; (*on horses etc*) wetten; **to** ~ **on the Stock Exchange** an der Börse spekulieren; **to** ~ **on sth** (*horses, race*) auf etw *acc* wetten; (*success, outcome etc*) sich auf etw *acc* verlassen.
gambler ['gæmblə*] *n* Spieler(in) *m(f)*.
gambling ['gæmblɪŋ] *n* Spielen *nt*; (*on horses etc*) Wetten *nt*.
gambol ['gæmbl] *vi* herumtollen.
game [geɪm] *n* Spiel *nt*; (*sport*) Sport *m*; (*strategy, scheme*) Vorhaben *nt*; (*CULIN, HUNTING*) Wild *nt* ♦ *adj*: **to be** ~ **(for)** mitmachen (bei); **games** *npl* (*SCOL*) Sport *m*; **to play a** ~ **of football/tennis** Fußball/(eine Partie) Tennis spielen; **big** ~ Großwild *nt*.
game bird *n* Federwild *nt no pl*.
gamekeeper ['geɪmkiːpə*] *n* Wildhüter(in) *m(f)*.
gamely ['geɪmlɪ] *adv* mutig.
game reserve *n* Wildschutzreservat *nt*.
games console ['geɪmz-] *n* (*COMPUT*) Gameboy ® *m*, Konsole *f*.
game show *n* (*TV*) Spielshow *f*.
gamesmanship ['geɪmzmənʃɪp] *n* Gerissenheit *f* beim Spiel.
gaming ['geɪmɪŋ] *n* (*gambling*) Spielen *nt*.
gammon ['gæmən] *n* Schinken *m*.
gamut ['gæmət] *n* Skala *f*; **to run the** ~ **of** die ganze Skala *+gen* durchlaufen.
gander ['gændə*] *n* Gänserich *m*.
gang [gæŋ] *n* Bande *f*; (*of friends*) Haufen *m*; (*of workmen*) Kolonne *f*.
▸**gang up** *vi*: **to** ~ **up on sb** sich gegen jdn zusammentun.
Ganges ['gændʒiːz] *n*: **the** ~ der Ganges.
gangland ['gæŋlænd] *adj* (*killer, boss*) Unterwelt-.
gangling ['gæŋglɪŋ] *adj* schlaksig, hochaufgeschossen.
gangly ['gæŋglɪ] *adj* schlaksig.

gangplank ['gæŋplæŋk] *n* Laufplanke *f*.
gangrene ['gæŋgri:n] *n* (*MED*) Brand *m*.
gangster ['gæŋstə*] *n* Gangster *m*.
gangway ['gæŋweɪ] *n* Laufplanke *f*, Gangway *f*; (*in cinema, bus, plane etc*) Gang *m*.
gantry ['gæntrɪ] *n* (*for crane*) Portal *nt*; (*for railway signal*) Signalbrücke *f*; (*for rocket*) Abschußrampe *f*.
GAO (*US*) *n abbr* (= *General Accounting Office*) *Rechnungshof der USA*.
gaol [dʒeɪl] (*BRIT*) *n, vt* = **jail.**
gap [gæp] *n* Lücke *f*; (*in time*) Pause *f*; (*difference*): ~ **(between)** Kluft *f* (zwischen *+dat*).
gape [geɪp] *vi* starren, gaffen; (*hole*) gähnen; (*shirt*) offenstehen.
gaping ['geɪpɪŋ] *adj* (*hole*) gähnend; (*shirt*) offen.
garage ['gærɑ:ʒ] *n* Garage *f*; (*for car repairs*) (Reparatur)werkstatt *f*; (*petrol station*) Tankstelle *f*.
garb [gɑ:b] *n* Gewand *nt*, Kluft *f*.
garbage ['gɑ:bɪdʒ] *n* (*US: rubbish*) Abfall *m*, Müll *m*; (*inf: nonsense*) Blödsinn *m*, Quatsch *m*; (*fig: film, book*) Schund *m*.
garbage can (*US*) *n* Mülleimer *m*, Abfalleimer *m*.
garbage collector (*US*) *n* Müllmann *m*.
garbage disposal (unit) *n* Müllschlucker *m*.
garbage truck (*US*) *n* Müllwagen *m*.
garbled ['gɑ:bld] *adj* (*account*) wirr; (*message*) unverständlich.
garden ['gɑ:dn] *n* Garten *m* ♦ *vi* gärtnern; **gardens** *npl* (*public park*) Park *m*; (*private*) Gartenanlagen *pl*; **she was ~ing** sie arbeitete im Garten.
garden centre *n* Gartencenter *nt*.
garden city *n* Gartenstadt *f*.
gardener ['gɑ:dnə*] *n* Gärtner(in) *m(f)*.
gardening ['gɑ:dnɪŋ] *n* Gartenarbeit *f*.
gargle ['gɑ:gl] *vi* gurgeln ♦ *n* Gurgelwasser *nt*.
gargoyle ['gɑ:gɔɪl] *n* Wasserspeier *m*.
garish ['gɛərɪʃ] *adj* grell.
garland ['gɑ:lənd] *n* Kranz *m*.
garlic ['gɑ:lɪk] *n* Knoblauch *m*.
garment ['gɑ:mənt] *n* Kleidungsstück *nt*.
garner ['gɑ:nə*] *vt* sammeln.
garnish ['gɑ:nɪʃ] *vt* garnieren.
garret ['gærɪt] *n* Dachkammer *f*, Mansarde *f*.
garrison ['gærɪsn] *n* Garnison *f*.
garrulous ['gæruləs] *adj* geschwätzig.
garter ['gɑ:tə*] *n* Strumpfband *nt*; (*US: suspender*) Strumpfhalter *m*.
garter belt (*US*) *n* Strumpfgürtel *m*, Hüftgürtel *m*.
gas [gæs] *n* Gas *nt*; (*US: gasoline*) Benzin *nt* ♦ *vt* mit Gas vergiften; (*MIL*) vergasen; **to be given** ~ (*as anaesthetic*) Lachgas bekommen.
gas cooker (*BRIT*) *n* Gasherd *m*.
gas cylinder *n* Gasflasche *f*.
gaseous ['gæsɪəs] *adj* gasförmig.
gas fire (*BRIT*) *n* Gasofen *m*.
gas-fired ['gæsfaɪəd] *adj* (*heater etc*) Gas-.
gash [gæʃ] *n* klaffende Wunde *f*; (*tear*) tiefer Schlitz *m* ♦ *vt* aufschlitzen.
gasket ['gæskɪt] *n* Dichtung *f*.
gas mask *n* Gasmaske *f*.
gas meter *n* Gaszähler *m*.
gasoline ['gæsəli:n] (*US*) *n* Benzin *nt*.
gasp [gɑ:sp] *n* tiefer Atemzug *m* ♦ *vi* keuchen; (*in surprise*) nach Luft schnappen; **to give a ~ (of shock/horror)** (vor Schreck/Entsetzen) die Luft anhalten; **to be ~ing for** sich sehnen nach *+dat*.
►**gasp out** *vt* hervorstoßen.
gas permeable *adj* (*lenses*) luftdurchlässig.
gas ring *n* Gasbrenner *m*.
gas station (*US*) *n* Tankstelle *f*.
gas stove *n* (*cooker*) Gasherd *m*; (*for camping*) Gaskocher *m*.
gassy ['gæsɪ] *adj* (*drink*) kohlensäurehaltig.
gas tank *n* Benzintank *m*.
gastric ['gæstrɪk] *adj* (*upset, ulcer etc*) Magen-.
gastric flu *n* Darmgrippe *f*.
gastroenteritis ['gæstrəuɛntə'raɪtɪs] *n* Magen-Darm-Katarrh *m*.
gastronomy [gæs'trɔnəmɪ] *n* Gastronomie *f*.
gasworks ['gæswə:ks] *n* Gaswerk *nt*.
gate [geɪt] *n* (*of garden*) Pforte *f*; (*of field*) Gatter *nt*; (*of building*) Tor *nt*; (*at airport*) Flugsteig *m*; (*of level crossing*) Schranke *f*; (*of lock*) Tor *nt*.
gateau ['gætəu] (*pl* **~x**) *n* Torte *f*.
gate-crash ['geɪtkræʃ] (*BRIT*) *vt* (*party*) ohne Einladung besuchen; (*concert*) eindringen in *+acc* ♦ *vi* ohne Einladung hingehen; eindringen.
gate-crasher ['geɪtkræʃə*] *n* ungeladener Gast *m*.
gatehouse ['geɪthaus] *n* Pförtnerhaus *nt*.
gateway ['geɪtweɪ] *n* (*also fig*) Tor *nt*.
gather ['gæðə*] *vt* sammeln; (*flowers, fruit*) pflücken; (*understand*) schließen; (*SEWING*) kräuseln ♦ *vi* (*assemble*) sich versammeln; (*dust*) sich ansammeln; (*clouds*) sich zusammenziehen; **to ~ (from)** schließen (aus); **to ~ (that)** annehmen(, daß); **as far as I can ~** so wie ich es sehe; **to ~ speed** schneller werden.
gathering ['gæðərɪŋ] *n* Versammlung *f*.
GATT [gæt] *n abbr* (= *General Agreement on Tariffs and Trade*) GATT *nt*.
gauche [gəuʃ] *adj* linkisch.
gaudy ['gɔ:dɪ] *adj* knallig.
gauge, (*US*) **gage** [geɪdʒ] *n* Meßgerät *nt*, Meßinstrument *nt*; (*RAIL*) Spurweite *f* ♦ *vt* messen; (*fig*) beurteilen; **petrol ~, fuel ~,** (*US*) **gas gage** Benzinuhr *f*; **to ~ the right moment** den richtigen Moment abwägen.
Gaul [gɔ:l] *n* Gallien *nt*; (*person*) Gallier(in) *m(f)*.
gaunt [gɔ:nt] *adj* (*haggard*) hager; (*bare, stark*) öde.
gauntlet ['gɔ:ntlɪt] *n* (Stulpen)handschuh *m*;

(*fig*): **to run the ~** Spießruten laufen; **to throw down the ~** den Fehdehandschuh hinwerfen.
gauze [gɔːz] *n* Gaze *f*.
gave [geɪv] *pt of* **give.**
gavel ['gævl] *n* Hammer *m*.
gawk [gɔːk] (*inf*) *vi* gaffen, glotzen.
gawky ['gɔːkɪ] *adj* schlaksig.
gawp [gɔːp] *vi:* **to ~ at** angaffen, anglotzen (*inf*).
gay [geɪ] *adj* (*homosexual*) schwul; (*cheerful*) fröhlich; (*dress*) bunt.
gaze [geɪz] *n* Blick *m* ♦ *vi:* **to ~ at sth** etw anstarren.
gazelle [gə'zɛl] *n* Gazelle *f*.
gazette [gə'zɛt] *n* Zeitung *f*; (*official*) Amtsblatt *nt*.
gazetteer [gæzə'tɪə*] *n* alphabetisches Ortsverzeichnis *nt*.
gazump [gə'zʌmp] (*BRIT*) *vt:* **to be ~ed** *ein mündlich zugesagtes Haus an einen Höherbietenden verlieren.*
GB *abbr* (= *Great Britain*) GB.
GBH (*BRIT*) *n abbr* (*LAW*) = **grievous bodily harm.**
GC (*BRIT*) *n abbr* (= *George Cross*) *britische Tapferkeitsmedaille.*
GCE (*BRIT*) *n abbr* (= *General Certificate of Education*) *Schulabschlußzeugnis,* ≈ Abitur *nt*.
GCHQ (*BRIT*) *n abbr* (= *Government Communications Headquarters*) *Zentralstelle des britischen Nachrichtendienstes.*
GCSE (*BRIT*) *n abbr* (= *General Certificate of Secondary Education*) *Schulabschlußzeugnis,* ≈ mittlere Reife *f*.
Gdns *abbr* (*in street names:* = *Gardens*) ≈ Str.
GDP *n abbr* = **gross domestic product.**
GDR *n abbr* (*formerly:* = *German Democratic Republic*) DDR *f*.
gear [gɪə*] *n* (*equipment*) Ausrüstung *f*; (*belongings*) Sachen *pl*; (*TECH*) Getriebe *nt*; (*AUT*) Gang *m*; (*on bicycle*) Gangschaltung *f* ♦ *vt* (*fig: adapt*): **to ~ sth to** etw ausrichten auf *+acc*; **top** *or* (*US*) **high/low/bottom ~** hoher/niedriger/erster Gang; **to put a car into ~** einen Gang einlegen; **to leave the car in ~** den Gang eingelegt lassen; **to leave out of ~** im Leerlauf lassen; **our service is ~ed to meet the needs of the disabled** unser Betrieb ist auf die Bedürfnisse von Behinderten eingerichtet.
▸**gear up** *vt, vi:* **to ~ (o.s.) up (to)** sich vorbereiten (auf *+acc*) ♦ *vt:* **to ~ o.s. up to do sth** sich darauf vorbereiten, etw zu tun.
gearbox ['gɪəbɔks] *n* Getriebe *nt*.
gear lever, (*US*) **gear shift** *n* Schalthebel *m*.
GED (*US*) *n abbr* (*SCOL:* = *general educational development*) *allgemeine Lernentwicklung.*
geese [giːs] *npl of* **goose.**
geezer ['giːzə*] (*inf*) *n* Kerl *m*, Typ *m*.
Geiger counter ['gaɪgə-] *n* Geigerzähler *m*.
gel [dʒɛl] *n* Gel *nt*.
gelatin(e) ['dʒɛlətiːn] *n* Gelatine *f*.
gelignite ['dʒɛlɪgnaɪt] *n* Plastiksprengstoff *m*.
gem [dʒɛm] *n* Edelstein *m*; **she/the house is a ~** (*fig*) sie/das Haus ist ein Juwel; **a ~ of an idea** eine ausgezeichnete Idee.
Gemini ['dʒɛmɪnaɪ] *n* (*ASTROL*) Zwillinge *pl*; **to be ~** (ein) Zwilling sein.
gen [dʒɛn] (*BRIT: inf*) *n:* **to give sb the ~ on sth** jdn über etw *acc* informieren.
Gen. *abbr* (*MIL:* = *General*) Gen.
gen. *abbr* = **general; generally.**
gender ['dʒɛndə*] *n* Geschlecht *nt*.
gene [dʒiːn] *n* Gen *nt*.
genealogy [dʒiːnɪ'ælədʒɪ] *n* Genealogie *f*, Stammbaumforschung *f*; (*family history*) Stammbaum *m*.
general ['dʒɛnərl] *n* General *m* ♦ *adj* allgemein; (*widespread*) weitverbreitet; (*non-specific*) generell; **in ~** im allgemeinen; **the ~ public** die Öffentlichkeit, die Allgemeinheit; **~ audit** (*COMM*) Jahresabschlußprüfung *f*.
general anaesthetic *n* Vollnarkose *f*.
general delivery (*US*) *n:* **to send sth ~** etw postlagernd schicken.
general election *n* Parlamentswahlen *pl*.
generalization ['dʒɛnrəlaɪ'zeɪʃən] *n* Verallgemeinerung *f*.
generalize ['dʒɛnrəlaɪz] *vi* verallgemeinern.
generally ['dʒɛnrəlɪ] *adv* im allgemeinen.
general manager *n* Hauptgeschäftsführer(in) *m(f)*.
general practitioner *n* praktischer Arzt *m*, praktische Ärztin *f*.
general strike *n* Generalstreik *m*.
generate ['dʒɛnəreɪt] *vt* erzeugen; (*jobs*) schaffen; (*profits*) einbringen.
generation [dʒɛnə'reɪʃən] *n* Generation *f*; (*of electricity etc*) Erzeugung *f*.
generator ['dʒɛnəreɪtə*] *n* Generator *m*.
generic [dʒɪ'nɛrɪk] *adj* allgemein; **~ term** Oberbegriff *m*.
generosity [dʒɛnə'rɔsɪtɪ] *n* Großzügigkeit *f*.
generous ['dʒɛnərəs] *adj* großzügig; (*measure, remuneration*) reichlich.
genesis ['dʒɛnɪsɪs] *n* Entstehung *f*.
genetic [dʒɪ'nɛtɪk] *adj* genetisch.
genetic engineering *n* Gentechnologie *f*.
genetic fingerprinting [-'fɪŋgəprɪntɪŋ] *n* genetische Fingerabdrücke *pl*.
genetics [dʒɪ'nɛtɪks] *n* Genetik *f*.
Geneva [dʒɪ'niːvə] *n* Genf *nt*.
genial ['dʒiːnɪəl] *adj* freundlich; (*climate*) angenehm.
genitals ['dʒɛnɪtlz] *npl* Genitalien *pl*, Geschlechtsteile *pl*.
genitive ['dʒɛnɪtɪv] *n* Genitiv *m*.
genius ['dʒiːnɪəs] *n* Talent *nt*; (*person*) Genie *nt*.
Genoa ['dʒɛnəuə] *n* Genua *nt*.
genocide ['dʒɛnəusaɪd] *n* Völkermord *m*.
Genoese [dʒɛnəu'iːz] *adj* genuesisch ♦ *n inv*

Genuese *m*, Genuesin *f*.
gent [dʒɛnt] (*BRIT: inf*) *n abbr* = **gentleman.**
genteel [dʒɛn'tiːl] *adj* vornehm, fein.
gentle ['dʒɛntl] *adj* sanft; (*movement, breeze*) leicht; **a ~ hint** ein zarter Hinweis.
gentleman ['dʒɛntlmən] (*irreg: like* **man**) *n* Herr *m*; (*referring to social position or good manners*) Gentleman *m*; **~'s agreement** Vereinbarung *f* auf Treu und Glauben.
gentlemanly ['dʒɛntlmənlɪ] *adj* zuvorkommend.
gentleness ['dʒɛntlnɪs] *n* (*see adj*) Sanftheit *f*; Leichtheit *f*; Zartheit *f*.
gently ['dʒɛntlɪ] *adv* (*see adj*) sanft; leicht; zart.
gentry ['dʒɛntrɪ] *n inv*: **the ~** die Gentry, der niedere Adel.
gents [dʒɛnts] *n*: **the ~** die Herrentoilette.
genuine ['dʒɛnjuɪn] *adj* echt; (*person*) natürlich, aufrichtig.
genuinely ['dʒɛnjuɪnlɪ] *adv* wirklich.
geographer [dʒɪ'ɔgrəfə*] *n* Geograph(in) *m(f)*.
geographic(al) [dʒɪə'græfɪk(l)] *adj* geographisch.
geography [dʒɪ'ɔgrəfɪ] *n* Geographie *f*; (*SCOL*) Erdkunde *f*.
geological [dʒɪə'lɔdʒɪkl] *adj* geologisch.
geologist [dʒɪ'ɔlədʒɪst] *n* Geologe *m*, Geologin *f*.
geology [dʒɪ'ɔlədʒɪ] *n* Geologie *f*.
geometric(al) [dʒɪə'mɛtrɪk(l)] *adj* geometrisch.
geometry [dʒɪ'ɔmətrɪ] *n* Geometrie *f*.
Geordie ['dʒɔːdɪ] (*inf*) *n aus dem Gebiet von Newcastle stammende oder dort wohnhafte Person.*
Georgia ['dʒɔːdʒə] *n* (*in Eastern Europe*) Georgien *nt*.
Georgian ['dʒɔːdʒən] *adj* georgisch ♦ *n* Georgier(in) *m(f)*; (*LING*) Georgisch *nt*.
geranium [dʒɪ'reɪnɪəm] *n* Geranie *f*.
geriatric [dʒɛrɪ'ætrɪk] *adj* geriatrisch ♦ *n* Greis(in) *m(f)*.
germ [dʒəːm] *n* Bazillus *m*; (*BIOL, fig*) Keim *m*.
German ['dʒəːmən] *adj* deutsch ♦ *n* Deutsche(r) *f(m)*; (*LING*) Deutsch *nt*.
German Democratic Republic *n* (*formerly*) Deutsche Demokratische Republik *f*.
germane [dʒəː'meɪn] *adj*: **~ (to)** von Belang (für).
German measles (*BRIT*) *n* Röteln *pl*.
German Shepherd (dog) (*esp US*) *n* Schäferhund *m*.
Germany ['dʒəːmənɪ] *n* Deutschland *nt*.
germinate ['dʒəːmɪneɪt] *vi* keimen; (*fig*) aufkeimen.
germination [dʒəːmɪ'neɪʃən] *n* Keimung *f*.
germ warfare *n* biologische Kriegsführung *f*, Bakterienkrieg *m*.
gerrymandering ['dʒɛrɪmændərɪŋ] *n* Wahlkreisschiebungen *pl*.
gestation [dʒɛs'teɪʃən] *n* (*of animals*) Trächtigkeit *f*; (*of humans*) Schwangerschaft *f*.
gesticulate [dʒɛs'tɪkjuleɪt] *vi* gestikulieren.
gesture ['dʒɛstjə*] *n* Geste *f*; **as a ~ of friendship** als Zeichen der Freundschaft.

KEYWORD

get [gɛt] (*pt, pp* **got,** (*US*) *pp* **gotten**) *vi* **1** (*become, be*) werden; **to ~ old/tired/cold** alt/müde/kalt werden; **to ~ dirty** sich schmutzig machen; **to ~ killed** getötet werden; **to ~ married** heiraten
2 (*go*): **to ~ (from ...) to ...** (von ...) nach ... kommen; **how did you ~ here?** wie sind Sie hierhin gekommen?
3 (*begin*): **to ~ to know sb** jdn kennenlernen; **let's ~ going** *or* **started** fangen wir an!
♦ *modal aux vb*: **you've got to do it** du mußt es tun
♦ *vt* **1**: **to ~ sth done** (*do oneself*) etw gemacht bekommen; (*have done*) etw machen lassen; **to ~ one's hair cut** sich *dat* die Haare schneiden lassen; **to ~ the car going** *or* **to go** das Auto in Gang bringen; **to ~ sb to do sth** etw von jdm machen lassen; (*persuade*) jdn dazu bringen, etw zu tun
2 (*obtain: money, permission, results*) erhalten; (*find: job, flat*) finden; (*fetch: person, doctor, object*) holen; **to ~ sth for sb** jdm etw besorgen; **can I ~ you a drink?** kann ich Ihnen etwas zu trinken anbieten?
3 (*receive, acquire: present, prize*) bekommen; **how much did you ~ for the painting?** wieviel haben Sie für das Bild bekommen?
4 (*catch*) bekommen, kriegen (*inf*); (*hit: target etc*) treffen; **to ~ sb by the arm/throat** jdn am Arm/Hals packen; **the bullet got him in the leg** die Kugel traf ihn ins Bein
5 (*take, move*) bringen; **to ~ sth to sb** jdm etw zukommen lassen
6 (*plane, bus etc: take*) nehmen; (*: catch*) bekommen
7 (*understand: joke etc*) verstehen; **I ~ it** ich verstehe
8 (*have, possess*): **to have got** haben; **how many have you got?** wie viele hast du?
►**get about** *vi* (*person*) herumkommen; (*news, rumour*) sich verbreiten.
►**get across** *vt* (*message, meaning*) klarmachen.
►**get along** *vi* (*be friends*) (miteinander) auskommen; (*depart*) sich auf den Weg machen.
►**get around** *vt fus* = **get round.**
►**get at** *vt fus* (*attack, criticize*) angreifen; (*reach*) herankommen an *+acc*; **what are you ~ting at?** worauf willst du hinaus?
►**get away** *vi* (*leave*) wegkommen; (*on holiday*) verreisen; (*escape*) entkommen.
►**get away with** *vt fus* (*stolen goods*) entkommen mit; **he'll never ~ away with it!**

damit kommt er nicht durch.

▶**get back** *vi* (*return*) zurückkommen ♦ *vt* (*regain*) zurückbekommen; ~ **back!** zurück!

▶**get back at** (*inf*) *vt fus*: **to ~ back at sb for sth** jdm etw heimzahlen.

▶**get back to** *vt fus* (*return to*) zurückkehren zu; (*contact again*) zurückkommen auf *+acc*; **to ~ back to sleep** wieder einschlafen.

▶**get by** *vi* (*pass*) vorbeikommen; (*manage*) zurechtkommen; **I can ~ by in German** ich kann mich auf Deutsch verständlich machen.

▶**get down** *vi* (*from tree, ladder etc*) heruntersteigen; (*from horse*) absteigen; (*leave table*) aufstehen; (*bend down*) sich bücken; (*duck*) sich ducken ♦ *vt* (*depress: person*) fertigmachen; (*write*) aufschreiben.

▶**get down to** *vt fus*: **to ~ down to sth** (*work*) etw in Angriff nehmen; (*find time*) zu etw kommen; **to ~ down to business** (*fig*) zur Sache kommen.

▶**get in** *vi* (*be elected: candidate, party*) gewählt werden; (*arrive*) ankommen ♦ *vt* (*bring in: harvest*) einbringen; (: *shopping, supplies*) (herein)holen.

▶**get into** *vt fus* (*conversation, argument, fight*) geraten in *+acc*; (*vehicle*) einsteigen in *+acc*; (*clothes*) hineinkommen in *+acc*; **to ~ into bed** ins Bett gehen; **to ~ into the habit of doing sth** sich *dat* angewöhnen, etw zu tun.

▶ **get off** *vi* (*from train etc*) aussteigen; (*escape punishment*) davonkommen ♦ *vt* (*remove: clothes*) ausziehen; (: *stain*) herausbekommen ♦ *vt fus* (*leave: train, bus*) aussteigen aus; **we ~ 3 days off at Christmas** zu Weihnachten bekommen wir 3 Tage frei; **to ~ off to a good start** (*fig*) einen guten Anfang machen.

▶ **get on** *vi* (*be friends*) (miteinander) auskommen ♦ *vt fus* (*bus, train*) einsteigen in *+acc*; **how are you ~ting on?** wie kommst du zurecht?; **time is ~ting on** es wird langsam spät.

▶ **get on to** (*BRIT*) *vt fus* (*subject, topic*) übergehen zu; (*contact: person*) sich in Verbindung setzen mit.

▶ **get on with** *vt fus* (*person*) auskommen mit; (*meeting, work etc*) weitermachen mit.

▶ **get out** *vi* (*leave: on foot*) hinausgehen; (*of vehicle*) aussteigen; (*news etc*) herauskommen ♦ *vt* (*take out: book etc*) herausholen; (*remove: stain*) herausbekommen.

▶ **get out of** *vt fus* (*money: bank etc*) abheben von; (*avoid: duty etc*) herumkommen um ♦ *vt* (*extract: confession etc*) herausbekommen aus; (*derive: pleasure*) haben an *+dat*; (: *benefit*) haben von.

▶ **get over** *vt fus* (*overcome*) überwinden; (: *illness*) sich erholen von; (*communicate: idea etc*) verständlich machen ♦ *vt*: **to ~ it over with** (*finish*) es hinter sich *acc* bringen.

▶ **get round** *vt fus* (*law, rule*) umgehen; (*person*) herumkriegen.

▶ **get round to** *vt fus*: **to ~ round to doing sth** dazu kommen, etw zu tun.

▶ **get through** *vi* (*TEL*) durchkommen ♦ *vt fus* (*finish: work*) schaffen; (: *book*) lesen.

▶ **get through to** *vt fus* (*TEL*) durchkommen zu; (*make o.s. understood*) durchdringen zu.

▶ **get together** *vi* (*people*) zusammenkommen ♦ *vt* (*people*) zusammenbringen; (*project, plan etc*) zusammenstellen.

▶ **get up** *vi* (*rise*) aufstehen ♦ *vt*: **to ~ up enthusiasm for sth** Begeisterung für etw aufbringen.

▶ **get up to** *vt fus* (*prank etc*) anstellen.

getaway ['gɛtəweɪ] *n*: **to make a/one's ~** sich davonmachen.

getaway car *n* Fluchtauto *nt*.

get-together ['gɛttəgɛðə*] *n* Treffen *nt*; (*party*) Party *f*.

get-up ['gɛtʌp] (*inf*) *n* Aufmachung *f*.

get-well card [gɛt'wɛl-] *n* Karte *f* mit Genesungswünschen.

geyser ['gi:zə*] *n* Geiser *m*; (*BRIT: water heater*) Durchlauferhitzer *m*.

Ghana ['gɑ:nə] *n* Ghana *nt*.

Ghanaian [gɑ:'neɪən] *adj* ghanaisch ♦ *n* Ghanaer(in) *m(f)*.

ghastly ['gɑ:stlɪ] *adj* gräßlich; (*complexion*) totenblaß; **you look ~!** (*ill*) du siehst gräßlich aus!

gherkin ['gə:kɪn] *n* Gewürzgurke *f*.

ghetto ['gɛtəu] *n* G(h)etto *nt*.

ghetto blaster [-'blɑ:stə*] (*inf*) *n* Ghettoblaster *m*.

ghost [gəust] *n* Geist *m*, Gespenst *nt* ♦ *vt* für jdn (als Ghostwriter) schreiben; **to give up the ~** den Geist aufgeben.

ghost town *n* Geisterstadt *f*.

ghostwriter ['gəustraɪtə*] *n* Ghostwriter(in) *m(f)*.

ghoul [gu:l] *n* böser Geist *m*.

ghoulish ['gu:lɪʃ] *adj* makaber.

GHQ *n abbr* (*MIL: = general headquarters*) Hauptquartier *nt*.

GI (*US: inf*) *n abbr* (*= government issue*) GI *m*.

giant ['dʒaɪənt] *n* (*also fig*) Riese *m* ♦ *adj* riesig, riesenhaft; **~ (size) packet** Riesenpackung *f*.

giant killer *n* (*fig*) Goliathbezwinger(in) *m(f)*.

gibber ['dʒɪbə*] *vi* brabbeln.

gibberish ['dʒɪbərɪʃ] *n* Quatsch *m*.

gibe [dʒaɪb] *n* spöttische Bemerkung *f* ♦ *vi*: **to ~ at** spöttische Bemerkungen machen über *+acc*.

giblets ['dʒɪblɪts] *npl* Geflügelinnereien *pl*.

Gibraltar [dʒɪ'brɔ:ltə*] *n* Gibraltar *nt*.

giddiness ['gɪdɪnɪs] *n* Schwindelgefühl *nt*.

giddy ['gɪdɪ] *adj*: **I am/feel ~** mir ist schwind(e)lig; (*height*) schwindelerregend; **~ with excitement** vor Aufregung ganz ausgelassen.

gift [gɪft] *n* Geschenk *nt*; (*donation*) Spende *f*; (*COMM: also:* **free ~**) (Werbe)geschenk *nt*; (*ability*) Gabe *f*; **to have a ~ for sth** ein Talent für etw haben.

gifted ['gɪftɪd] *adj* begabt.

gift token *n* Geschenkgutschein *m*.

gift voucher *n* = **gift token**.

gig [gɪg] (*inf*) *n* Konzert *nt*.

gigabyte ['dʒɪgəbaɪt] *n* (*COMPUT*) Gigabyte *nt*.

gigantic [dʒaɪ'gæntɪk] *adj* riesig, riesengroß.

giggle ['gɪgl] *vi* kichern ♦ *n* Spaß *m*; **to do sth for a ~** etw aus Spaß tun.

GIGO ['gaɪgəu] (*inf*) *abbr* (*COMPUT: = garbage in, garbage out*) GIGO.

gild [gɪld] *vt* vergolden.

gill [dʒɪl] *n* Gill *nt* (*BRIT = 15 cl, US = 12 cl*).

gills [gɪlz] *npl* Kiemen *pl*.

gilt [gɪlt] *adj* vergoldet ♦ *n* Vergoldung *f*; **gilts** *npl* (*COMM*) mündelsichere Wertpapiere *pl*.

gilt-edged ['gɪltɛdʒd] *adj* (*stocks, securities*) mündelsicher.

gimlet ['gɪmlɪt] *n* Handbohrer *m*.

gimmick ['gɪmɪk] *n* Gag *m*; **sales ~** Verkaufsmasche *f*, Verkaufstrick *m*.

gin [dʒɪn] *n* Gin *m*.

ginger ['dʒɪndʒə*] *n* Ingwer *m* ♦ *adj* (*hair*) rötlich; (*cat*) rötlichgelb.

ginger ale *n* Ginger Ale *nt*.

ginger beer *n* Ingwerbier *nt*.

gingerbread ['dʒɪndʒəbrɛd] *n* (*cake*) Ingwerkuchen *m*; (*biscuit*) ≈ Pfefferkuchen *m*.

ginger group (*BRIT*) *n* Aktionsgruppe *f*.

gingerly ['dʒɪndʒəlɪ] *adv* vorsichtig.

gingham ['gɪŋəm] *n* Gingan *m*, Gingham *m*.

ginseng ['dʒɪnsɛŋ] *n* Ginseng *m*.

gipsy ['dʒɪpsɪ] *n* Zigeuner(in) *m(f)*.

gipsy caravan *n* Zigeunerwagen *m*.

giraffe [dʒɪ'rɑːf] *n* Giraffe *f*.

girder ['gəːdə*] *n* Träger *m*.

girdle ['gəːdl] *n* Hüftgürtel *m*, Hüfthalter *m* ♦ *vt* (*fig*) umgeben.

girl [gəːl] *n* Mädchen *nt*; (*young unmarried woman*) (junges) Mädchen *nt*; (*daughter*) Tochter *f*; **this is my little ~** das ist mein Töchterchen; **an English ~** eine Engländerin.

girlfriend ['gəːlfrɛnd] *n* Freundin *f*.

Girl Guide *n* Pfadfinderin *f*.

girlish ['gəːlɪʃ] *adj* mädchenhaft.

Girl Scout (*US*) *n* Pfadfinderin *f*.

Giro ['dʒaɪrəu] *n*: **the National ~** (*BRIT*) der Postscheckdienst.

giro ['dʒaɪrəu] *n* Giro *nt*, Giroverkehr *m*; (*post office giro*) Postscheckverkehr *m*; (*BRIT: welfare cheque*) Sozialhilfescheck *m*.

girth [gəːθ] *n* Umfang *m*; (*of horse*) Sattelgurt *m*.

gist [dʒɪst] *n* Wesentliche(s) *nt*.

KEYWORD

give [gɪv] (*pt* **gave**, *pp* **given**) *vt* **1** (*hand over*): **to ~ sb sth, ~ sth to sb** jdm etw geben; **I'll ~ you £5 for it** ich gebe dir £5 dafür

2 (*used with noun to replace a verb*): **to ~ a sigh/cry/laugh** *etc* seufzen/schreien/lachen *etc*; **to ~ a speech/a lecture** eine Rede/einen Vortrag halten; **to ~ three cheers** ein dreifaches Hoch ausbringen

3 (*tell, deliver: news, message etc*) mitteilen; (: *advice, answer*) geben

4 (*supply, provide: opportunity, job etc*) geben; (: *surprise*) bereiten; (*bestow: title, honour, right*) geben, verleihen; **that's given me an idea** dabei kommt mir eine Idee

5 (*devote: time, one's life*) geben; (: *attention*) schenken

6 (*organize: party, dinner etc*) geben

♦ *vi* **1** (*also*: **~ way**: *break, collapse*) nachgeben

2 (*stretch: fabric*) sich dehnen.

▸ **give away** *vt* (*money, opportunity*) verschenken; (*secret, information*) verraten; (*bride*) zum Altar führen; **that immediately gave him away** dadurch verriet er sich sofort.

▸ **give back** *vt* (*money, book etc*) zurückgeben.

▸ **give in** *vi* (*yield*) nachgeben ♦ *vt* (*essay etc*) abgeben.

▸ **give off** *vt* (*heat, smoke*) abgeben.

▸ **give out** *vt* (*prizes, books, drinks etc*) austeilen ♦ *vi* (*be exhausted: supplies*) zu Ende gehen; (*fail*) versagen.

▸ **give up** *vt, vi* aufgeben; **to ~ up smoking** das Rauchen aufgeben; **to ~ o.s. up** sich stellen; (*after siege etc*) sich ergeben.

▸ **give way** *vi* (*yield, collapse*) nachgeben; (*BRIT: AUT*) die Vorfahrt achten.

give-and-take ['gɪvənd'teɪk] *n* (gegenseitiges) Geben und Nehmen *nt*.

giveaway ['gɪvəweɪ] (*inf*) *n*: **her expression was a ~** ihr Gesichtsausdruck verriet alles; **the exam was a ~!** die Prüfung war geschenkt!; **~ prices** Schleuderpreise *pl*.

given ['gɪvn] *pp of* **give** ♦ *adj* (*time, amount*) bestimmt ♦ *conj*: **~ the circumstances ...** unter den Umständen ...; **~ that ...** angesichts der Tatsache, daß ...

glacial ['gleɪsɪəl] *adj* (*landscape etc*) Gletscher-; (*fig*) eisig.

glacier ['glæsɪə*] *n* Gletscher *m*.

glad [glæd] *adj* froh; **to be ~ about sth** sich über etw *acc* freuen; **to be ~ that** sich freuen, daß; **I was ~ of his help** ich war froh über seine Hilfe.

gladden ['glædn] *vt* erfreuen.

glade [gleɪd] *n* Lichtung *f*.

gladioli [glædɪ'əulaɪ] *npl* Gladiolen *pl*.

gladly ['glædlɪ] *adv* gern(e).

glamorous ['glæmərəs] *adj* reizvoll; (*model*

etc) glamourös.
glamour ['glæmə*] *n* Glanz *m*, Reiz *m*.
glance [glɑːns] *n* Blick *m* ♦ *vi*: **to ~ at** einen Blick werfen auf *+acc*.
▸ **glance off** *vt fus* abprallen von.
glancing ['glɑːnsɪŋ] *adj*: **to strike sth a ~ blow** etw streifen.
gland [glænd] *n* Drüse *f*.
glandular fever ['glændjulə-] (*BRIT*) *n* Drüsenfieber *nt*.
glare [glɛə*] *n* wütender Blick *m*; (*of light*) greller Schein *m*; (*of publicity*) grelles Licht *nt* ♦ *vi* (*light*) grell scheinen; **to ~ at** (wütend) anstarren.
glaring ['glɛərɪŋ] *adj* eklatant.
glasnost ['glæznɔst] *n* Glasnost *f*.
glass [glɑːs] *n* Glas *nt*; **glasses** *npl* (*spectacles*) Brille *f*.
glass-blowing ['glɑːsbləuɪŋ] *n* Glasbläserei *f*.
glass ceiling *n* (*fig*) gläserne Decke *f*.
glass fibre *n* Glasfaser *f*.
glasshouse ['glɑːshaus] *n* Gewächshaus *nt*.
glassware ['glɑːswɛə*] *n* Glaswaren *pl*.
glassy ['glɑːsɪ] *adj* glasig.
Glaswegian [glæs'wiːdʒən] *adj* Glasgower ♦ *n* Glasgower(in) *m(f)*.
glaze [gleɪz] *vt* (*door, window*) verglasen; (*pottery*) glasieren ♦ *n* Glasur *f*.
glazed [gleɪzd] *adj* (*eyes*) glasig; (*pottery, tiles*) glasiert.
glazier ['gleɪzɪə*] *n* Glaser(in) *m(f)*.
gleam [gliːm] *vi* (*light*) schimmern; (*polished surface, eyes*) glänzen ♦ *n*: **a ~ of hope** ein Hoffnungsschimmer *m*.
gleaming ['gliːmɪŋ] *adj* schimmernd, glänzend.
glean [gliːn] *vt* (*information*) herausbekommen, ausfindig machen.
glee [gliː] *n* Freude *f*.
gleeful ['gliːful] *adj* fröhlich.
glen [glɛn] *n* Tal *nt*.
glib [glɪb] *adj* (*person*) glatt; (*promise, response*) leichthin gemacht.
glibly ['glɪblɪ] *adv* (*talk*) gewandt; (*answer*) leichthin.
glide [glaɪd] *vi* gleiten ♦ *n* Gleiten *nt*.
glider ['glaɪdə*] *n* Segelflugzeug *nt*.
gliding ['glaɪdɪŋ] *n* Segelfliegen *nt*.
glimmer ['glɪmə*] *n* Schimmer *m*; (*of interest, hope*) Funke *m* ♦ *vi* schimmern.
glimpse [glɪmps] *n* Blick *m* ♦ *vt* einen Blick werfen auf *+acc*; **to catch a ~ (of)** einen flüchtigen Blick erhaschen (von *+dat*).
glint [glɪnt] *vi* glitzern; (*eyes*) funkeln ♦ *n* (*see vb*) Glitzern *nt*; Funkeln *nt*.
glisten ['glɪsn] *vi* glänzen.
glitter ['glɪtə*] *vi* glitzern; (*eyes*) funkeln ♦ *n* (*see vb*) Glitzern *nt*; Funkeln *nt*.
glittering ['glɪtərɪŋ] *adj* glitzernd; (*eyes*) funkelnd; (*career*) glänzend.
glitz [glɪts] (*inf*) *n* Glanz *m*.
gloat [gləut] *vi*: **to ~ (over)** (*own success*) sich brüsten (mit); (*sb's failure*) sich hämisch freuen (über *+acc*).
global ['gləubl] *adj* global.
global warming [-'wɔːmɪŋ] *n* Erwärmung *f* der Erdatmosphäre.
globe [gləub] *n* Erdball *m*; (*model*) Globus *m*; (*shape*) Kugel *f*.
globetrotter ['gləubtrɔtə*] *n* Globetrotter(in) *m(f)*, Weltenbummler(in) *m(f)*.
globule ['glɔbjuːl] *n* Tröpfchen *nt*.
gloom [gluːm] *n* Düsterkeit *f*; (*sadness*) düstere *or* gedrückte Stimmung *f*.
gloomily ['gluːmɪlɪ] *adv* düster.
gloomy ['gluːmɪ] *adj* düster; (*person*) bedrückt; (*situation*) bedrückend.
glorification [glɔːrɪfɪ'keɪʃən] *n* Verherrlichung *f*.
glorify ['glɔːrɪfaɪ] *vt* verherrlichen.
glorious ['glɔːrɪəs] *adj* herrlich; (*victory*) ruhmreich; (*future*) glanzvoll.
glory ['glɔːrɪ] *n* Ruhm *m*; (*splendour*) Herrlichkeit *f* ♦ *vi*: **to ~ in** sich sonnen in *+dat*.
glory hole (*inf*) *n* Rumpelkammer *f*.
Glos (*BRIT*) *abbr* (*POST*: = *Gloucestershire*).
gloss [glɔs] *n* Glanz *m*; (*also*: **~ paint**) Lack *m*, Lackfarbe *f*.
▸ **gloss over** *vt fus* vom Tisch wischen.
glossary ['glɔsərɪ] *n* Glossar *nt*.
glossy ['glɔsɪ] *adj* glänzend; (*photograph, magazine*) Hochglanz- ♦ *n* (*also*: **~ magazine**) (Hochglanz)magazin *nt*.
glove [glʌv] *n* Handschuh *m*.
glove compartment *n* Handschuhfach *nt*.
glow [gləu] *vi* glühen; (*stars, eyes*) leuchten ♦ *n* (*see vb*) Glühen *nt*; Leuchten *nt*.
glower ['glauə*] *vi*: **to ~ at sb** jdn finster ansehen.
glowing ['gləuɪŋ] *adj* glühend; (*complexion*) blühend; (*fig: report, description etc*) begeistert.
glow-worm ['gləuwəːm] *n* Glühwürmchen *nt*.
glucose ['gluːkəus] *n* Traubenzucker *m*.
glue [gluː] *n* Klebstoff *m* ♦ *vt*: **to ~ sth onto sth** etw an etw *acc* kleben; **to ~ sth into place** etw festkleben.
glue-sniffing ['gluːsnɪfɪŋ] *n* (Klebstoff-)Schnüffeln *nt*.
glum [glʌm] *adj* bedrückt, niedergeschlagen.
glut [glʌt] *n*: **~ (of)** Überangebot *nt* (an *+dat*) ♦ *vt*: **to be ~ted (with)** überschwemmt sein (mit); **a ~ of pears** eine Birnenschwemme.
glutinous ['gluːtɪnəs] *adj* klebrig.
glutton ['glʌtn] *n* Vielfraß *m*; **a ~ for work** ein Arbeitstier *nt*; **a ~ for punishment** ein Masochist *m*.
gluttonous ['glʌtənəs] *adj* gefräßig.
gluttony ['glʌtənɪ] *n* Völlerei *f*.
glycerin(e) ['glɪsəriːn] *n* Glyzerin *nt*.
gm *abbr* (= *gram(me)*) g.
GMAT (*US*) *n abbr* (= *Graduate Management Admissions Test*) *Zulassungsprüfung für*

Handelsschulen.
GMB (*BRIT*) *n abbr* (= *General Municipal and Boilermakers (Union)*) *Fabrikarbeitergewerkschaft.*
GMT *abbr* (= *Greenwich Mean Time*) WEZ *f.*
gnarled [nɑːld] *adj* (*tree*) knorrig; (*hand*) knotig.
gnash [næʃ] *vt*: **to ~ one's teeth** mit den Zähnen knirschen.
gnat [næt] *n* (Stech)mücke *f.*
gnaw [nɔː] *vt* nagen an *+dat* ♦ *vi* (*fig*): **to ~ at** quälen.
gnome [nəum] *n* Gnom *m*; (*in garden*) Gartenzwerg *m.*
GNP *n abbr* (= *gross national product*) BSP *nt.*

KEYWORD

go [gəu] (*pt* **went,** *pp* **gone**) *vi* **1** gehen; (*travel*) fahren; **a car went by** ein Auto fuhr vorbei
2 (*depart*) gehen; **"I must ~," she said** „ich muß gehen", sagte sie; **she has gone to Sheffield/Australia** (*permanently*) sie ist nach Sheffield/Australien gegangen
3 (*attend, take part in activity*) gehen; **she went to university in Oxford** sie ist in Oxford zur Universität gegangen; **to ~ for a walk** spazierengehen; **to ~ dancing** tanzen gehen
4 (*work*) funktionieren; **the tape recorder was still ~ing** das Tonband lief noch
5 (*become*): **to ~ pale/mouldy** blaß/schimmelig werden
6 (*be sold*): **to ~ for £100** für £100 weggehen *or* verkauft werden
7 (*be about to, intend to*): **we're ~ing to stop in an hour** wir hören in einer Stunde auf; **are you ~ing to come?** kommst du?, wirst du kommen?
8 (*time*) vergehen
9 (*event, activity*) ablaufen; **how did it ~?** wie war's?
10 (*be given*): **the job is to ~ to someone else** die Stelle geht an jemand anders
11 (*break etc*) kaputtgehen; **the fuse went** die Sicherung ist durchgebrannt
12 (*be placed*) hingehören; **the milk goes in the fridge** die Milch kommt in den Kühlschrank
♦ *n* **1** (*try*): **to have a ~ at sth** etw versuchen; **I'll have a ~ at mending it** ich will versuchen, es zu reparieren; **to have a ~** es versuchen
2 (*turn*): **whose ~ is it?** wer ist dran *or* an der Reihe?
3 (*move*): **to be on the ~** auf Trab sein.
▸ **go about** *vi* (*also*: **~ around**: *rumour*) herumgehen ♦ *vt fus*: **how do I ~ about this?** wie soll ich vorgehen?; **to ~ about one's business** seinen eigenen Geschäften nachgehen.
▸ **go after** *vt fus* (*pursue: person*) nachgehen *+dat*; (*: job etc*) sich bemühen um; (*: record*) erreichen wollen.
▸ **go against** *vt fus* (*be unfavourable to*) ungünstig verlaufen für; (*disregard: advice, wishes etc*) handeln gegen.
▸ **go ahead** *vi* (*proceed*) weitergehen; **to ~ ahead with** weitermachen mit.
▸ **go along** *vi* gehen.
▸ **go along with** *vt fus* (*agree with*) zustimmen *+dat*; (*accompany*) mitgehen mit.
▸ **go away** *vi* (*leave*) weggehen.
▸ **go back** *vi* zurückgehen.
▸ **go back on** *vt fus* (*promise*) zurücknehmen.
▸ **go by** *vi* (*years, time*) vergehen ♦ *vt fus* (*rule etc*) sich richten nach.
▸ **go down** *vi* (*descend*) hinuntergehen; (*ship, sun*) untergehen; (*price, level*) sinken ♦ *vt fus* (*stairs, ladder*) hinuntergehen; **his speech went down well** seine Rede kam gut an.
▸ **go for** *vt fus* (*fetch*) holen (gehen); (*like*) mögen; (*attack*) losgehen auf *+acc*; (*apply to*) gelten für.
▸ **go in** *vi* (*enter*) hineingehen.
▸ **go in for** *vt fus* (*competition*) teilnehmen an *+dat*; (*favour*) stehen auf *+acc.*
▸ **go into** *vt fus* (*enter*) hineingehen in *+acc*; (*investigate*) sich befassen mit; (*career*) gehen in *+acc.*
▸ **go off** *vi* (*leave*) weggehen; (*food*) schlecht werden; (*bomb, gun*) losgehen; (*event*) verlaufen; (*lights etc*) ausgehen ♦ *vt fus* (*inf*): **I've gone off it/him** ich mache mir nichts mehr daraus/aus ihm; **the gun went off** das Gewehr ging los; **to ~ off to sleep** einschlafen; **the party went off well** die Party verlief gut.
▸ **go on** *vi* (*continue*) weitergehen; (*happen*) vor sich gehen; (*lights*) angehen ♦ *vt fus* (*be guided by*) sich stützen auf *+acc*; **to ~ on doing sth** mit etw weitermachen; **what's ~ing on here?** was geht hier vor?, was ist hier los?
▸ **go on at** (*inf*) *vt fus* (*nag*) herumnörgeln an *+dat.*
▸ **go on with** *vt fus* weitermachen mit.
▸ **go out** *vt fus* (*leave*) hinausgehen ♦ *vi* (*for entertainment*) ausgehen; (*fire, light*) ausgehen; (*couple*): **they went out for 3 years** sie gingen 3 Jahre lang miteinander.
▸ **go over** *vi* hinübergehen ♦ *vt* (*check*) durchgehen; **to ~ over sth in one's mind** etw überdenken.
▸ **go round** *vi* (*circulate: news, rumour*) umgehen; (*revolve*) sich drehen; (*suffice*) ausreichen; (*visit*): **to ~ round (to sb's)** (bei jdm) vorbeigehen; **there's not enough to ~ round** es reicht nicht (für alle).
▸ **go through** *vt fus* (*place*) gehen durch; (*by car*) fahren durch; (*undergo*) durchmachen; (*search through: files, papers*) durchsuchen; (*describe: list, book, story*) durchgehen; (*perform*) durchgehen.
▸ **go through with** *vt fus* (*plan, crime*) durchziehen; **I couldn't ~ through with it**

ich brachte es nicht fertig.
▶**go under** *vi* (*sink: person*) untergehen; (*fig: business, project*) scheitern.
▶**go up** *vi* (*ascend*) hinaufgehen; (*price, level*) steigen; **to ~ up in flames** in Flammen aufgehen.
▶**go with** *vt fus* (*suit*) passen zu.
▶**go without** *vt fus* (*food, treats*) verzichten auf *+acc*.

goad [gəud] *vt* aufreizen.
▶**goad on** *vt* anstacheln.
go-ahead ['gəuəhɛd] *adj* zielstrebig; (*firm*) fortschrittlich ♦ *n* grünes Licht *nt*; **to give sb the ~** jdm grünes Licht geben.
goal [gəul] *n* Tor *nt*; (*aim*) Ziel *nt*; **to score a ~** ein Tor schießen *or* erzielen.
goal difference *n* Tordifferenz *f*.
goalie ['gəulɪ] (*inf*) *n* Tormann *m*.
goalkeeper ['gəulkiːpə*] *n* Torwart *m*.
goal post *n* Torpfosten *m*.
goat [gəut] *n* Ziege *f*.
gobble ['gɔbl] *vt* (*also*: **~ down, ~ up**) verschlingen.
go-between ['gəubɪtwiːn] *n* Vermittler(in) *m(f)*.
Gobi Desert ['gəubɪ-] *n*: **the ~** die Wüste Gobi.
goblet ['gɔblɪt] *n* Pokal *m*.
goblin ['gɔblɪn] *n* Kobold *m*.
go-cart ['gəukɑːt] *n* Seifenkiste *f*.
God [gɔd] *n* Gott *m* ♦ *excl* o Gott!
god [gɔd] *n* Gott *m*.
god-awful [gɔd'ɔːfəl] (*inf*) *adj* beschissen (*!*).
godchild ['gɔdtʃaɪld] *n* Patenkind *nt*.
goddamn(ed) ['gɔddæm(d)] (*US: inf*) *adj* gottverdammt.
goddaughter ['gɔddɔːtə*] *n* Patentochter *f*.
goddess ['gɔdɪs] *n* Göttin *f*.
godfather ['gɔdfɑːðə*] *n* Pate *m*.
God-fearing ['gɔdfɪərɪŋ] *adj* gottesfürchtig.
godforsaken ['gɔdfəseɪkən] *adj* gottverlassen.
godmother ['gɔdmʌðə*] *n* Patin *f*.
godparent ['gɔdpɛərənt] *n* Pate *m*, Patin *f*.
godsend ['gɔdsɛnd] *n* Geschenk *nt* des Himmels.
godson ['gɔdsʌn] *n* Patensohn *m*.
goes [gəuz] *vb see* **go**.
gofer ['gəufə*] (*inf*) *n* Mädchen *nt* für alles.
go-getter ['gəugɛtə*] (*inf*) *n* Ellbogentyp (*pej, inf*) *m*.
goggle ['gɔgl] (*inf*) *vi*: **to ~ at** anstarren, anglotzen.
goggles ['gɔglz] *npl* Schutzbrille *f*.
going ['gəuɪŋ] *n*: **it was slow/hard ~** (*fig*) es ging nur langsam/schwer voran ♦ *adj*: **the ~ rate** der gängige Preis; **when the ~ gets tough** wenn es schwierig wird; **a ~ concern** ein gutgehendes Unternehmen.
going-over [gəuɪŋ'əuvə*] (*inf*) *n* (*check*) Untersuchung *f*; (*beating-up*) Abreibung *f*; **to give sb a good ~** jdm eine tüchtige Abreibung verpassen.
goings-on ['gəuɪŋz'ɔn] (*inf*) *npl* Vorgänge *pl*, Dinge *pl*.
go-kart ['gəukɑːt] *n* = **go-cart**.
gold [gəuld] *n* Gold *nt*; (*also*: **~ medal**) Gold *nt*, Goldmedaille *f* ♦ *adj* golden; (*reserves, jewellery, tooth*) Gold-.
golden ['gəuldən] *adj* (*also fig*) golden.
golden age *n* Blütezeit *f*.
golden handshake (*BRIT*) *n* Abstandssumme *f*.
golden rule *n* goldene Regel *f*.
goldfish ['gəuldfɪʃ] *n* Goldfisch *m*.
gold leaf *n* Blattgold *nt*.
gold medal *n* Goldmedaille *f*.
gold mine *n* (*also fig*) Goldgrube *f*.
gold-plated ['gəuld'pleɪtɪd] *adj* vergoldet.
goldsmith ['gəuldsmɪθ] *n* Goldschmied(in) *m(f)*.
gold standard *n* Goldstandard *m*.
golf [gɔlf] *n* Golf *nt*.
golf ball *n* (*for game*) Golfball *m*; (*on typewriter*) Kugelkopf *m*.
golf club *n* Golfklub *m*; (*stick*) Golfschläger *m*.
golf course *n* Golfplatz *m*.
golfer ['gɔlfə*] *n* Golfspieler(in) *m(f)*, Golfer(in) *m(f)*.
golfing ['gɔlfɪŋ] *n* Golf(spielen) *nt*; **he does a lot of ~** er spielt viel Golf ♦ *cpd* Golf-.
gondola ['gɔndələ] *n* Gondel *f*.
gondolier [gɔndə'lɪə*] *n* Gondoliere *m*.
gone [gɔn] *pp of* **go** ♦ *adj* weg; (*days*) vorbei.
goner ['gɔnə*] (*inf*) *n*: **to be a ~** hinüber sein.
gong [gɔŋ] *n* Gong *m*.
good [gud] *adj* gut; (*well-behaved*) brav, lieb ♦ *n* (*virtue, morality*) Gute(s) *nt*; (*benefit*) Wohl *nt*; **goods** *npl* (*COMM*) Güter *pl*; **to have a ~ time** sich (gut) amüsieren; **to be ~ at sth** (*swimming, talking etc*) etw gut können; (*science, sports etc*) gut in etw *dat* sein; **to be ~ for sb/sth** gut für jdn/zu etw *dat* sein; **it's ~ for you** das tut dir gut; **it's a ~ thing you were there** gut, daß Sie da waren; **she is ~ with children** sie kann gut mit Kindern umgehen; **she is ~ with her hands** sie ist geschickt; **to feel ~** sich wohlfühlen; **it's ~ to see you** (es ist) schön, Sie zu sehen; **would you be ~ enough to ...?** könnten Sie bitte ...?; **that's very ~ of you** das ist wirklich nett von Ihnen; **a ~ deal (of)** ziemlich viel; **a ~ many** ziemlich viele; **take a ~ look** sieh dir das genau *or* gut an; **a ~ while ago** vor einiger Zeit; **to make ~** (*damage*) wiedergutmachen; (*loss*) ersetzen; **it's no ~ complaining** es ist sinnlos *or* es nützt nichts, sich zu beklagen; **~ morning/afternoon/evening!** guten Morgen/Tag/Abend!; **~ night!** gute Nacht!; **he's up to no ~** er führt nichts Gutes im Schilde; **for the common ~** zum Wohle aller; **is this any ~?** (*will it help you?*) können Sie das

gebrauchen?; (*is it good enough?*) reicht das?; **is the book/film any ~?** was halten Sie von dem Buch/Film?; **for ~** für immer; **~s and chattels** Hab und Gut *nt*.
goodbye [gud'baɪ] *excl* auf Wiedersehen!; **to say ~** sich verabschieden.
good-for-nothing ['gudfənʌθɪŋ] *adj* nichtsnutzig.
Good Friday *n* Karfreitag *m*.
good-humoured ['gud'hjuːməd] *adj* gut gelaunt; (*good-natured*) gutmütig; (*remark, joke*) harmlos.
good-looking ['gud'lukɪŋ] *adj* gutaussehend.
good-natured ['gud'neɪtʃəd] *adj* gutmütig; (*discussion*) freundlich.
goodness ['gudnɪs] *n* Güte *f*; **for ~ sake!** um Himmels willen!; **~ gracious!** ach du liebe *or* meine Güte!
goods train (*BRIT*) *n* Güterzug *m*.
goodwill [gud'wɪl] *n* Wohlwollen *nt*; (*COMM*) Goodwill *m*.
goody ['gudɪ] (*inf*) *n* Gute(r) *m*, Held *m*.
goody-goody ['gudɪgudɪ] (*pej*) *n* Tugendlamm *nt*, Musterkind (*inf*) *nt*.
gooey ['guːɪ] (*inf*) *adj* (*sticky*) klebrig; (*cake*) üppig; (*fig: sentimental*) rührselig.
goose [guːs] (*pl* **geese**) *n* Gans *f*.
gooseberry ['guzbərɪ] *n* Stachelbeere *f*; **to play ~** (*BRIT*) das fünfte Rad am Wagen sein.
goose flesh *n* = **goose pimples**.
goose pimples *npl* Gänsehaut *f*.
goose step *n* Stechschritt *m*.
GOP (*US: inf*) *n abbr* (*POL: = Grand Old Party*) *Republikanische Partei*.
gopher ['gəufə*] *n* (*ZOOL*) Taschenratte *f*.
gore [gɔː*] *vt* aufspießen ♦ *n* Blut *nt*.
gorge [gɔːdʒ] *n* Schlucht *f* ♦ *vt*: **to ~ o.s. (on)** sich vollstopfen (mit).
gorgeous ['gɔːdʒəs] *adj* herrlich; (*person*) hinreißend.
gorilla [gə'rɪlə] *n* Gorilla *m*.
gormless ['gɔːmlɪs] (*BRIT: inf*) *adj* doof.
gorse [gɔːs] *n* Stechginster *m*.
gory ['gɔːrɪ] *adj* blutig.
go-slow ['gəu'sləu] (*BRIT*) *n* Bummelstreik *m*.
gospel ['gɔspl] *n* Evangelium *nt*; (*doctrine*) Lehre *f*.
gossamer ['gɔsəmə*] *n* Spinnfäden *pl*; (*light fabric*) hauchdünne Gaze *f*.
gossip ['gɔsɪp] *n* (*rumours*) Klatsch *m*, Tratsch *m*; (*chat*) Schwatz *m*; (*person*) Klatschbase *f* ♦ *vi* schwatzen; **a piece of ~** eine Neuigkeit.
gossip column *n* Klatschkolumne *f*, Klatschspalte *f*.
got [gɔt] *pt, pp of* **get**.
Gothic ['gɔθɪk] *adj* gotisch.
gotten ['gɔtn] (*US*) *pp of* **get**.
gouge [gaudʒ] *vt* (*also*: **~ out**: *hole etc*) bohren; (: *initials*) eingravieren; **to ~ sb's eyes out** jdm die Augen ausstechen.
gourd [guəd] *n* (*container*) Kürbisflasche *f*.
gourmet ['guəmeɪ] *n* Feinschmecker(in) *m(f)*, Gourmet *m*.
gout [gaut] *n* Gicht *f*.
govern ['gʌvən] *vt* (*also LING*) regieren; (*event, conduct*) bestimmen.
governess ['gʌvənɪs] *n* Gouvernante *f*.
governing ['gʌvənɪŋ] *adj* (*POL*) regierend.
governing body *n* Vorstand *m*.
government ['gʌvnmənt] *n* Regierung *f* ♦ *cpd* Regierungs-; **local ~** Kommunalverwaltung *f*, Gemeindeverwaltung *f*.
governmental [gʌvn'mɛntl] *adj* Regierungs-.
government stocks *npl* Staatspapiere *pl*, Staatsanleihen *pl*.
governor ['gʌvənə*] *n* Gouverneur(in) *m(f)*; (*of bank, hospital, BRIT: of prison*) Direktor(in) *m(f)*; (*of school*) ≈ Mitglied *nt* des Schulbeirats.
Govt *abbr* = **government**.
gown [gaun] *n* (Abend)kleid *nt*; (*of teacher, BRIT: of judge*) Robe *f*.
GP *n abbr* = **general practitioner**.
GPMU (*BRIT*) *n abbr* (= *Graphical Paper and Media Union*) *Grafiker- und Druckergewerkschaft*.
GPO *n abbr* (*BRIT: formerly: = general post office*) Postbehörde *f*; (*US: = Government Printing Office*) *regierungsamtliche Druckanstalt*.
gr. *abbr* (*COMM*) = **gross**; (= *gram(me)*) g.
grab [græb] *vt* packen; (*chance, opportunity*) (beim Schopf) ergreifen ♦ *vi*: **to ~ at** greifen *or* grapschen nach *+dat*; **to ~ some food** schnell etwas essen; **to ~ a few hours sleep** ein paar Stunden schlafen.
grace [greɪs] *n* Gnade *f*; (*gracefulness*) Anmut *f* ♦ *vt* (*honour*) beehren; (*adorn*) zieren; **5 days' ~** 5 Tage Aufschub; **with (a) good ~** anstandslos; **with (a) bad ~** widerwillig; **his sense of humour is his saving ~** was einen mit ihm versöhnt, ist sein Sinn für Humor; **to say ~** das Tischgebet sprechen.
graceful ['greɪsful] *adj* anmutig; (*style, shape*) gefällig; (*refusal, behaviour*) charmant.
gracious ['greɪʃəs] *adj* (*kind, courteous*) liebenswürdig; (*compassionate*) gnädig; (*smile*) freundlich; (*house, mansion etc*) stilvoll; (*living etc*) kultiviert ♦ *excl*: **(good) ~!** (ach) du meine Güte!, (ach du) lieber Himmel!
gradation [grə'deɪʃən] *n* Abstufung *f*.
grade [greɪd] *n* (*COMM*) (Güte)klasse *f*; (*in hierarchy*) Rang *m*; (*SCOL: mark*) Note *f*; (*US: school class*) Klasse *f*; (: *gradient: upward*) Neigung *f*, Steigung *f*; (: : *downward*) Neigung *f*, Gefälle *nt* ♦ *vt* klassifizieren; (*work, student*) einstufen; **to make the ~** (*fig*) es schaffen.
grade crossing (*US*) *n* Bahnübergang *m*.
grade school (*US*) *n* Grundschule *f*.
gradient ['greɪdɪənt] *n* (*upward*) Neigung *f*, Steigung *f*; (*downward*) Neigung, Gefälle *nt*;

(*GEOM*) Gradient *m*.
gradual ['grædjuəl] *adj* allmählich.
gradually ['grædjuəlı] *adv* allmählich.
graduate [*n* 'grædjuıt, *vi* 'grædjueıt] *n* (*of university*) Hochschulabsolvent(in) *m(f)*; (*US: of high school*) Schulabgänger(in) *m(f)* ♦ *vi* (*from university*) graduieren; (*US*) die (Schul)abschlußprüfung bestehen.
graduated pension ['grædjueıtıd-] *n* gestaffelte Rente *f*.
graduation [grædju'eıʃən] *n* (Ab)schlußfeier *f*.
graffiti [grə'fi:tı] *n, npl* Graffiti *pl*.
graft [grɑ:ft] *n* (*AGR*) (Pfropf)reis *nt*; (*MED*) Transplantat *nt*; (*BRIT: inf: hard work*) Schufterei *f*; (*bribery*) Schiebung *f* ♦ *vt*: **to ~ (onto)** (*AGR*) (auf)pfropfen (auf *+acc*); (*MED*) übertragen (auf *+acc*), einpflanzen (in *+acc*); (*fig*) aufpfropfen *+dat*.
grain [greın] *n* Korn *nt*; (*no pl: cereals*) Getreide *nt*; (*US: corn*) Getreide *nt*, Korn; (*of wood*) Maserung *f*; **it goes against the ~** (*fig*) es geht einem gegen den Strich.
gram [græm] *n* Gramm *nt*.
grammar ['græmə*] *n* Grammatik *f*, Sprachlehre *f*.
grammar school (*BRIT*) *n* ≈ Gymnasium *nt*.
grammatical [grə'mætıkl] *adj* grammat(ikal)isch.
gramme [græm] *n* = **gram.**
gramophone ['græməfəun] (*BRIT*) *n* Grammophon *nt*.
granary ['grænərı] *n* Kornspeicher *m*; ® (*Granary*): **G~ bread/loaf** Körnerbrot *nt*.
grand [grænd] *adj* großartig; (*inf: wonderful*) phantastisch ♦ *n* (*inf*) ≈ Riese *m* (*1000 Pfund/Dollar*).
grandchild ['græntʃaıld] (*irreg: like* **child**) *n* Enkelkind *nt*, Enkel(in) *m(f)*.
granddad ['grændæd] (*inf*) *n* Opa *m*.
granddaughter ['grændɔ:tə*] *n* Enkelin *f*.
grandeur ['grændjə*] *n* (*of scenery etc*) Erhabenheit *f*; (*of building*) Vornehmheit *f*.
grandfather ['grændfɑ:ðə*] *n* Großvater *m*.
grandiose ['grændıəus] (*also pej*) *adj* grandios.
grand jury (*US*) *n* Großes Geschworenengericht *nt*.
grandma ['grænmɑ:] (*inf*) *n* Oma *f*.
grandmother ['grænmʌðə*] *n* Großmutter *f*.
grandpa ['grænpɑ:] (*inf*) *n* Opa *m*.
grandparents ['grændpɛərənts] *npl* Großeltern *pl*.
grand piano *n* Flügel *m*.
Grand Prix ['grɑ̃:'pri:] *n* (*AUT*) Grand Prix *m*.
grandson ['grænsʌn] *n* Enkel *m*.
grandstand ['grændstænd] *n* Haupttribüne *f*.
grand total *n* Gesamtsumme *f*, Endsumme *f*.
granite ['grænıt] *n* Granit *m*.
granny ['grænı] (*inf*) *n* Oma *f*.
grant [grɑ:nt] *vt* (*money*) bewilligen; (*request etc*) gewähren; (*visa*) erteilen; (*admit*) zugeben ♦ *n* Stipendium *nt*; (*subsidy*) Subvention *f*; **to take sth for ~ed** etw für selbstverständlich halten; **to take sb for ~ed** jdn als selbstverständlich hinnehmen; **to ~ that** zugeben, daß.
granulated sugar ['grænjuleıtıd-] *n* (Zucker)raffinade *f*.
granule ['grænju:l] *n* Körnchen *nt*.
grape [greıp] *n* (Wein)traube *f*; **a bunch of ~s** eine (ganze) Weintraube.
grapefruit ['greıpfru:t] (*pl* ~ *or* **~s**) *n* Pampelmuse *f*, Grapefruit *f*.
grapevine ['greıpvaın] *n* Weinstock *m*; **I heard it on the ~** (*fig*) es ist mir zu Ohren gekommen.
graph [grɑ:f] *n* (*diagram*) graphische *or* grafische Darstellung *f*, Schaubild *nt*.
graphic ['græfık] *adj* plastisch, anschaulich; (*art, design*) graphisch, grafisch; *see also* **graphics.**
graphic designer *n* Graphiker(in) *m(f)*, Grafiker(in) *m(f)*.
graphic equalizer [-i:kwəlaızə*] *n* (Graphic) Equalizer *m*.
graphics ['græfıks] *n* Graphik *f*, Grafik *f* ♦ *npl* (*drawings*) Zeichnungen *pl*, graphische *or* grafische Darstellungen *pl*.
graphite ['græfaıt] *n* Graphit *m*.
graph paper *n* Millimeterpapier *nt*.
grapple ['græpl] *vi*: **to ~ with sb/sth** mit jdm/etw kämpfen; **to ~ with a problem** sich mit einem Problem herumschlagen.
grasp [grɑ:sp] *vt* (*seize*) ergreifen; (*hold*) festhalten; (*understand*) begreifen ♦ *n* Griff *m*; (*understanding*) Verständnis *nt*; **it slipped from my ~** es entglitt mir; **to have sth within one's ~** etw in greifbarer Nähe haben; **to have a good ~ of sth** (*fig*) etw gut beherrschen.
▸**grasp at** *vt fus* greifen nach; (*fig: opportunity*) ergreifen.
grasping ['grɑ:spıŋ] *adj* habgierig.
grass [grɑ:s] *n* Gras *nt*; (*lawn*) Rasen *m*; (*BRIT: inf: informer*) (Polizei)spitzel *m*.
grasshopper ['grɑ:shɔpə*] *n* Grashüpfer *m*, Heuschrecke *f*.
grass-roots ['grɑ:sru:ts] *npl* (*of party etc*) Basis *f* ♦ *adj* (*opinion*) des kleinen Mannes; **at ~ level** an der Basis.
grass snake *n* Ringelnatter *f*.
grassy ['grɑ:sı] *adj* Gras-, grasig.
grate [greıt] *n* (Feuer)rost *m* ♦ *vt* reiben; (*carrots etc*) raspeln ♦ *vi*: **to ~ (on)** kratzen (auf *+dat*).
grateful ['greıtful] *adj* dankbar; (*thanks*) aufrichtig.
gratefully ['greıtfəlı] *adv* dankbar.
grater ['greıtə*] *n* Reibe *f*.
gratification [grætıfı'keıʃən] *n* (*pleasure*) Genugtuung *f*; (*satisfaction*) Befriedigung *f*.
gratify ['grætıfaı] *vt* (*please*) erfreuen; (*satisfy*) befriedigen.
gratifying ['grætıfaııŋ] *adj* (*see vt*) erfreulich;

befriedigend.
grating ['greɪtɪŋ] *n* Gitter *nt* ♦ *adj* (*noise*) knirschend; (*voice*) schrill.
gratitude ['grætɪtjuːd] *n* Dankbarkeit *f*.
gratuitous [grə'tjuːɪtəs] *adj* unnötig.
gratuity [grə'tjuːɪtɪ] *n* Trinkgeld *nt*.
grave [greɪv] *n* Grab *nt* ♦ *adj* (*decision, mistake*) schwer(wiegend); (*expression, person*) ernst.
grave digger *n* Totengräber *m*.
gravel ['grævl] *n* Kies *m*.
gravely ['greɪvlɪ] *adv* (*see adj*) schwer, ernst; ~ **ill** schwerkrank.
gravestone ['greɪvstəun] *n* Grabstein *m*.
graveyard ['greɪvjɑːd] *n* Friedhof *m*.
gravitas ['grævɪtæs] *n* Seriosität *f*.
gravitate ['grævɪteɪt] *vi*: **to ~ towards** angezogen werden von.
gravity ['grævɪtɪ] *n* Schwerkraft *f*; (*seriousness*) Ernst *m*, Schwere *f*.
gravy ['greɪvɪ] *n* (*juice*) (Braten)saft *m*; (*sauce*) (Braten)soße *f*.
gravy boat *n* Sauciere *f*, Soßenschüssel *f*.
gravy train (*inf*) *n*: **to ride the ~** leichtes Geld machen.
gray [greɪ] (*US*) *adj* = **grey**.
graze [greɪz] *vi* grasen, weiden ♦ *vt* streifen; (*scrape*) aufschürfen ♦ *n* (*MED*) Abschürfung *f*.
grazing ['greɪzɪŋ] *n* Weideland *nt*.
grease [griːs] *n* (*lubricant*) Schmiere *f*; (*fat*) Fett *nt* ♦ *vt* (*see n*) schmieren; fetten; **to ~ the skids** (*US, fig*) die Maschinerie in Gang halten.
grease gun *n* Fettspritze *f*, Fettpresse *f*.
greasepaint ['griːspeɪnt] *n* (Fett)schminke *f*.
greaseproof paper ['griːspruːf-] (*BRIT*) *n* Pergamentpapier *nt*.
greasy ['griːsɪ] *adj* fettig; (*food: containing grease*) fett; (*tools*) schmierig, ölig; (*clothes*) speckig; (*BRIT: road, surface*) glitschig, schlüpfrig.
great [greɪt] *adj* groß; (*city*) bedeutend; (*inf: terrific*) prima, toll; **they're ~ friends** sie sind gute Freunde; **we had a ~ time** wir haben uns glänzend amüsiert; **it was ~!** es war toll!; **the ~ thing is that ...** das Wichtigste ist, daß ...
Great Barrier Reef *n*: **the ~** das Große Barriereriff.
Great Britain *n* Großbritannien *nt*.
greater ['greɪtə*] *adj see* **great**; größer; bedeutender; **people in G~ Calcutta** die Leute in Kalkutta und Umgebung; **G~ Manchester** Groß-Manchester *nt*.
great-grandchild [greɪt'græntʃaɪld] (*irreg: like* **child**) *n* Urenkel(in) *m(f)*.
great-grandfather [greɪt'grænfɑːðə*] *n* Urgroßvater *m*.
great-grandmother [greɪt'grænmʌðə*] *n* Urgroßmutter *f*.
Great Lakes *npl*: **the ~** die Großen Seen *pl*.
greatly ['greɪtlɪ] *adv* sehr; (*influenced*) stark.
greatness ['greɪtnɪs] *n* Bedeutung *f*.
Grecian ['griːʃən] *adj* griechisch.
Greece [griːs] *n* Griechenland *nt*.
greed [griːd] *n* (*also*: **~iness**): **~ for** Gier *f* nach; **~ for power** Machtgier *f*; **~ for money** Geldgier *f*.
greedily ['griːdɪlɪ] *adv* gierig.
greedy ['griːdɪ] *adj* gierig.
Greek [griːk] *adj* griechisch ♦ *n* Grieche *m*, Griechin *f*; (*LING*) Griechisch *nt*; **ancient/modern ~** Alt-/Neugriechisch *nt*.
green [griːn] *adj* (*also ecological*) grün ♦ *n* (*also GOLF*) Grün *nt*; (*stretch of grass*) Rasen *m*, Grünfläche *f*; (*also*: **village ~**) Dorfwiese *f*, Anger *m*; **greens** *npl* (*vegetables*) Grüngemüse *nt*; (*POL*): **the G~s** die Grünen *pl*; **to have ~ fingers** *or* (*US*) **a ~ thumb** (*fig*) eine Hand für Pflanzen haben; **to give sb the ~ light** jdm grünes Licht geben.
green belt *n* Grüngürtel *m*.
green card *n* (*AUT*) grüne (Versicherungs)karte *f*; (*US*) ≈ Aufenthaltserlaubnis *f*.
greenery ['griːnərɪ] *n* Grün *nt*.
greenfly ['griːnflaɪ] (*BRIT*) *n* Blattlaus *f*.
greengage ['griːngeɪdʒ] *n* Reineclaude *f*, Reneklode *f*.
greengrocer ['griːngrəusə*] (*BRIT*) *n* Obst- und Gemüsehändler(in) *m(f)*.
greenhouse ['griːnhaus] *n* Gewächshaus *nt*, Treibhaus *nt*; **~ effect** Treibhauseffekt *m*; **~ gas** Treibhausgas *nt*.
greenish ['griːnɪʃ] *adj* grünlich.
Greenland ['griːnlənd] *n* Grönland *nt*.
Greenlander ['griːnləndə*] *n* Grönländer(in) *m(f)*.
green light *n* grünes Licht *nt*; **to give sb the ~** jdm grünes Licht *or* freie Fahrt geben.
Green Party *n* (*POL*): **the ~** die Grünen *pl*.
green pepper *n* grüne Paprikaschote *f*.
green pound *n* grünes Pfund *nt*.
greet [griːt] *vt* begrüßen; (*news*) aufnehmen.
greeting ['griːtɪŋ] *n* Gruß *m*; (*welcome*) Begrüßung *f*; **Christmas ~s** Weihnachtsgrüße *pl*; **birthday ~s** Geburtstagsglückwünsche *pl*; **Season's ~s** Frohe Weihnachten und ein glückliches Neues Jahr.
greeting(s) card *n* Grußkarte *f*; (*congratulating*) Glückwunschkarte *f*.
gregarious [grə'gɛərɪəs] *adj* gesellig.
grenade [grə'neɪd] *n* (*also*: **hand ~**) (Hand)granate *f*.
grew [gruː] *pt of* **grow**.
grey, (*US*) gray [greɪ] *adj* grau; (*dismal*) trüb, grau; **to go ~** grau werden.
grey-haired [greɪ'hɛəd] *adj* grauhaarig.
greyhound ['greɪhaund] *n* Windhund *m*.
grid [grɪd] *n* Gitter *nt*; (*ELEC*) (Verteiler)netz *nt*; (*US: AUT: intersection*) Kreuzung *f*.
griddle [grɪdl] *n* *gußeiserne Pfanne zum Braten und Pfannkuchenbacken*.

gridiron ['grɪdaɪən] *n* Bratrost *m*.
gridlock ['grɪdlɔk] *n* (*esp US: on road*) totaler Stau *m*; (*stalemate*) Patt *nt* ♦ *vt*: **to be ~ed** (*roads*) total verstopft sein; (*talks etc*) festgefahren sein.
grief [gri:f] *n* Kummer *m*, Trauer *f*; **to come to ~** (*plan*) scheitern; (*person*) zu Schaden kommen; **good ~!** ach du liebe Gute!
grievance ['gri:vəns] *n* Beschwerde *f*; (*feeling of resentment*) Groll *m*.
grieve [gri:v] *vi* trauern ♦ *vt* Kummer bereiten *+dat*, betrüben; **to ~ for** trauern um.
grievous ['gri:vəs] *adj* (*mistake*) schwer; (*situation*) betrüblich; **~ bodily harm** (*LAW*) schwere Körperverletzung *f*.
grill [grɪl] *n* Grill *m*; (*grilled food: also:* **mixed ~**) Grillgericht *nt*; (*restaurant*) = **grillroom** ♦ *vt* (*BRIT*) grillen; (*inf: question*) in die Zange nehmen, ausquetschen.
grille [grɪl] *n* (*screen*) Gitter *nt*; (*AUT*) Kühlergrill *m*.
grillroom ['grɪlrum] *n* Grillrestaurant *nt*.
grim [grɪm] *adj* trostlos; (*serious, stern*) grimmig.
grimace [grɪ'meɪs] *n* Grimasse *f* ♦ *vi* Grimassen schneiden.
grime [graɪm] *n* Dreck *m*, Schmutz *m*.
grimy ['graɪmɪ] *adj* dreckig, schmutzig.
grin [grɪn] *n* Grinsen *nt* ♦ *vi* grinsen; **to ~ at sb** jdn angrinsen.
grind [graɪnd] (*pt, pp* **ground**) *vt* zerkleinern; (*coffee, pepper etc*) mahlen; (*US: meat*) hacken, durch den Fleischwolf drehen; (*knife*) schleifen, wetzen; (*gem, lens*) schleifen ♦ *vi* (*car gears*) knirschen ♦ *n* (*work*) Schufterei *f*; **to ~ one's teeth** mit den Zähnen knirschen; **to ~ to a halt** (*vehicle*) quietschend zum Stehen kommen; (*fig: talks, scheme*) sich festfahren; (*work*) stocken; (*production*) zum Erliegen kommen; **the daily ~** (*inf*) der tägliche Trott.
grinder ['graɪndə*] *n* (*for coffee*) Kaffemühle *f*; (*for waste disposal etc*) Müllzerkleinerungsanlage *f*.
grindstone ['graɪndstəun] *n*: **to keep one's nose to the ~** hart arbeiten.
grip [grɪp] *n* Griff *m*; (*of tyre, shoe*) Halt *m*; (*holdall*) Reisetasche *f* ♦ *vt* packen; (*audience, attention*) fesseln; **to come to ~s with sth** etw in den Griff bekommen; **to lose one's ~** den Halt verlieren; (*fig*) nachlassen; **to ~ the road** (*car*) gut auf der Straße liegen.
gripe [graɪp] (*inf*) *n* (*complaint*) Meckerei *f* ♦ *vi* meckern; **the ~s** (*MED*) Kolik *f*, Bauchschmerzen *pl*.
gripping ['grɪpɪŋ] *adj* fesselnd, packend.
grisly ['grɪzlɪ] *adj* gräßlich, grausig.
grist [grɪst] *n* (*fig*): **it's all ~ to the mill** das kann man alles verwerten.
gristle ['grɪsl] *n* Knorpel *m*.
grit [grɪt] *n* (*for icy roads: sand*) Sand *m*; (*crushed stone*) Splitt *m*; (*determination, courage*) Mut *m* ♦ *vt* (*road*) streuen; **grits** *npl* (*US*) Grütze *f*; **I've got a piece of ~ in my eye** ich habe ein Staubkorn im Auge; **to ~ one's teeth** die Zähne zusammenbeißen.
grizzle ['grɪzl] (*BRIT*) *vi* quengeln.
grizzly ['grɪzlɪ] *n* (*also*: **~ bear**) Grislybär *m*, Grizzlybär *m*.
groan [grəun] *n* Stöhnen *nt* ♦ *vi* stöhnen; (*tree, floorboard etc*) ächzen, knarren.
grocer ['grəusə*] *n* Lebensmittelhändler(in) *m(f)*.
groceries ['grəusərɪz] *npl* Lebensmittel *pl*.
grocer's (shop) *n* Lebensmittelgeschäft *nt*.
grog [grɔg] *n* Grog *m*.
groggy ['grɔgɪ] *adj* angeschlagen.
groin [grɔɪn] *n* Leistengegend *f*.
groom [gru:m] *n* Stallbursche *m*; (*also*: **bride~**) Bräutigam *m* ♦ *vt* (*horse*) striegeln; (*fig*): **to ~ sb for** (*job*) jdn aufbauen für; **well-~ed** gepflegt.
groove [gru:v] *n* Rille *f*.
grope [grəup] *vi*: **to ~ for** tasten nach; (*fig: try to think of*) suchen nach.
grosgrain ['grəugreɪn] *n* grob gerippter Stoff *m*.
gross [grəus] *adj* (*neglect*) grob; (*injustice*) kraß; (*behaviour, speech*) grob, derb; (*COMM: income, weight*) Brutto- ♦ *n inv* Gros *nt* ♦ *vt*: **to ~ £500,000** £500 000 brutto einnehmen.
gross domestic product *n* Bruttoinlandsprodukt *nt*.
grossly ['grəuslɪ] *adv* äußerst; (*exaggerated*) grob.
gross national product *n* Bruttosozialprodukt *nt*.
grotesque [grə'tɛsk] *adj* grotesk.
grotto ['grɔtəu] *n* Grotte *f*.
grotty ['grɔtɪ] (*inf*) *adj* mies.
grouch [grautʃ] (*inf*) *vi* schimpfen ♦ *n* (*person*) Miesepeter *m*, Muffel *m*.
ground [graund] *pt, pp of* **grind** ♦ *n* Boden *m*, Erde *f*; (*land*) Land *nt*; (*SPORT*) Platz *m*, Feld *nt*; (*US: ELEC: also:* **~ wire**) Erde *f*; (*reason: gen pl*) Grund *m* ♦ *vt* (*plane*) aus dem Verkehr ziehen; (*US: ELEC*) erden ♦ *adj* (*coffee etc*) gemahlen ♦ *vi* (*ship*) auflaufen; **grounds** *npl* (*of coffee etc*) Satz *m*; (*gardens etc*) Anlagen *pl*; **below ~** unter der Erde; **to gain/lose ~** Boden gewinnen/verlieren; **common ~** Gemeinsame(s) *nt*; **on the ~s that** mit der Begründung, daß.
ground cloth (*US*) *n* = **groundsheet**.
ground control *n* (*AVIAT, SPACE*) Bodenkontrolle *f*.
ground floor *n* Erdgeschoß *nt*.
grounding ['graundɪŋ] *n* (*in education*) Grundwissen *nt*.
groundless ['graundlɪs] *adj* grundlos, unbegründet.
groundnut ['graundnʌt] *n* Erdnuß *f*.
ground rent (*BRIT*) *n* Erbbauzins *m*.

ground rule *n* Grundregel *f*.
groundsheet ['graundʃi:t] (*BRIT*) *n* Zeltboden *m*.
groundskeeper ['graundzki:pə*] (*US*) *n* = **groundsman**.
groundsman ['graundzmən] (*irreg: like* **man**) *n* (*SPORT*) Platzwart *m*.
ground staff *n* (*AVIAT*) Bodenpersonal *nt*.
ground swell *n*: **there was a ~ of public opinion against him** die Öffentlichkeit wandte sich gegen ihn.
ground-to-air missile ['graundtə'εə*-] *n* Boden-Luft-Rakete *f*.
ground-to-ground missile ['graundtə'graund-] *n* Boden-Boden-Rakete *f*.
groundwork ['graundwə:k] *n* Vorarbeit *f*.
group [gru:p] *n* Gruppe *f*; (*COMM*) Konzern *m* ♦ *vt* (*also*: ~ **together**: *in one group*) zusammentun; (: *in several groups*) in Gruppen einteilen ♦ *vi* (*also*: ~ **together**) sich zusammentun.
groupie ['gru:pɪ] (*inf*) *n* Groupie *nt*.
group therapy *n* Gruppentherapie *f*.
grouse [graus] *n inv* schottisches Moorhuhn *nt* ♦ *vi* (*complain*) schimpfen.
grove [grəuv] *n* Hain *m*, Wäldchen *nt*.
grovel ['grɔvl] *vi* (*crawl*) kriechen; (*fig*): **to ~ (before)** kriechen (vor *+dat*).
grow [grəu] (*pt* **grew**, *pp* **grown**) *vi* wachsen; (*increase*) zunehmen; (*become*) werden ♦ *vt* (*roses*) züchten; (*vegetables*) anbauen, ziehen; (*beard*) sich *dat* wachsen lassen; **to ~ tired of waiting** das Warten leid sein; **to ~ (out of** *or* **from)** (*develop*) entstehen (aus).
▸**grow apart** *vi* (*fig*) sich auseinanderentwickeln.
▸**grow away from** *vt fus* (*fig*) sich entfremden *+dat*.
▸**grow on** *vt fus*: **that painting is ~ing on me** allmählich finde ich Gefallen an dem Bild.
▸**grow out of** *vt fus* (*clothes*) herauswachsen aus; (*habit*) ablegen; **he'll ~ out of it** diese Phase geht auch vorbei.
▸**grow up** *vi* aufwachsen; (*mature*) erwachsen werden; (*idea, friendship*) entstehen.
grower ['grəuə*] *n* (*BOT*) Züchter(in) *m(f)*; (*AGR*) Pflanzer(in) *m(f)*.
growing ['grəuɪŋ] *adj* wachsend; (*number*) zunehmend; ~ **pains** Wachstumsschmerzen *pl*; (*fig*) Kinderkrankheiten *pl*, Anfangsschwierigkeiten *pl*.
growl [graul] *vi* knurren.
grown [grəun] *pp of* **grow**.
grown-up [grəun'ʌp] *n* Erwachsene(r) *f(m)*.
growth [grəuθ] *n* Wachstum *nt*; (*what has grown: of weeds, beard etc*) Wuchs *m*; (*of person, character*) Entwicklung *f*; (*MED*) Gewächs *nt*, Wucherung *f*.
growth rate *n* Wachstumsrate *f*, Zuwachsrate *f*.
grub [grʌb] *n* (*larva*) Larve *f*; (*inf: food*) Fressalien *pl*, Futter *nt* ♦ *vi*: **to ~ about** *or* **around (for)** (herum)wühlen (nach).
grubby ['grʌbɪ] *adj* (*dirty*) schmuddelig; (*fig*) schmutzig.
grudge [grʌdʒ] *n* Groll *m* ♦ *vt*: **to ~ sb sth** jdm etw nicht gönnen; **to bear sb a ~** jdm böse sein, einen Groll gegen jdn hegen.
grudging ['grʌdʒɪŋ] *adj* widerwillig.
grudgingly ['grʌdʒɪŋlɪ] *adv* widerwillig.
gruelling, (*US*) **grueling** ['gruəlɪŋ] *adj* (*encounter*) aufreibend; (*trip, journey*) äußerst strapaziös.
gruesome ['gru:səm] *adj* grauenhaft.
gruff [grʌf] *adj* barsch, schroff.
grumble ['grʌmbl] *vi* murren, schimpfen.
grumpy ['grʌmpɪ] *adj* mürrisch, brummig.
grunge [grʌndʒ] (*inf*) *n* Grunge *nt*.
grunt [grʌnt] *vi* grunzen ♦ *n* Grunzen *nt*.
G-string ['dʒi:strɪŋ] *n* Minislip *m*, Tangaslip *m*.
GSUSA *n abbr* (= *Girl Scouts of the United States of America*) *amerikanische Pfadfinderinnen*.
GT *abbr* (*AUT:* = *gran turismo*) GT.
GU (*US*) *abbr* (*POST:* = *Guam*).
guarantee [gærən'ti:] *n* Garantie *f* ♦ *vt* garantieren; **he can't ~ (that) he'll come** er kann nicht dafür garantieren, daß er kommt.
guarantor [gærən'tɔ:*] *n* (*COMM*) Bürge *m*.
guard [gɑ:d] *n* Wache *f*; (*BOXING, FENCING*) Deckung *f*; (*BRIT: RAIL*) Schaffner(in) *m(f)*; (*on machine*) Schutz *m*, Schutzvorrichtung *f*; (*also*: **fire~**) (Schutz)gitter *nt* ♦ *vt* (*prisoner*) bewachen; (*protect*): **to ~ (against)** (be)schützen (vor *+dat*); (*secret*) hüten (vor *+dat*); **to be on one's ~** auf der Hut sein.
▸**guard against** *vt fus* (*disease*) vorbeugen *+dat*; (*damage, accident*) verhüten.
guard dog *n* Wachhund *m*.
guarded ['gɑ:dɪd] *adj* vorsichtig, zurückhaltend.
guardian ['gɑ:dɪən] *n* Vormund *m*; (*defender*) Hüter *m*.
guardrail ['gɑ:dreɪl] *n* (Schutz)geländer *nt*.
guard's van (*BRIT*) *n* (*RAIL*) Schaffnerabteil *nt*, Dienstwagen *m*.
Guatemala [gwɑ:tɪ'mɑ:lə] *n* Guatemala *nt*.
Guatemalan [gwɑ:tɪ'mɑ:lən] *adj* guatemaltekisch, aus Guatemala.
Guernsey ['gə:nzɪ] *n* Guernsey *nt*.
guerrilla [gə'rɪlə] *n* Guerilla *m*, Guerillakämpfer(in) *m(f)*.
guerrilla warfare *n* Guerillakrieg *m*.
guess [gεs] *vt* schätzen; (*answer*) (er)raten; (*US: think*) schätzen (*inf*) ♦ *vi* (*see vt*) schätzen; raten ♦ *n* Vermutung *f*; **I ~ you're right** da haben Sie wohl recht; **to keep sb ~ing** jdn im ungewissen lassen; **to take** *or* **have a ~** raten; (*estimate*) schätzen; **my ~ is that ...** ich schätze *or* vermute, daß ...
guesstimate ['gεstɪmɪt] (*inf*) *n* grobe Schätzung *f*.

guesswork ['gɛswəːk] *n* Vermutungen *pl*; **I got the answer by ~** ich habe die Antwort nur geraten.
guest [gɛst] *n* Gast *m*; **be my ~** (*inf*) nur zu!
guesthouse ['gɛsthaus] *n* Pension *f*.
guest room *n* Gästezimmer *nt*.
guff [gʌf] (*inf*) *n* Quatsch *m*, Käse *m*.
guffaw [gʌ'fɔː] *vi* schallend lachen ♦ *n* schallendes Lachen *nt*.
guidance ['gaɪdəns] *n* Rat *m*, Beratung *f*; **under the ~ of** unter der Leitung von; **vocational ~** Berufsberatung *f*; **marriage ~** Eheberatung *f*.
guide [gaɪd] *n* (*person*) Führer(in) *m(f)*; (*book*) Führer *m*; (*BRIT: also:* **girl ~**) Pfadfinderin *f* ♦ *vt* führen; (*direct*) lenken; **to be ~d by sb/sth** sich von jdm/etw leiten lassen.
guidebook ['gaɪdbuk] *n* Führer *m*.
guided missile *n* Lenkwaffe *f*.
guide dog *n* Blindenhund *m*.
guidelines ['gaɪdlaɪnz] *npl* Richtlinien *pl*.
guild [gɪld] *n* Verein *m*.
guildhall ['gɪldhɔːl] (*BRIT*) *n* Gildehaus *nt*.
guile [gaɪl] *n* Arglist *f*.
guileless ['gaɪllɪs] *adj* arglos.
guillotine ['gɪlətiːn] *n* Guillotine *f*, Fallbeil *nt*; (*for paper*) (Papier)schneidemaschine *f*.
guilt [gɪlt] *n* Schuld *f*; (*remorse*) Schuldgefühl *nt*.
guilty ['gɪltɪ] *adj* schuldig; (*expression*) schuldbewußt; (*secret*) dunkel; **to plead ~/not ~** sich schuldig/nicht schuldig bekennen; **to feel ~ about doing sth** ein schlechtes Gewissen haben, etw zu tun.
Guinea ['gɪnɪ] *n*: **Republic of ~** Guinea *nt*.
guinea ['gɪnɪ] (*BRIT*) *n* (*old*) Guinee *f*.
guinea pig *n* Meerschweinchen *nt*; (*fig: person*) Versuchskaninchen *nt*.
guise [gaɪz] *n*: **in** *or* **under the ~ of** in der Form *+gen*, in Gestalt *+gen*.
guitar [gɪ'tɑː*] *n* Gitarre *f*.
guitarist [gɪ'tɑːrɪst] *n* Gitarrist(in) *m(f)*.
gulch [gʌltʃ] (*US*) *n* Schlucht *f*.
gulf [gʌlf] *n* Golf *m*; (*abyss*) Abgrund *m*; (*fig: difference*) Kluft *f*; **the (Persian) G~** der (Persische) Golf.
Gulf States *npl*: **the ~** die Golfstaaten *pl*.
Gulf Stream *n*: **the ~** der Golfstrom.
Gulf War *n*: **the ~** der Golfkrieg.
gull [gʌl] *n* Möwe *f*.
gullet ['gʌlɪt] *n* Speiseröhre *f*.
gullibility [gʌlɪ'bɪlɪtɪ] *n* Leichtgläubigkeit *f*.
gullible ['gʌlɪbl] *adj* leichtgläubig.
gully ['gʌlɪ] *n* Schlucht *f*.
gulp [gʌlp] *vi* schlucken ♦ *vt* (*also:* **~ down**) hinunterschlucken ♦ *n*: **at one ~** mit einem Schluck.
gum [gʌm] *n* (*ANAT*) Zahnfleisch *nt*; (*glue*) Klebstoff *m*; (*also:* **~drop**) Weingummi *nt*; (*also:* **chewing-~**) Kaugummi *m* ♦ *vt*: **to ~ (together)** (zusammen)kleben.
►**gum up** *vt*: **to ~ up the works** (*inf*) alles vermasseln.
gumboots ['gʌmbuːts] (*BRIT*) *npl* Gummistiefel *pl*.
gumption ['gʌmpʃən] *n* Grips *m* (*inf*).
gumtree ['gʌmtriː] *n*: **to be up a ~** (*fig: inf*) aufgeschmissen sein.
gun [gʌn] *n* (*small*) Pistole *f*; (*medium-sized*) Gewehr *nt*; (*large*) Kanone *f* ♦ *vt* (*also:* **~ down**) erschießen; **to stick to one's ~s** (*fig*) nicht nachgeben, fest bleiben.
gunboat ['gʌnbəut] *n* Kanonenboot *nt*.
gun dog *n* Jagdhund *m*.
gunfire ['gʌnfaɪə*] *n* Geschützfeuer *nt*.
gunge [gʌndʒ] (*inf*) *n* Schmiere *f*.
gung ho ['gʌŋ 'həu] (*inf*) *adj* übereifrig.
gunman ['gʌnmən] (*irreg: like* **man**) *n* bewaffneter Verbrecher *m*.
gunner ['gʌnə*] *n* Kanonier *m*, Artillerist *m*.
gunpoint ['gʌnpɔɪnt] *n*: **at ~** mit vorgehaltener Pistole; mit vorgehaltenem Gewehr.
gunpowder ['gʌnpaudə*] *n* Schießpulver *nt*.
gunrunner ['gʌnrʌnə*] *n* Waffenschmuggler(in) *m(f)*, Waffenschieber(in) *m(f)*.
gunrunning ['gʌnrʌnɪŋ] *n* Waffenschmuggel *m*, Waffenschieberei *f*.
gunshot ['gʌnʃɔt] *n* Schuß *m*.
gunsmith ['gʌnsmɪθ] *n* Büchsenmacher *m*.
gurgle ['gəːgl] *vi* (*baby*) glucksen; (*water*) gluckern.
guru ['guruː] *n* Guru *m*.
gush [gʌʃ] *vi* hervorquellen, hervorströmen; (*person*) schwärmen ♦ *n* Strahl *m*.
gushing ['gʌʃɪŋ] *adj* (*fig*) überschwenglich.
gusset ['gʌsɪt] *n* Keil *m*, Zwickel *m*.
gust [gʌst] *n* Windstoß *m*, Bö(e) *f*; (*of smoke*) Wolke *f*.
gusto ['gʌstəu] *n*: **with ~** mit Genuß, mit Schwung.
gusty ['gʌstɪ] *adj* (*wind*) böig; (*day*) stürmisch.
gut [gʌt] *n* (*ANAT*) Darm *m*; (*for violin, racket*) Darmsaiten *pl* ♦ *vt* (*poultry, fish*) ausnehmen; (*building*) ausräumen; (*by fire*) ausbrennen; **guts** *npl* (*ANAT*) Eingeweide *pl*; (*inf: courage*) Mumm *m*; **to hate sb's ~s** jdn auf den Tod nicht ausstehen können.
gut reaction *n* rein gefühlsmäßige Reaktion *f*.
gutsy ['gʌtsɪ] (*inf*) *adj* (*vivid*) rasant; (*courageous*) mutig.
gutter ['gʌtə*] *n* (*in street*) Gosse *f*, Rinnstein *m*; (*of roof*) Dachrinne *f*.
gutter press *n* Boulevardpresse *f*.
guttural ['gʌtərl] *adj* guttural.
guy [gaɪ] *n* (*inf: man*) Typ *m*, Kerl *m*; (*also:* **~rope**) Haltetau *nt*, Halteseil *nt*; (*for Guy Fawkes' night*) (Guy-Fawkes-)Puppe *f*.

Guy Fawkes' Night, *auch bonfire night genannt, erinnert an den Gunpowder Plot, einen Attentatsversuch auf James I und sein Parlament am 5. November 1605. Einer der*

Verschwörer, Guy Fawkes, wurde auf frischer Tat ertappt, als er das Parlamentsgebäude in die Luft sprengen wollte. Vor der Guy Fawkes' Night basteln Kinder in Großbritannien eine Puppe des Guy Fawkes, mit der sie Geld für Feuerwerkskörper von Passanten erbetteln, und die dann am 5. November auf einem Lagerfeuer mit Feuerwerk verbrannt wird.

Guyana [gaɪ'ænə] *n* Guyana *nt.*
guzzle ['gʌzl] *vt* (*food*) futtern; (*drink*) saufen (*inf*).
gym [dʒɪm] *n* (*also*: **gymnasium**) Turnhalle *f*; (*also*: **gymnastics**) Gymnastik *f*, Turnen *nt.*
gymkhana [dʒɪm'kɑːnə] *n* Reiterfest *nt.*
gymnasium [dʒɪm'neɪzɪəm] *n* Turnhalle *f.*
gymnast ['dʒɪmnæst] *n* Turner(in) *m(f).*
gymnastics [dʒɪm'næstɪks] *n* Gymnastik *f*, Turnen *nt.*
gym shoes *npl* Turnschuhe *pl.*
gymslip ['dʒɪmslɪp] (*BRIT*) *n* (Schul)trägerrock *m.*
gynaecologist, (*US*) **gynecologist** [gaɪnɪ'kɔlədʒɪst] *n* Gynäkologe *m*, Gynäkologin *f*, Frauenarzt *m*, Frauenärztin *f.*
gynaecology, (*US*) **gynecology** [gaɪnɪ'kɔlədʒɪ] *n* Gynäkologie *f*, Frauenheilkunde *f.*
gypsy ['dʒɪpsɪ] *n* = **gipsy.**
gyrate [dʒaɪ'reɪt] *vi* kreisen, sich drehen.
gyroscope ['dʒaɪərəskəup] *n* Gyroskop *nt.*

H, h

H, h [eɪtʃ] *n* (*letter*) H, h *nt*; ~ **for Harry,** (*US*) ~ **for How** ≈ H wie Heinrich.
habeas corpus ['heɪbɪəs'kɔːpəs] *n* Habeaskorpusakte *f.*
haberdashery [hæbə'dæʃərɪ] (*BRIT*) *n* Kurzwaren *pl.*
habit ['hæbɪt] *n* Gewohnheit *f*; (*esp undesirable*) Angewohnheit *f*; (*addiction*) Sucht *f*; (*REL*) Habit *m or nt*; **to get out of/into the ~ of doing sth** sich abgewöhnen/angewöhnen, etw zu tun; **to be in the ~ of doing sth** die (An)gewohnheit haben, etw zu tun.
habitable ['hæbɪtəbl] *adj* bewohnbar.
habitat ['hæbɪtæt] *n* Heimat *f*; (*of animals*) Lebensraum *m*, Heimat *f.*
habitation [hæbɪ'teɪʃən] *n* Wohnstätte *f*; **fit for human ~** für Wohnzwecke geeignet, bewohnbar.
habitual [hə'bɪtjuəl] *adj* (*action*) gewohnt; (*drinker*) Gewohnheits-; (*liar*) gewohnheitsmäßig.
habitually [hə'bɪtjuəlɪ] *adv* ständig.
hack [hæk] *vt, vi* (*also COMPUT*) hacken ♦ *n* (*pej: writer*) Schreiberling *m*; (*horse*) Mietpferd *nt.*
hacker ['hækə*] *n* (*COMPUT*) Hacker *m.*
hackles ['hæklz] *npl*: **to make sb's ~ rise** (*fig*) jdn auf die Palme bringen (*inf*).
hackney cab ['hæknɪ-] *n* Taxi *nt.*
hackneyed ['hæknɪd] *adj* abgedroschen.
hacksaw ['hæksɔː] *n* Metallsäge *f.*
had [hæd] *pt, pp of* **have.**
haddock ['hædək] (*pl* ~ *or* ~**s**) *n* Schellfisch *m.*
hadn't ['hædnt] = **had not.**
haematology, (*US*) **hematology** ['hiːmə'tɔlədʒɪ] *n* Hämatologie *f.*
haemoglobin, (*US*) **hemoglobin** ['hiːmə'gləubɪn] *n* Hämoglobin *nt.*
haemophilia, (*US*) **hemophilia** ['hiːmə'fɪlɪə] *n* Bluterkrankheit *f.*
haemorrhage, (*US*) **hemorrhage** ['hɛmərɪdʒ] *n* Blutung *f.*
haemorrhoids, (*US*) **hemorrhoids** ['hɛmərɔɪdz] *npl* Hämorrhoiden *pl.*
hag [hæg] *n* alte Hexe *f*; (*witch*) Hexe *f.*
haggard ['hægəd] *adj* ausgezehrt; (*from worry*) abgehärmt; (*from tiredness*) abgespannt.
haggis ['hægɪs] (*SCOT*) *n Gericht aus gehackten Schafsinnereien und Haferschrot, im Schafsmagen gekocht.*
haggle ['hægl] *vi*: **to ~ (over)** feilschen (um).
haggling ['hæglɪŋ] *n* Feilschen *nt.*
Hague [heɪg] *n*: **The ~** Den Haag *m.*
hail [heɪl] *n* Hagel *m* ♦ *vt* (*person*) zurufen *+dat*; (*taxi*) herbeiwinken, anhalten; (*acclaim: person*) zujubeln *+dat*; (: *event etc*) bejubeln ♦ *vi* hageln; **he ~s from Scotland** er kommt *or* stammt aus Schottland.
hailstone ['heɪlstəun] *n* Hagelkorn *nt.*
hailstorm ['heɪlstɔːm] *n* Hagelschauer *m.*
hair [hɛə*] *n* (*collectively: of person*) Haar *nt*, Haare *pl*; (: *of animal*) Fell *nt*; (*single hair*) Haar *nt*; **to do one's ~** sich frisieren; **by a ~'s breadth** um Haaresbreite.
hairbrush ['hɛəbrʌʃ] *n* Haarbürste *f.*
haircut ['hɛəkʌt] *n* Haarschnitt *m*; (*style*) Frisur *f.*
hairdo ['hɛəduː] *n* Frisur *f.*
hairdresser ['hɛədrɛsə*] *n* Friseur *m*, Friseuse *f.*
hairdresser's ['hɛədrɛsəz] *n* Friseursalon *m.*
hair dryer *n* Haartrockner *m*, Fön *m.*
-haired [hɛəd] *suff*: **fair-~** blond; **long-~** langhaarig.
hairgrip ['hɛəgrɪp] *n* Haarklemme *f.*
hairline ['hɛəlaɪn] *n* Haaransatz *m.*
hairline fracture *n* Haarriß *m.*
hairnet ['hɛənɛt] *n* Haarnetz *nt.*
hair oil *n* Haaröl *nt.*
hairpiece ['hɛəpiːs] *n* Haarteil *nt*; (*for men*) Toupet *nt.*
hairpin ['hɛəpɪn] *n* Haarnadel *f.*

hairpin bend, (*US*) **hairpin curve** *n* Haarnadelkurve *f*.
hair-raising ['hɛəreɪzɪŋ] *adj* haarsträubend.
hair remover *n* Enthaarungscreme *f*.
hair slide *n* Haarspange *f*.
hair spray *n* Haarspray *nt*.
hairstyle ['hɛəstaɪl] *n* Frisur *f*.
hairy ['hɛərɪ] *adj* behaart; (*inf: situation*) brenzlig, haarig.
Haiti ['heɪtɪ] *n* Haiti *nt*.
hake [heɪk] (*pl* ~ *or* ~**s**) *n* Seehecht *m*.
halcyon ['hælsɪən] *adj* glücklich.
hale [heɪl] *adj*: ~ **and hearty** gesund und munter.
half [hɑːf] (*pl* **halves**) *n* Hälfte *f*; (*of beer etc*) kleines Bier *nt etc*; (*RAIL, bus*) Fahrkarte *f* zum halben Preis ♦ *adj, adv* halb; **first/second** ~ (*SPORT*) erste/zweite Halbzeit *f*; **two and a** ~ zweieinhalb; ~**-an-hour** eine halbe Stunde; ~ **a dozen/pound** ein halbes Dutzend/Pfund; **a week and a** ~ eineinhalb *or* anderthalb Wochen; ~ **(of it)** die Hälfte; ~ **(of)** die Hälfte (von *or +gen*); ~ **the amount of** die halbe Menge an *+dat*; **to cut sth in** ~ etw halbieren; ~ **past three** halb vier; **to go halves (with sb)** (mit jdm) halbe-halbe machen; **she never does things by halves** sie macht keine halben Sachen; **he's too clever by** ~ er ist ein richtiger Schlaumeier; ~ **empty** halbleer; ~ **closed** halbgeschlossen.
half-baked ['hɑːf'beɪkt] *adj* blödsinnig (*inf*).
half board *n* Halbpension *f*.
half-breed ['hɑːfbriːd] *n* = **half-caste.**
half-brother ['hɑːfbrʌðə*] *n* Halbbruder *m*.
half-caste ['hɑːfkɑːst] *n* Mischling *m*.
half-day [hɑːf'deɪ] *n* halber freier Tag *m*.
half-hearted ['hɑːf'hɑːtɪd] *adj* halbherzig, lustlos.
half-hour [hɑːf'auə*] *n* halbe Stunde *f*.
half-life ['hɑːflaɪf] *n* (*TECH*) Halbwertszeit *f*.
half-mast ['hɑːf'mɑːst]: **at** ~ *adv* (auf) halbmast.
halfpenny ['heɪpnɪ] (*BRIT*) *n* halber Penny *m*.
half-price ['hɑːf'praɪs] *adj, adv* zum halben Preis.
half-sister ['hɑːfsɪstə*] *n* Halbschwester *f*.
half term (*BRIT*) *n* kleine Ferien *pl* (*in der Mitte des Trimesters*).
half-timbered [hɑːf'tɪmbəd] *adj* (*house*) Fachwerk-.
half-time [hɑːf'taɪm] *n* (*SPORT*) Halbzeit *f*.
halfway ['hɑːf'weɪ] *adv*: ~ **to** auf halbem Wege nach; ~ **through** mitten in *+dat*; **to meet sb** ~ (*fig*) jdm auf halbem Wege entgegenkommen.
halfway house *n* (*hostel*) offene Anstalt *f*; (*fig*) Zwischending *nt*; (: *compromise*) Kompromiß *m*.
halfwit ['hɑːfwɪt] *n* Schwachsinnige(r) *f(m)*; (*fig: inf*) Schwachkopf *m*.
half-yearly [hɑːf'jɪəlɪ] *adv* halbjährlich, jedes halbe Jahr ♦ *adj* halbjährlich.
halibut ['hælɪbət] *n inv* Heilbutt *m*.
halitosis [hælɪ'təusɪs] *n* schlechter Atem *m*, Mundgeruch *m*.
hall [hɔːl] *n* Diele *f*, (Haus)flur *m*; (*corridor*) Korridor *m*, Flur *m*; (*mansion*) Herrensitz *m*, Herrenhaus *nt*; (*for concerts etc*) Halle *f*; **to live in** ~ (*BRIT*) im Wohnheim wohnen.
hallmark ['hɔːlmɑːk] *n* (*on gold, silver*) (Feingehalts)stempel *m*; (*of writer, artist etc*) Kennzeichen *nt*.
hallo [hə'ləu] *excl* = **hello.**
hall of residence (*pl* **halls of residence**) (*BRIT*) *n* Studentenwohnheim *nt*.
hallowed ['hæləud] *adj* (*ground*) heilig; (*fig: respected, revered*) geheiligt.
Hallowe'en ['hæləu'iːn] *n* der Tag vor Allerheiligen.

Hallowe'en *ist der 31. Oktober, der Vorabend von Allerheiligen und nach altem Glauben der Abend, an dem man Geister und Hexen sehen kann. In Großbritannien und vor allem in den USA feiern die Kinder Hallowe'en, indem sie sich verkleiden und mit selbstgemachten Laternen aus Kürbissen von Tür zu Tür ziehen.*

hallucination [həluːsɪ'neɪʃən] *n* Halluzination *f*.
hallucinogenic [həluːsɪnəu'dʒɛnɪk] *adj* (*drug*) halluzinogen ♦ *n* Halluzinogen *nt*.
hallway ['hɔːlweɪ] *n* Diele *f*, (Haus)flur *m*.
halo ['heɪləu] *n* Heiligenschein *m*; (*circle of light*) Hof *m*.
halt [hɔːlt] *vt* anhalten; (*progress etc*) zum Stillstand bringen ♦ *vi* anhalten, zum Stillstand kommen ♦ *n*: **to come to a** ~ zum Stillstand kommen; **to call a** ~ **to sth** (*fig*) einer Sache *dat* ein Ende machen.
halter ['hɔːltə*] *n* Halfter *nt*.
halter-neck ['hɔːltənɛk] *adj* (*dress*) rückenfrei mit Nackenverschluß.
halve [hɑːv] *vt* halbieren.
halves [hɑːvz] *pl of* **half.**
ham [hæm] *n* Schinken *m*; (*inf: also:* **radio** ~) Funkamateur *m*; (: *actor*) Schmierenkomödiant(in) *m(f)*.
Hamburg ['hæmbəːg] *n* Hamburg *nt*.
hamburger ['hæmbəːgə*] *n* Hamburger *m*.
ham-fisted ['hæm'fɪstɪd], (*US*) **ham-handed** ['hæm'hændɪd] *adj* ungeschickt.
hamlet ['hæmlɪt] *n* Weiler *m*, kleines Dorf *nt*.
hammer ['hæmə*] *n* Hammer *m* ♦ *vt* hämmern; (*fig: criticize*) vernichtend kritisieren; (: *defeat*) vernichtend schlagen ♦ *vi* hämmern; **to** ~ **sth into sb, to** ~ **sth across to sb** jdm etw einhämmern *or* einbleuen.
►**hammer out** *vt* hämmern; (*solution, agreement*) ausarbeiten.
hammock ['hæmək] *n* Hängematte *f*.
hamper ['hæmpə*] *vt* behindern ♦ *n* Korb *m*.
hamster ['hæmstə*] *n* Hamster *m*.

hamstring ['hæmstrɪŋ] *n* Kniesehne *f* ♦ *vt* einengen.

hand [hænd] *n* Hand *f*; (*of clock*) Zeiger *m*; (*handwriting*) Hand(schrift) *f*; (*worker*) Arbeiter(in) *m(f)*; (*of cards*) Blatt *nt*; (*measurement: of horse*) ≈ 10 cm ♦ *vt* geben, reichen; **to give** *or* **lend sb a** ~ jdm helfen; **at** ~ (*place*) in der Nähe; (*time*) unmittelbar bevorstehend; **by** ~ von Hand; **in** ~ (*time*) zur Verfügung; (*job*) anstehend; (*situation*) unter Kontrolle; **we have the matter in** ~ wir haben die Sache im Griff; **on** ~ zur Verfügung; **out of** ~ *adj* außer Kontrolle ♦ *adv* (*reject etc*) rundweg; **to** ~ zur Hand; **on the one** ~ ..., **on the other** ~ ... einerseits ... andererseits ...; **to force sb's** ~ jdn zwingen; **to have a free** ~ freie Hand haben; **to change ~s** den Besitzer wechseln; **to have in one's** ~ (*also fig*) in der Hand halten; **"~s off!"** „Hände weg!".

▸**hand down** *vt* (*knowledge*) weitergeben; (*possessions*) vererben; (*LAW: judgement, sentence*) fällen.

▸**hand in** *vt* abgeben, einreichen.

▸**hand out** *vt* verteilen; (*information*) austeilen; (*punishment*) verhängen.

▸**hand over** *vt* übergeben.

▸**hand round** *vt* (*BRIT*) verteilen; (*chocolates etc*) herumreichen.

handbag ['hændbæg] *n* Handtasche *f*.

hand baggage *n* Handgepäck *nt*.

handball ['hændbɔːl] *n* Handball *m*.

hand basin *n* Handwaschbecken *nt*.

handbook ['hændbuk] *n* Handbuch *nt*.

handbrake ['hændbreɪk] *n* Handbremse *f*.

h & c (*BRIT*) *abbr* (= *hot and cold (water)*) h.u.k.

hand cream *n* Handcreme *f*.

handcuff ['hændkʌf] *vt* Handschellen anlegen *+dat*.

handcuffs ['hændkʌfs] *npl* Handschellen *pl*.

handful ['hændful] *n* Handvoll *f*.

hand-held ['hænd'hɛld] *adj* (*camera*) Hand-.

handicap ['hændɪkæp] *n* Behinderung *f*; (*disadvantage*) Nachteil *m*; (*SPORT*) Handicap *nt* ♦ *vt* benachteiligen; **mentally/physically ~ped** geistig/körperlich behindert.

handicraft ['hændɪkrɑːft] *n* Kunsthandwerk *nt*; (*object*) Kunsthandwerksarbeit *f*.

handiwork ['hændɪwəːk] *n* Arbeit *f*; **this looks like his** ~ (*pej*) das sieht nach seiner Arbeit aus.

handkerchief ['hæŋkətʃɪf] *n* Taschentuch *nt*.

handle ['hændl] *n* Griff *m*; (*of door*) Klinke *f*; (*of cup*) Henkel *m*; (*of broom, brush etc*) Stiel *m*; (*for winding*) Kurbel *f*; (*CB RADIO: name*) Sendezeichen *nt* ♦ *vt* anfassen, berühren; (*problem etc*) sich befassen mit; (*: successfully*) fertigwerden mit; (*people*) umgehen mit; **"~ with care"** „Vorsicht - zerbrechlich"; **to fly off the** ~ an die Decke gehen; **to get a** ~ **on a problem** (*inf*) ein Problem in den Griff bekommen.

handlebar(s) ['hændlbɑː(z)] *n(pl)* Lenkstange *f*.

handling ['hændlɪŋ] *n*: ~ **(of)** (*of plant, animal, issue etc*) Behandlung *f +gen*; (*of person, tool, machine etc*) Umgang *m* (mit); (*ADMIN*) Bearbeitung *f +gen*.

handling charges *npl* Bearbeitungsgebühr *f*; (*BANKING*) Kontoführungsgebühr *f*.

hand luggage *n* Handgepäck *nt*.

handmade ['hænd'meɪd] *adj* handgearbeitet.

hand-out ['hændaut] *n* (*money, food etc*) Unterstützung *f*; (*publicity leaflet*) Flugblatt *nt*; (*summary*) Informationsblatt *nt*.

hand-picked ['hænd'pɪkt] *adj* von Hand geerntet; (*staff etc*) handverlesen.

handrail ['hændreɪl] *n* Geländer *nt*.

handset ['hændsɛt] *n* (*TEL*) Hörer *m*.

handshake ['hændʃeɪk] *n* Händedruck *m*.

handsome ['hænsəm] *adj* gutaussehend; (*building*) schön; (*gift*) großzügig; (*profit, return*) ansehnlich.

hands-on ['hændz'ɔn] *adj* (*training*) praktisch; (*approach etc*) aktiv; ~ **experience** praktische Erfahrung.

handstand ['hændstænd] *n*: **to do a** ~ einen Handstand machen.

hand-to-mouth ['hændtə'mauθ] *adj*: **to lead a** ~ **existence** von der Hand in den Mund leben.

handwriting ['hændraɪtɪŋ] *n* Handschrift *f*.

handwritten ['hændrɪtn] *adj* handgeschrieben.

handy ['hændɪ] *adj* praktisch; (*skilful*) geschickt; (*close at hand*) in der Nähe; **to come in** ~ sich als nützlich erweisen.

handyman ['hændɪmæn] (*irreg: like* **man**) *n* (*at home*) Heimwerker *m*; (*in hotel etc*) Faktotum *nt*.

hang [hæŋ] (*pt, pp* **hung**) *vt* aufhängen; (*criminal*) (*pt, pp* **hanged**) hängen; (*head*) hängen lassen ♦ *vi* hängen; (*hair, drapery*) fallen ♦ *n*: **to get the** ~ **of sth** (*inf*) den richtigen Dreh (bei etw) herauskriegen.

▸**hang about** *vi* herumlungern.

▸**hang around** *vi* = **hang about**.

▸**hang back** *vi*: **to** ~ **back (from doing sth)** zögern(, etw zu tun).

▸**hang on** *vi* warten ♦ *vt fus* (*depend on*) abhängen von; **to** ~ **on to** festhalten; (*for protection, support*) sich festhalten an *+dat*; (*hope, position*) sich klammern an *+acc*; (*ideas*) festhalten an *+dat*; (*keep*) behalten.

▸**hang out** *vt* draußen aufhängen ♦ *vi* heraushängen; (*inf: live*) wohnen.

▸**hang together** *vi* (*argument*) folgerichtig *or* zusammenhängend sein; (*story, explanation*) zusammenhängend sein; (*statements*) zusammenpassen.

▸**hang up** *vt* aufhängen ♦ *vi* (*TEL*): **to** ~ **up (on sb)** einfach auflegen.

hangar ['hæŋə*] *n* Hangar *m*, Flugzeughalle *f*.

hangdog ['hæŋdɔg] *adj* zerknirscht.

hanger ['hæŋə*] *n* Bügel *m*.
hanger-on [hæŋər'ɔn] *n* (*parasite*) Trabant *m* (*inf*); **the ~s-~** der Anhang.
hang-glide ['hæŋglaɪd] *vi* drachenfliegen.
hang-glider ['hæŋglaɪdə*] *n* (Flug)drachen *m*.
hang-gliding ['hæŋglaɪdɪŋ] *n* Drachenfliegen *nt*.
hanging ['hæŋɪŋ] *n* (*execution*) Hinrichtung *f* durch den Strang; (*for wall*) Wandbehang *m*.
hangman ['hæŋmən] (*irreg: like* **man**) *n* Henker *m*.
hangover ['hæŋəuvə*] *n* Kater *m*; (*from past*) Überbleibsel *nt*.
hang-up ['hæŋʌp] *n* Komplex *m*.
hank [hæŋk] *n* Strang *m*.
hanker ['hæŋkə*] *vi*: **to ~ after** sich sehnen nach.
hankering ['hæŋkərɪŋ] *n*: **~ (for)** Verlangen *nt* (nach).
hankie ['hæŋkɪ] *n abbr* = **handkerchief**.
hanky ['hæŋkɪ] *n abbr* = **handkerchief**.
Hants [hænts] (*BRIT*) *abbr* (*POST: = Hampshire*).
haphazard [hæp'hæzəd] *adj* planlos, wahllos.
hapless ['hæplɪs] *adj* glücklos.
happen ['hæpən] *vi* geschehen; **to ~ to do sth** zufällig(erweise) etw tun; **as it ~s** zufälligerweise; **what's ~ing?** was ist los?; **she ~ed to be free** sie hatte zufällig(erweise) gerade Zeit; **if anything ~ed to him** wenn ihm etwas zustoßen *or* passieren sollte.
▸**happen (up)on** *vt fus* zufällig stoßen auf *+acc*; (*person*) zufällig treffen.
happening ['hæpnɪŋ] *n* Ereignis *nt*, Vorfall *m*.
happily ['hæpɪlɪ] *adv* (*luckily*) glücklicherweise; (*cheerfully*) fröhlich.
happiness ['hæpɪnɪs] *n* Glück *nt*.
happy ['hæpɪ] *adj* glücklich; (*cheerful*) fröhlich; **to be ~ (with)** zufrieden sein (mit); **to be ~ to do sth** etw gerne tun; **~ birthday!** herzlichen Glückwunsch zum Geburtstag!
happy-go-lucky ['hæpɪgəu'lʌkɪ] *adj* unbekümmert.
happy hour *n Zeit, in der Bars, Pubs usw Getränke zu ermäßigten Preisen anbieten.*
harangue [hə'ræŋ] *vt* predigen *+dat* (*inf*).
harass ['hærəs] *vt* schikanieren.
harassed ['hærəst] *adj* geplagt.
harassment ['hærəsmənt] *n* Schikanierung *f*; **sexual ~** sexuelle Belästigung *f*.
harbour, (*US*) **harbor** ['hɑːbə*] *n* Hafen *m* ♦ *vt* (*hope, fear, grudge etc*) hegen; (*criminal, fugitive*) Unterschlupf gewähren *+dat*.
harbour dues *npl* Hafengebühren *pl*.
harbour master *n* Hafenmeister *m*.
hard [hɑːd] *adj* hart; (*question, problem*) schwierig; (*evidence*) gesichert ♦ *adv* (*work*) hart, schwer; (*think*) scharf; (*try*) sehr; **~ luck!** Pech!; **no ~ feelings!** ich nehme es dir nicht übel; **to be ~ of hearing** schwerhörig sein; **to be ~ done by** ungerecht behandelt werden; **I find it ~ to believe that ...** ich kann es kaum glauben, daß ...; **to look ~ at sth** (*object*) sich *+dat* etw genau ansehen; (*idea*) etw gründlich prüfen.
hard-and-fast ['hɑːdən'fɑːst] *adj* fest.
hardback ['hɑːdbæk] *n* gebundene Ausgabe *f*.
hardboard ['hɑːdbɔːd] *n* Hartfaserplatte *f*.
hard-boiled egg ['hɑːd'bɔɪld-] *n* hartgekochtes Ei *nt*.
hard cash *n* Bargeld *nt*.
hard copy *n* (*COMPUT*) Ausdruck *m*.
hard core *n* harter Kern *m*.
hard-core ['hɑːd'kɔː*] *adj* (*pornography*) hart; (*supporters*) zum harten Kern gehörend.
hard court *n* (*TENNIS*) Hartplatz *m*.
hard disk *n* (*COMPUT*) Festplatte *f*.
harden ['hɑːdn] *vt* härten; (*attitude, person*) verhärten ♦ *vi* hart werden, sich verhärten.
hardened ['hɑːdnd] *adj* (*criminal*) Gewohnheits-; **to be ~ to sth** gegen etw abgehärtet sein.
hardening ['hɑːdnɪŋ] *n* Verhärtung *f*.
hard graft *n*: **by sheer ~** durch harte Arbeit.
hard-headed ['hɑːd'hɛdɪd] *adj* nüchtern.
hardhearted ['hɑːd'hɑːtɪd] *adj* hartherzig.
hard-hitting ['hɑːd'hɪtɪŋ] *adj* (*fig: speech, journalist etc*) knallhart.
hard labour *n* Zwangsarbeit *f*.
hardliner [hɑːd'laɪnə*] *n* Vertreter(in) *m(f)* der harten Linie.
hard-luck story ['hɑːdlʌk-] *n* Leidensgeschichte *f*.
hardly ['hɑːdlɪ] *adv* kaum; (*harshly*) hart, streng; **it's ~ the case** (*ironic*) das ist wohl kaum der Fall; **I can ~ believe it** ich kann es kaum glauben.
hard-nosed [hɑːd'nəuzd] *adj* abgebrüht.
hard-pressed [hɑːd'prɛst] *adj*: **to be ~** unter Druck sein; **~ for money** in Geldnot.
hard sell *n* aggressive Verkaufstaktik *f*.
hardship ['hɑːdʃɪp] *n* Not *f*.
hard shoulder (*BRIT*) *n* (*AUT*) Seitenstreifen *m*.
hard up (*inf*) *adj* knapp bei Kasse.
hardware ['hɑːdwɛə*] *n* Eisenwaren *pl*; (*household goods*) Haushaltswaren *pl*; (*COMPUT*) Hardware *f*; (*MIL*) Waffen *pl*.
hardware shop *n* Eisenwarenhandlung *f*.
hard-wearing [hɑːd'wɛərɪŋ] *adj* strapazierfähig.
hard-won [hɑːd'wʌn] *adj* schwer erkämpft.
hard-working [hɑːd'wəːkɪŋ] *adj* fleißig.
hardy ['hɑːdɪ] *adj* (*animals*) zäh; (*people*) abgehärtet; (*plant*) winterhart.
hare [hɛə*] *n* Hase *m*.
harebrained ['hɛəbreɪnd] *adj* verrückt.
harelip ['hɛəlɪp] *n* Hasenscharte *f*.
harem [hɑː'riːm] *n* Harem *m*.
hark back [hɑːk-] *vi*: **to ~ to** zurückkommen auf *+acc*.
harm [hɑːm] *n* Schaden *m*; (*injury*) Verletzung *f* ♦ *vt* schaden *+dat*; (*person: physically*)

verletzen; **to mean no ~** es nicht böse meinen; **out of ~'s way** in Sicherheit; **there's no ~ in trying** es kann nicht schaden, es zu versuchen.
harmful ['hɑːmful] *adj* schädlich.
harmless ['hɑːmlɪs] *adj* harmlos.
harmonic [hɑː'mɔnɪk] *adj* harmonisch.
harmonica [hɑː'mɔnɪkə] *n* Harmonika *f*.
harmonics [hɑː'mɔnɪks] *npl* Harmonik *f*.
harmonious [hɑː'məunɪəs] *adj* harmonisch.
harmonium [hɑː'məunɪəm] *n* Harmonium *nt*.
harmonize ['hɑːmənaɪz] *vi* (*MUS*) mehrstimmig singen/spielen; (: *one person*) die zweite Stimme singen/spielen; (*colours, ideas*) harmonieren.
harmony ['hɑːmənɪ] *n* Einklang *m*; (*MUS*) Harmonie *f*.
harness ['hɑːnɪs] *n* (*for horse*) Geschirr *nt*; (*for child*) Laufgurt *m*; (*safety harness*) Sicherheitsgurt *m* ♦ *vt* (*resources, energy etc*) nutzbar machen; (*horse, dog*) anschirren.
harp [hɑːp] *n* Harfe *f* ♦ *vi*: **to ~ on about** (*pej*) herumreiten auf *+dat*.
harpist ['hɑːpɪst] *n* Harfenspieler(in) *m(f)*.
harpoon [hɑː'puːn] *n* Harpune *f*.
harpsichord ['hɑːpsɪkɔːd] *n* Cembalo *nt*.
harried ['hærɪd] *adj* bedrängt.
harrow ['hærəu] *n* Egge *f*.
harrowing ['hærəuɪŋ] *adj* (*film*) erschütternd; (*experience*) grauenhaft.
harry ['hærɪ] *vt* bedrängen, zusetzen *+dat*.
harsh [hɑːʃ] *adj* (*sound, light*) grell; (*judge, winter*) streng; (*criticism, life*) hart.
harshly ['hɑːʃlɪ] *adv* (*judge*) streng; (*say*) barsch; (*criticize*) hart.
harshness ['hɑːʃnɪs] *n* (*see adj*) Grelle *f*; Strenge *f*; Härte *f*.
harvest ['hɑːvɪst] *n* Ernte *f* ♦ *vt* ernten.
harvester ['hɑːvɪstə*] *n* (*also*: **combine ~**) Mähdrescher *m*.
has [hæz] *vb see* **have**.
has-been ['hæzbiːn] (*inf*) *n*: **he's/she's a ~** er/ sie ist eine vergangene *or* vergessene Größe.
hash [hæʃ] *n* (*CULIN*) Haschee *nt*; (*fig*) **to make a ~ of sth** etw verpfuschen (*inf*); ♦ (*inf*) *n abbr* (= *hashish*) Hasch *nt*.
hashish ['hæʃɪʃ] *n* Haschisch *nt*.
hasn't ['hæznt] = **has not**.
hassle ['hæsl] (*inf*) *n* (*bother*) Theater *nt* ♦ *vt* schikanieren.
haste [heɪst] *n* Hast *f*; (*speed*) Eile *f*; **in ~** in Eile; **to make ~ (to do sth)** sich beeilen(, etw zu tun).
hasten ['heɪsn] *vt* beschleunigen ♦ *vi*: **to ~ to do sth** sich beeilen, etw zu tun; **I ~ to add ...** ich muß allerdings hinzufügen, ...; **she ~ed back to the house** sie eilte zum Haus zurück.
hastily ['heɪstɪlɪ] *adv* (*see adj*) hastig, eilig; vorschnell.
hasty ['heɪstɪ] *adj* hastig, eilig; (*rash*) vorschnell.
hat [hæt] *n* Hut *m*; **to keep sth under one's ~** etw für sich behalten.
hatbox ['hætbɔks] *n* Hutschachtel *f*.
hatch [hætʃ] *n* (*NAUT*: *also*: **~way**) Luke *f*; (*also*: **service ~**) Durchreiche *f* ♦ *vi* (*bird*) ausschlüpfen ♦ *vt* ausbrüten; **the eggs ~ed after 10 days** nach 10 Tagen schlüpften die Jungen aus.
hatchback ['hætʃbæk] *n* (*AUT*: *car*) Heckklappenmodell *nt*.
hatchet ['hætʃɪt] *n* Beil *nt*; **to bury the ~** das Kriegsbeil begraben.
hatchet job (*inf*) *adj*: **to do a ~ on sb** jdn fertigmachen.
hatchet man (*inf*) *n* (*fig*) Vollstrecker *m*.
hate [heɪt] *vt* hassen ♦ *n* Haß *m*; **I ~ him/milk** ich kann ihn/ Milch nicht ausstehen; **to ~ to do/doing sth** es hassen, etw zu tun; (*weaker*) etw ungern tun; **I ~ to trouble you, but ...** es ist mir sehr unangenehm, daß ich Sie belästigen muß, aber ...
hateful ['heɪtful] *adj* abscheulich.
hatred ['heɪtrɪd] *n* Haß *m*; (*dislike*) Abneigung *f*.
hat trick *n* Hattrick *m*.
haughty ['hɔːtɪ] *adj* überheblich.
haul [hɔːl] *vt* ziehen; (*by lorry*) transportieren; (*NAUT*) den Kurs ändern *+gen* ♦ *n* Beute *f*; (*of fish*) Fang *m*; **he ~ed himself out of the pool** er stemmte sich aus dem Schwimmbecken.
haulage ['hɔːlɪdʒ] *n* (*cost*) Transportkosten *pl*; (*business*) Transport *m*.
haulage contractor (*BRIT*) *n* Transportunternehmen *nt*, Spedition *f*; (*person*) Transportunternehmer(in) *m(f)*, Spediteur *m*.
hauler ['hɔːlə*] (*US*) *n* Transportunternehmer(in) *m(f)*, Spediteur *m*.
haulier ['hɔːlɪə*] (*BRIT*) *n* Transportunternehmer(in) *m(f)*, Spediteur *m*.
haunch [hɔːntʃ] *n* Hüftpartie *f*; (*of meat*) Keule *f*.
haunt [hɔːnt] *vt* (*place*) spuken in *+dat*, umgehen in *+dat*; (*person, also fig*) verfolgen ♦ *n* Lieblingsplatz *m*; (*of crooks etc*) Treffpunkt *m*.
haunted ['hɔːntɪd] *adj* (*expression*) gehetzt, gequält; **this building/room is ~** in diesem Gebäude/Zimmer spukt es.
haunting ['hɔːntɪŋ] *adj* (*music*) eindringlich; **a ~ sight** ein Anblick, der einen nicht losläßt.
Havana [hə'vænə] *n* Havanna *nt*.

KEYWORD

have [hæv] (*pt, pp* **had**) *aux vb* **1** haben; (*with verbs of motion*) sein; **to ~ arrived/gone** angekommen/gegangen sein; **to ~ eaten/ slept** gegessen/geschlafen haben; **he has been promoted** er ist befördert worden; **having eaten** *or* **when he had eaten, he left** nachdem er gegessen hatte, ging er

2 (*in tag questions*): **you've done it, ~n't you?** du hast es gemacht, nicht wahr?; **he hasn't done it, has he?** er hat es nicht gemacht, oder?
3 (*in short answers and questions*): **you've made a mistake - no I ~'t/so I ~** du hast einen Fehler gemacht - nein(, das habe ich nicht)/ja, stimmt; **we ~'t paid - yes we ~!** wir haben nicht bezahlt - doch!; **I've been there before - ~ you?** ich war schon einmal da - wirklich *or* tatsächlich?
♦ *modal aux vb* (*be obliged*): **to ~ (got) to do sth** etw tun müssen; **this has (got) to be a mistake** das muß ein Fehler sein
♦ *vt* **1** (*possess*) haben; **she has (got) blue eyes/dark hair** sie hat blaue Augen/dunkle Haare; **I ~ (got) an idea** ich habe eine Idee
2 (*referring to meals etc*): **to ~ breakfast** frühstücken; **to ~ lunch/dinner** zu Mittag/Abend essen; **to ~ a drink** etwas trinken; **to ~ a cigarette** eine Zigarette rauchen
3 (*receive, obtain etc*) haben; **may I ~ your address?** kann ich Ihre Adresse haben *or* bekommen?; **to ~ a baby** ein Kind bekommen
4 (*allow*): **I won't ~ this nonsense** dieser Unsinn kommt nicht in Frage!; **we can't ~ that** das kommt nicht in Frage
5: **to ~ sth done** etw machen lassen; **to ~ one's hair cut** sich *dat* die Haare schneiden lassen; **to ~ sb do sth** (*order*) jdn etw tun lassen; **he soon had them all laughing/working** bald hatte er alle zum Lachen/Arbeiten gebracht
6 (*experience, suffer*): **to ~ a cold/flu** eine Erkältung/die Grippe haben; **she had her bag stolen** ihr *dat* wurde die Tasche gestohlen
7 (*+ noun: take, hold etc*): **to ~ a swim** schwimmen gehen; **to ~ a walk** spazierengehen; **to ~ a rest** sich ausruhen; **to ~ a meeting** eine Besprechung haben; **to ~ a party** eine Party geben
8 (*inf: dupe*): **you've been had** man hat dich hereingelegt.
►**have in** (*inf*) *vt*: **to ~ it in for sb** jdn auf dem Kieker haben.
►**have on** *vt* (*wear*) anhaben; (*BRIT: inf: tease*) auf den Arm nehmen; **I don't ~ any money on me** ich habe kein Geld bei mir; **do you ~** *or* **~ you anything on tomorrow?** haben Sie morgen etwas vor?
►**have out** *vt*: **to ~ it out with sb** (*settle a problem etc*) ein Wort mit jdm reden.

haven ['heɪvn] *n* Hafen *m*; (*safe place*) Zufluchtsort *m*.
haven't ['hævnt] = **have not.**
haversack ['hævəsæk] *n* Rucksack *m*.
haves [hævz] (*inf*) *npl*: **the ~ and the have-nots** die Betuchten und die Habenichtse.
havoc ['hævək] *n* Verwüstung *f*; (*confusion*) Chaos *nt*; **to play ~ with sth** (*disrupt*) etw völlig durcheinanderbringen.
Hawaii [hə'waiː] *n* Hawaii *nt*.
Hawaiian [hə'waɪjən] *adj* hawaiisch ♦ *n* Hawaiianer(in) *m(f)*; (*LING*) Hawaiisch *nt*.
hawk [hɔːk] *n* Habicht *m*.
hawker ['hɔːkə*] *n* Hausierer(in) *m(f)*.
hawkish ['hɔːkɪʃ] *adj* (*person, approach*) knallhart.
hawthorn ['hɔːθɔːn] *n* Weißdorn *m*, Rotdorn *m*.
hay [heɪ] *n* Heu *nt*.
hay fever *n* Heuschnupfen *m*.
haystack ['heɪstæk] *n* Heuhaufen *m*; **like looking for a needle in a ~** als ob man eine Stecknadel im Heuhaufen suchte.
haywire ['heɪwaɪə*] (*inf*) *adj*: **to go ~** (*machine*) verrückt spielen; (*plans etc*) über den Haufen geworfen werden.
hazard ['hæzəd] *n* Gefahr *f* ♦ *vt* riskieren; **to be a health/fire ~** eine Gefahr für die Gesundheit/feuergefährlich sein; **to ~ a guess** (es) wagen, eine Vermutung anzustellen.
hazardous ['hæzədəs] *adj* gefährlich.
hazard pay (*US*) *n* Gefahrenzulage *f*.
hazard (warning) lights *npl* (*AUT*) Warnblinkanlage *f*.
haze [heɪz] *n* Dunst *m*.
hazel ['heɪzl] *n* Hasel(nuß)strauch *m*, Haselbusch *m* ♦ *adj* haselnußbraun.
hazelnut ['heɪzlnʌt] *n* Haselnuß *f*.
hazy ['heɪzɪ] *adj* dunstig, diesig; (*idea, memory*) unklar, verschwommen; **I'm rather ~ about the details** an die Einzelheiten kann ich mich nur vage *or* verschwommen erinnern; (*ignorant*) die genauen Einzelheiten sind mir nicht bekannt.
H-bomb ['eɪtʃbɔm] *n* H-Bombe *f*.
HE *abbr* (*REL, DIPLOMACY: = His/Her Excellency*) Seine/Ihre Exzellenz; (*= high explosive*) hochexplosiver Sprengstoff *m*.
he [hiː] *pron* er ♦ *pref* männlich; **~ who ...** wer ...
head ['hɛd] *n* Kopf *m*; (*of table*) Kopfende *nt*; (*of queue*) Spitze *f*; (*of company, organization*) Leiter(in) *m(f)*; (*of school*) Schulleiter(in) *m(f)*; (*on coin*) Kopfseite *f*; (*on tape recorder*) Tonkopf *m* ♦ *vt* anführen, an der Spitze stehen von; (*group, company*) leiten; (*FOOTBALL: ball*) köpfen; **~s (or tails)** Kopf (oder Zahl); **~ over heels** Hals über Kopf; (*in love*) bis über beide Ohren; **£10 a** *or* **per ~** 10 Pfund pro Kopf; **at the ~ of the list** oben auf der Liste; **to have a ~ for business** einen guten Geschäftssinn haben; **to have no ~ for heights** nicht schwindelfrei sein; **to come to a ~** sich zuspitzen; **they put their ~s together** sie haben sich zusammengesetzt; **off the top of my** *etc* **~** ohne lange zu überlegen; **on your own ~ be it!** auf Ihre eigene Verantwortung *or* Kappe

(*inf*)!; **to bite** *or* **snap sb's ~ off** jdn grob anfahren; **he won't bite your ~ off** er wird dir schon nicht den Kopf abreißen; **it went to my ~** es ist mir in den Kopf *or* zu Kopf gestiegen; **to lose/keep one's ~** den Kopf verlieren/nicht verlieren; **I can't make ~ nor tail of this** hieraus werde ich nicht schlau; **he's off his ~!** (*inf*) er ist nicht (ganz) bei Trost!

▸**head for** *vt fus* (*on foot*) zusteuern auf *+acc*; (*by car*) in Richtung ... fahren; (*plane, ship*) Kurs nehmen auf *+acc*; **you are ~ing for trouble** du wirst Ärger bekommen.

▸**head off** *vt* abwenden.

headache ['hɛdeɪk] *n* Kopfschmerzen *pl*, Kopfweh *nt*; (*fig*) Problem *nt*; **to have a ~** Kopfschmerzen *or* Kopfweh haben.

headband ['hɛdbænd] *n* Stirnband *nt*.

headboard ['hɛdbɔːd] *n* Kopfteil *nt*.

head cold *n* Kopfgrippe *f*.

headdress ['hɛddrɛs] (*BRIT*) *n* Kopfschmuck *m*.

headed notepaper ['hɛdɪd-] *n* Schreibpapier *nt* mit Briefkopf.

header ['hɛdə*] (*BRIT: inf*) *n* (*FOOTBALL*) Kopfball *m*.

headfirst ['hɛd'fəːst] *adv* (*lit*) kopfüber; (*fig*) Hals über Kopf.

headgear ['hɛdgɪə*] *n* Kopfbedeckung *f*.

head-hunt ['hɛdhʌnt] *vt* abwerben.

head-hunter ['hɛdhʌntə*] *n* (*COMM*) Kopfjäger(in) *m(f)*.

heading ['hɛdɪŋ] *n* Überschrift *f*.

headlamp ['hɛdlæmp] (*BRIT*) *n* = **headlight**.

headland ['hɛdlənd] *n* Landspitze *f*.

headlight ['hɛdlaɪt] *n* Scheinwerfer *m*.

headline ['hɛdlaɪn] *n* Schlagzeile *f*; (*RADIO, TV*): **(news) ~s** Nachrichtenüberblick *m*.

headlong ['hɛdlɔŋ] *adv* kopfüber; (*rush*) Hals über Kopf.

headmaster [hɛd'mɑːstə*] *n* Schulleiter *m*.

headmistress [hɛd'mɪstrɪs] *n* Schulleiterin *f*.

head office *n* Zentrale *f*.

head of state (*pl* **heads of state**) *n* Staatsoberhaupt *nt*.

head-on ['hɛd'ɔn] *adj* (*collision*) frontal; (*confrontation*) direkt.

headphones ['hɛdfəunz] *npl* Kopfhörer *pl*.

headquarters ['hɛdkwɔːtəz] *npl* Zentrale *f*; (*MIL*) Hauptquartier *nt*.

headrest ['hɛdrɛst] *n* (*AUT*) Kopfstütze *f*.

headroom ['hɛdrum] *n* (*in car*) Kopfraum *m*; (*under bridge*) lichte Höhe *f*.

headscarf ['hɛdskɑːf] *n* Kopftuch *nt*.

headset ['hɛdsɛt] *n* = **headphones**.

head start *n* Vorsprung *m*.

headstone ['hɛdstəun] *n* Grabstein *m*.

headstrong ['hɛdstrɔŋ] *adj* eigensinnig.

head waiter *n* Oberkellner *m*.

headway ['hɛdweɪ] *n*: **to make ~** vorankommen.

headwind ['hɛdwɪnd] *n* Gegenwind *m*.

heady ['hɛdɪ] *adj* (*experience etc*) aufregend; (*drink, atmosphere*) berauschend.

heal [hiːl] *vt, vi* heilen.

health [hɛlθ] *n* Gesundheit *f*.

health care *n* Gesundheitsfürsorge *f*.

health centre (*BRIT*) *n* Ärztezentrum *nt*.

health food *n* Reformkost *f*, Naturkost *f*.

health food shop *n* Reformhaus *nt*, Naturkostladen *m*.

health hazard *n* Gefahr *f* für die Gesundheit.

health service (*BRIT*) *n*: **the H~ S~** das Gesundheitswesen.

healthy ['hɛlθɪ] *adj* gesund; (*profit*) ansehnlich.

heap [hiːp] *n* Haufen *m* ♦ *vt*: **to ~ (up)** (auf)häufen; **~s of** (*inf*) jede Menge; **to ~ sth with** etw beladen mit; **to ~ sth on** etw häufen auf *+acc*; **to ~ favours/gifts** *etc* **on sb** jdn mit Gefälligkeiten/Geschenken *etc* überhäufen; **to ~ praises on sb** jdn mit Lob überschütten.

hear [hɪə*] (*pt, pp* **heard**) *vt* hören; (*LAW: case*) verhandeln; (*: witness*) vernehmen; **to ~ about** hören von; **to ~ from sb** von jdm hören; **I've never heard of that book** von dem Buch habe ich noch nie etwas gehört; **I wouldn't ~ of it!** davon will ich nichts hören.

▸**hear out** *vt* ausreden lassen.

heard [həːd] *pt, pp of* **hear**.

hearing ['hɪərɪŋ] *n* Gehör *nt*; (*of facts, by committee*) Anhörung *f*; (*of witnesses*) Vernehmung *f*; (*of a case*) Verhandlung *f*; **to give sb a ~** (*BRIT*) jdn anhören.

hearing aid *n* Hörgerät *nt*.

hearsay ['hɪəseɪ] *n* Gerüchte *pl*; **by ~** vom Hörensagen.

hearse [həːs] *n* Leichenwagen *m*.

heart [hɑːt] *n* Herz *nt*; (*of problem*) Kern *m*; **hearts** *npl* (*CARDS*) Herz *nt*; **to lose ~** den Mut verlieren; **to take ~** Mut fassen; **at ~** im Grunde; **by ~** auswendig; **to set one's ~ on sth** sein Herz an etw *acc* hängen; **to set one's ~ on doing sth** alles daransetzen, etw zu tun; **the ~ of the matter** der Kern der Sache.

heartache ['hɑːteɪk] *n* Kummer *m*.

heart attack *n* Herzanfall *m*.

heartbeat ['hɑːtbiːt] *n* Herzschlag *m*.

heartbreak ['hɑːtbreɪk] *n* großer Kummer *m*, Leid *nt*.

heartbreaking ['hɑːtbreɪkɪŋ] *adj* herzzerreißend.

heartbroken ['hɑːtbrəukən] *adj*: **to be ~** todunglücklich sein.

heartburn ['hɑːtbəːn] *n* Sodbrennen *nt*.

-hearted ['hɑːtɪd] *suff*: **kind-~** gutherzig.

heartening ['hɑːtnɪŋ] *adj* ermutigend.

heart failure *n* Herzversagen *nt*.

heartfelt ['hɑːtfɛlt] *adj* tief empfunden.

hearth [hɑːθ] *n* ≈ Kamin *m*.

heartily ['hɑːtɪlɪ] *adv* (*see adj*) (laut und)

herzlich; herzhaft; tief; ungeteilt.
heartland ['hɑːtlænd] *n* Herz *nt*; **Britain's industrial** ~ Großbritanniens Industriezentrum.
heartless ['hɑːtlɪs] *adj* herzlos.
heartstrings ['hɑːtstrɪŋz] *npl*: **to tug at sb's** ~ bei jdm auf die Tränendrüsen drücken.
heart-throb ['hɑːtθrɔb] (*inf*) *n* Schwarm *m*.
heart-to-heart ['hɑːt'tə'hɑːt] *adj, adv* ganz im Vertrauen.
heart transplant *n* Herztransplantation *f*, Herzverpflanzung *f*.
heart-warming ['hɑːtwɔːmɪŋ] *adj* herzerfreuend.
hearty ['hɑːtɪ] *adj* (*person*) laut und herzlich; (*laugh, appetite*) herzhaft; (*welcome*) herzlich; (*dislike*) tief; (*support*) ungeteilt.
heat [hiːt] *n* Hitze *f*; (*warmth*) Wärme *f*; (*temperature*) Temperatur *f*; (*SPORT: also:* **qualifying** ~) Vorrunde *f* ♦ *vt* erhitzen, heiß machen; (*room, house*) heizen; **in** *or* (*BRIT*) **on** ~ (*ZOOL*) brünstig, läufig.
▸**heat up** *vi* sich erwärmen, warm werden ♦ *vt* aufwärmen; (*water, room*) erwärmen.
heated ['hiːtɪd] *adj* geheizt; (*pool*) beheizt; (*argument*) hitzig.
heater ['hiːtə*] *n* (Heiz)ofen *m*; (*in car*) Heizung *f*.
heath [hiːθ] (*BRIT*) *n* Heide *f*.
heathen ['hiːðn] *n* Heide *m*, Heidin *f*.
heather ['hɛðə*] *n* Heidekraut *nt*, Erika *f*.
heating ['hiːtɪŋ] *n* Heizung *f*.
heat-resistant ['hiːtrɪzɪstənt] *adj* hitzebeständig.
heat-seeking ['hiːtsiːkɪŋ] *adj* wärmesuchend.
heatstroke ['hiːtstrəuk] *n* Hitzschlag *m*.
heat wave *n* Hitzewelle *f*.
heave [hiːv] *vt* (*pull*) ziehen; (*push*) schieben; (*lift*) (hoch)heben ♦ *vi* sich heben und senken; (*retch*) sich übergeben ♦ *n* (*see vt*) Zug *m*; Stoß *m*; Heben *nt*; **to** ~ **a sigh** einen Seufzer ausstoßen.
▸**heave to** (*pt, pp* **hove**) *vi* (*NAUT*) beidrehen.
heaven ['hɛvn] *n* Himmel *m*; **thank** ~! Gott sei Dank!; ~ **forbid!** bloß nicht!; **for** ~**'s sake!** um Himmels *or* Gottes willen!
heavenly ['hɛvnlɪ] *adj* himmlisch.
heaven-sent [hɛvn'sɛnt] *adj* ideal.
heavily ['hɛvɪlɪ] *adv* schwer; (*drink, smoke, depend, rely*) stark; (*sleep, sigh*) tief; (*say*) mit schwerer Stimme.
heavy ['hɛvɪ] *adj* schwer; (*clothes*) dick; (*rain, snow, drinker, smoker*) stark; (*build, frame*) kräftig; (*breathing, sleep*) tief; (*schedule, week*) anstrengend; (*weather*) drückend, schwül; **the conversation was** ~ **going** die Unterhaltung war mühsam; **the book was** ~ **going** das Buch las sich schwer.
heavy cream (*US*) *n Sahne mit hohem Fettgehalt*, ≈ Schlagsahne *f*.
heavy-duty ['hɛvɪ'djuːtɪ] *adj* strapazierfähig.
heavy goods vehicle *n* Lastkraftwagen *m*.
heavy-handed ['hɛvɪ'hændɪd] *adj* schwerfällig, ungeschickt.
heavy industry *n* Schwerindustrie *f*.
heavy metal *n* (*MUS*) Heavy metal *nt*.
heavyset ['hɛvɪ'sɛt] (*esp US*) *adj* kräftig gebaut.
heavyweight ['hɛvɪweɪt] *n* (*SPORT*) Schwergewicht *nt*.
Hebrew ['hiːbruː] *adj* hebräisch ♦ *n* (*LING*) Hebräisch *nt*.
Hebrides ['hɛbrɪdiːz] *npl*: **the** ~ die Hebriden *pl*.
heck [hɛk] (*inf*) *interj*: **oh** ~! zum Kuckuck! ♦ *n*: **a** ~ **of a lot** irrsinnig viel.
heckle ['hɛkl] *vt* durch Zwischenrufe stören.
heckler ['hɛklə*] *n* Zwischenrufer(in) *m(f)*, Störer(in) *m(f)*.
hectare ['hɛktɑː*] (*BRIT*) *n* Hektar *nt or m*.
hectic ['hɛktɪk] *adj* hektisch.
hector ['hɛktə*] *vt* tyrannisieren.
he'd [hiːd] = **he would; he had.**
hedge [hɛdʒ] *n* Hecke *f* ♦ *vi* ausweichen, sich nicht festlegen ♦ *vt*: **to** ~ **one's bets** (*fig*) sich absichern; **as a** ~ **against inflation** als Absicherung *or* Schutz gegen die Inflation.
▸**hedge in** *vt* (*person*) (in seiner Freiheit) einschränken; (*proposals etc*) behindern.
hedgehog ['hɛdʒhɔg] *n* Igel *m*.
hedgerow ['hɛdʒrəu] *n* Hecke *f*.
hedonism ['hiːdənɪzəm] *n* Hedonismus *m*.
heed [hiːd] *vt* (*also*: **take** ~ **of**) beachten ♦ *n*: **to pay (no)** ~ **to, take (no)** ~ **of** (nicht) beachten.
heedless ['hiːdlɪs] *adj* achtlos; ~ **of sb/sth** ohne auf jdn/etw zu achten.
heel [hiːl] *n* Ferse *f*; (*of shoe*) Absatz *m* ♦ *vt* (*shoe*) mit einem neuen Absatz versehen; **to bring to** ~ (*dog*) bei Fuß gehen lassen; (*fig: person*) an die Kandare nehmen; **to take to one's** ~**s** (*inf*) sich aus dem Staub machen.
hefty ['hɛftɪ] *adj* kräftig; (*parcel etc*) schwer; (*profit*) ansehnlich.
heifer ['hɛfə*] *n* Färse *f*.
height [haɪt] *n* Höhe *f*; (*of person*) Größe *f*; (*fig: of luxury, good taste etc*) Gipfel *m*; **what** ~ **are you?** wie groß bist du?; **of average** ~ durchschnittlich groß; **to be afraid of** ~**s** nicht schwindelfrei sein; **it's the** ~ **of fashion** das ist die neueste Mode; **at the** ~ **of the tourist season** in der Hauptsaison.
heighten ['haɪtn] *vt* erhöhen.
heinous ['heɪnəs] *adj* abscheulich, verabscheuungswürdig.
heir [ɛə*] *n* Erbe *m*; **the** ~ **to the throne** der Thronfolger.
heir apparent *n* gesetzlicher Erbe *m*.
heiress ['ɛərɛs] *n* Erbin *f*.
heirloom ['ɛəluːm] *n* Erbstück *nt*.
heist [haɪst] (*US: inf*) *n* Raubüberfall *m*.
held [hɛld] *pt, pp of* **hold.**
helicopter ['hɛlɪkɔptə*] *n* Hubschrauber *m*.
heliport ['hɛlɪpɔːt] *n* Hubschrauberflugplatz

m, Heliport *m*.
helium ['hi:lɪəm] *n* Helium *nt*.
hell [hɛl] *n* Hölle *f*; ~! (*inf!*) verdammt! (*inf!*); **a ~ of a lot** (*inf*) verdammt viel (*inf*); **a ~ of a mess** (*inf*) ein wahnsinniges Chaos (*inf*); **a ~ of a noise** (*inf*) ein Höllenlärm *m*; **a ~ of a nice guy** ein wahnsinnig netter Typ.
he'll [hi:l] = **he will; he shall.**
hellbent [hɛl'bɛnt] *adj:* ~ **(on)** versessen (auf *+acc*).
hellish ['hɛlɪʃ] (*inf*) *adj* höllisch.
hello [hə'ləu] *excl* hallo; (*expressing surprise*) nanu, he.
Hell's Angels *npl* Hell's Angels *pl*.
helm [hɛlm] *n* Ruder *nt*, Steuer *nt*; **at the ~** am Ruder.
helmet ['hɛlmɪt] *n* Helm *m*.
helmsman ['hɛlmzmən] (*irreg: like* **man**) *n* Steuermann *m*.
help [hɛlp] *n* Hilfe *f*; (*charwoman*) (Haushalts)hilfe *f* ♦ *vt* helfen *+dat*; **with the ~ of** (*person*) mit (der) Hilfe *+gen*; (*tool etc*) mit Hilfe *+gen*; **to be of ~ to sb** jdm behilflich sein, jdm helfen; **can I ~ you?** (*in shop*) womit kann ich Ihnen dienen?; **~ yourself** bedienen Sie sich; **he can't ~ it** er kann nichts dafür; **I can't ~ thinking that** ... ich kann mir nicht helfen, ich glaube, daß ...
helper ['hɛlpə*] *n* Helfer(in) *m(f)*.
helpful ['hɛlpful] *adj* hilfsbereit; (*advice, suggestion*) nützlich, hilfreich.
helping ['hɛlpɪŋ] *n* Portion *f*.
helping hand *n:* **to give** *or* **lend sb a ~** jdm behilflich sein.
helpless ['hɛlplɪs] *adj* hilflos.
helplessly ['hɛlplɪslɪ] *adv* hilflos.
helpline ['hɛlplaɪn] *n* (*for emergencies*) Notruf *m*; (*for information*) Informationsdienst *m*.
Helsinki ['hɛlsɪŋkɪ] *n* Helsinki *nt*.
helter-skelter ['hɛltə'skɛltə*] (*BRIT*) *n* Rutschbahn *f*.
hem [hɛm] *n* Saum *m* ♦ *vt* säumen.
▸**hem in** *vt* einschließen, umgeben; **to feel ~med in** (*fig*) sich eingeengt fühlen.
hematology ['hi:mə'tɔlədʒɪ] (*US*) *n* = **haematology.**
hemisphere ['hɛmɪsfɪə*] *n* Hemisphäre *f*; (*of sphere*) Halbkugel *f*.
hemlock ['hɛmlɔk] *n* Schierling *m*.
hemoglobin ['hi:mə'gləubɪn] (*US*) *n* = **haemoglobin.**
hemophilia ['hi:mə'fɪlɪə] (*US*) *n* = **haemophilia.**
hemorrhage ['hɛmərɪdʒ] (*US*) *n* = **haemorrhage.**
hemorrhoids ['hɛmərɔɪdz] (*US*) *npl* = **haemorrhoids.**
hemp [hɛmp] *n* Hanf *m*.
hen [hɛn] *n* Henne *f*, Huhn *nt*; (*female bird*) Weibchen *nt*.
hence [hɛns] *adv* daher; **2 years ~** in zwei Jahren.
henceforth [hɛns'fɔ:θ] *adv* von nun an; (*from that time on*) von da an.
henchman ['hɛntʃmən] (*irreg: like* **man**) (*pej*) *n* Spießgeselle *m*.
henna ['hɛnə] *n* Henna *nt*.
hen night, hen party (*inf*) *n* Damenkränzchen *nt*.

> *Als* **hen night** *bezeichnet man eine feuchtfröhliche Frauenparty, die kurz vor einer Hochzeit von der Braut und ihren Freundinnen meist in einem Gasthaus oder Nachtklub abgehalten wird, und bei der die Freundinnen dafür sorgen, daß vor allem die Braut große Mengen an Alkohol konsumiert. Siehe auch* **stag night**.

henpecked ['hɛnpɛkt] *adj:* **to be ~** unter dem Pantoffel stehen; ~ **husband** Pantoffelheld *m*.
hepatitis [hɛpə'taɪtɪs] *n* Hepatitis *f*.
her [hə:*] *pron* sie; (*indirect*) ihr ♦ *adj* ihr; **I see ~** ich sehe sie; **give ~ a book** gib ihr ein Buch; **after ~** nach ihr; *see also* **me; my.**
herald ['hɛrəld] *n* (Vor)bote *m* ♦ *vt* ankündigen.
heraldic [hɛ'rældɪk] *adj* heraldisch, Wappen-.
heraldry ['hɛrəldrɪ] *n* Wappenkunde *f*, Heraldik *f*; (*coats of arms*) Wappen *pl*.
herb [hə:b] *n* Kraut *nt*.
herbaceous [hə:'beɪʃəs] *adj:* ~ **border** Staudenrabatte *f*; ~ **plant** Staude *f*.
herbal ['hə:bl] *adj* (*tea, medicine*) Kräuter-.
herbicide ['hə:bɪsaɪd] *n* Unkrautvertilgungsmittel *nt*, Herbizid *nt*.
herd [hə:d] *n* Herde *f*; (*of wild animals*) Rudel *nt* ♦ *vt* treiben; (*gather*) zusammentreiben; **~ed together** zusammengetrieben.
here [hɪə*] *adv* hier; **she left ~ yesterday** sie ist gestern von hier abgereist; **~ is/are...** hier ist/sind...; **~ you are** (*giving*) (hier,) bitte; **~ we are!** (*finding sth*) da ist es ja!; **~ she is!** da ist sie ja!; **~ she comes** da kommt sie ja; **come ~!** komm hierher *or* hierhin!; **~ and there** hier und da; **"~'s to ..."** „auf ... *acc*".
hereabouts ['hɪərə'bauts] *adv* hier.
hereafter [hɪər'ɑ:ftə*] *adv* künftig.
hereby [hɪə'baɪ] *adv* hiermit.
hereditary [hɪ'rɛdɪtrɪ] *adj* erblich, Erb-.
heredity [hɪ'rɛdɪtɪ] *n* Vererbung *f*.
heresy ['hɛrəsɪ] *n* Ketzerei *f*.
heretic ['hɛrətɪk] *n* Ketzer(in) *m(f)*.
heretical [hɪ'rɛtɪkl] *adj* ketzerisch.
herewith [hɪə'wɪð] *adv* hiermit.
heritage ['hɛrɪtɪdʒ] *n* Erbe *nt*; **our national ~** unser nationales Erbe.
hermetically [hə:'mɛtɪklɪ] *adv:* ~ **sealed** hermetisch verschlossen.
hermit ['hə:mɪt] *n* Einsiedler(in) *m(f)*.
hernia ['hə:nɪə] *n* Bruch *m*.

hero ['hɪərəu] (*pl* ~**es**) *n* Held *m*; (*idol*) Idol *nt*.
heroic [hɪ'rəuɪk] *adj* heroisch; (*figure, person*) heldenhaft.
heroin ['hɛrəuɪn] *n* Heroin *nt*.
heroin addict *n* Heroinsüchtige(r) *f(m)*.
heroine ['hɛrəuɪn] *n* Heldin *f*; (*idol*) Idol *nt*.
heroism ['hɛrəuɪzəm] *n* Heldentum *nt*.
heron ['hɛrən] *n* Reiher *m*.
hero worship *n* Heldenverehrung *f*.
herring ['hɛrɪŋ] *n* Hering *m*.
hers [hə:z] *pron* ihre(r, s); **a friend of** ~ ein Freund von ihr; **this is** ~ das gehört ihr; *see also* **mine.**
herself [hə:'sɛlf] *pron* sich; (*emphatic*) (sie) selbst; *see also* **oneself.**
Herts [hɑ:ts] (*BRIT*) *abbr* (*POST:* = *Hertfordshire*).
he's [hi:z] = **he is; he has.**
hesitant ['hɛzɪtənt] *adj* zögernd; **to be** ~ **about doing sth** zögern, etw zu tun.
hesitate ['hɛzɪteɪt] *vi* zögern; (*be unwilling*) Bedenken haben; **to** ~ **about** Bedenken haben wegen; **don't** ~ **to see a doctor if you are worried** gehen Sie ruhig zum Arzt, wenn Sie sich Sorgen machen.
hesitation [hɛzɪ'teɪʃən] *n* Zögern *nt*; Bedenken *pl*; **to have no** ~ **in saying sth** etw ohne weiteres sagen können.
hessian ['hɛsɪən] *n* Sackleinwand *f*, Rupfen *m*.
heterogenous [hɛtə'rɔdʒɪnəs] *adj* heterogen.
heterosexual ['hɛtərəu'sɛksjuəl] *adj* heterosexuell ♦ *n* Heterosexuelle(r) *f(m)*.
het up [hɛt-] (*inf*) *adj:* **to get** ~ **(about)** sich aufregen (über *+acc*).
HEW (*US*) *n abbr* (= *Department of Health, Education and Welfare*) *Ministerium für Gesundheit, Erziehung und Sozialfürsorge*.
hew [hju:] (*pt, pp* **hewed** *or* **hewn**) *vt* (*stone*) behauen; (*wood*) hacken.
hex [hɛks] (*US*) *n* Fluch *m* ♦ *vt* verhexen.
hexagon ['hɛksəgən] *n* Sechseck *nt*.
hexagonal [hɛk'sægənl] *adj* sechseckig.
hey [heɪ] *excl* he; (*to attract attention*) he du/Sie.
heyday ['heɪdeɪ] *n:* **the** ~ **of** (*person*) die Glanzzeit *+gen*; (*nation, group etc*) die Blütezeit *+gen*.
HF *n abbr* (= *high frequency*) HF.
HGV (*BRIT*) *n abbr* (= *heavy goods vehicle*) LKW *m*.
HI (*US*) *abbr* (*POST:* = *Hawaii*).
hi [haɪ] *excl* hallo.
hiatus [haɪ'eɪtəs] *n* Unterbrechung *f*.
hibernate ['haɪbəneɪt] *vi* Winterschlaf halten *or* machen.
hibernation [haɪbə'neɪʃən] *n* Winterschlaf *m*.
hiccough ['hɪkʌp] *vi* hicksen.
hiccoughs ['hɪkʌps] *npl* Schluckauf *m*; **to have (the)** ~ den Schluckauf haben.
hiccup ['hɪkʌp] *vi* = **hiccough.**
hiccups ['hɪkʌps] *npl* = **hiccoughs.**
hick [hɪk] (*US: inf*) *n* Hinterwäldler *m*.
hid [hɪd] *pt of* **hide.**
hidden ['hɪdn] *pp of* **hide** ♦ *adj* (*advantage, danger*) unsichtbar; (*place*) versteckt; **there are no** ~ **extras** es gibt keine versteckten Extrakosten.
hide [haɪd] (*pt* **hid,** *pp* **hidden**) *n* Haut *f*, Fell *nt*; (*of birdwatcher etc*) Versteck *nt* ♦ *vt* verstecken; (*feeling, information*) verbergen; (*obscure*) verdecken ♦ *vi:* **to** ~ **(from sb)** sich (vor jdm) verstecken; **to** ~ **sth (from sb)** etw (vor jdm) verstecken.
hide-and-seek ['haɪdən'si:k] *n* Versteckspiel *nt*; **to play** ~ Verstecken spielen.
hideaway ['haɪdəweɪ] *n* Zufluchtsort *m*.
hideous ['hɪdɪəs] *adj* scheußlich; (*conditions*) furchtbar.
hideously ['hɪdɪəslɪ] *adv* furchtbar.
hide-out ['haɪdaut] *n* Versteck *nt*.
hiding ['haɪdɪŋ] *n* Tracht *f* Prügel; **to be in** ~ (*concealed*) sich versteckt halten.
hiding place *n* Versteck *nt*.
hierarchy ['haɪərɑ:kɪ] *n* Hierarchie *f*.
hieroglyphic [haɪərə'glɪfɪk] *adj* hieroglyphisch.
hieroglyphics [haɪərə'glɪfɪks] *npl* Hieroglyphen *pl*.
hi-fi ['haɪfaɪ] *n abbr* (= *high fidelity*) Hi-Fi *nt* ♦ *adj* (*equipment etc*) Hi-Fi-.
higgledy-piggledy ['hɪgldɪ'pɪgldɪ] *adj* durcheinander.
high [haɪ] *adj* hoch; (*wind*) stark; (*risk*) groß; (*quality*) gut; (*inf: on drugs*) high; (*: on drink*) blau; (*BRIT: food*) schlecht; (*: game*) anbrüchig ♦ *adv* hoch ♦ *n:* **exports have reached a new** ~ der Export hat einen neuen Höchststand erreicht; **to pay a** ~ **price for sth** etw teuer bezahlen; **it's** ~ **time you did it** es ist *or* wird höchste Zeit, daß du es machst; ~ **in the air** hoch oben in der Luft.
highball ['haɪbɔ:l] (*US*) *n* Highball *m*.
highboy ['haɪbɔɪ] (*US*) *n* hohe Kommode *f*.
highbrow ['haɪbrau] *adj* intellektuell; (*book, discussion etc*) anspruchsvoll.
highchair ['haɪtʃɛə*] *n* Hochstuhl *m*.
high-class ['haɪ'klɑ:s] *adj* erstklassig; (*neighbourhood*) vornehm.

High Court *ist in England und Wales die Kurzform für High Court of Justice und bildet zusammen mit dem Berufungsgericht den Obersten Gerichtshof. In Schottland ist es die Kurzform für High Court of Justiciary, das höchste Strafgericht in Schottland, das in Edinburgh und anderen Großstädten (immer mit Richter und Geschworenen) zusammentritt und für Verbrechen wie Mord, Vergewaltigung und Hochverrat zuständig ist. Weniger schwere Verbrechen werden vor dem sheriff court verhandelt, und leichtere Vergehen vor dem district court.*

higher ['haɪə*] *adj* (*form of study, life etc*) höher

(entwickelt) ♦ *adv* höher.
higher education *n* Hochschulbildung *f.*
highfalutin [haɪfə'lu:tɪn] (*inf*) *adj* (*behaviour, ideas*) hochtrabend.
high finance *n* Hochfinanz *f.*
high-flier, high-flyer [haɪ'flaɪə*] *n* Senkrechtstarter(in) *m(f).*
high-flying [haɪ'flaɪɪŋ] *adj* (*person*) erfolgreich; (*lifestyle*) exklusiv.
high-handed [haɪ'hændɪd] *adj* eigenmächtig.
high-heeled [haɪ'hi:ld] *adj* hochhackig.
high heels *npl* hochhackige Schuhe *pl.*
high jump *n* Hochsprung *m.*
Highlands ['haɪləndz] *npl*: **the ~** das Hochland.
high-level ['haɪlɛvl] *adj* (*talks etc*) auf höchster Ebene; **~ language** (*COMPUT*) höhere Programmiersprache *f.*
highlight ['haɪlaɪt] *n* (*of event*) Höhepunkt *m*; (*in hair*) Strähnchen *nt* ♦ *vt* (*problem, need*) ein Schlaglicht werfen auf *+acc.*
highlighter ['haɪlaɪtə*] *n* Textmarker *m.*
highly ['haɪlɪ] *adv* hoch-; **to speak ~ of** sich sehr positiv äußern über *+acc*; **to think ~ of** eine hohe Meinung haben von.
highly strung *adj* nervös.
High Mass *n* Hochamt *nt.*
highness ['haɪnɪs] *n*: **Her/His/Your H~** Ihre/ Seine/Eure Hoheit *f.*
high-pitched [haɪ'pɪtʃt] *adj* hoch.
high point *n* Höhepunkt *m.*
high-powered ['haɪ'pauəd] *adj* (*engine*) Hochleistungs-; (*job*) Spitzen-; (*businessman*) dynamisch; (*person*) äußerst fähig; (*course*) anspruchsvoll.
high-pressure ['haɪprɛʃə*] *adj* (*area, system*) Hochdruck-; (*inf: sales technique*) aggressiv.
high-rise ['haɪraɪz] *adj* (*apartment, block*) Hochhaus-; **~ building/flats** Hochhaus *nt.*
high school *n* ≈ Oberschule *f.*

> **High school** *ist eine weiterführende Schule in den USA. Man unterscheidet zwischen* **junior high school** *(im Anschluß an die Grundschule, umfaßt das 7., 8. und 9. Schuljahr) und* **senior high school** *(10., 11. und 12. Schuljahr, mit akademischen und berufsbezogenen Fächern). Weiterführende Schulen in Großbritannien werden manchmal auch als high school bezeichnet. Siehe auch* **elementary school**.

high season (*BRIT*) *n* Hochsaison *f.*
high spirits *npl* Hochstimmung *f.*
high street (*BRIT*) *n* Hauptstraße *f.*
high strung (*US*) *adj* = **highly strung.**
high tide *n* Flut *f.*
highway ['haɪweɪ] (*US*) *n* Straße *f*; (*between towns, states*) Landstraße *f*; **information ~** Datenautobahn *f.*
Highway Code (*BRIT*) *n* Straßenverkehrsordnung *f.*
highwayman ['haɪweɪmən] (*irreg: like* **man**) *n* Räuber *m*, Wegelagerer *m.*
hijack ['haɪdʒæk] *vt* entführen ♦ *n* (*also*: **~ing**) Entführung *f.*
hijacker ['haɪdʒækə*] *n* Entführer(in) *m(f).*
hike [haɪk] *vi* wandern ♦ *n* Wanderung *f*; (*inf: in prices etc*) Erhöhung *f* ♦ *vt* (*inf*) erhöhen.
hiker ['haɪkə*] *n* Wanderer *m*, Wanderin *f.*
hiking ['haɪkɪŋ] *n* Wandern *nt.*
hilarious [hɪ'lɛərɪəs] *adj* urkomisch.
hilarity [hɪ'lærɪtɪ] *n* übermütige Ausgelassenheit *f.*
hill [hɪl] *n* Hügel *m*; (*fairly high*) Berg *m*; (*slope*) Hang *m*; (*on road*) Steigung *f.*
hillbilly ['hɪlbɪlɪ] (*US*) *n* Hillbilly *m*; (*pej*) Hinterwäldler(in) *m(f)*, Landpomeranze *f.*
hillock ['hɪlək] *n* Hügel *m*, Anhöhe *f.*
hillside ['hɪlsaɪd] *n* Hang *m.*
hill start *n* (*AUT*) Anfahren *nt* am Berg.
hilltop ['hɪltɔp] *n* Gipfel *m.*
hilly ['hɪlɪ] *adj* hügelig.
hilt [hɪlt] *n* (*of sword, knife*) Heft *nt*; **to the ~** voll und ganz.
him [hɪm] *pron* ihn; (*indirect*) ihm; *see also* **me.**
Himalayas [hɪmə'leɪəz] *npl*: **the ~** der Himalaja.
himself [hɪm'sɛlf] *pron* sich; (*emphatic*) (er) selbst; *see also* **oneself.**
hind [haɪnd] *adj* (*legs*) Hinter- ♦ *n* (*female deer*) Hirschkuh *f.*
hinder ['hɪndə*] *vt* behindern; **to ~ sb from doing sth** jdn daran hindern, etw zu tun.
hindquarters ['haɪnd'kwɔ:təz] *npl* Hinterteil *nt.*
hindrance ['hɪndrəns] *n* Behinderung *f.*
hindsight ['haɪndsaɪt] *n*: **with ~** im nachhinein.
Hindu ['hɪndu:] *adj* hinduistisch, Hindu-.
hinge [hɪndʒ] *n* (*on door*) Angel *f* ♦ *vi*: **to ~ on** anhängen von.
hint [hɪnt] *n* Andeutung *f*; (*advice*) Tip *m*; (*sign, glimmer*) Spur *f* ♦ *vt*: **to ~ that** andeuten, daß ♦ *vi*: **to ~ at** andeuten; **to drop a ~** eine Andeutung machen; **give me a ~** geben Sie mir einen Hinweis; **white with a ~ of pink** weiß mit einem Hauch von Rosa.
hip [hɪp] *n* Hüfte *f.*
hip flask *n* Taschenflasche *f*, Flachmann *m* (*inf*).
hip-hop ['hɪphɔp] *n* Hip-Hop *nt.*
hippie ['hɪpɪ] *n* Hippie *m.*
hippo ['hɪpəu] *n* Nilpferd *nt.*
hip pocket *n* Gesäßtasche *f.*
hippopotamus [hɪpə'pɔtəməs] (*pl* **~es** *or* **hippopotami**) *n* Nilpferd *nt.*
hippy ['hɪpɪ] *n* = **hippie.**
hire ['haɪə*] *vt* (*BRIT*) mieten; (*worker*) einstellen ♦ *n* (*BRIT*) Mieten *nt*; **for ~** (*taxi*) frei; (*boat*) zu vermieten; **on ~** gemietet.
►**hire out** *vt* vermieten.
hire(d) car (*BRIT*) *n* Mietwagen *m*, Leihwagen *m.*
hire-purchase [haɪə'pɑ:tʃɪs] (*BRIT*) *n*

Ratenkauf *m*; **to buy sth on ~** etw auf Raten kaufen.
his [hɪz] *pron* seine(r, s) ♦ *adj* sein; *see also* **my; mine.**
hiss [hɪs] *vi* zischen; (*cat*) fauchen ♦ *n* Zischen *nt*; (*of cat*) Fauchen *nt*.
histogram ['hɪstəgræm] *n* Histogramm *nt*.
historian [hɪ'stɔːrɪən] *n* Historiker(in) *m(f)*.
historic [hɪ'stɔrɪk] *adj* historisch.
historical [hɪ'stɔrɪkl] *adj* historisch.
history ['hɪstərɪ] *n* Geschichte *f*; **there's a ~ of heart disease in his family** Herzleiden liegen bei ihm in der Familie; **medical ~** Krankengeschichte *f*.
hit [hɪt] (*pt, pp* **hit**) *vt* schlagen; (*reach, affect*) treffen; (*vehicle: another vehicle*) zusammenstoßen mit; (: *wall, tree*) fahren gegen; (: : *more violently*) prallen gegen; (: *person*) anfahren ♦ *n* Schlag *m*; (*success*) Erfolg *m*; (*song*) Hit *m*; **to ~ it off with sb** sich gut mit jdm verstehen; **to ~ the headlines** Schlagzeilen machen; **to ~ the road** (*inf*) sich auf den Weg *or* die Socken (*inf*) machen; **to ~ the roof** (*inf*) an die Decke *or* in die Luft gehen.
▸**hit back** *vi*: **to ~ back at sb** jdn zurückschlagen; (*fig*) jdm Kontra geben.
▸**hit out at** *vt fus* auf jdn losschlagen; (*fig*) jdn scharf angreifen.
▸**hit (up)on** *vt fus* stoßen auf *+acc*, finden.
hit-and-miss ['hɪtən'mɪs] *adj* = **hit-or-miss.**
hit-and-run driver ['hɪtən'rʌn-] *n* unfallflüchtiger Fahrer *m*, unfallflüchtige Fahrerin *f*.
hitch [hɪtʃ] *vt* festmachen, anbinden; (*also*: **~ up**: *trousers, skirt*) hochziehen ♦ *n* Schwierigkeit *f*, Problem *nt*; **to ~ a lift** trampen, per Anhalter fahren; **technical ~** technische Panne *f*.
▸**hitch up** *vt* anspannen; *see also* **hitch.**
hitchhike ['hɪtʃhaɪk] *vi* trampen, per Anhalter fahren.
hitchhiker ['hɪtʃhaɪkə*] *n* Tramper(in) *m(f)*, Anhalter(in) *m(f)*.
hi-tech ['haɪ'tɛk] *adj* High-Tech-, hochtechnisiert ♦ *n* High-Tech *nt*, Hochtechnologie *f*.
hitherto [hɪðə'tuː] *adv* bisher, bis jetzt.
•**hit list** *n* Abschußliste *f*.
hit man (*inf*) *n* Killer *m*.
hit-or-miss ['hɪtə'mɪs] *adj* ungeplant; **to be a ~ affair** eine unsichere Sache sein; **it's ~ whether** ... es ist nicht zu sagen, ob ...
hit parade *n* Hitparade *f*.
HIV *n abbr* (= *human immunodeficiency virus*) HIV; **~-negative** HIV-negativ; **~-positive** HIV-positiv.
hive [haɪv] *n* Bienenkorb *m*; **to be a ~ of activity** einem Bienenhaus gleichen.
▸**hive off** (*inf*) *vt* ausgliedern, abspalten.
hl *abbr* (= *hectolitre*) hl.
HM *abbr* (= *His/Her Majesty*) S./I.M.
HMG (*BRIT*) *abbr* (= *His/Her Majesty's Government*) die Regierung Seiner/Ihrer Majestät.
HMI (*BRIT*) *n abbr* (*SCOL*: = *His/Her Majesty's Inspector*) *regierungsamtlicher Schulaufsichtsbeauftragter.*
HMO (*US*) *n abbr* (= *health maintenance organization*) *Organisation zur Gesundheitsfürsorge.*
HMS (*BRIT*) *abbr* (= *His (or Her) Majesty's Ship*) *Namensteil von Schiffen der Kriegsmarine.*
HMSO (*BRIT*) *n abbr* (= *His (or Her) Majesty's Stationery Office*) *regierungsamtliche Druckerei.*
HNC (*BRIT*) *n abbr* (= *Higher National Certificate*) *Berufsschulabschluß.*
HND (*BRIT*) *n abbr* (= *Higher National Diploma*) *Qualifikationsnachweis in technischen Fächern.*
hoard [hɔːd] *n* (*of food*) Vorrat *m*; (*of money, treasure*) Schatz *m* ♦ *vt* (*food*) hamstern; (*money*) horten.
hoarding ['hɔːdɪŋ] (*BRIT*) *n* Plakatwand *f*.
hoarfrost ['hɔːfrɔst] *n* (Rauh)reif *m*.
hoarse [hɔːs] *adj* heiser.
hoax [həuks] *n* (*false alarm*) blinder Alarm *m*.
hob [hɔb] *n* Kochmulde *f*.
hobble ['hɔbl] *vi* humpeln.
hobby ['hɔbɪ] *n* Hobby *nt*, Steckenpferd *nt*.
hobbyhorse ['hɔbɪhɔːs] *n* (*fig*) Lieblingsthema *nt*.
hobnail boot ['hɔbneɪl-] *n* Nagelschuh *m*.
hobnob ['hɔbnɔb] *vi*: **to ~ with** auf du und du stehen mit.
hobo ['həubəu] (*US*) *n* Penner *m* (*inf*).
hock [hɔk] *n* (*BRIT*) weißer Rheinwein *m*; (*of animal*) Sprunggelenk *nt*; (*US: CULIN*) Gelenkstück *nt*; (*inf*): **to be in ~** (*person: in debt*) in Schulden stecken; (*object*) verpfändet *or* im Leihhaus sein.
hockey ['hɔkɪ] *n* Hockey *nt*.
hocus-pocus ['həukəs'pəukəs] *n* Hokuspokus *m*; (*trickery*) faule Tricks *pl*; (*jargon*) Jargon *m*.
hod [hɔd] *n* (*for bricks etc*) Tragemulde *f*.
hodgepodge ['hɔdʒpɔdʒ] (*US*) *n* = **hotchpotch.**
hoe [həu] *n* Hacke *f* ♦ *vt* hacken.
hog [hɔg] *n* (Mast)schwein *nt* ♦ *vt* (*road*) für sich beanspruchen; (*telephone etc*) in Beschlag nehmen; **to go the whole ~** Nägel mit Köpfen machen.
Hogmanay [hɔgmə'neɪ] (*SCOT*) *n* Silvester *nt*.
hogwash ['hɔgwɔʃ] (*inf*) *n* (*nonsense*) Quatsch *m*.
ho hum ['həu'hʌm] *interj* na gut.
hoist [hɔɪst] *n* Hebevorrichtung *f* ♦ *vt* hochheben; (*flag, sail*) hissen.
hoity-toity [hɔɪtɪ'tɔɪtɪ] (*inf: pej*) *adj* hochnäsig.
hold [həuld] (*pt, pp* **held**) *vt* halten; (*contain*) enthalten; (*power, qualification*) haben; (*opinion*) vertreten; (*meeting*) abhalten;

(*conversation*) führen; (*prisoner, hostage*) festhalten ♦ *vi* halten; (*be valid*) gelten; (*weather*) sich halten ♦ *n* (*grasp*) Griff *m*; (*of ship, plane*) Laderaum *m*; **to ~ one's head up** den Kopf hochhalten; **to ~ sb responsible/liable** *etc* jdn verantwortlich/haftbar *etc* machen; **~ the line!** (*TEL*) bleiben Sie am Apparat!; **~ it!** Moment mal!; **to ~ one's own** sich behaupten; **he ~s the view that ...** er ist der Meinung *or* er vertritt die Ansicht, daß ...; **to ~ firm** *or* **fast** halten; **~ still!, ~ steady!** stillhalten!; **his luck held** das Glück blieb ihm treu; **I don't ~ with ...** ich bin gegen ...; **to catch** *or* **get (a) ~ of** sich festhalten an *+dat*; **to get ~ of** (*fig*) finden, auftreiben; **to get ~ of o.s.** sich in den Griff bekommen; **to have a ~ over** in der Hand haben.

▸**hold back** *vt* zurückhalten; (*tears, laughter*) unterdrücken; (*secret*) verbergen; (*information*) geheimhalten.

▸**hold down** *vt* niederhalten; (*job*) sich halten in *+dat*.

▸**hold forth** *vi*: **to ~ forth (about)** sich ergehen *or* sich auslassen (über *+acc*).

▸**hold off** *vt* abwehren ♦ *vi*: **if the rain ~s off** wenn es nicht regnet.

▸**hold on** *vi* sich festhalten; (*wait*) warten; **~ on!** (*TEL*) einen Moment bitte!

▸**hold on to** *vt fus* sich festhalten an; (*keep*) behalten.

▸**hold out** *vt* (*hand*) ausstrecken; (*hope*) haben; (*prospect*) bieten ♦ *vi* nicht nachgeben.

▸**hold over** *vt* vertagen.

▸**hold up** *vt* hochheben; (*support*) stützen; (*delay*) aufhalten; (*rob*) überfallen.

holdall ['həuldɔːl] (*BRIT*) *n* Tasche *f*; (*for clothes*) Reisetasche *f*.

holder ['həuldə*] *n* Halter *m*; (*of ticket, record, office, title etc*) Inhaber(in) *m(f)*.

holding ['həuldɪŋ] *n* (*share*) Anteil *m*; (*small farm*) Gut *nt* ♦ *adj* (*operation, tactic*) zur Schadensbegrenzung.

holding company *n* Dachgesellschaft *f*, Holdinggesellschaft *f*.

hold-up ['həuldʌp] *n* bewaffneter Raubüberfall *m*; (*delay*) Verzögerung *f*; (*BRIT: in traffic*) Stockung *f*.

hole [həul] *n* Loch *nt*; (*unpleasant town*) Kaff *nt* (*inf*) ♦ *vt* (*ship*) leck schlagen; (*building etc*) durchlöchern; **~ in the heart** Loch im Herz(en); **to pick ~s** (*fig*) (über)kritisch sein; **to pick ~s in sth** (*fig*) an etw *dat* herumkritisieren.

▸**hole up** *vi* sich verkriechen.

holiday ['hɔlɪdeɪ] *n* (*BRIT*) Urlaub *m*; (*SCOL*) Ferien *pl*; (*day off*) freier Tag *m*; (*public holiday*) Feiertag *m*; **on ~** im Urlaub, in den Ferien.

holiday camp (*BRIT*) *n* (*also*: **holiday centre**) Feriendorf *nt*.

holiday-maker ['hɔlɪdɪmeɪkə*] (*BRIT*) *n* Urlauber(in) *m(f)*.

holiday pay *n* *Lohn-/Gehaltsfortzahlung während des Urlaubs.*

holiday resort *n* Ferienort *m*.

holiday season *n* Urlaubszeit *f*.

holiness ['həulɪnɪs] *n* Heiligkeit *f*.

holistic [həu'lɪstɪk] *adj* holistisch.

Holland ['hɔlənd] *n* Holland *nt*.

holler ['hɔlə*] (*inf*) *vi* brüllen ♦ *n* Schrei *m*.

hollow ['hɔləu] *adj* hohl; (*eyes*) tiefliegend; (*laugh*) unecht; (*sound*) dumpf; (*fig*) leer; (: *victory, opinion*) wertlos ♦ *n* Vertiefung *f* ♦ *vt*: **to ~ out** aushöhlen.

holly ['hɔlɪ] *n* Stechpalme *f*, Ilex *m*; (*leaves*) Stechpalmenzweige *pl*.

hollyhock ['hɔlɪhɔk] *n* Malve *f*.

holocaust ['hɔləkɔːst] *n* Inferno *nt*; (*in Third Reich*) Holocaust *m*.

hologram ['hɔləgræm] *n* Hologramm *nt*.

hols [hɔlz] (*inf*) *npl* Ferien *pl*.

holster ['həulstə*] *n* Pistolenhalfter *m or nt*.

holy ['həulɪ] *adj* heilig.

Holy Communion *n* Heilige Kommunion *f*.

Holy Father *n* Heiliger Vater *m*.

Holy Ghost *n* Heiliger Geist *m*.

Holy Land *n*: **the ~** das Heilige Land.

holy orders *npl* Priesterweihe *f*.

Holy Spirit *n* Heiliger Geist *m*.

homage ['hɔmɪdʒ] *n* Huldigung *f*; **to pay ~ to** huldigen *+dat*.

home [həum] *n* Heim *nt*; (*house, flat*) Zuhause *nt*; (*area, country*) Heimat *f*; (*institution*) Anstalt *f* ♦ *cpd* Heim-; (*ECON, POL*) Innen- ♦ *adv* (*go etc*) nach Hause, heim; **at ~** zu Hause; (*in country*) im Inland; **to be** *or* **feel at ~** (*fig*) sich wohl fühlen; **make yourself at ~** machen Sie es sich *dat* gemütlich *or* bequem; **to make one's ~ somewhere** sich irgendwo niederlassen; **the ~ of free enterprise/jazz** *etc* die Heimat des freien Unternehmertums/Jazz *etc*; **when will you be ~?** wann bist du wieder zu Hause?; **a ~ from ~** ein zweites Zuhause *nt*; **~ and dry** aus dem Schneider; **to drive a nail ~** einen Nagel einschlagen; **to bring sth ~ to sb** jdm etw klarmachen.

▸**home in on** *vt fus* (*missiles*) sich ausrichten auf *+acc*.

home address *n* Heimatanschrift *f*.

home-brew [həum'bruː] *n* selbstgebrautes Bier *nt*.

homecoming ['həumkʌmɪŋ] *n* Heimkehr *f*.

home computer *n* Heimcomputer *m*.

Home Counties (*BRIT*) *npl*: **the ~** *die Grafschaften, die an London angrenzen.*

home economics *n* Hauswirtschaft(slehre) *f*.

home ground *n* (*SPORT*) eigener Platz *m*; **to be on ~** (*fig*) sich auf vertrautem Terrain bewegen.

home-grown ['həumgrəun] *adj* (*not foreign*)

einheimisch; (*from garden*) selbstgezogen.
home help *n* Haushaltshilfe *f*.
homeland ['həumlænd] *n* Heimat *f*, Heimatland *nt*.
homeless ['həumlɪs] *adj* obdachlos; (*refugee*) heimatlos.
home loan *n* Hypothek *f*.
homely ['həumlɪ] *adj* einfach; (*US: plain*) unscheinbar.
home-made [həum'meɪd] *adj* selbstgemacht.
Home Office (*BRIT*) *n* Innenministerium *nt*.
homeopath ['həumɪəupæθ] (*US*) *n* = **homoeopath**.
homeopathy [həumɪ'ɔpəθɪ] (*US*) *n* = **homoeopathy**.
home rule *n* Selbstbestimmung *f*, Selbstverwaltung *f*.
Home Secretary (*BRIT*) *n* Innenminister(in) *m(f)*.
homesick ['həumsɪk] *adj* heimwehkrank; **to be** ~ Heimweh haben.
homestead ['həumstɛd] *n* Heimstätte *f*; (*farm*) Gehöft *nt*.
home town *n* Heimatstadt *f*.
home truth *n* bittere Wahrheit *f*; **to tell sb some ~s** jdm deutlich die Meinung sagen.
homeward ['həumwəd] *adj* (*journey*) Heim- ♦ *adv* = **homewards**.
homewards ['həumwədz] *adv* nach Hause, heim.
homework ['həumwəːk] *n* Hausaufgaben *pl*.
homicidal [hɔmɪ'saɪdl] *adj* gemeingefährlich.
homicide ['hɔmɪsaɪd] (*US*) *n* Mord *m*.
homily ['hɔmɪlɪ] *n* Predigt *f*.
homing ['həumɪŋ] *adj* (*device, missile*) mit Zielsucheinrichtung; ~ **pigeon** Brieftaube *f*.
homoeopath, (*US*) **homeopath** ['həumɪəupæθ] *n* Homöopath(in) *m(f)*.
homoeopathy, (*US*) **homeopathy** [həumɪ'ɔpəθɪ] *n* Homöopathie *f*.
homogeneous [hɔməu'dʒiːnɪəs] *adj* homogen.
homogenize [hə'mɔdʒənaɪz] *vt* homogenisieren.
homosexual [hɔməu'sɛksjuəl] *adj* homosexuell ♦ *n* Homosexuelle(r) *f(m)*.
Hon. *abbr* = **honourable; honorary.**
Honduras [hɔn'djuərəs] *n* Honduras *nt*.
hone [həun] *n* Schleifstein *m* ♦ *vt* schleifen; (*fig: groom*) erziehen.
honest ['ɔnɪst] *adj* ehrlich; (*trustworthy*) redlich; (*sincere*) aufrichtig; **to be quite ~ with you** ... um ehrlich zu sein, ...
honestly ['ɔnɪstlɪ] *adv* (*see adj*) ehrlich; redlich; aufrichtig.
honesty ['ɔnɪstɪ] *n* (*see adj*) Ehrlichkeit *f*; Redlichkeit *f*; Aufrichtigkeit *f*.
honey ['hʌnɪ] *n* Honig *m*; (*US: inf*) Schätzchen *nt*.
honeycomb ['hʌnɪkəum] *n* Bienenwabe *f*; (*pattern*) Wabe *f* ♦ *vt*: **to ~ with** durchlöchern mit.
honeymoon ['hʌnɪmuːn] *n* Flitterwochen *pl*; (*trip*) Hochzeitsreise *f*.
honeysuckle ['hʌnɪsʌkl] *n* Geißblatt *nt*.
Hong Kong ['hɔŋ'kɔŋ] *n* Hongkong *nt*.
honk [hɔŋk] *vi* (*AUT*) hupen.
Honolulu [hɔnə'luːluː] *n* Honolulu *nt*.
honor *etc* ['ɔnə*] (*US*) = **honour** *etc*.
honorary ['ɔnərərɪ] *adj* ehrenamtlich; (*title, degree*) Ehren-.
honour, (*US*) **honor** ['ɔnə*] *vt* ehren; (*commitment, promise*) stehen zu ♦ *n* Ehre *f*; (*tribute*) Auszeichnung *f*; **in ~ of** zu Ehren von *or* +*gen*.
honourable ['ɔnərəbl] *adj* (*person*) ehrenwert; (*action, defeat*) ehrenvoll.
honour-bound ['ɔnə'baund] *adj*: **to be ~ to do sth** moralisch verpflichtet sein, etw zu tun.
honours degree ['ɔnəz-] *n* *akademischer Grad mit Prüfung im Spezialfach.*

Honours Degree *ist ein Universitätsabschluß mit einer guten Note, also der Note I (first class), II:1 (upper second class), II:2 (lower second class) oder III (third class). Wer ein honours degree erhalten hat, darf die Abkürzung* **Hons** *nach seinem Namen und Titel führen, z.B. Mary Smith BA Hons. Heute sind fast alle Universitätsabschlüsse in Großbritannien honours degrees. Siehe auch* **ordinary degree**.

honours list *n* *Liste verliehener/zu verleihender Ehrentitel.*

Honours List *ist eine Liste von Adelstiteln und Orden, die der britische Monarch zweimal jährlich (zu Neujahr und am offiziellen Geburtstag des Monarchen) an Bürger in Großbritannien und im Commonwealth verleiht. Die Liste wird vom Premierminister zusammengestellt, aber drei Orden (der Hosenbandorden, der Verdienstorden und der Victoria-Orden) werden vom Monarchen persönlich vergeben. Erfolgreiche Geschäftsleute, Militärangehörige, Sportler und andere Prominente, aber auch im sozialen Bereich besonders aktive Bürger werden auf diese Weise geehrt.*

Hons. *abbr* (*UNIV*) = **honours degree.**
hood [hud] *n* (*of coat etc*) Kapuze *f*; (*of cooker*) Abzugshaube *f*; (*AUT: BRIT: folding roof*) Verdeck *nt*; (: *US: bonnet*) (Motor)haube *f*.
hooded ['hudɪd] *adj* maskiert; (*jacket etc*) mit Kapuze.
hoodlum ['huːdləm] *n* Gangster *m*.
hoodwink ['hudwɪŋk] *vt* (he)reinlegen.
hoof [huːf] (*pl* **hooves**) *n* Huf *m*.
hook [huk] *n* Haken *m* ♦ *vt* festhaken; (*fish*) an die Angel bekommen; **by ~ or by crook** auf Biegen und Brechen; **to be ~ed on** (*inf: film, exhibition, etc*) fasziniert sein von; (: *drugs*) abhängig sein von; (: *person*) stehen auf

+*acc*.
▸**hook up** *vt* (*RADIO, TV etc*) anschließen.
hook and eye (*pl* **hooks and eyes**) *n* Haken und Öse *pl*.
hooligan ['huːlɪgən] *n* Rowdy *m*.
hooliganism ['huːlɪgənɪzəm] *n* Rowdytum *nt*.
hoop [huːp] *n* Reifen *m*; (*for croquet: arch*) Tor *nt*.
hooray [huː'reɪ] *excl* = **hurrah**.
hoot [huːt] *vi* hupen; (*siren*) heulen; (*owl*) schreien, rufen; (*person*) johlen ♦ *vt* (*horn*) drücken auf +*acc* ♦ *n* (*see vi*) Hupen *nt*; Heulen *nt*; Schreien *nt*, Rufen *nt*; Johlen *nt*; **to ~ with laughter** in johlendes Gelächter ausbrechen.
hooter ['huːtə*] *n* (*BRIT: AUT*) Hupe *f*; (*NAUT, factory*) Sirene *f*.
hoover ® ['huːvə*] (*BRIT*) *n* Staubsauger *m* ♦ *vt* (*carpet*) saugen.
hooves [huːvz] *npl of* **hoof**.
hop [hɔp] *vi* hüpfen ♦ *n* Hüpfer *m*; *see also* **hops**.
hope [həup] *vi* hoffen ♦ *n* Hoffnung *f* ♦ *vt*: **to ~ that** hoffen, daß; **I ~ so** ich hoffe es, hoffentlich; **I ~ not** ich hoffe nicht, hoffentlich nicht; **to ~ for the best** das Beste hoffen; **to have no ~ of sth/doing sth** keine Hoffnung auf etw +*acc* haben/darauf haben, etw zu tun; **in the ~ of/that** in der Hoffnung auf/, daß; **to ~ to do sth** hoffen, etw zu tun.
hopeful ['həupful] *adj* hoffnungsvoll; (*situation*) vielversprechend; **I'm ~ that she'll manage** ich hoffe, daß sie es schafft.
hopefully ['həupfulɪ] *adv* hoffnungsvoll; (*one hopes*) hoffentlich; **~, he'll come back** hoffentlich kommt er wieder.
hopeless ['həuplɪs] *adj* hoffnungslos; (*situation*) aussichtslos; (*useless*): **to be ~ at sth** etw überhaupt nicht können.
hopper ['hɔpə*] *n* Einfülltrichter *m*.
hops [hɔps] *npl* Hopfen *m*.
horde [hɔːd] *n* Horde *f*.
horizon [hə'raɪzn] *n* Horizont *m*.
horizontal [hɔrɪ'zɔntl] *adj* horizontal.
hormone ['hɔːməun] *n* Hormon *nt*.
hormone replacement therapy *n* Hormonersatztherapie *f*.
horn [hɔːn] *n* Horn *nt*; (*AUT*) Hupe *f*.
horned [hɔːnd] *adj* (*animal*) mit Hörnern.
hornet ['hɔːnɪt] *n* Hornisse *f*.
horn-rimmed ['hɔːn'rɪmd] *adj* (*spectacles*) Horn-.
horny ['hɔːnɪ] (*inf*) *adj* (*aroused*) scharf, geil.
horoscope ['hɔrəskəup] *n* Horoskop *nt*.
horrendous [hə'rɛndəs] *adj* abscheulich, entsetzlich.
horrible ['hɔrɪbl] *adj* fürchterlich, schrecklich; (*scream, dream*) furchtbar.
horrid ['hɔrɪd] *adj* entsetzlich, schrecklich.
horrific [hɔ'rɪfɪk] *adj* entsetzlich, schrecklich.
horrify ['hɔrɪfaɪ] *vt* entsetzen.
horrifying ['hɔrɪfaɪɪŋ] *adj* schrecklich, fürchterlich, entsetzlich.
horror ['hɔrə*] *n* Entsetzen *nt*, Grauen *nt*; **~ (of sth)** (*abhorrence*) Abscheu *m* (vor etw *dat*); **the ~s of war** die Schrecken *pl* des Krieges.
horror film *n* Horrorfilm *m*.
horror-stricken ['hɔrəstrɪkn] *adj* = **horror-struck**.
horror-struck ['hɔrəstrʌk] *adj* von Entsetzen *or* Grauen gepackt.
hors d'oeuvre [ɔː'dəːvrə] *n* Hors d'oeuvre *nt*, Vorspeise *f*.
horse [hɔːs] *n* Pferd *nt*.
horseback ['hɔːsbæk]: **on ~** *adj, adv* zu Pferd.
horsebox ['hɔːsbɔks] *n* Pferdetransporter *m*.
horse chestnut *n* Roßkastanie *f*.
horse-drawn ['hɔːsdrɔːn] *adj* von Pferden gezogen.
horsefly ['hɔːsflaɪ] *n* (Pferde)bremse *f*.
horseman ['hɔːsmən] (*irreg: like* **man**) *n* Reiter *m*.
horsemanship ['hɔːsmənʃɪp] *n* Reitkunst *f*.
horseplay ['hɔːspleɪ] *n* Alberei *f*, Balgerei *f*.
horsepower ['hɔːspauə*] *n* Pferdestärke *f*.
horse racing *n* Pferderennen *nt*.
horseradish ['hɔːsrædɪʃ] *n* Meerrettich *m*.
horseshoe ['hɔːsʃuː] *n* Hufeisen *nt*.
horse show *n* Reitturnier *nt*.
horse trading *n* Kuhhandel *m*.
horse trials *npl* = **horse show**.
horsewhip ['hɔːswɪp] *n* Reitpeitsche *f* ♦ *vt* auspeitschen.
horsewoman ['hɔːswumən] (*irreg: like* **woman**) *n* Reiterin *f*.
horsey ['hɔːsɪ] *adj* pferdenärrisch; (*appearance*) pferdeähnlich.
horticulture ['hɔːtɪkʌltʃə*] *n* Gartenbau *m*.
hose [həuz] *n* (*also*: **~ pipe**) Schlauch *m*.
▸**hose down** *vt* abspritzen.
hosiery ['həuzɪərɪ] *n* Strumpfwaren *pl*.
hospice ['hɔspɪs] *n* Pflegeheim *nt* (*für unheilbar Kranke*).
hospitable ['hɔspɪtəbl] *adj* gastfreundlich; (*climate*) freundlich.
hospital ['hɔspɪtl] *n* Krankenhaus *nt*; **in ~**, (*US*) **in the ~** im Krankenhaus.
hospitality [hɔspɪ'tælɪtɪ] *n* Gastfreundschaft *f*.
hospitalize ['hɔspɪtəlaɪz] *vt* ins Krankenhaus einweisen.
host [həust] *n* Gastgeber *m*; (*REL*) Hostie *f* ♦ *adj* Gast- ♦ *vt* Gastgeber sein bei; **a ~ of** eine Menge.
hostage ['hɔstɪdʒ] *n* Geisel *f*; **to be taken/held ~** als Geisel genommen/festgehalten werden.
hostel ['hɔstl] *n* (Wohn)heim *nt*; (*also*: **youth ~**) Jugendherberge *f*.
hostelling ['hɔstlɪŋ] *n*: **to go (youth) ~** in Jugendherbergen übernachten.
hostess ['həustɪs] *n* Gastgeberin *f*; (*BRIT: air hostess*) Stewardeß *f*; (*in night-club*) Hosteß *f*.

hostile ['hɔstaɪl] *adj* (*conditions*) ungünstig; (*environment*) unwirtlich; (*person*): ~ **(to** *or* **towards)** feindselig (gegenüber *+dat*).
hostility [hɔ'stɪlɪtɪ] *n* Feindseligkeit *f*; **hostilities** *npl* (*fighting*) Feindseligkeiten *pl*.
hot [hɔt] *adj* heiß; (*moderately hot*) warm; (*spicy*) scharf; (*temper*) hitzig; **I am** *or* **feel** ~ mir ist heiß; **to be** ~ **on sth** (*knowledgeable etc*) sich gut mit etw auskennen; (*strict*) sehr auf etw *acc* achten.
▸**hot up** (*BRIT: inf*) *vi* (*situation*) sich verschärfen *or* zuspitzen; (*party*) in Schwung kommen ♦ *vt* (*pace*) steigern; (*engine*) frisieren.
hot air *n* leeres Gerede *nt*.
hot-air balloon [hɔt'ɛə*-] *n* Heißluftballon *m*.
hotbed ['hɔtbɛd] *n* (*fig*) Brutstätte *f*.
hot-blooded [hɔt'blʌdɪd] *adj* heißblütig.
hotchpotch ['hɔtʃpɔtʃ] (*BRIT*) *n* Durcheinander *nt*, Mischmasch *m*.
hot dog *n* Hot dog *m or nt*.
hotel [həu'tɛl] *n* Hotel *nt*.
hotelier [həu'tɛlɪə*] *n* Hotelier(in) *m(f)*.
hotel industry *n* Hotelgewerbe *nt*.
hotel room *n* Hotelzimmer *nt*.
hot flash (*US*) *n* = **hot flush.**
hot flush *n* (*MED*) Hitzewallung *f*.
hotfoot ['hɔtfut] *adv* eilends.
hothead ['hɔthɛd] *n* Hitzkopf *m*.
hot-headed [hɔt'hɛdɪd] *adj* hitzköpfig.
hothouse ['hɔthaus] *n* Treibhaus *nt*.
hot line *n* (*POL*) heißer Draht *m*.
hotly ['hɔtlɪ] *adv* (*contest*) heiß; (*speak, deny*) heftig.
hotplate ['hɔtpleɪt] *n* Kochplatte *f*.
hotpot ['hɔtpɔt] (*BRIT*) *n* Fleischeintopf *m*.
hot potato (*fig: inf*) *n* heißes Eisen *nt*; **to drop sb like a** ~ jdn wie eine heiße Kartoffel fallenlassen.
hot seat *n*: **to be in the** ~ auf dem Schleudersitz sitzen.
hot spot *n* (*fig*) Krisenherd *m*.
hot spring *n* heiße Quelle *f*, Thermalquelle *f*.
hot stuff *n* große Klasse *f*.
hot-tempered ['hɔt'tɛmpəd] *adj* leicht aufbrausend, jähzornig.
hot-water bottle [hɔt'wɔːtə*-] *n* Wärmflasche *f*.
hot-wire (*inf*) *vt* (*car*) kurzschließen.
hound [haund] *vt* hetzen, jagen ♦ *n* Jagdhund *m*; **the ~s** die Meute.
hour ['auə*] *n* Stunde *f*; (*time*) Zeit *f*; **at 60 miles an** ~ mit 60 Meilen in der Stunde; **lunch** ~ Mittagspause *f*; **to pay sb by the** ~ jdn stundenweise bezahlen.
hourly ['auəlɪ] *adj* stündlich; (*rate*) Stunden- ♦ *adv* stündlich, jede Stunde; (*soon*) jederzeit.
house [haus] *n* Haus *nt*; (*household*) Haushalt *m*; (*dynasty*) Geschlecht *nt*, Haus *nt*; (*THEAT: performance*) Vorstellung *f* ♦ *vt* unterbringen; **at my** ~ bei mir (zu Hause); **to my** ~ zu mir (nach Hause); **on the** ~ (*fig*) auf Kosten des Hauses; **the H~ (of Commons)** (*BRIT*) das Unterhaus; **the H~ (of Lords)** (*BRIT*) das Oberhaus; **the H~ (of Representatives)** (*US*) das Repräsentantenhaus.
house arrest *n* Hausarrest *m*.
houseboat ['hausbəut] *n* Hausboot *nt*.
housebound ['hausbaund] *adj* ans Haus gefesselt.
housebreaking ['hausbreɪkɪŋ] *n* Einbruch *m*.
house-broken ['hausbrəukn] (*US*) *adj* = **house-trained.**
housecoat ['hauskəut] *n* Morgenrock *m*.
household ['haushəuld] *n* Haushalt *m*; **to be a** ~ **name** ein Begriff sein.
householder ['haushəuldə*] *n* Hausinhaber(in) *m(f)*; (*of flat*) Wohnungsinhaber(in) *m(f)*.
house-hunting ['haushʌntɪŋ] *n*: **to go** ~ nach einem Haus suchen.
housekeeper ['hauskiːpə*] *n* Haushälterin *f*.
housekeeping ['hauskiːpɪŋ] *n* Hauswirtschaft *f*; (*money*) Haushaltsgeld *nt*, Wirtschaftsgeld *nt*.
houseman ['hausmən] (*BRIT*: *irreg: like* **man**) *n* (*MED*) Assistenzarzt *m*, Assistenzärztin *f*.

Das **House of Commons** *ist das Unterhaus des britischen Parlaments, mit 651 Abgeordneten, die in Wahlkreisen in allgemeiner Wahl gewählt werden. Das Unterhaus hat die Regierungsgewalt inne und tagt etwa 175 Tage im Jahr unter Vorsitz des Sprechers.*
Als **House of Lords** *wird das Oberhaus des britischen Parlaments bezeichnet. Die Mitglieder sind nicht gewählt, sondern werden auf Lebenszeit ernannt (life peers), oder sie haben ihren Oberhaussitz geerbt (hereditary peers). Das House of Lords setzt sich aus Kirchenmännern und Adeligen zusammen (Lords Spiritual/Temporal). Es hat im Grunde keine Regierungsgewalt, aber kann vom Unterhaus erlassene Gesetze abändern und ist das oberste Berufungsgericht in Großbritannien (außer Schottland).*
Das **House of Representatives** *bildet zusammen mit dem Senat die amerikanische gesetzgebende Versammlung (den Kongreß). Es besteht aus 435 Abgeordneten, die entsprechend den Bevölkerungszahlen auf die einzelnen Bundesstaaten verteilt sind und jeweils für 2 Jahre direkt vom Volk gewählt werden. Es tritt im* **Capitol** *in Washington zusammen. Siehe auch* **congress.**

house owner *n* Hausbesitzer(in) *m(f)*.
house party *n* mehrtägige Einladung *f*; (*people*) Gesellschaft *f*.
house plant *n* Zimmerpflanze *f*.
house-proud ['hauspraud] *adj* auf Ordnung und Sauberkeit im Haushalt bedacht.

house-to-house ['haustə'haus] *adj* von Haus zu Haus.
house-trained ['haustreɪnd] (*BRIT*) *adj* (*animal*) stubenrein.
house-warming (party) ['hauswɔːmɪŋ-] *n* Einzugsparty *f*.
housewife ['hauswaɪf] (*irreg: like* **wife**) *n* Hausfrau *f*.
housework ['hauswəːk] *n* Hausarbeit *f*.
housing ['hauzɪŋ] *n* Wohnungen *pl*; (*provision*) Wohnungsbeschaffung *f* ♦ *cpd* Wohnungs-.
housing association *n* Wohnungsbaugesellschaft *f*.
housing benefit *n* ≈ Wohngeld *nt*.
housing conditions *npl* Wohnbedingungen *pl*, Wohnverhältnisse *pl*.
housing development *n* (Wohn)siedlung *f*.
housing estate *n* (Wohn)siedlung *f*.
hovel ['hɔvl] *n* (armselige) Hütte *f*.
hover ['hɔvə*] *vi* schweben; (*person*) herumstehen; **to ~ round sb** jdm nicht von der Seite weichen.
hovercraft ['hɔvəkrɑːft] *n* Hovercraft *nt*, Luftkissenfahrzeug *nt*.
hoverport ['hɔvəpɔːt] *n* Anlegestelle *f* für Hovercrafts.

KEYWORD

how [hau] *adv* **1** (*in what way*) wie; **~ was the film?** wie war der Film?; **~ is school?** was macht die Schule?; **~ are you?** wie geht es Ihnen?
2 (*to what degree*): **~ much milk?** wieviel Milch?; **~ many people?** wie viele Leute?; **~ long have you been here?** wie lange sind Sie schon hier?; **~ old are you?** wie alt bist du?; **~ lovely/awful!** wie schön/furchtbar!

however [hau'ɛvə*] *conj* jedoch, aber ♦ *adv* wie ... auch; (*in questions*) wie ... bloß *or* nur.
howl [haul] *vi* heulen; (*animal*) jaulen; (*baby, person*) schreien ♦ *n* (*see vb*) Heulen *nt*; Jaulen *nt*; Schreien *nt*.
howler ['haulə*] (*inf*) *n* (*mistake*) Schnitzer *m*.
howling ['haulɪŋ] *adj* (*wind, gale*) heulend.
HP (*BRIT*) *n abbr* = **hire-purchase**.
h.p. *abbr* (*AUT:* = *horsepower*) PS.
HQ *abbr* = **headquarters**.
HR (*US*) *n abbr* (*POL:* = *House of Representatives*) Repräsentantenhaus *nt*.
hr *abbr* (= *hour*) Std.
HRH (*BRIT*) *abbr* (= *His/Her Royal Highness*) Seine/Ihre Königliche Hoheit.
hrs *abbr* (= *hours*) Std.
HS (*US*) *abbr* = **high school**.
HST (*US*) *abbr* (= *Hawaiian Standard Time*) *Normalzeit in Hawaii*.
hub [hʌb] *n* (Rad)nabe *f*; (*fig: centre*) Mittelpunkt *m*, Zentrum *nt*.
hubbub ['hʌbʌb] *n* Lärm *m*; (*commotion*) Tumult *m*.
hubcap ['hʌbkæp] *n* Radkappe *f*.
HUD (*US*) *n abbr* (= *Department of Housing and Urban Development*) *Ministerium für Wohnungsbau und Stadtentwicklung*.
huddle ['hʌdl] *vi*: **to ~ together** sich zusammendrängen ♦ *n*: **in a ~** dicht zusammengedrängt.
hue [hjuː] *n* Farbton *m*.
hue and cry *n* großes Geschrei *nt*.
huff [hʌf] *n*: **in a ~** beleidigt, eingeschnappt ♦ *vi*: **to ~ and puff** sich aufregen.
huffy ['hʌfɪ] (*inf*) *adj* beleidigt.
hug [hʌg] *vt* umarmen; (*thing*) umklammern ♦ *n* Umarmung *f*; **to give sb a ~** jdn umarmen.
huge [hjuːdʒ] *adj* riesig.
hugely ['hjuːdʒlɪ] *adv* ungeheuer.
hulk [hʌlk] *n* (*wrecked ship*) Wrack *nt*; (*person, building etc*) Klotz *m*.
hulking ['hʌlkɪŋ] *adj*: **~ great** massig.
hull [hʌl] *n* Schiffsrumpf *m*; (*of nuts*) Schale *f*; (*of strawberries etc*) Blättchen *nt* ♦ *vt* (*fruit*) entstielen.
hullaballoo [hʌləbə'luː] (*inf*) *n* Spektakel *m*.
hullo [hə'ləu] *excl* = **hello**.
hum [hʌm] *vt* summen ♦ *vi* summen; (*machine*) brummen ♦ *n* Summen *nt*; (*of traffic*) Brausen *nt*; (*of machines*) Brummen *nt*; (*of voices*) Gemurmel *nt*.
human ['hjuːmən] *adj* menschlich ♦ *n* (*also*: **~ being**) Mensch *m*.
humane [hjuː'meɪn] *adj* human.
humanism ['hjuːmənɪzəm] *n* Humanismus *m*.
humanitarian [hjuːmænɪ'tɛərɪən] *adj* humanitär.
humanity [hjuː'mænɪtɪ] *n* Menschlichkeit *f*; (*mankind*) Menschheit *f*; (*humaneness*) Humanität *f*; **humanities** *npl* (*SCOL*): **the humanities** die Geisteswissenschaften *pl*.
humanly ['hjuːmənlɪ] *adv* menschlich; **if (at all) ~ possible** wenn es irgend möglich ist.
humanoid ['hjuːmənɔɪd] *adj* menschenähnlich ♦ *n* menschenähnliches Wesen *nt*.
human rights *npl* Menschenrechte *pl*.
humble ['hʌmbl] *adj* bescheiden ♦ *vt* demütigen.
humbly ['hʌmblɪ] *adv* bescheiden.
humbug ['hʌmbʌg] *n* Humbug *m*, Mumpitz *m*; (*BRIT: sweet*) Pfefferminzbonbon *m or nt*.
humdrum ['hʌmdrʌm] *adj* eintönig, langweilig.
humid ['hjuːmɪd] *adj* feucht.
humidifier [hjuː'mɪdɪfaɪə*] *n* Luftbefeuchter *m*.
humidity [hjuː'mɪdɪtɪ] *n* Feuchtigkeit *f*.
humiliate [hjuː'mɪlɪeɪt] *vt* demütigen.
humiliating [hjuː'mɪlɪeɪtɪŋ] *adj* demütigend.
humiliation [hjuːmɪlɪ'eɪʃən] *n* Demütigung *f*.
humility [hjuː'mɪlɪtɪ] *n* Bescheidenheit *f*.
humor *etc* (*US*) = **humour** *etc*.
humorist ['hjuːmərɪst] *n* Humorist(in) *m(f)*.
humorous ['hjuːmərəs] *adj* (*remark*) witzig; (*book*) lustig; (*person*) humorvoll.
humour, (*US*) **humor** ['hjuːmə*] *n* Humor *m*;

(*mood*) Stimmung *f* ♦ *vt* seinen Willen lassen *+dat*; **sense of** ~ (Sinn *m* für) Humor; **to be in good/bad** ~ gute/schlechte Laune haben.
humourless ['hjuːməlɪs] *adj* humorlos.
hump [hʌmp] *n* Hügel *m*; (*of camel*) Höcker *m*; (*deformity*) Buckel *m*.
humpbacked ['hʌmpbækt] *adj*: ~ **bridge** gewölbte Brücke *f*.
humus ['hjuːməs] *n* Humus *m*.
hunch [hʌntʃ] *n* Gefühl *nt*, Ahnung *f*; **I have a** ~ **that** ... ich habe den (leisen) Verdacht, daß ...
hunchback ['hʌntʃbæk] *n* Bucklige(r) *f(m)*.
hunched [hʌntʃt] *adj* gebeugt; (*shoulders*) hochgezogen; (*back*) krumm.
hundred ['hʌndrəd] *num* hundert; **a** *or* **one** ~ **books/people/dollars** (ein)hundert Bücher/Personen/Dollar; ~**s of** Hunderte von; **I'm a** ~ **per cent sure** ich bin absolut sicher.
hundredth ['hʌndrədθ] *num* hundertste(r, s).
hundredweight ['hʌndrɪdweɪt] *n* *Gewichtseinheit* (*BRIT* = *50,8 kg; US* = *45,3 kg*); ≈ Zentner *m*.
hung [hʌŋ] *pt, pp of* **hang**.
Hungarian [hʌŋ'gɛərɪən] *adj* ungarisch ♦ *n* Ungar(in) *m(f)*; (*LING*) Ungarisch *nt*.
Hungary ['hʌŋgərɪ] *n* Ungarn *nt*.
hunger ['hʌŋgə*] *n* Hunger *m* ♦ *vi*: **to** ~ **for** hungern nach.
hunger strike *n* Hungerstreik *m*.
hung over (*inf*) *adj* verkatert.
hungrily ['hʌŋgrəlɪ] *adv* hungrig.
hungry ['hʌŋgrɪ] *adj* hungrig; **to be** ~ Hunger haben; **to be** ~ **for** hungern nach; (*news*) sehnsüchtig warten auf; **to go** ~ hungern.
hung up (*inf*) *adj*: **to be** ~ **on** (*person*) ein gestörtes Verhältnis haben zu; **to be** ~ **about** nervös sein wegen.
hunk [hʌŋk] *n* großes Stück *nt*; (*inf: man*) (großer, gutaussehender) Mann *m*.
hunt [hʌnt] *vt* jagen; (*criminal, fugitive*) fahnden nach ♦ *vi* (*SPORT*) jagen ♦ *n* (*see vb*) Jagd *f*; Fahndung *f*; (*search*) Suche *f*; **to** ~ **for** (*search*) suchen (nach).
▸**hunt down** *vt* Jagd machen auf *+acc*.
hunter ['hʌntə*] *n* Jäger(in) *m(f)*.
hunting ['hʌntɪŋ] *n* Jagd *f*, Jagen *nt*.
hurdle ['həːdl] *n* Hürde *f*.
hurl [həːl] *vt* schleudern; **to** ~ **sth at sb** (*also fig*) jdm etw entgegenschleudern.
hurling ['həːlɪŋ] *n* (*SPORT*) Hurling *nt*, *irische Hockeyart*.
hurly-burly ['həːlɪ'bəːlɪ] *n* Rummel *m*.
hurrah [hu'rɑː] *n* Hurra *nt* ♦ *excl* hurra.
hurray [hu'reɪ] *n* = **hurrah**.
hurricane ['hʌrɪkən] *n* Orkan *m*.
hurried ['hʌrɪd] *adj* eilig; (*departure*) überstürzt.
hurriedly ['hʌrɪdlɪ] *adv* eilig.
hurry ['hʌrɪ] *n* Eile *f* ♦ *vi* eilen; (*to do sth*) sich beeilen ♦ *vt* (zur Eile) antreiben; (*work*) beschleunigen; **to be in a** ~ es eilig haben; **to do sth in a** ~ etw schnell tun; **there's no** ~ es eilt nicht; **what's the** ~? warum so eilig?; **they hurried to help him** sie eilten ihm zu Hilfe; **to** ~ **home** nach Hause eilen.
▸**hurry along** *vi* sich beeilen.
▸**hurry away** *vi* schnell weggehen, forteilen.
▸**hurry off** *vi* = **hurry away**.
▸**hurry up** *vt* (zur Eile) antreiben ♦ *vi* sich beeilen.
hurt [həːt] (*pt, pp* **hurt**) *vt* weh tun *+dat*; (*injure, fig*) verletzen ♦ *vi* weh tun ♦ *adj* verletzt; **I've** ~ **my arm** ich habe mir am Arm weh getan; (*injured*) ich habe mir den Arm verletzt; **where does it** ~? wo tut es weh?
hurtful ['həːtful] *adj* verletzend.
hurtle ['həːtl] *vi*: **to** ~ **past** vorbeisausen; **to** ~ **down** (*fall*) hinunterfallen.
husband ['hʌzbənd] *n* (Ehe)mann *m*.
hush [hʌʃ] *n* Stille *f* ♦ *vt* zum Schweigen bringen; ~! pst!
▸**hush up** *vt* vertuschen.
hushed [hʌʃt] *adj* still; (*voice*) gedämpft.
hush-hush [hʌʃ'hʌʃ] (*inf*) *adj* streng geheim.
husk [hʌsk] *n* Schale *f*; (*of wheat*) Spelze *f*; (*of maize*) Hüllblatt *nt*.
husky ['hʌskɪ] *adj* (*voice*) rauh ♦ *n* Schlittenhund *m*.
hustings ['hʌstɪŋz] (*BRIT*) *npl* (*POL*) Wahlkampf *m*.
hustle ['hʌsl] *vt* drängen ♦ *n*: ~ **and bustle** Geschäftigkeit *f*.
hut [hʌt] *n* Hütte *f*.
hutch [hʌtʃ] *n* (Kaninchen)stall *m*.
hyacinth ['haɪəsɪnθ] *n* Hyazinthe *f*.
hybrid ['haɪbrɪd] *n* (*plant, animal*) Kreuzung *f*; (*mixture*) Mischung *f* ♦ *adj* Misch-.
hydrant ['haɪdrənt] *n* (*also*: **fire** ~) Hydrant *m*.
hydraulic [haɪ'drɔːlɪk] *adj* hydraulisch.
hydraulics [haɪ'drɔːlɪks] *n* Hydraulik *f*.
hydrochloric acid ['haɪdrəu'klɔrɪk-] *n* Salzsäure *f*.
hydroelectric ['haɪdrəuɪ'lɛktrɪk] *adj* hydroelektrisch.
hydrofoil ['haɪdrəfɔɪl] *n* Tragflächenboot *nt*, Tragflügelboot *nt*.
hydrogen ['haɪdrədʒən] *n* Wasserstoff *m*.
hydrogen bomb *n* Wasserstoffbombe *f*.
hydrophobia ['haɪdrə'fəubɪə] *n* Hydrophobie *f*, Wasserscheu *f*.
hydroplane ['haɪdrəpleɪn] *n* Gleitboot *nt*; (*plane*) Wasserflugzeug *nt* ♦ *vi* (*boat*) abheben.
hyena [haɪ'iːnə] *n* Hyäne *f*.
hygiene ['haɪdʒiːn] *n* Hygiene *f*.
hygienic [haɪ'dʒiːnɪk] *adj* hygienisch.
hymn [hɪm] *n* Kirchenlied *nt*.
hype [haɪp] (*inf*) *n* Rummel *m*.
hyperactive ['haɪpər'æktɪv] *adj* überaktiv.
hyperinflation ['haɪpərɪn'fleɪʃən] *n* galoppierende Inflation *f*.
hypermarket ['haɪpəmɑːkɪt] (*BRIT*) *n*

Verbrauchermarkt *m*.
hypertension ['haɪpə'tɛnʃən] *n* Hypertonie *f*, Bluthochdruck *m*.
hyphen ['haɪfn] *n* Bindestrich *m*; (*at end of line*) Trennungsstrich *m*.
hyphenated ['haɪfəneɪtɪd] *adj* mit Bindestrich (geschrieben).
hypnosis [hɪp'nəusɪs] *n* Hypnose *f*.
hypnotic [hɪp'nɔtɪk] *adj* hypnotisierend; (*trance*) hypnotisch.
hypnotism ['hɪpnətɪzəm] *n* Hypnotismus *m*.
hypnotist ['hɪpnətɪst] *n* Hypnotiseur *m*, Hypnotiseuse *f*.
hypnotize ['hɪpnətaɪz] *vt* hypnotisieren.
hypoallergenic ['haɪpəuælə'dʒɛnɪk] *adj* für äußerst empfindliche Haut.
hypochondriac [haɪpə'kɔndrɪæk] *n* Hypochonder *m*.
hypocrisy [hɪ'pɔkrɪsɪ] *n* Heuchelei *f*.
hypocrite ['hɪpəkrɪt] *n* Heuchler(in) *m(f)*.
hypocritical [hɪpə'krɪtɪkl] *adj* heuchlerisch.
hypodermic [haɪpə'dəːmɪk] *adj* (*injection*) subkutan ♦ *n* (Injektions)spritze *f*.
hypotenuse [haɪ'pɔtɪnjuːz] *n* Hypotenuse *f*.
hypothermia [haɪpə'θəːmɪə] *n* Unterkühlung *f*.
hypothesis [haɪ'pɔθɪsɪs] (*pl* **hypotheses**) *n* Hypothese *f*.
hypothesize [haɪ'pɔθɪsaɪz] *vi* Hypothesen aufstellen ♦ *vt* annehmen.
hypothetic(al) [haɪpəu'θɛtɪk(l)] *adj* hypothetisch.
hysterectomy [hɪstə'rɛktəmɪ] *n* Hysterektomie *f*.
hysteria [hɪ'stɪərɪə] *n* Hysterie *f*.
hysterical [hɪ'stɛrɪkl] *adj* hysterisch; (*situation*) wahnsinnig komisch; **to become ~** hysterisch werden.
hysterically [hɪ'stɛrɪklɪ] *adv* hysterisch; **~ funny** wahnsinnig komisch.
hysterics [hɪ'stɛrɪks] *npl*: **to be in** *or* **to have ~** einen hysterischen Anfall haben; (*laughter*) einen Lachanfall haben.
Hz *abbr* (= *hertz*) Hz.

I, i

I¹, i [aɪ] *n* (*letter*) I *nt*, i *nt*; **~ for Isaac**, (*US*) **~ for Item** ≈ I wie Ida.
I² [aɪ] *pron* ich.
I. *abbr* = **island; isle.**
IA (*US*) *abbr* (*POST*: = *Iowa*).
IAEA *n abbr* = **International Atomic Energy Agency.**
ib *abbr* (= *ibidem*) ib(id).
Iberian [aɪ'bɪərɪən] *adj*: **the ~ Peninsula** die Iberische Halbinsel.
IBEW (*US*) *n abbr* (= *International Brotherhood of Electrical Workers*) *Elektrikergewerkschaft*.
ibid *abbr* (= *ibidem*) ib(id).
i/c (*BRIT*) *abbr* (= *in charge (of)*) *see* **charge.**
ICBM *n abbr* (= *intercontinental ballistic missile*) Interkontinentalrakete *f*.
ICC *n abbr* = **International Chamber of Commerce**; (*US*: = *Interstate Commerce Commission*) *Kommission zur Regelung des Warenverkehrs zwischen den US-Bundesstaaten*.
ice [aɪs] *n* Eis *nt*; (*on road*) Glatteis *nt* ♦ *vt* (*cake*) mit Zuckerguß überziehen, glasieren ♦ *vi* (*also*: **~ over**, **~ up**) vereisen; (*puddle etc*) zufrieren; **to put sth on ~** (*fig*) etw auf Eis legen.
Ice Age *n* Eiszeit *f*.
ice axe *n* Eispickel *m*.
iceberg ['aɪsbəːg] *n* Eisberg *m*; **the tip of the ~** (*fig*) die Spitze des Eisbergs.
icebox ['aɪsbɔks] *n* (*US*: *fridge*) Kühlschrank *m*; (*BRIT*: *compartment*) Eisfach *nt*; (*insulated box*) Kühltasche *f*.
icebreaker ['aɪsbreɪkə*] *n* Eisbrecher *m*.
ice bucket *n* Eiskühler *m*.
icecap ['aɪskæp] *n* Eisdecke *f*; (*polar*) Eiskappe *f*.
ice-cold ['aɪs'kəuld] *adj* eiskalt.
ice cream *n* Eis *nt*.
ice-cream soda ['aɪskriːm-] *n Eisbecher mit Sirup und Sodawasser*.
ice cube *n* Eiswürfel *m*.
iced [aɪst] *adj* (*cake*) mit Zuckerguß überzogen, glasiert; (*beer etc*) eisgekühlt; (*tea, coffee*) Eis-.
ice hockey *n* Eishockey *nt*.
Iceland ['aɪslənd] *n* Island *nt*.
Icelander ['aɪsləndə*] *n* Isländer(in) *m(f)*.
Icelandic [aɪs'lændɪk] *adj* isländisch ♦ *n* (*LING*) Isländisch *nt*.
ice lolly (*BRIT*) *n* Eis *nt* am Stiel.
ice pick *n* Eispickel *m*.
ice rink *n* (Kunst)eisbahn *f*, Schlittschuhbahn *f*.
ice skate *n* Schlittschuh *m*.
ice-skate ['aɪsskeɪt] *vi* Schlittschuh laufen.
ice-skating ['aɪsskeɪtɪŋ] *n* Eislauf *m*, Schlittschuhlaufen *nt*.
icicle ['aɪsɪkl] *n* Eiszapfen *m*.
icing ['aɪsɪŋ] *n* (*CULIN*) Zuckerguß *m*; (*AVIAT etc*) Vereisung *f*.
icing sugar (*BRIT*) *n* Puderzucker *m*.
ICJ *n abbr* = **International Court of Justice.**
icon ['aɪkɔn] *n* Ikone *f*; (*COMPUT*) Ikon *nt*.
ICR (*US*) *n abbr* (= *Institute for Cancer Research*) *Krebsforschungsinstitut*.
ICRC *n abbr* (= *International Committee of the Red Cross*) IKRK *nt*.
ICU *n abbr* (*MED*) = **intensive care unit.**

icy ['aɪsɪ] *adj* eisig; (*road*) vereist.
ID, Ida. (*US*) *abbr* (*POST:* = *Idaho*).
I'd [aɪd] = **I would; I had.**
ID card *n* = **identity card.**
IDD (*BRIT*) *n abbr* (*TEL:* = *international direct dialling*) *Selbstwählferndienst ins Ausland.*
idea [aɪ'dɪə] *n* Idee *f*; (*opinion*) Ansicht *f*; (*notion*) Vorstellung *f*; (*objective*) Ziel *nt*; **good ~!** gute Idee!; **to have a good ~ that** sich *dat* ziemlich sicher sein, daß; **I haven't the least ~** ich habe nicht die leiseste Ahnung.
ideal [aɪ'dɪəl] *n* Ideal *nt* ♦ *adj* ideal.
idealist [aɪ'dɪəlɪst] *n* Idealist(in) *m(f)*.
ideally [aɪ'dɪəlɪ] *adv* ideal; **~ the book should ...** idealerweise *or* im Idealfall sollte das Buch ...; **she's ~ suited for ...** sie eignet sich hervorragend für ...
identical [aɪ'dɛntɪkl] *adj* identisch; (*twins*) eineiig.
identification [aɪdɛntɪfɪ'keɪʃən] *n* Identifizierung *f*; **(means of) ~** Ausweispapiere *pl*.
identify [aɪ'dɛntɪfaɪ] *vt* (*recognize*) erkennen; (*distinguish*) identifizieren; **to ~ sb/sth with** jdn/etw identifizieren mit.
Identikit® [aɪ'dɛntɪkɪt] *n:* **~ (picture)** Phantombild *nt*.
identity [aɪ'dɛntɪtɪ] *n* Identität *f*.
identity card *n* (Personal)ausweis *m*.
identity papers *npl* Ausweispapiere *pl*.
identity parade (*BRIT*) *n* Gegenüberstellung *f*.
ideological [aɪdɪə'lɔdʒɪkl] *adj* ideologisch, weltanschaulich.
ideology [aɪdɪ'ɔlədʒɪ] *n* Ideologie *f*, Weltanschauung *f*.
idiocy ['ɪdɪəsɪ] *n* Idiotie *f*, Dummheit *f*.
idiom ['ɪdɪəm] *n* (*style*) Ausdrucksweise *f*; (*phrase*) Redewendung *f*.
idiomatic [ɪdɪə'mætɪk] *adj* idiomatisch.
idiosyncrasy [ɪdɪəu'sɪŋkrəsɪ] *n* Eigenheit *f*, Eigenart *f*.
idiosyncratic [ɪdɪəusɪŋ'krætɪk] *adj* eigenartig; (*way, method, style*) eigen.
idiot ['ɪdɪət] *n* Idiot(in) *m(f)*, Dummkopf *m*.
idiotic [ɪdɪ'ɔtɪk] *adj* idiotisch, blöd(sinnig).
idle ['aɪdl] *adj* untätig; (*lazy*) faul; (*unemployed*) unbeschäftigt; (*machinery, factory*) stillstehend; (*question*) müßig; (*conversation, pleasure*) leer ♦ *vi* leerlaufen, im Leerlauf sein; **to lie ~** (*machinery*) außer Betrieb sein; (*factory*) die Arbeit eingestellt haben.
▸**idle away** *vt* (*time*) vertrödeln, verbummeln.
idleness ['aɪdlnɪs] *n* Untätigkeit *f*; (*laziness*) Faulheit *f*.
idler ['aɪdlə*] *n* Faulenzer(in) *m(f)*.
idle time *n* (*COMM*) Leerlaufzeit *f*.
idly ['aɪdlɪ] *adv* untätig; (*glance*) abwesend.
idol ['aɪdl] *n* Idol *nt*; (*REL*) Götzenbild *nt*.
idolize ['aɪdəlaɪz] *vt* vergöttern.
idyllic [ɪ'dɪlɪk] *adj* idyllisch.
i.e. *abbr* (= *id est*) d.h.

KEYWORD

if [ɪf] *conj* **1** (*given that, providing that etc*) wenn, falls; **~ anyone comes in** wenn *or* falls jemand hereinkommt; **~ necessary** wenn *or* falls nötig; **~ I were you** wenn ich Sie wäre, an Ihrer Stelle
2 (*whenever*) wenn
3 (*although*): **(even) ~** auch *or* selbst wenn; **I like it, (even) ~ you don't** mir gefällt es, auch wenn du es nicht magst
4 (*whether*) ob; **ask him ~ he can come** frag ihn, ob er kommen kann
5: **~ so/not** falls ja/nein; **~ only** wenn nur; *see also* **as.**

iffy ['ɪfɪ] (*inf*) *adj* (*uncertain*) unsicher; (*plan, proposal*) fragwürdig; **he was a bit ~ about it** er hat sich sehr vage ausgedrückt.
igloo ['ɪglu:] *n* Iglu *m or nt*.
ignite [ɪg'naɪt] *vt* entzünden ♦ *vi* sich entzünden.
ignition [ɪg'nɪʃən] *n* (*AUT*) Zündung *f*.
ignition key *n* (*AUT*) Zündschlüssel *m*.
ignoble [ɪg'nəubl] *adj* schändlich, unehrenhaft.
ignominious [ɪgnə'mɪnɪəs] *adj* schmachvoll.
ignoramus [ɪgnə'reɪməs] *n* Ignorant(in) *m(f)*.
ignorance ['ɪgnərəns] *n* Unwissenheit *f*, Ignoranz *f*; **to keep sb in ~ of sth** jdn in Unkenntnis über etw *acc* lassen.
ignorant ['ɪgnərənt] *adj* unwissend, ignorant; **to be ~ of** (*subject*) sich nicht auskennen in *+dat*; (*events*) nicht informiert sein über *+acc*.
ignore [ɪg'nɔ:*] *vt* ignorieren; (*fact*) außer acht lassen.
ikon ['aɪkɔn] *n* = **icon.**
IL (*US*) *abbr* (*POST:* = *Illinois*).
ILA (*US*) *n abbr* (= *International Longshoremen's Association*) *Hafenarbeitergewerkschaft.*
I'll [aɪl] = **I will; I shall.**
ill [ɪl] *adj* krank; (*effects*) schädlich ♦ *n* Übel *nt*; (*trouble*) Schlechte(s) *nt* ♦ *adv:* **to speak ~ of sb** Schlechtes über jdn sagen; **to be taken ~** krank werden; **to think ~ of sb** schlecht von jdm denken.
ill-advised [ɪləd'vaɪzd] *adj* unklug; (*person*) schlecht beraten.
ill at ease *adj* unbehaglich.
ill-considered [ɪlkən'sɪdəd] *adj* unüberlegt.
ill-disposed [ɪldɪs'pəuzd] *adj:* **to be ~ toward sb/sth** jdm/etw nicht wohlgesinnt sein.
illegal [ɪ'li:gl] *adj* illegal.
illegally [ɪ'li:gəlɪ] *adv* illegal.
illegible [ɪ'lɛdʒɪbl] *adj* unleserlich.
illegitimate [ɪlɪ'dʒɪtɪmət] *adj* (*child*) unehelich; (*activity, treaty*) unzulässig.
ill-fated [ɪl'feɪtɪd] *adj* unglückselig.
ill-favoured, (*US*) **ill-favored** [ɪl'feɪvəd] *adj* ungestalt (*liter*), häßlich.

ill feeling *n* Verstimmung *f.*
ill-gotten ['ɪlgɔtn] *adj:* ~**gains** unrechtmäßig erworbener Gewinn *m.*
ill health *n* schlechter Gesundheitszustand *m.*
illicit [ɪ'lɪsɪt] *adj* verboten.
ill-informed [ɪlɪn'fɔːmd] *adj* (*judgement*) wenig sachkundig; (*person*) schlecht informiert *or* unterrichtet.
illiterate [ɪ'lɪtərət] *adj* (*person*) des Lesens und Schreibens unkundig; (*letter*) voller Fehler.
ill-mannered [ɪl'mænəd] *adj* unhöflich.
illness ['ɪlnɪs] *n* Krankheit *f.*
illogical [ɪ'lɔdʒɪkl] *adj* unlogisch.
ill-suited [ɪl'suːtɪd] *adj* nicht zusammenpassend; **he is ~ to the job** er ist für die Stelle ungeeignet.
ill-timed [ɪl'taɪmd] *adj* ungelegen, unpassend.
ill-treat [ɪl'triːt] *vt* mißhandeln.
ill-treatment [ɪl'triːtmənt] *n* Mißhandlung *f.*
illuminate [ɪ'luːmɪneɪt] *vt* beleuchten.
illuminated sign [ɪ'luːmɪneɪtɪd-] *n* Leuchtzeichen *nt.*
illuminating [ɪ'luːmɪneɪtɪŋ] *adj* aufschlußreich.
illumination [ɪluːmɪ'neɪʃən] *n* Beleuchtung *f*; **illuminations** *npl* (*decorative lights*) festliche Beleuchtung *f*, Illumination *f.*
illusion [ɪ'luːʒən] *n* Illusion *f*; (*trick*) (Zauber)trick *m*; **to be under the ~ that ...** sich *dat* einbilden, daß ...
illusive [ɪ'luːsɪv] *adj* = **illusory.**
illusory [ɪ'luːsərɪ] *adj* illusorisch, trügerisch.
illustrate ['ɪləstreɪt] *vt* veranschaulichen; (*book*) illustrieren.
illustration [ɪlə'streɪʃən] *n* Illustration *f*; (*example*) Veranschaulichung *f.*
illustrator ['ɪləstreɪtə*] *n* Illustrator(in) *m(f).*
illustrious [ɪ'lʌstrɪəs] *adj* (*career*) glanzvoll; (*predecessor*) berühmt.
ill will *n* böses Blut *nt.*
ILO *n abbr* = **International Labour Organization.**
ILWU (*US*) *n abbr* (= *International Longshoremen's and Warehousemen's Union*) *Hafen- und Lagerarbeitergewerkschaft.*
I'm [aɪm] = **I am.**
image ['ɪmɪdʒ] *n* Bild *nt*; (*public face*) Image *nt*; (*reflection*) Abbild *nt.*
imagery ['ɪmɪdʒərɪ] *n* (*in writing*) Metaphorik *f*; (*in painting etc*) Symbolik *f.*
imaginable [ɪ'mædʒɪnəbl] *adj* vorstellbar, denkbar; **we've tried every ~ solution** wir haben jede denkbare Lösung ausprobiert; **she had the prettiest hair ~** sie hatte das schönste Haar, das man sich vorstellen kann.
imaginary [ɪ'mædʒɪnərɪ] *adj* erfunden; (*being*) Phantasie-; (*danger*) eingebildet.
imagination [ɪmædʒɪ'neɪʃən] *n* Phantasie *f*; (*illusion*) Einbildung *f*; **it's just your ~** das bildest du dir nur ein.
imaginative [ɪ'mædʒɪnətɪv] *adj* phantasievoll; (*solution*) einfallsreich.
imagine [ɪ'mædʒɪn] *vt* sich *dat* vorstellen; (*dream*) sich *dat* träumen lassen; (*suppose*) vermuten.
imbalance [ɪm'bæləns] *n* Unausgeglichenheit *f.*
imbecile ['ɪmbəsiːl] *n* Schwachkopf *m*, Idiot *m.*
imbue [ɪm'bjuː] *vt:* **to ~ sb/sth with** jdn/etw durchdringen mit.
IMF *n abbr* (= *International Monetary Fund*) IWF *m.*
imitate ['ɪmɪteɪt] *vt* imitieren; (*mimic*) nachahmen.
imitation [ɪmɪ'teɪʃən] *n* Imitation *f*, Nachahmung *f.*
imitator ['ɪmɪteɪtə*] *n* Imitator(in) *m(f)*, Nachahmer(in) *m(f).*
immaculate [ɪ'mækjulət] *adj* makellos; (*appearance, piece of work*) tadellos; (*REL*) unbefleckt.
immaterial [ɪmə'tɪərɪəl] *adj* unwichtig, unwesentlich.
immature [ɪmə'tjuə*] *adj* unreif; (*organism*) noch nicht voll entwickelt.
immaturity [ɪmə'tjuərɪtɪ] *n* Unreife *f.*
immeasurable [ɪ'mɛʒrəbl] *adj* unermeßlich groß.
immediacy [ɪ'miːdɪəsɪ] *n* Unmittelbarkeit *f*, Direktheit *f*; (*of needs*) Dringlichkeit *f.*
immediate [ɪ'miːdɪət] *adj* sofortig; (*need*) dringend; (*neighbourhood, family*) nächste(r, s).
immediately [ɪ'miːdɪətlɪ] *adv* sofort; (*directly*) unmittelbar; **~ next to** direkt neben.
immense [ɪ'mɛns] *adj* riesig, enorm.
immensely [ɪ'mɛnslɪ] *adv* unheimlich; (*grateful, complex etc*) äußerst.
immensity [ɪ'mɛnsɪtɪ] *n* ungeheure Größe *f*, Unermeßlichkeit *f*; (*of problems etc*) gewaltiges Ausmaß *nt.*
immerse [ɪ'məːs] *vt* eintauchen; **to ~ sth in** etw tauchen in *+acc*; **to be ~d in** (*fig*) vertieft sein in *+acc.*
immersion heater [ɪ'məːʃən-] (*BRIT*) *n* elektrischer Heißwasserboiler *m.*
immigrant ['ɪmɪgrənt] *n* Einwanderer *m*, Einwanderin *f.*
immigration [ɪmɪ'greɪʃən] *n* Einwanderung *f*; (*at airport etc*) Einwanderungsstelle *f* ♦ *cpd* Einwanderungs-.
imminent ['ɪmɪnənt] *adj* bevorstehend.
immobile [ɪ'məubaɪl] *adj* unbeweglich.
immobilize [ɪ'məubɪlaɪz] *vt* (*person*) handlungsunfähig machen; (*machine*) zum Stillstand bringen.
immoderate [ɪ'mɔdərət] *adj* unmäßig; (*opinion, reaction*) extrem; (*demand*) maßlos.
immodest [ɪ'mɔdɪst] *adj* unanständig; (*boasting*) unbescheiden.
immoral [ɪ'mɔrl] *adj* unmoralisch; (*behaviour*) unsittlich.
immorality [ɪmɔ'rælɪtɪ] *n* (*see adj*) Unmoral *f*;

Unsittlichkeit *f*.
immortal [ɪ'mɔːtl] *adj* unsterblich.
immortality [ɪmɔː'tælɪtɪ] *n* Unsterblichkeit *f*.
immortalize [ɪ'mɔːtlaɪz] *vt* unsterblich machen.
immovable [ɪ'muːvəbl] *adj* unbeweglich; (*person, opinion*) fest.
immune [ɪ'mjuːn] *adj*: ~ **(to)** (*disease*) immun (gegen); (*flattery*) unempfänglich (für); (*criticism*) unempfindlich (gegen); (*attack*) sicher (vor *+dat*).
immune system *n* Immunsystem *nt*.
immunity [ɪ'mjuːnɪtɪ] *n* (*see adj*) Immunität *f*; Unempfänglichkeit *f*; Unempfindlichkeit *f*; Sicherheit *f*; (*of diplomat, from prosecution*) Immunität *f*.
immunization [ɪmjunaɪ'zeɪʃən] *n* Immunisierung *f*.
immunize ['ɪmjunaɪz] *vt*: **to ~ (against)** immunisieren (gegen).
imp [ɪmp] *n* Kobold *m*; (*child*) Racker *m* (*inf*).
impact ['ɪmpækt] *n* Aufprall *m*; (*of crash*) Wucht *f*; (*of law, measure*) (Aus)wirkung *f*.
impair [ɪm'pɛə*] *vt* beeinträchtigen.
impaired [ɪm'pɛəd] *adj* beeinträchtigt; (*hearing*) schlecht; ~ **vision** schlechte Augen *pl*.
impale [ɪm'peɪl] *vt*: **to ~ sth (on)** etw aufspießen (auf *+dat*).
impart [ɪm'pɑːt] *vt*: **to ~ (to)** (*information*) mitteilen *+dat*; (*flavour*) verleihen *+dat*.
impartial [ɪm'pɑːʃl] *adj* unparteiisch.
impartiality [ɪmpɑːʃɪ'ælɪtɪ] *n* Unparteilichkeit *f*.
impassable [ɪm'pɑːsəbl] *adj* unpassierbar.
impasse [æm'pɑːs] *n* Sackgasse *f*.
impassive [ɪm'pæsɪv] *adj* gelassen.
impatience [ɪm'peɪʃəns] *n* Ungeduld *f*.
impatient [ɪm'peɪʃənt] *adj* ungeduldig; **to get** *or* **grow** ~ ungeduldig werden; **to be ~ to do sth** es nicht erwarten können, etw zu tun.
impatiently [ɪm'peɪʃəntlɪ] *adv* ungeduldig.
impeach [ɪm'piːtʃ] *vt* anklagen; (*public official*) eines Amtsvergehens anklagen.
impeachment [ɪm'piːtʃmənt] *n* Anklage *f* wegen eines Amtsvergehens, Impeachment *nt*.
impeccable [ɪm'pɛkəbl] *adj* (*dress*) untadelig; (*manners*) tadellos.
impecunious [ɪmpɪ'kjuːnɪəs] *adj* mittellos.
impede [ɪm'piːd] *vt* behindern.
impediment [ɪm'pɛdɪmənt] *n* Hindernis *nt*; (*also*: **speech ~**) Sprachfehler *m*.
impel [ɪm'pɛl] *vt*: **to ~ sb to do sth** jdn (dazu) nötigen, etw zu tun.
impending [ɪm'pɛndɪŋ] *adj* bevorstehend; (*catastrophe*) drohend.
impenetrable [ɪm'pɛnɪtrəbl] *adj* undurchdringlich; (*fig*) unergründlich.
imperative [ɪm'pɛrətɪv] *adj* dringend; (*tone*) Befehls- ♦ *n* (*LING*) Imperativ *m*, Befehlsform *f*.
imperceptible [ɪmpə'sɛptɪbl] *adj* nicht wahrnehmbar, unmerklich.
imperfect [ɪm'pəːfɪkt] *adj* mangelhaft; (*goods*) fehlerhaft ♦ *n* (*LING*: *also*: **~ tense**) Imperfekt *nt*, Vergangenheit *f*.
imperfection [ɪmpəː'fɛkʃən] *n* Fehler *m*.
imperial [ɪm'pɪərɪəl] *adj* kaiserlich; (*BRIT*: *measure*) britisch.
imperialism [ɪm'pɪərɪəlɪzəm] *n* Imperialismus *m*.
imperil [ɪm'pɛrɪl] *vt* gefährden.
imperious [ɪm'pɪərɪəs] *adj* herrisch, gebieterisch.
impersonal [ɪm'pəːsənl] *adj* unpersönlich.
impersonate [ɪm'pəːsəneɪt] *vt* sich ausgeben als; (*THEAT*) imitieren.
impersonation [ɪmpəːsə'neɪʃən] *n* (*THEAT*) Imitation *f*; ~ **of** (*LAW*) Auftreten *nt* als.
impertinent [ɪm'pəːtɪnənt] *adj* unverschämt.
imperturbable [ɪmpə'təːbəbl] *adj* unerschütterlich.
impervious [ɪm'pəːvɪəs] *adj*: ~ **to** (*criticism, pressure*) unberührt von; (*charm, influence*) unempfänglich für.
impetuous [ɪm'pɛtjuəs] *adj* ungestüm, stürmisch; (*act*) impulsiv.
impetus ['ɪmpətəs] *n* Schwung *m*; (*fig*: *driving force*) treibende Kraft *f*.
impinge [ɪm'pɪndʒ]: **to ~ on** *vt fus* sich auswirken auf *+acc*; (*rights*) einschränken.
impish ['ɪmpɪʃ] *adj* schelmisch.
implacable [ɪm'plækəbl] *adj* unerbittlich, erbittert.
implant [ɪm'plɑːnt] *vt* (*MED*) einpflanzen; (*fig*: *idea, principle*) einimpfen.
implausible [ɪm'plɔːzɪbl] *adj* unglaubwürdig.
implement [*n* 'ɪmplɪmənt, *vt* 'ɪmplɪmɛnt] *n* Gerät *nt*, Werkzeug *nt* ♦ *vt* durchführen.
implicate ['ɪmplɪkeɪt] *vt* verwickeln.
implication [ɪmplɪ'keɪʃən] *n* Auswirkung *f*; (*involvement*) Verwicklung *f*; **by ~** implizit.
implicit [ɪm'plɪsɪt] *adj* (*inferred*) implizit, unausgesprochen; (*unquestioning*) absolut.
implicitly [ɪm'plɪsɪtlɪ] *adv* (*see adj*) implizit; absolut.
implore [ɪm'plɔː*] *vt* anflehen.
imply [ɪm'plaɪ] *vt* andeuten; (*mean*) bedeuten.
impolite [ɪmpə'laɪt] *adj* unhöflich.
imponderable [ɪm'pɔndərəbl] *adj* unberechenbar ♦ *n* unberechenbare Größe *f*.
import [*vt* ɪm'pɔːt, *n* 'ɪmpɔːt] *vt* importieren, einführen ♦ *n* Import *m*, Einfuhr *f*; (*article*) Importgut *nt* ♦ *cpd* Import-, Einfuhr-.
importance [ɪm'pɔːtns] *n* (*see adj*) Wichtigkeit *f*; Bedeutung *f*; **to be of little/great ~** nicht besonders wichtig/sehr wichtig sein.
important [ɪm'pɔːtnt] *adj* wichtig; (*influential*) bedeutend; **it's not ~** es ist unwichtig.
importantly [ɪm'pɔːtntlɪ] *adv* wichtigtuerisch;

but more ~ ... aber was noch wichtiger ist, ...

importation [ɪmpɔːˈteɪʃən] *n* Import *m*, Einfuhr *f*.

imported [ɪmˈpɔːtɪd] *adj* importiert, eingeführt.

importer [ɪmˈpɔːtə*] *n* Importeur *m*.

impose [ɪmˈpəuz] *vt* auferlegen; (*sanctions*) verhängen ♦ *vi*: **to** ~ **on sb** jdm zur Last fallen.

imposing [ɪmˈpəuzɪŋ] *adj* eindrucksvoll.

imposition [ɪmpəˈzɪʃən] *n* (*of tax etc*) Auferlegung *f*; **to be an** ~ **on** eine Zumutung sein für.

impossibility [ɪmpɔsəˈbɪlɪtɪ] *n* Unmöglichkeit *f*.

impossible [ɪmˈpɔsɪbl] *adj* unmöglich; **it's** ~ **for me to leave now** ich kann jetzt unmöglich gehen.

impossibly [ɪmˈpɔsɪblɪ] *adv* unmöglich.

imposter [ɪmˈpɔstə*] *n* = **impostor**.

impostor [ɪmˈpɔstə*] *n* Hochstapler(in) *m(f)*.

impotence [ˈɪmpətns] *n* (*see adj*) Machtlosigkeit *f*; Impotenz *f*.

impotent [ˈɪmpətnt] *adj* machtlos; (*MED*) impotent.

impound [ɪmˈpaund] *vt* beschlagnahmen.

impoverished [ɪmˈpɔvərɪʃt] *adj* verarmt.

impracticable [ɪmˈpræktɪkəbl] *adj* (*idea*) undurchführbar; (*solution*) unbrauchbar.

impractical [ɪmˈpræktɪkl] *adj* (*plan*) undurchführbar; (*person*) unpraktisch.

imprecise [ɪmprɪˈsaɪs] *adj* ungenau.

impregnable [ɪmˈprɛgnəbl] *adj* uneinnehmbar; (*fig*) unerschütterlich.

impregnate [ˈɪmprɛgneɪt] *vt* tränken.

impresario [ɪmprɪˈsɑːrɪəu] *n* (*THEAT*) Impresario *m*.

impress [ɪmˈprɛs] *vt* beeindrucken; (*mark*) aufdrücken; **to** ~ **sth on sb** jdm etw einschärfen.

impression [ɪmˈprɛʃən] *n* Eindruck *m*; (*of stamp, seal*) Abdruck *m*; (*imitation*) Nachahmung *f*, Imitation *f*; **to make a good/bad** ~ **on sb** einen guten/schlechten Eindruck auf jdn machen; **to be under the** ~ **that** ... den Eindruck haben, daß ...

impressionable [ɪmˈprɛʃnəbl] *adj* leicht zu beeindrucken.

impressionist [ɪmˈprɛʃənɪst] *n* Impressionist(in) *m(f)*; (*entertainer*) Imitator(in) *m(f)*.

impressive [ɪmˈprɛsɪv] *adj* beeindruckend.

imprint [ˈɪmprɪnt] *n* (*of hand etc*) Abdruck *m*; (*PUBLISHING*) Impressum *nt*.

imprinted [ɪmˈprɪntɪd] *adj*: **it is** ~ **on my memory/mind** es hat sich mir eingeprägt.

imprison [ɪmˈprɪzn] *vt* inhaftieren, einsperren.

imprisonment [ɪmˈprɪznmənt] *n* Gefangenschaft *f*; **three years'** ~ drei Jahre Gefängnis *or* Freiheitsstrafe.

improbable [ɪmˈprɔbəbl] *adj* unwahrscheinlich.

impromptu [ɪmˈprɔmptjuː] *adj* improvisiert.

improper [ɪmˈprɔpə*] *adj* ungehörig; (*procedure*) unrichtig; (*dishonest*) unlauter.

impropriety [ɪmprəˈpraɪətɪ] *n* (*see adj*) Ungehörigkeit *f*; Unrichtigkeit *f*; Unlauterkeit *f*.

improve [ɪmˈpruːv] *vt* verbessern ♦ *vi* sich bessern; **the patient is improving** dem Patienten geht es besser.

►**improve (up)on** *vt fus* verbessern.

improvement [ɪmˈpruːvmənt] *n*: ~ **(in)** Verbesserung *f* (*+gen*); **to make** ~**s to** Verbesserungen durchführen an *+dat*.

improvisation [ɪmprəvaɪˈzeɪʃən] *n* Improvisation *f*.

improvise [ˈɪmprəvaɪz] *vt, vi* improvisieren.

imprudence [ɪmˈpruːdns] *n* Unklugheit *f*.

imprudent [ɪmˈpruːdnt] *adj* unklug.

impudent [ˈɪmpjudnt] *adj* unverschämt.

impugn [ɪmˈpjuːn] *vt* angreifen; (*sincerity, motives, reputation*) in Zweifel ziehen.

impulse [ˈɪmpʌls] *n* Impuls *m*; (*urge*) Drang *m*; **to act on** ~ aus einem Impuls heraus handeln.

impulse buy *n* Impulsivkauf *m*.

impulsive [ɪmˈpʌlsɪv] *adj* impulsiv, spontan; (*purchase*) Impulsiv-.

impunity [ɪmˈpjuːnɪtɪ] *n*: **with** ~ ungestraft.

impure [ɪmˈpjuə*] *adj* unrein; (*adulterated*) verunreinigt.

impurity [ɪmˈpjuərɪtɪ] *n* Verunreinigung *f*.

IN (*US*) *abbr* (*POST*: = *Indiana*).

KEYWORD

in [ɪn] *prep* **1** (*indicating place, position*) in *+dat*; (*with motion*) in *+acc*; ~ **the house/garden** im Haus/Garten; ~ **town** in der Stadt; ~ **the country** auf dem Land; ~ **here** hierin; ~ **there** darin

2 (*with place names: of town, region, country*) in *+dat*; ~ **London/Bavaria** in London/Bayern

3 (*indicating time*) in *+dat*; ~ **spring/summer/May** im Frühling/Sommer/Mai; ~ **1994** 1994; ~ **the afternoon** am Nachmittag; **at 4 o'clock** ~ **the afternoon** um 4 Uhr nachmittags; **I did it** ~ **3 hours/days** ich habe es in 3 Stunden/Tagen gemacht; ~ **2 weeks** *or* **2 weeks' time** in 2 Wochen

4 (*indicating manner, circumstances, state*) in *+dat*; ~ **a loud/soft voice** mit lauter/weicher Stimme; ~ **English/German** auf Englisch/Deutsch; ~ **the sun** in der Sonne; ~ **the rain** im Regen; ~ **good condition** in guter Verfassung

5 (*with ratios, numbers*): **1** ~ **10** eine(r, s) von 10; **20 pence** ~ **the pound** 20 Pence pro Pfund; **they lined up** ~ **twos** sie stellten sich in Zweierreihen auf

6 (*referring to people, works*): **the disease is common** ~ **children** die Krankheit ist bei

Kindern verbreitet; ~ **(the works of) Dickens** bei Dickens; **they have a good leader ~ him** in ihm haben sie einen guten Führer
7 (*indicating profession etc*) **to be ~ teaching/the army** Lehrer(in)/beim Militär sein
8 (*with present participle*): ~ **saying this, I ...** wenn ich das sage, ...
♦ *adv:* **to be ~** (*person: at home, work*) da sein; (*train, ship, plane*) angekommen sein; (*in fashion*) in sein; **to ask sb ~** jdn hereinbitten; **to run/limp** *etc* ~ hereinlaufen/-humpeln *etc*
♦ *n:* **the ~s and outs** (*of proposal, situation etc*) die Einzelheiten *pl.*

in. *abbr* = **inch.**
inability [ɪnə'bɪlɪtɪ] *n* Unfähigkeit *f.*
inaccessible [ɪnək'sɛsɪbl] *adj* unzugänglich.
inaccuracy [ɪn'ækjurəsɪ] *n* (*see adj*) Ungenauigkeit *f*; Unrichtigkeit *f*; (*mistake*) Fehler *m.*
inaccurate [ɪn'ækjurət] *adj* ungenau; (*not correct*) unrichtig.
inaction [ɪn'ækʃən] *n* Untätigkeit *f.*
inactive [ɪn'æktɪv] *adj* untätig.
inactivity [ɪnæk'tɪvɪtɪ] *n* Untätigkeit *f.*
inadequacy [ɪn'ædɪkwəsɪ] *n* Unzulänglichkeit *f.*
inadequate [ɪn'ædɪkwət] *adj* unzulänglich.
inadmissible [ɪnəd'mɪsəbl] *adj* unzulässig.
inadvertently [ɪnəd'vəːtntlɪ] *adv* ungewollt.
inadvisable [ɪnəd'vaɪzəbl] *adj* unratsam; **it is ~ to ...** es ist nicht ratsam, zu ...
inane [ɪ'neɪn] *adj* dumm.
inanimate [ɪn'ænɪmət] *adj* unbelebt.
inapplicable [ɪn'æplɪkəbl] *adj* unzutreffend.
inappropriate [ɪnə'prəuprɪət] *adj* unpassend; (*word, expression*) unangebracht.
inapt [ɪn'æpt] *adj* unpassend.
inarticulate [ɪnɑː'tɪkjulət] *adj* (*speech*) unverständlich; **he is ~** er kann sich nur schlecht ausdrücken.
inasmuch as [ɪnəz'mʌtʃ-] *adv* da, weil; (*in so far as*) insofern als.
inattention [ɪnə'tɛnʃən] *n* Unaufmerksamkeit *f.*
inattentive [ɪnə'tɛntɪv] *adj* unaufmerksam.
inaudible [ɪn'ɔːdɪbl] *adj* unhörbar.
inaugural [ɪ'nɔːgjurəl] *adj* (*speech, meeting*) Eröffnungs-.
inaugurate [ɪ'nɔːgjureɪt] *vt* einführen; (*president, official*) (feierlich) in sein/ihr Amt einführen.
inauguration [ɪnɔːgju'reɪʃən] *n* (*see vb*) Einführung *f*; (feierliche) Amtseinführung *f.*
inauspicious [ɪnɔːs'pɪʃəs] *adj* unheilverheißend.
in-between [ɪnbɪ'twiːn] *adj* Mittel-, Zwischen-.
inborn [ɪn'bɔːn] *adj* angeboren.
inbred [ɪn'brɛd] *adj* angeboren; **an ~ family** eine Familie, in der Inzucht herrscht.
inbreeding [ɪn'briːdɪŋ] *n* Inzucht *f.*
in-built ['ɪnbɪlt] *adj* (*quality*) ihm/ihr *etc* eigen; (*feeling etc*) angeboren.
Inc. *abbr* = **incorporated company.**
Inca ['ɪŋkə] *adj* (*also*: **~n**) Inka-, inkaisch ♦ *n* Inka *mf.*
incalculable [ɪn'kælkjuləbl] *adj* (*effect*) unabsehbar; (*loss*) unermeßlich.
incapable [ɪn'keɪpəbl] *adj* hilflos; **to be ~ of sth** unfähig zu etw sein; **to be ~ of doing sth** unfähig sein, etw zu tun.
incapacitate [ɪnkə'pæsɪteɪt] *vt:* **to ~ sb** jdn unfähig machen.
incapacitated [ɪnkə'pæsɪteɪtɪd] *adj* (*LAW*) entmündigt.
incapacity [ɪnkə'pæsɪtɪ] *n* Hilflosigkeit *f*; (*inability*) Unfähigkeit *f.*
incarcerate [ɪn'kɑːsəreɪt] *vt* einkerkern.
incarnate [ɪn'kɑːnɪt] *adj* leibhaftig, in Person; **evil ~** das leibhaftige Böse.
incarnation [ɪnkɑː'neɪʃən] *n* Inbegriff *m*; (*REL*) Menschwerdung *f.*
incendiary [ɪn'sɛndɪərɪ] *adj* (*bomb*) Brand-; **~ device** Brandsatz *m.*
incense [*n* 'ɪnsɛns, *vt* ɪn'sɛns] *n* Weihrauch *m*; (*perfume*) Duft *m* ♦ *vt* wütend machen.
incense burner *n* Weihrauchschwenker *m.*
incentive [ɪn'sɛntɪv] *n* Anreiz *m.*
inception [ɪn'sɛpʃən] *n* Beginn *m*, Anfang *m.*
incessant [ɪn'sɛsnt] *adj* unablässig.
incessantly [ɪn'sɛsntlɪ] *adv* unablässig.
incest ['ɪnsɛst] *n* Inzest *m.*
inch [ɪntʃ] *n* Zoll *m*; **to be within an ~ of sth** kurz vor etw *dat* stehen; **he didn't give an ~** (*fig*) er gab keinen Fingerbreit nach.
►**inch forward** *vi* sich millimeterweise *or* stückchenweise vorwärtsschieben.
incidence ['ɪnsɪdns] *n* Häufigkeit *f.*
incident ['ɪnsɪdnt] *n* Vorfall *m*; (*diplomatic etc*) Zwischenfall *m.*
incidental [ɪnsɪ'dɛntl] *adj* zusätzlich; (*unimportant*) nebensächlich; **~ to** verbunden mit; **~ expenses** Nebenkosten *pl.*
incidentally [ɪnsɪ'dɛntəlɪ] *adv* übrigens.
incidental music *n* Begleitmusik *f.*
incident room *n* Einsatzzentrale *f.*
incinerate [ɪn'sɪnəreɪt] *vt* verbrennen.
incinerator [ɪn'sɪnəreɪtə*] *n* (*for waste, refuse*) (Müll)verbrennungsanlage *f.*
incipient [ɪn'sɪpɪənt] *adj* einsetzend.
incision [ɪn'sɪʒən] *n* Einschnitt *m.*
incisive [ɪn'saɪsɪv] *adj* treffend.
incisor [ɪn'saɪzə*] *n* Schneidezahn *m.*
incite [ɪn'saɪt] *vt* (*rioters*) aufhetzen; (*violence, hatred*) schüren.
incl. *abbr* = **including; inclusive (of).**
inclement [ɪn'klɛmənt] *adj* (*weather*) rauh, unfreundlich.
inclination [ɪnklɪ'neɪʃən] *n* Neigung *f.*

incline [*n* 'ɪnklaɪn, *vb* ɪn'klaɪn] *n* Abhang *m* ♦ *vt* neigen ♦ *vi* sich neigen; **to be ~d to** neigen zu; **to be well ~d towards sb** jdm geneigt *or* gewogen sein.
include [ɪn'klu:d] *vt* einbeziehen; (*in price*) einschließen; **the tip is not ~d in the price** Trinkgeld ist im Preis nicht inbegriffen.
including [ɪn'klu:dɪŋ] *prep* einschließlich; **~ service charge** inklusive Bedienung.
inclusion [ɪn'klu:ʒən] *n* (*see vb*) Einbeziehung *f*; Einschluß *m*.
inclusive [ɪn'klu:sɪv] *adj* (*terms*) inklusive; (*price*) Inklusiv-, Pauschal-; **~ of** einschließlich *+gen*.
incognito [ɪnkɔg'ni:təu] *adv* inkognito.
incoherent [ɪnkəu'hɪərənt] *adj* zusammenhanglos; (*speech*) wirr; (*person*) sich unklar *or* undeutlich ausdrückend.
income ['ɪnkʌm] *n* Einkommen *nt*; (*from property, investment, pension*) Einkünfte *pl*; **gross/net ~** Brutto-/Nettoeinkommen *nt*; **~ and expenditure account** Gewinn- und Verlustrechnung *f*; **~ bracket** Einkommensklasse *f*.
income support *n* ≈ Sozialhilfe *f*.
income tax *n* Einkommenssteuer *f* ♦ *cpd* Steuer-.
incoming ['ɪnkʌmɪŋ] *adj* (*passenger*) ankommend; (*flight*) landend; (*call, mail*) eingehend; (*government, official*) neu; (*wave*) hereinbrechend; **~ tide** Flut *f*.
incommunicado ['ɪnkəmjunɪ'kɑ:dəu] *adj*: **to hold sb ~** jdn ohne jede Verbindung zur Außenwelt halten.
incomparable [ɪn'kɔmpərəbl] *adj* unvergleichlich.
incompatible [ɪnkəm'pætɪbl] *adj* unvereinbar.
incompetence [ɪn'kɔmpɪtns] *n* Unfähigkeit *f*.
incompetent [ɪn'kɔmpɪtnt] *adj* unfähig; (*job*) unzulänglich.
incomplete [ɪnkəm'pli:t] *adj* unfertig; (*partial*) unvollständig.
incomprehensible [ɪnkɔmprɪ'hɛnsɪbl] *adj* unverständlich.
inconceivable [ɪnkən'si:vəbl] *adj*: **it is ~ (that ...)** es ist unvorstellbar *or* undenkbar(, daß ...).
inconclusive [ɪnkən'klu:sɪv] *adj* (*experiment, discussion*) ergebnislos; (*evidence, argument*) nicht überzeugend; (*result*) unbestimmt.
incongruous [ɪn'kɔŋgruəs] *adj* (*strange*) absurd; (*inappropriate*) unpassend.
inconsequential [ɪnkɔnsɪ'kwɛnʃl] *adj* unbedeutend, unwichtig.
inconsiderable [ɪnkən'sɪdərəbl] *adj*: **not ~** beachtlich; (*sum*) nicht unerheblich.
inconsiderate [ɪnkən'sɪdərət] *adj* rücksichtslos.
inconsistency [ɪnkən'sɪstənsɪ] *n* (*see adj*) Widersprüchlichkeit *f*; Inkonsequenz *f*; Unbeständigkeit *f*.
inconsistent [ɪnkən'sɪstnt] *adj* widersprüchlich; (*person*) inkonsequent; (*work*) unbeständig; **to be ~ with** im Widerspruch stehen zu.
inconsolable [ɪnkən'səuləbl] *adj* untröstlich.
inconspicuous [ɪnkən'spɪkjuəs] *adj* unauffällig; **to make o.s. ~** sich unauffällig benehmen.
incontinence [ɪn'kɔntɪnəns] *n* (*MED*) Unfähigkeit *f*, Stuhl und/oder Harn zurückzuhalten, Inkontinenz *f*.
incontinent [ɪn'kɔntɪnənt] *adj* (*MED*) unfähig, Stuhl und/oder Harn zurückzuhalten, inkontinent.
inconvenience [ɪnkən'vi:njəns] *n* Unannehmlichkeit *f*; (*trouble*) Umstände *pl* ♦ *vt* Umstände bereiten *+dat*; **don't ~ yourself** machen Sie sich keine Umstände.
inconvenient [ɪnkən'vi:njənt] *adj* (*time, place*) ungünstig; (*house*) unbequem, unpraktisch; (*visitor*) ungelegen.
incorporate [ɪn'kɔ:pəreɪt] *vt* aufnehmen; (*contain*) enthalten; **safety features have been ~d in the design** in der Konstruktion sind auch Sicherheitsvorkehrungen enthalten.
incorporated company [ɪn'kɔ:pəreɪtɪd-] (*US*) *n* eingetragene Gesellschaft *f*.
incorrect [ɪnkə'rɛkt] *adj* falsch.
incorrigible [ɪn'kɔrɪdʒɪbl] *adj* unverbesserlich.
incorruptible [ɪnkə'rʌptɪbl] *adj* unbestechlich.
increase [*vb* ɪn'kri:s, *n* 'ɪnkri:s] *vi* (*level etc*) zunehmen; (*price*) steigen; (*in size*) sich vergrößern; (*in number, quantity*) sich vermehren ♦ *vt* vergrößern; (*price*) erhöhen ♦ *n*: **~ (in)** Zunahme *f* (*+gen*); (*in wages, spending etc*) Erhöhung *f* (*+gen*); **an ~ of 5%** eine Erhöhung von 5%, eine Zunahme um 5%; **to be on the ~** zunehmen.
increasing [ɪn'kri:sɪŋ] *adj* zunehmend.
increasingly [ɪn'kri:sɪŋlɪ] *adv* zunehmend.
incredible [ɪn'krɛdɪbl] *adj* unglaublich; (*amazing, wonderful*) unwahrscheinlich (*inf*), sagenhaft (*inf*).
incredulity [ɪnkrɪ'dju:lɪtɪ] *n* Ungläubigkeit *f*.
incredulous [ɪn'krɛdjuləs] *adj* ungläubig.
increment ['ɪnkrɪmənt] *n* (*in salary*) Erhöhung *f*, Zulage *f*.
incriminate [ɪn'krɪmɪneɪt] *vt* belasten.
incriminating [ɪn'krɪmɪneɪtɪŋ] *adj* belastend.
incrusted [ɪn'krʌstɪd] *adj* = **encrusted**.
incubate ['ɪnkjubeɪt] *vt* ausbrüten ♦ *vi* ausgebrütet werden; (*disease*) zum Ausbruch kommen.
incubation [ɪnkju'beɪʃən] *n* Ausbrüten *nt*; (*of illness*) Inkubation *f*.
incubation period *n* Inkubationszeit *f*.
incubator ['ɪnkjubeɪtə*] *n* (*for babies*) Brutkasten *m*, Inkubator *m*.
inculcate ['ɪnkʌlkeɪt] *vt*: **to ~ sth in(to) sb** jdm etw einprägen.
incumbent [ɪn'kʌmbənt] *n* Amtsinhaber(in)

m(f) ♦ *adj:* **it is ~ on him to** ... es obliegt ihm *or* es ist seine Pflicht, zu ...
incur [ɪn'kəː*] *vt* (*expenses, debt*) machen; (*loss*) erleiden; (*disapproval, anger*) sich *dat* zuziehen.
incurable [ɪn'kjuərəbl] *adj* unheilbar.
incursion [ɪn'kəːʃən] *n* (*MIL*) Einfall *m*.
Ind. (*US*) *abbr* (*POST:* = *Indiana*).
indebted [ɪn'dɛtɪd] *adj:* **to be ~ to sb** jdm (zu Dank) verpflichtet sein.
indecency [ɪn'diːsnsɪ] *n* Unanständigkeit *f*, Anstößigkeit *f*.
indecent [ɪn'diːsnt] *adj* unanständig, anstößig; (*haste*) ungebührlich.
indecent assault (*BRIT*) *n* Sexualverbrechen *nt*.
indecent exposure *n* Erregung *f* öffentlichen Ärgernisses.
indecipherable [ɪndɪ'saɪfərəbl] *adj* unleserlich; (*expression, glance etc*) unergründlich.
indecision [ɪndɪ'sɪʒən] *n* Unentschlossenheit *f*.
indecisive [ɪndɪ'saɪsɪv] *adj* unentschlossen.
indeed [ɪn'diːd] *adv* aber sicher; (*in fact*) tatsächlich, in der Tat; (*furthermore*) sogar; **yes ~!** oh ja!, das kann man wohl sagen!
indefatigable [ɪndɪ'fætɪgəbl] *adj* unermüdlich.
indefensible [ɪndɪ'fɛnsɪbl] *adj* (*conduct*) unentschuldbar.
indefinable [ɪndɪ'faɪnəbl] *adj* undefinierbar.
indefinite [ɪn'dɛfɪnɪt] *adj* unklar, vage; (*period, number*) unbestimmt.
indefinite article *n* (*LING*) unbestimmter Artikel *m*.
indefinitely [ɪn'dɛfɪnɪtlɪ] *adv* (*continue*) endlos; (*wait*) unbegrenzt (lange); (*postpone*) auf unbestimmte Zeit.
indelible [ɪn'dɛlɪbl] *adj* (*mark, stain*) nicht zu entfernen; **~ pen** Tintenstift *m*; **~ ink** Wäschetinte *f*.
indelicate [ɪn'dɛlɪkɪt] *adj* taktlos; (*not polite*) ungehörig.
indemnify [ɪn'dɛmnɪfaɪ] *vt* entschädigen.
indemnity [ɪn'dɛmnɪtɪ] *n* (*insurance*) Versicherung *f*; (*compensation*) Entschädigung *f*.
indent [ɪn'dɛnt] *vt* (*text*) einrücken, einziehen.
indentation [ɪndɛn'teɪʃən] *n* Einkerbung *f*; (*TYP*) Einrückung *f*, Einzug *m*; (*on metal*) Delle *f*.
indenture [ɪn'dɛntʃə*] *n* Ausbildungsvertrag *m*, Lehrvertrag *m*.
independence [ɪndɪ'pɛndns] *n* Unabhängigkeit *f*.

> **Independence Day** *(der 4. Juli) ist in den USA ein gesetzlicher Feiertag zum Gedenken an die Unabhängigkeitserklärung am 4. Juli 1776, mit der die 13 amerikanischen Kolonien ihre Freiheit und Unabhängigkeit von Großbritannien erklärten.*

independent [ɪndɪ'pɛndnt] *adj* unabhängig.
independently [ɪndɪ'pɛndntlɪ] *adv* unabhängig.
in-depth ['ɪndɛpθ] *adj* eingehend.
indescribable [ɪndɪs'kraɪbəbl] *adj* unbeschreiblich.
indestructible [ɪndɪs'trʌktəbl] *adj* unzerstörbar.
indeterminate [ɪndɪ'təːmɪnɪt] *adj* unbestimmt.
index ['ɪndɛks] (*pl* **~es**) *n* (*in book*) Register *nt*; (*in library etc*) Katalog *m*; (*card index*) Kartei *f*; (*pl* **indices**: *ratio*) Index *m*; (: *sign*) (An)zeichen *nt*.
index card *n* Karteikarte *f*.
indexed ['ɪndɛkst] (*US*) *n* = **index-linked**.
index finger *n* Zeigefinger *m*.
index-linked ['ɪndɛks'lɪŋkt] *adj* der Inflationsrate *dat* angeglichen.
India ['ɪndɪə] *n* Indien *nt*.
Indian ['ɪndɪən] *adj* indisch; (*American Indian*) indianisch ♦ *n* Inder(in) *m(f)*; **American ~** Indianer(in) *m(f)*.
Indian Ocean *n:* **the ~** der Indische Ozean.
Indian Summer *n* Altweibersommer *m*.
India paper *n* Dünndruckpapier *nt*.
India rubber *n* Gummi *m*, Kautschuk *m*.
indicate ['ɪndɪkeɪt] *vt* (an)zeigen; (*point to*) deuten auf *+acc*; (*mention*) andeuten ♦ *vi* (*BRIT: AUT*): **to ~ left/right** links/rechts blinken.
indication [ɪndɪ'keɪʃən] *n* (An)zeichen *nt*.
indicative [ɪn'dɪkətɪv] *n* (*LING*) Indikativ *m*, Wirklichkeitsform *f* ♦ *adj:* **to be ~ of sth** auf etw *acc* schließen lassen.
indicator ['ɪndɪkeɪtə*] *n* (*instrument, gauge*) Anzeiger *m*; (*fig*) (An)zeichen *nt*; (*AUT*) Richtungsanzeiger *m*, Blinker *m*.
indices ['ɪndɪsiːz] *npl of* **index**.
indict [ɪn'daɪt] *vt* anklagen.
indictable [ɪn'daɪtəbl] *adj* (*person*) strafrechtlich verfolgbar; **~ offence** strafbare Handlung *f*.
indictment [ɪn'daɪtmənt] *n* Anklage *f*; **to be an ~ of sth** (*fig*) ein Armutszeugnis *nt* für etw sein.
indifference [ɪn'dɪfrəns] *n* Gleichgültigkeit *f*.
indifferent [ɪn'dɪfrənt] *adj* gleichgültig; (*mediocre*) mittelmäßig.
indigenous [ɪn'dɪdʒɪnəs] *adj* einheimisch.
indigestible [ɪndɪ'dʒɛstɪbl] *adj* unverdaulich.
indigestion [ɪndɪ'dʒɛstʃən] *n* Magenverstimmung *f*.
indignant [ɪn'dɪgnənt] *adj:* **to be ~ at sth/with sb** entrüstet über etw/jdn sein.
indignation [ɪndɪg'neɪʃən] *n* Entrüstung *f*.
indignity [ɪn'dɪgnɪtɪ] *n* Demütigung *f*.
indigo ['ɪndɪgəu] *n* Indigo *nt or m*.
indirect [ɪndɪ'rɛkt] *adj* indirekt; **~ way** *or* **route** Umweg *m*.
indirectly [ɪndɪ'rɛktlɪ] *adv* indirekt.
indiscreet [ɪndɪs'kriːt] *adj* indiskret.

indiscretion [ɪndɪs'krɛʃən] *n* Indiskretion *f*.
indiscriminate [ɪndɪs'krɪmɪnət] *adj* wahllos; (*taste*) unkritisch.
indispensable [ɪndɪs'pɛnsəbl] *adj* unentbehrlich.
indisposed [ɪndɪs'pəuzd] *adj* unpäßlich.
indisputable [ɪndɪs'pju:təbl] *adj* unbestreitbar.
indistinct [ɪndɪs'tɪŋkt] *adj* undeutlich; (*image*) verschwommen; (*noise*) schwach.
indistinguishable [ɪndɪs'tɪŋgwɪʃəbl] *adj*: ~ **from** nicht zu unterscheiden von.
individual [ɪndɪ'vɪdjuəl] *n* Individuum *nt*, Einzelne(r) *f(m)* ♦ *adj* eigen; (*single*) einzeln; (*case, portion*) Einzel-; (*particular*) individuell.
individualist [ɪndɪ'vɪdjuəlɪst] *n* Individualist(in) *m(f)*.
individuality [ɪndɪvɪdju'ælɪtɪ] *n* Individualität *f*.
individually [ɪndɪ'vɪdjuəlɪ] *adv* einzeln, individuell.
indivisible [ɪndɪ'vɪzɪbl] *adj* unteilbar.
Indochina [ɪndəʊ'tʃaɪnə] *n* Indochina *nt*.
indoctrinate [ɪn'dɔktrɪneɪt] *vt* indoktrinieren.
indoctrination [ɪndɔktrɪ'neɪʃən] *n* Indoktrination *f*.
indolence ['ɪndələns] *n* Trägheit *f*.
indolent ['ɪndələnt] *adj* träge.
Indonesia [ɪndə'ni:zɪə] *n* Indonesien *nt*.
Indonesian [ɪndə'ni:zɪən] *adj* indonesisch ♦ *n* Indonesier(in) *m(f)*; (*LING*) Indonesisch *nt*.
indoor ['ɪndɔ:*] *adj* (*plant, aerial*) Zimmer-; (*clothes, shoes*) Haus-; (*swimming pool, sport*) Hallen-; (*games*) im Haus.
indoors [ɪn'dɔ:z] *adv* drinnen; **to go** ~ hineingehen.
indubitable [ɪn'dju:bɪtəbl] *adj* unzweifelhaft.
indubitably [ɪn'dju:bɪtəblɪ] *adv* zweifellos.
induce [ɪn'dju:s] *vt* herbeiführen; (*persuade*) dazu bringen; (*MED: birth*) einleiten; **to ~ sb to do sth** jdn dazu bewegen *or* bringen, etw zu tun.
inducement [ɪn'dju:smənt] *n* Anreiz *m*; (*pej: bribe*) Bestechung *f*.
induct [ɪn'dʌkt] *vt* (in sein/ihr *etc* Amt) einführen.
induction [ɪn'dʌkʃən] *n* (*MED: of birth*) Einleitung *f*.
induction course (*BRIT*) *n* Einführungskurs *m*.
indulge [ɪn'dʌldʒ] *vt* nachgeben *+dat*; (*person, child*) verwöhnen ♦ *vi*: **to ~ in** sich hingeben *+dat*.
indulgence [ɪn'dʌldʒəns] *n* (*pleasure*) Luxus *m*; (*leniency*) Nachgiebigkeit *f*.
indulgent [ɪn'dʌldʒənt] *adj* nachsichtig.
industrial [ɪn'dʌstrɪəl] *adj* industriell; (*accident*) Arbeits-; (*city*) Industrie-.
industrial action *n* Arbeitskampfmaßnahmen *pl*.
industrial design *n* Industriedesign *nt*.
industrial estate (*BRIT*) *n* Industriegebiet *nt*.
industrialist [ɪn'dʌstrɪəlɪst] *n* Industrielle(r) *f(m)*.
industrialize [ɪn'dʌstrɪəlaɪz] *vt* industrialisieren.
industrial park (*US*) *n* = **industrial estate**.
industrial relations *npl* *Beziehungen zwischen Arbeitgebern, Arbeitnehmern und Gewerkschaften*.
industrial tribunal (*BRIT*) *n* Arbeitsgericht *nt*.
industrial unrest (*BRIT*) *n* Arbeitsunruhen *pl*.
industrious [ɪn'dʌstrɪəs] *adj* fleißig.
industry ['ɪndəstrɪ] *n* Industrie *f*; (*diligence*) Fleiß *m*.
inebriated [ɪ'ni:brɪeɪtɪd] *adj* betrunken.
inedible [ɪn'ɛdɪbl] *adj* ungenießbar.
ineffective [ɪnɪ'fɛktɪv] *adj* wirkungslos; (*government*) unfähig.
ineffectual [ɪnɪ'fɛktʃuəl] *adj* = **ineffective**.
inefficiency [ɪnɪ'fɪʃənsɪ] *n* (*see adj*) Ineffizienz *f*; Leistungsunfähigkeit *f*.
inefficient [ɪnɪ'fɪʃənt] *adj* ineffizient; (*machine*) leistungsunfähig.
inelegant [ɪn'ɛlɪgənt] *adj* unelegant.
ineligible [ɪn'ɛlɪdʒɪbl] *adj* (*candidate*) nicht wählbar; **to be ~ for sth** zu etw nicht berechtigt sein.
inept [ɪ'nɛpt] *adj* (*politician*) unfähig; (*management*) stümperhaft.
ineptitude [ɪ'nɛptɪtju:d] *n* (*see adj*) Unfähigkeit *f*; Stümperhaftigkeit *f*.
inequality [ɪnɪ'kwɔlɪtɪ] *n* Ungleichheit *f*.
inequitable [ɪn'ɛkwɪtəbl] *adj* ungerecht.
inert [ɪ'nə:t] *adj* unbeweglich; ~ **gas** Edelgas *nt*.
inertia [ɪ'nə:ʃə] *n* Trägheit *f*.
inertia-reel seat belt [ɪ'nə:ʃə'ri:l-] *n* Automatikgurt *m*.
inescapable [ɪnɪ'skeɪpəbl] *adj* unvermeidlich; (*conclusion*) zwangsläufig.
inessential [ɪnɪ'sɛnʃl] *adj* unwesentlich; (*furniture etc*) entbehrlich.
inessentials [ɪnɪ'sɛnʃlz] *npl* Nebensächlichkeiten *pl*.
inestimable [ɪn'ɛstɪməbl] *adj* unschätzbar.
inevitability [ɪnɛvitə'bɪlɪtɪ] *n* Unvermeidlichkeit *f*; **it is an ~** es ist nicht zu vermeiden.
inevitable [ɪn'ɛvɪtəbl] *adj* unvermeidlich; (*result*) zwangsläufig.
inevitably [ɪn'ɛvɪtəblɪ] *adv* zwangsläufig; **~, he was late** es konnte ja nicht ausbleiben, daß er zu spät kam; **as ~ happens** ... wie es immer so ist ...
inexact [ɪnɪg'zækt] *adj* ungenau.
inexcusable [ɪnɪks'kju:zəbl] *adj* unentschuldbar, unverzeihlich.
inexhaustible [ɪnɪg'zɔ:stɪbl] *adj* unerschöpflich.
inexorable [ɪn'ɛksərəbl] *adj* unaufhaltsam.
inexpensive [ɪnɪk'spɛnsɪv] *adj* preisgünstig.

inexperience [ɪnɪk'spɪərɪəns] *n* Unerfahrenheit *f*.
inexperienced [ɪnɪk'spɪərɪənst] *adj* unerfahren; (*swimmer etc*) ungeübt; **to be ~ in sth** wenig Erfahrung mit etw haben.
inexplicable [ɪnɪk'splɪkəbl] *adj* unerklärlich.
inexpressible [ɪnɪk'sprɛsɪbl] *adj* unbeschreiblich.
inextricable [ɪnɪk'strɪkəbl] *adj* unentwirrbar; (*dilemma*) unlösbar.
inextricably [ɪnɪk'strɪkəblɪ] *adv* unentwirrbar; (*linked*) untrennbar.
infallibility [ɪnfælə'bɪlɪtɪ] *n* Unfehlbarkeit *f*.
infallible [ɪn'fælɪbl] *adj* unfehlbar.
infamous ['ɪnfəməs] *adj* niederträchtig.
infamy ['ɪnfəmɪ] *n* Verrufenheit *f*.
infancy ['ɪnfənsɪ] *n* frühe Kindheit *f*; (*of movement, firm*) Anfangsstadium *nt*.
infant ['ɪnfənt] *n* Säugling *m*; (*young child*) Kleinkind *nt* ♦ *cpd* Säuglings-.
infantile ['ɪnfəntaɪl] *adj* kindisch, infantil; (*disease*) Kinder-.
infantry ['ɪnfəntrɪ] *n* Infanterie *f*.
infantryman ['ɪnfəntrɪmən] (*irreg: like* **man**) *n* Infanterist *m*.
infant school (*BRIT*) *n* Grundschule *f* (*für die ersten beiden Jahrgänge*).
infatuated [ɪn'fætjueɪtɪd] *adj*: **~ with** vernarrt in *+acc*; **to become ~ with** sich vernarren in *+acc*.
infatuation [ɪnfætju'eɪʃən] *n* Vernarrtheit *f*.
infect [ɪn'fɛkt] *vt* anstecken (*also fig*), infizieren; (*food*) verseuchen; **to become ~ed** (*wound*) sich entzünden.
infection [ɪn'fɛkʃən] *n* Infektion *f*, Entzündung *f*; (*contagion*) Ansteckung *f*.
infectious [ɪn'fɛkʃəs] *adj* ansteckend.
infer [ɪn'fəː*] *vt* schließen; (*imply*) andeuten.
inference ['ɪnfərəns] *n* (*see vb*) Schluß *m*; Andeutung *f*.
inferior [ɪn'fɪərɪə*] *adj* (*in rank*) untergeordnet, niedriger; (*in quality*) minderwertig; (*in quantity, number*) geringer ♦ *n* Untergebene(r) *f(m)*; **to feel ~ (to sb)** sich (jdm) unterlegen fühlen.
inferiority [ɪnfɪərɪ'ɔrətɪ] *n* (*see adj*) untergeordnete Stellung *f*, niedriger Rang *m*; Minderwertigkeit *f*; geringere Zahl *f*.
inferiority complex *n* Minderwertigkeitskomplex *m*.
infernal [ɪn'fəːnl] *adj* höllisch; (*temper*) schrecklich.
inferno [ɪn'fəːnəu] *n* (*blaze*) Flammenmeer *nt*.
infertile [ɪn'fəːtaɪl] *adj* unfruchtbar.
infertility [ɪnfəː'tɪlɪtɪ] *n* Unfruchtbarkeit *f*.
infested [ɪn'fɛstɪd] *adj*: **~ (with)** verseucht (mit).
infidelity [ɪnfɪ'dɛlɪtɪ] *n* Untreue *f*.
infighting ['ɪnfaɪtɪŋ] *n* interne Machtkämpfe *pl*.
infiltrate ['ɪnfɪltreɪt] *vt* (*organization etc*) infiltrieren, unterwandern; (*: to spy*) einschleusen.
infinite ['ɪnfɪnɪt] *adj* unendlich; (*time, money*) unendlich viel.
infinitely ['ɪnfɪnɪtlɪ] *adv* unendlich viel.
infinitesimal [ɪnfɪnɪ'tɛsɪməl] *adj* unendlich klein, winzig.
infinitive [ɪn'fɪnɪtɪv] *n* (*LING*) Infinitiv *m*, Grundform *f*.
infinity [ɪn'fɪnɪtɪ] *n* Unendlichkeit *f*; (*MATH, PHOT*) Unendliche *nt*; **an ~ of ...** unendlich viel(e) ...
infirm [ɪn'fəːm] *adj* schwach, gebrechlich.
infirmary [ɪn'fəːmərɪ] *n* Krankenhaus *nt*.
infirmity [ɪn'fəːmɪtɪ] *n* Schwäche *f*, Gebrechlichkeit *f*.
inflame [ɪn'fleɪm] *vt* (*person, crowd*) aufbringen.
inflamed [ɪn'fleɪmd] *adj* entzündet.
inflammable [ɪn'flæməbl] *adj* feuergefährlich.
inflammation [ɪnflə'meɪʃən] *n* Entzündung *f*.
inflammatory [ɪn'flæmətərɪ] *adj* (*speech*) aufrührerisch, Hetz-.
inflatable [ɪn'fleɪtəbl] *adj* aufblasbar; (*dinghy*) Schlauch-.
inflate [ɪn'fleɪt] *vt* aufpumpen; (*balloon*) aufblasen; (*price*) hochtreiben; (*expectation*) steigern; (*position, ideas etc*) hochspielen.
inflated [ɪn'fleɪtɪd] *adj* (*style*) geschwollen; (*value, price*) überhöht.
inflation [ɪn'fleɪʃən] *n* Inflation *f*.
inflationary [ɪn'fleɪʃənərɪ] *adj* inflationär; (*spiral*) Inflations-.
inflexible [ɪn'flɛksɪbl] *adj* inflexibel; (*rule*) starr.
inflict [ɪn'flɪkt] *vt*: **to ~ sth on sb** (*damage, suffering, wound*) jdm etw zufügen; (*punishment*) jdm etw auferlegen; (*fig: problems*) jdn mit etw belasten.
infliction [ɪn'flɪkʃən] *n* (*see vb*) Zufügen *nt*; Auferlegung *f*; Belastung *f*.
in-flight ['ɪnflaɪt] *adj* während des Fluges.
inflow ['ɪnfləu] *n* Zustrom *m*.
influence ['ɪnfluəns] *n* Einfluß *m* ♦ *vt* beeinflussen; **under the ~ of alcohol** unter Alkoholeinfluß.
influential [ɪnflu'ɛnʃl] *adj* einflußreich.
influenza [ɪnflu'ɛnzə] *n* (*MED*) Grippe *f*.
influx ['ɪnflʌks] *n* (*of refugees*) Zustrom *m*; (*of funds*) Zufuhr *f*.
inform [ɪn'fɔːm] *vt*: **to ~ sb of sth** jdn von etw unterrichten, jdn über etw *acc* informieren ♦ *vi*: **to ~ on sb** jdn denunzieren.
informal [ɪn'fɔːml] *adj* ungezwungen; (*manner, clothes*) leger; (*unofficial*) inoffiziell; (*announcement, invitation*) informell.
informality [ɪnfɔː'mælɪtɪ] *n* (*see adj*) Ungezwungenheit *f*; legere Art *f*; inoffizieller Charakter *m*; informeller Charakter *m*.
informally [ɪn'fɔːməlɪ] *adv* (*see adj*) ungezwungen; leger; inoffiziell; informell.
informant [ɪn'fɔːmənt] *n* Informant(in) *m(f)*.

information [ɪnfə'meɪʃən] *n* Informationen *pl*, Auskunft *f*; (*knowledge*) Wissen *nt*; **to get ~ on** sich informieren über *+acc*; **a piece of ~** eine Auskunft *or* Information; **for your ~** zu Ihrer Information.
information bureau *n* Auskunftsbüro *nt*.
information desk *n* Auskunftsschalter *m*.
information office *n* Auskunftsbüro *nt*.
information processing *n* Informationsverarbeitung *f*.
information retrieval *n* Informationsabruf *m*, Datenabruf *m*.
information science *n* Informatik *f*.
information technology *n* Informationstechnik *f*.
informative [ɪn'fɔːmətɪv] *adj* aufschlußreich.
informed [ɪn'fɔːmd] *adj* informiert; (*guess, opinion*) wohlbegründet; **to be well/better ~** gut/besser informiert sein.
informer [ɪn'fɔːmə*] *n* Informant(in) *m(f)*; (*also:* **police ~**) Polizeispitzel *m*.
infra dig ['ɪnfrə'dɪg] (*inf*) *adj abbr* (= *infra dignitatem*) unter meiner/seiner *etc* Würde.
infrared [ɪnfrə'rɛd] *adj* infrarot.
infrastructure ['ɪnfrəstrʌktʃə*] *n* Infrastruktur *f*.
infrequent [ɪn'friːkwənt] *adj* selten.
infringe [ɪn'frɪndʒ] *vt* (*law*) verstoßen gegen, übertreten ♦ *vi:* **to ~ on** (*rights*) verletzen.
infringement [ɪn'frɪndʒmənt] *n* (*see vb*) Verstoß *m*, Übertretung *f*; Verletzung *f*.
infuriate [ɪn'fjuərɪeɪt] *vt* wütend machen.
infuriating [ɪn'fjuərɪeɪtɪŋ] *adj* äußerst ärgerlich.
infuse [ɪn'fjuːz] *vt* (*tea etc*) aufgießen; **to ~ sb with sth** (*fig*) jdm etw einflößen.
infusion [ɪn'fjuːʒən] *n* (*tea etc*) Aufguß *m*.
ingenious [ɪn'dʒiːnjəs] *adj* genial.
ingenuity [ɪndʒɪ'njuːɪtɪ] *n* Einfallsreichtum *m*; (*skill*) Geschicklichkeit *f*.
ingenuous [ɪn'dʒɛnjuəs] *adj* offen, aufrichtig; (*innocent*) naiv.
ingot ['ɪŋgət] *n* Barren *m*.
ingrained [ɪn'greɪnd] *adj* (*habit*) fest; (*belief*) unerschütterlich.
ingratiate [ɪn'greɪʃɪeɪt] *vt:* **to ~ o.s. with sb** sich bei jdm einschmeicheln.
ingratiating [ɪn'greɪʃɪeɪtɪŋ] *adj* schmeichlerisch.
ingratitude [ɪn'grætɪtjuːd] *n* Undank *m*.
ingredient [ɪn'griːdɪənt] *n* (*of cake etc*) Zutat *f*; (*of situation*) Bestandteil *m*.
ingrowing ['ɪngrəuɪŋ] *adj:* **~ toenail** eingewachsener Zehennagel *m*.
inhabit [ɪn'hæbɪt] *vt* bewohnen, wohnen in *+dat*.
inhabitant [ɪn'hæbɪtnt] *n* Einwohner(in) *m(f)*; (*of street, house*) Bewohner(in) *m(f)*.
inhale [ɪn'heɪl] *vt* einatmen ♦ *vi* einatmen; (*when smoking*) inhalieren.
inhaler [ɪn'heɪlə*] *n* Inhalationsapparat *m*.
inherent [ɪn'hɪərənt] *adj:* **~ in** *or* **to** eigen *+dat*.
inherently [ɪn'hɪərəntlɪ] *adv* von Natur aus.
inherit [ɪn'hɛrɪt] *vt* erben.
inheritance [ɪn'hɛrɪtəns] *n* Erbe *nt*.
inhibit [ɪn'hɪbɪt] *vt* hemmen.
inhibited [ɪn'hɪbɪtɪd] *adj* gehemmt.
inhibiting [ɪn'hɪbɪtɪŋ] *adj* hemmend; **~ factor** Hemmnis *nt*.
inhibition [ɪnhɪ'bɪʃən] *n* Hemmung *f*.
inhospitable [ɪnhɔs'pɪtəbl] *adj* ungastlich; (*place, climate*) unwirtlich.
in-house ['ɪn'haus] *adj, adv* hausintern.
inhuman [ɪn'hjuːmən] *adj* (*behaviour*) unmenschlich; (*appearance*) nicht menschlich.
inhumane [ɪnhjuː'meɪn] *adj* inhuman; (*treatment*) menschenunwürdig.
inimitable [ɪ'nɪmɪtəbl] *adj* unnachahmlich.
iniquitous [ɪ'nɪkwɪtəs] *adj* (*unfair*) ungerecht.
iniquity [ɪ'nɪkwɪtɪ] *n* Ungerechtigkeit *f*; (*wickedness*) Ungeheuerlichkeit *f*.
initial [ɪ'nɪʃl] *adj* anfänglich; (*stage*) Anfangs- ♦ *n* Initiale *f*, Anfangsbuchstabe *m* ♦ *vt* (*document*) abzeichnen; **initials** *npl* Initialen *pl*; (*as signature*) Namenszeichen *nt*.
initialize [ɪ'nɪʃəlaɪz] *vt* initialisieren.
initially [ɪ'nɪʃəlɪ] *adv* zu Anfang; (*first*) zuerst.
initiate [ɪ'nɪʃɪeɪt] *vt* (*talks*) eröffnen; (*process*) einleiten; (*new member*) feierlich aufnehmen; **to ~ sb into a secret** jdn in ein Geheimnis einweihen; **to ~ proceedings against sb** (*LAW*) einen Prozeß gegen jdn anstrengen.
initiation [ɪnɪʃɪ'eɪʃən] *n* (*beginning*) Einführung *f*; (*into secret etc*) Einweihung *f*.
initiative [ɪ'nɪʃətɪv] *n* Initiative *f*; **to take the ~** die Initiative ergreifen.
inject [ɪn'dʒɛkt] *vt* (ein)spritzen; (*fig: funds*) hineinpumpen; **to ~ sb with sth** jdm etw spritzen *or* injizieren; **to ~ money into sth** (*fig*) Geld in etw *acc* pumpen.
injection [ɪn'dʒɛkʃən] *n* Spritze *f*, Injektion *f*; **to give/have an ~** eine Spritze *or* Injektion geben/bekommen; **an ~ of money/funds** (*fig*) eine Finanzspritze.
injudicious [ɪndʒu'dɪʃəs] *adj* unklug.
injunction [ɪn'dʒʌŋkʃən] *n* (*LAW*) gerichtliche Verfügung *f*.
injure ['ɪndʒə*] *vt* verletzen; (*reputation*) schaden *+dat*; **to ~ o.s.** sich verletzen.
injured ['ɪndʒəd] *adj* verletzt; (*tone*) gekränkt; **~ party** (*LAW*) Geschädigte(r) *f(m)*.
injurious [ɪn'dʒuərɪəs] *adj:* **to be ~ to** schaden *+dat*, schädlich sein *+dat*.
injury ['ɪndʒərɪ] *n* Verletzung *f*; **to escape without ~** unverletzt davonkommen.
injury time *n* (*SPORT*) Nachspielzeit *f*; **to play ~** nachspielen.
injustice [ɪn'dʒʌstɪs] *n* Ungerechtigkeit *f*; **you do me an ~** Sie tun mir unrecht.
ink [ɪŋk] *n* Tinte *f*; (*in printing*) Druckfarbe *f*.
ink-jet printer ['ɪŋkdʒɛt-] *n* Tintenstrahldrucker *m*.

inkling ['ɪŋklɪŋ] *n* (dunkle) Ahnung *f*; **to have an ~ of** ahnen.
ink pad *n* Stempelkissen *nt*.
inky ['ɪŋkɪ] *adj* tintenschwarz; (*fingers*) tintenbeschmiert.
inlaid ['ɪnleɪd] *adj* eingelegt.
inland ['ɪnlənd] *adj* (*port, sea, waterway*) Binnen- ♦ *adv* (*travel*) landeinwärts.
Inland Revenue (*BRIT*) *n* ≈ Finanzamt *nt*.
in-laws ['ɪnlɔːz] *npl* (*parents-in-law*) Schwiegereltern *pl*; (*other relatives*) angeheiratete Verwandte *pl*.
inlet ['ɪnlɛt] *n* (schmale) Bucht *f*.
inlet pipe *n* Zuleitung *f*, Zuleitungsrohr *nt*.
inmate ['ɪnmeɪt] *n* Insasse *m*, Insassin *f*.
inmost ['ɪnməust] *adj* innerst.
inn [ɪn] *n* Gasthaus *nt*.
innards ['ɪnədz] (*inf*) *npl* Innereien *pl*.
innate [ɪ'neɪt] *adj* angeboren.
inner ['ɪnə*] *adj* innere(r, s); (*courtyard*) Innen-.
inner city *n* Innenstadt *f*.
innermost ['ɪnəməust] *adj* = **inmost**.
inner tube *n* (*of tyre*) Schlauch *m*.
innings ['ɪnɪŋz] *n* (*CRICKET*) Innenrunde *f*; **he's had a good ~** (*fig*) er kann auf ein langes, ausgefülltes Leben zurückblicken.
innocence ['ɪnəsns] *n* Unschuld *f*.
innocent ['ɪnəsnt] *adj* unschuldig.
innocuous [ɪ'nɔkjuəs] *adj* harmlos.
innovation [ɪnəu'veɪʃən] *n* Neuerung *f*.
innuendo [ɪnju'ɛndəu] (*pl* **~es**) *n* versteckte Andeutung *f*.
innumerable [ɪ'njuːmrəbl] *adj* unzählig.
inoculate [ɪ'nɔkjuleɪt] *vt*: **to ~ sb against sth** jdn gegen etw impfen; **to ~ sb with sth** jdm etw einimpfen.
inoculation [ɪnɔkju'leɪʃən] *n* Impfung *f*.
inoffensive [ɪnə'fɛnsɪv] *adj* harmlos.
inopportune [ɪn'ɔpətjuːn] *adj* unangebracht; (*moment*) ungelegen.
inordinate [ɪ'nɔːdɪnət] *adj* (*thirst etc*) unmäßig; (*amount, pleasure*) ungeheuer.
inordinately [ɪ'nɔːdɪnətlɪ] *adv* (*proud*) unmäßig; (*long, large etc*) ungeheuer.
inorganic [ɪnɔː'gænɪk] *adj* anorganisch.
inpatient ['ɪnpeɪʃənt] *n* stationär behandelter Patient *m*, stationär behandelte Patientin *f*.
input ['ɪnput] *n* (*of capital, manpower*) Investition *f*; (*of energy*) Zufuhr *f*; (*COMPUT*) Eingabe *f*, Input *m or nt* ♦ *vt* (*COMPUT*) eingeben.
inquest ['ɪnkwɛst] *n* gerichtliche Untersuchung *f* der Todesursache.
inquire [ɪn'kwaɪə*] *vi*: **to ~ about** sich erkundigen nach, fragen nach ♦ *vt* sich erkundigen nach, fragen nach; **to ~ when/where/whether** fragen *or* sich erkundigen, wann/wo/ob.
▸**inquire after** *vt fus* sich erkundigen nach.
▸**inquire into** *vt fus* untersuchen.
inquiring [ɪn'kwaɪərɪŋ] *adj* wissensdurstig.
inquiry [ɪn'kwaɪərɪ] *n* Untersuchung *f*; (*question*) Anfrage *f*; **to hold an ~ into sth** eine Untersuchung *+gen* durchführen.
inquiry desk (*BRIT*) *n* Auskunft *f*, Auskunftsschalter *m*.
inquiry office (*BRIT*) *n* Auskunft *f*, Auskunftsbüro *nt*.
inquisition [ɪnkwɪ'zɪʃən] *n* Untersuchung *f*; (*REL*): **the I~** die Inquisition.
inquisitive [ɪn'kwɪzɪtɪv] *adj* neugierig.
inroads ['ɪnrəudz] *npl*: **to make ~ into** (*savings, supplies*) angreifen.
ins *abbr* (= *inches*) *see* **inch**.
insane [ɪn'seɪn] *adj* wahnsinnig; (*MED*) geisteskrank.
insanitary [ɪn'sænɪtərɪ] *adj* unhygienisch.
insanity [ɪn'sænɪtɪ] *n* Wahnsinn *m*; (*MED*) Geisteskrankheit *f*.
insatiable [ɪn'seɪʃəbl] *adj* unersättlich.
inscribe [ɪn'skraɪb] *vt* (*on ring*) eingravieren; (*on stone*) einmeißeln; (*on banner*) schreiben; **to ~ a ring/stone/banner with sth** etw in einen Ring eingravieren/in einen Stein einmeißeln/auf ein Spruchband schreiben; **to ~ a book** eine Widmung in ein Buch schreiben.
inscription [ɪn'skrɪpʃən] *n* Inschrift *f*; (*in book*) Widmung *f*.
inscrutable [ɪn'skruːtəbl] *adj* (*comment*) unergründlich; (*expression*) undurchdringlich.
inseam measurement ['ɪnsiːm-] (*US*) *n* innere Beinlänge *f*.
insect ['ɪnsɛkt] *n* Insekt *nt*.
insect bite *n* Insektenstich *m*.
insecticide [ɪn'sɛktɪsaɪd] *n* Insektizid *nt*, Insektengift *nt*.
insect repellent *n* Insektenbekämpfungsmittel *nt*.
insecure [ɪnsɪ'kjuə*] *adj* unsicher.
insecurity [ɪnsɪ'kjuərɪtɪ] *n* Unsicherheit *f*.
insemination [ɪnsɛmɪ'neɪʃən] *n*: **artificial ~** künstliche Besamung *f*.
insensible [ɪn'sɛnsɪbl] *adj* bewußtlos; **~ to** unempfindlich gegen; **~ of** nicht bewußt *+gen*.
insensitive [ɪn'sɛnsɪtɪv] *adj* gefühllos.
insensitivity [ɪnsɛnsɪ'tɪvɪtɪ] *n* Gefühllosigkeit *f*.
inseparable [ɪn'sɛprəbl] *adj* untrennbar; (*friends*) unzertrennlich.
insert [*vt* ɪn'səːt, *n* 'ɪnsəːt] *vt* einfügen; (*into sth*) hineinstecken ♦ *n* (*in newspaper etc*) Beilage *f*; (*in shoe*) Einlage *f*.
insertion [ɪn'səːʃən] *n* Hineinstecken *nt*; (*of needle*) Einstechen *nt*; (*of comment*) Einfügen *nt*.
in-service ['ɪn'səːvɪs] *adj*: **~ training** (berufsbegleitende) Fortbildung *f*; **~ course** Fortbildungslehrgang *m*.
inshore ['ɪn'ʃɔː*] *adj* (*fishing, waters*) Küsten- ♦ *adv* in Küstennähe; (*move*) auf die Küste zu.

inside ['ɪn'saɪd] *n* Innere(s) *nt*, Innenseite *f*; (*of road: BRIT*) linke Spur *f*; (: *US, Europe etc*) rechte Spur *f* ♦ *adj* innere(r, s); (*pocket, cabin, light*) Innen- ♦ *adv* (*go*) nach innen, hinein; (*be*) drinnen ♦ *prep* (*location*) in *+dat*; (*motion*) in *+acc*; ~ **10 minutes** innerhalb von 10 Minuten; **insides** *npl* (*inf*) Bauch *m*; (*innards*) Eingeweide *pl*.
inside forward *n* (*SPORT*) Halbstürmer *m*.
inside information *n* interne Informationen *pl*.
inside lane *n* (*BRIT*) linke Spur *f*; (*US, Europe etc*) rechte Spur *f*.
inside leg measurement (*BRIT*) *n* innere Beinlänge *f*.
inside out *adv* (*know*) in- und auswendig; (*piece of clothing: be*) links *or* verkehrt herum; (: *turn*) nach links.
insider [ɪn'saɪdə*] *n* Insider *m*, Eingeweihte(r) *f(m)*.
insider dealing *n* (*STOCK EXCHANGE*) Insiderhandel *m*.
insider trading *n* = **insider dealing**.
inside story *n* Inside-Story *f*.
insidious [ɪn'sɪdɪəs] *adj* heimtückisch.
insight ['ɪnsaɪt] *n* Verständnis *nt*; **to gain (an) ~ into** einen Einblick gewinnen in *+acc*.
insignia [ɪn'sɪgnɪə] *npl* Insignien *pl*.
insignificant [ɪnsɪg'nɪfɪknt] *adj* belanglos.
insincere [ɪnsɪn'sɪə*] *adj* unaufrichtig, falsch.
insincerity [ɪnsɪn'sɛrɪtɪ] *n* Unaufrichtigkeit *f*, Falschheit *f*.
insinuate [ɪn'sɪnjueɪt] *vt* anspielen auf *+acc*.
insinuation [ɪnsɪnju'eɪʃən] *n* Anspielung *f*.
insipid [ɪn'sɪpɪd] *adj* fad(e); (*person*) geistlos; (*colour*) langweilig.
insist [ɪn'sɪst] *vi* bestehen; **to ~ on** bestehen auf *+dat*; **to ~ that** darauf bestehen, daß; (*claim*) behaupten, daß.
insistence [ɪn'sɪstəns] *n* (*determination*) Bestehen *nt*.
insistent [ɪn'sɪstənt] *adj* (*determined*) hartnäckig; (*continual*) andauernd, penetrant (*pej*).
in so far as *adv* insofern als.
insole ['ɪnsəul] *n* Einlegesohle *f*.
insolence ['ɪnsələns] *n* Frechheit *f*, Unverschämtheit *f*.
insolent ['ɪnsələnt] *adj* frech, unverschämt.
insoluble [ɪn'sɔljubl] *adj* unlösbar.
insolvency [ɪn'sɔlvənsɪ] *n* Zahlungsunfähigkeit *f*.
insolvent [ɪn'sɔlvənt] *adj* zahlungsunfähig.
insomnia [ɪn'sɔmnɪə] *n* Schlaflosigkeit *f*.
insomniac [ɪn'sɔmnɪæk] *n*: **to be an ~** an Schlaflosigkeit leiden.
inspect [ɪn'spɛkt] *vt* kontrollieren; (*examine*) prüfen; (*troops*) inspizieren.
inspection [ɪn'spɛkʃən] *n* (*see vb*) Kontrolle *f*; Prüfung *f*; Inspektion *f*.
inspector [ɪn'spɛktə*] *n* Inspektor(in) *m(f)*; (*BRIT: on buses, trains*) Kontrolleur(in) *m(f)*; (: *POLICE*) Kommissar(in) *m(f)*.
inspiration [ɪnspə'reɪʃən] *n* Inspiration *f*; (*idea*) Eingebung *f*.
inspire [ɪn'spaɪə*] *vt* inspirieren; (*confidence, hope etc*) (er)wecken.
inspired [ɪn'spaɪəd] *adj* genial; **in an ~ moment** in einem Augenblick der Inspiration.
inspiring [ɪn'spaɪərɪŋ] *adj* inspirierend.
inst. (*BRIT*) *abbr* (*COMM: = instant*): **of the 16th ~** vom 16. d.M.
instability [ɪnstə'bɪlɪtɪ] *n* Instabilität *f*; (*of person*) Labilität *f*.
install [ɪn'stɔːl] *vt* installieren; (*telephone*) anschließen; (*official*) einsetzen; **to ~ o.s.** sich niederlassen.
installation [ɪnstə'leɪʃən] *n* Installation *f*; (*of telephone*) Anschluß *m*; (*INDUSTRY, MIL: plant*) Anlage *f*.
installment plan (*US*) *n* Ratenzahlung *f*.
instalment, (*US*) **installment** [ɪn'stɔːlmənt] *n* Rate *f*; (*of story*) Fortsetzung *f*; (*of TV serial etc*) (Sende)folge *f*; **in ~s** in Raten.
instance ['ɪnstəns] *n* Beispiel *nt*; **for ~** zum Beispiel; **in that ~** in diesem Fall; **in many ~s** in vielen Fällen; **in the first ~** zuerst *or* zunächst (einmal).
instant ['ɪnstənt] *n* Augenblick *m* ♦ *adj* (*reaction*) unmittelbar; (*success*) sofortig; ~ **food** Schnellgerichte *pl*; ~ **coffee** Pulverkaffee *m*; **the 10th ~** (*COMM, ADMIN*) der 10. dieses Monats.
instantaneous [ɪnstən'teɪnɪəs] *adj* unmittelbar.
instantly ['ɪnstəntlɪ] *adv* sofort.
instant replay *n* (*TV*) Wiederholung *f*.
instead [ɪn'stɛd] *adv* statt dessen; ~ **of** statt *+gen*; ~ **of sb** an jds Stelle *dat*; ~ **of doing sth** anstatt *or* anstelle etw zu tun.
instep ['ɪnstɛp] *n* (*of foot*) Spann *m*; (*of shoe*) Blatt *nt*.
instigate ['ɪnstɪgeɪt] *vt* anstiften, anzetteln; (*talks etc*) initiieren.
instigation [ɪnstɪ'geɪʃən] *n* (*see vb*) Anstiftung *f*, Anzettelung *f*; Initiierung *f*; **at sb's ~** auf jds Betreiben *acc*.
instil [ɪn'stɪl] *vt*: **to ~ sth into sb** (*confidence, fear etc*) jdm etw einflößen.
instinct ['ɪnstɪŋkt] *n* Instinkt *m*; (*reaction, inclination*) instinktive Reaktion *f*.
instinctive [ɪn'stɪŋktɪv] *adj* instinktiv.
instinctively [ɪn'stɪŋktɪvlɪ] *adv* instinktiv.
institute ['ɪnstɪtjuːt] *n* Institut *nt*; (*for teaching*) Hochschule *f*; (*professional body*) Bund *m*, Verband *m* ♦ *vt* einführen; (*inquiry, course of action*) einleiten; (*proceedings*) anstrengen.
institution [ɪnstɪ'tjuːʃən] *n* Einführung *f*; (*organization*) Institution *f*, Einrichtung *f*; (*hospital, mental home*) Anstalt *f*, Heim *nt*.
institutional [ɪnstɪ'tjuːʃənl] *adj* (*education*) institutionell; (*value, quality etc*) institutionalisiert; ~ **care** Unterbringung in

einem Heim *or* einer Anstalt; **to be in ~ care** in einem Heim *or* einer Anstalt sein.
instruct [ɪn'strʌkt] *vt*: **to ~ sb in sth** jdn in etw *dat* unterrichten; **to ~ sb to do sth** jdn anweisen, etw zu tun.
instruction [ɪn'strʌkʃən] *n* Unterricht *m*; **instructions** *npl* (*orders*) Anweisungen *pl*; **~s (for use)** Gebrauchsanweisung *f*, Gebrauchsanleitung *f*; **~ book/manual/leaflet** *etc* Bedienungsanleitung *f*.
instructive [ɪn'strʌktɪv] *adj* lehrreich; (*response*) aufschlußreich.
instructor [ɪn'strʌktə*] *n* Lehrer(in) *m(f)*.
instrument ['ɪnstrumənt] *n* Instrument *nt*; (*MUS*) (Musik)instrument *nt*.
instrumental [ɪnstru'mɛntl] *adj* (*MUS: music, accompaniment*) Instrumental-; **to be ~ in** eine bedeutende Rolle spielen bei.
instrumentalist [ɪnstru'mɛntəlɪst] *n* Instrumentalist(in) *m(f)*.
instrument panel *n* Armaturenbrett *nt*.
insubordination [ɪnsəbɔːdɪ'neɪʃən] *n* Gehorsamsverweigerung *f*.
insufferable [ɪn'sʌfrəbl] *adj* unerträglich.
insufficient [ɪnsə'fɪʃənt] *adj* unzureichend.
insufficiently [ɪnsə'fɪʃəntlɪ] *adv* unzureichend.
insular ['ɪnsjulə*] *adj* engstirnig.
insulate ['ɪnsjuleɪt] *vt* isolieren; (*person, group*) abschirmen.
insulating tape ['ɪnsjuleɪtɪŋ-] *n* Isolierband *nt*.
insulation [ɪnsju'leɪʃən] *n* (*see vb*) Isolierung *f*; Abschirmung *f*.
insulator ['ɪnsjuleɪtə*] *n* Isolierstoff *m*.
insulin ['ɪnsjulɪn] *n* Insulin *nt*.
insult [*n* 'ɪnsʌlt, *vt* ɪn'sʌlt] *n* Beleidigung *f* ♦ *vt* beleidigen.
insulting [ɪn'sʌltɪŋ] *adj* beleidigend.
insuperable [ɪn'sjuːprəbl] *adj* unüberwindlich.
insurance [ɪn'ʃuərəns] *n* Versicherung *f*; **fire/life ~** Brand-/Lebensversicherung *f*; **to take out ~ (against)** eine Versicherung abschließen (gegen).
insurance agent *n* Versicherungsvertreter(in) *m(f)*.
insurance broker *n* Versicherungsmakler(in) *m(f)*.
insurance policy *n* Versicherungspolice *f*.
insurance premium *n* Versicherungsprämie *f*.
insure [ɪn'ʃuə*] *vt* versichern; **to ~ o.s./sth against sth** sich/etw gegen etw versichern; **to ~ o.s.** *or* **one's life** eine Lebensversicherung abschließen; **to ~ (o.s.) against sth** (*fig*) sich gegen etw absichern; **to be ~d for £5,000** für £5000 versichert sein.
insured [ɪn'ʃuəd] *n*: **the ~** der/die Versicherte.
insurer [ɪn'ʃuərə*] *n* Versicherer *m*.
insurgent [ɪn'səːdʒənt] *adj* aufständisch ♦ *n* Aufständische(r) *f(m)*.
insurmountable [ɪnsə'mauntəbl] *adj* unüberwindlich.
insurrection [ɪnsə'rɛkʃən] *n* Aufstand *m*.
intact [ɪn'tækt] *adj* intakt; (*whole*) ganz; (*unharmed*) unversehrt.
intake ['ɪnteɪk] *n* (*of food*) Aufnahme *f*; (*of air*) Zufuhr *f*; (*BRIT: SCOL*): **an ~ of 200 a year** 200 neue Schüler pro Jahr.
intangible [ɪn'tændʒɪbl] *adj* unbestimmbar; (*idea*) vage; (*benefit*) immateriell.
integer ['ɪntɪdʒə*] *n* (*MATH*) ganze Zahl *f*.
integral ['ɪntɪgrəl] *adj* wesentlich.
integrate ['ɪntɪgreɪt] *vt* integrieren ♦ *vi* sich integrieren.
integrated circuit ['ɪntɪgreɪtɪd-] *n* (*COMPUT*) integrierter Schaltkreis *m*.
integration [ɪntɪ'greɪʃən] *n* Integration *f*; **racial ~** Rassenintegration *f*.
integrity [ɪn'tɛgrɪtɪ] *n* Integrität *f*; (*of group*) Einheit *f*; (*of culture, text*) Unversehrtheit *f*.
intellect ['ɪntəlɛkt] *n* Intellekt *m*.
intellectual [ɪntə'lɛktjuəl] *adj* intellektuell, geistig ♦ *n* Intellektuelle(r) *f(m)*.
intelligence [ɪn'tɛlɪdʒəns] *n* Intelligenz *f*; (*information*) Informationen *pl*.
intelligence quotient *n* Intelligenzquotient *m*.
intelligence service *n* Nachrichtendienst *m*, Geheimdienst *m*.
intelligence test *n* Intelligenztest *m*.
intelligent [ɪn'tɛlɪdʒənt] *adj* intelligent; (*decision*) klug.
intelligently [ɪn'tɛlɪdʒəntlɪ] *adv* intelligent.
intelligentsia [ɪntɛlɪ'dʒɛntsɪə] *n*: **the ~** die Intelligenz.
intelligible [ɪn'tɛlɪdʒɪbl] *adj* verständlich.
intemperate [ɪn'tɛmpərət] *adj* unmäßig; (*remark*) überzogen.
intend [ɪn'tɛnd] *vt*: **to be ~ed for sb** für jdn gedacht sein; **to ~ to do sth** beabsichtigen, etw zu tun.
intended [ɪn'tɛndɪd] *adj* (*effect, victim*) beabsichtigt; (*journey*) geplant; (*insult*) absichtlich.
intense [ɪn'tɛns] *adj* intensiv; (*anger, joy*) äußerst groß; (*person*) ernsthaft.
intensely [ɪn'tɛnslɪ] *adv* äußerst; **I dislike him ~** ich verabscheue ihn.
intensify [ɪn'tɛnsɪfaɪ] *vt* intensivieren, verstärken.
intensity [ɪn'tɛnsɪtɪ] *n* Intensität *f*; (*of anger*) Heftigkeit *f*.
intensive [ɪn'tɛnsɪv] *adj* intensiv.
intensive care *n*: **to be in ~** auf der Intensivstation sein.
intensive care unit *n* Intensivstation *f*.
intent [ɪn'tɛnt] *n* Absicht *f* ♦ *adj* (*attentive*) aufmerksam; (*absorbed*): **~ (on)** versunken (in *+acc*); **to all ~s and purposes** im Grunde; **to be ~ on doing sth** entschlossen sein, etw zu tun.
intention [ɪn'tɛnʃən] *n* Absicht *f*.
intentional [ɪn'tɛnʃənl] *adj* absichtlich.

intentionally [ɪn'tɛnʃnəlɪ] *adv* absichtlich.
intently [ɪn'tɛntlɪ] *adv* konzentriert.
inter [ɪn'təː*] *vt* bestatten.
interact [ɪntər'ækt] *vi* (*people*) interagieren; (*things*) aufeinander einwirken; (*ideas*) sich gegenseitig beeinflussen; **to ~ with** interagieren mit; einwirken auf *+acc*; beeinflussen.
interaction [ɪntər'ækʃən] *n* (*see vb*) Interaktion *f*; gegenseitige Einwirkung *f*; gegenseitige Beeinflussung *f*.
interactive [ɪntər'æktɪv] *adj* (*also COMPUT*) interaktiv.
intercede [ɪntə'siːd] *vi*: **to ~ (with sb/on behalf of sb)** sich (bei jdm/für jdn) einsetzen.
intercept [ɪntə'sɛpt] *vt* abfangen.
interception [ɪntə'sɛpʃən] *n* Abfangen *nt*.
interchange ['ɪntətʃeɪndʒ] *n* Austausch *m*; (*on motorway*) (Autobahn)kreuz *nt*.
interchangeable [ɪntə'tʃeɪndʒəbl] *adj* austauschbar.
intercity [ɪntə'sɪtɪ] *adj*: **~ train** Intercityzug *m*.
intercom ['ɪntəkɔm] *n* (Gegen)sprechanlage *f*.
interconnect [ɪntəkə'nɛkt] *vi* (*rooms*) miteinander verbunden sein.
intercontinental ['ɪntəkɔntɪ'nɛntl] *adj* (*flight, missile*) Interkontinental-.
intercourse ['ɪntəkɔːs] *n* (*sexual*) (Geschlechts)verkehr *m*; (*social, verbal*) Verkehr *m*.
interdependence [ɪntədɪ'pɛndəns] *n* gegenseitige Abhängigkeit *f*.
interdependent [ɪntədɪ'pɛndənt] *adj* voneinander abhängig.
interest ['ɪntrɪst] *n* Interesse *nt*; (*COMM: in company*) Anteil *m*; (*: sum of money*) Zinsen *pl* ♦ *vt* interessieren; **compound ~** Zinseszins *m*; **simple ~** einfache Zinsen; **British ~s in the Middle East** britische Interessen im Nahen Osten; **his main ~ is ...** er interessiert sich hauptsächlich für ...
interested ['ɪntrɪstɪd] *adj* interessiert; (*party, body etc*) beteiligt; **to be ~ in sth** sich für etw interessieren; **to be ~ in doing sth** daran interessiert sein, etw zu tun.
interest-free ['ɪntrɪst'friː] *adj, adv* zinslos.
interesting ['ɪntrɪstɪŋ] *adj* interessant.
interest rate *n* Zinssatz *m*.
interface ['ɪntəfeɪs] *n* Verbindung *f*; (*COMPUT*) Schnittstelle *f*.
interfere [ɪntə'fɪə*] *vi*: **to ~ in** sich einmischen in *+acc*; **to ~ with** (*object*) sich zu schaffen machen an *+dat*; (*plans*) durchkreuzen; (*career, duty, decision*) beeinträchtigen; **don't ~** misch dich nicht ein.
interference [ɪntə'fɪərəns] *n* Einmischung *f*; (*RADIO, TV*) Störung *f*.
interfering [ɪntə'fɪərɪŋ] *adj* (*person*) sich ständig einmischend.
interim ['ɪntərɪm] *adj* (*agreement, government etc*) Übergangs- ♦ *n*: **in the ~** in der Zwischenzeit.
interim dividend *n* (*COMM*) Abschlagsdividende *f*.
interior [ɪn'tɪərɪə*] *n* Innere(s) *nt*; (*decor etc*) Innenausstattung *f* ♦ *adj* Innen-.
interior decorator *n* Innenausstatter(in) *m(f)*.
interior designer *n* Innenarchitekt(in) *m(f)*.
interjection [ɪntə'dʒɛkʃən] *n* Einwurf *m*; (*LING*) Interjektion *f*.
interlock [ɪntə'lɔk] *vi* ineinandergreifen.
interloper ['ɪntələupə*] *n* Eindringling *m*.
interlude ['ɪntəluːd] *n* Unterbrechung *f*, Pause *f*; (*THEAT*) Zwischenspiel *nt*.
intermarry [ɪntə'mærɪ] *vi* untereinander heiraten.
intermediary [ɪntə'miːdɪərɪ] *n* Vermittler(in) *m(f)*.
intermediate [ɪntə'miːdɪət] *adj* (*stage*) Zwischen-; **an ~ student** ein fortgeschrittener Anfänger.
interment [ɪn'təːmənt] *n* Bestattung *f*.
interminable [ɪn'təːmɪnəbl] *adj* endlos.
intermission [ɪntə'mɪʃən] *n* Pause *f*.
intermittent [ɪntə'mɪtnt] *adj* (*noise*) periodisch auftretend; (*publication*) in unregelmäßigen Abständen veröffentlicht.
intermittently [ɪntə'mɪtntlɪ] *adv* (*see adj*) periodisch; in unregelmäßigen Abständen.
intern [*vt* ɪn'təːn, *n* 'ɪntəːn] *vt* internieren ♦ *n* (*US*) Assistenzarzt *m*, Assistenzärztin *f*.
internal [ɪn'təːnl] *adj* innere(r, s); (*pipes*) im Haus; (*politics*) Innen-; (*dispute, reform, memo, structure etc*) intern.
internally [ɪn'təːnəlɪ] *adv*: **"not to be taken ~"** „nicht zum Einnehmen".
Internal Revenue Service (*US*) *n* ≈ Finanzamt *nt*.
international [ɪntə'næʃənl] *adj* international ♦ *n* (*BRIT: SPORT*) Länderspiel *nt*.
International Atomic Energy Agency *n* *Internationale Atomenergiebehörde*.
International Chamber of Commerce *n* Internationale Handelskammer *f*.
International Court of Justice *n* Internationaler Gerichtshof *m*.
international date line *n* Datumsgrenze *f*.
International Labour Organization *n* Internationale Arbeitsorganisation *f*.
internationally [ɪntə'næʃnəlɪ] *adv* international.
International Monetary Fund *n* Internationaler Währungsfonds *m*.
international relations *npl* zwischenstaatliche Beziehungen *pl*.
internecine [ɪntə'niːsaɪn] *adj* mörderisch; (*war*) Vernichtungs-.
internee [ɪntəː'niː] *n* Internierte(r) *f(m)*.
internment [ɪn'təːnmənt] *n* Internierung *f*.
interplay ['ɪntəpleɪ] *n*: **~ (of *or* between)** Zusammenspiel *nt* (von).
Interpol ['ɪntəpɔl] *n* Interpol *f*.
interpret [ɪn'təːprɪt] *vt* auslegen,

interpretieren; (*translate*) dolmetschen ♦ *vi* dolmetschen.
interpretation [ɪntəːprɪ'teɪʃən] *n* (*see vb*) Auslegung *f*, Interpretation *f*; Dolmetschen *nt*.
interpreter [ɪn'təːprɪtə*] *n* Dolmetscher(in) *m(f)*.
interpreting [ɪn'təːprɪtɪŋ] *n* Dolmetschen *nt*.
interrelated [ɪntərɪ'leɪtɪd] *adj* zusammenhängend.
interrogate [ɪn'tɛrəugeɪt] *vt* verhören; (*witness*) vernehmen.
interrogation [ɪntɛrəu'geɪʃən] *n* (*see vb*) Verhör *nt*; Vernehmung *f*.
interrogative [ɪntə'rɔgətɪv] *adj* (*LING: pronoun*) Interrogativ-, Frage-.
interrogator [ɪn'tɛrəgeɪtə*] *n* (*POLICE*) Vernehmungsbeamte(r) *m*; **the hostage's ~** derjenige, der die Geisel verhörte.
interrupt [ɪntə'rʌpt] *vt, vi* unterbrechen.
interruption [ɪntə'rʌpʃən] *n* Unterbrechung *f*.
intersect [ɪntə'sɛkt] *vi* sich kreuzen ♦ *vt* durchziehen; (*MATH*) schneiden.
intersection [ɪntə'sɛkʃən] *n* Kreuzung *f*; (*MATH*) Schnittpunkt *m*.
intersperse [ɪntə'spəːs] *vt*: **to be ~d with** durchsetzt sein mit; **he ~d his lecture with ...** er spickte seine Rede mit ...
intertwine [ɪntə'twaɪn] *vi* sich ineinander verschlingen.
interval ['ɪntəvl] *n* Pause *f*; (*MUS*) Intervall *nt*; **bright ~s** (*in weather*) Aufheiterungen *pl*; **at ~s** in Abständen.
intervene [ɪntə'viːn] *vi* eingreifen; (*event*) dazwischenkommen; (*time*) dazwischenliegen.
intervening [ɪntə'viːnɪŋ] *adj* (*period, years*) dazwischenliegend.
intervention [ɪntə'vɛnʃən] *n* Eingreifen *nt*.
interview ['ɪntəvjuː] *n* (*for job*) Vorstellungsgespräch *nt*; (*for place at college etc*) Auswahlgespräch *nt*; (*RADIO, TV etc*) Interview *nt* ♦ *vt* (*see n*) ein Vorstellungsgespräch/Auswahlgespräch führen mit; interviewen.
interviewee [ɪntəvju'iː] *n* (*for job*) Stellenbewerber(in) *m(f)*; (*TV etc*) Interviewgast *m*.
interviewer ['ɪntəvjuə*] *n* Leiter(in) *m(f)* des Vorstellungsgesprächs/Auswahlgesprächs; (*RADIO, TV etc*) Interviewer(in) *m(f)*.
intestate [ɪn'tɛsteɪt] *adv*: **to die ~** ohne Testament sterben.
intestinal [ɪn'tɛstɪnl] *adj* (*infection etc*) Darm-.
intestine [ɪn'tɛstɪn] *n* Darm *m*.
intimacy ['ɪntɪməsɪ] *n* Vertrautheit *f*.
intimate [*adj* 'ɪntɪmət, *vt* 'ɪntɪmeɪt] *adj* eng; (*sexual, also restaurant, dinner, atmosphere*) intim; (*conversation, matter, detail*) vertraulich; (*knowledge*) gründlich ♦ *vt* andeuten; (*make known*) zu verstehen geben.
intimately ['ɪntɪmətlɪ] *adv* (*see adj*) eng; intim; vertraulich; gründlich.
intimation [ɪntɪ'meɪʃən] *n* Andeutung *f*.
intimidate [ɪn'tɪmɪdeɪt] *vt* einschüchtern.
intimidation [ɪntɪmɪ'deɪʃən] *n* Einschüchterung *f*.

KEYWORD

into ['ɪntu] *prep* **1** (*indicating motion or direction*) in *+acc*; **to go ~ town** in die Stadt gehen; **he worked late ~ the night** er arbeitete bis spät in die Nacht; **the car bumped ~ the wall** der Wagen fuhr gegen die Mauer
2 (*indicating change of condition, result*): **it broke ~ pieces** es zerbrach in Stücke; **she translated ~ English** sie übersetzte ins Englische; **to change pounds ~ dollars** Pfund in Dollar wechseln; **5 ~ 25** 25 durch 5

intolerable [ɪn'tɔlərəbl] *adj* unerträglich.
intolerance [ɪn'tɔlərns] *n* Intoleranz *f*.
intolerant [ɪn'tɔlərnt] *adj*: **~ (of)** intolerant (gegenüber).
intonation [ɪntəu'neɪʃən] *n* Intonation *f*.
intoxicated [ɪn'tɔksɪkeɪtɪd] *adj* betrunken; (*fig*) berauscht.
intoxication [ɪntɔksɪ'keɪʃən] *n* (Be)trunkenheit *f*; (*fig*) Rausch *m*.
intractable [ɪn'træktəbl] *adj* hartnäckig; (*child*) widerspenstig; (*temper*) unbeugsam.
intransigence [ɪn'trænsɪdʒəns] *n* Unnachgiebigkeit *f*.
intransigent [ɪn'trænsɪdʒənt] *adj* unnachgiebig.
intransitive [ɪn'trænsɪtɪv] *adj* (*LING*) intransitiv.
intrauterine device ['ɪntrə'juːtəraɪn-] *n* (*MED*) Intrauterinpessar *nt*, Spirale *f* (*inf*).
intravenous [ɪntrə'viːnəs] *adj* intravenös.
in-tray ['ɪntreɪ] *n* Ablage *f* für Eingänge.
intrepid [ɪn'trɛpɪd] *adj* unerschrocken.
intricacy ['ɪntrɪkəsɪ] *n* Kompliziertheit *f*.
intricate ['ɪntrɪkət] *adj* kompliziert.
intrigue [ɪn'triːg] *n* Intrigen *pl* ♦ *vt* faszinieren.
intriguing [ɪn'triːgɪŋ] *adj* faszinierend.
intrinsic [ɪn'trɪnsɪk] *adj* wesentlich.
introduce [ɪntrə'djuːs] *vt* (*sth new*) einführen; (*speaker, TV show etc*) ankündigen; **to ~ sb (to sb)** jdn (jdm) vorstellen; **to ~ sb to** (*pastime, technique*) jdn einführen in *+acc*; **may I ~ ...?** darf ich ... vorstellen?
introduction [ɪntrə'dʌkʃən] *n* Einführung *f*; (*of person*) Vorstellung *f*; (*to book*) Einleitung *f*; **a letter of ~** ein Einführungsschreiben *nt*.
introductory [ɪntrə'dʌktərɪ] *adj* Einführungs-; **~ remarks** einführende Bemerkungen *pl*; **~ offer** Einführungsangebot *nt*.
introspection [ɪntrəu'spɛkʃən] *n* Selbstbeobachtung *f*, Introspektion *f*.
introspective [ɪntrəu'spɛktɪv] *adj* in sich

gekehrt.
introvert ['ɪntrəuvə:t] *n* Introvertierte(r) *f(m)* ♦ *adj* (*also*: **~ed**) introvertiert.
intrude [ɪn'tru:d] *vi* eindringen; **to ~ on** stören; (*conversation*) sich einmischen in *+acc*; **am I intruding?** störe ich?
intruder [ɪn'tru:də*] *n* Eindringling *m*.
intrusion [ɪn'tru:ʒən] *n* Eindringen *nt*.
intrusive [ɪn'tru:sɪv] *adj* aufdringlich.
intuition [ɪntju:'ɪʃən] *n* Intuition *f*.
intuitive [ɪn'tju:ɪtɪv] *adj* intuitiv; (*feeling*) instinktiv.
inundate ['ɪnʌndeɪt] *vt*: **to ~ with** überschwemmen mit.
inure [ɪn'juə*] *vt*: **to ~ o.s. to** sich gewöhnen an *+acc*.
invade [ɪn'veɪd] *vt* einfallen in *+acc*; (*fig*) heimsuchen.
invader [ɪn'veɪdə*] *n* Invasor *m*.
invalid [*n* 'ɪnvəlɪd, *adj* ɪn'vælɪd] *n* Kranke(r) *f(m)*; (*disabled*) Invalide *m* ♦ *adj* ungültig.
invalidate [ɪn'vælɪdeɪt] *vt* entkräften; (*law, marriage, election*) ungültig machen.
invaluable [ɪn'væljuəbl] *adj* unschätzbar.
invariable [ɪn'vɛərɪəbl] *adj* unveränderlich.
invariably [ɪn'vɛərɪəblɪ] *adv* ständig, unweigerlich; **she is ~ late** sie kommt immer zu spät.
invasion [ɪn'veɪʒən] *n* Invasion *f*; **an ~ of privacy** ein Eingriff *m* in die Privatsphäre.
invective [ɪn'vɛktɪv] *n* Beschimpfungen *pl*.
inveigle [ɪn'vi:gl] *vt*: **to ~ sb into sth/doing sth** jdn zu etw verleiten/dazu verleiten, etw zu tun.
invent [ɪn'vɛnt] *vt* erfinden.
invention [ɪn'vɛnʃən] *n* Erfindung *f*.
inventive [ɪn'vɛntɪv] *adj* erfinderisch.
inventiveness [ɪn'vɛntɪvnɪs] *n* Einfallsreichtum *m*.
inventor [ɪn'vɛntə*] *n* Erfinder(in) *m(f)*.
inventory ['ɪnvəntrɪ] *n* Inventar *nt*, Bestandsverzeichnis *nt*.
inventory control *n* (*COMM*) Bestandskontrolle *f*.
inverse [ɪn'və:s] *adj* umgekehrt; **in ~ proportion (to)** im umgekehrten Verhältnis (zu).
invert [ɪn'və:t] *vt* umdrehen.
invertebrate [ɪn'və:tɪbrət] *n* wirbelloses Tier *nt*.
inverted commas [ɪn'və:tɪd-] (*BRIT*) *npl* Anführungszeichen *pl*.
invest [ɪn'vɛst] *vt* investieren ♦ *vi*: **~ in** investieren in *+acc*; (*fig*) sich *dat* anschaffen; **to ~ sb with sth** jdm etw verleihen.
investigate [ɪn'vɛstɪgeɪt] *vt* untersuchen.
investigation [ɪnvɛstɪ'geɪʃən] *n* Untersuchung *f*.
investigative [ɪn'vɛstɪgeɪtɪv] *adj*: **~ journalism** Enthüllungsjournalismus *m*.
investigator [ɪn'vɛstɪgeɪtə*] *n* Ermittler(in) *m(f)*; **private ~** Privatdetektiv(in) *m(f)*.
investiture [ɪn'vɛstɪtʃə*] *n* (*of chancellor*) Amtseinführung *f*; (*of prince*) Investitur *f*.
investment [ɪn'vɛstmənt] *n* Investition *f*.
investment income *n* Kapitalerträge *pl*.
investment trust *n* Investmenttrust *m*.
investor [ɪn'vɛstə*] *n* (Kapital)anleger(in) *m(f)*.
inveterate [ɪn'vɛtərət] *adj* unverbesserlich.
invidious [ɪn'vɪdɪəs] *adj* (*task, job*) unangenehm; (*comparison, decision*) ungerecht.
invigilator [ɪn'vɪdʒɪleɪtə*] *n* Aufsicht *f*.
invigorating [ɪn'vɪgəreɪtɪŋ] *adj* belebend; (*experience etc*) anregend.
invincible [ɪn'vɪnsɪbl] *adj* unbesiegbar; (*belief, conviction*) unerschütterlich.
inviolate [ɪn'vaɪələt] *adj* sicher; (*truth*) unantastbar.
invisible [ɪn'vɪzɪbl] *adj* unsichtbar.
invisible mending *n* Kunststopfen *nt*.
invitation [ɪnvɪ'teɪʃən] *n* Einladung *f*; **by ~ only** nur auf Einladung; **at sb's ~** auf jds Aufforderung *acc* (hin).
invite [ɪn'vaɪt] *vt* einladen; (*discussion*) auffordern zu; (*criticism*) herausfordern; **to ~ sb to do sth** jdn auffordern, etw zu tun; **to ~ sb to dinner** jdn zum Abendessen einladen.
►**invite out** *vt* einladen.
inviting [ɪn'vaɪtɪŋ] *adj* einladend; (*desirable*) verlockend.
invoice ['ɪnvɔɪs] *n* Rechnung *f* ♦ *vt* in Rechnung stellen; **to ~ sb for goods** jdm für Waren eine Rechnung ausstellen.
invoke [ɪn'vəuk] *vt* anrufen; (*feelings, memories etc*) heraufbeschwören.
involuntary [ɪn'vɔləntrɪ] *adj* unbeabsichtigt; (*reflex*) unwillkürlich.
involve [ɪn'vɔlv] *vt* (*person*) beteiligen; (*thing*) verbunden sein mit; (*concern, affect*) betreffen; **to ~ sb in sth** jdn in etw *acc* verwickeln.
involved [ɪn'vɔlvd] *adj* kompliziert; **the work/problems ~** die damit verbundene Arbeit/verbundenen Schwierigkeiten; **to be ~ in** beteiligt sein an *+dat*; (*be engrossed*) engagiert sein in *+dat*; **to become ~ with sb** Umgang mit jdm haben; (*emotionally*) mit jdm eine Beziehung anfangen.
involvement [ɪn'vɔlvmənt] *n* Engagement *nt*; (*participation*) Beteiligung *f*.
invulnerable [ɪn'vʌlnərəbl] *adj* unverwundbar; (*ship, building etc*) uneinnehmbar.
inward ['ɪnwəd] *adj* innerste(r, s); (*movement*) nach innen ♦ *adv* nach innen.
inwardly ['ɪnwədlɪ] *adv* innerlich.
inwards ['ɪnwədz] *adv* nach innen.
I/O *abbr* (*COMPUT*: = *input/output*) E/A.
IOC *n abbr* (= *International Olympic Committee*) IOC *nt*, IOK *nt*.
iodine ['aɪəudi:n] *n* Jod *nt*.
IOM (*BRIT*) *abbr* (*POST*: = *Isle of Man*).
ion ['aɪən] *n* Ion *nt*.

Ionian Sea [aɪ'əunɪən-] *n:* **the ~** das Ionische Meer.
ionizer ['aɪənaɪzə*] *n* Ionisator *m.*
iota [aɪ'əutə] *n* Jota *nt.*
IOU *n abbr* (= *I owe you*) Schuldschein *m.*
IOW (*BRIT*) *abbr* (*POST:* = *Isle of Wight*).
IPA *n abbr* (= *International Phonetic Alphabet*) internationale Lautschrift *f.*
IQ *n abbr* (= *intelligence quotient*) IQ *m.*
IRA *n abbr* (= *Irish Republican Army*) IRA *f;* (*US:* = *individual retirement account*) privates *Rentensparkonto.*
Iran [ɪ'rɑːn] *n* (der) Iran.
Iranian [ɪ'reɪnɪən] *adj* iranisch ♦ *n* Iraner(in) *m(f);* (*LING*) Iranisch *nt.*
Iraq [ɪ'rɑːk] *n* (der) Irak.
Iraqi [ɪ'rɑːkɪ] *adj* irakisch ♦ *n* Iraker(in) *m(f).*
irascible [ɪ'ræsɪbl] *adj* jähzornig.
irate [aɪ'reɪt] *adj* zornig.
Ireland ['aɪələnd] *n* Irland *nt;* **the Republic of ~** die Republik Irland.
iris ['aɪrɪs] (*pl* **~es**) *n* (*ANAT*) Iris *f,* Regenbogenhaut *f;* (*BOT*) Iris, Schwertlilie *f.*
Irish ['aɪrɪʃ] *adj* irisch ♦ *npl:* **the ~** die Iren *pl,* die Irländer *pl.*
Irishman ['aɪrɪʃmən] (*irreg: like* **man**) *n* Ire *m,* Irländer *m.*
Irish Sea *n:* **the ~** die Irische See.
Irishwoman ['aɪrɪʃwumən] (*irreg: like* **woman**) *n* Irin *f,* Irländerin *f.*
irk [əːk] *vt* ärgern.
irksome ['əːksəm] *adj* lästig.
IRN *n abbr* (= *Independent Radio News*) *Nachrichtendienst des kommerziellen Rundfunks.*
iron ['aɪən] *n* Eisen *nt;* (*for clothes*) Bügeleisen *nt* ♦ *cpd* Eisen-; (*will, discipline etc*) eisern ♦ *vt* bügeln.
►**iron out** *vt* (*fig: problems*) aus dem Weg räumen.
Iron Curtain *n* (*POL*): **the ~** der Eiserne Vorhang.
iron foundry *n* (Eisen)gießerei *f.*
ironic(al) [aɪ'rɔnɪk(l)] *adj* ironisch; (*situation*) paradox, witzig.
ironically [aɪ'rɔnɪklɪ] *adv* ironisch; **~, the intelligence chief was the last to find out** witzigerweise war der Geheimdienstchef der letzte, der es erfuhr.
ironing ['aɪənɪŋ] *n* Bügeln *nt;* (*clothes*) Bügelwäsche *f.*
ironing board *n* Bügelbrett *nt.*
iron lung *n* (*MED*) eiserne Lunge *f.*
ironmonger ['aɪənmʌŋgə*] (*BRIT*) *n* Eisen- und Haushaltswarenhändler(in) *m(f).*
ironmonger's (shop) ['aɪənmʌŋgəz-] *n* Eisen- und Haushaltswarenhandlung *f.*
iron ore *n* Eisenerz *nt.*
irons ['aɪənz] *npl* Hand- und Fußschellen *pl;* **to clap sb in ~** jdn in Eisen legen.
ironworks ['aɪənwəːks] *n* Eisenhütte *f.*
irony ['aɪrənɪ] *n* Ironie *f;* **the ~ of it is that ...** das Ironische daran ist, daß ...
irrational [ɪ'ræʃənl] *adj* irrational.
irreconcilable [ɪrɛkən'saɪləbl] *adj* unvereinbar.
irredeemable [ɪrɪ'diːməbl] *adj* (*COMM*) nicht einlösbar; (*loan*) unkündbar; (*fault, character*) unverbesserlich.
irrefutable [ɪrɪ'fjuːtəbl] *adj* unwiderlegbar.
irregular [ɪ'rɛgjulə*] *adj* unregelmäßig; (*surface*) uneben; (*behaviour*) ungehörig.
irregularity [ɪrɛgju'lærɪtɪ] *n* (*see adj*) Unregelmäßigkeit *f;* Unebenheit *f;* Ungehörigkeit *f.*
irrelevance [ɪ'rɛləvəns] *n* Irrelevanz *f.*
irrelevant [ɪ'rɛləvənt] *adj* unwesentlich, irrelevant.
irreligious [ɪrɪ'lɪdʒəs] *adj* unreligiös.
irreparable [ɪ'rɛprəbl] *adj* nicht wiedergutzumachen.
irreplaceable [ɪrɪ'pleɪsəbl] *adj* unersetzlich.
irrepressible [ɪrɪ'prɛsəbl] *adj* (*good humour*) unerschütterlich; (*enthusiasm etc*) unbändig; (*person*) nicht unterzukriegen.
irreproachable [ɪrɪ'prəutʃəbl] *adj* untadelig.
irresistible [ɪrɪ'zɪstɪbl] *adj* unwiderstehlich.
irresolute [ɪ'rɛzəluːt] *adj* unentschlossen.
irrespective [ɪrɪ'spɛktɪv]: **~ of** *prep* ungeachtet *+gen.*
irresponsible [ɪrɪ'spɔnsɪbl] *adj* verantwortungslos; (*action*) unverantwortlich.
irretrievable [ɪrɪ'triːvəbl] *adj* (*object*) nicht mehr wiederzubekommen; (*loss*) unersetzlich; (*damage*) nicht wiedergutzumachen.
irreverent [ɪ'rɛvərnt] *adj* respektlos.
irrevocable [ɪ'rɛvəkəbl] *adj* unwiderruflich.
irrigate ['ɪrɪgeɪt] *vt* bewässern.
irrigation [ɪrɪ'geɪʃən] *n* Bewässerung *f.*
irritable ['ɪrɪtəbl] *adj* reizbar.
irritant ['ɪrɪtənt] *n* Reizerreger *m;* (*situation etc*) Ärgernis *nt.*
irritate ['ɪrɪteɪt] *vt* ärgern, irritieren; (*MED*) reizen.
irritating ['ɪrɪteɪtɪŋ] *adj* ärgerlich, irritierend; **he is ~** er kann einem auf die Nerven gehen.
irritation [ɪrɪ'teɪʃən] *n* Ärger *m;* (*MED*) Reizung *f;* (*annoying thing*) Ärgernis *nt.*
IRS (*US*) *n abbr* (= *Internal Revenue Service*) *Steuereinzugsbehörde.*
is [ɪz] *vb see* **be.**
ISBN *n abbr* (= *International Standard Book Number*) ISBN *f.*
Islam ['ɪzlɑːm] *n* der Islam; (*Islamic countries*) die islamischen Länder *pl.*
Islamic [ɪz'læmɪk] *adj* islamisch.
island ['aɪlənd] *n* Insel *f;* (*also:* **traffic ~**) Verkehrsinsel *f.*
islander ['aɪləndə*] *n* Inselbewohner(in) *m(f).*
isle [aɪl] *n* Insel *f.*
isn't ['ɪznt] = **is not.**
isobar ['aɪsəubɑː*] *n* Isobare *f.*

isolate ['aɪsəleɪt] *vt* isolieren.
isolated ['aɪsəleɪtɪd] *adj* isoliert; (*place*) abgelegen; ~ **incident** Einzelfall *m*.
isolation [aɪsə'leɪʃən] *n* Isolierung *f*.
isolationism [aɪsə'leɪʃənɪzəm] *n* Isolationismus *m*.
isotope ['aɪsəutəup] *n* Isotop *nt*.
Israel ['ɪzreɪl] *n* Israel *nt*.
Israeli [ɪz'reɪlɪ] *adj* israelisch ♦ *n* Israeli *mf*.
issue ['ɪʃju:] *n* Frage *f*; (*subject*) Thema *nt*; (*problem*) Problem *nt*; (*of book, stamps etc*) Ausgabe *f*; (*offspring*) Nachkommenschaft *f* ♦ *vt* ausgeben; (*statement*) herausgeben; (*documents*) ausstellen ♦ *vi*: **to ~ (from)** dringen (aus); (*liquid*) austreten (aus); **the point at ~** der Punkt, um den es geht; **to avoid the ~** ausweichen; **to confuse** *or* **obscure the ~** es unnötig kompliziert machen; **to ~ sth to sb** *or* **~ sb with sth** jdm etw geben; (*documents*) jdm etw ausstellen; (*gun etc*) jdn mit etw ausstatten; **to take ~ with sb (over)** jdm widersprechen (in +*dat*); **to make an ~ of sth** etw aufbauschen.
Istanbul [ɪstæn'bu:l] *n* Istanbul *nt*.
isthmus ['ɪsməs] *n* Landenge *f*, Isthmus *m*.
IT *n abbr* = **information technology**.

KEYWORD

it [ɪt] *pron* **1** (*specific: subject*) er/sie/es; (: *direct object*) ihn/sie/es; (: *indirect object*) ihm/ihr/ihm; **it's on the table** es ist auf dem Tisch; **I can't find ~** ich kann es nicht finden; **give ~ to me** gib es mir; **about ~** darüber; **from ~** davon; **in ~** darin; **of ~** davon; **what did you learn from ~?** was hast du daraus gelernt?; **I'm proud of ~** ich bin stolz darauf
2 (*impersonal*) es; **it's raining** es regnet; **it's Friday tomorrow** morgen ist Freitag; **who is ~? - it's me** wer ist da? - ich bin's.

ITA, (*BRIT*) **i.t.a.** *n abbr* (= *initial teaching alphabet*) *Alphabet zum Lesenlernen*.
Italian [ɪ'tæljən] *adj* italienisch ♦ *n* Italiener(in) *m(f)*; (*LING*) Italienisch *nt*; **the ~s** die Italiener *pl*.
italics [ɪ'tælɪks] *npl* Kursivschrift *f*.
Italy ['ɪtəlɪ] *n* Italien *nt*.
ITC (*BRIT*) *n abbr* (= *Independent Television Commission*) *Fernseh-Aufsichtsgremium*.
itch [ɪtʃ] *n* Juckreiz *m* ♦ *vi* jucken; **I am ~ing all over** mich juckt es überall; **to ~ to do sth** darauf brennen, etw zu tun.
itchy ['ɪtʃɪ] *adj* juckend; **my back is ~** mein Rücken juckt.
it'd ['ɪtd] = **it would; it had**.
item ['aɪtəm] *n* Punkt *m*; (*of collection*) Stück *nt*; (*also*: **news ~**) Meldung *f*; (: *in newspaper*) Zeitungsnotiz *f*; **~s of clothing** Kleidungsstücke *pl*.
itemize ['aɪtəmaɪz] *vt* einzeln aufführen.
itemized bill ['aɪtəmaɪzd-] *n Rechnung, auf der die Posten einzeln aufgeführt sind*.
itinerant [ɪ'tɪnərənt] *adj* (*labourer, priest etc*) Wander-; (*salesman*) reisend.
itinerary [aɪ'tɪnərərɪ] *n* Reiseroute *f*.
it'll ['ɪtl] = **it will; it shall**.
ITN (*BRIT*) *n abbr* (*TV*: = *Independent Television News*) *Nachrichtendienst des kommerziellen Fernsehens*.
its [ɪts] *adj* sein(e), ihr(e) ♦ *pron* seine(r, s), ihre(r, s).
it's [ɪts] = **it is; it has**.
itself [ɪt'sɛlf] *pron* sich; (*emphatic*) selbst.
ITV (*BRIT*) *n abbr* (*TV*: = *Independent Television*) *kommerzieller Fernsehsender*.

ITV *steht für Independent Television und ist ein landesweiter privater Fernsehsender in Großbritannien. Unter der Oberaufsicht einer unabhängigen Rundfunkbehörde produzieren Privatfirmen die Programme für die verschiedenen Sendegebiete. ITV, das seit 1955 Programme ausstrahlt, wird ganz durch Werbung finanziert und bietet etwa ein Drittel Informationssendungen (Nachrichten, Dokumentarfilme, Aktuelles) und ansonsten Unterhaltung (Sport, Komödien, Drama, Spielshows, Filme).*

IUD *n abbr* = **intrauterine device**.
I've [aɪv] = **I have**.
ivory ['aɪvərɪ] *n* Elfenbein *nt*.
Ivory Coast *n* Elfenbeinküste *f*.
ivory tower *n* (*fig*) Elfenbeinturm *m*.
ivy ['aɪvɪ] *n* Efeu *m*.
Ivy League (*US*) *n Eliteuniversitäten der USA*.

Als **Ivy League** *bezeichnet man die acht renommiertesten Universitäten im Nordosten der Vereinigten Staaten (Brown, Columbia, Cornell, Dartmouth College, Harvard, Princeton, University of Pennsylvania, Yale), die untereinander Sportwettkämpfe austragen. Der Name bezieht sich auf die efeubewachsenen Mauern der Universitätsgebäude.*

J, j

J, j [dʒeɪ] *n* (*letter*) J *nt*, j *nt*; ~ **for Jack,** (*US*) ~ **for Jig** ≈ J wie Julius.
JA *n abbr* = **judge advocate; joint account.**
J/A *abbr* = **joint account.**
jab [dʒæb] *vt* stoßen; (*with finger, needle*) stechen ♦ *n* (*inf*) Spritze *f* ♦ *vi*: **to ~ at** einstechen auf +*acc*; **to ~ sth into sth** etw in etw *acc* stoßen/stechen.
jack [dʒæk] *n* (*AUT*) Wagenheber *m*; (*BOWLS*) Zielkugel *f*; (*CARDS*) Bube *m*.
▸**jack in** (*inf*) *vt* aufgeben.
▸**jack up** *vt* (*AUT*) aufbocken.
jackal ['dʒækl] *n* Schakal *m*.
jackass ['dʒækæs] (*inf*) *n* (*person*) Esel *m*.
jackdaw ['dʒækdɔː] *n* Dohle *f*.
jacket ['dʒækɪt] *n* Jackett *nt*; (*of book*) Schutzumschlag *m*; **potatoes in their ~s, ~ potatoes** in der Schale gebackene Kartoffeln *pl*.
jack-in-the-box ['dʒækɪnðəbɔks] *n* Schachtelteufel *m*, Kastenteufel *m*.
jack-knife ['dʒæknaɪf] *n* Klappmesser *nt* ♦ *vi*: **the lorry ~d** der Anhänger (des Lastwagens) hat sich quergestellt.
jack-of-all-trades ['dʒækəv'ɔːltreɪdz] *n* Alleskönner *m*.
jack plug *n* Bananenstecker *m*.
jackpot ['dʒækpɔt] *n* Hauptgewinn *m*; **to hit the ~** (*fig*) das große Los ziehen.
jacuzzi [dʒə'kuːzɪ] *n* Whirlpool *m*.
jade [dʒeɪd] *n* Jade *m or f*.
jaded ['dʒeɪdɪd] *adj* abgespannt; **to get ~** die Nase voll haben.
JAG *n abbr* = **Judge Advocate General.**
jagged ['dʒægɪd] *adj* gezackt.
jaguar ['dʒægjuə*] *n* Jaguar *m*.
jail [dʒeɪl] *n* Gefängnis *nt* ♦ *vt* einsperren.
jailbird ['dʒeɪlbəːd] *n* Knastbruder *m* (*inf*).
jailbreak ['dʒeɪlbreɪk] *n* (Gefängnis)ausbruch *m*.
jalopy [dʒə'lɔpɪ] (*inf*) *n* alte (Klapper)kiste *f or* Mühle *f*.
jam [dʒæm] *n* Marmelade *f*, Konfitüre *f*; (*also*: **traffic ~**) Stau *m*; (*inf: difficulty*) Klemme *f* ♦ *vt* blockieren; (*mechanism, drawer etc*) verklemmen; (*RADIO*) stören ♦ *vi* klemmen; (*gun*) Ladehemmung haben; **I'm in a real ~** (*inf*) ich stecke wirklich in der Klemme; **to get sb out of a ~** (*inf*) jdm aus der Klemme helfen; **to ~ sth into sth** etw in etw *acc* stopfen; **the telephone lines are ~med** die Leitungen sind belegt.
Jamaica [dʒə'meɪkə] *n* Jamaika *nt*.
Jamaican [dʒə'meɪkən] *adj* jamaikanisch ♦ *n* Jamaikaner(in) *m(f)*.
jamb [dʒæm] *n* (*of door*) (Tür)pfosten *m*; (*of window*) (Fenster)pfosten *m*.
jamboree [dʒæmbə'riː] *n* Fest *nt*.
jam-packed [dʒæm'pækt] *adj*: ~ **(with)** vollgestopft (mit).
jam session *n* (*MUS*) Jam Session *f*.
Jan. *abbr* (= *January*) Jan.
jangle ['dʒæŋgl] *vi* klimpern.
janitor ['dʒænɪtə*] *n* Hausmeister(in) *m(f)*.
January ['dʒænjuərɪ] *n* Januar *m*; *see also* **July**.
Japan [dʒə'pæn] *n* Japan *nt*.
Japanese [dʒæpə'niːz] *adj* japanisch ♦ *n inv* Japaner(in) *m(f)*; (*LING*) Japanisch *nt*.
jar [dʒɑː*] *n* Topf *m*, Gefäß *nt*; (*glass*) Glas *nt* ♦ *vi* (*sound*) gellen; (*colours*) nicht harmonieren, sich beißen ♦ *vt* erschüttern; **to ~ on sb** jdm auf die Nerven gehen.
jargon ['dʒɑːgən] *n* Jargon *m*.
jarring ['dʒɑːrɪŋ] *adj* (*sound*) gellend, schrill; (*colour*) schreiend.
Jas. *abbr* (= *James*).
jasmine ['dʒæzmɪn] *n* Jasmin *m*.
jaundice ['dʒɔːndɪs] *n* Gelbsucht *f*.
jaundiced ['dʒɔːndɪst] *adj* (*view, attitude*) zynisch.
jaunt [dʒɔːnt] *n* Spritztour *f*.
jaunty ['dʒɔːntɪ] *adj* munter; (*step*) schwungvoll.
Java ['dʒɑːvə] *n* Java *nt*.
javelin ['dʒævlɪn] *n* Speer *m*.
jaw [dʒɔː] *n* Kiefer *m*.
jawbone ['dʒɔːbəun] *n* Kieferknochen *m*.
jay [dʒeɪ] *n* Eichelhäher *m*.
jaywalker ['dʒeɪwɔːkə*] *n* unachtsamer Fußgänger *m*, unachtsame Fußgängerin *f*.
jazz [dʒæz] *n* Jazz *m*.
▸**jazz up** *vt* aufpeppen (*inf*).
jazz band *n* Jazzband *f*.
JCB® *n* Erdräummaschine *f*.
JCS (*US*) *n abbr* (= *Joint Chiefs of Staff*) Stabschefs *pl*.
JD (*US*) *n abbr* (= *Doctor of Laws*) ≈ Dr. jur.; (= *Justice Department*) ≈ Justizministerium *nt*.
jealous ['dʒɛləs] *adj* eifersüchtig; (*envious*) neidisch.
jealously ['dʒɛləslɪ] *adv* eifersüchtig; (*enviously*) neidisch; (*watchfully*) sorgsam.
jealousy ['dʒɛləsɪ] *n* Eifersucht *f*; (*envy*) Neid *m*.
jeans [dʒiːnz] *npl* Jeans *pl*.
jeep [dʒiːp] *n* Jeep *m*.
jeer [dʒɪə*] *vi* höhnische Bemerkungen machen; **to ~ at** verhöhnen.
jeering ['dʒɪərɪŋ] *adj* höhnisch; (*crowd*) johlend ♦ *n* Johlen *nt*.
jeers ['dʒɪəz] *npl* Buhrufe *pl*.
jelly ['dʒɛlɪ] *n* Götterspeise *f*; (*jam*) Gelee *m or nt*.

jelly baby (*BRIT*) *n* Gummibärchen *nt*.
jellyfish ['dʒɛlɪfɪʃ] *n* Qualle *f*.
jeopardize ['dʒɛpədaɪz] *vt* gefährden.
jeopardy ['dʒɛpədɪ] *n*: **to be in** ~ gefährdet sein.
jerk [dʒəːk] *n* Ruck *m*; (*inf: idiot*) Trottel *m* ♦ *vt* reißen ♦ *vi* (*vehicle*) ruckeln.
jerkin ['dʒəːkɪn] *n* Wams *nt*.
jerky ['dʒəːkɪ] *adj* ruckartig.
jerry-built ['dʒɛrɪbɪlt] *adj* schlampig gebaut.
jerry can ['dʒɛrɪ-] *n* großer Blechkanister *m*.
Jersey ['dʒəːzɪ] *n* Jersey *nt*.
jersey ['dʒəːzɪ] *n* Pullover *m*; (*fabric*) Jersey *m*.
Jerusalem [dʒə'ruːsləm] *n* Jerusalem *nt*.
jest [dʒɛst] *n* Scherz *m*.
jester ['dʒɛstə*] *n* Narr *m*.
Jesus ['dʒiːzəs] *n* Jesus *m*; ~ **Christ** Jesus Christus *m*.
jet [dʒɛt] *n* Strahl *m*; (*AVIAT*) Düsenflugzeug *nt*; (*MINERALOGY, JEWELLERY*) Jett *m or nt*, Gagat *m*.
jet-black ['dʒɛt'blæk] *adj* pechschwarz.
jet engine *n* Düsentriebwerk *nt*.
jet lag *n* Jet-lag *nt*.
jet-propelled ['dʒɛtprə'pɛld] *adj* Düsen-, mit Düsenantrieb.
jetsam ['dʒɛtsəm] *n* Strandgut *nt*; (*floating*) Treibgut *nt*.
jet-setter ['dʒɛtsɛtə*] *n*: **to be a** ~ zum Jet-Set gehören.
jettison ['dʒɛtɪsn] *vt* abwerfen; (*from ship*) über Bord werfen.
jetty ['dʒɛtɪ] *n* Landesteg *m*, Pier *m*.
Jew [dʒuː] *n* Jude *m*, Jüdin *f*.
jewel ['dʒuːəl] *n* Edelstein *m*, Juwel *nt* (*also fig*); (*in watch*) Stein *m*.
jeweller, (*US*) **jeweler** ['dʒuːələ*] *n* Juwelier *m*.
jeweller's (shop) *n* Juwelier *m*, Juweliergeschäft *nt*.
jewellery, (*US*) **jewelry** ['dʒuːəlrɪ] *n* Schmuck *m*.
Jewess ['dʒuːɪs] *n* Jüdin *f*.
Jewish ['dʒuːɪʃ] *adj* jüdisch.
JFK (*US*) *n abbr* (= *John Fitzgerald Kennedy International Airport*) John-F.-Kennedy-Flughafen *m*.
jib [dʒɪb] *n* (*NAUT*) Klüver *m*; (*of crane*) Ausleger *m* ♦ *vi* (*horse*) scheuen, bocken; **to** ~ **at doing sth** sich dagegen sträuben, etw zu tun.
jibe [dʒaɪb] *n* = **gibe**.
jiffy ['dʒɪfɪ] (*inf*) *n*: **in a** ~ sofort.
jig [dʒɪg] *n lebhafter Volkstanz*.
jigsaw ['dʒɪgsɔː] *n* (*also*: ~ **puzzle**) Puzzle(spiel) *nt*; (*tool*) Stichsäge *f*.
jilt [dʒɪlt] *vt* sitzenlassen.
jingle ['dʒɪŋgl] *n* (*tune*) Jingle *m* ♦ *vi* (*bracelets*) klimpern; (*bells*) bimmeln.
jingoism ['dʒɪŋgəuɪzəm] *n* Hurrapatriotismus *m*.
jinx [dʒɪŋks] (*inf*) *n* Fluch *m*; **there's a** ~ **on it** es ist verhext.
jitters ['dʒɪtəz] (*inf*) *npl*: **to get the** ~ das große Zittern bekommen.
jittery ['dʒɪtərɪ] (*inf*) *adj* nervös, rappelig.
jiujitsu [dʒuː'dʒɪtsuː] *n* Jiu-Jitsu *nt*.
job [dʒɔb] *n* Arbeit *f*; (*post, employment*) Stelle *f*, Job *m*; **it's not my** ~ es ist nicht meine Aufgabe; **a part-time** ~ eine Teilzeitbeschäftigung; **a full-time** ~ eine Ganztagsstelle; **he's only doing his** ~ er tut nur seine Pflicht; **it's a good** ~ **that** ... nur gut, daß ...; **just the** ~! genau das Richtige!
jobber ['dʒɔbə*] (*BRIT*) *n* Börsenhändler *m*.
jobbing ['dʒɔbɪŋ] (*BRIT*) *adj* Gelegenheits-.
job centre (*BRIT*) *n* Arbeitsamt *nt*.
job creation scheme *n* Arbeitsbeschaffungsmaßnahmen *pl*.
job description *n* Tätigkeitsbeschreibung *f*.
jobless ['dʒɔblɪs] *adj* arbeitslos ♦ *npl*: **the** ~ die Arbeitslosen *pl*.
job lot *n* (Waren)posten *m*.
job satisfaction *n* Zufriedenheit *f* am Arbeitsplatz.
job security *n* Sicherheit *f* des Arbeitsplatzes.
job sharing *n* Job-sharing *nt*, Arbeitsplatzteilung *f*.
job specification *n* Tätigkeitsbeschreibung *f*.
Jock [dʒɔk] (*inf*) *n* Schotte *m*.
jockey ['dʒɔkɪ] *n* Jockei *m* ♦ *vi*: **to** ~ **for position** um eine gute Position rangeln.
jockey box (*US*) *n* (*AUT*) Handschuhfach *nt*.
jocular ['dʒɔkjulə*] *adj* spaßig, witzig.
jog [dʒɔg] *vt* (an)stoßen ♦ *vi* joggen, Dauerlauf machen; **to** ~ **sb's memory** jds Gedächtnis *dat* nachhelfen.
►**jog along** *vi* entlangzuckeln (*inf*).
jogger ['dʒɔgə*] *n* Jogger(in) *m(f)*.
jogging ['dʒɔgɪŋ] *n* Jogging *nt*, Joggen *nt*.
john [dʒɔn] (*US: inf*) *n* (*toilet*) Klo *nt*.
join [dʒɔɪn] *vt* (*club, party*) beitreten *+dat*; (*queue*) sich stellen in *+acc*; (*things, places*) verbinden; (*group of people*) sich anschließen *+dat* ♦ *vi* (*roads*) sich treffen; (*rivers*) zusammenfließen ♦ *n* Verbindungsstelle *f*; **to** ~ **forces (with)** (*fig*) sich zusammentun (mit); **will you** ~ **us for dinner?** wollen Sie mit uns zu Abend essen?; **I'll** ~ **you later** ich komme später.
►**join in** *vi* mitmachen ♦ *vt fus* sich beteiligen an *+dat*.
►**join up** *vi* sich treffen; (*MIL*) zum Militär gehen.
joiner ['dʒɔɪnə*] (*BRIT*) *n* Schreiner(in) *m(f)*.
joinery ['dʒɔɪnərɪ] (*BRIT*) *n* Schreinerei *f*.
joint [dʒɔɪnt] *n* (*in woodwork*) Fuge *f*; (*in pipe etc*) Verbindungsstelle *f*; (*ANAT*) Gelenk *nt*; (*BRIT: CULIN*) Braten *m*; (*inf: place*) Laden *m*; (: *of cannabis*) Joint *m* ♦ *adj* gemeinsam; (*combined*) vereint.
joint account *n* gemeinsames Konto *nt*.

jointly ['dʒɔɪntlɪ] *adv* gemeinsam.
joint ownership *n* Miteigentum *nt*.
joint-stock company ['dʒɔɪnt'stɔk-] *n* Aktiengesellschaft *f*.
joint venture *n* Gemeinschaftsunternehmen *nt*, Joint-venture *nt*.
joist [dʒɔɪst] *n* Balken *m*, Träger *m*.
joke [dʒəuk] *n* Witz *m*; (*also*: **practical ~**) Streich *m* ♦ *vi* Witze machen; **to play a ~ on sb** jdm einen Streich spielen.
joker ['dʒəukə*] *n* (*CARDS*) Joker *m*.
joking ['dʒəukɪŋ] *adj* scherzhaft.
jokingly ['dʒəukɪŋlɪ] *adv* scherzhaft, im Spaß.
jollity ['dʒɔlɪtɪ] *n* Fröhlichkeit *f*.
jolly ['dʒɔlɪ] *adj* fröhlich; (*enjoyable*) lustig ♦ *adv* (*BRIT: inf: very*) ganz (schön) ♦ *vt* (*BRIT*): **to ~ sb along** jdm aufmunternd zureden; **~ good!** prima!
jolt [dʒəult] *n* Ruck *m*; (*shock*) Schock *m* ♦ *vt* schütteln; (*subj: bus etc*) durchschütteln; (*emotionally*) aufrütteln.
Jordan ['dʒɔːdən] *n* Jordanien *nt*; (*river*) Jordan *m*.
Jordanian [dʒɔː'deɪnɪən] *adj* jordanisch ♦ *n* Jordanier(in) *m(f)*.
joss stick [dʒɔs-] *n* Räucherstäbchen *nt*.
jostle ['dʒɔsl] *vt* anrempeln ♦ *vi* drängeln.
jot [dʒɔt] *n*: **not one ~** kein bißchen.
►**jot down** *vt* notieren.
jotter ['dʒɔtə*] (*BRIT*) *n* Notizbuch *nt*; (*pad*) Notizblock *m*.
journal ['dʒəːnl] *n* Zeitschrift *f*; (*diary*) Tagebuch *nt*.
journalese [dʒəːnə'liːz] (*pej*) *n* Pressejargon *m*.
journalism ['dʒəːnəlɪzəm] *n* Journalismus *m*.
journalist ['dʒəːnəlɪst] *n* Journalist(in) *m(f)*.
journey ['dʒəːnɪ] *n* Reise *f* ♦ *vi* reisen; **a 5-hour ~** eine Fahrt von 5 Stunden; **return ~** Rückreise *f*; (*both ways*) Hin- und Rückreise *f*.
jovial ['dʒəuvɪəl] *adj* fröhlich; (*atmosphere*) freundlich, herzlich.
jowl [dʒaul] *n* Backe *f*.
joy [dʒɔɪ] *n* Freude *f*.
joyful ['dʒɔɪful] *adj* freudig.
joyride ['dʒɔɪraɪd] *n* *Spritztour in einem gestohlenen Auto.*
joyrider ['dʒɔɪraɪdə*] *n* *Autodieb, der den Wagen nur für eine Spritztour benutzt.*
joystick ['dʒɔɪstɪk] *n* (*AVIAT*) Steuerknüppel *m*; (*COMPUT*) Joystick *m*.
JP *n abbr* = **Justice of the Peace.**
Jr *abbr* (*in names: = junior*) jun.
JTPA (*US*) *n abbr* (= *Job Training Partnership Act*) *Arbeitsbeschaffungsprogramm für benachteiligte Bevölkerungsteile und Minderheiten.*
jubilant ['dʒuːbɪlnt] *adj* überglücklich.
jubilation [dʒuːbɪ'leɪʃən] *n* Jubel *m*.
jubilee ['dʒuːbɪliː] *n* Jubiläum *nt*; **silver ~** 25jähriges Jubiläum; **golden ~** 50jähriges Jubiläum.
judge [dʒʌdʒ] *n* Richter(in) *m(f)*; (*in competition*) Preisrichter(in) *m(f)*; (*fig: expert*) Kenner(in) *m(f)* ♦ *vt* (*LAW: person*) die Verhandlung führen über *+acc*; (*: case*) verhandeln; (*competition*) Preisrichter(in) sein bei; (*person etc*) beurteilen; (*consider*) halten für; (*estimate*) einschätzen ♦ *vi*: **judging by** *or* **to ~ by his expression** seinem Gesichtsausdruck nach zu urteilen; **she's a good ~ of character** sie ist ein guter Menschenkenner; **I'll be the ~ of that** das müssen Sie mich schon selbst beurteilen lassen; **as far as I can ~** soweit ich es beurteilen kann; **I ~d it necessary to inform him** ich hielt es für nötig, ihn zu informieren.
judge advocate *n* (*MIL*) Beisitzer(in) *m(f)* bei einem Kriegsgericht.
Judge Advocate General *n* (*MIL*) *Vorsitzender des obersten Militärgerichts.*
judg(e)ment ['dʒʌdʒmənt] *n* Urteil *nt*; (*REL*) Gericht *nt*; (*view, opinion*) Meinung *f*; (*discernment*) Urteilsvermögen *nt*; **in my ~** meiner Meinung nach; **to pass ~ (on)** (*LAW*) das Urteil sprechen (über *+acc*); (*fig*) ein Urteil fällen (über *+acc*).
judicial [dʒuː'dɪʃl] *adj* gerichtlich, Justiz-; (*fig*) kritisch; **~ review** gerichtliche Überprüfung *f*.
judiciary [dʒuː'dɪʃɪərɪ] *n*: **the ~** die Gerichtsbehörden *pl*.
judicious [dʒuː'dɪʃəs] *adj* klug.
judo ['dʒuːdəu] *n* Judo *nt*.
jug [dʒʌg] *n* Krug *m*.
jugged hare ['dʒʌgd-] (*BRIT*) *n* ≈ Hasenpfeffer *m*.
juggernaut ['dʒʌgənɔːt] (*BRIT*) *n* Fernlastwagen *m*.
juggle ['dʒʌgl] *vi* jonglieren.
juggler ['dʒʌglə*] *n* Jongleur *m*.
Jugoslav *etc* ['juːgəu'slɑːv] = **Yugoslav** *etc.*
jugular ['dʒʌgjulə*] *adj*: **~ (vein)** Drosselvene *f*.
juice [dʒuːs] *n* Saft *m*; (*inf: petrol*): **we've run out of ~** wir haben keinen Sprit mehr.
juicy ['dʒuːsɪ] *adj* saftig.
jukebox ['dʒuːkbɔks] *n* Musikbox *f*.
Jul. *abbr* = **July.**
July [dʒuː'laɪ] *n* Juli *m*; **the first of ~** der erste Juli; **on the eleventh of ~** am elften Juli; **in the month of ~** im (Monat) Juli; **at the beginning/end of ~** Anfang/Ende Juli; **in the middle of ~** Mitte Juli; **during ~** im Juli; **in ~ of next year** im Juli nächsten Jahres; **each** *or* **every ~** jedes Jahr im Juli; **~ was wet this year** der Juli war dieses Jahr ein nasser Monat.
jumble ['dʒʌmbl] *n* Durcheinander *nt*; (*items for sale*) gebrauchte Sachen *pl* ♦ *vt* (*also*: **~ up**) durcheinanderbringen.

> **Jumble sale** *ist ein Wohltätigkeitsbasar, meist in einer Aula oder einem Gemeindehaus abgehalten, bei dem alle möglichen Gebrauchtwaren (vor allem Kleidung, Spielzeug, Bücher, Geschirr und Möbel) verkauft werden. Der Erlös fließt entweder einer Wohltätigkeitsorganisation zu oder wird für örtliche Zwecke verwendet, z.B. die Pfadfinder, die Grundschule, Reparatur der Kirche usw.*

jumbo (jet) ['dʒʌmbəu-] *n* Jumbo(-Jet) *m.*
jumbo-size ['dʒʌmbəusaɪz] *adj* (*packet etc*) Riesen-.
jump [dʒʌmp] *vi* springen; (*with fear, surprise*) zusammenzucken; (*increase*) sprunghaft ansteigen ♦ *vt* springen über *+acc* ♦ *n* (*see vb*) Sprung *m*; Zusammenzucken *nt*; sprunghafter Anstieg *m*; **to ~ the queue** (*BRIT*) sich vordrängeln.
►**jump about** *vi* herumspringen.
►**jump at** *vt fus* (*idea*) sofort aufgreifen; (*chance*) sofort ergreifen; **he ~ed at the offer** er griff bei dem Angebot sofort zu.
►**jump down** *vi* herunterspringen.
►**jump up** *vi* hochspringen; (*from seat*) aufspringen.
jumped-up ['dʒʌmptʌp] (*BRIT: pej*) *adj* eingebildet.
jumper ['dʒʌmpə*] *n* (*BRIT*) Pullover *m*; (*US: dress*) Trägerkleid *nt*; (*SPORT*) Springer(in) *m(f)*.
jumper cables (*US*) *npl* = **jump leads.**
jumping jack *n* Knallfrosch *m.*
jump jet *n* Senkrechtstarter *m.*
jump leads (*BRIT*) *npl* Starthilfekabel *nt.*
jump-start ['dʒʌmpstɑːt] *vt* (*AUT: engine*) durch Anschieben des Wagens in Gang bringen.
jump suit *n* Overall *m.*
jumpy ['dʒʌmpɪ] *adj* nervös.
Jun. *abbr* = **June.**
junction ['dʒʌŋkʃən] (*BRIT*) *n* Kreuzung *f*; (*RAIL*) Gleisanschluß *m.*
juncture ['dʒʌŋktʃə*] *n*: **at this ~** zu diesem Zeitpunkt.
June [dʒuːn] *n* Juni *m*; *see also* **July.**
jungle ['dʒʌŋgl] *n* Urwald *m*, Dschungel *m* (*also fig*).
junior ['dʒuːnɪə*] *adj* jünger; (*subordinate*) untergeordnet ♦ *n* Jüngere(r) *f(m)*; (*young person*) Junior *m*; **he's ~ to me (by 2 years), he's my ~ (by 2 years)** (*younger*) er ist (2 Jahre) jünger als ich; **he's ~ to me** (*subordinate*) er steht unter mir.
junior executive *n* zweiter Geschäftsführer *m*, zweite Geschäftsführerin *f.*
junior high school (*US*) *n* ≈ Mittelschule *f.*
junior minister (*BRIT*) *n* Staatssekretär(in) *m(f)*.
junior partner *n* Juniorpartner(in) *m(f)*.
junior school (*BRIT*) *n* ≈ Grundschule *f.*
junior sizes *npl* (*COMM*) Kindergrößen *pl.*
juniper ['dʒuːnɪpə*] *n*: **~ berry** Wacholderbeere *f.*
junk [dʒʌŋk] *n* (*rubbish*) Gerümpel *nt*; (*cheap goods*) Ramsch *m*; (*ship*) Dschunke *f* ♦ *vt* (*inf*) ausrangieren.
junk bond *n* (*FIN*) *niedrig eingestuftes Wertpapier mit hohen Ertragschancen bei erhöhtem Risiko.*
junket ['dʒʌŋkɪt] *n* Dickmilch *f*; (*inf: pej: free trip*): **to go on a ~** eine Reise auf Kosten des Steuerzahlers machen.
junk food *n* ungesundes Essen *nt.*
junkie ['dʒʌŋkɪ] (*inf*) *n* Fixer(in) *m(f)*.
junk mail *n* (Post)wurfsendungen *pl.*
junk room *n* Rumpelkammer *f.*
junk shop *n* Trödelladen *m.*
Junr *abbr* (*in names: = junior*) jun.
junta ['dʒʌntə] *n* Junta *f.*
Jupiter ['dʒuːpɪtə*] *n* Jupiter *m.*
jurisdiction [dʒuərɪs'dɪkʃən] *n* Gerichtsbarkeit *f*; (*ADMIN*) Zuständigkeit *f*, Zuständigkeitsbereich *m*; **it falls** *or* **comes within/outside my ~** dafür bin ich zuständig/nicht zuständig.
jurisprudence [dʒuərɪs'pruːdəns] *n* Jura *pl*, Rechtswissenschaft *f.*
juror ['dʒuərə*] *n* Schöffe *m*, Schöffin *f*; (*for capital crimes*) Geschworene(r) *f(m)*; (*in competition*) Preisrichter(in) *m(f)*.
jury ['dʒuərɪ] *n*: **the ~** die Schöffen *pl*; (*for capital crimes*) die Geschworenen *pl*; (*for competition*) die Jury, das Preisgericht.
jury box *n* Schöffenbank *f*; Geschworenenbank *f.*
juryman ['dʒuərɪmən] (*irreg: like* **man**) *n* = **juror.**
just [dʒʌst] *adj* gerecht ♦ *adv* (*exactly*) genau; (*only*) nur; **he's ~ done it/left** er hat es gerade getan/ist gerade gegangen; **~ as I expected** genau wie ich erwartet habe; **~ right** genau richtig; **~ two o'clock** erst zwei Uhr; **we were ~ going** wir wollten gerade gehen; **I was ~ about to phone** ich wollte gerade anrufen; **she's ~ as clever as you** sie ist genauso klug wie du; **it's ~ as well (that ...)** nur gut, daß ...; **~ as he was leaving** gerade als er gehen wollte; **~ before** gerade noch; **~ enough** gerade genug; **~ here** genau hier, genau an dieser Stelle; **he ~ missed** er hat genau danebengetroffen; **it's ~ me** ich bin's nur; **it's ~ a mistake** es ist nur ein Fehler; **~ listen** hör mal; **~ ask someone the way** frage doch einfach jemanden nach dem Weg; **not ~ now** nicht gerade jetzt; **~ a minute!, ~ one moment!** einen Moment, bitte!
justice ['dʒʌstɪs] *n* Justiz *f*; (*of cause, complaint*) Berechtigung *f*; (*fairness*) Gerechtigkeit *f*; (*US: judge*) Richter(in) *m(f)*; **Lord Chief J~** (*BRIT*) *oberster Richter in*

Großbritannien; **to do ~ to** (*fig*) gerecht werden *+dat*.
Justice of the Peace *n* Friedensrichter(in) *m(f)*.
justifiable [dʒʌstɪ'faɪəbl] *adj* gerechtfertigt, berechtigt.
justifiably [dʒʌstɪ'faɪəblɪ] *adv* zu Recht, berechtigterweise.
justification [dʒʌstɪfɪ'keɪʃən] *n* Rechtfertigung *f*; (*TYP*) Justierung *f*.
justify ['dʒʌstɪfaɪ] *vt* rechtfertigen; (*text*) justieren; **to be justified in doing sth** etw zu *or* mit Recht tun.
justly ['dʒʌstlɪ] *adv* zu *or* mit Recht; (*deservedly*) gerecht.
jut [dʒʌt] *vi* (*also*: **~ out**) vorstehen.
jute [dʒuːt] *n* Jute *f*.
juvenile ['dʒuːvənaɪl] *adj* (*crime, offenders*) Jugend-; (*humour, mentality*) kindisch, unreif ♦ *n* Jugendliche(r) *f(m)*.
juvenile delinquency *n* Jugendkriminalität *f*.
juvenile delinquent *n* jugendlicher Straftäter *m*, jugendliche Straftäterin *f*.
juxtapose ['dʒʌkstəpəuz] *vt* nebeneinanderstellen.
juxtaposition ['dʒʌkstəpə'zɪʃən] *n* Nebeneinanderstellung *f*.

K, k

K¹, k [keɪ] *n* (*letter*) K *nt*, k *nt*; **~ for King** ≈ K wie Kaufmann.
K² [keɪ] *abbr* (= *one thousand*) K; (*COMPUT*: = *kilobyte*) KB; (*BRIT: in titles*) = **knight**.
kaftan ['kæftæn] *n* Kaftan *m*.
Kalahari Desert [kælə'hɑːrɪ-] *n*: **the ~** die Kalahari.
kale [keɪl] *n* Grünkohl *m*.
kaleidoscope [kə'laɪdəskəup] *n* Kaleidoskop *nt*.
kamikaze ['kæmɪ'kɑːzɪ] *adj* (*mission etc*) Kamikaze-, Selbstmord-.
Kampala [kæm'pɑːlə] *n* Kampala *nt*.
Kampuchea [kæmpu'tʃɪə] *n* Kampuchea *nt*.
Kampuchean [kæmpu'tʃɪən] *adj* kampucheanisch.
kangaroo [kæŋgə'ruː] *n* Känguruh *nt*.
Kans. (*US*) *abbr* (*POST*: = *Kansas*).
kaput [kə'put] (*inf*) *adj*: **to be ~** kaputt sein.
karaoke [kɑːrə'əukɪ] *n* Karaoke *nt*.
karate [kə'rɑːtɪ] *n* Karate *nt*.
Kashmir [kæʃ'mɪə*] *n* Kaschmir *nt*.
kayak ['kaɪæk] *n* Kajak *m or nt*.
Kazakhstan [kæzæk'stɑːn] *n* Kasachstan *nt*.
KC (*BRIT*) *n abbr* (*LAW*: = *King's Counsel*) Kronanwalt *m*.
kd (*US*) *abbr* (*COMM*: = *knocked down*) (in Einzelteile) zerlegt.
kebab [kə'bæb] *n* Kebab *m*.
keel [kiːl] *n* Kiel *m*; **on an even ~** (*fig*) stabil.
►**keel over** *vi* kentern; (*person*) umkippen.
keen [kiːn] *adj* begeistert, eifrig; (*interest*) groß; (*desire*) heftig; (*eye, intelligence, competition, edge*) scharf; **to be ~ to do** *or* **on doing sth** scharf darauf sein, etw zu tun (*inf*); **to be ~ on sth** an etw *dat* sehr interessiert sein; **to be ~ on sb** von jdm sehr angetan sein; **I'm not ~ on going** ich brenne nicht gerade darauf zu gehen.
keenly ['kiːnlɪ] *adv* (*enthusiastically*) begeistert; (*feel*) leidenschaftlich; (*look*) aufmerksam.
keenness ['kiːnnɪs] *n* Begeisterung *f*, Eifer *m*; **his ~ to go is suspicious** daß er so unbedingt gehen will, ist verdächtig.
keep [kiːp] (*pt, pp* **kept**) *vt* behalten; (*preserve, store*) aufbewahren; (*house, shop, accounts, diary*) führen; (*garden etc*) pflegen; (*chickens, bees, fig: promise*) halten; (*family etc*) versorgen, unterhalten; (*detain*) aufhalten; (*prevent*) abhalten ♦ *vi* (*remain*) bleiben; (*food*) sich halten ♦ *n* (*food etc*) Unterhalt *m*; (*of castle*) Bergfried *m*; **to ~ doing sth** etw immer wieder tun; **to ~ sb happy** jdn zufriedenstellen; **to ~ a room tidy** ein Zimmer in Ordnung halten; **to ~ sb waiting** jdn warten lassen; **to ~ an appointment** eine Verabredung einhalten; **to ~ a record of sth** über etw *acc* Buch führen; **to ~ sth to o.s.** etw für sich behalten; **to ~ sth (back) from sb** etw vor jdm geheimhalten; **to ~ sb from doing sth** jdn davon abhalten, etw zu tun; **to ~ sth from happening** etw verhindern; **to ~ time** (*clock*) genau gehen; **enough for his ~** genug für seinen Unterhalt.
►**keep away** *vt* fernhalten ♦ *vi*: **to ~ away (from)** wegbleiben (von).
►**keep back** *vt* zurückhalten; (*tears*) unterdrücken; (*money*) einbehalten ♦ *vi* zurückbleiben.
►**keep down** *vt* (*prices*) niedrig halten; (*spending*) einschränken; (*food*) bei sich behalten ♦ *vi* unten bleiben.
►**keep in** *vt* im Haus behalten; (*at school*) nachsitzen lassen ♦ *vi* (*inf*): **to ~ in with sb** sich mit jdm gut stellen.
►**keep off** *vt* fernhalten ♦ *vi* wegbleiben; **"~ off the grass"** „Betreten des Rasens verboten"; **~ your hands off** Hände weg.
►**keep on** *vi*: **to ~ on doing sth** (*continue*) etw weiter tun; **to ~ on (about sth)** unaufhörlich (von etw) reden.
►**keep out** *vt* fernhalten; **"~ out"** „Zutritt verboten".
►**keep up** *vt* (*payments*) weiterbezahlen; (*standards etc*) aufrechterhalten ♦ *vi*: **to ~ up**

(with) mithalten können (mit).
keeper ['ki:pə*] *n* Wärter(in) *m(f)*.
keep fit *n* Fitneßtraining *nt*.
keeping ['ki:pɪŋ] *n* (*care*) Obhut *f*; **in ~ with** in Übereinstimmung mit; **out of ~ with** nicht im Einklang mit; **I'll leave this in your ~** ich vertraue dies deiner Obhut an.
keeps [ki:ps] *n*: **for ~** (*inf*) für immer.
keepsake ['ki:pseɪk] *n* Andenken *nt*.
keg [kɛg] *n* Fäßchen *nt*; **~ beer** Bier *nt* vom Faß.
Ken. (*US*) *abbr* (*POST:* = *Kentucky*).
kennel ['kɛnl] *n* Hundehütte *f*.
kennels ['kɛnlz] *n* Hundeheim *nt*; **we had to leave our dog in ~ over Christmas** wir mußten unseren Hund über Weihnachten in ein Heim geben.
Kenya ['kɛnjə] *n* Kenia *nt*.
Kenyan ['kɛnjən] *adj* kenianisch ♦ *n* Kenianer(in) *m(f)*.
kept [kɛpt] *pt, pp of* **keep**.
kerb [kə:b] (*BRIT*) *n* Bordstein *m*.
kerb crawler [-'krɔ:lə*] (*inf*) *n* Freier *m* im Autostrich.
kernel ['kə:nl] *n* Kern *m*.
kerosene ['kɛrəsi:n] *n* Kerosin *nt*.
kestrel ['kɛstrəl] *n* Turmfalke *m*.
ketchup ['kɛtʃəp] *n* Ketchup *m or nt*.
kettle ['kɛtl] *n* Kessel *m*.
kettledrum ['kɛtldrʌm] *n* (Kessel)pauke *f*.
key [ki:] *n* Schlüssel *m*; (*MUS*) Tonart *f*; (*of piano, computer, typewriter*) Taste *f* ♦ *cpd* (*issue etc*) Schlüssel- ♦ *vt* (*also:* **~ in**) eingeben.
keyboard ['ki:bɔ:d] *n* Tastatur *f*.
keyboarder ['ki:bɔ:də*] *n* Datentypist(in) *m(f)*.
keyed up [ki:d-] *adj*: **to be (all) ~** (ganz) aufgedreht sein (*inf*).
keyhole ['ki:həul] *n* Schlüsselloch *nt*.
keyhole surgery *n* Schlüssellochchirurgie *f*, minimal invasive Chirurgie *f*.
keynote ['ki:nəut] *n* Grundton *m*; (*of speech*) Leitgedanke *m*.
keypad ['ki:pæd] *n* Tastenfeld *nt*.
key ring *n* Schlüsselring *m*.
keystroke ['ki:strəuk] *n* Anschlag *m*.
kg *abbr* (= *kilogram*) kg.
KGB *n abbr* (*POL: formerly*) KGB *m*.
khaki ['kɑ:kɪ] *n* K(h)aki *nt*.
kHz *abbr* (= *kilohertz*) kHz.
kibbutz [kɪ'buts] *n* Kibbuz *m*.
kick [kɪk] *vt* treten; (*table, ball*) treten gegen *+acc*; (*inf: habit*) ablegen; (*: addiction*) wegkommen von ♦ *vi* (*horse*) ausschlagen ♦ *n* Tritt *m*; (*to ball*) Schuß *m*; (*of rifle*) Rückstoß *m*; (*thrill*): **he does it for ~s** er macht es zum Spaß.
▸**kick around** (*inf*) *vi* (*person*) rumhängen; (*thing*) rumliegen.
▸**kick off** *vi* (*SPORT*) anstoßen.
kickoff ['kɪkɔf] *n* (*SPORT*) Anstoß *m*.
kick start *n* (*AUT: also:* **~er**) Kickstarter *m*.
kid [kɪd] *n* (*inf: child*) Kind *nt*; (*animal*) Kitz *nt*; (*leather*) Ziegenleder *nt*, Glacéleder *nt* ♦ *vi* (*inf*) Witze machen; **~ brother** kleiner Bruder *m*; **~ sister** kleine Schwester *f*.
kid gloves *npl*: **to treat sb with ~** (*fig*) jdn mit Samthandschuhen anfassen.
kidnap ['kɪdnæp] *vt* entführen, kidnappen.
kidnapper ['kɪdnæpə*] *n* Entführer(in) *m(f)*, Kidnapper(in) *m(f)*.
kidnapping ['kɪdnæpɪŋ] *n* Entführung *f*, Kidnapping *nt*.
kidney ['kɪdnɪ] *n* Niere *f*.
kidney bean *n* Gartenbohne *f*.
kidney machine *n* (*MED*) künstliche Niere *f*.
Kilimanjaro [kɪlɪmən'dʒɑ:rəu] *n*: **Mount ~** der Kilimandscharo.
kill [kɪl] *vt* töten; (*murder*) ermorden, umbringen; (*plant*) eingehen lassen; (*proposal*) zu Fall bringen; (*rumour*) ein Ende machen *+dat* ♦ *n* Abschuß *m*; **to ~ time** die Zeit totschlagen; **to ~ o.s. to do sth** (*fig*) sich fast umbringen, um etw zu tun; **to ~ o.s. (laughing)** (*fig*) sich totlachen.
▸**kill off** *vt* abtöten; (*fig: romance*) beenden.
killer ['kɪlə*] *n* Mörder(in) *m(f)*.
killer instinct *n* (*fig*) Tötungsinstinkt *m*.
killing ['kɪlɪŋ] *n* Töten *nt*; (*instance*) Mord *m*; **to make a ~** (*inf*) einen Riesengewinn machen.
killjoy ['kɪldʒɔɪ] *n* Spielverderber(in) *m(f)*.
kiln [kɪln] *n* Brennofen *m*.
kilo ['ki:ləu] *n* Kilo *nt*.
kilobyte ['ki:ləubaɪt] *n* Kilobyte *nt*.
kilogram(me) ['kɪləugræm] *n* Kilogramm *nt*.
kilohertz ['kɪləuhə:ts] *n inv* Kilohertz *nt*.
kilometre, (US) kilometer ['kɪləmi:tə*] *n* Kilometer *m*.
kilowatt ['kɪləuwɔt] *n* Kilowatt *nt*.
kilt [kɪlt] *n* Kilt *m*, Schottenrock *m*.
kilter ['kɪltə*] *n*: **out of ~** nicht in Ordnung.
kimono [kɪ'məunəu] *n* Kimono *m*.
kin [kɪn] *n see* **kith, next**.
kind [kaɪnd] *adj* freundlich ♦ *n* Art *f*; (*sort*) Sorte *f*; **would you be ~ enough to ...?, would you be so ~ as to ...?** wären Sie (vielleicht) so nett und ...?; **it's very ~ of you (to do ...)** es ist wirklich nett von Ihnen(, ... zu tun); **in ~** (*COMM*) in Naturalien; **a ~ of ...** eine Art ...; **they are two of a ~** sie sind beide von der gleichen Art; (*people*) sie sind vom gleichen Schlag.
kindergarten ['kɪndəgɑ:tn] *n* Kindergarten *m*.
kind-hearted [kaɪnd'hɑ:tɪd] *adj* gutherzig.
kindle ['kɪndl] *vt* anzünden; (*emotion*) wecken.
kindling ['kɪndlɪŋ] *n* Anzündholz *nt*.
kindly ['kaɪndlɪ] *adj, adv* freundlich, nett; **will you ~ ...** würden Sie bitte ...; **he didn't take it ~** er konnte sich damit nicht anfreunden.
kindness ['kaɪndnɪs] *n* Freundlichkeit *f*.
kindred ['kɪndrɪd] *adj*: **~ spirit** Gleichgesinnte(r) *f(m)*.
kinetic [kɪ'nɛtɪk] *adj* kinetisch.
king [kɪŋ] *n* (*also fig*) König *m*.

kingdom ['kɪŋdəm] *n* Königreich *nt*.
kingfisher ['kɪŋfɪʃə*] *n* Eisvogel *m*.
kingpin ['kɪŋpɪn] *n* (*TECH*) Bolzen *m*; (*AUT*) Achsschenkelbolzen *m*; (*fig*) wichtigste Stütze *f*.
king-size(d) ['kɪŋsaɪz(d)] *adj* extra groß; (*cigarette*) King-size-.
kink [kɪŋk] *n* Knick *m*; (*in hair*) Welle *f*; (*fig*) Schrulle *f*.
kinky ['kɪŋkɪ] (*pej*) *adj* schrullig; (*sexually*) abartig.
kinship ['kɪnʃɪp] *n* Verwandtschaft *f*.
kinsman ['kɪnzmən] (*irreg: like* **man**) *n* Verwandte(r) *m*.
kinswoman ['kɪnzwumən] (*irreg: like* **woman**) *n* Verwandte *f*.
kiosk ['kiːɔsk] *n* Kiosk *m*; (*BRIT*) (Telefon)zelle *f*; (*also*: **newspaper ~**) (Zeitungs)kiosk *m*.
kipper ['kɪpə*] *n* Räucherhering *m*.
Kirghizia [kəː'gɪzɪə] *n* Kirgistan *nt*.
kiss [kɪs] *n* Kuß *m* ♦ *vt* küssen ♦ *vi* sich küssen; **to ~ (each other)** sich küssen; **to ~ sb goodbye** jdm einen Abschiedskuß geben.
kissagram ['kɪsəgræm] *n durch eine(n) Angestellte(n) einer Agentur persönlich übermittelter Kuß*.
kiss of life (*BRIT*) *n*: **the ~** Mund-zu-Mund-Beatmung *f*.
kit [kɪt] *n* Zeug *nt*, Sachen *pl*; (*equipment: also MIL*) Ausrüstung *f*; (*set of tools*) Werkzeug *nt*; (*for assembly*) Bausatz *m*.
▸**kit out** (*BRIT*) *vt* ausrüsten, ausstatten.
kitbag ['kɪtbæg] *n* Seesack *m*.
kitchen ['kɪtʃɪn] *n* Küche *f*.
kitchen garden *n* Küchengarten *m*.
kitchen sink *n* Spüle *f*.
kitchen unit (*BRIT*) *n* Küchenschrank *m*.
kitchenware ['kɪtʃɪnwɛə*] *n* Küchengeräte *pl*.
kite [kaɪt] *n* Drachen *m*; (*ZOOL*) Milan *m*.
kith [kɪθ] *n*: **~ and kin** Freunde und Verwandte *pl*.
kitten ['kɪtn] *n* Kätzchen *nt*.
kitty ['kɪtɪ] *n* (gemeinsame) Kasse *f*.
kiwi (fruit) ['kiːwiː-] *n* Kiwi(frucht) *f*.
KKK (*US*) *n abbr* (= *Ku Klux Klan*) Ku-Klux-Klan *m*.
Kleenex ® ['kliːnɛks] *n* Tempo(taschentuch) ® *nt*.
kleptomaniac [klɛptəu'meɪnɪæk] *n* Kleptomane *m*, Kleptomanin *f*.
km *abbr* (= *kilometre*) km.
km/h *abbr* (= *kilometres per hour*) km/h.
knack [næk] *n*: **to have the ~ of doing sth** es heraushaben, wie man etw macht; **there's a ~ to doing this** da ist ein Trick *or* Kniff dabei.
knackered ['nækəd] (*BRIT: inf*) *adj* kaputt.
knapsack ['næpsæk] *n* Rucksack *m*.
knead [niːd] *vt* kneten.
knee [niː] *n* Knie *nt*.
kneecap ['niːkæp] *n* Kniescheibe *f*.
kneecapping ['niːkæpɪŋ] *n* Durchschießen *nt* der Kniescheibe.
knee-deep ['niː'diːp] *adj, adv*: **the water was ~** das Wasser ging mir *etc* bis zum Knie; **~ in mud** knietief *or* bis zu den Knien im Schlamm.
kneejerk reaction ['niː'dʒəːk-] *n* (*fig*) instinktive Reaktion *f*.
kneel [niːl] (*pt, pp* **knelt**) *vi* knien; (*also*: **~ down**) niederknien.
kneepad ['niːpæd] *n* Knieschützer *m*.
knell [nɛl] *n* Totengeläut(e) *nt*; (*fig*) Ende *nt*.
knelt [nɛlt] *pt, pp of* **kneel**.
knew [njuː] *pt of* **know**.
knickers ['nɪkəz] (*BRIT*) *npl* Schlüpfer *m*.
knick-knacks ['nɪknæks] *npl* Nippsachen *pl*.
knife [naɪf] (*pl* **knives**) *n* Messer *nt* ♦ *vt* (*injure, attack*) einstechen auf *+acc*; **~, fork and spoon** Messer, Gabel und Löffel.
knife edge *n*: **to be balanced on a ~** (*fig*) auf Messers Schneide stehen.
knight [naɪt] *n* (*BRIT*) Ritter *m*; (*CHESS*) Springer *m*, Pferd *nt*.
knighthood ['naɪthud] (*BRIT*) *n*: **to get a ~** in den Adelsstand erhoben werden.
knit [nɪt] *vt* stricken ♦ *vi* stricken; (*bones*) zusammenwachsen; **to ~ one's brows** die Stirn runzeln.
knitted ['nɪtɪd] *adj* gestrickt, Strick-.
knitting ['nɪtɪŋ] *n* Stricken *nt*; (*garment being made*) Strickzeug *nt*.
knitting machine *n* Strickmaschine *f*.
knitting needle *n* Stricknadel *f*.
knitting pattern *n* Strickmuster *nt*.
knitwear ['nɪtwɛə*] *n* Strickwaren *pl*.
knives [naɪvz] *npl of* **knife**.
knob [nɔb] *n* Griff *m*; (*of stick*) Knauf *m*; (*on radio, TV etc*) Knopf *m*; **a ~ of butter** (*BRIT*) ein Stückchen *nt* Butter.
knobbly ['nɔblɪ], **knobby** ['nɔbɪ] (*US*) *adj* (*wood*) knorrig; (*surface*) uneben; **~ knees** Knubbelknie *pl* (*inf*).
knock [nɔk] *vt* schlagen; (*bump into*) stoßen gegen *+acc*; (*inf: criticize*) runtermachen ♦ *vi* klopfen ♦ *n* Schlag *m*; (*bump*) Stoß *m*; (*on door*) Klopfen *nt*; **to ~ a nail into sth** einen Nagel in etw *acc* schlagen; **to ~ some sense into sb** jdn zur Vernunft bringen; **to ~ at/on** klopfen an/auf *+acc*; **he ~ed at the door** er klopfte an, er klopfte an die Tür.
▸**knock about** (*inf*) *vt* schlagen, verprügeln ♦ *vi* rumziehen; **~ about with** sich rumtreiben mit.
▸**knock around** *vt, vi* = **knock about**.
▸**knock back** (*inf*) *vt* (*drink*) sich *dat* hinter die Binde kippen.
▸**knock down** *vt* anfahren; (*fatally*) überfahren; (*building etc*) abreißen; (*price: buyer*) herunterhandeln; (*: seller*) heruntergehen mit.
▸**knock off** *vi* (*inf*) Feierabend machen ♦ *vt* (*from price*) nachlassen; (*inf: steal*) klauen; **to ~ off £10** £10 nachlassen.

►**knock out** *vt* bewußtlos schlagen; (*subj: drug*) bewußtlos werden lassen; (*BOXING*) k.o. schlagen; (*in game, competition*) besiegen.
►**knock over** *vt* umstoßen; (*with car*) anfahren.
knockdown ['nɔkdaun] *adj:* ~ **price** Schleuderpreis *m.*
knocker ['nɔkə*] *n* Türklopfer *m.*
knock-for-knock ['nɔkfə'nɔk] (*BRIT*) *adj:* ~ **agreement** *Vereinbarung, bei der jede Versicherungsgesellschaft den Schaden am von ihr versicherten Fahrzeug übernimmt.*
knocking ['nɔkɪŋ] *n* Klopfen *nt.*
knock-kneed [nɔk'ni:d] *adj* X-beinig; **to be** ~ X-Beine haben.
knockout ['nɔkaut] *n* (*BOXING*) K.o.-Schlag *m* ♦ *cpd* (*competition etc*) Ausscheidungs-.
knock-up ['nɔkʌp] *n* (*TENNIS*): **to have a** ~ ein paar Bälle schlagen.
knot [nɔt] *n* Knoten *m*; (*in wood*) Ast *m* ♦ *vt* einen Knoten machen in *+acc*; (*knot together*) verknoten; **to tie a** ~ einen Knoten machen.
knotty ['nɔtɪ] *adj* (*fig: problem*) verwickelt.
know [nəu] (*pt* **knew**, *pp* **known**) *vt* kennen; (*facts*) wissen; (*language*) können ♦ *vi:* **to** ~ **about** *or* **of sth/sb** von etw/jdm gehört haben; **to** ~ **how to swim** schwimmen können; **to get to** ~ **sth** etw erfahren; (*place*) etw kennenlernen; **I don't** ~ **him** ich kenne ihn nicht; **to** ~ **right from wrong** Gut und Böse unterscheiden können; **as far as I** ~ soviel ich weiß; **yes, I** ~ ja, ich weiß; **I don't** ~ ich weiß (es) nicht.
know-all ['nəuɔ:l] (*BRIT: pej*) *n* Alleswisser *m.*
know-how ['nəuhau] *n* Know-how *nt*, Sachkenntnis *f.*
knowing ['nəuɪŋ] *adj* wissend.
knowingly ['nəuɪŋlɪ] *adv* (*purposely*) bewußt; (*smile, look*) wissend.
know-it-all ['nəuɪtɔ:l] (*US*) *n* = **know-all.**
knowledge ['nɔlɪdʒ] *n* Wissen *nt*, Kenntnis *f*; (*learning, things learnt*) Kenntnisse *pl*; **to have no** ~ **of** nichts wissen von; **not to my** ~ nicht, daß ich wüßte; **without my** ~ ohne mein Wissen; **it is common** ~ **that** ... es ist allgemein bekannt, daß ...; **it has come to my** ~ **that** ... ich habe erfahren, daß ...; **to have a working** ~ **of French** Grundkenntnisse in Französisch haben.
knowledgeable ['nɔlɪdʒəbl] *adj* informiert.
known [nəun] *pp of* **know** ♦ *adj* bekannt; (*expert*) anerkannt.
knuckle ['nʌkl] *n* (Finger)knöchel *m.*
►**knuckle down** (*inf*) *vi* sich dahinterklemmen; **to** ~ **down to work** sich an die Arbeit machen.
►**knuckle under** (*inf*) *vi* sich fügen, spuren.
knuckle-duster ['nʌkl'dʌstə*] *n* Schlagring *m.*
KO *n abbr* (= *knockout*) K.o. *m* ♦ *vt* k.o. schlagen.
koala [kəu'ɑ:lə] *n* (*also:* ~ **bear**) Koala(bär) *m.*
kook [ku:k] (*US: inf*) *n* Spinner *m.*
Koran [kɔ'rɑ:n] *n:* **the** ~ der Koran.
Korea [kə'rɪə] *n* Korea *nt*; **North** ~ Nordkorea *nt*; **South** ~ Südkorea *nt.*
Korean [kə'rɪən] *adj* koreanisch ♦ *n* Koreaner(in) *m(f).*
kosher ['kəuʃə*] *adj* koscher.
kowtow ['kau'tau] *vi:* **to** ~ **to sb** vor jdm dienern *or* einen Kotau machen.
Kremlin ['krɛmlɪn] *n:* **the** ~ der Kreml.
KS (*US*) *abbr* (*POST:* = *Kansas*).
Kt (*BRIT*) *abbr* (*in titles*) = **knight.**
Kuala Lumpur ['kwɑ:lə'lumpuə*] *n* Kuala Lumpur *nt.*
kudos ['kju:dɔs] *n* Ansehen *nt*, Ehre *f.*
Kurd [kə:d] *n* Kurde *m*, Kurdin *f.*
Kuwait [ku'weɪt] *n* Kuwait *nt.*
Kuwaiti [ku'weɪtɪ] *adj* kuwaitisch ♦ *n* Kuwaiter(in) *m(f).*
kW *abbr* (= *kilowatt*) kW.
KY (*US*) *abbr* (*POST:* = *Kentucky*).

L, l

L¹, l¹ [ɛl] *n* (*letter*) L *nt*, l *nt*; ~ **for Lucy**, (*US*) ~ **for Love** ≈ L wie Ludwig.
L² [ɛl] *abbr* (*BRIT: AUT:* = *learner*) *am Auto angebrachtes Kennzeichen für Fahrschüler*; = **lake**; (= *large*) gr.; (= *left*) l.
l² *abbr* (= *litre*) l.
LA (*US*) *n abbr* (= *Los Angeles*) ♦ *abbr* (*POST:* = *Louisiana*).
La. (*US*) *abbr* (*POST:* = *Louisiana*).
lab [læb] *n abbr* = **laboratory.**
label ['leɪbl] *n* Etikett *nt*; (*brand: of record*) Label *nt* ♦ *vt* etikettieren; (*fig: person*) abstempeln.
labor *etc* ['leɪbə*] (*US*) *n* = **labour** *etc.*
laboratory [lə'bɔrətərɪ] *n* Labor *nt.*

> **Labor Day** *ist in den USA and Kanada der Name für den Tag der Arbeit. Er wird dort als gesetzlicher Feiertag am ersten Montag im September begangen.*

laborious [lə'bɔ:rɪəs] *adj* mühsam.
labor union (*US*) *n* Gewerkschaft *f.*
labour, (*US*) **labor** ['leɪbə*] *n* Arbeit *f*; (*work force*) Arbeitskräfte *pl*; (*MED*): **to be in** ~ in den Wehen liegen ♦ *vi:* **to** ~ **(at sth)** sich (mit etw) abmühen ♦ *vt:* **to** ~ **a point** auf einem Thema herumreiten; **L**~, **the L**~ **Party** (*BRIT*) die Labour Party; **hard** ~ Zwangsarbeit *f.*
labour camp *n* Arbeitslager *nt.*

labour cost *n* Lohnkosten *pl.*
labour dispute *n* Arbeitskampf *m.*
laboured ['leɪbəd] *adj* (*breathing*) schwer; (*movement, style*) schwerfällig.
labourer ['leɪbərə*] *n* Arbeiter(in) *m(f)*; **farm ~** Landarbeiter(in) *m(f)*.
labour force *n* Arbeiterschaft *f.*
labour intensive *adj* arbeitsintensiv.
labour market *n* Arbeitsmarkt *m.*
labour pains *npl* Wehen *pl.*
labour relations *npl* Beziehungen *pl* zwischen Arbeitnehmern, Arbeitgebern und Gewerkschaften.
labour-saving ['leɪbəseɪvɪŋ] *adj* arbeitssparend.
laburnum [lə'bəːnəm] *n* (*BOT*) Goldregen *m.*
labyrinth ['læbɪrɪnθ] *n* Labyrinth *nt.*
lace [leɪs] *n* (*fabric*) Spitze *f*; (*of shoe etc*) (Schuh)band *nt*, Schnürsenkel *m* ♦ *vt* (*also*: **~ up**) (zu)schnüren; **to ~ a drink** einen Schuß Alkohol in ein Getränk geben.
lacemaking ['leɪsmeɪkɪŋ] *n* Klöppelei *f.*
lacerate ['læsəreɪt] *vt* zerschneiden.
laceration [læsə'reɪʃən] *n* Schnittwunde *f.*
lace-up ['leɪsʌp] *adj* (*shoes etc*) Schnür-.
lack [læk] *n* Mangel *m* ♦ *vt, vi*: **sb ~s sth, sb is ~ing in sth** jdm fehlt es an etw *dat*; **through** *or* **for ~ of** aus Mangel an *+dat*; **to be ~ing** fehlen.
lackadaisical [lækə'deɪzɪkl] *adj* lustlos.
lackey ['lækɪ] (*pej*) *n* Lakai *m.*
lacklustre, (*US*) **lackluster** ['læklʌstə*] *adj* farblos, langweilig.
laconic [lə'kɔnɪk] *adj* lakonisch.
lacquer ['lækə*] *n* Lack *m*; (*also*: **hair ~**) Haarspray *nt.*
lacrosse [lə'krɔs] *n* Lacrosse *nt.*
lacy ['leɪsɪ] *adj* Spitzen-; (*like lace*) spitzenartig.
lad [læd] *n* Junge *m.*
ladder ['lædə*] *n* (*also fig*) Leiter *f*; (*BRIT: in tights*) Laufmasche *f* ♦ *vt* (*BRIT*) Laufmaschen bekommen in *+dat* ♦ *vi* (*BRIT*) Laufmaschen bekommen.
laden ['leɪdn] *adj*: **~ (with)** beladen (mit); **fully ~** voll beladen.
ladle ['leɪdl] *n* Schöpflöffel *m*, (Schöpf)kelle *f* ♦ *vt* schöpfen.
▸**ladle out** *vt* (*fig*) austeilen.
lady ['leɪdɪ] *n* (*woman*) Frau *f*; (: *dignified, graceful etc*) Dame *f*; (*BRIT: title*) Lady *f*; **ladies and gentlemen ...** meine Damen und Herren ...; **young ~** junge Dame; **the ladies' (room)** die Damentoilette.
ladybird ['leɪdɪbəːd], **ladybug** ['leɪdɪbʌg] (*US*) *n* Marienkäfer *m.*
lady-in-waiting ['leɪdɪɪn'weɪtɪŋ] *n* Hofdame *f.*
lady-killer ['leɪdɪkɪlə*] *n* Herzensbrecher *m.*
ladylike ['leɪdɪlaɪk] *adj* damenhaft.
ladyship ['leɪdɪʃɪp] *n*: **your L~** Ihre Ladyschaft.
lag [læg] *n* (*period of time*) Zeitabstand *m* ♦ *vi* (*also*: **~ behind**) zurückbleiben; (*trade, investment etc*) zurückgehen ♦ *vt* (*pipes etc*) isolieren; **old ~** (*inf: prisoner*) (ehemaliger) Knacki *m.*
lager ['lɑːgə*] *n* helles Bier *nt.*
lager lout (*BRIT: inf*) *n* betrunkener Rowdy *m.*
lagging ['lægɪŋ] *n* Isoliermaterial *nt.*
lagoon [lə'guːn] *n* Lagune *f.*
Lagos ['leɪgɔs] *n* Lagos *nt.*
laid [leɪd] *pt, pp of* **lay.**
laid-back [leɪd'bæk] (*inf*) *adj* locker.
laid up *adj*: **to be ~ (with)** im Bett liegen (mit).
lain [leɪn] *pp of* **lie.**
lair [lɛə*] *n* Lager *nt*; (*cave*) Höhle *f*; (*den*) Bau *m.*
laissez faire [lɛseɪ'fɛə*] *n* Laisser-faire *nt.*
laity ['leɪətɪ] *n or npl* Laien *pl.*
lake [leɪk] *n* See *m.*
Lake District (*BRIT*) *n*: **the ~** der Lake Distrikt, *Seengebiet im NW Englands.*
lamb [læm] *n* Lamm *nt*; (*meat*) Lammfleisch *nt.*
lamb chop *n* Lammkotelett *nt.*
lambskin ['læmskɪn] *n* Lammfell *nt.*
lamb's wool *n* Lammwolle *f.*
lame [leɪm] *adj* lahm; (*argument, answer*) schwach.
lame duck *n* (*person*) Niete *f*; (*business*) unwirtschaftliche Firma *f.*
lamely ['leɪmlɪ] *adv* lahm.
lament [lə'mɛnt] *n* Klage *f* ♦ *vt* beklagen.
lamentable ['læməntəbl] *adj* beklagenswert.
laminated ['læmɪneɪtɪd] *adj* laminiert; (*metal*) geschichtet; **~ glass** Verbundglas *nt*; **~ wood** Sperrholz *nt.*
lamp [læmp] *n* Lampe *f.*
lamplight ['læmplaɪt] *n*: **by ~** bei Lampenlicht.
lampoon [læm'puːn] *n* Schmähschrift *f* ♦ *vt* verspotten.
lamppost ['læmppəust] (*BRIT*) *n* Laternenpfahl *m.*
lampshade ['læmpʃeɪd] *n* Lampenschirm *m.*
lance [lɑːns] *n* Lanze *f* ♦ *vt* (*MED*) aufschneiden.
lance corporal (*BRIT*) *n* Obergefreite(r) *m.*
lancet ['lɑːnsɪt] *n* (*MED*) Lanzette *f.*
Lancs [læŋks] (*BRIT*) *abbr* (*POST: = Lancashire*).
land [lænd] *n* Land *nt*; (*as property*) Grund und Boden *m* ♦ *vi* (*AVIAT, fig*) landen; (*from ship*) an Land gehen ♦ *vt* (*passengers*) absetzen; (*goods*) an Land bringen; **to own ~** Land besitzen; **to go** *or* **travel by ~** auf dem Landweg reisen; **to ~ on one's feet** (*fig*) auf die Füße fallen; **to ~ sb with sth** (*inf*) jdm etw aufhalsen.
▸**land up** *vi*: **to ~ up in/at** landen in *+dat.*
landed gentry ['lændɪd-] *n* Landadel *m.*
landfill site ['lændfɪl-] *n* ≈ Mülldeponie *f.*
landing ['lændɪŋ] *n* (*of house*) Flur *m*; (*outside flat door*) Treppenabsatz *m*; (*AVIAT*) Landung *f.*
landing card *n* Einreisekarte *f.*

landing craft *n inv* Landungsboot *nt*.
landing gear *n* (*AVIAT*) Fahrgestell *nt*.
landing stage *n* Landesteg *m*.
landing strip *n* Landebahn *f*.
landlady ['lændleɪdɪ] *n* Vermieterin *f*; (*of pub*) Wirtin *f*.
landlocked ['lændlɔkt] *adj* von Land eingeschlossen; ~ **country** Binnenstaat *m*.
landlord ['lændlɔːd] *n* Vermieter *m*; (*of pub*) Wirt *m*.
landlubber ['lændlʌbə*] (*old*) *n* Landratte *f*.
landmark ['lændmɑːk] *n* Orientierungspunkt *m*; (*famous building*) Wahrzeichen *nt*; (*fig*) Meilenstein *m*.
landowner ['lændəunə*] *n* Grundbesitzer(in) *m(f)*.
landscape ['lændskeɪp] *n* Landschaft *f* ♦ *vt* landschaftlich *or* gärtnerisch gestalten.
landscape architect *n* Landschafts-architekt(in) *m(f)*.
landscape gardener *n* Landschafts-gärtner(in) *m(f)*.
landscape painting *n* Landschaftsmalerei *f*.
landslide ['lændslaɪd] *n* Erdrutsch *m*; (*fig: electoral*) Erdrutschsieg *m*.
lane [leɪn] *n* (*in country*) Weg *m*; (*in town*) Gasse *f*; (*of carriageway*) Spur *f*; (*of race course, swimming pool*) Bahn *f*; **shipping** ~ Schiffahrtsweg *m*.
language ['læŋgwɪdʒ] *n* Sprache *f*; **bad** ~ Kraftausdrücke *pl*.
language laboratory *n* Sprachlabor *nt*.
languid ['læŋgwɪd] *adj* träge, matt.
languish ['læŋgwɪʃ] *vi* schmachten; (*project, case*) erfolglos bleiben.
lank [læŋk] *adj* (*hair*) strähnig.
lanky ['læŋkɪ] *adj* schlaksig.
lanolin(e) ['lænəlɪn] *n* Lanolin *nt*.
lantern ['læntən] *n* Laterne *f*.
Laos [laus] *n* Laos *nt*.
lap [læp] *n* Schoß *m*; (*in race*) Runde *f* ♦ *vt* (*also*: ~ **up**) aufschlecken ♦ *vi* (*water*) plätschern.
▸**lap up** *vt* (*fig*) genießen.
lapdog ['læpdɔg] (*pej*) *n* (*fig*) Schoßhund *m*.
lapel [lə'pɛl] *n* Aufschlag *m*, Revers *nt or m*.
Lapland ['læplænd] *n* Lappland *nt*.
Lapp [læp] *adj* lappländisch ♦ *n* Lappe *m*, Lappin *f*; (*LING*) Lappländisch *nt*.
lapse [læps] *n* (*bad behaviour*) Fehltritt *m*; (*of memory etc*) Schwäche *f*; (*of time*) Zeitspanne *f* ♦ *vi* ablaufen; (*law*) ungültig werden; **to** ~ **into bad habits** in schlechte Gewohnheiten verfallen.
laptop ['læptɔp] (*COMPUT*) *n* Laptop *m* ♦ *cpd* Laptop-.
larceny ['lɑːsənɪ] *n* Diebstahl *m*.
larch [lɑːtʃ] *n* Lärche *f*.
lard [lɑːd] *n* Schweineschmalz *nt*.
larder ['lɑːdə*] *n* Speisekammer *f*; (*cupboard*) Speiseschrank *m*.
large [lɑːdʒ] *adj* groß; (*person*) korpulent; **to make** ~**r** vergrößern; **a** ~ **number of people** eine große Anzahl von Menschen; **on a** ~ **scale** im großen Rahmen; (*extensive*) weitreichend; **at** ~ (*as a whole*) im allgemeinen; (*at liberty*) auf freiem Fuß; **by and** ~ im großen und ganzen.
large goods vehicle *n* Lastkraftwagen *m*.
largely ['lɑːdʒlɪ] *adv* (*mostly*) zum größten Teil; (*mainly*) hauptsächlich.
large-scale ['lɑːdʒ'skeɪl] *adj* im großen Rahmen; (*extensive*) weitreichend; (*map, diagram*) in einem großen Maßstab.
largesse [lɑː'ʒɛs] *n* Großzügigkeit *f*.
lark [lɑːk] *n* (*bird*) Lerche *f*; (*joke*) Spaß *m*, Jux *m*.
▸**lark about** *vi* herumalbern.
larva ['lɑːvə] (*pl* ~**e**) *n* Larve *f*.
larvae ['lɑːviː] *npl of* **larva**.
laryngitis [lærɪn'dʒaɪtɪs] *n* Kehlkopf-entzündung *f*.
larynx ['lærɪŋks] *n* Kehlkopf *m*.
lasagne [lə'zænjə] *n* Lasagne *pl*.
lascivious [lə'sɪvɪəs] *adj* lüstern.
laser ['leɪzə*] *n* Laser *m*.
laser beam *n* Laserstrahl *m*.
laser printer *n* Laserdrucker *m*.
lash [læʃ] *n* (*also*: **eyelash**) Wimper *f*; (*blow with whip*) Peitschenhieb *m* ♦ *vt* peitschen; (*rain, wind*) peitschen gegen; (*tie*): **to** ~ **to** festbinden an *+dat*; **to** ~ **together** zusammenbinden.
▸**lash down** *vt* festbinden ♦ *vi* (*rain*) niederprasseln.
▸**lash out** *vi* um sich schlagen; **to** ~ **out at sb** auf jdn losschlagen; **to** ~ **out at** *or* **against sb** (*criticize*) gegen jdn wettern.
lashing ['læʃɪŋ] *n*: ~**s of** (*BRIT: inf*) massenhaft.
lass [læs] (*BRIT*) *n* Mädchen *nt*.
lasso [læ'suː] *n* Lasso *nt* ♦ *vt* mit dem Lasso einfangen.
last [lɑːst] *adj* letzte(r, s) ♦ *adv* (*most recently*) zuletzt, das letzte Mal; (*finally*) als letztes ♦ *vi* (*continue*) dauern; (: *in good condition*) sich halten; (*money, commodity*) reichen; ~ **week** letzte Woche; ~ **night** gestern abend; ~ **but one** vorletzte(r, s); **the** ~ **time** das letzte Mal; **at** ~ endlich; **it** ~**s (for) 2 hours** es dauert 2 Stunden.
last-ditch ['lɑːst'dɪtʃ] *adj* (*attempt*) allerletzte(r, s).
lasting ['lɑːstɪŋ] *adj* dauerhaft.
lastly ['lɑːstlɪ] *adv* (*finally*) schließlich; (*last of all*) zum Schluß.
last-minute ['lɑːstmɪnɪt] *adj* in letzter Minute.
latch [lætʃ] *n* Riegel *m*; **to be on the** ~ nur eingeklinkt sein.
▸**latch on to** *vt fus* (*person*) sich anschließen *+dat*; (*idea*) abfahren auf *+acc* (*inf*).
latchkey ['lætʃkiː] *n* Hausschlüssel *m*.
latchkey child *n* Schlüsselkind *nt*.
late [leɪt] *adj* spät; (*not on time*) verspätet ♦ *adv* spät; (*behind time*) zu spät; (*recently*): ~ **of Dechmont** bis vor kurzem in Dechmont

wohnhaft; **the ~ Mr X** (*deceased*) der verstorbene Herr X; **in ~ May** Ende Mai; **to be (10 minutes) ~** (10 Minuten) zu spät kommen; (*train etc*) (10 Minuten) Verspätung haben; **to work ~** länger arbeiten; **~ in life** relativ spät (im Leben); **of ~** in letzter Zeit.
latecomer ['leɪtkʌmə*] *n* Nachzügler(in) *m(f)*.
lately ['leɪtlɪ] *adv* in letzter Zeit.
lateness ['leɪtnɪs] *n* (*of person*) Zuspätkommen *nt*; (*of train, event*) Verspätung *f*.
latent ['leɪtnt] *adj* (*energy*) ungenutzt; (*skill, ability*) verborgen.
later ['leɪtə*] *adj, adv* später; **~ on** nachher.
lateral ['lætərl] *adj* seitlich; **~ thinking** kreatives Denken *nt*.
latest ['leɪtɪst] *adj* neueste(r, s) ♦ *n*: **at the ~** spätestens.
latex ['leɪtɛks] *n* Latex *m*.
lathe [leɪð] *n* Drehbank *f*.
lather ['lɑːðə*] *n* (Seifen)schaum *m* ♦ *vt* einschäumen.
Latin ['lætɪn] *n* Latein *nt*; (*person*) Südländer(in) *m(f)* ♦ *adj* lateinisch; (*temperament etc*) südländisch.
Latin America *n* Lateinamerika *nt*.
Latin American *adj* lateinamerikanisch ♦ *n* Lateinamerikaner(in) *m(f)*.
Latino [læ'tiːnəu] (*US*) *adj* aus Lateinamerika stammend ♦ *n* Latino *mf*, *in den USA lebende(r) Lateinamerikaner(in)*.
latitude ['lætɪtjuːd] *n* (*GEOG*) Breite *f*; (*fig: freedom*) Freiheit *f*.
latrine [lə'triːn] *n* Latrine *f*.
latter ['lætə*] *adj* (*of two*) letztere(r, s); (*later*) spätere(r, s); (*second part of period*) zweite(r, s); (*recent*) letzte(r, s) ♦ *n*: **the ~** der/die/das letztere, die letzteren.
latter-day ['lætədeɪ] *adj* modern.
latterly ['lætəlɪ] *adv* in letzter Zeit.
lattice ['lætɪs] *n* Gitter *nt*.
lattice window *n* Gitterfenster *nt*.
Latvia ['lætvɪə] *n* Lettland *nt*.
Latvian ['lætvɪən] *adj* lettisch ♦ *n* Lette *m*, Lettin *f*; (*LING*) Lettisch *nt*.
laudable ['lɔːdəbl] *adj* lobenswert.
laudatory ['lɔːdətrɪ] *adj* (*comments*) lobend; (*speech*) Lob-.
laugh [lɑːf] *n* Lachen *nt* ♦ *vi* lachen; **(to do sth) for a ~** (etw) aus Spaß (tun).
►**laugh at** *vt fus* lachen über *+acc*.
►**laugh off** *vt* mit einem Lachen abtun.
laughable ['lɑːfəbl] *adj* lächerlich, lachhaft.
laughing gas ['lɑːfɪŋ-] *n* Lachgas *nt*.
laughing matter *n*: **this is no ~** das ist nicht zum Lachen.
laughing stock *n*: **to be the ~ of** zum Gespött *+gen* werden.
laughter ['lɑːftə*] *n* Lachen *nt*, Gelächter *nt*.
launch [lɔːntʃ] *n* (*of rocket, missile*) Abschuß *m*; (*of satellite*) Start *m*; (*COMM: of product*) Einführung *f*; (: *with publicity*) Lancierung *f*; (*motorboat*) Barkasse *f* ♦ *vt* (*ship*) vom Stapel lassen; (*rocket, missile*) abschießen; (*satellite*) starten; (*fig: start*) beginnen mit; (*COMM*) auf den Markt bringen; (: *with publicity*) lancieren.
►**launch into** *vt fus* (*speech*) vom Stapel lassen; (*activity*) in Angriff nehmen.
►**launch out** *vi*: **to ~ out (into)** beginnen (mit).
launching ['lɔːntʃɪŋ] *n* (*of ship*) Stapellauf *m*; (*of rocket, missile*) Abschuß *m*; (*of satellite*) Start *m*; (*fig: start*) Beginn *m*; (*COMM: of product*) Einführung *f*; (: *with publicity*) Lancierung *f*.
launch(ing) pad *n* Startrampe *f*, Abschußrampe *f*.
launder ['lɔːndə*] *vt* waschen und bügeln; (*pej: money*) waschen.
laundrette [lɔːn'drɛt] (*BRIT*) *n* Waschsalon *m*.
Laundromat ® ['lɔːndrəmæt] (*US*) *n* Waschsalon *m*.
laundry ['lɔːndrɪ] *n* Wäsche *f*; (*dirty*) (schmutzige) Wäsche; (*business*) Wäscherei *f*; (*room*) Waschküche *f*; **to do the ~** (Wäsche) waschen.
laureate ['lɔːrɪət] *adj see* **poet laureate**.
laurel ['lɔrl] *n* (*tree*) Lorbeer(baum) *m*; **to rest on one's ~s** sich auf seinen Lorbeeren ausruhen.
Lausanne [ləu'zæn] *n* Lausanne *nt*.
lava ['lɑːvə] *n* Lava *f*.
lavatory ['lævətərɪ] *n* Toilette *f*.
lavatory paper *n* Toilettenpapier *nt*.
lavender ['lævəndə*] *n* Lavendel *m*.
lavish ['lævɪʃ] *adj* großzügig; (*meal*) üppig; (*surroundings*) feudal; (*wasteful*) verschwenderisch ♦ *vt*: **to ~ sth on sb** jdn mit etw überhäufen.
lavishly ['lævɪʃlɪ] *adv* (*generously*) großzügig; (*sumptuously*) aufwendig.
law [lɔː] *n* Recht *nt*; (*a rule: also of nature, science*) Gesetz *nt*; (*professions connected with law*) Rechtswesen *nt*; (*SCOL*) Jura *no art*; **against the ~** rechtswidrig; **to study ~** Jura *or* Recht(swissenschaft) studieren; **to go to ~** vor Gericht gehen; **to break the ~** gegen das Gesetz verstoßen.
law-abiding ['lɔːəbaɪdɪŋ] *adj* gesetzestreu.
law and order *n* Ruhe und Ordnung *f*.
lawbreaker ['lɔːbreɪkə*] *n* Rechtsbrecher(in) *m(f)*.
law court *n* Gerichtshof *m*, Gericht *nt*.
lawful ['lɔːful] *adj* rechtmäßig.
lawfully ['lɔːfəlɪ] *adv* rechtmäßig.
lawless ['lɔːlɪs] *adj* gesetzwidrig.
Law Lord (*BRIT*) *n* *Mitglied des Oberhauses mit besonderem Verantwortungsbereich in Rechtsfragen*.
lawn [lɔːn] *n* Rasen *m*.
lawn mower *n* Rasenmäher *m*.
lawn tennis *n* Rasentennis *nt*.

law school (*US*) *n* juristische Hochschule *f*.
law student *n* Jurastudent(in) *m(f)*.
lawsuit ['lɔːsuːt] *n* Prozeß *m*.
lawyer ['lɔːjə*] *n* (Rechts)anwalt *m*, (Rechts)anwältin *f*.
lax [læks] *adj* lax.
laxative ['læksətɪv] *n* Abführmittel *nt*.
laxity ['læksɪtɪ] *n* Laxheit *f*; **moral** ~ lockere *or* laxe Moral *f*.
lay [leɪ] (*pt, pp* **laid**) *pt of* **lie** ♦ *adj* (*REL: preacher etc*) Laien- ♦ *vt* legen; (*table*) decken; (*carpet, cable etc*) verlegen; (*plans*) schmieden; (*trap*) stellen; **the** ~ **person** (*not expert*) der Laie; **to** ~ **facts/proposals before sb** jdm Tatsachen vorlegen/Vorschläge unterbreiten; **to** ~ **one's hands on sth** (*fig*) etw in die Finger bekommen; **to get laid** (*inf!*) bumsen (*!*).
▸**lay aside** *vt* weglegen, zur Seite legen.
▸**lay by** *vt* beiseite *or* auf die Seite legen.
▸**lay down** *vt* hinlegen; (*rules, laws etc*) festlegen; **to** ~ **down the law** Vorschriften machen; **to** ~ **down one's life** sein Leben geben.
▸**lay in** *vt* (*supply*) anlegen.
▸**lay into** *vt fus* losgehen auf *+acc*; (*criticize*) herunterputzen.
▸**lay off** *vt* (*workers*) entlassen.
▸**lay on** *vt* (*meal*) auftischen; (*entertainment etc*) sorgen für; (*water, gas*) anschließen; (*paint*) auftragen.
▸**lay out** *vt* ausbreiten; (*inf: spend*) ausgeben.
▸**lay up** *vt* (*illness*) außer Gefecht setzen; *see also* **lay by**.
layabout ['leɪəbaut] (*inf: pej*) *n* Faulenzer *m*.
lay-by ['leɪbaɪ] (*BRIT*) *n* Parkbucht *f*.
lay days *npl* Liegezeit *f*.
layer ['leɪə*] *n* Schicht *f*.
layette [leɪ'ɛt] *n* Babyausstattung *f*.
layman ['leɪmən] (*irreg: like* **man**) *n* Laie *m*.
lay-off ['leɪɔf] *n* Entlassung *f*.
layout ['leɪaut] *n* (*of garden*) Anlage *f*; (*of building*) Aufteilung *f*; (*TYP*) Layout *nt*.
laze [leɪz] *vi* (*also*: ~ **about**) (herum)faulenzen.
laziness ['leɪzɪnɪs] *n* Faulheit *f*.
lazy ['leɪzɪ] *adj* faul; (*movement, action*) langsam, träge.
LB (*CANADA*) *abbr* (= *Labrador*).
lb *abbr* (= *pound (weight)*) *britisches Pfund (0,45 kg)*, ≈ Pfd.
lbw *abbr* (*CRICKET:* = *leg before wicket*) *Regelverletzung beim Kricket*.
LC (*US*) *n abbr* (= *Library of Congress*) *Bibliothek des US-Parlaments*.
L/C *abbr* = **letter of credit**.
lc *abbr* (*TYP:* = *lower case*) *see* **case**.
LCD *n abbr* (= *liquid-crystal display*) LCD *nt*.
Ld (*BRIT*) *abbr* (*in titles*) = **lord**.
LDS *n abbr* (*BRIT:* = *Licentiate in Dental Surgery*) ≈ Dr. med. dent. ♦ *n abbr* (= *Latter-day Saints*) Heilige *pl* der Letzten Tage.
LEA (*BRIT*) *n abbr* (= *Local Education Authority*) *örtliche Schulbehörde*.
lead[1] [liːd] (*pt, pp* **led**) *n* (*SPORT, fig*) Führung *f*; (*clue*) Spur *f*; (*in play, film*) Hauptrolle *f*; (*for dog*) Leine *f*; (*ELEC*) Kabel *nt* ♦ *vt* anführen; (*guide*) führen; (*organization, BRIT: orchestra*) leiten ♦ *vi* führen; **to be in the** ~ (*SPORT, fig*) in Führung liegen; **to take the** ~ (*SPORT*) in Führung gehen; **to** ~ **the way** vorangehen; **to** ~ **sb astray** jdn vom rechten Weg abführen; (*mislead*) jdn irreführen; **to** ~ **sb to believe that** ... jdm den Eindruck vermitteln, daß ...; **to** ~ **sb to do sth** jdn dazu bringen, etw zu tun.
▸**lead away** *vt* wegführen; (*prisoner etc*) abführen.
▸**lead back** *vt* zurückführen.
▸**lead off** *vi* (*in conversation etc*) den Anfang machen; (*room, road*) abgehen ♦ *vt fus* abgehen von.
▸**lead on** *vt* (*tease*) aufziehen.
▸**lead to** *vt fus* führen zu.
▸**lead up to** *vt fus* (*events*) vorangehen *+dat*; (*in conversation*) hinauswollen auf *+acc*.
lead[2] [lɛd] *n* Blei *nt*; (*in pencil*) Mine *f*.
leaded ['lɛdɪd] *adj* (*window*) bleiverglast; (*petrol*) verbleit.
leaden ['lɛdn] *adj* (*sky, sea*) bleiern; (*movements*) bleischwer.
leader ['liːdə*] *n* Führer(in) *m(f)*; (*SPORT*) Erste(r) *f(m)*; (*in newspaper*) Leitartikel *m*; **the L~ of the House (of Commons/of Lords)** (*BRIT*) der Führer des Unterhauses/des Oberhauses.
leadership ['liːdəʃɪp] *n* Führung *f*; (*position*) Vorsitz *m*; (*quality*) Führungsqualitäten *pl*.
lead-free ['lɛdfriː] (*old*) *adj* bleifrei.
leading ['liːdɪŋ] *adj* führend; (*role*) Haupt-; (*first, front*) vorderste(r, s).
leading lady *n* (*THEAT*) Hauptdarstellerin *f*.
leading light *n* führende Persönlichkeit *f*.
leading man *n* (*THEAT*) Hauptdarsteller *m*.
leading question *n* Suggestivfrage *f*.
lead pencil [lɛd-] *n* Bleistift *m*.
lead poisoning [lɛd-] *n* Bleivergiftung *f*.
lead singer [liːd-] *n* Leadsänger(in) *m(f)*.
lead time [liːd-] *n* (*COMM: for production*) Produktionszeit *f*; (*: for delivery*) Lieferzeit *f*.
lead-up ['liːdʌp] *n*: **the** ~ **to sth** die Zeit vor etw *dat*.
leaf [liːf] (*pl* **leaves**) *n* Blatt *nt*; (*of table*) Ausziehplatte *f*; **to turn over a new** ~ einen neuen Anfang machen; **to take a** ~ **out of sb's book** sich *dat* von jdm eine Scheibe abschneiden.
▸**leaf through** *vt fus* durchblättern.
leaflet ['liːflɪt] *n* Informationsblatt *nt*.
leafy ['liːfɪ] *adj* (*tree, branch*) belaubt; (*lane, suburb*) grün.
league [liːg] *n* (*of people, clubs*) Verband *m*; (*of countries*) Bund *m*; (*FOOTBALL*) Liga *f*; **to be in** ~ **with sb** mit jdm gemeinsame Sache machen.

league table *n* Tabelle *f*.
leak [liːk] *n* Leck *nt*; (*in roof, pipe etc*) undichte Stelle *f*; (*piece of information*) zugespielte Information *f* ♦ *vi* (*shoes, roof, pipe*) undicht sein; (*ship*) lecken; (*liquid*) auslaufen; (*gas*) ausströmen ♦ *vt* (*information*) durchsickern lassen; **to ~ sth to sb** jdm etw zuspielen.
▸**leak out** *vi* (*liquid*) auslaufen; (*news, information*) durchsickern.
leakage [ˈliːkɪdʒ] *n* (*of liquid*) Auslaufen *nt*; (*of gas*) Ausströmen *nt*.
leaky [ˈliːkɪ] *adj* (*roof, container*) undicht.
lean [liːn] (*pt, pp* **leaned** *or* **leant**) *adj* (*person*) schlank; (*meat, fig: time*) mager ♦ *vt*: **to ~ sth on sth** etw an etw *acc* lehnen; (*rest*) etw auf etw *acc* stützen ♦ *vi* (*slope*) sich neigen; **to ~ against** sich lehnen gegen; **to ~ on** sich stützen auf *+acc*; **to ~ forward/back** sich vorbeugen/zurücklehnen; **to ~ towards** tendieren zu.
▸**lean out** *vi* sich hinauslehnen.
▸**lean over** *vi* sich vorbeugen.
leaning [ˈliːnɪŋ] *n* Hang *m*, Neigung *f*.
leant [lɛnt] *pt, pp of* **lean**.
lean-to [ˈliːntuː] *n* Anbau *m*.
leap [liːp] (*pt, pp* **leaped** *or* **leapt**) *n* Sprung *m*; (*in price, number etc*) sprunghafter Anstieg *m* ♦ *vi* springen; (*price, number etc*) sprunghaft (an)steigen.
▸**leap at** *vt fus* (*offer*) sich stürzen auf *+acc*; (*opportunity*) beim Schopf ergreifen.
▸**leap up** *vi* aufspringen.
leapfrog [ˈliːpfrɔg] *n* Bockspringen *nt*.
leapt [lɛpt] *pt, pp of* **leap**.
leap year *n* Schaltjahr *nt*.
learn [ləːn] (*pt, pp* **learned** *or* **learnt**) *vt* lernen; (*facts*) erfahren ♦ *vi* lernen; **to ~ about** *or* **of sth** von etw erfahren; **to ~ about sth** (*study*) etw lernen; **to ~ that ...** (*hear, read*) erfahren, daß ...; **to ~ to do sth** etw lernen.
learned [ˈləːnɪd] *adj* gelehrt; (*book, paper*) wissenschaftlich.
learner [ˈləːnə*] (*BRIT*) *n* (*also*: **~ driver**) Fahrschüler(in) *m(f)*.
learning [ˈləːnɪŋ] *n* Gelehrsamkeit *f*.
learnt [ləːnt] *pt, pp of* **learn**.
lease [liːs] *n* Pachtvertrag *m* ♦ *vt*: **to ~ sth (to sb)** etw (an jdn) verpachten; **on ~ (to)** verpachtet (an *+acc*); **to ~ sth (from sb)** etw (von jdm) pachten.
▸**lease back** *vt* rückmieten.
leaseback [ˈliːsbæk] *n* Verkauf und Rückmiete *pl*.
leasehold [ˈliːshəuld] *n* Pachtbesitz *m* ♦ *adj* gepachtet.
leash [liːʃ] *n* Leine *f*.
least [liːst] *adv* am wenigsten ♦ *adj*: **the ~** (*+ noun*) der/die/das wenigste; (: *slightest*) der/die/das geringste; **the ~ expensive car** das billigste Auto; **at ~** mindestens; (*still, rather*) wenigstens; **you could at ~ have written** du hättest wenigstens schreiben können; **not in the ~** nicht im geringsten; **it was the ~ I could do** das war das wenigste, was ich tun konnte.
leather [ˈlɛðə*] *n* Leder *nt*.
leather goods *npl* Lederwaren *pl*.
leave [liːv] (*pt, pp* **left**) *vt* verlassen; (*leave behind*) zurücklassen; (*mark, stain*) hinterlassen; (*object: accidentally*) liegenlassen, stehenlassen; (*food*) übriglassen; (*space, time etc*) lassen ♦ *vi* (*go away*) (weg)gehen; (*bus, train*) abfahren ♦ *n* Urlaub *m*; **to ~ sth to sb** (*money etc*) jdm etw hinterlassen; **to ~ sb with sth** (*impose*) jdm etw aufhalsen; (*possession*) jdm etw lassen; **they were left with nothing** ihnen blieb nichts; **to be left** übrig sein; **to be left over** (*remain*) übrig(geblieben) sein; **to ~ for** gehen/fahren nach; **to take one's ~ of sb** sich von jdm verabschieden; **on ~** auf Urlaub.
▸**leave behind** *vt* zurücklassen; (*object: accidentally*) liegenlassen, stehenlassen.
▸**leave off** *vt* (*cover, lid*) ablassen; (*heating, light*) auslassen ♦ *vi* (*inf: stop*) aufhören.
▸**leave on** *vt* (*light, heating*) anlassen.
▸**leave out** *vt* auslassen.
leave of absence *n* Beurlaubung *f*.
leaves [liːvz] *npl of* **leaf**.
Lebanese [lɛbəˈniːz] *adj* libanesisch ♦ *n inv* Libanese *m*, Libanesin *f*.
Lebanon [ˈlɛbənən] *n* Libanon *m*.
lecherous [ˈlɛtʃərəs] (*pej*) *adj* lüstern.
lectern [ˈlɛktəːn] *n* Rednerpult *nt*.
lecture [ˈlɛktʃə*] *n* Vortrag *m*; (*UNIV*) Vorlesung *f* ♦ *vi* Vorträge/Vorlesungen halten ♦ *vt* (*scold*): **to ~ sb on** *or* **about sth** jdm wegen etw eine Strafpredigt halten; **to give a ~ on** einen Vortrag/eine Vorlesung halten über *+acc*.
lecture hall *n* Hörsaal *m*.
lecturer [ˈlɛktʃərə*] (*BRIT*) *n* Dozent(in) *m(f)*; (*speaker*) Redner(in) *m(f)*.
LED *n abbr* (*ELEC: = light-emitting diode*) LED *f*.
led [lɛd] *pt, pp of* **lead¹**.
ledge [lɛdʒ] *n* (*of mountain*) (Fels)vorsprung *m*; (*of window*) Fensterbrett *nt*; (*on wall*) Leiste *f*.
ledger [ˈlɛdʒə*] *n* (*COMM*) Hauptbuch *nt*.
lee [liː] *n* Windschatten *m*; (*NAUT*) Lee *f*.
leech [liːtʃ] *n* Blutegel *m*; (*fig: person*) Blutsauger *m*.
leek [liːk] *n* Porree *m*, Lauch *m*.
leer [lɪə*] *vi*: **to ~ at sb** jdm lüsterne Blicke zuwerfen.
leeward [ˈliːwəd] (*NAUT*) *adj* (*side etc*) Lee- ♦ *adv* leewärts ♦ *n*: **to ~** an der Leeseite; (*direction*) nach der Leeseite.
leeway [ˈliːweɪ] *n* (*fig*): **to have some ~** etwas Spielraum haben; **there's a lot of ~ to make up** ein großer Rückstand muß aufgeholt werden.
left [lɛft] *pt, pp of* **leave** ♦ *adj* (*remaining*) übrig;

(*of position*) links; (*of direction*) nach links ♦ *n* linke Seite *f* ♦ *adv* links; nach links; **on the ~, to the ~** links; **the L~** (*POL*) die Linke.
left-hand drive ['lɛfthænd-] *adj* mit Linkssteuerung.
left-handed [lɛft'hændɪd] *adj* linkshändig.
left-hand side ['lɛfthænd-] *n* linke Seite *f*.
leftie ['lɛftɪ] (*inf*) *n* Linke(r) *f(m)*.
leftist ['lɛftɪst] (*POL*) *n* Linke(r) *f(m)* ♦ *adj* linke(r, s).
left-luggage (office) [lɛft'lʌgɪdʒ(-)] (*BRIT*) *n* Gepäckaufbewahrung *f*.
leftovers ['lɛftəuvəz] *npl* Reste *pl*.
left-wing ['lɛft'wɪŋ] *adj* (*POL*) linke(r, s).
left-winger ['lɛft'wɪŋgə*] *n* (*POL*) Linke(r) *f(m)*.
lefty ['lɛftɪ] *n* = **leftie.**
leg [lɛg] *n* Bein *nt*; (*CULIN*) Keule *f*; (*SPORT*) Runde *f*; (: *of relay race*) Teilstrecke *f*; (*of journey etc*) Etappe *f*; **to stretch one's ~s** sich *dat* die Beine vertreten; **to get one's ~ over** (*inf*) bumsen.
legacy ['lɛgəsɪ] *n* Erbschaft *f*; (*fig*) Erbe *nt*.
legal ['li:gl] *adj* (*requirement*) rechtlich, gesetzlich; (*system*) Rechts-; (*allowed by law*) legal, rechtlich zulässig; **to take ~ action** *or* **proceedings against sb** jdn verklagen.
legal adviser *n* juristischer Berater *m*.
legal holiday (*US*) *n* gesetzlicher Feiertag *m*.
legality [lɪ'gælɪtɪ] *n* Legalität *f*.
legalize ['li:gəlaɪz] *vt* legalisieren.
legally ['li:gəlɪ] *adv* rechtlich, gesetzlich; (*in accordance with the law*) rechtmäßig; **~ binding** rechtsverbindlich.
legal tender *n* gesetzliches Zahlungsmittel *nt*.
legation [lɪ'geɪʃən] *n* Gesandtschaft *f*.
legend ['lɛdʒənd] *n* Legende *f*, Sage *f*; (*fig: person*) Legende *f*.
legendary ['lɛdʒəndərɪ] *adj* legendär; (*very famous*) berühmt.
-legged ['lɛgɪd] *suff* -beinig.
leggings ['lɛgɪŋz] *npl* Leggings *pl*.
leggy ['lɛgɪ] *adj* langbeinig.
legibility [lɛdʒɪ'bɪlɪtɪ] *n* Lesbarkeit *f*.
legible ['lɛdʒəbl] *adj* leserlich.
legibly ['lɛdʒəblɪ] *adv* leserlich.
legion ['li:dʒən] *n* Legion *f* ♦ *adj* zahlreich.
legionnaire [li:dʒə'nɛə*] *n* Legionär *m*.
legionnaire's disease *n* Legionärskrankheit *f*.
legislate ['lɛdʒɪsleɪt] *vi* Gesetze/ein Gesetz erlassen.
legislation [lɛdʒɪs'leɪʃən] *n* Gesetzgebung *f*; (*laws*) Gesetze *pl*.
legislative ['lɛdʒɪslətɪv] *adj* gesetzgebend; **~ reforms** Gesetzesreformen *pl*.
legislator ['lɛdʒɪsleɪtə*] *n* Gesetzgeber *m*.
legislature ['lɛdʒɪslətʃə*] *n* Legislative *f*.
legitimacy [lɪ'dʒɪtɪməsɪ] *n* (*validity*) Berechtigung *f*; (*legality*) Rechtmäßigkeit *f*.
legitimate [lɪ'dʒɪtɪmət] *adj* (*reasonable*) berechtigt; (*excuse*) begründet; (*legal*) rechtmäßig.
legitimize [lɪ'dʒɪtɪmaɪz] *vt* legitimieren.
legless ['lɛglɪs] (*inf*) *adj* (*drunk*) sternhagelvoll.
legroom ['lɛgru:m] *n* Beinfreiheit *f*.
Leics (*BRIT*) *abbr* (*POST:* = *Leicestershire*).
leisure ['lɛʒə*] *n* Freizeit *f*; **at ~** in Ruhe.
leisure centre *n* Freizeitzentrum *nt*.
leisurely ['lɛʒəlɪ] *adj* geruhsam.
leisure suit *n* Freizeitanzug *m*.
lemon ['lɛmən] *n* Zitrone *f*; (*colour*) Zitronengelb *nt*.
lemonade [lɛmə'neɪd] *n* Limonade *f*.
lemon cheese *n* = **lemon curd.**
lemon curd *n zähflüssiger Brotaufstrich mit Zitronengeschmack*.
lemon juice *n* Zitronensaft *m*.
lemon squeezer *n* Zitronenpresse *f*.
lemon tea *n* Zitronentee *m*.
lend [lɛnd] (*pt, pp* **lent**) *vt*: **to ~ sth to sb** jdm etw leihen; **to ~ sb a hand (with sth)** jdm (bei etw) helfen; **it ~s itself to ...** es eignet sich für ...
lender ['lɛndə*] *n* Verleiher(in) *m(f)*.
lending library ['lɛndɪŋ-] *n* Leihbücherei *f*.
length [lɛŋθ] *n* Länge *f*; (*piece*) Stück *nt*; (*amount of time*) Dauer *f*; **the ~ of the island** (*all along*) die ganze Insel entlang; **2 metres in ~** 2 Meter lang; **at ~** (*at last*) schließlich; (*for a long time*) lange; **to go to great ~s to do sth** sich *dat* sehr viel Mühe geben, etw zu tun; **to fall full-~** lang hinfallen; **to lie full-~** in voller Länge daliegen.
lengthen ['lɛŋθn] *vt* verlängern ♦ *vi* länger werden.
lengthways ['lɛŋθweɪz] *adv* der Länge nach.
lengthy ['lɛŋθɪ] *adj* lang.
leniency ['li:nɪənsɪ] *n* Nachsicht *f*.
lenient ['li:nɪənt] *adj* nachsichtig.
leniently ['li:nɪəntlɪ] *adv* nachsichtig.
lens [lɛnz] *n* (*of spectacles*) Glas *nt*; (*of camera*) Objektiv *nt*; (*of telescope*) Linse *f*.
Lent [lɛnt] *n* Fastenzeit *f*.
lent [lɛnt] *pt, pp of* **lend.**
lentil ['lɛntɪl] *n* Linse *f*.
Leo ['li:əu] *n* Löwe *m*; **to be ~** Löwe sein.
leopard ['lɛpəd] *n* Leopard *m*.
leotard ['li:ətɑ:d] *n* Gymnastikanzug *m*.
leper ['lɛpə*] *n* Leprakranke(r) *f(m)*.
leper colony *n* Leprasiedlung *f*.
leprosy ['lɛprəsɪ] *n* Lepra *f*.
lesbian ['lɛzbɪən] *adj* lesbisch ♦ *n* Lesbierin *f*.
lesion ['li:ʒən] *n* Verletzung *f*.
Lesotho [lɪ'su:tu:] *n* Lesotho *nt*.
less [lɛs] *adj, pron, adv* weniger ♦ *prep*: **~ tax/10% discount** abzüglich Steuer/10% Rabatt; **~ than half** weniger als die Hälfte; **~ than ever** weniger denn je; **~ and ~** immer weniger; **the ~ he works ...** je weniger er arbeitet ...; **the Prime Minister, no ~** kein Geringerer als der Premierminister.
lessee [lɛ'si:] *n* Pächter(in) *m(f)*.
lessen ['lɛsn] *vi* nachlassen, abnehmen ♦ *vt*

verringern.
lesser ['lɛsə*] *adj* geringer; **to a ~ extent** in geringerem Maße.
lesson ['lɛsn] *n* (*class*) Stunde *f*; (*example, warning*) Lehre *f*; **to teach sb a ~** (*fig*) jdm eine Lektion erteilen.
lessor ['lɛsɔː*] *n* Verpächter(in) *m(f)*.
lest [lɛst] *conj* damit ... nicht.
let [lɛt] (*pt, pp* **let**) *vt* (*allow*) lassen; (*BRIT: lease*) vermieten; **to ~ sb do sth** jdn etw tun lassen, jdm erlauben, etw zu tun; **to ~ sb know sth** jdn etw wissen lassen; **~'s go** gehen wir!; **~ him come** lassen Sie ihn kommen; **"to ~"** „zu vermieten".
▸**let down** *vt* (*tyre etc*) die Luft herauslassen aus; (*person*) im Stich lassen; (*dress etc*) länger machen; (*hem*) auslassen; **to ~ one's hair down** (*fig*) aus sich herausgehen.
▸**let go** *vi* loslassen ♦ *vt* (*release*) freilassen; **to ~ go of** loslassen; **to ~ o.s. go** aus sich herausgehen; (*neglect o.s.*) sich gehenlassen.
▸**let in** *vt* hereinlassen; (*water*) durchlassen.
▸**let off** *vt* (*culprit*) laufenlassen; (*firework, bomb*) hochgehen lassen; (*gun*) abfeuern; **to ~ sb off sth** (*excuse*) jdm etw erlassen; **to ~ off steam** (*inf, fig*) sich abreagieren.
▸**let on** *vi* verraten.
▸**let out** *vt* herauslassen; (*sound*) ausstoßen; (*house, room*) vermieten.
▸**let up** *vi* (*cease*) aufhören; (*diminish*) nachlassen.
letdown ['lɛtdaun] *n* Enttäuschung *f*.
lethal ['liːθl] *adj* tödlich.
lethargic [lɛ'θɑːdʒɪk] *adj* träge, lethargisch.
lethargy ['lɛθədʒɪ] *n* Trägheit *f*, Lethargie *f*.
letter ['lɛtə*] *n* Brief *m*; (*of alphabet*) Buchstabe *m*; **small/capital ~** Klein-/Großbuchstabe *m*.
letter bomb *n* Briefbombe *f*.
letter box (*BRIT*) *n* Briefkasten *m*.
letterhead ['lɛtəhɛd] *n* Briefkopf *m*.
lettering ['lɛtərɪŋ] *n* Beschriftung *f*.
letter of credit *n* Akkreditiv *nt*.
letter opener *n* Brieföffner *m*.
letterpress ['lɛtəprɛs] *n* Hochdruck *m*.
letter-quality printer ['lɛtəkwɔlɪtɪ-] *n* Schönschreibdrucker *m*.
letters patent *npl* Patent *nt*, Patenturkunde *f*.
lettuce ['lɛtɪs] *n* Kopfsalat *m*.
let-up ['lɛtʌp] *n* Nachlassen *nt*; **there was no ~** es ließ nicht nach.
leukaemia, (*US*) **leukemia** [luː'kiːmɪə] *n* Leukämie *f*.
level ['lɛvl] *adj* eben ♦ *n* (*on scale, of liquid*) Stand *m*; (*of lake, river*) Wasserstand *m*; (*height*) Höhe *f*; (*fig: standard*) Niveau *nt*; (*also*: **spirit ~**) Wasserwaage *f* ♦ *vt* (*building*) abreißen; (*forest etc*) einebnen ♦ *vi*: **to ~ with sb** (*inf*) ehrlich mit jdm sein ♦ *adv*: **to draw ~ with** einholen; **to be ~ with** auf gleicher Höhe sein mit; **to do one's ~ best** sein möglichstes tun; **"A" ~s** (*BRIT*) ≈ Abitur *nt*; **"O" ~s** (*BRIT*) ≈ mittlere Reife *f*; **on the ~** (*fig: honest*) ehrlich, reell; **to ~ a gun at sb** ein Gewehr auf jdn richten; **to ~ an accusation at** *or* **against sb** eine Anschuldigung gegen jdn erheben; **to ~ a criticism at** *or* **against sb** Kritik an jdm üben.
▸**level off** *vi* (*prices etc*) sich beruhigen.
▸**level out** *vi* = **level off**.
level crossing (*BRIT*) *n* (beschrankter) Bahnübergang *m*.
level-headed [lɛvl'hɛdɪd] *adj* (*calm*) ausgeglichen.
levelling ['lɛvlɪŋ] *n* Nivellierung *f*.
level playing field *n* Chancengleichheit *f*; **to compete on a ~** unter gleichen Bedingungen antreten.
lever ['liːvə*] *n* Hebel *m*; (*bar*) Brechstange *f*; (*fig*) Druckmittel *nt* ♦ *vt*: **to ~ up** hochhieven; **to ~ out** heraushieven.
leverage ['liːvərɪdʒ] *n* Hebelkraft *f*; (*fig: influence*) Einfluß *m*.
levity ['lɛvɪtɪ] *n* Leichtfertigkeit *f*.
levy ['lɛvɪ] *n* (*tax*) Steuer *f*; (*charge*) Gebühr *f* ♦ *vt* erheben.
lewd [luːd] *adj* (*look etc*) lüstern; (*remark*) anzüglich.
lexicographer [lɛksɪ'kɔgrəfə*] *n* Lexikograph(in) *m(f)*.
lexicography [lɛksɪ'kɔgrəfɪ] *n* Lexikographie *f*.
LGV (*BRIT*) *n abbr* (= *large goods vehicle*) LKW *m*.
LI (*US*) *abbr* (= *Long Island*).
liability [laɪə'bɪlətɪ] *n* Belastung *f*; (*LAW*) Haftung *f*; **liabilities** *npl* (*COMM*) Verbindlichkeiten *pl*.
liable ['laɪəbl] *adj*: **to be ~ to** (*subject to*) unterliegen *+dat*; (*prone to*) anfällig sein für; **~ for** (*responsible*) haftbar für; **to be ~ to do sth** dazu neigen, etw zu tun.
liaise [liː'eɪz] *vi*: **to ~ (with)** sich in Verbindung setzen (mit).
liaison [liː'eɪzɔn] *n* Zusammenarbeit *f*; (*sexual relationship*) Liaison *f*.
liar ['laɪə*] *n* Lügner(in) *m(f)*.
libel ['laɪbl] *n* Verleumdung *f* ♦ *vt* verleumden.
libellous, (*US*) **libelous** ['laɪbləs] *adj* verleumderisch.
liberal ['lɪbərl] *adj* (*POL*) liberal; (*tolerant*) aufgeschlossen; (*generous: offer*) großzügig; (*: amount etc*) reichlich ♦ *n* (*tolerant person*) liberal eingestellter Mensch *m*; (*POL*): **L~** Liberale(r) *f(m)*; **~ with** großzügig mit.
Liberal Democrat *n* Liberaldemokrat(in) *m(f)*.
liberalize ['lɪbərəlaɪz] *vt* liberalisieren.
liberally ['lɪbrəlɪ] *adv* großzügig.
liberal-minded ['lɪbərl'maɪndɪd] *adj* liberal (eingestellt).
liberate ['lɪbəreɪt] *vt* befreien.

liberation [lɪbə'reɪʃən] *n* Befreiung *f*.
liberation theology *n* Befreiungstheologie *f*.
Liberia [laɪ'bɪərɪə] *n* Liberia *nt*.
Liberian [laɪ'bɪərɪən] *adj* liberianisch ♦ *n* Liberianer(in) *m(f)*.
liberty ['lɪbətɪ] *n* Freiheit *f*; **to be at ~** (*criminal*) auf freiem Fuß sein; **to be at ~ to do sth** etw tun dürfen; **to take the ~ of doing sth** sich *dat* erlauben, etw zu tun.
libido [lɪ'biːdəu] *n* Libido *f*.
Libra ['liːbrə] *n* Waage *f*; **to be ~** Waage sein.
librarian [laɪ'brɛərɪən] *n* Bibliothekar(in) *m(f)*.
library ['laɪbrərɪ] *n* Bibliothek *f*; (*institution*) Bücherei *f*.
library book *n* Buch *nt* aus der Bücherei.
libretto [lɪ'brɛtəu] *n* Libretto *nt*.
Libya ['lɪbɪə] *n* Libyen *nt*.
Libyan ['lɪbɪən] *adj* libysch ♦ *n* Libyer(in) *m(f)*.
lice [laɪs] *npl of* **louse**.
licence, (*US*) **license** ['laɪsns] *n* (*document*) Genehmigung *f*; (*also*: **driving ~**) Führerschein *m*; (*COMM*) Lizenz *f*; (*excessive freedom*) Zügellosigkeit *f*; **to get a TV ~** ≈ Fernsehgebühren bezahlen; **under ~** (*COMM*) in Lizenz.
license ['laɪsns] *n* (*US*) = **licence** ♦ *vt* (*person, organization*) eine Lizenz vergeben an *+acc*; (*activity*) eine Genehmigung erteilen für.
licensed ['laɪsnst] *adj*: **the car is ~** die Kfz-Steuer für das Auto ist bezahlt; **~ hotel/restaurant** Hotel/Restaurant mit Schankerlaubnis.
licensee [laɪsən'siː] *n* (*of bar*) Inhaber(in) *m(f)* einer Schankerlaubnis.
license plate (*US*) *n* Nummernschild *nt*.
licensing hours ['laɪsnsɪŋ] (*BRIT*) *npl* Ausschankzeiten *pl*.
licentious [laɪ'sɛnʃəs] *adj* ausschweifend, zügellos.
lichen ['laɪkən] *n* Flechte *f*.
lick [lɪk] *vt* lecken; (*stamp etc*) lecken an *+dat*; (*inf: defeat*) in die Pfanne hauen ♦ *n* Lecken *nt*; **to ~ one's lips** sich *dat* die Lippen lecken; (*fig*) sich *dat* die Finger lecken; **a ~ of paint** ein Anstrich *m*.
licorice ['lɪkərɪs] (*US*) *n* = **liquorice**.
lid [lɪd] *n* Deckel *m*; (*eyelid*) Lid *nt*; **to take the ~ off sth** (*fig*) etw enthüllen *or* aufdecken.
lido ['laɪdəu] (*BRIT*) *n* Freibad *nt*.
lie¹ [laɪ] (*pt, pp* **lied**) *vi* lügen ♦ *n* Lüge *f*; **to tell ~s** lügen.
lie² [laɪ] (*pt* **lay**, *pp* **lain**) *vi* (*lit, fig*) liegen; **to ~ low** (*fig*) untertauchen.
▶**lie about** *vi* herumliegen.
▶**lie around** *vi* = **lie about**.
▶**lie back** *vi* sich zurücklehnen; (*fig: accept the inevitable*) sich fügen.
▶**lie down** *vi* sich hinlegen.
▶**lie up** *vi* (*hide*) untertauchen; (*rest*) im Bett bleiben.
Liechtenstein ['lɪktənstaɪn] *n* Liechtenstein *nt*.
lie detector *n* Lügendetektor *m*.
lie-down ['laɪdaun] (*BRIT*) *n*: **to have a ~** ein Schläfchen machen.
lie-in ['laɪɪn] (*BRIT*) *n*: **to have a ~** (sich) ausschlafen.
lieu [luː]: **in ~ of** *prep* an Stelle von, anstatt *+gen*.
Lieut. *abbr* (*MIL:* = *lieutenant*) Lt.
lieutenant [lɛf'tɛnənt, (*US*) luː'tɛnənt] *n* Leutnant *m*.
lieutenant colonel *n* Oberstleutnant *m*.
life [laɪf] (*pl* **lives**) *n* Leben *nt*; (*of machine etc*) Lebensdauer *f*; **true to ~** lebensecht; **painted from ~** aus dem Leben gegriffen; **to be sent to prison for ~** zu einer lebenslänglichen Freiheitsstrafe verurteilt werden; **such is ~** so ist das Leben; **to come to ~** (*fig: person*) munter werden; (*: party etc*) in Schwung kommen.
life annuity *n* Leibrente *f*.
life assurance (*BRIT*) *n* = **life insurance**.
life belt (*BRIT*) *n* Rettungsgürtel *m*.
lifeblood ['laɪfblʌd] *n* (*fig*) Lebensnerv *m*.
lifeboat ['laɪfbəut] *n* Rettungsboot *nt*.
life buoy *n* Rettungsring *m*.
life expectancy *n* Lebenserwartung *f*.
lifeguard ['laɪfgɑːd] *n* (*at beach*) Rettungsschwimmer(in) *m(f)*; (*at swimming pool*) Bademeister(in) *m(f)*.
life imprisonment *n* lebenslängliche Freiheitsstrafe *f*.
life insurance *n* Lebensversicherung *f*.
life jacket *n* Schwimmweste *f*.
lifeless ['laɪflɪs] *adj* leblos; (*fig: person, party etc*) langweilig.
lifelike ['laɪflaɪk] *adj* lebensecht; (*painting*) naturgetreu.
lifeline ['laɪflaɪn] *n* (*fig*) Rettungsanker *m*; (*rope*) Rettungsleine *f*.
lifelong ['laɪflɔŋ] *adj* lebenslang.
life preserver (*US*) *n* = **life belt; life jacket**.
lifer ['laɪfə*] (*inf*) *n* Lebenslängliche(r) *f(m)*.
life raft *n* Rettungsfloß *nt*.
life-saver ['laɪfseɪvə*] *n* Lebensretter(in) *m(f)*.
life sciences *npl* Biowissenschaften *pl*.
life sentence *n* lebenslängliche Freiheitsstrafe *f*.
life-size(d) ['laɪfsaɪz(d)] *adj* in Lebensgröße.
life span *n* Lebensdauer *f*; (*of person*) Lebenszeit *f*.
life style ['laɪfstaɪl] *n* Lebensstil *m*.
life-support system ['laɪfsəpɔːt-] *n* (*MED*) Lebenserhaltungssystem *nt*.
lifetime ['laɪftaɪm] *n* Lebenszeit *f*; (*of thing*) Lebensdauer *f*; (*of parliament*) Legislaturperiode *f*; **in my ~** während meines Lebens; **the chance of a ~** eine einmalige Chance.
lift [lɪft] *vt* (*raise*) heben; (*end: ban etc*) aufheben; (*plagiarize*) abschreiben; (*inf: steal*) mitgehen lassen, klauen ♦ *vi* (*fog*) sich auflösen ♦ *n* (*BRIT*) Aufzug *m*, Fahrstuhl *m*;

to take the ~ mit dem Aufzug *or* Fahrstuhl fahren; **to give sb a ~** (*BRIT*) jdn (im Auto) mitnehmen.
►**lift off** *vi* abheben.
►**lift up** *vt* hochheben.
liftoff ['lɪftɔf] *n* Abheben *nt*.
ligament ['lɪgəmənt] *n* (*ANAT*) Band *nt*.
light [laɪt] (*pt, pp* **lit**) *n* Licht *nt* ♦ *vt* (*candle, cigarette, fire*) anzünden; (*room*) beleuchten ♦ *adj* leicht; (*pale, bright*) hell; (*traffic etc*) gering; (*music*) Unterhaltungs- ♦ *adv*: **to travel ~** mit leichtem Gepäck reisen; **lights** *npl* (*AUT*: *also*: **traffic ~s**) Ampel *f*; **the ~s** (*of car*) die Beleuchtung; **have you got a ~?** haben Sie Feuer?; **to turn the ~ on/off** das Licht an-/ausmachen; **to come to ~** ans Tageslicht kommen; **to cast** *or* **shed** *or* **throw ~ on** (*fig*) Licht bringen in *+acc*; **in the ~ of** angesichts *+gen*; **to make ~ of sth** (*fig*) etw auf die leichte Schulter nehmen; **~ blue/green** *etc* hellblau/-grün *etc*.
►**light up** *vi* (*face*) sich erhellen ♦ *vt* (*illuminate*) beleuchten, erhellen.
light bulb *n* Glühbirne *f*.
lighten ['laɪtn] *vt* (*make less heavy*) leichter machen ♦ *vi* (*become less dark*) sich aufhellen.
lighter ['laɪtə*] *n* (*also*: **cigarette ~**) Feuerzeug *nt*.
light-fingered [laɪt'fɪŋgəd] (*inf*) *adj* langfingerig.
light-headed [laɪt'hɛdɪd] *adj* (*dizzy*) benommen; (*excited*) ausgelassen.
light-hearted [laɪt'hɑːtɪd] *adj* unbeschwert; (*question, remark etc*) scherzhaft.
lighthouse ['laɪthaus] *n* Leuchtturm *m*.
lighting ['laɪtɪŋ] *n* Beleuchtung *f*.
lighting-up time [laɪtɪŋ'ʌp-] *n* *Zeitpunkt, zu dem die Fahrzeugbeleuchtung eingeschaltet werden muß*.
lightly ['laɪtlɪ] *adv* leicht; (*not seriously*) leichthin; **to get off ~** glimpflich davonkommen.
light meter *n* Belichtungsmesser *m*.
lightness ['laɪtnɪs] *n* (*in weight*) Leichtigkeit *f*.
lightning ['laɪtnɪŋ] *n* Blitz *m* ♦ *adj* (*attack etc*) Blitz-; **with ~ speed** blitzschnell.
lightning conductor *n* Blitzableiter *m*.
lightning rod (*US*) *n* = **lightning conductor**.
light pen *n* Lichtstift *m*, Lichtgriffel *m*.
lightship ['laɪtʃɪp] *n* Feuerschiff *nt*.
lightweight ['laɪtweɪt] *adj* leicht ♦ *n* (*BOXING*) Leichtgewichtler *m*.
light year *n* Lichtjahr *nt*.
like [laɪk] *vt* mögen ♦ *prep* wie; (*such as*) wie (zum Beispiel) ♦ *n*: **and the ~** und dergleichen; **I would ~, I'd ~** ich hätte *or* möchte gern; **would you ~ a coffee?** möchten Sie einen Kaffee?; **if you ~** wenn Sie wollen; **to be/look ~ sb/sth** jdm/etw ähnlich sein/sehen; **something ~ that** so etwas ähnliches; **what does it look/taste/sound ~?** wie sieht es aus/schmeckt es/hört es sich an?; **what's he/the weather ~?** wie ist er/das Wetter?; **I feel ~ a drink** ich möchte gerne etwas trinken; **there's nothing ~ ...** es geht nichts über *+acc*; **that's just ~ him** das sieht ihm ähnlich; **do it ~ this** mach es so; **it is nothing ~** (*+noun*) es ist ganz anders als; (*+adj*) es ist alles andere als; **it is nothing ~ as ...** es ist bei weitem nicht so ...; **his ~s and dislikes** seine Vorlieben und Abneigungen.
likeable ['laɪkəbl] *adj* sympathisch.
likelihood ['laɪklɪhud] *n* Wahrscheinlichkeit *f*; **there is every ~ that ...** es ist sehr wahrscheinlich, daß ...; **in all ~** aller Wahrscheinlichkeit nach.
likely ['laɪklɪ] *adj* wahrscheinlich; **to be ~ to do sth** wahrscheinlich etw tun; **not ~!** (*inf*) wohl kaum!
like-minded ['laɪk'maɪndɪd] *adj* gleichgesinnt.
liken ['laɪkən] *vt*: **to ~ sth to sth** etw mit etw vergleichen.
likeness ['laɪknɪs] *n* Ähnlichkeit *f*; **that's a good ~** (*photo, portrait*) das ist ein gutes Bild von ihm/ihr *etc*.
likewise ['laɪkwaɪz] *adv* ebenso; **to do ~** das gleiche tun.
liking ['laɪkɪŋ] *n*: **~ (for)** (*person*) Zuneigung *f* (zu); (*thing*) Vorliebe *f* (für); **to be to sb's ~** nach jds Geschmack sein; **to take a ~ to sb** an jdm Gefallen finden.
lilac ['laɪlək] *n* (*BOT*) Flieder *m* ♦ *adj* fliederfarben, (zart)lila.
Lilo ® ['laɪləu] *n* Luftmatratze *f*.
lilt [lɪlt] *n* singender Tonfall *m*.
lilting ['lɪltɪŋ] *adj* singend.
lily ['lɪlɪ] *n* Lilie *f*.
lily of the valley *n* Maiglöckchen *nt*.
Lima ['liːmə] *n* Lima *nt*.
limb [lɪm] *n* Glied *nt*; (*of tree*) Ast *m*; **to be out on a ~** (*fig*) (ganz) allein (da)stehen.
limber up ['lɪmbə*-] *vi* Lockerungsübungen machen.
limbo ['lɪmbəu] *n*: **to be in ~** (*fig: plans etc*) in der Schwebe sein; (: *person*) in der Luft hängen (*inf*).
lime [laɪm] *n* (*fruit*) Limone *f*; (*tree*) Linde *f*; (*also*: **~ juice**) Limonensaft *m*; (*for soil*) Kalk *m*; (*rock*) Kalkstein *m*.
limelight ['laɪmlaɪt] *n*: **to be in the ~** im Rampenlicht stehen.
limerick ['lɪmərɪk] *n* Limerick *m*.
limestone ['laɪmstəun] *n* Kalkstein *m*.
limit ['lɪmɪt] *n* Grenze *f*; (*restriction*) Beschränkung *f* ♦ *vt* begrenzen, einschränken; **within ~s** innerhalb gewisser Grenzen.
limitation [lɪmɪ'teɪʃən] *n* Einschränkung *f*; **limitations** *npl* (*shortcomings*) Grenzen *pl*.
limited ['lɪmɪtɪd] *adj* begrenzt, beschränkt; **to be ~ to** beschränkt sein auf *+acc*.
limited edition *n* beschränkte Ausgabe *f*.

limited (liability) company (*BRIT*) *n* ≈ Gesellschaft *f* mit beschränkter Haftung.
limitless ['lımıtlıs] *adj* grenzenlos.
limousine ['lıməzi:n] *n* Limousine *f*.
limp [lımp] *adj* schlaff; (*material etc*) weich ♦ *vi* hinken ♦ *n*: **to have a** ~ hinken.
limpet ['lımpıt] *n* Napfschnecke *f*.
limpid ['lımpıd] *adj* klar.
limply ['lımplı] *adj* schlaff.
linchpin ['lıntʃpın] *n* (*fig*) wichtigste Stütze *f*.
Lincs [lıŋks] (*BRIT*) *abbr* (*POST*: = *Lincolnshire*).
line [laın] *n* Linie *f*; (*written, printed*) Zeile *f*; (*wrinkle*) Falte *f*; (*row: of people*) Schlange *f*; (: *of things*) Reihe *f*; (*for fishing, washing*) Leine *f*; (*wire, TEL*) Leitung *f*; (*railway track*) Gleise *pl*; (*fig: attitude*) Standpunkt *m*; (: *business*) Branche *f*; (*COMM: of product(s)*) Art *f* ♦ *vt* (*road*) säumen; (*container*) auskleiden; (*clothing*) füttern; **hold the** ~ **please!** (*TEL*) bleiben Sie am Apparat!; **to cut in** ~ (*US*) sich vordrängeln; **in** ~ in einer Reihe; **in** ~ **with** im Einklang mit, in Übereinstimmung mit; **to be in** ~ **for sth** mit etw an der Reihe sein; **to bring sth into** ~ **with sth** etw auf die gleiche Linie wie etw *acc* bringen; **on the right** ~**s** auf dem richtigen Weg; **I draw the** ~ **at that** da mache ich nicht mehr mit; **to** ~ **sth with sth** etw mit etw auskleiden; (*drawers etc*) etw mit etw auslegen; **to** ~ **the streets** die Straßen säumen.
▸**line up** *vi* sich aufstellen ♦ *vt* (*in a row*) aufstellen; (*engage*) verpflichten; (*prepare*) arrangieren; **to have sb** ~**d up** jdn verpflichtet haben; **to have sth** ~**d up** etw geplant haben.
linear ['lınıə*] *adj* linear; (*shape, form*) gerade.
lined [laınd] *adj* (*face*) faltig; (*paper*) liniert; (*skirt, jacket*) gefüttert.
line editing *n* (*COMPUT*) zeilenweise Aufbereitung *f*.
line feed *n* (*COMPUT*) Zeilenvorschub *m*.
lineman ['laınmən] (*US*: *irreg: like* **man**) *n* (*FOOTBALL*) Stürmer *m*.
linen ['lının] *n* (*cloth*) Leinen *nt*; (*tablecloths, sheets etc*) Wäsche *f*.
line printer *n* (*COMPUT*) Zeilendrucker *m*.
liner ['laınə*] *n* (*ship*) Passagierschiff *nt*; (*also*: **bin** ~) Müllbeutel *m*.
linesman ['laınzmən] (*irreg: like* **man**) *n* (*SPORT*) Linienrichter *m*.
line-up ['laınʌp] *n* (*US: queue*) Schlange *f*; (*SPORT*) Aufstellung *f*; (*at concert etc*) Künstleraufgebot *nt*; (*identity parade*) Gegenüberstellung *f*.
linger ['lıŋgə*] *vi* (*smell*) sich halten; (*tradition etc*) fortbestehen; (*person*) sich aufhalten.
lingerie ['lænʒəri:] *n* (Damen)unterwäsche *f*.
lingering ['lıŋgərıŋ] *adj* bleibend.
lingo ['lıŋgəu] (*pl* ~**es**) (*inf*) *n* Sprache *f*.
linguist ['lıŋgwıst] *n* (*person who speaks several languages*) Sprachkundige(r) *f(m)*.
linguistic [lıŋ'gwıstık] *adj* sprachlich.
linguistics [lıŋ'gwıstıks] *n* Sprachwissenschaft *f*.
liniment ['lınımənt] *n* Einreibemittel *nt*.
lining ['laınıŋ] *n* (*cloth*) Futter *nt*; (*ANAT: of stomach*) Magenschleimhaut *f*; (*TECH*) Auskleidung *f*; (*of brakes*) (Brems)belag *m*.
link [lıŋk] *n* Verbindung *f*, Beziehung *f*; (*communications link*) Verbindung; (*of a chain*) Glied *nt* ♦ *vt* (*join*) verbinden; **links** *npl* (*GOLF*) Golfplatz *m*; **rail** ~ Bahnverbindung *f*.
▸**link up** *vt* verbinden ♦ *vi* verbunden werden.
linkup ['lıŋkʌp] *n* Verbindung *f*; (*of spaceships*) Koppelung *f*.
lino ['laınəu] *n* = **linoleum**.
linoleum [lı'nəulıəm] *n* Linoleum *nt*.
linseed oil ['lınsi:d-] *n* Leinöl *nt*.
lint [lınt] *n* Mull *m*.
lintel ['lıntl] *n* (*ARCHIT*) Sturz *m*.
lion ['laıən] *n* Löwe *m*.
lion cub *n* Löwenjunge(s) *nt*.
lioness ['laıənıs] *n* Löwin *f*.
lip [lıp] *n* (*ANAT*) Lippe *f*; (*of cup etc*) Rand *m*; (*inf: insolence*) Frechheiten *pl*.
liposuction ['lıpəusʌkʃən] *n* Liposuktion *f*.
lip-read ['lıpri:d] *vi* von den Lippen ablesen.
lip salve *n* Fettstift *m*.
lip service (*pej*) *n*: **to pay** ~ **to sth** ein Lippenbekenntnis zu etw ablegen.
lipstick ['lıpstık] *n* Lippenstift *m*.
liquefy ['lıkwıfaı] *vt* verflüssigen ♦ *vi* sich verflüssigen.
liqueur [lı'kjuə*] *n* Likör *m*.
liquid ['lıkwıd] *adj* flüssig ♦ *n* Flüssigkeit *f*.
liquid assets *npl* flüssige Vermögenswerte *pl*.
liquidate ['lıkwıdeıt] *vt* liquidieren.
liquidation [lıkwı'deıʃən] *n* Liquidation *f*.
liquidation sale (*US*) *n* Verkauf *m* wegen Geschäftsaufgabe.
liquidator ['lıkwıdeıtə*] *n* Liquidator *m*.
liquid-crystal display ['lıkwıd'krıstl-] *n* Flüssigkristallanzeige *f*.
liquidity [lı'kwıdıtı] *n* Liquidität *f*.
liquidize ['lıkwıdaız] *vt* (im Mixer) pürieren.
liquidizer ['lıkwıdaızə*] *n* Mixer *m*.
liquor ['lıkə*] *n* Spirituosen *pl*, Alkohol *m*; **hard** ~ harte Drinks *pl*.
liquorice ['lıkərıs] (*BRIT*) *n* Lakritze *f*.
liquor store (*US*) *n* Spirituosengeschäft *nt*.
Lisbon ['lızbən] *n* Lissabon *nt*.
lisp [lısp] *n* Lispeln *nt* ♦ *vi* lispeln.
lissom(e) ['lısəm] *adj* geschmeidig.
list [lıst] *n* Liste *f* ♦ *vt* aufführen; (*COMPUT*) auflisten; (*write down*) aufschreiben ♦ *vi* (*ship*) Schlagseite haben.
listed building ['lıstıd-] (*BRIT*) *n* unter Denkmalschutz stehendes Gebäude *nt*.
listed company *n* börsennotierte Firma *f*.
listen ['lısn] *vi* hören; **to** ~ **(out) for** horchen auf +*acc*; **to** ~ **to sb** jdm zuhören; **to** ~ **to sth**

etw hören; ~! hör zu!
listener ['lɪsnə*] *n* Zuhörer(in) *m(f)*; (*RADIO*) Hörer(in) *m(f)*.
listeria [lɪs'tɪərɪə] *n* Listeriose *f*.
listing ['lɪstɪŋ] *n* Auflistung *f*; (*entry*) Eintrag *m*.
listless ['lɪstlɪs] *adj* lustlos.
listlessly ['lɪstlɪslɪ] *adv* lustlos.
list price *n* Listenpreis *m*.
lit [lɪt] *pt, pp of* **light**.
litany ['lɪtənɪ] *n* Litanei *f*.
liter ['li:tə*] (*US*) *n* = **litre**.
literacy ['lɪtərəsɪ] *n* die Fähigkeit, lesen und schreiben zu können.
literacy campaign *n* Kampagne *f* gegen das Analphabetentum.
literal ['lɪtərəl] *adj* wörtlich, eigentlich; (*translation*) (wort)wörtlich.
literally ['lɪtrəlɪ] *adv* buchstäblich.
literary ['lɪtərərɪ] *adj* literarisch.
literate ['lɪtərət] *adj* (*educated*) gebildet; **to be ~** lesen und schreiben können.
literature ['lɪtrɪtʃə*] *n* Literatur *f*; (*printed information*) Informationsmaterial *nt*.
lithe [laɪð] *adj* gelenkig; (*animal*) geschmeidig.
lithograph ['lɪθəgrɑ:f] *n* Lithographie *f*.
lithography [lɪ'θɔgrəfɪ] *n* Lithographie *f*.
Lithuania [lɪθju'eɪnɪə] *n* Litauen *nt*.
Lithuanian [lɪθju'eɪnɪən] *adj* litauisch ♦ *n* Litauer(in) *m(f)*; (*LING*) Litauisch *nt*.
litigation [lɪtɪ'geɪʃən] *n* Prozeß *m*.
litmus paper ['lɪtməs-] *n* Lackmuspapier *nt*.
litre, (*US*) **liter** ['li:tə*] *n* Liter *m or nt*.
litter ['lɪtə*] *n* (*rubbish*) Abfall *m*; (*young animals*) Wurf *m*.
litter bin (*BRIT*) *n* Abfalleimer *m*.
litterbug ['lɪtəbʌg] *n* Dreckspatz *m*.
littered ['lɪtəd] *adj*: **~ with** (*scattered*) übersät mit.
litter lout *n* Dreckspatz *m*.
little ['lɪtl] *adj* klein; (*short*) kurz ♦ *adv* wenig; **a ~** ein wenig, ein bißchen; **a ~ bit** ein kleines bißchen; **to have ~ time/money** wenig Zeit/Geld haben; **~ by ~** nach und nach.
little finger *n* kleiner Finger *m*.
little-known ['lɪtl'nəun] *adj* wenig bekannt.
liturgy ['lɪtədʒɪ] *n* Liturgie *f*.
live [*vi* lɪv, *adj* laɪv] *vi* leben; (*in house, town*) wohnen ♦ *adj* lebend; (*TV, RADIO*) live; (*performance, pictures etc*) Live-; (*ELEC*) stromführend; (*bullet, bomb etc*) scharf; **to ~ with sb** mit jdm zusammenleben.
►**live down** *vt* hinwegkommen über *+acc*.
►**live for** *vt* leben für.
►**live in** *vi* (*student/servant*) im Wohnheim/Haus wohnen.
►**live off** *vt fus* leben von; (*parents etc*) auf Kosten *+gen* leben.
►**live on** *vt fus* leben von.
►**live out** *vi* (*BRIT: student/servant*) außerhalb (des Wohnheims/Hauses) wohnen ♦ *vt*: **to ~ out one's days** *or* **life** sein Leben verbringen.
►**live together** *vi* zusammenleben.
►**live up** *vt*: **to ~ it up** einen draufmachen (*inf*).
►**live up to** *vt fus* erfüllen, entsprechen *+dat*.
live-in ['lɪvɪn] *adj* (*cook, maid*) im Haus wohnend; **her ~ lover** ihr Freund, der bei ihr wohnt.
livelihood ['laɪvlɪhud] *n* Lebensunterhalt *m*.
liveliness ['laɪvlɪnɪs] *n* (*see adj*) Lebhaftigkeit *f*; Lebendigkeit *f*.
lively ['laɪvlɪ] *adj* lebhaft; (*place, event, book etc*) lebendig.
liven up ['laɪvn-] *vt* beleben, Leben bringen in *+acc*; (*person*) aufmuntern ♦ *vi* (*person*) aufleben; (*discussion, evening etc*) in Schwung kommen.
liver ['lɪvə*] *n* (*ANAT, CULIN*) Leber *f*.
liverish ['lɪvərɪʃ] *adj*: **to be ~** sich unwohl fühlen.
Liverpudlian [lɪvə'pʌdlɪən] *adj* Liverpooler ♦ *n* Liverpooler(in) *m(f)*.
livery ['lɪvərɪ] *n* Livree *f*.
lives [laɪvz] *npl of* **life**.
livestock ['laɪvstɔk] *n* Vieh *nt*.
live wire (*inf*) *n* (*person*) Energiebündel *nt*.
livid ['lɪvɪd] *adj* (*colour*) bleifarben; (*inf: furious*) fuchsteufelswild.
living ['lɪvɪŋ] *adj* lebend ♦ *n*: **to earn** *or* **make a ~** sich *dat* seinen Lebensunterhalt verdienen; **within ~ memory** seit Menschengedenken; **the cost of ~** die Lebenshaltungskosten *pl*.
living conditions *npl* Wohnverhältnisse *pl*.
living expenses *npl* Lebenshaltungskosten *pl*.
living room *n* Wohnzimmer *nt*.
living standards *npl* Lebensstandard *m*.
living wage *n* ausreichender Lohn *m*.
lizard ['lɪzəd] *n* Eidechse *f*.
llama ['lɑ:mə] *n* Lama *nt*.
LLB *n abbr* (= *Bachelor of Laws*) *akademischer Grad für Juristen*.
LLD *n abbr* (= *Doctor of Laws*) ≈ Dr. jur.
LMT (*US*) *abbr* (= *Local Mean Time*) *Ortszeit*.
load [ləud] *n* Last *f*; (*of vehicle*) Ladung *f*; (*weight, ELEC*) Belastung *f* ♦ *vt* (*also*: **~ up**) beladen; (*gun, COMPUT: program, data*) laden; **that's a ~ of rubbish** (*inf*) das ist alles Blödsinn; **~s of, a ~ of** (*fig*) jede Menge; **to ~ a camera** einen Film einlegen.
loaded ['ləudɪd] *adj* (*inf: rich*) steinreich; (*dice*) präpariert; (*vehicle*): **to be ~ with** beladen sein mit; **a ~ question** eine Fangfrage.
loading bay ['ləudɪŋ-] *n* Ladeplatz *m*.
loaf [ləuf] (*pl* **loaves**) *n* Brot *nt*, Laib *m* ♦ *vi* (*also*: **~ about, ~ around**) faulenzen; **use your ~!** (*inf*) streng deinen Grips an!
loam [ləum] *n* Lehmerde *f*.
loan [ləun] *n* Darlehen *nt* ♦ *vt*: **to ~ sth to sb** jdm etw leihen; **on ~** geliehen.
loan account *n* Darlehenskonto *nt*.

loan capital *n* Anleihekapital *nt.*
loan shark (*inf*) *n* Kredithai *m.*
loath [ləuθ] *adj*: **to be ~ to do sth** etw ungern tun.
loathe [ləuð] *vt* verabscheuen.
loathing ['ləuðɪŋ] *n* Abscheu *m.*
loathsome ['ləuðsəm] *adj* abscheulich.
loaves [ləuvz] *npl of* **loaf.**
lob [lɔb] *vt* (*ball*) lobben.
lobby ['lɔbɪ] *n* (*of building*) Eingangshalle *f*; (*POL: pressure group*) Interessenverband *m* ♦ *vt* Einfluß nehmen auf *+acc.*
lobbyist ['lɔbɪɪst] *n* Lobbyist(in) *m(f).*
lobe [ləub] *n* Ohrläppchen *nt.*
lobster ['lɔbstə*] *n* Hummer *m.*
lobster pot *n* Hummer(fang)korb *m.*
local ['ləukl] *adj* örtlich; (*council*) Stadt-, Gemeinde-; (*paper*) Lokal- ♦ *n* (*pub*) Stammkneipe *f*; **the locals** *npl* (*local inhabitants*) die Einheimischen *pl.*
local anaesthetic *n* örtliche Betäubung *f.*
local authority *n* Gemeindeverwaltung *f*, Stadtverwaltung *f.*
local call *n* Ortsgespräch *nt.*
locale [ləu'kɑːl] *n* Umgebung *f.*
local government *n* Kommunalverwaltung *f.*
locality [ləu'kælɪtɪ] *n* Gegend *f.*
localize ['ləukəlaɪz] *vt* lokalisieren.
locally ['ləukəlɪ] *adv* am Ort.
locate [ləu'keɪt] *vt* (*find*) ausfindig machen; **to be ~d in** sich befinden in *+dat.*
location [ləu'keɪʃən] *n* Ort *m*; (*position*) Lage *f*; (*CINE*) Drehort *m*; **he's on ~ in Mexico** er ist bei Außenaufnahmen in Mexiko; **to be filmed on ~** als Außenaufnahme gedreht werden.
loch [lɔx] (*SCOT*) *n* See *m.*
lock [lɔk] *n* (*of door etc*) Schloß *nt*; (*on canal*) Schleuse *f*; (*also*: **~ of hair**) Locke *f* ♦ *vt* (*door etc*) abschließen; (*steering wheel*) sperren; (*COMPUT: keyboard*) verriegeln ♦ *vi* (*door etc*) sich abschließen lassen; (*wheels, mechanism etc*) blockieren; **on full ~** (*AUT*) voll eingeschlagen; **~, stock and barrel** mit allem Drum und Dran; **his jaw ~ed** er hatte Mundsperre.
►**lock away** *vt* wegschließen; (*criminal*) einsperren.
►**lock in** *vt* einschließen.
►**lock out** *vt* aussperren.
►**lock up** *vt* (*criminal etc*) einsperren; (*house*) abschließen ♦ *vi* abschließen.
locker ['lɔkə*] *n* Schließfach *nt.*
locker room *n* Umkleideraum *m.*
locket ['lɔkɪt] *n* Medaillon *nt.*
lockjaw ['lɔkdʒɔː] *n* Wundstarrkrampf *m.*
lockout ['lɔkaut] *n* Aussperrung *f.*
locksmith ['lɔksmɪθ] *n* Schlosser *m.*
lockup ['lɔkʌp] *n* (*US: inf: jail*) Gefängnis *nt*; (*also*: **lock-up garage**) Garage *f.*
locomotive [ləukə'məutɪv] *n* Lokomotive *f.*
locum ['ləukəm] *n* (*MED*) Vertreter(in) *m(f).*
locust ['ləukəst] *n* Heuschrecke *f.*
lodge [lɔdʒ] *n* Pförtnerhaus *nt*; (*hunting lodge*) Hütte *f*; (*FREEMASONRY*) Loge *f* ♦ *vt* (*complaint, protest etc*) einlegen ♦ *vi* (*bullet*) steckenbleiben; (*person*): **to ~ (with)** zur Untermiete wohnen (bei).
lodger ['lɔdʒə*] *n* Untermieter(in) *m(f).*
lodging ['lɔdʒɪŋ] *n* Unterkunft *f.*
lodging house *n* Pension *f.*
lodgings ['lɔdʒɪŋz] *npl* möbliertes Zimmer *nt*; (*several rooms*) Wohnung *f.*
loft [lɔft] *n* Boden *m*, Speicher *m.*
lofty ['lɔftɪ] *adj* (*noble*) hoch(fliegend); (*self-important*) hochmütig; (*high*) hoch.
log [lɔg] *n* (*of wood*) Holzblock *m*, Holzklotz *m*; (*written account*) Log *nt* ♦ *n abbr* (*MATH*: = *logarithm*) log ♦ *vt* (ins Logbuch) eintragen.
►**log in** *vi* (*COMPUT*) sich anmelden.
►**log into** *vt fus* (*COMPUT*) sich anmelden bei.
►**log off** *vi* (*COMPUT*) sich abmelden.
►**log on** *vi* (*COMPUT*) = **log in.**
►**log out** *vi* (*COMPUT*) = **log off.**
logarithm ['lɔgərɪðm] *n* Logarithmus *m.*
logbook ['lɔgbuk] *n* (*NAUT*) Logbuch *nt*; (*AVIAT*) Bordbuch *nt*; (*of car*) Kraftfahrzeugbrief *m*; (*of lorry driver*) Fahrtenbuch *nt*; (*of events*) Tagebuch *nt*; (*of movement of goods etc*) Dienstbuch *nt.*
log fire *n* Holzfeuer *nt.*
logger ['lɔgə*] *n* (*lumberjack*) Holzfäller *m.*
loggerheads ['lɔgəhɛdz] *npl*: **to be at ~** Streit haben.
logic ['lɔdʒɪk] *n* Logik *f.*
logical ['lɔdʒɪkl] *adj* logisch.
logically ['lɔdʒɪkəlɪ] *adv* logisch; (*reasonably*) logischerweise.
logistics [lɔ'dʒɪstɪks] *n* Logistik *f.*
log jam *n* (*fig*) Blockierung *f*; **to break the ~** freie Bahn schaffen.
logo ['ləugəu] *n* Logo *nt.*
loin [lɔɪn] *n* Lende *f.*
loincloth ['lɔɪnklɔθ] *n* Lendenschurz *m.*
loiter ['lɔɪtə*] *vi* sich aufhalten.
loll [lɔl] *vi* (*also*: **~ about**: *person*) herumhängen; (*head*) herunterhängen; (*tongue*) heraushängen.
lollipop ['lɔlɪpɔp] *n* Lutscher *m.*
lollipop lady (*BRIT*) *n* ≈ Schülerlotsin *f.*
lollipop man (*BRIT*) *n* ≈ Schülerlotse *m.*

> **Lollipop Man/Lady** *heißen in Großbritannien die Männer bzw. Frauen, die mit Hilfe eines runden Stoppschildes den Verkehr anhalten, damit Schulkinder die Straße gefahrlos überqueren können. Der Name bezieht sich auf die Form des Schildes, die an einen Lutscher erinnert.*

lollop ['lɔləp] *vi* zockeln.
lolly ['lɔlɪ] (*inf*) *n* (*lollipop*) Lutscher *m*;

(*money*) Mäuse *pl*.
London ['lʌndən] *n* London *nt*.
Londoner ['lʌndənə*] *n* Londoner(in) *m(f)*.
lone [ləun] *adj* einzeln, einsam; (*only*) einzig.
loneliness ['ləunlɪnɪs] *n* Einsamkeit *f*.
lonely ['ləunlɪ] *adj* einsam.
lonely hearts *adj*: ~ **ad** Kontaktanzeige *f*; **the ~ column** die Kontaktanzeigen *pl*.
lone parent *n* Alleinerziehende(r) *f(m)*.
loner ['ləunə*] *n* Einzelgänger(in) *m(f)*.
long [lɔŋ] *adj* lang ♦ *adv* lang(e) ♦ *vi*: **to ~ for sth** sich nach etw sehnen; **in the ~ run** auf die Dauer; **how ~ is the lesson?** wie lange dauert die Stunde?; **6 metres/months ~** 6 Meter/Monate lang; **so** *or* **as ~ as** (*on condition that*) solange; (*while*) während; **don't be ~!** bleib nicht so lange!; **all night ~** die ganze Nacht; **he no ~er comes** er kommt nicht mehr; **~ ago** vor langer Zeit; **~ before/after** lange vorher/danach; **before ~** bald; **at ~ last** schließlich und endlich; **the ~ and the short of it is that ...** kurz gesagt, ...
long-distance [lɔŋ'dɪstəns] *adj* (*travel, phone call*) Fern-; (*race*) Langstrecken-.
longevity [lɔn'dʒɛvɪtɪ] *n* Langlebigkeit *f*.
long-haired ['lɔŋ'hɛəd] *adj* langhaarig; (*animal*) Langhaar-.
longhand ['lɔŋhænd] *n* Langschrift *f*.
longing ['lɔŋɪŋ] *n* Sehnsucht *f*.
longingly ['lɔŋɪŋlɪ] *adv* sehnsüchtig.
longitude ['lɔŋgɪtjuːd] *n* Länge *f*.
long johns [-dʒɔnz] *npl* lange Unterhose *f*.
long jump *n* Weitsprung *m*.
long-life ['lɔŋlaɪf] *adj* (*batteries etc*) mit langer Lebensdauer; **~ milk** H-Milch *f*.
long-lost ['lɔŋlɔst] *adj* verloren geglaubt.
long-playing record ['lɔŋpleɪɪŋ-] *n* Langspielplatte *f*.
long-range ['lɔŋ'reɪndʒ] *adj* (*plan, forecast*) langfristig; (*missile, plane etc*) Langstrecken-.
longshoreman ['lɔŋʃɔːmən] (*US*) (*irreg: like* **man**) *n* Hafenarbeiter *m*.
long-sighted ['lɔŋ'saɪtɪd] *adj* weitsichtig.
long-standing ['lɔŋ'stændɪŋ] *adj* langjährig.
long-suffering [lɔŋ'sʌfərɪŋ] *adj* schwer geprüft.
long-term ['lɔŋtəːm] *adj* langfristig.
long wave *n* Langwelle *f*.
long-winded [lɔŋ'wɪndɪd] *adj* umständlich, langatmig.
loo [luː] (*BRIT: inf*) *n* Klo *nt*.
loofah ['luːfə] *n* Luffa(schwamm) *m*.
look [luk] *vi* sehen, schauen, gucken (*inf*); (*seem, appear*) aussehen ♦ *n* (*glance*) Blick *m*; (*appearance*) Aussehen *nt*; (*expression*) Miene *f*; (*FASHION*) Look *m*; **looks** *npl* (*good looks*) (gutes) Aussehen; **to ~ (out) onto the sea/south** (*building etc*) Blick aufs Meer/nach Süden haben; **~ (here)!** (*expressing annoyance*) hör (mal) zu!; **~!** (*expressing surprise*) sieh mal!; **to ~ like sb/sth** wie jd/etw aussehen; **it ~s like him** es sieht ihm ähnlich; **it ~s about 4 metres long** es scheint etwa 4 Meter lang zu sein; **it ~s all right to me** es scheint mir in Ordnung zu sein; **to ~ ahead** vorausschauen; **to have a ~ at sth** sich *dat* etw ansehen; **let me have a ~** laß mich mal sehen; **to have a ~ for sth** nach etw suchen.
▶**look after** *vt fus* sich kümmern um.
▶**look at** *vt fus* ansehen; (*read quickly*) durchsehen; (*study, consider*) betrachten.
▶**look back** *vi*: **to ~ back (on)** zurückblicken (auf *+acc*); **to ~ back at sth/sb** sich nach jdm/etw umsehen.
▶**look down on** *vt fus* (*fig*) herabsehen auf *+acc*.
▶**look for** *vt fus* suchen.
▶**look forward to** *vt fus* sich freuen auf *+acc*; **we ~ forward to hearing from you** (*in letters*) wir hoffen, bald von Ihnen zu hören.
▶**look in** *vi*: **to ~ in on sb** bei jdm vorbeikommen.
▶**look into** *vt fus* (*investigate*) untersuchen.
▶**look on** *vi* (*watch*) zusehen.
▶**look out** *vi* (*beware*) aufpassen.
▶**look out for** *vt fus* Ausschau halten nach.
▶**look over** *vt* (*essay etc*) durchsehen; (*house, town etc*) sich *dat* ansehen; (*person*) mustern.
▶**look round** *vi* sich umsehen.
▶**look through** *vt fus* durchsehen.
▶**look to** *vt fus* (*rely on*) sich verlassen auf *+acc*.
▶**look up** *vi* aufsehen; (*situation*) sich bessern ♦ *vt* (*word etc*) nachschlagen; **things are ~ing up** es geht bergauf.
▶**look up to** *vt fus* aufsehen zu.
lookalike ['lukəlaɪk] *n* Doppelgänger(in) *m(f)*.
look-in ['lukɪn] *n*: **to get a ~** (*inf*) eine Chance haben.
lookout ['lukaut] *n* (*tower etc*) Ausguck *m*; (*person*) Wachtposten *m*; **to be on the ~ for sth** nach etw Ausschau halten.
loom [luːm] *vi* (*also*: **~ up**: *object, shape*) sich abzeichnen; (*event*) näherrücken ♦ *n* Webstuhl *m*.
loony ['luːnɪ] (*inf*) *adj* verrückt ♦ *n* Verrückte(r) *f(m)*.
loop [luːp] *n* Schlaufe *f*; (*COMPUT*) Schleife *f* ♦ *vt*: **to ~ sth around sth** etw um etw schlingen.
loophole ['luːphəul] *n* Hintertürchen *nt*; **a ~ in the law** eine Lücke im Gesetz.
loose [luːs] *adj* lose, locker; (*clothes etc*) weit; (*long hair*) offen; (*not strictly controlled, promiscuous*) locker; (*definition*) ungenau; (*translation*) frei ♦ *vt* (*animal*) loslassen; (*prisoner*) freilassen; (*set off, unleash*) entfesseln ♦ *n*: **to be on the ~** frei herumlaufen.
loose change *n* Kleingeld *nt*.
loose chippings *npl* Schotter *m*.

loose end *n*: **to be at a ~** *or* (*US*) **at ~s** nichts mit sich *dat* anzufangen wissen; **to tie up ~s** die offenstehenden Probleme lösen.
loose-fitting ['lu:sfɪtɪŋ] *adj* weit.
loose-leaf ['lu:sli:f] *adj* Loseblatt-; **~ binder** Ringbuch *nt*.
loose-limbed [lu:s'lɪmd] *adj* gelenkig, beweglich.
loosely ['lu:slɪ] *adv* lose, locker.
loosely-knit ['lu:slɪ'nɪt] *adj* (*fig*) locker.
loosen ['lu:sn] *vt* lösen, losmachen; (*clothing, belt etc*) lockern.
loosen up *vi* (*before game*) sich auflockern; (*relax*) auftauen.
loot [lu:t] *n* (*inf*) Beute *f* ♦ *vt* plündern.
looter ['lu:tə*] *n* Plünderer *m*.
looting ['lu:tɪŋ] *n* Plünderung *f*.
lop off [lɔp-] *vt* abhacken.
lopsided ['lɔp'saɪdɪd] *adj* schief.
lord [lɔ:d] *n* (*BRIT*) Lord *m*; **L~ Smith** Lord Smith; **the L~** (*REL*) der Herr; **my ~** (*to bishop*) Exzellenz; (*to noble*) Mylord; (*to judge*) Euer Ehren; **good L~!** ach, du lieber Himmel!; **the (House of) L~s** (*BRIT*) das Oberhaus.
lordly ['lɔ:dlɪ] *adj* hochmütig.
lordship ['lɔ:dʃɪp] *n*: **your L~** Eure Lordschaft.
lore [lɔ:*] *n* Überlieferungen *pl*.
lorry ['lɔrɪ] (*BRIT*) *n* Lastwagen *m*, Lkw *m*.
lorry driver (*BRIT*) *n* Lastwagenfahrer *m*.
lose [lu:z] (*pt, pp* **lost**) *vt* verlieren; (*opportunity*) verpassen; (*pursuers*) abschütteln ♦ *vi* verlieren; **to ~ (time)** (*clock*) nachgehen; **to ~ weight** abnehmen; **to ~ 5 pounds** 5 Pfund abnehmen; **to ~ sight of sth** (*also fig*) etw aus den Augen verlieren.
loser ['lu:zə*] *n* Verlierer(in) *m(f)*; (*inf: failure*) Versager *m*; **to be a good/bad ~** ein guter/ schlechter Verlierer sein.
loss [lɔs] *n* Verlust *m*; **to make a ~ (of £1,000)** (1000 Pfund) Verlust machen; **to sell sth at a ~** etw mit Verlust verkaufen; **heavy ~es** schwere Verluste *pl*; **to cut one's ~es** aufgeben, bevor es noch schlimmer wird; **to be at a ~** nicht mehr weiterwissen.
loss adjuster *n* Schadenssachverständige(r) *f(m)*.
loss leader *n* (*COMM*) Lockvogelangebot *nt*.
lost [lɔst] *pt, pp of* **lose** ♦ *adj* (*person, animal*) vermißt; (*object*) verloren; **to be ~** sich verlaufen/verfahren haben; **to get ~** sich verlaufen/verfahren; **get ~!** (*inf*) verschwinde!; **~ in thought** in Gedanken verloren.
lost and found (*US*) *n* = **lost property**.
lost cause *n* aussichtslose Sache *f*.
lost property (*BRIT*) *n* Fundsachen *pl*; (*also*: **~ office**) Fundbüro *nt*.
lot [lɔt] *n* (*kind*) Art *f*; (*group*) Gruppe *f*; (*at auctions, destiny*) Los *nt*; **to draw ~s** losen, Lose ziehen; **the ~** alles; **a ~ (of)** (*a large number (of)*) viele; (*a great deal (of)*) viel; **~s of** viele; **I read a ~** ich lese viel; **this happens a ~** das kommt oft vor.
loth [ləuθ] *adj* = **loath**.
lotion ['ləuʃən] *n* Lotion *f*.
lottery ['lɔtərɪ] *n* Lotterie *f*.
loud [laud] *adj* laut; (*clothes*) schreiend ♦ *adv* laut; **to be ~ in one's support of sb/sth** jdn/ etw lautstark unterstützen; **out ~** (*read, laugh etc*) laut.
loud-hailer [laud'heɪlə*] (*BRIT*) *n* Megaphon *nt*.
loudly ['laudlɪ] *adv* laut.
loudmouthed ['laudmauθt] *adj* großmäulig.
loudspeaker [laud'spi:kə*] *n* Lautsprecher *m*.
lounge [laundʒ] *n* (*in house*) Wohnzimmer *nt*; (*in hotel*) Lounge *f*; (*at airport, station*) Wartehalle *f*; (*BRIT: also*: **~ bar**) Salon *m* ♦ *vi* faulenzen.
▸**lounge about** *vi* herumliegen, herumsitzen, herumstehen.
▸**lounge around** *vi* = **lounge about**.
lounge suit (*BRIT*) *n* Straßenanzug *m*.
louse [laus] (*pl* **lice**) *n* Laus *f*.
▸**louse up** (*inf*) *vt* vermasseln.
lousy ['lauzɪ] (*inf*) *adj* (*bad-quality*) lausig, mies; (*despicable*) fies, gemein; (*ill*): **to feel ~** sich miserabel *or* elend fühlen.
lout [laut] *n* Lümmel *m*, Flegel *m*.
louvre, (*US*) **louver** ['lu:və*] *adj* (*door, window*) Lamellen-.
lovable ['lʌvəbl] *adj* liebenswert.
love [lʌv] *n* Liebe *f* ♦ *vt* lieben; (*thing, activity etc*) gern mögen; **"~ (from) Anne"** (*on letter*) „mit herzlichen Grüßen, Anne"; **to be in ~ with** verliebt sein in *+acc*; **to fall in ~ with** sich verlieben in *+acc*; **to make ~** sich lieben; **~ at first sight** Liebe auf den ersten Blick; **to send one's ~ to sb** jdn grüßen lassen; **"fifteen ~"** (*TENNIS*) „fünfzehn null"; **to ~ doing sth** etw gern tun; **I'd ~ to come** ich würde sehr gerne kommen; **I ~ chocolate** ich esse Schokolade liebend gern.
love affair *n* Verhältnis *nt*, Liebschaft *f*.
love child *n* uneheliches Kind *nt*, Kind *nt* der Liebe.
loved ones ['lʌvdwʌnz] *npl* enge Freunde und Verwandte *pl*.
love-hate relationship ['lʌvheɪt-] *n* Haßliebe *f*.
love letter *n* Liebesbrief *m*.
love life *n* Liebesleben *nt*.
lovely ['lʌvlɪ] *adj* (*beautiful*) schön; (*delightful*) herrlich; (*person*) sehr nett.
lover ['lʌvə*] *n* Geliebte(r) *f(m)*; (*person in love*) Liebende(r) *f(m)*; **~ of art/music** Kunst-/ Musikliebhaber(in) *m(f)*; **to be ~s** ein Liebespaar sein.
lovesick ['lʌvsɪk] *adj* liebeskrank.
love song *n* Liebeslied *nt*.
loving ['lʌvɪŋ] *adj* liebend; (*actions*) liebevoll.

low [ləu] *adj* niedrig; (*bow, curtsey*) tief; (*quality*) schlecht; (*sound: deep*) tief; (: *quiet*) leise; (*depressed*) niedergeschlagen, bedrückt ♦ *adv* (*sing*) leise; (*fly*) tief ♦ *n* (*MET*) Tief *nt*; **to be/run ~** knapp sein/ werden; **sb is running ~ on sth** jdm wird etw knapp; **to reach a new** *or* **an all-time ~** einen neuen Tiefstand erreichen.
low-alcohol ['ləu'ælkəhɔl] *adj* alkoholarm.
lowbrow ['ləubrau] *adj* (geistig) anspruchslos.
low-calorie ['ləu'kælərı] *adj* kalorienarm.
low-cut ['ləukʌt] *adj* (*dress*) tief ausgeschnitten.
lowdown ['ləudaun] (*inf*) *n:* **he gave me the ~ on it** er hat mich darüber informiert.
lower ['ləuə*] *adj* untere(r, s); (*lip, jaw, arm*) Unter- ♦ *vt* senken.
low-fat ['ləu'fæt] *adj* fettarm.
low-key ['ləu'ki:] *adj* zurückhaltend; (*not obvious*) unaufdringlich.
lowlands ['ləuləndz] *npl* Flachland *nt*.
low-level language ['ləulɛvl-] *n* (*COMPUT*) niedere Programmiersprache *f*.
low-loader ['ləu'ləudə*] *n* Tieflader *m*.
lowly ['ləulı] *adj* (*position*) niedrig; (*origin*) bescheiden.
low-lying [ləu'laııŋ] *adj* tiefgelegen.
low-paid [ləu'peıd] *adj* schlechtbezahlt.
low-rise ['ləuraız] *adj* niedrig (gebaut).
low-tech ['ləutɛk] *adj* nicht mit Hi-Tech ausgestattet.
loyal ['lɔıəl] *adj* treu; (*support*) loyal.
loyalist ['lɔıəlıst] *n* Loyalist(in) *m(f)*.
loyalty ['lɔıəltı] *n* (*see adj*) Treue *f*; Loyalität *f*.
lozenge ['lɔzındʒ] *n* Pastille *f*; (*shape*) Raute *f*.
LP *n abbr* (= *long player*) LP *f*; *see also* **long-playing record.**

> *Als* **L-Plates** *werden in Großbritannien die weißen Schilder mit einem roten 'L' bezeichnet, die vorne und hinten an jedem von einem Fahrschüler geführten Fahrzeug befestigt werden müssen. Fahrschüler müssen einen vorläufigen Führerschein beantragen und dürfen damit unter der Aufsicht eines erfahrenen Autofahrers auf allen Straßen außer Autobahnen fahren.*

LPN (*US*) *n abbr* (= *Licensed Practical Nurse*) staatlich anerkannte Krankenschwester *f*, staatlich anerkannter Krankenpfleger *m*.
LRAM (*BRIT*) *n abbr* (= *Licentiate of the Royal Academy of Music*) *Qualifikationsnachweis in Musik.*
LSAT (*US*) *n abbr* (= *Law School Admission Test*) *Zulassungsprüfung für juristische Hochschulen.*
LSD *n abbr* (= *lysergic acid diethylamide*) LSD *nt*; (*BRIT: also:* **L.S.D.** = *pounds, shillings and pence*) *früheres britisches Währungssystem.*
LSE (*BRIT*) *n abbr* (= *London School of Economics*) *Londoner Wirtschaftshochschule.*
LT *abbr* (*ELEC:* = *low-tension*) Niederspannung *f*; (*cable etc*) Niederspannungs-.
Lt *abbr* (*MIL:* = *lieutenant*) Lt.
Ltd *abbr* (*COMM:* = *limited (liability)*) ≈ GmbH *f*.
lubricant ['lu:brıkənt] *n* Schmiermittel *nt*.
lubricate ['lu:brıkeıt] *vt* schmieren, ölen.
lucid ['lu:sıd] *adj* klar; (*person*) bei klarem Verstand.
lucidity [lu:'sıdıtı] *n* Klarheit *f*.
luck [lʌk] *n* (*esp good luck*) Glück *nt*; **bad ~** Unglück *nt*; **good ~!** viel Glück!; **bad** *or* **hard** *or* **tough ~!** so ein Pech!; **hard** *or* **tough ~!** (*showing no sympathy*) Pech gehabt!; **to be in ~** Glück haben; **to be out of ~** kein Glück haben.
luckily ['lʌkılı] *adv* glücklicherweise.
luckless ['lʌklıs] *adj* glücklos.
lucky ['lʌkı] *adj* (*situation, event*) glücklich; (*object*) glücksbringend; (*person*): **to be ~** Glück haben; **to have a ~ escape** noch einmal davonkommen; **~ charm** Glücksbringer *m*.
lucrative ['lu:krətıv] *adj* einträglich.
ludicrous ['lu:dıkrəs] *adj* grotesk.
ludo ['lu:dəu] *n* Mensch, ärgere dich nicht *nt*.
lug [lʌg] (*inf*) *vt* schleppen.
luggage ['lʌgıdʒ] *n* Gepäck *nt*.
luggage car (*US*) *n* = **luggage van.**
luggage rack *n* Gepäckträger *m*; (*in train*) Gepäckablage *f*.
luggage van (*BRIT*) *n* (*RAIL*) Gepäckwagen *m*.
lugubrious [lu'gu:brıəs] *adj* schwermütig.
lukewarm ['lu:kwɔ:m] *adj* lauwarm; (*fig: person, reaction etc*) lau.
lull [lʌl] *n* Pause *f* ♦ *vt:* **to ~ sb to sleep** jdn einlullen *or* einschläfern; **to be ~ed into a false sense of security** in trügerische Sicherheit gewiegt werden.
lullaby ['lʌləbaı] *n* Schlaflied *nt*.
lumbago [lʌm'beıgəu] *n* Hexenschuß *m*.
lumber ['lʌmbə*] *n* (*wood*) Holz *nt*; (*junk*) Gerümpel *nt* ♦ *vi:* **to ~ about/along** herum-/entlangtapsen.
▸**lumber with** *vt:* **to be/get ~ed with sth** etw am Hals haben/aufgehalst bekommen.
lumberjack ['lʌmbədʒæk] *n* Holzfäller *m*.
lumber room (*BRIT*) *n* Rumpelkammer *f*.
lumberyard ['lʌmbəjɑ:d] (*US*) *n* Holzlager *nt*.
luminous ['lu:mınəs] *adj* leuchtend, Leucht-.
lump [lʌmp] *n* Klumpen *m*; (*on body*) Beule *f*; (*in breast*) Knoten *m*; (*also:* **sugar ~**) Stück *nt* (Zucker) ♦ *vt:* **to ~ together** in einen Topf werfen; **a ~ sum** eine Pauschalsumme.
lumpy ['lʌmpı] *adj* klumpig.
lunacy ['lu:nəsı] *n* Wahnsinn *m*.
lunar ['lu:nə*] *adj* Mond-.
lunatic ['lu:nətık] *adj* wahnsinnig ♦ *n* Wahnsinnige(r) *f(m)*, Irre(r) *f(m)*.
lunatic asylum *n* Irrenanstalt *f*.
lunatic fringe *n:* **the ~** die Extremisten *pl*.

lunch [lʌntʃ] *n* Mittagessen *nt*; (*time*) Mittagszeit *f* ♦ *vi* zu Mittag essen.
lunch break *n* Mittagspause *f*.
luncheon ['lʌntʃən] *n* Mittagessen *nt*.
luncheon meat *n* Frühstücksfleisch *nt*.
luncheon voucher (*BRIT*) *n* Essensmarke *f*.
lunch hour *n* Mittagspause *f*.
lunch time *n* Mittagszeit *f*.
lung [lʌŋ] *n* Lunge *f*.
lunge [lʌndʒ] *vi* (*also*: ~ **forward**) sich nach vorne stürzen; **to ~ at** sich stürzen auf *+acc*.
lupin ['luːpɪn] *n* Lupine *f*.
lurch [ləːtʃ] *vi* ruckeln; (*person*) taumeln ♦ *n* Ruck *m*; (*of person*) Taumeln *nt*; **to leave sb in the ~** jdn im Stich lassen.
lure [luə*] *n* Verlockung *f* ♦ *vt* locken.
lurid ['luərɪd] *adj* (*story etc*) reißerisch; (*pej: brightly coloured*) grell, in grellen Farben.
lurk [ləːk] *vi* (*also fig*) lauern.
luscious ['lʌʃəs] *adj* (*attractive*) phantastisch; (*food*) köstlich, lecker.
lush [lʌʃ] *adj* (*fields*) saftig; (*gardens*) üppig; (*luxurious*) luxuriös.
lust [lʌst] (*pej*) *n* (*sexual*) (sinnliche) Begierde *f*; (*for money, power etc*) Gier *f*.
►**lust after** *vt fus* (*sexually*) begehren; (*crave*) gieren nach.
►**lust for** *vt fus* = **lust after**.
lustful ['lʌstful] *adj* lüstern.
lustre, (US) luster ['lʌstə*] *n* Schimmer *m*, Glanz *m*.
lusty ['lʌstɪ] *adj* gesund und munter.
lute [luːt] *n* Laute *f*.
luvvie, luvvy ['lʌvɪ] (*inf*) *n* Schätzchen *nt*.
Luxembourg ['lʌksəmbəːg] *n* Luxemburg *nt*.
luxuriant [lʌg'zjuərɪənt] *adj* üppig.
luxuriate [lʌg'zjuərɪeɪt] *vi*: **to ~ in sth** sich in etw *dat* aalen.
luxurious [lʌg'zjuərɪəs] *adj* luxuriös.
luxury ['lʌkʃərɪ] *n* Luxus *m* (*no pl*) ♦ *cpd* (*hotel, car etc*) Luxus-; **little luxuries** kleine Genüsse.
LV *n abbr* = **luncheon voucher**.
LW *abbr* (*RADIO*: = *long wave*) LW.
Lycra ® ['laɪkrə] *n* Lycra *nt*.
lying ['laɪɪŋ] *n* Lügen *nt* ♦ *adj* verlogen.
lynch [lɪntʃ] *vt* lynchen.
lynx [lɪŋks] *n* Luchs *m*.
lyric ['lɪrɪk] *adj* lyrisch.
lyrical ['lɪrɪkl] *adj* lyrisch; (*fig: praise etc*) schwärmerisch.
lyricism ['lɪrɪsɪzəm] *n* Lyrik *f*.
lyrics ['lɪrɪks] *npl* (*of song*) Text *m*.

M, m

M¹, m¹ [ɛm] *n* (*letter*) M *nt*, m *nt*; ~ **for Mary**, (*US*) ~ **for Mike** ≈ M wie Martha.
M² [ɛm] *n abbr* (*BRIT*: = *motorway*): **the M8** ≈ die A8 ♦ *abbr* = **medium**.
m² *abbr* (= *metre*) m; = **mile**; (= *million*) Mio.
MA *n abbr* (= *Master of Arts*) *akademischer Grad für Geisteswissenschaftler*; (= *military academy*) Militärakademie *f* ♦ *abbr* (*US: POST*: = *Massachusetts*).
mac [mæk] (*BRIT*) *n* Regenmantel *m*.
macabre [mə'kɑːbrə] *adj* makaber.
macaroni [mækə'rəunɪ] *n* Makkaroni *pl*.
macaroon [mækə'ruːn] *n* Makrone *f*.
mace [meɪs] *n* (*weapon*) Keule *f*; (*ceremonial*) Amtsstab *m*; (*spice*) Muskatblüte *f*.
Macedonia [mæsɪ'dəunɪə] *n* Makedonien *nt*.
Macedonian [mæsɪ'dəunɪən] *adj* makedonisch ♦ *n* Makedonier(in) *m(f)*; (*LING*) Makedonisch *nt*.
machinations [mækɪ'neɪʃənz] *npl* Machenschaften *pl*.
machine [mə'ʃiːn] *n* Maschine *f*; (*fig: party machine etc*) Apparat *m* ♦ *vt* (*TECH*) maschinell herstellen *or* bearbeiten; (*dress etc*) mit der Maschine nähen.
machine code *n* Maschinencode *m*.
machine gun *n* Maschinengewehr *nt*.
machine language *n* Maschinensprache *f*.
machine-readable [mə'ʃiːnriːdəbl] *adj* maschinenlesbar.
machinery [mə'ʃiːnərɪ] *n* Maschinen *pl*; (*fig: of government*) Apparat *m*.
machine shop *n* Maschinensaal *m*.
machine tool *n* Werkzeugmaschine *f*.
machine washable *adj* waschmaschinenfest.
machinist [mə'ʃiːnɪst] *n* Maschinist(in) *m(f)*.
macho ['mætʃəu] *adj* Macho-; **a ~ man** ein Macho *m*.
mackerel ['mækrl] *n inv* Makrele *f*.
mackintosh ['mækɪntɔʃ] (*BRIT*) *n* Regenmantel *m*.
macro... ['mækrəu] *pref* Makro-, makro-.
macroeconomics ['mækrəuiːkə'nɔmɪks] *npl* Makroökonomie *f*.
mad [mæd] *adj* wahnsinnig, verrückt; (*angry*) böse, sauer (*inf*); **to be ~ about** verrückt sein auf *+acc*; **to be ~ at sb** böse *or* sauer auf jdn sein; **to go ~** (*insane*) verrückt *or* wahnsinnig werden; (*angry*) böse *or* sauer werden.
madam ['mædəm] *n* gnädige Frau *f*; **yes, ~**

ja(wohl); **M~ Chairman** Frau Vorsitzende.
madcap ['mædkæp] *adj* (*idea*) versponnen; (*tricks*) toll.
mad cow disease *n* Rinderwahn *m*.
madden ['mædn] *vt* ärgern, fuchsen (*inf*).
maddening ['mædnıŋ] *adj* unerträglich.
made [meıd] *pt, pp of* **make.**
Madeira [mə'dıərə] *n* Madeira *nt*; (*wine*) Madeira *m*.
made-to-measure ['meıdtə'mɛʒə*] (*BRIT*) *adj* maßgeschneidert.
madhouse ['mædhaus] *n* (*also fig*) Irrenhaus *nt*.
madly ['mædlı] *adv* wie verrückt; ~ **in love** bis über beide Ohren verliebt.
madman ['mædmən] (*irreg: like* **man**) *n* Verrückte(r) *m*, Irre(r) *m*.
madness ['mædnıs] *n* Wahnsinn *m*.
Madrid [mə'drıd] *n* Madrid *nt*.
Mafia ['mæfıə] *n* Mafia *f*.
mag [mæg] (*BRIT: inf*) *n abbr* = **magazine.**
magazine [mægə'zi:n] *n* Zeitschrift *f*; (*RADIO, TV, of firearm*) Magazin *nt*; (*MIL: store*) Depot *nt*.
maggot ['mægət] *n* Made *f*.
magic ['mædʒık] *n* Magie *f*; (*conjuring*) Zauberei *f* ♦ *adj* magisch; (*formula*) Zauber-; (*fig: place, moment etc*) zauberhaft.
magical ['mædʒıkl] *adj* magisch; (*experience, evening*) zauberhaft.
magician [mə'dʒıʃən] *n* (*wizard*) Magier *m*; (*conjurer*) Zauberer *m*.
magistrate ['mædʒıstreıt] *n* Friedensrichter(in) *m(f)*.
magnanimous [mæg'nænıməs] *adj* großmütig.
magnate ['mægneıt] *n* Magnat *m*.
magnesium [mæg'ni:zıəm] *n* Magnesium *nt*.
magnet ['mægnıt] *n* Magnet *m*.
magnetic [mæg'nɛtık] *adj* magnetisch; (*field, compass, pole etc*) Magnet-; (*personality*) anziehend.
magnetic disk *n* (*COMPUT*) Magnetplatte *f*.
magnetic tape *n* Magnetband *nt*.
magnetism ['mægnıtızəm] *n* Magnetismus *m*; (*of person*) Anziehungskraft *f*.
magnetize ['mægnıtaız] *vt* magnetisieren.
magnification [mægnıfı'keıʃən] *n* Vergrößerung *f*.
magnificence [mæg'nıfısns] *n* Großartigkeit *f*; (*of robes*) Pracht *f*.
magnificent [mæg'nıfısnt] *adj* großartig; (*robes*) prachtvoll.
magnify ['mægnıfaı] *vt* vergrößern; (*sound*) verstärken; (*fig: exaggerate*) aufbauschen.
magnifying glass ['mægnıfaııŋ-] *n* Vergrößerungsglas *nt*, Lupe *f*.
magnitude ['mægnıtju:d] *n* (*size*) Ausmaß *nt*, Größe *f*; (*importance*) Bedeutung *f*.
magnolia [mæg'nəulıə] *n* Magnolie *f*.
magpie ['mægpaı] *n* Elster *f*.
mahogany [mə'hɔgənı] *n* Mahagoni *nt* ♦ *cpd* Mahagoni-.
maid [meıd] *n* Dienstmädchen *nt*; **old** ~ (*pej*) alte Jungfer.
maiden ['meıdn] *n* (*liter*) Mädchen *nt* ♦ *adj* unverheiratet; (*speech, voyage*) Jungfern-.
maiden name *n* Mädchenname *m*.
mail [meıl] *n* Post *f* ♦ *vt* aufgeben; **by** ~ mit der Post.
mailbox ['meılbɔks] *n* (*US*) Briefkasten *m*; (*COMPUT*) Mailbox *f*, elektronischer Briefkasten *m*.
mailing list ['meılıŋ-] *n* Anschriftenliste *f*.
mailman ['meılmæn] (*US: irreg: like* **man**) *n* Briefträger *m*, Postbote *m*.
mail order *n* (*system*) Versand *m* ♦ *cpd:* **mail-order firm** *or* **business** Versandhaus *nt*; **mail-order catalogue** Versandhauskatalog *m*; **by** ~ durch Bestellung per Post.
mailshot ['meılʃɔt] (*BRIT*) *n* Werbebrief *m*.
mail train *n* Postzug *m*.
mail truck (*US*) *n* Postauto *nt*.
mail van (*BRIT*) *n* (*AUT*) Postauto *nt*; (*RAIL*) Postwagen *m*.
maim [meım] *vt* verstümmeln.
main [meın] *adj* Haupt-, wichtigste(r, s); (*door, entrance, meal*) Haupt- ♦ *n* Hauptleitung *f*; **the mains** *npl* (*ELEC*) das Stromnetz; (*gas, water*) die Hauptleitung; **in the** ~ im großen und ganzen.
main course *n* (*CULIN*) Hauptgericht *nt*.
mainframe ['meınfreım] *n* (*COMPUT*) Großrechner *m*.
mainland ['meınlənd] *n* Festland *nt*.
mainline ['meınlaın] *adj:* ~ **station** Fernbahnhof *m* ♦ *vt* (*drugs slang*) spritzen ♦ *vi* (*drugs slang*) fixen.
main line *n* Hauptstrecke *f*.
mainly ['meınlı] *adv* hauptsächlich.
main road *n* Hauptstraße *f*.
mainstay ['meınsteı] *n* (*foundation*) (wichtigste) Stütze *f*; (*chief constituent*) Hauptbestandteil *m*.
mainstream ['meınstri:m] *n* Hauptrichtung *f* ♦ *adj* (*cinema etc*) populär; (*politics*) der Mitte.
maintain [meın'teın] *vt* (*preserve*) aufrechterhalten; (*keep up*) beibehalten; (*provide for*) unterhalten; (*look after: building*) instand halten; (: *equipment*) warten; (*affirm: opinion*) vertreten; (: *innocence*) beteuern; **to** ~ **that ...** behaupten, daß ...
maintenance ['meıntənəns] *n* (*of building*) Instandhaltung *f*; (*of equipment*) Wartung *f*; (*preservation*) Aufrechterhaltung *f*; (*LAW: alimony*) Unterhalt *m*.
maintenance contract *n* Wartungsvertrag *m*.
maintenance order *n* (*LAW*) Unterhaltsurteil *nt*.
maisonette [meızə'nɛt] (*BRIT*) *n* Maisonettewohnung *f*.
maize [meız] *n* Mais *m*.
Maj. *abbr* (*MIL*) = **major.**

majestic [mə'dʒɛstɪk] *adj* erhaben.
majesty ['mædʒɪstɪ] *n* (*title*): **Your M~** Eure Majestät; (*splendour*) Erhabenheit *f*.
major ['meɪdʒə*] *n* Major *m* ♦ *adj* bedeutend; (*MUS*) Dur ♦ *vi* (*US*): **to ~ in French** Französisch als Hauptfach belegen; **a ~ operation** eine größere Operation.
Majorca [mə'jɔːkə] *n* Mallorca *nt*.
major general *n* Generalmajor *m*.
majority [mə'dʒɔrɪtɪ] *n* Mehrheit *f* ♦ *cpd* (*verdict, holding*) Mehrheits-.
make [meɪk] (*pt, pp* **made**) *vt* machen; (*clothes*) nähen; (*cake*) backen; (*speech*) halten; (*manufacture*) herstellen; (*earn*) verdienen; (*cause to be*): **to ~ sb sad** jdn traurig machen; (*force*): **to ~ sb do sth** jdn zwingen, etw zu tun; (*cause*) jdn dazu bringen, etw zu tun; (*equal*): **2 and 2 ~ 4** 2 und 2 ist *or* macht 4 ♦ *n* Marke *f*, Fabrikat *nt*; **to ~ a fool of sb** jdn lächerlich machen; **to ~ a profit/loss** Gewinn/Verlust machen; **to ~ it** (*arrive*) es schaffen; (*succeed*) Erfolg haben; **what time do you ~ it?** wie spät hast du?; **to ~ good** erfolgreich sein; (*threat*) wahrmachen; (*promise*) einlösen; (*damage*) wiedergutmachen; (*loss*) ersetzen; **to ~ do with** auskommen mit.
►**make for** *vt fus* (*place*) zuhalten auf *+acc*.
►**make off** *vi* sich davonmachen.
►**make out** *vt* (*decipher*) entziffern; (*understand*) verstehen; (*see*) ausmachen; (*write: cheque*) ausstellen; (*claim, imply*) behaupten; (*pretend*) so tun, als ob; **to ~ out a case for sth** für etw argumentieren.
►**make over** *vt*: **to ~ over (to)** überschreiben (*+dat*).
►**make up** *vt* (*constitute*) bilden; (*invent*) erfinden; (*prepare: bed*) zurechtmachen; (*: parcel*) zusammenpacken ♦ *vi* (*after quarrel*) sich versöhnen; (*with cosmetics*) sich schminken; **to ~ up one's mind** sich entscheiden; **to be made up of** bestehen aus.
►**make up for** *vt fus* (*loss*) ersetzen; (*disappointment etc*) ausgleichen.
make-believe ['meɪkbɪliːv] *n* Phantasie *f*; **a world of ~** eine Phantasiewelt; **it's just ~** es ist nicht wirklich.
maker ['meɪkə*] *n* Hersteller *m*; **film ~** Filmemacher(in) *m(f)*.
makeshift ['meɪkʃɪft] *adj* behelfsmäßig.
make-up ['meɪkʌp] *n* Make-up *nt*, Schminke *f*.
make-up bag *n* Kosmetiktasche *f*.
make-up remover *n* Make-up-Entferner *m*.
making ['meɪkɪŋ] *n* (*fig*): **in the ~** im Entstehen; **to have the ~s of** das Zeug haben zu.
maladjusted [mælə'dʒʌstɪd] *adj* verhaltensgestört.
maladroit [mælə'drɔɪt] *adj* ungeschickt.
malaise [mæ'leɪz] *n* Unbehagen *nt*.
malaria [mə'lɛərɪə] *n* Malaria *f*.
Malawi [mə'lɑːwɪ] *n* Malawi *nt*.
Malay [mə'leɪ] *adj* malaiisch ♦ *n* Malaie *m*, Malaiin *f*; (*LING*) Malaiisch *nt*.
Malaya [mə'leɪə] *n* Malaya *nt*.
Malayan [mə'leɪən] *adj, n* = **Malay**.
Malaysia [mə'leɪzɪə] *n* Malaysia *nt*.
Malaysian [mə'leɪzɪən] *adj* malaysisch ♦ *n* Malaysier(in) *m(f)*.
Maldives ['mɔːldaɪvz] *npl* Malediven *pl*.
male [meɪl] *n* (*animal*) Männchen *nt*; (*man*) Mann *m* ♦ *adj* männlich; (*ELEC*): **~ plug** Stecker *m*; **because he is ~** weil er ein Mann/Junge ist; **~ and female students** Studenten und Studentinnen; **a ~ child** ein Junge.
male chauvinist *n* Chauvinist *m*.
male nurse *n* Krankenpfleger *m*.
malevolence [mə'lɛvələns] *n* Boshaftigkeit *f*; (*of action*) Böswilligkeit *f*.
malevolent [mə'lɛvələnt] *adj* boshaft; (*intention*) böswillig.
malfunction [mæl'fʌŋkʃən] *n* (*of computer*) Funktionsstörung *f*; (*of machine*) Defekt *m* ♦ *vi* (*computer*) eine Funktionsstörung haben; (*machine*) defekt sein.
malice ['mælɪs] *n* Bosheit *f*.
malicious [mə'lɪʃəs] *adj* boshaft; (*LAW*) böswillig.
malign [mə'laɪn] *vt* verleumden ♦ *adj* (*influence*) schlecht; (*interpretation*) böswillig.
malignant [mə'lɪgnənt] *adj* bösartig; (*intention*) böswillig.
malingerer [mə'lɪŋgərə*] *n* Simulant(in) *m(f)*.
mall [mɔːl] *n* (*also*: **shopping ~**) Einkaufszentrum *nt*.
malleable ['mælɪəbl] *adj* (*lit, fig*) formbar.
mallet ['mælɪt] *n* Holzhammer *m*.
malnutrition [mælnjuː'trɪʃən] *n* Unterernährung *f*.
malpractice [mæl'præktɪs] *n* Berufsvergehen *nt*.
malt [mɔːlt] *n* Malz *nt*; (*also*: **~ whisky**) Malt Whisky *m*.
Malta ['mɔːltə] *n* Malta *nt*.
Maltese [mɔːl'tiːz] *adj* maltesisch ♦ *n inv* Malteser(in) *m(f)*; (*LING*) Maltesisch *nt*.
maltreat [mæl'triːt] *vt* schlecht behandeln; (*violently*) mißhandeln.
mammal ['mæml] *n* Säugetier *nt*.
mammoth ['mæməθ] *n* Mammut *nt* ♦ *adj* (*task*) Mammut-.
man [mæn] (*pl* **men**) *n* Mann *m*; (*mankind*) der Mensch, die Menschen *pl*; (*CHESS*) Figur *f* ♦ *vt* (*ship*) bemannen; (*gun, machine*) bedienen; (*post*) besetzen; **~ and wife** Mann und Frau.
manage ['mænɪdʒ] *vi*: **to ~ to do sth** es schaffen, etw zu tun; (*get by financially*) zurechtkommen ♦ *vt* (*business, organization*) leiten; (*control*) zurechtkommen mit; **to ~ without sb/sth** ohne jdn/etw auskommen;

well ~d (*business, shop etc*) gut geführt.
manageable ['mænɪdʒəbl] *adj* (*task*) zu bewältigen; (*number*) überschaubar.
management ['mænɪdʒmənt] *n* Leitung *f*, Führung *f*; (*persons*) Unternehmensleitung *f*; **"under new ~"** „unter neuer Leitung".
management accounting *n* Kosten- und Leistungsrechnung *f*.
management consultant *n* Unternehmensberater(in) *m(f)*.
manager ['mænɪdʒə*] *n* (*of business*) Geschäftsführer(in) *m(f)*; (*of institution etc*) Direktor(in) *m(f)*; (*of department*) Leiter(in) *m(f)*; (*of pop star*) Manager(in) *m(f)*; (*SPORT*) Trainer(in) *m(f)*; **sales ~** Verkaufsleiter(in) *m(f)*.
manageress [mænɪdʒə'rɛs] *n* (*of shop, business*) Geschäftsführerin *f*; (*of office, department etc*) Leiterin *f*.
managerial [mænɪ'dʒɪərɪəl] *adj* (*role, post*) leitend; (*decisions*) geschäftlich; **~ staff/skills** Führungskräfte *pl*/-qualitäten *pl*.
managing director ['mænɪdʒɪŋ-] *n* Geschäftsführer(in) *m(f)*.
Mancunian [mæŋ'kjuːnɪən] *n* Bewohner(in) *m(f)* Manchesters.
mandarin ['mændərɪn] *n* (*also*: **~ orange**) Mandarine *f*; (*official: Chinese*) Mandarin *m*; (: *gen*) Funktionär *m*.
mandate ['mændeɪt] *n* Mandat *nt*; (*task*) Auftrag *m*.
mandatory ['mændətərɪ] *adj* obligatorisch.
mandolin(e) ['mændəlɪn] *n* Mandoline *f*.
mane [meɪn] *n* Mähne *f*.
maneuver *etc* [mə'nuːvə*] (*US*) = **manoeuvre** *etc*.
manfully ['mænfəlɪ] *adv* mannhaft, beherzt.
manganese [mæŋgə'niːz] *n* Mangan *nt*.
mangetout ['mɔnʒ'tuː] (*BRIT*) *n* Zuckererbse *f*.
mangle ['mæŋgl] *vt* (übel) zurichten ♦ *n* Mangel *f*.
mango ['mæŋgəu] (*pl* **~es**) *n* Mango *f*.
mangrove ['mæŋgrəuv] *n* Mangrove(n)baum *m*.
mangy ['meɪndʒɪ] *adj* (*animal*) räudig.
manhandle ['mænhændl] *vt* (*mistreat*) grob behandeln; (*move by hand*) (von Hand) befördern.
manhole ['mænhəul] *n* Kanalschacht *m*.
manhood ['mænhud] *n* Mannesalter *nt*.
man-hour ['mænauə*] *n* Arbeitsstunde *f*.
manhunt ['mænhʌnt] *n* Fahndung *f*.
mania ['meɪnɪə] *n* Manie *f*; (*craze*) Sucht *f*; **persecution ~** Verfolgungswahn *m*.
maniac ['meɪnɪæk] *n* Wahnsinnige(r) *f(m)*, Verrückte(r) *f(m)*; (*fig*) Fanatiker(in) *m(f)*.
manic ['mænɪk] *adj* (*behaviour*) manisch; (*activity*) rasend.
manic-depressive ['mænɪkdɪ'prɛsɪv] *n* Manisch-Depressive(r) *(f)m* ♦ *adj* manisch-depressiv.
manicure ['mænɪkjuə*] *n* Maniküre *f* ♦ *vt* maniküren.
manicure set *n* Nageletui *nt*, Maniküreetui *nt*.
manifest ['mænɪfɛst] *vt* zeigen, bekunden ♦ *adj* offenkundig ♦ *n* Manifest *nt*.
manifestation [mænɪfɛs'teɪʃən] *n* Anzeichen *nt*.
manifesto [mænɪ'fɛstəu] *n* Manifest *nt*.
manifold ['mænɪfəuld] *adj* vielfältig ♦ *n*: **exhaust ~** Auspuffkrümmer *m*.
Manila [mə'nɪlə] *n* Manila *nt*.
manila [mə'nɪlə] *adj*: **~ envelope** brauner Briefumschlag *m*.
manipulate [mə'nɪpjuleɪt] *vt* manipulieren.
manipulation [mənɪpju'leɪʃən] *n* Manipulation *f*.
mankind [mæn'kaɪnd] *n* Menschheit *f*.
manliness ['mænlɪnɪs] *n* Männlichkeit *f*.
manly ['mænlɪ] *adj* männlich.
man-made ['mæn'meɪd] *adj* künstlich; (*fibre*) synthetisch.
manna ['mænə] *n* Manna *nt*.
mannequin ['mænɪkɪn] *n* (*dummy*) Schaufensterpuppe *f*; (*fashion model*) Mannequin *nt*.
manner ['mænə*] *n* (*way*) Art *f*, Weise *f*; (*behaviour*) Art *f*; (*type, sort*): **all ~ of things** die verschiedensten Dinge; **manners** *npl* (*conduct*) Manieren *pl*, Umgangsformen *pl*; **bad ~s** schlechte Manieren; **that's bad ~s** das gehört sich nicht.
mannerism ['mænərɪzəm] *n* Eigenheit *f*.
mannerly ['mænəlɪ] *adj* wohlerzogen.
manning ['mænɪŋ] *n* Besatzung *f*.
manoeuvrable, (*US*) maneuverable [mə'nuːvrəbl] *adj* manövrierfähig.
manoeuvre, (*US*) maneuver [mə'nuːvə*] *vt* manövrieren; (*situation*) manipulieren ♦ *vi* manövrieren ♦ *n* (*skilful move*) Manöver *nt*; **manoeuvres** *npl* (*MIL*) Manöver *nt*, Truppenübungen *pl*; **to ~ sb into doing sth** jdn dazu bringen, etw zu tun.
manor ['mænə*] *n* (*also*: **~ house**) Herrenhaus *nt*.
manpower ['mænpauə*] *n* Personal *nt*, Arbeitskräfte *pl*.
Manpower Services Commission (*BRIT*) *n* *Behörde für Arbeitsbeschaffung, Arbeitsvermittlung und Berufsausbildung*.
manservant ['mænsəːvənt] (*pl* **menservants**) *n* Diener *m*.
mansion ['mænʃən] *n* Villa *f*.
manslaughter ['mænslɔːtə*] *n* Totschlag *m*.
mantelpiece ['mæntlpiːs] *n* Kaminsims *nt or m*.
mantle ['mæntl] *n* Decke *f*; (*fig*) Deckmantel *m*.
man-to-man ['mæntə'mæn] *adj, adv* von Mann zu Mann.
manual ['mænjuəl] *adj* manuell, Hand-; (*controls*) von Hand ♦ *n* Handbuch *nt*.
manufacture [mænju'fæktʃə*] *vt* herstellen

♦ *n* Herstellung *f*.
manufactured goods *npl* Fertigerzeugnisse *pl*.
manufacturer [mænju'fæktʃərə*] *n* Hersteller *m*.
manufacturing [mænju'fæktʃərɪŋ] *n* Herstellung *f*.
manure [mə'njuə*] *n* Dung *m*.
manuscript ['mænjuskrɪpt] *n* Manuskript *nt*; (*old document*) Handschrift *f*.
many ['mɛnɪ] *adj, pron* viele; **a great** ~ eine ganze Reihe; **how** ~**?** wie viele?; **too** ~ **difficulties** zu viele Schwierigkeiten; **twice as** ~ doppelt so viele; ~ **a time** so manches Mal.
Maori ['maurɪ] *adj* maorisch ♦ *n* Maori *mf*.
map [mæp] *n* (Land)karte *f*; (*of town*) Stadtplan *m* ♦ *vt* eine Karte anfertigen von.
▸**map out** *vt* planen; (*plan*) entwerfen; (*essay*) anlegen.
maple ['meɪpl] *n* (*tree, wood*) Ahorn *m*.
Mar. *abbr* = **March.**
mar [mɑː*] *vt* (*appearance*) verunstalten; (*day*) verderben; (*event*) stören.
marathon ['mærəθən] *n* Marathon *m* ♦ *adj*: **a** ~ **session** eine Marathonsitzung.
marathon runner *n* Marathonläufer(in) *m(f)*.
marauder [mə'rɔːdə*] *n* (*robber*) Plünderer *m*; (*killer*) Mörder *m*.
marble ['mɑːbl] *n* Marmor *m*; (*toy*) Murmel *f*.
marbles ['mɑːblz] *n* (*game*) Murmeln *pl*.
March [mɑːtʃ] *n* März *m*; *see also* **July.**
march [mɑːtʃ] *vi* marschieren; (*protesters*) ziehen ♦ *n* Marsch *m*; (*demonstration*) Demonstration *f*; **to** ~ **out of/into** (heraus)marschieren aus *+dat*/ (herein)marschieren in *+acc*.
marcher ['mɑːtʃə*] *n* Demonstrant(in) *m(f)*.
marching orders ['mɑːtʃɪŋ-] *npl*: **to give sb his/her** ~ (*employee*) jdn entlassen; (*lover*) jdm den Laufpaß geben.
march past *n* Vorbeimarsch *m*.
mare [mɛə*] *n* Stute *f*.
margarine [mɑːdʒə'riːn] *n* Margarine *f*.
marge [mɑːdʒ] (*BRIT: inf*) *n abbr* = **margarine.**
margin ['mɑːdʒɪn] *n* Rand *m*; (*of votes*) Mehrheit *f*; (*for safety, error etc*) Spielraum *m*; (*COMM*) Gewinnspanne *f*.
marginal ['mɑːdʒɪnl] *adj* geringfügig; (*note*) Rand-.
marginally ['mɑːdʒɪnəlɪ] *adv* nur wenig, geringfügig.
marginal (seat) *n* (*POL*) *mit knapper Mehrheit gewonnener Wahlkreis*.
marigold ['mærɪgəuld] *n* Ringelblume *f*.
marijuana [mærɪ'wɑːnə] *n* Marihuana *nt*.
marina [mə'riːnə] *n* Yachthafen *m*.
marinade [mærɪ'neɪd] *n* Marinade *f* ♦ *vt* = **marinate.**
marinate ['mærɪneɪt] *vt* marinieren.
marine [mə'riːn] *adj* (*plant, biology*) Meeres- ♦ *n* (*BRIT: soldier*) Marineinfanterist *m*; (*US: sailor*) Marinesoldat *m*; ~ **engineer** Schiff(s)bauingenieur *m*; ~ **engineering** Schiff(s)bau *m*.
marine insurance *n* Seeversicherung *f*.
marital ['mærɪtl] *adj* ehelich; (*problem*) Ehe-; ~ **status** Familienstand *m*.
maritime ['mærɪtaɪm] *adj* (*nation*) Seefahrer-; (*museum*) Seefahrts-; (*law*) See-.
marjoram ['mɑːdʒərəm] *n* Majoran *m*.
mark [mɑːk] *n* Zeichen *nt*; (*stain*) Fleck *m*; (*in snow, mud etc*) Spur *f*; (*BRIT: SCOL*) Note *f*; (*level, point*): **the halfway** ~ die Hälfte *f*; (*currency*) Mark *f*; (*BRIT: TECH*): **M**~ **2/3** Version *f* 2/3 ♦ *vt* (*with pen*) beschriften; (*with shoes etc*) schmutzig machen; (*with tyres etc*) Spuren hinterlassen auf *+dat*; (*damage*) beschädigen; (*stain*) Flecken machen auf *+dat*; (*indicate*) markieren; (*: price*) auszeichnen; (*commemorate*) begehen; (*characterize*) kennzeichnen; (*BRIT: SCOL*) korrigieren (und benoten); (*SPORT: player*) decken; **punctuation** ~**s** Satzzeichen *pl*; **to be quick off the** ~ **(in doing sth)** (*fig*) blitzschnell reagieren (und etw tun); **to be up to the** ~ den Anforderungen entsprechen; **to** ~ **time** auf der Stelle treten.
▸**mark down** *vt* (*prices, goods*) herabsetzen, heruntersetzen.
▸**mark off** *vt* (*tick off*) abhaken.
▸**mark out** *vt* markieren; (*person*) auszeichnen.
▸**mark up** *vt* (*price*) heraufsetzen.
marked [mɑːkt] *adj* deutlich.
markedly ['mɑːkɪdlɪ] *adv* deutlich.
marker ['mɑːkə*] *n* Markierung *f*; (*bookmark*) Lesezeichen *nt*.
market ['mɑːkɪt] *n* Markt *m* ♦ *vt* (*sell*) vertreiben; (*new product*) auf den Markt bringen; **to be on the** ~ auf dem Markt sein; **on the open** ~ auf dem freien Markt; **to play the** ~ (*STOCK EXCHANGE*) an der Börse spekulieren.
marketable ['mɑːkɪtəbl] *adj* marktfähig.
market analysis *n* Marktanalyse *f*.
market day *n* Markttag *m*.
market demand *n* Marktbedarf *m*.
market economy *n* Marktwirtschaft *f*.
market forces *npl* Marktkräfte *pl*.
market garden (*BRIT*) *n* Gemüseanbaubetrieb *m*.
marketing ['mɑːkɪtɪŋ] *n* Marketing *nt*.
marketing manager *n* Marketingmanager(in) *m(f)*.
marketplace ['mɑːkɪtpleɪs] *n* Marktplatz *m*; (*COMM*) Markt *m*.
market price *n* Marktpreis *m*.
market research *n* Marktforschung *f*.
market value *n* Marktwert *m*.
marking ['mɑːkɪŋ] *n* (*on animal*) Zeichnung *f*; (*on road*) Markierung *f*.
marksman ['mɑːksmən] (*irreg: like* **man**) *n*

Scharfschütze *m*.
marksmanship ['mɑːksmənʃɪp] *n* Treffsicherheit *f*.
mark-up ['mɑːkʌp] *n* (*COMM: margin*) Handelsspanne *f*; (*: increase*) (Preis)aufschlag *m*.
marmalade ['mɑːməleɪd] *n* Orangenmarmelade *f*.
maroon [mə'ruːn] *vt*: **to be ~ed** festsitzen ♦ *adj* kastanienbraun.
marquee [mɑː'kiː] *n* Festzelt *nt*.
marquess, marquis ['mɑːkwɪs] *n* Marquis *m*.
Marrakech, Marrakesh [mærə'kɛʃ] *n* Marrakesch *nt*.
marriage ['mærɪdʒ] *n* Ehe *f*; (*institution*) die Ehe; (*wedding*) Hochzeit *f*; **~ of convenience** Vernunftehe *f*.
marriage bureau *n* Ehevermittlung *f*.
marriage certificate *n* Heiratsurkunde *f*.
marriage guidance, (*US*) **marriage counseling** *n* Eheberatung *f*.
married ['mærɪd] *adj* verheiratet; (*life*) Ehe-; (*love*) ehelich; **to get ~** heiraten.
marrow ['mærəu] *n* (*vegetable*) Kürbis *m*; (*bone marrow*) (Knochen)mark *nt*.
marry ['mærɪ] *vt* heiraten; (*father*) verheiraten; (*priest*) trauen ♦ *vi* heiraten.
Mars [mɑːz] *n* Mars *m*.
Marseilles [mɑː'seɪlz] *n* Marseilles *nt*.
marsh [mɑːʃ] *n* Sumpf *m*; (*salt marsh*) Salzsumpf *m*.
marshal ['mɑːʃl] *n* (*MIL: also:* **field ~**) (Feld)marschall *m*; (*official*) Ordner *m*; (*US: of police*) Bezirkspolizeichef *m* ♦ *vt* (*thoughts*) ordnen; (*support*) auftreiben; (*soldiers*) aufstellen.
marshalling yard ['mɑːʃlɪŋ-] *n* (*RAIL*) Rangierbahnhof *m*.
marshmallow [mɑːʃ'mæləu] *n* (*BOT*) Eibisch *m*; (*sweet*) Marshmallow *nt*.
marshy ['mɑːʃɪ] *adj* sumpfig.
marsupial [mɑː'suːpɪəl] *n* Beuteltier *nt*.
martial ['mɑːʃl] *adj* kriegerisch.
martial arts *npl* Kampfsport *m*; **the ~** die Kampfkunst *sing*.
martial law *n* Kriegsrecht *nt*.
Martian ['mɑːʃən] *n* Marsmensch *m*.
martin ['mɑːtɪn] *n* (*also:* **house ~**) Schwalbe *f*.
martyr ['mɑːtə*] *n* Märtyrer(in) *m(f)* ♦ *vt* martern.
martyrdom ['mɑːtədəm] *n* Martyrium *nt*.
marvel ['mɑːvl] *n* Wunder *nt* ♦ *vi*: **to ~ (at)** staunen (über *+acc*).
marvellous, (*US*) **marvelous** ['mɑːvləs] *adj* wunderbar.
Marxism ['mɑːksɪzəm] *n* Marxismus *m*.
Marxist ['mɑːksɪst] *adj* marxistisch ♦ *n* Marxist(in) *m(f)*.
marzipan ['mɑːzɪpæn] *n* Marzipan *nt*.
mascara [mæs'kɑːrə] *n* Wimperntusche *f*.
mascot ['mæskət] *n* Maskottchen *nt*.
masculine ['mæskjulɪn] *adj* männlich; (*atmosphere, woman*) maskulin; (*LING*) männlich, maskulin.
masculinity [mæskju'lɪnɪtɪ] *n* Männlichkeit *f*.
MASH [mæʃ] (*US*) *n abbr* (*= mobile army surgical hospital*) mobiles Lazarett *nt*.
mash [mæʃ] *vt* zerstampfen.
mashed potatoes [mæʃt-] *npl* Kartoffelpüree *nt*, Kartoffelbrei *m*.
mask [mɑːsk] *n* Maske *f* ♦ *vt* (*cover*) verdecken; (*hide*) verbergen; **surgical ~** Mundschutz *m*.
masking tape ['mɑːskɪŋ-] *n* Abdeckband *nt*.
masochism ['mæsəukɪzəm] *n* Masochismus *m*.
masochist ['mæsəukɪst] *n* Masochist(in) *m(f)*.
mason ['meɪsn] *n* (*also:* **stone ~**) Steinmetz *m*; (*also:* **freemason**) Freimaurer *m*.
masonic [mə'sɔnɪk] *adj* (*lodge etc*) Freimaurer-.
masonry ['meɪsnrɪ] *n* Mauerwerk *nt*.
masquerade [mæskə'reɪd] *vi*: **to ~ as** sich ausgeben als ♦ *n* Maskerade *f*.
Mass. (*US*) *abbr* (*POST: = Massachusetts*).
mass [mæs] *n* Masse *f*; (*of people*) Menge *f*; (*large amount*) Fülle *f*; (*REL*): **M~** Messe *f* ♦ *cpd* Massen- ♦ *vi* (*troops*) sich massieren; (*protesters*) sich versammeln; **the masses** *npl* (*ordinary people*) die Masse, die Massen *pl*; **to go to M~** zur Messe gehen; **~es of** (*inf*) massenhaft, jede Menge.
massacre ['mæsəkə*] *n* Massaker *nt* ♦ *vt* massakrieren.
massage ['mæsɑːʒ] *n* Massage *f* ♦ *vt* massieren.
masseur [mæ'səː*] *n* Masseur *m*.
masseuse [mæ'səːz] *n* Masseurin *f*.
massive ['mæsɪv] *adj* (*furniture, person*) wuchtig; (*support*) massiv; (*changes, increase*) enorm.
mass market *n* Massenmarkt *m*.
mass media *npl* Massenmedien *pl*.
mass meeting *n* Massenveranstaltung *f*; (*of everyone concerned*) Vollversammlung *f*; (*POL*) Massenkundgebung *f*.
mass-produce ['mæsprə'djuːs] *vt* in Massenproduktion herstellen.
mass-production ['mæsprə'dʌkʃən] *n* Massenproduktion *f*.
mast [mɑːst] *n* (*NAUT*) Mast *m*; (*RADIO etc*) Sendeturm *m*.
mastectomy [mæs'tɛktəmɪ] *n* Brustamputation *f*.
master ['mɑːstə*] *n* Herr *m*; (*teacher*) Lehrer *m*; (*title*): **M~ X** (der junge) Herr X; (*ART, MUS, of craft etc*) Meister *m* ♦ *cpd*: **~ baker/plumber** *etc* Bäcker-/Klempnermeister *etc m* ♦ *vt* meistern; (*feeling*) unter Kontrolle bringen; (*skill, language*) beherrschen.
master disk *n* (*COMPUT*) Stammdiskette *f*.
masterful ['mɑːstəful] *adj* gebieterisch; (*skilful*) meisterhaft.
master key *n* Hauptschlüssel *m*.
masterly ['mɑːstəlɪ] *adj* meisterhaft.

mastermind ['mɑːstəmaɪnd] *n* (führender) Kopf *m* ♦ *vt* planen und ausführen.
Master of Arts *n* Magister *m* der philosophischen Fakultät.
Master of Ceremonies *n* Zeremonienmeister *m*; (*for variety show etc*) Conférencier *m*.
Master of Science *n* Magister *m* der naturwissenschaftlichen Fakultät.
masterpiece ['mɑːstəpiːs] *n* Meisterwerk *nt*.
master plan *n* kluger Plan *m*.

Master's Degree *ist ein höherer akademischer Grad, den man in der Regel nach dem* **bachelor's degree** *erwerben kann. Je nach Universität erhält man ein master's degree nach einem entsprechenden Studium und/oder einer Dissertation. Die am häufigsten verliehenen Grade sind* **MA** *(Master of Arts) und* **MSc** *(Master of Science), die beide Studium und Dissertation erfordern, während für* **MLitt** *(Master of Letters) und* **MPhil** *(Master of Philosophy) meist nur eine Dissertation nötig ist. Siehe auch* **bachelor's degree, doctorate**.

masterstroke ['mɑːstəstrəuk] *n* Meisterstück *nt*.
mastery ['mɑːstərɪ] *n* (*of language etc*) Beherrschung *f*; (*skill*) (meisterhaftes) Können *nt*.
mastiff ['mæstɪf] *n* Dogge *f*.
masturbate ['mæstəbeɪt] *vi* masturbieren, onanieren.
masturbation [mæstə'beɪʃən] *n* Masturbation *f*, Onanie *f*.
mat [mæt] *n* Matte *f*; (*also*: **doormat**) Fußmatte *f*; (*also*: **table ~**) Untersetzer *m*; (: *of cloth*) Deckchen *nt* ♦ *adj* = **matt**.
match [mætʃ] *n* Wettkampf *m*; (*team game*) Spiel *nt*; (*TENNIS*) Match *nt*; (*for lighting fire etc*) Streichholz *nt*; (*equivalent*): **to be a good/perfect ~** gut/perfekt zusammenpassen ♦ *vt* (*go well with*) passen zu; (*equal*) gleichkommen *+dat*; (*correspond to*) entsprechen *+dat*; (*suit*) sich anpassen *+dat*; (*also*: **~ up**: *pair*) passend zusammenbringen ♦ *vi* zusammenpassen; **to be a good ~** gut zusammenpassen; **to be no ~ for** sich nicht messen können mit; **with shoes to ~** mit (dazu) passenden Schuhen.
▸**match up** *vi* zusammenpassen.
matchbox ['mætʃbɔks] *n* Streichholzschachtel *f*.
matching ['mætʃɪŋ] *adj* (dazu) passend.
matchless ['mætʃlɪs] *adj* unvergleichlich.
mate [meɪt] *n* (*inf: friend*) Freund(in) *m(f)*, Kumpel *m*; (*animal*) Männchen *nt*, Weibchen *nt*; (*assistant*) Gehilfe *m*, Gehilfin *f*; (*in merchant navy*) Maat *m* ♦ *vi* (*animals*) sich paaren.
material [mə'tɪərɪəl] *n* Material *nt*; (*cloth*) Stoff *m* ♦ *adj* (*possessions, existence*) materiell; (*relevant*) wesentlich; **materials** *npl* (*equipment*) Material *nt*.
materialistic [mətɪərɪə'lɪstɪk] *adj* materialistisch.
materialize [mə'tɪərɪəlaɪz] *vi* (*event*) zustande kommen; (*plan*) verwirklicht werden; (*hope*) sich verwirklichen; (*problem*) auftreten; (*crisis, difficulty*) eintreten.
maternal [mə'təːnl] *adj* mütterlich, Mutter-.
maternity [mə'təːnɪtɪ] *n* Mutterschaft *f* ♦ *cpd* (*ward etc*) Entbindungs-; (*care*) für werdende und junge Mütter.
maternity benefit *n* Mutterschaftsgeld *nt*.
maternity dress *n* Umstandskleid *nt*.
maternity hospital *n* Entbindungsheim *nt*.
maternity leave *n* Mutterschaftsurlaub *m*.
matey ['meɪtɪ] (*BRIT: inf*) *adj* kumpelhaft.
math [mæθ] (*US*) *n abbr* = **maths**.
mathematical [mæθə'mætɪkl] *adj* mathematisch.
mathematician [mæθəmə'tɪʃən] *n* Mathematiker(in) *m(f)*.
mathematics [mæθə'mætɪks] *n* Mathematik *f*.
maths [mæθs], (*US*) **math** [mæθ] *n abbr* Mathe *f*.
matinée ['mætɪneɪ] *n* Nachmittagsvorstellung *f*.
mating ['meɪtɪŋ] *n* Paarung *f*.
mating call *n* Lockruf *m*.
mating season *n* Paarungszeit *f*.
matriarchal [meɪtrɪ'ɑːkl] *adj* matriarchalisch.
matrices ['meɪtrɪsiːz] *npl of* **matrix**.
matriculation [mətrɪkju'leɪʃən] *n* Immatrikulation *f*.
matrimonial [mætrɪ'məunɪəl] *adj* Ehe-.
matrimony ['mætrɪmənɪ] *n* Ehe *f*.
matrix ['meɪtrɪks] (*pl* **matrices**) *n* (*MATH*) Matrix *f*; (*framework*) Gefüge *nt*.
matron ['meɪtrən] *n* (*in hospital*) Oberschwester *f*; (*in school*) Schwester *f*.
matronly ['meɪtrənlɪ] *adj* matronenhaft.
matt [mæt] *adj* matt; (*paint*) Matt-.
matted ['mætɪd] *adj* verfilzt.
matter ['mætə*] *n* (*event, situation*) Sache *f*, Angelegenheit *f*; (*PHYS*) Materie *f*; (*substance, material*) Stoff *m*; (*MED: pus*) Eiter *m* ♦ *vi* (*be important*) wichtig sein; **matters** *npl* (*affairs*) Angelegenheiten *pl*, Dinge *pl*; (*situation*) Lage *f*; **what's the ~?** was ist los?; **no ~ what** egal, was (passiert); **that's another ~** das ist etwas anderes; **as a ~ of course** selbstverständlich; **as a ~ of fact** eigentlich; **it's a ~ of habit** es ist eine Gewohnheitssache; **vegetable ~** pflanzliche Stoffe *pl*; **printed ~** Drucksachen *pl*; **reading ~** (*BRIT*) Lesestoff *m*; **it doesn't ~** es macht nichts.
matter-of-fact ['mætərəv'fækt] *adj* sachlich.
matting ['mætɪŋ] *n* Matten *pl*; **rush ~** Binsenmatten *pl*.
mattress ['mætrɪs] *n* Matratze *f*.

mature [mə'tjuə*] *adj* reif; (*wine*) ausgereift ♦ *vi* reifen; (*COMM*) fällig werden.
mature student *n* älterer Student *m*, ältere Studentin *f*.
maturity [mə'tjuərɪtɪ] *n* Reife *f*; **to have reached ~** (*person*) erwachsen sein; (*animal*) ausgewachsen sein.
maudlin ['mɔːdlɪn] *adj* gefühlsselig.
maul [mɔːl] *vt* (anfallen und) übel zurichten.
Mauritania [mɔːrɪ'teɪnɪə] *n* Mauritanien *nt*.
Mauritius [mə'rɪʃəs] *n* Mauritius *nt*.
mausoleum [mɔːsə'lɪəm] *n* Mausoleum *nt*.
mauve [məuv] *adj* mauve.
maverick ['mævrɪk] *n* (*dissenter*) Abtrünnige(r) *m*; (*independent thinker*) Querdenker *m*.
mawkish ['mɔːkɪʃ] *adj* rührselig.
max. *abbr* = **maximum.**
maxim ['mæksɪm] *n* Maxime *f*.
maxima ['mæksɪmə] *npl of* **maximum.**
maximize ['mæksɪmaɪz] *vt* maximieren.
maximum ['mæksɪməm] (*pl* **maxima** *or* **~s**) *adj* (*amount, speed etc*) Höchst-; (*efficiency*) maximal ♦ *n* Maximum *nt*.
May [meɪ] *n* Mai *m*; *see also* **July.**
may [meɪ] (*conditional* **might**) *vi* (*be possible*) können; (*have permission*) dürfen; **he ~ come** vielleicht kommt er; **~ I smoke?** darf ich rauchen?; **~ God bless you!** (*wish*) Gott segne dich!; **~ I sit here?** kann ich mich hier hinsetzen?; **he might be there** er könnte da sein; **you might like to try** vielleicht möchten Sie es mal versuchen; **you ~ as well go** Sie können ruhig gehen.
maybe ['meɪbiː] *adv* vielleicht; **~ he'll ...** es kann sein, daß er ...; **~ not** vielleicht nicht.
Mayday ['meɪdeɪ] *n* Maydaysignal *nt*, ≈ SOS-Ruf *m*.
May Day *n* der 1. Mai.
mayhem ['meɪhem] *n* Chaos *nt*.
mayonnaise [meɪə'neɪz] *n* Mayonnaise *f*.
mayor [mɛə*] *n* Bürgermeister *m*.
mayoress ['mɛərɛs] *n* Bürgermeisterin *f*; (*partner*) Frau *f* des Bürgermeisters.
maypole ['meɪpəul] *n* Maibaum *m*.
maze [meɪz] *n* Irrgarten *m*; (*fig*) Wirrwarr *m*.
MB *abbr* (*COMPUT: = megabyte*) MB; (*CANADA: = Manitoba*).
MBA *n abbr* (= *Master of Business Administration*) *akademischer Grad in Betriebswirtschaft*.
MBE (*BRIT*) *n abbr* (= *Member of (the Order of) the British Empire*) *britischer Ordenstitel*.
MC *n abbr* = **Master of Ceremonies.**
MCAT (*US*) *n abbr* (= *Medical College Admissions Test*) *Zulassungsprüfung für medizinische Fachschulen*.
MCP (*BRIT: inf*) *n abbr* (= *male chauvinist pig*) Chauvinistenschwein *nt*.
MD *n abbr* (= *Doctor of Medicine*) ≈ Dr. med.; (*COMM*) = **managing director** ♦ *abbr* (*US: POST: = Maryland*).
MDT (*US*) *abbr* (= *Mountain Daylight Time*) *amerikanische Sommerzeitzone*.
ME *n abbr* (*US*) = **medical examiner;** (*MED: = myalgic encephalomyelitis*) *krankhafter Energiemangel (oft nach Viruserkrankungen)* ♦ *abbr* (*US: POST: = Maine*).

KEYWORD

me [miː] *pron* **1** (*direct*) mich; **can you hear ~?** können Sie mich hören?; **it's ~** ich bin's
2 (*indirect*) mir; **he gave ~ the money, he gave the money to ~** er gab mir das Geld
3 (*after prep*): **it's for ~** es ist für mich; **with ~** mit mir; **give them to ~** gib sie mir; **without ~** ohne mich.

meadow ['mɛdəu] *n* Wiese *f*.
meagre, (*US*) meager ['miːgə*] *adj* (*amount*) kläglich; (*meal*) dürftig.
meal [miːl] *n* Mahlzeit *f*; (*food*) Essen *nt*; (*flour*) Schrotmehl *nt*; **to go out for a ~** essen gehen; **to make a ~ of sth** (*fig*) etw auf sehr umständliche Art machen.
meals on wheels *n sing* Essen *nt* auf Rädern.
mealtime ['miːltaɪm] *n* Essenszeit *f*.
mealy-mouthed ['miːlɪmauðd] *adj* unaufrichtig; (*politician*) schönfärberisch.
mean [miːn] (*pt, pp* **meant**) *adj* (*with money*) geizig; (*unkind*) gemein; (*US: inf: animal*) bösartig; (*shabby*) schäbig; (*average*) Durchschnitts-, mittlere(r, s) ♦ *vt* (*signify*) bedeuten; (*refer to*) meinen; (*intend*) beabsichtigen ♦ *n* (*average*) Durchschnitt *m*; **means** *npl* (*way*) Möglichkeit *f*; (*money*) Mittel *pl*; **by ~s of** durch; **by all ~s!** aber natürlich *or* selbstverständlich!; **do you ~ it?** meinst du das ernst?; **what do you ~?** was willst du damit sagen?; **to be meant for sb/sth** für jdn/etw bestimmt sein; **to ~ to do sth** etw tun wollen.
meander [mɪ'ændə*] *vi* (*river*) sich schlängeln; (*person: walking*) schlendern; (: *talking*) abschweifen.
meaning ['miːnɪŋ] *n* Sinn *m*; (*of word, gesture*) Bedeutung *f*.
meaningful ['miːnɪŋful] *adj* sinnvoll; (*glance, remark*) vielsagend, bedeutsam; (*relationship*) tiefergehend.
meaningless ['miːnɪŋlɪs] *adj* sinnlos; (*word, song*) bedeutungslos.
meanness ['miːnnɪs] *n* (*with money*) Geiz *m*; (*unkindness*) Gemeinheit *f*; (*shabbiness*) Schäbigkeit *f*.
means test [miːnz-] *n* Überprüfung *f* der Einkommens- und Vermögensverhältnisse.
means-tested ['miːnztɛstɪd] *adj* von den Einkommens- und Vermögensverhältnissen abhängig.
meant [mɛnt] *pt, pp of* **mean.**
meantime ['miːntaɪm] *adv* (*also*: **in the ~**) inzwischen.
meanwhile ['miːnwaɪl] *adv* = **meantime.**

measles ['mi:zlz] *n* Masern *pl.*
measly ['mi:zlɪ] (*inf*) *adj* mick(e)rig.
measurable ['mɛʒərəbl] *adj* meßbar.
measure ['mɛʒə*] *vt, vi* messen ♦ *n* (*amount*) Menge *f*; (*ruler*) Meßstab *m*; (*of achievement*) Maßstab *m*; (*action*) Maßnahme *f*; **a litre ~** ein Meßbecher *m*, der einen Liter faßt; **a/ some ~ of** ein gewisses Maß an *+dat*; **to take ~s to do sth** Maßnahmen ergreifen, um etw zu tun.
►**measure up** *vi*: **to ~ up to** herankommen an *+acc*.
measured ['mɛʒəd] *adj* (*tone*) bedächtig; (*step*) gemessen.
measurement ['mɛʒəmənt] *n* (*measure*) Maß *nt*; (*act*) Messung *f*; **chest/hip ~** Brust-/ Hüftumfang *m*.
measurements ['mɛʒəmənts] *npl* Maße *pl*; **to take sb's ~** bei jdm Maß nehmen.
meat [mi:t] *n* Fleisch *nt*; **cold ~s** (*BRIT*) Aufschnitt *m*; **crab ~** Krabbenfleisch *nt*.
meatball ['mi:tbɔ:l] *n* Fleischkloß *m*.
meat pie *n* Fleischpastete *f*.
meaty ['mi:tɪ] *adj* (*meal, dish*) mit viel Fleisch; (*fig: satisfying: book etc*) gehaltvoll; (*: brawny: person*) kräftig (gebaut).
Mecca ['mɛkə] *n* (*GEOG, fig*) Mekka *nt*.
mechanic [mɪ'kænɪk] *n* Mechaniker(in) *m(f)*.
mechanical [mɪ'kænɪkl] *adj* mechanisch.
mechanical engineering *n* Maschinenbau *m*.
mechanics [mɪ'kænɪks] *n* (*PHYS*) Mechanik *f* ♦ *npl* (*of reading etc*) Technik *f*; (*of government etc*) Mechanismus *m*.
mechanism ['mɛkənɪzəm] *n* Mechanismus *m*.
mechanization [mɛkənaɪ'zeɪʃən] *n* Mechanisierung *f*.
mechanize ['mɛkənaɪz] *vt, vi* mechanisieren.
MEd *n abbr* (= *Master of Education*) *akademischer Grad für Lehrer.*
medal ['mɛdl] *n* Medaille *f*; (*decoration*) Orden *m*.
medallion [mɪ'dælɪən] *n* Medaillon *nt*.
medallist, (*US*) **medalist** ['mɛdlɪst] *n* Medaillengewinner(in) *m(f)*.
meddle ['mɛdl] *vi*: **to ~ (in)** sich einmischen (in *+acc*); **to ~ with sb** sich mit jdm einlassen; **to ~ with sth** (*tamper*) sich *dat* an etw *dat* zu schaffen machen.
meddlesome ['mɛdlsəm], **meddling** ['mɛdlɪŋ] *adj* sich ständig einmischend.
media ['mi:dɪə] *npl* Medien *pl.*
media circus *n* Medienrummel *m*.
mediaeval [mɛdɪ'i:vl] *adj* = **medieval**.
median ['mi:dɪən] (*US*) *n* (*also*: **~ strip**) Mittelstreifen *m*.
mediate ['mi:dɪeɪt] *vi* vermitteln.
mediation [mi:dɪ'eɪʃən] *n* Vermittlung *f*.
mediator ['mi:dɪeɪtə*] *n* Vermittler(in) *m(f)*.
Medicaid ['mɛdɪkeɪd] (*US*) *n staatliche Krankenversicherung und Gesundheitsfürsorge für Einkommensschwache.*
medical ['mɛdɪkl] *adj* (*care*) medizinisch; (*treatment*) ärztlich ♦ *n* (ärztliche) Untersuchung *f*.
medical certificate *n* (*confirming health*) ärztliches Gesundheitszeugnis *nt*; (*confirming illness*) ärztliches Attest *nt*.
medical examiner (*US*) *n* ≈ Gerichtsmediziner(in) *m(f)*; (*performing autopsy*) Leichenbeschauer *m*.
medical student *n* Medizinstudent(in) *m(f)*.
Medicare ['mɛdɪkɛə*] (*US*) *n staatliche Krankenversicherung und Gesundheitsfürsorge für ältere Bürger.*
medicated ['mɛdɪkeɪtɪd] *adj* medizinisch.
medication [mɛdɪ'keɪʃən] *n* Medikamente *pl.*
medicinal [mɛ'dɪsɪnl] *adj* (*substance*) Heil-; (*qualities*) heilend; (*purposes*) medizinisch.
medicine ['mɛdsɪn] *n* Medizin *f*; (*drug*) Arznei *f*.
medicine ball *n* Medizinball *m*.
medicine chest *n* Hausapotheke *f*.
medicine man *n* Medizinmann *m*.
medieval [mɛdɪ'i:vl] *adj* mittelalterlich.
mediocre [mi:dɪ'əukə*] *adj* mittelmäßig.
mediocrity [mi:dɪ'ɔkrɪtɪ] *n* Mittelmäßigkeit *f*.
meditate ['mɛdɪteɪt] *vi* nachdenken; (*REL*) meditieren.
meditation [mɛdɪ'teɪʃən] *n* Nachdenken *nt*; (*REL*) Meditation *f*.
Mediterranean [mɛdɪtə'reɪnɪən] *adj* (*country, climate etc*) Mittelmeer-; **the ~ (Sea)** das Mittelmeer.
medium ['mi:dɪəm] (*pl* **media** *or* **~s**) *adj* mittlere(r, s) ♦ *n* (*means*) Mittel *nt*; (*substance, material*) Medium *nt*; (*pl* **~s**) (*person*) Medium *nt*; **of ~ height** mittelgroß; **to strike a happy ~** den goldenen Mittelweg finden.
medium-dry ['mi:dɪəm'draɪ] *adj* (*wine, sherry*) halbtrocken.
medium-sized ['mi:dɪəm'saɪzd] *adj* mittelgroß.
medium wave *n* (*RADIO*) Mittelwelle *f*.
medley ['mɛdlɪ] *n* Gemisch *nt*; (*MUS*) Medley *nt*.
meek [mi:k] *adj* sanft(mütig), duldsam.
meet [mi:t] (*pt, pp* **met**) *vt* (*encounter*) treffen; (*by arrangement*) sich treffen mit; (*for the first time*) kennenlernen; (*go and fetch*) abholen; (*opponent*) treffen auf *+acc*; (*condition, standard*) erfüllen; (*need, expenses*) decken; (*problem*) stoßen auf *+acc*; (*challenge*) begegnen *+dat*; (*bill*) begleichen; (*join: line*) sich schneiden mit; (*: road etc*) treffen auf *+acc* ♦ *vi* (*encounter*) sich begegnen; (*by arrangement*) sich treffen; (*for the first time*) sich kennenlernen; (*for talks etc*) zusammenkommen; (*committee*) tagen; (*join: lines*) sich schneiden; (*: roads etc*) aufeinandertreffen ♦ *n* (*BRIT: HUNTING*) Jagd *f*; (*US: SPORT*) Sportfest *nt*; **pleased to ~ you!** (sehr) angenehm!

►**meet up** *vi*: **to ~ up with sb** sich mit jdm treffen.
►**meet with** *vt fus* (*difficulty, success*) haben.
meeting ['mi:tɪŋ] *n* (*assembly, people assembling*) Versammlung *f*; (*COMM, of committee etc*) Sitzung *f*; (*also*: **business** ~) Besprechung *f*; (*encounter*) Begegnung *f*; (: *arranged*) Treffen *nt*; (*POL*) Gespräch *nt*; (*SPORT*) Veranstaltung *f*; **she's at** *or* **in a** ~ (*COMM*) sie ist bei einer Besprechung; **to call a** ~ eine Sitzung/Versammlung einberufen.
meeting-place ['mi:tɪŋpleɪs] *n* Treffpunkt *m*.
megabyte ['mɛgəbaɪt] *n* Megabyte *nt*.
megalomaniac [mɛgələ'meɪnɪæk] *n* Größenwahnsinnige(r) *f(m)*.
megaphone ['mɛgəfəun] *n* Megaphon *nt*.
megawatt ['mɛgəwɔt] *n* Megawatt *nt*.
melancholy ['mɛlənkəlɪ] *n* Melancholie *f*, Schwermut *f* ♦ *adj* melancholisch, schwermütig.
mellow ['mɛləu] *adj* (*sound*) voll, weich; (*light, colour, stone*) warm; (*weathered*) verwittert; (*person*) gesetzt; (*wine*) ausgereift ♦ *vi* (*person*) gesetzter werden.
melodious [mɪ'ləudɪəs] *adj* melodisch.
melodrama ['mɛləudrɑ:mə] *n* Melodrama *nt*.
melodramatic [mɛlədrə'mætɪk] *adj* melodramatisch.
melody ['mɛlədɪ] *n* Melodie *f*.
melon ['mɛlən] *n* Melone *f*.
melt [mɛlt] *vi* (*lit, fig*) schmelzen ♦ *vt* schmelzen; (*butter*) zerlassen.
►**melt down** *vt* einschmelzen.
meltdown ['mɛltdaun] *n* (*in nuclear reactor*) Kernschmelze *f*.
melting point ['mɛltɪŋ-] *n* Schmelzpunkt *m*.
melting pot *n* (*lit, fig*) Schmelztiegel *m*; **to be in the** ~ in der Schwebe sein.
member ['mɛmbə*] *n* Mitglied *nt*; (*ANAT*) Glied *nt* ♦ *cpd*: ~ **country** Mitgliedsland *nt*; ~ **state** Mitgliedsstaat *m*; **M~ of Parliament** (*BRIT*) Abgeordnete(r) *f(m)* (des Unterhauses); **M~ of the European Parliament** (*BRIT*) Abgeordnete(r) *f(m)* des Europaparlaments.
membership ['mɛmbəʃɪp] *n* Mitgliedschaft *f*; (*members*) Mitglieder *pl*; (*number of members*) Mitgliederzahl *f*.
membership card *n* Mitgliedsausweis *m*.
membrane ['mɛmbreɪn] *n* Membran(e) *f*.
memento [mə'mɛntəu] *n* Andenken *nt*.
memo ['mɛməu] *n* Memo *nt*, Mitteilung *f*.
memoir ['mɛmwɑ:*] *n* Kurzbiographie *f*.
memoirs ['mɛmwɑ:z] *npl* Memoiren *pl*.
memo pad *n* Notizblock *m*.
memorable ['mɛmərəbl] *adj* denkwürdig; (*unforgettable*) unvergeßlich.
memorandum [mɛmə'rændəm] (*pl* **memoranda**) *n* Mitteilung *f*.
memorial [mɪ'mɔ:rɪəl] *n* Denkmal *nt* ♦ *adj* (*service, prize*) Gedenk-.
Memorial Day (*US*) *n* ≈ Volkstrauertag *m*.

> **Memorial Day** *ist in den USA ein gesetzlicher Feiertag am letzten Montag im Mai zum Gedenken der in allen Kriegen gefallenen amerikanischen Soldaten. Siehe auch* **Remembrance Sunday**.

memorize ['mɛməraɪz] *vt* sich *dat* einprägen.
memory ['mɛmərɪ] *n* Gedächtnis *nt*; (*sth remembered*) Erinnerung *f*; (*COMPUT*) Speicher *m*; **in ~ of** zur Erinnerung an *+acc*; **to have a good/bad** ~ ein gutes/schlechtes Gedächtnis haben; **loss of** ~ Gedächtnisschwund *m*.
men [mɛn] *npl of* **man**.
menace ['mɛnɪs] *n* Bedrohung *f*; (*nuisance*) (Land)plage *f* ♦ *vt* bedrohen; **a public** ~ eine Gefahr für die Öffentlichkeit.
menacing ['mɛnɪsɪŋ] *adj* drohend.
menagerie [mɪ'nædʒərɪ] *n* Menagerie *f*.
mend [mɛnd] *vt* reparieren; (*darn*) flicken ♦ *n*: **to be on the** ~ auf dem Wege der Besserung sein; **to ~ one's ways** sich bessern.
mending ['mɛndɪŋ] *n* Reparaturen *pl*; (*clothes*) Flickarbeiten *pl*.
menial ['mi:nɪəl] (*often pej*) *adj* niedrig, untergeordnet.
meningitis [mɛnɪn'dʒaɪtɪs] *n* Hirnhautentzündung *f*.
menopause ['mɛnəupɔ:z] *n*: **the** ~ die Wechseljahre *pl*.
menservants ['mɛnsə:vənts] *npl of* **manservant**.
men's room (*US*) *n* Herrentoilette *f*.
menstrual ['mɛnstruəl] *adj* (*BIOL: cycle etc*) Menstruations-; ~ **period** Monatsblutung *f*.
menstruate ['mɛnstrueɪt] *vi* die Menstruation haben.
menstruation [mɛnstru'eɪʃən] *n* Menstruation *f*.
menswear ['mɛnzwɛə*] *n* Herren(be)kleidung *f*.
mental ['mɛntl] *adj* geistig; (*illness*) Geistes-; ~ **arithmetic** Kopfrechnen *nt*.
mental hospital *n* psychiatrische Klinik *f*.
mentality [mɛn'tælɪtɪ] *n* Mentalität *f*.
mentally ['mɛntlɪ] *adv*: **to be ~ handicapped** geistig behindert sein.
menthol ['mɛnθɔl] *n* Menthol *nt*.
mention ['mɛnʃən] *n* Erwähnung *f* ♦ *vt* erwähnen; **don't ~ it!** (bitte,) gern geschehen!; **not to** ~ ... von ... ganz zu schweigen.
mentor ['mɛntɔ:*] *n* Mentor *m*.
menu ['mɛnju:] *n* Menü *nt*; (*printed*) Speisekarte *f*.
menu-driven ['mɛnju:drɪvn] *adj* (*COMPUT*) menügesteuert.
MEP (*BRIT*) *n abbr* (= *Member of the European Parliament*) Abgeordnete(r) *f(m)* des

Europaparlaments.
mercantile ['mə:kəntaıl] *adj* (*class, society*) handeltreibend; (*law*) Handels-.
mercenary ['mə:sınərı] *adj* (*person*) geldgierig ♦ *n* Söldner *m*.
merchandise ['mə:tʃəndaız] *n* Ware *f*.
merchandiser ['mə:tʃəndaızə*] *n* Verkaufsförderungsexperte *m*.
merchant ['mə:tʃənt] *n* Kaufmann *m*; **timber/wine ~** Holz-/Weinhändler *m*.
merchant bank (*BRIT*) *n* Handelsbank *f*.
merchantman ['mə:tʃəntmən] (*irreg: like* **man**) *n* Handelsschiff *nt*.
merchant navy, (*US*) **merchant marine** *n* Handelsmarine *f*.
merciful ['mə:sıful] *adj* gnädig; **a ~ release** eine Erlösung.
mercifully ['mə:sıflı] *adv* glücklicherweise.
merciless ['mə:sılıs] *adj* erbarmungslos.
mercurial [mə:'kjuərıəl] *adj* (*unpredictable*) sprunghaft, wechselhaft; (*lively*) quecksilbrig.
mercury ['mə:kjurı] *n* Quecksilber *nt*.
mercy ['mə:sı] *n* Gnade *f*; **to have ~ on sb** Erbarmen mit jdm haben; **at the ~ of** ausgeliefert *+dat*.
mercy killing *n* Euthanasie *f*.
mere [mıə*] *adj* bloß; **his ~ presence irritates her** schon *or* allein seine Anwesenheit ärgert sie; **she is a ~ child** sie ist noch ein Kind; **it's a ~ trifle** es ist eine Lappalie; **by ~ chance** rein durch Zufall.
merely ['mıəlı] *adv* lediglich, bloß.
merge [mə:dʒ] *vt* (*combine*) vereinen; (*COMPUT: files*) mischen ♦ *vi* (*COMM*) fusionieren; (*colours, sounds, shapes*) ineinander übergehen; (*roads*) zusammenlaufen.
merger ['mə:dʒə*] *n* (*COMM*) Fusion *f*.
meridian [mə'rıdıən] *n* Meridian *m*.
meringue [mə'ræŋ] *n* Baiser *nt*.
merit ['mɛrıt] *n* (*worth, value*) Wert *m*; (*advantage*) Vorzug *m*; (*achievement*) Verdienst *nt* ♦ *vt* verdienen.
meritocracy [mɛrı'tɔkrəsı] *n* Leistungsgesellschaft *f*.
mermaid ['mə:meıd] *n* Seejungfrau *f*, Meerjungfrau *f*.
merrily ['mɛrılı] *adv* vergnügt.
merriment ['mɛrımənt] *n* Heiterkeit *f*.
merry ['mɛrı] *adj* vergnügt; (*music*) fröhlich; **M~ Christmas!** Fröhliche *or* Frohe Weihnachten!
merry-go-round ['mɛrıgəuraund] *n* Karussell *nt*.
mesh [mɛʃ] *n* Geflecht *nt*; **wire ~** Maschendraht *m*.
mesmerize ['mɛzməraız] *vt* (*fig*) faszinieren.
mess [mɛs] *n* Durcheinander *nt*; (*dirt*) Dreck *m*; (*MIL*) Kasino *nt*; **to be in a ~** (*untidy*) unordentlich sein; (*in difficulty*) in Schwierigkeiten stecken; **to be a ~** (*fig: life*) verkorkst sein; **to get o.s. in a ~** in Schwierigkeiten geraten.
►**mess about** (*inf*) *vi* (*fool around*) herumalbern.
►**mess about with** (*inf*) *vt fus* (*play around with*) herumfummeln an *+dat*.
►**mess around** (*inf*) *vi* = **mess about.**
►**mess around with** (*inf*) *vt fus* = **mess about with.**
►**mess up** *vt* durcheinanderbringen; (*dirty*) verdrecken.
message ['mɛsıdʒ] *n* Mitteilung *f*, Nachricht *f*; (*meaning*) Aussage *f*; **to get the ~** (*inf, fig*) kapieren.
message switching [-'swıtʃıŋ] *n* (*COMPUT*) Speichervermittlung *f*.
messenger ['mɛsındʒə*] *n* Bote *m*.
Messiah [mı'saıə] *n* Messias *m*.
Messrs ['mɛsəz] *abbr* (*on letters: = messieurs*) An (die Herren).
messy ['mɛsı] *adj* (*dirty*) dreckig; (*untidy*) unordentlich.
Met [mɛt] (*US*) *n abbr* (= *Metropolitan Opera*) Met *f*.
met [mɛt] *pt, pp of* **meet.**
met. *adj abbr* (= *meteorological*): **the M~ Office** das Wetteramt.
metabolism [mɛ'tæbəlızəm] *n* Stoffwechsel *m*.
metal ['mɛtl] *n* Metall *nt*.
metal fatigue *n* Metallermüdung *f*.
metalled ['mɛtld] *adj* (*road*) asphaltiert.
metallic [mı'tælık] *adj* metallisch; (*made of metal*) aus Metall.
metallurgy [mɛ'tælədʒı] *n* Metallurgie *f*.
metalwork ['mɛtlwə:k] *n* Metallarbeit *f*.
metamorphosis [mɛtə'mɔ:fəsıs] (*pl* **metamorphoses**) *n* Verwandlung *f*.
metaphor ['mɛtəfə*] *n* Metapher *f*.
metaphorical [mɛtə'fɔrıkl] *adj* metaphorisch.
metaphysics [mɛtə'fızıks] *n* Metaphysik *f*.
meteor ['mi:tıə*] *n* Meteor *m*.
meteoric [mi:tı'ɔrık] *adj* (*fig*) kometenhaft.
meteorite ['mi:tıəraıt] *n* Meteorit *m*.
meteorological [mi:tıərə'lɔdʒıkl] *adj* (*conditions, office etc*) Wetter-.
meteorology [mi:tıə'rɔlədʒı] *n* Wetterkunde *f*, Meteorologie *f*.
mete out [mi:t-] *vt* austeilen; **to ~ justice** Recht sprechen.
meter ['mi:tə*] *n* Zähler *m*; (*water meter*) Wasseruhr *f*; (*parking meter*) Parkuhr *f*; (*US: unit*) = **metre.**
methane ['mi:θeın] *n* Methan *nt*.
method ['mɛθəd] *n* Methode *f*; **~ of payment** Zahlungsweise *f*.
methodical [mı'θɔdıkl] *adj* methodisch.
Methodist ['mɛθədıst] *n* Methodist(in) *m(f)*.
methodology [mɛθə'dɔlədʒı] *n* Methodik *f*.
meths [mɛθs] (*BRIT*) *n* = **methylated spirit.**
methylated spirit ['mɛθıleıtıd-] (*BRIT*) *n* (Brenn)spiritus *m*.

meticulous [mɪ'tɪkjuləs] *adj* sorgfältig; (*detail*) genau.
metre, (*US*) **meter** ['mi:tə*] *n* Meter *m or nt.*
metric ['mɛtrɪk] *adj* metrisch; **to go** ~ auf das metrische Maßsystem umstellen.
metrical ['mɛtrɪkl] *adj* metrisch.
metrication [mɛtrɪ'keɪʃən] *n* Umstellung *f* auf das metrische Maßsystem.
metric system *n* metrisches Maßsystem *nt.*
metric ton *n* Metertonne *f.*
metronome ['mɛtrənəum] *n* Metronom *nt.*
metropolis [mɪ'trɔpəlɪs] *n* Metropole *f.*
metropolitan [mɛtrə'pɔlɪtn] *adj* großstädtisch.
Metropolitan Police (*BRIT*) *n:* **the** ~ die Londoner Polizei.
mettle ['mɛtl] *n:* **to be on one's** ~ auf dem Posten sein.
mew [mju:] *vi* miauen.
mews [mju:z] (*BRIT*) *n* Gasse *f* mit ehemaligen Kutscherhäuschen.
Mexican ['mɛksɪkən] *adj* mexikanisch ♦ *n* Mexikaner(in) *m(f).*
Mexico ['mɛksɪkəu] *n* Mexiko *nt.*
Mexico City *n* Mexico City *f.*
mezzanine ['mɛtsəni:n] *n* Mezzanin *nt.*
MFA (*US*) *n abbr* (= *Master of Fine Arts*) *akademischer Grad in Kunst.*
mfr *abbr* = **manufacture; manufacturer.**
mg *abbr* (= *milligram(me)*) mg.
Mgr *abbr* (= *Monseigneur, Monsignor*) Mgr.; (*COMM*) = **manager.**
MHR (*US, AUSTRALIA*) *n abbr* (= *Member of the House of Representatives*) Abgeordnete(r) *f(m)* des Repräsentantenhauses.
MHz *abbr* (= *megahertz*) MHz.
MI (*US*) *abbr* (*POST:* = *Michigan*).
MI5 (*BRIT*) *n abbr* (= *Military Intelligence 5*) *britischer Spionageabwehrdienst.*
MI6 (*BRIT*) *n abbr* (= *Military Intelligence 6*) *britischer Geheimdienst.*
MIA *abbr* (*MIL:* = *missing in action*) vermißt.
miaow [mi:'au] *vi* miauen.
mice [maɪs] *npl of* **mouse.**
Mich. (*US*) *abbr* (*POST:* = *Michigan*).
micro... ['maɪkrəu] *pref* mikro-, Mikro-.
microbe ['maɪkrəub] *n* Mikrobe *f.*
microbiology [maɪkrəubaɪ'ɔlədʒɪ] *n* Mikrobiologie *f.*
microchip ['maɪkrəutʃɪp] *n* Mikrochip *m.*
micro(computer) ['maɪkrəu(kəm'pju:tə*)] *n* Mikrocomputer *m.*
microcosm ['maɪkrəukɔzəm] *n* Mikrokosmos *m.*
microeconomics ['maɪkrəui:kə'nɔmɪks] *n* Mikroökonomie *f.*
microelectronics ['maɪkrəuɪlɛk'trɔnɪks] *n* Mikroelektronik *f.*
microfiche ['maɪkrəufi:ʃ] *n* Mikrofiche *m or nt.*
microfilm ['maɪkrəufɪlm] *n* Mikrofilm *m.*
microlight ['maɪkrəulaɪt] *n* Ultraleichtflugzeug *nt.*
micrometer [maɪ'krɔmɪtə*] *n* Meßschraube *f.*
microphone ['maɪkrəfəun] *n* Mikrofon *nt,* Mikrophon *nt.*
microprocessor ['maɪkrəu'prəusɛsə*] *n* Mikroprozessor *m.*
microscope ['maɪkrəskəup] *n* Mikroskop *nt;* **under the** ~ unter dem Mikroskop.
microscopic [maɪkrə'skɔpɪk] *adj* mikroskopisch; (*creature*) mikroskopisch klein.
microwave ['maɪkrəuweɪv] *n* Mikrowelle *f;* (*also:* ~ **oven**) Mikrowellenherd *m.*
mid- [mɪd] *adj:* **in** ~**-May** Mitte Mai; **in** ~**-afternoon** (mitten) am Nachmittag; **in** ~**-air** (mitten) in der Luft; **he's in his** ~**-thirties** er ist Mitte dreißig.
midday [mɪd'deɪ] *n* Mittag *m.*
middle ['mɪdl] *n* Mitte *f* ♦ *adj* mittlere(r, s); **in the** ~ **of the night** mitten in der Nacht; **I'm in the** ~ **of reading it** ich bin mittendrin; **a** ~ **course** ein Mittelweg *m.*
middle age *n* mittleres Lebensalter *nt.*
middle-aged [mɪdl'eɪdʒd] *adj* mittleren Alters.
Middle Ages *npl* Mittelalter *nt.*
middle-class [mɪdl'klɑ:s] *adj* mittelständisch.
middle class(es) *n(pl)* Mittelstand *m.*
Middle East *n* Naher Osten *m.*
middleman ['mɪdlmæn] (*irreg: like* **man**) *n* Zwischenhändler *m.*
middle management *n* mittleres Management *nt.*
middle name *n* zweiter Vorname *m.*
middle-of-the-road ['mɪdləvðə'rəud] *adj* gemäßigt; (*politician*) der Mitte; (*MUS*) leicht.
middleweight ['mɪdlweɪt] *n* (*BOXING*) Mittelgewicht *nt.*
middling ['mɪdlɪŋ] *adj* mittelmäßig.
Middx (*BRIT*) *abbr* (*POST:* = *Middlesex*).
midge [mɪdʒ] *n* Mücke *f.*
midget ['mɪdʒɪt] *n* Liliputaner(in) *m(f).*
midi system ['mɪdɪ-] *n* Midi-System *nt.*
Midlands ['mɪdləndz] (*BRIT*) *npl:* **the** ~ Mittelengland *nt.*
midnight ['mɪdnaɪt] *n* Mitternacht *f* ♦ *cpd* Mitternachts-; **at** ~ um Mitternacht.
midriff ['mɪdrɪf] *n* Taille *f.*
midst [mɪdst] *n:* **in the** ~ **of** mitten in *+dat;* **to be in the** ~ **of doing sth** mitten dabei sein, etw zu tun.
midsummer [mɪd'sʌmə*] *n* Hochsommer *m;* **M~('s) Day** Sommersonnenwende *f.*
midway [mɪd'weɪ] *adj:* **we have reached the** ~ **point** wir haben die Hälfte hinter uns *dat* ♦ *adv* auf halbem Weg; ~ **between** (*in space*) auf halbem Weg zwischen; ~ **through** (*in time*) mitten in *+dat.*
midweek [mɪd'wi:k] *adv* mitten in der Woche ♦ *adj* Mitte der Woche.
midwife ['mɪdwaɪf] (*pl* **midwives**) *n* Hebamme *f.*

midwifery ['mɪdwɪfərɪ] *n* Geburtshilfe *f*.
midwinter [mɪd'wɪntə*] *n*: **in** ~ im tiefsten Winter.
miffed [mɪft] (*inf*) *adj*: **to be** ~ eingeschnappt sein.
might [maɪt] *vb see* **may** ♦ *n* Macht *f*; **with all one's** ~ mit aller Kraft.
mighty ['maɪtɪ] *adj* mächtig.
migraine ['mi:greɪn] *n* Migräne *f*.
migrant ['maɪgrənt] *adj* (*bird*) Zug-; (*worker*) Wander- ♦ *n* (*bird*) Zugvogel *m*; (*worker*) Wanderarbeiter(in) *m(f)*.
migrate [maɪ'greɪt] *vi* (*bird*) ziehen; (*person*) abwandern.
migration [maɪ'greɪʃən] *n* Wanderung *f*; (*to cities*) Abwanderung *f*; (*of birds*) (Vogel)zug *m*.
mike [maɪk] *n abbr* = **microphone**.
Milan [mɪ'læn] *n* Mailand *nt*.
mild [maɪld] *adj* mild; (*gentle*) sanft; (*slight: infection etc*) leicht; (*: interest*) gering.
mildew ['mɪldju:] *n* Schimmel *m*.
mildly ['maɪldlɪ] *adv* (*say*) sanft; (*slight*) leicht; **to put it** ~ gelinde gesagt.
mildness ['maɪldnɪs] *n* Milde *f*; (*gentleness*) Sanftheit *f*; (*of infection etc*) Leichtigkeit *f*.
mile [maɪl] *n* Meile *f*; **to do 30 ~s per gallon** ≈ 9 Liter auf 100 km verbrauchen.
mileage ['maɪlɪdʒ] *n* Meilenzahl *f*; (*fig*) Nutzen *m*; **to get a lot of ~ out of sth** etw gründlich ausnutzen; **there is a lot of ~ in the idea** aus der Idee läßt sich viel machen.
mileage allowance *n* ≈ Kilometergeld *nt*.
mileometer [maɪ'lɔmɪtə*] *n* ≈ Kilometerzähler *m*.
milestone ['maɪlstəun] *n* (*lit, fig*) Meilenstein *m*.
milieu ['mi:ljə:] *n* Milieu *nt*.
militant ['mɪlɪtnt] *adj* militant ♦ *n* Militante(r) *f(m)*.
militarism ['mɪlɪtərɪzəm] *n* Militarismus *m*.
militaristic [mɪlɪtə'rɪstɪk] *adj* militaristisch.
military ['mɪlɪtərɪ] *adj* (*history, leader etc*) Militär- ♦ *n*: **the** ~ das Militär.
military police *n* Militärpolizei *f*.
military service *n* Militärdienst *m*.
militate ['mɪlɪteɪt] *vi*: **to ~ against** negative Auswirkungen haben auf *+acc*.
militia [mɪ'lɪʃə] *n* Miliz *f*.
milk [mɪlk] *n* Milch *f* ♦ *vt* (*lit, fig*) melken.
milk chocolate *n* Vollmilchschokolade *f*.
milk float (*BRIT*) *n* Milchwagen *m*.
milking ['mɪlkɪŋ] *n* Melken *nt*.
milkman ['mɪlkmən] (*irreg: like* **man**) *n* Milchmann *m*.
milk shake *n* Milchmixgetränk *nt*.
milk tooth *n* Milchzahn *m*.
milk truck (*US*) *n* = **milk float**.
milky ['mɪlkɪ] *adj* milchig; (*drink*) mit viel Milch; ~ **coffee** Milchkaffee *m*.
Milky Way *n* Milchstraße *f*.
mill [mɪl] *n* Mühle *f*; (*factory*) Fabrik *f*; (*woollen mill*) Spinnerei *f* ♦ *vt* mahlen ♦ *vi* (*also*: ~ **about**) umherlaufen.
millennium [mɪ'lɛnɪəm] (*pl* **~s** *or* **millennia**) *n* Jahrtausend *nt*.
miller ['mɪlə*] *n* Müller *m*.
millet ['mɪlɪt] *n* Hirse *f*.
milli... ['mɪlɪ] *pref* Milli-.
milligram(me) ['mɪlɪgræm] *n* Milligramm *nt*.
millilitre, (*US*) **milliliter** ['mɪlɪli:tə*] *n* Milliliter *m or nt*.
millimetre, (*US*) **millimeter** ['mɪlɪmi:tə*] *n* Millimeter *m or nt*.
millinery ['mɪlɪnərɪ] *n* Hüte *pl*.
million ['mɪljən] *n* Million *f*; **a ~ times** (*fig*) tausendmal, x-mal.
millionaire [mɪljə'nɛə*] *n* Millionär *m*.
millipede ['mɪlɪpi:d] *n* Tausendfüßler *m*.
millstone ['mɪlstəun] *n* (*fig*): **it's a ~ round his neck** es ist für ihn ein Klotz am Bein.
millwheel ['mɪlwi:l] *n* Mühlrad *nt*.
milometer [maɪ'lɔmɪtə*] *n* = **mileometer**.
mime [maɪm] *n* Pantomime *f*; (*actor*) Pantomime *m* ♦ *vt* pantomimisch darstellen.
mimic ['mɪmɪk] *n* Imitator *m* ♦ *vt* (*for amusement*) parodieren; (*animal, person*) imitieren, nachahmen.
mimicry ['mɪmɪkrɪ] *n* Nachahmung *f*.
Min. (*BRIT*) *abbr* (*POL*) = **ministry**.
min. *abbr* (= *minute*) Min.; = **minimum**.
minaret [mɪnə'rɛt] *n* Minarett *nt*.
mince [mɪns] *vt* (*meat*) durch den Fleischwolf drehen ♦ *vi* (*in walking*) trippeln ♦ *n* (*BRIT: meat*) Hackfleisch *nt*; **he does not ~ (his) words** er nimmt kein Blatt vor den Mund.
mincemeat ['mɪnsmi:t] *n süße Gebäckfüllung aus Dörrobst und Sirup*; (*US: meat*) Hackfleisch *nt*; **to make ~ of sb** (*inf*) Hackfleisch aus jdm machen.
mince pie *n mit Mincemeat gefülltes Gebäck*.
mincer ['mɪnsə*] *n* Fleischwolf *m*.
mincing ['mɪnsɪŋ] *adj* (*walk*) trippelnd; (*voice*) geziert.
mind [maɪnd] *n* Geist *m*, Verstand *m*; (*thoughts*) Gedanken *pl*; (*memory*) Gedächtnis *nt* ♦ *vt* aufpassen auf *+acc*; (*office etc*) nach dem Rechten sehen in *+dat*; (*object to*) etwas haben gegen; **to my** ~ meiner Meinung nach; **to be out of one's** ~ verrückt sein; **it is on my** ~ es beschäftigt mich; **to keep** *or* **bear sth in** ~ etw nicht vergessen, an etw denken; **to make up one's** ~ sich entscheiden; **to change one's** ~ es sich *dat* anders überlegen; **to be in two ~s about sth** sich *dat* über etw *acc* nicht im klaren sein; **to have it in ~ to do sth** die Absicht haben, etw zu tun; **to have sb/sth in** ~ an jdn/etw denken; **it slipped my** ~ ich habe es vergessen; **to bring** *or* **call sth to** ~ etw in Erinnerung rufen; **I can't get it out of my** ~ es geht mir nicht aus dem Kopf; **his ~ was on other things** er war mit den

Gedanken woanders; **"~ the step"** „Vorsicht Stufe"; **do you ~ if ...?** macht es Ihnen etwas aus, wenn ...?; **I don't ~** es ist mir egal; **~ you, ...** allerdings ...; **never ~!** (*it makes no odds*) ist doch egal!; (*don't worry*) macht nichts!

mind-boggling ['maɪndbɔglɪŋ] (*inf*) *adj* atemberaubend.

-minded ['maɪndɪd] *adj*: **fair-~** gerecht; **an industrially-~ nation** ein auf Industrie ausgerichtetes Land.

minder ['maɪndə*] *n* Betreuer(in) *m(f)*; (*inf: bodyguard*) Aufpasser(in) *m(f)*.

mindful ['maɪndful] *adj*: **~ of** unter Berücksichtigung *+gen*.

mindless ['maɪndlɪs] *adj* (*violence*) sinnlos; (*work*) geistlos.

mine[1] [maɪn] *n* (*coal mine, gold mine*) Bergwerk *nt*; (*bomb*) Mine *f* ♦ *vt* (*coal*) abbauen; (*beach etc*) verminen; (*ship*) eine Mine befestigen an *+dat*.

mine[2] [maɪn] *pron* meine(r, s); **that book is ~** das Buch ist mein(e)s, das Buch gehört mir; **this is ~** das ist meins; **a friend of ~** ein Freund/eine Freundin von mir.

mine detector *n* Minensuchgerät *nt*.

minefield ['maɪnfi:ld] *n* Minenfeld *nt*; (*fig*) brisante Situation *f*.

miner ['maɪnə*] *n* Bergmann *m*, Bergarbeiter *m*.

mineral ['mɪnərəl] *adj* (*deposit, resources*) Mineral- ♦ *n* Mineral *nt*; **minerals** *npl* (*BRIT: soft drinks*) Erfrischungsgetränke *pl*.

mineralogy [mɪnə'rælədʒɪ] *n* Mineralogie *f*.

mineral water *n* Mineralwasser *nt*.

minesweeper ['maɪnswi:pə*] *n* Minensuchboot *nt*.

mingle ['mɪŋgl] *vi*: **to ~ (with)** sich vermischen (mit); **to ~ with** (*people*) Umgang haben mit; (*at party etc*) sich unterhalten mit; **you should ~ a bit** du solltest dich unter die Leute mischen.

mingy ['mɪndʒɪ] (*inf*) *adj* knick(e)rig; (*amount*) mick(e)rig.

mini... ['mɪnɪ] *pref* Mini-.

miniature ['mɪnətʃə*] *adj* winzig; (*version etc*) Miniatur- ♦ *n* Miniatur *f*; **in ~** im kleinen, im Kleinformat.

minibus ['mɪnɪbʌs] *n* Kleinbus *m*.

minicab ['mɪnɪkæb] *n* Kleintaxi *nt*.

minicomputer ['mɪnɪkəm'pju:tə*] *n* Minicomputer *m*.

minim ['mɪnɪm] *n* (*MUS*) halbe Note *f*.

minima ['mɪnɪmə] *npl of* **minimum.**

minimal ['mɪnɪml] *adj* minimal.

minimalist ['mɪnɪməlɪst] *adj* minimalistisch.

minimize ['mɪnɪmaɪz] *vt* auf ein Minimum reduzieren; (*play down*) herunterspielen.

minimum ['mɪnɪməm] (*pl* **minima**) *n* Minimum *nt* ♦ *adj* (*income, speed*) Mindest-; **to reduce to a ~** auf ein Mindestmaß reduzieren; **~ wage** Mindestlohn *m*.

minimum lending rate *n* Diskontsatz *m*.

mining ['maɪnɪŋ] *n* Bergbau *m* ♦ *cpd* Bergbau-.

minion ['mɪnjən] (*pej*) *n* Untergebene(r) *f(m)*.

miniseries ['mɪnɪsɪəri:z] *n* Miniserie *f*.

miniskirt ['mɪnɪskə:t] *n* Minirock *m*.

minister ['mɪnɪstə*] *n* (*BRIT: POL*) Minister(in) *m(f)*; (*REL*) Pfarrer *m* ♦ *vi*: **to ~ to** sich kümmern um; (*needs*) befriedigen.

ministerial [mɪnɪs'tɪərɪəl] (*BRIT*) *adj* (*POL*) ministeriell.

ministry ['mɪnɪstrɪ] *n* (*BRIT: POL*) Ministerium *nt*; **to join the ~** (*REL*) Geistliche(r) werden.

Ministry of Defence (*BRIT*) *n* Verteidigungsministerium *nt*.

mink [mɪŋk] (*pl* **~s** *or* **~**) *n* Nerz *m*.

mink coat *n* Nerzmantel *m*.

Minn. (*US*) *abbr* (*POST:* = *Minnesota*).

minnow ['mɪnəu] *n* Elritze *f*.

minor ['maɪnə*] *adj* kleinere(r, s); (*poet*) unbedeutend; (*planet*) klein; (*MUS*) Moll ♦ *n* Minderjährige(r) *f(m)*.

Minorca [mɪ'nɔ:kə] *n* Menorca *nt*.

minority [maɪ'nɔrɪtɪ] *n* Minderheit *f*; **to be in a ~** in der Minderheit sein.

minster ['mɪnstə*] *n* Münster *nt*.

minstrel ['mɪnstrəl] *n* Spielmann *m*.

mint [mɪnt] *n* Minze *f*; (*sweet*) Pfefferminz(bonbon) *nt*; (*place*): **the M~** die Münzanstalt ♦ *vt* (*coins*) prägen; **in ~ condition** neuwertig.

mint sauce *n* Minzsoße *f*.

minuet [mɪnju'ɛt] *n* Menuett *nt*.

minus ['maɪnəs] *n* (*also*: **~ sign**) Minuszeichen *nt* ♦ *prep* minus, weniger; **~ 24°C** 24 Grad unter Null.

minuscule ['mɪnəskju:l] *adj* winzig.

minute[1] [maɪ'nju:t] *adj* winzig; (*search*) peinlich genau; (*detail*) kleinste(r, s); **in ~ detail** in allen Einzelheiten.

minute[2] ['mɪnɪt] *n* Minute *f*; (*fig*) Augenblick *m*, Moment *m*; **minutes** *npl* (*of meeting*) Protokoll *nt*; **it is 5 ~s past 3** es ist 5 Minuten nach 3; **wait a ~!** einen Augenblick *or* Moment!; **up-to-the-~** (*news*) hochaktuell; (*technology*) allerneueste(r, s); **at the last ~** in letzter Minute.

minute book *n* Protokollbuch *nt*.

minute hand *n* Minutenzeiger *m*.

minutely [maɪ'nju:tlɪ] *adv* (*in detail*) genauestens; (*by a small amount*) ganz geringfügig.

minutiae [mɪ'nju:ʃɪi:] *npl* Einzelheiten *pl*.

miracle ['mɪrəkl] *n* (*REL, fig*) Wunder *nt*.

miraculous [mɪ'rækjuləs] *adj* wunderbar; (*powers, effect, cure*) Wunder-; (*success, change*) unglaublich; **to have a ~ escape** wie durch ein Wunder entkommen.

mirage ['mɪrɑ:ʒ] *n* Fata Morgana *f*; (*fig*) Trugbild *nt*.

mire ['maɪə*] *n* Morast *m*.

mirror ['mɪrə*] *n* Spiegel *m* ♦ *vt* (*lit, fig*) widerspiegeln.

mirror image *n* Spiegelbild *nt*.
mirth [mə:θ] *n* Heiterkeit *f*.
misadventure [mɪsəd'vɛntʃə*] *n* Mißgeschick *nt*; **death by** ~ (*BRIT*) Tod *m* durch Unfall.
misanthropist [mɪ'zænθrəpɪst] *n* Misanthrop *m*, Menschenfeind *m*.
misapply [mɪsə'plaɪ] *vt* (*term*) falsch verwenden; (*rule*) falsch anwenden.
misapprehension ['mɪsæprɪ'hɛnʃən] *n* Mißverständnis *nt*; **you are under a** ~ Sie befinden sich im Irrtum.
misappropriate [mɪsə'prəuprɪeɪt] *vt* veruntreuen.
misappropriation ['mɪsəprəuprɪ'eɪʃən] *n* Veruntreuung *f*.
misbehave [mɪsbɪ'heɪv] *vi* sich schlecht benehmen.
misbehaviour, (*US*) **misbehavior** [mɪsbɪ'heɪvjə*] *n* schlechtes Benehmen *nt*.
misc. *abbr* = **miscellaneous.**
miscalculate [mɪs'kælkjuleɪt] *vt* falsch berechnen; (*misjudge*) falsch einschätzen.
miscalculation ['mɪskælkju'leɪʃən] *n* Rechenfehler *m*; (*misjudgement*) Fehleinschätzung *f*.
miscarriage ['mɪskærɪdʒ] *n* (*MED*) Fehlgeburt *f*; ~ **of justice** (*LAW*) Justizirrtum *m*.
miscarry [mɪs'kærɪ] *vi* (*MED*) eine Fehlgeburt haben; (*fail: plans*) fehlschlagen.
miscellaneous [mɪsɪ'leɪnɪəs] *adj* verschieden; (*subjects, items*) divers; ~ **expenses** sonstige Unkosten *pl*.
mischance [mɪs'tʃɑ:ns] *n* unglücklicher Zufall *m*.
mischief ['mɪstʃɪf] *n* (*bad behaviour*) Unfug *m*; (*playfulness*) Verschmitztheit *f*; (*harm*) Schaden *m*; (*pranks*) Streiche *pl*; **to get into** ~ etwas anstellen; **to do sb a** ~ jdm etwas antun.
mischievous ['mɪstʃɪvəs] *adj* (*naughty*) ungezogen; (*playful*) verschmitzt.
misconception ['mɪskən'sɛpʃən] *n* fälschliche Annahme *f*.
misconduct [mɪs'kɔndʌkt] *n* Fehlverhalten *nt*; **professional** ~ Berufsvergehen *nt*.
misconstrue [mɪskən'stru:] *vt* mißverstehen.
miscount [mɪs'kaunt] *vt* falsch zählen ♦ *vi* sich verzählen.
misdemeanour, (*US*) **misdemeanor** [mɪsdɪ'mi:nə*] *n* Vergehen *nt*.
misdirect [mɪsdɪ'rɛkt] *vt* (*person*) in die falsche Richtung schicken; (*talent*) vergeuden.
miser ['maɪzə*] *n* Geizhals *m*.
miserable ['mɪzərəbl] *adj* (*unhappy*) unglücklich; (*wretched*) erbärmlich, elend; (*unpleasant: weather*) trostlos; (*: person*) gemein; (*contemptible: offer, donation*) armselig; (*: failure*) kläglich; **to feel** ~ sich elend fühlen.
miserably ['mɪzərəblɪ] *adv* (*fail*) kläglich; (*live*) elend; (*smile, speak*) unglücklich; (*small*) jämmerlich.
miserly ['maɪzəlɪ] *adj* geizig; (*amount*) armselig.
misery ['mɪzərɪ] *n* (*unhappiness*) Kummer *m*; (*wretchedness*) Elend *nt*; (*inf: person*) Miesepeter *m*.
misfire [mɪs'faɪə*] *vi* (*plan*) fehlschlagen; (*car engine*) fehlzünden.
misfit ['mɪsfɪt] *n* Außenseiter(in) *m(f)*.
misfortune [mɪs'fɔ:tʃən] *n* Pech *nt*, Unglück *nt*.
misgiving [mɪs'gɪvɪŋ] *n* Bedenken *pl*; **to have ~s about sth** sich bei etw nicht wohl fühlen.
misguided [mɪs'gaɪdɪd] *adj* töricht; (*opinion, view*) irrig; (*misplaced*) unangebracht.
mishandle [mɪs'hændl] *vt* falsch handhaben.
mishap ['mɪshæp] *n* Mißgeschick *nt*.
mishear [mɪs'hɪə*] (*irreg: like* **hear**) *vt* falsch hören ♦ *vi* sich verhören.
misheard [mɪs'hə:d] *pt, pp of* **mishear.**
mishmash ['mɪʃmæʃ] (*inf*) *n* Mischmasch *m*.
misinform [mɪsɪn'fɔ:m] *vt* falsch informieren.
misinterpret [mɪsɪn'tə:prɪt] *vt* (*gesture, situation*) falsch auslegen; (*comment*) falsch auffassen.
misinterpretation ['mɪsɪntə:prɪ'teɪʃən] *n* falsche Auslegung *f*.
misjudge [mɪs'dʒʌdʒ] *vt* falsch einschätzen.
mislay [mɪs'leɪ] (*irreg: like* **lay**) *vt* verlegen.
mislead [mɪs'li:d] (*irreg: like* **lead**) *vt* irreführen.
misleading [mɪs'li:dɪŋ] *adj* irreführend.
misled [mɪs'lɛd] *pt, pp of* **mislead.**
mismanage [mɪs'mænɪdʒ] *vt* (*business*) herunterwirtschaften; (*institution*) schlecht führen.
mismanagement [mɪs'mænɪdʒmənt] *n* Mißwirtschaft *f*.
misnomer [mɪs'nəumə*] *n* unzutreffende Bezeichnung *f*.
misogynist [mɪ'sɔdʒɪnɪst] *n* Frauenfeind *m*.
misplaced [mɪs'pleɪst] *adj* (*misguided*) unangebracht; (*wrongly positioned*) an der falschen Stelle.
misprint ['mɪsprɪnt] *n* Druckfehler *m*.
mispronounce [mɪsprə'nauns] *vt* falsch aussprechen.
misquote ['mɪs'kwəut] *vt* falsch zitieren.
misread [mɪs'ri:d] (*irreg: like* **read**) *vt* falsch lesen; (*misinterpret*) falsch verstehen.
misrepresent [mɪsrɛprɪ'zɛnt] *vt* falsch darstellen; **he was ~ed** seine Worte wurden verfälscht wiedergegeben.
Miss [mɪs] *n* Fräulein *nt*; **Dear ~ Smith** Liebe Frau Smith.
miss [mɪs] *vt* (*train etc, chance, opportunity*) verpassen; (*target*) verfehlen; (*notice loss of, regret absence of*) vermissen; (*class, meeting*) fehlen bei ♦ *vi* danebentreffen; (*missile, object*) danebengehen ♦ *n* Fehltreffer *m*; **you can't ~ it** du kannst es nicht verfehlen; **the bus just ~ed the wall** der Bus wäre um ein Haar gegen die Mauer gefahren; **you're**

~**ing the point** das geht an der Sache vorbei.
▸**miss out** (*BRIT*) *vt* auslassen.
▸**miss out on** *vt fus* (*party*) verpassen; (*fun*) zu kurz kommen bei.
missal ['mɪsl] *n* Meßbuch *nt*.
misshapen [mɪs'ʃeɪpən] *adj* mißgebildet.
missile ['mɪsaɪl] *n* (*MIL*) Rakete *f*; (*object thrown*) (Wurf)geschoß *nt*.
missile base *n* Raketenbasis *f*.
missile launcher [-'lɔːntʃə*] *n* Startrampe *f*.
missing ['mɪsɪŋ] *adj* (*lost: person*) vermißt; (: *object*) verschwunden; (*absent, removed*) fehlend; **to be ~** fehlen; **to go ~** verschwinden; **~ person** Vermißte(r) *f(m)*.
mission ['mɪʃən] *n* (*task*) Mission *f*, Auftrag *m*; (*representatives*) Gesandtschaft *f*; (*MIL*) Einsatz *m*; (*REL*) Mission *f*; **on a ~ to ...** (*to place/people*) im Einsatz in *+dat*/bei ...
missionary ['mɪʃənrɪ] *n* Missionar(in) *m(f)*.
missive ['mɪsɪv] (*form*) *n* Schreiben *nt*.
misspell ['mɪs'spɛl] (*irreg: like* **spell**) *vt* falsch schreiben.
misspent ['mɪs'spɛnt] *adj* (*youth*) vergeudet.
mist [mɪst] *n* Nebel *m*; (*light*) Dunst *m* ♦ *vi* (*also:* **~ over**: *eyes*) sich verschleiern; (*BRIT: also:* **~ over, ~ up**) (*windows*) beschlagen.
mistake [mɪs'teɪk] (*irreg: like* **take**) *n* Fehler *m* ♦ *vt* sich irren in *+dat*; (*intentions*) falsch verstehen; **by ~** aus Versehen; **to make a ~** (*in writing, calculation*) sich vertun; **to make a ~ (about sb/sth)** sich (in jdm/etw) irren; **to ~ A for B** A mit B verwechseln.
mistaken [mɪs'teɪkən] *pp of* **mistake** ♦ *adj* falsch; **to be ~** sich irren.
mistaken identity *n* Verwechslung *f*.
mistakenly [mɪs'teɪkənlɪ] *adv* irrtümlicherweise.
mister ['mɪstə*] (*inf*) *n* (*sir*) *not translated*; *see* **Mr.**
mistletoe ['mɪsltəu] *n* Mistel *f*.
mistook [mɪs'tuk] *pt of* **mistake**.
mistranslation [mɪstræns'leɪʃən] *n* falsche Übersetzung *f*.
mistreat [mɪs'triːt] *vt* schlecht behandeln.
mistress ['mɪstrɪs] *n* (*lover*) Geliebte *f*; (*of house, servant, situation*) Herrin *f*; (*BRIT: teacher*) Lehrerin *f*.
mistrust [mɪs'trʌst] *vt* mißtrauen *+dat* ♦ *n:* **~ (of)** Mißtrauen *nt* (gegenüber).
mistrustful [mɪs'trʌstful] *adj:* **~ (of)** mißtrauisch (gegenüber).
misty ['mɪstɪ] *adj* (*day etc*) neblig; (*glasses, windows*) beschlagen.
misty-eyed ['mɪstɪ'aɪd] *adj* mit verschleiertem Blick.
misunderstand [mɪsʌndə'stænd] (*irreg: like* **understand**) *vt* mißverstehen, falsch verstehen ♦ *vi* es falsch verstehen.
misunderstanding ['mɪsʌndə'stændɪŋ] *n* Mißverständnis *nt*; (*disagreement*) Meinungsverschiedenheit *f*.
misunderstood [mɪsʌndə'stud] *pt, pp of* **misunderstand**.
misuse [*n* mɪs'juːs, *vt* mɪs'juːz] *n* Mißbrauch *m* ♦ *vt* mißbrauchen; (*word*) falsch gebrauchen.
MIT (*US*) *n abbr* (= *Massachusetts Institute of Technology*) *private technische Fachhochschule*.
mite [maɪt] *n* (*small quantity*) bißchen *nt*; (*BRIT: small child*) Würmchen *nt*.
miter ['maɪtə*] (*US*) *n* = **mitre**.
mitigate ['mɪtɪgeɪt] *vt* mildern; **mitigating circumstances** mildernde Umstände *pl*.
mitigation [mɪtɪ'geɪʃən] *n* Milderung *f*.
mitre, (*US*) miter ['maɪtə*] *n* (*of bishop*) Mitra *f*; (*CARPENTRY*) Gehrung *f*.
mitt(en) ['mɪt(n)] *n* Fausthandschuh *m*.
mix [mɪks] *vt* mischen; (*drink*) mixen; (*sauce, cake*) zubereiten; (*ingredients*) verrühren ♦ *vi:* **to ~ (with)** verkehren (mit) ♦ *n* Mischung *f*; **to ~ sth with sth** etw mit etw vermischen; **to ~ business with pleasure** das Angenehme mit dem Nützlichen verbinden; **cake ~** Backmischung *f*.
▸**mix in** *vt* (*eggs etc*) unterrühren.
▸**mix up** *vt* (*people*) verwechseln; (*things*) durcheinanderbringen; **to be ~ed up in sth** in etw *acc* verwickelt sein.
mixed [mɪkst] *adj* gemischt; **~ marriage** Mischehe *f*.
mixed-ability ['mɪkstə'bɪlɪtɪ] *adj* (*group etc*) mit unterschiedlichen Fähigkeiten.
mixed bag *n* (*of things, problems*) Sammelsurium *nt*; (*of people*) gemischter Haufen *m*.
mixed blessing *n:* **it's a ~** das ist ein zweischneidiges Schwert.
mixed doubles *npl* gemischtes Doppel *nt*.
mixed economy *n* gemischte Wirtschaftsform *f*.
mixed grill (*BRIT*) *n* Grillteller *m*.
mixed-up [mɪkst'ʌp] *adj* durcheinander.
mixer ['mɪksə*] *n* (*for food*) Mixer *m*; (*drink*) *Tonic etc zum Auffüllen von alkoholischen Mixgetränken*; **to be a good ~** (*sociable person*) kontaktfreudig sein.
mixer tap *n* Mischbatterie *f*.
mixture ['mɪkstʃə*] *n* Mischung *f*; (*CULIN*) Gemisch *nt*; (: *for cake*) Teig *m*; (*MED*) Mixtur *f*.
mix-up ['mɪksʌp] *n* Durcheinander *nt*.
MK (*BRIT*) *abbr* (*TECH*) = **mark**.
mk *abbr* (*FIN*) = **mark**.
mkt *abbr* = **market**.
MLitt *n abbr* (= *Master of Literature, Master of Letters*) *akademischer Grad in Literaturwissenschaft*.
MLR (*BRIT*) *n abbr* = **minimum lending rate**.
mm *abbr* (= *millimetre*) mm.
MN *abbr* (*BRIT*) = **merchant navy**; (*US: POST:* = *Minnesota*).
MO *n abbr* (= *medical officer*) Sanitätsoffizier

m; (*US: inf*) = **modus operandi** ♦ *abbr* (*US: POST:* = *Missouri*).
m.o. *abbr* = **money order**.
moan [məun] *n* Stöhnen *nt* ♦ *vi* stöhnen; (*inf: complain*): **to ~ (about)** meckern (über *+acc*).
moaner ['məunə*] (*inf*) *n* Miesmacher(in) *m(f)*.
moat [məut] *n* Wassergraben *m*.
mob [mɔb] *n* Mob *m*; (*organized*) Bande *f* ♦ *vt* herfallen über *+acc*.
mobile ['məubaɪl] *adj* beweglich; (*workforce, society*) mobil ♦ *n* (*decoration*) Mobile *nt*; **applicants must be ~** Bewerber müssen motorisiert sein.
mobile home *n* Wohnwagen *m*.
mobile phone *n* Funktelefon *nt*.
mobility [məu'bɪlɪtɪ] *n* Beweglichkeit *f*; (*of workforce etc*) Mobilität *f*.
mobility allowance *n Beihilfe für Gehbehinderte*.
mobilize ['məubɪlaɪz] *vt* mobilisieren; (*MIL*) mobil machen ♦ *vi* (*MIL*) mobil machen.
moccasin ['mɔkəsɪn] *n* Mokassin *m*.
mock [mɔk] *vt* sich lustig machen über *+acc* ♦ *adj* (*fake: Elizabethan etc*) Pseudo-; (*exam*) Probe-; (*battle*) Schein-.
mockery ['mɔkərɪ] *n* Spott *m*; **to make a ~ of sb** jdn zum Gespött machen; **to make a ~ of sth** etw zur Farce machen.
mocking ['mɔkɪŋ] *adj* spöttisch.
mockingbird ['mɔkɪŋbəːd] *n* Spottdrossel *f*.
mock-up ['mɔkʌp] *n* Modell *nt*.
MOD (*BRIT*) *n abbr* = **Ministry of Defence**.
mod cons ['mɔd'kɔnz] (*BRIT*) *npl abbr* (= *modern conveniences*) Komfort *m*.
mode [məud] *n* Form *f*; (*COMPUT, TECH*) Betriebsart *f*; **~ of life** Lebensweise *f*; **~ of transport** Transportmittel *nt*.
model ['mɔdl] *n* Modell *nt*; (*fashion model*) Mannequin *nt*; (*example*) Muster *nt* ♦ *adj* (*excellent*) vorbildlich; (*small scale: railway etc*) Modell- ♦ *vt* (*clothes*) vorführen; (*with clay etc*) modellieren, formen ♦ *vi* (*for designer, photographer etc*) als Modell arbeiten; **to ~ o.s. on sb** sich *dat* jdn zum Vorbild nehmen.
modeller, (*US*) **modeler** ['mɔdlə*] *n* Modellbauer *m*.
model railway *n* Modelleisenbahn *f*.
modem ['məudɛm] *n* Modem *nt*.
moderate [*adj* 'mɔdərət, *vb* 'mɔdəreɪt] *adj* gemäßigt; (*amount*) nicht allzu groß; (*change*) leicht ♦ *n* Gemäßigte(r) *f(m)* ♦ *vi* (*storm, wind etc*) nachlassen ♦ *vt* (*tone, demands*) mäßigen.
moderately ['mɔdərətlɪ] *adv* mäßig; (*expensive, difficult*) nicht allzu; (*pleased, happy*) einigermaßen; **~ priced** nicht allzu teuer.
moderation [mɔdə'reɪʃən] *n* Mäßigung *f*; **in ~** in *or* mit Maßen.
moderator ['mɔdəreɪtə*] *n* (*ECCL*) Synodalpräsident *m*.
modern ['mɔdən] *adj* modern; **~ languages** moderne Fremdsprachen *pl*.
modernization [mɔdənaɪ'zeɪʃən] *n* Modernisierung *f*.
modernize ['mɔdənaɪz] *vt* modernisieren.
modest ['mɔdɪst] *adj* bescheiden; (*chaste*) schamhaft.
modestly ['mɔdɪstlɪ] *adv* bescheiden; (*behave*) schamhaft; (*to a moderate extent*) mäßig.
modesty ['mɔdɪstɪ] *n* Bescheidenheit *f*; (*chastity*) Schamgefühl *nt*.
modicum ['mɔdɪkəm] *n*: **a ~ of** ein wenig *or* bißchen.
modification [mɔdɪfɪ'keɪʃən] *n* Änderung *f*; (*to policy etc*) Modifizierung *f*; **to make ~s to** (Ver)änderungen vornehmen an *+dat*, modifizieren.
modify ['mɔdɪfaɪ] *vt* (ver)ändern; (*policy etc*) modifizieren.
modish ['məudɪʃ] *adj* (*fashionable*) modisch.
Mods [mɔdz] (*BRIT*) *n abbr* (*SCOL:* = *(Honour) Moderations*) *akademische Prüfung an der Universität Oxford*.
modular ['mɔdjulə*] *adj* (*unit, furniture*) aus Bauelementen (zusammengesetzt); (*COMPUT*) modular.
modulate ['mɔdjuleɪt] *vt* modulieren; (*process, activity*) umwandeln.
modulation [mɔdju'leɪʃən] *n* Modulation *f*; (*modification*) Veränderung *f*.
module ['mɔdjuːl] *n* (Bau)element *nt*; (*SPACE*) Raumkapsel *f*; (*SCOL*) Kurs *m*.
modus operandi ['məudəsɔpə'rændiː] *n* Modus operandi *m*.
Mogadishu [mɔgə'dɪʃuː] *n* Mogadischu *nt*.
mogul ['məugl] *n* (*fig*) Mogul *m*.
MOH (*BRIT*) *n abbr* (= *Medical Officer of Health*) Amtsarzt *m*, Amtsärztin *f*.
mohair ['məuhɛə*] *n* Mohair *m*.
Mohammed [mə'hæmɛd] *n* Mohammed *m*.
moist [mɔɪst] *adj* feucht.
moisten ['mɔɪsn] *vt* anfeuchten.
moisture ['mɔɪstʃə*] *n* Feuchtigkeit *f*.
moisturize ['mɔɪstʃəraɪz] *vt* (*skin*) mit einer Feuchtigkeitscreme behandeln.
moisturizer ['mɔɪstʃəraɪzə*] *n* Feuchtigkeitscreme *f*.
molar ['məulə*] *n* Backenzahn *m*.
molasses [mə'læsɪz] *n* Melasse *f*.
mold *etc* [məuld] (*US*) *n, vt* = **mould** *etc*.
Moldavia [mɔl'deɪvɪə] *n* Moldawien *nt*.
Moldavian [mɔl'deɪvɪən] *adj* moldawisch.
Moldova [mɔl'dəuvə] *n* Moldawien *nt*.
Moldovan *adj* moldawisch.
mole [məul] *n* (*on skin*) Leberfleck *m*; (*ZOOL*) Maulwurf *m*; (*fig: spy*) Spion(in) *m(f)*.
molecular [məu'lɛkjulə*] *adj* molekular; (*biology*) Molekular-.
molecule ['mɔlɪkjuːl] *n* Molekül *nt*.
molehill ['məulhɪl] *n* Maulwurfshaufen *m*.
molest [mə'lɛst] *vt* (*assault sexually*) sich vergehen an *+dat*; (*harass*) belästigen.

mollusc ['mɔləsk] *n* Weichtier *nt*.
mollycoddle ['mɔlɪkɔdl] *vt* verhätscheln.
Molotov cocktail ['mɔlətɔf-] *n* Molotowcocktail *m*.
molt [məult] (*US*) *vi* = **moult**.
molten ['məultən] *adj* geschmolzen, flüssig.
mom [mɔm] (*US*) *n* = **mum**.
moment ['məumənt] *n* Moment *m*, Augenblick *m*; (*importance*) Bedeutung *f*; **for a** ~ (für) einen Moment *or* Augenblick; **at that** ~ in diesem Moment *or* Augenblick; **at the** ~ momentan; **for the** ~ vorläufig; **in a** ~ gleich; **"one** ~ **please"** (*TEL*) „bleiben Sie am Apparat".
momentarily ['məuməntrɪlɪ] *adv* für einen Augenblick *or* Moment; (*US: very soon*) jeden Augenblick *or* Moment.
momentary ['məuməntərɪ] *adj* (*brief*) kurz.
momentous [məu'mɛntəs] *adj* (*occasion*) bedeutsam; (*decision*) von großer Tragweite.
momentum [məu'mɛntəm] *n* (*PHYS*) Impuls *m*; (*fig: of movement*) Schwung *m*; (: *of events, change*) Dynamik *f*; **to gather** ~ schneller werden; (*fig*) richtig in Gang kommen.
mommy ['mɔmɪ] (*US*) *n* = **mummy**.
Mon. *abbr* (= *Monday*) Mo.
Monaco ['mɔnəkəu] *n* Monaco *nt*.
monarch ['mɔnək] *n* Monarch(in) *m(f)*.
monarchist ['mɔnəkɪst] *n* Monarchist(in) *m(f)*.
monarchy ['mɔnəkɪ] *n* Monarchie *f*; **the M~** (*royal family*) die königliche Familie.
monastery ['mɔnəstərɪ] *n* Kloster *nt*.
monastic [mə'næstɪk] *adj* Kloster-, klösterlich; (*fig*) mönchisch, klösterlich einfach.
Monday ['mʌndɪ] *n* Montag *m*; *see also* **Tuesday**.
Monegasque [mɔnə'gæsk] *adj* monegassisch ♦ *n* Monegasse *m*, Monegassin *f*.
monetarist ['mʌnɪtərɪst] *n* Monetarist(in) *m(f)* ♦ *adj* monetaristisch.
monetary ['mʌnɪtərɪ] *adj* (*system, union*) Währungs-.
money ['mʌnɪ] *n* Geld *nt*; **to make** ~ (*person*) Geld verdienen; (*business*) etwas einbringen; **danger** ~ (*BRIT*) Gefahrenzulage *f*; **I've got no** ~ **left** ich habe kein Geld mehr.
moneyed ['mʌnɪd] (*form*) *adj* begütert.
moneylender ['mʌnɪlɛndə*] *n* Geldverleiher(in) *m(f)*.
moneymaker ['mʌnɪmeɪkə*] *n* (*person*) Finanzgenie *nt*; (*idea*) einträgliche Sache *f*; (*product*) Verkaufserfolg *m*.
moneymaking ['mʌnɪmeɪkɪŋ] *adj* einträglich.
money market *n* Geldmarkt *m*.
money order *n* Zahlungsanweisung *f*.
money-spinner ['mʌnɪspɪnə*] (*inf*) *n* Verkaufsschlager *m*; (*person, business*) Goldgrube *f*.
money supply *n* Geldvolumen *nt*.
Mongol ['mɔŋgəl] *n* Mongole *m*, Mongolin *f*; (*LING*) Mongolisch *nt*.
mongol ['mɔŋgəl] (*offensive*) *n* Mongoloide(r) *f(m)*.
Mongolia [mɔŋ'gəulɪə] *n* Mongolien *nt*.
Mongolian [mɔŋ'gəulɪən] *adj* mongolisch ♦ *n* Mongole *m*, Mongolin *f*; (*LING*) Mongolisch *nt*.
mongoose ['mɔŋguːs] *n* Mungo *m*.
mongrel ['mʌŋgrəl] *n* Promenadenmischung *f*.
monitor ['mɔnɪtə*] *n* Monitor *m* ♦ *vt* überwachen; (*broadcasts*) mithören.
monk [mʌŋk] *n* Mönch *m*.
monkey ['mʌŋkɪ] *n* Affe *m*.
monkey business (*inf*) *n* faule Sachen *pl*.
monkey nut (*BRIT*) *n* Erdnuß *f*.
monkey tricks *npl* = **monkey business**.
monkey wrench *n* verstellbarer Schraubenschlüssel *m*.
mono ['mɔnəu] *adj* (*recording etc*) Mono-.
monochrome ['mɔnəkrəum] *adj* (*photograph, television*) Schwarzweiß-; (*COMPUT: screen*) Monochrom-.
monogamous [mɔ'nɔgəməs] *adj* monogam.
monogamy [mɔ'nɔgəmɪ] *n* Monogamie *f*.
monogram ['mɔnəgræm] *n* Monogramm *nt*.
monolith ['mɔnəlɪθ] *n* Monolith *m*.
monolithic [mɔnə'lɪθɪk] *adj* monolithisch.
monologue ['mɔnəlɔg] *n* Monolog *m*.
monoplane ['mɔnəpleɪn] *n* Eindecker *m*.
monopolize [mə'nɔpəlaɪz] *vt* beherrschen; (*person*) mit Beschlag belegen; (*conversation*) an sich *acc* reißen.
monopoly [mə'nɔpəlɪ] *n* Monopol *nt*; **to have a** ~ **on** *or* **of sth** (*fig: domination*) etw für sich gepachtet haben; **Monopolies and Mergers Commission** (*BRIT*) ≈ Kartellamt *nt*.
monorail ['mɔnəureɪl] *n* Einschienenbahn *f*.
monosodium glutamate [mɔnə'səudɪəm'gluːtəmeɪt] *n* Glutamat *nt*.
monosyllabic [mɔnəsɪ'læbɪk] *adj* einsilbig.
monosyllable ['mɔnəsɪləbl] *n* einsilbiges Wort *nt*.
monotone ['mɔnətəun] *n*: **in a** ~ monoton.
monotonous [mə'nɔtənəs] *adj* monoton, eintönig.
monotony [mə'nɔtənɪ] *n* Monotonie *f*, Eintönigkeit *f*.
monsoon [mɔn'suːn] *n* Monsun *m*.
monster ['mɔnstə*] *n* Ungetüm *nt*, Monstrum *nt*; (*imaginary creature*) Ungeheuer *nt*, Monster *nt*; (*person*) Unmensch *m*.
monstrosity [mɔn'strɔsɪtɪ] *n* Ungetüm *nt*, Monstrum *nt*.
monstrous ['mɔnstrəs] *adj* (*huge*) riesig; (*ugly*) abscheulich; (*atrocious*) ungeheuerlich.
Mont. (*US*) *abbr* (*POST:* = *Montana*).
montage [mɔn'tɑːʒ] *n* Montage *f*.
Mont Blanc [mɔ̃blɑ̃] *n* Montblanc *m*.
month [mʌnθ] *n* Monat *m*; **every** ~ jeden Monat; **300 dollars a** ~ 300 Dollar im Monat.

monthly ['mʌnθlɪ] *adj* monatlich; (*ticket, magazine*) Monats- ♦ *adv* monatlich; **twice ~** zweimal im Monat.
Montreal [mɔntrɪ'ɔːl] *n* Montreal *nt*.
monument ['mɔnjumənt] *n* Denkmal *nt*.
monumental [mɔnju'mɛntl] *adj* (*building, statue*) gewaltig, monumental; (*book, piece of work*) unsterblich; (*storm, row*) ungeheuer.
moo [muː] *vi* muhen.
mood [muːd] *n* Stimmung *f*; (*of person*) Laune *f*, Stimmung *f*; **to be in a good/bad ~** gut/ schlecht gelaunt sein; **to be in the ~ for** aufgelegt sein zu.
moodily ['muːdɪlɪ] *adv* launisch; (*sullenly*) schlecht gelaunt.
moody ['muːdɪ] *adj* launisch; (*sullen*) schlecht gelaunt.
moon [muːn] *n* Mond *m*.
moonlight ['muːnlaɪt] *n* Mondschein *m* ♦ *vi* (*inf*) schwarzarbeiten.
moonlighting ['muːnlaɪtɪŋ] (*inf*) *n* Schwarzarbeit *f*.
moonlit ['muːnlɪt] *adj* (*night*) mondhell.
moonshot ['muːnʃɔt] *n* Mondflug *m*.
moor [muə*] *n* (Hoch)moor *nt*, Heide *f* ♦ *vt* vertäuen ♦ *vi* anlegen.
mooring ['muərɪŋ] *n* Anlegeplatz *m*; **moorings** *npl* (*chains*) Verankerung *f*.
Moorish ['muərɪʃ] *adj* maurisch.
moorland ['muələnd] *n* Moorlandschaft *f*, Heidelandschaft *f*.
moose [muːs] *n inv* Elch *m*.
moot [muːt] *vt*: **to be ~ed** vorgeschlagen werden ♦ *adj*: **it's a ~ point** das ist fraglich.
mop [mɔp] *n* (*for floor*) Mop *m*; (*for dishes*) Spülbürste *f*; (*of hair*) Mähne *f* ♦ *vt* (*floor*) wischen; (*face*) abwischen; (*eyes*) sich *dat* wischen; **to ~ the sweat from one's brow** sich *dat* den Schweiß von der Stirn wischen.
►**mop up** *vt* aufwischen.
mope [məup] *vi* Trübsal blasen.
►**mope about** *vi* mit einer Jammermiene herumlaufen.
►**mope around** *vi* = **mope about**.
moped ['məupɛd] *n* Moped *nt*.
moquette [mɔ'kɛt] *n* Mokett *m*.
MOR *adj abbr* (*MUS*) = **middle-of-the-road**.
moral ['mɔrl] *adj* moralisch; (*welfare, values*) sittlich; (*behaviour*) moralisch einwandfrei ♦ *n* Moral *f*; **morals** *npl* (*principles, values*) Moralvorstellungen *pl*; **~ support** moralische Unterstützung *f*.
morale [mɔ'rɑːl] *n* Moral *f*.
morality [mə'rælɪtɪ] *n* Sittlichkeit *f*; (*system of morals*) Moral *f*, Ethik *f*; (*correctness*) moralische Richtigkeit *f*.
moralize ['mɔrəlaɪz] *vi* moralisieren; **to ~ about** sich moralisch entrüsten über *+acc*.
morally ['mɔrəlɪ] *adv* moralisch; (*live, behave*) moralisch einwandfrei.
moral victory *n* moralischer Sieg *m*.
morass [mə'ræs] *n* Morast *m*, Sumpf *m* (*also fig*).
moratorium [mɔrə'tɔːrɪəm] *n* Stopp *m*, Moratorium *nt*.
morbid ['mɔːbɪd] *adj* (*imagination*) krankhaft; (*interest*) unnatürlich; (*comments, behaviour*) makaber.

KEYWORD

more [mɔː*] *adj* **1** (*greater in number etc*) mehr; **~ people/work/letters than we expected** mehr Leute/Arbeit/Briefe, als wir erwarteten; **I have ~ wine/money than you** ich habe mehr Wein/Geld als du
2 (*additional*): **do you want (some) ~ tea?** möchten Sie noch mehr Tee?; **is there any ~ wine?** ist noch Wein da?; **I have no ~ money, I don't have any ~ money** ich habe kein Geld mehr
♦ *pron* **1** (*greater amount*) mehr; **~ than 10** mehr als 10; **it cost ~ than we expected** es kostete mehr, als wir erwarteten
2 (*further or additional amount*): **is there any ~?** gibt es noch mehr?; **there's no ~** es ist nichts mehr da; **many/much ~** viel mehr
♦ *adv* mehr; **~ dangerous/difficult/easily** *etc* **(than)** gefährlicher/schwerer/leichter *etc* (als); **~ and ~** mehr und mehr, immer mehr; **~ and ~ excited/expensive** immer aufgeregter/teurer; **~ or less** mehr oder weniger; **~ than ever** mehr denn je, mehr als jemals zuvor; **~ beautiful than ever** schöner denn je; **no ~, not any ~** nicht mehr.

moreover [mɔː'rəuvə*] *adv* außerdem, zudem.
morgue [mɔːg] *n* Leichenschauhaus *nt*.
MORI ['mɔːrɪ] (*BRIT*) *n abbr* (= *Market and Opinion Research Institute*) *Markt- und Meinungsforschungsinstitut*.
moribund ['mɔrɪbʌnd] *adj* dem Untergang geweiht.
Mormon ['mɔːmən] *n* Mormone *m*, Mormonin *f*.
morning ['mɔːnɪŋ] *n* Morgen *m*; (*as opposed to afternoon*) Vormittag *m* ♦ *cpd* Morgen-; **in the ~** morgens; vormittags; (*tomorrow*) morgen früh; **7 o'clock in the ~** 7 Uhr morgens; **this ~** heute morgen.
morning-after pill ['mɔːnɪŋ'ɑːftə-] *n* Pille *f* danach.
morning sickness *n* (Schwangerschafts)übelkeit *f*.
Moroccan [mə'rɔkən] *adj* marokkanisch ♦ *n* Marokkaner(in) *m(f)*.
Morocco [mə'rɔkəu] *n* Marokko *nt*.
moron ['mɔːrɔn] (*inf*) *n* Schwachkopf *m*.
moronic [mə'rɔnɪk] (*inf*) *adj* schwachsinnig.
morose [mə'rəus] *adj* mißmutig.
morphine ['mɔːfiːn] *n* Morphium *nt*.
morris dancing ['mɔrɪs-] *n* Moriskentanz *m*, *alter englischer Volkstanz*.
Morse [mɔːs] *n* (*also*: **~ code**) Morsealphabet

nt.
morsel ['mɔːsl] *n* Stückchen *nt.*
mortal ['mɔːtl] *adj* sterblich; (*wound, combat*) tödlich; (*danger*) Todes-; (*sin, enemy*) Tod- ♦ *n* (*human being*) Sterbliche(r) *f(m).*
mortality [mɔː'tælɪtɪ] *n* Sterblichkeit *f*; (*number of deaths*) Todesfälle *pl.*
mortality rate *n* Sterblichkeitsziffer *f.*
mortar ['mɔːtə*] *n* (*MIL*) Minenwerfer *m*; (*CONSTR*) Mörtel *m*; (*CULIN*) Mörser *m.*
mortgage ['mɔːgɪdʒ] *n* Hypothek *f* ♦ *vt* mit einer Hypothek belasten; **to take out a ~** eine Hypothek aufnehmen.
mortgage company (*US*) *n* Hypothekenbank *f.*
mortgagee [mɔːgə'dʒiː] *n* Hypothekengläubiger *m.*
mortgagor ['mɔːgədʒə*] *n* Hypothekenschuldner *m.*
mortician [mɔː'tɪʃən] (*US*) *n* Bestattungsunternehmer *m.*
mortified ['mɔːtɪfaɪd] *adj*: **he was ~** er empfand das als beschämend; (*embarrassed*) es war ihm schrecklich peinlich.
mortify ['mɔːtɪfaɪ] *vt* beschämen.
mortise lock ['mɔːtɪs-] *n* Einsteckschloß *nt.*
mortuary ['mɔːtjuərɪ] *n* Leichenhalle *f.*
mosaic [məu'zeɪɪk] *n* Mosaik *nt.*
Moscow ['mɔskəu] *n* Moskau *nt.*
Moslem ['mɔzləm] *adj, n* = **Muslim.**
mosque [mɔsk] *n* Moschee *f.*
mosquito [mɔs'kiːtəu] (*pl* **~es**) *n* Stechmücke *f*; (*in tropics*) Moskito *m.*
mosquito net *n* Moskitonetz *nt.*
moss [mɔs] *n* Moos *nt.*
mossy ['mɔsɪ] *adj* bemoost.

KEYWORD

most [məust] *adj* **1** (*almost all: people, things etc*) meiste(r, s); **~ people** die meisten Leute
2 (*largest, greatest: interest, money etc*) meiste(r, s); **who has (the) ~ money?** wer hat das meiste Geld?
♦ *pron* (*greatest quantity, number*) der/die/das meiste; **~ of it** das meiste (davon); **~ of them** die meisten von ihnen; **~ of the time/work** die meiste Zeit/Arbeit; **~ of the time he's very helpful** er ist meistens sehr hilfsbereit; **to make the ~ of sth** das Beste aus etw machen; **at the (very) ~** (aller)höchstens
♦ *adv* (*+ vb: spend, eat, work etc*) am meisten; (*+ adj*): **the ~ intelligent/expensive** *etc* der/die/das intelligenteste/teuerste *etc*; (*+ adv: carefully, easily etc*) äußerst; (*very: polite, interesting etc*) höchst; **a ~ interesting book** ein höchst interessantes Buch.

mostly ['məustlɪ] *adv* (*chiefly*) hauptsächlich; (*usually*) meistens.
MOT (*BRIT*) *n abbr* (= *Ministry of Transport*): **~ (test)** ≈ TÜV *m*; **the car failed its ~** das Auto ist nicht durch den TÜV gekommen.
motel [məu'tɛl] *n* Motel *nt.*
moth [mɔθ] *n* Nachtfalter *m*; (*clothes moth*) Motte *f.*
mothball ['mɔθbɔːl] *n* Mottenkugel *f.*
moth-eaten ['mɔθiːtn] (*pej*) *adj* mottenzerfressen.
mother ['mʌðə*] *n* Mutter *f* ♦ *adj* (*country*) Heimat-; (*company*) Mutter- ♦ *vt* großziehen; (*pamper, protect*) bemuttern.
motherboard ['mʌðəbɔːd] *n* (*COMPUT*) Hauptplatine *f.*
motherhood ['mʌðəhud] *n* Mutterschaft *f.*
mother-in-law ['mʌðərɪnlɔː] *n* Schwiegermutter *f.*
motherly ['mʌðəlɪ] *adj* mütterlich.
mother-of-pearl ['mʌðərəv'pəːl] *n* Perlmutt *nt.*
mother's help *n* Haushaltshilfe *f.*
mother-to-be ['mʌðətə'biː] *n* werdende Mutter *f.*
mother tongue *n* Muttersprache *f.*
mothproof ['mɔθpruːf] *adj* mottenfest.
motif [məu'tiːf] *n* Motiv *nt.*
motion ['məuʃən] *n* Bewegung *f*; (*proposal*) Antrag *m*; (*BRIT: also:* **bowel ~**) Stuhlgang *m* ♦ *vt, vi*: **to ~ (to) sb to do sth** jdm ein Zeichen geben, daß er/sie etw tun solle; **to be in ~** (*vehicle*) fahren; **to set in ~** in Gang bringen; **to go through the ~s (of doing sth)** (*fig*) etw der Form halber tun; (*pretend*) so tun, als ob (man etw täte).
motionless ['məuʃənlɪs] *adj* reg(ungs)los.
motion picture *n* Film *m.*
motivate ['məutɪveɪt] *vt* motivieren.
motivated ['məutɪveɪtɪd] *adj* motiviert; **~ by** getrieben von.
motivation [məutɪ'veɪʃən] *n* Motivation *f.*
motive ['məutɪv] *n* Motiv *nt*, Beweggrund *m* ♦ *adj* (*power, force*) Antriebs-; **from the best (of) ~s** mit den besten Absichten.
motley ['mɔtlɪ] *adj* bunt(gemischt).
motor ['məutə*] *n* Motor *m*; (*BRIT: inf: car*) Auto *nt* ♦ *cpd* (*industry, trade*) Auto(mobil)-.
motorbike ['məutəbaɪk] *n* Motorrad *nt.*
motorboat ['məutəbəut] *n* Motorboot *nt.*
motorcade ['məutəkeɪd] *n* Fahrzeugkolonne *f.*
motorcar ['məutəkɑː] (*BRIT*) *n* (Personenkraft)wagen *m.*
motorcoach ['məutəkəutʃ] (*BRIT*) *n* Reisebus *m.*
motorcycle ['məutəsaɪkl] *n* Motorrad *nt.*
motorcycle racing *n* Motorradrennen *nt.*
motorcyclist ['məutəsaɪklɪst] *n* Motorradfahrer(in) *m(f).*
motoring ['məutərɪŋ] (*BRIT*) *n* Autofahren *nt* ♦ *cpd* Auto-; (*offence, accident*) Verkehrs-.
motorist ['məutərɪst] *n* Autofahrer(in) *m(f).*
motorized ['məutəraɪzd] *adj* motorisiert.
motor oil *n* Motorenöl *nt.*
motor racing (*BRIT*) *n* Autorennen *nt.*

motor scooter *n* Motorroller *m*.
motor vehicle *n* Kraftfahrzeug *nt*.
motorway ['məutəweɪ] (*BRIT*) *n* Autobahn *f*.
mottled ['mɔtld] *adj* gesprenkelt.
motto ['mɔtəu] (*pl* ~**es**) *n* Motto *nt*.
mould, (*US***) mold** [məuld] *n* (*cast*) Form *f*; (: *for metal*) Gußform *f*; (*mildew*) Schimmel *m* ♦ *vt* (*lit, fig*) formen.
moulder ['məuldə*] *vi* (*decay*) vermodern.
moulding ['məuldɪŋ] *n* (*ARCHIT*) Zierleiste *f*.
mouldy ['məuldɪ] *adj* schimmelig; (*smell*) moderig.
moult, (*US***) molt** [məult] *vi* (*animal*) sich haaren; (*bird*) sich mausern.
mound [maund] *n* (*of earth*) Hügel *m*; (*heap*) Haufen *m*.
mount [maunt] *n* (*in proper names*): **M~ Carmel** der Berg Karmel; (*horse*) Pferd *nt*; (*for picture*) Passepartout *nt* ♦ *vt* (*horse*) besteigen; (*exhibition etc*) vorbereiten; (*jewel*) (ein)fassen; (*picture*) mit einem Passepartout versehen; (*staircase*) hochgehen; (*stamp*) aufkleben; (*attack, campaign*) organisieren ♦ *vi* (*increase*) steigen; (: *problems*) sich häufen; (*on horse*) aufsitzen.
►**mount up** *vi* (*costs, savings*) sich summieren, sich zusammenläppern (*inf*).
mountain ['mauntɪn] *n* Berg *m* ♦ *cpd* (*road, stream*) Gebirgs-; **to make a ~ out of a molehill** aus einer Mücke einen Elefanten machen.
mountain bike *n* Mountain-Bike *nt*.
mountaineer [mauntɪ'nɪə*] *n* Bergsteiger(in) *m(f)*.
mountaineering [mauntɪ'nɪərɪŋ] *n* Bergsteigen *nt*; **to go ~** bergsteigen gehen.
mountainous ['mauntɪnəs] *adj* gebirgig.
mountain range *n* Gebirgskette *f*.
mountain rescue team *n* Bergwacht *f*.
mountainside ['mauntɪnsaɪd] *n* (Berg)hang *m*.
mounted ['mauntɪd] *adj* (*police, soldiers*) beritten.
Mount Everest *n* Mount Everest *m*.
mourn [mɔːn] *vt* betrauern ♦ *vi*: **to ~ (for)** trauern (um).
mourner ['mɔːnə*] *n* Trauernde(r) *f(m)*.
mournful ['mɔːnful] *adj* traurig.
mourning ['mɔːnɪŋ] *n* Trauer *f*; **to be in ~** trauern; (*wear special clothes*) Trauer tragen.
mouse [maus] (*pl* **mice**) *n* (*ZOOL, COMPUT*) Maus *f*; (*fig: person*) schüchternes Mäuschen *nt*.
mousetrap ['maustræp] *n* Mausefalle *f*.
moussaka [mu'sɑːkə] *n* Moussaka *f*.
mousse [muːs] *n* (*CULIN*) Mousse *f*; (*cosmetic*) Schaumfestiger *m*.
moustache, (*US***) mustache** [məs'tɑːʃ] *n* Schnurrbart *m*.
mousy ['mausɪ] *adj* (*hair*) mausgrau.
mouth [mauθ] (*pl* ~**s**) *n* Mund *m*; (*of cave, hole, bottle*) Öffnung *f*; (*of river*) Mündung *f*.
mouthful ['mauθful] *n* (*of food*) Bissen *m*; (*of drink*) Schluck *m*.
mouth organ *n* Mundharmonika *f*.
mouthpiece ['mauθpiːs] *n* Mundstück *nt*; (*spokesman*) Sprachrohr *nt*.
mouth-to-mouth ['mauθtə'mauθ] *adj*: **~ resuscitation** Mund-zu-Mund-Beatmung *f*.
mouthwash ['mauθwɔʃ] *n* Mundwasser *nt*.
mouth-watering ['mauθwɔːtərɪŋ] *adj* appetitlich.
movable ['muːvəbl] *adj* beweglich; **~ feast** beweglicher Feiertag *m*.
move [muːv] *n* (*movement*) Bewegung *f*; (*in game*) Zug *m*; (*change: of house*) Umzug *m*; (: *of job*) Stellenwechsel *m* ♦ *vt* bewegen; (*furniture*) (ver)rücken; (*car*) umstellen; (*in game*) ziehen mit; (*emotionally*) bewegen, ergreifen; (*POL: resolution etc*) beantragen ♦ *vi* sich bewegen; (*traffic*) vorankommen; (*in game*) ziehen; (*also*: **~ house**) umziehen; (*develop*) sich entwickeln; **it's my ~** ich bin am Zug; **to get a ~ on** sich beeilen; **to ~ sb to do sth** jdn (dazu) veranlassen, etw zu tun; **to ~ towards** sich nähern *+dat*.
►**move about** *vi* sich (hin- und her)bewegen; (*travel*) unterwegs sein; (*from place to place*) umherziehen; (*change residence*) umziehen; (*change job*) die Stelle wechseln; **I can hear him moving about** ich höre ihn herumlaufen.
►**move along** *vi* weitergehen.
►**move around** *vi* = **move about**.
►**move away** *vi* (*from town, area*) wegziehen.
►**move back** *vi* (*return*) zurückkommen.
►**move forward** *vi* (*advance*) vorrücken.
►**move in** *vi* (*to house*) einziehen; (*police, soldiers*) anrücken.
►**move off** *vi* (*car*) abfahren.
►**move on** *vi* (*leave*) weitergehen; (*travel*) weiterfahren ♦ *vt* (*onlookers*) zum Weitergehen auffordern.
►**move out** *vi* (*of house*) ausziehen.
►**move over** *vi* (*to make room*) (zur Seite) rücken.
►**move up** *vi* (*employee*) befördert werden; (*pupil*) versetzt werden; (*deputy*) aufrücken.
moveable ['muːvəbl] *adj* = **movable**.
movement ['muːvmənt] *n* (*action, group*) Bewegung *f*; (*freedom to move*) Bewegungsfreiheit *f*; (*transportation*) Beförderung *f*; (*shift*) Trend *m*; (*MUS*) Satz *m*; (*MED: also:* **bowel ~**) Stuhlgang *m*.
mover ['muːvə*] *n* (*of proposal*) Antragsteller(in) *m(f)*.
movie ['muːvɪ] *n* Film *m*; **to go to the ~s** ins Kino gehen.
movie camera *n* Filmkamera *f*.
moviegoer ['muːvɪgəuə*] (*US*) *n* Kinogänger(in) *m(f)*.
moving ['muːvɪŋ] *adj* beweglich; (*emotional*) ergreifend; (*instigating*): **the ~ spirit/force** die treibende Kraft.

mow [məu] (*pt* **mowed,** *pp* **mowed** *or* **mown**) *vt* mähen.
▸**mow down** *vt* (*kill*) niedermähen.
mower ['məuə*] *n* (*also*: **lawnmower**) Rasenmäher *m*.
Mozambique [məuzəm'bi:k] *n* Mosambik *nt*.
MP *n abbr* (= *Member of Parliament*) ≈ MdB; = **military police**; (*CANADA:* = *Mounted Police*) berittene Polizei *f*.
mpg *n abbr* (= *miles per gallon*) *see* **mile.**
mph *abbr* (= *miles per hour*) Meilen pro Stunde.
MPhil *n abbr* (= *Master of Philosophy*) ≈ M.A.
MPS (*BRIT*) *n abbr* (= *Member of the Pharmaceutical Society*) *Qualifikationsnachweis für Pharmazeuten.*
Mr, (*US*) **Mr.** ['mɪstə*] *n:* ~ **Smith** Herr Smith.
MRC (*BRIT*) *n abbr* (= *Medical Research Council*) *medizinischer Forschungsausschuß.*
MRCP (*BRIT*) *n abbr* (= *Member of the Royal College of Physicians*) *höchster akademischer Grad in Medizin.*
MRCS (*BRIT*) *n abbr* (= *Member of the Royal College of Surgeons*) *höchster akademischer Grad für Chirurgen.*
MRCVS (*BRIT*) *n abbr* (= *Member of the Royal College of Veterinary Surgeons*) *höchster akademischer Grad für Tiermediziner.*
Mrs, (*US*) **Mrs.** ['mɪsɪz] *n:* ~ **Smith** Frau Smith.
MS *n abbr* (= *multiple sclerosis*) MS *f*; (*US:* = *Master of Science*) *akademischer Grad in Naturwissenschaften* ♦ *abbr* (*US: POST:* = *Mississippi*).
MS. (*pl* **MSS.**) *n abbr* (= *manuscript*) Ms.
Ms, (*US*) **Ms.** [mɪz] *n* (= *Miss or Mrs*): ~ **Smith** Frau Smith.
MSA (*US*) *n abbr* (= *Master of Science in Agriculture*) *akademischer Grad in Agronomie.*
MSc *n abbr* (= *Master of Science*) *akademischer Grad in Naturwissenschaften.*
MSG *n abbr* = **monosodium glutamate.**
MSS. *n abbr* (= *manuscripts*) Mss.
MST (*US*) *abbr* (= *Mountain Standard Time*) *amerikanische Standardzeitzone.*
MSW (*US*) *n abbr* (= *Master of Social Work*) *akademischer Grad in Sozialwissenschaft.*
MT *n abbr* (*COMPUT, LING:* = *machine translation*) maschinelle Übersetzung *f* ♦ *abbr* (*US: POST:* = *Montana*).
Mt *abbr* (*GEOG*) = **mount.**
MTV (*esp US*) *n abbr* (= *music television*) MTV *nt*.

KEYWORD

much [mʌtʃ] *adj* (*time, money, effort*) viel; **how ~ money/time do you need?** wieviel Geld/Zeit brauchen Sie?; **he's done so ~ work for us** er hat so viel für uns gearbeitet; **as ~ as** soviel wie; **I have as ~ money/intelligence as you** ich besitze genauso viel Geld/Intelligenz wie du
♦ *pron* viel; **how ~ is it?** was kostet es?
♦ *adv* **1** (*greatly, a great deal*) sehr; **thank you very ~** vielen Dank, danke sehr; **I read as ~ as I can** ich lese soviel wie ich kann
2 (*by far*) viel; **I'm ~ better now** mir geht es jetzt viel besser
3 (*almost*) fast; **how are you feeling? - ~ the same** wie fühlst du dich? - fast genauso; **the two books are ~ the same** die zwei Bücher sind sich sehr ähnlich.

muck [mʌk] *n* (*dirt*) Dreck *m*.
▸**muck about** (*inf*) *vi* (*fool about*) herumalbern ♦ *vt:* **to ~ sb about** mit jdm beliebig umspringen.
▸**muck around** *vi* = **muck about.**
▸**muck in** (*BRIT: inf*) *vi* mit anpacken.
▸**muck out** *vt* (*stable*) ausmisten.
▸**muck up** (*inf*) *vt* (*exam etc*) verpfuschen.
muckraking ['mʌkreɪkɪŋ] (*fig: inf*) *n* Sensationsmache *f* ♦ *adj* sensationslüstern.
mucky ['mʌkɪ] *adj* (*dirty*) dreckig; (*field*) matschig.
mucus ['mju:kəs] *n* Schleim *m*.
mud [mʌd] *n* Schlamm *m*.
muddle ['mʌdl] *n* (*mess*) Durcheinander *nt*; (*confusion*) Verwirrung *f* ♦ *vt* (*person*) verwirren; (*also*: ~ **up**) durcheinanderbringen; **to be in a ~** völlig durcheinander sein; **to get in a ~** (*person*) konfus werden; (*things*) durcheinandergeraten.
▸**muddle along** *vi* vor sich *acc* hinwursteln.
▸**muddle through** *vi* (*get by*) sich durchschlagen.
muddle-headed [mʌdl'hɛdɪd] *adj* zerstreut.
muddy ['mʌdɪ] *adj* (*floor*) schmutzig; (*field*) schlammig.
mud flats *npl* Watt(enmeer) *nt*.
mudguard ['mʌdgɑ:d] (*BRIT*) *n* Schutzblech *nt*; (*on old car*) Kotflügel *m*.
mudpack ['mʌdpæk] *n* Schlammpackung *f*.
mud-slinging ['mʌdslɪŋɪŋ] *n* (*fig*) Schlechtmacherei *f*.
muesli ['mju:zlɪ] *n* Müsli *nt*.
muffin ['mʌfɪn] *n* (*BRIT*) *weiches, flaches Milchbrötchen, meist warm gegessen*; (*US*) *kleiner runder Rührkuchen.*
muffle ['mʌfl] *vt* (*sound*) dämpfen; (*against cold*) einmummeln.
muffled ['mʌfld] *adj* (*see vt*) gedämpft; eingemummelt.
muffler ['mʌflə*] *n* (*US: AUT*) Auspufftopf *m*; (*scarf*) dicker Schal *m*.
mufti ['mʌftɪ] *n:* **in ~** in Zivil.
mug [mʌg] *n* (*cup*) Becher *m*; (*for beer*) Krug *m*; (*inf: face*) Visage *f*; (: *fool*) Trottel *m* ♦ *vt* (auf der Straße) überfallen; **it's a ~'s game** (*BRIT*) das ist doch Schwachsinn.
▸**mug up** (*BRIT: inf*) *vt* (*also*: ~ **up on**) pauken.
mugger ['mʌgə*] *n* Straßenräuber *m*.

mugging ['mʌgɪŋ] *n* Straßenraub *m*.
muggins ['mʌgɪnz] (*BRIT: inf*) *n* Dummkopf *m*; ... **and ~ does all the work** ... und ich bin mal wieder der/die Dumme und mache die ganze Arbeit.
muggy ['mʌgɪ] *adj* (*weather, day*) schwül.
mug shot (*inf*) *n* (*of criminal*) Verbrecherfoto *nt*; (*for passport*) Paßbild *nt*.
mulatto [mju:'lætəu] (*pl* **~es**) *n* Mulatte *m*, Mulattin *f*.
mulberry ['mʌlbrɪ] *n* (*fruit*) Maulbeere *f*; (*tree*) Maulbeerbaum *m*.
mule [mju:l] *n* Maultier *nt*.
mulled [mʌld] *adj*: **~ wine** Glühwein *m*.
mullioned ['mʌlɪənd] *adj* (*windows*) längs unterteilt.
mull over [mʌl-] *vt* sich *dat* durch den Kopf gehen lassen.
multi... ['mʌltɪ] *pref* multi-, Multi-.
multi-access ['mʌltɪ'æksɛs] *adj* (*COMPUT: system etc*) Mehrplatz-.
multicoloured, (*US*) **multicolored** ['mʌltɪkʌləd] *adj* mehrfarbig.
multifarious [mʌltɪ'fɛərɪəs] *adj* vielfältig.
multilateral [mʌltɪ'lætərl] *adj* multilateral.
multi-level ['mʌltɪlɛvl] (*US*) *adj* = **multistorey**.
multimillionaire [mʌltɪmɪljə'nɛə*] *n* Multimillionär *m*.
multinational [mʌltɪ'næʃənl] *adj* multinational ♦ *n* multinationaler Konzern *m*, Multi *m* (*inf*).
multiple ['mʌltɪpl] *adj* (*injuries*) mehrfach; (*interests, causes*) vielfältig ♦ *n* Vielfache(s) *nt*; **~ collision** Massenkarambolage *f*.
multiple-choice ['mʌltɪpltʃɔɪs] *adj* (*question etc*) Multiple-Choice-.
multiple sclerosis *n* multiple Sklerose *f*.
multiplex ['mʌltɪplɛks] *n*: **~ transmitter** Multiplex-Sender *m*; **~ cinema** Kinocenter *nt*.
multiplication [mʌltɪplɪ'keɪʃən] *n* Multiplikation *f*; (*increase*) Vervielfachung *f*.
multiplication table *n* Multiplikationstabelle *f*.
multiplicity [mʌltɪ'plɪsɪtɪ] *n*: **a ~ of** eine Vielzahl von.
multiply ['mʌltɪplaɪ] *vt* multiplizieren ♦ *vi* (*increase: problems*) stark zunehmen; (: *number*) sich vervielfachen; (*breed*) sich vermehren.
multiracial [mʌltɪ'reɪʃl] *adj* gemischtrassig; (*school*) ohne Rassentrennung; **~ policy** Politik *f* der Rassenintegration.
multistorey [mʌltɪ'stɔ:rɪ] (*BRIT*) *adj* (*building, car park*) mehrstöckig.
multitude ['mʌltɪtju:d] *n* Menge *f*; **a ~ of** eine Vielzahl von, eine Menge.
mum [mʌm] (*BRIT: inf*) *n* Mutti *f*, Mama *f* ♦ *adj*: **to keep ~** den Mund halten; **~'s the word** nichts verraten!
mumble ['mʌmbl] *vt, vi* (*indistinctly*) nuscheln; (*quietly*) murmeln.
mumbo jumbo ['mʌmbəu-] *n* (*nonsense*) Geschwafel *nt*.
mummify ['mʌmɪfaɪ] *vt* mumifizieren.
mummy ['mʌmɪ] *n* (*BRIT: mother*) Mami *f*; (*embalmed body*) Mumie *f*.
mumps [mʌmps] *n* Mumps *m or f*.
munch [mʌntʃ] *vt, vi* mampfen.
mundane [mʌn'deɪn] *adj* (*life*) banal; (*task*) stumpfsinnig.
Munich ['mju:nɪk] *n* München *nt*.
municipal [mju:'nɪsɪpl] *adj* städtisch, Stadt-; (*elections, administration*) Kommunal-.
municipality [mju:nɪsɪ'pælɪtɪ] *n* Gemeinde *f*, Stadt *f*.
munitions [mju:'nɪʃənz] *npl* Munition *f*.
mural ['mjuərl] *n* Wandgemälde *nt*.
murder ['mə:də*] *n* Mord *m* ♦ *vt* ermorden; (*spoil: piece of music, language*) verhunzen; **to commit ~** einen Mord begehen.
murderer ['mə:dərə*] *n* Mörder *m*.
murderess ['mə:dərɪs] *n* Mörderin *f*.
murderous ['mə:dərəs] *adj* blutrünstig; (*attack*) Mord-; (*fig: look, attack*) vernichtend; (: *pace, heat*) mörderisch.
murk [mə:k] *n* Düsternis *f*.
murky ['mə:kɪ] *adj* düster; (*water*) trübe.
murmur ['mə:mə*] *n* (*of voices*) Murmeln *nt*; (*of wind, waves*) Rauschen *nt* ♦ *vt, vi* murmeln; **heart ~** Herzgeräusche *pl*.
MusB(ac) *n abbr* (= *Bachelor of Music*) *akademischer Grad in Musikwissenschaft*.
muscle ['mʌsl] *n* Muskel *m*; (*fig: strength*) Macht *f*.
▸**muscle in** *vi*: **to ~ in (on sth)** (bei etw) mitmischen.
muscular ['mʌskjulə*] *adj* (*pain, dystrophy*) Muskel-; (*person, build*) muskulös.
muscular dystrophy *n* Muskeldystrophie *f*.
MusD(oc) *n abbr* (= *Doctor of Music*) *Doktorat in Musikwissenschaft*.
muse [mju:z] *vi* nachgrübeln ♦ *n* Muse *f*.
museum [mju:'zɪəm] *n* Museum *nt*.
mush [mʌʃ] *n* Brei *m*; (*pej*) Schmalz *m*.
mushroom ['mʌʃrum] *n* (*edible*) (eßbarer) Pilz *m*; (*poisonous*) Giftpilz *m*; (*button mushroom*) Champignon *m* ♦ *vi* (*fig: buildings etc*) aus dem Boden schießen; (: *town, organization*) explosionsartig wachsen.
mushroom cloud *n* Atompilz *m*.
mushy ['mʌʃɪ] *adj* matschig; (*consistency*) breiig; (*inf: sentimental*) rührselig; **~ peas** Erbsenbrei *m*.
music ['mju:zɪk] *n* Musik *f*; (*written music, score*) Noten *pl*.
musical ['mju:zɪkl] *adj* musikalisch; (*sound, tune*) melodisch ♦ *n* Musical *nt*.
music(al) box *n* Spieldose *f*.
musical chairs *n* die Reise *f* nach Jerusalem.
musical instrument *n* Musikinstrument *nt*.
music centre *n* Musik-Center *nt*.
music hall *n* Varieté *nt*.
musician [mju:'zɪʃən] *n* Musiker(in) *m(f)*.
music stand *n* Notenständer *m*.

musk [mʌsk] *n* Moschus *m*.
musket ['mʌskɪt] *n* Muskete *f*.
muskrat ['mʌskræt] *n* Bisamratte *f*.
musk rose *n* Moschusrose *f*.
Muslim ['mʌzlɪm] *adj* moslemisch ♦ *n* Moslem *m*, Moslime *f*.
muslin ['mʌzlɪn] *n* Musselin *m*.
musquash ['mʌskwɔʃ] *n* Bisamratte *f*; (*fur*) Bisam *m*.
mussel ['mʌsl] *n* (Mies)muschel *f*.
must [mʌst] *aux vb* müssen; (*in negative*) dürfen ♦ *n* Muß *nt*; **I ~ do it** ich muß es tun; **you ~ not do that** das darfst du nicht tun; **he ~ be there by now** jetzt müßte er schon dort sein; **you ~ come and see me soon** Sie müssen mich bald besuchen; **why ~ he behave so badly?** warum muß er sich so schlecht benehmen?; **I ~ have made a mistake** ich muß mich geirrt haben; **the film is a ~** den Film muß man unbedingt gesehen haben.
mustache ['mʌstæʃ] (*US*) *n* = **moustache**.
mustard ['mʌstəd] *n* Senf *m*.
mustard gas *n* (*MIL*) Senfgas *nt*.
muster ['mʌstə*] *vt* (*support*) zusammenbekommen; (*also*: ~ **up**: *energy, strength, courage*) aufbringen; (*troops, members*) antreten lassen ♦ *n*: **to pass ~** den Anforderungen genügen.
mustiness ['mʌstɪnɪs] *n* Muffigkeit *f*.
mustn't ['mʌsnt] = **must not**.
musty ['mʌstɪ] *adj* muffig; (*building*) moderig.
mutant ['mju:tənt] *n* Mutante *f*.
mutate [mju:'teɪt] *vi* (*BIOL*) mutieren.
mutation [mju:'teɪʃən] *n* (*BIOL*) Mutation *f*; (*alteration*) Veränderung *f*.
mute [mju:t] *adj* stumm.
muted ['mju:tɪd] *adj* (*colour*) gedeckt; (*reaction, criticism*) verhalten; (*sound, trumpet, MUS*) gedämpft.
mutilate ['mju:tɪleɪt] *vt* verstümmeln.
mutilation [mju:tɪ'leɪʃən] *n* Verstümmelung *f*.
mutinous ['mju:tɪnəs] *adj* meuterisch; (*attitude*) rebellisch.
mutiny ['mju:tɪnɪ] *n* Meuterei *f* ♦ *vi* meutern.
mutter ['mʌtə*] *vt, vi* murmeln.
mutton ['mʌtn] *n* Hammelfleisch *nt*.
mutual ['mju:tʃuəl] *adj* (*feeling, attraction*) gegenseitig; (*benefit*) beiderseitig; (*interest, friend*) gemeinsam; **the feeling was ~** das beruhte auf Gegenseitigkeit.
mutually ['mju:tʃuəlɪ] *adv* (*beneficial, satisfactory*) für beide Seiten; (*accepted*) von beiden Seiten; **to be ~ exclusive** einander ausschließen; ~ **incompatible** nicht miteinander vereinbar.
Muzak ® ['mju:zæk] *n* Berieselungsmusik *f* (*inf*).
muzzle ['mʌzl] *n* (*of dog*) Maul *nt*; (*of gun*) Mündung *f*; (*guard: for dog*) Maulkorb *m* ♦ *vt* (*dog*) einen Maulkorb anlegen *+dat*; (*fig: press, person*) mundtot machen.
MV *abbr* (= *motor vessel*) MS.
MVP (*US*) *n abbr* (*SPORT*: = *most valuable player*) wertvollster Spieler *m*, wertvollste Spielerin *f*.
MW *abbr* (*RADIO*: = *medium wave*) MW.

KEYWORD

my [maɪ] *adj* mein(e); **this is ~ brother/sister/house** das ist mein Bruder/meine Schwester/mein Haus; **I've washed ~ hair/cut ~ finger** ich habe mir die Haare gewaschen/mir *or* mich in den Finger geschnitten; **is this ~ pen or yours?** ist das mein Stift oder deiner?

Myanmar ['maɪænmɑ:] *n* Myanmar *nt*.
myopic [maɪ'ɔpɪk] *adj* (*MED, fig*) kurzsichtig.
myriad ['mɪrɪəd] *n* Unzahl *f*.
myrrh [mə:*] *n* Myrrhe *f*.
myself [maɪ'sɛlf] *pron* (*acc*) mich; (*dat*) mir; (*emphatic*) selbst; *see also* **oneself**.
mysterious [mɪs'tɪərɪəs] *adj* geheimnisvoll, mysteriös.
mysteriously [mɪs'tɪərɪəslɪ] *adv* auf mysteriöse Weise; (*smile*) geheimnisvoll.
mystery ['mɪstərɪ] *n* (*puzzle*) Rätsel *nt*; (*strangeness*) Rätselhaftigkeit *f* ♦ *cpd* (*guest, voice*) mysteriös; ~ **tour** Fahrt *f* ins Blaue.
mystery story *n* Kriminalgeschichte *f*.
mystic ['mɪstɪk] *n* Mystiker(in) *m(f)*.
mystic(al) ['mɪstɪk(l)] *adj* mystisch.
mystify ['mɪstɪfaɪ] *vt* vor ein Rätsel stellen.
mystique [mɪs'ti:k] *n* geheimnisvoller Nimbus *m*.
myth [mɪθ] *n* Mythos *m*; (*fallacy*) Märchen *nt*.
mythical ['mɪθɪkl] *adj* mythisch; (*jobs, opportunities etc*) fiktiv.
mythological [mɪθə'lɔdʒɪkl] *adj* mythologisch.
mythology [mɪ'θɔlədʒɪ] *n* Mythologie *f*.

N, n

N¹, n [ɛn] *n* (*letter*) N *nt*, n *nt*; ~ **for Nellie**, (*US*) ~ **for Nan** ≈ N wie Nordpol.
N² [ɛn] *abbr* (= *north*) N.
NA (*US*) *n abbr* (= *Narcotics Anonymous*) *Hilfsorganisation für Drogensüchtige*; (= *National Academy*) *Dachverband verschiedener Forschungsunternehmen*.
n/a *abbr* (= *not applicable*) entf.; (*COMM etc*: = *no account*) kein Konto.
NAACP (*US*) *n abbr* (= *National Association for the Advancement of Colored People*) *Vereinigung zur Förderung Farbiger*.
NAAFI ['næfɪ] (*BRIT*) *n abbr* (= *Navy, Army and*

Air Force Institutes) Laden für britische Armeeangehörige.
NACU (*US*) *n abbr* (= *National Association of Colleges and Universities*) *Fachhochschul- und Universitätsverband.*
nadir ['neɪdɪə*] *n* (*fig*) Tiefstpunkt *m*; (*ASTRON*) Nadir *m*.
NAFTA *n abbr* (= *North Atlantic Free Trade Agreement*) *amerikanische Freihandelszone.*
nag [næg] *vt* herumnörgeln an *+dat* ♦ *vi* nörgeln ♦ *n* (*pej: horse*) Gaul *m*; (: *person*) Nörgler(in) *m(f)*; **to ~ at sb** jdn plagen, jdm keine Ruhe lassen.
nagging ['nægɪŋ] *adj* (*doubt, suspicion*) quälend; (*pain*) dumpf.
nail [neɪl] *n* Nagel *m* ♦ *vt* (*inf: thief etc*) drankriegen; (: *fraud*) aufdecken; **to ~ sth to sth** etw an etw *acc* nageln; **to ~ sb down (to sth)** jdn (auf etw *acc*) festnageln.
nailbrush ['neɪlbrʌʃ] *n* Nagelbürste *f*.
nailfile ['neɪlfaɪl] *n* Nagelfeile *f*.
nail polish *n* Nagellack *m*.
nail polish remover *n* Nagellackentferner *m*.
nail scissors *npl* Nagelschere *f*.
nail varnish (*BRIT*) *n* = **nail polish.**
Nairobi [naɪ'rəubɪ] *n* Nairobi *nt*.
naive [nɑː'iːv] *adj* naiv.
naïveté [nɑːiːv'teɪ] *n* = **naivety.**
naivety [naɪ'iːvtɪ] *n* Naivität *f*.
naked ['neɪkɪd] *adj* nackt; (*flame, light*) offen; **with the ~ eye** mit bloßem Auge; **to the ~ eye** für das bloße Auge.
nakedness ['neɪkɪdnɪs] *n* Nacktheit *f*.
NAM (*US*) *n abbr* (= *National Association of Manufacturers*) *nationaler Verband der verarbeitenden Industrie.*
name [neɪm] *n* Name *m* ♦ *vt* nennen; (*ship*) taufen; (*identify*) (beim Namen) nennen; (*date etc*) bestimmen, festlegen; **what's your ~?** wie heißen Sie?; **my ~ is Peter** ich heiße Peter; **by ~** mit Namen; **in the ~ of** im Namen *+gen*; **to give one's ~ and address** Namen und Adresse angeben; **to make a ~ for o.s.** sich *dat* einen Namen machen; **to give sb a bad ~** jdn in Verruf bringen; **to call sb ~s** jdn beschimpfen; **to be ~d after sb/sth** nach jdm/etw benannt werden.
name-dropping ['neɪmdrɔpɪŋ] *n* Angeberei *f* mit berühmten Namen.
nameless ['neɪmlɪs] *adj* namenlos; **who/which shall remain ~** der/die/das ungenannt bleiben soll.
namely ['neɪmlɪ] *adv* nämlich.
nameplate ['neɪmpleɪt] *n* Namensschild *nt*.
namesake ['neɪmseɪk] *n* Namensvetter(in) *m(f)*.
nan bread [nɑːn-] *n* Nan-Brot *nt*, *fladenförmiges Weißbrot als Beilage zu indischen Gerichten.*
nanny ['nænɪ] *n* Kindermädchen *nt*.
nanny-goat ['nænɪgəut] *n* Geiß *f*.
nap [næp] *n* Schläfchen *nt*; (*of fabric*) Strich *m* ♦ *vi*: **to be caught ~ping** (*fig*) überrumpelt werden; **to have a ~** ein Schläfchen *or* ein Nickerchen (*inf*) machen.
NAPA (*US*) *n abbr* (= *National Association of Performing Artists*) *Künstlergewerkschaft.*
napalm ['neɪpɑːm] *n* Napalm *nt*.
nape [neɪp] *n*: **the ~ of the neck** der Nacken.
napkin ['næpkɪn] *n* (*also*: **table ~**) Serviette *f*.
Naples ['neɪplz] *n* Neapel *nt*.
Napoleonic [nəpəulɪ'ɔnɪk] *adj* Napoleonisch.
nappy ['næpɪ] (*BRIT*) *n* Windel *f*.
nappy liner (*BRIT*) *n* Windeleinlage *f*.
nappy rash *n* Wundsein *nt*.
narcissistic [nɑːsɪ'sɪstɪk] *adj* narzißtisch.
narcissus [nɑː'sɪsəs] (*pl* **narcissi**) *n* Narzisse *f*.
narcotic [nɑː'kɔtɪk] *adj* narkotisch ♦ *n* Narkotikum *nt*; **narcotics** *npl* (*drugs*) Drogen *pl*; **~ drug** Rauschgift *nt*.
nark [nɑːk] (*BRIT: inf*) *vt*: **to be ~ed at sth** sauer über etw *acc* sein.
narrate [nə'reɪt] *vt* erzählen; (*film, programme*) kommentieren.
narration [nə'reɪʃən] *n* Kommentar *m*.
narrative ['nærətɪv] *n* Erzählung *f*; (*of journey etc*) Schilderung *f*.
narrator [nə'reɪtə*] *n* Erzähler(in) *m(f)*; (*in film etc*) Kommentator(in) *m(f)*.
narrow ['nærəu] *adj* eng; (*ledge etc*) schmal; (*majority, advantage, victory, defeat*) knapp; (*ideas, view*) engstirnig ♦ *vi* sich verengen; (*gap, difference*) sich verringern ♦ *vt* (*gap, difference*) verringern; (*eyes*) zusammenkneifen; **to have a ~ escape** mit knapper Not davonkommen; **to ~ sth down (to sth)** etw (auf etw *acc*) beschränken.
narrow gauge ['nærəugeɪdʒ] *adj* (*RAIL*) Schmalspur-.
narrowly ['nærəulɪ] *adv* knapp; (*escape*) mit knapper Not.
narrow-minded [nærəu'maɪndɪd] *adj* engstirnig.
NAS (*US*) *n abbr* (= *National Academy of Sciences*) *Akademie der Wissenschaften.*
NASA ['næsə] (*US*) *n abbr* (= *National Aeronautics and Space Administration*) NASA *f*.
nasal ['neɪzl] *adj* Nasen-; (*voice*) näselnd.
Nassau ['næsɔː] *n* Nassau *nt*.
nastily ['nɑːstɪlɪ] *adv* gemein; (*say*) gehässig.
nastiness ['nɑːstɪnɪs] *n* Gemeinheit *f*; (*of remark*) Gehässigkeit *f*; (*of smell, taste etc*) Ekelhaftigkeit *f*.
nasturtium [nəs'təːʃəm] *n* Kapuzinerkresse *f*.
nasty ['nɑːstɪ] *adj* (*remark*) gehässig; (*person*) gemein; (*taste, smell*) ekelhaft; (*wound, disease, accident, shock*) schlimm; (*problem, question*) schwierig; (*weather, temper*) abscheulich; **to turn ~** unangenehm werden; **it's a ~ business** es ist schrecklich; **he's got a ~ temper** mit ihm ist nicht gut

Kirschen essen.

NAS/UWT (*BRIT*) *n abbr* (= *National Association of Schoolmasters/Union of Women Teachers*) *Lehrergewerkschaft.*

nation ['neɪʃən] *n* Nation *f*; (*people*) Volk *nt*.

national ['næʃənl] *adj* (*character, flag*) National-; (*interests*) Staats-; (*newspaper*) überregional ♦ *n* Staatsbürger(in) *m(f)*; **foreign** ~ Ausländer(in) *m(f)*.

national anthem *n* Nationalhymne *f*.

National Curriculum *n zentraler Lehrplan für Schulen in England und Wales.*

national debt *n* Staatsverschuldung *f*.

national dress *n* Nationaltracht *f*.

National Guard (*US*) *n* Nationalgarde *f*.

National Health Service (*BRIT*) *n* Staatlicher Gesundheitsdienst *m*.

National Insurance (*BRIT*) *n* Sozialversicherung *f*.

nationalism ['næʃnəlɪzəm] *n* Nationalismus *m*.

nationalist ['næʃnəlɪst] *adj* nationalistisch ♦ *n* Nationalist(in) *m(f)*.

nationality [næʃə'nælɪtɪ] *n* Staatsangehörigkeit *f*, Nationalität *f*.

nationalization [næʃnəlaɪ'zeɪʃən] *n* Verstaatlichung *f*.

nationalize ['næʃnəlaɪz] *vt* verstaatlichen.

National Lottery *n* ≈ Lotto *nt*.

nationally ['næʃnəlɪ] *adv* landesweit.

national park *n* Nationalpark *m*.

national press *n* überregionale Presse *f*.

National Security Council (*US*) *n* Nationaler Sicherheitsrat *m*.

national service *n* Wehrdienst *m*.

National Trust (*BRIT*) *n Organisation zum Schutz historischer Bauten und Denkmäler sowie zum Landschaftsschutz.*

Der **National Trust** *ist ein 1895 gegründeter Natur- und Denkmalschutzverband in Großbritannien, der Gebäude und Gelände von besonderem historischem oder ästhetischem Interesse erhält und der Öffentlichkeit zugänglich macht. Viele Gebäude im Besitz des National Trust sind (z.T. gegen ein Eintrittsgeld) zu besichtigen.*

nationwide ['neɪʃənwaɪd] *adj, adv* landesweit.

native ['neɪtɪv] *n* Einheimische(r) *f(m)* ♦ *adj* einheimisch; (*country*) Heimat-; (*language*) Mutter-; (*innate*) angeboren; **a ~ of Germany, a ~ German** ein gebürtiger Deutscher, eine gebürtige Deutsche; ~ **to** beheimatet in *+dat*.

Native American *adj* indianisch, der Ureinwohner Amerikas ♦ *n* Ureinwohner(in) *m(f)* Amerikas.

native speaker *n* Muttersprachler(in) *m(f)*.

Nativity [nə'tɪvɪtɪ] *n*: **the** ~ Christi Geburt *f*.

nativity play *n* Krippenspiel *nt*.

NATO ['neɪtəu] *n abbr* (= *North Atlantic Treaty Organization*) NATO *f*.

natter ['nætə*] (*BRIT*) *vi* quatschen (*inf*) ♦ *n*: **to have a** ~ einen Schwatz halten.

natural ['nætʃrəl] *adj* natürlich; (*disaster*) Natur-; (*innate*) angeboren; (*born*) geboren; (*MUS*) ohne Vorzeichen; **to die of ~ causes** eines natürlichen Todes sterben; ~ **foods** Naturkost *f*; **she played F ~ not F sharp** sie spielte f statt fis.

natural childbirth *n* natürliche Geburt *f*.

natural gas *n* Erdgas *nt*.

natural history *n* Naturkunde *f*; **the ~ of England** die Naturgeschichte Englands.

naturalist ['nætʃrəlɪst] *n* Naturforscher(in) *m(f)*.

naturalize ['nætʃrəlaɪz] *vt*: **to become ~d** eingebürgert werden.

naturally ['nætʃrəlɪ] *adv* natürlich; (*happen*) auf natürlichem Wege; (*die*) eines natürlichen Todes; (*occur: cheerful, talented, blonde*) von Natur aus.

naturalness ['nætʃrəlnɪs] *n* Natürlichkeit *f*.

natural resources *npl* Naturschätze *pl*.

natural selection *n* natürliche Auslese *f*.

natural wastage *n* natürliche Personalreduzierung *f*.

nature ['neɪtʃə*] *n* (*also*: **Nature**) Natur *f*; (*kind, sort*) Art *f*; (*character*) Wesen *nt*; **by** ~ von Natur aus; **by its (very)** ~ naturgemäß; **documents of a confidential** ~ Unterlagen vertraulicher Art.

-natured ['neɪtʃəd] *suff*: **good-**~ gutmütig; **ill-**~ bösartig.

nature reserve (*BRIT*) *n* Naturschutzgebiet *nt*.

nature trail *n* Naturlehrpfad *m*.

naturist ['neɪtʃərɪst] *n* Anhänger(in) *m(f)* der Freikörperkultur.

naught [nɔːt] *n* = **nought.**

naughtiness ['nɔːtɪnɪs] *n* (*see adj*) Unartigkeit *f*, Ungezogenheit *f*; Unanständigkeit *f*.

naughty ['nɔːtɪ] *adj* (*child*) unartig, ungezogen; (*story, film, words*) unanständig.

nausea ['nɔːsɪə] *n* Übelkeit *f*.

nauseate ['nɔːsɪeɪt] *vt* Übelkeit verursachen *+dat*; (*fig*) anwidern.

nauseating ['nɔːsɪeɪtɪŋ] *adj* ekelerregend; (*fig*) widerlich.

nauseous ['nɔːsɪəs] *adj* ekelhaft; **I feel** ~ mir ist übel.

nautical ['nɔːtɪkl] *adj* (*chart*) See-; (*uniform*) Seemanns-.

nautical mile *n* Seemeile *f*.

naval ['neɪvl] *adj* Marine-; (*battle, forces*) See-.

naval officer *n* Marineoffizier *m*.

nave [neɪv] *n* Hauptschiff *nt*, Mittelschiff *nt*.

navel ['neɪvl] *n* Nabel *m*.

navigable ['nævɪgəbl] *adj* schiffbar.

navigate ['nævɪgeɪt] *vt* (*river*) befahren; (*path*) begehen ♦ *vi* navigieren; (*AUT*) den Fahrer dirigieren.

navigation [nævɪ'geɪʃən] *n* Navigation *f*.

navigator ['nævɪgeɪtə*] *n* (*NAUT*) Steuermann

m; (*AVIAT*) Navigator(in) *m(f)*; (*AUT*) Beifahrer(in) *m(f)*.
navvy ['nævɪ] (*BRIT*) *n* Straßenarbeiter *m*.
navy ['neɪvɪ] *n* (Kriegs)marine *f*; (*ships*) (Kriegs)flotte *f*; **Department of the N~** (*US*) Marineministerium *nt*.
navy(-blue) ['neɪvɪ('blu:)] *adj* marineblau.
Nazareth ['næzərɪθ] *n* Nazareth *nt*.
Nazi ['nɑ:tsɪ] *n* Nazi *m*.
NB *abbr* (= *nota bene*) NB; (*CANADA*: = *New Brunswick*).
NBA (*US*) *n abbr* (= *National Basketball Association*) *Basketball-Dachverband*; (= *National Boxing Association*) *Boxsport-Dachverband*.
NBC (*US*) *n abbr* (= *National Broadcasting Company*) *Fernsehsender*.
NBS (*US*) *n abbr* (= *National Bureau of Standards*) *amerikanischer Normenausschuß*.
NC *abbr* (*COMM etc*: = *no charge*) frei; (*US*: *POST*: = *North Carolina*).
NCC *n abbr* (*BRIT*: = *Nature Conservancy Council*) *Naturschutzverband*; (*US*: = *National Council of Churches*) *Zusammenschluß protestantischer und orthodoxer Kirchen*.
NCCL (*BRIT*) *n abbr* (= *National Council for Civil Liberties*) *Organisation zum Schutz von Freiheitsrechten*.
NCO *n abbr* (*MIL*: = *noncommissioned officer*) Uffz.
ND (*US*) *abbr* (*POST*: = *North Dakota*).
N.Dak. (*US*) *abbr* (*POST*: = *North Dakota*).
NE *abbr* = **north-east**; (*US*: *POST*: = *New England*; *Nebraska*).
NEA (*US*) *n abbr* (= *National Education Association*) *Verband für das Erziehungswesen*.
neap [ni:p] *n* (*also*: ~ **tide**) Nippflut *f*.
Neapolitan [nɪə'pɔlɪtən] *adj* neapolitanisch ♦ *n* Neapolitaner(in) *m(f)*.
near [nɪə*] *adj* nahe ♦ *adv* nahe; (*almost*) fast, beinahe ♦ *prep* (*also*: ~ **to**: *in space*) nahe an *+dat*; (: *in time*) um *acc* ... herum; (: *in situation, in intimacy*) nahe *+dat* ♦ *vt* sich nähern *+dat*; (*state, situation*) kurz vor *+dat* stehen; **Christmas is** ~ bald ist Weihnachten; **£25,000 or ~est offer** (*BRIT*) £25.000 oder das nächstbeste Angebot; **in the ~ future** in naher Zukunft, bald; **in ~ darkness** fast im Dunkeln; **a ~ tragedy** beinahe eine Tragödie; **~ here/there** hier/dort in der Nähe; **to be ~ (to) doing sth** nahe daran sein, etw zu tun; **the building is ~ing completion** der Bau steht kurz vor dem Abschluß.
nearby [nɪə'baɪ] *adj* nahegelegen ♦ *adv* in der Nähe.
Near East *n*: **the** ~ der Nahe Osten.
nearer ['nɪərə*] *adj, adv comp of* **near**.
nearest [nɪərəst] *adj, adv superl of* **near**.
nearly ['nɪəlɪ] *adv* fast; **I ~ fell** ich wäre beinahe gefallen; **it's not ~ big enough** es ist bei weitem nicht groß genug; **she was ~ crying** sie war den Tränen nahe.
near miss *n* Beinahezusammenstoß *m*; **that was a** ~ (*shot*) das war knapp daneben.
nearness ['nɪənɪs] *n* Nähe *f*.
nearside ['nɪəsaɪd] (*AUT*) *adj* (*when driving on left*) linksseitig; (*when driving on right*) rechtsseitig ♦ *n*: **the** ~ (*when driving on left*) die linke Seite; (*when driving on right*) die rechte Seite.
near-sighted [nɪə'saɪtɪd] *adj* kurzsichtig.
neat [ni:t] *adj* ordentlich; (*handwriting*) sauber; (*plan, solution*) elegant; (*description*) prägnant; (*spirits*) pur; **I drink it** ~ ich trinke es pur.
neatly ['ni:tlɪ] *adv* ordentlich; (*conveniently*) sauber.
neatness ['ni:tnɪs] *n* Ordentlichkeit *f*; (*of solution, plan*) Sauberkeit *f*.
Nebr. (*US*) *abbr* (*POST*: = *Nebraska*).
nebulous ['nɛbjuləs] *adj* vage, unklar.
necessarily ['nɛsɪsrɪlɪ] *adv* notwendigerweise; **not** ~ nicht unbedingt.
necessary ['nɛsɪsrɪ] *adj* notwendig, nötig; (*inevitable*) unausweichlich; **if** ~ wenn nötig, nötigenfalls; **it is ~ to** ... man muß ...
necessitate [nɪ'sɛsɪteɪt] *vt* erforderlich machen.
necessity [nɪ'sɛsɪtɪ] *n* Notwendigkeit *f*; **of** ~ notgedrungen; **out of** ~ aus Not; **the necessities (of life)** das Notwendigste (zum Leben).
neck [nɛk] *n* Hals *m*; (*of shirt, dress, jumper*) Ausschnitt *m* ♦ *vi* (*inf*) knutschen; **~ and ~** Kopf an Kopf; **to stick one's ~ out** (*inf*) seinen Kopf riskieren.
necklace ['nɛklɪs] *n* (Hals)kette *f*.
neckline ['nɛklaɪn] *n* Ausschnitt *m*.
necktie ['nɛktaɪ] (*esp US*) *n* Krawatte *f*.
nectar ['nɛktə*] *n* Nektar *m*.
nectarine ['nɛktərɪn] *n* Nektarine *f*.
NEDC (*BRIT*) *n abbr* (= *National Economic Development Council*) *Rat für Wirtschaftsentwicklung*.
Neddy ['nɛdɪ] (*BRIT*: *inf*) *n abbr* = **NEDC**.
née [neɪ] *prep*: ~ **Scott** geborene Scott.
need [ni:d] *n* Bedarf *m*; (*necessity*) Notwendigkeit *f*; (*requirement*) Bedürfnis *nt*; (*poverty*) Not *f* ♦ *vt* brauchen; (*could do with*) nötig haben; **in** ~ bedürftig; **to be in ~ of sth** etw nötig haben; **£10 will meet my immediate ~s** mit £ 10 komme ich erst einmal aus; **(there's) no** ~ (das ist) nicht nötig; **there's no ~ to get so worked up about it** du brauchst dich darüber nicht so aufzuregen; **he had no ~ to work** er hatte es nicht nötig zu arbeiten; **I ~ to do it** ich muß es tun; **you don't ~ to go, you ~n't go** du brauchst nicht zu gehen; **a signature is ~ed** das bedarf einer Unterschrift *gen*.

needle ['ni:dl] *n* Nadel *f* ♦ *vt* (*fig: inf: goad*) ärgern, piesacken.
needless ['ni:dlɪs] *adj* unnötig; ~ **to say** natürlich.
needlessly ['ni:dlɪslɪ] *adv* unnötig.
needlework ['ni:dlwə:k] *n* Handarbeit *f*.
needn't ['ni:dnt] = **need not.**
needy ['ni:dɪ] *adj* bedürftig ♦ *npl*: **the** ~ die Bedürftigen *pl*.
negation [nɪ'geɪʃən] *n* Verweigerung *f*.
negative ['nɛgətɪv] *adj* negativ; (*answer*) abschlägig ♦ *n* (*PHOT*) Negativ *nt*; (*LING*) Verneinungswort *nt*, Negation *f*; **to answer in the** ~ eine verneinende Antwort geben.
negative equity *n Differenz zwischen gefallenem Wert und hypothekarischer Belastung eines Wohnungseigentums.*
neglect [nɪ'glɛkt] *vt* vernachlässigen; (*writer, artist*) unterschätzen ♦ *n* Vernachlässigung *f*.
neglected [nɪ'glɛktɪd] *adj* vernachlässigt; (*writer, artist*) unterschätzt.
neglectful [nɪ'glɛktful] *adj* nachlässig; (*father*) pflichtvergessen; **to be** ~ **of sth** etw vernachlässigen.
negligee ['nɛglɪʒeɪ] *n* Negligé *nt*.
negligence ['nɛglɪdʒəns] *n* Nachlässigkeit *f*; (*LAW*) Fahrlässigkeit *f*.
negligent ['nɛglɪdʒənt] *adj* nachlässig; (*LAW*) fahrlässig; (*casual*) lässig.
negligently ['nɛglɪdʒəntlɪ] *adv* (*see adj*) nachlässig; fahrlässig; lässig.
negligible ['nɛglɪdʒɪbl] *adj* geringfügig.
negotiable [nɪ'gəuʃɪəbl] *adj* verhandlungsfähig; (*path, river*) passierbar; **not** ~ (*on cheque etc*) nicht übertragbar.
negotiate [nɪ'gəuʃɪeɪt] *vi* verhandeln ♦ *vt* aushandeln; (*obstacle, hill*) überwinden; (*bend*) nehmen; **to** ~ **with sb (for sth)** mit jdm (über etw *acc*) verhandeln.
negotiating table [nɪ'gəuʃɪeɪtɪŋ-] *n* Verhandlungstisch *m*.
negotiation [nɪgəuʃɪ'eɪʃən] *n* Verhandlung *f*; **the matter is still under** ~ über die Sache wird noch verhandelt.
negotiator [nɪ'gəuʃɪeɪtə*] *n* Unterhändler(in) *m(f)*.
Negress ['ni:grɪs] *n* Negerin *f*.
Negro ['ni:grəu] (*pl* ~**es**) *adj* (*boy, slave*) Neger- ♦ *n* Neger *m*.
neigh [neɪ] *vi* wiehern.
neighbour, (*US*) **neighbor** ['neɪbə*] *n* Nachbar(in) *m(f)*.
neighbourhood ['neɪbəhud] *n* (*place*) Gegend *f*; (*people*) Nachbarschaft *f*; **in the** ~ **of** ... in der Nähe von ...; (*sum of money*) so um die ...
neighbourhood watch *n Vereinigung von Bürgern, die Straßenwachen etc zur Unterstützung der Polizei bei der Verbrechensbekämpfung organisiert.*
neighbouring ['neɪbərɪŋ] *adj* benachbart, Nachbar-.
neighbourly ['neɪbəlɪ] *adj* nachbarlich.
neither ['naɪðə*] *conj*: **I didn't move and** ~ **did John** ich bewegte mich nicht, und John auch nicht ♦ *pron* keine(r, s) (von beiden) ♦ *adv*: ~ ... **nor** ... weder ... noch ...; ~ **story is true** keine der beiden Geschichten stimmt; ~ **is true** beides stimmt nicht; ~ **do I/have I** ich auch nicht.
neo... ['ni:əu] *pref* neo-, Neo-.
neolithic [nɪə'lɪθɪk] *adv* jungsteinzeitlich, neolithisch.
neologism [nɪ'ɔlədʒɪzəm] *n* (Wort)neubildung *f*, Neologismus *m*.
neon ['ni:ɔn] *n* Neon *nt*.
neon light *n* Neonlampe *f*.
neon sign *n* Neonreklame *f*.
Nepal [nɪ'pɔ:l] *n* Nepal *nt*.
nephew ['nɛvju:] *n* Neffe *m*.
nepotism ['nɛpətɪzəm] *n* Vetternwirtschaft *f*.
nerd [nə:d] (*inf*) *n* Schwachkopf *m*.
nerve [nə:v] *n* (*ANAT*) Nerv *m*; (*courage*) Mut *m*; (*impudence*) Frechheit *f*; **nerves** *npl* (*anxiety*) Nervosität *f*; (*emotional strength*) Nerven *pl*; **he gets on my** ~**s** er geht mir auf die Nerven; **to lose one's** ~ die Nerven verlieren.
nerve-centre, (*US*) **nerve-center** ['nə:vsɛntə*] *n* (*fig*) Schaltzentrale *f*.
nerve gas *n* Nervengas *nt*.
nerve-racking ['nə:vrækɪŋ] *adj* nervenaufreibend.
nervous ['nə:vəs] *adj* Nerven-, nervlich; (*anxious*) nervös; **to be** ~ **of/about** Angst haben vor *+dat*.
nervous breakdown *n* Nervenzusammenbruch *m*.
nervously ['nə:vəslɪ] *adv* nervös.
nervousness ['nə:vəsnɪs] *n* Nervosität *f*.
nervous system *n* Nervensystem *nt*.
nervous wreck (*inf*) *n* Nervenbündel *nt*; **to be a** ~ mit den Nerven völlig am Ende sein.
nervy ['nə:vɪ] (*inf*) *adj* (*BRIT: tense*) nervös; (*US: cheeky*) dreist.
nest [nɛst] *n* Nest *nt* ♦ *vi* nisten; **a** ~ **of tables** ein Satz Tische *or* von Tischen.
nest egg *n* Notgroschen *m*.
nestle ['nɛsl] *vi* sich kuscheln; (*house*) eingebettet sein.
nestling ['nɛstlɪŋ] *n* Nestling *m*.
net [nɛt] *n* Netz *nt*; (*fabric*) Tüll *m* ♦ *adj* (*COMM*) Netto-; (*final: result, effect*) End- ♦ *vt* (mit einem Netz) fangen; (*profit*) einbringen; (*deal, sale, fortune*) an Land ziehen; ~ **of tax** steuerfrei; **he earns £10,000** ~ **per year** er verdient £ 10.000 netto im Jahr; **it weighs 250g** ~ es wiegt 250 g netto.
netball ['nɛtbɔ:l] *n* Netzball *m*.
net curtains *npl* Gardinen *pl*, Stores *pl*.
Netherlands ['nɛðələndz] *npl*: **the** ~ die Niederlande *pl*.
nett [nɛt] *adj* = **net.**
netting ['nɛtɪŋ] *n* (*for fence etc*) Maschendraht *m*; (*fabric*) Netzgewebe *nt*, Tüll *m*.

nettle ['nɛtl] *n* Nessel *f*; **to grasp the ~** (*fig*) in den sauren Apfel beißen.
network ['nɛtwəːk] *n* Netz *nt*; (*TV, RADIO*) Sendenetz *nt* ♦ *vt* (*RADIO, TV*) im ganzen Netzbereich ausstrahlen; (*computers*) in einem Netzwerk zusammenschließen.
neuralgia [njuə'rældʒə] *n* Neuralgie *f*, Nervenschmerzen *pl*.
neurological [njuərə'lɔdʒɪkl] *adj* neurologisch.
neurotic [njuə'rɔtɪk] *adj* neurotisch ♦ *n* Neurotiker(in) *m(f)*.
neuter ['njuːtə*] *adj* (*LING*) sächlich ♦ *vt* kastrieren; (*female*) sterilisieren.
neutral ['njuːtrəl] *adj* neutral ♦ *n* (*AUT*) Leerlauf *m*.
neutrality [njuː'trælɪtɪ] *n* Neutralität *f*.
neutralize ['njuːtrəlaɪz] *vt* neutralisieren, aufheben.
neutron ['njuːtrɔn] *n* Neutron *nt*.
neutron bomb *n* Neutronenbombe *f*.
Nev. (*US*) *abbr* (*POST:* = *Nevada*).
never ['nɛvə*] *adv* nie; (*not*) nicht; **~ in my life** noch nie; **~ again** nie wieder; **well I ~!** nein, so was!; *see also* **mind**.
never-ending [nɛvər'ɛndɪŋ] *adj* endlos.
nevertheless [nɛvəðə'lɛs] *adv* trotzdem, dennoch.
new [njuː] *adj* neu; (*mother*) jung; **as good as ~** so gut wie neu; **to be ~ to sb** jdm neu sein.
New Age *n* New Age *nt*.
newborn ['njuːbɔːn] *adj* neugeboren.
newcomer ['njuːkʌmə*] *n* Neuankömmling *m*; (*in job*) Neuling *m*.
new-fangled ['njuː'fæŋgld] (*pej*) *adj* neumodisch.
new-found ['njuːfaund] *adj* neuentdeckt; (*confidence*) neugeschöpft.
Newfoundland ['njuːfənlənd] *n* Neufundland *nt*.
New Guinea *n* Neuguinea *nt*.
newly ['njuːlɪ] *adv* neu.
newly-weds ['njuːlɪwɛdz] *npl* Neuvermählte *pl*, Frischvermählte *pl*.
new moon *n* Neumond *m*.
newness ['njuːnɪs] *n* Neuheit *f*; (*of cheese, bread etc*) Frische *f*.
New Orleans [-'ɔːliːənz] *n* New Orleans *nt*.
news [njuːz] *n* Nachricht *f*; **a piece of ~** eine Neuigkeit; **the ~** (*RADIO, TV*) die Nachrichten *pl*; **good/bad ~** gute/schlechte Nachrichten.
news agency *n* Nachrichtenagentur *f*.
newsagent ['njuːzeɪdʒənt] (*BRIT*) *n* Zeitungshändler(in) *m(f)*.
news bulletin *n* Bulletin *nt*.
newscaster ['njuːzkɑːstə*] *n* Nachrichtensprecher(in) *m(f)*.
newsdealer ['njuːzdiːlə*] (*US*) *n* = **newsagent**.
newsflash ['njuːzflæʃ] *n* Kurzmeldung *f*.
newsletter ['njuːzlɛtə*] *n* Rundschreiben *nt*, Mitteilungsblatt *nt*.
newspaper ['njuːzpeɪpə*] *n* Zeitung *f*; **daily/weekly ~** Tages-/Wochenzeitung *f*.
newsprint ['njuːzprɪnt] *n* Zeitungspapier *nt*.
newsreader ['njuːzriːdə*] *n* = **newscaster**.
newsreel ['njuːzriːl] *n* Wochenschau *f*.
newsroom ['njuːzruːm] *n* Nachrichtenredaktion *f*; (*RADIO, TV*) Nachrichtenstudio *nt*.
newsstand ['njuːzstænd] *n* Zeitungsstand *m*.
newsworthy ['njuːzwəːðɪ] *adj:* **to be ~** Neuigkeitswert haben.
newt [njuːt] *n* Wassermolch *m*.
new town (*BRIT*) *n neue, teilweise mit Regierungsgeldern errichtete städtische Siedlung*.
New Year *n* neues Jahr *nt*; (*New Year's Day*) Neujahr *nt*; **Happy ~!** (ein) glückliches *or* frohes neues Jahr!
New Year's Day *n* Neujahr *nt*, Neujahrstag *m*.
New Year's Eve *n* Silvester *nt*.
New York [-'jɔːk] *n* New York *nt*; (*also:* **~ State**) der Staat New York.
New Zealand [-'ziːlənd] *n* Neuseeland *nt* ♦ *adj* neuseeländisch.
New Zealander [-'ziːləndə*] *n* Neuseeländer(in) *m(f)*.
next [nɛkst] *adj* nächste(r, s); (*room*) Neben- ♦ *adv* dann; (*do, happen*) als nächstes; (*afterwards*) danach; **the ~ day** am nächsten *or* folgenden Tag; **~ time** das nächste Mal; **~ year** nächstes Jahr; **~ please!** der nächste bitte!; **who's ~?** wer ist der nächste?; **"turn to the ~ page"** „bitte umblättern"; **the week after ~** übernächste Woche; **the ~ on the right/left** der/die/das nächste rechts/links; **the ~ thing I knew** das nächste, woran ich mich erinnern konnte; **~ to** neben *+dat*; **~ to nothing** so gut wie nichts; **when do we meet ~?** wann treffen wir uns wieder *or* das nächste Mal?; **the ~ best** der/die/das nächstbeste.
next door *adv* nebenan ♦ *adj:* **next-door** nebenan; **the house ~** das Nebenhaus; **to go ~** nach nebenan gehen; **my next-door neighbour** mein direkter Nachbar.
next-of-kin ['nɛkstəv'kɪn] *n* nächster Verwandter *m*, nächste Verwandte *f*.
NF *n abbr* (*BRIT: POL:* = *National Front*) *rechtsradikale Partei* ♦ *abbr* (*CANADA:* = *Newfoundland*).
NFL (*US*) *n abbr* (= *National Football League*) *Fußball-Nationalliga*.
NG (*US*) *abbr* = **National Guard**.
NGO *n abbr* (= *nongovernmental organization*) *nichtstaatliche Organisation*.
NH (*US*) *abbr* (*POST:* = *New Hampshire*).
NHL (*US*) *n abbr* (= *National Hockey League*) *Hockey-Nationalliga*.
NHS (*BRIT*) *n abbr* = **National Health Service**.
NI *abbr* = **Northern Ireland**; (*BRIT*) = **National Insurance**.

Niagara Falls [naɪ'ægərə-] *npl* Niagarafälle *pl.*
nib [nɪb] *n* Feder *f.*
nibble ['nɪbl] *vt* knabbern; (*bite*) knabbern an *+dat* ♦ *vi:* **to ~ at** knabbern an *+dat.*
Nicaragua [nɪkə'rægjuə] *n* Nicaragua *nt.*
Nicaraguan [nɪkə'rægjuən] *adj* nicaraguanisch ♦ *n* Nicaraguaner(in) *m(f).*
Nice [ni:s] *n* Nizza *nt.*
nice [naɪs] *adj* nett; (*holiday, weather, picture etc*) schön; (*taste*) gut; (*person, clothes etc*) hübsch.
nicely ['naɪslɪ] *adv* (*attractively*) hübsch; (*politely*) nett; (*satisfactorily*) gut; **that will do ~** das reicht (vollauf).
niceties ['naɪsɪtɪz] *npl:* **the ~** die Feinheiten *pl.*
niche [ni:ʃ] *n* Nische *f*; (*job, position*) Plätzchen *nt.*
nick [nɪk] *n* Kratzer *m*; (*in metal, wood etc*) Kerbe *f* ♦ *vt* (*BRIT: inf: steal*) klauen; (*: : arrest*) einsperren, einlochen; (*cut*): **to ~ o.s.** sich schneiden; **in good ~** (*BRIT: inf*) gut in Schuß; **in the ~** (*BRIT: inf: in prison*) im Knast; **in the ~ of time** gerade noch rechtzeitig.
nickel ['nɪkl] *n* Nickel *nt*; (*US*) Fünfcentstück *nt.*
nickname ['nɪkneɪm] *n* Spitzname *m* ♦ *vt* betiteln, taufen (*inf*).
Nicosia [nɪkə'si:ə] *n* Nikosia *nt.*
nicotine ['nɪkəti:n] *n* Nikotin *nt.*
nicotine patch *n* Nikotinpflaster *nt.*
niece [ni:s] *n* Nichte *f.*
nifty ['nɪftɪ] (*inf*) *adj* flott; (*gadget, tool*) schlau.
Niger ['naɪdʒə*] *n* Niger *m.*
Nigeria [naɪ'dʒɪərɪə] *n* Nigeria *nt.*
Nigerian [naɪ'dʒɪərɪən] *adj* nigerianisch ♦ *n* Nigerianer(in) *m(f).*
niggardly ['nɪgədlɪ] *adj* knauserig; (*allowance, amount*) armselig.
nigger [nɪgə*] (*inf*) *n* Nigger *m* (*inf!*).
niggle ['nɪgl] *vt* plagen, zu schaffen machen *+dat* ♦ *vi* herumkritisieren.
niggling ['nɪglɪŋ] *adj* quälend; (*pain, ache*) bohrend.
night [naɪt] *n* Nacht *f*; (*evening*) Abend *m*; **the ~ before last** vorletzte Nacht, vorgestern abend; **at ~, by ~** nachts, abends; **nine o'clock at ~** neun Uhr abends; **in the ~, during the ~** in der Nacht; **~ and day** Tag und Nacht.
nightcap ['naɪtkæp] *n* Schlaftrunk *m.*
nightclub ['naɪtklʌb] *n* Nachtlokal *nt.*
nightdress ['naɪtdrɛs] *n* Nachthemd *nt.*
nightfall ['naɪtfɔ:l] *n* Einbruch *m* der Dunkelheit.
nightgown ['naɪtgaun] *n* = **nightdress.**
nightie ['naɪtɪ] *n* = **nightdress.**
nightingale ['naɪtɪŋgeɪl] *n* Nachtigall *f.*
nightlife ['naɪtlaɪf] *n* Nachtleben *nt.*
nightly ['naɪtlɪ] *adj* (all)nächtlich, Nacht-; (*every evening*) (all)abendlich, Abend- ♦ *adv* jede Nacht; (*every evening*) jeden Abend.
nightmare ['naɪtmɛə*] *n* Alptraum *m.*
night porter *n* Nachtportier *m.*
night safe *n* Nachtsafe *m.*
night school *n* Abendschule *f.*
nightshade ['naɪtʃeɪd] *n:* **deadly ~** Tollkirsche *f.*
night shift *n* Nachtschicht *f.*
night-time ['naɪttaɪm] *n* Nacht *f.*
night watchman *n* Nachtwächter *m.*
nihilism ['naɪɪlɪzəm] *n* Nihilismus *m.*
nil [nɪl] *n* Nichts *nt*; (*BRIT: SPORT*) Null *f.*
Nile [naɪl] *n:* **the ~** der Nil.
nimble ['nɪmbl] *adj* flink; (*mind*) beweglich.
nine [naɪn] *num* neun.
nineteen ['naɪn'ti:n] *num* neunzehn.
nineteenth [naɪn'ti:nθ] *num* neunzehnte(r, s).
ninety ['naɪntɪ] *num* neunzig.
ninth [naɪnθ] *num* neunte(r, s) ♦ *n* Neuntel *nt.*
nip [nɪp] *vt* zwicken ♦ *n* Biß *m*; (*drink*) Schlückchen *nt* ♦ *vi* (*BRIT: inf*): **to ~ out/down/up** kurz raus-/runter-/raufgehen; **to ~ into a shop** (*BRIT: inf*) kurz in einen Laden gehen.
nipple ['nɪpl] *n* (*ANAT*) Brustwarze *f.*
nippy ['nɪpɪ] (*BRIT*) *adj* (*quick: person*) flott; (*: car*) spritzig; (*cold*) frisch.
nit [nɪt] *n* Nisse *f*; (*inf: idiot*) Dummkopf *m.*
nitpicking ['nɪtpɪkɪŋ] (*inf*) *n* Kleinigkeitskrämerei *f.*
nitrogen ['naɪtrədʒən] *n* Stickstoff *m.*
nitroglycerin(e) ['naɪtrəu'glɪsəri:n] *n* Nitroglyzerin *nt.*
nitty-gritty ['nɪtɪ'grɪtɪ] (*inf*) *n:* **to get down to the ~** zur Sache kommen.
nitwit ['nɪtwɪt] (*inf*) *n* Dummkopf *m.*
NJ (*US*) *abbr* (*POST:* = *New Jersey*).
NLF *n abbr* (= *National Liberation Front*) *vietnamesische Befreiungsbewegung während des Vietnamkrieges.*
NLQ *abbr* (*COMPUT, TYP:* = *near letter quality*) NLQ.
NLRB (*US*) *n abbr* (= *National Labor Relations Board*) *Ausschuß zur Regelung der Beziehungen zwischen Arbeitgebern und Arbeitnehmern.*
NM, N.Mex. (*US*) *abbr* (*POST:* = *New Mexico*)

KEYWORD

no [nəu] (*pl* **noes**) *adv* (*opposite of "yes"*) nein; **~ thank you** nein danke
♦ *adj* (*not any*) kein(e); **I have ~ money/time/books** ich habe kein Geld/keine Zeit/keine Bücher; **"~ entry"** „kein Zutritt"; **"~ smoking"** „Rauchen verboten"
♦ *n* Nein *nt*; **there were 20 noes and one abstention** es gab 20 Neinstimmen und eine Enthaltung; **I won't take ~ for an answer** ich bestehe darauf.

no. *abbr* (= *number*) Nr.
nobble [nɔbl] (*BRIT: inf*) *vt* (*bribe*) (sich *dat*) kaufen; (*grab*) sich *dat* schnappen; (*RACING:*

horse, dog) lahmlegen.
Nobel Prize [nəu'bɛl-] *n* Nobelpreis *m*.
nobility [nəu'bɪlɪtɪ] *n* Adel *m*; (*quality*) Edelmut *m*.
noble ['nəubl] *adj* edel, nobel; (*aristocratic*) ad(e)lig; (*impressive*) prächtig.
nobleman ['nəublmən] (*irreg: like* **man**) *n* Ad(e)lige(r) *f(m)*.
nobly ['nəublɪ] *adv* edel.
nobody ['nəubədɪ] *pron* niemand, keiner ♦ *n*: **he's a ~** er ist ein Niemand *m*.
no-claims bonus [nəu'kleɪmz-] *n* Schadenfreiheitsrabatt *m*.
nocturnal [nɔk'tə:nl] *adj* nächtlich; (*animal*) Nacht-.
nod [nɔd] *vi* nicken; (*fig: flowers etc*) wippen ♦ *vt*: **to ~ one's head** mit dem Kopf nicken ♦ *n* Nicken *nt*; **they ~ded their agreement** sie nickten zustimmend.
▸**nod off** *vi* einnicken.
no-fly zone [nəu'flaɪ-] *n* Sperrzone *f* für den Flugverkehr.
noise [nɔɪz] *n* Geräusch *nt*; (*din*) Lärm *m*.
noiseless ['nɔɪzlɪs] *adj* geräuschlos.
noisily ['nɔɪzɪlɪ] *adv* laut.
noisy ['nɔɪzɪ] *adj* laut.
nomad ['nəumæd] *n* Nomade *m*, Nomadin *f*.
nomadic [nəu'mædɪk] *adj* Nomaden-, nomadisch.
no-man's-land ['nəumænzlænd] *n* Niemandsland *nt*.
nominal ['nɔmɪnl] *adj* nominell.
nominate ['nɔmɪneɪt] *vt* nominieren; (*appoint*) ernennen.
nomination [nɔmɪ'neɪʃən] *n* Nominierung *f*; (*appointment*) Ernennung *f*.
nominee [nɔmɪ'ni:] *n* Kandidat(in) *m(f)*.
non- [nɔn] *pref* nicht-, Nicht-.
non-alcoholic [nɔnælkə'hɔlɪk] *adj* alkoholfrei.
non-aligned [nɔnə'laɪnd] *adj* blockfrei.
non-breakable [nɔn'breɪkəbl] *adj* unzerbrechlich.
nonce word ['nɔns-] *n* Ad-hoc-Bildung *f*.
nonchalant ['nɔnʃələnt] *adj* lässig, nonchalant.
noncommissioned officer [nɔnkə'mɪʃənd-] *n* Unteroffizier *m*.
non-committal [nɔnkə'mɪtl] *adj* zurückhaltend; (*answer*) unverbindlich.
nonconformist [nɔnkən'fɔ:mɪst] *n* Nonkonformist(in) *m(f)* ♦ *adj* nonkonformistisch.
non-cooperation ['nɔnkəuɔpə'reɪʃən] *n* unkooperative Haltung *f*.
nondescript ['nɔndɪskrɪpt] *adj* unauffällig; (*colour*) unbestimmbar.
none [nʌn] *pron* (*not one*) kein(e, er, es); (*not any*) nichts; **~ of us** keiner von uns; **I've ~ left** (*not any*) ich habe nichts übrig; (*not one*) ich habe kein(e, en, es) übrig; **~ at all** (*not any*) überhaupt nicht; (*not one*) überhaupt kein(e, er, es); **I was ~ the wiser** ich war auch nicht klüger; **she would have ~ of it** sie wollte nichts davon hören; **it was ~ other than X** es war kein anderer als X.
nonentity [nɔ'nɛntɪtɪ] *n* (*person*) Nichts *nt*, unbedeutende Figur *f*.
non-essential [nɔnɪ'sɛnʃl] *adj* unnötig ♦ *n*: **~s** nicht (lebens)notwendige Dinge *pl*.
nonetheless ['nʌnðə'lɛs] *adv* nichtsdestoweniger, trotzdem.
nonevent [nɔnɪ'vɛnt] *n* Reinfall *m*.
non-existent [nɔnɪg'zɪstənt] *adj* nicht vorhanden.
non-fiction [nɔn'fɪkʃən] *n* Sachbücher *pl* ♦ *adj* (*book*) Sach-; (*prize*) Sachbuch-.
non-flammable [nɔn'flæməbl] *adj* nicht entzündbar.
non-intervention ['nɔnɪntə'vɛnʃən] *n* Nichteinmischung *f*, Nichteingreifen *nt*.
no-no ['nəunəu] *n*: **it's a ~** (*inf*) das kommt nicht in Frage.
non obst. *abbr* (= *non obstante*) dennoch.
no-nonsense [nəu'nɔnsəns] *adj* (*approach, look*) nüchtern.
non-payment [nɔn'peɪmənt] *n* Nichtzahlung *f*, Zahlungsverweigerung *f*.
nonplussed [nɔn'plʌst] *adj* verdutzt, verblüfft.
non-profit making ['nɔn'prɔfɪt-] *adj* (*organization*) gemeinnützig.
nonreturnable [nɔnrə'tə:nəbl] *adj*: **~ bottle** Einwegflasche *f*.
nonsense ['nɔnsəns] *n* Unsinn *m*; **~!** Unsinn!, Quatsch!; **it is ~ to say that ...** es ist dummes Gerede, zu sagen, daß ...; **to make (a) ~ of sth** etw ad absurdum führen.
nonsensical [nɔn'sɛnsɪkl] *adj* (*idea, action etc*) unsinnig.
non-shrink [nɔn'ʃrɪŋk] (*BRIT*) *adj* nicht einlaufend.
non-smoker ['nɔn'sməukə*] *n* Nichtraucher(in) *m(f)*.
nonstarter [nɔn'sta:tə*] *n* (*fig*): **it's a ~** (*idea etc*) es hat keine Erfolgschance.
non-stick ['nɔn'stɪk] *adj* kunststoffbeschichtet, Teflon- ®.
non-stop ['nɔn'stɔp] *adj* ununterbrochen; (*flight*) Nonstop- ♦ *adv* ununterbrochen; (*fly*) nonstop.
non-taxable [nɔn'tæksəbl] *adj* nichtsteuerpflichtig.
non-U [nɔn'ju:] (*BRIT: inf*) *adj abbr* (= *non-upper class*) nicht vornehm.
non-white ['nɔn'waɪt] *adj* farbig ♦ *n* Farbige(r) *f(m)*.
noodles ['nu:dlz] *npl* Nudeln *pl*.
nook [nuk] *n*: **every ~ and cranny** jeder Winkel.
noon [nu:n] *n* Mittag *m*.
no-one ['nəuwʌn] *pron* = **nobody**.
noose [nu:s] *n* Schlinge *f*.
nor [nɔ:*] *conj, adv* = **neither**.
Norf (*BRIT*) *abbr* (*POST*: = *Norfolk*).

norm [nɔːm] *n* Norm *f*.
normal ['nɔːml] *adj* normal ♦ *n*: **to return to ~** sich wieder normalisieren.
normality [nɔː'mælɪtɪ] *n* Normalität *f*.
normally ['nɔːməlɪ] *adv* normalerweise; (*act, behave*) normal.
Normandy ['nɔːməndɪ] *n* Normandie *f*.
north [nɔːθ] *n* Norden *m* ♦ *adj* nördlich, Nord- ♦ *adv* nach Norden; **~ of** nördlich von.
North Africa *n* Nordafrika *nt*.
North African *adj* nordafrikanisch ♦ *n* Nordafrikaner(in) *m(f)*.
North America *n* Nordamerika *nt*.
North American *adj* nordamerikanisch ♦ *n* Nordamerikaner(in) *m(f)*.
Northants [nɔː'θænts] (*BRIT*) *abbr* (*POST: = Northamptonshire*).
northbound ['nɔːθbaund] *adj* in Richtung Norden; (*carriageway*) nach Norden (führend).
Northd (*BRIT*) *abbr* (*POST: = Northumberland*).
north-east [nɔːθ'iːst] *n* Nordosten *m* ♦ *adj* nordöstlich, Nordost- ♦ *adv* nach Nordosten; **~ of** nordöstlich von.
northerly ['nɔːðəlɪ] *adj* nördlich.
northern ['nɔːðən] *adj* nördlich, Nord-.
Northern Ireland *n* Nordirland *nt*.
North Korea *n* Nordkorea *nt*.
North Pole *n*: **the ~** der Nordpol.
North Sea *n*: **the ~** die Nordsee *f*.
North Sea oil *n* Nordseeöl *nt*.
northward(s) ['nɔːθwəd(z)] *adv* nach Norden, nordwärts.
north-west [nɔːθ'wɛst] *n* Nordwesten *m* ♦ *adj* nordwestlich, Nordwest- ♦ *adv* nach Nordwesten; **~ of** nordwestlich von.
Norway ['nɔːweɪ] *n* Norwegen *nt*.
Norwegian [nɔː'wiːdʒən] *adj* norwegisch ♦ *n* Norweger(in) *m(f)*; (*LING*) Norwegisch *nt*.
nos. *abbr* (= *numbers*) Nrn.
nose [nəuz] *n* Nase *f*; (*of car*) Schnauze *f* ♦ *vi* (*also*: **~ one's way**) sich schieben; **to follow one's ~** immer der Nase nach gehen; **to get up one's ~** (*inf*) auf die Nerven gehen *+dat*; **to have a (good) ~ for sth** eine (gute) Nase für etw haben; **to keep one's ~ clean** (*inf*) eine saubere Weste behalten; **to look down one's ~ at sb/sth** (*inf*) auf jdn/etw herabsehen; **to pay through the ~ (for sth)** (*inf*) (für etw) viel blechen; **to rub sb's ~ in sth** (*inf*) jdm etw unter die Nase reiben; **to turn one's ~ up at sth** (*inf*) die Nase über etw *acc* rümpfen; **under sb's ~** vor jds Augen.
▸**nose about** *vi* herumschnüffeln.
▸**nose around** *vi* = **nose about**.
nosebleed ['nəuzbliːd] *n* Nasenbluten *nt*.
nose-dive ['nəuzdaɪv] *n* (*of plane*) Sturzflug *m* ♦ *vi* (*plane*) im Sturzflug herabgehen.
nose drops *npl* Nasentropfen *pl*.
nosey ['nəuzɪ] (*inf*) *adj* = **nosy**.
nostalgia [nɔs'tældʒɪə] *n* Nostalgie *f*.
nostalgic [nɔs'tældʒɪk] *adj* nostalgisch.
nostril ['nɔstrɪl] *n* Nasenloch *nt*; (*of animal*) Nüster *f*.
nosy ['nəuzɪ] (*inf*) *adj* neugierig.

KEYWORD

not [nɔt] *adv* nicht; **he is ~** *or* **isn't here** er ist nicht hier; **you must ~** *or* **you mustn't do that** das darfst du nicht tun; **it's too late, isn't it?** es ist zu spät, nicht wahr?; **~ that I don't like him** nicht, daß ich ihn nicht mag; **~ yet** noch nicht; **~ now** nicht jetzt; *see also* **all, only**.

notable ['nəutəbl] *adj* bemerkenswert.
notably ['nəutəblɪ] *adv* hauptsächlich; (*markedly*) bemerkenswert.
notary ['nəutərɪ] *n* (*also*: **~ public**) Notar(in) *m(f)*.
notation [nəu'teɪʃən] *n* Notation *f*; (*MUS*) Notenschrift *f*.
notch [nɔtʃ] *n* Kerbe *f*; (*in blade, saw*) Scharte *f*; (*fig*) Klasse *f*.
▸**notch up** *vt* erzielen; (*victory*) erringen.
note [nəut] *n* Notiz *f*; (*of lecturer*) Manuskript *nt*; (*of student etc*) Aufzeichnung *f*; (*in book etc*) Anmerkung *f*; (*letter*) paar Zeilen *pl*; (*banknote*) Note *f*, Schein *m*; (*MUS: sound*) Ton *m*; (: *symbol*) Note *f*; (*tone*) Ton *m*, Klang *m* ♦ *vt* beachten; (*point out*) anmerken; (*also*: **~ down**) notieren; **of ~** bedeutend; **to make a ~ of sth** sich *dat* etw notieren; **to take ~s** Notizen machen, mitschreiben; **to take ~ of sth** etw zur Kenntnis nehmen.
notebook ['nəutbuk] *n* Notizbuch *nt*; (*for shorthand*) Stenoblock *m*.
notecase ['nəutkeɪs] (*BRIT*) *n* Brieftasche *f*.
noted ['nəutɪd] *adj* bekannt.
notepad ['nəutpæd] *n* Notizblock *m*.
notepaper ['nəutpeɪpə*] *n* Briefpapier *nt*.
noteworthy ['nəutwəːðɪ] *adj* beachtenswert.
nothing ['nʌθɪŋ] *n* nichts; **~ new/worse** *etc* nichts Neues/Schlimmeres *etc*; **~ much** nicht viel; **~ else** sonst nichts; **for ~** umsonst; **~ at all** überhaupt nichts.
notice ['nəutɪs] *n* Bekanntmachung *f*; (*sign*) Schild *nt*; (*warning*) Ankündigung *f*; (*dismissal*) Kündigung *f*; (*BRIT: review*) Kritik *f*, Rezension *f* ♦ *vt* bemerken; **to bring sth to sb's ~** jdn auf etw *acc* aufmerksam machen; **to take no ~ of** ignorieren, nicht beachten; **to escape sb's ~** jdm entgehen; **it has come to my ~ that ...** es ist mir zu Ohren gekommen, daß ...; **to give sb ~ of sth** jdm von etw Bescheid geben; **without ~** ohne Ankündigung; **advance ~** Vorankündigung *f*; **at short/a moment's ~** kurzfristig/innerhalb kürzester Zeit; **until further ~** bis auf weiteres; **to hand in one's ~** kündigen; **to be given one's ~** gekündigt werden *+dat*.
noticeable ['nəutɪsəbl] *adj* deutlich.
noticeboard ['nəutɪsbɔːd] (*BRIT*) *n*

Anschlagbrett *nt*.
notification [nəutɪfɪ'keɪʃən] *n* Benachrichtigung *f*.
notify ['nəutɪfaɪ] *vt*: **to ~ sb (of sth)** jdn (von etw) benachrichtigen.
notion ['nəuʃən] *n* Vorstellung *f*; **notions** (*US*) *npl* (*haberdashery*) Kurzwaren *pl*.
notoriety [nəutə'raɪətɪ] *n* traurige Berühmtheit *f*.
notorious [nəu'tɔːrɪəs] *adj* berüchtigt.
notoriously [nəu'tɔːrɪəslɪ] *adv* notorisch.
Notts [nɔts] (*BRIT*) *abbr* (*POST*: = *Nottinghamshire*).
notwithstanding [nɔtwɪθ'stændɪŋ] *adv* trotzdem ♦ *prep* trotz *+dat*.
nougat ['nuːgɑː] *n* Nougat *m*.
nought [nɔːt] *n* Null *f*.
noun [naun] *n* Hauptwort *nt*, Substantiv *nt*.
nourish ['nʌrɪʃ] *vt* nähren.
nourishing ['nʌrɪʃɪŋ] *adj* nahrhaft.
nourishment ['nʌrɪʃmənt] *n* Nahrung *f*.
Nov. *abbr* (= *November*) Nov.
Nova Scotia ['nəuvə'skəuʃə] *n* Neuschottland *nt*.
novel ['nɔvl] *n* Roman *m* ♦ *adj* neu(artig).
novelist ['nɔvəlɪst] *n* Romanschriftsteller(in) *m(f)*.
novelty ['nɔvəltɪ] *n* Neuheit *f*; (*object*) Kleinigkeit *f*.
November [nəu'vɛmbə*] *n* November *m*; *see also* **July**.
novice ['nɔvɪs] *n* Neuling *m*, Anfänger(in) *m(f)*; (*REL*) Novize *m*, Novizin *f*.
NOW [nau] (*US*) *n abbr* (= *National Organization for Women*) *Frauenvereinigung*.
now [nau] *adv* jetzt; (*these days*) heute ♦ *conj*: **~ (that)** jetzt, wo; **right ~** gleich, sofort; **by ~** inzwischen, mittlerweile; **that's the fashion just ~** das ist gerade modern; **I saw her just ~** ich habe sie gerade gesehen; **(every) ~ and then, (every) ~ and again** ab und zu, gelegentlich; **from ~ on** von nun an; **in 3 days from ~** (heute) in 3 Tagen; **between ~ and Monday** bis Montag; **that's all for ~** das ist erst einmal alles; **any day ~** jederzeit; **~ then** also.
nowadays ['nauədeɪz] *adv* heute.
nowhere ['nəuwɛə*] *adv* (*be*) nirgends, nirgendwo; (*go*) nirgendwohin; **~ else** nirgendwo anders.
no-win situation [nəu'wɪn-] *n* aussichtslose Lage *f*.
noxious ['nɔkʃəs] *adj* (*gas, fumes*) schädlich; (*smell*) übel.
nozzle ['nɔzl] *n* Düse *f*.
NP *n abbr* (*LAW*) = **notary public.**
NS (*CANADA*) *abbr* (= *Nova Scotia*).
NSC (*US*) *n abbr* = **National Security Council.**
NSF (*US*) *n abbr* (= *National Science Foundation*) *Organisation zur Förderung der Wissenschaft*.
NSPCC (*BRIT*) *n abbr* (= *National Society for the Prevention of Cruelty to Children*) Kinderschutzbund *m*.
NSW (*AUSTRALIA*) *abbr* (*POST*: = *New South Wales*).
NT *n abbr* (*BIBLE*: = *New Testament*) NT.
nth [ɛnθ] (*inf*) *adj*: **to the ~ degree** in der n-ten Potenz.
nuance ['njuːɑ̃ːns] *n* Nuance *f*.
nubile ['njuːbaɪl] *adj* gut entwickelt.
nuclear ['njuːklɪə*] *adj* (*bomb, industry etc*) Atom-; **~ physics** Kernphysik *f*; **~ war** Atomkrieg *m*.
nuclear disarmament *n* nukleare *or* atomare Abrüstung *f*.
nuclear family *n* Kleinfamilie *f*, Kernfamilie *f*.
nuclear-free zone ['njuːklɪə'friː-] *n* atomwaffenfreie Zone *f*.
nuclei ['njuːklɪaɪ] *npl of* **nucleus.**
nucleus ['njuːklɪəs] (*pl* **nuclei**) *n* Kern *m*.
NUCPS (*BRIT*) *n abbr* (= *National Union of Civil and Public Servants*) *Gewerkschaft für Beschäftigte im öffentlichen Dienst*.
nude [njuːd] *adj* nackt ♦ *n* (*ART*) Akt *m*; **in the ~** nackt.
nudge [nʌdʒ] *vt* anstoßen.
nudist ['njuːdɪst] *n* Nudist(in) *m(f)*.
nudist colony *n* FKK-Kolonie *f*.
nudity ['njuːdɪtɪ] *n* Nacktheit *f*.
nugget ['nʌgɪt] *n* (*of gold*) Klumpen *m*; (*fig: of information*) Brocken *m*.
nuisance ['njuːsns] *n*: **to be a ~** lästig sein; (*situation*) ärgerlich sein; **he's a ~** er geht einem auf die Nerven; **what a ~!** wie ärgerlich/lästig!
NUJ (*BRIT*) *n abbr* (= *National Union of Journalists*) *Journalistengewerkschaft*.
null [nʌl] *adj*: **~ and void** null und nichtig.
nullify ['nʌlɪfaɪ] *vt* zunichte machen; (*claim, law*) für null und nichtig erklären.
NUM (*BRIT*) *n abbr* (= *National Union of Mineworkers*) *Bergarbeitergewerkschaft*.
numb [nʌm] *adj* taub, gefühllos; (*fig: with fear etc*) wie betäubt ♦ *vt* taub *or* gefühllos machen; (*pain, fig: mind*) betäuben.
number ['nʌmbə*] *n* Zahl *f*; (*quantity*) (An)zahl *f*; (*of house, bank account, bus etc*) Nummer *f* ♦ *vt* (*pages etc*) numerieren; (*amount to*) zählen; **a ~ of** einige; **any ~ of** beliebig viele; (*reasons*) alle möglichen; **wrong ~** (*TEL*) falsch verbunden; **to be ~ed among** zählen zu.
number plate (*BRIT*) *n* (*AUT*) Nummernschild *nt*.
Number Ten (*BRIT*) *n* (*POL*: = *10 Downing Street*) Nummer zehn *f* (Downing Street).
numbness ['nʌmnɪs] *n* Taubheit *f*, Starre *f*; (*fig*) Benommenheit *f*, Betäubung *f*.
numbskull ['nʌmskʌl] *n* = **numskull.**
numeral ['njuːmərəl] *n* Ziffer *f*.
numerate ['njuːmərɪt] (*BRIT*) *adj*: **to be ~** rechnen können.

numerical [nju:'mɛrɪkl] *adj* numerisch.
numerous ['nju:mərəs] *adj* zahlreich.
numskull ['nʌmskʌl] (*inf*) *n* Holzkopf *m*.
nun [nʌn] *n* Nonne *f*.
nunnery ['nʌnərɪ] *n* (Nonnen)kloster *nt*.
nuptial ['nʌpʃəl] *adj* (*feast, celebration*) Hochzeits-; ~ **bliss** Eheglück *nt*.
nurse [nə:s] *n* Krankenschwester *f*; (*also*: ~**maid**) Kindermädchen *nt* ♦ *vt* pflegen; (*cold, toothache etc*) auskurieren; (*baby*) stillen; (*fig: desire, grudge*) hegen.
nursery ['nə:sərɪ] *n* Kindergarten *m*; (*room*) Kinderzimmer *nt*; (*for plants*) Gärtnerei *f*.
nursery rhyme *n* Kinderreim *m*.
nursery school *n* Kindergarten *m*.
nursery slope (*BRIT*) *n* (*SKI*) Anfängerhügel *m*.
nursing ['nə:sɪŋ] *n* Krankenpflege *f*; (*care*) Pflege *f*.
nursing home *n* Pflegeheim *nt*.
nursing mother *n* stillende Mutter *f*.
nurture ['nə:tʃə*] *vt* hegen und pflegen; (*fig: ideas, creativity*) fördern.
NUS (*BRIT*) *n abbr* (= *National Union of Students*) *Studentengewerkschaft*.
NUT (*BRIT*) *n abbr* (= *National Union of Teachers*) *Lehrergewerkschaft*.
nut [nʌt] *n* (*TECH*) (Schrauben)mutter *f*; (*BOT*) Nuß *f*; (*inf: lunatic*) Spinner(in) *m(f)*.
nutcase ['nʌtkeɪs] (*inf*) *n* Spinner(in) *m(f)*.
nutcrackers ['nʌtkrækəz] *npl* Nußknacker *m*.
nutmeg ['nʌtmɛg] *n* Muskat *m*, Muskatnuß *f*.
nutrient ['nju:trɪənt] *n* Nährstoff *m*.
nutrition [nju:'trɪʃən] *n* Ernährung *f*; (*nourishment*) Nahrung *f*.
nutritionist [nju:'trɪʃənɪst] *n* Ernährungswissenschaftler(in) *m(f)*.
nutritious [nju:'trɪʃəs] *adj* nahrhaft.
nuts [nʌts] (*inf*) *adj* verrückt; **he's** ~ er spinnt.
nutshell ['nʌtʃɛl] *n* Nußschale *f*; **in a** ~ (*fig*) kurz gesagt.
nutty ['nʌtɪ] *adj* (*flavour*) Nuß-; (*inf: idea etc*) bekloppt.
nuzzle ['nʌzl] *vi*: **to** ~ **up to** sich drücken *or* schmiegen an *+acc*.
NV (*US*) *abbr* (*POST:* = *Nevada*).
NW *abbr* = **north-west**.
NWT (*CANADA*) *abbr* (= *Northwest Territories*).
NY (*US*) *abbr* (*POST:* = *New York*).
NYC (*US*) *abbr* (*POST:* = *New York City*).
nylon ['naɪlɔn] *n* Nylon *nt* ♦ *adj* Nylon-; **nylons** *npl* (*stockings*) Nylonstrümpfe *pl*.
nymph [nɪmf] *n* Nymphe *f*.
nymphomaniac ['nɪmfəu'meɪnɪæk] *n* Nymphomanin *f*.
NYSE (*US*) *n abbr* (= *New York Stock Exchange*) *New Yorker Börse*.
NZ *abbr* = **New Zealand**.

O, o

O, o [əu] *n* (*letter*) O *nt*, o *nt*; (*US: SCOL: outstanding*) ≈ Eins *f*; (*TEL etc*) Null *f*; ~ **for Olive,** (*US*) ~ **for Oboe** ≈ O wie Otto.
oaf [əuf] *n* Trottel *m*.
oak [əuk] *n* (*tree, wood*) Eiche *f* ♦ *adj* (*furniture, door*) Eichen-.
O & M *n abbr* (= *organization and method*) Organisation und Arbeitsweise *pl*.
OAP (*BRIT*) *n abbr* = **old age pensioner**.
oar [ɔ:*] *n* Ruder *nt*; **to put** *or* **shove one's** ~ **in** (*inf, fig*) mitmischen, sich einmischen.
oarsman ['ɔ:zmən] (*irreg: like* **man**) *n* Ruderer *m*.
oarswoman ['ɔ:zwumən] (*irreg: like* **woman**) *n* Ruderin *f*.
OAS *n abbr* (= *Organization of American States*) OAS *f*.
oasis [əu'eɪsɪs] (*pl* **oases**) *n* (*lit, fig*) Oase *f*.
oath [əuθ] *n* (*promise*) Eid *m*, Schwur *m*; (*swear word*) Fluch *m*; **on** (*BRIT*) *or* **under** ~ unter Eid; **to take the** ~ (*LAW*) vereidigt werden.
oatmeal ['əutmi:l] *n* Haferschrot *m*; (*colour*) Hellbeige *nt*.
oats [əuts] *npl* Hafer *m*; **he's getting his** ~ (*BRIT: inf, fig*) er kommt im Bett auf seine Kosten.
OAU *n abbr* (= *Organization of African Unity*) OAU *f*.
obdurate ['ɔbdjurɪt] *adj* unnachgiebig.
OBE (*BRIT*) *n abbr* (= *Officer of (the order of) the British Empire*) *britischer Ordenstitel*.
obedience [ə'bi:dɪəns] *n* Gehorsam *m*; **in** ~ **to** gemäß *+dat*.
obedient [ə'bi:dɪənt] *adj* gehorsam; **to be** ~ **to sb** jdm gehorchen.
obelisk ['ɔbɪlɪsk] *n* Obelisk *m*.
obese [əu'bi:s] *adj* fettleibig.
obesity [əu'bi:sɪtɪ] *n* Fettleibigkeit *f*.
obey [ə'beɪ] *vt* (*person*) gehorchen *+dat*, folgen *+dat*; (*orders, law*) befolgen ♦ *vi* gehorchen.
obituary [ə'bɪtjuərɪ] *n* Nachruf *m*.
object [*n* 'ɔbdʒɪkt, *vi* əb'dʒekt] *n* (*also LING*) Objekt *nt*; (*aim, purpose*) Ziel *nt*, Zweck *m* ♦ *vi* dagegen sein; **to be an** ~ **of ridicule** (*person*) sich lächerlich machen; (*thing*) lächerlich wirken; **money is no** ~ Geld spielt keine Rolle; **he** ~**ed that ...** er wandte ein, daß ...; **I** ~**!** ich protestiere!; **do you** ~ **to my smoking?** haben Sie etwas dagegen, wenn ich rauche?
objection [əb'dʒɛkʃən] *n* (*argument*) Einwand *m*; **I have no** ~ **to ...** ich habe nichts

dagegen, daß ...; **if you have no ~** wenn Sie nichts dagegen haben; **to raise** *or* **voice an ~** einen Einwand erheben *or* vorbringen.
objectionable [əb'dʒɛkʃənəbl] *adj* (*language, conduct*) anstößig; (*person*) unausstehlich.
objective [əb'dʒɛktɪv] *adj* objektiv ♦ *n* Ziel *nt*.
objectively [əb'dʒɛktɪvlɪ] *adv* objektiv.
objectivity [ɔbdʒɪk'tɪvɪtɪ] *n* Objektivität *f*.
object lesson *n*: **an ~ in** ein Paradebeispiel *nt* für.
objector [əb'dʒɛktə*] *n* Gegner(in) *m(f)*.
obligation [ɔblɪ'geɪʃən] *n* Pflicht *f*; **to be under an ~ to do sth** verpflichtet sein, etw zu tun; **to be under an ~ to sb** jdm verpflichtet sein; **"no ~ to buy"** (*COMM*) „kein Kaufzwang".
obligatory [ə'blɪgətərɪ] *adj* obligatorisch.
oblige [ə'blaɪdʒ] *vt* (*compel*) zwingen; (*do a favour for*) einen Gefallen tun *+dat*; **I felt ~d to invite him in** ich fühlte mich verpflichtet, ihn hereinzubitten; **to be ~d to sb for sth** (*grateful*) jdm für etw dankbar sein; **anything to ~!** (*inf*) stets zu Diensten!
obliging [ə'blaɪdʒɪŋ] *adj* entgegenkommend.
oblique [ə'bli:k] *adj* (*line, angle*) schief; (*reference, compliment*) indirekt, versteckt ♦ *n* (*BRIT: also:* **~ stroke**) Schrägstrich *m*.
obliterate [ə'blɪtəreɪt] *vt* (*village etc*) vernichten; (*fig: memory, error*) auslöschen.
oblivion [ə'blɪvɪən] *n* (*unconsciousness*) Bewußtlosigkeit *f*; (*being forgotten*) Vergessenheit *f*; **to sink into ~** (*event etc*) in Vergessenheit geraten.
oblivious [ə'blɪvɪəs] *adj*: **he was ~ of** *or* **to it** er war sich dessen nicht bewußt.
oblong ['ɔblɔŋ] *adj* rechteckig ♦ *n* Rechteck *nt*.
obnoxious [əb'nɔkʃəs] *adj* widerwärtig, widerlich.
o.b.o. (*US*) *abbr* (*in classified ads: = or best offer*) bzw. Höchstgebot.
oboe ['əubəu] *n* Oboe *f*.
obscene [əb'si:n] *adj* obszön; (*fig: wealth*) unanständig; (*income etc*) unverschämt.
obscenity [əb'sɛnɪtɪ] *n* Obszönität *f*.
obscure [əb'skjuə*] *adj* (*little known*) unbekannt, obskur; (*difficult to understand*) unklar ♦ *vt* (*obstruct, conceal*) verdecken.
obscurity [əb'skjuərɪtɪ] *n* (*of person, book*) Unbekanntheit *f*; (*of remark etc*) Unklarheit *f*.
obsequious [əb'si:kwɪəs] *adj* unterwürfig.
observable [əb'zə:vəbl] *adj* wahrnehmbar; (*noticeable*) erkennbar.
observance [əb'zə:vns] *n* (*of law etc*) Befolgung *f*; **religious ~s** religiöse Feste *pl*.
observant [əb'zə:vənt] *adj* aufmerksam.
observation [ɔbzə'veɪʃən] *n* (*remark*) Bemerkung *f*; (*act of observing, MED*) Beobachtung *f*; **she's in hospital under ~** sie ist zur Beobachtung im Krankenhaus.
observation post *n* Beobachtungsposten *m*.
observatory [əb'zə:vətrɪ] *n* Observatorium *nt*.
observe [əb'zə:v] *vt* (*watch*) beobachten; (*notice, comment*) bemerken; (*abide by: rule etc*) einhalten.
observer [əb'zə:və*] *n* Beobachter(in) *m(f)*.
obsess [əb'sɛs] *vt* verfolgen; **to be ~ed by** *or* **with sb/sth** von jdm/etw besessen sein.
obsession [əb'sɛʃən] *n* Besessenheit *f*.
obsessive [əb'sɛsɪv] *adj* (*person*) zwanghaft; (*interest, hatred, tidiness*) krankhaft; **to be ~ about cleaning/tidying up** einen Putz-/Ordnungsfimmel haben (*inf*).
obsolescence [ɔbsə'lɛsns] *n* Veralten *nt*; **built-in** *or* **planned ~** (*COMM*) geplanter Verschleiß *m*.
obsolete ['ɔbsəli:t] *adj* veraltet.
obstacle ['ɔbstəkl] *n* (*lit, fig*) Hindernis *nt*.
obstacle race *n* Hindernisrennen *nt*.
obstetrician [ɔbstə'trɪʃən] *n* Geburtshelfer(in) *m(f)*.
obstetrics [ɔb'stɛtrɪks] *n* Geburtshilfe *f*.
obstinacy ['ɔbstɪnəsɪ] *n* (*of person*) Starrsinn *m*.
obstinate ['ɔbstɪnɪt] *adj* (*person*) starrsinnig, stur; (*refusal, cough etc*) hartnäckig.
obstruct [əb'strʌkt] *vt* (*road, path*) blockieren; (*traffic, fig*) behindern.
obstruction [əb'strʌkʃən] *n* (*object*) Hindernis *nt*; (*of plan, law*) Behinderung *f*.
obstructive [əb'strʌktɪv] *adj* hinderlich, obstruktiv (*esp POL*); **she's being ~** sie macht Schwierigkeiten.
obtain [əb'teɪn] *vt* erhalten, bekommen ♦ *vi* (*form: exist, be the case*) gelten.
obtainable [əb'teɪnəbl] *adj* erhältlich.
obtrusive [əb'tru:sɪv] *adj* aufdringlich; (*conspicuous*) auffällig.
obtuse [əb'tju:s] *adj* (*person, remark*) einfältig; (*MATH*) stumpf.
obverse ['ɔbvə:s] *n* (*of situation, argument*) Kehrseite *f*.
obviate ['ɔbvɪeɪt] *vt* (*need, problem etc*) vorbeugen *+dat*.
obvious ['ɔbvɪəs] *adj* offensichtlich; (*lie*) klar; (*predictable*) naheliegend.
obviously ['ɔbvɪəslɪ] *adv* (*clearly*) offensichtlich; (*of course*) natürlich; **~!** selbstverständlich!; **~ not** offensichtlich nicht; **he was ~ not drunk** er war natürlich nicht betrunken; **he was not ~ drunk** offenbar war er nicht betrunken.
OCAS *n abbr* (*= Organization of Central American States*) *mittelamerikanischer Staatenbund*.
occasion [ə'keɪʒən] *n* Gelegenheit *f*; (*celebration etc*) Ereignis *nt* ♦ *vt* (*form: cause*) verursachen; **on ~** (*sometimes*) gelegentlich; **on that ~** bei der Gelegenheit; **to rise to the ~** sich der Lage gewachsen zeigen.
occasional [ə'keɪʒənl] *adj* gelegentlich; **he likes the ~ cigar** er raucht gelegentlich gern eine Zigarre.
occasionally [ə'keɪʒənəlɪ] *adv* gelegentlich;

very ~ sehr selten.
occasional table *n* Beistelltisch *m*.
occult [ɔ'kʌlt] *n*: **the ~** der Okkultismus ♦ *adj* okkult.
occupancy ['ɔkjupənsɪ] *n* (*of room etc*) Bewohnen *nt*.
occupant ['ɔkjupənt] *n* (*of house etc*) Bewohner(in) *m(f)*; (*temporary: of car*) Insasse *m*, Insassin *f*; **the ~ of this table/office** derjenige, der an diesem Tisch sitzt/in diesem Büro arbeitet.
occupation [ɔkju'peɪʃən] *n* (*job*) Beruf *m*; (*pastime*) Beschäftigung *f*; (*of building, country etc*) Besetzung *f*.
occupational guidance [ɔkʊ'peɪʃənl-] (*BRIT*) *n* Berufsberatung *f*.
occupational hazard *n* Berufsrisiko *nt*.
occupational pension scheme *n* betriebliche Altersversorgung *f*.
occupational therapy *n* Beschäftigungstherapie *f*.
occupier ['ɔkjupaɪə*] *n* Bewohner(in) *m(f)*.
occupy ['ɔkjupaɪ] *vt* (*house, office*) bewohnen; (*place etc*) belegen; (*building, country etc*) besetzen; (*time, attention*) beanspruchen; (*position, space*) einnehmen; **to ~ o.s. (in** *or* **with sth)** sich (mit etw) beschäftigen; **to ~ o.s. in** *or* **with doing sth** sich damit beschäftigen, etw zu tun; **to be occupied in** *or* **with sth** mit etw beschäftigt sein; **to be occupied in** *or* **with doing sth** damit beschäftigt sein, etw zu tun.
occur [ə'kəː*] *vi* (*take place*) geschehen, sich ereignen; (*exist*) vorkommen; **to ~ to sb** jdm einfallen.
occurrence [ə'kʌrəns] *n* (*event*) Ereignis *nt*; (*incidence*) Auftreten *nt*.
ocean ['əuʃən] *n* Ozean *m*, Meer *nt*; **~s of** (*inf*) jede Menge.
ocean bed *n* Meeresgrund *m*.
ocean-going ['əuʃəngəuɪŋ] *adj* (*ship, vessel*) Hochsee-.
Oceania [əuʃɪ'eɪnɪə] *n* Ozeanien *nt*.
ocean liner *n* Ozeandampfer *m*.
ochre, (*US*) **ocher** ['əukə*] *adj* ockerfarben.
o'clock [ə'klɔk] *adv*: **it is 5 ~** es ist 5 Uhr.
OCR *n abbr* (*COMPUT*) = **optical character reader; optical character recogniton.**
Oct. *abbr* (= *October*) Okt.
octagonal [ɔk'tægənl] *adj* achteckig.
octane ['ɔkteɪn] *n* Oktan *nt*; **high-~ petrol** *or* (*US*) **gas** Benzin *nt* mit hoher Oktanzahl.
octave ['ɔktɪv] *n* Oktave *f*.
October [ɔk'təubə*] *n* Oktober *m*; *see also* **July.**
octogenarian ['ɔktəudʒɪ'nɛərɪən] *n* Achtzigjährige(r) *f(m)*.
octopus ['ɔktəpəs] *n* Tintenfisch *m*.
odd [ɔd] *adj* (*person*) sonderbar, komisch; (*behaviour, shape*) seltsam; (*number*) ungerade; (*sock, shoe etc*) einzeln; (*occasional*) gelegentlich; **60-~** etwa 60; **at ~ times** ab und zu; **to be the ~ one out** der Außenseiter/die Außenseiterin sein; **add meat or the ~ vegetable to the soup** fügen Sie der Suppe Fleisch oder auch etwas Gemüse bei.
oddball ['ɔdbɔːl] (*inf*) *n* komischer Kauz *m*.
oddity ['ɔdɪtɪ] *n* (*person*) Sonderling *m*; (*thing*) Merkwürdigkeit *f*.
odd-job man [ɔd'dʒɔb-] *n* Mädchen *nt* für alles.
odd jobs *npl* Gelegenheitsarbeiten *pl*.
oddly ['ɔdlɪ] *adv* (*behave, dress*) seltsam; *see also* **enough.**
oddments ['ɔdmənts] *npl* (*COMM*) Restposten *m*.
odds [ɔdz] *npl* (*in betting*) Gewinnquote *f*; (*fig*) Chancen *pl*; **the ~ are in favour of/against his coming** es sieht so aus, als ob er kommt/nicht kommt; **to succeed against all the ~** allen Erwartungen zum Trotz erfolgreich sein; **it makes no ~** es spielt keine Rolle; **to be at ~ (with)** (*in disagreement*) uneinig sein (mit); (*at variance*) sich nicht vertragen (mit).
odds and ends *npl* Kleinigkeiten *pl*.
odds-on [ɔdz'ɔn] *adj*: **the ~ favourite** der klare Favorit ♦ *adv*: **it's ~ that she'll win** es ist so gut wie sicher, daß sie gewinnt.
ode [əud] *n* Ode *f*.
odious ['əudɪəs] *adj* widerwärtig.
odometer [ɔ'dɔmɪtə*] (*US*) *n* Tacho(meter) *m*.
odor *etc* (*US*) = **odour** *etc.*
odour, (*US*) **odor** ['əudə*] *n* Geruch *m*.
odourless ['əudəlɪs] *adj* geruchlos.
OECD *n abbr* (= *Organization for Economic Cooperation and Development*) OECD *f*.
oesophagus, (*US*) **esophagus** [iː'sɔfəgəs] *n* Speiseröhre *f*.
oestrogen, (*US*) **estrogen** ['iːstrəudʒən] *n* Östrogen *nt*.

KEYWORD

of [ɔv] *prep* **1** von; **the history ~ Germany** die Geschichte Deutschlands; **a friend ~ ours** ein Freund von uns; **a boy ~ ten** ein Junge von zehn Jahren, ein zehnjähriger Junge; **that was kind ~ you** das war nett von Ihnen; **the city ~ New York** die Stadt New York
2 (*expressing quantity, amount, dates etc*): **a kilo ~ flour** ein Kilo Mehl; **how much ~ this do you need?** wieviel brauchen Sie davon?; **3 ~ them** (*people*) 3 von ihnen; (*objects*) 3 davon; **a cup ~ tea** eine Tasse Tee; **a vase ~ flowers** eine Vase mit Blumen; **the 5th ~ July** der 5. Juli
3 (*from, out of*) aus; **a bracelet ~ solid gold** ein Armband aus massivem Gold; **made ~ wood** aus Holz (gemacht).

KEYWORD

off [ɔf] *adv* **1** (*referring to distance, time*): **it's a long way ~** es ist sehr weit weg; **the game is 3 days ~** es sind noch 3 Tage bis zum Spiel
2 (*departure*): **to go ~ to Paris/Italy** nach Paris/Italien fahren; **I must be ~** ich muß gehen
3 (*removal*): **to take ~ one's coat/clothes** seinen Mantel/sich ausziehen; **the button came ~** der Knopf ging ab; **10 % ~** (*COMM*) 10% Nachlaß
4: **to be ~** (*on holiday*) im Urlaub sein; (*due to sickness*) krank sein; **I'm ~ on Fridays** freitags habe ich frei; **he was ~ on Friday** Freitag war er nicht da; **to have a day ~** (*from work*) einen Tag frei haben; **to be ~ sick** wegen Krankheit fehlen
♦ *adj* **1** (*not turned on: machine, light, engine etc*) aus; (: *water, gas*) abgedreht; (: *tap*) zu
2: **to be ~** (*meeting, match*) ausfallen; (*agreement*) nicht mehr gelten
3 (*BRIT: not fresh: milk, cheese, meat etc*) verdorben, schlecht
4: **on the ~ chance that** ... für den Fall, daß ...; **to have an ~ day** (*not as good as usual*) nicht in Form sein; **to be badly ~** sich schlecht stehen
♦ *prep* **1** (*indicating motion, removal etc*) von *+dat*; **to fall ~ a cliff** von einer Klippe fallen; **to take a picture ~ the wall** ein Bild von der Wand nehmen
2 (*distant from*): **5 km ~ the main road** 5 km von der Hauptstraße entfernt; **an island ~ the coast** eine Insel vor der Küste
3: **I'm ~ meat/beer** (*no longer eat/drink it*) ich esse kein Fleisch/trinke kein Bier mehr; (*no longer like it*) ich kann kein Fleisch/Bier *etc* mehr sehen

offal ['ɔfl] *n* (*CULIN*) Innereien *pl*.
off-beat ['ɔfbi:t] *adj* (*clothes, ideas*) ausgefallen.
off-centre, (*US*) **off-center** [ɔf'sɛntə*] *adj* nicht genau in der Mitte, links/rechts von der Mitte ♦ *adv* asymmetrisch.
off-colour ['ɔf'kʌlə*] (*BRIT*) *adj* (*ill*) unpäßlich; **to feel ~** sich unwohl fühlen.
offence, (*US*) **offense** [ə'fɛns] *n* (*crime*) Vergehen *nt*; (*insult*) Beleidigung *f*, Kränkung *f*; **to commit an ~** eine Straftat begehen; **to take ~ (at)** Anstoß nehmen (an *+dat*); **to give ~ (to)** Anstoß erregen (bei); **"no ~"** „nichts für ungut".
offend [ə'fɛnd] *vt* (*upset*) kränken; **to ~ against** (*law, rule*) verstoßen gegen.
offender [ə'fɛndə*] *n* Straftäter(in) *m(f)*.
offending [ə'fɛndɪŋ] *adj* (*item etc*) Anstoß erregend.
offense [ə'fɛns] (*US*) *n* = **offence.**
offensive [ə'fɛnsɪv] *adj* (*remark, behaviour*) verletzend; (*smell etc*) übel; (*weapon*) Angriffs- ♦ *n* (*MIL*) Offensive *f*.
offer ['ɔfə*] *n* Angebot *nt* ♦ *vt* anbieten; (*money, opportunity, service*) bieten; (*reward*) aussetzen; **to make an ~ for sth** ein Angebot für etw machen; **on ~** (*COMM: available*) erhältlich; (: *cheaper*) im Angebot; **to ~ sth to sb** jdm etw anbieten; **to ~ to do sth** anbieten, etw zu tun.
offering ['ɔfərɪŋ] *n* Darbietung *f*; (*REL*) Opfergabe *f*.
off-hand [ɔf'hænd] *adj* (*casual*) lässig; (*impolite*) kurz angebunden ♦ *adv* auf Anhieb; **I can't tell you ~** das kann ich Ihnen auf Anhieb nicht sagen.
office ['ɔfɪs] *n* Büro *nt*; (*position*) Amt *nt*; **doctor's ~** (*US*) Praxis *f*; **to take ~** das Amt antreten; **in ~** (*minister etc*) im Amt; **through his good ~s** durch seine guten Dienste; **O~ of Fair Trading** (*BRIT*) Behörde *f* gegen unlauteren Wettbewerb.
office block, (*US*) **office building** *n* Bürogebäude *nt*.
office boy *n* Bürogehilfe *m*.
office holder *n* Amtsinhaber(in) *m(f)*.
office hours *npl* (*COMM*) Bürostunden *pl*; (*US: MED*) Sprechstunde *f*.
office manager *n* Büroleiter(in) *m(f)*.
officer ['ɔfɪsə*] *n* (*MIL etc*) Offizier *m*; (*also: police ~*) Polizeibeamte(r) *m*, Polizeibeamtin *f*; (*of organization*) Funktionär *m*.
office work *n* Büroarbeit *f*.
office worker *n* Büroangestellte(r) *f(m)*.
official [ə'fɪʃl] *adj* offiziell ♦ *n* (*in government*) Beamte(r) *m*, Beamtin *f*; (*in trade union etc*) Funktionär *m*.
officialdom [ə'fɪʃldəm] (*pej*) *n* Bürokratie *f*.
officially [ə'fɪʃəlɪ] *adv* offiziell.
official receiver *n* (*COMM*) Konkursverwalter *m*.
officiate [ə'fɪʃɪeɪt] *vi* amtieren; **to ~ at a marriage** eine Trauung vornehmen.
officious [ə'fɪʃəs] *adj* übereifrig.
offing ['ɔfɪŋ] *n*: **in the ~** in Sicht.
off-key [ɔf'ki:] *adj* (*MUS: sing, play*) falsch; (*instrument*) verstimmt.
off-licence ['ɔflaɪsns] (*BRIT*) *n* ≈ Wein- und Spirituosenhandlung *f*.

Off-licence *ist ein Geschäft (oder eine Theke in einer Gaststätte), wo man alkoholische Getränke kaufen kann, die aber anderswo konsumiert werden müssen. In solchen Geschäften, die oft von landesweiten Ketten betrieben werden, kann man auch andere Getränke, Süßigkeiten, Zigaretten und Knabbereien kaufen.*

off-limits [ɔf'lɪmɪts] *adj* verboten.
off-line [ɔf'laɪn] (*COMPUT*) *adj* Off-line- ♦ *adv* off line; (*switched off*) abgetrennt.

off-load ['ɔfləud] *vt* abladen.
off-peak ['ɔf'pi:k] *adj* (*heating*) Nachtspeicher-; (*electricity*) Nacht-; (*train*) außerhalb der Stoßzeit; ~ **ticket** Fahrkarte *f* zur Fahrt außerhalb der Stoßzeit.
off-putting ['ɔfputɪŋ] (*BRIT*) *adj* (*remark, behaviour*) abstoßend.
off-season ['ɔf'si:zn] *adj, adv* außerhalb der Saison.
offset ['ɔfsɛt] (*irreg: like* **set**) *vt* (*counteract*) ausgleichen.
offshoot ['ɔfʃu:t] *n* (*BOT, fig*) Ableger *m*.
offshore [ɔf'ʃɔ:*] *adj* (*breeze*) ablandig; (*oil rig, fishing*) küstennah.
offside ['ɔf'saɪd] *adj* (*SPORT*) im Abseits; (*AUT: when driving on left*) rechtsseitig; (*: when driving on right*) linksseitig ♦ *n*: **the** ~ (*AUT: when driving on left*) die rechte Seite; (*: when driving on right*) die linke Seite.
offspring ['ɔfsprɪŋ] *n inv* Nachwuchs *m*.
offstage [ɔf'steɪdʒ] *adv* hinter den Kulissen.
off-the-cuff [ɔfðə'kʌf] *adj* (*remark*) aus dem Stegreif.
off-the-job ['ɔfðə'dʒɔb] *adj*: ~ **training** außerbetriebliche Weiterbildung *f*.
off-the-peg ['ɔfðə'pɛg], (*US*) **off-the-rack** ['ɔfðə'ræk] *adv* von der Stange.
off-the-record ['ɔfðə'rɛkɔ:d] *adj* (*conversation, briefing*) inoffiziell; **that's strictly** ~ das ist ganz im Vertrauen.
off-white ['ɔfwaɪt] *adj* gebrochen weiß.
Ofgas ['ɔfgæs] *n Überwachungsgremium zum Verbraucherschutz nach Privatisierung der Gasindustrie.*
Oftel ['ɔftɛl] *n Überwachungsgremium zum Verbraucherschutz nach Privatisierung der Telekommunikationsindustrie.*
often ['ɔfn] *adv* oft; **how** ~? wie oft?; **more** ~ **than not** meistens; **as** ~ **as not** ziemlich oft; **every so** ~ ab und zu.
Ofwat ['ɔfwɔt] *n Überwachungsgremium zum Verbraucherschutz nach Privatisierung der Wasserindustrie.*
ogle ['əugl] *vt* schielen nach, begaffen (*pej*).
ogre ['əugə*] *n* (*monster*) Menschenfresser *m*.
OH (*US*) *abbr* (*POST:* = *Ohio*).
oh [əu] *excl* oh.
ohm [əum] *n* Ohm *nt*.
OHMS (*BRIT*) *abbr* (= *On His/Her Majesty's Service*) *Aufdruck auf amtlichen Postsendungen.*
oil [ɔɪl] *n* Öl *nt*; (*petroleum*) (Erd)öl *nt* ♦ *vt* ölen.
oilcan ['ɔɪlkæn] *n* Ölkanne *f*.
oil change *n* Ölwechsel *m*.
oilcloth ['ɔɪlklɔθ] *n* Wachstuch *nt*.
oilfield ['ɔɪlfi:ld] *n* Ölfeld *nt*.
oil filter *n* Ölfilter *m*.
oil-fired ['ɔɪlfaɪəd] *adj* (*boiler, central heating*) Öl-.
oil gauge *n* Ölstandsmesser *m*.
oil painting *n* Ölgemälde *nt*.
oil refinery *n* Ölraffinerie *f*.
oil rig *n* Ölförderturm *m*; (*at sea*) Bohrinsel *f*.
oilskins ['ɔɪlskɪnz] *npl* Ölzeug *nt*.
oil slick *n* Ölteppich *m*.
oil tanker *n* (*ship*) (Öl)tanker *m*; (*truck*) Tankwagen *m*.
oil well *n* Ölquelle *f*.
oily ['ɔɪlɪ] *adj* (*substance*) ölig; (*rag*) öldurchtränkt; (*food*) fettig.
ointment ['ɔɪntmənt] *n* Salbe *f*.
OK (*US*) *abbr* (*POST:* = *Oklahoma*).
O.K. ['əu'keɪ] (*inf*) *excl* okay; (*granted*) gut ♦ *adj* (*average*) einigermaßen; (*acceptable*) in Ordnung ♦ *vt* genehmigen ♦ *n*: **to give sb/sth the** ~ jdm/etw seine Zustimmung geben; **is it** ~? ist es in Ordnung?; **are you** ~? bist du in Ordnung?; **are you** ~ **for money?** hast du (noch) genug Geld?; **it's** ~ **with** *or* **by me** mir ist es recht.
okay ['əu'keɪ] *excl* = **O.K.**
Okla. (*US*) *abbr* (*POST:* = *Oklahoma*).
old [əuld] *adj* alt; **how** ~ **are you?** wie alt bist du?; **he's 10 years** ~ er ist 10 Jahre alt; ~**er brother** ältere(r) Bruder; **any** ~ **thing will do for him** ihm ist alles recht.
old age *n* Alter *nt*.
old age pension *n* Rente *f*.
old age pensioner (*BRIT*) *n* Rentner(in) *m(f)*.
old-fashioned ['əuld'fæʃnd] *adj* altmodisch.
old hand *n* alter Hase *m*.
old hat *adj*: **to be** ~ ein alter Hut sein.
old maid *n* alte Jungfer *f*.
old people's home *n* Altersheim *nt*.
old-style ['əuldstaɪl] *adj* im alten Stil.
old-time dancing ['əuldtaɪm-] *n* Tänze *pl* im alten Stil.
old-timer [əuld'taɪmə*] (*esp US*) *n* Veteran *m*.
old wives' tale *n* Ammenmärchen *nt*.
oleander [əulɪ'ændə*] *n* Oleander *m*.
O level (*BRIT*) *n* (*formerly*) ≈ Abschluß *m* der Sekundarstufe 1, mittlere Reife *f*.
olive ['ɔlɪv] *n* Olive *f*; (*tree*) Olivenbaum *m* ♦ *adj* (*also*: ~**-green**) olivgrün; **to offer an** ~ **branch to sb** (*fig*) jdm ein Friedensangebot machen.
olive oil *n* Olivenöl *nt*.
Olympic [əu'lɪmpɪk] *adj* olympisch.
Olympic Games *npl*: **the** ~ (*also*: **the Olympics**) die Olympischen Spiele *pl*.
OM (*BRIT*) *n abbr* (= *Order of Merit*) *britischer Verdienstorden.*
Oman [əu'ma:n] *n* Oman *nt*.
OMB (*US*) *n abbr* (= *Office of Management and Budget*) *Regierungsbehörde für Verwaltung und Etat.*
ombudsman ['ɔmbudzmən] *n* Ombudsmann *m*.
omelette, (*US*) **omelet** ['ɔmlɪt] *n* Omelett *nt*; **ham/cheese omelet(te)** Schinken-/Käseomelett *nt*.
omen ['əumən] *n* Omen *nt*.
ominous ['ɔmɪnəs] *adj* (*silence, warning*) ominös; (*clouds, smoke*) bedrohlich.

omission [əu'mɪʃən] *n* (*thing omitted*) Auslassung *f*; (*act of omitting*) Auslassen *nt*.
omit [əu'mɪt] *vt* (*deliberately*) unterlassen; (*by mistake*) auslassen ♦ *vi*: **to ~ to do sth** es unterlassen, etw zu tun.
omnivorous [ɔm'nɪvrəs] *adj*: **to be ~** Allesfresser sein.
ON (*CANADA*) *abbr* (= *Ontario*).

KEYWORD

on [ɔn] *prep* **1** (*indicating position*) auf *+dat*; (*with vb of motion*) auf *+acc*; **it's ~ the table** es ist auf dem Tisch; **she put the book ~ the table** sie legte das Buch auf den Tisch; **~ the left** links; **~ the right** rechts; **the house is ~ the main road** das Haus liegt an der Hauptstraße
2 (*indicating means, method, condition etc*) **~ foot** (*go, be*) zu Fuß; **to be ~ the train/plane** im Zug/Flugzeug sein; **to go ~ the train/plane** mit dem Zug/Flugzeug reisen; **(to be wanted) ~ the telephone** am Telefon (verlangt werden); **~ the radio/television** im Radio/Fernsehen; **to be ~ drugs** Drogen nehmen; **to be ~ holiday** im Urlaub sein; **I'm here ~ business** ich bin geschäftlich hier
3 (*referring to time*): **~ Friday** am Freitag; **~ Fridays** freitags; **~ June 20th** am 20. Juni; **~ Friday, June 20th** am Freitag, dem 20. Juni; **a week ~ Friday** Freitag in einer Woche; **~ (his) arrival he went straight to his hotel** bei seiner Ankunft ging er direkt in sein Hotel; **~ seeing this he** ... als er das sah, ... er ...
4 (*about, concerning*) über *+acc*; **a book ~ physics** ein Buch über Physik
♦ *adv* **1** (*referring to dress*): **to have one's coat ~** seinen Mantel anhaben; **what's she got ~?** was hat sie an?
2 (*referring to covering*) **screw the lid ~ tightly** dreh den Deckel fest zu
3 (*further, continuously*): **to walk/drive/read ~** weitergehen/-fahren/-lesen
♦ *adj* **1** (*functioning, in operation: machine, radio, TV, light*) an; (*: tap*) auf; (*: handbrake*) angezogen; **there's a good film ~ at the cinema** im Kino läuft ein guter Film
2: **that's not ~!** (*inf: of behaviour*) das ist nicht drin!

ONC (*BRIT*) *n abbr* (= *Ordinary National Certificate*) *höherer Schulabschluß*.
once [wʌns] *adv* (*on one occasion*) einmal; (*formerly*) früher; (*a long time ago*) früher einmal ♦ *conj* (*as soon as*) sobald; **at ~** (*immediately*) sofort; (*simultaneously*) gleichzeitig; **~ a week** einmal pro Woche; **~ more** *or* **again** noch einmal; **~ and for all** ein für allemal; **~ upon a time** es war einmal; **~ in a while** ab und zu; **all at ~** (*suddenly*) plötzlich; **for ~** ausnahmsweise (einmal); **~ or twice** ein paarmal; **~ he had left** sobald er gegangen war; **~ it was done** nachdem es getan war.
oncoming ['ɔnkʌmɪŋ] *adj* (*traffic etc*) entgegenkommend.
OND (*BRIT*) *n abbr* (= *Ordinary National Diploma*) *technisches Diplom*.

KEYWORD

one [wʌn] *num* ein(e); (*counting*) eins; **~ hundred and fifty** (ein)hundert(und)-fünfzig; **~ day there was a sudden knock at the door** eines Tages klopfte es plötzlich an der Tür; **~ by ~** einzeln
♦ *adj* **1** (*sole*) einzige(r, s); **the ~ book which** ... das einzige Buch, das ...
2 (*same*): **they came in the ~ car** sie kamen in demselben Wagen; **they all belong to the ~ family** sie alle gehören zu ein und derselben Familie
♦ *pron* **1**: **this ~** diese(r, s); **that ~** der/die/das (da); **which ~?** welcher/welche/welches?; **he is ~ of us** er ist einer von uns; **I've already got ~/a red ~** ich habe schon eins/ein rotes
2: **~ another** einander; **do you two ever see ~ another?** seht ihr zwei euch jemals?
3 (*impersonal*) man; **~ never knows** man weiß nie; **to cut ~'s finger** sich *dat* in den Finger schneiden.

one-day excursion ['wʌndeɪ-] (*US*) *n* (*day return*) Tagesrückfahrkarte *f*.
one-man ['wʌn'mæn] *adj* (*business, show*) Einmann-.
one-man band *n* Einmannkapelle *f*.
one-off [wʌn'ɔf] (*BRIT: inf*) *n* einmaliges Ereignis *nt*.
one-parent family ['wʌnpɛərənt-] *n* Familie *f* mit nur einem Elternteil.
one-piece ['wʌnpi:s] *adj*: **~ swimsuit** einteiliger Badeanzug *m*.
onerous ['ɔnərəs] *adj* (*duty etc*) schwer.

KEYWORD

oneself [wʌn'sɛlf] *pron* (*reflexive: after prep*) sich; (*emphatic*) selbst; **to hurt ~** sich *dat* weh tun; **to keep sth for ~** etw für sich behalten; **to talk to ~** Selbstgespräche führen.

one-shot ['wʌnʃɔt] (*US*) *n* = **one-off**.
one-sided [wʌn'saɪdɪd] *adj* einseitig.
one-time ['wʌntaɪm] *adj* ehemalig.
one-to-one ['wʌntəwʌn] *adj* (*relationship, tuition*) Einzel-.
one-upmanship [wʌn'ʌpmənʃɪp] *n*: **the art of ~** die Kunst, anderen um einen Schritt voraus zu sein.
one-way ['wʌnweɪ] *adj* (*street, traffic*) Einbahn-; (*ticket*) Einzel-.
ongoing ['ɔngəuɪŋ] *adj* (*project*) laufend; (*situation etc*) andauernd.
onion ['ʌnjən] *n* Zwiebel *f*.

on-line ['ɔnlaɪn] (*COMPUT*) *adj* (*printer, database*) On-line-; (*switched on*) gekoppelt ♦ *adv* on line.
onlooker ['ɔnlukə*] *n* Zuschauer(in) *m(f)*.
only ['əunlɪ] *adv* nur ♦ *adj* einzige(r, s) ♦ *conj* nur, bloß; **I ~ took one** ich nahm nur eins; **I saw her ~ yesterday** ich habe sie erst gestern gesehen; **I'd be ~ too pleased to help** ich würde allzu gern helfen; **not ~ ... but (also)** ... nicht nur ... sondern auch ...; **an ~ child** ein Einzelkind *nt*; **I would come, ~ I'm too busy** ich würde kommen, wenn ich nicht so viel zu tun hätte.
ono (*BRIT*) *abbr* (*in classified ads: = or near(est) offer*) *see* **near**.
onset ['ɔnsɛt] *n* Beginn *m*.
onshore ['ɔnʃɔː*] *adj* (*wind*) auflandig, See-.
onslaught ['ɔnslɔːt] *n* Attacke *f*.
on-the-job ['ɔnðə'dʒɔb] *adj*: **~ training** Ausbildung *f* am Arbeitsplatz.
onto ['ɔntu] *prep* = **on to**.
onus ['əunəs] *n* Last *f*, Pflicht *f*; **the ~ is on him to prove it** er trägt die Beweislast.
onward(s) ['ɔnwəd(z)] *adv* weiter; **from that time ~** von der Zeit an ♦ *adj* fortschreitend.
onyx ['ɔnɪks] *n* Onyx *m*.
ooze [uːz] *vi* (*mud, water etc*) triefen.
opacity [əu'pæsɪtɪ] *n* (*of substance*) Undurchsichtigkeit *f*.
opal ['əupl] *n* Opal *m*.
opaque [əu'peɪk] *adj* (*substance*) undurchsichtig, trüb.
OPEC ['əupɛk] *n abbr* (= *Organization of Petroleum-Exporting Countries*) OPEC *f*.
open ['əupn] *adj* offen; (*packet, shop, museum*) geöffnet; (*view*) frei; (*meeting, debate*) öffentlich; (*ticket, return*) unbeschränkt; (*vacancy*) verfügbar ♦ *vt* öffnen, aufmachen; (*book, paper etc*) aufschlagen; (*account*) eröffnen; (*blocked road*) freimachen ♦ *vi* (*door, eyes, mouth*) sich öffnen; (*shop, bank etc*) aufmachen; (*commence*) beginnen; (*film, play*) Premiere haben; (*flower*) aufgehen; **in the ~ (air)** im Freien; **the ~ sea** das offene Meer; **to have an ~ mind on sth** etw *dat* aufgeschlossen gegenüberstehen; **to be ~ to** (*ideas etc*) offen sein für; **to be ~ to criticism** der Kritik *dat* ausgesetzt sein; **to be ~ to the public** für die Öffentlichkeit zugänglich sein; **to ~ one's mouth** (*speak*) den Mund aufmachen.
▶**open on to** *vt fus* (*room, door*) führen auf *+acc*.
▶**open up** *vi* (*unlock*) aufmachen; (*confide*) sich äußern.
open-air [əupn'ɛə*] *adj* im Freien; **~ concert** Open-air-Konzert *nt*; **~ swimming pool** Freibad *nt*.
open-and-shut ['əupənən'ʃʌt] *adj*: **~ case** klarer Fall *m*.
open day *n* Tag *m* der offenen Tür.
open-ended [əupn'ɛndɪd] *adj* (*question etc*) mit offenem Ausgang; (*contract*) unbefristet.
opener ['əupnə*] *n* (*also*: **tin ~, can ~**) Dosenöffner *m*.
open-heart [əupən'hɑːt] *adj*: **~ surgery** Eingriff *m* am offenen Herzen.
opening ['əupnɪŋ] *adj* (*commencing: stages, scene*) erste(r, s); (*remarks, ceremony etc*) Eröffnungs- ♦ *n* (*gap, hole*) Öffnung *f*; (*of play etc*) Anfang *m*; (*of new building etc*) Eröffnung *f*; (*opportunity*) Gelegenheit *f*.
opening hours *npl* Öffnungszeiten *pl*.
opening night *n* (*THEAT*) Eröffnungsabend *m*.
open learning *n Weiterbildungssystem auf Teilzeitbasis*.
openly ['əupnlɪ] *adv* offen.
open-minded [əupn'maɪndɪd] *adj* aufgeschlossen.
open-necked ['əupnnɛkt] *adj* (*shirt*) mit offenem Kragen.
openness ['əupnnɪs] *n* (*frankness*) Offenheit *f*.
open-plan ['əupn'plæn] *adj* (*office*) Großraum-.
open prison *n* offenes Gefängnis *nt*.
open sandwich *n* belegtes Brot *nt*.
open shop *n Unternehmen ohne Gewerkschaftszwang*.
Open University (*BRIT*) *n* ≈ Fernuniversität *f*.

Open University *ist eine 1969 in Großbritannien gegründete Fernuniversität für Spätstudierende. Der Unterricht findet durch Fernseh- und Radiosendungen statt, schriftliche Arbeiten werden mit der Post verschickt, und der Besuch von Sommerkursen ist Pflicht. Die Studenten müssen eine bestimmte Anzahl von Unterrichtseinheiten in einem bestimmten Zeitraum absolvieren und für die Verleihung eines akademischen Grades eine Mindestzahl von Scheinen machen.*

open verdict *n* (*LAW*) *Todesfeststellung ohne Angabe der Todesursache*.
opera ['ɔpərə] *n* Oper *f*.
opera glasses *npl* Opernglas *nt*.
opera house *n* Opernhaus *nt*.
opera singer *n* Opernsänger(in) *m(f)*.
operate ['ɔpəreɪt] *vt* (*machine etc*) bedienen ♦ *vi* (*machine etc*) funktionieren; (*company*) arbeiten; (*laws, forces*) wirken; (*MED*) operieren; **to ~ on sb** jdn operieren.
operatic [ɔpə'rætɪk] *adj* (*singer etc*) Opern-.
operating room ['ɔpəreɪtɪŋ-] (*US*) *n* Operationssaal *m*.
operating system *n* (*COMPUT*) Betriebssystem *nt*.
operating table *n* (*MED*) Operationstisch *m*.
operating theatre *n* (*MED*) Operationssaal *m*.
operation [ɔpə'reɪʃən] *n* (*activity*) Unternehmung *f*; (*of machine etc*) Betrieb *m*; (*MIL, MED*) Operation *f*; (*COMM*) Geschäft *nt*;

to be in ~ (*law, scheme*) in Kraft sein; **to have an ~** (*MED*) operiert werden; **to perform an ~** (*MED*) eine Operation vornehmen.
operational [ɔpəˈreɪʃənl] *adj* (*machine etc*) einsatzfähig.
operative [ˈɔpərətɪv] *adj* (*measure, system*) wirksam; (*law*) gültig ♦ *n* (*in factory*) Maschinenarbeiter(in) *m(f)*; **the ~ word** das entscheidende Wort.
operator [ˈɔpəreɪtə*] *n* (*TEL*) Vermittlung *f*; (*of machine*) Bediener(in) *m(f)*.
operetta [ɔpəˈrɛtə] *n* Operette *f*.
ophthalmic [ɔfˈθælmɪk] *adj* (*department*) Augen-.
ophthalmic optician *n* Augenoptiker(in) *m(f)*.
ophthalmologist [ɔfθælˈmɔlədʒɪst] *n* Augenarzt *m*, Augenärztin *f*.
opinion [əˈpɪnjən] *n* Meinung *f*; **in my ~** meiner Meinung nach; **to have a good/high ~ of sb/o.s.** eine gute/hohe Meinung von jdm/sich haben; **to be of the ~ that ...** der Ansicht *or* Meinung sein, daß ...; **to get a second ~** (*MED etc*) ein zweites Gutachten einholen.
opinionated [əˈpɪnjəneɪtɪd] (*pej*) *adj* rechthaberisch.
opinion poll *n* Meinungsumfrage *f*.
opium [ˈəupɪəm] *n* Opium *nt*.
opponent [əˈpəunənt] *n* Gegner(in) *m(f)*.
opportune [ˈɔpətjuːn] *adj* (*moment*) günstig.
opportunism [ɔpəˈtjuːnɪsəm] (*pej*) *n* Opportunismus *m*.
opportunist [ɔpəˈtjuːnɪst] (*pej*) *n* Opportunist(in) *m(f)*.
opportunity [ɔpəˈtjuːnɪtɪ] *n* Gelegenheit *f*, Möglichkeit *f*; (*prospects*) Chance *f*; **to take the ~ of doing sth** die Gelegenheit ergreifen, etw zu tun.
oppose [əˈpəuz] *vt* (*opinion, plan*) ablehnen; **to be ~d to sth** gegen etw sein; **as ~d to** im Gegensatz zu.
opposing [əˈpəuzɪŋ] *adj* (*side, team*) gegnerisch; (*ideas, tendencies*) entgegengesetzt.
opposite [ˈɔpəzɪt] *adj* (*house, door*) gegenüberliegend; (*end, direction*) entgegengesetzt; (*point of view, effect*) gegenteilig ♦ *adv* gegenüber ♦ *prep* (*in front of*) gegenüber; (*next to: on list, form etc*) neben ♦ *n*: **the ~** das Gegenteil; **the ~ sex** das andere Geschlecht; **"see ~ page"** „siehe gegenüber".
opposite number *n* (*person*) Gegenspieler(in) *m(f)*.
opposition [ɔpəˈzɪʃən] *n* (*resistance*) Widerstand *m*; (*SPORT*) Gegner *pl*; **the O~** (*POL*) die Opposition.
oppress [əˈprɛs] *vt* unterdrücken.
oppressed [əˈprɛst] *adj* unterdrückt.
oppression [əˈprɛʃən] *n* Unterdrückung *f*.
oppressive [əˈprɛsɪv] *adj* (*weather, heat*) bedrückend; (*political regime*) repressiv.
opprobrium [əˈprəubrɪəm] *n* (*form*) Schande *f*, Schmach *f*.
opt [ɔpt] *vi*: **to ~ for** sich entscheiden für; **to ~ to do sth** sich entscheiden, etw zu tun.
►**opt out (of)** *vi* (*not participate*) sich nicht beteiligen (an *+dat*); (*of insurance scheme etc*) kündigen; **to ~ out (of local authority control)** (*POL: hospital, school*) aus der Kontrolle der Gemeindeverwaltung austreten.
optical [ˈɔptɪkl] *adj* optisch.
optical character reader *n* optischer Klarschriftleser *m*.
optical character recognition *n* optische Zeichenerkennung *f*.
optical illusion *n* optische Täuschung *f*.
optician [ɔpˈtɪʃən] *n* Optiker(in) *m(f)*.
optics [ˈɔptɪks] *n* Optik *f*.
optimism [ˈɔptɪmɪzəm] *n* Optimismus *m*.
optimist [ˈɔptɪmɪst] *n* Optimist(in) *m(f)*.
optimistic [ɔptɪˈmɪstɪk] *adj* optimistisch.
optimum [ˈɔptɪməm] *adj* optimal.
option [ˈɔpʃən] *n* (*choice*) Möglichkeit *f*; (*SCOL*) Wahlfach *nt*; (*COMM*) Option *f*; **to keep one's ~s open** sich *dat* alle Möglichkeiten offenhalten; **to have no ~** keine (andere) Wahl haben.
optional [ˈɔpʃənl] *adj* freiwillig; **~ extras** (*COMM*) Extras *pl*.
opulence [ˈɔpjuləns] *n* Reichtum *m*.
opulent [ˈɔpjulənt] *adj* (*very wealthy*) reich, wohlhabend.
OR (*US*) *abbr* (*POST:* = *Oregon*).
or [ɔː*] *conj* oder; **he hasn't seen ~ heard anything** er hat weder etwas gesehen noch gehört; **~ else** (*otherwise*) sonst; **fifty ~ sixty people** fünfzig bis sechzig Leute.
oracle [ˈɔrəkl] *n* Orakel *nt*.
oral [ˈɔːrəl] *adj* (*test, report*) mündlich; (*MED: vaccine, contraceptive*) zum Einnehmen ♦ *n* (*exam*) mündliche Prüfung *f*.
orange [ˈɔrɪndʒ] *n* Orange *f*, Apfelsine *f* ♦ *adj* (*colour*) orange.
orangeade [ɔrɪndʒˈeɪd] *n* Orangenlimonade *f*.
oration [ɔːˈreɪʃən] *n* Ansprache *f*.
orator [ˈɔrətə*] *n* Redner(in) *m(f)*.
oratorio [ɔrəˈtɔːrɪəu] *n* (*MUS*) Oratorium *nt*.
orb [ɔːb] *n* Kugel *f*.
orbit [ˈɔːbɪt] *n* (*of planet etc*) Umlaufbahn *f* ♦ *vt* umkreisen.
orbital motorway [ˈɔːbɪtəl-] *n* Ringautobahn *f*.
orchard [ˈɔːtʃəd] *n* Obstgarten *m*; **apple ~** Obstgarten mit Apfelbäumen.
orchestra [ˈɔːkɪstrə] *n* Orchester *nt*; (*US: stalls*) Parkett *nt*.
orchestral [ɔːˈkɛstrəl] *adj* (*piece, musicians*) Orchester-.
orchestrate [ˈɔːkɪstreɪt] *vt* orchestrieren.
orchid [ˈɔːkɪd] *n* Orchidee *f*.

ordain [ɔː'deɪn] *vt* (*REL*) ordinieren; (*decree*) verfügen.
ordeal [ɔː'diːl] *n* Qual *f*.
order ['ɔːdə*] *n* (*command*) Befehl *m*; (*COMM, in restaurant*) Bestellung *f*; (*sequence*) Reihenfolge *f*; (*discipline, organization*) Ordnung *f*; (*REL*) Orden *m* ♦ *vt* (*command*) befehlen; (*COMM, in restaurant*) bestellen; (*also*: **put in ~**) ordnen; **in ~** (*permitted*) in Ordnung; **in (working) ~** betriebsfähig; **in ~ to do sth** um etw zu tun; **in ~ of size** nach Größe (geordnet); **on ~** (*COMM*) bestellt; **out of ~** (*not working*) außer Betrieb; (*in the wrong sequence*) durcheinander; (*motion, proposal*) nicht zulässig; **to place an ~ for sth with sb** eine Bestellung für etw bei jdm aufgeben; **made to ~** (*COMM*) auf Bestellung (gemacht); **to be under ~s to do sth** die Anweisung haben, etw zu tun; **to take ~s** Befehle entgegennehmen; **a point of ~** (*in debate etc*) eine Verfahrensfrage; **"pay to the ~ of ..."** „zahlbar an *+dat* ..."; **of** *or* **in the ~ of** in der Größenordnung von; **to ~ sb to do sth** jdn anweisen, etw zu tun.
▸**order around** *vt* (*also*: **order about**) herumkommandieren.
order book *n* (*COMM*) Auftragsbuch *nt*.
order form *n* Bestellschein *m*.
orderly ['ɔːdəlɪ] *n* (*MIL*) Offiziersbursche *m*; (*MED*) Pfleger(in) *m(f)* ♦ *adj* (*manner*) ordentlich; (*sequence, system*) geordnet.
order number *n* (*COMM*) Bestellnummer *f*.
ordinal ['ɔːdɪnl] *adj*: **~ number** Ordinalzahl *f*.
ordinarily ['ɔːdnrɪlɪ] *adv* normalerweise.
ordinary ['ɔːdnrɪ] *adj* (*everyday*) gewöhnlich, normal; (*pej: mediocre*) mittelmäßig; **out of the ~** außergewöhnlich.

> **Ordinary degree** *ist ein Universitätsabschluß, der an Studenten vergeben wird, die entweder die für ein* **honours degree** *nötige Note nicht erreicht haben, aber trotzdem nicht durchgefallen sind, oder die sich nur für ein ordinary degree eingeschrieben haben, wobei das Studium meist kürzer ist.*

ordinary seaman (*BRIT*) *n* Leichtmatrose *m*.
ordinary shares *npl* Stammaktien *pl*.
ordination [ɔːdɪ'neɪʃən] *n* (*REL*) Ordination *f*.
ordnance ['ɔːdnəns] *n* (*unit*) Technische Truppe *f* ♦ *adj* (*factory, supplies*) Munitions-.
Ordnance Survey (*BRIT*) *n* Landesvermessung *f*.
ore [ɔː*] *n* Erz *nt*.
Ore. (*US*) *abbr* (*POST*: = *Oregon*).
organ ['ɔːgən] *n* (*ANAT*) Organ *nt*; (*MUS*) Orgel *f*.
organic [ɔː'gænɪk] *adj* organisch.
organism ['ɔːgənɪzəm] *n* Organismus *m*.
organist ['ɔːgənɪst] *n* Organist(in) *m(f)*.
organization [ɔːgənaɪ'zeɪʃən] *n* Organisation *f*.
organization chart *n* Organisationsplan *m*.
organize ['ɔːgənaɪz] *vt* organisieren; **to get ~d** sich fertigmachen.
organized crime *n* organisiertes Verbrechen *nt*.
organized labour *n* organisierte Arbeiterschaft *f*.
organizer ['ɔːgənaɪzə*] *n* (*of conference etc*) Organisator *m*, Veranstalter *m*.
orgasm ['ɔːgæzəm] *n* Orgasmus *m*.
orgy ['ɔːdʒɪ] *n* Orgie *f*; **an ~ of destruction** eine Zerstörungsorgie.
Orient ['ɔːrɪənt] *n*: **the ~** der Orient.
orient ['ɔːrɪənt] *vt*: **to ~ o.s. (to)** sich orientieren (in *+dat*); **to be ~ed towards** ausgerichtet sein auf *+acc*.
oriental [ɔːrɪ'ɛntl] *adj* orientalisch.
orientate ['ɔːrɪənteɪt] *vt*: **to ~ o.s.** sich orientieren; (*fig*) sich zurechtfinden; **to be ~d towards** ausgerichtet sein auf *+acc*.
orifice ['ɔrɪfɪs] *n* (*ANAT*) Öffnung *f*.
origin ['ɔrɪdʒɪn] *n* Ursprung *m*; (*of person*) Herkunft *f*; **country of ~** Herkunftsland *nt*.
original [ə'rɪdʒɪnl] *adj* (*first*) ursprünglich; (*genuine*) original; (*imaginative*) originell ♦ *n* Original *nt*.
originality [ərɪdʒɪ'nælɪtɪ] *n* Originalität *f*.
originally [ə'rɪdʒɪnəlɪ] *adv* (*at first*) ursprünglich.
originate [ə'rɪdʒɪneɪt] *vi*: **to ~ in** (*idea, custom etc*) entstanden sein in *+dat*; **to ~ with** *or* **from** stammen von.
originator [ə'rɪdʒɪneɪtə*] *n* (*of idea, custom*) Urheber(in) *m(f)*.
Orkneys ['ɔːknɪz] *npl*: **the ~** (*also*: **the Orkney Islands**) die Orkneyinseln *pl*.
ornament ['ɔːnəmənt] *n* (*object*) Ziergegenstand *m*; (*decoration*) Verzierungen *pl*.
ornamental [ɔːnə'mɛntl] *adj* (*garden, pond*) Zier-.
ornamentation [ɔːnəmɛn'teɪʃən] *n* Verzierungen *pl*.
ornate [ɔː'neɪt] *adj* (*necklace, design*) kunstvoll.
ornithologist [ɔːnɪ'θɔlədʒɪst] *n* Ornithologe *m*, Ornithologin *f*.
ornithology [ɔːnɪ'θɔlədʒɪ] *n* Ornithologie *f*, Vogelkunde *f*.
orphan ['ɔːfn] *n* Waise *f*, Waisenkind *nt* ♦ *vt*: **to be ~ed** zur Waise werden.
orphanage ['ɔːfənɪdʒ] *n* Waisenhaus *nt*.
orthodox ['ɔːθədɔks] *adj* orthodox; **~ medicine** die konventionelle Medizin.
orthodoxy ['ɔːθədɔksɪ] *n* Orthodoxie *f*.
orthopaedic, (*US*) **orthopedic** [ɔːθə'piːdɪk] *adj* orthopädisch.
OS *abbr* (*BRIT*) = **Ordnance Survey**; (*NAUT*) = **ordinary seaman**; (*DRESS*) = **outsize.**
O/S *abbr* (*COMM*: = *out of stock*) nicht auf Lager.
Oscar ['ɔskə*] *n* Oscar *m*.

oscillate ['ɔsɪleɪt] *vi* (*ELEC, PHYS*) schwingen, oszillieren; (*fig*) schwanken.
OSHA (*US*) *n abbr* (= *Occupational Safety and Health Administration*) *Regierungsstelle für Arbeitsschutzvorschriften.*
Oslo ['ɔzləu] *n* Oslo *nt*.
OST *n abbr* (= *Office of Science and Technology*) *Ministerium für Wissenschaft und Technologie.*
ostensible [ɔs'tɛnsɪbl] *adj* vorgeblich, angeblich.
ostensibly [ɔs'tɛnsɪblɪ] *adv* angeblich.
ostentation [ɔstɛn'teɪʃən] *n* Pomp *m*, Protz *m*.
ostentatious [ɔstɛn'teɪʃəs] *adj* (*building, car etc*) pompös; (*person*) protzig.
osteopath ['ɔstɪəpæθ] *n* Osteopath(in) *m(f)*.
ostracize ['ɔstrəsaɪz] *vt* ächten.
ostrich ['ɔstrɪtʃ] *n* Strauß *m*.
OT *abbr* (*BIBLE:* = *Old Testament*) AT.
OTB (*US*) *n abbr* (= *offtrack betting*) *Wetten außerhalb des Rennbahngeländes.*
OTE *abbr* (*COMM:* = *on-target earnings*) Einkommensziel *nt*.
other ['ʌðə*] *adj* andere(r, s) ♦ *pron:* **the ~ (one)** der/die/das andere; **~s** andere *pl*; **the ~s** die anderen *pl*; **~ than** (*apart from*) außer; **the ~ day** (*recently*) neulich; **some actor or ~** irgendein Schauspieler; **somebody or ~** irgend jemand; **the car was none ~ than Robert's** das Auto gehörte keinem anderen als Robert.
otherwise ['ʌðəwaɪz] *adv* (*differently*) anders; (*apart from that, if not*) sonst, ansonsten; **an ~ good piece of work** eine im übrigen gute Arbeit.
OTT (*inf*) *abbr* (= *over the top*) *see* **top**.
otter ['ɔtə*] *n* Otter *m*.
OU (*BRIT*) *n abbr* = **Open University**.
ouch [autʃ] *excl* autsch.
ought [ɔːt] (*pt* **ought**) *aux vb:* **I ~ to do it** ich sollte es tun; **this ~ to have been corrected** das hätte korrigiert werden müssen; **he ~ to win** (*he probably will win*) er dürfte wohl gewinnen; **you ~ to go and see it** das solltest du dir ansehen.
ounce [auns] *n* Unze *f*; (*fig: small amount*) bißchen *nt*.
our ['auə*] *adj* unsere(r, s); *see also* **my**.
ours [auəz] *pron* unsere(r, s); *see also* **mine[1]**.
ourselves [auə'sɛlvz] *pron pl* uns (selbst); (*emphatic*) selbst; **we did it (all) by ~** wir haben alles selbst gemacht; *see also* **oneself**.
oust [aust] *vt* (*forcibly remove*) verdrängen.

KEYWORD

out[1] [aut] *adv* **1** (*not in*) draußen; **~ in the rain/snow** draußen im Regen/Schnee; **~ here** hier; **~ there** dort; **to go/come** *etc* **~** hinausgehen/-kommen *etc*; **to speak ~ loud** laut sprechen
2 (*not at home, absent*) nicht da
3 (*indicating distance*): **the boat was 10 km ~** das Schiff war 10 km weit draußen; **3 days ~ from Plymouth** 3 Tage nach dem Auslaufen von Plymouth
4 (*SPORT*) aus; **the ball is ~/has gone ~** der Ball ist aus
♦ *adj* **1**: **to be ~** (*person: unconscious*) bewußtlos sein; (: *out of game*) ausgeschieden sein; (*out of fashion: style, singer*) out sein
2 (*have appeared: flowers*) da; (: *news, secret*) heraus
3 (*extinguished, finished: fire, light, gas*) aus; **before the week was ~** ehe die Woche zu Ende war
4: **to be ~ to do sth** (*intend*) etw tun wollen.
5 (*wrong*): **to be ~ in one's calculations** sich in seinen Berechnungen irren.

out[2] [aut] *vt* (*inf: expose as homosexual*) outen.
outage ['autɪdʒ] (*esp US*) *n* (*power failure*) Stromausfall *m*.
out-and-out ['autəndaut] *adj* (*liar, thief etc*) ausgemacht.
outback ['autbæk] *n* (*in Australia*): **the ~** das Hinterland.
outbid [aut'bɪd] *vt* überbieten.
outboard ['autbɔːd] *n* (*also:* **~ motor**) Außenbordmotor *m*.
outbound ['autbaund] *adj* (*ship*) auslaufend.
outbreak ['autbreɪk] *n* (*of war, disease etc*) Ausbruch *m*.
outbuilding ['autbɪldɪŋ] *n* Nebengebäude *nt*.
outburst ['autbəːst] *n* (*of anger etc*) Gefühlsausbruch *m*.
outcast ['autkɑːst] *n* Ausgestoßene(r) *f(m)*.
outclass [aut'klɑːs] *vt* deklassieren.
outcome ['autkʌm] *n* Ergebnis *nt*, Resultat *nt*.
outcrop ['autkrɔp] *n* (*of rock*) Block *m*.
outcry ['autkraɪ] *n* Aufschrei *m*.
outdated [aut'deɪtɪd] *adj* (*custom, idea*) veraltet.
outdo [aut'duː] (*irreg: like* **do**) *vt* übertreffen.
outdoor [aut'dɔː*] *adj* (*activities*) im Freien; (*clothes*) für draußen; **~ swimming pool** Freibad *nt*; **she's an ~ person** sie liebt die freie Natur.
outdoors [aut'dɔːz] *adv* (*play, sleep*) draußen, im Freien.
outer ['autə*] *adj* äußere(r, s); **~ suburbs** (äußere) Vorstädte *pl*; **the ~ office** das Vorzimmer.
outer space *n* der Weltraum.
outfit ['autfɪt] *n* (*clothes*) Kleidung *f*; (*inf: team*) Verein *m*.
outfitter's ['autfɪtəz] (*BRIT*) *n* (*shop*) Herrenausstatter *m*.
outgoing ['autgəuɪŋ] *adj* (*extrovert*) kontaktfreudig; (*retiring: president etc*) scheidend; (*mail etc*) ausgehend.
outgoings ['autgəuɪŋz] (*BRIT*) *npl* Ausgaben *pl*.
outgrow [aut'grəu] (*irreg: like* **grow**) *vt* (*clothes*) herauswachsen aus; (*habits etc*) ablegen.

outhouse ['authaus] *n* Nebengebäude *nt*.
outing ['autɪŋ] *n* Ausflug *m*.
outlandish [aut'lændɪʃ] *adj* eigenartig, seltsam.
outlast [aut'lɑːst] *vt* überleben.
outlaw ['autlɔː] *n* Geächtete(r) *f(m)* ♦ *vt* verbieten.
outlay ['autleɪ] *n* Auslagen *pl*.
outlet ['autlɛt] *n* (*hole, pipe*) Abfluß *m*; (*US: ELEC*) Steckdose *f*; (*COMM: also:* **retail** ~) Verkaufsstelle *f*; (*fig: for grief, anger etc*) Ventil *nt*.
outline ['autlaɪn] *n* (*shape*) Umriß *m*; (*brief explanation*) Abriß *m*; (*rough sketch*) Skizze *f* ♦ *vt* (*fig: theory, plan etc*) umreißen, skizzieren.
outlive [aut'lɪv] *vt* (*survive*) überleben.
outlook ['autluk] *n* (*attitude*) Einstellung *f*; (*prospects*) Aussichten *pl*; (*for weather*) Vorhersage *f*.
outlying ['autlaɪɪŋ] *adj* (*area, town etc*) entlegen.
outmanoeuvre, (*US*) **outmaneuver** [autmə'nuːvə*] *vt* ausmanövrieren.
outmoded [aut'məudɪd] *adj* veraltet.
outnumber [aut'nʌmbə*] *vt* zahlenmäßig überlegen sein *+dat*; **to be ~ed (by) 5 to 1** im Verhältnis 5 zu 1 in der Minderheit sein

KEYWORD

out of *prep* **1** (*outside, beyond: position*) nicht in *+dat*; (*: motion*) aus *+dat*; **to look ~ the window** aus dem Fenster blicken; **to be ~ danger** außer Gefahr sein
2 (*cause, origin*) aus *+dat*; ~ **curiosity/fear/greed** aus Neugier/Angst/Habgier; **to drink sth ~ a cup** etw aus einer Tasse trinken
3 (*from among*) von *+dat*; **one ~ every three smokers** einer von drei Rauchern
4 (*without*): **to be ~ sugar/milk/petrol** *etc* keinen Zucker/keine Milch/kein Benzin *etc* mehr haben.

out of bounds *adj*: **to be ~** verboten sein.
out-of-court [autəv'kɔːt] *adj* (*settlement*) außergerichtlich; *see also* **court**.
out-of-date [autəv'deɪt] *adj* (*passport, ticket etc*) abgelaufen; (*clothes, idea*) veraltet.
out-of-doors [autəv'dɔːz] *adv* (*play, stay etc*) im Freien.
out-of-the-way ['autəvðə'weɪ] *adj* (*place*) entlegen; (*pub, restaurant etc*) kaum bekannt.
out-of-work ['autəvwəːk] *adj* arbeitslos.
outpatient ['autpeɪʃənt] *n* ambulanter Patient *m*, ambulante Patientin *f*.
outpost ['autpəust] *n* (*MIL, COMM*) Vorposten *m*.
outpouring ['autpɔːrɪŋ] *n* (*of emotion etc*) Erguß *m*.
output ['autput] *n* (*production: of factory, writer etc*) Produktion *f*; (*COMPUT*) Output *m*, Ausgabe *f* ♦ *vt* (*COMPUT*) ausgeben.
outrage ['autreɪdʒ] *n* (*scandal*) Skandal *m*; (*atrocity*) Verbrechen *nt*, Ausschreitung *f*; (*anger*) Empörung *f* ♦ *vt* (*shock, anger*) empören.
outrageous [aut'reɪdʒəs] *adj* (*remark etc*) empörend; (*clothes*) unmöglich; (*scandalous*) skandalös.
outrider ['autraɪdə*] *n* (*on motorcycle*) Kradbegleiter *m*.
outright [aut'raɪt] *adv* (*kill*) auf der Stelle; (*win*) überlegen; (*buy*) auf einen Schlag; (*ask, refuse*) ohne Umschweife ♦ *adj* (*winner, victory*) unbestritten; (*refusal, hostility*) total.
outrun [aut'rʌn] (*irreg: like* **run**) *vt* schneller laufen als.
outset ['autsɛt] *n* Anfang *m*, Beginn *m*; **from the ~** von Anfang an; **at the ~** am Anfang.
outshine [aut'ʃaɪn] (*irreg: like* **shine**) *vt* (*fig*) in den Schatten stellen.
outside [aut'saɪd] *n* (*of building etc*) Außenseite *f* ♦ *adj* (*wall, lavatory*) Außen- ♦ *adv* (*be, wait*) draußen; (*go*) nach draußen ♦ *prep* außerhalb *+gen*; (*door etc*) vor *+dat*; **at the ~** (*at the most*) höchstens; (*at the latest*) spätestens; **an ~ chance** eine geringe Chance.
outside broadcast *n* außerhalb des Studios produzierte Sendung *f*.
outside lane *n* Überholspur *f*.
outside line *n* (*TEL*) Amtsanschluß *m*.
outsider [aut'saɪdə*] *n* (*stranger*) Außenstehende(r) *f(m)*; (*odd one out, in race etc*) Außenseiter(in) *m(f)*.
outsize ['autsaɪz] *adj* (*clothes*) übergroß.
outskirts ['autskəːts] *npl* (*of town*) Stadtrand *m*.
outsmart [aut'smɑːt] *vt* austricksen (*inf*).
outspoken [aut'spəukən] *adj* offen.
outspread [aut'sprɛd] *adj* (*wings, arms etc*) ausgebreitet.
outstanding [aut'stændɪŋ] *adj* (*exceptional*) hervorragend; (*remaining*) ausstehend; **your account is still ~** Ihr Konto weist noch Außenstände auf.
outstay [aut'steɪ] *vt*: **to ~ one's welcome** länger bleiben als erwünscht.
outstretched [aut'strɛtʃt] *adj* ausgestreckt.
outstrip [aut'strɪp] *vt* (*competitors, supply*): **to ~ (in)** übertreffen (an *+dat*).
out tray *n* Ablage *f* für Ausgänge.
outvote [aut'vəut] *vt* überstimmen.
outward ['autwəd] *adj* (*sign, appearances*) äußere(r, s); **~ journey** Hinreise *f*.
outwardly ['autwədlɪ] *adv* (*on the surface*) äußerlich.
outward(s) ['autwəd(z)] *adv* (*move, face*) nach außen.
outweigh [aut'weɪ] *vt* schwerer wiegen als.
outwit [aut'wɪt] *vt* überlisten.
ova ['əuvə] *npl of* **ovum**.
oval ['əuvl] *adj* oval ♦ *n* Oval *nt*.

Oval Office, *ein großer ovaler Raum im Weißen Haus, ist das private Büro des amerikanischen Präsidenten. Im weiteren Sinne bezieht sich dieser Begriff oft auf die Präsidentschaft selbst.*

ovarian [əu'vɛərɪən] *adj* (*ANAT*) des Eierstocks/der Eierstöcke; ~ **cyst** Zyste *f* im Eierstock.
ovary ['əuvərɪ] *n* (*ANAT, MED*) Eierstock *m*.
ovation [əu'veɪʃən] *n* Ovation *f*.
oven ['ʌvn] *n* (*CULIN*) Backofen *m*.
ovenproof ['ʌvnpru:f] *adj* (*dish etc*) feuerfest.
oven-ready ['ʌvnrɛdɪ] *adj* backfertig.
ovenware ['ʌvnwɛə*] *n* feuerfestes Geschirr *nt*.

KEYWORD

over ['əuvə*] *adv* **1** (*across: walk, jump, fly etc*) hinüber; ~ **here** hier; ~ **there** dort (drüben); **to ask sb** ~ (*to one's house*) jdn zu sich einladen
2 (*indicating movement*): **to fall** ~ (*person*) hinfallen; (*object*) umfallen; **to knock sth** ~ etw umstoßen; **to turn** ~ (*in bed*) sich umdrehen; **to bend** ~ sich bücken
3 (*finished*): **to be** ~ (*game, life, relationship etc*) vorbei sein, zu Ende sein
4 (*excessively: clever, rich, fat etc*) übermäßig
5 (*remaining: money, food etc*) übrig; **is there any cake (left)** ~**?** ist noch Kuchen übrig?
6: **all** ~ (*everywhere*) überall
7 (*repeatedly*): ~ **and** ~ **(again)** immer (und immer) wieder; **five times** ~ fünfmal
♦ *prep* **1** (*on top of, above*) über *+dat*; (*with vb of motion*) über *+acc*; **to spread a sheet** ~ **sth** ein Laken über etw *acc* breiten
2 (*on the other side of*): **the pub** ~ **the road** die Kneipe gegenüber; **he jumped** ~ **the wall** er sprang über die Mauer
3 (*more than*) über *+acc*; ~ **200 people** über 200 Leute; ~ **and above my normal duties** über meine normalen Pflichten hinaus; ~ **and above that** darüber hinaus
4 (*during*) während; **let's discuss it** ~ **dinner** wir sollten es beim Abendessen besprechen.

over... ['əuvə*] *pref* über-.
overact [əuvər'ækt] *vi* übertreiben.
overall ['əuvərɔ:l] *adj* (*length, cost etc*) Gesamt-; (*impression, view*) allgemein ♦ *adv* (*measure, cost*) insgesamt; (*generally*) im allgemeinen ♦ *n* (*BRIT*) Kittel *m*; **overalls** *npl* Overall *m*.
overall majority *n* absolute Mehrheit *f*.
overanxious [əuvər'æŋkʃəs] *adj* überängstlich.
overawe [əuvər'ɔ:] *vt*: **to be ~d (by)** überwältigt sein (von).
overbalance [əuvə'bæləns] *vi* das Gleichgewicht verlieren.
overbearing [əuvə'bɛərɪŋ] *adj* (*person, manner*) aufdringlich.
overboard ['əuvəbɔ:d] *adv* (*NAUT*) über Bord; **to go** ~ (*fig*) es übertreiben, zu weit gehen.
overbook [əuvə'buk] *vt* überbuchen.
overcame [əuvə'keɪm] *pt of* **overcome**.
overcapitalize [əuvə'kæpɪtəlaɪz] *vt* überkapitalisieren.
overcast ['əuvəkɑ:st] *adj* (*day, sky*) bedeckt.
overcharge [əuvə'tʃɑ:dʒ] *vt* zuviel berechnen *+dat*.
overcoat ['əuvəkəut] *n* Mantel *m*.
overcome [əuvə'kʌm] (*irreg: like* **come**) *vt* (*problem, fear*) überwinden ♦ *adj* überwältigt; **she was** ~ **with grief** der Schmerz übermannte sie.
overconfident [əuvə'kɔnfɪdənt] *adj* zu selbstsicher.
overcrowded [əuvə'kraudɪd] *adj* überfüllt.
overcrowding [əuvə'kraudɪŋ] *n* Überfüllung *f*.
overdo [əuvə'du:] (*irreg: like* **do**) *vt* übertreiben; **to** ~ **it** es übertreiben.
overdose ['əuvədəus] *n* Überdosis *f*.
overdraft ['əuvədrɑ:ft] *n* Kontoüberziehung *f*; **to have an** ~ sein Konto überziehen.
overdrawn [əuvə'drɔ:n] *adj* (*account*) überzogen; **I am** ~ ich habe mein Konto überzogen.
overdrive ['əuvədraɪv] *n* (*AUT*) Schongang *m*.
overdue [əuvə'dju:] *adj* überfällig; **that change was long** ~ diese Änderung war schon lange fällig.
overemphasis [əuvər'ɛmfəsɪs] *n*: ~ **on** Überbetonung *+gen*.
overestimate [əuvər'ɛstɪmeɪt] *vt* überschätzen.
overexcited [əuvərɪk'saɪtɪd] *adj* ganz aufgeregt.
overexertion [əuvərɪg'zə:ʃən] *n* Überanstrengung *f*.
overexpose [əuvərɪk'spəuz] *vt* (*PHOT*) überbelichten.
overflow [əuvə'fləu] *vi* (*river*) über die Ufer treten; (*bath, jar etc*) überlaufen ♦ *n* (*also:* ~ **pipe**) Überlaufrohr *nt*.
overgenerous [əuvə'dʒɛnərəs] *adj* allzu großzügig.
overgrown [əuvə'grəun] *adj* (*garden*) verwildert; **he's just an** ~ **schoolboy** er ist nur ein großes Kind.
overhang ['əuvə'hæŋ] (*irreg: like* **hang**) *vt* herausragen über *+acc* ♦ *vi* überhängen ♦ *n* Überhang *m*.
overhaul [əuvə'hɔ:l] *vt* (*equipment, car etc*) überholen ♦ *n* Überholung *f*.
overhead [əuvə'hɛd] *adv* (*above*) oben; (*in the sky*) in der Luft ♦ *adj* (*lighting*) Decken-; (*cables, wires*) Überland- ♦ *n* (*US*) = **overheads; overheads** *npl* allgemeine Unkosten *pl*.
overhear [əuvə'hɪə*] (*irreg: like* **hear**) *vt*

(zufällig) mit anhören.
overheat [əuvə'hiːt] *vi* (*engine*) heißlaufen.
overjoyed [əuvə'dʒɔɪd] *adj* überglücklich; **to be ~ (at)** überglücklich sein (über *+acc*).
overkill ['əuvəkɪl] *n* (*fig*): **it would be ~** das wäre zuviel des Guten.
overland ['əuvəlænd] *adj* (*journey*) Überland- ♦ *adv* (*travel*) über Land.
overlap [əuvə'læp] *vi* (*figures, ideas etc*) sich überschneiden.
overleaf [əuvə'liːf] *adv* umseitig, auf der Rückseite.
overload [əuvə'ləud] *vt* (*vehicle*) überladen; (*ELEC*) überbelasten; (*fig: with work etc*) überlasten.
overlook [əuvə'luk] *vt* (*have view over*) überblicken; (*fail to notice*) übersehen; (*excuse, forgive*) hinwegsehen über *+acc*.
overlord ['əuvəlɔːd] *n* oberster Herr *m*.
overmanning [əuvə'mænɪŋ] *n* Überbesetzung *f*.
overnight [əuvə'naɪt] *adv* über Nacht ♦ *adj* (*bag, clothes*) Reise-; (*accommodation, stop*) für die Nacht; **to travel ~** nachts reisen; **he'll be away ~** (*tonight*) er kommt erst morgen zurück; **to stay ~** über Nacht bleiben; **~ stay** Übernachtung *f*.
overpass ['əuvəpɑːs] (*esp US*) *n* Überführung *f*.
overpay [əuvə'peɪ] *vt*: **to ~ sb by £50** jdm £ 50 zuviel bezahlen.
overplay [əuvə'pleɪ] *vt* (*overact*) übertrieben darstellen; **to ~ one's hand** den Bogen überspannen.
overpower [əuvə'pauə*] *vt* überwältigen.
overpowering [əuvə'pauərɪŋ] *adj* (*heat*) unerträglich; (*stench*) durchdringend; (*feeling, desire*) überwältigend.
overproduction ['əuvəprə'dʌkʃən] *n* Überproduktion *f*.
overrate [əuvə'reɪt] *vt* überschätzen.
overreach [əuvə'riːtʃ] *vt*: **to ~ o.s.** sich übernehmen.
overreact [əuvəriː'ækt] *vi* übertrieben reagieren.
override [əuvə'raɪd] (*irreg: like* **ride**) *vt* (*order etc*) sich hinwegsetzen über *+acc*.
overriding [əuvə'raɪdɪŋ] *adj* vorrangig.
overrule [əuvə'ruːl] *vt* (*claim, person*) zurückweisen; (*decision*) aufheben.
overrun [əuvə'rʌn] (*irreg: like* **run**) *vt* (*country, continent*) einfallen in *+acc* ♦ *vi* (*meeting etc*) zu lange dauern; **the town is ~ with tourists** die Stadt ist von Touristen überlaufen.
overseas [əuvə'siːz] *adv* (*live, work*) im Ausland; (*travel*) ins Ausland ♦ *adj* (*market, trade*) Übersee-; (*student, visitor*) aus dem Ausland.
oversee [əuvə'siː] *vt* (*supervise*) beaufsichtigen, überwachen.
overseer ['əuvəsɪə*] *n* Aufseher(in) *m(f)*.
overshadow [əuvə'ʃædəu] *vt* (*place, building etc*) überschatten; (*fig*) in den Schatten stellen.
overshoot [əuvə'ʃuːt] (*irreg: like* **shoot**) *vt* (*target, runway*) hinausschießen über *+acc*.
oversight ['əuvəsaɪt] *n* Versehen *nt*; **due to an ~** aus Versehen.
oversimplify [əuvə'sɪmplɪfaɪ] *vt* zu stark vereinfachen.
oversleep [əuvə'sliːp] (*irreg: like* **sleep**) *vi* verschlafen.
overspend [əuvə'spɛnd] (*irreg: like* **spend**) *vi* zuviel ausgeben; **we have overspent by 5,000 dollars** wir haben 5000 Dollar zuviel ausgegeben.
overspill ['əuvəspɪl] *n* (*excess population*) Bevölkerungsüberschuß *m*.
overstaffed [əuvə'stɑːft] *adj*: **to be ~** überbesetzt sein.
overstate [əuvə'steɪt] *vt* (*exaggerate*) zu sehr betonen.
overstatement [əuvə'steɪtmənt] *n* Übertreibung *f*.
overstay [əuvə'steɪ] *vt see* **outstay**.
overstep [əuvə'stɛp] *vt*: **to ~ the mark** zu weit gehen.
overstock [əuvə'stɔk] *vt* zu große Bestände anlegen in *+dat*.
overstretched [əuvə'strɛtʃt] *adj* (*person, resources*) überfordert.
overstrike ['əuvəstraɪk] (*irreg: like* **strike**) *n* (*on printer*) Mehrfachdruck *m* ♦ *vt* mehrfachdrucken.
oversubscribed [əuvəsəb'skraɪbd] *adj* (*COMM etc*) überzeichnet.
overt [əu'vəːt] *adj* offen.
overtake [əuvə'teɪk] (*irreg: like* **take**) *vt* (*AUT*) überholen; (*event, change*) hereinbrechen über *+acc*; (*emotion*) befallen ♦ *vi* (*AUT*) überholen.
overtaking [əuvə'teɪkɪŋ] *n* (*AUT*) Überholen *nt*.
overtax [əuvə'tæks] *vt* (*ECON*) zu hoch besteuern; (*strength, patience*) überfordern; **to ~ o.s.** sich übernehmen.
overthrow [əuvə'θrəu] (*irreg: like* **throw**) *vt* (*government etc*) stürzen.
overtime ['əuvətaɪm] *n* Überstunden *pl*; **to do** *or* **work ~** Überstunden machen.
overtime ban *n* Überstundenverbot *nt*.
overtone ['əuvətəun] *n* (*fig: also:* **~s**): **~s of** Untertöne *pl* von.
overture ['əuvətʃuə*] *n* (*MUS*) Ouvertüre *f*; (*fig*) Annäherungsversuch *m*.
overturn [əuvə'təːn] *vt* (*car, chair*) umkippen; (*fig: decision*) aufheben; (*: government*) stürzen ♦ *vi* (*train etc*) umkippen; (*car*) sich überschlagen; (*boat*) kentern.
overview ['əuvəvjuː] *n* Überblick *m*.
overweight [əuvə'weɪt] *adj* (*person*) übergewichtig.
overwhelm [əuvə'wɛlm] *vt* überwältigen.
overwhelming [əuvə'wɛlmɪŋ] *adj*

überwältigend; **one's ~ impression is of heat/noise** man bemerkt vor allem die Hitze/den Lärm.
overwhelmingly [əuvə'wɛlmɪŋlɪ] *adv* (*vote, reject*) mit überwältigender Mehrheit; (*appreciative, generous etc*) über alle Maßen; (*opposed etc*) überwiegend.
overwork [əuvə'wəːk] *n* Überarbeitung *f* ♦ *vt* (*person*) (mit Arbeit) überlasten; (*cliché etc*) überstrapazieren ♦ *vi* sich überarbeiten.
overwrite [əuvə'raɪt] *vt* (*COMPUT*) überschreiben.
overwrought [əuvə'rɔːt] *adj* (*person*) überreizt.
ovulate ['ɔvjuleɪt] *vi* ovulieren.
ovulation [ɔvju'leɪʃən] *n* Eisprung *m*, Ovulation *f*.
ovum ['əuvəm] (*pl* **ova**) *n* Eizelle *f*.
owe [əu] *vt*: **to ~ sb sth, to ~ sth to sb** (*lit, fig*) jdm etw schulden; (*life, talent, good looks etc*) jdm etw verdanken.
owing to ['əuɪŋ-] *prep* (*because of*) wegen *+gen*, aufgrund *+gen*.
owl [aul] *n* Eule *f*.
own [əun] *vt* (*possess*) besitzen ♦ *vi* (*BRIT: form*): **to ~ up to sth** etw zugeben ♦ *adj* eigen; **a room of my ~** mein eigenes Zimmer; **to get one's ~ back** (*take revenge*) sich rächen; **on one's ~** allein; **to come into one's ~** sich entfalten.
►**own up** *vi* gestehen, es zugeben.
own brand *n* (*COMM*) Hausmarke *f*.
owner ['əunə*] *n* Besitzer(in) *m(f)*, Eigentümer(in) *m(f)*.
owner-occupier ['əunər'ɔkjupaɪə*] *n* (*ADMIN, LAW*) Bewohner(in) *m(f)* im eigenen Haus.
ownership ['əunəʃɪp] *n* Besitz *m*; **under new ~** (*shop etc*) unter neuer Leitung.
own goal *n* (*also fig*) Eigentor *nt*.
ox [ɔks] (*pl* **~en**) *n* Ochse *m*.

> **Oxbridge**, *eine Mischung aus Ox(ford) und (Cam)bridge, bezieht sich auf die uralten Universitäten von Oxford und Cambridge. Dieser Begriff ist oft wertend und bringt das Prestige und die Privilegien zum Ausdruck, die traditionellerweise mit diesen Universitäten in Verbindung gebracht werden.*

OXFAM (*BRIT*) *n abbr* (= *Oxford Committee for Famine Relief*) *karitative Vereinigung zur Hungerhilfe*.
oxide ['ɔksaɪd] *n* Oxyd *nt*.
oxidize ['ɔksɪdaɪz] *vi* oxydieren.
Oxon. ['ɔksn] (*BRIT*) *abbr* (*POST:* = *Oxfordshire*); (*in degree titles:* = *Oxoniensis*) *der Universität Oxford*.
oxtail ['ɔksteɪl] *n*: **~ soup** Ochsenschwanzsuppe *f*.
oxyacetylene ['ɔksɪə'sɛtɪliːn] *adj* (*flame*) Azetylensauerstoff-; **~ burner** Schweißbrenner *m*; **~ welding** Autogenschweißen *nt*.
oxygen ['ɔksɪdʒən] *n* Sauerstoff *m*.
oxygen mask *n* Sauerstoffmaske *f*.
oxygen tent *n* Sauerstoffzelt *nt*.
oyster ['ɔɪstə*] *n* Auster *f*.
oz *abbr* = **ounce**.
ozone ['əuzəun] *n* Ozon *nt*.
ozone hole *n* Ozonloch *nt*.
ozone layer *n*: **the ~** die Ozonschicht.

P, p

P, p[1] [piː] *n* (*letter*) P *nt*, p *nt*; **~ for Peter** ≈ P wie Paula.
P. *abbr* = **president; prince**.
p[2] (*BRIT*) *abbr* = **penny; pence**.
p. *abbr* (= *page*) S.
PA *n abbr* = **personal assistant; public-address system** ♦ *abbr* (*US: POST:* = *Pennsylvania*).
pa [pɑː] (*inf*) *n* Papa *m*.
p.a. *abbr* (= *per annum*) p.a.
PAC (*US*) *n abbr* (= *political action committee*) *politisches Aktionskomitee*.
pace [peɪs] *n* (*step*) Schritt *m*; (*speed*) Tempo *nt* ♦ *vi*: **to ~ up and down** auf und ab gehen; **to keep ~ with** Schritt halten mit; **to set the ~** das Tempo angeben; **to put sb through his/her ~s** (*fig*) jdn auf Herz und Nieren prüfen.
pacemaker ['peɪsmeɪkə*] *n* (*MED*) (Herz)schrittmacher *m*; (*SPORT: also:* **pacesetter**) Schrittmacher *m*.
pacesetter ['peɪssɛtə*] *n* (*SPORT*) = **pacemaker**.
Pacific [pə'sɪfɪk] *n* (*GEOG*): **the ~ (Ocean)** der Pazifik, der Pazifische Ozean.
pacific [pə'sɪfɪk] *adj* (*intentions etc*) friedlich.
pacifier ['pæsɪfaɪə*] (*US*) *n* (*dummy*) Schnuller *m*.
pacifist ['pæsɪfɪst] *n* Pazifist(in) *m(f)*.
pacify ['pæsɪfaɪ] *vt* (*person, fears*) beruhigen.
pack [pæk] *n* (*packet*) Packung *f*; (*US: of cigarettes*) Schachtel *f*; (*of people, hounds*) Meute *f*; (*back pack*) Rucksack *m*; (*of cards*) (Karten)spiel *nt* ♦ *vt* (*clothes etc*) einpacken; (*suitcase etc, COMPUT*) packen; (*press down*) pressen ♦ *vi* packen; **to ~ one's bags** (*fig*) die Koffer packen; **to ~ into** (*cram: people, objects*) hineinstopfen in *+acc*; **to send sb ~ing** (*inf*) jdn kurz abfertigen.
►**pack in** (*BRIT: inf*) *vt* (*job*) hinschmeißen; **~ it in!** hör auf!
►**pack off** *vt* schicken.
►**pack up** *vi* (*BRIT: inf: machine*) den Geist aufgeben; (: : *person*) Feierabend machen

♦ *vt* (*belongings*) zusammenpacken.
package ['pækɪdʒ] *n* (*parcel, COMPUT*) Paket *nt*; (*also*: ~ **deal**) Pauschalangebot *nt* ♦ *vt* verpacken.
package holiday (*BRIT*), **package tour** (*US*) *n* Pauschalreise *f*.
packaging ['pækɪdʒɪŋ] *n* Verpackung *f*.
packed [pækt] *adj* (*crowded*) randvoll.
packed lunch (*BRIT*) *n* Lunchpaket *nt*.
packer ['pækə*] *n* Packer(in) *m(f)*.
packet ['pækɪt] *n* Packung *f*; (*of cigarettes*) Schachtel *m*; **to make a** ~ (*BRIT: inf*) einen Haufen Geld verdienen.
packet switching *n* (*COMPUT*) Paketvermittlung *f*.
pack ice ['pækaɪs] *n* Packeis *nt*.
packing ['pækɪŋ] *n* (*act*) Packen *nt*; (*material*) Verpackung *f*.
packing case *n* Kiste *f*.
pact [pækt] *n* Pakt *m*.
pad [pæd] *n* (*paper*) Block *m*; (*to prevent damage*) Polster *nt*; (*inf: home*) Bude *f* ♦ *vt* (*upholstery etc*) polstern ♦ *vi*: **to** ~ **about/in** herum-/hereintrotten.
padded cell ['pædɪd-] *n* Gummizelle *f*.
padding ['pædɪŋ] *n* (*material*) Polsterung *f*; (*fig*) Füllwerk *nt*.
paddle ['pædl] *n* (*oar*) Paddel *nt*; (*US: for table tennis*) Schläger *m* ♦ *vt* paddeln ♦ *vi* (*at seaside*) planschen.
paddle steamer *n* Raddampfer *m*.
paddling pool ['pædlɪŋ-] (*BRIT*) *n* Planschbecken *nt*.
paddock ['pædək] *n* (*small field*) Koppel *f*; (*at race course*) Sattelplatz *m*.
paddy field ['pædɪ-] *n* Reisfeld *nt*.
padlock ['pædlɔk] *n* Vorhängeschloß *nt* ♦ *vt* (mit einem Vorhängeschloß) verschließen.
padre ['pɑːdrɪ] *n* (*REL*) Feldgeistliche(r) *m*.
paediatrician [piːdɪə'trɪʃən] *n* Kinderarzt *m*, Kinderärztin *f*.
paediatrics, (*US*) **pediatrics** [piːdɪ'ætrɪks] *n* Kinderheilkunde *f*, Pädiatrie *f*.
paedophile ['piːdəufaɪl] *n* Pädophile(r) *f(m)* ♦ *adj* pädophil.
paedophilia [piːdəu'fɪlɪə] *n* Pädophilie *f*.
pagan ['peɪgən] *adj* heidnisch ♦ *n* Heide *m*, Heidin *f*.
page [peɪdʒ] *n* (*of book etc*) Seite *f*; (*also*: ~**boy**: *in hotel*) Page *m* ♦ *vt* (*in hotel etc*) ausrufen lassen.
pageant ['pædʒənt] *n* (*historical procession*) Festzug *m*; (*show*) Historienspiel *nt*.
pageantry ['pædʒəntrɪ] *n* Prunk *m*.
pageboy ['peɪdʒbɔɪ] *n see* **page**.
pager ['peɪdʒə*] *n* Funkrufempfänger *m*, Piepser *m* (*inf*).
paginate ['pædʒɪneɪt] *vt* paginieren.
pagination [pædʒɪ'neɪʃən] *n* Paginierung *f*.
pagoda [pə'gəudə] *n* Pagode *f*.
paid [peɪd] *pt, pp of* **pay** ♦ *adj* bezahlt; **to put** ~ **to** (*BRIT*) zunichte machen.
paid-in ['peɪdɪn] (*US*) *adj* = **paid-up**.
paid-up ['peɪdʌp], (*US*) **paid-in** ['peɪdɪn] *adj* (*member*) zahlend; (*COMM: shares*) eingezahlt; ~ **capital** eingezahltes Kapital *nt*.
pail [peɪl] *n* Eimer *m*.
pain [peɪn] *n* Schmerz *m*; (*also*: ~ **in the neck**: *inf: nuisance*) Plage *f*; **to have a** ~ **in the chest/arm** Schmerzen in der Brust/im Arm haben; **to be in** ~ Schmerzen haben; **to take** ~**s to do sth** (*make an effort*) sich *dat* Mühe geben, etw zu tun; **on** ~ **of death** bei Todesstrafe; **he is/it is a right** ~ **(in the neck)** (*inf*) er/das geht einem auf den Wecker.
pained [peɪnd] *adj* (*expression*) gequält.
painful ['peɪnful] *adj* (*back, injury etc*) schmerzhaft; (*sight, decision etc*) schmerzlich; (*laborious*) mühsam; (*embarrassing*) peinlich.
painfully ['peɪnfəlɪ] *adv* (*fig: extremely*) furchtbar.
painkiller ['peɪnkɪlə*] *n* schmerzstillendes Mittel *nt*.
painless ['peɪnlɪs] *adj* schmerzlos.
painstaking ['peɪnzteɪkɪŋ] *adj* (*work, person*) gewissenhaft.
paint [peɪnt] *n* Farbe *f* ♦ *vt* (*door, house etc*) anstreichen; (*person, picture*) malen; (*fig*) zeichnen; **a tin of** ~ eine Dose Farbe; **to** ~ **the door blue** die Tür blau streichen; **to** ~ **in oils** in Öl malen.
paintbox ['peɪntbɔks] *n* Farbkasten *m*, Malkasten *m*.
paintbrush ['peɪntbrʌʃ] *n* Pinsel *m*.
painter ['peɪntə*] *n* (*artist*) Maler(in) *m(f)*; (*decorator*) Anstreicher(in) *m(f)*.
painting ['peɪntɪŋ] *n* (*activity: of artist*) Malerei *f*; (: *of decorator*) Anstreichen *nt*; (*picture*) Bild *nt*, Gemälde *nt*.
paint stripper *n* Abbeizmittel *nt*.
paintwork ['peɪntwəːk] *n* (*of wall etc*) Anstrich *m*; (*of car*) Lack *m*.
pair [pɛə*] *n* Paar *nt*; **a** ~ **of scissors** eine Schere; **a** ~ **of trousers** eine Hose.
►**pair off** *vi*: **to** ~ **off with sb** sich jdm anschließen.
pajamas [pə'dʒɑːməz] (*US*) *npl* Schlafanzug *m*, Pyjama *m*.
Pakistan [pɑːkɪ'stɑːn] *n* Pakistan *nt*.
Pakistani [pɑːkɪ'stɑːnɪ] *adj* pakistanisch ♦ *n* Pakistani *m*, Pakistaner(in) *m(f)*.
PAL *n abbr* (*TV: = phase alternation line*) PAL *nt*.
pal [pæl] (*inf*) *n* (*friend*) Kumpel *m*, Freund(in) *m(f)*.
palace ['pæləs] *n* Palast *m*.
palaeontology [pælɪɔn'tɔlədʒɪ] *n* Paläontologie *f*.
palatable ['pælɪtəbl] *adj* (*food, drink*) genießbar; (*fig: idea, fact etc*) angenehm.
palate ['pælɪt] *n* (*ANAT*) Gaumen *m*; (*sense of taste*) Geschmackssinn *m*.

palatial [pə'leɪʃəl] *adj* (*residence etc*) prunkvoll.
palaver [pə'lɑːvə*] (*inf*) *n* (*fuss*) Theater *nt*.
pale [peɪl] *adj* blaß; (*light*) fahl ♦ *vi* erblassen ♦ *n*: **beyond the ~** (*unacceptable: behaviour*) indiskutabel; **to grow** *or* **turn ~** erblassen, blaß werden; **~ blue** zartblau; **to ~ into insignificance (beside)** zur Bedeutungslosigkeit herabsinken (gegenüber *+dat*).
paleness ['peɪlnɪs] *n* Blässe *f*.
Palestine ['pælɪstaɪn] *n* Palästina *nt*.
Palestinian [pælɪs'tɪnɪən] *adj* palästinensisch ♦ *n* Palästinenser(in) *m(f)*.
palette ['pælɪt] *n* Palette *f*.
palings ['peɪlɪŋz] *npl* (*fence*) Lattenzaun *m*.
palisade [pælɪ'seɪd] *n* Palisade *f*.
pall [pɔːl] *n* (*cloud of smoke*) (Rauch)wolke *f* ♦ *vi* an Reiz verlieren.
pallet ['pælɪt] *n* (*for goods*) Palette *f*.
palliative ['pælɪətɪv] *n* (*MED*) Linderungsmittel *nt*; (*fig*) Beschönigung *f*.
pallid ['pælɪd] *adj* bleich.
pallor ['pælə*] *n* Bleichheit *f*.
pally ['pælɪ] (*inf*) *adj*: **they're very ~** sie sind dicke Freunde.
palm [pɑːm] *n* (*also*: **~ tree**) Palme *f*; (*of hand*) Handteller *m* ♦ *vt*: **to ~ sth off on sb** (*inf*) jdm etw andrehen.
palmistry ['pɑːmɪstrɪ] *n* Handlesekunst *f*.
Palm Sunday *n* Palmsonntag *m*.
palpable ['pælpəbl] *adj* (*obvious*) offensichtlich.
palpitations [pælpɪ'teɪʃənz] *npl* (*MED*) Herzklopfen *nt*.
paltry ['pɔːltrɪ] *adj* (*amount, wage*) armselig.
pamper ['pæmpə*] *vt* verwöhnen.
pamphlet ['pæmflət] *n* Broschüre *f*; (*political*) Flugschrift *f*.
pan [pæn] *n* (*also*: **saucepan**) Topf *m*; (*also*: **frying ~**) Pfanne *f* ♦ *vi* (*CINE, TV*) schwenken ♦ *vt* (*inf: book, film*) verreißen; **to ~ for gold** Gold waschen.
panacea [pænə'sɪə] *n* Allheilmittel *nt*.
panache [pə'næʃ] *n* Elan *m*, Schwung *m*.
Panama ['pænəmɑː] *n* Panama *nt*.
panama [pænə'mɑː] *n* (*also*: **~ hat**) Panamahut *m*.
Panama Canal *n*: **the ~** der Panamakanal.
Panamanian [pænə'meɪnɪən] *adj* panamaisch ♦ *n* Panamaer(in) *m(f)*.
pancake ['pænkeɪk] *n* Pfannkuchen *m*.
Pancake Day (*BRIT*) *n* Fastnachtsdienstag *m*.
pancake roll *n gefüllte Pfannkuchenrolle*.
pancreas ['pæŋkrɪəs] *n* Bauchspeicheldrüse *f*.
panda ['pændə] *n* Panda *m*.
panda car (*BRIT*) *n* Streifenwagen *m*.
pandemonium [pændɪ'məunɪəm] *n* Chaos *nt*.
pander ['pændə*] *vi*: **to ~ to** (*person, desire etc*) sich richten nach, entgegenkommen *+dat*.
p & h (*US*) *abbr* (= *postage and handling*) Porto und Bearbeitungsgebühr.
P & L *abbr* (= *profit and loss*) Gewinn und Verlust; *see also* **profit**.
p & p (*BRIT*) *abbr* (= *postage and packing*) Porto und Verpackung.
pane [peɪn] *n* (*of glass*) Scheibe *f*.
panel ['pænl] *n* (*wood, metal, glass etc*) Platte *f*, Tafel *f*; (*group of experts etc*) Diskussionsrunde *f*; **~ of judges** Jury *f*.
panel game (*BRIT*) *n* Ratespiel *nt*.
panelling, (*US*) **paneling** ['pænəlɪŋ] *n* Täfelung *f*.
panellist, (*US*) **panelist** ['pænəlɪst] *n* Diskussionsteilnehmer(in) *m(f)*.
pang [pæŋ] *n*: **to have** *or* **feel a ~ of regret** Reue empfinden; **hunger ~s** quälender Hunger *m*; **~s of conscience** Gewissensbisse *pl*.
panhandler ['pænhændlə*] (*US: inf*) *n* Bettler(in) *m(f)*.
panic ['pænɪk] *n* Panik *f* ♦ *vi* in Panik geraten.
panic buying [-baɪɪŋ] *n* Panikkäufe *pl*.
panicky ['pænɪkɪ] *adj* (*person*) überängstlich; (*feeling*) Angst-; (*reaction*) Kurzschluß-.
panic-stricken ['pænɪkstrɪkən] *adj* (*person, face*) von Panik erfaßt.
pannier ['pænɪə*] *n* (*on bicycle*) Satteltasche *f*; (*on animal*) (Trage)korb *m*.
panorama [pænə'rɑːmə] *n* (*view*) Panorama *nt*.
panoramic [pænə'ræmɪk] *adj* (*view*) Panorama-.
pansy ['pænzɪ] *n* (*BOT*) Stiefmütterchen *nt*; (*inf: pej: sissy*) Tunte *f*.
pant [pænt] *vi* (*person*) keuchen; (*animal*) hecheln.
pantechnicon [pæn'tɛknɪkən] (*BRIT*) *n* Möbelwagen *m*.
panther ['pænθə*] *n* Panther *m*.
panties ['pæntɪz] *npl* Höschen *nt*.
panto ['pæntəu] *n see* **pantomime**.

> **Pantomime** *oder umgangssprachlich* **panto** *ist in Großbritannien ein zur Weihnachtszeit aufgeführtes Märchenspiel mit possenhaften Elementen, Musik, Standardrollen (ein als Frau verkleideter Mann, ein Junge, ein Bösewicht) und aktuellen Witzen. Publikumsbeteiligung wird gern gesehen (z.B. warnen die Kinder den Helden mit dem Ruf 'He's behind you' vor einer drohenden Gefahr), und viele der Witze sprechen vor allem Erwachsene an, so daß pantomimes Unterhaltung für die ganze Familie bieten.*

pantry ['pæntrɪ] *n* (*cupboard*) Vorratsschrank *m*; (*room*) Speisekammer *f*.
pants [pænts] *npl* (*BRIT: woman's*) Höschen *nt*; (*: man's*) Unterhose *f*; (*US: trousers*) Hose *f*.
panty hose (*US*) *npl* Strumpfhose *f*.
papacy ['peɪpəsɪ] *n* Papsttum *nt*; **during the ~ of Paul VI** während der Amtszeit von Papst Paul VI.
papal ['peɪpəl] *adj* päpstlich.
paparazzi [pæpə'rætsiː] *npl* Pressefotografen

pl, Paparazzi *pl*.
paper ['peɪpə*] *n* Papier *nt*; (*also*: **newspaper**) Zeitung *f*; (*exam*) Arbeit *f*; (*academic essay*) Referat *nt*; (*document*) Dokument *nt*, Papier; (*wallpaper*) Tapete *f* ♦ *adj* (*made from paper: hat, plane etc*) Papier-, aus Papier ♦ *vt* (*room*) tapezieren; **papers** *npl* (*also*: **identity ~s**) Papiere *pl*; **a piece of ~** (*odd bit*) ein Stück Papier, ein Zettel; (*sheet*) ein Blatt Papier; **to put sth down on ~** etw schriftlich festhalten.
paper advance *n* (*on printer*) Papiervorschub *m*.
paperback ['peɪpəbæk] *n* Taschenbuch *nt*, Paperback *nt* ♦ *adj*: **~ edition** Taschenbuchausgabe *f*.
paper bag *n* Tüte *f*.
paperboy ['peɪpəbɔɪ] *n* Zeitungsjunge *m*.
paperclip ['peɪpəklɪp] *n* Büroklammer *f*.
paper hankie *n* Tempotaschentuch ® *nt*.
paper mill *n* Papierfabrik *f*.
paper money *n* Papiergeld *nt*.
paper shop *n* Zeitungsladen *m*.
paperweight ['peɪpəweɪt] *n* Briefbeschwerer *m*.
paperwork ['peɪpəwəːk] *n* Schreibarbeit *f*.
papier-mâché [pæpjeɪ'mæʃeɪ] *n* Papiermaché *nt*.
paprika ['pæprɪkə] *n* Paprika *m*.
Pap Smear, Pap Test *n* (*MED*) Abstrich *m*.
par [pɑː*] *n* (*GOLF*) Par *nt*; **to be on a ~ with** sich messen können mit; **at ~** (*COMM*) zum Nennwert; **above/below ~** (*COMM*) über/unter dem Nennwert; **above** *or* **over ~** (*GOLF*) über dem Par; **below** *or* **under ~** (*GOLF*) unter dem Par; **to feel below** *or* **under ~** sich nicht auf der Höhe fühlen; **to be ~ for the course** (*fig*) zu erwarten sein.
parable ['pærəbl] *n* Gleichnis *nt*.
parabola [pə'ræbələ] *n* (*MATH*) Parabel *f*.
parachute ['pærəʃuːt] *n* Fallschirm *m*.
parachute jump *n* Fallschirmabsprung *m*.
parachutist ['pærəʃuːtɪst] *n* Fallschirmspringer(in) *m(f)*.
parade [pə'reɪd] *n* (*procession*) Parade *f*; (*ceremony*) Zeremonie *f* ♦ *vt* (*people*) aufmarschieren lassen; (*wealth, knowledge etc*) zur Schau stellen ♦ *vi* (*MIL*) aufmarschieren; **fashion ~** Modenschau *f*.
parade ground *n* Truppenübungsplatz *m*, Exerzierplatz *m*.
paradise ['pærədaɪs] *n* (*also fig*) Paradies *nt*.
paradox ['pærədɔks] *n* Paradox *nt*.
paradoxical [pærə'dɔksɪkl] *adj* (*situation*) paradox.
paradoxically [pærə'dɔksɪklɪ] *adv* paradoxerweise.
paraffin ['pærəfɪn] (*BRIT*) *n* (*also*: **~ oil**) Petroleum *nt*; **liquid ~** Paraffinöl *nt*.
paraffin heater (*BRIT*) *n* Petroleumofen *m*.
paraffin lamp (*BRIT*) *n* Petroleumlampe *f*.
paragon ['pærəgən] *n*: **a ~ of** (*honesty, virtue etc*) ein Muster *nt* an *+dat*.
paragraph ['pærəgrɑːf] *n* Absatz *m*, Paragraph *m*; **to begin a new ~** einen neuen Absatz beginnen.
parallel ['pærəlɛl] *adj* (*also COMPUT*) parallel; (*fig: similar*) vergleichbar ♦ *n* Parallele *f*; (*GEOG*) Breitenkreis *m*; **to run ~ (with** *or* **to)** (*lit, fig*) parallel verlaufen (zu); **to draw ~s between/with** Parallelen ziehen zwischen/mit; **in ~** (*ELEC*) parallel.
paralyse ['pærəlaɪz] (*BRIT*) *vt* (*also fig*) lähmen.
paralysis [pə'rælɪsɪs] (*pl* **paralyses**) *n* Lähmung *f*.
paralytic [pærə'lɪtɪk] *adj* paralytisch, Lähmungs-; (*BRIT: inf: drunk*) sternhagelvoll.
paralyze ['pærəlaɪz] (*US*) *vt* = **paralyse**.
paramedic [pærə'mɛdɪk] *n* Sanitäter(in) *m(f)*; (*in hospital*) medizinisch-technischer Assistent *m*, medizinisch-technische Assistentin *f*.
parameter [pə'ræmɪtə*] *n* (*MATH*) Parameter *m*; (*fig: factor*) Faktor *m*; (*: limit*) Rahmen *m*.
paramilitary [pærə'mɪlɪtərɪ] *adj* paramilitärisch.
paramount ['pærəmaunt] *adj* vorherrschend; **of ~ importance** von höchster *or* größter Wichtigkeit.
paranoia [pærə'nɔɪə] *n* Paranoia *f*.
paranoid ['pærənɔɪd] *adj* paranoid.
paranormal [pærə'nɔːml] *adj* übersinnlich, paranormal ♦ *n*: **the ~** das Übersinnliche.
parapet ['pærəpɪt] *n* Brüstung *f*.
paraphernalia [pærəfə'neɪlɪə] *n* Utensilien *pl*.
paraphrase ['pærəfreɪz] *vt* umschreiben.
paraplegic [pærə'pliːdʒɪk] *n* Paraplegiker(in) *m(f)*, doppelseitig Gelähmte(r) *f(m)*.
parapsychology [pærəsaɪ'kɔlədʒɪ] *n* Parapsychologie *f*.
parasite ['pærəsaɪt] *n* (*also fig*) Parasit *m*.
parasol ['pærəsɔl] *n* Sonnenschirm *m*.
paratrooper ['pærətruːpə*] *n* Fallschirmjäger *m*.
parcel ['pɑːsl] *n* Paket *nt* ♦ *vt* (*also*: **~ up**) verpacken.
▸**parcel out** *vt* aufteilen.
parcel bomb (*BRIT*) *n* Paketbombe *f*.
parcel post *n* Paketpost *f*.
parch [pɑːtʃ] *vt* ausdörren, austrocknen.
parched [pɑːtʃt] *adj* ausgetrocknet; **I'm ~** (*inf: thirsty*) ich bin am Verdursten.
parchment ['pɑːtʃmənt] *n* Pergament *nt*.
pardon ['pɑːdn] *n* (*LAW*) Begnadigung *f* ♦ *vt* (*forgive*) verzeihen *+dat*, vergeben *+dat*; (*LAW*) begnadigen; **~ me!, I beg your ~!** (*I'm sorry!*) verzeihen Sie bitte!; **(I beg your) ~?**, (*US*) **~ me?** (*what did you say?*) bitte?
pare [pɛə*] *vt* (*BRIT: nails*) schneiden; (*fruit etc*) schälen; (*fig: costs etc*) reduzieren.
parent ['pɛərənt] *n* (*mother*) Mutter *f*; (*father*) Vater *m*; **parents** *npl* (*mother and father*) Eltern *pl*.
parentage ['pɛərəntɪdʒ] *n* Herkunft *f*; **of**

unknown ~ unbekannter Herkunft.
parental [pə'rɛntl] *adj* (*love, control etc*) elterlich.
parent company *n* Mutterunternehmen *nt*.
parentheses [pə'rɛnθɪsi:z] *npl of* **parenthesis**.
parenthesis [pə'rɛnθɪsɪs] (*pl* **parentheses**) *n* Klammer *f*; **in** ~ in Klammern.
parenthood ['pɛərənthud] *n* Elternschaft *f*.
parenting ['pɛərəntɪŋ] *n* elterliche Pflege *f*.
Paris ['pærɪs] *n* Paris *nt*.
parish ['pærɪʃ] *n* Gemeinde *f*.
parish council (*BRIT*) *n* Gemeinderat *m*.
parishioner [pə'rɪʃənə*] *n* Gemeindemitglied *nt*.
Parisian [pə'rɪzɪən] *adj* Pariser *inv*, paris(er)isch ♦ *n* Pariser(in) *m(f)*.
parity ['pærɪtɪ] *n* (*equality*) Gleichstellung *f*.
park [pɑ:k] *n* Park *m* ♦ *vt, vi* (*AUT*) parken.
parka ['pɑ:kə] *n* Parka *m*.
parking ['pɑ:kɪŋ] *n* Parken *nt*; **"no ~"** „Parken verboten".
parking lights *npl* Parklicht *nt*.
parking lot (*US*) *n* Parkplatz *m*.
parking meter *n* Parkuhr *f*.
parking offence (*BRIT*) *n* Parkvergehen *nt*.
parking place *n* Parkplatz *m*.
parking ticket *n* Strafzettel *m*.
parking violation (*US*) *n* = **parking offence**.
Parkinson's (disease) ['pɑ:kɪnsənz-] *n* Parkinsonsche Krankheit *f*.
parkway ['pɑ:kweɪ] (*US*) *n* Allee *f*.
parlance ['pɑ:ləns] *n*: **in common/modern** ~ im allgemeinen/modernen Sprachgebrauch.
parliament ['pɑ:ləmənt] *n* Parlament *nt*.

> **Parliament** *ist die höchste gesetzgebende Versammlung in Großbritannien und tritt im Parlamentsgebäude in London zusammen. Die Legislaturperiode beträgt normalerweise 5 Jahre, von einer Wahl zur nächsten. Das Parlament besteht aus zwei Kammern, dem Oberhaus (siehe* **House of Lords**) *und dem Unterhaus (siehe* **House of Commons**).

parliamentary [pɑ:lə'mɛntərɪ] *adj* parlamentarisch.
parlour, (*US*) **parlor** ['pɑ:lə*] *n* Salon *m*.
parlous ['pɑ:ləs] *adj* (*state*) prekär.
Parmesan [pɑ:mɪ'zæn] *n* (*also*: ~ **cheese**) Parmesan(käse) *m*.
parochial [pə'rəukɪəl] (*pej*) *adj* (*person, attitude*) engstirnig.
parody ['pærədɪ] *n* Parodie *f* ♦ *vt* parodieren.
parole [pə'rəul] *n* (*LAW*) Bewährung *f*; **on** ~ auf Bewährung.
paroxysm ['pærəksɪzəm] *n* (*also MED*) Anfall *m*.
parquet ['pɑ:keɪ] *n* (*also*: ~ **floor(ing)**) Parkettboden *m*.
parrot ['pærət] *n* Papagei *m*.
parrot-fashion ['pærətfæʃən] *adv* (*say, learn*) mechanisch; (*repeat*) wie ein Papagei.
parry ['pærɪ] *vt* (*blow, argument*) parieren, abwehren.
parsimonious [pɑ:sɪ'məunɪəs] *adj* geizig.
parsley ['pɑ:slɪ] *n* Petersilie *f*.
parsnip ['pɑ:snɪp] *n* Pastinake *f*.
parson ['pɑ:sn] *n* Pfarrer *m*.
part [pɑ:t] *n* Teil *m*; (*TECH*) Teil *nt*; (*THEAT, CINE etc: role*) Rolle *f*; (*US: in hair*) Scheitel *m*; (*MUS*) Stimme *f* ♦ *adv* = **partly** ♦ *vt* (*separate*) trennen; (*hair*) scheiteln ♦ *vi* (*roads, fig: people*) sich trennen; (*crowd*) sich teilen; **to take ~ in** teilnehmen an *+dat*; **to take sth in good** ~ etw nicht übelnehmen; **to take sb's** ~ (*support*) sich auf jds Seite *acc* stellen; **on his** ~ seinerseits; **for my** ~ für meinen Teil; **for the most** ~ (*generally*) zumeist; **for the better** *or* **best ~ of the day** die meiste Zeit des Tages; **to be ~ and parcel of** dazugehören zu; ~ **of speech** (*LING*) Wortart *f*.
▶**part with** *vt fus* sich trennen von.
partake [pɑ:'teɪk] (*irreg: like* **take**) *vi* (*form*): **to ~ of sth** etw zu sich nehmen.
part exchange (*BRIT*) *n*: **to give/take sth in** ~ etw in Zahlung geben/nehmen.
partial ['pɑ:ʃl] *adj* (*victory, solution*) Teil-; (*support*) teilweise; (*biassed*) parteiisch; **to be ~ to** (*person, drink etc*) eine Vorliebe haben für.
partially ['pɑ:ʃəlɪ] *adv* (*to some extent*) teilweise, zum Teil.
participant [pɑ:'tɪsɪpənt] *n* Teilnehmer(in) *m(f)*.
participate [pɑ:'tɪsɪpeɪt] *vi* sich beteiligen; **to ~ in** teilnehmen an *+dat*.
participation [pɑ:tɪsɪ'peɪʃən] *n* Teilnahme *f*.
participle ['pɑ:tɪsɪpl] *n* Partizip *nt*.
particle ['pɑ:tɪkl] *n* Teilchen *nt*, Partikel *f*.
particular [pə'tɪkjulə*] *adj* (*distinct: person, time, place etc*) bestimmt, speziell; (*special*) speziell, besondere(r, s) ♦ *n*: **in** ~ im besonderen, besonders; **particulars** *npl* Einzelheiten *pl*; (*name, address etc*) Personalien *pl*; **to be very ~ about sth** (*fussy*) in bezug auf etw *acc* sehr eigen sein.
particularly [pə'tɪkjuləlɪ] *adv* besonders.
parting ['pɑ:tɪŋ] *n* (*action*) Teilung *f*; (*farewell*) Abschied *m*; (*BRIT: in hair*) Scheitel *m* ♦ *adj* (*words, gift etc*) Abschieds-; **his ~ shot was** ... (*fig*) seine Bemerkung zum Abschied war ...
partisan [pɑ:tɪ'zæn] *adj* (*politics, views*) voreingenommen ♦ *n* (*supporter*) Anhänger(in) *m(f)*; (*fighter*) Partisan *m*.
partition [pɑ:'tɪʃən] *n* (*wall, screen*) Trennwand *f*; (*of country*) Teilung *f* ♦ *vt* (*room, office*) aufteilen; (*country*) teilen.
partly ['pɑ:tlɪ] *adv* teilweise, zum Teil.
partner ['pɑ:tnə*] *n* Partner(in) *m(f)*; (*COMM*) Partner(in), Teilhaber(in) *m(f)* ♦ *vt* (*at dance, cards etc*) als Partner(in) haben.
partnership ['pɑ:tnəʃɪp] *n* (*POL etc*)

Partnerschaft *f*; (*COMM*) Teilhaberschaft *f*; **to go into ~ (with sb), form a ~ (with sb)** (mit jdm) eine Partnerschaft eingehen.
part payment *n* Anzahlung *f*.
partridge ['pɑːtrɪdʒ] *n* Rebhuhn *nt*.
part-time ['pɑːt'taɪm] *adj* (*work, staff*) Teilzeit-, Halbtags- ♦ *adv*: **to work ~** Teilzeit arbeiten; **to study ~** Teilzeitstudent(in) *m(f)* sein.
part-timer [pɑːt'taɪmə*] *n* (*also*: **part-time worker**) Teilzeitbeschäftigte(r) *f(m)*.
party ['pɑːtɪ] *n* (*POL, LAW*) Partei *f*; (*celebration, social event*) Party *f*, Fete *f*; (*group of people*) Gruppe *f*, Gesellschaft *f* ♦ *cpd* (*POL*) Partei-; **dinner ~** Abendgesellschaft *f*; **to give** *or* **throw a ~** eine Party geben, eine Fete machen; **we're having a ~ next Saturday** bei uns ist nächsten Samstag eine Party; **our son's birthday ~** die Geburtstagsfeier unseres Sohnes; **to be a ~ to a crime** an einem Verbrechen beteiligt sein.
party dress *n* Partykleid *nt*.
party line *n* (*TEL*) Gemeinschaftsanschluß *m*; (*POL*) Parteilinie *f*.
party piece (*inf*) *n*: **to do one's ~** auf einer Party etwas zum besten geben.
party political *adj* parteipolitisch.
party political broadcast *n* parteipolitische Sendung *f*.
par value *n* (*COMM: of share, bond*) Nennwert *m*.
pass [pɑːs] *vt* (*spend: time*) verbringen; (*hand over*) reichen, geben; (*go past*) vorbeikommen an *+dat*; (*: in car*) vorbeifahren an *+dat*; (*overtake*) überholen; (*fig: exceed*) übersteigen; (*exam*) bestehen; (*law, proposal*) genehmigen ♦ *vi* (*go past*) vorbeigehen; (*: in car*) vorbeifahren; (*in exam*) bestehen ♦ *n* (*permit*) Ausweis *m*; (*in mountains, SPORT*) Paß *m*; **to ~ sth through sth** etw durch etw führen; **to ~ the ball to** den Ball zuspielen *+dat*; **could you ~ the vegetables round?** könnten Sie das Gemüse herumreichen?; **to get a ~ in ...** (*SCOL*) die Prüfung in ... bestehen; **things have come to a pretty ~ when ...** (*BRIT: inf*) so weit ist es schon gekommen, daß ...; **to make a ~ at sb** (*inf*) jdn anmachen.
►**pass away** *vi* (*die*) dahinscheiden.
►**pass by** *vi* (*go past*) vorbeigehen; (*: in car*) vorbeifahren ♦ *vt* (*ignore*) vorbeigehen an *+dat*.
►**pass down** *vt* (*customs, inheritance*) weitergeben.
►**pass for** *vt*: **she could ~ for 25** sie könnte für 25 durchgehen.
►**pass on** *vi* (*die*) verscheiden ♦ *vt*: **to ~ on (to)** weitergeben (an *+acc*).
►**pass out** *vi* (*faint*) ohnmächtig werden; (*BRIT: MIL*) die Ausbildung beenden.
►**pass over** *vt* (*ignore*) übergehen ♦ *vi* (*die*) entschlafen.
►**pass up** *vt* (*opportunity*) sich *dat* entgehen lassen.
passable ['pɑːsəbl] *adj* (*road*) passierbar; (*acceptable*) passabel.
passage ['pæsɪdʒ] *n* Gang *m*; (*in book*) Passage *f*; (*way through crowd etc, ANAT*) Weg *m*; (*act of passing: of train etc*) Durchfahrt *f*; (*journey: on boat*) Überfahrt *f*.
passageway ['pæsɪdʒweɪ] *n* Gang *m*.
passenger ['pæsɪndʒə*] *n* (*in boat, plane*) Passagier *m*; (*in car*) Fahrgast *m*.
passer-by [pɑːsə'baɪ] (*pl* **~s-~**) *n* Passant(in) *m(f)*.
passing ['pɑːsɪŋ] *adj* (*moment, thought etc*) flüchtig; **in ~** (*incidentally*) beiläufig, nebenbei; **to mention sth in ~** etw beiläufig *or* nebenbei erwähnen.
passing place *n* (*AUT*) Ausweichstelle *f*.
passion ['pæʃən] *n* Leidenschaft *f*; **to have a ~ for sth** eine Leidenschaft für etw haben.
passionate ['pæʃənɪt] *adj* leidenschaftlich.
passion fruit *n* Passionsfrucht *f*, Maracuja *f*.
Passion play *n* Passionsspiel *nt*.
passive ['pæsɪv] *adj* passiv; (*LING*) Passiv- ♦ *n* (*LING*) Passiv *nt*.
passive smoking *n* passives Rauchen, Passivrauchen *nt*.
passkey ['pɑːskiː] *n* Hauptschlüssel *m*.
Passover ['pɑːsəuvə*] *n* Passah(fest) *nt*.
passport ['pɑːspɔːt] *n* Paß *m*; (*fig: to success etc*) Schlüssel *m*.
passport control *n* Paßkontrolle *f*.
password ['pɑːswəːd] *n* Kennwort *nt*; (*COMPUT*) Paßwort *nt*.
past [pɑːst] *prep* (*in front of*) vorbei an *+dat*; (*beyond*) hinter *+dat*; (*later than*) nach ♦ *adj* (*government etc*) früher, ehemalig; (*week, month etc*) vergangen ♦ *n* Vergangenheit *f* ♦ *adv*: **to run ~** vorbeilaufen; **he's ~ 40** er ist über 40; **it's ~ midnight** es ist nach Mitternacht; **ten/quarter ~ eight** zehn/viertel nach acht; **he ran ~ me** er lief an mir vorbei; **I'm ~ caring** es kümmert mich nicht mehr; **to be ~ it** (*BRIT: inf: person*) es nicht mehr bringen; **for the ~ few/3 days** während der letzten Tage/3 Tage; **in the ~** (*also LING*) in der Vergangenheit.
pasta ['pæstə] *n* Nudeln *pl*.
paste [peɪst] *n* (*wet mixture*) Teig *m*; (*glue*) Kleister *m*; (*jewellery*) Straß *m*; (*fish, tomato etc paste*) Paste *f* ♦ *vt* (*stick*) kleben.
pastel ['pæstl] *adj* (*colour*) Pastell-.
pasteurized ['pæstʃəraɪzd] *adj* pasteurisiert.
pastille ['pæstɪl] *n* Pastille *f*.
pastime ['pɑːstaɪm] *n* Zeitvertreib *m*, Hobby *nt*.
past master (*BRIT*) *n*: **to be a ~ at sth** ein Experte in etw *dat* sein.
pastor ['pɑːstə*] *n* Pastor(in) *m(f)*.
pastoral ['pɑːstərl] *adj* (*REL: duties etc*) als Pastor.
pastry ['peɪstrɪ] *n* (*dough*) Teig *m*; (*cake*)

Gebäckstück *nt.*
pasture ['pɑːstʃə*] *n* Weide *f.*
pasty [*n* 'pæstɪ, *adj* 'peɪstɪ] *n* (*pie*) Pastete *f* ♦ *adj* (*complexion*) bläßlich.
pat [pæt] *vt* (*with hand*) tätscheln ♦ *adj* (*answer, remark*) glatt ♦ *n*: **to give sb/o.s. a ~ on the back** (*fig*) jdm/sich auf die Schulter klopfen; **he knows it off ~, (*US*) he has it down ~** er kennt das in- und auswendig.
patch [pætʃ] *n* (*piece of material*) Flicken *m*; (*also*: **eye ~**) Augenklappe *f*; (*damp, bald etc*) Fleck *m*; (*of land*) Stück *nt*; (: *for growing vegetables etc*) Beet *nt* ♦ *vt* (*clothes*) flicken; **(to go through) a bad ~** eine schwierige Zeit (durchmachen).
►**patch up** *vt* (*clothes etc*) flicken; (*quarrel*) beilegen.
patchwork ['pætʃwəːk] *n* (*SEWING*) Patchwork *nt.*
patchy ['pætʃɪ] *adj* (*colour*) ungleichmäßig; (*information, knowledge etc*) lückenhaft.
pate [peɪt] *n*: **a bald ~** eine Glatze.
pâté ['pæteɪ] *n* Pastete *f.*
patent ['peɪtnt] *n* Patent *nt* ♦ *vt* patentieren lassen ♦ *adj* (*obvious*) offensichtlich.
patent leather *n* Lackleder *nt.*
patently ['peɪtntlɪ] *adv* (*obvious, wrong*) vollkommen.
patent medicine *n* patentrechtlich geschütztes Arzneimittel *nt.*
Patent Office *n* Patentamt *nt.*
paternal [pə'təːnl] *adj* väterlich; **my ~ grandmother** meine Großmutter väterlicherseits.
paternalistic [pətəːnə'lɪstɪk] *adj* patriarchalisch.
paternity [pə'təːnɪtɪ] *n* Vaterschaft *f.*
paternity leave *n* Vaterschaftsurlaub *m.*
paternity suit *n* Vaterschaftsprozeß *m.*
path [pɑːθ] *n* (*also fig*) Weg *m*; (*trail, track*) Pfad *m*; (*trajectory: of bullet, aircraft, planet*) Bahn *f.*
pathetic [pə'θɛtɪk] *adj* (*pitiful*) mitleiderregend; (*very bad*) erbärmlich.
pathological [pæθə'lɔdʒɪkl] *adj* (*liar, hatred*) krankhaft; (*MED*) pathologisch.
pathologist [pə'θɔlədʒɪst] *n* Pathologe *m*, Pathologin *f.*
pathology [pə'θɔlədʒɪ] *n* Pathologie *f.*
pathos ['peɪθɔs] *n* Pathos *nt.*
pathway ['pɑːθweɪ] *n* Pfad *m*, Weg *m*; (*fig*) Weg.
patience ['peɪʃns] *n* Geduld *f*; (*BRIT: CARDS*) Patience *f*; **to lose (one's) ~** die Geduld verlieren.
patient ['peɪʃnt] *n* Patient(in) *m(f)* ♦ *adj* geduldig; **to be ~ with sb** Geduld mit jdm haben.
patiently ['peɪʃntlɪ] *adv* geduldig.
patio ['pætɪəu] *n* Terrasse *f.*
patriot ['peɪtrɪət] *n* Patriot(in) *m(f).*
patriotic [pætrɪ'ɔtɪk] *adj* patriotisch.
patriotism ['pætrɪətɪzəm] *n* Patriotismus *m.*
patrol [pə'trəul] *n* (*MIL*) Patrouille *f*; (*POLICE*) Streife *f* ♦ *vt* (*MIL, POLICE: city, streets etc*) patrouillieren; **to be on ~** (*MIL*) auf Patrouille sein; (*POLICE*) auf Streife sein.
patrol boat *n* Patrouillenboot *nt.*
patrol car *n* Streifenwagen *m.*
patrolman [pə'trəulmən] (*US*: *irreg: like* **man**) *n* (*POLICE*) (Streifen)polizist *m.*
patron ['peɪtrən] *n* (*customer*) Kunde *m*, Kundin *f*; (*benefactor*) Förderer *m*; **~ of the arts** Kunstmäzen *m.*
patronage ['pætrənɪdʒ] *n* (*of artist, charity etc*) Förderung *f.*
patronize ['pætrənaɪz] *vt* (*pej: look down on*) von oben herab behandeln; (*artist etc*) fördern; (*shop, club*) besuchen.
patronizing ['pætrənaɪzɪŋ] *adj* herablassend.
patron saint *n* Schutzheilige(r) *f(m).*
patter ['pætə*] *n* (*of feet*) Trappeln *nt*; (*of rain*) Prasseln *nt*; (*sales talk etc*) Sprüche *pl* ♦ *vi* (*footsteps*) trappeln; (*rain*) prasseln.
pattern ['pætən] *n* Muster *nt*; (*SEWING*) Schnittmuster *nt*; **behaviour ~s** Verhaltensmuster *pl.*
patterned ['pætənd] *adj* gemustert; **~ with flowers** mit Blumenmuster.
paucity ['pɔːsɪtɪ] *n*: **a ~ of** ein Mangel *m* an *+dat.*
paunch [pɔːntʃ] *n* Bauch *m*, Wanst *m.*
pauper ['pɔːpə*] *n* Arme(r) *f(m)*; **~'s grave** Armengrab *nt.*
pause [pɔːz] *n* Pause *f* ♦ *vi* eine Pause machen; (*hesitate*) innehalten; **to ~ for breath** eine Verschnaufpause einlegen.
pave [peɪv] *vt* (*street, yard etc*) pflastern; **to ~ the way for** (*fig*) den Weg bereiten *or* bahnen für.
pavement ['peɪvmənt] *n* (*BRIT*) Bürgersteig *m*; (*US: roadway*) Straße *f.*
pavilion [pə'vɪlɪən] *n* (*SPORT*) Klubhaus *nt.*
paving ['peɪvɪŋ] *n* (*material*) Straßenbelag *m.*
paving stone *n* Pflasterstein *m.*
paw [pɔː] *n* (*of cat, dog etc*) Pfote *f*; (*of lion, bear etc*) Tatze *f*, Pranke *f* ♦ *vt* (*pej: touch*) betatschen; **to ~ the ground** (*animal*) scharren.
pawn [pɔːn] *n* (*CHESS*) Bauer *m*; (*fig*) Schachfigur *f* ♦ *vt* versetzen.
pawnbroker ['pɔːnbrəukə*] *n* Pfandleiher *m.*
pawnshop ['pɔːnʃɔp] *n* Pfandhaus *nt.*
pay [peɪ] (*pt, pp* **paid**) *n* (*wage*) Lohn *m*; (*salary*) Gehalt *nt* ♦ *vt* (*sum of money, wage*) zahlen; (*bill, person*) bezahlen ♦ *vi* (*be profitable*) sich bezahlt machen; (*fig*) sich lohnen; **how much did you ~ for it?** wieviel hast du dafür bezahlt?; **I paid 10 pounds for that book** ich habe 10 Pfund für das Buch bezahlt, das Buch hat mich 10 Pfund gekostet; **to ~ one's way** seinen Beitrag leisten; **to ~ dividends** (*fig*) sich bezahlt machen; **to ~ the price/penalty for sth** (*fig*) den Preis/ die Strafe für etw zahlen; **to ~ sb a**

compliment jdm ein Kompliment machen; **to ~ attention (to)** achtgeben (auf *+acc*); **to ~ sb a visit** jdn besuchen; **to ~ one's respects to sb** jdm seine Aufwartung machen.
▸**pay back** *vt* zurückzahlen; **I'll ~ you back next week** ich gebe dir das Geld nächste Woche zurück.
▸**pay for** *vt fus* (*also fig*) (be)zahlen für.
▸**pay in** *vt* einzahlen.
▸**pay off** *vt* (*debt*) abbezahlen; (*person*) auszahlen; (*creditor*) befriedigen; (*mortgage*) tilgen ♦ *vi* sich auszahlen; **to ~ sth off in instalments** etw in Raten (ab)zahlen.
▸**pay out** *vt* (*money*) ausgeben; (*rope*) ablaufen lassen.
▸**pay up** *vi* zahlen.
payable ['peɪəbl] *adj* zahlbar; **to make a cheque ~ to sb** einen Scheck auf jdn ausstellen.
pay award *n* Lohn-/Gehaltserhöhung *f*.
payday ['peɪdeɪ] *n* Zahltag *m*.
PAYE (*BRIT*) *n abbr* (= *pay as you earn*) *Lohnsteuerabzugsverfahren.*
payee [peɪ'i:] *n* Zahlungsempfänger *m*.
pay envelope (*US*) *n* = **pay packet.**
paying guest ['peɪɪŋ-] *n* zahlender Gast *m*.
payload ['peɪləud] *n* Nutzlast *f*.
payment ['peɪmənt] *n* (*act*) Zahlung *f*, Bezahlung *f*; (*of bill*) Begleichung *f*; (*sum of money*) Zahlung *f*; **advance ~** (*part sum*) Anzahlung *f*; (*total sum*) Vorauszahlung *f*; **deferred ~, ~ by instalments** Ratenzahlung *f*; **monthly ~** (*sum of money*) Monatsrate *f*; **on ~ of** gegen Zahlung von.
pay packet (*BRIT*) *n* Lohntüte *f*.
payphone ['peɪfəun] *n* Münztelefon *nt*; (*card phone*) Kartentelefon *nt*.
payroll ['peɪrəul] *n* Lohnliste *f*; **to be on a firm's ~** bei einer Firma beschäftigt sein.
pay slip (*BRIT*) *n* (*see* **pay**) Lohnstreifen *m*; Gehaltsstreifen *m*.
pay station (*US*) *n* = **payphone.**
PBS (*US*) *n abbr* (= *Public Broadcasting Service*) *öffentliche Rundfunkanstalt.*
PC *n abbr* (= *personal computer*) PC *m*; (*BRIT*) = **police constable** ♦ *adj abbr* = **politically correct** ♦ *abbr* (*BRIT*) = **Privy Councillor.**
pc *abbr* = **per cent; postcard.**
p/c *abbr* = **petty cash.**
PCB *n abbr* (*ELEC, COMPUT*) = **printed circuit board**; (= *polychlorinated biphenyl*) PCB *nt*.
pcm *abbr* (= *per calendar month*) pro Monat.
PD (*US*) *n abbr* = **police department.**
pd *abbr* (= *paid*) bez.
pdq (*inf*) *adv abbr* (= *pretty damn quick*) verdammt schnell.
PDSA (*BRIT*) *n abbr* (= *People's Dispensary for Sick Animals*) *kostenloses Behandlungszentrum für Haustiere.*
PDT (*US*) *abbr* (= *Pacific Daylight Time*) *pazifische Sommerzeit.*
PE *n abbr* (*SCOL*) = **physical education** ♦ *abbr* (*CANADA:* = *Prince Edward Island*).
pea [pi:] *n* Erbse *f*.
peace [pi:s] *n* Frieden *m*; **to be at ~ with sb/sth** mit jdm/etw in Frieden leben; **to keep the ~** (*policeman*) die öffentliche Ordnung aufrechterhalten; (*citizen*) den Frieden wahren.
peaceable ['pi:səbl] *adj* friedlich.
peaceful ['pi:sful] *adj* friedlich.
peacekeeper ['pi:ski:pə*] *n* Friedenswächter(in) *m(f)*.
peacekeeping force ['pi:ski:pɪŋ-] *n* Friedenstruppen *pl*.
peace offering *n* Friedensangebot *nt*.
peach [pi:tʃ] *n* Pfirsich *m*.
peacock ['pi:kɔk] *n* Pfau *m*.
peak [pi:k] *n* (*of mountain*) Spitze *f*, Gipfel *m*; (*of cap*) Schirm *m*; (*fig*) Höhepunkt *m*.
peak hours *npl* Stoßzeit *f*.
peak period *n* Spitzenzeit *f*, Stoßzeit *f*.
peak rate *n* Höchstrate *f*.
peaky ['pi:kɪ] (*BRIT: inf*) *adj* blaß.
peal [pi:l] *n* (*of bells*) Läuten *nt*; **~s of laughter** schallendes Gelächter *nt*.
peanut ['pi:nʌt] *n* Erdnuß *f*.
peanut butter *n* Erdnußbutter *f*.
pear [pɛə*] *n* Birne *f*.
pearl [pə:l] *n* Perle *f*.
peasant ['pɛznt] *n* Bauer *m*.
peat [pi:t] *n* Torf *m*.
pebble ['pɛbl] *n* Kieselstein *m*.
peck [pɛk] *vt* (*bird*) picken; (*also*: **~ at**) picken an *+dat* ♦ *n* (*of bird*) Schnabelhieb *m*; (*kiss*) Küßchen *nt*.
pecking order ['pɛkɪŋ-] *n* (*fig*) Hackordnung *f*.
peckish ['pɛkɪʃ] (*BRIT: inf*) *adj* (*hungry*) leicht hungrig; **I'm feeling ~** ich könnte was zu essen gebrauchen.
peculiar [pɪ'kju:lɪə*] *adj* (*strange*) seltsam; **~ to** (*exclusive to*) charakteristisch für.
peculiarity [pɪkju:lɪ'ærɪtɪ] *n* (*strange habit*) Eigenart *f*; (*distinctive feature*) Besonderheit *f*, Eigentümlichkeit *f*.
peculiarly [pɪ'kju:lɪəlɪ] *adv* (*oddly*) seltsam; (*distinctively*) unverkennbar.
pecuniary [pɪ'kju:nɪərɪ] *adj* finanziell.
pedal ['pɛdl] *n* Pedal *nt* ♦ *vi* in die Pedale treten.
pedal bin (*BRIT*) *n* Treteimer *m*.
pedant ['pɛdənt] *n* Pedant(in) *m(f)*.
pedantic [pɪ'dæntɪk] *adj* pedantisch.
peddle ['pɛdl] *vt* (*goods*) feilbieten, verkaufen; (*drugs*) handeln mit; (*gossip*) verbreiten.
peddler ['pɛdlə*] *n* (*also*: **drug ~**) Pusher(in) *m(f)*.
pedestal ['pɛdəstl] *n* Sockel *m*.
pedestrian [pɪ'dɛstrɪən] *n* Fußgänger(in) *m(f)* ♦ *adj* Fußgänger-; (*fig*) langweilig.
pedestrian crossing (*BRIT*) *n*

Fußgängerüberweg *m*.
pedestrian precinct (*BRIT*) *n* Fußgängerzone *f*.
pediatrics [pi:dɪ'ætrɪks] (*US*) *n* = **paediatrics**.
pedigree ['pɛdɪgri:] *n* (*of animal*) Stammbaum *m*; (*fig: background*) Vorgeschichte *f* ♦ *cpd* (*dog*) Rasse-, reinrassig.
pee [pi:] (*inf*) *vi* pinkeln.
peek [pi:k] *vi*: **to ~ at/over/into** *etc* gucken nach/über *+acc*/in *+acc etc* ♦ *n*: **to have** *or* **take a ~ (at)** einen (kurzen) Blick werfen (auf *+acc*).
peel [pi:l] *n* Schale *f* ♦ *vt* schälen ♦ *vi* (*paint*) abblättern; (*wallpaper*) sich lösen; (*skin, back etc*) sich schälen.
►**peel back** *vt* abziehen.
peeler ['pi:lə*] *n* (*potato peeler etc*) Schälmesser *nt*.
peelings ['pi:lɪŋz] *npl* Schalen *pl*.
peep [pi:p] *n* (*look*) kurzer Blick *m*; (*sound*) Pieps *m* ♦ *vi* (*look*) gucken; **to have** *or* **take a ~ (at)** einen kurzen Blick werfen (auf *+acc*).
►**peep out** *vi* (*be visible*) hervorgucken.
peephole ['pi:phəul] *n* Guckloch *nt*.
peer [pɪə*] *n* (*noble*) Peer *m*; (*equal*) Gleichrangige(r) *f(m)*; (*contemporary*) Gleichaltrige(r) *f(m)* ♦ *vi*: **to ~ at** starren auf *+acc*.
peerage ['pɪərɪdʒ] *n* (*title*) Adelswürde *f*; (*position*) Adelsstand *m*; **the ~** (*all the peers*) der Adel.
peerless ['pɪəlɪs] *adj* unvergleichlich.
peeved [pi:vd] *adj* verärgert, sauer (*inf*).
peevish ['pi:vɪʃ] *adj* (*bad-tempered*) mürrisch.
peg [pɛg] *n* (*hook, knob*) Haken *m*; (*BRIT: also:* **clothes ~**) Wäscheklammer *f*; (*also*: **tent ~**) Zeltpflock *m*, Hering *m* ♦ *vt* (*washing*) festklammern; (*prices*) festsetzen; **off the ~** von der Stange.
pejorative [pɪ'dʒɔrətɪv] *adj* abwertend.
Pekin [pi:'kɪn] *n* = **Peking**.
Pekinese [pi:kɪ'ni:z] *n* = **Pekingese**.
Peking [pi:'kɪŋ] *n* Peking *nt*.
Pekingese [pi:kɪ'ni:z] *n* (*dog*) Pekinese *m*.
pelican ['pɛlɪkən] *n* Pelikan *m*.
pelican crossing (*BRIT*) *n* (*AUT*) Fußgängerüberweg *m* mit Ampel.
pellet ['pɛlɪt] *n* (*of paper etc*) Kügelchen *nt*; (*of mud etc*) Klümpchen *nt*; (*for shotgun*) Schrotkugel *f*.
pell-mell ['pɛl'mɛl] *adv* in heillosem Durcheinander.
pelmet ['pɛlmɪt] *n* (*wooden*) Blende *f*; (*fabric*) Querbehang *m*.
pelt [pɛlt] *vi* (*rain: also:* **~ down**) niederprasseln; (*inf: run*) rasen ♦ *n* (*animal skin*) Pelz *m*, Fell *nt* ♦ *vt*: **to ~ sb with sth** jdn mit etw bewerfen.
pelvis ['pɛlvɪs] *n* Becken *nt*.
pen [pɛn] *n* (*also*: **fountain ~**) Füller *m*; (*also*: **ballpoint ~**) Kugelschreiber *m*; (*also*: **felt-tip ~**) Filzstift *m*; (*enclosure: for sheep, pigs etc*) Pferch *m*; (*US: inf: prison*) Knast *m*; **to put ~ to paper** zur Feder greifen.
penal ['pi:nl] *adj* (*LAW: colony, institution*) Straf-; (: *system, reform*) Strafrechts-; **~ code** Strafgesetzbuch *nt*.
penalize ['pi:nəlaɪz] *vt* (*punish*) bestrafen; (*fig*) benachteiligen.
penal servitude [-'sə:vɪtju:d] *n* Zwangsarbeit *f*.
penalty ['pɛnltɪ] *n* Strafe *f*; (*SPORT*) Strafstoß *m*; (: *FOOTBALL*) Elfmeter *m*.
penalty area (*BRIT*) *n* (*SPORT*) Strafraum *m*.
penalty clause *n* Strafklausel *f*.
penalty kick *n* (*RUGBY*) Strafstoß *m*; (*FOOTBALL*) Elfmeter *m*.
penalty shoot-out [-'ʃu:taut] *n* (*FOOTBALL*) Elfmeterschießen *nt*.
penance ['pɛnəns] *n* (*REL*): **to do ~ for one's sins** für seine Sünden Buße tun.
pence [pɛns] *npl of* **penny**.
penchant ['pɑ̃:ʃɑ̃:ŋ] *n* Vorliebe *f*, Schwäche *f*; **to have a ~ for** eine Schwäche haben für.
pencil ['pɛnsl] *n* Bleistift *m* ♦ *vt*: **to ~ sb/sth in** jdn/etw vormerken.
pencil case *n* Federmäppchen *nt*.
pencil sharpener *n* Bleistiftspitzer *m*.
pendant ['pɛndnt] *n* Anhänger *m*.
pending ['pɛndɪŋ] *adj* anstehend ♦ *prep*: **~ his return** bis zu seiner Rückkehr; **~ a decision** bis eine Entscheidung getroffen ist.
pendulum ['pɛndjuləm] *n* Pendel *nt*.
penetrate ['pɛnɪtreɪt] *vt* (*person: territory etc*) durchdringen; (*light, water, sound*) eindringen in *+acc*.
penetrating ['pɛnɪtreɪtɪŋ] *adj* (*sound, gaze*) durchdringend; (*mind, observation*) scharf.
penetration [pɛnɪ'treɪʃən] *n* Durchdringen *nt*.
pen friend (*BRIT*) *n* Brieffreund(in) *m(f)*.
penguin ['pɛŋgwɪn] *n* Pinguin *m*.
penicillin [pɛnɪ'sɪlɪn] *n* Penizillin *nt*.
peninsula [pə'nɪnsjulə] *n* Halbinsel *f*.
penis ['pi:nɪs] *n* Penis *m*.
penitence ['pɛnɪtns] *n* Reue *f*.
penitent ['pɛnɪtnt] *adj* reuig.
penitentiary [pɛnɪ'tɛnʃərɪ] (*US*) *n* Gefängnis *nt*.
penknife ['pɛnnaɪf] *n* Taschenmesser *nt*.
Penn. (*US*) *abbr* (*POST*: = *Pennsylvania*).
pen name *n* Pseudonym *nt*.
pennant ['pɛnənt] *n* (*NAUT*) Wimpel *m*.
penniless ['pɛnɪlɪs] *adj* mittellos.
Pennines ['pɛnaɪnz] *npl*: **the ~** die Pennines *pl*.
penny ['pɛnɪ] (*pl* **pennies** *or* (*BRIT*) **pence**) *n* Penny *m*; (*US*) Cent *m*; **it was worth every ~** es war jeden Pfennig wert; **it won't cost you a ~** es kostet dich keinen Pfennig.
pen pal *n* Brieffreund(in) *m(f)*.
penpusher ['pɛnpuʃə*] *n* Schreiberling *m*.
pension ['pɛnʃən] *n* Rente *f*.
►**pension off** *vt* (vorzeitig) pensionieren.
pensionable ['pɛnʃnəbl] *adj* (*age*) Pensions-; (*job*) mit Pensionsberechtigung.

pensioner ['pɛnʃənə*] (*BRIT*) *n* Rentner(in) *m(f)*.
pension scheme *n* Rentenversicherung *f*.
pensive ['pɛnsɪv] *adj* nachdenklich.
pentagon ['pɛntəgən] (*US*) *n*: **the P~** das Pentagon.

Pentagon *heißt das fünfeckige Gebäude in Arlington, Virginia, in dem das amerikanische Verteidigungsministerium untergebracht ist. Im weiteren Sinne bezieht sich dieses Wort auf die amerikanische Militärführung.*

Pentecost ['pɛntɪkɔst] *n* (*in Judaism*) Erntefest *nt*; (*in Christianity*) Pfingsten *nt*.
penthouse ['pɛnthaus] *n* Penthouse *nt*.
pent-up ['pɛntʌp] *adj* (*feelings*) aufgestaut.
penultimate [pɛ'nʌltɪmət] *adj* vorletzte(r, s).
penury ['pɛnjurɪ] *n* Armut *f*, Not *f*.
people ['pi:pl] *npl* (*persons*) Leute *pl*; (*inhabitants*) Bevölkerung *f* ♦ *n* (*nation, race*) Volk *nt*; **old ~** alte Menschen *or* Leute; **young ~** junge Leute; **the room was full of ~** das Zimmer war voller Leute *or* Menschen; **several ~ came** mehrere (Leute) kamen; **~ say that** ... man sagt, daß ...; **the ~** (*POL*) das Volk; **a man of the ~** ein Mann des Volkes.
PEP *n abbr* (= *personal equity plan*) *steuerbegünstigte Kapitalinvestition*.
pep [pɛp] (*inf*) *n* Schwung *m*, Pep *m*.
▸**pep up** *vt* (*person*) aufmöbeln; (*food*) pikanter machen.
pepper ['pɛpə*] *n* (*spice*) Pfeffer *m*; (*vegetable*) Paprika *m* ♦ *vt*: **to ~ with** (*fig*) übersäen mit; **two ~s** zwei Paprikaschoten.
peppercorn ['pɛpəkɔ:n] *n* Pfefferkorn *nt*.
pepper mill *n* Pfeffermühle *f*.
peppermint ['pɛpəmɪnt] *n* (*sweet*) Pfefferminz *nt*; (*plant*) Pfefferminze *f*.
pepperoni [pɛpə'rəunɪ] *n* ≈ Pfeffersalami *f*.
pepper pot *n* Pfefferstreuer *m*.
pep talk (*inf*) *n* aufmunternde Worte *pl*.
per [pə:*] *prep* (*for each*) pro; **~ day/person/kilo** pro Tag/Person/Kilo; **~ annum** pro Jahr; **as ~ your instructions** gemäß Ihren Anweisungen.
per capita [-'kæpɪtə] *adj* (*income*) Pro-Kopf- ♦ *adv* pro Kopf.
perceive [pə'si:v] *vt* (*see*) wahrnehmen; (*view, understand*) verstehen.
per cent *n* Prozent *nt*; **a 20 ~ discount** 20 Prozent Rabatt.
percentage [pə'sɛntɪdʒ] *n* Prozentsatz *m*; **on a ~ basis** auf Prozentbasis.
percentage point *n* Prozent *nt*.
perceptible [pə'sɛptɪbl] *adj* (*difference, change*) wahrnehmbar, merklich.
perception [pə'sɛpʃən] *n* (*insight*) Einsicht *f*; (*opinion, understanding*) Erkenntnis *f*; (*faculty*) Wahrnehmung *f*.
perceptive [pə'sɛptɪv] *adj* (*person*) aufmerksam; (*analysis etc*) erkenntnisreich.
perch [pə:tʃ] *n* (*for bird*) Stange *f*; (*fish*) Flußbarsch *m* ♦ *vi*: **to ~ (on)** (*bird*) sitzen (auf *+dat*); (*person*) hocken (auf *+dat*).
percolate ['pə:kəleɪt] *vt* (*coffee*) (mit einer Kaffeemaschine) zubereiten ♦ *vi* (*coffee*) durchlaufen; **to ~ through/into** (*idea, light etc*) durchsickern durch/in *+acc*.
percolator ['pə:kəleɪtə*] *n* (*also*: **coffee ~**) Kaffeemaschine *f*.
percussion [pə'kʌʃən] *n* (*MUS*) Schlagzeug *nt*.
peremptory [pə'rɛmptərɪ] (*pej*) *adj* (*person*) herrisch; (*order*) kategorisch.
perennial [pə'rɛnɪəl] *adj* (*plant*) mehrjährig; (*fig: problem, feature etc*) immer wiederkehrend ♦ *n* (*BOT*) mehrjährige Pflanze *f*.
perfect [*adj, n* 'pə:fɪkt, *vt* pə'fɛkt] *adj* perfekt; (*nonsense, idiot etc*) ausgemacht ♦ *vt* (*technique*) perfektionieren ♦ *n*: **the ~** (*also*: **the ~ tense**) das Perfekt; **he's a ~ stranger to me** er ist mir vollkommen fremd.
perfection [pə'fɛkʃən] *n* Perfektion *f*, Vollkommenheit *f*.
perfectionist [pə'fɛkʃənɪst] *n* Perfektionist(in) *m(f)*.
perfectly ['pə:fɪktlɪ] *adv* vollkommen; (*faultlessly*) perfekt; **I'm ~ happy with the situation** ich bin mit der Lage vollkommen zufrieden; **you know ~ well that** ... Sie wissen ganz genau, daß ...
perforate ['pə:fəreɪt] *vt* perforieren.
perforated ulcer ['pə:fəreɪtəd-] *n* durchgebrochenes Geschwür *nt*.
perforation [pə:fə'reɪʃən] *n* (*small hole*) Loch *nt*; (*line of holes*) Perforation *f*.
perform [pə'fɔ:m] *vt* (*operation, ceremony etc*) durchführen; (*task*) erfüllen; (*piece of music, play etc*) aufführen ♦ *vi* auftreten; **to ~ well/badly** eine gute/schlechte Leistung zeigen.
performance [pə'fɔ:məns] *n* Leistung *f*; (*of play, show*) Vorstellung *f*; **the team put up a good ~** die Mannschaft zeigte eine gute Leistung.
performer [pə'fɔ:mə*] *n* Künstler(in) *m(f)*.
performing [pə'fɔ:mɪŋ] *adj* (*animal*) dressiert.
performing arts *npl*: **the ~** die darstellenden Künste *pl*.
perfume ['pə:fju:m] *n* Parfüm *nt*; (*fragrance*) Duft *m* ♦ *vt* parfümieren.
perfunctory [pə'fʌŋktərɪ] *adj* flüchtig.
perhaps [pə'hæps] *adv* vielleicht; **~ he'll come** er kommt vielleicht; **~ not** vielleicht nicht.
peril ['pɛrɪl] *n* Gefahr *f*.
perilous ['pɛrɪləs] *adj* gefährlich.
perilously ['pɛrɪləslɪ] *adv*: **they came ~ close to being caught** sie wären um ein Haar gefangen worden.
perimeter [pə'rɪmɪtə*] *n* Umfang *m*.
perimeter fence *n* Umzäunung *f*.
period ['pɪərɪəd] *n* (*length of time*) Zeitraum *m*,

Periode *f*; (*era*) Zeitalter *nt*; (*SCOL*) Stunde *f*; (*esp US: full stop*) Punkt *m*; (*MED: also:* **menstrual** ~) Periode ♦ *adj* (*costume etc*) zeitgenössisch; **for a ~ of 3 weeks** für eine Dauer *or* einen Zeitraum von 3 Wochen; **the holiday ~** (*BRIT*) die Urlaubszeit; **I won't do it. P~.** ich mache das nicht, und damit basta!

periodic [pɪərɪ'ɔdɪk] *adj* periodisch.

periodical [pɪərɪ'ɔdɪkl] *n* Zeitschrift *f* ♦ *adj* periodisch.

periodically [pɪərɪ'ɔdɪklɪ] *adv* periodisch.

period pains (*BRIT*) *npl* Menstruationsschmerzen *pl*.

peripatetic [pɛrɪpə'tɛtɪk] *adj* (*BRIT: teacher*) an mehreren Schulen tätig; **~ life** Wanderleben *nt*.

peripheral [pə'rɪfərəl] *adj* (*feature, issue*) Rand-, nebensächlich; (*vision*) peripher ♦ *n* (*COMPUT*) Peripheriegerät *nt*.

periphery [pə'rɪfərɪ] *n* Peripherie *f*.

periscope ['pɛrɪskəup] *n* Periskop *nt*.

perish ['pɛrɪʃ] *vi* (*die*) umkommen; (*rubber, leather etc*) verschleißen.

perishable ['pɛrɪʃəbl] *adj* (*food*) leicht verderblich.

perishables ['pɛrɪʃəblz] *npl* leicht verderbliche Waren *pl*.

perishing ['pɛrɪʃɪŋ] (*BRIT: inf*) *adj*: **it's ~ (cold)** es ist eisig kalt.

peritonitis [pɛrɪtə'naɪtɪs] *n* Bauchfellentzündung *f*.

perjure ['pə:dʒə*] *vt*: **to ~ o.s.** einen Meineid leisten.

perjury ['pə:dʒərɪ] *n* (*in court*) Meineid *m*; (*breach of oath*) Eidesverletzung *f*.

perks [pə:ks] (*inf*) *npl* (*extras*) Vergünstigungen *pl*.

perk up *vi* (*cheer up*) munter werden.

perky ['pə:kɪ] *adj* (*cheerful*) munter.

perm [pə:m] *n* Dauerwelle *f* ♦ *vt*: **to have one's hair ~ed** sich *dat* eine Dauerwelle machen lassen.

permanence ['pə:mənəns] *n* Dauerhaftigkeit *f*.

permanent ['pə:mənənt] *adj* dauerhaft; (*job, position*) fest; **~ address** ständiger Wohnsitz *m*; **I'm not ~ here** ich bin hier nicht fest angestellt.

permanently ['pə:mənəntlɪ] *adv* (*damage*) dauerhaft; (*stay, live*) ständig; (*locked, open, frozen etc*) dauernd.

permeable ['pə:mɪəbl] *adj* durchlässig.

permeate ['pə:mɪeɪt] *vt* durchdringen ♦ *vi*: **to ~ through** dringen durch.

permissible [pə'mɪsɪbl] *adj* zulässig.

permission [pə'mɪʃən] *n* Erlaubnis *f*, Genehmigung *f*; **to give sb ~ to do sth** jdm die Erlaubnis geben, etw zu tun.

permissive [pə'mɪsɪv] *adj* (*society, age*) permissiv.

permit [*n* 'pə:mɪt, *vt* pə'mɪt] *n* Genehmigung *f* ♦ *vt* (*allow*) erlauben; (*make possible*) gestatten; **fishing ~** Angelschein *m*; **to ~ sb to do sth** jdm erlauben, etw zu tun; **weather ~ting** wenn das Wetter es zuläßt.

permutation [pə:mju'teɪʃən] *n* Permutation *f*; (*fig*) Variation *f*.

pernicious [pə:'nɪʃəs] *adj* (*lie, nonsense*) bösartig; (*effect*) schädlich.

pernickety [pə'nɪkɪtɪ] (*inf*) *adj* pingelig.

perpendicular [pə:pən'dɪkjulə*] *adj* senkrecht ♦ *n*: **the ~** die Senkrechte; **~ to** senkrecht zu.

perpetrate ['pə:pɪtreɪt] *vt* (*crime*) begehen.

perpetual [pə'pɛtjuəl] *adj* ständig, dauernd.

perpetuate [pə'pɛtjueɪt] *vt* (*custom, belief etc*) bewahren; (*situation*) aufrechterhalten.

perpetuity [pə:pɪ'tju:ɪtɪ] *n*: **in ~** auf ewig.

perplex [pə'plɛks] *vt* verblüffen.

perplexing [pə:'plɛksɪŋ] *adj* verblüffend.

perquisites ['pə:kwɪzɪts] (*form*) *npl* Vergünstigungen *pl*.

per se [-seɪ] *adv* an sich.

persecute ['pə:sɪkju:t] *vt* verfolgen.

persecution [pə:sɪ'kju:ʃən] *n* Verfolgung *f*.

perseverance [pə:sɪ'vɪərns] *n* Beharrlichkeit *f*, Ausdauer *f*.

persevere [pə:sɪ'vɪə*] *vi* durchhalten, beharren.

Persia ['pə:ʃə] *n* Persien *nt*.

Persian ['pə:ʃən] *adj* persisch ♦ *n* (*LING*) Persisch *nt*; **the ~ Gulf** der (Persische) Golf.

Persian cat *n* Perserkatze *f*.

persist [pə'sɪst] *vi*: **to ~ (with** *or* **in)** beharren (auf *+dat*), festhalten (an *+dat*); **to ~ in doing sth** darauf beharren, etw zu tun.

persistence [pə'sɪstəns] *n* (*determination*) Beharrlichkeit *f*.

persistent [pə'sɪstənt] *adj* (*person, noise*) beharrlich; (*smell, cough etc*) hartnäckig; (*lateness, rain*) andauernd; **~ offender** Wiederholungstäter(in) *m(f)*.

persnickety [pə'snɪkɪtɪ] (*US: inf*) *adj* = **pernickety**.

person ['pə:sn] *n* Person *f*, Mensch *m*; **in ~** persönlich; **on** *or* **about one's ~** bei sich; **~ to ~ call** (*TEL*) Gespräch *nt* mit Voranmeldung.

personable ['pə:snəbl] *adj* von angenehmer Erscheinung.

personal ['pə:snl] *adj* persönlich; (*life*) Privat-; **nothing ~!** nehmen Sie es nicht persönlich!

personal allowance *n* (*TAX*) persönlicher Steuerfreibetrag *m*.

personal assistant *n* persönlicher Referent *m*, persönliche Referentin *f*.

personal column *n* private Kleinanzeigen *pl*.

personal computer *n* Personalcomputer *m*.

personal details *npl* Personalien *pl*.

personal hygiene *n* Körperhygiene *f*.

personal identification number *n* (*BANKING*) Geheimnummer *f*, PIN-Nummer *f*.

personality [pəːsə'nælɪtɪ] *n* (*character, person*) Persönlichkeit *f*.
personal loan *n* Personaldarlehen *nt*.
personally ['pəːsnəlɪ] *adv* persönlich; **to take sth ~** etw persönlich nehmen.
personal organizer *n* Terminplaner *m*.
personal stereo *n* Walkman ® *m*.
personify [pəː'sɔnɪfaɪ] *vt* personifizieren; (*embody*) verkörpern.
personnel [pəːsə'nɛl] *n* Personal *nt*.
personnel department *n* Personalabteilung *f*.
personnel manager *n* Personalleiter(in) *m(f)*.
perspective [pə'spɛktɪv] *n* (*also fig*) Perspektive *f*; **to get sth into ~** (*fig*) etw in Relation zu anderen Dingen sehen.
Perspex ® ['pəːspɛks] *n* Acrylglas *nt*.
perspicacity [pəːspɪ'kæsɪtɪ] *n* Scharfsinn *m*.
perspiration [pəːspɪ'reɪʃən] *n* Transpiration *f*.
perspire [pə'spaɪə*] *vi* transpirieren.
persuade [pə'sweɪd] *vt*: **to ~ sb to do sth** jdn dazu überreden, etw zu tun; **to ~ sb that** jdn davon überzeugen, daß; **to be ~d of sth** von etw überzeugt sein.
persuasion [pə'sweɪʒən] *n* (*act*) Überredung *f*; (*creed*) Überzeugung *f*.
persuasive [pə'sweɪsɪv] *adj* (*person, argument*) überzeugend.
pert [pəːt] *adj* (*person*) frech; (*nose, buttocks*) keck; (*hat*) keß.
pertaining [pəː'teɪnɪŋ]: **~ to** *prep* betreffend *+acc*.
pertinent ['pəːtɪnənt] *adj* relevant.
perturb [pə'təːb] *vt* beunruhigen.
Peru [pə'ruː] *n* Peru *nt*.
perusal [pə'ruːzl] *n* Durchsicht *f*.
peruse [pə'ruːz] *vt* durchsehen.
Peruvian [pə'ruːvjən] *adj* peruanisch ♦ *n* Peruaner(in) *m(f)*.
pervade [pə'veɪd] *vt* (*smell, feeling*) erfüllen.
pervasive [pə'veɪzɪv] *adj* (*smell*) durchdringend; (*influence*) weitreichend; (*mood, atmosphere*) allumfassend.
perverse [pə'vəːs] *adj* (*person*) borniert; (*behaviour*) widernatürlich, pervers.
perversion [pə'vəːʃən] *n* (*sexual*) Perversion *f*; (*of truth, justice*) Verzerrung *f*, Pervertierung *f*.
perversity [pə'vəːsɪtɪ] *n* Widernatürlichkeit *f*.
pervert [*n* 'pəːvəːt, *vt* pə'vəːt] *n* (*sexual deviant*) perverser Mensch *m* ♦ *vt* (*person, mind*) verderben; (*distort: truth, custom*) verfälschen.
pessimism ['pɛsɪmɪzəm] *n* Pessimismus *m*.
pessimist ['pɛsɪmɪst] *n* Pessimist(in) *m(f)*.
pessimistic [pɛsɪ'mɪstɪk] *adj* pessimistisch.
pest [pɛst] *n* (*insect*) Schädling *m*; (*fig: nuisance*) Plage *f*.
pest control *n* Schädlingsbekämpfung *f*.
pester ['pɛstə*] *vt* belästigen.
pesticide ['pɛstɪsaɪd] *n* Schädlingsbekämpfungsmittel *nt*, Pestizid *nt*.
pestilence ['pɛstɪləns] *n* Pest *f*.
pestle ['pɛsl] *n* Stößel *m*.
pet [pɛt] *n* (*animal*) Haustier *nt* ♦ *adj* (*theory etc*) Lieblings- ♦ *vt* (*stroke*) streicheln ♦ *vi* (*inf: sexually*) herumknutschen; **teacher's ~** (*favourite*) Lehrers Liebling *m*; **a ~ rabbit/snake** *etc* ein Kaninchen/eine Schlange *etc* (als Haustier); **that's my ~ hate** das hasse ich besonders.
petal ['pɛtl] *n* Blütenblatt *nt*.
peter out ['piːtə-] *vi* (*road etc*) allmählich aufhören, zu Ende gehen; (*conversation, meeting*) sich totlaufen.
petite [pə'tiːt] *adj* (*woman*) zierlich.
petition [pə'tɪʃən] *n* (*signed document*) Petition *f*; (*LAW*) Klage *f* ♦ *vt* ersuchen ♦ *vi*: **to ~ for divorce** die Scheidung einreichen.
pet name (*BRIT*) *n* Kosename *m*.
petrified ['pɛtrɪfaɪd] *adj* (*fig: terrified*) starr vor Angst.
petrify ['pɛtrɪfaɪ] *vt* (*fig: terrify*) vor Angst erstarren lassen.
petrochemical [pɛtrə'kɛmɪkl] *adj* petrochemisch.
petrodollars ['pɛtrəudɔləz] *npl* Petrodollar *pl*.
petrol ['pɛtrəl] (*BRIT*) *n* Benzin *nt*; **two-star ~** Normalbenzin *nt*; **four-star ~** Super(benzin) *nt*; **unleaded ~** bleifreies *or* unverbleites Benzin.
petrol bomb *n* Benzinbombe *f*.
petrol can (*BRIT*) *n* Benzinkanister *m*.
petrol engine (*BRIT*) *n* Benzinmotor *m*.
petroleum [pə'trəulɪəm] *n* Petroleum *nt*.
petroleum jelly *n* Vaseline *f*.
petrol pump (*BRIT*) *n* (*in garage*) Zapfsäule *f*; (*in engine*) Benzinpumpe *f*.
petrol station (*BRIT*) *n* Tankstelle *f*.
petrol tank (*BRIT*) *n* Benzintank *m*.
petticoat ['pɛtɪkəut] *n* (*underskirt: full-length*) Unterkleid *nt*; (*: waist*) Unterrock *m*.
pettifogging ['pɛtɪfɔgɪŋ] *adj* kleinlich.
pettiness ['pɛtɪnɪs] *n* Kleinlichkeit *f*.
petty ['pɛtɪ] *adj* (*trivial*) unbedeutend; (*small-minded*) kleinlich; (*crime*) geringfügig; (*official*) untergeordnet; (*excuse*) billig; (*remark*) spitz.
petty cash *n* (*in office*) Portokasse *f*.
petty officer *n* Maat *m*.
petulant ['pɛtjulənt] *adj* (*person, expression*) gereizt.
pew [pjuː] *n* (*in church*) Kirchenbank *f*.
pewter ['pjuːtə*] *n* Zinn *nt*.
Pfc (*US*) *abbr* (*MIL: = private first class*) ≈ Obergefreite(r) *m*.
PG *n abbr* (*CINE: = parental guidance*) *Klassifikation für Filme, die Kinder nur in Begleitung Erwachsener sehen dürfen.*
PGA *n abbr* (*= Professional Golfers' Association*) *Golf-Profiverband.*
PH (*US*) *n abbr* (*MIL: = Purple Heart*) *Verwundetenauszeichnung.*

pH *n abbr* (= *potential of hydrogen*) pH.
PHA (*US*) *n abbr* (= *Public Housing Administration*) *Regierungsbehörde für sozialen Wohnungsbau.*
phallic ['fælɪk] *adj* phallisch; (*symbol*) Phallus-.
phantom ['fæntəm] *n* Phantom *nt* ♦ *adj* (*fig*) Phantom-.
Pharaoh ['fɛərəu] *n* Pharao *m.*
pharmaceutical [fɑːmə'sjuːtɪkl] *adj* pharmazeutisch.
pharmaceuticals [fɑːmə'sjuːtɪklz] *npl* Arzneimittel *pl*, Pharmaka *pl.*
pharmacist ['fɑːməsɪst] *n* Apotheker(in) *m(f).*
pharmacy ['fɑːməsɪ] *n* (*shop*) Apotheke *f*; (*science*) Pharmazie *f.*
phase [feɪz] *n* Phase *f* ♦ *vt:* **to ~ sth in/out** etw stufenweise einführen/abschaffen.
PhD *n abbr* (= *Doctor of Philosophy*) ≈ Dr. phil.
pheasant ['fɛznt] *n* Fasan *m.*
phenomena [fə'nɔmɪnə] *npl of* **phenomenon.**
phenomenal [fə'nɔmɪnl] *adj* phänomenal.
phenomenon [fə'nɔmɪnən] (*pl* **phenomena**) *n* Phänomen *nt.*
phew [fjuː] *excl* puh!
phial ['faɪəl] *n* Fläschchen *nt.*
philanderer [fɪ'lændərə*] *n* Schwerenöter *m.*
philanthropic [fɪlən'θrɔpɪk] *adj* philanthropisch.
philanthropist [fɪ'lænθrəpɪst] *n* Philanthrop(in) *m(f).*
philatelist [fɪ'lætəlɪst] *n* Philatelist(in) *m(f).*
philately [fɪ'lætəlɪ] *n* Philatelie *f.*
Philippines ['fɪlɪpiːnz] *npl:* **the ~** die Philippinen *pl.*
Philistine ['fɪlɪstaɪn] *n* (*boor*) Banause *m.*
philosopher [fɪ'lɔsəfə*] *n* Philosoph(in) *m(f).*
philosophical [fɪlə'sɔfɪkl] *adj* philosophisch; (*fig: calm, resigned*) gelassen.
philosophize [fɪ'lɔsəfaɪz] *vi* philosophieren.
philosophy [fɪ'lɔsəfɪ] *n* Philosophie *f.*
phlegm [flɛm] *n* (*MED*) Schleim *m.*
phlegmatic [flɛg'mætɪk] *adj* phlegmatisch.
phobia ['fəubjə] *n* Phobie *f.*
phone [fəun] *n* Telefon *nt* ♦ *vt* anrufen ♦ *vi* anrufen, telefonieren; **to be on the ~** (*possess a phone*) Telefon haben; (*be calling*) telefonieren.
▸**phone back** *vt, vi* zurückrufen.
▸**phone up** *vt, vi* anrufen.
phone book *n* Telefonbuch *nt.*
phone booth *n* Telefonzelle *f.*
phone box (*BRIT*) *n* Telefonzelle *f.*
phone call *n* Anruf *m.*
phonecard ['fəunkɑːd] *n* Telefonkarte *f.*
phone-in ['fəunɪn] (*BRIT*) *n* (*RADIO, TV*) *Radio-/Fernsehsendung mit Hörer-/Zuschauerbeteiligung per Telefon*, Phone-in *nt* ♦ *adj* mit Hörer-/Zuschaueranrufen.
phone tapping [-tæpɪŋ] *n* Abhören *nt* von Telefonleitungen.
phonetics [fə'nɛtɪks] *n* Phonetik *f.*
phoney ['fəunɪ] *adj* (*address*) falsch; (*accent*) unecht; (*person*) unaufrichtig.
phonograph ['fəunəgrɑːf] (*US*) *n* Grammophon *nt.*
phony ['fəunɪ] *adj* = **phoney.**
phosphate ['fɔsfeɪt] *n* Phosphat *nt.*
phosphorus ['fɔsfərəs] *n* Phosphor *m.*
photo ['fəutəu] *n* Foto *nt.*
photo... ['fəutəu] *pref* Foto-.
photocopier ['fəutəukɔpɪə*] *n* Fotokopierer *m.*
photocopy ['fəutəukɔpɪ] *n* Fotokopie *f* ♦ *vt* fotokopieren.
photoelectric [fəutəuɪ'lɛktrɪk] *adj* (*effect*) photoelektrisch; (*cell*) Photo-.
photo finish *n* Fotofinish *nt.*
Photofit ® ['fəutəufɪt] *n* (*also:* **~ picture**) Phantombild *nt.*
photogenic [fəutəu'dʒɛnɪk] *adj* fotogen.
photograph ['fəutəgræf] *n* Fotografie *f* ♦ *vt* fotografieren; **to take a ~ of sb** jdn fotografieren.
photographer [fə'tɔgrəfə*] *n* Fotograf(in) *m(f).*
photographic [fəutə'græfɪk] *adj* (*equipment etc*) fotografisch, Foto-.
photography [fə'tɔgrəfɪ] *n* Fotografie *f.*
photo opportunity *n* Fototermin *m*; (*accidental*) Fotogelegenheit *f.*
photostat ['fəutəustæt] *n* Fotokopie *f.*
photosynthesis [fəutəu'sɪnθəsɪs] *n* Photosynthese *f.*
phrase [freɪz] *n* Satz *m*; (*LING*) Redewendung *f*; (*MUS*) Phrase *f* ♦ *vt* ausdrücken; (*letter*) formulieren.
phrase book *n* Sprachführer *m.*
physical ['fɪzɪkl] *adj* (*bodily*) körperlich; (*geography, properties*) physikalisch; (*law, explanation*) natürlich; **~ examination** ärztliche Untersuchung *f*; **the ~ sciences** die Naturwissenschaften.
physical education *n* Sportunterricht *m.*
physically ['fɪzɪklɪ] *adv* (*fit, attractive*) körperlich.
physician [fɪ'zɪʃən] *n* Arzt *m*, Ärztin *f.*
physicist ['fɪzɪsɪst] *n* Physiker(in) *m(f).*
physics ['fɪzɪks] *n* Physik *f.*
physiological ['fɪzɪə'lɔdʒɪkl] *adj* physiologisch.
physiology [fɪzɪ'ɔlədʒɪ] *n* Physiologie *f.*
physiotherapist [fɪzɪəu'θɛrəpɪst] *n* Physiotherapeut(in) *m(f).*
physiotherapy [fɪzɪəu'θɛrəpɪ] *n* Physiotherapie *f.*
physique [fɪ'ziːk] *n* Körperbau *m.*
pianist ['piːənɪst] *n* Pianist(in) *m(f).*
piano [pɪ'ænəu] *n* Klavier *nt*, Piano *nt.*
piano accordion (*BRIT*) *n* Akkordeon *nt.*
piccolo ['pɪkələu] *n* Pikkoloflöte *f.*
pick [pɪk] *n* (*also:* **~axe**) Spitzhacke *f* ♦ *vt* (*select*) aussuchen; (*gather: fruit, mushrooms*) sammeln; (*: flowers*) pflücken; (*remove, take out*) herausnehmen; (*lock*) knacken; (*scab,*

spot) kratzen an *+dat*; **take your ~** (*choose*) Sie haben die Wahl; **the ~ of** (*best*) das Beste *+gen*; **to ~ one's nose** in der Nase bohren; **to ~ one's teeth** in den Zähnen stochern; **to ~ sb's brains** jdn als Informationsquelle nutzen; **to ~ sb's pocket** jdn bestehlen; **to ~ a quarrel (with sb)** einen Streit (mit jdm) anfangen.

►**pick at** *vt fus* (*food*) herumstochern in *+dat*.

►**pick off** *vt* (*shoot*) abschießen.

►**pick on** *vt fus* (*criticize*) herumhacken auf *+dat*.

►**pick out** *vt* (*distinguish*) ausmachen; (*select*) aussuchen.

►**pick up** *vi* (*health*) sich verbessern; (*economy*) sich erholen ♦ *vt* (*from floor etc*) aufheben; (*arrest*) festnehmen; (*collect: person, parcel etc*) abholen; (*hitchhiker*) mitnehmen; (*for sexual encounter*) aufreißen; (*learn: skill etc*) mitbekommen; (*RADIO*) empfangen; **to ~ up where one left off** da weitermachen, wo man aufgehört hat; **to ~ up speed** schneller werden; **to ~ o.s. up** (*after falling etc*) sich aufrappeln.

pickaxe, (*US*) **pickax** ['pɪkæks] *n* Spitzhacke *f*.

picket ['pɪkɪt] *n* (*in strike*) Streikposten *m* ♦ *vt* (*factory etc*) Streikposten aufstellen vor *+dat*.

picketing ['pɪkɪtɪŋ] *n* Aufstellen *nt* von Streikposten.

picket line *n* Streikpostenkette *f*.

pickings ['pɪkɪŋz] *npl*: **there are rich ~ to be had here** hier ist die Ausbeute gut.

pickle ['pɪkl] *n* (*also*: **~s**: *as condiment*) Pickles *pl* ♦ *vt* einlegen; **to be in a ~** in der Klemme sitzen; **to get in a ~** in eine Klemme geraten.

pick-me-up ['pɪkmiːʌp] *n* Muntermacher *m*.

pickpocket ['pɪkpɔkɪt] *n* Taschendieb(in) *m(f)*.

pick-up ['pɪkʌp] *n* (*also*: **~ truck**) offener Kleintransporter *m*; (*BRIT: on record player*) Tonabnehmer *m*.

picnic ['pɪknɪk] *n* Picknick *nt* ♦ *vi* picknicken.

picnicker ['pɪknɪkə*] *n* Picknicker(in) *m(f)*.

pictorial [pɪk'tɔːrɪəl] *adj* (*record, coverage etc*) bildlich.

picture ['pɪktʃə*] *n* (*also TV, fig*) Bild *nt*; (*film*) Film *m* ♦ *vt* (*imagine*) sich *dat* vorstellen; **the ~s** (*BRIT: inf: the cinema*) das Kino; **to take a ~ of sb** ein Bild von jdm machen; **to put sb in the ~** jdn ins Bild setzen.

picture book *n* Bilderbuch *nt*.

picturesque [pɪktʃə'rɛsk] *adj* malerisch.

picture window *n* Aussichtsfenster *nt*.

piddling ['pɪdlɪŋ] (*inf*) *adj* lächerlich.

pidgin ['pɪdʒɪn] *adj*: **~ English** Pidgin-Englisch *nt*.

pie [paɪ] *n* (*vegetable, meat*) Pastete *f*; (*fruit*) Torte *f*.

piebald ['paɪbɔːld] *adj* (*horse*) scheckig.

piece [piːs] *n* Stück *nt*; (*DRAUGHTS etc*) Stein *m*; (*CHESS*) Figur *f*; **in ~s** (*broken*) kaputt; (*taken apart*) auseinandergenommen, in Einzelteilen; **a ~ of clothing/furniture/music** ein Kleidungs-/Möbel-/Musikstück *nt*; **a ~ of machinery** eine Maschine; **a ~ of research** eine Forschungsarbeit; **a ~ of advice** ein Rat *m*; **to take sth to ~s** etw auseinandernehmen; **in one ~** (*object*) unbeschädigt; (*person*) wohlbehalten; **a 10p ~** (*BRIT*) ein 10-Pence-Stück *nt*; **~ by ~** Stück für Stück; **a six-~ band** eine sechsköpfige Band; **let her say her ~** laß sie ausreden.

►**piece together** *vt* zusammenfügen.

piecemeal ['piːsmiːl] *adv* stückweise, Stück für Stück.

piecework ['piːswəːk] *n* Akkordarbeit *f*.

pie chart *n* Tortendiagramm *nt*.

pier [pɪə*] *n* Pier *m*.

pierce [pɪəs] *vt* durchstechen; **to have one's ears ~d** sich *dat* die Ohrläppchen durchstechen lassen.

piercing ['pɪəsɪŋ] *adj* (*fig: cry, eyes, stare*) durchdringend; (*wind*) schneidend.

piety ['paɪətɪ] *n* Frömmigkeit *f*.

piffling ['pɪflɪŋ] (*inf*) *adj* lächerlich.

pig [pɪg] *n* (*also pej*) Schwein *nt*; (*greedy person*) Vielfraß *m*.

pigeon ['pɪdʒən] *n* Taube *f*.

pigeonhole ['pɪdʒənhəul] *n* (*for letters etc*) Fach *nt*; (*fig*) Schublade *f* ♦ *vt* (*fig: person*) in eine Schublade stecken.

pigeon-toed ['pɪdʒəntəud] *adj* mit einwärts gerichteten Zehen.

piggy bank ['pɪgɪ-] *n* Sparschwein *nt*.

pig-headed ['pɪg'hɛdɪd] (*pej*) *adj* dickköpfig.

piglet ['pɪglɪt] *n* Schweinchen *nt*, Ferkel *nt*.

pigment ['pɪgmənt] *n* Pigment *nt*.

pigmentation [pɪgmən'teɪʃən] *n* Pigmentierung *f*, Färbung *f*.

pigmy ['pɪgmɪ] *n* = **pygmy**.

pigskin ['pɪgskɪn] *n* Schweinsleder *nt*.

pigsty ['pɪgstaɪ] *n* (*also fig*) Schweinestall *m*.

pigtail ['pɪgteɪl] *n* Zopf *m*.

pike [paɪk] *n* (*fish*) Hecht *m*; (*spear*) Spieß *m*.

pilchard ['pɪltʃəd] *n* Sardine *f*.

pile [paɪl] *n* (*heap*) Haufen *m*; (*stack*) Stapel *m*; (*of carpet, velvet*) Flor *m*; (*pillar*) Pfahl *m* ♦ *vt* (*also*: **~ up**) (auf)stapeln; **in a ~** in einem Haufen; **to ~ into/out of** (*vehicle*) sich drängen in *+acc*/aus.

►**pile on** *vt*: **to ~ it on** (*inf*) zu dick auftragen.

►**pile up** *vi* (*papers, problems, work*) sich stapeln.

piles [paɪlz] *npl* (*MED*) Hämorrhoiden *pl*.

pile-up ['paɪlʌp] *n* (*AUT*) Massenkarambolage *f*.

pilfer ['pɪlfə*] *vt, vi* stehlen.

pilfering ['pɪlfərɪŋ] *n* Diebstahl *m*.

pilgrim ['pɪlgrɪm] *n* Pilger(in) *m(f)*.

pilgrimage ['pɪlgrɪmɪdʒ] *n* Pilgerfahrt *f*, Wallfahrt *f*.

pill [pɪl] *n* Tablette *f*, Pille *f*; **the ~** (*contraceptive*) die Pille; **to be on the ~** die

Pille nehmen.
pillage ['pɪlɪdʒ] *n* Plünderung *f* ♦ *vt* plündern.
pillar ['pɪlə*] *n* Säule *f*; **a ~ of society** (*fig*) eine Säule *or* Stütze der Gesellschaft.
pillar box (*BRIT*) *n* Briefkasten *m*.
pillion ['pɪljən] *n*: **to ride ~** (*on motorcycle*) auf dem Soziussitz mitfahren; (*on horse*) hinten auf dem Pferd mitreiten.
pillory ['pɪlərɪ] *vt* (*criticize*) anprangern ♦ *n* Pranger *m*.
pillow ['pɪləu] *n* (Kopf)kissen *nt*.
pillowcase ['pɪləukeɪs] *n* (Kopf)kissenbezug *m*.
pillowslip ['pɪləuslɪp] *n* = **pillowcase**.
pilot ['paɪlət] *n* (*AVIAT*) Pilot(in) *m(f)*; (*NAUT*) Lotse *m* ♦ *adj* (*scheme, study etc*) Pilot- ♦ *vt* (*aircraft*) steuern; (*fig: new law, scheme*) sich zum Fürsprecher machen *+gen*.
pilot boat *n* Lotsenboot *nt*.
pilot light *n* (*on cooker, boiler*) Zündflamme *f*.
pimento [pɪ'mɛntəu] *n* (*spice*) Piment *nt*.
pimp [pɪmp] *n* Zuhälter *m*.
pimple ['pɪmpl] *n* Pickel *m*.
pimply ['pɪmplɪ] *adj* pick(e)lig.
PIN *n abbr* (= *personal identification number*) PIN; **~ number** PIN-Nummer *f*.
pin [pɪn] *n* (*metal: for clothes, papers*) Stecknadel *f*; (*TECH*) Stift *m*; (*BRIT: also:* **drawing ~**) Heftzwecke *f*; (*in grenade*) Sicherungsstift *m*; (*BRIT: ELEC*) Pol *m* ♦ *vt* (*fasten with pin*) feststecken; **~s and needles** (*in arms, legs etc*) Kribbeln *nt*; **to ~ sb against/to sth** jdn gegen/an etw *acc* pressen; **to ~ sth on sb** (*fig*) jdm etw anhängen.
▸**pin down** *vt* (*fig: person*) festnageln; **there's something strange here but I can't quite ~ it down** hier stimmt etwas nicht, aber ich weiß nicht genau was.
pinafore ['pɪnəfɔː*] (*BRIT*) *n* (*also:* **~ dress**) Trägerkleid *nt*.
pinball ['pɪnbɔːl] *n* (*game*) Flippern *nt*; (*machine*) Flipper *m*.
pincers ['pɪnsəz] *npl* (*tool*) Kneifzange *f*; (*of crab, lobster etc*) Schere *f*.
pinch [pɪntʃ] *n* (*of salt etc*) Prise *f* ♦ *vt* (*with finger and thumb*) zwicken, kneifen; (*inf: steal*) klauen ♦ *vi* (*shoe*) drücken; **at a ~** zur Not; **to feel the ~** (*fig*) die schlechte Lage zu spüren bekommen.
pinched [pɪntʃt] *adj* (*face*) erschöpft; **~ with cold** verfroren.
pincushion ['pɪnkuʃən] *n* Nadelkissen *nt*.
pine [paɪn] *n* (*also:* **~ tree**) Kiefer *f*; (*wood*) Kiefernholz *nt* ♦ *vi*: **to ~ for** sich sehnen nach.
▸**pine away** *vi* sich (vor Kummer) verzehren.
pineapple ['paɪnæpl] *n* Ananas *f*.
pine cone *n* Kiefernzapfen *m*.
pine needles *npl* Kiefernnadeln *pl*.
ping [pɪŋ] *n* (*noise*) Klingeln *nt*.
Ping-Pong ® ['pɪŋpɔŋ] *n* Pingpong *nt*.
pink [pɪŋk] *adj* rosa *inv* ♦ *n* (*colour*) Rosa *nt*; (*BOT*) Gartennelke *f*.
pinking shears *npl* Zickzackschere *f*.
pin money (*BRIT: inf*) *n* Nadelgeld *nt*.
pinnacle ['pɪnəkl] *n* (*of building, mountain*) Spitze *f*; (*fig*) Gipfel *m*.
pinpoint ['pɪnpɔɪnt] *vt* (*identify*) genau festlegen, identifizieren; (*position of sth*) genau aufzeigen.
pinstripe ['pɪnstraɪp] *adj*: **~ suit** Nadelstreifenanzug *m*.
pint [paɪnt] *n* (*BRIT: = 568 cc*) (britisches) Pint *nt*; (*US: = 473 cc*) (amerikanisches) Pint; **a ~** (*BRIT: inf: of beer*) ≈ eine Halbe.
pin-up ['pɪnʌp] *n* (*picture*) Pin-up-Foto *nt*.
pioneer [paɪə'nɪə*] *n* (*lit, fig*) Pionier *m* ♦ *vt* (*invention etc*) Pionierarbeit leisten für.
pious ['paɪəs] *adj* fromm.
pip [pɪp] *n* (*of apple, orange*) Kern *m* ♦ *vt*: **to be ~ped at the post** (*BRIT, fig*) um Haaresbreite geschlagen werden; **the pips** *npl* (*BRIT: RADIO*) das Zeitzeichen.
pipe [paɪp] *n* (*for water, gas*) Rohr *nt*; (*for smoking*) Pfeife *f*; (*MUS*) Flöte *f* ♦ *vt* (*water, gas, oil*) (durch Rohre) leiten; **pipes** *npl* (*also:* **bagpipes**) Dudelsack *m*.
▸**pipe down** (*inf*) *vi* (*be quiet*) ruhig sein.
pipe cleaner *n* Pfeifenreiniger *m*.
piped music [paɪpt-] *n* Berieselungsmusik *f*.
pipe dream *n* Hirngespinst *nt*.
pipeline ['paɪplaɪn] *n* Pipeline *f*; **it's in the ~** (*fig*) es ist in Vorbereitung.
piper ['paɪpə*] *n* (*bagpipe player*) Dudelsackspieler(in) *m(f)*.
pipe tobacco *n* Pfeifentabak *m*.
piping ['paɪpɪŋ] *adv*: **~ hot** kochendheiß.
piquant ['piːkənt] *adj* (*also fig*) pikant.
pique ['piːk] *n*: **in a fit of ~** eingeschnappt, pikiert.
piracy ['paɪərəsɪ] *n* Piraterie *f*, Seeräuberei *f*; (*COMM*): **to commit ~** ein Plagiat begehen.
pirate ['paɪərət] *n* Pirat *m*, Seeräuber *m* ♦ *vt* (*COMM: video tape, cassette etc*) illegal herstellen.
pirate radio station (*BRIT*) *n* Piratensender *m*.
pirouette [pɪru'ɛt] *n* Pirouette *f* ♦ *vi* Pirouetten drehen.
Pisces ['paɪsiːz] *n* Fische *pl*; **to be ~** Fische *or* (ein) Fisch sein.
piss [pɪs] (*inf!*) *vi* pissen ♦ *n* Pisse *f*; **~ off!** verpiß dich!; **to be ~ed off (with sb/sth)** (von jdm/etw) die Schnauze voll haben; **it's ~ing down** (*BRIT: raining*) es schifft; **to take the ~ out of sb** (*BRIT*) jdn verarschen.
pissed [pɪst] (*inf!*) *adj* (*drunk*) besoffen.
pistol ['pɪstl] *n* Pistole *f*.
piston ['pɪstən] *n* Kolben *m*.
pit [pɪt] *n* Grube *f*; (*in surface of road*) Schlagloch *nt*; (*coal mine*) Zeche *f*; (*also:* **orchestra ~**) Orchestergraben *m* ♦ *vt*: **to ~ one's wits against sb** seinen Verstand an

jdm messen; **the pits** *npl* (*AUT*) die Box; **to ~ o.s. against sth** den Kampf gegen etw aufnehmen; **to ~ sb against sb** jdn gegen jdn antreten lassen; **the ~ of one's stomach** die Magengrube.

pitapat ['pɪtə'pæt] (*BRIT*) *adv*: **to go ~** (*heart*) pochen, klopfen; (*rain*) prasseln.

pitch [pɪtʃ] *n* (*BRIT: SPORT: field*) Spielfeld *nt*; (*MUS*) Tonhöhe *f*; (*fig: level, degree*) Grad *m*; (*tar*) Pech *nt*; (*also*: **sales ~**) Verkaufsmasche *f*; (*NAUT*) Stampfen *nt* ♦ *vt* (*throw*) werfen, schleudern; (*set: price, message*) ansetzen ♦ *vi* (*fall forwards*) hinschlagen; (*NAUT*) stampfen; **to ~ a tent** ein Zelt aufschlagen; **to be ~ed forward** vornüber geworfen werden.

pitch-black ['pɪtʃ'blæk] *adj* pechschwarz.

pitched battle [pɪtʃt-] *n* offene Schlacht *f*.

pitcher ['pɪtʃə*] *n* (*jug*) Krug *m*; (*US: BASEBALL*) Werfer *m*.

pitchfork ['pɪtʃfɔːk] *n* Heugabel *f*.

piteous ['pɪtɪəs] *adj* kläglich, erbärmlich.

pitfall ['pɪtfɔːl] *n* Falle *f*.

pith [pɪθ] *n* (*of orange etc*) weiße Haut *f*; (*of plant*) Mark *nt*; (*fig*) Kern *m*.

pithead ['pɪthɛd] *n* Schachtanlagen *pl* über Tage.

pithy ['pɪθɪ] *adj* (*comment etc*) prägnant.

pitiable ['pɪtɪəbl] *adj* mitleiderregend.

pitiful ['pɪtɪful] *adj* (*sight etc*) mitleiderregend; (*excuse, attempt*) jämmerlich, kläglich.

pitifully ['pɪtɪfəlɪ] *adv* (*thin, frail*) jämmerlich; (*inadequate, ill-equipped*) fürchterlich.

pitiless ['pɪtɪlɪs] *adj* mitleidlos.

pittance ['pɪtns] *n* Hungerlohn *m*.

pitted ['pɪtɪd] *adj*: **~ with** übersät mit; **~ with rust** voller Rost.

pity ['pɪtɪ] *n* Mitleid *nt* ♦ *vt* bemitleiden, bedauern; **what a ~!** wie schade!; **it is a ~ that you can't come** schade, daß du nicht kommen kannst; **to take ~ on sb** Mitleid mit jdm haben.

pitying ['pɪtɪɪŋ] *adj* mitleidig.

pivot ['pɪvət] *n* (*TECH*) Drehpunkt *m*; (*fig*) Dreh- und Angelpunkt *m* ♦ *vi* sich drehen.

►**pivot on** (*depend on*) abhängen von.

pixel ['pɪksl] *n* (*COMPUT*) Pixel *nt*.

pixie ['pɪksɪ] *n* Elf *m*, Elfe *f*.

pizza ['piːtsə] *n* Pizza *f*.

placard ['plækɑːd] *n* Plakat *nt*, Aushang *m*; (*in march etc*) Transparent *nt*.

placate [plə'keɪt] *vt* beschwichtigen, besänftigen.

placatory [plə'keɪtərɪ] *adj* beschwichtigend, besänftigend.

place [pleɪs] *n* Platz *m*; (*position*) Stelle *f*, Ort *m*; (*seat: on committee etc*) Sitz *m*; (*home*) Wohnung *f*; (*in street names*) ≈ Straße *f* ♦ *vt* (*put: object*) stellen, legen; (*identify: person*) unterbringen; **~ of birth** Geburtsort *m*; **to take ~** (*happen*) geschehen, passieren; **at/to his ~** (*home*) bei/zu ihm; **from ~ to ~** von Ort zu Ort; **all over the ~** überall; **in ~s** stellenweise; **in sb's/sth's ~** anstelle von jdm/etw; **to take sb's/sth's ~** an die Stelle von jdm/etw treten, jdn/etw ersetzen; **out of ~** (*inappropriate*) unangebracht; **I feel out of ~ here** ich fühle mich hier fehl am Platze; **in the first ~** (*first of all*) erstens; **to change ~s with sb** mit jdm den Platz tauschen; **to put sb in his ~** (*fig*) jdn in seine Schranken weisen; **he's going ~s** er bringt es noch mal weit; **it's not my ~ to do it** es ist nicht an mir, das zu tun; **to be ~d** (*in race, exam*) plaziert sein; **to be ~d third** den dritten Platz belegen; **to ~ an order with sb (for sth)** eine Bestellung bei jdm (für etw) aufgeben; **how are you ~d next week?** wie sieht es bei Ihnen nächste Woche aus?

placebo [plə'siːbəu] *n* Placebo *nt*; (*fig*) Beruhigungsmittel *nt*.

place mat *n* Set *nt or m*.

placement ['pleɪsmənt] *n* Plazierung *f*.

place name *n* Ortsname *m*.

placenta [plə'sɛntə] *n* Plazenta *f*.

place setting *n* Gedeck *nt*.

placid ['plæsɪd] *adj* (*person*) ruhig, gelassen; (*place, river etc*) friedvoll.

plagiarism ['pleɪdʒjərɪzəm] *n* Plagiat *nt*.

plagiarist ['pleɪdʒjərɪst] *n* Plagiator(in) *m(f)*.

plagiarize ['pleɪdʒjəraɪz] *vt* (*idea, work*) kopieren, plagiieren.

plague [pleɪg] *n* (*MED*) Seuche *f*; (*fig: of locusts etc*) Plage *f* ♦ *vt* (*fig: problems etc*) plagen; **to ~ sb with questions** jdn mit Fragen quälen.

plaice [pleɪs] *n inv* Scholle *f*.

plaid [plæd] *n* Plaid *nt*.

plain [pleɪn] *adj* (*unpatterned*) einfarbig; (*simple*) einfach, schlicht; (*clear, easily understood*) klar; (*not beautiful*) unattraktiv; (*frank*) offen ♦ *adv* (*wrong, stupid etc*) einfach ♦ *n* (*area of land*) Ebene *f*; (*KNITTING*) rechte Masche *f*; **to make sth ~ to sb** jdm etw klarmachen.

plain chocolate *n* Bitterschokolade *f*.

plain-clothes ['pleɪnkləuðz] *adj* (*police officer*) in Zivil.

plainly ['pleɪnlɪ] *adv* (*obviously*) eindeutig; (*clearly*) deutlich, klar.

plainness ['pleɪnnɪs] *n* (*of person*) Reizlosigkeit *f*.

plain speaking *n* Offenheit *f*; **a bit of ~** ein paar offene Worte.

plain-spoken ['pleɪn'spəukən] *adj* offen.

plaintiff ['pleɪntɪf] *n* Kläger(in) *m(f)*.

plaintive ['pleɪntɪv] *adj* (*cry, voice*) klagend; (*song*) schwermütig; (*look*) traurig.

plait [plæt] *n* (*of hair*) Zopf *m*; (*of rope, leather*) Geflecht *nt* ♦ *vt* flechten.

plan [plæn] *n* Plan *m* ♦ *vt* planen; (*building, schedule*) entwerfen ♦ *vi* planen; **to ~ to do sth** planen *or* vorhaben, etw zu tun; **how long do you ~ to stay?** wie lange haben Sie vor, zu bleiben?; **to ~ for** *or* **on** (*expect*) sich einstellen auf *+acc*; **to ~ on doing sth** vorhaben, etw zu tun.

plane [pleɪn] *n* (*AVIAT*) Flugzeug *nt*; (*MATH*) Ebene *f*; (*fig: level*) Niveau *nt*; (*tool*) Hobel *m*; (*also*: **~ tree**) Platane *f* ♦ *vt* (*wood*) hobeln ♦ *vi* (*NAUT, AUT*) gleiten.

planet ['plænɪt] *n* Planet *m*.

planetarium [plænɪ'tɛərɪəm] *n* Planetarium *nt*.

plank [plæŋk] *n* (*of wood*) Brett *nt*; (*fig: of policy etc*) Schwerpunkt *m*.

plankton ['plæŋktən] *n* Plankton *nt*.

planned economy ['plænd-] *n* Planwirtschaft *f*.

planner ['plænə*] *n* Planer(in) *m(f)*.

planning ['plænɪŋ] *n* Planung *f*.

planning permission (*BRIT*) *n* Baugenehmigung *f*.

plant [plɑːnt] *n* (*BOT*) Pflanze *f*; (*machinery*) Maschinen *pl*; (*factory*) Anlage *f* ♦ *vt* (*seed, plant, crops*) pflanzen; (*field, garden*) bepflanzen; (*microphone, bomb etc*) anbringen; (*incriminating evidence*) schleusen; (*fig: object*) stellen; (*: kiss*) drücken.

plantation [plæn'teɪʃən] *n* Plantage *f*; (*wood*) Anpflanzung *f*.

plant pot (*BRIT*) *n* Blumentopf *m*.

plaque [plæk] *n* (*on building etc*) Tafel *f*, Plakette *f*; (*on teeth*) Zahnbelag *m*.

plasma ['plæzmə] *n* Plasma *nt*.

plaster ['plɑːstə*] *n* (*for walls*) Putz *m*; (*also*: **~ of Paris**) Gips *m*; (*BRIT: also:* **sticking ~**) Pflaster *nt* ♦ *vt* (*wall, ceiling*) verputzen; **in ~** (*BRIT*) in Gips; **to ~ with** (*cover*) bepflastern mit.

plasterboard ['plɑːstəbɔːd] *n* Gipskarton *m*.

plaster cast *n* (*MED*) Gipsverband *m*; (*model, statue*) Gipsform *f*.

plastered ['plɑːstəd] (*inf*) *adj* (*drunk*) sturzbesoffen.

plasterer ['plɑːstərə*] *n* Gipser *m*.

plastic ['plæstɪk] *n* Plastik *nt* ♦ *adj* (*bucket, cup etc*) Plastik-; (*flexible*) formbar; **the ~ arts** die bildende Kunst.

plastic bag *n* Plastiktüte *f*.

plastic bullet *n* Plastikgeschoß *nt*.

plastic explosive *n* Plastiksprengstoff *m*.

Plasticine® ['plæstɪsiːn] *n* Plastilin *nt*.

plastic surgery *n* plastische Chirurgie *f*.

plate [pleɪt] *n* Teller *m*; (*metal cover*) Platte *f*; (*TYP*) Druckplatte *f*; (*AUT*) Nummernschild *nt*; (*in book: picture*) Tafel *f*; (*dental plate*) Gaumenplatte *f*; (*on door*) Schild *nt*; (*gold/silver plate*) vergoldeter/versilberter Artikel *m*; **that necklace is just ~** die Halskette ist nur vergoldet/versilbert.

plateau ['plætəu] (*pl* **~s** *or* **~x**) *n* (*GEOG*) Plateau *nt*, Hochebene *f*; (*fig*) stabiler Zustand *m*.

plateful ['pleɪtful] *n* Teller *m*.

plate glass *n* Tafelglas *nt*.

platen ['plætən] *n* (*on typewriter, printer*) (Schreib)walze *f*.

plate rack *n* Geschirrständer *m*.

platform ['plætfɔːm] *n* (*stage*) Podium *nt*; (*for landing, loading on etc, BRIT: of bus*) Plattform *f*; (*RAIL*) Bahnsteig *m*; (*POL*) Programm *nt*; **the train leaves from ~ 7** der Zug fährt von Gleis 7 ab.

platform ticket (*BRIT*) *n* (*RAIL*) Bahnsteigkarte *f*.

platinum ['plætɪnəm] *n* Platin *nt*.

platitude ['plætɪtjuːd] *n* Platitüde *f*, Gemeinplatz *m*.

platonic [plə'tɔnɪk] *adj* (*relationship*) platonisch.

platoon [plə'tuːn] *n* Zug *m*.

platter ['plætə*] *n* Platte *f*.

plaudits ['plɔːdɪts] *npl* Ovationen *pl*.

plausible ['plɔːzɪbl] *adj* (*theory, excuse*) plausibel; (*liar etc*) glaubwürdig.

play [pleɪ] *n* (*THEAT*) (Theater)stück *nt*; (*TV*) Fernsehspiel *nt*; (*RADIO*) Hörspiel *nt*; (*activity*) Spiel *nt* ♦ *vt* spielen; (*team, opponent*) spielen gegen ♦ *vi* spielen; **to bring into ~** ins Spiel bringen; **a ~ on words** ein Wortspiel *nt*; **to ~ a trick on sb** jdn hereinlegen; **to ~ a part** *or* **role in sth** (*fig*) eine Rolle bei etw spielen; **to ~ for time** (*fig*) auf Zeit spielen, Zeit gewinnen wollen; **to ~ safe** auf Nummer Sicher gehen; **to ~ into sb's hands** jdm in die Hände spielen.

►**play about with** *vt fus* = **play around with**.

►**play along with** *vt fus* (*person*) sich richten nach; (*plan, idea*) eingehen auf *+acc*.

►**play around with** *vt fus* (*fiddle with*) herumspielen mit.

►**play at** *vt fus* (*do casually*) spielen mit; **to ~ at being sb/sth** jdn/etw spielen.

►**play back** *vt* (*recording*) abspielen.

►**play down** *vt* herunterspielen.

►**play on** *vt fus* (*sb's feelings etc*) ausnutzen; **to ~ on sb's mind** jdm im Kopf herumgehen.

►**play up** *vi* (*machine, knee etc*) Schwierigkeiten machen; (*children*) frech werden.

play-act ['pleɪækt] *vi* Theater spielen.

playboy ['pleɪbɔɪ] *n* Playboy *m*.

player ['pleɪə*] *n* (*SPORT, MUS*) Spieler(in) *m(f)*; (*THEAT*) Schauspieler(in) *m(f)*.

playful ['pleɪful] *adj* (*person, gesture*) spielerisch; (*animal*) verspielt.

playgoer ['pleɪgəuə*] *n* Theaterbesucher(in) *m(f)*.

playground ['pleɪgraund] *n* (*in park*) Spielplatz *m*; (*in school*) Schulhof *m*.

playgroup ['pleɪgruːp] *n* Spielgruppe *f*.

playing card ['pleɪɪŋ-] *n* Spielkarte *f*.

playing field *n* Sportplatz *m*.

playmaker ['pleɪmeɪkə*] *n* (*SPORT*) Spielmacher(in) *m(f)*.

playmate ['pleɪmeɪt] *n* Spielkamerad(in) *m(f)*.

play-off ['pleɪɔf] *n* Entscheidungsspiel *nt*.

playpen ['pleɪpɛn] *n* Laufstall *m*.

playroom ['pleɪruːm] *n* Spielzimmer *nt*.
playschool ['pleɪskuːl] *n* = **playgroup**.
plaything ['pleɪθɪŋ] *n* (*also fig*) Spielzeug *nt*.
playtime ['pleɪtaɪm] *n* (kleine) Pause *f*.
playwright ['pleɪraɪt] *n* Dramatiker(in) *m(f)*.
plc (*BRIT*) *n abbr* (= *public limited company*) ≈ AG *f*.
plea [pliː] *n* (*request*) Bitte *f*; (*LAW*): **to enter a ~ of guilty/not guilty** sich schuldig/ unschuldig erklären; (*excuse*) Vorwand *m*.
plea bargaining *n Verhandlungen zwischen Anklage und Verteidigung mit dem Ziel, bestimmte Anklagepunkte fallenzulassen, wenn der Angeklagte sich in anderen Punkten schuldig bekennt.*
plead [pliːd] *vi* (*LAW*) *vor Gericht eine Schuld-/Unschuldserklärung abgeben* ♦ *vt* (*LAW*): **to ~ sb's case** jdn vertreten; (*give as excuse: ignorance, ill health etc*) vorgeben, sich berufen auf *+acc*; **to ~ with sb** (*beg*) jdn inständig bitten; **to ~ for sth** um etw nachsuchen; **to ~ guilty/not guilty** sich schuldig/nicht schuldig bekennen.
pleasant ['plɛznt] *adj* angenehm; (*smile*) freundlich.
pleasantly ['plɛzntlɪ] *adv* (*surprised*) angenehm; (*say, behave*) freundlich.
pleasantries ['plɛzntrɪz] *npl* Höflichkeiten *pl*, Nettigkeiten *pl*.
please [pliːz] *excl* bitte ♦ *vt* (*satisfy*) zufriedenstellen ♦ *vi* (*give pleasure*) gefällig sein; **~ Miss/Sir!** (*to attract teacher's attention*) ≈ Frau/Herr X!; **yes, ~** ja, bitte; **my bill, ~** die Rechnung, bitte; **~ don't cry!** bitte wein doch nicht!; **~ yourself!** (*inf*) wie du willst!; **do as you ~** machen Sie, was Sie für richtig halten.
pleased [pliːzd] *adj* (*happy*) erfreut; (*satisfied*) zufrieden; **~ to meet you** freut mich(, Sie kennenzulernen); **~ with** zufrieden mit; **we are ~ to inform you that ...** wir freuen uns, Ihnen mitzuteilen, daß ...
pleasing ['pliːzɪŋ] *adj* (*remark, picture etc*) erfreulich; (*person*) sympathisch.
pleasurable ['plɛʒərəbl] *adj* angenehm.
pleasure ['plɛʒə*] *n* (*happiness, satisfaction*) Freude *f*; (*fun, enjoyable experience*) Vergnügen *nt*; **it's a ~, my ~** gern geschehen; **with ~** gern, mit Vergnügen; **is this trip for business or ~?** ist diese Reise geschäftlich oder zum Vergnügen?
pleasure boat *n* Vergnügungsschiff *nt*.
pleasure cruise *n* Vergnügungsfahrt *f*.
pleat [pliːt] *n* Falte *f*.
pleb [plɛb] (*inf: pej*) *n* Prolet *m*.
plebiscite ['plɛbɪsɪt] *n* Volksentscheid *m*, Plebiszit *nt*.
plectrum ['plɛktrəm] *n* Plektron *nt*, Plektrum *nt*.
pledge [plɛdʒ] *n* (*promise*) Versprechen *nt* ♦ *vt* (*promise*) versprechen; **to ~ sb to secrecy** jdn zum Schweigen verpflichten.
plenary ['pliːnərɪ] *adj* (*powers*) unbeschränkt; **~ session** Plenarsitzung *f*; **~ meeting** Vollversammlung *f*.
plentiful ['plɛntɪful] *adj* reichlich.
plenty ['plɛntɪ] *n* (*lots*) eine Menge; (*sufficient*) reichlich; **~ of** eine Menge; **we've got ~ of time to get there** wir haben jede Menge Zeit, dorthin zu kommen.
plethora ['plɛθərə] *n*: **a ~ of** eine Fülle von, eine Unmenge an *+dat*.
pleurisy ['pluərɪsɪ] *n* Rippenfellentzündung *f*.
Plexiglas ® ['plɛksɪglɑːs] (*US*) *n* Plexiglas ® *nt*.
pliable ['plaɪəbl] *adj* (*material*) biegsam; (*fig: person*) leicht beeinflußbar.
pliant ['plaɪənt] *adj* = **pliable**.
pliers ['plaɪəz] *npl* Zange *f*.
plight [plaɪt] *n* (*of person, country*) Not *f*.
plimsolls ['plɪmsəlz] (*BRIT*) *npl* Turnschuhe *pl*.
plinth [plɪnθ] *n* Sockel *m*.
PLO *n abbr* (= *Palestine Liberation Organization*) PLO *f*.
plod [plɔd] *vi* (*walk*) trotten; (*fig*) sich abplagen.
plodder ['plɔdə*] (*pej*) *n* (*slow worker*) zäher Arbeiter *m*, zähe Arbeiterin *f*.
plonk [plɔŋk] (*inf*) *n* (*BRIT: wine*) (billiger) Wein *m* ♦ *vt*: **to ~ sth down** etw hinknallen.
plot [plɔt] *n* (*secret plan*) Komplott *nt*, Verschwörung *f*; (*of story, play, film*) Handlung *f* ♦ *vt* (*sb's downfall etc*) planen; (*on chart, graph*) markieren ♦ *vi* (*conspire*) sich verschwören; **a ~ of land** ein Grundstück; **a vegetable ~** (*BRIT*) ein Gemüsebeet *nt*.
plotter ['plɔtə*] *n* (*instrument, also COMPUT*) Plotter *m*.
plough, (*US*) **plow** [plau] *n* Pflug *m* ♦ *vt* pflügen; **to ~ money into sth** (*project etc*) Geld in etw *acc* stecken.
►**plough back** *vt* (*COMM*) reinvestieren.
►**plough into** *vt fus* (*crowd*) rasen in *+acc*.
ploughman, (*US*) **plowman** ['plaumən] (*irreg: like* **man**) *n* Pflüger *m*.
ploughman's lunch ['plaumənz-] (*BRIT*) *n Imbiß aus Brot, Käse und Pickles.*
plow *etc* (*US*) = **plough** *etc.*
ploy [plɔɪ] *n* Trick *m*.
pluck [plʌk] *vt* (*fruit, flower, leaf*) pflücken; (*musical instrument, eyebrows*) zupfen; (*bird*) rupfen ♦ *n* (*courage*) Mut *m*; **to ~ up courage** allen Mut zusammennehmen.
plucky ['plʌkɪ] (*inf*) *adj* (*person*) tapfer.
plug [plʌg] *n* (*ELEC*) Stecker *m*; (*stopper*) Stöpsel *m*; (*AUT: also:* **spark(ing) ~**) Zündkerze *f* ♦ *vt* (*hole*) zustopfen; (*inf: advertise*) Reklame machen für; **to give sb/ sth a ~** für jdn/etw Reklame machen.
►**plug in** *vt* (*ELEC*) einstöpseln, anschließen ♦ *vi* angeschlossen werden.
plughole ['plʌghəul] (*BRIT*) *n* Abfluß *m*.
plum [plʌm] *n* (*fruit*) Pflaume *f* ♦ *adj* (*inf*): **a ~ job** ein Traumjob *m*.

plumage ['plu:mɪdʒ] *n* Gefieder *nt*.
plumb [plʌm] *vt*: **to ~ the depths of despair/humiliation** die tiefste Verzweiflung/Erniedrigung erleben.
▸**plumb in** *vt* (*washing machine, shower etc*) anschließen, installieren.
plumber ['plʌmə*] *n* Installateur *m*, Klempner *m*.
plumbing ['plʌmɪŋ] *n* (*piping*) Installationen *pl*, Rohrleitungen *pl*; (*trade*) Klempnerei *f*; (*work*) Installationsarbeiten *pl*.
plumb line *n* Lot *nt*, Senkblei *nt*.
plume [plu:m] *n* (*of bird*) Feder *f*; (*on helmet, horse's head*) Federbusch *m*; ~ **of smoke** Rauchfahne *f*.
plummet ['plʌmɪt] *vi* (*bird, aircraft*) (hinunter)stürzen; (*price, rate*) rapide absacken.
plump [plʌmp] *adj* (*person*) füllig, mollig.
▸**plump for** (*inf*) *vt fus* sich entscheiden für.
▸**plump up** *vt* (*cushion*) aufschütteln.
plunder ['plʌndə*] *n* (*activity*) Plünderung *f*; (*stolen things*) Beute *f* ♦ *vt* (*city, tomb*) plündern.
plunge [plʌndʒ] *n* (*of bird, person*) Sprung *m*; (*fig: of prices, rates etc*) Sturz *m* ♦ *vt* (*hand, knife*) stoßen ♦ *vi* (*thing*) stürzen; (*bird, person*) sich stürzen; (*fig: prices, rates etc*) abfallen, stürzen; **to take the ~** (*fig*) den Sprung wagen; **the room was ~d into darkness** das Zimmer war in Dunkelheit getaucht.
plunger ['plʌndʒə*] *n* (*for sink*) Sauger *m*.
plunging ['plʌndʒɪŋ] *adj*: ~ **neckline** tiefer Ausschnitt *m*.
pluperfect [plu:'pə:fɪkt] *n*: **the ~** das Plusquamperfekt.
plural ['pluərl] *adj* Plural- ♦ *n* Plural *m*, Mehrzahl *f*.
plus [plʌs] *n* (*also*: ~ **sign**) Pluszeichen *nt* ♦ *prep, adj* plus; **it's a ~** (*fig*) es ist ein Vorteil *or* ein Pluspunkt; **ten/twenty ~** (*more than*) über zehn/zwanzig; **B ~** (*SCOL*) ≈ Zwei plus.
plus fours *npl* Überfallhose *f*.
plush [plʌʃ] *adj* (*car, hotel etc*) feudal ♦ *n* (*fabric*) Plüsch *m*.
plutonium [plu:'təunɪəm] *n* Plutonium *nt*.
ply [plaɪ] *vt* (*a trade*) ausüben, nachgehen *+dat*; (*tool*) gebrauchen, anwenden ♦ *vi* (*ship*) verkehren ♦ *n* (*of wool, rope*) Stärke *f*; (*also*: ~**wood**) Sperrholz *nt*; **to ~ sb with drink** jdn ausgiebig bewirten; **to ~ sb with questions** jdm viele Fragen stellen; **two-/three-~ wool** zwei-/dreifädige Wolle.
plywood ['plaɪwud] *n* Sperrholz *nt*.
PM (*BRIT*) *abbr* = **Prime Minister.**
p.m. *adv abbr* (= *post meridiem*) nachmittags; (*later*) abends.
PMT *abbr* = **premenstrual tension.**
pneumatic [nju:'mætɪk] *adj* pneumatisch.
pneumatic drill *n* Preßluftbohrer *m*.
pneumonia [nju:'məunɪə] *n* Lungenentzündung *f*.
PO *n abbr* = **Post Office**; (*MIL*) = **petty officer.**
p.o. *abbr* = **postal order.**
POA (*BRIT*) *n abbr* (= *Prison Officers' Association*) *Gewerkschaft der Gefängnisbeamten.*
poach [pəutʃ] *vt* (*steal: fish, animals, birds*) illegal erbeuten, wildern; (*CULIN: egg*) pochieren; (: *fish*) dünsten ♦ *vi* (*steal*) wildern.
poached [pəutʃt] *adj*: ~ **eggs** verlorene Eier.
poacher ['pəutʃə*] *n* Wilderer *m*.
PO Box *n abbr* (= *Post Office Box*) Postf.
pocket ['pɔkɪt] *n* Tasche *f*; (*fig: small area*) vereinzelter Bereich *m* ♦ *vt* (*put in one's pocket, steal*) einstecken; **to be out of ~** (*BRIT*) Verlust machen; ~ **of resistance** Widerstandsnest *nt*.
pocketbook ['pɔkɪtbuk] *n* (*notebook*) Notizbuch *nt*; (*US: wallet*) Brieftasche *f*; (: *handbag*) Handtasche *f*.
pocket calculator *n* Taschenrechner *m*.
pocketknife ['pɔkɪtnaɪf] *n* Taschenmesser *nt*.
pocket money *n* Taschengeld *nt*.
pocket-sized ['pɔkɪtsaɪzd] *adj* im Taschenformat.
pockmarked ['pɔkmɑ:kt] *adj* (*face*) pockennarbig.
pod [pɔd] *n* Hülse *f*.
podgy ['pɔdʒɪ] (*inf*) *adj* rundlich, pummelig.
podiatrist [pɔ'di:ətrɪst] (*US*) *n* Fußspezialist(in) *m(f)*.
podiatry [pɔ'di:ətrɪ] (*US*) *n* Fußpflege *f*.
podium ['pəudɪəm] *n* Podium *nt*.
POE *n abbr* (= *port of embarkation*) Ausgangshafen *m*; (= *port of entry*) Eingangshafen *m*.
poem ['pəuɪm] *n* Gedicht *nt*.
poet ['pəuɪt] *n* Dichter(in) *m(f)*.
poetic [pəu'ɛtɪk] *adj* poetisch, dichterisch; (*fig*) malerisch.
poetic justice *n* ausgleichende Gerechtigkeit *f*.
poetic licence *n* dichterische Freiheit *f*.
poet laureate *n* Hofdichter *m*.

> **Poet laureate** *ist in Großbritannien ein Dichter, der ein Gehalt als Hofdichter bezieht und kraft seines Amtes ein lebenslanges Mitglied des britischen Königshofes ist. Der Poet Laureate schrieb traditionellerweise ausführliche Gedichte zu Staatsanlässen; ein Brauch, der heute kaum noch befolgt wird. Der erste Poet Laureate 1616 war Ben Jonson.*

poetry ['pəuɪtrɪ] *n* (*poems*) Gedichte *pl*; (*writing*) Poesie *f*.
poignant ['pɔɪnjənt] *adj* ergreifend; (*situation*) herzzerreißend.
point [pɔɪnt] *n* Punkt *m*; (*of needle, knife etc*) Spitze *f*; (*purpose*) Sinn *m*, Zweck *m*; (*significant part*) Entscheidende(s) *nt*;

(*moment*) Zeitpunkt *m*; (*ELEC: also:* **power** ~) Steckdose *f*; (*also*: **decimal** ~) ≈ Komma *nt* ♦ *vt* (*show, mark*) deuten auf *+acc* ♦ *vi* (*with finger, stick etc*) zeigen, deuten; **points** *npl* (*AUT*) (Unterbrecher)kontakte *pl*; (*RAIL*) Weichen *pl*; **two ~ five** (= *2.5*) zwei Komma fünf; **good/bad ~s** (*of person*) gute/schlechte Seiten *or* Eigenschaften; **the train stops at Carlisle and all ~s south** der Zug hält in Carlisle und allen Orten weiter südlich; **to be on the ~ of doing sth** im Begriff sein, etw zu tun; **to make a ~ of doing sth** besonders darauf achten, etw zu tun; (*make a habit of*) Wert darauf legen, etw zu tun; **to get/miss the ~** verstehen/nicht verstehen, worum es geht; **to come** *or* **get to the ~** zur Sache kommen; **to make one's ~** seinen Standpunkt klarmachen; **that's the whole ~!** darum geht es ja gerade!; **what's the ~?** was soll's?; **to be beside the ~** unwichtig *or* irrelevant sein; **there's no ~ talking to you** es ist sinnlos, mit dir zu reden; **you've got a ~ there!** da könnten Sie recht haben!; **in ~ of fact** in Wirklichkeit; **~ of sale** (*COMM*) Verkaufsstelle *f*; **to ~ sth at sb** (*gun etc*) etw auf jdn richten; (*finger*) mit etw auf jdn *acc* zeigen; **to ~ at** zeigen auf *+acc*; **to ~ to** zeigen auf *+acc*; (*fig*) hinweisen auf *+acc*.
▸**point out** *vt* hinweisen auf *+acc*.
▸**point to** *vt fus* hindeuten auf *+acc*.
point-blank ['pɔɪnt'blæŋk] *adv* (*say, ask*) direkt; (*refuse*) glatt; (*also*: **at ~ range**) aus unmittelbarer Entfernung.
point duty (*BRIT*) *n*: **to be on ~** Verkehrsdienst haben.
pointed ['pɔɪntɪd] *adj* spitz; (*fig: remark*) spitz, scharf.
pointedly ['pɔɪntɪdlɪ] *adv* (*ask, reply etc*) spitz, scharf.
pointer ['pɔɪntə*] *n* (*on chart, machine*) Zeiger *m*; (*fig: piece of information or advice*) Hinweis *m*; (*stick*) Zeigestock *m*; (*dog*) Pointer *m*.
pointing ['pɔɪntɪŋ] *n* (*CONSTR*) Ausfugung *f*.
pointless ['pɔɪntlɪs] *adj* sinnlos, zwecklos.
point of view *n* Ansicht *f*, Standpunkt *m*; **from a practical ~** von einem praktischen Standpunkt aus.
poise [pɔɪz] *n* (*composure*) Selbstsicherheit *f*; (*balance*) Haltung *f* ♦ *vt*: **to be ~d for sth** (*fig*) bereit zu etw sein.
poison ['pɔɪzn] *n* Gift *nt* ♦ *vt* vergiften.
poisoning ['pɔɪznɪŋ] *n* Vergiftung *f*.
poisonous ['pɔɪznəs] *adj* (*animal, plant*) Gift-; (*fumes, chemicals etc*) giftig; (*fig: rumours etc*) zersetzend.
poison-pen letter [pɔɪzn'pɛn] *n* anonymer Brief *m* (*mit Indiskretionen*).
poke [pəuk] *vt* (*with finger, stick etc*) stoßen; (*fire*) schüren ♦ *n* (*jab*) Stoß *m*, Schubs *m* (*inf*); **to ~ sth in(to)** (*put*) etw stecken in *+acc*; **to ~ one's head out of the window** seinen Kopf aus dem Fenster strecken; **to ~ fun at sb** sich über jdn lustig machen.
▸**poke about** *vi* (*search*) herumstochern.
▸**poke out** *vi* (*stick out*) vorstehen.
poker ['pəukə*] *n* (*metal bar*) Schürhaken *m*; (*CARDS*) Poker *nt*.
poker-faced ['pəukə'feɪst] *adj* mit unbewegter Miene, mit Pokergesicht.
poky ['pəukɪ] (*pej*) *adj* (*room, house*) winzig.
Poland ['pəulənd] *n* Polen *nt*.
polar ['pəulə*] *adj* (*icecap*) polar; (*region*) Polar-.
polar bear *n* Eisbär *m*.
polarize ['pəuləraɪz] *vt* polarisieren.
Pole [pəul] *n* Pole *m*, Polin *f*.
pole [pəul] *n* (*post, stick*) Stange *f*; (*flag pole, telegraph pole etc*) Mast *m*; (*GEOG, ELEC*) Pol *m*; **to be ~s apart** (*fig*) durch Welten (voneinander) getrennt sein.
poleaxe, (*US*) **poleax** ['pəulæks] *vt* (*fig*) umhauen.
pole bean (*US*) *n* (*runner bean*) Stangenbohne *f*.
polecat ['pəulkæt] *n* Iltis *m*.
Pol. Econ. ['pɔlɪkɔn] *n abbr* (= *political economy*) Volkswirtschaft *f*.
polemic [pɔ'lɛmɪk] *n* Polemik *f*.
Pole Star *n* Polarstern *m*.
pole vault ['pəulvɔːlt] *n* Stabhochsprung *m*.
police [pə'liːs] *npl* (*organization*) Polizei *f*; (*members*) Polizisten *pl*, Polizeikräfte *pl* ♦ *vt* (*street, area, town*) kontrollieren; **a large number of ~ were hurt** viele Polizeikräfte wurden verletzt.
police car *n* Polizeiauto *nt*.
police constable (*BRIT*) *n* Polizist(in) *m(f)*, Polizeibeamte(r) *m*, Polizeibeamtin *f*.
police department (*US*) *n* Polizei *f*.
police force *n* Polizei *f*.
policeman [pə'liːsmən] (*irreg: like* **man**) *n* Polizist *m*.
police officer *n* = **police constable**.
police record *n*: **to have a ~** vorbestraft sein.
police state *n* (*POL*) Polizeistaat *m*.
police station *n* Polizeiwache *f*.
policewoman [pə'liːswumən] (*irreg: like* **woman**) *n* Polizistin *f*.
policy ['pɔlɪsɪ] *n* (*POL, ECON*) Politik *f*; (*also*: **insurance ~**) (Versicherungs)police *f*; (*of newspaper*) Grundsatz *m*; **to take out a ~** (*INSURANCE*) eine Versicherung abschließen.
policyholder ['pɔlɪsɪ'həuldə*] *n* (*INSURANCE*) Versicherungsnehmer(in) *m(f)*.
policy making *n* Strategieplanung *f*.
polio ['pəulɪəu] *n* Kinderlähmung *f*, Polio *f*.
Polish ['pəulɪʃ] *adj* polnisch ♦ *n* (*LING*) Polnisch *nt*.
polish ['pɔlɪʃ] *n* (*for shoes*) Creme *f*; (*for furniture*) Politur *f*; (*for floors*) Bohnerwachs *nt*; (*shine: on shoes, floor etc*) Glanz *m*; (*fig: refinement*) Schliff *m* ♦ *vt* (*shoes*) putzen;

(*floor, furniture etc*) polieren.
▸**polish off** *vt* (*work*) erledigen; (*food*) verputzen.
polished ['pɔlɪʃt] *adj* (*fig: person*) mit Schliff; (: *style*) geschliffen.
polite [pə'laɪt] *adj* höflich; (*company, society*) fein; **it's not ~ to do that** es gehört sich nicht, das zu tun.
politely [pə'laɪtlɪ] *adv* höflich.
politeness [pə'laɪtnɪs] *n* Höflichkeit *f*.
politic ['pɔlɪtɪk] *adj* klug, vernünftig.
political [pə'lɪtɪkl] *adj* politisch.
political asylum *n* politisches Asyl *nt*.
politically [pə'lɪtɪklɪ] *adv* politisch; ~ **correct** politisch korrekt.
politician [pɔlɪ'tɪʃən] *n* Politiker(in) *m(f)*.
politics ['pɔlɪtɪks] *n* Politik *f* ♦ *npl* (*beliefs, opinions*) politische Ansichten *pl*.
polka ['pɔlkə] *n* Polka *f*.
poll [pəul] *n* (*also*: **opinion ~**) (Meinungs)-umfrage *f*; (*election*) Wahl *f* ♦ *vt* (*in opinion poll*) befragen; (*number of votes*) erhalten; **to go to the ~s** (*voters*) zur Wahl gehen; (*government*) sich den Wählern stellen.
pollen ['pɔlən] *n* Pollen *m*, Blütenstaub *m*.
pollen count *n* Pollenkonzentration *f*.
pollinate ['pɔlɪneɪt] *vt* bestäuben.
polling booth ['pəulɪŋ-] (*BRIT*) *n* Wahlkabine *f*.
polling day (*BRIT*) *n* Wahltag *m*.
polling station (*BRIT*) *n* Wahllokal *nt*.
pollster ['pəulstə*] *n* Meinungsforscher(in) *m(f)*.
poll tax *n* Kopfsteuer *f*.
pollutant [pə'lu:tənt] *n* Schadstoff *m*.
pollute [pə'lu:t] *vt* verschmutzen.
pollution [pə'lu:ʃən] *n* (*process*) Verschmutzung *f*; (*substances*) Schmutz *m*.
polo ['pəuləu] *n* Polo *nt*.
polo neck *n* (*jumper*) Rollkragenpullover *m*.
polo-necked ['pəuləunɛkt] *adj* (*jumper, sweater*) Rollkragen-.
poltergeist ['pɔ:ltəgaɪst] *n* Poltergeist *m*.
poly ['pɔlɪ] (*BRIT*) *n abbr* = **polytechnic.**
poly bag (*inf*) *n* Plastiktüte *f*.
polyester [pɔlɪ'ɛstə*] *n* Polyester *m*.
polygamy [pə'lɪgəmɪ] *n* Polygamie *f*.
polygraph ['pɔlɪgrɑ:f] (*US*) *n* (*lie detector*) Lügendetektor *m*.
Polynesia [pɔlɪ'ni:zɪə] *n* Polynesien *nt*.
Polynesian [pɔlɪ'ni:zɪən] *adj* polynesisch ♦ *n* Polynesier(in) *m(f)*.
polyp ['pɔlɪp] *n* Polyp *m*.
polystyrene [pɔlɪ'staɪri:n] *n* ≈ Styropor ® *nt*.
polytechnic [pɔlɪ'tɛknɪk] *n* technische Hochschule *f*.
polythene ['pɔlɪθi:n] *n* Polyäthylen *nt*.
polythene bag *n* Plastiktüte *f*.
polyurethane [pɔlɪ'juərɪθeɪn] *n* Polyurethan *nt*.
pomegranate ['pɔmɪgrænɪt] *n* Granatapfel *m*.
pommel ['pɔml] *n* (*on saddle*) Sattelknopf *m* ♦ *vt* (*US*) = **pummel.**
pomp [pɔmp] *n* Pomp *m*, Prunk *m*.
pompom ['pɔmpɔm] *n* Troddel *f*.
pompous ['pɔmpəs] (*pej*) *adj* (*person*) aufgeblasen; (*piece of writing*) geschwollen.
pond [pɔnd] *n* Teich *m*.
ponder ['pɔndə*] *vt* nachdenken über *+acc* ♦ *vi* nachdenken.
ponderous ['pɔndərəs] *adj* (*style, language*) schwerfällig.
pong [pɔŋ] (*BRIT: inf*) *n* Gestank *m* ♦ *vi* stinken.
pontiff ['pɔntɪf] *n* Papst *m*.
pontificate [pɔn'tɪfɪkeɪt] *vi* dozieren.
pontoon [pɔn'tu:n] *n* (*floating platform*) Ponton *m*; (*CARDS*) Siebzehnundvier *nt*.
pony ['pəunɪ] *n* Pony *nt*.
ponytail ['pəunɪteɪl] *n* Pferdeschwanz *m*; **to have one's hair in a ~** einen Pferdeschwanz tragen.
pony trekking (*BRIT*) *n* Ponytrecken *nt*.
poodle ['pu:dl] *n* Pudel *m*.
pooh-pooh [pu:'pu:] *vt* verächtlich abtun.
pool [pu:l] *n* (*pond*) Teich *m*; (*also*: **swimming ~**) Schwimmbad *nt*; (*of blood*) Lache *f*; (*SPORT*) Poolbillard *nt*; (*of cash, workers*) Bestand *m*; (*CARDS: kitty*) Kasse *f*; (*COMM: consortium*) Interessengemeinschaft *f* ♦ *vt* (*money*) zusammenlegen; (*knowledge, resources*) vereinigen; **pools** *npl* (*football pools*) ≈ Fußballtoto *nt*; **a ~ of sunlight/shade** eine sonnige/schattige Stelle; **car ~** Fahrgemeinschaft *f*; **typing ~**, (*US*) **secretary ~** Schreibzentrale *f*; **to do the (football) ~s** ≈ im Fußballtoto spielen.
poor [puə*] *adj* arm; (*bad*) schlecht ♦ *npl*: **the ~** die Armen *pl*; ~ **in** (*resources etc*) arm an *+dat*; ~ **Bob** der arme Bob.
poorly ['puəlɪ] *adj* (*ill*) elend, krank ♦ *adv* (*badly: designed, paid, furnished*) schlecht.
pop [pɔp] *n* (*MUS*) Pop *m*; (*fizzy drink*) Limonade *f*; (*US: inf: father*) Papa *m*; (*sound*) Knall *m* ♦ *vi* (*balloon*) platzen; (*cork*) knallen ♦ *vt*: **to ~ sth into/onto sth** etw schnell in etw *acc* stecken/auf etw *acc* legen; **his eyes ~ped out of his head** (*inf*) ihm fielen fast die Augen aus dem Kopf; **she ~ped her head out of the window** sie streckte den Kopf aus dem Fenster.
▸**pop in** *vi* vorbeikommen.
▸**pop out** *vi* kurz weggehen.
▸**pop up** *vi* auftauchen.
popcorn ['pɔpkɔ:n] *n* Popcorn *nt*.
pope [pəup] *n* Papst *m*.
poplar ['pɔplə*] *n* Pappel *f*.
poplin ['pɔplɪn] *n* Popeline *f*.
popper ['pɔpə*] (*BRIT: inf*) *n* (*for fastening*) Druckknopf *m*.
poppy ['pɔpɪ] *n* Mohn *m*.
poppycock ['pɔpɪkɔk] (*inf*) *n* Humbug *m*, dummes Zeug *nt*.
Popsicle ® ['pɔpsɪkl] (*US*) *n* Eis *nt* am Stiel.

pop star *n* Popstar *m*.
populace ['pɔpjuləs] *n*: **the ~** die Bevölkerung, das Volk.
popular ['pɔpjulə*] *adj* (*well-liked, fashionable*) beliebt, populär; (*general, non-specialist*) allgemein; (*idea*) weitverbreitet; (*POL: movement*) Volks-; (: *cause*) des Volkes; **to be ~ with** beliebt sein bei; **the ~ press** die Boulevardpresse.
popularity [pɔpju'lærɪtɪ] *n* Beliebtheit *f*, Popularität *f*.
popularize ['pɔpjuləraɪz] *vt* (*sport, music, fashion*) populär machen; (*science, ideas*) popularisieren.
popularly ['pɔpjuləlɪ] *adv* (*commonly*) allgemein.
population [pɔpju'leɪʃən] *n* Bevölkerung *f*; (*of a species*) Zahl *f*, Population *f*; **a prison ~ of 44,000** (eine Zahl von) 44.000 Gefängnisinsassen; **the civilian ~** die Zivilbevölkerung.
population explosion *n* Bevölkerungsexplosion *f*.
populous ['pɔpjuləs] *adj* dicht besiedelt.
porcelain ['pɔːslɪn] *n* Porzellan *nt*.
porch [pɔːtʃ] *n* (*entrance*) Vorbau *m*; (*US*) Veranda *f*.
porcupine ['pɔːkjupaɪn] *n* Stachelschwein *nt*.
pore [pɔː*] *n* Pore *f* ♦ *vi*: **to ~ over** (*book etc*) gründlich studieren.
pork [pɔːk] *n* Schweinefleisch *nt*.
pork chop *n* Schweinekotelett *nt*.
porn [pɔːn] (*inf*) *n* Porno *m*; **~ channel/ magazine/shop** Pornokanal *m*/-magazin *nt*/-laden *m*.
pornographic [pɔːnə'græfɪk] *adj* pornographisch.
pornography [pɔː'nɔgrəfɪ] *n* Pornographie *f*.
porous ['pɔːrəs] *adj* porös.
porpoise ['pɔːpəs] *n* Tümmler *m*.
porridge ['pɔrɪdʒ] *n* Haferbrei *m*, Porridge *nt*.
port [pɔːt] *n* (*harbour*) Hafen *m*; (*NAUT: left side*) Backbord *nt*; (*wine*) Portwein *m*; (*COMPUT*) Port *m* ♦ *adj* (*NAUT*) Backbord-; **to ~** (*NAUT*) an Backbord; **~ of call** (*NAUT*) Anlaufhafen *nt*.
portable ['pɔːtəbl] *adj* (*television, typewriter etc*) tragbar, portabel.
portal ['pɔːtl] *n* Portal *nt*.
portcullis [pɔːt'kʌlɪs] *n* Fallgitter *nt*.
portend [pɔː'tɛnd] *vt* hindeuten auf *+acc*.
portent ['pɔːtɛnt] *n* Vorzeichen *nt*.
porter ['pɔːtə*] *n* (*for luggage*) Gepäckträger *m*; (*doorkeeper*) Pförtner *m*; (*US: RAIL*) Schlafwagenschaffner(in) *m(f)*.
portfolio [pɔːt'fəulɪəu] *n* (*case*) Aktenmappe *f*; (*POL*) Geschäftsbereich *m*; (*FIN*) Portefeuille *nt*; (*of artist*) Kollektion *f*.
porthole ['pɔːthəul] *n* Bullauge *nt*.
portico ['pɔːtɪkəu] *n* Säulenhalle *f*.
portion ['pɔːʃən] *n* (*part*) Teil *m*; (*helping of food*) Portion *f*.
portly ['pɔːtlɪ] *adj* beleibt, korpulent.
portrait ['pɔːtreɪt] *n* Porträt *nt*.
portray [pɔː'treɪ] *vt* darstellen.
portrayal [pɔː'treɪəl] *n* Darstellung *f*.
Portugal ['pɔːtjugl] *n* Portugal *nt*.
Portuguese [pɔːtju'giːz] *adj* portugiesisch ♦ *n inv* (*person*) Portugiese *m*, Portugiesin *f*; (*LING*) Portugiesisch *nt*.
Portuguese man-of-war [-mænəv'wɔː*] *n* (*ZOOL*) Röhrenqualle *f*, Portugiesische Galeere *f*.
pose [pəuz] *n* Pose *f* ♦ *vt* (*question, problem*) aufwerfen; (*danger*) mit sich bringen ♦ *vi*: **to ~ as** (*pretend*) sich ausgeben als; **to strike a ~** sich in Positur werfen; **to ~ for** (*painting etc*) Modell sitzen für, posieren für.
poser ['pəuzə*] *n* (*problem, puzzle*) harte Nuß *f* (*inf*); (*person*) = **poseur**.
poseur [pəu'zəː*] (*pej*) *n* Angeber(in) *m(f)*.
posh [pɔʃ] (*inf*) *adj* vornehm; **to talk ~** vornehm daherreden.
position [pə'zɪʃən] *n* (*place: of thing, person*) Position *f*, Lage *f*; (*of person's body*) Stellung *f*; (*job*) Stelle *f*; (*in race etc*) Platz *m*; (*attitude*) Haltung *f*, Standpunkt *m*; (*situation*) Lage ♦ *vt* (*person, thing*) stellen; **to be in a ~ to do sth** in der Lage sein, etw zu tun.
positive ['pɔzɪtɪv] *adj* positiv; (*certain*) sicher; (*decisive: action, policy*) konstruktiv.
positively ['pɔzɪtɪvlɪ] *adv* (*emphatic: rude, stupid etc*) eindeutig; (*encouragingly, also ELEC*) positiv; **the body has been ~ identified** die Leiche ist eindeutig identifiziert worden.
posse ['pɔsɪ] (*US*) *n* (Polizei)truppe *f*.
possess [pə'zɛs] *vt* besitzen; (*subj: feeling, belief*) Besitz ergreifen von; **like a man ~ed** wie besessen; **whatever ~ed you to do it?** was ist in dich gefahren, das zu tun?
possession [pə'zɛʃən] *n* Besitz *m*; **possessions** *npl* (*belongings*) Besitz *m*; **to take ~ of** Besitz ergreifen von.
possessive [pə'zɛsɪv] *adj* (*nature etc*) besitzergreifend; (*LING: pronoun*) Possessiv-; (: *adjective*) besitzanzeigend; **to be ~ about sb/sth** Besitzansprüche an jdn/ etw *acc* stellen.
possessiveness [pə'zɛsɪvnɪs] *n* besitzergreifende Art *f*.
possessor [pə'zɛsə*] *n* Besitzer(in) *m(f)*.
possibility [pɔsɪ'bɪlɪtɪ] *n* Möglichkeit *f*.
possible ['pɔsɪbl] *adj* möglich; **it's ~** (*may be true*) es ist möglich, es kann sein; **it's ~ to do it** es ist machbar *or* zu machen; **as far as ~** so weit wie möglich; **if ~** falls *or* wenn möglich; **as soon as ~** so bald wie möglich.
possibly ['pɔsɪblɪ] *adv* (*perhaps*) möglicherweise, vielleicht; (*conceivably*) überhaupt; **if you ~ can** falls überhaupt möglich; **what could they ~ want?** was um alles in der Welt wollen sie?; **I cannot ~ come** ich kann auf keinen Fall kommen.

post [pəust] *n* (*BRIT*) Post *f*; (*pole, goal post*) Pfosten *m*; (*job*) Stelle *f*; (*MIL*) Posten *m*; (*also:* **trading ~**) Handelsniederlassung *f* ♦ *vt* (*BRIT: letter*) aufgeben; (*MIL*) aufstellen; **by ~** (*BRIT*) per Post; **by return of ~** (*BRIT*) postwendend, umgehend; **to keep sb ~ed** (*informed*) jdn auf dem laufenden halten; **to ~ sb to** (*town, country*) jdn versetzen nach; (*embassy, office*) jdn versetzen zu; (*MIL*) jdn abkommandieren nach.
▸**post up** *vt* anschlagen.
post... [pəust] *pref* Post-, post-; **~-1990** nach 1990.
postage ['pəustɪdʒ] *n* Porto *nt*.
postage stamp *n* Briefmarke *f*.
postal ['pəustl] *adj* (*charges, service*) Post-.
postal order (*BRIT*) *n* Postanweisung *f*.
postbag ['pəustbæg] (*BRIT*) *n* Postsack *m*; (*letters*) Posteingang *m*.
postbox ['pəustbɔks] *n* Briefkasten *m*.
postcard ['pəustkɑːd] *n* Postkarte *f*.
postcode ['pəustkəud] (*BRIT*) *n* Postleitzahl *f*.
postdate ['pəust'deɪt] *vt* (*cheque*) vordatieren.
poster ['pəustə*] *n* Poster *nt*, Plakat *nt*.
poste restante [pəust'rɛstɑ̃ːnt] (*BRIT*) *n* Stelle *f* für postlagernde Sendungen ♦ *adv* postlagernd.
posterior [pɔs'tɪərɪə*] (*hum*) *n* Allerwerteste(r) *m*.
posterity [pɔs'tɛrɪtɪ] *n* die Nachwelt.
poster paint *n* Plakatfarbe *f*.
post exchange (*US*) *n* (*MIL*) *Laden für US-Militärpersonal*.
post-free [pəust'friː] (*BRIT*) *adj, adv* portofrei.
postgraduate ['pəust'grædjuət] *n* Graduierte(r) *f(m)* (*im Weiterstudium*).
posthumous ['pɔstjuməs] *adj* posthum.
posthumously ['pɔstjuməslɪ] *adv* posthum.
posting ['pəustɪŋ] *n* (*job*) Stelle *f*.
postman ['pəustmən] (*irreg: like* **man**) *n* Briefträger *m*, Postbote *m*.
postmark ['pəustmɑːk] *n* Poststempel *m*.
postmaster ['pəustmɑːstə*] *n* Postmeister *m*.
Postmaster General *n* ≈ Postminister(in) *m(f)*.
postmistress ['pəustmɪstrɪs] *n* Postmeisterin *f*.
postmortem [pəust'mɔːtəm] *n* (*MED*) Obduktion *f*; (*fig*) nachträgliche Erörterung *f*.
postnatal ['pəust'neɪtl] *adj* nach der Geburt, postnatal.
post office *n* (*building*) Post *f*, Postamt *nt*; **the Post Office** (*organization*) die Post.
Post Office Box *n* Postfach *nt*.
post-paid ['pəust'peɪd] *adj, adv* = **post-free**.
postpone [pəus'pəun] *vt* verschieben.
postponement [pəus'pəunmənt] *n* Aufschub *m*.
postscript ['pəustskrɪpt] *n* (*to letter*) Nachschrift *f*, PS *nt*.
postulate ['pɔstjuleɪt] *vt* ausgehen von, postulieren.
posture ['pɔstʃə*] *n* (*also fig*) Haltung *f* ♦ *vi* (*pej*) posieren.
postwar [pəust'wɔː*] *adj* Nachkriegs-.
posy ['pəuzɪ] *n* Blumensträußchen *nt*.
pot [pɔt] *n* Topf *m*; (*teapot, coffee pot, potful*) Kanne *f*; (*inf: marijuana*) Pot *nt* ♦ *vt* (*plant*) eintopfen; **to go to ~** (*inf*) auf den Hund kommen; **~s of** (*BRIT: inf*) jede Menge.
potash ['pɔtæʃ] *n* Pottasche *f*.
potassium [pə'tæsɪəm] *n* Kalium *nt*.
potato [pə'teɪtəu] (*pl* **~es**) *n* Kartoffel *f*.
potato chips (*US*) *npl* = **potato crisps**.
potato crisps *npl* Kartoffelchips *pl*.
potato flour *n* Kartoffelmehl *nt*.
potato peeler *n* Kartoffelschäler *m*.
potbellied ['pɔtbɛlɪd] *adj* (*from overeating*) dickbäuchig; (*from malnutrition*) blähbäuchig.
potency ['pəutnsɪ] *n* (*sexual*) Potenz *f*; (*of drink, drug*) Stärke *f*.
potent ['pəutnt] *adj* (*powerful*) stark; (*sexually*) potent.
potentate ['pəutnteɪt] *n* Machthaber *m*, Potentat *m*.
potential [pə'tɛnʃl] *adj* potentiell ♦ *n* Potential *nt*; **to have ~** (*person, machine*) Fähigkeiten *or* Potential haben; (*idea, plan*) ausbaufähig sein.
potentially [pə'tɛnʃəlɪ] *adv* potentiell; **it's ~ dangerous** es könnte gefährlich sein.
pothole ['pɔthəul] *n* (*in road*) Schlagloch *nt*; (*cave*) Höhle *f*.
potholing ['pɔthəulɪŋ] (*BRIT*) *n*: **to go ~** Höhlenforschung betreiben.
potion ['pəuʃən] *n* Elixier *nt*.
potluck [pɔt'lʌk] *n*: **to take ~** sich überraschen lassen.
potpourri [pəu'puriː] *n* (*dried petals*) Duftsträußchen *nt*; (*fig*) Sammelsurium *nt*.
pot roast *n* Schmorbraten *m*.
pot shot *n*: **to take a ~ at** aufs Geratewohl schießen auf *+acc*.
potted ['pɔtɪd] *adj* (*food*) eingemacht; (*plant*) Topf-; (*abbreviated: history etc*) Kurz-, kurzgefaßt.
potter ['pɔtə*] *n* Töpfer(in) *m(f)* ♦ *vi*: **to ~ around, ~ about** (*BRIT*) herumhantieren; **to ~ around the house** im Haus herumwerkeln.
potter's wheel *n* Töpferscheibe *f*.
pottery ['pɔtərɪ] *n* (*pots, dishes etc*) Keramik *f*, Töpferwaren *pl*; (*work, hobby*) Töpfern *nt*; (*factory, workshop*) Töpferei *f*; **a piece of ~** ein Töpferstück *nt*.
potty ['pɔtɪ] *adj* (*inf: mad*) verrückt ♦ *n* (*for child*) Töpfchen *nt*.
potty-training ['pɔtɪtreɪnɪŋ] *n* Entwöhnung *f* vom Windeltragen.
pouch [pautʃ] *n* Beutel *m* (*also ZOOL*).
pouf(fe) [puːf] *n* (*stool*) gepolsterter Hocker *m*.

poultice ['pəultɪs] *n* Umschlag *m*.
poultry ['pəultrɪ] *n* Geflügel *nt*.
poultry farm *n* Geflügelfarm *f*.
poultry farmer *n* Geflügelzüchter(in) *m(f)*.
pounce [pauns] *vi*: **to ~ on** (*also fig*) sich stürzen auf *+acc*.
pound [paund] *n* (*unit of money*) Pfund *nt*; (*unit of weight*) (britisches) Pfund (= *453,6g*); (*for dogs*) Zwinger *m*; (*for cars*) Abholstelle *f* (*für abgeschleppte Fahrzeuge*) ♦ *vt* (*beat: table, wall etc*) herumhämmern auf *+dat*; (*crush: grain, spice etc*) zerstoßen; (*bombard*) beschießen ♦ *vi* (*heart*) klopfen, pochen; (*head*) dröhnen; **half a ~ of butter** ein halbes Pfund Butter; **a five-~ note** ein Fünfpfundschein *m*.
pounding ['paundɪŋ] *n*: **to take a ~** (*fig*) schwer angegriffen werden; (*team*) eine Schlappe einstecken müssen.
pound sterling *n* Pfund *nt* Sterling.
pour [pɔː*] *vt* (*tea, wine etc*) gießen; (*cereal etc*) schütten ♦ *vi* strömen; **to ~ sb a glass of wine/a cup of tea** jdm ein Glas Wein/eine Tasse Tee einschenken; **to ~ with rain** in Strömen gießen.
▸**pour away** *vt* wegschütten.
▸**pour in** *vi* (*people*) hereinströmen; (*letters etc*) massenweise eintreffen.
▸**pour out** *vi* (*people*) herausströmen ♦ *vt* (*tea, wine etc*) eingießen; (*fig: thoughts, feelings, etc*) freien Lauf lassen *+dat*.
pouring ['pɔːrɪŋ] *adj*: **~ rain** strömender Regen *m*.
pout [paut] *vi* einen Schmollmund ziehen.
poverty ['pɔvətɪ] *n* Armut *f*.
poverty line *n* Armutsgrenze *f*.
poverty-stricken ['pɔvətɪstrɪkn] *adj* verarmt, notleidend.
poverty trap (*BRIT*) *n gleichbleibend schlechte wirtschaftliche Situation aufgrund des Wegfalls von Sozialleistungen bei verbessertem Einkommen*, Armutsfalle *f*.
POW *n abbr* = **prisoner of war.**
powder ['paudə*] *n* Pulver *nt* ♦ *vt*: **to ~ one's face** sich *dat* das Gesicht pudern; **to ~ one's nose** (*euph*) kurz mal verschwinden.
powder compact *n* Puderdose *f*.
powdered milk ['paudəd-] *n* Milchpulver *nt*.
powder keg *n* (*also fig*) Pulverfaß *nt*.
powder puff *n* Puderquaste *f*.
powder room (*euph*) *n* Damentoilette *f*.
power ['pauə*] *n* (*control, legal right*) Macht *f*; (*ability*) Fähigkeit *f*; (*of muscles, ideas, words*) Kraft *f*; (*of explosion, engine*) Gewalt *f*; (*electricity*) Strom *m*; **2 to the ~ (of) 3** (*MATH*) 2 hoch 3; **to do everything in one's ~ to help** alles in seiner Macht Stehende tun, um zu helfen; **a world ~** eine Weltmacht; **the ~s that be** (*authority*) diejenigen, die das Sagen haben; **~ of attorney** Vollmacht *f*; **to be in ~** (*POL etc*) an der Macht sein.
powerboat ['pauəbəut] *n* schnelles Motorboot *nt*, Rennboot *nt*.
power cut *n* Stromausfall *m*.
powered ['pauəd] *adj*: **~ by** angetrieben von; **nuclear-~ submarine** atomgetriebenes U-Boot.
power failure *n* Stromausfall *m*.
powerful ['pauəful] *adj* (*person, organization*) mächtig; (*body, voice, blow etc*) kräftig; (*engine*) stark; (*unpleasant: smell*) streng; (*emotion*) überwältigend; (*argument, evidence*) massiv.
powerhouse ['pauəhaus] *n*: **he is a ~ of ideas** er hat ständig neue Ideen.
powerless ['pauəlɪs] *adj* machtlos; **to be ~ to do sth** nicht die Macht haben, etw zu tun.
power line *n* Stromkabel *nt*.
power point (*BRIT*) *n* Steckdose *f*.
power station *n* Kraftwerk *nt*.
power steering *n* (*AUT*) Servolenkung *f*.
powwow ['pauwau] *n* Besprechung *f*.
pp *abbr* (= *per procurationem*) ppa.
pp. *abbr* (= *pages*) S.
PPE (*BRIT*) *n abbr* (*UNIV*: = *philosophy, politics and economics*) *Studiengang bestehend aus Philosophie, Politologie und Volkswirtschaft.*
PPS *n abbr* (= *post postscriptum*) PPS; (*BRIT*: = *parliamentary private secretary*) *Privatsekretär eines Ministers.*
PQ (*CANADA*) *abbr* (= *Province of Quebec*).
PR *n abbr* = **public relations**; (*POL*) = **proportional representation** ♦ *abbr* (*US: POST*: = *Puerto Rico*).
Pr. *abbr* = **prince.**
practicability [præktɪkə'bɪlɪtɪ] *n* Durchführbarkeit *f*.
practicable ['præktɪkəbl] *adj* (*scheme, idea*) durchführbar.
practical ['præktɪkl] *adj* praktisch; (*person: good with hands*) praktisch veranlagt; (*ideas, methods*) praktikabel.
practicality [præktɪ'kælɪtɪ] *n* (*of person*) praktische Veranlagung *f*; **practicalities** *npl* (*of situation etc*) praktische Einzelheiten *pl*.
practical joke *n* Streich *m*.
practically ['præktɪklɪ] *adv* praktisch.
practice ['præktɪs] *n* (*also MED, LAW*) Praxis *f*; (*custom*) Brauch *m*; (*exercise*) Übung *f* ♦ *vt, vi* (*US*) = **practise; in ~** in der Praxis; **out of ~** aus der Übung; **2 hours' piano ~** 2 Stunden Klavierübungen; **it's common** *or* **standard ~** es ist allgemein üblich; **to put sth into ~** etw in die Praxis umsetzen; **target ~** Zielschießen *nt*.
practice match *n* Übungsspiel *nt*.
practise, (*US*) **practice** ['præktɪs] *vt* (*train at*) üben; (*carry out: custom*) pflegen; (*: activity etc*) ausüben; (*profession*) praktizieren ♦ *vi* (*train*) üben; (*lawyer, doctor etc*) praktizieren.
practised ['præktɪst] (*BRIT*) *adj* (*person, liar*) geübt; (*performance*) gekonnt; **with a ~ eye** mit geschultem Auge.

practising ['præktɪsɪŋ] *adj* praktizierend.
practitioner [præk'tɪʃənə*] *n:* **medical** ~ praktischer Arzt *m*, praktische Ärztin *f*; **legal** ~ Rechtsanwalt *m*, Rechtsanwältin *f*.
pragmatic [præg'mætɪk] *adj* pragmatisch.
pragmatism ['prægmətɪzəm] *n* Pragmatismus *m*.
Prague [prɑːg] *n* Prag *nt*.
prairie ['prɛərɪ] *n* (Gras)steppe *f*; **the ~s** (*US*) die Prärien.
praise [preɪz] *n* Lob *nt* ♦ *vt* loben; (*REL*) loben, preisen.
praiseworthy ['preɪzwəːðɪ] *adj* lobenswert.
pram [præm] (*BRIT*) *n* Kinderwagen *m*.
prance [prɑːns] *vi* (*horse*) tänzeln; **to ~ about/in/out** (*person*) herum-/hinein-/hinausstolzieren.
prank [præŋk] *n* Streich *m*.
prat [præt] (*BRIT: inf*) *n* (*idiot*) Trottel *m*.
prattle ['prætl] *vi:* **to ~ on (about)** pausenlos plappern (über *+acc*).
prawn [prɔːn] *n* (*CULIN, ZOOL*) Garnele *f*, Krabbe *f*; ~ **cocktail** Krabbencocktail *m*.
pray [preɪ] *vi* beten; **to ~ for sb/sth** (*REL, fig*) für jdn/um etw beten.
prayer [prɛə*] *n* Gebet *nt*; **to say one's ~s** beten.
prayer book *n* Gebetbuch *nt*.
pre... [priː] *pref* Prä-, prä-; **~-1970** vor 1970.
preach [priːtʃ] *vi* (*REL*) predigen; (*pej: moralize*) Predigten halten ♦ *vt* (*sermon*) direkt halten; (*fig: advocate*) predigen, verkünden; **to ~ at sb** (*fig*) jdm Moralpredigten halten; **to ~ to the converted** (*fig*) offene Türen einrennen.
preacher ['priːtʃə*] *n* Prediger(in) *m(f)*.
preamble [prɪ'æmbl] *n* Vorbemerkung *f*.
prearranged [priːə'reɪndʒd] *adj* (vorher) vereinbart.
precarious [prɪ'kɛərɪəs] *adj* prekär.
precaution [prɪ'kɔːʃən] *n* Vorsichtsmaßnahme *f*; **to take ~s** Vorsichtsmaßnahmen treffen.
precautionary [prɪ'kɔːʃənrɪ] *adj* (*measure*) vorbeugend, Vorsichts-.
precede [prɪ'siːd] *vt* (*event*) vorausgehen *+dat*; (*person*) vorangehen *+dat*; (*words, sentences*) vorangestellt sein *+dat*.
precedence ['prɛsɪdəns] *n* (*priority*) Vorrang *m*; **to take ~ over** Vorrang haben vor *+dat*.
precedent ['prɛsɪdənt] *n* (*LAW*) Präzedenzfall *m*; **without ~** noch nie dagewesen; **to establish** *or* **set a ~** einen Präzedenzfall schaffen.
preceding [prɪ'siːdɪŋ] *adj* vorhergehend.
precept ['priːsɛpt] *n* Grundsatz *m*, Regel *f*.
precinct ['priːsɪŋkt] *n* (*US: part of city*) Bezirk *m*; **precincts** *npl* (*of cathedral, palace*) Gelände *nt*; **shopping ~** (*BRIT*) Einkaufsviertel *nt*; (*under cover*) Einkaufscenter *nt*.
precious ['prɛʃəs] *adj* wertvoll, kostbar; (*pej: person, writing*) geziert; (*ironic: damned*) heißgeliebt, wundervoll ♦ *adv* (*inf*): ~ **little/few** herzlich wenig/wenige.
precious stone *n* Edelstein *m*.
precipice ['prɛsɪpɪs] *n* (*also fig*) Abgrund *m*.
precipitate [*vt* prɪ'sɪpɪteɪt, *adj* prɪ'sɪpɪtɪt] *vt* (*event*) heraufbeschwören ♦ *adj* (*hasty*) überstürzt, übereilt.
precipitation [prɪsɪpɪ'teɪʃən] *n* (*rain*) Niederschlag *m*.
precipitous [prɪ'sɪpɪtəs] *adj* (*steep*) steil; (*hasty*) übereilt.
précis ['preɪsiː] *n inv* Zusammenfassung *f*.
precise [prɪ'saɪs] *adj* genau, präzise; **at 4 o'clock to be ~** um 4 Uhr, um genau zu sein.
precisely [prɪ'saɪslɪ] *adv* genau, exakt; (*emphatic*) ganz genau; **~!** genau!
precision [prɪ'sɪʒən] *n* Genauigkeit *f*, Präzision *f*.
preclude [prɪ'kluːd] *vt* ausschließen; **to ~ sb from doing sth** jdn daran hindern, etw zu tun.
precocious [prɪ'kəuʃəs] *adj* (*child, behaviour*) frühreif.
preconceived [priːkən'siːvd] *adj* (*idea*) vorgefaßt.
preconception ['priːkən'sɛpʃən] *n* vorgefaßte Meinung *f*.
precondition ['priːkən'dɪʃən] *n* Vorbedingung *f*.
precursor [priː'kəːsə*] *n* Vorläufer *m*.
predate ['priː'deɪt] *vt* (*precede*) vorausgehen *+dat*.
predator ['prɛdətə*] *n* (*ZOOL*) Raubtier *nt*; (*fig*) Eindringling *m*.
predatory ['prɛdətərɪ] *adj* (*animal*) Raub-; (*person, organization*) auf Beute lauernd.
predecessor ['priːdɪsɛsə*] *n* Vorgänger(in) *m(f)*.
predestination [priːdɛstɪ'neɪʃən] *n* Vorherbestimmung *f*.
predetermine [priːdɪ'təːmɪn] *vt* vorherbestimmen.
predicament [prɪ'dɪkəmənt] *n* Notlage *f*, Dilemma *nt*; **to be in a ~** in einer Notlage *or* einem Dilemma stecken.
predicate ['prɛdɪkɪt] *n* (*LING*) Prädikat *nt*.
predict [prɪ'dɪkt] *vt* vorhersagen.
predictable [prɪ'dɪktəbl] *adj* vorhersagbar.
predictably [prɪ'dɪktəblɪ] *adv* (*behave, react*) wie vorherzusehen; ~ **she didn't come** wie vorherzusehen war, kam sie nicht.
prediction [prɪ'dɪkʃən] *n* Voraussage *f*.
predispose ['priːdɪs'pəuz] *vt:* **to ~ sb to sth** jdn zu etw veranlassen; **to be ~d to do sth** geneigt sein, etw zu tun.
predominance [prɪ'dɔmɪnəns] *n* Vorherrschaft *f*.
predominant [prɪ'dɔmɪnənt] *adj* vorherrschend; **to become ~** vorherrschend werden.
predominantly [prɪ'dɔmɪnəntlɪ] *adv* überwiegend.

predominate [prɪ'dɔmɪneɪt] *vi* (*in number, size*) vorherrschen; (*in strength, influence*) überwiegen.
pre-eminent [priː'ɛmɪnənt] *adj* herausragend.
pre-empt [priː'ɛmt] *vt* zuvorkommen *+dat*.
pre-emptive [priː'ɛmtɪv] *adj*: **~-~ strike** Präventivschlag *m*.
preen [priːn] *vt*: **to ~ itself** (*bird*) sich putzen; **to ~ o.s.** sich herausputzen.
prefab ['priːfæb] *n* Fertighaus *nt*.
prefabricated [priː'fæbrɪkeɪtɪd] *adj* vorgefertigt.
preface ['prɛfəs] *n* Vorwort *nt* ♦ *vt*: **to ~ with/by** (*speech, action*) einleiten mit/durch.
prefect ['priːfɛkt] (*BRIT*) *n* (*in school*) Aufsichtsschüler(in) *m(f)*.
prefer [prɪ'fəː*] *vt* (*like better*) vorziehen; **to ~ charges** (*LAW*) Anklage erheben; **to ~ doing** *or* **to do sth** (es) vorziehen, etw zu tun; **I ~ tea to coffee** ich mag lieber Tee als Kaffee.
preferable ['prɛfrəbl] *adj*: **to be ~ (to)** vorzuziehen sein (*+dat*).
preferably ['prɛfrəblɪ] *adv* vorzugsweise, am besten.
preference ['prɛfrəns] *n*: **to have a ~ for** (*liking*) eine Vorliebe haben für; **I drink beer in ~ to wine** ich trinke lieber Bier als Wein; **to give ~ to** (*priority*) vorziehen, Vorrang einräumen *+dat*.
preference shares (*BRIT*) *npl* (*COMM*) Vorzugsaktien *pl*.
preferential [prɛfə'rɛnʃəl] *adj*: **~ treatment** bevorzugte Behandlung *f*; **to give sb ~ treatment** jdn bevorzugt behandeln.
preferred stock [prɪ'fəd-] (*US*) *npl* = **preference shares**.
prefix ['priːfɪks] *n* (*LING*) Präfix *nt*.
pregnancy ['prɛgnənsɪ] *n* (*of woman*) Schwangerschaft *f*; (*of female animal*) Trächtigkeit *f*.
pregnancy test *n* Schwangerschaftstest *m*.
pregnant ['prɛgnənt] *adj* (*woman*) schwanger; (*female animal*) trächtig; (*fig: pause, remark*) bedeutungsschwer; **3 months ~** im vierten Monat (schwanger).
prehistoric ['priːhɪs'tɔrɪk] *adj* prähistorisch, vorgeschichtlich.
prehistory [priː'hɪstərɪ] *n* Vorgeschichte *f*.
prejudge [priː'dʒʌdʒ] *vt* vorschnell beurteilen.
prejudice ['prɛdʒudɪs] *n* (*bias against*) Vorurteil *nt*; (*bias in favour*) Voreingenommenheit *f* ♦ *vt* beeinträchtigen; **without ~ to** (*form*) unbeschadet *+gen*, ohne Beeinträchtigung *+gen*; **to ~ sb in favour of/against sth** jdn für/gegen etw einnehmen.
prejudiced ['prɛdʒudɪst] *adj* (*person, view*) voreingenommen.
prelate ['prɛlət] *n* Prälat *m*.
preliminaries [prɪ'lɪmɪnərɪz] *npl* Vorbereitungen *pl*; (*of competition*) Vorrunde *f*.
preliminary [prɪ'lɪmɪnərɪ] *adj* (*step, arrangements*) vorbereitend; (*remarks*) einleitend.
prelude ['prɛljuːd] *n* (*MUS*) Präludium *nt*; (: *as introduction*) Vorspiel *nt*; **a ~ to** (*fig*) ein Vorspiel *or* ein Auftakt zu.
premarital ['priː'mærɪtl] *adj* vorehelich.
premature ['prɛmətʃuə*] *adj* (*earlier than expected*) vorzeitig; (*too early*) verfrüht; **you are being a little ~** Sie sind etwas voreilig; **~ baby** Frühgeburt *f*.
premeditated [priː'mɛdɪteɪtɪd] *adj* vorsätzlich.
premeditation [priːmɛdɪ'teɪʃən] *n* Vorsatz *m*.
premenstrual tension [priː'mɛnstruəl-] *n* prämenstruelles Syndrom *nt*.
premier ['prɛmɪə*] *adj* (*best*) beste(r, s), bedeutendste(r, s) ♦ *n* (*POL*) Premierminister(in) *m(f)*.
premiere ['prɛmɪɛə*] *n* Premiere *f*.
premise ['prɛmɪs] *n* (*of argument*) Voraussetzung *f*; **premises** *npl* (*of business etc*) Räumlichkeiten *pl*; **on the ~s** im Hause.
premium ['priːmɪəm] *n* (*COMM, INSURANCE*) Prämie *f*; **to be at a ~** (*expensive*) zum Höchstpreis gehandelt werden; (*hard to get*) Mangelware sein.
premium bond (*BRIT*) *n* Prämienanleihe *f*.

> **Premium Bonds**, *eigentlich* **Premium Savings Bonds**, *sind Lotterieaktien, die seit 1956 vom britischen Finanzministerium ausgegeben werden und keine Zinsen bringen, sondern statt dessen an einer monatlichen Auslosung teilnehmen. Die Gewinnummern für die verschiedenen Geldpreise werden in Blackpool von einem Computer namens* **ERNIE** (**E**lectronic **R**andom **N**umber **I**ndicator **E**quipment) *ermittelt.*

premium gasoline (*US*) *n* Super(benzin) *nt*.
premonition [prɛmə'nɪʃən] *n* Vorahnung *f*.
preoccupation [priːɔkju'peɪʃən] *n*: **~ with** (vorrangige) Beschäftigung mit.
preoccupied [priː'ɔkjupaɪd] *adj* (*thoughtful*) gedankenverloren; (*with work, family*) beschäftigt.
prep [prɛp] (*SCOL*) *adj abbr* (= *preparatory*) *see* **preparatory school** ♦ *n abbr* (= *preparation*) Hausaufgaben *pl*.
prepaid [priː'peɪd] *adj* (*paid in advance*) im voraus bezahlt; (*envelope*) frankiert.
preparation [prɛpə'reɪʃən] *n* Vorbereitung *f*; (*food, medicine, cosmetic*) Zubereitung *f*; **preparations** *npl* Vorbereitungen *pl*; **in ~ for sth** als Vorbereitung für etw.
preparatory [prɪ'pærətərɪ] *adj* vorbereitend; **~ to sth/to doing sth** als Vorbereitung für etw/, um etw zu tun.
prepare [prɪ'pɛə*] *vt* vorbereiten; (*food, meal*) zubereiten ♦ *vi*: **to ~ for** sich vorbereiten

auf *+acc.*
prepared [prɪ'pɛəd] *adj:* **to be ~ to do sth** (*willing*) bereit sein, etw zu tun; **to be ~ for sth** (*ready*) auf etw *acc* vorbereitet sein.
preponderance [prɪ'pɔndərns] *n* Übergewicht *nt.*
preposition [prɛpə'zɪʃən] *n* Präposition *f.*
prepossessing [pri:pə'zɛsɪŋ] *adj* von angenehmer Erscheinung.
preposterous [prɪ'pɔstərəs] *adj* grotesk, widersinnig.
prep school *n* = **preparatory school.**

> **Prep(aratory) school** *ist in Großbritannien eine meist private Schule für Kinder im Alter von 7 bis 13 Jahren, die auf eine weiterführende Privatschule vorbereiten soll.*

prerecorded ['pri:rɪ'kɔ:dɪd] *adj* (*broadcast*) aufgezeichnet; (*cassette, video*) bespielt.
prerequisite [pri:'rɛkwɪzɪt] *n* Vorbedingung *f*, Grundvoraussetzung *f.*
prerogative [prɪ'rɔgətɪv] *n* Vorrecht *nt*, Privileg *nt.*
Presbyterian [prɛzbɪ'tɪərɪən] *adj* presbyterianisch ♦ *n* Presbyterianer(in) *m(f).*
presbytery ['prɛzbɪtərɪ] *n* Pfarrhaus *nt.*
preschool ['pri:'sku:l] *adj* (*age, child, education*) Vorschul-.
prescribe [prɪ'skraɪb] *vt* (*MED*) verschreiben; (*demand*) anordnen, vorschreiben.
prescribed *adj* (*duties, period*) vorgeschrieben.
prescription [prɪ'skrɪpʃən] *n* (*MED: slip of paper*) Rezept *nt*; (*: medicine*) Medikament *nt*; **to make up** *or* (*US*) **fill a ~** ein Medikament zubereiten; **"only available on ~"** „rezeptpflichtig".
prescription charges (*BRIT*) *npl* Rezeptgebühr *f.*
prescriptive [prɪ'skrɪptɪv] *adj* normativ.
presence ['prɛzns] *n* Gegenwart *f*, Anwesenheit *f*; (*fig: personality*) Ausstrahlung *f*; (*spirit, invisible influence*) Erscheinung *f*; **in sb's ~** in jds *dat* Gegenwart *or* Beisein; **~ of mind** Geistesgegenwart *f.*
present [*adj, n* 'prɛznt, *vt* prɪ'zɛnt] *adj* (*current*) gegenwärtig, derzeitig; (*in attendance*) anwesend ♦ *n* (*gift*) Geschenk *nt*; (*LING: also:* **~ tense**) Präsens *nt*, Gegenwart *f* ♦ *vt* (*give: prize etc*) überreichen; (*plan, report*) vorlegen; (*cause, provide, portray*) darstellen; (*information, view*) darlegen; (*RADIO, TV*) leiten; **to be ~ at** anwesend *or* zugegen sein bei; **those ~** die Anwesenden; **to give sb a ~** jdm ein Geschenk geben; **the ~** (*actuality*) die Gegenwart; **at ~** gegenwärtig, im Augenblick; **to ~ sth to sb, ~ sb with sth** jdm etw übergeben *or* überreichen; **to ~ sb (to)** (*formally: introduce*) jdn vorstellen *+dat*; **to ~ itself** (*opportunity*) sich bieten.
presentable [prɪ'zɛntəbl] *adj* (*person*) präsentabel, ansehnlich.
presentation [prɛzn'teɪʃən] *n* (*of prize*) Überreichung *f*; (*of plan, report etc*) Vorlage *f*; (*appearance*) Erscheinungsbild *nt*; (*talk*) Vortrag *m*; **on ~ of** (*voucher etc*) gegen Vorlage *+gen.*
present-day ['prɛzntdeɪ] *adj* heutig, gegenwärtig.
presenter [prɪ'zɛntə*] *n* (*on radio, TV*) Moderator(in) *m(f).*
presently ['prɛzntlɪ] *adv* (*soon after*) gleich darauf; (*soon*) bald, in Kürze; (*currently*) derzeit, gegenwärtig.
present participle *n* Partizip *nt* Präsens.
preservation [prɛzə'veɪʃən] *n* (*of peace, standards etc*) Erhaltung *f*; (*of furniture, building*) Konservierung *f.*
preservative [prɪ'zə:vətɪv] *n* Konservierungsmittel *nt.*
preserve [prɪ'zə:v] *vt* erhalten; (*peace*) wahren; (*wood*) schützen; (*food*) konservieren ♦ *n* (*often pl: jam, chutney etc*) Eingemachte(s) *nt*; (*for game, fish*) Revier *nt*; **a male ~** (*fig*) eine männliche Domäne; **a working class ~** (*fig*) eine Domäne der Arbeiterklasse.
preshrunk ['pri:'ʃrʌŋk] *adj* (*jeans etc*) vorgewaschen.
preside [prɪ'zaɪd] *vi:* **to ~ over** (*meeting etc*) vorsitzen *+dat*, den Vorsitz haben bei.
presidency ['prɛzɪdənsɪ] *n* (*POL*) Präsidentschaft *f*; (*US: of company*) Vorsitz *m.*
president ['prɛzɪdənt] *n* (*POL*) Präsident(in) *m(f)*; (*of organization*) Vorsitzende(r) *f(m).*
presidential [prɛzɪ'dɛnʃl] *adj* (*election, campaign etc*) Präsidentschafts-; (*adviser, representative etc*) des Präsidenten.
press [prɛs] *n* (*printing press*) Presse *f*; (*of switch, bell*) Druck *m*; (*for wine*) Kelter *f* ♦ *vt* drücken, pressen; (*button, sb's hand etc*) drücken; (*iron: clothes*) bügeln; (*put pressure on: person*) drängen; (*pursue: idea, claim*) vertreten ♦ *vi* (*squeeze*) drücken, pressen; **the P~** (*newspapers, journalists*) die Presse; **to go to ~** (*newspaper*) in Druck gehen; **to be in ~** (*at the printer's*) im Druck sein; **to be in the ~** (*in the newspapers*) in der Zeitung stehen; **at the ~ of a button** auf Knopfdruck; **to ~ sth (up)on sb** (*force*) jdm etw aufdrängen; **we are ~ed for time/money** wir sind in Geldnot/Zeitnot; **to ~ sb for an answer** auf jds *acc* Antwort drängen; **to ~ sb to do** *or* **into doing sth** jdn drängen, etw zu tun; **to ~ charges (against sb)** (*LAW*) Klage (gegen jdn) erheben; **to ~ for** (*changes etc*) drängen auf *+acc.*
▸**press ahead** *vi* weitermachen; **to ~ ahead with sth** etw durchziehen.
▸**press on** *vi* weitermachen.

press agency *n* Presseagentur *f*.
press clipping *n* Zeitungsausschnitt *m*.
press conference *n* Pressekonferenz *f*.
press cutting *n* = **press clipping.**
press-gang ['prɛsgæŋ] *vt*: **to ~ sb into doing sth** jdn bedrängen, etw zu tun.
pressing ['prɛsɪŋ] *adj* (*urgent*) dringend.
press officer *n* Pressesprecher(in) *m(f)*.
press release *n* Pressemitteilung *f*.
press stud (*BRIT*) *n* Druckknopf *m*.
press-up ['prɛsʌp] (*BRIT*) *n* Liegestütz *m*.
pressure ['prɛʃə*] *n* (*also fig*) Druck *m* ♦ *vt*: **to ~ sb to do sth** jdn dazu drängen, etw zu tun; **to put ~ on sb (to do sth)** Druck auf jdn ausüben(, etw zu tun); **high/low ~** (*TECH, MET*) Hoch-/Tiefdruck *m*.
pressure cooker *n* Schnellkochtopf *m*.
pressure gauge *n* Druckmesser *m*, Manometer *nt*.
pressure group *n* Interessenverband *m*, Pressure-group *f*.
pressurize ['prɛʃəraɪz] *vt*: **to ~ sb (to do sth** *or* **into doing sth)** jdn unter Druck setzen(, etw zu tun).
pressurized ['prɛʃəraɪzd] *adj* (*cabin, container etc*) Druck-.
Prestel ® ['prɛstɛl] *n* ≈ Bildschirmtext *m*, Btx *nt*.
prestige [prɛs'tiːʒ] *n* Prestige *nt*.
prestigious [prɛs'tɪdʒəs] *adj* (*institution, appointment*) mit hohem Prestigewert.
presumably [prɪ'zjuːməblɪ] *adv* vermutlich; **~ he did it** vermutlich *or* wahrscheinlich hat er es getan.
presume [prɪ'zjuːm] *vt*: **to ~ (that)** (*assume*) annehmen(, daß); **to ~ to do sth** (*dare*) sich anmaßen, etw zu tun; **I ~ so** das nehme ich an.
presumption [prɪ'zʌmpʃən] *n* (*supposition*) Annahme *f*; (*audacity*) Anmaßung *f*.
presumptuous [prɪ'zʌmpʃəs] *adj* anmaßend.
presuppose [priːsə'pəuz] *vt* voraussetzen.
presupposition [priːsʌpə'zɪʃən] *n* Voraussetzung *f*.
pretax [priː'tæks] *adj* (*profit*) vor (Abzug der) Steuern.
pretence, (*US*) **pretense** [prɪ'tɛns] *n* (*false appearance*) Vortäuschung *f*; **under false ~s** unter Vorspiegelung falscher Tatsachen; **she is devoid of all ~** sie ist völlig natürlich; **to make a ~ of doing sth** vortäuschen, etw zu tun.
pretend [prɪ'tɛnd] *vt* (*feign*) vorgeben ♦ *vi* (*feign*) sich verstellen, so tun, als ob; **I don't ~ to understand it** (*claim*) ich erhebe nicht den Anspruch, es zu verstehen.
pretense [prɪ'tɛns] (*US*) *n* = **pretence.**
pretentious [prɪ'tɛnʃəs] *adj* anmaßend.
preterite ['prɛtərɪt] *n* Imperfekt *nt*, Präteritum *nt*.
pretext ['priːtɛkst] *n* Vorwand *m*; **on** *or* **under the ~ of doing sth** unter dem Vorwand, etw zu tun.
pretty ['prɪtɪ] *adj* hübsch, nett ♦ *adv*: **~ clever** ganz schön schlau; **~ good** ganz gut.
prevail [prɪ'veɪl] *vi* (*be current*) vorherrschen; (*triumph*) siegen; **to ~ (up)on sb to do sth** (*persuade*) jdn dazu bewegen *or* überreden, etw zu tun.
prevailing [prɪ'veɪlɪŋ] *adj* (*wind, fashion etc*) vorherrschend.
prevalent ['prɛvələnt] *adj* (*belief, custom*) vorherrschend.
prevaricate [prɪ'værɪkeɪt] *vi* (*by saying sth*) Ausflüchte machen; (*by doing sth*) Ausweichmanöver machen.
prevarication [prɪværɪ'keɪʃən] *n* (*see vi*) Ausflucht *f*; Ausweichmanöver *nt*.
prevent [prɪ'vɛnt] *vt* verhindern; **to ~ sb from doing sth** jdn daran hindern, etw zu tun; **to ~ sth from happening** verhindern, daß etw geschieht.
preventable [prɪ'vɛntəbl] *adj* verhütbar, vermeidbar.
preventative [prɪ'vɛntətɪv] *adj* = **preventive.**
prevention [prɪ'vɛnʃən] *n* Verhütung *f*.
preventive [prɪ'vɛntɪv] *adj* (*measures, medicine*) vorbeugend.
preview ['priːvjuː] *n* (*of film*) Vorpremiere *f*; (*of exhibition*) Vernissage *f*.
previous ['priːvɪəs] *adj* (*earlier*) früher; (*preceding*) vorhergehend; **~ to** vor *+dat*.
previously ['priːvɪəslɪ] *adv* (*before*) zuvor; (*formerly*) früher.
prewar [priː'wɔː*] *adj* (*period*) Vorkriegs-.
prey [preɪ] *n* Beute *f*; **to fall ~ to** (*fig*) zum Opfer fallen *+dat*.
▸**prey on** *vt fus* (*animal*) Jagd machen auf *+acc*; **it was ~ing on his mind** es ließ ihn nicht los.
price [praɪs] *n* (*also fig*) Preis *m* ♦ *vt* (*goods*) auszeichnen; **what is the ~ of ...?** was kostet ...?; **to go up** *or* **rise in ~** im Preis steigen, teurer werden; **to put a ~ on sth** (*also fig*) einen Preis für etw festsetzen; **what ~ his promises now?** wie steht es jetzt mit seinen Versprechungen?; **he regained his freedom, but at a ~** er hat seine Freiheit wieder, aber zu welchem Preis!; **to be ~d at £30** £30 kosten; **to ~ o.s. out of the market** durch zu hohe Preise konkurrenzunfähig werden.
price control *n* Preiskontrolle *f*.
price-cutting ['praɪskʌtɪŋ] *n* Preissenkungen *pl*.
priceless ['praɪslɪs] *adj* (*diamond, painting*) von unschätzbarem Wert; (*inf: amusing*) unbezahlbar, köstlich.
price list *n* Preisliste *f*.
price range *n* Preisklasse *f*; **it's within my ~** ich kann es mir leisten.
price tag *n* Preisschild *nt*; (*fig*) Preis *m*.
price war *n* Preiskrieg *m*.
pricey ['praɪsɪ] (*inf*) *adj* kostspielig.
prick [prɪk] *n* (*sting*) Stich *m*; (*inf!: penis*)

Schwanz *m*; (: *idiot*) Arsch *m* ♦ *vt* stechen; (*sausage, balloon*) einstechen; **to ~ up one's ears** die Ohren spitzen.
prickle ['prɪkl] *n* (*of plant*) Dorn *m*, Stachel *m*; (*sensation*) Prickeln *nt*.
prickly ['prɪklɪ] *adj* (*plant*) stachelig; (*fabric*) kratzig.
prickly heat *n* Hitzebläschen *pl*.
prickly pear *n* Feigenkaktus *m*.
pride [praɪd] *n* Stolz *m*; (*pej: arrogance*) Hochmut *m* ♦ *vt*: **to ~ o.s. on** sich rühmen *+gen*; **to take (a) ~ in** stolz sein auf *+acc*; **to take a ~ in doing sth** etw mit Stolz tun; **to have** *or* **take ~ of place** (*BRIT*) die Krönung sein.
priest [pri:st] *n* Priester *m*.
priestess ['pri:stɪs] *n* Priesterin *f*.
priesthood ['pri:sthud] *n* Priestertum *nt*.
prig [prɪg] *n*: **he's a ~** er hält sich für ein Tugendlamm.
prim [prɪm] (*pej*) *adj* (*person*) etepetete.
primacy ['praɪməsɪ] *n* (*supremacy*) Vorrang *m*; (*position*) Vorrangstellung *f*.
prima-facie ['praɪmə'feɪʃɪ] *adj*: **to have a ~ case** (*LAW*) eine gute Beweisgrundlage haben.
primal ['praɪməl] *adj* ursprünglich; **~ scream** Urschrei *m*.
primarily ['praɪmərɪlɪ] *adv* in erster Linie, hauptsächlich.
primary ['praɪmərɪ] *adj* (*principal*) Haupt-, hauptsächlich; (*education, teacher*) Grundschul- ♦ *n* (*US: election*) Vorwahl *f*.

> *Als* **primary** *wird im amerikanischen Präsidentschaftswahlkampf eine Vorwahl bezeichnet, die mitentscheidet, welche Präsidentschaftskandidaten die beiden großen Parteien aufstellen. Vorwahlen werden nach komplizierten Regeln von Februar (New Hampshire) bis Juni in etwa 35 Staaten abgehalten. Der von den Kandidaten in den primaries erzielte Stimmenanteil bestimmt, wie viele Abgeordnete bei der endgültigen Auswahl der demokratischen bzw. republikanischen Kandidaten bei den nationalen Parteitagen im Juli/August für sie stimmen.*

primary colour *n* Primärfarbe *f*.
primary school (*BRIT*) *n* Grundschule *f*.

> **Primary school** *ist in Großbritannien eine Grundschule für Kinder im Alter von 5 bis 11 Jahren. Oft wird sie aufgeteilt in* **infant school** *(5 bis 7 Jahre) und* **junior school** *(7 bis 11 Jahre). Siehe auch* **secondary school**.

primate ['praɪmɪt] *n* (*ZOOL*) Primat *m*; (*REL*) Primas *m*.
prime [praɪm] *adj* (*most important*) oberste(r, s); (*best quality*) erstklassig ♦ *n* (*of person's life*) die besten Jahre *pl* ♦ *vt* (*wood*) grundieren; (*fig: person*) informieren; (*gun*) schußbereit machen; (*pump*) auffüllen; **~ example** erstklassiges Beispiel; **in the ~ of life** im besten Alter.
Prime Minister *n* Premierminister(in) *m(f)*.
primer ['praɪmə*] *n* (*paint*) Grundierung *f*; (*book*) Einführung *f*.
prime time *n* (*RADIO, TV*) Hauptsendezeit *f*.
primeval [praɪ'mi:vl] *adj* (*beast*) urzeitlich; (*fig: feelings*) instinktiv; **~ forest** Urwald *m*.
primitive ['prɪmɪtɪv] *adj* (*tribe, tool, conditions etc*) primitiv; (*life form, machine etc*) frühzeitlich; (*man*) der Urzeit.
primrose ['prɪmrəuz] *n* Primel *f*, gelbe Schlüsselblume *f*.
primula ['prɪmjulə] *n* Primel *f*.
Primus (stove) ® (*BRIT*) *n* Primuskocher *m*.
prince [prɪns] *n* Prinz *m*.
Prince Charming (*hum*) *n* Märchenprinz *m*.
princess [prɪn'sɛs] *n* Prinzessin *f*.
principal ['prɪnsɪpl] *adj* (*most important*) Haupt-, wichtigste(r, s) ♦ *n* (*of school, college*) Rektor(in) *m(f)*; (*THEAT*) Hauptdarsteller(in) *m(f)*; (*FIN*) Kapitalsumme *f*.
principality [prɪnsɪ'pælɪtɪ] *n* Fürstentum *nt*.
principally ['prɪnsɪplɪ] *adv* vornehmlich.
principle ['prɪnsɪpl] *n* Prinzip *nt*; **in ~** im Prinzip, prinzipiell; **on ~** aus Prinzip.
print [prɪnt] *n* (*type, ART*) Druck *m*; (*PHOT*) Abzug *m*; (*fabric*) bedruckter Stoff *m* ♦ *vt* (*produce*) drucken; (*publish*) veröffentlichen; (*cloth, pattern*) bedrucken; (*write in capitals*) in Druckschrift schreiben; **prints** *npl* (*fingerprints etc*) Abdrücke *pl*; **out of ~** vergriffen; **in ~** erhältlich; **the fine** *or* **small ~** das Kleingedruckte.
▸**print out** *vt* (*COMPUT*) ausdrucken.
printed circuit ['prɪntɪd-] *n* gedruckte Schaltung *f*.
printed circuit board *n* Leiterplatte *f*.
printed matter *n* Drucksache *f*.
printer ['prɪntə*] *n* (*person*) Drucker(in) *m(f)*; (*firm*) Druckerei *f*; (*machine*) Drucker *m*.
printhead ['prɪnthɛd] *n* Druckkopf *m*.
printing ['prɪntɪŋ] *n* (*activity*) Drucken *nt*.
printing press *n* Druckerpresse *f*.
print-out ['prɪntaut] (*COMPUT*) *n* Ausdruck *m*.
print run *n* Auflage *f*.
printwheel ['prɪntwi:l] *n* (*COMPUT*) Typenrad *nt*.
prior ['praɪə*] *adj* (*previous: knowledge, warning*) vorherig; (: *engagement*) früher; (*more important: claim, duty*) vorrangig ♦ *n* (*REL*) Prior *m*; **without ~ notice** ohne vorherige Ankündigung; **to have a ~ claim on sth** ein Vorrecht auf etw *acc* haben; **~ to** vor *+dat*.
priority [praɪ'ɔrɪtɪ] *n* vorrangige Angelegenheit *f*; **priorities** *npl* Prioritäten *pl*; **to take** *or* **have ~ (over sth)** Vorrang (vor etw *dat*) haben; **to give ~ to sb/sth** jdm/etw

Vorrang einräumen.
priory ['praɪərɪ] *n* Kloster *nt.*
prise [praɪz] (*BRIT*) *vt:* **to ~ open** aufbrechen.
prism ['prɪzəm] *n* Prisma *nt.*
prison ['prɪzn] *n* Gefängnis *nt* ♦ *cpd* (*officer, food, cell etc*) Gefängnis-.
prison camp *n* Gefangenenlager *nt.*
prisoner ['prɪznə*] *n* Gefangene(r) *f(m)*; **the ~ at the bar** (*LAW*) der/die Angeklagte; **to take sb ~** jdn gefangennehmen.
prisoner of war *n* Kriegsgefangene(r) *f(m).*
prissy ['prɪsɪ] (*pej*) *adj* zimperlich.
pristine ['prɪstiːn] *adj* makellos; **in ~ condition** in makellosem Zustand.
privacy ['prɪvəsɪ] *n* Privatsphäre *f.*
private ['praɪvɪt] *adj* privat; (*life*) Privat-; (*thoughts, plans etc*) persönlich; (*place*) abgelegen; (*secretive: person*) verschlossen ♦ *n* (*MIL*) Gefreite(r) *m*; **"~"** (*on envelope*) „vertraulich"; (*on door*) „privat"; **in ~** privat; **in (his) ~ life** in seinem Privatleben; **to be in ~ practice** (*MED*) Privatpatienten haben; **~ hearing** (*LAW*) nichtöffentliche Verhandlung.
private enterprise *n* Privatunternehmen *nt.*
private eye *n* Privatdetektiv *m.*
private limited company (*BRIT*) *n* (*COMM*) ≈ Aktiengesellschaft *f.*
privately ['praɪvɪtlɪ] *adv* privat; (*secretly*) insgeheim; **a ~ owned company** eine Firma im Privatbesitz.
private parts *npl* (*ANAT*) Geschlechtsteile *pl.*
private property *n* Privatbesitz *m.*
private school *n* (*fee-paying*) Privatschule *f.*
privation [praɪ'veɪʃən] *n* Not *f.*
privatize ['praɪvɪtaɪz] *vt* privatisieren.
privet ['prɪvɪt] *n* Liguster *m.*
privilege ['prɪvɪlɪdʒ] *n* (*advantage*) Privileg *nt*; (*honour*) Ehre *f.*
privileged ['prɪvɪlɪdʒd] *adj* privilegiert; **to be ~ to do sth** das Privileg *or* die Ehre haben, etw zu tun.
privy ['prɪvɪ] *adj:* **to be ~ to** eingeweiht sein in *+acc.*

> **Privy Council** *ist eine Gruppe von königlichen Beratern, die ihren Ursprung im normannischen England hat. Heute hat dieser Rat eine rein formale Funktion. Kabinettsmitglieder und andere bedeutende politische, kirchliche oder juristische Persönlichkeiten sind automatisch Mitglieder.*

Privy Councillor (*BRIT*) *n* Geheimer Rat *m.*
prize [praɪz] *n* Preis *m* ♦ *adj* (*prize-winning*) preisgekrönt; (*classic: example*) erstklassig ♦ *vt* schätzen; **~ idiot** (*inf*) Vollidiot *m.*
prizefighter ['praɪzfaɪtə*] *n* Preisboxer *m.*
prizegiving ['praɪzgɪvɪŋ] *n* Preisverleihung *f.*
prize money *n* Geldpreis *m.*
prizewinner ['praɪzwɪnə*] *n* Preisträger(in) *m(f).*
prizewinning ['praɪzwɪnɪŋ] *adj* preisgekrönt.
PRO *n abbr* = **public relations officer.**
pro [prəu] *n* (*SPORT*) Profi *m* ♦ *prep* (*in favour of*) pro *+acc*, für *+acc*; **the ~s and cons** das Für und Wider.
pro- [prəu] *pref* (*in favour of*) Pro-, pro-; **~-disarmament campaign** Kampagne *f* für Abrüstung.
proactive [prəu'æktɪv] *adj* proaktiv.
probability [prɔbə'bɪlɪtɪ] *n* Wahrscheinlichkeit *f*; **in all ~** aller Wahrscheinlichkeit nach.
probable ['prɔbəbl] *adj* wahrscheinlich; **it seems ~ that ...** es ist wahrscheinlich, daß ...
probably ['prɔbəblɪ] *adv* wahrscheinlich.
probate ['prəubɪt] *n* gerichtliche Testamentsbestätigung *f.*
probation [prə'beɪʃən] *n:* **on ~** (*lawbreaker*) auf Bewährung; (*employee*) auf Probe.
probationary [prə'beɪʃənrɪ] *adj* (*period*) Probe-.
probationer [prə'beɪʃənə*] *n* (*nurse: female*) Lernschwester *f*; (: *male*) Lernpfleger *m.*
probation officer *n* Bewährungshelfer(in) *m(f).*
probe [prəub] *n* (*MED, SPACE*) Sonde *f*; (*enquiry*) Untersuchung *f* ♦ *vt* (*investigate*) untersuchen; (*poke*) bohren in *+dat.*
probity ['prəubɪtɪ] *n* Rechtschaffenheit *f.*
problem ['prɔbləm] *n* Problem *nt*; **to have ~s with the car** Probleme *or* Schwierigkeiten mit dem Auto haben; **what's the ~?** wo fehlt's?; **I had no ~ finding her** ich habe sie ohne Schwierigkeiten gefunden; **no ~!** kein Problem!
problematic(al) [prɔblə'mætɪk(l)] *adj* problematisch.
problem-solving ['prɔbləmsɔlvɪŋ] *adj* (*skills, ability*) zur Problemlösung ♦ *n* Problemlösung *f.*
procedural [prə'siːdjurəl] *adj* (*agreement, problem*) verfahrensmäßig.
procedure [prə'siːdʒə*] *n* Verfahren *nt.*
proceed [prə'siːd] *vi* (*carry on*) fortfahren; (*person: go*) sich bewegen; **to ~ to do sth** etw tun; **to ~ with** fortfahren mit; **I am not sure how to ~** ich bin nicht sicher über die weitere Vorgehensweise; **to ~ against sb** (*LAW*) gegen jdn gerichtlich vorgehen.
proceedings [prə'siːdɪŋz] *npl* (*organized events*) Vorgänge *pl*; (*LAW*) Verfahren *nt*; (*records*) Protokoll *nt.*
proceeds ['prəusiːdz] *npl* Erlös *m.*
process ['prəusɛs] *n* (*series of actions*) Verfahren *nt*; (*BIOL, CHEM*) Prozeß *m* ♦ *vt* (*raw materials, food, COMPUT: data*) verarbeiten; (*application*) bearbeiten; (*PHOT*) entwickeln; **in the ~** dabei; **to be in the ~ of doing sth** (gerade) dabei sein, etw zu tun.
processed cheese ['prəusɛst-], (*US*) **process cheese** *n* Schmelzkäse *m.*

processing ['prəusɛsɪŋ] *n* (*PHOT*) Entwickeln *nt*.
procession [prə'sɛʃən] *n* Umzug *m*, Prozession *f*; **wedding/funeral** ~ Hochzeits-/Trauerzug *m*.
proclaim [prə'kleɪm] *vt* verkünden, proklamieren.
proclamation [prɔklə'meɪʃən] *n* Proklamation *f*.
proclivity [prə'klɪvɪtɪ] (*form*) *n* Vorliebe *f*.
procrastinate [prəu'kræstɪneit] *vi* zögern, zaudern.
procrastination [prəukræstɪ'neɪʃən] *n* Zögern *nt*, Zaudern *nt*.
procreation [prəukrɪ'eɪʃən] *n* Fortpflanzung *f*.
procurator fiscal ['prɔkjureɪtə-] *n* (*pl* **procurators fiscal**) (*SCOT*) ≈ Staatsanwalt *m*, Staatsanwältin *f*.
procure [prə'kjuə*] *vt* (*obtain*) beschaffen.
procurement [prə'kjuəmənt] *n* (*COMM*) Beschaffung *f*.
prod [prɔd] *vt* (*push: with finger, stick etc*) stoßen, stupsen (*inf*); (*fig: urge*) anspornen ♦ *n* (*with finger, stick etc*) Stoß *m*, Stups *m* (*inf*); (*fig: reminder*) mahnender Hinweis *m*.
prodigal ['prɔdɪgl] *adj*: ~ **son** verlorener Sohn *m*.
prodigious [prə'dɪdʒəs] *adj* (*cost, memory*) ungeheuer.
prodigy ['prɔdɪdʒɪ] *n* (*person*) Naturtalent *nt*; **child** ~ Wunderkind *nt*.
produce [*n* 'prɔdju:s, *vt* prə'dju:s] *n* (*AGR*) (Boden)produkte *pl* ♦ *vt* (*result etc*) hervorbringen; (*goods, commodity*) produzieren, herstellen; (*BIOL, CHEM*) erzeugen; (*fig: evidence etc*) liefern; (: *passport etc*) vorlegen; (*play, film, programme*) produzieren.
producer [prə'dju:sə*] *n* (*person*) Produzent(in) *m(f)*; (*country, company*) Produzent *m*, Hersteller *m*.
product ['prɔdʌkt] *n* Produkt *nt*.
production [prə'dʌkʃən] *n* Produktion *f*; (*THEAT*) Inszenierung *f*; **to go into** ~ (*goods*) in Produktion gehen; **on** ~ **of** gegen Vorlage *+gen*.
production agreement (*US*) *n* Produktivitätsabkommen *nt*.
production line *n* Fließband *nt*, Fertigungsstraße *f*.
production manager *n* Produktionsleiter(in) *m(f)*.
productive [prə'dʌktɪv] *adj* produktiv.
productivity [prɔdʌk'tɪvɪtɪ] *n* Produktivität *f*.
productivity agreement (*BRIT*) *n* Produktivitätsabkommen *nt*.
productivity bonus *n* Leistungszulage *f*.
Prof. *n abbr* (= *professor*) Prof.
profane [prə'feɪn] *adj* (*language etc*) profan; (*secular*) weltlich.
profess [prə'fɛs] *vt* (*claim*) vorgeben; (*express: feeling, opinion*) zeigen, bekunden; **I do not** ~ **to be an expert** ich behaupte nicht, ein Experte zu sein.
professed [prə'fɛst] *adj* (*self-declared*) erklärt.
profession [prə'fɛʃən] *n* Beruf *m*; (*people*) Berufsstand *m*; **the** ~**s** die gehobenen Berufe.
professional [prə'fɛʃənl] *adj* (*organization, musician etc*) Berufs-; (*misconduct, advice*) beruflich; (*skilful*) professionell ♦ *n* (*doctor, lawyer, teacher etc*) Fachmann *m*, Fachfrau *f*; (*SPORT*) Profi *m*; (*skilled person*) Experte *m*, Expertin *f*; **to seek** ~ **advice** fachmännischen Rat einholen.
professionalism [prə'fɛʃnəlɪzəm] *n* fachliches Können *nt*.
professionally [prə'fɛʃnəlɪ] *adv* beruflich; (*for a living*) berufsmäßig; **I only know him** ~ ich kenne ihn nur beruflich.
professor [prə'fɛsə*] *n* (*BRIT*) Professor(in) *m(f)*; (*US, CANADA*) Dozent(in) *m(f)*.
professorship [prə'fɛsəʃɪp] *n* Professur *f*.
proffer ['prɔfə*] *vt* (*advice, drink, one's hand*) anbieten; (*apologies*) aussprechen; (*plate etc*) hinhalten.
proficiency [prə'fɪʃənsɪ] *n* Können *nt*, Fertigkeiten *pl*.
proficient [prə'fɪʃənt] *adj* fähig; **to be** ~ **at** *or* **in** gut sein in *+dat*.
profile ['prəufaɪl] *n* (*of person's face*) Profil *nt*; (*fig: biography*) Porträt *nt*; **to keep a low** ~ (*fig*) sich zurückhalten; **to have a high** ~ (*fig*) eine große Rolle spielen.
profit ['prɔfɪt] *n* (*COMM*) Gewinn *m*, Profit *m* ♦ *vi*: **to** ~ **by** *or* **from** (*fig*) profitieren von; ~ **and loss account** Gewinn-und-Verlust-Rechnung; **to make a** ~ einen Gewinn machen; **to sell (sth) at a** ~ (etw) mit Gewinn verkaufen.
profitability [prɔfɪtə'bɪlɪtɪ] *n* Rentabilität *f*.
profitable ['prɔfɪtəbl] *adj* (*business, deal*) rentabel, einträglich; (*fig: useful*) nützlich.
profit centre *n* Bilanzabteilung *f*.
profiteering [prɔfɪ'tɪərɪŋ] (*pej*) *n* Profitmacherei *f*.
profit-making ['prɔfɪtmeɪkɪŋ] *adj* (*organization*) gewinnorientiert.
profit margin *n* Gewinnspanne *f*.
profit-sharing ['prɔfɪtʃɛərɪŋ] *n* Gewinnbeteiligung *f*.
profits tax (*BRIT*) *n* Ertragssteuer *f*.
profligate ['prɔflɪgɪt] *adj* (*person, spending*) verschwenderisch; (*waste*) sinnlos; ~ **with** (*extravagant*) verschwenderisch mit.
pro forma ['prəu'fɔ:mə] *adj*: ~ **invoice** Pro-forma-Rechnung *f*.
profound [prə'faund] *adj* (*shock*) schwer, tief; (*effect, differences*) weitreichend; (*idea, book*) tiefschürfend.
profuse [prə'fju:s] *adj* (*apologies*) überschwenglich.
profusely [prə'fju:slɪ] *adv* (*apologise, thank*) vielmals; (*sweat, bleed*) stark.

profusion [prə'fju:ʒən] *n* Überfülle *f*.
progeny ['prɔdʒɪnɪ] *n* Nachkommenschaft *f*.
prognoses [prɔg'nəusi:z] *npl of* **prognosis.**
prognosis [prɔg'nəusis] (*pl* **prognoses**) *n* (*MED, fig*) Prognose *f*.
program ['prəugræm] (*COMPUT*) *n* Programm *nt* ♦ *vt* programmieren.
programme, (*US*) **program** ['prəugræm] *n* Programm *nt* ♦ *vt* (*machine, system*) programmieren.
programmer ['prəugræmə*] *n* Programmierer(in) *m(f)*.
programming, (*US*) **programing** ['prəugræmɪŋ] *n* Programmierung *f*.
programming language *n* Programmiersprache *f*.
progress [*n* 'prəugrɛs, *vi* prə'gres] *n* Fortschritt *m*; (*improvement*) Fortschritte *pl* ♦ *vi* (*advance*) vorankommen; (*become higher in rank*) aufsteigen; (*continue*) sich fortsetzen; **in** ~ (*meeting, battle, match*) im Gange; **to make** ~ Fortschritte machen.
progression [prə'grɛʃən] *n* (*development*) Fortschritt *m*, Entwicklung *f*; (*series*) Folge *f*.
progressive [prə'grɛsɪv] *adj* (*enlightened*) progressiv, fortschrittlich; (*gradual*) fortschreitend.
progressively [prə'grɛsɪvlɪ] *adv* (*gradually*) zunehmend.
progress report *n* (*MED*) Fortschrittsbericht *m*; (*ADMIN*) Tätigkeitsbericht *m*.
prohibit [prə'hɪbɪt] *vt* (*ban*) verbieten; **to ~ sb from doing sth** jdm verbieten *or* untersagen, etw zu tun; **"smoking ~ed"** „Rauchen verboten".
prohibition [prəuɪ'bɪʃən] *n* Verbot *nt*; **P~** (*US*) Prohibition *f*.
prohibitive [prə'hɪbɪtɪv] *adj* (*cost etc*) untragbar.
project [*n* 'prɔdʒɛkt, *vt, vi* prə'dʒɛkt] *n* (*plan, scheme*) Projekt *nt*; (*SCOL*) Referat *nt* ♦ *vt* (*plan*) planen; (*estimate*) schätzen, voraussagen; (*light, film, picture*) projizieren ♦ *vi* (*stick out*) hervorragen.
projectile [prə'dʒɛktaɪl] *n* Projektil *nt*, Geschoß *nt*.
projection [prə'dʒɛkʃən] *n* (*estimate*) Schätzung *f*, Voraussage *f*; (*overhang*) Vorsprung *m*; (*CINE*) Projektion *f*.
projectionist [prə'dʒɛkʃənɪst] *n* Filmvorführer(in) *m(f)*.
projection room *n* Vorführraum *m*.
projector [prə'dʒɛktə*] *n* Projektor *m*.
proletarian [prəulɪ'tɛərɪən] *adj* proletarisch.
proletariat [prəulɪ'tɛərɪət] *n*: **the** ~ das Proletariat.
proliferate [prə'lɪfəreɪt] *vi* sich vermehren.
proliferation [prəlɪfə'reɪʃən] *n* Vermehrung *f*, Verbreitung *f*.
prolific [prə'lɪfɪk] *adj* (*artist, writer*) produktiv.
prologue, (*US*) **prolog** ['prəulɔg] *n* (*of play, book*) Prolog *m*.
prolong [prə'lɔŋ] *vt* verlängern.
prom [prɔm] *n abbr* = **promenade;** (*MUS*) = **promenade concert;** (*US: college ball*) Studentenball *m*.

> **Prom** *(promenade concert) ist in Großbritannien ein Konzert, bei dem ein Teil der Zuhörer steht (ursprünglich spazierenging). Die seit 1895 alljährlich stattfindenden Proms (seit 1941 immer in der Londoner Royal Albert Hall) zählen zu den bedeutendsten Musikereignissen in England. Der letzte Abend der Proms steht ganz im Zeichen des Patriotismus und gipfelt im Singen des Lieds 'Land of Hope and Glory'. In den USA und Kanada steht das Wort für* **promenade**, *ein Ball an einer* **High School** *oder einem* **College**.

promenade [prɔmə'nɑ:d] *n* Promenade *f*.
promenade concert (*BRIT*) *n* Promenadenkonzert *nt*.
promenade deck *n* Promenadendeck *nt*.
prominence ['prɔmɪnəns] *n* (*importance*) Bedeutung *f*; **to rise to** ~ bekannt werden.
prominent ['prɔmɪnənt] *adj* (*person*) prominent; (*thing*) bedeutend; (*very noticeable*) herausragend; **he is ~ in the field of science** er ist eine führende Persönlichkeit im naturwissenschaftlichen Bereich.
prominently ['prɔmɪnəntlɪ] *adv* (*display, set*) deutlich sichtbar; **he figured ~ in the case** er spielte in dem Fall eine bedeutende Rolle.
promiscuity [prɔmɪs'kju:ɪtɪ] *n* Promiskuität *f*.
promiscuous [prə'mɪskjuəs] *adj* promisk.
promise ['prɔmɪs] *n* (*vow*) Versprechen *nt*; (*potential, hope*) Hoffnung *f* ♦ *vi* versprechen ♦ *vt*: **to ~ sb sth, ~ sth to sb** jdm etw versprechen; **to make/break/keep a** ~ ein Versprechen geben/brechen/halten; **a young man of** ~ ein vielversprechender junger Mann; **she shows** ~ sie gibt zu Hoffnungen Anlaß; **it ~s to be lively** es verspricht lebhaft zu werden; **to ~ (sb) to do sth** (jdm) versprechen, etw zu tun.
promising ['prɔmɪsɪŋ] *adj* vielversprechend.
promissory note ['prɔmɪsərɪ-] *n* Schuldschein *m*.
promontory ['prɔməntrɪ] *n* Felsvorsprung *m*.
promote [prə'məut] *vt* (*employee*) befördern; (*advertise*) werben für; (*encourage: peace etc*) fördern; **the team was ~d to the first division** (*BRIT: FOOTBALL*) die Mannschaft stieg in die erste Division auf.
promoter [prə'məutə*] *n* (*of concert, event*) Veranstalter(in) *m(f)*; (*of cause, idea*) Förderer *m*, Förderin *f*.
promotion [prə'məuʃən] *n* (*at work*) Beförderung *f*; (*of product, event*) Werbung *f*;

(*of idea*) Förderung *f*; (*publicity campaign*) Werbekampagne *f*.
prompt [prɔmpt] *adj* prompt, sofortig ♦ *adv* (*exactly*) pünktlich ♦ *n* (*COMPUT*) Prompt *m* ♦ *vt* (*cause*) veranlassen; (*when talking*) auf die Sprünge helfen *+dat*; (*THEAT*) soufflieren *+dat*; **they're very ~** (*punctual*) sie sind sehr pünktlich; **he was ~ to accept** er nahm unverzüglich an; **at 8 o'clock ~** (um) Punkt 8 Uhr; **to ~ sb to do sth** jdn dazu veranlassen, etw zu tun.
prompter ['prɔmptə*] *n* (*THEAT*) Souffleur *m*, Souffleuse *f*.
promptly ['prɔmptlı] *adv* (*immediately*) sofort; (*exactly*) pünktlich.
promptness ['prɔmptnıs] *n* Promptheit *f*.
promulgate ['prɔməlgeıt] *vt* (*policy*) bekanntmachen, verkünden; (*idea*) verbreiten.
prone [prəun] *adj* (*face down*) in Bauchlage; **to be ~ to sth** zu etw neigen; **she is ~ to burst into tears if** ... sie neigt dazu, in Tränen auszubrechen, wenn ...
prong [prɔŋ] *n* (*of fork*) Zinke *f*.
pronoun ['prəunaun] *n* Pronomen *nt*, Fürwort *nt*.
pronounce [prə'nauns] *vt* (*word*) aussprechen; (*give verdict, opinion*) erklären ♦ *vi*: **to ~ (up)on** sich äußern zu; **they ~d him dead/unfit to drive** sie erklärten ihn für tot/ fahruntüchtig.
pronounced [prə'naunst] *adj* (*noticeable*) ausgeprägt, deutlich.
pronouncement [prə'naunsmənt] *n* Erklärung *f*.
pronto ['prɔntəu] (*inf*) *adv* fix.
pronunciation [prənʌnsı'eıʃən] *n* Aussprache *f*.
proof [pru:f] *n* (*evidence*) Beweis *m*; (*TYP*) (Korrektur)fahne *f* ♦ *adj*: **~ against** sicher vor *+dat*; **to be 70 % ~** (*alcohol*) ≈ einen Alkoholgehalt von 40% haben.
proofreader ['pru:fri:də*] *n* Korrektor(in) *m(f)*.
Prop. *abbr* (*COMM: = proprietor*) Inh.
prop [prɔp] *n* (*support, also fig*) Stütze *f* ♦ *vt* (*lean*): **to ~ sth against sth** etw an etw *acc* lehnen.
►**prop up** *vt sep* (*thing*) (ab)stützen; (*fig: government, industry*) unterstützen.
propaganda [prɔpə'gændə] *n* Propaganda *f*.
propagate ['prɔpəgeıt] *vt* (*plants*) züchten; (*ideas etc*) propagieren ♦ *vi* (*plants, animals*) sich fortpflanzen.
propagation [prɔpə'geıʃən] *n* (*of ideas etc*) Propagierung *f*; (*of plants, animals*) Fortpflanzung *f*.
propel [prə'pɛl] *vt* (*vehicle, machine*) antreiben; (*person*) schubsen; (*fig: person*) treiben.
propeller [prə'pɛlə*] *n* Propeller *m*.
propelling pencil [prə'pɛlıŋ-] (*BRIT*) *n* Drehbleistift *m*.
propensity [prə'pɛnsıtı] *n*: **a ~ for** *or* **to sth** ein Hang *m* *or* eine Neigung zu etw; **to have a ~ to do sth** dazu neigen, etw zu tun.
proper ['prɔpə*] *adj* (*genuine, correct*) richtig; (*socially acceptable*) schicklich; (*inf: real*) echt; **the town/city ~** die Stadt selbst; **to go through the ~ channels** den Dienstweg einhalten.
properly ['prɔpəlı] *adv* (*eat, work*) richtig; (*behave*) anständig.
proper noun *n* Eigenname *m*.
property ['prɔpətı] *n* (*possessions*) Eigentum *nt*; (*building and its land*) Grundstück *nt*; (*quality*) Eigenschaft *f*; **it's their ~** es gehört ihnen.
property developer *n* ≈ Grundstücksmakler(in) *m(f)*.
property market *n* Immobilienmarkt *m*.
property owner *n* Grundbesitzer(in) *m(f)*.
property tax *n* Vermögenssteuer *f*.
prophecy ['prɔfısı] *n* Prophezeiung *f*.
prophesy ['prɔfısaı] *vt* prophezeien ♦ *vi* Prophezeiungen machen.
prophet ['prɔfıt] *n* Prophet *m*; **~ of doom** Unheilsprophet(in) *m(f)*.
prophetic [prə'fɛtık] *adj* prophetisch.
proportion [prə'pɔ:ʃən] *n* (*part*) Teil *m*; (*number: of people, things*) Anteil *m*; (*ratio*) Verhältnis *nt*; **in ~ to** im Verhältnis zu; **to be out of all ~ to sth** in keinem Verhältnis zu etw stehen; **to get sth in/out of ~** etw im richtigen/falschen Verhältnis sehen; **a sense of ~** (*fig*) ein Sinn für das Wesentliche.
proportional [prə'pɔ:ʃənl] *adj*: **~ to** proportional zu.
proportional representation *n* Verhältniswahlrecht *nt*.
proportionate [prə'pɔ:ʃənıt] *adj* = **proportional**.
proposal [prə'pəuzl] *n* (*plan*) Vorschlag *m*; **~ (of marriage)** Heiratsantrag *m*.
propose [prə'pəuz] *vt* (*plan, idea*) vorschlagen; (*motion*) einbringen; (*toast*) ausbringen ♦ *vi* (*offer marriage*) einen Heiratsantrag machen; **to ~ to do sth** *or* **doing sth** (*intend*) die Absicht haben, etw zu tun.
proposer [prə'pəuzə*] *n* (*of motion etc*) Antragsteller(in) *m(f)*.
proposition [prɔpə'zıʃən] *n* (*statement*) These *f*; (*offer*) Angebot *nt*; **to make sb a ~** jdm ein Angebot machen.
propound [prə'paund] *vt* (*idea etc*) darlegen.
proprietary [prə'praıətərı] *adj* (*brand, medicine*) Marken-; (*tone, manner*) besitzergreifend.
proprietor [prə'praıətə*] *n* (*of hotel, shop etc*) Inhaber(in) *m(f)*; (*of newspaper*) Besitzer(in) *m(f)*.
propriety [prə'praıətı] *n* (*seemliness*) Schicklichkeit *f*.
props [prɔps] *npl* (*THEAT*) Requisiten *pl*.
propulsion [prə'pʌlʃən] *n* Antrieb *m*.

pro rata [prəu'rɑːtə] *adj, adv* anteilmäßig; **on a ~ basis** anteilmäßig.
prosaic [prəu'zeɪɪk] *adj* prosaisch, nüchtern.
Pros. Atty. (*US*) *abbr* = **prosecuting attorney**.
proscribe [prə'skraɪb] (*form*) *vt* verbieten, untersagen.
prose [prəuz] *n* (*not poetry*) Prosa *f*; (*BRIT: SCOL: translation*) Übersetzung *f* in die Fremdsprache.
prosecute ['prɔsɪkjuːt] *vt* (*LAW: person*) strafrechtlich verfolgen; (: *case*) die Anklage vertreten in *+dat*.
prosecuting attorney ['prɔsɪkjuːtɪŋ-] (*US*) *n* Staatsanwalt *m*, Staatsanwältin *f*.
prosecution [prɔsɪ'kjuːʃən] *n* (*LAW: action*) strafrechtliche Verfolgung *f*; (: *accusing side*) Anklage(vertretung) *f*.
prosecutor ['prɔsɪkjuːtə*] *n* Anklagevertreter(in) *m(f)*; (*also*: **public ~**) Staatsanwalt *m*, Staatsanwältin *f*.
prospect [*n* 'prɔspɛkt, *vi* prə'spɛkt] *n* Aussicht *f* ♦ *vi*: **to ~ (for)** suchen (nach); **prospects** *npl* (*for work etc*) Aussichten *pl*, Chancen *pl*; **we are faced with the ~ of higher unemployment** wir müssen mit der Möglichkeit rechnen, daß die Arbeitslosigkeit steigt.
prospecting ['prɔspɛktɪŋ] *n* (*for gold, oil etc*) Suche *f*.
prospective [prə'spɛktɪv] *adj* (*son-in-law*) zukünftig; (*customer, candidate*) voraussichtlich.
prospectus [prə'spɛktəs] *n* (*of college, company*) Prospekt *m*.
prosper ['prɔspə*] *vi* (*person*) Erfolg haben; (*business, city etc*) gedeihen, florieren.
prosperity [prɔ'spɛrɪtɪ] *n* Wohlstand *m*.
prosperous ['prɔspərəs] *adj* (*person*) wohlhabend; (*business, city etc*) blühend.
prostate ['prɔsteɪt] *n* (*also*: **~ gland**) Prostata *f*.
prostitute ['prɔstɪtjuːt] *n* (*female*) Prostituierte *f*; (*male*) männliche(r) Prostituierte(r) *m*, Strichjunge *m* (*inf*) ♦ *vt*: **to ~ o.s.** (*fig*) sich prostituieren, sich unter Wert verkaufen.
prostitution [prɔstɪ'tjuːʃən] *n* Prostitution *f*.
prostrate ['prɔstreɪt] *adj* (*face down*) ausgestreckt (liegend); (*fig*) niedergeschmettert ♦ *vt*: **to ~ o.s. before** sich zu Boden werfen vor *+dat*.
protagonist [prə'tægənɪst] *n* (*of idea, movement*) Verfechter(in) *m(f)*; (*THEAT, LITER*) Protagonist(in) *m(f)*.
protect [prə'tɛkt] *vt* schützen.
protection [prə'tɛkʃən] *n* Schutz *m*; **police ~** Polizeischutz *m*.
protectionism [prə'tɛkʃənɪzəm] *n* Protektionismus *m*.
protection racket *n* Organisation *f* zur Erpressung von Schutzgeld.
protective [prə'tɛktɪv] *adj* (*clothing, layer etc*) Schutz-; (*person*) fürsorglich; **~ custody** Schutzhaft *f*.
protector [prə'tɛktə*] *n* (*person*) Beschützer(in) *m(f)*; (*device*) Schutz *m*.
protégé(e) ['prəutɪʒeɪ] *n* Schützling *m*.
protein ['prəutiːn] *n* Protein *nt*, Eiweiß *nt*.
pro tem [prəu'tɛm] *adv abbr* (= *pro tempore*) vorläufig.
protest [*n* 'prəutɛst, *vi, vt* prə'tɛst] *n* Protest *m* ♦ *vi*: **to ~ about** *or* **against** *or* **at sth** gegen etw protestieren ♦ *vt*: **to ~ (that)** (*insist*) beteuern(, daß).
Protestant ['prɔtɪstənt] *adj* protestantisch ♦ *n* Protestant(in) *m(f)*.
protester [prə'tɛstə*] *n* (*in demonstration*) Demonstrant(in) *m(f)*.
protest march *n* Protestmarsch *m*.
protestor [prə'tɛstə*] *n* = **protester**.
protocol ['prəutəkɔl] *n* Protokoll *nt*.
prototype ['prəutətaɪp] *n* Prototyp *m*.
protracted [prə'træktɪd] *adj* (*meeting etc*) langwierig, sich hinziehend; (*absence*) länger.
protractor [prə'træktə*] *n* (*GEOM*) Winkelmesser *m*.
protrude [prə'truːd] *vi* (*rock, ledge, teeth*) vorstehen.
protuberance [prə'tjuːbərəns] *n* Auswuchs *m*.
proud [praud] *adj* stolz; (*arrogant*) hochmütig; **~ of sb/sth** stolz auf jdn/etw; **to be ~ to do sth** stolz (darauf) sein, etw zu tun; **to do sb/o.s. ~** (*inf*) jdn/sich verwöhnen.
proudly ['praudlɪ] *adv* stolz.
prove [pruːv] *vt* beweisen ♦ *vi*: **to ~ (to be) correct** sich als richtig herausstellen *or* erweisen; **to ~ (o.s./itself) (to be) useful** sich als nützlich erweisen; **he was ~d right in the end** er hat schließlich recht behalten.
proverb ['prɔvəːb] *n* Sprichwort *nt*.
proverbial [prə'vəːbɪəl] *adj* sprichwörtlich.
provide [prə'vaɪd] *vt* (*food, money, shelter etc*) zur Verfügung stellen; (*answer, example etc*) liefern; **to ~ sb with sth** jdm etw zur Verfügung stellen.
▸**provide for** *vt fus* (*person*) sorgen für; (*future event*) vorsorgen für.
provided [prə'vaɪdɪd] *conj*: **~ (that)** vorausgesetzt(, daß).
Providence ['prɔvɪdəns] *n* die Vorsehung.
providing [prə'vaɪdɪŋ] *conj*: **~ (that)** vorausgesetzt(, daß).
province ['prɔvɪns] *n* (*of country*) Provinz *f*; (*responsibility etc*) Bereich *m*, Gebiet *nt*; **provinces** *npl*: **the ~s** *außerhalb der Hauptstadt liegende Landesteile*, Provinz *f*.
provincial [prə'vɪnʃəl] *adj* (*town, newspaper etc*) Provinz-; (*pej: parochial*) provinziell.
provision [prə'vɪʒən] *n* (*supplying*) Bereitstellung *f*; (*preparation*) Vorsorge *f*, Vorkehrungen *pl*; (*stipulation, clause*) Bestimmung *f*; **provisions** *npl* (*food*) Proviant *m*; **to make ~ for** vorsorgen für; (*for people*) sorgen für; **there's no ~ for this in the**

contract dies ist im Vertrag nicht vorgesehen.
provisional [prə'vɪʒənl] *adj* vorläufig, provisorisch ♦ *n*: **P~** (*IRISH: POL*) *Mitglied der provisorischen irisch-republikanischen Armee.*
provisional licence (*BRIT*) *n* (*AUT*) vorläufige Fahrerlaubnis *f*.
provisionally [prə'vɪʒnəlɪ] *adv* vorläufig.
proviso [prə'vaɪzəu] *n* Vorbehalt *m*; **with the ~ that ...** unter dem Vorbehalt, daß ...
Provo ['prɔvəu] (*IRISH: inf*) *n abbr* (*POL*) = **Provisional.**
provocation [prɔvə'keɪʃən] *n* Provokation *f*, Herausforderung *f*; **to be under ~** provoziert werden.
provocative [prə'vɔkətɪv] *adj* provozierend, herausfordernd; (*sexually stimulating*) aufreizend.
provoke [prə'vəuk] *vt* (*person*) provozieren, herausfordern; (*fight*) herbeiführen; (*reaction etc*) hervorrufen; **to ~ sb to do** *or* **into doing sth** jdn dazu provozieren, etw zu tun.
provost ['prɔvəst] *n* (*BRIT: of university*) Dekan *m*; (*SCOT*) Bürgermeister(in) *m(f)*.
prow [prau] *n* (*of boat*) Bug *m*.
prowess ['prauɪs] *n* Können *nt*, Fähigkeiten *pl*; **his ~ as a footballer** sein fußballerisches Können.
prowl [praul] *vi* (*also*: **~ about, ~ around**) schleichen ♦ *n*: **on the ~** (*animal, fig: person*) auf Streifzug.
prowler ['praulə*] *n* Herumtreiber *m*.
proximity [prɔk'sɪmɪtɪ] *n* Nähe *f*.
proxy ['prɔksɪ] *n*: **by ~** durch einen Stellvertreter.
prude [pru:d] *n*: **to be a ~** prüde sein.
prudence ['pru:dns] *n* Klugheit *f*, Umsicht *f*.
prudent ['pru:dnt] *adj* (*sensible*) klug.
prudish ['pru:dɪʃ] *adj* prüde.
prune [pru:n] *n* Backpflaume *f* ♦ *vt* (*plant*) stutzen, beschneiden.
pry [praɪ] *vi*: **to ~ (into)** seine Nase hineinstecken (in *+acc*), herumschnüffeln (in *+dat*).
PS *abbr* (= *postscript*) PS.
psalm [sɑ:m] *n* Psalm *m*.
PSAT (*US*) *n abbr* (= *Preliminary Scholastic Aptitude Test*) *Schuleignungstest.*
PSBR (*BRIT*) *n abbr* (*ECON*: = *public sector borrowing requirement*) staatlicher Kreditbedarf *m*.
pseud [sju:d] (*BRIT: inf: pej*) *n* Angeber(in) *m(f)*.
pseudo- ['sju:dəu] *pref* Pseudo-.
pseudonym ['sju:dənɪm] *n* Pseudonym *nt*.
PST (*US*) *abbr* (= *Pacific Standard Time*) *pazifische Standardzeit.*
PSV (*BRIT*) *n abbr* = **public-service vehicle.**
psyche ['saɪkɪ] *n* Psyche *f*.
psychedelic [saɪkə'delɪk] *adj* (*drug*) psychedelisch; (*clothes, colours*) in psychedelischen Farben.
psychiatric [saɪkɪ'ætrɪk] *adj* psychiatrisch.
psychiatrist [saɪ'kaɪətrɪst] *n* Psychiater(in) *m(f)*.
psychiatry [saɪ'kaɪətrɪ] *n* Psychiatrie *f*.
psychic ['saɪkɪk] *adj* (*person*) übersinnlich begabt; (*damage, disorder*) psychisch ♦ *n* Mensch *m* mit übersinnlichen Fähigkeiten.
psycho ['saɪkəu] (*US: inf*) *n* Verrückte(r) *f(m)*.
psychoanalyse [saɪkəu'ænəlaɪz] *vt* psychoanalytisch behandeln, psychoanalysieren.
psychoanalysis [saɪkəuə'nælɪsɪs] *n* Psychoanalyse *f*.
psychoanalyst [saɪkəu'ænəlɪst] *n* Psychoanalytiker(in) *m(f)*.
psychological [saɪkə'lɔdʒɪkl] *adj* psychologisch.
psychologist [saɪ'kɔlədʒɪst] *n* Psychologe *m*, Psychologin *f*.
psychology [saɪ'kɔlədʒɪ] *n* (*science*) Psychologie *f*; (*character*) Psyche *f*.
psychopath ['saɪkəupæθ] *n* Psychopath(in) *m(f)*.
psychoses [saɪ'kəusi:z] *npl of* **psychosis.**
psychosis [saɪ'kəusɪs] (*pl* **psychoses**) *n* Psychose *f*.
psychosomatic ['saɪkəusə'mætɪk] *adj* psychosomatisch.
psychotherapy [saɪkəu'θɛrəpɪ] *n* Psychotherapie *f*.
psychotic [saɪ'kɔtɪk] *adj* psychotisch.
PT (*BRIT*) *n abbr* (*SCOL*: = *physical training*) Turnen *nt*.
Pt *abbr* (*in place names*: = *Point*) Pt.
pt *abbr* = **pint; point.**
PTA *n abbr* (= *Parent-Teacher Association*) *Lehrer- und Elternverband.*
Pte (*BRIT*) *abbr* (*MIL*) = **private.**
PTO *abbr* (= *please turn over*) b.w.
PTV (*US*) *n abbr* (= *pay television*) Pay-TV *nt*; (= *public television*) öffentliches Fernsehen *nt*.
pub [pʌb] *n* = **public house.**

> **Pub** *ist ein Gasthaus mit einer Lizenz zum Ausschank von alkoholischen Getränken. Ein Pub besteht meist aus verschiedenen gemütlichen* (**lounge, snug**) *oder einfacheren Räumen* (**public bar**), *in der oft auch Spiele wie Darts, Domino und Poolbillard zur Verfügung stehen. In Pubs werden vor allem Mittags oft auch Mahlzeiten angeboten. Pubs sind normalerweise von 11 bis 23 Uhr geöffnet, aber manchmal nachmittags geschlossen.*

pub-crawl ['pʌbkrɔ:l] (*inf*) *n*: **to go on a ~** eine Kneipentour machen.
puberty ['pju:bətɪ] *n* Pubertät *f*.
pubic ['pju:bɪk] *adj* (*hair*) Scham-; **~ bone** Schambein *nt*.
public ['pʌblɪk] *adj* öffentlich ♦ *n*: **the ~** (*in*

general) die Öffentlichkeit; (*particular set of people*) das Publikum; **to be ~ knowledge** allgemein bekannt sein; **to make sth ~** etw bekanntmachen; **to go ~** (*COMM*) in eine Aktiengesellschaft umgewandelt werden; **in ~** in aller Öffentlichkeit; **the general ~** die Allgemeinheit.

public-address system [pʌblɪkə'drɛs-] *n* Lautsprecheranlage *f*.

publican ['pʌblɪkən] *n* Gastwirt(in) *m(f)*.

publication [pʌblɪ'keɪʃən] *n* Veröffentlichung *f*.

public company *n* Aktiengesellschaft *f*.

public convenience (*BRIT*) *n* öffentliche Toilette *f*.

public holiday *n* gesetzlicher Feiertag *m*.

public house (*BRIT*) *n* Gaststätte *f*.

publicity [pʌb'lɪsɪtɪ] *n* (*information*) Werbung *f*; (*attention*) Publicity *f*.

publicize ['pʌblɪsaɪz] *vt* (*fact*) bekanntmachen; (*event*) Publicity machen für.

public limited company *n* ≈ Aktiengesellschaft *f*.

publicly ['pʌblɪklɪ] *adv* öffentlich; **to be ~ owned** (*COMM*) in Staatsbesitz sein.

public opinion *n* die öffentliche Meinung.

public ownership *n*: **to be taken into ~** verstaatlicht werden.

Public Prosecutor *n* Staatsanwalt *m*, Staatsanwältin *f*.

public relations *n* Public Relations *pl*, Öffentlichkeitsarbeit *f*.

public relations officer *n* Beauftragte(r) *f(m)* für Öffentlichkeitsarbeit.

public school *n* (*BRIT*) Privatschule *f*; (*US*) staatliche Schule *f*.

> **Public school** *bezeichnet vor allem in England eine weiterführende Privatschule, meist eine Internatsschule mit hohem Prestige, an die oft auch eine* **preparatory school** *angeschlossen ist. Public schools werden von einem Schulbeirat verwaltet und durch Stiftungen und Schulgelder, die an den bekanntesten Schulen wie Eton, Harrow und Westminster sehr hoch sein können, finanziert. Die meisten Schüler einer Public school gehen zur Universität, oft nach Oxford oder Cambridge. Viele Industrielle, Abgeordnete und hohe Beamte haben eine Public school besucht. In Schottland und den USA bedeutet Public school eine öffentliche, vom Steuerzahler finanzierte Schule.*

public sector *n*: **the ~** der öffentliche Sektor.

public-service vehicle [pʌblɪk'səːvɪs-] (*BRIT*) *n* öffentliches Verkehrsmittel *nt*.

public-spirited [pʌblɪk'spɪrɪtɪd] *adj* gemeinsinnig.

public transport *n* öffentliche Verkehrsmittel *pl*.

public utility *n* öffentlicher Versorgungsbetrieb *m*.

public works *npl* öffentliche Bauprojekte *pl*.

publish ['pʌblɪʃ] *vt* veröffentlichen.

publisher ['pʌblɪʃə*] *n* (*person*) Verleger(in) *m(f)*; (*company*) Verlag *m*.

publishing ['pʌblɪʃɪŋ] *n* (*profession*) das Verlagswesen.

publishing company *n* Verlag *m*, Verlagshaus *nt*.

puce [pjuːs] *adj* (*face*) hochrot.

puck [pʌk] *n* (*ICE HOCKEY*) Puck *m*.

pucker ['pʌkə*] *vi* (*lips, face*) sich verziehen; (*fabric etc*) Falten werfen ♦ *vt* (*lips, face*) verziehen; (*fabric etc*) Falten machen in *+acc*.

pudding ['pudɪŋ] *n* (*cooked sweet food*) Süßspeise *f*; (*BRIT: dessert*) Nachtisch *m*; **rice ~** Milchreis *m*; **black ~**, (*US*) **blood ~** ≈ Blutwurst *f*.

puddle ['pʌdl] *n* (*of rain*) Pfütze *f*; (*of blood*) Lache *f*.

puerile ['pjuəraɪl] *adj* kindisch.

Puerto Rico ['pwəːtəu'riːkəu] *n* Puerto Rico *nt*.

puff [pʌf] *n* (*of cigarette, pipe*) Zug *m*; (*gasp*) Schnaufer *m*; (*of air*) Stoß *m*; (*of smoke*) Wolke *f* ♦ *vt* (*also*: **~ on, ~ at**: *cigarette, pipe*) ziehen an *+dat* ♦ *vi* (*gasp*) keuchen, schnaufen.

▸**puff out** *vt* (*one's chest*) herausdrücken; (*one's cheeks*) aufblasen.

puffed [pʌft] (*inf*) *adj* außer Puste.

puffin ['pʌfɪn] *n* Papageientaucher *m*.

puff pastry, (*US*) **puff paste** *n* Blätterteig *m*.

puffy ['pʌfɪ] *adj* (*eye*) geschwollen; (*face*) aufgedunsen.

pugnacious [pʌg'neɪʃəs] *adj* (*person*) streitsüchtig.

pull [pul] *vt* (*rope, handle etc*) ziehen an *+dat*; (*cart etc*) ziehen; (*close: curtain*) zuziehen; (*: blind*) herunterlassen; (*inf: attract: people*) anlocken; (*: sexual partner*) aufreißen; (*pint of beer*) zapfen ♦ *vi* ziehen ♦ *n* (*also fig: attraction*) Anziehungskraft *f*; **to ~ the trigger** abdrücken; **to ~ a face** ein Gesicht schneiden; **to ~ a muscle** sich *dat* einen Muskel zerren; **not to ~ one's** *or* **any punches** (*fig*) sich *dat* keine Zurückhaltung auferlegen; **to ~ to pieces** (*fig*) zerreißen; **to ~ one's weight** (*fig*) sich ins Zeug legen; **to ~ o.s. together** sich zusammenreißen; **to ~ sb's leg** (*fig*) jdn auf den Arm nehmen; **to ~ strings (for sb)** seine Beziehungen (für jdn) spielen lassen; **to give sth a ~** an etw *dat* ziehen.

▸**pull apart** *vt* (*separate*) trennen.

▸**pull away** *vi* (*AUT*) losfahren.

▸**pull back** *vi* (*retreat*) sich zurückziehen; (*fig*) einen Rückzieher machen (*inf*).

▸**pull down** *vt* (*building*) abreißen.

▸**pull in** *vi* (*AUT: at kerb*) anhalten; (*RAIL*) einfahren ♦ *vt* (*inf: money*) einsacken; (*crowds, people*) anlocken; (*police: suspect*) sich *dat* schnappen (*inf*).

▶**pull off** *vt* (*clothes etc*) ausziehen; (*fig: difficult thing*) schaffen, bringen (*inf*).
▶**pull out** *vi* (*AUT: from kerb*) losfahren; (: *when overtaking*) ausscheren; (*RAIL*) ausfahren; (*withdraw*) sich zurückziehen ♦ *vt* (*extract*) herausziehen.
▶**pull over** *vi* (*AUT*) an den Straßenrand fahren.
▶**pull through** *vi* (*MED*) durchkommen.
▶**pull up** *vi* (*AUT, RAIL: stop*) anhalten ♦ *vt* (*raise*) hochziehen; (*uproot*) herausreißen; (*chair*) heranrücken.
pullback ['pulbæk] *n* (*retreat*) Rückzug *m*.
pulley ['pulɪ] *n* Flaschenzug *m*.
pull-out ['pulaut] *n* (*in magazine*) Beilage *f* (*zum Heraustrennen*).
pullover ['puləuvə*] *n* Pullover *m*.
pulp [pʌlp] *n* (*of fruit*) Fruchtfleisch *nt*; (*for paper*) (Papier)brei *m*; (*LITER: pej*) Schund *m* ♦ *adj* (*pej: magazine, novel*) Schund-; **to reduce sth to a ~** etw zu Brei machen.
pulpit ['pulpɪt] *n* Kanzel *f*.
pulsate [pʌl'seɪt] *vi* (*heart*) klopfen; (*music*) pulsieren.
pulse [pʌls] *n* (*ANAT*) Puls *m*; (*rhythm*) Rhythmus *m*; **pulses** *npl* (*BOT*) Hülsenfrüchte *pl*; (*TECH*) Impuls *m*; *vi* pulsieren; **to take** *or* **feel sb's ~** jdm den Puls fühlen; **to have one's finger on the ~ (of sth)** (*fig*) den Finger am Puls (einer Sache *gen*) haben.
pulverize ['pʌlvəraɪz] *vt* pulverisieren; (*fig: destroy*) vernichten.
puma ['pju:mə] *n* Puma *m*.
pumice ['pʌmɪs] *n* (*also*: **~ stone**) Bimsstein *m*.
pummel ['pʌml] *vt* mit Faustschlägen bearbeiten.
pump [pʌmp] *n* Pumpe *f*; (*petrol pump*) Zapfsäule *f*; (*shoe*) Turnschuh *m* ♦ *vt* pumpen; **to ~ sb for information** jdn aushorchen; **she had her stomach ~ed** ihr wurde der Magen ausgepumpt.
▶**pump up** *vt* (*inflate*) aufpumpen.
pumpkin ['pʌmpkɪn] *n* Kürbis *m*.
pun [pʌn] *n* Wortspiel *nt*.
punch [pʌntʃ] *n* (*blow*) Schlag *m*; (*fig: force*) Schlagkraft *f*; (*tool*) Locher *m*; (*drink*) Bowle *f*, Punsch *m* ♦ *vt* (*hit*) schlagen; (*make a hole in*) lochen; **to ~ a hole in sth** ein Loch in etw *acc* stanzen.
▶**punch in** (*US*) *vi* (bei Arbeitsbeginn) stempeln.
▶**punch out** (*US*) *vi* (bei Arbeitsende) stempeln.
Punch and Judy show *n* ≈ Kasper(le)theater *nt*.
punch card, (*US*) punched card [pʌntʃt-] *n* Lochkarte *f*.
punch-drunk ['pʌntʃdrʌŋk] (*BRIT*) *adj* (*boxer*) angeschlagen.
punch line *n* Pointe *f*.
punch-up ['pʌntʃʌp] (*BRIT: inf*) *n* Schlägerei *f*.
punctual ['pʌŋktjuəl] *adj* pünktlich.
punctuality [pʌŋktju'ælɪtɪ] *n* Pünktlichkeit *f*.
punctually ['pʌŋktjuəlɪ] *adv* pünktlich; **it will start ~ at 6** es beginnt um Punkt 6 *or* pünktlich um 6.
punctuation [pʌŋktju'eɪʃən] *n* Zeichensetzung *f*.
punctuation mark *n* Satzzeichen *nt*.
puncture ['pʌŋktʃə*] *n* (*AUT*) Reifenpanne *f* ♦ *vt* durchbohren; **I have a ~** ich habe eine Reifenpanne.
pundit ['pʌndɪt] *n* Experte *m*, Expertin *f*.
pungent ['pʌndʒənt] *adj* (*smell, taste*) scharf; (*fig: speech, article etc*) spitz, scharf.
punish ['pʌnɪʃ] *vt* bestrafen; **to ~ sb for sth** jdn für etw bestrafen; **to ~ sb for doing sth** jdn dafür bestrafen, daß er etw getan hat.
punishable ['pʌnɪʃəbl] *adj* strafbar.
punishing ['pʌnɪʃɪŋ] *adj* (*fig: exercise, ordeal*) hart.
punishment ['pʌnɪʃmənt] *n* (*act*) Bestrafung *f*; (*way of punishing*) Strafe *f*; **to take a lot of ~** (*fig: car, person etc*) viel abbekommen.
punitive ['pju:nɪtɪv] *adj* (*action*) Straf-, zur Strafe; (*measure*) (extrem) hart.
punk [pʌŋk] *n* (*also*: **~ rocker**) Punker(in) *m(f)*; (*also*: **~ rock**) Punk *m*; (*US: inf: hoodlum*) Gangster *m*.
punnet ['pʌnɪt] *n* (*of raspberries etc*) Körbchen *nt*.
punt[1] [pʌnt] *n* (*boat*) Stechkahn *m* ♦ *vi* mit dem Stechkahn fahren.
punt[2] [pʌnt] (*IRISH*) *n* (*currency*) irisches Pfund *nt*.
punter ['pʌntə*] (*BRIT*) *n* (*gambler*) Wetter(in) *m(f)*; **the ~s** (*inf: customers*) die Leute; **the average ~** (*inf*) Otto Normalverbraucher.
puny ['pju:nɪ] *adj* (*person, arms etc*) schwächlich; (*efforts*) kläglich, kümmerlich.
pup [pʌp] *n* (*young dog*) Welpe *m*, junger Hund *m*; **seal ~** Welpenjunge(s) *nt*.
pupil ['pju:pl] *n* (*SCOL*) Schüler(in) *m(f)*; (*of eye*) Pupille *f*.
puppet ['pʌpɪt] *n* Handpuppe *f*; (*with strings, fig: person*) Marionette *f*.
puppet government *n* Marionettenregierung *f*.
puppy ['pʌpɪ] *n* (*young dog*) Welpe *m*, junger Hund *m*.
purchase ['pə:tʃɪs] *n* Kauf *m*; (*grip*) Halt *m* ♦ *vt* kaufen; **to get** *or* **gain (a) ~ on** (*grip*) Halt finden an *+dat*.
purchase order *n* Bestellung *f*.
purchase price *n* Kaufpreis *m*.
purchaser ['pə:tʃɪsə*] *n* Käufer(in) *m(f)*.
purchase tax *n* Kaufsteuer *f*.
purchasing power ['pə:tʃɪsɪŋ-] *n* Kaufkraft *f*.
pure [pjuə*] *adj* rein; **a ~ wool jumper** ein Pullover aus reiner Wolle; **it's laziness ~ and simple** es ist nichts als reine Faulheit.
purebred ['pjuəbrɛd] *adj* reinrassig.

puree ['pjuəreɪ] *n* Püree *nt*.
purely ['pjuəlɪ] *adv* rein.
purgatory ['pəːgətərɪ] *n* (*REL*) das Fegefeuer; (*fig*) die Hölle.
purge [pəːdʒ] *n* (*POL*) Säuberung *f* ♦ *vt* (*POL: organization*) säubern; (*: extremists etc*) entfernen; (*fig: thoughts, mind etc*) befreien.
purification [pjuərɪfɪ'keɪʃən] *n* Reinigung *f*.
purify ['pjuərɪfaɪ] *vt* reinigen.
purist ['pjuərɪst] *n* Purist(in) *m(f)*.
puritan ['pjuərɪtən] *n* Puritaner(in) *m(f)*.
puritanical [pjuərɪ'tænɪkl] *adj* puritanisch.
purity ['pjuərɪtɪ] *n* Reinheit *f*.
purl [pəːl] (*KNITTING*) *n* linke Masche *f* ♦ *vt* links stricken.
purloin [pəː'lɔɪn] (*form*) *vt* entwenden.
purple ['pəːpl] *adj* violett.
purport [pəː'pɔːt] *vi*: **to ~ to be/do sth** vorgeben, etw zu sein/tun.
purpose ['pəːpəs] *n* (*reason*) Zweck *m*; (*aim*) Ziel *nt*, Absicht *f*; **on ~** absichtlich; **for illustrative ~s** zu Illustrationszwecken; **for all practical ~s** praktisch (gesehen); **for the ~s of this meeting** zum Zweck dieses Treffens; **to little ~** mit wenig Erfolg; **to no ~** ohne Erfolg; **a sense of ~** ein Zielbewußtsein *nt*.
purpose-built ['pəːpəs'bɪlt] (*BRIT*) *adj* speziell angefertigt, Spezial-.
purposeful ['pəːpəsful] *adj* entschlossen.
purposely ['pəːpəslɪ] *adv* absichtlich, bewußt.
purr [pəː*] *vi* (*cat*) schnurren.
purse [pəːs] *n* (*BRIT: for money*) Geldbörse *f*, Portemonnaie *nt*; (*US: handbag*) Handtasche *f* ♦ *vt* (*lips*) kräuseln.
purser ['pəːsə*] *n* (*NAUT*) Zahlmeister *m*.
purse-snatcher ['pəːssnætʃə*] (*US*) *n* Handtaschendieb *m*.
pursue [pə'sjuː] *vt* (*person, vehicle, plan, aim*) verfolgen; (*fig: interest etc*) nachgehen *+dat*.
pursuer [pə'sjuːə*] *n* Verfolger(in) *m(f)*.
pursuit [pə'sjuːt] *n* (*chase*) Verfolgung *f*; (*pastime*) Beschäftigung *f*; (*fig*): **~ of** (*of happiness etc*) Streben *nt* nach; **in ~ of** (*person, car etc*) auf der Jagd nach; (*fig: happiness etc*) im Streben nach.
purveyor [pə'veɪə*] (*form*) *n* (*of goods etc*) Lieferant *m*.
pus [pʌs] *n* Eiter *m*.
push [puʃ] *n* Stoß *m*, Schub *m* ♦ *vt* (*press*) drücken; (*shove*) schieben; (*fig: put pressure on: person*) bedrängen; (*: promote: product*) werben für; (*inf: sell: drugs*) pushen ♦ *vi* (*press*) drücken; (*shove*) schieben; **at the ~ of a button** auf Knopfdruck; **at a ~** (*BRIT: inf*) notfalls; **to ~ a door open/shut** eine Tür auf-/zudrücken; **"~"** (*on door*) „drücken"; (*on bell*) „klingeln"; **to be ~ed for time/money** (*inf*) in Zeitnot/Geldnot sein; **she is ~ing fifty** (*inf*) sie geht auf die Fünfzig zu; **to ~ for** (*demand*) drängen auf *+acc*.
►**push around** *vt* (*bully*) herumschubsen.
►**push aside** *vt* beiseite schieben.
►**push in** *vi* sich dazwischendrängeln.
►**push off** (*inf*) *vi* abhauen.
►**push on** *vi* (*continue*) weitermachen.
►**push over** *vt* umstoßen.
►**push through** *vt* (*measure etc*) durchdrücken.
►**push up** *vt* (*total, prices*) hochtreiben.
push-bike ['puʃbaɪk] (*BRIT*) *n* Fahrrad *nt*.
push-button ['puʃbʌtn] *adj* (*machine, calculator*) Drucktasten-.
pushchair ['puʃtʃɛə*] (*BRIT*) *n* Sportwagen *m*.
pusher ['puʃə*] *n* (*drug dealer*) Pusher *m*.
pushover ['puʃəuvə*] (*inf*) *n*: **it's a ~** das ist ein Kinderspiel.
push-up ['puʃʌp] (*US*) *n* Liegestütz *m*.
pushy ['puʃɪ] (*pej*) *adj* aufdringlich.
puss [pus] (*inf*) *n* Mieze *f*.
pussy(cat) ['pusɪ(kæt)] (*inf*) *n* Mieze(katze) *f*.
put [put] (*pt, pp* **put**) *vt* (*thing*) tun; (*: upright*) stellen; (*: flat*) legen; (*person: in room, institution etc*) stecken; (*: in state, situation*) versetzen; (*express: idea etc*) ausdrücken; (*present: case, view*) vorbringen; (*ask: question*) stellen; (*classify*) einschätzen; (*write, type*) schreiben; **to ~ sb in a good/bad mood** jdn gut/schlecht stimmen; **to ~ sb to bed** jdn ins Bett bringen; **to ~ sb to a lot of trouble** jdm viele Umstände machen; **how shall I ~ it?** wie soll ich es sagen *or* ausdrücken?; **to ~ a lot of time into sth** viel Zeit auf etw *acc* verwenden; **to ~ money on a horse** Geld auf ein Pferd setzen; **the cost is now ~ at 2 million pounds** die Kosten werden jetzt auf 2 Millionen Pfund geschätzt; **I ~ it to you that ...** (*BRIT*) ich behaupte, daß ...; **to stay ~** (an Ort und Stelle) bleiben.
►**put about** *vi* (*NAUT*) den Kurs ändern ♦ *vt* (*rumour*) verbreiten.
►**put across** *vt* (*ideas etc*) verständlich machen.
►**put around** *vt* = **put about.**
►**put aside** *vt* (*work*) zur Seite legen; (*idea, problem*) unbeachtet lassen; (*sum of money*) zurücklegen.
►**put away** *vt* (*store*) wegräumen; (*inf: consume*) verdrücken; (*save: money*) zurücklegen; (*imprison*) einsperren.
►**put back** *vt* (*replace*) zurücktun; (*: upright*) zurückstellen; (*: flat*) zurücklegen; (*postpone*) verschieben; (*delay*) zurückwerfen.
►**put by** *vt* (*money, supplies etc*) zurücklegen.
►**put down** *vt* (*upright*) hinstellen; (*flat*) hinlegen; (*cup, glass*) absetzen; (*in writing*) aufschreiben; (*riot, rebellion*) niederschlagen; (*humiliate*) demütigen; (*kill*) töten.
►**put down to** *vt* (*attribute*) zurückführen auf *+acc*.
►**put forward** *vt* (*ideas etc*) vorbringen;

(*watch, clock*) vorstellen; (*date, meeting*) vorverlegen.
▸**put in** *vt* (*application, complaint*) einreichen; (*time, effort*) investieren; (*gas, electricity etc*) installieren ♦ *vi* (*NAUT*) einlaufen.
▸**put in for** *vt fus* (*promotion*) sich bewerben um; (*leave*) beantragen.
▸**put off** *vt* (*delay*) verschieben; (*distract*) ablenken; **to ~ sb off sth** (*discourage*) jdn von etw abbringen.
▸**put on** *vt* (*clothes, brake*) anziehen; (*glasses, kettle*) aufsetzen; (*make-up, ointment etc*) auftragen; (*light, TV*) anmachen; (*play etc*) aufführen; (*record, tape, video*) auflegen; (*dinner etc*) aufsetzen; (*assume: look, behaviour etc*) annehmen; (*inf: tease*) auf den Arm nehmen; (*extra bus, train etc*) einsetzen; **to ~ on airs** sich zieren; **to ~ on weight** zunehmen.
▸**put on to** *vt* (*tell about*) vermitteln.
▸**put out** *vt* (*fire, light*) ausmachen; (*take out: rubbish*) herausbringen; (*: cat etc*) vor die Tür setzen; (*one's hand*) ausstrecken; (*story, announcement*) verbreiten; (*BRIT: dislocate: shoulder etc*) verrenken; (*inf: inconvenience*) Umstände machen *+dat* ♦ *vi* (*NAUT*): **to ~ out to sea** in See stechen; **to ~ out from Plymouth** von Plymouth auslaufen.
▸**put through** *vt* (*TEL: person*) verbinden; (*: call*) durchstellen; (*plan, agreement*) durchbringen; **~ me through to Ms Blair** verbinden Sie mich mit Frau Blair.
▸**put together** *vt* (*furniture etc*) zusammenbauen; (*plan, campaign*) ausarbeiten; **more than the rest of them ~ together** mehr als alle anderen zusammen.
▸**put up** *vt* (*fence, building*) errichten; (*tent*) aufstellen; (*umbrella*) aufspannen; (*hood*) hochschlagen; (*poster, sign etc*) anbringen; (*price, cost*) erhöhen; (*accommodate*) unterbringen; **to ~ up resistance** Widerstand leisten; **to ~ up a fight** sich zur Wehr setzen; **to ~ sb up to sth** jdn zu etw anstiften; **to ~ sb up to doing sth** jdn dazu anstiften, etw zu tun; **to ~ sth up for sale** etw zum Verkauf anbieten.
▸**put upon** *vt fus*: **to be ~ upon** (*imposed on*) ausgenutzt werden.
▸**put up with** *vt fus* sich abfinden mit.
putative ['pju:tətɪv] *adj* mutmaßlich.
putrid ['pju:trɪd] *adj* (*mess, meat*) faul.
putt [pʌt] *n* Putt *m*.
putter ['pʌtə*] *n* (*GOLF*) Putter *m* ♦ *vi* (*US*) = **potter.**
putting green ['pʌtɪŋ-] *n* kleiner Golfplatz *m* zum Putten.
putty ['pʌtɪ] *n* Kitt *m*.
put-up ['putʌp] *adj*: **a ~ job** ein abgekartetes Spiel *nt*.
puzzle ['pʌzl] *n* (*game, toy*) Geschicklichkeitsspiel *nt*; (*mystery*) Rätsel *nt* ♦ *vt* verwirren ♦ *vi*: **to ~ over sth** sich *dat* über etw *acc* den Kopf zerbrechen; **to be ~d as to why ...** vor einem Rätsel stehen, warum ...
puzzling ['pʌzlɪŋ] *adj* verwirrend; (*mysterious*) rätselhaft.
PVC *n abbr* (= *polyvinyl chloride*) PVC *nt*.
Pvt. (*US*) *abbr* (*MIL*) = **private.**
PW (*US*) *n abbr* = **prisoner of war.**
p.w. *abbr* (= *per week*) pro Woche.
PX (*US*) *n abbr* (*MIL*) = **post exchange.**
pygmy ['pɪgmɪ] *n* Pygmäe *m*.
pyjamas, (*US*) **pajamas** [pə'dʒɑ:məz] *npl* Pyjama *m*, Schlafanzug *m*; **a pair of ~** ein Schlafanzug.
pylon ['paɪlən] *n* Mast *m*.
pyramid ['pɪrəmɪd] *n* Pyramide *f*.
Pyrenean [pɪrə'ni:ən] *adj* pyrenäisch.
Pyrenees [pɪrə'ni:z] *npl*: **the ~** die Pyrenäen *pl*.
Pyrex ® ['paɪrɛks] *n* ≈ Jenaer Glas ® *nt* ♦ *adj* (*dish, bowl*) aus Jenaer Glas ®.
python ['paɪθən] *n* Pythonschlange *f*.

Q, q

Q, q [kju:] *n* (*letter*) Q *nt*, q *nt*; **~ for Queen** ≈ Q wie Quelle.
Qatar [kæ'tɑ:*] *n* Katar *nt*.
QC (*BRIT*) *n abbr* (*LAW*: = *Queen's Counsel*) Kronanwalt *m*.

QC (kurz für Queen's Counsel, bzw. **KC** *für King's Counsel) ist in Großbritannien ein hochgestellter* **barrister**, *der auf Empfehlung des Lordkanzlers ernannt wird und zum Zeichen seines Amtes einen seidenen Umhang trägt und daher auch als* **silk** *bezeichnet wird. Ein QC muß vor Gericht in Begleitung eines rangniedrigeren Anwaltes erscheinen.*

QED *abbr* (= *quod erat demonstrandum*) q.e.d.
QM *n abbr* (*MIL*) = **quartermaster.**
q.t. (*inf*) *n abbr* (= *quiet*): **on the ~** heimlich.
qty *abbr* = **quantity.**
quack [kwæk] *n* (*of duck*) Schnattern *nt*, Quaken *nt*; (*inf: pej: doctor*) Quacksalber *m* ♦ *vi* schnattern, quaken.
quad [kwɔd] *abbr* = **quadrangle;** (= *quadruplet*) Vierling *m*.
quadrangle ['kwɔdræŋgl] *n* (*courtyard*) Innenhof *m*.
quadrilateral [kwɔdrɪ'lætərəl] *n* Viereck *nt*.
quadruped ['kwɔdrupɛd] *n* Vierfüßer *m*.
quadruple [kwɔ'dru:pl] *vt* vervierfachen ♦ *vi* sich vervierfachen.
quadruplets [kwɔ'dru:plɪts] *npl* Vierlinge *pl*.

quagmire ['kwægmaɪə*] *n* (*also fig*) Sumpf *m*.
quail [kweɪl] *n* Wachtel *f* ♦ *vi*: **he ~ed at the thought/before her anger** ihm schauderte bei dem Gedanken/vor ihrem Zorn.
quaint [kweɪnt] *adj* (*house, village*) malerisch; (*ideas, customs*) urig, kurios.
quake [kweɪk] *vi* beben, zittern ♦ *n* = **earthquake.**
Quaker ['kweɪkə*] *n* Quäker(in) *m(f)*.
qualification [kwɔlɪfɪ'keɪʃən] *n* (*often pl: degree etc*) Qualifikation *f*; (*attribute*) Voraussetzung *f*; (*reservation*) Vorbehalt *m*; **what are your ~s?** welche Qualifikationen haben Sie?
qualified ['kwɔlɪfaɪd] *adj* (*trained: doctor etc*) qualifiziert, ausgebildet; (*limited: agreement, praise*) bedingt; **to be/feel ~ to do sth** (*fit, competent*) qualifiziert sein/sich qualifiziert fühlen, etw zu tun; **it was a ~ success** es war kein voller Erfolg; **he's not ~ for the job** ihm fehlen die Qualifikationen für die Stelle.
qualify ['kwɔlɪfaɪ] *vt* (*entitle*) qualifizieren; (*modify: statement*) einschränken ♦ *vi* (*pass examination*) sich qualifizieren; **to ~ for** (*be eligible*) die Berechtigung erlangen für; (*in competition*) sich qualifizieren für; **to ~ as an engineer** die Ausbildung zum Ingenieur abschließen.
qualifying ['kwɔlɪfaɪɪŋ] *adj*: **~ exam** Auswahlprüfung *f*; **~ round** Qualifikationsrunde *f*.
qualitative ['kwɔlɪtətɪv] *adj* qualitativ.
quality ['kwɔlɪtɪ] *n* Qualität *f*; (*characteristic*) Eigenschaft *f* ♦ *cpd* Qualitäts-; **of good/poor ~** von guter/schlechter Qualität; **~ of life** Lebensqualität *f*.
quality control *n* Qualitätskontrolle *f*.
quality papers (*BRIT*) *npl*: **the ~** die seriösen Zeitungen *pl*.

> **Quality press** *bezeichnet auf die seriösen Tages- und Wochenzeitungen, im Gegensatz zu den Massenblättern. Diese Zeitungen sind fast alle großformatig und wenden sich an den anspruchsvolleren Leser, der voll informiert sein möchte und bereit ist, für die Zeitungslektüre viel Zeit aufzuwenden. Siehe auch* **tabloid press**.

qualm [kwɑːm] *n* Bedenken *pl*; **to have ~s about sth** Bedenken wegen etw haben.
quandary ['kwɔndrɪ] *n*: **to be in a ~** in einem Dilemma sein.
quango ['kwæŋgəu] (*BRIT*) *n abbr* (= *quasi-autonomous nongovernmental organization*) ≈ (regierungsunabhängige) Kommission *f*.
quantifiable ['kwɔntɪfaɪəbl] *adj* quantifizierbar.
quantitative ['kwɔntɪtətɪv] *adj* quantitativ.
quantity ['kwɔntɪtɪ] *n* (*amount*) Menge *f*; **in large/small quantities** in großen/kleinen Mengen; **in ~** (*in bulk*) in großen Mengen; **an unknown ~** (*fig*) eine unbekannte Größe.
quantity surveyor *n* Baukostenkalkulator(in) *m(f)*.
quantum leap ['kwɔntəm-] *n* (*PHYS*) Quantensprung *m*; (*fig*) Riesenschritt *m*.
quarantine ['kwɔrntiːn] *n* Quarantäne *f*; **in ~** in Quarantäne.
quark [kwɑːk] *n* (*cheese*) Quark *m*; (*PHYS*) Quark *nt*.
quarrel ['kwɔrl] *n* (*argument*) Streit *m* ♦ *vi* sich streiten; **to have a ~ with sb** sich mit jdm streiten; **I've no ~ with him** ich habe nichts gegen ihn; **I can't ~ with that** dagegen kann ich nichts einwenden.
quarrelsome ['kwɔrəlsəm] *adj* streitsüchtig.
quarry ['kwɔrɪ] *n* (*for stone*) Steinbruch *m*; (*prey*) Beute *f* ♦ *vt* (*marble etc*) brechen.
quart [kwɔːt] *n* Quart *nt*.
quarter ['kwɔːtə*] *n* Viertel *nt*; (*US: coin*) 25-Cent-Stück *nt*; (*of year*) Quartal *nt*; (*district*) Viertel *nt* ♦ *vt* (*divide*) vierteln; (*MIL: lodge*) einquartieren; **quarters** *npl* (*MIL*) Quartier *nt*; (*also*: **living ~s**) Unterkünfte *pl*; **a ~ of an hour** eine Viertelstunde; **it's a ~ to three,** (*US*) **it's a ~ of three** es ist Viertel vor drei; **it's a ~ past three,** (*US*) **it's a ~ after three** es ist Viertel nach drei; **from all ~s** aus allen Richtungen; **at close ~s** aus unmittelbarer Nähe.
quarterback ['kwɔːtəbæk] *n* (*AMERICAN FOOTBALL*) Quarterback *m*.
quarterdeck ['kwɔːtədɛk] *n* (*NAUT*) Quarterdeck *nt*.
quarterfinal ['kwɔːtə'faɪnl] *n* Viertelfinale *nt*.
quarterly ['kwɔːtəlɪ] *adj, adv* vierteljährlich ♦ *n* Vierteljahresschrift *f*.
quartermaster ['kwɔːtəmɑːstə*] *n* (*MIL*) Quartiermeister *m*.
quartet [kwɔː'tɛt] *n* (*MUS*) Quartett *nt*.
quarto ['kwɔːtəu] *n* (*size of paper*) Quartformat *nt*; (*book*) im Quartformat.
quartz [kwɔːts] *n* Quarz *m* ♦ *cpd* (*watch, clock*) Quarz-.
quash [kwɔʃ] *vt* (*verdict*) aufheben.
quasi- ['kweɪzaɪ] *pref* quasi-.
quaver ['kweɪvə*] *n* (*BRIT: MUS*) Achtelnote *f* ♦ *vi* (*voice*) beben, zittern.
quay [kiː] *n* Kai *m*.
quayside ['kiːsaɪd] *n* Kai *m*.
queasiness ['kwiːzɪnɪs] *n* Übelkeit *f*.
queasy ['kwiːzɪ] *adj* (*nauseous*) übel; **I feel ~** mir ist übel *or* schlecht.
Quebec [kwɪ'bɛk] *n* Quebec *nt*.
queen [kwiːn] *n* (*also ZOOL*) Königin *f*; (*CARDS, CHESS*) Dame *f*.
queen mother *n* Königinmutter *f*.
Queen's speech (*BRIT*) *n* ≈ Regierungserklärung *f*.

> **Queen's Speech** *(bzw* **King's Speech***) ist eine vom britischen Monarchen bei der feierlichen alljährlichen Parlamentseröffnung im Oberhaus vor dem versammelten Ober- und Unterhaus verlesene Rede. Sie wird vom Premierminister in Zusammenarbeit mit dem Kabinett verfaßt und enthält die Regierungsverklärung.*

queer [kwɪə*] *adj* (*odd*) sonderbar, seltsam ♦ *n* (*inf!: pej: male homosexual*) Schwule(r) *m*; **I feel** ~ (*BRIT: unwell*) mir ist ganz komisch.
quell [kwɛl] *vt* (*riot*) niederschlagen; (*fears*) überwinden.
quench [kwɛntʃ] *vt*: **to** ~ **one's thirst** seinen Durst stillen.
querulous ['kwɛruləs] *adj* nörglerisch.
query ['kwɪərɪ] *n* Anfrage *f* ♦ *vt* (*check*) nachfragen bezüglich *+gen*; (*express doubt about*) bezweifeln.
quest [kwɛst] *n* Suche *f*.
question ['kwɛstʃən] *n* Frage *f* ♦ *vt* (*interrogate*) befragen; (*doubt*) bezweifeln; **to ask sb a** ~**, put a** ~ **to sb** jdm eine Frage stellen; **to bring** *or* **call sth into** ~ etw in Frage stellen; **the** ~ **is** ... die Frage ist ...; **there's no** ~ **of him playing for England** es ist ausgeschlossen, daß er für England spielt; **the person/night in** ~ die fragliche Person/Nacht; **to be beyond** ~ außer Frage stehen; **to be out of the** ~ nicht in Frage kommen.
questionable ['kwɛstʃənəbl] *adj* fraglich.
questioner ['kwɛstʃənə*] *n* Fragesteller(in) *m(f)*.
questioning ['kwɛstʃənɪŋ] *adj* (*look*) fragend; (*mind*) forschend ♦ *n* (*POLICE*) Vernehmung *f*.
question mark *n* Fragezeichen *nt*.
questionnaire [kwɛstʃə'nɛə*] *n* Fragebogen *m*.
queue [kjuː] (*BRIT*) *n* Schlange *f* ♦ *vi* (*also*: ~ **up**) Schlange stehen.
quibble ['kwɪbl] *vi*: **to** ~ **about** *or* **over** sich streiten über *+acc*; **to** ~ **with** herumnörgeln an *+dat* ♦ *n* Krittelei *f*.
quiche [kiːʃ] *n* Quiche *f*.
quick [kwɪk] *adj* schnell; (*mind, wit*) wach; (*look, visit*) flüchtig ♦ *adv* schnell ♦ *n*: **to cut sb to the** ~ (*fig*) jdn tief verletzen; **be** ~! mach schnell!; **to be** ~ **to act** schnell handeln; **she was** ~ **to see that** ... sie begriff schnell, daß ...; **she has a** ~ **temper** sie wird leicht hitzig.
quicken ['kwɪkən] *vt* beschleunigen ♦ *vi* schneller werden, sich beschleunigen.
quick-fire ['kwɪkfaɪə*] *adj* (*questions*) wie aus der Maschinenpistole.
quick fix *n* Sofortlösung *f*.
quicklime ['kwɪklaɪm] *n* ungelöschter Kalk *m*.
quickly ['kwɪklɪ] *adv* schnell.
quickness ['kwɪknɪs] *n* Schnelligkeit *f*; ~ **of mind** Scharfsinn *m*.
quicksand ['kwɪksænd] *n* Treibsand *m*.
quickstep ['kwɪkstɛp] *n* Quickstep *m*.
quick-tempered [kwɪk'tɛmpəd] *adj* hitzig, leicht erregbar.
quick-witted [kwɪk'wɪtɪd] *adj* schlagfertig.
quid [kwɪd] (*BRIT: inf*) *n inv* Pfund *nt*.
quid pro quo ['kwɪdprəu'kwəu] *n* Gegenleistung *f*.
quiet ['kwaɪət] *adj* leise; (*place*) ruhig, still; (*silent, reserved*) still; (*business, day*) ruhig; (*without fuss etc: wedding*) in kleinem Rahmen ♦ *n* (*peacefulness*) Stille *f*, Ruhe *f*; (*silence*) Ruhe *f* ♦ *vt, vi* (*US*) = **quieten; keep** *or* **be** ~! sei still!; **I'll have a** ~ **word with him** ich werde mal unter vier Augen mit ihm reden; **on the** ~ (*in secret*) heimlich.
quieten ['kwaɪətn] (*BRIT: also:* ~ **down**) *vi* ruhiger werden ♦ *vt* (*person, animal*) beruhigen.
quietly ['kwaɪətlɪ] *adv* leise; (*silently*) still; (*calmly*) ruhig; ~ **confident** insgeheim sicher.
quietness ['kwaɪətnɪs] *n* (*peacefulness*) Ruhe *f*; (*silence*) Stille *f*.
quill [kwɪl] *n* (*pen*) Feder *f*; (*of porcupine*) Stachel *m*.
quilt [kwɪlt] *n* Decke *f*; (*also*: **continental** ~) Federbett *nt*.
quin [kwɪn] (*BRIT*) *n abbr* (= *quintuplet*) Fünfling *m*.
quince [kwɪns] *n* Quitte *f*.
quinine [kwɪ'niːn] *n* Chinin *nt*.
quintet [kwɪn'tɛt] *n* (*MUS*) Quintett *nt*.
quintuplets [kwɪn'tjuːplɪts] *npl* Fünflinge *pl*.
quip [kwɪp] *n* witzige *or* geistreiche Bemerkung *f* ♦ *vt* witzeln.
quire ['kwaɪə*] *n* (*of paper*) 24 Bogen Papier.
quirk [kwəːk] *n* Marotte *f*; **a** ~ **of fate** eine Laune des Schicksals.
quit [kwɪt] (*pt, pp* **quit** *or* **quitted**) *vt* (*smoking*) aufgeben; (*job*) kündigen; (*premises*) verlassen ♦ *vi* (*give up*) aufgeben; (*resign*) kündigen; **to** ~ **doing sth** aufhören, etw zu tun; ~ **stalling!** (*US: inf*) weichen Sie nicht ständig aus!; **notice to** ~ (*BRIT*) Kündigung *f*.
quite [kwaɪt] *adv* (*rather*) ziemlich; (*entirely*) ganz; **not** ~ nicht ganz; **I** ~ **like it** ich mag es ganz gern; **I** ~ **understand** ich verstehe; **I don't** ~ **remember** ich erinnere mich nicht genau; **not** ~ **as many as the last time** nicht ganz so viele wie das letzte Mal; **that meal was** ~ **something!** das Essen konnte sich sehen lassen!; **it was** ~ **a sight** das war vielleicht ein Anblick; ~ **a few of them** eine ganze Reihe von Ihnen; ~ **(so)!** ganz recht!
quits [kwɪts] *adj*: **we're** ~ wir sind quitt; **let's call it** ~ lassen wir's dabei.
quiver ['kwɪvə*] *vi* zittern.
quiz [kwɪz] *n* (*game*) Quiz *nt* ♦ *vt* (*question*)

befragen.
quizzical ['kwɪzɪkl] *adj* (*look, smile*) wissend.
quoits [kwɔɪts] *npl* (*game*) *Wurfspiel mit Ringen.*
quorum ['kwɔːrəm] *n* Quorum *nt.*
quota ['kwəutə] *n* (*allowance*) Quote *f.*
quotation [kwəu'teɪʃən] *n* (*from book etc*) Zitat *nt*; (*estimate*) Preisangabe *f*; (*COMM*) Kostenvoranschlag *m.*
quotation marks *npl* Anführungszeichen *pl.*
quote [kwəut] *n* (*from book etc*) Zitat *nt*; (*estimate*) Kostenvoranschlag *m* ♦ *vt* zitieren; (*fact, example*) anführen; (*price*) nennen; **quotes** *npl* (*quotation marks*) Anführungszeichen *pl*; **in ~s** in Anführungszeichen; **the figure ~d for the repairs** die für die Reparatur genannte Summe; **~ ... unquote** Zitat Anfang ... Zitat Ende.
quotient ['kwəuʃənt] *n* Quotient *m.*
qv *abbr* (= *quod vide*) s.d.
qwerty keyboard ['kwəːtɪ-] *n* Qwerty-Tastatur *f.*

R, r

R¹, r [ɑː*] *n* (*letter*) R *nt*, r *nt*; **~ for Robert,** (*US*) **~ for Roger** ≈ R wie Richard.
R² [ɑː*] *abbr* (= *Réaumur (scale)*) R; (*US: CINE:* = *restricted*) *Klassifikation für nicht jugendfreie Filme.*
R. *abbr* (= *right*) r.; = **river;** (*US: POL*) = **republican;** (*BRIT:* = *Rex*) *König*; (= *Regina*) *Königin.*
RA *abbr* (*MIL*) = **rear admiral** ♦ *n abbr* (*BRIT:* = *Royal Academy*) *Gesellschaft zur Förderung der Künste*; (= *Royal Academician*) *Mitglied der Royal Academy.*
RAAF *n abbr* (*MIL:* = *Royal Australian Air Force*) australische Luftwaffe *f.*
Rabat [rə'bɑːt] *n* Rabat *nt.*
rabbi ['ræbaɪ] *n* Rabbi *m.*
rabbit ['ræbɪt] *n* Kaninchen *nt* ♦ *vi* (*BRIT: inf: also:* **to ~ on**) quatschen, schwafeln.
rabbit hole *n* Kaninchenbau *m.*
rabbit hutch *n* Kaninchenstall *m.*
rabble ['ræbl] (*pej*) *n* Pöbel *m.*
rabid ['ræbɪd] *adj* (*animal*) tollwütig; (*fig: fanatical*) fanatisch.
rabies ['reɪbiːz] *n* Tollwut *f.*
RAC (*BRIT*) *n abbr* (= *Royal Automobile Club*) *Autofahrerorganisation,* ≈ ADAC *m.*
raccoon [rə'kuːn] *n* Waschbär *m.*
race [reɪs] *n* (*species*) Rasse *f*; (*competition*) Rennen *nt*; (*for power, control*) Wettlauf *m* ♦ *vt* (*horse, pigeon*) an Wettbewerben teilnehmen lassen; (*car etc*) ins Rennen schicken; (*person*) um die Wette laufen mit ♦ *vi* (*compete*) antreten; (*hurry*) rennen; (*pulse, heart*) rasen; (*engine*) durchdrehen; **the human ~** die Menschheit; **a ~ against time** ein Wettlauf mit der Zeit; **he ~d across the road** er raste über die Straße; **to ~ in/out** hinein-/hinausstürzen.
race car (*US*) *n* = **racing car.**
race car driver (*US*) *n* = **racing driver.**
racecourse ['reɪskɔːs] *n* Rennbahn *f.*
racehorse ['reɪshɔːs] *n* Rennpferd *nt.*
race meeting *n* Rennveranstaltung *f.*
race relations *npl* Beziehungen *pl* zwischen den Rassen.
racetrack ['reɪstræk] *n* Rennbahn *f*; (*US*) = **racecourse.**
racial ['reɪʃl] *adj* Rassen-.
racialism ['reɪʃlɪzəm] *n* Rassismus *m.*
racialist ['reɪʃlɪst] *adj* rassistisch ♦ *n* (*pej*) Rassist(in) *m(f)*.
racing ['reɪsɪŋ] *n* (*horse racing*) Pferderennen *nt*; (*motor racing*) Rennsport *m.*
racing car (*BRIT*) *n* Rennwagen *m.*
racing driver (*BRIT*) *n* Rennfahrer(in) *m(f)*.
racism ['reɪsɪzəm] *n* Rassismus *m.*
racist ['reɪsɪst] *adj* rassistisch ♦ *n* (*pej*) Rassist(in) *m(f)*.
rack [ræk] *n* (*also:* **luggage ~**) Gepäckablage *f*; (*also:* **roof ~**) Dachgepäckträger *m*; (*for dresses etc*) Ständer *m*; (*for dishes*) Gestell *nt* ♦ *vt:* **~ed by** (*pain etc*) gemartert von; **magazine/toast ~** Zeitungs-/Toastständer *m*; **to ~ one's brains** sich *dat* den Kopf zerbrechen; **to go to ~ and ruin** (*building*) zerfallen; (*business, country*) herunterkommen.
racket ['rækɪt] *n* (*for tennis etc*) Schläger *m*; (*noise*) Krach *m*, Radau *m*; (*swindle*) Schwindel *m.*
racketeer [rækɪ'tɪə*] (*esp US*) *n* Gangster *m.*
racoon [rə'kuːn] *n* = **raccoon.**
racquet ['rækɪt] *n* (*for tennis etc*) Schläger *m.*
racy ['reɪsɪ] *adj* (*book, story*) rasant.
RADA [rɑːdə] (*BRIT*) *n abbr* (= *Royal Academy of Dramatic Art*) *Schauspielschule.*
radar ['reɪdɑː*] *n* Radar *m or nt* ♦ *cpd* Radar-.
radar trap *n* Radarfalle *f.*
radial ['reɪdɪəl] *adj* (*roads*) strahlenförmig verlaufend; (*pattern*) strahlenförmig ♦ *n* (*also:* **~ tyre**) Gürtelreifen *m.*
radiance ['reɪdɪəns] *n* Glanz *m.*
radiant ['reɪdɪənt] *adj* strahlend; (*PHYS: heat*) Strahlungs-.
radiate ['reɪdɪeɪt] *vt* (*lit, fig*) ausstrahlen ♦ *vi* (*lines, roads*) strahlenförmig verlaufen.
radiation [reɪdɪ'eɪʃən] *n* (*radioactivity*) radioaktive Strahlung *f*; (*from sun etc*) Strahlung *f.*
radiation sickness *n* Strahlenkrankheit *f.*
radiator ['reɪdɪeɪtə*] *n* (*heater*) Heizkörper *m*;

(*AUT*) Kühler *m*.
radiator cap *n* (*AUT*) Kühlerdeckel *m*.
radiator grill *n* (*AUT*) Kühlergrill *m*.
radical ['rædɪkl] *adj* radikal ♦ *n* (*person*) Radikale(r) *f(m)*.
radii ['reɪdɪaɪ] *npl of* **radius.**
radio ['reɪdɪəu] *n* (*broadcasting*) Radio *nt*, Rundfunk *m*; (*device: for receiving broadcasts*) Radio *nt*; (: *for transmitting and receiving*) Funkgerät *nt* ♦ *vi*: **to ~ to sb** mit jdm per Funk sprechen ♦ *vt* (*person*) per Funk verständigen; (*message, position*) per Funk durchgeben; **on the ~** im Radio.
radio... ['reɪdɪəu] *pref* Radio..., radio...
radioactive ['reɪdɪəu'æktɪv] *adj* radioaktiv.
radioactivity ['reɪdɪəuæk'tɪvɪtɪ] *n* Radioaktivität *f*.
radio announcer *n* Rundfunksprecher(in) *m(f)*.
radio-controlled ['reɪdɪəukən'trəuld] *adj* ferngesteuert.
radiographer [reɪdɪ'ɔgrəfə*] *n* Röntgenologe *m*, Röntgenologin *f*.
radiography [reɪdɪ'ɔgrəfɪ] *n* Röntgenographie *f*.
radiologist [reɪdɪ'ɔlədʒɪst] *n* Radiologe *m*, Radiologin *f*.
radiology [reɪdɪ'ɔlədʒɪ] *n* Radiologie *f*.
radio station *n* Radiosender *m*.
radio taxi *n* Funktaxi *nt*.
radiotelephone ['reɪdɪəu'tɛlɪfəun] *n* Funksprechgerät *nt*.
radio telescope *n* Radioteleskop *nt*.
radiotherapist ['reɪdɪəu'θɛrəpɪst] *n* Strahlentherapeut(in) *m(f)*.
radiotherapy ['reɪdɪəu'θɛrəpɪ] *n* Strahlentherapie *f*.
radish ['rædɪʃ] *n* Radieschen *nt*; (*long white variety*) Rettich *m*.
radium ['reɪdɪəm] *n* Radium *nt*.
radius ['reɪdɪəs] (*pl* **radii**) *n* Radius *m*; (*area*) Umkreis *m*; **within a ~ of 50 miles** in einem Umkreis von 50 Meilen.
RAF (*BRIT*) *n abbr* = **Royal Air Force.**
raffia ['ræfɪə] *n* Bast *m*.
raffish ['ræfɪʃ] *adj* (*person*) verwegen; (*place*) verkommen.
raffle ['ræfl] *n* Verlosung *f*, Tombola *f* ♦ *vt* (*prize*) verlosen; **~ ticket** Los *nt*.
raft [rɑːft] *n* Floß *nt*; (*also*: **life ~**) Rettungsfloß *nt*.
rafter ['rɑːftə*] *n* Dachsparren *m*.
rag [ræg] *n* (*piece of cloth*) Lappen *m*; (*torn cloth*) Fetzen *m*; (*pej: newspaper*) Käseblatt *nt*; (*BRIT: UNIV*) *studentische Wohltätigkeitsveranstaltung* ♦ *vt* (*BRIT: tease*) aufziehen; **rags** *npl* (*torn clothes*) Lumpen *pl*; **in ~s** (*person*) zerlumpt; **his was a ~s-to-riches story** er brachte es vom Tellerwäscher zum Millionär.
rag-and-bone man [rægən'bəun-] (*BRIT*) *n* Lumpensammler *m*.
ragbag ['rægbæg] *n* (*assortment*) Sammelsurium *nt*.

> **Rag Day/Week** *heißt der Tag bzw. die Woche, wenn Studenten Geld für wohltätige Zwecke sammeln. Diverse gesponserte Aktionen wie Volksläufe, Straßentheater und Kneipentouren werden zur Unterhaltung der Studenten und der Bevölkerung organisiert. Studentenzeitschriften mit schlüpfrigen Witzen werden auf der Straße verkauft, und fast alle Universitäten und Colleges halten einen Ball ab. Der Erlös aller Veranstaltungen fließt Wohltätigkeitsorganisationen zu.*

rag doll *n* Stoffpuppe *f*.
rage [reɪdʒ] *n* (*fury*) Wut *f*, Zorn *m* ♦ *vi* toben, wüten; **it's all the ~** (*fashionable*) es ist der letzte Schrei; **to fly into a ~** einen Wutanfall bekommen.
ragged ['rægɪd] *adj* (*jagged*) zackig; (*clothes, person*) zerlumpt; (*beard*) ausgefranst.
raging ['reɪdʒɪŋ] *adj* (*sea, storm, torrent*) tobend, tosend; (*fever*) heftig; (*thirst*) brennend; (*toothache*) rasend.
rag trade (*inf*) *n*: **the ~** die Modebranche *f*.
raid [reɪd] *n* (*MIL*) Angriff *m*, Überfall *m*; (*by police*) Razzia *f*; (*by criminal: forcefully*) Überfall *m*; (: *secretly*) Einbruch *m* ♦ *vt* (*MIL*) angreifen, überfallen; (*police*) stürmen; (*criminal: forcefully*) überfallen; (: *secretly*) einbrechen in *+acc*.
rail [reɪl] *n* Geländer *nt*; (*on deck of ship*) Reling *f*; **rails** *npl* (*for train*) Schienen *pl*; **by ~** mit der Bahn.
railcard ['reɪlkɑːd] (*BRIT*) *n* (*for young people*) ≈ Juniorenpaß *m*; (*for pensioners*) ≈ Seniorenpaß *m*.
railing(s) ['reɪlɪŋ(z)] *n(pl)* (*fence*) Zaun *m*.
railroad ['reɪlrəud] (*US*) *n* = **railway.**
railway ['reɪlweɪ] (*BRIT*) *n* Eisenbahn *f*; (*track*) Gleis *nt*; (*company*) Bahn *f*.
railway engine (*BRIT*) *n* Lokomotive *f*.
railway line (*BRIT*) *n* Bahnlinie *f*; (*track*) Gleis *nt*.
railwayman ['reɪlweɪmən] (*irreg: like* **man**) (*BRIT*) *n* Eisenbahner *m*.
railway station (*BRIT*) *n* Bahnhof *m*.
rain [reɪn] *n* Regen *m* ♦ *vi* regnen; **in the ~** im Regen; **as right as ~** voll auf der Höhe; **it's ~ing** es regnet; **it's ~ing cats and dogs** es regnet in Strömen.
rainbow ['reɪnbəu] *n* Regenbogen *m*.
rain check (*US*) *n*: **to take a ~ on sth** sich *dat* etw noch einmal überlegen.
raincoat ['reɪnkəut] *n* Regenmantel *m*.
raindrop ['reɪndrɔp] *n* Regentropfen *m*.
rainfall ['reɪnfɔːl] *n* Niederschlag *m*.
rainforest ['reɪnfɔrɪst] *n* Regenwald *m*.
rainproof ['reɪnpruːf] *adj* wasserfest.
rainstorm ['reɪnstɔːm] *n* schwere Regenfälle *pl*.

rainwater ['reɪnwɔːtə*] *n* Regenwasser *nt*.
rainy ['reɪnɪ] *adj* (*day*) regnerisch, verregnet; (*area*) regenreich; ~ **season** Regenzeit *f*; **to save sth for a** ~ **day** etw für schlechte Zeiten aufheben.
raise [reɪz] *n* (*pay rise*) Gehaltserhöhung *f* ♦ *vt* (*lift: hand*) hochheben; (: *window*) hochziehen; (*siege*) beenden; (*embargo*) aufheben; (*increase*) erhöhen; (*improve*) verbessern; (*question etc*) zur Sprache bringen; (*doubts etc*) vorbringen; (*child, cattle*) aufziehen; (*crop*) anbauen; (*army*) aufstellen; (*funds*) aufbringen; (*loan*) aufnehmen; **to** ~ **a glass to sb/sth** das Glas auf jdn/etw erheben; **to** ~ **one's voice** die Stimme erheben; **to** ~ **sb's hopes** jdm Hoffnungen machen; **to** ~ **a laugh/smile** Gelächter/ein Lächeln hervorrufen; **this** ~**s the question...** das wirft die Frage auf...
raisin ['reɪzn] *n* Rosine *f*.
Raj [rɑːdʒ] *n*: **the** ~ *britische Regierung in Indien vor 1947*.
rajah ['rɑːdʒə] *n* Radscha *m*.
rake [reɪk] *n* Harke *f*; (*old: person*) Schwerenöter *m* ♦ *vt* harken; (*light, gun: area*) bestreichen; **he's raking it in** (*inf*) er scheffelt das Geld nur so.
rake-off ['reɪkɔf] (*inf*) *n* Anteil *m*.
rally ['rælɪ] *n* (*POL etc*) Kundgebung *f*; (*AUT*) Rallye *f*; (*TENNIS etc*) Ballwechsel *m* ♦ *vt* (*support*) sammeln ♦ *vi* (*sick person, Stock Exchange*) sich erholen.
►**rally round** *vi* sich zusammentun ♦ *vt fus* zu Hilfe kommen *+dat*.
rallying point ['rælɪɪŋ-] *n* Sammelstelle *f*.
RAM [ræm] *n abbr* (*COMPUT: = random access memory*) RAM.
ram [ræm] *n* Widder *m* ♦ *vt* rammen.
ramble ['ræmbl] *n* Wanderung *f* ♦ *vi* wandern; (*also:* ~ **on**: *talk*) schwafeln.
rambler ['ræmblə*] *n* Wanderer *m*, Wanderin *f*; (*BOT*) Kletterrose *f*.
rambling ['ræmblɪŋ] *adj* (*speech, letter*) weitschweifig; (*house*) weitläufig; (*BOT*) rankend, Kletter-.
rambunctious [ræm'bʌŋkʃəs] (*US*) *adj* = **rumbustious**.
RAMC (*BRIT*) *n abbr* (= *Royal Army Medical Corps*) *Verband zur Versorgung der Armee mit Stabsärzten und Sanitätern*.
ramifications [ræmɪfɪ'keɪʃənz] *npl* Auswirkungen *pl*.
ramp [ræmp] *n* Rampe *f*; (*in garage*) Hebebühne *f*; **on** ~ (*US: AUT*) Auffahrt *f*; **off** ~ (*US: AUT*) Ausfahrt *f*.
rampage [ræm'peɪdʒ] *n*: **to be/go on the** ~ randalieren ♦ *vi*: **they went rampaging through the town** sie zogen randalierend durch die Stadt.
rampant ['ræmpənt] *adj*: **to be** ~ (*crime, disease etc*) wild wuchern.
rampart ['ræmpɑːt] *n* Schutzwall *m*.
ram raiding [-reɪdɪŋ] *n Einbruchdiebstahl, wobei die Diebe mit einem Wagen in die Schaufensterfront eines Ladens eindringen*.
ramshackle ['ræmʃækl] *adj* (*house*) baufällig; (*cart*) klapprig; (*table*) altersschwach.
RAN *n abbr* (= *Royal Australian Navy*) australische Marine *f*.
ran [ræn] *pt of* **run**.
ranch [rɑːntʃ] *n* Ranch *f*.
rancher ['rɑːntʃə*] *n* Rancher(in) *m(f)*; (*worker*) Farmhelfer(in) *m(f)*.
rancid ['rænsɪd] *adj* ranzig.
rancour, (*US*) **rancor** ['ræŋkə*] *n* Verbitterung *f*.
R & B *n abbr* (= *rhythm and blues*) R & B.
R & D *n abbr* = **research and development**.
random ['rændəm] *adj* (*arrangement*) willkürlich; (*selection*) zufällig; (*COMPUT*) wahlfrei; (*MATH*) Zufalls- ♦ *n*: **at** ~ aufs Geratewohl.
random access *n* (*COMPUT*) wahlfreier Zugriff *m*.
random access memory *n* (*COMPUT*) Schreib-Lese-Speicher *m*.
R & R (*US*) *n abbr* (*MIL: = rest and recreation*) Urlaub *m*.
randy ['rændɪ] (*BRIT: inf*) *adj* geil, scharf.
rang [ræŋ] *pt of* **ring**.
range [reɪndʒ] *n* (*of mountains*) Kette *f*; (*of missile*) Reichweite *f*; (*of voice*) Umfang *m*; (*series*) Reihe *f*; (*of products*) Auswahl *f*; (*MIL: also:* **rifle** ~) Schießstand *m*; (*also:* **kitchen** ~) Herd *m* ♦ *vt* (*place in a line*) anordnen ♦ *vi*: **to** ~ **over** (*extend*) sich erstrecken über *+acc*; **price** ~ Preisspanne *f*; **do you have anything else in this price** ~**?** haben Sie noch etwas anderes in dieser Preisklasse?; **within (firing)** ~ in Schußweite; **at close** ~ aus unmittelbarer Entfernung; ~**d left/right** (*text*) links-/rechtsbündig; **to** ~ **from ... to ...** sich zwischen ... und ... bewegen.
ranger ['reɪndʒə*] *n* Förster(in) *m(f)*.
Rangoon [ræŋ'guːn] *n* Rangun *nt*.
rank [ræŋk] *n* (*row*) Reihe *f*; (*MIL*) Rang *m*; (*social class*) Schicht *f*; (*BRIT: also:* **taxi** ~) Taxistand *m* ♦ *vi*: **to** ~ **as/among** zählen zu ♦ *vt*: **he is** ~**ed third in the world** er steht weltweit an dritter Stelle ♦ *adj* (*stinking*) stinkend; (*sheer: hypocrisy etc*) rein; **the ranks** *npl* (*MIL*) die Mannschaften *pl*; **the** ~ **and file** (*ordinary members*) die Basis *f*; **to close** ~**s** (*fig, MIL*) die Reihen schließen.
rankle ['ræŋkl] *vi* (*insult*) nachwirken; **to** ~ **with sb** jdn wurmen.
rank outsider *n* totaler Außenseiter *m*, totale Außenseiterin *f*.
ransack ['rænsæk] *vt* (*search*) durchwühlen; (*plunder*) plündern.
ransom ['rænsəm] *n* (*money*) Lösegeld *nt*; **to hold sb to** ~ (*hostage*) jdn als Geisel halten; (*fig*) jdn erpressen.
rant [rænt] *vi* schimpfen, wettern; **to** ~ **and**

rave herumwettern.
ranting ['ræntɪŋ] *n* Geschimpfe *nt*.
rap [ræp] *vi* klopfen ♦ *vt*: **to ~ sb's knuckles** jdm auf die Finger klopfen ♦ *n* (*at door*) Klopfen *nt*; (*also*: **~ music**) Rap *m*.
rape [reɪp] *n* Vergewaltigung *f*; (*BOT*) Raps *m* ♦ *vt* vergewaltigen.
rape(seed) oil ['reɪp(siːd)-] *n* Rapsöl *nt*.
rapid ['ræpɪd] *adj* schnell; (*growth, change*) schnell, rapide.
rapidity [rə'pɪdɪtɪ] *n* Schnelligkeit *f*.
rapidly ['ræpɪdlɪ] *adv* schnell; (*grow, change*) schnell, rapide.
rapids ['ræpɪdz] *npl* Stromschnellen *pl*.
rapist ['reɪpɪst] *n* Vergewaltiger *m*.
rapport [ræ'pɔː*] *n* enges Verhältnis *nt*.
rapprochement [ræ'prɔʃmɑ̃ːŋ] *n* Annäherung *f*.
rapt [ræpt] *adj* (*attention*) gespannt; **to be ~ in thought** in Gedanken versunken sein.
rapture ['ræptʃə*] *n* Entzücken *nt*; **to go into ~s over** ins Schwärmen geraten über *+acc*.
rapturous ['ræptʃərəs] *adj* (*applause, welcome*) stürmisch.
rare [rɛə*] *adj* selten; (*steak*) nur angebraten, englisch (gebraten); **it is ~ to find that** ... es kommt nur selten vor, daß ...
rarebit ['rɛəbɪt] *n see* **Welsh rarebit**.
rarefied ['rɛərɪfaɪd] *adj* (*air, atmosphere*) dünn; (*fig*) exklusiv.
rarely ['rɛəlɪ] *adv* selten.
raring ['rɛərɪŋ] *adj*: **~ to go** (*inf*) in den Startlöchern.
rarity ['rɛərɪtɪ] *n* Seltenheit *f*.
rascal ['rɑːskl] *n* (*child*) Frechdachs *m*; (*rogue*) Schurke *m*.
rash [ræʃ] *adj* (*person*) unbesonnen; (*promise, act*) übereilt ♦ *n* (*MED*) Ausschlag *m*; (*of events etc*) Flut *f*; **to come out in a ~** einen Ausschlag bekommen.
rasher ['ræʃə*] *n* (*of bacon*) Scheibe *f*.
rashly ['ræʃlɪ] *adv* (*promise etc*) voreilig.
rasp [rɑːsp] *n* (*tool*) Raspel *f*; (*sound*) Kratzen *nt* ♦ *vt, vi* krächzen.
raspberry ['rɑːzbərɪ] *n* Himbeere *f*; **~ bush** Himbeerstrauch *m*; **to blow a ~** (*inf*) verächtlich schnauben.
rasping ['rɑːspɪŋ] *adj*: **a ~ noise** ein kratzendes Geräusch.
Rastafarian *n* Rastafarier *m*.
rat [ræt] *n* Ratte *f*.
ratable ['reɪtəbl] *adj* = **rateable**.
ratchet ['rætʃɪt] *n* Sperrklinke *f*; **~ wheel** Sperrad *nt*.
rate [reɪt] *n* (*speed: of change etc*) Tempo *nt*; (*of inflation, unemployment etc*) Rate *f*; (*of interest, taxation*) Satz *m*; (*price*) Preis *m* ♦ *vt* einschätzen; **rates** *npl* (*BRIT: property tax*) Kommunalabgaben *pl*; **at a ~ of 60 kph** mit einem Tempo von 60 km/h; **~ of growth** (*ECON*) Wachstumsrate *f*; **~ of return** (*FIN*) Rendite *f*; **pulse ~** Pulszahl *f*; **at this/that ~** wenn es so weitergeht; **at any ~** auf jeden Fall; **to ~ sb/sth as** jdn/etw einschätzen als; **to ~ sb/sth among** jdn/etw zählen zu; **to ~ sb/sth highly** jdn/etw hoch einschätzen.
rateable ['reɪtəbl] *adj*: **~ value** (*BRIT*) steuerbarer Wert *m*.
ratepayer ['reɪtpeɪə*] (*BRIT*) *n* Steuerzahler(in) *m(f)*.
rather ['rɑːðə*] *adv* (*somewhat*) etwas; (*very*) ziemlich; **~ a lot** ziemlich *or* recht viel; **I would ~ go** ich würde lieber gehen; **~ than** (*instead of*) anstelle von; **or ~** (*more accurately*) oder vielmehr; **I'd ~ not say** das möchte ich lieber nicht sagen; **I ~ think he won't come** ich glaube eher, daß er nicht kommt.
ratification [rætɪfɪ'keɪʃən] *n* Ratifikation *f*.
ratify ['rætɪfaɪ] *vt* (*treaty etc*) ratifizieren.
rating ['reɪtɪŋ] *n* (*score*) Rate *f*; (*assessment*) Beurteilung *f*; (*NAUT: BRIT: sailor*) Matrose *m*; **ratings** *npl* (*RADIO, TV*) Einschaltquote *f*.
ratio ['reɪʃɪəu] *n* Verhältnis *nt*; **a ~ of 5 to 1** ein Verhältnis von 5 zu 1.
ration ['ræʃən] *n* Ration *f* ♦ *vt* rationieren; **rations** *npl* (*MIL*) Rationen *pl*.
rational ['ræʃənl] *adj* rational, vernünftig.
rationale [ræʃə'nɑːl] *n* Grundlage *f*.
rationalization [ræʃnəlaɪ'zeɪʃən] *n* (*justification*) Rechtfertigung *f*; (*of company, system*) Rationalisierung *f*.
rationalize ['ræʃnəlaɪz] *vt* (*see n*) rechtfertigen, rationalisieren.
rationally ['ræʃnəlɪ] *adv* vernünftig, rational.
rationing ['ræʃnɪŋ] *n* Rationierung *f*.
ratpack (*BRIT: inf*) *n* (*reporters*) Pressemeute *f*.
rat poison *n* Rattengift *nt*.
rat race *n*: **the ~** der ständige *or* tägliche Konkurrenzkampf *m*.
rattan [ræ'tæn] *n* Rattan *nt*, Peddigrohr *nt*.
rattle ['rætl] *n* (*of door, window, snake*) Klappern *nt*; (*of train, car etc*) Rattern *nt*; (*of chain*) Rasseln *nt*; (*toy*) Rassel *f* ♦ *vi* (*chains*) rasseln; (*windows*) klappern; (*bottles*) klirren ♦ *vt* (*shake noisily*) rütteln an *+dat*; (*fig: unsettle*) nervös machen; **to ~ along** (*car, bus*) dahinrattern.
rattlesnake ['rætlsneɪk] *n* Klapperschlange *f*.
ratty ['rætɪ] (*inf*) *adj* gereizt.
raucous ['rɔːkəs] *adj* (*voice etc*) rauh.
raucously ['rɔːkəslɪ] *adv* rauh.
raunchy ['rɔːntʃɪ] *adj* (*voice, song*) lüstern, geil.
ravage ['rævɪdʒ] *vt* verwüsten.
ravages ['rævɪdʒɪz] *npl* (*of war*) Verwüstungen *pl*; (*of weather*) zerstörende Auswirkungen *pl*; (*of time*) Spuren *pl*.
rave [reɪv] *vi* (*in anger*) toben ♦ *adj* (*inf: review*) glänzend; (*scene, culture*) Rave- ♦ *n* (*BRIT: inf: party*) Rave *m*, Fete *f*.
▸**rave about** schwärmen von.
raven ['reɪvən] *n* Rabe *m*.
ravenous ['rævənəs] *adj* (*person*)

ausgehungert; (*appetite*) unersättlich.
ravine [rə'vi:n] *n* Schlucht *f*.
raving ['reɪvɪŋ] *adj*: **a ~ lunatic** ein total verrückter Typ.
ravings ['reɪvɪŋz] *npl* Phantastereien *pl*.
ravioli [rævɪ'əulɪ] *n* Ravioli *pl*.
ravishing ['rævɪʃɪŋ] *adj* hinreißend.
raw [rɔ:] *adj* roh; (*sore*) wund; (*inexperienced*) unerfahren; (*weather, day*) rauh; **to get a ~ deal** ungerecht behandelt werden.
Rawalpindi [rɔ:l'pɪndɪ] *n* Rawalpindi *nt*.
raw material *n* Rohmaterial *nt*.
ray [reɪ] *n* Strahl *m*; **~ of hope** Hoffnungsschimmer *m*.
rayon ['reɪɔn] *n* Reyon *nt*.
raze [reɪz] *vt* (*also*: **to ~ to the ground**) dem Erdboden gleichmachen.
razor ['reɪzə*] *n* Rasierapparat *m*; (*open ~*) Rasiermesser *nt*.
razor blade *n* Rasierklinge *f*.
razzle ['ræzl] (*BRIT: inf*) *n*: **to be/go on the ~** einen draufmachen.
razzmatazz ['ræzmə'tæz] (*inf*) *n* Trubel *m*.
RC *abbr* (= *Roman Catholic*) r.-k.
RCAF *n abbr* (= *Royal Canadian Air Force*) kanadische Luftwaffe *f*.
RCMP *n abbr* (= *Royal Canadian Mounted Police*) *kanadische berittene Polizei*.
RCN *n abbr* (= *Royal Canadian Navy*) kanadische Marine.
RD (*US*) *abbr* (*POST*: = *rural delivery*) Landpostzustellung *f*.
Rd *abbr* (= *road*) Str.
RDC (*BRIT*) *n abbr* = **rural district council**.
RE (*BRIT*) *n abbr* (*SCOL*) = **religious education**; (*MIL*: = *Royal Engineers*) *Königliches Pionierkorps*.
re [ri:] *prep* (*with regard to*) bezüglich *+gen*.
reach [ri:tʃ] *n* (*range*) Reichweite *f* ♦ *vt* erreichen; (*conclusion, decision*) kommen zu; (*be able to touch*) kommen an *+acc* ♦ *vi* (*stretch out one's arm*) langen; **reaches** *npl* (*of river*) Gebiete *pl*; **within/out of ~** in/außer Reichweite; **within easy ~ of the supermarket/station** ganz in der Nähe des Supermarkts/Bahnhofs; **beyond the ~ of sb/sth** außerhalb der Reichweite von jdm/etw; **"keep out of the ~ of children"** „von Kindern fernhalten"; **can I ~ you at your hotel?** kann ich Sie in Ihrem Hotel erreichen?
▸**reach out** *vt* (*hand*) ausstrecken ♦ *vi* die Hand ausstrecken; **to ~ out for sth** nach etw greifen.
react [ri:'ækt] *vi*: **to ~ (to)** (*also MED*) reagieren (auf *+acc*); (*CHEM*): **to ~ (with)** reagieren (mit); **to ~ (against)** (*rebel*) sich wehren (gegen).
reaction [ri:'ækʃən] *n* Reaktion *f*; **reactions** *npl* (*reflexes*) Reaktionen *pl*; **a ~ against sth** Widerstand gegen etw.
reactionary [ri:'ækʃənrɪ] *adj* reaktionär ♦ *n* Reaktionär(in) *m(f)*.
reactor [ri:'æktə*] *n* (*also*: **nuclear ~**) Kernreaktor *m*.
read [ri:d] (*pt, pp* **read** [rɛd]) *vi* lesen; (*piece of writing etc*) sich lesen ♦ *vt* lesen; (*meter, thermometer etc*) ablesen; (*understand: mood, thoughts*) sich versetzen in *+acc*; (*meter, thermometer etc: measurement*) anzeigen; (*study*) studieren; **to ~ sb's lips** jdm von den Lippen ablesen; **to ~ sb's mind** jds Gedanken lesen; **to ~ between the lines** zwischen den Zeilen lesen; **to take sth as ~** (*self-evident*) etw für selbstverständlich halten; **you can take it as ~ that ...** Sie können davon ausgehen, daß ...; **do you ~ me?** (*TEL*) verstehen Sie mich?; **to ~ sth into sb's remarks** etw in jds Bemerkungen hineininterpretieren.
▸**read out** *vt* vorlesen.
▸**read over** *vt* durchlesen.
▸**read through** *vt* durchlesen.
▸**read up on** *vt fus* sich informieren über *+acc*.
readable ['ri:dəbl] *adj* (*legible*) lesbar; (*book, author etc*) lesenswert.
reader ['ri:də*] *n* (*person*) Leser(in) *m(f)*; (*book*) Lesebuch *nt*; (*BRIT: at university*) ≈ Dozent(in) *m(f)*; **to be an avid/slow ~** eifrig/langsam lesen.
readership ['ri:dəʃɪp] *n* (*of newspaper etc*) Leserschaft *f*.
readily ['rɛdɪlɪ] *adv* (*without hesitation*) bereitwillig; (*easily*) ohne weiteres.
readiness ['rɛdɪnɪs] *n* Bereitschaft *f*; **in ~ for** bereit für.
reading ['ri:dɪŋ] *n* Lesen *nt*; (*understanding*) Verständnis *nt*; (*from bible, of poetry etc*) Lesung *f*; (*on meter, thermometer etc*) Anzeige *f*.
reading lamp *n* Leselampe *f*.
reading matter *n* Lesestoff *m*.
reading room *n* Lesesaal *m*.
readjust [ri:ə'dʒʌst] *vt* (*position, knob, instrument etc*) neu einstellen ♦ *vi*: **to ~ (to)** sich anpassen (an *+acc*).
readjustment [ri:ə'dʒʌstmənt] *n* (*fig*) Neuorientierung *f*.
ready ['rɛdɪ] *adj* (*prepared*) bereit, fertig; (*willing*) bereit; (*easy*) leicht; (*available*) fertig ♦ *n*: **at the ~** (*MIL*) einsatzbereit; (*fig*) griffbereit; **~ for use** gebrauchsfertig; **to be ~ to do sth** bereit sein, etw zu tun; **to get ~** sich fertigmachen; **to get sth ~** etw bereitmachen.
ready cash *n* Bargeld *nt*.
ready-cooked ['rɛdɪkukt] *adj* vorgekocht.
ready-made ['rɛdɪ'meɪd] *adj* (*clothes*) von der Stange, Konfektions-; **~ meal** Fertiggericht *nt*.
ready-mix ['rɛdɪmɪks] *n* (*for cakes etc*) Backmischung *f*; (*concrete*) Fertigbeton *m*.
ready money *n* = **ready cash**.

ready reckoner [-ˈrɛkənəˑ] (*BRIT*) *n* Rechentabelle *f*.
ready-to-wear [ˈrɛdɪtəˈwɛəˑ] *adj* (*clothes*) von der Stange, Konfektions-.
reaffirm [riːəˈfəːm] *vt* bestätigen.
reagent [riːˈeɪdʒənt] *n*: **chemical ~** Reagens *nt*.
real [rɪəl] *adj* (*reason, result etc*) wirklich; (*leather, gold etc*) echt; (*life, feeling*) wahr; (*for emphasis*) echt ♦ *adv* (*US: inf: very*) echt; **in ~ life** im wahren *or* wirklichen Leben; **in ~ terms** effektiv.
real ale *n* Real Ale *nt*.
real estate *n* Immobilien *pl* ♦ *cpd* (*US: agent, business etc*) Immobilien-.
realign *vt* neu ausrichten.
realism [ˈrɪəlɪzəm] *n* (*also ART*) Realismus *m*.
realist [ˈrɪəlɪst] *n* Realist(in) *m(f)*.
realistic [rɪəˈlɪstɪk] *adj* realistisch.
reality [riːˈælɪtɪ] *n* Wirklichkeit *f*, Realität *f*; **in ~** in Wirklichkeit.
realization [rɪəlaɪˈzeɪʃən] *n* (*understanding*) Erkenntnis *f*; (*fulfilment*) Verwirklichung *f*, Realisierung *f*; (*FIN: of asset*) Realisation *f*.
realize [ˈrɪəlaɪz] *vt* (*understand*) verstehen; (*fulfil*) verwirklichen, realisieren; (*FIN: amount, profit*) realisieren; **I ~ that** ... es ist mir klar, daß ...
really [ˈrɪəlɪ] *adv* wirklich; **what ~ happened** was wirklich geschah; **~?** wirklich?; **~!** (*indicating annoyance*) also wirklich!
realm [rɛlm] *n* (*fig: field*) Bereich *m*; (*kingdom*) Reich *nt*.
real-time [ˈriːltaɪm] *adj* (*COMPUT: processing etc*) Echtzeit-.
realtor [ˈrɪəltɔːˑ] (*US*) *n* Immobilienmakler(in) *m(f)*.
ream [riːm] *n* (*of paper*) Ries *nt*; **reams** (*inf, fig*) Bände *pl*.
reap [riːp] *vt* (*crop*) einbringen, ernten; (*fig: benefits*) ernten; (*: rewards*) bekommen.
reaper [ˈriːpəˑ] *n* (*machine*) Mähdrescher *m*.
reappear [riːəˈpɪəˑ] *vi* wiederauftauchen.
reappearance [riːəˈpɪərəns] *n* Wiederauftauchen *nt*.
reapply [riːəˈplaɪ] *vi*: **to ~ for** sich erneut bewerben um.
reappoint [riːəˈpɔɪnt] *vt* (*to job*) wiedereinstellen.
reappraisal [riːəˈpreɪzl] *n* (*of idea etc*) Neubeurteilung *f*.
rear [rɪəˑ] *adj* hintere(r, s); (*wheel etc*) Hinter- ♦ *n* Rückseite *f*; (*buttocks*) Hinterteil *nt* ♦ *vt* (*family, animals*) aufziehen ♦ *vi* (*also*: **~ up**: *horse*) sich aufbäumen.
rear admiral *n* Konteradmiral *m*.
rear-engined [ˈrɪərˈɛndʒɪnd] *adj* mit Heckmotor.
rearguard [ˈrɪəgɑːd] *n* (*MIL*) Nachhut *f*; **to fight a ~ action** (*fig*) sich erbittert wehren.
rearm [riːˈɑːm] *vi* (*country*) wiederaufrüsten ♦ *vt* wiederbewaffnen.
rearmament [riːˈɑːməmənt] *n* Wiederaufrüstung *f*.
rearrange [riːəˈreɪndʒ] *vt* (*furniture*) umstellen; (*meeting*) den Termin ändern *+gen*.
rear-view mirror [ˈrɪəvjuː-] *n* Rückspiegel *m*.
reason [ˈriːzn] *n* (*cause*) Grund *m*; (*rationality*) Verstand *m*; (*common sense*) Vernunft *f* ♦ *vi*: **to ~ with sb** vernünftig mit jdm reden; **the ~ for/why** der Grund für/, warum; **we have ~ to believe that** ... wir haben Grund zu der Annahme, daß ...; **it stands to ~ that** ... es ist zu erwarten, daß ...; **she claims with good ~ that** ... sie behauptet mit gutem Grund *or* mit Recht, daß ...; **all the more ~ why** ... ein Grund mehr, warum ...; **yes, but within ~** ja, solange es sich im Rahmen hält.
reasonable [ˈriːznəbl] *adj* vernünftig; (*number, amount*) angemessen; (*not bad*) ganz ordentlich; **be ~!** sei doch vernünftig!
reasonably [ˈriːznəblɪ] *adv* (*fairly*) ziemlich; (*sensibly*) vernünftig; **one could ~ assume that** ... man könnte durchaus annehmen, daß ...
reasoned [ˈriːznd] *adj* (*argument*) durchdacht.
reasoning [ˈriːznɪŋ] *n* Argumentation *f*.
reassemble [riːəˈsɛmbl] *vt* (*machine*) wieder zusammensetzen ♦ *vi* sich wieder versammeln.
reassert [riːəˈsəːt] *vt*: **to ~ oneself/one's authority** seine Autorität wieder geltend machen.
reassurance [riːəˈʃuərəns] *n* (*comfort*) Beruhigung *f*; (*guarantee*) Bestätigung *f*.
reassure [riːəˈʃuəˑ] *vt* beruhigen.
reassuring [riːəˈʃuərɪŋ] *adj* beruhigend.
reawakening [riːəˈweɪknɪŋ] *n* Wiedererwachen *nt*.
rebate [ˈriːbeɪt] *n* (*on tax etc*) Rückerstattung *f*; (*discount*) Ermäßigung *f*.
rebel [ˈrɛbl] *n* Rebell(in) *m(f)* ♦ *vi* rebellieren.
rebellion [rɪˈbɛljən] *n* Rebellion *f*.
rebellious [rɪˈbɛljəs] *adj* rebellisch.
rebirth [riːˈbəːθ] *n* Wiedergeburt *f*.
rebound [rɪˈbaund] *vi* (*ball*) zurückprallen ♦ *n*: **on the ~** (*fig*) als Tröstung.
rebuff [rɪˈbʌf] *n* Abfuhr *f* ♦ *vt* zurückweisen.
rebuild [riːˈbɪld] (*irreg: like* **build**) *vt* wiederaufbauen; (*confidence*) wiederherstellen.
rebuke [rɪˈbjuːk] *vt* zurechtweisen, tadeln ♦ *n* Zurechtweisung *f*, Tadel *m*.
rebut [rɪˈbʌt] (*form*) *vt* widerlegen.
rebuttal [rɪˈbʌtl] (*form*) *n* Widerlegung *f*.
recalcitrant [rɪˈkælsɪtrənt] *adj* aufsässig.
recall [rɪˈkɔːl] *vt* (*remember*) sich erinnern an *+acc*; (*ambassador*) abberufen; (*product*) zurückrufen ♦ *n* (*of memories*) Erinnerung *f*; (*of ambassador*) Abberufung *f*; (*of product*) Rückruf *m*; **beyond ~** unwiederbringlich.
recant [rɪˈkænt] *vi* widerrufen.
recap [ˈriːkæp] *vt, vi* zusammenfassen ♦ *n* Zusammenfassung *f*.
recapitulate [riːkəˈpɪtjuleɪt] *vt, vi* = **recap**.

recapture [riːˈkæptʃə*] *vt* (*town*) wiedereinnehmen; (*prisoner*) wiederergreifen; (*atmosphere etc*) heraufbeschwören.
rec'd *abbr* (*COMM:* = *received*) erh.
recede [rɪˈsiːd] *vi* (*tide*) zurückgehen; (*lights etc*) verschwinden; (*memory, hope*) schwinden; **his hair is beginning to ~** er bekommt eine Stirnglatze.
receding [rɪˈsiːdɪŋ] *adj* (*hairline*) zurückweichend; (*chin*) fliehend.
receipt [rɪˈsiːt] *n* (*document*) Quittung *f*; (*act of receiving*) Erhalt *m*; **receipts** *npl* (*COMM*) Einnahmen *pl*; **on ~ of** bei Erhalt +*gen*; **to be in ~ of sth** etw erhalten.
receivable [rɪˈsiːvəbl] *adj* (*COMM*) zulässig; (*owing*) ausstehend.
receive [rɪˈsiːv] *vt* erhalten, bekommen; (*injury*) erleiden; (*treatment*) erhalten; (*visitor, guest*) empfangen; **to be on the receiving end of sth** der/die Leidtragende von etw sein; **"~d with thanks"** (*COMM*) „dankend erhalten".

> **Received Pronunciation** *oder* **RP** *ist die hochsprachliche Standardaussprache des britischen Englisch, die bis vor kurzem in der Ober- und Mittelschicht vorherrschte und auch heute noch großes Ansehen unter höheren Beamten genießt.*

receiver [rɪˈsiːvə*] *n* (*TEL*) Hörer *m*; (*RADIO, TV*) Empfänger *m*; (*of stolen goods*) Hehler(in) *m(f)*; (*COMM*) Empfänger(in) *m(f)*.
receivership [rɪˈsiːvəʃɪp] *n*: **to go into ~** in Konkurs gehen.
recent [ˈriːsnt] *adj* (*event*) kürzlich; (*times*) letzte(r, s); **in ~ years** in den letzten Jahren.
recently [ˈriːsntlɪ] *adv* (*not long ago*) kürzlich; (*lately*) in letzter Zeit; **as ~ as** erst; **until ~** bis vor kurzem.
receptacle [rɪˈsɛptɪkl] *n* Behälter *m*.
reception [rɪˈsɛpʃən] *n* (*in hotel, office etc*) Rezeption *f*; (*party, RADIO, TV*) Empfang *m*; (*welcome*) Aufnahme *f*.
reception centre (*BRIT*) *n* Aufnahmelager *nt*.
reception desk *n* Rezeption *f*.
receptionist [rɪˈsɛpʃənɪst] *n* (*in hotel*) Empfangschef *m*, Empfangsdame *f*; (*in doctor's surgery*) Sprechstundenhilfe *f*.
receptive [rɪˈsɛptɪv] *adj* aufnahmebereit.
recess [rɪˈsɛs] *n* (*in room*) Nische *f*; (*secret place*) Winkel *m*; (*POL etc: holiday*) Ferien *pl*; (*US: LAW: short break*) Pause *f*; (*esp US: SCOL*) Pause *f*.
recession [rɪˈsɛʃən] *n* (*ECON*) Rezession *f*.
recharge [riːˈtʃɑːdʒ] *vt* (*battery*) aufladen.
rechargeable [riːˈtʃɑːdʒəbl] *adj* (*battery*) aufladbar.
recipe [ˈrɛsɪpɪ] *n* Rezept *nt*; **a ~ for success** ein Erfolgsrezept *nt*; **to be a ~ for disaster** in die Katastrophe führen.
recipient [rɪˈsɪpɪənt] *n* Empfänger(in) *m(f)*.
reciprocal [rɪˈsɪprəkl] *adj* gegenseitig.
reciprocate [rɪˈsɪprəkeɪt] *vt* (*invitation, feeling*) erwidern ♦ *vi* sich revanchieren.
recital [rɪˈsaɪtl] *n* (*concert*) Konzert *nt*.
recitation [rɛsɪˈteɪʃən] *n* (*of poem etc*) Vortrag *m*.
recite [rɪˈsaɪt] *vt* (*poem*) vortragen; (*complaints etc*) aufzählen.
reckless [ˈrɛkləs] *adj* (*driving, driver*) rücksichtslos; (*spending*) leichtsinnig.
recklessly [ˈrɛkləslɪ] *adv* (*drive*) rücksichtslos; (*spend, gamble*) leichtsinnig.
reckon [ˈrɛkən] *vt* (*consider*) halten für; (*calculate*) berechnen ♦ *vi*: **he is somebody to be ~ed with** mit ihm muß man rechnen; **I ~ that ...** (*think*) ich schätze, daß ...; **to ~ without sb/sth** nicht mit jdm/etw rechnen.
▸**reckon on** *vt fus* rechnen mit.
reckoning [ˈrɛknɪŋ] *n* (*calculation*) Berechnung *f*; **the day of ~** der Tag der Abrechnung.
reclaim [rɪˈkleɪm] *vt* (*luggage*) abholen; (*tax etc*) zurückfordern; (*land*) gewinnen; (*waste materials*) zur Wiederverwertung sammeln.
reclamation [rɛkləˈmeɪʃən] *n* (*of land*) Gewinnung *f*.
recline [rɪˈklaɪn] *vi* (*sit or lie back*) zurückgelehnt sitzen.
reclining [rɪˈklaɪnɪŋ] *adj* (*seat*) Liege-.
recluse [rɪˈkluːs] *n* Einsiedler(in) *m(f)*.
recognition [rɛkəgˈnɪʃən] *n* (*of person, place*) Erkennen *nt*; (*of problem, fact*) Erkenntnis *f*; (*of achievement*) Anerkennung *f*; **in ~ of** in Anerkennung +*gen*; **to gain ~** Anerkennung finden; **she had changed beyond ~** sie war nicht wiederzuerkennen.
recognizable [ˈrɛkəgnaɪzəbl] *adj* erkennbar.
recognize [ˈrɛkəgnaɪz] *vt* (*person, place, voice*) wiedererkennen; (*sign, problem*) erkennen; (*qualifications, government, achievement*) anerkennen; **to ~ sb by/as** jdn erkennen an +dat/als.
recoil [rɪˈkɔɪl] *vi* (*person*): **to ~ from** zurückweichen vor +*dat*; (*fig*) zurückschrecken vor +*dat* ♦ *n* (*of gun*) Rückstoß *m*.
recollect [rɛkəˈlɛkt] *vt* (*remember*) sich erinnern an +*acc*.
recollection [rɛkəˈlɛkʃən] *n* Erinnerung *f*; **to the best of my ~** soweit ich mich erinnern *or* entsinnen kann.
recommend [rɛkəˈmɛnd] *vt* empfehlen; **she has a lot to ~ her** es spricht sehr viel für sie.
recommendation [rɛkəmɛnˈdeɪʃən] *n* Empfehlung *f*; **on the ~ of** auf Empfehlung +*gen*.
recommended retail price (*BRIT*) *n* (*COMM*) unverbindlicher Richtpreis *m*.
recompense [ˈrɛkəmpɛns] *n* (*reward*)

Belohnung *f*; (*compensation*) Entschädigung *f*.
reconcilable ['rɛkənsaɪləbl] *adj* (*ideas*) (miteinander) vereinbar.
reconcile ['rɛkənsaɪl] *vt* (*people*) versöhnen; (*facts, beliefs*) (miteinander) vereinbaren, in Einklang bringen; **to ~ o.s. to sth** sich mit etw abfinden.
reconciliation [rɛkənsɪlɪ'eɪʃən] *n* (*of people*) Versöhnung *f*; (*of facts, beliefs*) Vereinbarung *f*.
recondite [rɪ'kɔndaɪt] *adj* obskur.
recondition [riːkən'dɪʃən] *vt* (*machine*) überholen.
reconditioned [riːkən'dɪʃənd] *adj* (*engine, TV*) generalüberholt.
reconnaissance [rɪ'kɔnɪsns] *n* (*MIL*) Aufklärung *f*.
reconnoitre, (*US*) **reconnoiter** [rɛkə'nɔɪtə*] *vt* (*MIL*) erkunden.
reconsider [riːkən'sɪdə*] *vt* (noch einmal) überdenken ♦ *vi* es sich *dat* noch einmal überlegen.
reconstitute [riː'kɔnstɪtjuːt] *vt* (*organization*) neu bilden; (*food*) wiederherstellen.
reconstruct [riːkən'strʌkt] *vt* (*building*) wiederaufbauen; (*policy, system*) neu organisieren; (*event, crime*) rekonstruieren.
reconstruction [riːkən'strʌkʃən] *n* Wiederaufbau *m*; (*of crime*) Rekonstruktion *f*.
reconvene [riːkən'viːn] *vi* (*meet again*) wieder zusammenkommen ♦ *vt* (*meeting etc*) wieder einberufen.
record ['rɛkɔːd] *n* (*written account*) Aufzeichnung *f*; (*of meeting*) Protokoll *nt*; (*of decision*) Beleg *m*; (*COMPUT*) Datensatz *m*; (*file*) Akte *f*; (*MUS: disc*) Schallplatte *f*; (*history*) Vorgeschichte *f*; (*also*: **criminal ~**) Vorstrafen *pl*; (*SPORT*) Rekord *m* ♦ *vt* aufzeichnen; (*song etc*) aufnehmen; (*temperature, speed etc*) registrieren ♦ *adj* (*sales, profits*) Rekord-; **~ of attendance** Anwesenheitsliste *f*; **public ~s** Urkunden *pl* des Nationalarchivs; **to keep a ~ of sth** etw schriftlich festhalten; **to have a good/poor ~** gute/schlechte Leistungen vorzuweisen haben; **to have a (criminal) ~** vorbestraft sein; **to set** *or* **put the ~ straight** (*fig*) Klarheit schaffen; **he is on ~ as saying that** ... er hat nachweislich gesagt, daß ...; **off the ~** (*remark*) inoffiziell ♦ *adv* (*speak*) im Vertrauen; **in ~ time** in Rekordzeit.
recorded delivery [rɪ'kɔːdɪd-] (*BRIT*) *n* (*POST*) Einschreiben *nt*; **to send sth (by) ~** etw per Einschreiben senden.
recorder [rɪ'kɔːdə*] *n* (*MUS*) Blockflöte *f*; (*LAW*) *nebenamtlich als Richter tätiger Rechtsanwalt*.
record holder *n* (*SPORT*) Rekordinhaber(in) *m(f)*.
recording [rɪ'kɔːdɪŋ] *n* Aufnahme *f*.
recording studio *n* Aufnahmestudio *nt*.
record library *n* Schallplattenverleih *m*.
record player *n* Plattenspieler *m*.
recount [rɪ'kaunt] *vt* (*story etc*) erzählen.
re-count ['riːkaunt] *n* (*of votes*) Nachzählung *f* ♦ *vt* (*votes*) nachzählen.
recoup [rɪ'kuːp] *vt*: **to ~ one's losses** seine Verluste ausgleichen.
recourse [rɪ'kɔːs] *n*: **to have ~ to sth** Zuflucht zu etw nehmen.
recover [rɪ'kʌvə*] *vt* (*get back*) zurückbekommen; (*stolen goods*) sicherstellen; (*wreck, body*) bergen; (*financial loss*) ausgleichen ♦ *vi* sich erholen.
re-cover [riː'kʌvə*] *vt* (*chair etc*) neu beziehen.
recovery [rɪ'kʌvərɪ] *n* (*from illness etc*) Erholung *f*; (*in economy*) Aufschwung *m*; (*of lost items*) Wiederfinden *nt*; (*of stolen goods*) Sicherstellung *f*; (*of wreck, body*) Bergung *f*; (*of financial loss*) Ausgleich *m*.
re-create [riːkrɪ'eɪt] *vt* (*atmosphere, situation*) wiederherstellen.
recreation [rɛkrɪ'eɪʃən] *n* (*leisure*) Erholung *f*, Entspannung *f*.
recreational [rɛkrɪ'eɪʃənl] *adj* (*facilities etc*) Freizeit-.
recreational drug *n* Freizeitdroge *f*.
recreational vehicle (*US*) *n* Caravan *m*.
recrimination [rɪkrɪmɪ'neɪʃən] *n* gegenseitige Anschuldigungen *pl*.
recruit [rɪ'kruːt] *n* (*MIL*) Rekrut *m*; (*in company*) neuer Mitarbeiter *m*, neue Mitarbeiterin *f* ♦ *vt* (*MIL*) rekrutieren; (*staff, new members*) anwerben.
recruiting office [rɪ'kruːtɪŋ-] *n* (*MIL*) Rekrutierungsbüro *nt*.
recruitment [rɪ'kruːtmənt] *n* (*of staff*) Anwerbung *f*.
rectangle ['rɛktæŋgl] *n* Rechteck *nt*.
rectangular [rɛk'tæŋgjulə*] *adj* (*shape*) rechteckig.
rectify ['rɛktɪfaɪ] *vt* (*mistake etc*) korrigieren.
rector ['rɛktə*] *n* (*REL*) Pfarrer(in) *m(f)*.
rectory ['rɛktərɪ] *n* Pfarrhaus *nt*.
rectum ['rɛktəm] *n* Rektum *nt*, Mastdarm *m*.
recuperate [rɪ'kjuːpəreɪt] *vi* (*recover*) sich erholen.
recur [rɪ'kəː*] *vi* (*error, event*) sich wiederholen; (*pain etc*) wiederholt auftreten.
recurrence [rɪ'kəːrns] *n* (*see vi*) Wiederholung *f*; wiederholtes Auftreten *nt*.
recurrent [rɪ'kəːrnt] *adj* (*see vi*) sich wiederholend; wiederholt auftretend.
recurring [rɪ'kəːrɪŋ] *adj* (*problem, dream*) sich wiederholend; (*MATH*): **six point five four ~** sechs komma fünf Periode vier.
recycle [riː'saɪkl] *vt* (*waste, paper etc*) recyceln, wiederverwerten.
red [rɛd] *n* Rot *nt*; (*pej: POL*) Rote(r) *f(m)* ♦ *adj* rot; **to be in the ~** (*business etc*) in den roten Zahlen sein.

red alert *n:* **to be on ~** in höchster Alarmbereitschaft sein.
red-blooded ['rɛd'blʌdɪd] *adj* heißblütig.

Als **redbrick university** *werden die jüngeren britischen Universitäten bezeichnet, die im späten 19. und Anfang des 20. Jh. in Städten wie Manchester, Liverpool und Bristol gegründet wurden. Der Name steht im Gegensatz zu Oxford und Cambridge und bezieht sich auf die roten Backsteinmauern der Universitätsgebäude.*

red carpet treatment *n:* **to give sb the ~** den roten Teppich für jdn ausrollen.
Red Cross *n* Rotes Kreuz *nt*.
redcurrant ['rɛdkʌrənt] *n* rote Johannisbeere *f*.
redden ['rɛdn] *vt* röten ♦ *vi* (*blush*) erröten.
reddish ['rɛdɪʃ] *adj* rötlich.
redecorate [riː'dɛkəreɪt] *vt, vi* renovieren.
redecoration [riːdɛkə'reɪʃən] *n* Renovierung *f*.
redeem [rɪ'diːm] *vt* (*situation etc*) retten; (*voucher, sth in pawn*) einlösen; (*loan*) abzahlen; (*REL*) erlösen; **to ~ oneself for sth** etw wiedergutmachen.
redeemable [rɪ'diːməbl] *adj* (*voucher etc*) einlösbar.
redeeming [rɪ'diːmɪŋ] *adj* (*feature, quality*) versöhnend.
redefine [riːdɪ'faɪn] *vt* neu definieren.
redemption [rɪ'dɛmʃən] *n* (*REL*) Erlösung *f*; **past** *or* **beyond ~** nicht mehr zu retten.
redeploy [riːdɪ'plɔɪ] *vt* (*resources, staff*) umverteilen; (*MIL*) verlegen.
redeployment [riːdɪ'plɔɪmənt] *n* (*see vt*) Umverteilung *f*; Verlegung *f*.
redevelop [riːdɪ'vɛləp] *vt* (*area*) sanieren.
redevelopment [riːdɪ'vɛləpmənt] *n* Sanierung *f*.
red-handed [rɛd'hændɪd] *adj:* **to be caught ~** auf frischer Tat ertappt werden.
redhead ['rɛdhɛd] *n* Rotschopf *m*.
red herring *n* (*fig*) falsche Spur *f*.
red-hot [rɛd'hɔt] *adj* (*metal*) rotglühend.
redirect [riːdaɪ'rɛkt] *vt* (*mail*) nachsenden; (*traffic*) umleiten.
rediscover [riːdɪs'kʌvə*] *vt* wiederentdecken.
redistribute [riːdɪs'trɪbjuːt] *vt* umverteilen.
red-letter day ['rɛdlɛtə-] *n* besonderer Tag *m*.
red light *n* (*AUT*): **to go through a ~** eine Ampel bei Rot überfahren.
red-light district ['rɛdlaɪt-] *n* Rotlichtviertel *nt*.
red meat *n Rind- und Lammfleisch.*
redness ['rɛdnɪs] *n* Röte *f*.
redo [riː'duː] (*irreg: like* **do**) *vt* noch einmal machen.
redolent ['rɛdələnt] *adj:* **to be ~ of sth** nach etw riechen; (*fig*) an etw erinnern.
redouble [riː'dʌbl] *vt:* **to ~ one's efforts** seine Anstrengungen verdoppeln.
redraft [riː'drɑːft] *vt* (*agreement*) neu abfassen.
redraw [riː'drɔː] *vt* neu zeichnen.
redress [rɪ'drɛs] *n* (*compensation*) Wiedergutmachung *f* ♦ *vt* (*error etc*) wiedergutmachen; **to ~ the balance** das Gleichgewicht wiederherstellen.
Red Sea *n:* **the ~** das Rote Meer.
redskin ['rɛdskɪn] (*old: offensive*) *n* Rothaut *f*.
red tape *n* (*fig*) Bürokratie *f*.
reduce [rɪ'djuːs] *vt* (*spending, numbers, risk etc*) vermindern, reduzieren; **to ~ sth by/to 5%** etw um/auf 5% *acc* reduzieren; **to ~ sb to tears/silence** jdn zum Weinen/Schweigen bringen; **to ~ sb to begging/stealing** jdn zur Bettelei/zum Diebstahl zwingen; **"~ speed now"** (*AUT*) „langsam fahren".
reduced [rɪ'djuːst] *adj* (*goods, ticket etc*) ermäßigt; **"greatly ~ prices"** „Preise stark reduziert".
reduction [rɪ'dʌkʃən] *n* (*in price etc*) Ermäßigung, Reduzierung *f*; (*in numbers*) Verminderung *f*.
redundancy [rɪ'dʌndənsɪ] (*BRIT*) *n* (*dismissal*) Entlassung *f*; (*unemployment*) Arbeitslosigkeit *f*; **compulsory ~** Entlassung *f*; **voluntary ~** freiwilliger Verzicht *m* auf den Arbeitsplatz.
redundancy payment (*BRIT*) *n* Abfindung *f*.
redundant [rɪ'dʌndnt] *adj* (*BRIT: worker*) arbeitslos; (*word, object*) überflüssig; **to be made ~** (*worker*) den Arbeitsplatz verlieren.
reed [riːd] *n* (*BOT*) Schilf *nt*; (*MUS: of clarinet etc*) Rohrblatt *nt*.
re-educate [riː'ɛdjukeɪt] *vt* umerziehen.
reedy ['riːdɪ] *adj* (*voice*) Fistel-.
reef [riːf] *n* (*at sea*) Riff *nt*.
reek [riːk] *vi:* **to ~ (of)** (*lit, fig*) stinken (nach).
reel [riːl] *n* (*of thread etc, on fishing-rod*) Rolle *f*; (*CINE: scene*) Szene *f*; (*of film, tape*) Spule *f*; (*dance*) Reel *m* ♦ *vi* (*sway*) taumeln; **my head is ~ing** mir dreht sich der Kopf.
▸**reel in** *vt* (*fish, line*) einholen.
▸**reel off** *vt* (*say*) herunterrasseln.
re-election [riːɪ'lɛkʃən] *n* Wiederwahl *f*.
re-enter [riː'ɛntə*] *vt* (*country*) wiedereinreisen in *+acc*; (*SPACE*) wiedereintreten in *+acc*.
re-entry [riː'ɛntrɪ] *n* Wiedereinreise *f*; (*SPACE*) Wiedereintritt *m*.
re-examine [riːɪg'zæmɪn] *vt* (*proposal etc*) nochmals prüfen; (*witness*) nochmals vernehmen.
re-export ['riːɪks'pɔːt] *vt* wiederausführen ♦ *n* Wiederausfuhr *f*; (*commodity*) wiederausgeführte Ware *f*.
ref [rɛf] (*inf*) *n abbr* (*SPORT*) = **referee.**
ref. *abbr* (*COMM: = with reference to*) betr.; **your ~** Ihr Zeichen:.
refectory [rɪ'fɛktərɪ] *n* (*in university*) Mensa *f*.
refer [rɪ'fəː*] *vt:* **to ~ sb to** (*book etc*) jdn verweisen auf *+acc*; (*doctor, hospital*) jdn

überweisen zu; **to ~ sth to** (*task, problem*) etw übergeben an *+acc*; **he ~red me to the manager** er verwies mich an den Geschäftsführer.
▶**refer to** *vt fus* (*mention*) erwähnen; (*relate to*) sich beziehen auf *+acc*; (*consult*) hinzuziehen.
referee [rɛfə'riː] *n* (*SPORT*) Schiedsrichter(in) *m(f)*; (*BRIT: for job application*) Referenz *f* ♦ *vt* als Schiedsrichter(in) leiten.
reference ['rɛfrəns] *n* (*mention*) Hinweis *m*; (*in book, article*) Quellenangabe *f*; (*for job application, person*) Referenz *f*; **with ~ to** mit Bezug auf *+acc*; **"please quote this ~"** (*COMM*) „bitte dieses Zeichen angeben".
reference book *n* Nachschlagewerk *nt*.
reference library *n* Präsenzbibliothek *f*.
reference number *n* Aktenzeichen *nt*.
referenda [rɛfə'rɛndə] *npl of* **referendum**.
referendum [rɛfə'rɛndəm] (*pl* **referenda**) *n* Referendum *nt*, Volksentscheid *m*.
referral [rɪ'fəːrəl] *n* (*of matter, problem*) Weiterleitung *f*; (*to doctor, specialist*) Überweisung *f*.
refill [riː'fɪl] *vt* nachfüllen ♦ *n* (*for pen etc*) Nachfüllmine *f*; (*drink*) Nachfüllung *f*.
refine [rɪ'faɪn] *vt* (*sugar, oil*) raffinieren; (*theory, idea*) verfeinern.
refined [rɪ'faɪnd] *adj* (*person*) kultiviert; (*taste*) fein, vornehm; (*sugar, oil*) raffiniert.
refinement [rɪ'faɪnmənt] *n* (*of person*) Kultiviertheit *f*; (*of system, ideas*) Verfeinerung *f*.
refinery [rɪ'faɪnərɪ] *n* (*for oil etc*) Raffinerie *f*.
refit [riː'fɪt] (*NAUT*) *n* Überholung *f* ♦ *vt* (*ship*) überholen.
reflate [riː'fleɪt] *vt* (*economy*) ankurbeln.
reflation [riː'fleɪʃən] *n* (*ECON*) Reflation *f*.
reflationary [riː'fleɪʃənrɪ] *adj* (*ECON*) reflationär.
reflect [rɪ'flɛkt] *vt* reflektieren; (*fig*) widerspiegeln ♦ *vi* (*think*) nachdenken.
▶**reflect on** *vt fus* (*discredit*) ein schlechtes Licht werfen auf *+acc*.
reflection [rɪ'flɛkʃən] *n* (*image*) Spiegelbild *nt*; (*of light, heat*) Reflexion *f*; (*fig*) Widerspiegelung *f*; (*: thought*) Gedanke *m*; **on ~** nach genauerer Überlegung; **this is a ~ on ...** (*criticism*) das sagt einiges über ...
reflector [rɪ'flɛktə*] *n* (*AUT etc*) Rückstrahler *m*; (*for light, heat*) Reflektor *m*.
reflex ['riːflɛks] *adj* Reflex-; **reflexes** *npl* (*PHYSIOL, PSYCH*) Reflexe *pl*.
reflexive [rɪ'flɛksɪv] *adj* (*LING*) reflexiv.
reform [rɪ'fɔːm] *n* Reform *f* ♦ *vt* reformieren ♦ *vi* (*criminal etc*) sich bessern.
reformat [riː'fɔːmæt] *vt* (*COMPUT*) neu formatieren.
Reformation [rɛfə'meɪʃən] *n*: **the ~** die Reformation.
reformatory [rɪ'fɔːmətərɪ] (*US*) *n* Besserungsanstalt *f*.
reformed [rɪ'fɔːmd] *adj* (*character, alcoholic*) gewandelt.
refrain [rɪ'freɪn] *vi*: **to ~ from doing sth** etw unterlassen ♦ *n* (*of song*) Refrain *m*.
refresh [rɪ'frɛʃ] *vt* erfrischen; **to ~ one's memory** sein Gedächtnis auffrischen.
refresher course [rɪ'frɛʃə-] *n* Auffrischungskurs *m*.
refreshing [rɪ'frɛʃɪŋ] *adj* erfrischend; (*sleep*) wohltuend; (*idea etc*) angenehm.
refreshment [rɪ'frɛʃmənt] *n* Erfrischung *f*.
refreshments [rɪ'frɛʃmənts] *npl* (*food and drink*) Erfrischungen *pl*.
refrigeration [rɪfrɪdʒə'reɪʃən] *n* Kühlung *f*.
refrigerator [rɪ'frɪdʒəreɪtə*] *n* Kühlschrank *m*.
refuel [riː'fjuəl] *vt, vi* auftanken.
refuelling [riː'fjuəlɪŋ] *n* Auftanken *nt*.
refuge ['rɛfjuːdʒ] *n* Zuflucht *f*; **to seek/take ~ in** Zuflucht suchen/nehmen in *+dat*.
refugee [rɛfju'dʒiː] *n* Flüchtling *m*; **a political ~** ein politischer Flüchtling.
refugee camp *n* Flüchtlingslager *nt*.
refund ['riːfʌnd] *n* Rückerstattung *f* ♦ *vt* (*money*) zurückerstatten.
refurbish [riː'fəːbɪʃ] *vt* (*shop etc*) renovieren.
refurbishment [riːfəːbɪʃmənt] *n* (*of shop etc*) Renovierung *f*.
refurnish [riː'fəːnɪʃ] *vt* neu möblieren.
refusal [rɪ'fjuːzəl] *n* Ablehnung *f*; **a ~ to do sth** eine Weigerung, etw zu tun; **to give sb first ~ on sth** jdm etw zuerst anbieten.
refuse[1] [rɪ'fjuːz] *vt* (*request, offer etc*) ablehnen; (*gift*) zurückweisen; (*permission*) verweigern ♦ *vi* ablehnen; (*horse*) verweigern; **to ~ to do sth** sich weigern, etw zu tun.
refuse[2] ['rɛfjuːs] *n* (*rubbish*) Abfall *m*, Müll *m*.
refuse collection *n* Müllabfuhr *f*.
refuse disposal *n* Müllbeseitigung *f*.
refusenik [rɪ'fjuːznɪk] *n* (*inf*) Verweigerer(in) *m(f)*; (*in former USSR*) *sowjetischer Jude, dem die Emigration nach Israel verweigert wurde*.
refute [rɪ'fjuːt] *vt* (*argument*) widerlegen.
regain [rɪ'geɪn] *vt* wiedererlangen.
regal ['riːgl] *adj* königlich.
regale [rɪ'geɪl] *vt*: **to ~ sb with sth** jdn mit etw verwöhnen.
regalia [rɪ'geɪlɪə] *n* (*costume*) Amtstracht *f*.
regard [rɪ'gɑːd] *n* (*esteem*) Achtung *f* ♦ *vt* (*consider*) ansehen, betrachten; (*view*) betrachten; **to give one's ~s to sb** jdm Grüße bestellen; **"with kindest ~s"** „mit freundlichen Grüßen"; **as ~s, with ~ to** bezüglich *+gen*.
regarding [rɪ'gɑːdɪŋ] *prep* bezüglich *+gen*.
regardless [rɪ'gɑːdlɪs] *adv* trotzdem ♦ *adj*: **~ of** ohne Rücksicht auf *+acc*.
regatta [rɪ'gætə] *n* Regatta *f*.
regency ['riːdʒənsɪ] *n* Regentschaft *f* ♦ *adj*: **R~** (*furniture etc*) Regency-.
regenerate [rɪ'dʒɛnəreɪt] *vt* (*inner cities, arts*)

erneuern; (*person, feelings*) beleben ♦ *vi* (*BIOL*) sich regenerieren.
regent ['riːdʒənt] *n* Regent(in) *m(f)*.
reggae ['rɛgeɪ] *n* Reggae *m*.
regime [reɪ'ʒiːm] *n* (*government*) Regime *nt*; (*diet etc*) Kur *f*.
regiment ['rɛdʒɪmənt] *n* (*MIL*) Regiment *nt* ♦ *vt* reglementieren.
regimental [rɛdʒɪ'mɛntl] *adj* Regiments-.
regimentation [rɛdʒɪmɛn'teɪʃən] *n* Reglementierung *f*.
region ['riːdʒən] *n* (*of land*) Gebiet *nt*; (*of body*) Bereich *m*; (*administrative division of country*) Region *f*; **in the ~ of** (*approximately*) im Bereich von.
regional ['riːdʒənl] *adj* regional.
regional development *n* regionale Entwicklung *f*.
register ['rɛdʒɪstə*] *n* (*list, MUS*) Register *nt*; (*also*: **electoral ~**) Wählerverzeichnis *nt*; (*SCOL*) Klassenbuch *nt* ♦ *vt* registrieren; (*car*) anmelden; (*letter*) als Einschreiben senden; (*amount, measurement*) verzeichnen ♦ *vi* (*person*) sich anmelden; (: *at doctor's*) sich (als Patient) eintragen; (*amount etc*) registriert werden; (*make impression*) (einen) Eindruck machen; **to ~ a protest** Protest anmelden.
registered ['rɛdʒɪstəd] *adj* (*letter, parcel*) eingeschrieben; (*drug addict, childminder etc*) (offiziell) eingetragen.
registered company *n* eingetragene Gesellschaft *f*.
registered nurse (*US*) *n* staatlich geprüfte Krankenschwester *f*, staatlich geprüfter Krankenpfleger *m*.
registered trademark *n* eingetragenes Warenzeichen *nt*.
register office *n* = **registry office.**
registrar ['rɛdʒɪstrɑː*] *n* (*in registry office*) Standesbeamte(r) *m*, Standesbeamtin *f*; (*in college etc*) Kanzler *m*; (*BRIT: in hospital*) Krankenhausarzt *m*, Krankenhausärztin *f*.
registration [rɛdʒɪs'treɪʃən] *n* Registrierung *f*; (*of students, unemployed etc*) Anmeldung *f*.
registration number (*BRIT*) *n* (*AUT*) polizeiliches Kennzeichen *nt*.
registry ['rɛdʒɪstrɪ] *n* Registratur *f*.
registry office (*BRIT*) *n* Standesamt *nt*; **to get married in a ~** standesamtlich heiraten.
regret [rɪ'grɛt] *n* Bedauern *nt* ♦ *vt* bedauern; **with ~** mit Bedauern; **to have no ~s** nichts bereuen; **we ~ to inform you that ...** wir müssen Ihnen leider mitteilen, daß ...
regretfully [rɪ'grɛtfəlɪ] *adv* mit Bedauern.
regrettable [rɪ'grɛtəbl] *adj* bedauerlich.
regrettably [rɪ'grɛtəblɪ] *adv* bedauerlicherweise; **~, he said ...** bedauerlicherweise sagte er ...
Regt *abbr* (*MIL: = regiment*) Rgt.
regular ['rɛgjulə*] *adj* (*also LING*) regelmäßig; (*usual: time, doctor*) üblich; (: *customer*) Stamm-; (*soldier*) Berufs-; (*COMM: size*) normal ♦ *n* (*client*) Stammkunde *m*, Stammkundin *f*.
regularity [rɛgju'lærɪtɪ] *n* Regelmäßigkeit *f*.
regularly ['rɛgjuləlɪ] *adv* regelmäßig; (*breathe, beat: evenly*) gleichmäßig.
regulate ['rɛgjuleɪt] *vt* regulieren.
regulation [rɛgju'leɪʃən] *n* Regulierung *f*; (*rule*) Vorschrift *f*.
regulatory [rɛgju'leɪtrɪ] *adj* (*system*) Regulierungs-; (*body, agency*) Überwachungs-.
rehabilitate [riːə'bɪlɪteɪt] *vt* (*criminal, drug addict*) (in die Gesellschaft) wiedereingliedern; (*invalid*) rehabilitieren.
rehabilitation ['riːəbɪlɪ'teɪʃən] *n* (*see vt*) Wiedereingliederung *f* (in die Gesellschaft); Rehabilitation *f*.
rehash [riː'hæʃ] (*inf*) *vt* (*idea etc*) aufwärmen.
rehearsal [rɪ'həːsəl] *n* (*THEAT*) Probe *f*; **dress ~** Generalprobe *f*.
rehearse [rɪ'həːs] *vt* (*play, speech etc*) proben.
rehouse [riː'hauz] *vt* neu unterbringen.
reign [reɪn] *n* (*lit, fig*) Herrschaft *f* ♦ *vi* (*lit, fig*) herrschen.
reigning ['reɪnɪŋ] *adj* regierend; (*champion*) amtierend.
reimburse [riːɪm'bəːs] *vt* die Kosten erstatten *+dat*.
rein [reɪn] *n* Zügel *m*; **to give sb free ~** (*fig*) jdm freie Hand lassen; **to keep a tight ~ on sth** (*fig*) bei etw die Zügel kurz halten.
reincarnation [riːɪnkɑː'neɪʃən] *n* (*belief*) die Wiedergeburt *f*; (*person*) Reinkarnation *f*.
reindeer ['reɪndɪə*] *n inv* Ren(tier) *nt*.
reinforce [riːɪn'fɔːs] *vt* (*strengthen*) verstärken; (*support: idea etc*) stützen; (: *prejudice*) stärken.
reinforced concrete *n* Stahlbeton *m*.
reinforcement [riːɪn'fɔːsmənt] *n* (*strengthening*) Verstärkung *f*; (*of attitude etc*) Stärkung *f*; **reinforcements** *npl* (*MIL*) Verstärkung *f*.
reinstate [riːɪn'steɪt] *vt* (*employee*) wiedereinstellen; (*tax, law*) wiedereinführen; (*text*) wiedereinfügen.
reinstatement [riːɪn'steɪtmənt] *n* (*of employee*) Wiedereinstellung *f*.
reissue [riː'ɪʃjuː] *vt* neu herausgeben.
reiterate [riː'ɪtəreɪt] *vt* wiederholen.
reject ['riːdʒɛkt] *n* (*COMM*) Ausschuß *m no pl* ♦ *vt* ablehnen; (*admirer*) abweisen; (*goods*) zurückweisen; (*machine: coin*) nicht annehmen; (*MED: heart, kidney*) abstoßen.
rejection [rɪ'dʒɛkʃən] *n* Ablehnung *f*; (*of admirer*) Abweisung *f*; (*MED*) Abstoßung *f*.
rejoice [rɪ'dʒɔɪs] *vi*: **to ~ at** *or* **over** jubeln über *+acc*.
rejoinder [rɪ'dʒɔɪndə*] *n* Erwiderung *f*.
rejuvenate [rɪ'dʒuːvəneɪt] *vt* (*person*) verjüngen; (*organization etc*) beleben.
rekindle [riː'kɪndl] *vt* (*interest, emotion etc*)

wiedererwecken.

relapse [rɪ'læps] *n* (*MED*) Rückfall *m* ♦ *vi*: **to ~ into** zurückfallen in *+acc*.

relate [rɪ'leɪt] *vt* (*tell*) berichten; (*connect*) in Verbindung bringen ♦ *vi*: **to ~ to** (*empathize with: person, subject*) eine Beziehung finden zu; (*connect with*) zusammenhängen mit.

related [rɪ'leɪtɪd] *adj*: **to be ~** (miteinander) verwandt sein; (*issues etc*) zusammenhängen.

relating to [rɪ'leɪtɪŋ-] *prep* bezüglich *+gen*, mit Bezug auf *+acc*.

relation [rɪ'leɪʃən] *n* (*member of family*) Verwandte(r) *f(m)*; (*connection*) Beziehung *f*; **relations** *npl* (*contact*) Beziehungen *pl*; **diplomatic/international ~s** diplomatische/internationale Beziehungen; **in ~ to** im Verhältnis zu; **to bear no ~ to** in keinem Verhältnis stehen zu.

relationship [rɪ'leɪʃənʃɪp] *n* Beziehung *f*; (*between countries*) Beziehungen *pl*; (*affair*) Verhältnis *nt*; **they have a good ~** sie haben ein gutes Verhältnis zueinander.

relative ['rɛlətɪv] *n* Verwandte(r) *f(m)* ♦ *adj* relativ; **all her ~s** ihre ganze Verwandtschaft; **~ to** im Vergleich zu; **it's all ~** es ist alles relativ.

relatively ['rɛlətɪvlɪ] *adv* relativ.

relative pronoun *n* Relativpronomen *nt*.

relax [rɪ'læks] *vi* (*person, muscle*) sich entspannen; (*calm down*) sich beruhigen ♦ *vt* (*one's grip*) lockern; (*mind, person*) entspannen; (*control etc*) lockern.

relaxation [ri:læk'seɪʃən] *n* Entspannung *f*; (*of control etc*) Lockern *nt*.

relaxed [rɪ'lækst] *adj* (*person, atmosphere*) entspannt; (*discussion*) locker.

relaxing [rɪ'læksɪŋ] *adj* entspannend.

relay ['ri:leɪ] *n* (*race*) Staffel *f*, Staffellauf *m* ♦ *vt* (*message etc*) übermitteln; (*broadcast*) übertragen.

release [rɪ'li:s] *n* (*from prison*) Entlassung *f*; (*from obligation, situation*) Befreiung *f*; (*of documents, funds etc*) Freigabe *f*; (*of gas etc*) Freisetzung *f*; (*of film, book, record*) Herausgabe *f*; (*record, film*) Veröffentlichung *f*; (*TECH: device*) Auslöser *m* ♦ *vt* (*from prison*) entlassen; (*person: from obligation, from wreckage*) befreien; (*gas etc*) freisetzen; (*TECH, AUT: catch, brake etc*) lösen; (*record, film*) herausbringen; (*news, figures*) bekanntgeben; **on general ~** (*film*) überall in den Kinos; *see also* **press release**.

relegate ['rɛləgeɪt] *vt* (*downgrade*) herunterstufen; (*BRIT: SPORT*): **to be ~d** absteigen.

relent [rɪ'lɛnt] *vi* (*give in*) nachgeben.

relentless [rɪ'lɛntlɪs] *adj* (*heat, noise*) erbarmungslos; (*enemy etc*) unerbittlich.

relevance ['rɛləvəns] *n* Relevanz *f*, Bedeutung *f*; **the ~ of religion to society** die Relevanz *or* Bedeutung der Religion für die Gesellschaft.

relevant ['rɛləvənt] *adj* relevant; (*chapter, area*) entsprechend; **~ to** relevant für.

reliability [rɪlaɪə'bɪlɪtɪ] *n* Zuverlässigkeit *f*.

reliable [rɪ'laɪəbl] *adj* zuverlässig.

reliably [rɪ'laɪəblɪ] *adv*: **to be ~ informed that ...** zuverlässige Informationen darüber haben, daß ...

reliance [rɪ'laɪəns] *n*: **~ (on)** (*person*) Angewiesenheit *f* (auf *+acc*); (*drugs, financial support*) Abhängigkeit *f* (von).

reliant [rɪ'laɪənt] *adj*: **to be ~ on sth/sb** auf etw/jdn angewiesen sein.

relic ['rɛlɪk] *n* (*REL*) Reliquie *f*; (*of the past*) Relikt *nt*.

relief [rɪ'li:f] *n* (*from pain etc*) Erleichterung *f*; (*aid*) Hilfe *f*; (*ART, GEOG*) Relief *nt* ♦ *cpd* (*bus*) Entlastungs-; (*driver*) zur Ablösung; **light ~** leichte Abwechslung *f*.

relief map *n* Reliefkarte *f*.

relief road (*BRIT*) *n* Entlastungsstraße *f*.

relieve [rɪ'li:v] *vt* (*pain*) lindern; (*fear, worry*) mildern; (*take over from*) ablösen; **to ~ sb of sth** (*load*) jdm etw abnehmen; (*duties, post*) jdn einer Sache *gen* entheben; **to ~ o.s.** (*euphemism*) sich erleichtern.

relieved [rɪ'li:vd] *adj* erleichtert; **I'm ~ to hear it** es erleichtert mich, das zu hören.

religion [rɪ'lɪdʒən] *n* Religion *f*.

religious [rɪ'lɪdʒəs] *adj* religiös.

religious education *n* Religionsunterricht *m*.

religiously [rɪ'lɪdʒəslɪ] *adv* (*regularly, thoroughly*) gewissenhaft.

relinquish [rɪ'lɪŋkwɪʃ] *vt* (*control etc*) aufgeben; (*claim*) verzichten auf *+acc*.

relish ['rɛlɪʃ] *n* (*CULIN*) würzige Soße *f*, Relish *nt*; (*enjoyment*) Genuß *m* ♦ *vt* (*enjoy*) genießen; **to ~ doing sth** etw mit Genuß tun.

relive [ri:'lɪv] *vt* noch einmal durchleben.

reload [ri:'ləud] *vt* (*gun*) neu laden.

relocate [ri:ləu'keɪt] *vt* verlegen ♦ *vi* den Standort wechseln; **to ~ in** seinen Standort verlegen nach.

reluctance [rɪ'lʌktəns] *n* Widerwille *m*.

reluctant [rɪ'lʌktənt] *adj* unwillig, widerwillig; **I'm ~ to do that** es widerstrebt mir, das zu tun.

reluctantly [rɪ'lʌktəntlɪ] *adv* widerwillig, nur ungern.

rely on [rɪ'laɪ-] *vt fus* (*be dependent on*) abhängen von; (*trust*) sich verlassen auf *+acc*.

remain [rɪ'meɪn] *vi* bleiben; (*survive*) übrigbleiben; **to ~ silent** weiterhin schweigen; **to ~ in control** die Kontrolle behalten; **much ~s to be done** es ist noch viel zu tun; **the fact ~s that ...** Tatsache ist und bleibt, daß ...; **it ~s to be seen whether ...** es bleibt abzuwarten, ob ...

remainder [rɪ'meɪndə*] *n* Rest *m* ♦ *vt* (*COMM*)

zu ermäßigtem Preis anbieten.
remaining [rɪ'meɪnɪŋ] *adj* übrig.
remains [rɪ'meɪnz] *npl* (*of meal*) Überreste *pl*; (*of building etc*) Ruinen *pl*; (*of body*) sterbliche Überreste *pl*.
remand [rɪ'mɑːnd] *n*: **to be on ~** in Untersuchungshaft sein ♦ *vt*: **to be ~ed in custody** in Untersuchungshaft bleiben müssen.
remand home (*formerly: BRIT*) *n* Untersuchungsgefängnis *nt* für Jugendliche.
remark [rɪ'mɑːk] *n* Bemerkung *f* ♦ *vt* bemerken ♦ *vi*: **to ~ on sth** Bemerkungen über etw *acc* machen; **to ~ that** die Bemerkung machen, daß.
remarkable [rɪ'mɑːkəbl] *adj* bemerkenswert.
remarry [riː'mærɪ] *vi* wieder heiraten.
remedial [rɪ'miːdɪəl] *adj* (*tuition, classes*) Förder-; **~ exercise** Heilgymnastik *f*.
remedy ['rɛmədɪ] *n* (*lit, fig*) (Heil)mittel *nt* ♦ *vt* (*mistake, situation*) abhelfen *+dat*.
remember [rɪ'mɛmbə*] *vt* (*call back to mind*) sich erinnern an *+acc*; (*bear in mind*) denken an *+acc*; **~ me to him** (*send greetings*) grüße ihn von mir; **I ~ seeing it, I ~ having seen it** ich erinnere mich (daran), es gesehen zu haben; **she ~ed to do it** sie hat daran gedacht, es zu tun.
remembrance [rɪ'mɛmbrəns] *n* Erinnerung *f*; **in ~ of sb/sth** im Gedenken an *+acc*.
Remembrance Sunday (*BRIT*) *n* ≈ Volkstrauertag *m*.

> **Remembrance Sunday** *oder* **Remembrance Day** *ist der britische Gedenktag für die Gefallenen der beiden Weltkriege und andere Konflikte. Er fällt auf einen Sonntag vor oder nach dem 11. November (am 11. November 1918 endete der erste Weltkrieg) und wird mit einer Schweigeminute, Kranzniederlegungen an Kriegerdenkmälern und dem Tragen von Anstecknadeln in Form einer Mohnblume begangen.*

remind [rɪ'maɪnd] *vt*: **to ~ sb to do sth** jdn daran erinnern, etw zu tun; **to ~ sb of sth** jdn an etw *acc* erinnern; **to ~ sb that ...** jdn daran erinnern, daß ...; **she ~s me of her mother** sie erinnert mich an ihre Mutter; **that ~s me!** dabei fällt mir etwas ein!
reminder [rɪ'maɪndə*] *n* (*of person, place etc*) Erinnerung *f*; (*letter*) Mahnung *f*.
reminisce [rɛmɪ'nɪs] *vi*: **to ~ (about)** sich in Erinnerungen ergehen (über *+acc*).
reminiscences [rɛmɪ'nɪsnsɪz] *npl* Erinnerungen *pl*.
reminiscent [rɛmɪ'nɪsnt] *adj*: **to be ~ of sth** an etw *acc* erinnern.
remiss [rɪ'mɪs] *adj* nachlässig; **it was ~ of him** es war nachlässig von ihm.
remission [rɪ'mɪʃən] *n* (*of sentence*) Straferlaß *m*; (*MED*) Remission *f*; (*REL*) Erlaß *m*.
remit [rɪ'mɪt] *vt* (*money*) überweisen ♦ *n* (*of official etc*) Aufgabenbereich *m*.
remittance [rɪ'mɪtns] *n* Überweisung *f*.
remnant ['rɛmnənt] *n* Überrest *m*; (*COMM: of cloth*) Rest *m*.
remonstrate ['rɛmənstreɪt] *vi*: **to ~ (with sb about sth)** sich beschweren (bei jdm wegen etw).
remorse [rɪ'mɔːs] *n* Reue *f*.
remorseful [rɪ'mɔːsful] *adj* reumütig.
remorseless [rɪ'mɔːslɪs] *adj* (*noise, pain*) unbarmherzig.
remote [rɪ'məut] *adj* (*distant: place, time*) weit entfernt; (*aloof*) distanziert; (*slight: chance etc*) entfernt; **there is a ~ possibility that ...** es besteht eventuell die Möglichkeit, daß ...
remote control *n* Fernsteuerung *f*; (*TV etc*) Fernbedienung *f*.
remote-controlled [rɪ'məutkən'trəuld] *adj* ferngesteuert.
remotely [rɪ'məutlɪ] *adv* (*slightly*) entfernt.
remoteness [rɪ'məutnɪs] *n* (*of place*) Entlegenheit *f*; (*of person*) Distanziertheit *f*.
remould ['riːməuld] (*BRIT*) *n* (*AUT*) runderneuerter Reifen *m*.
removable [rɪ'muːvəbl] *adj* (*detachable*) abnehmbar.
removal [rɪ'muːvəl] *n* (*of object etc*) Entfernung *f*; (*of threat etc*) Beseitigung *f*; (*BRIT: from house*) Umzug *m*; (*dismissal*) Entlassung *f*; (*MED: of kidney etc*) Entfernung *f*.
removal man (*BRIT*) *n* Möbelpacker *m*.
removal van (*BRIT*) *n* Möbelwagen *m*.
remove [rɪ'muːv] *vt* entfernen; (*clothing*) ausziehen; (*bandage etc*) abnehmen; (*employee*) entlassen; (*name: from list*) streichen; (*doubt, threat, obstacle*) beseitigen; **my first cousin once ~d** mein Vetter ersten Grades.
remover [rɪ'muːvə*] *n* (*for paint, varnish*) Entferner *m*; **stain ~** Fleckentferner *m*; **make-up ~** Make-up-Entferner *m*.
remunerate [rɪ'mjuːnəreɪt] *vt* vergüten.
remuneration [rɪmjuːnə'reɪʃən] *n* Vergütung *f*.
Renaissance [rɪ'neɪsɑ̃ːs] *n*: **the ~** die Renaissance.
renal ['riːnl] *adj* (*MED*) Nieren-.
renal failure *n* Nierenversagen *nt*.
rename [riː'neɪm] *vt* umbenennen.
rend [rɛnd] (*pt, pp* **rent**) *vt* (*air, silence*) zerreißen.
render ['rɛndə*] *vt* (*give: assistance, aid*) leisten; (*cause to become: unconscious, harmless, useless*) machen; (*submit*) vorlegen.
rendering ['rɛndərɪŋ] (*BRIT*) *n* = **rendition**.
rendezvous ['rɔndɪvuː] *n* (*meeting*) Rendezvous *nt*; (*place*) Treffpunkt *m* ♦ *vi*

(*people*) sich treffen; (*spacecraft*) ein Rendezvousmanöver durchführen; **to ~ with sb** sich mit jdm treffen.
rendition [rɛn'dɪʃən] *n* (*of song etc*) Vortrag *m*.
renegade ['rɛnɪgeɪd] *n* Renegat(in) *m(f)*, Überläufer(in) *m(f)*.
renew [rɪ'nju:] *vt* erneuern; (*attack, negotiations*) wiederaufnehmen; (*loan, contract etc*) verlängern; (*relationship etc*) wiederaufleben lassen.
renewables *npl* erneuerbare Energien *pl*.
renewal [rɪ'nju:əl] *n* Erneuerung *f*; (*of conflict*) Wiederaufnahme *f*; (*of contract etc*) Verlängerung *f*.
renounce [rɪ'nauns] *vt* verzichten auf *+acc*; (*belief*) aufgeben.
renovate ['rɛnəveɪt] *vt* (*building*) restaurieren; (*machine*) überholen.
renovation [rɛnə'veɪʃən] *n* (*see vb*) Restaurierung *f*; Überholung *f*.
renown [rɪ'naun] *n* Ruf *m*.
renowned [rɪ'naund] *adj* berühmt.
rent [rɛnt] *pt, pp of* **rend** ♦ *n* (*for house*) Miete *f* ♦ *vt* mieten; (*also:* **~ out**) vermieten.
rental ['rɛntl] *n* (*for television, car*) Mietgebühr *f*.
rent boy (*inf*) *n* Strichjunge *m*.
rent strike *n* Mietstreik *m*.
renunciation [rɪnʌnsɪ'eɪʃən] *n* Verzicht *m*; (*of belief*) Aufgabe *f*; (*self-denial*) Selbstverleugnung *f*.
reopen [ri:'əupən] *vt* (*shop etc*) wiedereröffnen; (*negotiations, legal case etc*) wiederaufnehmen.
reopening [ri:'əupnɪŋ] *n* (*see vt*) Wiedereröffnung *f*; Wiederaufnahme *f*.
reorder [ri:'ɔ:də*] *vt* (*rearrange*) umordnen.
reorganization ['ri:ɔ:gənaɪ'zeɪʃən] *n* Umorganisation *f*.
reorganize [ri:'ɔ:gənaɪz] *vt* umorganisieren.
Rep. (*US*) *abbr* (*POL*) = **representative; republican.**
rep [rɛp] *n abbr* (*COMM*) = **representative**; (*THEAT*) = **repertory.**
repair [rɪ'pɛə*] *n* Reparatur *f* ♦ *vt* reparieren; (*clothes, road*) ausbessern; **in good/bad ~** in gutem/schlechtem Zustand; **beyond ~** nicht mehr zu reparieren; **to be under ~** (*road*) ausgebessert werden.
repair kit *n* (*for bicycle*) Flickzeug *nt*.
repair man *n* Handwerker *m*.
repair shop *n* Reparaturwerkstatt *f*.
repartee [rɛpɑ:'ti:] *n* (*exchange*) Schlagabtausch *m*; (*reply*) schlagfertige Bemerkung *f*.
repast [rɪ'pɑ:st] (*form*) *n* Mahl *nt*.
repatriate [ri:'pætrɪeɪt] *vt* repatriieren.
repay [ri:'peɪ] (*irreg: like* **pay**) *vt* zurückzahlen; (*sb's efforts, attention*) belohnen; (*favour*) erwidern; **I'll ~ you next week** ich zahle es dir nächste Woche zurück.
repayment [ri:'peɪmənt] *n* Rückzahlung *f*.
repeal [rɪ'pi:l] *n* (*of law*) Aufhebung *f* ♦ *vt* (*law*) aufheben.
repeat [rɪ'pi:t] *n* (*RADIO, TV*) Wiederholung *f* ♦ *vt, vi* wiederholen ♦ *cpd* (*performance*) Wiederholungs-; (*order*) Nach-; **to ~ o.s./itself** sich wiederholen; **to ~ an order for sth** etw nachbestellen.
repeatedly [rɪ'pi:tɪdlɪ] *adv* wiederholt.
repel [rɪ'pɛl] *vt* (*drive away*) zurückschlagen; (*disgust*) abstoßen.
repellent [rɪ'pɛlənt] *adj* abstoßend ♦ *n:* **insect ~** Insekten(schutz)mittel *nt*.
repent [rɪ'pɛnt] *vi:* **to ~ of sth** etw bereuen.
repentance [rɪ'pɛntəns] *n* Reue *f*.
repercussions [ri:pə'kʌʃənz] *npl* Auswirkungen *pl*.
repertoire ['rɛpətwɑ:*] *n* (*MUS, THEAT*) Repertoire *nt*; (*fig*) Spektrum *nt*.
repertory ['rɛpətərɪ] *n* (*also:* **~ theatre**) Repertoiretheater *nt*.
repertory company *n* Repertoire-Ensemble *nt*.
repetition [rɛpɪ'tɪʃən] *n* (*repeat*) Wiederholung *f*.
repetitious [rɛpɪ'tɪʃəs] *adj* (*speech etc*) voller Wiederholungen.
repetitive [rɪ'pɛtɪtɪv] *adj* eintönig, monoton.
replace [rɪ'pleɪs] *vt* (*put back: upright*) zurückstellen; (*: flat*) zurücklegen; (*take the place of*) ersetzen; **to ~ X with Y** X durch Y ersetzen; **"~ the receiver"** (*TEL*) „Hörer auflegen".
replacement [rɪ'pleɪsmənt] *n* Ersatz *m*.
replacement part *n* Ersatzteil *nt*.
replay ['ri:pleɪ] *n* (*of match*) Wiederholungsspiel *nt* ♦ *vt* (*match*) wiederholen; (*track, song: on tape*) nochmals abspielen.
replenish [rɪ'plɛnɪʃ] *vt* (*glass, stock etc*) auffüllen.
replete [rɪ'pli:t] *adj* (*after meal*) gesättigt; **~ with** reichlich ausgestattet mit.
replica ['rɛplɪkə] *n* (*of object*) Nachbildung *f*.
reply [rɪ'plaɪ] *n* Antwort *f* ♦ *vi:* **to ~ (to sb/sth)** (jdm/auf etw *acc*) antworten; **in ~ to** als Antwort auf *+acc*; **there's no ~** (*TEL*) es meldet sich niemand.
reply coupon *n* Antwortschein *m*.
report [rɪ'pɔ:t] *n* Bericht *m*; (*BRIT: also:* **school ~**) Zeugnis *nt*; (*of gun*) Knall *m* ♦ *vt* berichten; (*casualties, damage, theft etc*) melden; (*person: to police*) anzeigen ♦ *vi* (*make a report*) Bericht erstatten; **to ~ to sb** (*present o.s. to*) sich bei jdm melden; (*be responsible to*) jdm unterstellt sein; **to ~ on sth** über etw *acc* Bericht erstatten; **to ~ sick** sich krank melden; **it is ~ed that** es wird berichtet *or* gemeldet, daß ...
report card (*US, SCOT*) *n* Zeugnis *nt*.
reportedly [rɪ'pɔ:tɪdlɪ] *adv:* **she is ~ living in Spain** sie lebt angeblich in Spanien.
reported speech *n* (*LING*) indirekte Rede *f*.

reporter [rɪ'pɔːtə*] *n* Reporter(in) *m(f)*.
repose [rɪ'pəuz] *n*: **in ~** in Ruhestellung.
repository [rɪ'pɔzɪtərɪ] *n* (*person: of knowledge*) Quelle *f*; (*place: of collection etc*) Lager *nt*.
repossess ['riːpə'zɛs] *vt* (wieder) in Besitz nehmen.
repossession order [riːpə'zɛʃən-] *n* Beschlagnahmungsverfügung *f*.
reprehensible [rɛprɪ'hɛnsɪbl] *adj* verwerflich.
represent [rɛprɪ'zɛnt] *vt* (*person, nation*) vertreten; (*show: view, opinion*) darstellen; (*symbolize: idea*) symbolisieren, verkörpern; **to ~ sth as** (*describe*) etw darstellen als.
representation [rɛprɪzɛn'teɪʃən] *n* (*state of being represented*) Vertretung *f*; (*picture etc*) Darstellung *f*; **representations** *npl* (*protest*) Proteste *pl*.
representative [rɛprɪ'zɛntətɪv] *n* (*also COMM*) Vertreter(in) *m(f)*; (*US: POL*) Abgeordnete(r) *f(m)* des Repräsentantenhauses ♦ *adj* repräsentativ; **~ of** repräsentativ für.
repress [rɪ'prɛs] *vt* unterdrücken.
repression [rɪ'prɛʃən] *n* Unterdrückung *f*.
repressive [rɪ'prɛsɪv] *adj* repressiv.
reprieve [rɪ'priːv] *n* (*cancellation*) Begnadigung *f*; (*postponement*) Strafaufschub *m*; (*fig*) Gnadenfrist *f* ♦ *vt*: **he was ~d** (*see n*) er wurde begnadigt; ihm wurde Strafaufschub gewährt.
reprimand ['rɛprɪmɑːnd] *n* Tadel *m* ♦ *vt* tadeln.
reprint ['riːprɪnt] *n* Nachdruck *m* ♦ *vt* nachdrucken.
reprisal [rɪ'praɪzl] *n* Vergeltung *f*; **reprisals** *npl* Repressalien *pl*; (*in war*) Vergeltungsaktionen *pl*; **to take ~s** zu Repressalien greifen; (*in war*) Vergeltungsaktionen durchführen.
reproach [rɪ'prəutʃ] *n* (*rebuke*) Vorwurf *m* ♦ *vt*: **to ~ sb for sth** jdm etw zum Vorwurf machen; **beyond ~** über jeden Vorwurf erhaben; **to ~ sb with sth** jdm etw vorwerfen.
reproachful [rɪ'prəutʃful] *adj* vorwurfsvoll.
reproduce [riːprə'djuːs] *vt* reproduzieren ♦ *vi* (*BIOL*) sich vermehren.
reproduction [riːprə'dʌkʃən] *n* Reproduktion *f*; (*BIOL*) Fortpflanzung *f*.
reproductive [riːprə'dʌktɪv] *adj* (*system, organs*) Fortpflanzungs-.
reproof [rɪ'pruːf] *n* (*rebuke*) Tadel *m*; **with ~** tadelnd.
reprove [rɪ'pruːv] *vt* tadeln; **to ~ sb for sth** jdn wegen etw tadeln.
reproving [rɪ'pruːvɪŋ] *adj* tadelnd.
reptile ['rɛptaɪl] *n* Reptil *nt*.
Repub. (*US*) *abbr* (*POL*) = **republican.**
republic [rɪ'pʌblɪk] *n* Republik *f*.
republican [rɪ'pʌblɪkən] *adj* republikanisch ♦ *n* Republikaner(in) *m(f)*; **the R~s** (*US: POL*) die Republikaner.
repudiate [rɪ'pjuːdɪeɪt] *vt* (*accusation*) zurückweisen; (*violence*) ablehnen; (*old: friend, wife etc*) verstoßen.
repugnance [rɪ'pʌgnəns] *n* Abscheu *m*.
repugnant [rɪ'pʌgnənt] *adj* abstoßend.
repulse [rɪ'pʌls] *vt* (*attack etc*) zurückschlagen; (*sight, picture etc*) abstoßen.
repulsion [rɪ'pʌlʃən] *n* Abscheu *m*.
repulsive [rɪ'pʌlsɪv] *adj* widerwärtig, abstoßend.
reputable ['rɛpjutəbl] *adj* (*make, company etc*) angesehen.
reputation [rɛpju'teɪʃən] *n* Ruf *m*; **to have a ~ for** einen Ruf haben für; **he has a ~ for being awkward** er gilt als schwierig.
repute [rɪ'pjuːt] *n*: **of ~** angesehen; **to be held in high ~** in hohem Ansehen stehen.
reputed [rɪ'pjuːtɪd] *adj* angeblich; **he is ~ to be rich** er ist angeblich reich.
reputedly [rɪ'pjuːtɪdlɪ] *adv* angeblich.
request [rɪ'kwɛst] *n* (*polite*) Bitte *f*; (*formal*) Ersuchen *nt*; (*RADIO*) Musikwunsch *m* ♦ *vt* (*politely*) bitten um; (*formally*) ersuchen; **at the ~ of** auf Wunsch von; **"you are ~ed not to smoke"** „bitte nicht rauchen".
request stop (*BRIT*) *n* Bedarfshaltestelle *f*.
requiem ['rɛkwɪəm] *n* (*REL: also:* **~ mass**) Totenmesse *f*; (*MUS*) Requiem *nt*.
require [rɪ'kwaɪə*] *vt* (*need*) benötigen; (*: situation*) erfordern; (*demand*) verlangen; **to ~ sb to do sth** von jdm verlangen, etw zu tun; **if ~d** falls nötig; **what qualifications are ~d?** welche Qualifikationen werden verlangt?; **~d by law** gesetzlich vorgeschrieben.
required [ri'kwaɪəd] *adj* erforderlich.
requirement [rɪ'kwaɪəmənt] *n* (*need*) Bedarf *m*; (*condition*) Anforderung *f*; **to meet sb's ~s** jds Anforderungen erfüllen.
requisite ['rɛkwɪzɪt] *adj* erforderlich; **requisites** *npl*: **toilet/travel ~s** Toiletten-/Reiseartikel *pl*.
requisition [rɛkwɪ'zɪʃən] *n*: **~ (for)** (*demand*) Anforderung *f* (von) ♦ *vt* (*MIL*) beschlagnahmen.
reroute [riː'ruːt] *vt* (*train etc*) umleiten.
resale [riː'seɪl] *n* Weiterverkauf *m*; **"not for ~"** „nicht zum Weiterverkauf bestimmt".
resale price maintenance *n* Preisbindung *f*.
rescind [rɪ'sɪnd] *vt* (*law, order*) aufheben; (*decision*) rückgängig machen; (*agreement*) widerrufen.
rescue ['rɛskjuː] *n* Rettung *f* ♦ *vt* retten; **to come to sb's ~** jdm zu Hilfe kommen.
rescue party *n* Rettungsmannschaft *f*.
rescuer ['rɛskjuə*] *n* Retter(in) *m(f)*.
research [rɪ'səːtʃ] *n* Forschung *f* ♦ *vt* erforschen ♦ *vi*: **to ~ into sth** etw erforschen; **to do ~** Forschung betreiben; **a piece of ~** eine Forschungsarbeit; **~ and development** Forschung und Entwicklung.
researcher [rɪ'səːtʃə*] *n* Forscher(in) *m(f)*.
research work *n* Forschungsarbeit *f*.

research worker *n* = **researcher**.
resell [riː'sɛl] (*irreg: like* **sell**) *vt* weiterverkaufen.
resemblance [rɪ'zɛmbləns] *n* Ähnlichkeit *f*; **to bear a strong ~ to** starke Ähnlichkeit haben mit; **it bears no ~ to** ... es hat keine Ähnlichkeit mit ...
resemble [rɪ'zɛmbl] *vt* ähneln *+dat*, gleichen *+dat*.
resent [rɪ'zɛnt] *vt* (*attitude, treatment*) mißbilligen; (*person*) ablehnen.
resentful [rɪ'zɛntful] *adj* (*person*) gekränkt; (*attitude*) mißbilligend.
resentment [rɪ'zɛntmənt] *n* Verbitterung *f*.
reservation [rɛzə'veɪʃən] *n* (*booking*) Reservierung *f*; (*doubt*) Vorbehalt *m*; (*land*) Reservat *nt*; **to make a ~** (*in hotel etc*) eine Reservierung vornehmen; **with ~(s)** (*doubts*) unter Vorbehalt.
reservation desk *n* Reservierungsschalter *m*.
reserve [rɪ'zəːv] *n* Reserve *f*, Vorrat *m*; (*fig: of talent etc*) Reserve *f*; (*SPORT*) Reservespieler(in) *m(f)*; (*also*: **nature ~**) Naturschutzgebiet *nt*; (*restraint*) Zurückhaltung *f* ♦ *vt* reservieren; (*table, ticket*) reservieren lassen; **reserves** *npl* (*MIL*) Reserve *f*; **in ~** in Reserve.
reserve currency *n* Reservewährung *f*.
reserved [rɪ'zəːvd] *adj* (*restrained*) zurückhaltend; (*seat*) reserviert.
reserve price (*BRIT*) *n* Mindestpreis *m*.
reserve team (*BRIT*) *n* Reservemannschaft *f*.
reservist [rɪ'zəːvɪst] *n* (*MIL*) Reservist *m*.
reservoir ['rɛzəvwaː*] *n* (*lit, fig*) Reservoir *nt*.
reset [riː'sɛt] (*irreg: like* **set**) *vt* (*watch*) neu stellen; (*broken bone*) wieder einrichten; (*COMPUT*) zurückstellen.
reshape [riː'ʃeɪp] *vt* (*policy, view*) umgestalten.
reshuffle [riː'ʃʌfl] *n*: **cabinet ~** Kabinettsumbildung *f*.
reside [rɪ'zaɪd] *vi* (*live: person*) seinen/ihren Wohnsitz haben.
►**reside in** *vt fus* (*exist*) liegen in *+dat*.
residence ['rɛzɪdəns] *n* (*form: home*) Wohnsitz *m*; (*length of stay*) Aufenthalt *m*; **to take up ~** sich niederlassen; **in ~** (*queen etc*) anwesend; **writer/artist in ~** *Schriftsteller/Künstler, der in einer Ausbildungsstätte bei freier Unterkunft lehrt und arbeitet*.
residence permit (*BRIT*) *n* Aufenthaltserlaubnis *f*.
resident ['rɛzɪdənt] *n* (*of country, town*) Einwohner(in) *m(f)*; (*in hotel*) Gast *m* ♦ *adj* (*in country, town*) wohnhaft; (*population*) ansässig; (*doctor*) hauseigen; (*landlord*) im Hause wohnend.
residential [rɛzɪ'dɛnʃəl] *adj* (*area*) Wohn-; (*course*) mit Wohnung am Ort; (*staff*) im Hause wohnend.
residue ['rɛzɪdjuː] *n* (*CHEM*) Rückstand *m*; (*fig*) Überrest *m*.
resign [rɪ'zaɪn] *vt* (*one's post*) zurücktreten von ♦ *vi* (*from post*) zurücktreten; **to ~ o.s. to** (*situation etc*) sich abfinden mit.
resignation [rɛzɪg'neɪʃən] *n* (*from post*) Rücktritt *m*; (*state of mind*) Resignation *f*; **to tender one's ~** seine Kündigung einreichen.
resigned [rɪ'zaɪnd] *adj*: **to be ~ to sth** sich mit etw abgefunden haben.
resilience [rɪ'zɪlɪəns] *n* (*of material*) Widerstandsfähigkeit *f*; (*of person*) Unverwüstlichkeit *f*.
resilient [rɪ'zɪlɪənt] *adj* (*see n*) widerstandsfähig; unverwüstlich.
resin ['rɛzɪn] *n* Harz *nt*.
resist [rɪ'zɪst] *vt* (*change, demand*) sich widersetzen *+dat*; (*attack etc*) Widerstand leisten *+dat*; (*urge etc*) widerstehen *+dat*; **I couldn't ~ (doing) it** ich konnte nicht widerstehen(, es zu tun).
resistance [rɪ'zɪstəns] *n* (*also ELEC*) Widerstand *m*; (*to illness*) Widerstandsfähigkeit *f*.
resistant [rɪ'zɪstənt] *adj*: **~ (to)** (*to change etc*) widerstandsfähig (gegenüber); (*to antibiotics etc*) resistent (gegen).
resolute ['rɛzəluːt] *adj* (*person*) entschlossen, resolut; (*refusal*) entschieden.
resolution [rɛzə'luːʃən] *n* (*decision*) Beschluß *m*; (*determination*) Entschlossenheit *f*; (*of problem*) Lösung *f*; **to make a ~** einen Entschluß fassen.
resolve [rɪ'zɔlv] *n* (*determination*) Entschlossenheit *f* ♦ *vt* (*problem*) lösen; (*difficulty*) beseitigen ♦ *vi*: **to ~ to do sth** beschließen, etw zu tun.
resolved [rɪ'zɔlvd] *adj* (*determined*) entschlossen.
resonance ['rɛzənəns] *n* Resonanz *f*.
resonant ['rɛzənənt] *adj* (*sound, voice*) volltönend; (*place*) widerhallend.
resort [rɪ'zɔːt] *n* (*town*) Urlaubsort *m*; (*recourse*) Zuflucht *f* ♦ *vi*: **to ~ to** Zuflucht nehmen zu; **seaside ~** Seebad *nt*; **winter sports ~** Wintersportort *m*; **as a last ~** als letzter Ausweg; **in the last ~** schlimmstenfalls.
resound [rɪ'zaund] *vi*: **to ~ (with)** widerhallen (von).
resounding [rɪ'zaundɪŋ] *adj* (*noise*) widerhallend; (*voice*) schallend; (*fig: success*) durchschlagend; (*: victory*) überlegen.
resource [rɪ'sɔːs] *n* (*raw material*) Bodenschatz *m*; **resources** *npl* (*coal, oil etc*) Energiequellen *pl*; (*money*) Mittel *pl*, Ressourcen *pl*; **natural ~s** Naturschätze *pl*.
resourceful [rɪ'sɔːsful] *adj* einfallsreich.
resourcefulness [rɪ'sɔːsfulnɪs] *n* Einfallsreichtum *m*.
respect [rɪs'pɛkt] *n* (*consideration, esteem*) Respekt *m* ♦ *vt* respektieren; **respects** *npl* (*greetings*) Grüße *pl*; **to have ~ for sb/sth**

Respekt vor jdm/etw haben; **to show sb/sth** ~ Respekt vor jdm/etw zeigen; **out of ~ for** aus Rücksicht auf *+acc*; **with ~ to, in ~ of** in bezug auf *+acc*; **in this ~** in dieser Hinsicht; **in some/many ~s** in gewisser/vielfacher Hinsicht; **with (all due) ~** bei allem Respekt.

respectability [rɪspɛktə'bɪlɪtɪ] *n* Anständigkeit *f*.

respectable [rɪs'pɛktəbl] *adj* anständig; (*amount, income*) ansehnlich; (*standard, mark etc*) ordentlich.

respected [rɪs'pɛktɪd] *adj* angesehen.

respectful [rɪs'pɛktful] *adj* respektvoll.

respectfully [rɪs'pɛktfəlɪ] *adv* (*behave*) respektvoll.

respective [rɪs'pɛktɪv] *adj* jeweilig.

respectively [rɪs'pɛktɪvlɪ] *adv* beziehungsweise; **Germany and Britain were 3rd and 4th ~** Deutschland und Großbritannien belegten den 3. beziehungsweise 4. Platz.

respiration [rɛspɪ'reɪʃən] *n see* **artificial.**

respirator ['rɛspɪreɪtə*] *n* Respirator *m*, Beatmungsgerät *nt*.

respiratory ['rɛspərətərɪ] *adj* (*system, failure*) Atmungs-.

respite ['rɛspaɪt] *n* (*rest*) Ruhepause *f*.

resplendent [rɪs'plɛndənt] *adj* (*clothes*) prächtig.

respond [rɪs'pɔnd] *vi* (*answer*) antworten; (*react*) reagieren.

respondent [rɪs'pɔndənt] *n* (*LAW*) Beklagte(r) *f(m)*.

response [rɪs'pɔns] *n* (*to question*) Antwort *f*; (*to event etc*) Reaktion *f*; **in ~ to** als Antwort/Reaktion auf *+acc*.

responsibility [rɪspɔnsɪ'bɪlɪtɪ] *n* Verantwortung *f*; **to take ~ for sth/sb** die Verantwortung für etw/jdn übernehmen.

responsible [rɪs'pɔnsɪbl] *adj* verantwortlich; (*reliable, important*) verantwortungsvoll; **to be ~ for sth** für etw verantwortlich sein; **to be ~ for doing sth** dafür verantwortlich sein, etw zu tun; **to be ~ to sb** jdm gegenüber verantwortlich sein.

responsibly [rɪs'pɔnsɪblɪ] *adv* verantwortungsvoll.

responsive [rɪs'pɔnsɪv] *adj* (*person*) ansprechbar.

rest [rɛst] *n* (*relaxation*) Ruhe *f*; (*pause*) Ruhepause *f*; (*remainder*) Rest *m*; (*support*) Stütze *f*; (*MUS*) Pause *f* ♦ *vi* (*relax*) sich ausruhen ♦ *vt* (*eyes, legs etc*) ausruhen; **the ~ of them** die übrigen; **to put** *or* **set sb's mind at ~** jdn beruhigen; **to come to ~** (*object*) zum Stillstand kommen; **to lay sb to ~** jdn zur letzten Ruhe betten; **to ~ on sth** (*lit, fig*) sich auf etw *acc* stützen; **to let the matter ~** die Sache auf sich beruhen lassen; **~ assured that ...** seien Sie versichert, daß ...; **I won't ~ until ...** ich werde nicht ruhen, bis ...; **may he/she ~ in peace** möge er/sie in Frieden ruhen; **to ~ sth on/against sth** (*lean*) etw an etw *acc*/gegen etw lehnen; **to ~ one's eyes** *or* **gaze on sth** den Blick auf etw heften; **I ~ my case** mehr brauche ich dazu wohl nicht zu sagen.

restart [riː'stɑːt] *vt* (*engine*) wieder anlassen; (*work*) wiederaufnehmen.

restaurant ['rɛstərɔŋ] *n* Restaurant *nt*.

restaurant car (*BRIT*) *n* (*RAIL*) Speisewagen *m*.

rest cure *n* Erholung *f*.

restful ['rɛstful] *adj* (*music*) ruhig; (*lighting*) beruhigend; (*atmosphere*) friedlich.

rest home *n* Pflegeheim *nt*.

restitution [rɛstɪ'tjuːʃən] *n*: **to make ~ to sb of sth** jdm etw zurückerstatten; (*as compensation*) jdn für etw entschädigen.

restive ['rɛstɪv] *adj* (*person, crew*) unruhig; (*horse*) störrisch.

restless ['rɛstlɪs] *adj* rastlos; (*audience*) unruhig; **to get ~** unruhig werden.

restlessly ['rɛstlɪslɪ] *adv* (*walk around*) rastlos; (*turn over*) unruhig.

restock [riː'stɔk] *vt* (*shop, freezer*) wieder auffüllen; (*lake, river: with fish*) wieder besetzen.

restoration [rɛstə'reɪʃən] *n* (*of painting etc*) Restauration *f*; (*of law and order, health, sight etc*) Wiederherstellung *f*; (*of land, rights*) Rückgabe *f*; (*HIST*): **the R~** die Restauration.

restorative [rɪ'stɔrətɪv] *adj* (*power, treatment*) stärkend ♦ *n* (*old: drink*) Stärkungsmittel *nt*.

restore [rɪ'stɔː*] *vt* (*painting etc*) restaurieren; (*law and order, health, faith etc*) wiederherstellen; (*property*) zurückgeben; **to ~ sth to** (*to former state*) etw zurückverwandeln in *+acc*; **to ~ sb to power** jdn wieder an die Macht bringen.

restorer [rɪ'stɔːrə*] *n* (*ART etc*) Restaurator(in) *m(f)*.

restrain [rɪs'treɪn] *vt* (*person*) zurückhalten; (*feeling*) unterdrücken; (*growth, inflation*) dämpfen; **to ~ sb from doing sth** jdn davon abhalten, etw zu tun; **to ~ o.s. from doing sth** sich beherrschen, etw nicht zu tun.

restrained [rɪs'treɪnd] *adj* (*person*) beherrscht; (*style etc*) zurückhaltend.

restraint [rɪs'treɪnt] *n* (*restriction*) Einschränkung *f*; (*moderation*) Zurückhaltung *f*; **wage ~** Zurückhaltung *f* bei Lohnforderungen.

restrict [rɪs'trɪkt] *vt* beschränken.

restricted area (*BRIT*) *n* (*AUT*) Bereich *m* mit Geschwindigkeitsbeschränkung.

restriction [rɪs'trɪkʃən] *n* Beschränkung *f*.

restrictive [rɪs'trɪktɪv] *adj* (*law, measure*) restriktiv; (*clothing*) beengend.

restrictive practices (*BRIT*) *npl* (*INDUSTRY*) wettbewerbshemmende Geschäftspraktiken *pl*.

rest room (*US*) *n* Toilette *f*.

restructure [riː'strʌktʃə*] *vt* umstrukturieren.
result [rɪ'zʌlt] *n* Resultat *nt*; (*of match, election, exam etc*) Ergebnis *nt* ♦ *vi*: **to ~ in** führen zu; **as a ~ of the accident** als Folge des Unfalls; **he missed the train as a ~ of sleeping in** er verpaßte den Zug, weil er verschlafen hatte; **to ~ from** resultieren *or* sich ergeben aus; **as a ~ it is too expensive** folglich ist es zu teuer.
resultant [rɪ'zʌltənt] *adj* resultierend, sich ergebend.
resume [rɪ'zjuːm] *vt* (*work, journey*) wiederaufnehmen; (*seat*) wieder einnehmen ♦ *vi* (*start again*) von neuem beginnen.
résumé ['reɪsjuːmeɪ] *n* Zusammenfassung *f*; (*US: curriculum vitae*) Lebenslauf *m*.
resumption [rɪ'zʌmpʃən] *n* (*of work etc*) Wiederaufnahme *f*.
resurgence [rɪ'səːdʒəns] *n* Wiederaufleben *nt*.
resurrection [rɛzə'rɛkʃən] *n* (*of hopes, fears*) Wiederaufleben *nt*; (*of custom etc*) Wiederbelebung *f*; (*REL*): **the R~** die Auferstehung *f*.
resuscitate [rɪ'sʌsɪteɪt] *vt* (*MED, fig*) wiederbeleben.
resuscitation [rɪsʌsɪ'teɪʃən] *n* Wiederbelebung *f*.
retail ['riːteɪl] *adj* (*trade, department*) Verkaufs-; (*shop, goods*) Einzelhandels- ♦ *adv* im Einzelhandel ♦ *vt* (*sell*) (im Einzelhandel) verkaufen ♦ *vi*: **to ~ at** (im Einzelhandel) kosten; **this product ~s at £25** dieses Produkt kostet im Laden £25.
retailer ['riːteɪlə*] *n* Einzelhändler(in) *m(f)*.
retail outlet *n* Einzelhandelsverkaufsstelle *f*.
retail price *n* Einzelhandelspreis *m*.
retail price index *n* Einzelhandelspreisindex *m*.
retain [rɪ'teɪn] *vt* (*keep*) behalten; (: *heat, moisture*) zurückhalten.
retainer [rɪ'teɪnə*] *n* (*fee*) Vorauszahlung *f*.
retaliate [rɪ'tælɪeɪt] *vi* Vergeltung üben.
retaliation [rɪtælɪ'eɪʃən] *n* Vergeltung *f*; **in ~ for** als Vergeltung für.
retaliatory [rɪ'tælɪətərɪ] *adj* (*move, attack*) Vergeltungs-.
retarded [rɪ'tɑːdɪd] *adj* zurückgeblieben; **mentally ~** geistig zurückgeblieben.
retch [rɛtʃ] *vi* würgen.
retention [rɪ'tɛnʃən] *n* (*of tradition etc*) Beibehaltung *f*; (*of land, memories*) Behalten *nt*; (*of heat, fluid etc*) Zurückhalten *nt*.
retentive [rɪ'tɛntɪv] *adj* (*memory*) merkfähig.
rethink ['riː'θɪŋk] *vt* noch einmal überdenken.
reticence ['rɛtɪsns] *n* Zurückhaltung *f*.
reticent ['rɛtɪsnt] *adj* zurückhaltend.
retina ['rɛtɪnə] *n* Netzhaut *f*.
retinue ['rɛtɪnjuː] *n* Gefolge *nt*.
retire [rɪ'taɪə*] *vi* (*give up work*) in den Ruhestand treten; (*withdraw, go to bed*) sich zurückziehen.
retired [rɪ'taɪəd] *adj* (*person*) im Ruhestand.
retirement [rɪ'taɪəmənt] *n* (*state*) Ruhestand *m*; (*act*) Pensionierung *f*.
retirement age *n* Rentenalter *nt*.
retiring [rɪ'taɪərɪŋ] *adj* (*leaving*) ausscheidend; (*shy*) zurückhaltend.
retort [rɪ'tɔːt] *vi* erwidern ♦ *n* (*reply*) Erwiderung *f*.
retrace [riː'treɪs] *vt*: **to ~ one's steps** (*lit, fig*) seine Schritte zurückverfolgen.
retract [rɪ'trækt] *vt* (*promise*) zurücknehmen; (*confession*) zurückziehen; (*claws, undercarriage*) einziehen.
retractable [rɪ'træktəbl] *adj* (*undercarriage, aerial*) einziehbar.
retrain [riː'treɪn] *vt* umschulen ♦ *vi* umgeschult werden.
retraining [riː'treɪnɪŋ] *n* Umschulung *f*.
retread ['riːtrɛd] *n* (*tyre*) runderneuerter Reifen *m*.
retreat [rɪ'triːt] *n* (*place*) Zufluchtsort *m*; (*withdrawal: also MIL*) Rückzug *m* ♦ *vi* sich zurückziehen; **to beat a hasty ~** schleunigst den Rückzug antreten.
retrial [riː'traɪəl] *n* erneute Verhandlung *f*.
retribution [rɛtrɪ'bjuːʃən] *n* Strafe *f*.
retrieval [rɪ'triːvəl] *n* (*of object*) Zurückholen *nt*; (*COMPUT*) Abruf *m*.
retrieve [rɪ'triːv] *vt* (*object*) zurückholen; (*situation*) retten; (*error*) wiedergutmachen; (*dog*) apportieren; (*COMPUT*) abrufen.
retriever [rɪ'triːvə*] *n* (*dog*) Apportierhund *m*.
retroactive [rɛtrəu'æktɪv] *adj* rückwirkend.
retrograde ['rɛtrəgreɪd] *adj* (*step*) Rück-.
retrospect ['rɛtrəspɛkt] *n*: **in ~** rückblickend, im Rückblick.
retrospective [rɛtrə'spɛktɪv] *adj* (*opinion etc*) im Nachhinein; (*law, tax*) rückwirkend ♦ *n* (*ART*) Retrospektive *f*.
return [rɪ'təːn] *n* (*going or coming back*) Rückkehr *f*; (*of sth stolen etc*) Rückgabe *f*; (*also*: **~ ticket**: *BRIT*) Rückfahrkarte *f*; (*FIN: from investment etc*) Ertrag *m*; (*of merchandise*) Rücksendung *f*; (*official report*) Erklärung *f* ♦ *cpd* (*journey*) Rück- ♦ *vi* (*person etc: come or go back*) zurückkehren; (*feelings, symptoms etc*) wiederkehren ♦ *vt* (*favour, greetings etc*) erwidern; (*sth stolen etc*) zurückgeben; (*LAW: verdict*) fällen; (*POL: candidate*) wählen; (*ball*) zurückspielen; **returns** *npl* (*COMM*) Gewinne *pl*; **in ~ (for)** als Gegenleistung (für); **by ~ of post** postwendend; **many happy ~s (of the day)!** herzlichen Glückwunsch zum Geburtstag!; **~ match** Rückspiel *nt*.
▸**return to** *vt fus* (*regain: consciousness, power*) wiedererlangen.
returnable [rɪ'təːnəbl] *adj* (*bottle etc*) Mehrweg-.
returner *n jd, der nach längerer Abwesenheit wieder in die Arbeitswelt zurückkehrt.*
returning officer [rɪ'təːnɪŋ-] (*BRIT*) *n* Wahlleiter(in) *m(f)*.

return key *n* (*COMPUT*) Return-Taste *f*.
reunion [riː'juːnɪən] *n* Treffen *nt*; (*after long separation*) Wiedervereinigung *f*.
reunite [riːjuː'naɪt] *vt* wiedervereinigen.
Rev. *abbr* (*REL*) = **Reverend.**
rev [rɛv] *n abbr* (*AUT:* = *revolution per minute*) Umdrehung *f* pro Minute, U/min. ♦ *vt* (*also:* ~ **up**: *engine*) aufheulen lassen.
revaluation [riːvælju'eɪʃən] *n* (*of property*) Neuschätzung *f*; (*of currency*) Aufwertung *f*; (*of attitudes*) Neubewertung *f*.
revamp [riː'væmp] *vt* (*company, system*) auf Vordermann bringen.
rev counter (*BRIT*) *n* (*AUT*) Drehzahlmesser *m*.
Revd. *abbr* (*REL*) = **Reverend.**
reveal [rɪ'viːl] *vt* (*make known*) enthüllen; (*make visible*) zum Vorschein bringen.
revealing [rɪ'viːlɪŋ] *adj* (*comment, action*) aufschlußreich; (*dress*) tief ausgeschnitten.
reveille [rɪ'vælɪ] *n* (*MIL*) Wecksignal *nt*.
revel ['rɛvl] *vi*: **to ~ in sth** in etw schwelgen; **to ~ in doing sth** es genießen, etw zu tun.
revelation [rɛvə'leɪʃən] *n* (*disclosure*) Enthüllung *f*.
reveller ['rɛvlə*] *n* Zecher(in) *m(f)*.
revelry ['rɛvlrɪ] *n* Gelage *nt*.
revenge [rɪ'vɛndʒ] *n* (*for insult etc*) Rache *f* ♦ *vt* rächen; **to get one's ~ (for sth)** seine Rache (für etw) bekommen; **to ~ o.s.** *or* **take one's ~ (on sb)** sich (an jdm) rächen.
revengeful [rɪ'vɛndʒful] *adj* rachsüchtig.
revenue ['rɛvənjuː] *n* (*of person, company*) Einnahmen *pl*; (*of government*) Staatseinkünfte *pl*.
reverberate [rɪ'vəːbəreɪt] *vi* (*sound etc*) widerhallen; (*fig: shock etc*) Nachwirkungen haben.
reverberation [rɪvəːbə'reɪʃən] *n* (*of sound*) Widerhall *m*; (*fig: of event etc*) Nachwirkungen *pl*.
revere [rɪ'vɪə*] *vt* verehren.
reverence ['rɛvərəns] *n* Ehrfurcht *f*.
Reverend ['rɛvərənd] *adj* (*in titles*) Pfarrer; **the ~ John Smith** Pfarrer John Smith.
reverent ['rɛvərənt] *adj* ehrfürchtig.
reverie ['rɛvərɪ] *n* Träumerei *f*.
reversal [rɪ'vəːsl] *n* (*of policy, trend*) Umkehr *f*; **a ~ of roles** ein Rollentausch *m*.
reverse [rɪ'vəːs] *n* (*opposite*) Gegenteil *nt*; (*back: of cloth*) linke Seite *f*; (: *of coin, paper*) Rückseite *f*; (*AUT: also:* ~ **gear**) Rückwärtsgang *m*; (*setback*) Rückschlag *m* ♦ *adj* (*side*) Rück-; (*process*) umgekehrt ♦ *vt* (*position, trend etc*) umkehren; (*LAW: verdict*) revidieren; (*roles*) vertauschen; (*car*) zurücksetzen ♦ *vi* (*BRIT: AUT*) zurücksetzen; **in ~** umgekehrt; **to go into ~** den Rückwärtsgang einlegen; **in ~ order** in umgekehrter Reihenfolge; **to ~ direction** sich um 180 Grad drehen.
reverse-charge call [rɪ'vəːstʃɑːdʒ-] (*BRIT*) *n* R-Gespräch *nt*.
reverse video *n* (*COMPUT*) invertierte Darstellung *f*.
reversible [rɪ'vəːsəbl] *adj* (*garment*) auf beiden Seiten tragbar; (*decision, operation*) umkehrbar.
reversing lights [rɪ'vəːsɪŋ-] (*BRIT*) *npl* Rückfahrscheinwerfer *m*.
reversion [rɪ'vəːʃən] *n*: ~ **to** Rückfall in *+acc*; (*ZOOL*) Rückentwicklung *f*.
revert [rɪ'vəːt] *vi*: **to ~ to** (*former state*) zurückkehren zu, zurückfallen in *+acc*; (*LAW: money, property*) zurückfallen an *+acc*.
review [rɪ'vjuː] *n* (*magazine*) Zeitschrift *f*; (*MIL*) Inspektion *f*; (*of book, film etc*) Kritik *f*, Besprechung *f*, Rezension *f*; (*of policy etc*) Überprüfung *f* ♦ *vt* (*MIL: troops*) inspizieren; (*book, film etc*) besprechen, rezensieren; (*policy etc*) überprüfen; **to be/come under ~** überprüft werden.
reviewer [rɪ'vjuːə*] *n* Kritiker(in) *m(f)*, Rezensent(in) *m(f)*.
revile [rɪ'vaɪl] *vt* schmähen.
revise [rɪ'vaɪz] *vt* (*manuscript*) überarbeiten, revidieren; (*opinion etc*) ändern; (*price, procedure*) revidieren ♦ *vi* (*study*) wiederholen; **~d edition** überarbeitete Ausgabe.
revision [rɪ'vɪʒən] *n* (*of manuscript, law etc*) Überarbeitung *f*, Revision *f*; (*for exam*) Wiederholung *f*.
revitalize [riː'vaɪtəlaɪz] *vt* neu beleben.
revival [rɪ'vaɪvəl] *n* (*recovery*) Aufschwung *m*; (*of interest, faith*) Wiederaufleben *nt*; (*THEAT*) Wiederaufnahme *f*.
revive [rɪ'vaɪv] *vt* (*person*) wiederbeleben; (*economy etc*) Auftrieb geben *+dat*; (*custom*) wiederaufleben lassen; (*hope, interest etc*) neu beleben; (*play*) wiederaufnehmen ♦ *vi* (*person*) wieder zu sich kommen; (*activity, economy etc*) wieder aufblühen; (*hope, interest etc*) wiedererweckt werden.
revoke [rɪ'vəuk] *vt* (*law etc*) aufheben; (*title, licence*) entziehen *+dat*; (*promise, decision*) widerrufen.
revolt [rɪ'vəult] *n* Revolte *f*, Aufstand *m* ♦ *vi* rebellieren ♦ *vt* abstoßen; **to ~ against sb/sth** gegen jdn/etw rebellieren.
revolting [rɪ'vəultɪŋ] *adj* (*disgusting*) abscheulich, ekelhaft.
revolution [rɛvə'luːʃən] *n* (*POL etc*) Revolution *f*; (*rotation*) Umdrehung *f*.
revolutionary [rɛvə'luːʃənrɪ] *adj* revolutionär; (*leader, army*) Revolutions- ♦ *n* Revolutionär(in) *m(f)*.
revolutionize [rɛvə'luːʃənaɪz] *vt* revolutionieren.
revolve [rɪ'vɔlv] *vi* sich drehen; **to ~ (a)round** sich drehen um.
revolver [rɪ'vɔlvə*] *n* Revolver *m*.
revolving [rɪ'vɔlvɪŋ] *adj* (*chair*) Dreh-; (*sprinkler etc*) drehbar.

revolving door *n* Drehtür *f*.
revue [rɪ'vju:] *n* (*THEAT*) Revue *f*.
revulsion [rɪ'vʌlʃən] *n* (*disgust*) Abscheu *m*, Ekel *m*.
reward [rɪ'wɔ:d] *n* Belohnung *f*; (*satisfaction*) Befriedigung *f* ♦ *vt* belohnen.
rewarding [rɪ'wɔ:dɪŋ] *adj* lohnend; **financially** ~ einträglich.
rewind [ri:'waɪnd] (*irreg: like* **wind**) *vt* (*tape etc*) zurückspulen.
rewire [ri:'waɪə*] *vt* neu verkabeln.
reword [ri:'wə:d] *vt* (*message, note*) umformulieren.
rework [ri:'wə:k] *vt* (*use again: theme etc*) wieder verarbeiten; (*revise*) neu fassen.
rewrite [ri:'raɪt] (*irreg: like* **write**) *vt* neu schreiben.
Reykjavik ['reɪkjəvi:k] *n* Reykjavik *nt*.
RFD (*US*) *abbr* (*POST: = rural free delivery*) *freie Landpostzustellung*.
RGN (*BRIT*) *n abbr* (= *Registered General Nurse*) staatlich geprüfte Krankenschwester *f*, staatlich geprüfter Krankenpfleger *m*.
Rh *abbr* (*MED: = rhesus*) Rh.
rhapsody ['ræpsədɪ] *n* (*MUS*) Rhapsodie *f*.
rhesus negative *adj* Rhesus negativ.
rhesus positive *adj* Rhesus positiv.
rhetoric ['rɛtərɪk] *n* Rhetorik *f*.
rhetorical [rɪ'tɔrɪkl] *adj* rhetorisch.
rheumatic [ru:'mætɪk] *adj* rheumatisch.
rheumatism ['ru:mətɪzəm] *n* Rheuma *nt*, Rheumatismus *m*.
rheumatoid arthritis ['ru:mətɔɪd-] *n* Gelenkrheumatismus *m*.
Rhine [raɪn] *n*: **the** ~ der Rhein.
rhinestone ['raɪnstəun] *n* Rheinkiesel *m*.
rhinoceros [raɪ'nɔsərəs] *n* Rhinozeros *nt*.
Rhodes [rəudz] *n* Rhodos *nt*.
Rhodesia [rəu'di:ʒə] (*formerly*) *n* (*GEOG*) Rhodesien *nt*.
rhododendron [rəudə'dɛndrən] *n* Rhododendron *m or nt*.
Rhone [rəun] *n*: **the** ~ die Rhone.
rhubarb ['ru:bɑ:b] *n* Rhabarber *m*.
rhyme [raɪm] *n* Reim *m*; (*verse*) Verse *pl* ♦ *vi*: **to** ~ **(with)** sich reimen (mit); **without** ~ **or reason** ohne Sinn und Verstand.
rhythm ['rɪðm] *n* Rhythmus *m*.
rhythmic(al) ['rɪðmɪk(l)] *adj* rhythmisch.
rhythmically ['rɪðmɪklɪ] *adv* (*move, beat*) rhythmisch, im Rhythmus.
rhythm method *n* Knaus-Ogino-Methode *f*.
RI *n abbr* (*BRIT: SCOL: = religious instruction*) Religionsunterricht *m* ♦ *abbr* (*US: POST: = Rhode Island*).
rib [rɪb] *n* Rippe *f* ♦ *vt* (*mock*) aufziehen.
ribald ['rɪbəld] *adj* (*laughter, joke*) rüde; (*person*) anzüglich.
ribbed [rɪbd] *adj* (*socks, sweater*) gerippt.
ribbon ['rɪbən] *n* (*for hair, decoration*) Band *nt*; (*of typewriter*) Farbband *nt*; **in** ~**s** (*torn*) in Fetzen.
rice [raɪs] *n* Reis *m*.
ricefield ['raɪsfi:ld] *n* Reisfeld *nt*.
rice pudding *n* Milchreis *m*.
rich [rɪtʃ] *adj* reich; (*soil*) fruchtbar; (*food*) schwer; (*diet*) reichhaltig; (*colour*) satt; (*voice*) volltönend; (*tapestries, silks*) prächtig ♦ *npl*: **the** ~ die Reichen; ~ **in** reich an +*dat*.
riches ['rɪtʃɪz] *npl* Reichtum *m*.
richly ['rɪtʃlɪ] *adv* (*decorated, carved*) reich; (*reward, benefit*) reichlich; ~ **deserved/earned** wohlverdient.
richness ['rɪtʃnɪs] *n* (*wealth*) Reichtum *m*; (*of life, culture, food*) Reichhaltigkeit *f*; (*of soil*) Fruchtbarkeit *f*; (*of costumes, furnishings*) Pracht *f*.
rickets ['rɪkɪts] *n* Rachitis *f*.
rickety ['rɪkɪtɪ] *adj* (*chair etc*) wackelig.
rickshaw ['rɪkʃɔ:] *n* Rikscha *f*.
ricochet ['rɪkəʃeɪ] *vi* abprallen ♦ *n* Abpraller *m*.
rid [rɪd] (*pt, pp* **rid**) *vt*: **to** ~ **sb/sth of** jdn/etw befreien von; **to get** ~ **of** loswerden; (*inhibitions, illusions etc*) sich befreien von.
riddance ['rɪdns] *n*: **good** ~! gut, daß wir den/die/das los sind!
ridden ['rɪdn] *pp of* **ride**.
riddle ['rɪdl] *n* Rätsel *nt* ♦ *vt*: **to be** ~**d with** (*guilt, doubts*) geplagt sein von; (*holes, corruption*) durchsetzt sein von.
ride [raɪd] (*pt* **rode**, *pp* **ridden**) *n* (*in car, on bicycle*) Fahrt *f*; (*on horse*) Ritt *m*; (*path*) Reitweg *m* ♦ *vi* (*on horse*) reiten; (*on bicycle, bus etc*) fahren ♦ *vt* (*see vi*) reiten; fahren; **car** ~ Autofahrt *f*; **to go for a** ~ eine Fahrt/einen Ausritt machen; **to take sb for a** ~ (*fig*) jdn hereinlegen; **we rode all day/all the way** wir sind den ganzen Tag/den ganzen Weg geritten/gefahren; **to** ~ **at anchor** (*NAUT*) vor Anker liegen; **can you** ~ **a bike?** kannst du Fahrrad fahren?
►**ride out** *vt*: **to** ~ **out the storm** (*fig*) den Sturm überstehen.
rider ['raɪdə*] *n* (*on horse*) Reiter(in) *m(f)*; (*on bicycle etc*) Fahrer(in) *m(f)*; (*in document etc*) Zusatz *m*.
ridge [rɪdʒ] *n* (*of hill*) Grat *m*; (*of roof*) First *m*; (*in sand etc*) Rippelmarke *f*.
ridicule ['rɪdɪkju:l] *n* Spott *m* ♦ *vt* (*person*) verspotten; (*proposal, system etc*) lächerlich machen; **she was the object of** ~ alle machten sich über sie lustig.
ridiculous [rɪ'dɪkjuləs] *adj* lächerlich.
riding ['raɪdɪŋ] *n* Reiten *nt*.
riding school *n* Reitschule *f*.
rife [raɪf] *adj*: **to be** ~ (*corruption, disease etc*) grassieren; **to be** ~ **with** (*rumours etc*) durchsetzt sein von.
riffraff ['rɪfræf] *n* Gesindel *nt*.
rifle ['raɪfl] *n* (*gun*) Gewehr *nt* ♦ *vt* (*wallet etc*) plündern.
►**rifle through** *vt fus* (*papers etc*) durchwühlen.

rifle range *n* Schießstand *m*.
rift [rɪft] *n* Spalt *m*; (*fig*) Kluft *f*.
rig [rɪg] *n* (*also*: **oil** ~: *at sea*) Bohrinsel *f*; (: *on land*) Bohrturm *m* ♦ *vt* (*election, game etc*) manipulieren.
►**rig out** (*BRIT*) *vt*: **to ~ sb out as/in** jdn ausstaffieren als/in *+dat*.
►**rig up** *vt* (*device*) montieren.
rigging ['rɪgɪŋ] *n* (*NAUT*) Takelage *f*.
right [raɪt] *adj* (*correct*) richtig; (*not left*) rechte(r, s) ♦ *n* Recht *nt* ♦ *adv* (*correctly, properly*) richtig; (*directly, exactly*) genau; (*not on the left*) rechts ♦ *vt* (*ship, car etc*) aufrichten; (*fault, situation*) korrigieren, berichtigen ♦ *excl* okay; **the ~ time** (*exact*) die genaue Zeit; (*most suitable*) die richtige Zeit; **to be ~** (*person*) recht haben; (*answer, fact*) richtig sein; (*clock*) genau gehen; (*reading etc*) korrekt sein; **to get sth ~** etw richtig machen; **let's get it ~ this time!** diesmal machen wir es richtig!; **you did the ~ thing** du hast das Richtige getan; **to put sth ~** (*mistake etc*) etw berichtigen; **on/to the ~** rechts; **the R~** (*POL*) die Rechte; **by ~s** richtig genommen; **to be in the ~** im Recht sein; **you're within your ~s (to do that)** es ist dein gutes Recht(, das zu tun); **he is a well-known author in his own ~** er ist selbst auch ein bekannter Autor; **film ~s** Filmrechte *pl*; **~ now** im Moment; **~ before/after the party** gleich vor/nach der Party; **~ against the wall** unmittelbar an der Wand; **~ ahead** geradeaus; **~ away** (*immediately*) sofort; **~ in the middle** genau in der Mitte; **he went ~ to the end of the road** er ging bis ganz ans Ende der Straße.
right angle *n* rechter Winkel *m*.
righteous ['raɪtʃəs] *adj* (*person*) rechtschaffen; (*indignation*) gerecht.
righteousness ['raɪtʃəsnɪs] *n* Rechtschaffenheit *f*.
rightful ['raɪtful] *adj* rechtmäßig.
rightfully ['raɪtfəlɪ] *adv* von Rechts wegen.
right-hand drive *adj* (*vehicle*) mit Rechtssteuerung.
right-handed [raɪt'hændɪd] *adj* rechtshändig.
right-hand man *n* rechte Hand *f*.
right-hand side *n* rechte Seite *f*.
rightly ['raɪtlɪ] *adv* (*with reason*) zu Recht; **if I remember ~** (*BRIT*) wenn ich mich recht entsinne.
right-minded [raɪt'maɪndɪd] *adj* vernünftig.
right of way *n* (*on path etc*) Durchgangsrecht *f*; (*AUT*) Vorfahrt *f*.
rights issue *n* (*STOCK EXCHANGE*) Bezugsrechtsemission *f*.
right wing *n* (*POL, SPORT*) rechter Flügel *m*.
right-wing [raɪt'wɪŋ] *adj* (*POL*) rechtsgerichtet.
right-winger [raɪt'wɪŋə*] *n* (*POL*) Rechte(r) *f(m)*; (*SPORT*) Rechtsaußen *m*.
rigid ['rɪdʒɪd] *adj* (*structure, views*) starr; (*principle, control etc*) streng.
rigidity [rɪ'dʒɪdɪtɪ] *n* (*of structure etc*) Starrheit *f*; (*of attitude, views etc*) Strenge *f*.
rigidly ['rɪdʒɪdlɪ] *adv* (*hold, fix etc*) starr; (*control, interpret*) streng.
rigmarole ['rɪgmərəul] *n* (*procedure*) Gedöns *nt* (*inf*).
rigor ['rɪgə*] (*US*) *n* = **rigour**.
rigor mortis ['rɪgə'mɔːtɪs] *n* Totenstarre *f*.
rigorous ['rɪgərəs] *adj* (*control etc*) streng; (*training*) gründlich.
rigorously ['rɪgərəslɪ] *adv* (*test, assess etc*) streng.
rigour, (*US*) rigor ['rɪgə*] *n* (*of argument, law*) Strenge *f*; (*of research*) Gründlichkeit; **the ~s of life/winter** die Härten des Lebens/des Winters.
rig-out ['rɪgaut] (*BRIT: inf*) *n* (*clothes*) Aufzug *m*.
rile [raɪl] *vt* ärgern.
rim [rɪm] *n* (*of glass, spectacles*) Rand *m*; (*of wheel*) Felge *f*, Radkranz *m*.
rimless ['rɪmlɪs] *adj* (*spectacles*) randlos.
rimmed [rɪmd] *adj*: **~ with** umrandet von; **gold-~ spectacles** Brille *f* mit Goldfassung *or* Goldrand.
rind [raɪnd] *n* (*of bacon*) Schwarte *f*; (*of lemon, melon*) Schale *f*; (*of cheese*) Rinde *f*.
ring [rɪŋ] (*pt* **rang**, *pp* **rung**) *n* Ring *m*; (*of people, objects*) Kreis *m*; (*of circus*) Manege *f*; (*bullring*) Arena *f*; (*sound of telephone*) Klingeln *nt*; (*sound of bell*) Läuten *nt*; (*on cooker*) Kochstelle *m* ♦ *vi* (*TEL: person*) anrufen; (*telephone, doorbell*) klingeln; (*bell*) läuten; (*also*: **~ out**) ertönen ♦ *vt* (*BRIT: TEL*) anrufen; (*bell etc*) läuten; (*encircle*) einen Kreis machen um; **to give sb a ~** (*BRIT: TEL*) jdn anrufen; **that has a ~ of truth about it** das könnte stimmen; **to run ~s round sb** (*inf, fig*) jdn in die Tasche stecken; **to ~ true/false** wahr/falsch klingen; **my ears are ~ing** mir klingen die Ohren; **to ~ the doorbell** klingeln; **the name doesn't ~ a bell (with me)** der Name sagt mir nichts.
►**ring back** (*BRIT*) *vt, vi* (*TEL*) zurückrufen.
►**ring off** (*BRIT*) *vi* (*TEL*) (den Hörer) auflegen.
►**ring up** (*BRIT*) *vt* (*TEL*) anrufen.
ring binder *n* Ringbuch *nt*.
ring finger *n* Ringfinger *m*.
ringing ['rɪŋɪŋ] *n* (*of telephone*) Klingeln *nt*; (*of bell*) Läuten *nt*; (*in ears*) Klingen *nt*.
ringing tone (*BRIT*) *n* (*TEL*) Rufzeichen *nt*.
ringleader ['rɪŋliːdə*] *n* Rädelsführer(in) *m(f)*.
ringlets ['rɪŋlɪts] *npl* Ringellocken *pl*; **in ~** in Ringellocken.
ring road (*BRIT*) *n* Ringstraße *f*.
rink [rɪŋk] *n* (*also*: **ice ~**) Eisbahn *f*; (*also*: **roller skating ~**) Rollschuhbahn *f*.
rinse [rɪns] *n* Spülen *nt*; (*of hands*) Abspülen *nt*; (*hair dye*) Tönung *f* ♦ *vt* spülen; (*hands*) abspülen; (*also*: **~ out**: *clothes*) auswaschen;

(: *mouth*) ausspülen; **to give sth a ~** etw spülen; (*dishes*) etw abspülen.
Rio (de Janeiro) ['riːəu(dədʒə'nɪərəu)] *n* Rio (de Janeiro) *nt*.
riot ['raɪət] *n* (*disturbance*) Aufruhr *m* ♦ *vi* randalieren; **a ~ of colours** ein Farbenmeer *nt*; **to run ~** randalieren.
rioter ['raɪətə*] *n* Randalierer *m*.
riot gear *n* Schutzausrüstung *f*.
riotous ['raɪətəs] *adj* (*crowd*) randalierend; (*nights, party*) ausschweifend; (*welcome etc*) tumultartig.
riotously ['raɪətəslɪ] *adv*: **~ funny** *or* **comic** urkomisch.
riot police *n* Bereitschaftspolizei *f*; **hundreds of ~** Hunderte von Bereitschaftspolizisten.
RIP *abbr* (= *rest in peace*) R.I.P.
rip [rɪp] *n* (*tear*) Riß *m* ♦ *vt* zerreißen ♦ *vi* reißen.
▸**rip off** *vt* (*clothes*) herunterreißen; (*inf: swindle*) übers Ohr hauen.
▸**rip up** *vt* zerreißen.
ripcord ['rɪpkɔːd] *n* Reißleine *f*.
ripe [raɪp] *adj* reif; **to be ~ for sth** (*fig*) reif für etw sein; **he lived to a ~ old age** er erreichte ein stolzes Alter.
ripen ['raɪpn] *vt* reifen lassen ♦ *vi* reifen.
ripeness ['raɪpnɪs] *n* Reife *f*.
rip-off ['rɪpɔf] (*inf*) *n*: **it's a ~!** das ist Wucher!
riposte [rɪ'pɔst] *n* scharfe Entgegnung *f*.
ripple ['rɪpl] *n* (*wave*) kleine Welle *f*; (*of laughter, applause*) Welle *f* ♦ *vi* (*water*) sich kräuseln; (*muscles*) spielen ♦ *vt* (*surface*) kräuseln.
rise [raɪz] (*pt* **rose**, *pp* **risen**) *n* (*incline*) Steigung *f*; (*BRIT: salary increase*) Gehaltserhöhung *f*; (*in prices, temperature etc*) Anstieg *m*; (*fig: to fame etc*) Aufstieg *m* ♦ *vi* (*prices, water*) steigen; (*sun, moon*) aufgehen; (*wind*) aufkommen; (*from bed, chair*) aufstehen; (*sound, voice*) ansteigen; (*also*: **~ up**: *tower, rebel*) sich erheben; (*in rank*) aufsteigen; **to give ~ to** Anlaß geben zu; **to ~ to power** an die Macht kommen.
risen [rɪzn] *pp of* **rise**.
rising ['raɪzɪŋ] *adj* (*increasing*) steigend; (*up-and-coming*) aufstrebend.
rising damp *n* aufsteigende Feuchtigkeit *f*.
rising star *n* (*fig: person*) Aufsteiger(in) *m(f)*.
risk [rɪsk] *n* (*danger, chance*) Gefahr *f*; (*deliberate*) Risiko *nt* ♦ *vt* riskieren; **to take a ~** ein Risiko eingehen; **to run the ~ of sth** etw zu fürchten haben; **to run the ~ of doing sth** Gefahr laufen, etw zu tun; **at ~** in Gefahr; **at one's own ~** auf eigene Gefahr; **at the ~ of sounding rude ...** auf die Gefahr hin, unhöflich zu klingen, ...; **it's a fire/health ~** es ist ein Feuer-/Gesundheitsrisiko; **I'll ~ it** ich riskiere es.
risk capital *n* Risikokapital *nt*.
risky ['rɪskɪ] *adj* riskant.
risqué ['riːskeɪ] *adj* (*joke*) gewagt.
rissole ['rɪsəul] *n* (*of meat, fish etc*) Frikadelle *f*.
rite [raɪt] *n* Ritus *m*; **last ~s** (*REL*) Letzte Ölung *f*.
ritual ['rɪtjuəl] *adj* (*law, murder*) Ritual-; (*dance*) rituell ♦ *n* Ritual *nt*.
rival ['raɪvl] *n* Rivale *m*, Rivalin *f* ♦ *adj* (*firm, newspaper etc*) Konkurrenz-; (*teams, groups etc*) rivalisierend ♦ *vt* (*match*) sich messen können mit; **to ~ sth/sb in sth** sich mit etw/jdm in bezug auf etw messen können.
rivalry ['raɪvlrɪ] *n* Rivalität *f*.
river ['rɪvə*] *n* Fluß *m*; (*fig: of blood etc*) Strom *m* ♦ *cpd* (*port, traffic*) Fluß-; **up/down ~** flußaufwärts/-abwärts.
river bank *n* Flußufer *nt*.
river bed *n* Flußbett *nt*.
riverside ['rɪvəsaɪd] *n* = **river bank**.
rivet ['rɪvɪt] *n* Niete *f* ♦ *vt* (*fig: attention*) fesseln; (: *eyes*) heften.
riveting ['rɪvɪtɪŋ] *adj* (*fig*) fesselnd.
Riviera [rɪvɪ'ɛərə] *n*: **the (French) ~** die (französische) Riviera; **the Italian ~** die italienische Riviera.
Riyadh [rɪ'jɑːd] *n* Riad *nt*.
RMT *n abbr* (= *National Union of Rail, Maritime and Transport Workers*) *Gewerkschaft der Eisenbahner, Seeleute und Transportarbeiter*.
RN *n abbr* (*BRIT*) = **Royal Navy**; (*US*) = **registered nurse**.
RNA *n abbr* (= *ribonucleic acid*) RNS *f*.
RNLI (*BRIT*) *n abbr* (= *Royal National Lifeboat Institution*) *durch Spenden finanzierter Seenot-Rettungsdienst*, ≈ DLRG *f*.
RNZAF *n abbr* (= *Royal New Zealand Air Force*) neuseeländische Luftwaffe *f*.
RNZN *n abbr* (= *Royal New Zealand Navy*) neuseeländische Marine *f*.
road [rəud] *n* Straße *f*; (*fig*) Weg *m* ♦ *cpd* (*accident, sense*) Verkehrs-; **main ~** Hauptstraße *f*; **it takes four hours by ~** man braucht vier Stunden mit dem Auto; **let's hit the ~** machen wir uns auf den Weg!; **to be on the ~** (*salesman etc*) unterwegs sein; (*pop group etc*) auf Tournee sein; **on the ~ to success** auf dem Weg zum Erfolg; **major/minor ~** Haupt-/Nebenstraße *f*.
roadblock ['rəudblɔk] *n* Straßensperre *f*.
road haulage *n* Spedition *f*.
roadhog ['rəudhɔg] *n* Verkehrsrowdy *m*.
road map *n* Straßenkarte *f*.
road safety *n* Verkehrssicherheit *f*.
roadside ['rəudsaɪd] *n* Straßenrand *m* ♦ *cpd* (*building, sign etc*) am Straßenrand; **by the ~** am Straßenrand.
road sign *n* Verkehrszeichen *nt*.
roadsweeper ['rəudswiːpə*] (*BRIT*) *n* (*person*) Straßenkehrer(in) *m(f)*; (*vehicle*) Straßenkehrmaschine *f*.
road user *n* Verkehrsteilnehmer(in) *m(f)*.
roadway ['rəudweɪ] *n* Fahrbahn *f*.
road works *npl* Straßenbauarbeiten *pl*.

roadworthy ['rəudwəːðɪ] *adj* verkehrstüchtig.
roam [rəum] *vi* wandern, streifen ♦ *vt* (*streets, countryside*) durchstreifen.
roar [rɔː*] *n* (*of animal, crowd*) Brüllen *nt*; (*of vehicle*) Getöse *nt*; (*of storm*) Heulen *nt* ♦ *vi* (*animal, person*) brüllen; (*engine, wind etc*) heulen; **~s of laughter** brüllendes Gelächter; **to ~ with laughter** vor Lachen brüllen.
roaring ['rɔːrɪŋ] *adj*: **a ~ fire** ein prasselndes Feuer; **a ~ success** ein Bombenerfolg *m*; **to do a ~ trade (in sth)** ein Riesengeschäft (mit etw) machen.
roast [rəust] *n* Braten *m* ♦ *vt* (*meat, potatoes*) braten; (*coffee*) rösten.
roast beef *n* Roastbeef *nt*.
roasting ['rəustɪŋ] (*inf*) *adj* (*hot*) knallheiß ♦ *n* (*criticism*) Verriß *m*; (*telling-off*) Standpauke *f*; **to give sb a ~** (*criticize*) jdn verreißen; (*scold*) jdm eine Standpauke halten.
rob [rɔb] *vt* (*person*) bestehlen; (*house, bank*) ausrauben; **to ~ sb of sth** jdm etw rauben; (*fig: deprive*) jdm etw vorenthalten.
robber ['rɔbə*] *n* Räuber(in) *m(f)*.
robbery ['rɔbərɪ] *n* Raub *m*.
robe [rəub] *n* (*for ceremony etc*) Gewand *nt*; (*also*: **bath ~**) Bademantel *m*; (*US*) Morgenrock *m* ♦ *vt*: **to be ~d in** (*form*) (festlich) in etw *acc* gekleidet sein.
robin ['rɔbɪn] *n* Rotkehlchen *nt*.
robot ['rəubɔt] *n* Roboter *m*.
robotics [rə'bɔtɪks] *n* Robotik *f*.
robust [rəu'bʌst] *adj* robust; (*appetite*) gesund.
rock [rɔk] *n* (*substance*) Stein *m*; (*boulder*) Felsen *m*; (*US: small stone*) Stein *m*; (*BRIT: sweet*) ≈ Zuckerstange *f*; (*MUS: also:* **~ music**) Rock *m*, Rockmusik *f* ♦ *vt* (*swing gently: cradle*) schaukeln; (*: child*) wiegen; (*shake: also fig*) erschüttern ♦ *vi* (*object*) schwanken; (*person*) schaukeln; **on the ~s** (*drink*) mit Eis; (*ship*) (auf Felsen) aufgelaufen; (*marriage etc*) gescheitert; **to ~ the boat** (*fig*) Unruhe stiften.
rock and roll *n* Rock and Roll *m*.
rock-bottom ['rɔk'bɔtəm] *adj* (*prices*) Tiefst- ♦ *n*: **to reach** *or* **touch** *or* **hit ~** (*person, prices*) den Tiefpunkt erreichen.
rock cake *n* ≈ Rosinenbrötchen *nt*.
rock climber *n* Felsenkletterer(in) *m(f)*.
rock climbing *n* Felsenklettern *nt*.
rockery ['rɔkərɪ] *n* Steingarten *m*.
rocket ['rɔkɪt] *n* Rakete *f* ♦ *vi* (*prices*) in die Höhe schießen.
rocket launcher *n* Raketenwerfer *m*.
rock face *n* Felswand *f*.
rock fall *n* Steinschlag *m*.
rocking chair ['rɔkɪŋ-] *n* Schaukelstuhl *m*.
rocking horse *n* Schaukelpferd *nt*.
rocky ['rɔkɪ] *adj* (*path, ground*) felsig; (*fig: business, marriage*) wackelig.
Rocky Mountains *npl*: **the ~** die Rocky Mountains *pl*.
rod [rɔd] *n* (*also TECH*) Stange *f*; (*also*: **fishing ~**) Angelrute *f*.
rode [rəud] *pt of* **ride**.
rodent ['rəudnt] *n* Nagetier *nt*.
rodeo ['rəudɪəu] (*US*) *n* Rodeo *nt*.
roe [rəu] *n* (*CULIN*): **hard ~** Rogen *m*; **soft ~** Milch *f*.
roe deer *n inv* Reh *nt*.
rogue [rəug] *n* Gauner *m*.
roguish ['rəugɪʃ] *adj* schelmisch.
role [rəul] *n* Rolle *f*.
role model *n* Rollenmodell *nt*.
role play *n* Rollenspiel *nt*.
roll [rəul] *n* (*of paper*) Rolle *f*; (*of cloth*) Ballen *m*; (*of banknotes*) Bündel *nt*; (*also*: **bread ~**) Brötchen *nt*; (*register, list*) Verzeichnis *nt*; (*of drums etc*) Wirbel *m* ♦ *vt* rollen; (*also*: **~ up**: *string*) aufrollen; (: *sleeves*) aufkrempeln; (*cigarette*) drehen; (*also*: **~ out**: *pastry*) ausrollen; (*flatten: lawn, road*) walzen ♦ *vi* rollen; (*drum*) wirbeln; (*thunder*) grollen; (*ship*) schlingern; (*tears, sweat*) fließen; (*camera, printing press*) laufen; **cheese/ham ~** Käse-/Schinkenbrötchen *nt*; **he's ~ing in it** (*inf: rich*) er schwimmt im Geld.
▸**roll about** *vi* sich wälzen.
▸**roll around** *vi* = **roll about**.
▸**roll in** *vi* (*money, invitations*) hereinströmen.
▸**roll over** *vi* sich umdrehen.
▸**roll up** *vi* (*inf: arrive*) aufkreuzen ♦ *vt* (*carpet, umbrella etc*) aufrollen; **to ~ o.s. up into a ball** sich zusammenrollen.
roll call *n* namentlicher Aufruf *m*.
rolled gold [rəuld-] *n* Dubleegold *nt*.
roller ['rəulə*] *n* Rolle *f*; (*for lawn, road*) Walze *f*; (*for hair*) Lockenwickler *m*.
roller blind *n* Rollo *nt*.
roller coaster *n* Achterbahn *f*.
roller skates *npl* Rollschuhe *pl*.
rollicking ['rɔlɪkɪŋ] *adj* toll, Mords-; **to have a ~ time** sich ganz toll amüsieren.
rolling ['rəulɪŋ] *adj* (*hills*) wellig.
rolling mill *n* Walzwerk *nt*.
rolling pin *n* Nudelholz *nt*.
rolling stock *n* (*RAIL*) Fahrzeuge *pl*.
roll-on-roll-off ['rəulɔn'rəulɔf] (*BRIT*) *adj* (*ferry*) Roll-on-roll-off-.
roly-poly ['rəulɪ'pəulɪ] (*BRIT*) *n* ≈ Strudel *m*.
ROM [rɔm] *n abbr* (*COMPUT*: = *read only memory*) ROM.
Roman ['rəumən] *adj* römisch ♦ *n* (*person*) Römer(in) *m(f)*.
Roman Catholic *adj* römisch-katholisch ♦ *n* Katholik(in) *m(f)*.
romance [rə'mæns] *n* (*love affair*) Romanze *f*; (*romanticism*) Romantik *f*; (*novel*) phantastische Erzählung *f*.
Romanesque [rəumə'nɛsk] *adj* romanisch.
Romania [rəu'meɪnɪə] *n* Rumänien *nt*.
Romanian [rəu'meɪnɪən] *adj* rumänisch ♦ *n* (*person*) Rumäne *m*, Rumänin *f*; (*LING*) Rumänisch *nt*.

Roman numeral *n* römische Ziffer *f*.
romantic [rə'mæntɪk] *adj* romantisch.
romanticism [rə'mæntɪsɪzəm] *n* (*also ART, LITER*) Romantik *f*.
Romany ['rɔmənɪ] *adj* Roma- ♦ *n* (*person*) Roma *mf*; (*LING*) Romani *nt*.
Rome [rəum] *n* Rom *nt*.
romp [rɔmp] *n* Klamauk *m* ♦ *vi* (*also*: ~ **about**) herumtollen; **to ~ home** (*horse*) spielend gewinnen.
rompers ['rɔmpəz] *npl* (*clothing*) *einteiliger Spielanzug für Babys*.
rondo ['rɔndəu] *n* (*MUS*) Rondo *nt*.
roof [ru:f] (*pl* ~**s**) *n* Dach *nt* ♦ *vt* (*house etc*) überdachen; **the ~ of the mouth** der Gaumen.
roof garden *n* Dachgarten *m*.
roofing ['ru:fɪŋ] *n* Deckung *f*; ~ **felt** Dachpappe *f*.
roof rack *n* Dachgepäckträger *m*.
rook [ruk] *n* (*bird*) Saatkrähe *f*; (*CHESS*) Turm *m*.
rookie ['ruki:] (*inf*) *n* (*esp MIL*) Grünschnabel *m*.
room [ru:m] *n* (*in house, hotel*) Zimmer *nt*; (*space*) Raum *m*, Platz *m*; (*scope: for change etc*) Raum *m* ♦ *vi*: **to ~ with sb** (*esp US*) ein Zimmer mit jdm teilen; **rooms** *npl* (*lodging*) Zimmer *pl*; **"~s to let"**, (*US*) **"~s for rent"** „Zimmer zu vermieten"; **single/double ~** Einzel-/Doppelzimmer *nt*; **is there ~ for this?** ist dafür Platz vorhanden?; **to make ~ for sb** für jdn Platz machen; **there is ~ for improvement** es gibt Möglichkeiten zur Verbesserung.
rooming house ['ru:mɪŋ-] (*US*) *n* Mietshaus *nt*.
roommate ['ru:mmeɪt] *n* Zimmergenosse *m*, Zimmergenossin *f*.
room service *n* Zimmerservice *m*.
room temperature *n* Zimmertemperatur *f*.
roomy ['ru:mɪ] *adj* (*building, car*) geräumig.
roost [ru:st] *vi* (*birds*) sich niederlassen.
rooster ['ru:stə*] (*esp US*) *n* Hahn *m*.
root [ru:t] *n* (*also MATH*) Wurzel *f* ♦ *vi* (*plant*) Wurzeln schlagen ♦ *vt*: **to be ~ed in** verwurzelt sein in *+dat*; **roots** *npl* (*family origins*) Wurzeln *pl*; **to take ~** (*plant, idea*) Wurzeln schlagen; **the ~ cause of the problem** die Wurzel des Problems.
►**root about** *vi* (*search*) herumwühlen.
►**root for** *vt fus* (*support*) anfeuern.
►**root out** *vt* ausrotten.
root beer (*US*) *n kohlensäurehaltiges Getränk aus Wurzel- und Kräuterextrakten*.
rope [rəup] *n* Seil *nt*; (*NAUT*) Tau *nt* ♦ *vt* (*tie*) festbinden; (*also*: ~ **together**) zusammenbinden; **to know the ~s** (*fig*) sich auskennen.
►**rope in** *vt* (*fig: person*) einspannen.
►**rope off** *vt* (*area*) mit einem Seil absperren.
rope ladder *n* Strickleiter *f*.
rop(e)y (*inf*) *adj* (*ill, poor quality*) miserabel.
rosary ['rəuzərɪ] *n* Rosenkranz *m*.
rose [rəuz] *pt of* **rise** ♦ *n* (*flower*) Rose *f*; (*also*: ~**bush**) Rosenstrauch *m*; (*on watering can*) Brause *f* ♦ *adj* rosarot.
rosé ['rəuzeɪ] *n* (*wine*) Rosé *m*.
rosebed ['rəuzbɛd] *n* Rosenbeet *nt*.
rosebud ['rəuzbʌd] *n* Rosenknospe *f*.
rosebush ['rəuzbuʃ] *n* Rosenstrauch *m*.
rosemary ['rəuzmərɪ] *n* Rosmarin *m*.
rosette [rəu'zɛt] *n* Rosette *f*.
ROSPA ['rɔspə] (*BRIT*) *n abbr* (= *Royal Society for the Prevention of Accidents*) *Verband, der Maßnahmen zur Unfallverhütung propagiert*.
roster ['rɔstə*] *n*: **duty ~** Dienstplan *m*.
rostrum ['rɔstrəm] *n* Rednerpult *nt*.
rosy ['rəuzɪ] *adj* (*colour*) rosarot; (*face, situation*) rosig; **a ~ future** eine rosige Zukunft.
rot [rɔt] *n* (*decay*) Fäulnis *f*; (*fig: rubbish*) Quatsch *m* ♦ *vt* verfaulen lassen ♦ *vi* (*teeth, wood, fruit etc*) verfaulen; **to stop the ~** (*BRIT, fig*) den Verfall stoppen; **dry ~** Holzschwamm *m*; **wet ~** Naßfäule *f*.
rota ['rəutə] *n* Dienstplan *m*; **on a ~ basis** reihum nach Plan.
rotary ['rəutərɪ] *adj* (*cutter*) rotierend; (*motion*) Dreh-.
rotate [rəu'teɪt] *vt* (*spin*) drehen, rotieren lassen; (*crops*) im Wechsel anbauen; (*jobs*) turnusmäßig wechseln ♦ *vi* (*revolve*) rotieren, sich drehen.
rotating [rəu'teɪtɪŋ] *adj* (*revolving*) rotierend; (*drum, mirror*) Dreh-.
rotation [rəu'teɪʃən] *n* (*of planet, drum etc*) Rotation *f*, Drehung *f*; (*of crops*) Wechsel *m*; (*of jobs*) turnusmäßiger Wechsel *m*; **in ~** der Reihe nach.
rote [rəut] *n*: **by ~** auswendig.
rotor ['rəutə*] *n* (*also*: ~ **blade**) Rotor *m*.
rotten ['rɔtn] *adj* (*decayed*) faul, verfault; (*inf: person, situation*) gemein; (: *film, weather, driver etc*) mies; **to feel ~** sich elend fühlen.
rotund [rəu'tʌnd] *adj* (*person*) rundlich.
rouble, (*US*) **ruble** ['ru:bl] *n* Rubel *m*.
rouge [ru:ʒ] *n* Rouge *nt*.
rough [rʌf] *adj* rauh; (*terrain, road*) uneben; (*person, plan, drawing, guess*) grob; (*life, conditions, journey*) hart; (*sea, crossing*) stürmisch ♦ *n* (*GOLF*): **in the ~** im Rough ♦ *vt*: **to ~ it** primitiv *or* ohne Komfort leben; **the sea is ~ today** die See ist heute stürmisch; **to have a ~ time** eine harte Zeit durchmachen; **can you give me a ~ idea of the cost?** können Sie mir eine ungefähre Vorstellung von den Kosten geben?; **to feel ~** (*BRIT*) sich elend fühlen; **to sleep ~** (*BRIT*) im Freien übernachten; **to play ~** (*fig*) auf die grobe Tour kommen.
►**rough out** *vt* (*drawing, idea etc*) skizzieren.
roughage ['rʌfɪdʒ] *n* Ballaststoffe *pl*.

rough-and-ready ['rʌfən'rɛdɪ] *adj* provisorisch.
rough-and-tumble ['rʌfən'tʌmbl] *n* (*fighting*) Balgerei *f*; (*fig*) Schlachtfeld *nt*.
roughcast ['rʌfkɑːst] *n* Rauhputz *m*.
rough copy *n* Entwurf *m*.
rough draft *n* = **rough copy**.
rough justice *n* Justizwillkür *f*.
roughly ['rʌflɪ] *adv* grob; (*approximately*) ungefähr; ~ **speaking** grob gesagt.
roughness ['rʌfnɪs] *n* Rauheit *f*; (*of manner*) Grobheit *f*.
roughshod ['rʌfʃɔd] *adv*: **to ride ~ over** sich rücksichtslos hinwegsetzen über *+acc*.
roulette [ruː'lɛt] *n* Roulette *nt*.
Roumania *etc* [ruː'meɪnɪə] *n* = **Romania** *etc*.
round [raund] *adj* rund ♦ *n* Runde *f*; (*of ammunition*) Ladung *f* ♦ *vt* (*corner*) biegen um; (*cape*) umrunden ♦ *prep* um ♦ *adv*: **all ~** rundherum; **in ~ figures** rund gerechnet; **the daily ~** (*fig*) der tägliche Trott; **a ~ of applause** Beifall *m*; **a ~ (of drinks)** eine Runde; **a ~ of sandwiches** ein Butterbrot; **a ~ of toast** (*BRIT*) eine Scheibe Toast; **it's just ~ the corner** (*fig*) es steht vor der Tür; **to go ~ the back** hinten herum gehen; **to go ~ (an obstacle)** (um ein Hindernis) herumgehen; **~ the clock** rund um die Uhr; **~ his neck/ the table** um seinen Hals/den Tisch; **to sail ~ the world** die Welt umsegeln; **to walk ~ the room/park** im Zimmer/Park herumgehen; **~ about 300** (*approximately*) ungefähr 300; **the long way ~** auf Umwegen; **all (the) year ~** das ganze Jahr über; **the wrong way ~** falsch herum; **to ask sb ~** jdn zu sich einladen; **I'll be ~ at 6 o'clock** ich komme um 6 Uhr; **to go ~** (*rotate*) sich drehen; **to go ~ to sb's (house)** jdn (zu Hause) besuchen; **enough to go ~** genug für alle.
►**round off** *vt* abrunden.
►**round up** *vt* (*cattle etc*) zusammentreiben; (*people*) versammeln; (*figure*) aufrunden.
roundabout ['raundəbaut] (*BRIT*) *n* (*AUT*) Kreisverkehr *m*; (*at fair*) Karussell *nt* ♦ *adj*: **by a ~ route** auf Umwegen; **in a ~ way** auf Umwegen.
rounded ['raundɪd] *adj* (*hill, figure etc*) rundlich.
rounders ['raundəz] *n* ≈ Schlagball *m*.
roundly ['raundlɪ] *adv* (*fig: criticize etc*) nachdrücklich.
round robin (*esp US*) *n* (*SPORT*) *Wettkampf, bei dem jeder gegen jeden spielt*.
round-shouldered ['raund'ʃəuldəd] *adj* mit runden Schultern.
round trip *n* Rundreise *f*.
roundup ['raundʌp] *n* (*of news etc*) Zusammenfassung *f*; (*of animals*) Zusammentreiben *nt*; (*of criminals*) Aufgreifen *nt*; **a ~ of the latest news** ein Nachrichtenüberblick *m*.
rouse [rauz] *vt* (*wake up*) aufwecken; (*stir up*) reizen.
rousing ['rauzɪŋ] *adj* (*speech*) mitreißend; (*welcome*) stürmisch.
rout [raut] (*MIL*) *n* totale Niederlage *f* ♦ *vt* (*defeat*) vernichtend schlagen.
route [ruːt] *n* Strecke *f*; (*of bus, train, shipping*) Linie *f*; (*of procession, fig*) Weg *m*; **"all ~s"** (*AUT*) „alle Richtungen"; **the best ~ to London** der beste Weg nach London.
route map (*BRIT*) *n* Streckenkarte *f*.
routine [ruː'tiːn] *adj* (*work, check etc*) Routine- ♦ *n* (*habits*) Routine *f*; (*drudgery*) Stumpfsinn *m*; (*THEAT*) Nummer *f*; **~ procedure** Routinesache *f*.
rove [rəuv] *vt* (*area, streets*) ziehen durch.
roving reporter ['rəuvɪŋ] *n* Reporter(in) *m(f)* im Außendienst.
row[1] [rəu] *n* (*line*) Reihe *f* ♦ *vi* (*in boat*) rudern ♦ *vt* (*boat*) rudern; **three times in a ~** dreimal hintereinander.
row[2] [rau] *n* (*din*) Krach *m*, Lärm *m*; (*dispute*) Streit *m* ♦ *vi* (*argue*) sich streiten; **to have a ~** sich streiten.
rowboat ['rəubəut] (*US*) *n* = **rowing boat**.
rowdiness ['raudɪnɪs] *n* Rowdytum *nt*.
rowdy ['raudɪ] *adj* (*person*) rüpelhaft; (*party etc*) lärmend.
rowdyism ['raudɪɪzəm] *n* = **rowdiness**.
rowing ['rəuɪŋ] *n* (*sport*) Rudern *nt*.
rowing boat (*BRIT*) *n* Ruderboot *nt*.
rowlock ['rɔlək] (*BRIT*) *n* Dolle *f*.
royal ['rɔɪəl] *adj* königlich; **the ~ family** die königliche Familie.

Die **Royal Academy** *oder* **Royal Academy of Arts**, *eine Akademie zur Förderung der Malerei, Bildhauerei und Architektur, wurde 1768 unter der Schirmherrschaft von George II gegründet und befindet sich seit 1869 in Burlington House, Piccadilly, London. Jeden Sommer findet dort eine Ausstellung mit Werken zeitgenössischer Künstler statt. Die Royal Academy unterhält auch Schulen, an denen Malerei, Bildhauerei und Architektur unterrichtet wird.*

Royal Air Force (*BRIT*) *n*: **the ~** die Königliche Luftwaffe.
royal blue *adj* königsblau.
royalist ['rɔɪəlɪst] *n* Royalist(in) *m(f)* ♦ *adj* royalistisch.
Royal Navy (*BRIT*) *n*: **the ~** die Königliche Marine.
royalty ['rɔɪəltɪ] *n* (*royal persons*) die königliche Familie; **royalties** *npl* (*to author*) Tantiemen *pl*; (*to inventor*) Honorar *nt*.
RP (*BRIT*) *n abbr* (= *received pronunciation*) *Standardaussprache des Englischen*; see also **receive**.
rpm *abbr* (= *revolutions per minute*) U/min.
RR (*US*) *abbr* = **railroad**.

RRP (*BRIT*) *n abbr* = **recommended retail price**.
RSA (*BRIT*) *n abbr* (= *Royal Society of Arts*) *akademischer Verband zur Vergabe von Diplomen*; (= *Royal Scottish Academy*) *Kunstakademie*.
RSI *n abbr* (*MED:* = *repetitive strain injury*) RSI *nt*, *Schmerzempfindung durch ständige Wiederholung bestimmter Bewegungen*.
RSPB (*BRIT*) *n abbr* (= *Royal Society for the Protection of Birds*) *Vogelschutzorganisation*.
RSPCA (*BRIT*) *n abbr* (= *Royal Society for the Prevention of Cruelty to Animals*) Tierschutzverein *m*.
RSVP *abbr* (= *répondez s'il vous plaît*) u.A.w.g.
RTA *n abbr* (= *road traffic accident*) Verkehrsunfall *m*.
Rt Hon. (*BRIT*) *abbr* (= *Right Honourable*) *Titel für Abgeordnete des Unterhauses*.
Rt Rev. *abbr* (*REL:* = *Right Reverend*) *Titel für Bischöfe*.
rub [rʌb] *vt* reiben ♦ *n*: **to give sth a** ~ (*polish*) etw polieren; **he ~bed his hands together** er rieb sich *dat* die Hände; **to ~ sb up** *or* (*US*) **~ sb the wrong way** bei jdm anecken.
▸**rub down** *vt* (*body, horse*) abreiben.
▸**rub in** *vt* (*ointment*) einreiben; **don't ~ it in!** (*fig*) reite nicht so darauf herum!
▸**rub off** *vi* (*paint*) abfärben.
▸**rub off on** *vt fus* abfärben auf *+acc*.
▸**rub out** *vt* (*with eraser*) ausradieren.
rubber ['rʌbə*] *n* (*also inf: condom*) Gummi *nt or m*; (*BRIT: eraser*) Radiergummi *m*.
rubber band *n* Gummiband *nt*.
rubber bullet *n* Gummigeschoß *nt*.
rubber plant *n* Gummibaum *m*.
rubber ring *n* (*for swimming*) Schwimmreifen *m*.
rubber stamp *n* Stempel *m*.
rubber-stamp [rʌbə'stæmp] *vt* (*fig: decision*) genehmigen.
rubbery ['rʌbərɪ] *adj* (*material*) gummiartig; (*meat, food*) wie Gummi.
rubbish ['rʌbɪʃ] (*BRIT*) *n* (*waste*) Abfall *m*; (*fig: junk*) Schrott *m*; (: *pej: nonsense*) Quatsch *m* ♦ *vt* (*inf*) heruntermachen; ~! Quatsch!
rubbish bin (*BRIT*) *n* Abfalleimer *m*.
rubbish dump (*BRIT*) *n* Müllabladeplatz *m*.
rubbishy ['rʌbɪʃɪ] (*BRIT: inf*) *adj* miserabel, mies.
rubble ['rʌbl] *n* (*debris*) Trümmer *pl*; (*CONSTR*) Schutt *m*.
ruble ['ru:bl] (*US*) *n* = **rouble**.
ruby ['ru:bɪ] *n* (*gem*) Rubin *m* ♦ *adj* (*red*) rubinrot.
RUC (*BRIT*) *n abbr* (= *Royal Ulster Constabulary*) *nordirische Polizeibehörde*.
rucksack ['rʌksæk] *n* Rucksack *m*.
ructions ['rʌkʃənz] (*inf*) *npl* Krach *m*, Ärger *m*.
rudder ['rʌdə*] *n* (*of ship, plane*) Ruder *nt*.
ruddy ['rʌdɪ] *adj* (*complexion etc*) rötlich; (*inf: damned*) verdammt.
rude [ru:d] *adj* (*impolite*) unhöflich; (*naughty*) unanständig; (*unexpected: shock etc*) böse; (*crude: table, shelter etc*) primitiv; **to be ~ to sb** unhöflich zu jdm sein; **a ~ awakening** ein böses Erwachen.
rudely ['ru:dlɪ] *adv* (*interrupt*) unhöflich; (*say, push*) grob.
rudeness ['ru:dnɪs] *n* (*impoliteness*) Unhöflichkeit *f*.
rudimentary [ru:dɪ'mɛntərɪ] *adj* (*equipment*) primitiv; (*knowledge*) Grund-.
rudiments ['ru:dɪmənts] *npl* Grundlagen *pl*.
rue [ru:] *vt* bereuen.
rueful ['ru:ful] *adj* (*expression, person*) reuevoll.
ruff [rʌf] *n* (*collar*) Halskrause *f*.
ruffian ['rʌfɪən] *n* Rüpel *m*.
ruffle ['rʌfl] *vt* (*hair, feathers*) zerzausen; (*water*) kräuseln; (*fig: person*) aus der Fassung bringen.
rug [rʌg] *n* (*on floor*) Läufer *m*; (*BRIT: blanket*) Decke *f*.
rugby ['rʌgbɪ] *n* (*also*: ~ **football**) Rugby *nt*.
rugged ['rʌgɪd] *adj* (*landscape*) rauh; (*man*) robust; (*features, face*) markig; (*determination, independence*) wild.
rugger ['rʌgə*] (*BRIT: inf*) *n* Rugby *nt*.
ruin ['ru:ɪn] *n* (*destruction, downfall*) Ruin *m*; (*remains*) Ruine *f* ♦ *vt* ruinieren; (*building*) zerstören; (*clothes, carpet etc*) verderben; **ruins** *npl* (*of castle*) Ruinen *pl*; (*of building*) Trümmer *pl*; **in ~s** (*lit, fig*) in Trümmern.
ruination [ru:ɪ'neɪʃən] *n* (*of building etc*) Zerstörung *f*; (*of person, life*) Ruinierung *f*.
ruinous ['ru:ɪnəs] *adj* (*expense, interest*) ruinös.
rule [ru:l] *n* (*norm*) Regel *f*; (*regulation*) Vorschrift *f*; (*government*) Herrschaft *f*; (*also*: **ruler**) Lineal *nt* ♦ *vt* (*country, people*) herrschen über *+acc* ♦ *vi* (*monarch etc*) herrschen; **it's against the ~s** das ist nicht gestattet; **as a ~ of thumb** als Faustregel; **under British ~** unter britischer Herrschaft; **as a ~** in der Regel; **to ~ in favour of/against/on sth** (*LAW*) für/gegen/über etw *acc* entscheiden; **to ~ that ...** (*umpire, judge etc*) entscheiden, daß ...
▸**rule out** *vt* (*possibility etc*) ausschließen; **murder cannot be ~d out** Mord ist nicht auszuschließen.
ruled [ru:ld] *adj* (*paper*) liniert.
ruler ['ru:lə*] *n* (*sovereign*) Herrscher(in) *m(f)*; (*for measuring*) Lineal *nt*.
ruling ['ru:lɪŋ] *adj* (*party*) Regierungs-; (*body*) maßgebend ♦ *n* (*LAW*) Entscheidung *f*; **the ~ class** die herrschende Klasse.
rum [rʌm] *n* Rum *m* ♦ *adj* (*BRIT: inf: peculiar*) komisch.
Rumania *etc n* = **Romania** *etc*.
rumble ['rʌmbl] *n* (*of thunder*) Grollen *nt*; (*of traffic*) Rumpeln *nt*; (*of guns*) Donnern *nt*; (*of voices*) Gemurmel *nt* ♦ *vi* (*stomach*) knurren; (*thunder*) grollen; (*traffic*) rumpeln; (*guns*) donnern.

rumbustious [rʌm'bʌstʃəs] *adj* (*person*) ungebärdig.
ruminate ['ruːmɪneɪt] *vi* (*person*) grübeln; (*cow, sheep etc*) wiederkäuen.
rummage ['rʌmɪdʒ] *vi* herumstöbern.
rummage sale (*US*) *n* Trödelmarkt *m*.
rumour, (*US*) **rumor** ['ruːmə*] *n* Gerücht *nt* ♦ *vt*: **it is ~ed that ...** man sagt, daß ...
rump [rʌmp] *n* (*of animal*) Hinterteil *nt*; (*of group etc*) Rumpf *m*.
rumple ['rʌmpl] *vt* (*clothes etc*) zerknittern; (*hair*) zerzausen.
rump steak *n* Rumpsteak *nt*.
rumpus ['rʌmpəs] *n* Krach *m*; **to kick up a ~** Krach schlagen.
run [rʌn] (*pt* **ran**, *pp* **run**) *n* (*as exercise, sport*) Lauf *m*; (*in car, train etc*) Fahrt *f*; (*series*) Serie *f*; (*SKI*) Abfahrt *f*; (*CRICKET, BASEBALL*) Run *m*; (*THEAT*) Spielzeit *f*; (*in tights etc*) Laufmasche *f* ♦ *vt* (*race, distance*) laufen, rennen; (*operate: business*) leiten; (*: hotel, shop*) führen; (*: competition, course*) durchführen; (*COMPUT: program*) laufen lassen; (*hand, fingers*) streichen mit; (*water, bath*) einlaufen lassen; (*PRESS: feature, article*) bringen ♦ *vi* laufen, rennen; (*flee*) weglaufen; (*bus, train*) fahren; (*river, tears*) fließen; (*colours*) auslaufen; (*jumper*) färben; (*in election*) antreten; (*road, railway etc*) verlaufen; **to go for a ~** (*as exercise*) einen Dauerlauf machen; **to break into a ~** zu laufen *or* rennen beginnen; **a ~ of good/bad luck** eine Glücks-/Pechsträhne; **to have the ~ of sb's house** jds Haus zur freien Verfügung haben; **there was a ~ on ...** (*meat, tickets*) es gab einen Ansturm auf *+acc*; **in the long ~** langfristig; **in the short ~** kurzfristig; **to make a ~ for it** die Beine in die Hand nehmen; **on the ~** (*fugitive*) auf der Flucht; **I'll ~ you to the station** ich fahre dich zum Bahnhof; **to ~ the risk of doing sth** Gefahr laufen, etw zu tun; **she ran her finger down the list** sie ging die Liste mit dem Finger durch; **it's very cheap to ~** (*car, machine*) es ist sehr billig im Verbrauch; **to ~ a bath** das Badewasser einlaufen lassen; **to be ~ off one's feet** (*BRIT*) ständig auf Trab sein; **the baby's nose was ~ning** dem Baby lief die Nase; **the train ~s between Gatwick and Victoria** der Zug verkehrt zwischen Gatwick und Victoria; **the bus ~s every 20 minutes** der Bus fährt alle 20 Minuten; **to ~ on petrol/off batteries** mit Benzin/auf Batterie laufen; **to ~ for president** für das Amt des Präsidenten kandidieren; **to ~ dry** (*well etc*) austrocknen; **tempers were ~ning high** alle waren sehr erregt; **unemployment is ~ning at 20 per cent** die Arbeitslosigkeit beträgt 20 Prozent; **blonde hair ~s in the family** blonde Haare liegen in der Familie.
▸**run across** *vt fus* (*find*) stoßen auf *+acc*.
▸**run after** *vt fus* nachlaufen *+dat*.
▸**run away** *vi* weglaufen.
▸**run down** *vt* (*production*) verringern; (*factory*) allmählich stillegen; (*AUT: person*) überfahren; (*criticize*) schlechtmachen ♦ *vi* (*battery*) leer werden.
▸**run in** (*BRIT*) *vt* (*car*) einfahren.
▸**run into** *vt fus* (*meet: person*) begegnen *+dat*; (*: trouble etc*) bekommen; (*collide with*) laufen/fahren gegen; **to ~ into debt** in Schulden geraten; **their losses ran into millions** ihre Schulden gingen in die Millionen.
▸**run off** *vt* (*liquid*) ablassen; (*copies*) machen ♦ *vi* weglaufen.
▸**run out** *vi* (*time, passport*) ablaufen; (*money*) ausgehen; (*luck*) zu Ende gehen.
▸**run out of** *vt fus*: **we're ~ning out of money/petrol** uns geht das Geld/das Benzin aus; **we're ~ning out of time** wir haben keine Zeit mehr.
▸**run over** *vt* (*AUT*) überfahren ♦ *vt fus* (*repeat*) durchgehen ♦ *vi* (*bath, water*) überlaufen.
▸**run through** *vt fus* (*instructions, lines*) durchgehen.
▸**run up** *vt* (*debt*) anhäufen.
▸**run up against** *vt fus* (*difficulties*) stoßen auf *+acc*.
runabout ['rʌnəbaut] *n* (*AUT*) Flitzer *m*.
run-around ['rʌnəraund] (*inf*) *n*: **to give sb the ~** jdn an der Nase herumführen.
runaway ['rʌnəweɪ] *adj* (*horse*) ausgerissen; (*truck, train*) außer Kontrolle geraten; (*child, slave*) entlaufen; (*fig: inflation*) unkontrollierbar; (*: success*) überwältigend.
rundown ['rʌndaun] *n* (*of industry etc*) allmähliche Stillegung *f* ♦ *adj*: **to be run-down** (*person*) total erschöpft sein; (*building, area*) heruntergekommen.
rung [rʌŋ] *pp of* **ring** ♦ *n* (*also fig*) Sprosse *f*.
run-in ['rʌnɪn] (*inf*) *n* Auseinandersetzung *f*.
runner ['rʌnə*] *n* Läufer(in) *m(f)*; (*horse*) Rennpferd *nt*; (*on sledge, drawer etc*) Kufe *f*.
runner bean (*BRIT*) *n* Stangenbohne *f*.
runner-up [rʌnər'ʌp] *n* Zweitplazierte(r) *f(m)*.
running ['rʌnɪŋ] *n* (*sport*) Laufen *nt*; (*of business etc*) Leitung *f*; (*of machine etc*) Betrieb *m* ♦ *adj* (*water, stream*) laufend; **to be in/out of the ~ for sth** bei etw im Rennen liegen/aus dem Rennen sein; **to make the ~** (*in race, fig*) das Rennen machen; **6 days ~** 6 Tage hintereinander; **to have a ~ battle with sb** ständig im Streit mit jdm liegen; **to give a ~ commentary on sth** etw fortlaufend kommentieren; **a ~ sore** eine nässende Wunde.
running costs *npl* (*of car, machine*) Unterhaltskosten *pl*.
running head *n* (*TYP, COMPUT*) Kolumnentitel *m*.
running mate (*US*) *n* (*POL*)

Vizepräsidentschaftskandidat *m*.
runny ['rʌnɪ] *adj* (*egg, butter*) dünnflüssig; (*nose, eyes*) triefend.
run-off ['rʌnɔf] *n* (*in contest, election*) Entscheidungsrunde *f*; (*extra race*) Entscheidungsrennen *nt*.
run-of-the-mill ['rʌnəvðə'mɪl] *adj* gewöhnlich.
runt [rʌnt] *n* (*animal*) *kleinstes und schwächstes Tier eines Wurfs*; (*pej: person*) Zwerg *m*.
run-through ['rʌnθru:] *n* (*rehearsal*) Probe *f*.
run-up ['rʌnʌp] *n*: **the ~ to** (*election etc*) die Zeit vor *+dat*.
runway ['rʌnweɪ] *n* (*AVIAT*) Start- und Landebahn *f*.
rupee [ru:'pi:] *n* Rupie *f*.
rupture ['rʌptʃə*] *n* (*MED*) Bruch *m*; (*conflict*) Spaltung *f* ♦ *vt*: **to ~ o.s.** (*MED*) sich *dat* einen Bruch zuziehen.
rural ['ruərl] *adj* ländlich; (*crime*) auf dem Lande.
rural district council (*BRIT*) *n* Landbezirksverwaltung *f*.
ruse [ru:z] *n* List *f*.
rush [rʌʃ] *n* (*hurry*) Eile *f*, Hetze *f*; (*COMM: sudden demand*) starke Nachfrage *f*; (*of water, air*) Stoß *m*; (*of feeling*) Woge *f* ♦ *vt* (*lunch, job etc*) sich beeilen bei; (*person, supplies etc*) schnellstens bringen ♦ *vi* (*person*) sich beeilen; (*air, water*) strömen; **rushes** *npl* (*BOT*) Schilf *nt*; (*for chair, basket etc*) Binsen *pl*; **is there any ~ for this?** eilt das?; **we've had a ~ of orders** wir hatten einen Zustrom von Bestellungen; **I'm in a ~ (to do sth)** ich habe es eilig (, etw zu tun); **gold ~** Goldrausch *m*; **don't ~ me!** drängen Sie mich nicht!; **to ~ sth off** (*send*) etw schnellstens abschicken; **to ~ sb into doing sth** jdn dazu drängen, etw zu tun.
▸**rush through** *vt* (*order, application*) schnellstens erledigen.
rush hour *n* Hauptverkehrszeit *f*, Rush-hour *f*.
rush job *n* Eilauftrag *m*.
rush matting *n* Binsenmatte *f*.
rusk [rʌsk] *n* Zwieback *m*.
Russia ['rʌʃə] *n* Rußland *nt*.
Russian ['rʌʃən] *adj* russisch ♦ *n* (*person*) Russe *m*, Russin *f*; (*LING*) Russisch *nt*.
rust [rʌst] *n* Rost *m* ♦ *vi* rosten.
rustic ['rʌstɪk] *adj* (*style, furniture*) rustikal ♦ *n* (*pej: person*) Bauer *m*.
rustle ['rʌsl] *vi* (*paper, leaves*) rascheln ♦ *vt* (*paper*) rascheln mit; (*US: cattle*) stehlen.
rustproof ['rʌstpru:f] *adj* nichtrostend.
rustproofing ['rʌstpru:fɪŋ] *n* Rostschutz *m*.
rusty ['rʌstɪ] *adj* (*car*) rostig; (*fig: skill etc*) eingerostet.
rut [rʌt] *n* (*in path etc*) Furche *f*; (*ZOOL: season*) Brunft *f*, Brunst *f*; **to be in a ~** (*fig*) im Trott stecken.
rutabaga [ru:tə'beɪgə] (*US*) *n* Steckrübe *f*.
ruthless ['ru:θlɪs] *adj* rücksichtslos.
ruthlessness ['ru:θlɪsnɪs] *n* Rücksichtslosigkeit *f*.
RV *abbr* (*BIBLE: = revised version*) *englische Bibelübersetzung von 1885* ♦ *n abbr* (*US*) = **recreational vehicle.**
Rwanda [ru'ændə] *n* Ruanda *nt*.
Rwandan [ru'ændən] *adj* ruandisch.
rye [raɪ] *n* (*cereal*) Roggen *m*.
rye bread *n* Roggenbrot *nt*.

S, s

S[1]**, s** [ɛs] *n* (*letter*) S *nt*, s *nt*; (*US: SCOL: satisfactory*) ≈ 3; **~ for sugar** ≈ S wie Samuel.
S[2] [ɛs] *abbr* (= *saint*) St.; (= *small*) kl.; (= *south*) S.
SA *abbr* = **South Africa, South America;** (= *South Australia*) Südaustralien *nt*.
Sabbath ['sæbəθ] *n* (*Jewish*) Sabbat *m*; (*Christian*) Sonntag *m*.
sabbatical [sə'bætɪkl] *n* (*also*: **~ year**) Forschungsjahr *nt*.
sabotage ['sæbətɑ:ʒ] *n* Sabotage *f* ♦ *vt* einen Sabotageakt verüben auf *+acc*; (*plan, meeting*) sabotieren.
sabre ['seɪbə*] *n* Säbel *m*.
sabre-rattling ['seɪbərætlɪŋ] *n* Säbelrasseln *nt*.
saccharin(e) ['sækərɪn] *n* Saccharin *nt* ♦ *adj* (*fig*) zuckersüß.
sachet ['sæʃeɪ] *n* (*of shampoo*) Beutel *m*; (*of sugar etc*) Tütchen *nt*.
sack [sæk] *n* Sack *m* ♦ *vt* (*dismiss*) entlassen; (*plunder*) plündern; **to get the ~** rausfliegen (*inf*); **to give sb the ~** jdn rausschmeißen (*inf*).
sackful ['sækful] *n*: **a ~ of** ein Sack.
sacking ['sækɪŋ] *n* (*dismissal*) Entlassung *f*; (*material*) Sackleinen *nt*.
sacrament ['sækrəmənt] *n* Sakrament *nt*.
sacred ['seɪkrɪd] *adj* heilig; (*music, history*) geistlich; (*memory*) geheiligt; (*building*) sakral.
sacred cow *n* (*lit, fig*) heilige Kuh *f*.
sacrifice ['sækrɪfaɪs] *n* Opfer *nt* ♦ *vt* opfern; **to make ~s (for sb)** (für jdn) Opfer bringen.
sacrilege ['sækrɪlɪdʒ] *n* Sakrileg *nt*; **that would be ~** das wäre ein Sakrileg.
sacrosanct ['sækrəusæŋkt] *adj* (*lit, fig*) sakrosankt.
sad [sæd] *adj* traurig; **he was ~ to see her go** er war traurig (darüber), daß sie wegging.
sadden ['sædn] *vt* betrüben.
saddle ['sædl] *n* Sattel *m* ♦ *vt* (*horse*) satteln; **to**

be ~d with sb/sth (*inf*) jdn/etw am Hals haben.
saddlebag ['sædlbæg] *n* Satteltasche *f*.
sadism ['seɪdɪzəm] *n* Sadismus *m*.
sadist ['seɪdɪst] *n* Sadist(in) *m(f)*.
sadistic [sə'dɪstɪk] *adj* sadistisch.
sadly ['sædlɪ] *adv* traurig, betrübt; (*unfortunately*) leider, bedauerlicherweise; (*seriously*) schwer; **he is ~ lacking in humour** ihm fehlt leider jeglicher Humor.
sadness ['sædnɪs] *n* Traurigkeit *f*.
sadomasochism [seɪdəu'mæsəkɪzəm] *n* Sadomasochismus *m*.
s.a.e. (*BRIT*) *abbr* (= *stamped addressed envelope*) *see* **stamp**.
safari [sə'fɑːrɪ] *n* Safari *f*; **to go on ~** auf Safari gehen.
safari park *n* Safaripark *m*.
safe [seɪf] *adj* sicher; (*out of danger*) in Sicherheit ♦ *n* Safe *m or nt*, Tresor *m*; **~ from** sicher vor *+dat*; **~ and sound** gesund und wohlbehalten; **(just) to be on the ~ side** (nur) um sicherzugehen; **to play ~** auf Nummer Sicher gehen (*inf*); **it is ~ to say that ...** man kann wohl sagen, daß ...; **~ journey!** gute Fahrt *or* Reise!
safe bet *n*: **it's a ~ that ...** es ist sicher, daß ...
safe-breaker ['seɪfbreɪkə*] (*BRIT*) *n* Safeknacker *m* (*inf*).
safe-conduct [seɪf'kɔndʌkt] *n* freies *or* sicheres Geleit *nt*.
safe-cracker ['seɪfkrækə*] *n* = **safe-breaker**.
safe-deposit ['seɪfdɪpɔzɪt] *n* (*vault*) Tresorraum *m*; (*also*: **~ box**) Banksafe *m*.
safeguard ['seɪfgɑːd] *n* Schutz *m* ♦ *vt* schützen; (*interests*) wahren; (*future*) sichern; **as a ~ against** zum Schutz gegen.
safe haven *n* Zufluchtsort *m*.
safe house *n* geheimer Unterschlupf *m*.
safekeeping ['seɪf'kiːpɪŋ] *n* sichere Aufbewahrung *f*.
safely ['seɪflɪ] *adv* sicher; (*assume, say*) wohl, ruhig; (*arrive*) wohlbehalten; **I can ~ say ...** ich kann wohl sagen ...
safe passage *n* sichere Durchreise *f*.
safe sex *n* geschützter Sex *m*.
safety ['seɪftɪ] *n* Sicherheit *f*; **~ first!** Sicherheit geht vor!
safety belt *n* Sicherheitsgurt *m*.
safety catch *n* (*on gun*) Sicherung *f*; (*on window, door*) Sperre *f*.
safety net *n* Sprungnetz *nt*, Sicherheitsnetz *nt*; (*fig*) Sicherheitsvorkehrung *f*.
safety pin *n* Sicherheitsnadel *f*.
safety valve *n* Sicherheitsventil *nt*.
saffron ['sæfrən] *n* Safran *m*.
sag [sæg] *vi* durchhängen; (*breasts*) hängen; (*fig: spirits, demand*) sinken.
saga ['sɑːgə] *n* Saga *f*; (*fig*) Geschichte *f*.
sage [seɪdʒ] *n* (*herb*) Salbei *m*; (*wise man*) Weise(r) *m*.
Sagittarius [sædʒɪ'tɛərɪəs] *n* Schütze *m*; **to be ~** Schütze sein.
sago ['seɪgəu] *n* Sago *m*.
Sahara [sə'hɑːrə] *n*: **the ~ (Desert)** die (Wüste) Sahara.
Sahel [sæ'hɛl] *n* Sahel *m*, Sahelzone *f*.
said [sɛd] *pt, pp of* **say**.
Saigon [saɪ'gɔn] *n* Saigon *nt*.
sail [seɪl] *n* Segel *nt* ♦ *vt* segeln ♦ *vi* fahren; (*SPORT*) segeln; (*begin voyage: ship*) auslaufen; (*: passenger*) abfahren; (*fig: ball etc*) fliegen, segeln; **to go for a ~** segeln gehen; **to set ~** losfahren, abfahren.
►**sail through** *vt fus* (*fig: exam etc*) spielend schaffen.
sailboat ['seɪlbəut] (*US*) *n* = **sailing boat**.
sailing ['seɪlɪŋ] *n* (*SPORT*) Segeln *nt*; (*voyage*) Überfahrt *f*; **to go ~** segeln gehen.
sailing boat *n* Segelboot *nt*.
sailing ship *n* Segelschiff *nt*.
sailor ['seɪlə*] *n* Seemann *m*, Matrose *m*.
saint [seɪnt] *n* (*lit, fig*) Heilige(r) *f(m)*.
saintly ['seɪntlɪ] *adj* heiligmäßig; (*expression*) fromm.
sake [seɪk] *n*: **for the ~ of sb/sth, for sb's/sth's ~** um jds/einer Sache *gen* willen; (*out of consideration for*) jdm/etw zuliebe; **he enjoys talking for talking's ~** er redet gerne, nur damit etwas gesagt wird; **for the ~ of argument** rein theoretisch; **art for art's ~** Kunst um der Kunst willen; **for heaven's ~!** um Gottes willen!
salad ['sæləd] *n* Salat *m*; **tomato ~** Tomatensalat *m*; **green ~** grüner Salat *m*.
salad bowl *n* Salatschüssel *f*.
salad cream (*BRIT*) *n* ≈ Mayonnaise *f*.
salad dressing *n* Salatsoße *f*.
salami [sə'lɑːmɪ] *n* Salami *f*.
salaried ['sælərɪd] *adj*: **~ staff** Gehaltsempfänger *pl*.
salary ['sælərɪ] *n* Gehalt *nt*.
salary scale *n* Gehaltsskala *f*.
sale [seɪl] *n* Verkauf *m*; (*at reduced prices*) Ausverkauf *m*; (*auction*) Auktion *f*; **sales** *npl* (*total amount sold*) Absatz *m* ♦ *cpd* (*campaign*) Verkaufs-; (*conference*) Vertreter-; (*figures*) Absatz-; **"for ~"** „zu verkaufen"; **on ~** im Handel; **on ~ or return** auf Kommissionsbasis; **closing-down** *or* (*US*) **liquidation ~** Räumungsverkauf *m*.
sale and lease back *n* (*COMM*) Verkauf *m* mit Rückmiete.
saleroom ['seɪlruːm] *n* Auktionsraum *m*.
sales assistant, (*US*) **sales clerk** [seɪlz-] *n* Verkäufer(in) *m(f)*.
sales force *n* Vertreterstab *m*.
salesman ['seɪlzmən] (*irreg: like* **man**) *n* Verkäufer *m*; (*representative*) Vertreter *m*.
sales manager *n* Verkaufsleiter *m*.
salesmanship ['seɪlzmənʃɪp] *n* Verkaufstechnik *f*.
sales tax (*US*) *n* Verkaufssteuer *f*.

saleswoman ['seɪlzwumən] (*irreg: like* **woman**) *n* Verkäuferin *f*; (*representative*) Vertreterin *f*.
salient ['seɪlɪənt] *adj* (*features*) hervorstechend; (*points*) Haupt-.
saline ['seɪlaɪn] *adj* (*solution etc*) Salz-.
saliva [sə'laɪvə] *n* Speichel *m*.
sallow ['sæləu] *adj* (*complexion*) fahl.
sally forth ['sælɪ-] (*old*) *vi* sich aufmachen.
sally out *vi* = **sally forth**.
salmon ['sæmən] *n inv* Lachs *m*.
salmon trout *n* Lachsforelle *f*.
salon ['sælɔn] *n* Salon *m*.
saloon [sə'lu:n] *n* (*US: bar*) Saloon *m*; (*BRIT: AUT*) Limousine *f*; (*ship's lounge*) Salon *m*.
SALT [sɔ:lt] *n abbr* (= *Strategic Arms Limitation Talks/Treaty*) SALT.
salt [sɔ:lt] *n* Salz *nt* ♦ *vt* (*preserve*) einsalzen; (*put salt on*) salzen; (*road*) mit Salz streuen ♦ *cpd* Salz-; (*pork, beef*) gepökelt; **the ~ of the earth** (*fig*) das Salz der Erde; **to take sth with a pinch** *or* **grain of ~** (*fig*) etw nicht ganz so erst nehmen.
salt cellar *n* Salzstreuer *m*.
salt-free ['sɔ:lt'fri:] *adj* salzlos.
salt mine *n* Salzbergwerk *nt*.
saltwater ['sɔ:lt'wɔ:tə*] *adj* (*fish, plant*) Meeres-.
salty ['sɔ:ltɪ] *adj* salzig.
salubrious [sə'lu:brɪəs] *adj* (*district etc*) fein; (*air, living conditions*) gesund.
salutary ['sæljutərɪ] *adj* heilsam.
salute [sə'lu:t] *n* (*MIL, greeting*) Gruß *m*; (*MIL: with guns*) Salut *m* ♦ *vt* (*MIL*) grüßen, salutieren vor *+dat*; (*fig*) begrüßen.
salvage ['sælvɪdʒ] *n* Bergung *f*; (*things saved*) Bergungsgut *nt* ♦ *vt* bergen; (*fig*) retten.
salvage vessel *n* Bergungsschiff *nt*.
salvation [sæl'veɪʃən] *n* (*REL*) Heil *nt*; (*economic etc*) Rettung *f*.
Salvation Army *n* Heilsarmee *f*.
salver ['sælvə*] *n* Tablett *nt*.
salvo ['sælvəu] (*pl* **~es**) *n* Salve *f*.
Samaritan [sə'mærɪtən] *n*: **the ~s** ≈ die Telefonseelsorge.
same [seɪm] *adj* (*similar*) gleiche(r, s); (*identical*) selbe(r, s) ♦ *pron*: **the ~** (*similar*) der/die/das gleiche; (*identical*) derselbe/dieselbe/dasselbe; **the ~ book as** das gleiche Buch wie; **they are the ~ age** sie sind gleichaltrig; **they are exactly the ~** sie sind genau gleich; **on the ~ day** am gleichen *or* selben Tag; **at the ~ time** (*simultaneously*) gleichzeitig, zur gleichen Zeit; (*yet*) doch; **they're one and the ~** (*person*) das ist doch ein und derselbe/dieselbe; (*thing*) das ist doch dasselbe; **~ again** (*in bar etc*) das gleiche noch mal; **all** *or* **just the ~** trotzdem; **to do the ~ (as sb)** das gleiche (wie jd) tun; **the ~ to you!** (danke) gleichfalls!; **~ here!** ich/wir *etc* auch!; **thanks all the ~** trotzdem vielen Dank; **it's all the ~ to me** es ist mir egal.
sample ['sɑ:mpl] *n* Probe *f*; (*of merchandise*) Probe *f*, Muster *nt* ♦ *vt* probieren; **to take a ~** eine Stichprobe machen; **free ~** kostenlose Probe.
sanatorium [sænə'tɔ:rɪəm] (*pl* **sanatoria**) *n* Sanatorium *nt*.
sanctify ['sæŋktɪfaɪ] *vt* heiligen.
sanctimonious [sæŋktɪ'məunɪəs] *adj* scheinheilig.
sanction ['sæŋkʃən] *n* Zustimmung *f* ♦ *vt* sanktionieren; **sanctions** *npl* (*POL*) Sanktionen *pl*; **to impose economic ~s on** *or* **against** Wirtschaftssanktionen verhängen gegen.
sanctity ['sæŋktɪtɪ] *n* (*holiness*) Heiligkeit *f*; (*inviolability*) Unantastbarkeit *f*.
sanctuary ['sæŋktjuərɪ] *n* (*for birds/animals*) Schutzgebiet *nt*; (*place of refuge*) Zuflucht *f*; (*REL: in church*) Altarraum *m*.
sand [sænd] *n* Sand *m* ♦ *vt* (*also*: **~ down**) abschmirgeln; *see also* **sands**.
sandal ['sændl] *n* Sandale *f*.
sandbag ['sændbæg] *n* Sandsack *m*.
sandblast ['sændblɑ:st] *vt* sandstrahlen.
sandbox ['sændbɔks] (*US*) *n* Sandkasten *m*.
sandcastle ['sændkɑ:sl] *n* Sandburg *f*.
sand dune *n* Sanddüne *f*.
sander ['sændə*] *n* (*tool*) Schleifmaschine *f*.
S & M (*US*) *n abbr* (= *sadomasochism*) S/M.
sandpaper ['sændpeɪpə*] *n* Schmirgelpapier *nt*.
sandpit ['sændpɪt] *n* Sandkasten *m*.
sands [sændz] *npl* (*beach*) Sandstrand *m*.
sandstone ['sændstəun] *n* Sandstein *m*.
sandstorm ['sændstɔ:m] *n* Sandsturm *m*.
sandwich ['sændwɪtʃ] *n* Sandwich *nt* ♦ *vt*: **~ed between** eingequetscht zwischen; **cheese/ham ~** Käse-/Schinkenbrot *nt*.
sandwich board *n* Reklametafel *f*.
sandwich course (*BRIT*) *n Ausbildungsgang, bei dem sich Theorie und Praxis abwechseln.*
sandwich man *n* Sandwichmann *m*, Plakatträger *m*.
sandy ['sændɪ] *adj* sandig; (*beach*) Sand-; (*hair*) rotblond.
sane [seɪn] *adj* geistig gesund; (*sensible*) vernünftig.
sang [sæŋ] *pt of* **sing**.
sanguine ['sæŋgwɪn] *adj* zuversichtlich.
sanitarium [sænɪ'tɛərɪəm] (*US*) (*pl* **sanitaria**) *n* = **sanatorium**.
sanitary ['sænɪtərɪ] *adj* hygienisch; (*facilities*) sanitär; (*inspector*) Gesundheits-.
sanitary towel, (*US*) **sanitary napkin** *n* Damenbinde *f*.
sanitation [sænɪ'teɪʃən] *n* Hygiene *f*; (*toilets etc*) sanitäre Anlagen *pl*; (*drainage*) Kanalisation *f*.
sanitation department (*US*) *n* Stadtreinigung *f*.

sanity ['sænɪtɪ] *n* geistige Gesundheit *f*; (*common sense*) Vernunft *f*.
sank [sæŋk] *pt of* **sink**.
San Marino ['sænmə'ri:nəu] *n* San Marino *nt*.
Santa Claus [sæntə'klɔ:z] *n* ≈ der Weihnachtsmann.
Santiago [sæntɪ'ɑ:gəu] *n* (*also*: ~ **de Chile**) Santiago (de Chile) *nt*.
sap [sæp] *n* Saft *m* ♦ *vt* (*strength*) zehren an +*dat*; (*confidence*) untergraben.
sapling ['sæplɪŋ] *n* junger Baum *m*.
sapper ['sæpə*] *n* (*MIL*) Pionier *m*.
sapphire ['sæfaɪə*] *n* Saphir *m*.
sarcasm ['sɑ:kæzm] *n* Sarkasmus *m*.
sarcastic [sɑ:'kæstɪk] *adj* sarkastisch.
sarcophagus [sɑ:'kɔfəgəs] (*pl* **sarcophagi**) *n* Sarkophag *m*.
sardine [sɑ:'di:n] *n* Sardine *f*.
Sardinia [sɑ:'dɪnɪə] *n* Sardinien *nt*.
Sardinian [sɑ:'dɪnɪən] *adj* sardinisch, sardisch ♦ *n* (*person*) Sardinier(in) *m(f)*; (*LING*) Sardinisch *nt*.
sardonic [sɑ:'dɔnɪk] *adj* (*smile*) süffisant.
sari ['sɑ:rɪ] *n* Sari *m*.
sartorial [sɑ:'tɔ:rɪəl] *adj*: **his ~ elegance** seine elegante Art, sich zu kleiden.
SAS (*BRIT*) *n abbr* (*MIL*: = *Special Air Service*) *Spezialeinheit der britischen Armee.*
SASE (*US*) *n abbr* (= *self-addressed stamped envelope*) frankierter Rückumschlag *m*.
sash [sæʃ] *n* Schärpe *f*; (*of window*) Fensterrahmen *m*.
sash window *n* Schiebefenster *nt*.
SAT (*US*) *n abbr* (= *Scholastic Aptitude Test*) *Hochschul-Aufnahmeprüfung.*
Sat. *abbr* (= *Saturday*) Sa.
sat [sæt] *pt, pp of* **sit**.
Satan ['seɪtn] *n* Satan *m*.
satanic [sə'tænɪk] *adj* satanisch.
satanism ['seɪtnɪzəm] *n* Satanismus *m*.
satchel ['sætʃl] *n* (*child's*) Schultasche *f*.
sated ['seɪtɪd] *adj* gesättigt; **to be ~ with sth** (*fig*) von etw übersättigt sein.
satellite ['sætəlaɪt] *n* Satellit *m*; (*also*: ~ **state**) Satellitenstaat *m*.
satellite dish *n* Satellitenantenne *f*, Parabolantenne *f*.
satellite television *n* Satellitenfernsehen *nt*.
satiate ['seɪʃɪeɪt] *vt* (*food*) sättigen; (*fig: pleasure etc*) übersättigen.
satin ['sætɪn] *n* Satin *m* ♦ *adj* (*dress etc*) Satin-; **with a ~ finish** mit Seidenglanz.
satire ['sætaɪə*] *n* Satire *f*.
satirical [sə'tɪrɪkl] *adj* satirisch.
satirist ['sætɪrɪst] *n* Satiriker(in) *m(f)*.
satirize ['sætɪraɪz] *vt* satirisch darstellen.
satisfaction [sætɪs'fækʃən] *n* Befriedigung *f*; **to get ~ from sb** (*refund, apology etc*) Genugtuung von jdm erhalten; **has it been done to your ~?** sind Sie damit zufrieden?
satisfactorily [sætɪs'fæktərɪlɪ] *adv* zufriedenstellend.
satisfactory [sætɪs'fæktərɪ] *adj* zufriedenstellend.
satisfied ['sætɪsfaɪd] *adj* zufrieden.
satisfy ['sætɪsfaɪ] *vt* zufriedenstellen; (*needs, demand*) befriedigen; (*requirements, conditions*) erfüllen; **to ~ sb/o.s. that ...** jdn/sich davon überzeugen, daß ...
satisfying ['sætɪsfaɪɪŋ] *adj* befriedigend; (*meal*) sättigend.
satsuma [sæt'su:mə] *n* Satsuma *f*.
saturate ['sætʃəreɪt] *vt*: **to ~ (with)** durchnässen (mit); (*CHEM, fig: market*) sättigen; (*fig: area etc*) überschwemmen.
saturated fat ['sætʃəreɪtɪd-] *n* gesättigtes Fett *nt*.
saturation [sætʃə'reɪʃən] *n* (*CHEM, fig*) Sättigung *f*; ~ **advertising** flächendeckende Werbung *f*; ~ **bombing** Flächenbombardierung *f*.
Saturday ['sætədɪ] *n* Samstag *m*; *see also* **Tuesday**.
sauce [sɔ:s] *n* Soße *f*, Sauce *f*.
saucepan ['sɔ:spən] *n* Kochtopf *m*.
saucer ['sɔ:sə*] *n* Untertasse *f*.
saucy ['sɔ:sɪ] *adj* frech.
Saudi ['saudi-] *adj* (*also*: ~ **Arabian**) saudisch, saudiarabisch.
Saudi Arabia ['saudɪ-] *n* Saudi-Arabien *nt*.
sauna ['sɔ:nə] *n* Sauna *f*.
saunter ['sɔ:ntə*] *vi* schlendern.
sausage ['sɔsɪdʒ] *n* Wurst *f*.
sausage roll *n* Wurst *f* im Schlafrock.
sauté ['səuteɪ] *vt* kurz anbraten ♦ *adj*: **~ed potatoes** Bratkartoffeln *pl*.
savage ['sævɪdʒ] *adj* (*attack etc*) brutal; (*dog*) gefährlich; (*criticism*) schonungslos ♦ *n* (*old: pej*) Wilde(r) *f(m)* ♦ *vt* (*maul*) zerfleischen; (*fig: criticize*) verreißen.
savagely ['sævɪdʒlɪ] *adv* (*attack etc*) brutal; (*criticize*) schonungslos.
savagery ['sævɪdʒrɪ] *n* (*of attack*) Brutalität *f*.
save [seɪv] *vt* (*rescue*) retten; (*money, time*) sparen; (*food etc*) aufheben; (*work, trouble*) (er)sparen; (*keep: receipts etc*) aufbewahren; (: *seat etc*) freihalten; (*COMPUT: file*) abspeichern; (*SPORT: shot, ball*) halten ♦ *vi* (*also*: ~ **up**) sparen ♦ *n* (*SPORT*) (Ball)abwehr *f* ♦ *prep* (*form*) außer +*dat*; **it will ~ me an hour** dadurch spare ich eine Stunde; **to ~ face** das Gesicht wahren; **God ~ the Queen!** Gott schütze die Königin!
saving ['seɪvɪŋ] *n* (*on price etc*) Ersparnis *f* ♦ *adj*: **the ~ grace of sth** das einzig Gute an etw *dat*; **savings** *npl* (*money*) Ersparnisse *pl*; **to make ~s** sparen.
savings account *n* Sparkonto *nt*.
savings bank *n* Sparkasse *f*.
saviour, (*US*) **savior** ['seɪvjə*] *n* Retter(in) *m(f)*; (*REL*) Erlöser *m*.
savoir-faire ['sævwɑ:fɛə*] *n* Gewandtheit *f*.
savour, (*US*) **savor** ['seɪvə*] *vt* genießen ♦ *n* (*of food*) Geschmack *m*.

savoury, (*US*) **savory** ['seɪvərɪ] *adj* pikant.
savvy ['sævɪ] (*inf*) *n* Grips *m*; **he hasn't got much** ~ er hat keine Ahnung.
saw [sɔː] (*pt* **sawed,** *pp* **sawed** *or* **sawn**) *vt* sägen ♦ *n* Säge *f* ♦ *pt of* **see; to** ~ **sth up** etw zersägen.
sawdust ['sɔːdʌst] *n* Sägemehl *nt*.
sawmill ['sɔːmɪl] *n* Sägewerk *nt*.
sawn [sɔːn] *pp of* **saw.**
sawn-off ['sɔːnɔf], (*US*) **sawed-off** ['sɔːdɔf] *adj*: ~ **shotgun** Gewehr *nt* mit abgesägtem Lauf.
saxophone ['sæksəfəun] *n* Saxophon *nt*.
say [seɪ] (*pt, pp* **said**) *vt* sagen ♦ *n*: **to have one's** ~ seine Meinung äußern; **could you** ~ **that again?** können Sie das wiederholen?; **my watch** ~**s 3 o'clock** auf meiner Uhr ist es 3 Uhr; **it** ~**s on the sign "No Smoking"** auf dem Schild steht „Rauchen verboten"; **shall we** ~ **Tuesday?** sagen wir Dienstag?; **come for dinner at,** ~**, 8 o'clock** kommt um, sagen wir mal, 8 Uhr, zum Essen; **that doesn't** ~ **much for him** das spricht nicht gerade für ihn; **when all is said and done** letzten Endes; **there is something/a lot to be said for it** es spricht einiges/vieles dafür; **you can** ~ **that again!** das kann man wohl sagen!; **that is to** ~ das heißt; **that goes without** ~**ing** das versteht sich von selbst; **to** ~ **nothing of** ... von ... ganz zu schweigen; ~ **(that)** ... angenommen, (daß) ...; **to have a** *or* **some** ~ **in sth** ein Mitspracherecht bei etw haben.
saying ['seɪɪŋ] *n* Redensart *f*.
say-so ['seɪsəu] *n* Zustimmung *f*; **to do sth on sb's** ~ etw auf jds Anweisung *acc* hin tun.
SBA (*US*) *n abbr* (= *Small Business Administration*) *Regierungsstelle zur Unterstützung kleiner und mittelständischer Betriebe.*
SC (*US*) *n abbr* = **Supreme Court** ♦ *abbr* (*POST:* = *South Carolina*).
s/c *abbr* = **self-contained.**
scab [skæb] *n* (*on wound*) Schorf *m*; (*pej*) Streikbrecher(in) *m(f)*.
scabby ['skæbɪ] (*pej*) *adj* (*hands, skin*) schorfig.
scaffold ['skæfəld] *n* (*for execution*) Schafott *nt*.
scaffolding ['skæfəldɪŋ] *n* Gerüst *nt*.
scald [skɔːld] *n* Verbrühung *f* ♦ *vt* (*burn*) verbrühen.
scalding ['skɔːldɪŋ] *adj* (*also:* ~ **hot**) siedend heiß.
scale [skeɪl] *n* Skala *f*; (*of fish*) Schuppe *f*; (*MUS*) Tonleiter *f*; (*size, extent*) Ausmaß *nt*, Umfang *m*; (*of map, model*) Maßstab *m* ♦ *vt* (*cliff, tree*) erklettern; **(pair of) scales** *npl* (*for weighing*) Waage *f*; **pay** ~ Lohnskala *f*; **to draw sth to** ~ etw maßstabgetreu zeichnen; **a small-**~ **model** ein Modell in verkleinertem Maßstab; **on a large** ~ im großen Rahmen; ~ **of charges** Gebührenordnung *f*.
►**scale down** *vt* verkleinern; (*fig*) verringern.
scaled-down [skeɪld'daun] *adj* verkleinert; (*project, forecast*) eingeschränkt.
scale drawing *n* maßstabgetreue Zeichnung *f*.
scallion ['skæljən] *n* Frühlingszwiebel *f*; (*US: shallot*) Schalotte *f*; (*: leek*) Lauch *m*.
scallop ['skɔləp] *n* (*ZOOL*) Kammuschel *f*; (*SEWING*) Bogenkante *f*.
scalp [skælp] *n* Kopfhaut *f* ♦ *vt* skalpieren.
scalpel ['skælpl] *n* Skalpell *nt*.
scalper ['skælpə*] (*US: inf*) *n* (*ticket tout*) (Karten)schwarzhändler(in) *m(f)*.
scam [skæm] (*inf*) *n* Betrug *m*.
scamp [skæmp] (*inf*) *n* Frechdachs *m*.
scamper ['skæmpə*] *vi*: **to** ~ **away** *or* **off** verschwinden.
scampi ['skæmpɪ] (*BRIT*) *npl* Scampi *pl*.
scan [skæn] *vt* (*horizon*) absuchen; (*newspaper etc*) überfliegen; (*TV, RADAR*) abtasten ♦ *vi* (*poetry*) das richtige Versmaß haben ♦ *n* (*MED*) Scan *m*.
scandal ['skændl] *n* Skandal *m*; (*gossip*) Skandalgeschichten *pl*.
scandalize ['skændəlaɪz] *vt* schockieren.
scandalous ['skændələs] *adj* skandalös.
Scandinavia [skændɪ'neɪvɪə] *n* Skandinavien *nt*.
Scandinavian [skændɪ'neɪvɪən] *adj* skandinavisch ♦ *n* Skandinavier(in) *m(f)*.
scanner ['skænə*] *n* (*MED*) Scanner *m*; (*RADAR*) Richtantenne *f*.
scant [skænt] *adj* wenig.
scantily ['skæntɪlɪ] *adv*: ~ **clad** *or* **dressed** spärlich bekleidet.
scanty ['skæntɪ] *adj* (*information*) dürftig; (*meal*) kärglich; (*bikini*) knapp.
scapegoat ['skeɪpgəut] *n* Sündenbock *m*.
scar [skɑː] *n* Narbe *f*; (*fig*) Wunde *f* ♦ *vt* eine Narbe hinterlassen auf *+dat*; (*fig*) zeichnen.
scarce [skɛəs] *adj* knapp; **to make o.s.** ~ (*inf*) verschwinden.
scarcely ['skɛəslɪ] *adv* kaum; (*certainly not*) wohl kaum; ~ **anybody** kaum jemand; **I can** ~ **believe it** ich kann es kaum glauben.
scarcity ['skɛəsɪtɪ] *n* Knappheit *f*; ~ **value** Seltenheitswert *m*.
scare [skɛə*] *n* (*fright*) Schreck(en) *m*; (*public fear*) Panik *f* ♦ *vt* (*frighten*) erschrecken; (*worry*) Angst machen *+dat*; **to give sb a** ~ jdm einen Schrecken einjagen; **bomb** ~ Bombendrohung *f*.
►**scare away** *vt* (*animal*) verscheuchen; (*investor, buyer*) abschrecken.
►**scare off** *vt* = **scare away.**
scarecrow ['skɛəkrəu] *n* Vogelscheuche *f*.
scared ['skɛəd] *adj*: **to be** ~ Angst haben; **to be** ~ **stiff** fürchterliche Angst haben.
scaremonger ['skɛəmʌŋgə*] *n* Panikmacher *m*.
scarf [skɑːf] (*pl* ~**s** *or* **scarves**) *n* Schal *m*; (*headscarf*) Kopftuch *nt*.

scarlet ['skɑːlɪt] *adj* (scharlach)rot.
scarlet fever *n* Scharlach *m*.
scarper ['skɑːpə*] (*BRIT: inf*) *vi* abhauen.
scarred [skɑːd] *adj* narbig; (*fig*) gezeichnet.
scarves [skɑːvz] *npl of* **scarf**.
scary ['skɛərɪ] (*inf*) *adj* unheimlich; (*film*) gruselig.
scathing ['skeɪðɪŋ] *adj* (*comments*) bissig; (*attack*) scharf; **to be ~ about sth** bissige Bemerkungen über etw *acc* machen.
scatter ['skætə*] *vt* verstreuen; (*flock of birds*) aufscheuchen; (*crowd*) zerstreuen ♦ *vi* (*crowd*) sich zerstreuen.
scatterbrained ['skætəbreɪnd] (*inf*) *adj* schusselig.
scattered ['skætəd] *n* verstreut; **~ showers** vereinzelte Regenschauer *pl*.
scatty ['skætɪ] (*BRIT: inf*) *adj* schusselig.
scavenge ['skævəndʒ] *vi*: **to ~ for sth** nach etw suchen.
scavenger ['skævəndʒə*] *n* (*person*) Aasgeier *m* (*inf*); (*animal, bird*) Aasfresser *m*.
SCE *n abbr* (= *Scottish Certificate of Education*) *Schulabschlußzeugnis in Schottland*.
scenario [sɪ'nɑːrɪəu] *n* (*THEAT, CINE*) Szenarium *nt*; (*fig*) Szenario *nt*.
scene [siːn] *n* (*lit, fig*) Szene *f*; (*of crime*) Schauplatz *m*; (*of accident*) Ort *m*; (*sight*) Anblick *m*; **behind the ~s** (*fig*) hinter den Kulissen; **to make a ~** (*inf: fuss*) eine Szene machen; **to appear on the ~** (*fig*) auftauchen, auf der Bildfläche erscheinen; **the political ~** die politische Landschaft.
scenery ['siːnərɪ] *n* (*THEAT*) Bühnenbild *nt*; (*landscape*) Landschaft *f*.
scenic ['siːnɪk] *adj* malerisch, landschaftlich schön.
scent [sɛnt] *n* (*fragrance*) Duft *m*; (*track*) Fährte *f*; (*fig*) Spur *f*; (*liquid perfume*) Parfüm *nt*; **to put** *or* **throw sb off the ~** (*fig*) jdn von der Spur abbringen.
sceptic, (*US*) **skeptic** ['skɛptɪk] *n* Skeptiker(in) *m(f)*.
sceptical, (*US*) **skeptical** ['skɛptɪkl] *adj* skeptisch.
scepticism, (*US*) **skepticism** ['skɛptɪsɪzəm] *n* Skepsis *f*.
sceptre, (*US*) **scepter** ['sɛptə*] *n* Zepter *nt*.
schedule ['ʃɛdjuːl, (*US*) 'skɛdjuːl] *n* (*of trains, buses*) Fahrplan *m*; (*of events*) Programm *nt*; (*of prices, details etc*) Liste *f* ♦ *vt* planen; (*visit, meeting etc*) ansetzen; **on ~** wie geplant, pünktlich; **we are working to a very tight ~** wir arbeiten nach einem sehr knappen Zeitplan; **everything went according to ~** alles ist planmäßig verlaufen; **to be ahead of/behind ~** dem Zeitplan voraus sein/im Rückstand sein; **he was ~d to leave yesterday** laut Zeitplan hätte er gestern abfahren sollen.
scheduled ['ʃɛdjuːld, (*US*) 'skɛdjuːld] *adj* (*date, time*) vorgesehen; (*visit, event*) geplant; (*train, bus, stop*) planmäßig.
scheduled flight *n* Linienflug *m*.
schematic [skɪ'mætɪk] *adj* schematisch.
scheme [skiːm] *n* (*personal plan*) Plan *m*; (*plot*) raffinierter Plan *m*, Komplott *nt*; (*formal plan*) Programm *nt* ♦ *vi* Pläne schmieden, intrigieren; **colour ~** Farbzusammenstellung *f*; **pension ~** Rentenversicherung *f*.
scheming ['skiːmɪŋ] *adj* intrigierend ♦ *n* Machenschaften *pl*.
schism ['skɪzəm] *n* Spaltung *f*.
schizophrenia [skɪtsə'friːnɪə] *n* Schizophrenie *f*.
schizophrenic [skɪtsə'frɛnɪk] *adj* schizophren ♦ *n* Schizophrene(r) *f(m)*.
scholar ['skɔlə*] *n* Gelehrte(r) *f(m)*; (*pupil*) Student(in) *m(f)*, Schüler(in) *m(f)*; (*scholarship holder*) Stipendiat(in) *m(f)*.
scholarly ['skɔləlɪ] *adj* gelehrt; (*text, approach*) wissenschaftlich.
scholarship ['skɔləʃɪp] *n* Gelehrsamkeit *f*; (*grant*) Stipendium *nt*.
school [skuːl] *n* Schule *f*; (*US: inf: university*) Universität *f*; (*of whales, porpoises etc*) Schule *f*, Schwarm *m* ♦ *cpd* Schul-.
school age *n* Schulalter *nt*.
schoolbook ['skuːlbuk] *n* Schulbuch *nt*.
schoolboy ['skuːlbɔɪ] *n* Schuljunge *m*, Schüler *m*.
schoolchildren ['skuːltʃɪldrən] *npl* Schulkinder *pl*, Schüler *pl*.
schooldays ['skuːldeɪz] *npl* Schulzeit *f*.
schooled [skuːld] *adj* geschult; **to be ~ in sth** über etw *acc* gut Bescheid wissen.
schoolgirl ['skuːlgəːl] *n* Schulmädchen *nt*, Schülerin *f*.
schooling ['skuːlɪŋ] *n* Schulbildung *f*.
school-leaver [skuːl'liːvə*] (*BRIT*) *n* Schulabgänger(in) *m(f)*.
schoolmaster ['skuːlmɑːstə*] *n* Lehrer *m*.
schoolmistress ['skuːlmɪstrɪs] *n* Lehrerin *f*.
school report (*BRIT*) *n* Zeugnis *nt*.
schoolroom ['skuːlruːm] *n* Klassenzimmer *nt*.
schoolteacher ['skuːltiːtʃə*] *n* Lehrer(in) *m(f)*.
schoolyard ['skuːljɑːd] *n* Schulhof *m*.
schooner ['skuːnə*] *n* (*ship*) Schoner *m*; (*BRIT: for sherry*) großes Sherryglas *nt*; (*US etc: for beer*) großes Bierglas *nt*.
sciatica [saɪ'ætɪkə] *n* Ischias *m or nt*.
science ['saɪəns] *n* Naturwissenschaft *f*; (*branch of knowledge*) Wissenschaft *f*; **the ~s** Naturwissenschaften *pl*.
science fiction *n* Science-fiction *f*.
scientific [saɪən'tɪfɪk] *adj* wissenschaftlich.
scientist ['saɪəntɪst] *n* Wissenschaftler(in) *m(f)*.
sci-fi ['saɪfaɪ] (*inf*) *n abbr* (= *science fiction*) SF.
Scillies ['sɪlɪz] *npl* = **Scilly Isles**.
Scilly Isles ['sɪlɪ'aɪlz] *npl*: **the ~** die Scilly-Inseln *pl*.
scintillating ['sɪntɪleɪtɪŋ] *adj* (*fig: conversation*)

faszinierend; (*wit*) sprühend.
scissors ['sɪzəz] *npl* Schere *f*; **a pair of ~** eine Schere.
sclerosis [sklɪ'rəusɪs] *n* Sklerose *f*.
scoff [skɔf] *vt* (*BRIT: inf: eat*) futtern, verputzen ♦ *vi*: **to ~ (at)** (*mock*) spotten (über *+acc*), sich lustig machen (über *+acc*).
scold [skəuld] *vt* ausschimpfen.
scolding ['skəuldɪŋ] *n* Schelte *f*; **to get a ~** ausgeschimpft werden.
scone [skɔn] *n* *brötchenartiges Teegebäck*.
scoop [sku:p] *n* (*for flour etc*) Schaufel *f*; (*for ice cream etc*) Portionierer *m*; (*amount*) Kugel *f*; (*PRESS*) Knüller *m*.
►**scoop out** *vt* aushöhlen.
►**scoop up** *vt* aufschaufeln; (*liquid*) aufschöpfen.
scooter ['sku:tə*] *n* (*also*: **motor ~**) Motorroller *m*; (*toy*) (Tret)roller *m*.
scope [skəup] *n* (*opportunity*) Möglichkeiten *pl*; (*range*) Ausmaß *nt*, Umfang *m*; (*freedom*) Freiheit *f*; **within the ~ of** im Rahmen *+gen*; **there is plenty of ~ for improvement** (*BRIT*) es könnte noch viel verbessert werden.
scorch [skɔ:tʃ] *vt* versengen; (*earth, grass*) verbrennen.
scorched earth policy *n* (*MIL*) Politik *f* der verbrannten Erde.
scorcher ['skɔ:tʃə*] (*inf*) *n* heißer Tag *m*.
scorching ['skɔ:tʃɪŋ] *adj* (*day, weather*) brütend heiß.
score [skɔ:*] *n* (*number of points*) (Punkte)stand *m*; (*of game*) Spielstand *m*; (*MUS*) Partitur *f*; (*twenty*) zwanzig ♦ *vt* (*goal*) schießen; (*point, success*) erzielen; (*mark*) einkerben; (*cut*) einritzen ♦ *vi* (*in game*) einen Punkt/Punkte erzielen; (*FOOTBALL etc*) ein Tor schießen; (*keep score*) (Punkte) zählen; **to settle an old ~ with sb** (*fig*) eine alte Rechnung mit jdm begleichen; **what's the ~?** (*SPORT*) wie steht's?; **~s of** Hunderte von; **on that ~** in dieser Hinsicht; **to ~ well** gut abschneiden; **to ~ 6 out of 10** 6 von 10 Punkten erzielen; **to ~ (a point) over sb** (*fig*) jdn ausstechen.
►**score out** *vt* ausstreichen.
scoreboard ['skɔ:bɔ:d] *n* Anzeigetafel *f*.
scorecard ['skɔ:kɑ:d] *n* (*SPORT*) Spielprotokoll *nt*.
score line *n* (*SPORT*) Spielstand *m*; (: *final score*) Endergebnis *nt*.
scorer ['skɔ:rə*] *n* (*FOOTBALL etc*) Torschütze *m*, Torschützin *f*; (*person keeping score*) Anschreiber(in) *m(f)*.
scorn [skɔ:n] *n* Verachtung *f* ♦ *vt* verachten; (*reject*) verschmähen.
scornful ['skɔ:nful] *adj* verächtlich, höhnisch.
Scorpio ['skɔ:pɪəu] *n* Skorpion *m*; **to be ~** Skorpion sein.
scorpion ['skɔ:pɪən] *n* Skorpion *m*.
Scot [skɔt] *n* Schotte *m*, Schottin *f*.
Scotch [skɔtʃ] *n* Scotch *m*.
scotch [skɔtʃ] *vt* (*rumour*) aus der Welt schaffen; (*plan, idea*) unterbinden.
Scotch tape ® *n* ≈ Tesafilm ® *m*.
scot-free ['skɔt'fri:] *adv*: **to get off ~** ungeschoren davonkommen.
Scotland ['skɔtlənd] *n* Schottland *nt*.
Scots [skɔts] *adj* schottisch.
Scotsman ['skɔtsmən] (*irreg: like* **man**) *n* Schotte *m*.
Scotswoman ['skɔtswumən] (*irreg: like* **woman**) *n* Schottin *f*.
Scottish ['skɔtɪʃ] *adj* schottisch.
Scottish National Party *n* *Partei, die für die Unabhängigkeit Schottlands eintritt*.
scoundrel ['skaundrl] *n* Schurke *m*.
scour ['skauə*] *vt* (*search*) absuchen; (*clean*) scheuern.
scourer ['skauərə*] *n* Topfkratzer *m*.
scourge [skə:dʒ] *n* (*lit, fig*) Geißel *f*.
scout [skaut] *n* (*MIL*) Kundschafter *m*, Späher *m*; (*also*: **boy ~**) Pfadfinder *m*; **girl ~** (*US*) Pfadfinderin *f*.
►**scout around** *vi* sich umsehen.
scowl [skaul] *vi* ein böses Gesicht machen ♦ *n* böses Gesicht *nt*; **to ~ at sb** jdn böse ansehen.
scrabble ['skræbl] *vi* (*also*: **~ around**) herumtasten ♦ *n*: **S~** ® Scrabble ® *nt*; **to ~ at sth** nach etw krallen; **to ~ about** *or* **around for sth** nach etw herumsuchen.
scraggy ['skrægɪ] *adj* (*animal*) mager; (*body, neck etc*) dürr.
scram [skræm] (*inf*) *vi* abhauen, verschwinden.
scramble ['skræmbl] *n* (*climb*) Kletterpartie *f*; (*rush*) Hetze *f*; (*struggle*) Gerangel *nt* ♦ *vi*: **to ~ up/over** klettern auf/über *+acc*; **to ~ for** sich drängeln um; **to go scrambling** (*SPORT*) Querfeldeinrennen fahren.
scrambled eggs ['skræmbld-] *n* Rührei *nt*.
scrap [skræp] *n* (*bit*) Stückchen *nt*; (*fig: of truth, evidence*) Spur *f*; (*fight*) Balgerei *f*; (*also*: **~ metal**) Altmetall *nt*, Schrott *m* ♦ *vt* (*machines etc*) verschrotten; (*fig: plans etc*) fallenlassen ♦ *vi* (*fight*) sich balgen; **scraps** *npl* (*leftovers*) Reste *pl*; **to sell sth for ~** etw als Schrott *or* zum Verschrotten verkaufen.
scrapbook ['skræpbuk] *n* Sammelalbum *nt*.
scrap dealer *n* Schrotthändler(in) *m(f)*.
scrape [skreɪp] *vt* abkratzen; (*hand etc*) abschürfen; (*car*) verschrammen ♦ *n*: **to get into a ~** (*difficult situation*) in Schwulitäten *pl* kommen (*inf*).
►**scrape through** *vt* (*exam etc*) durchrutschen durch (*inf*).
►**scrape together** *vt* (*money*) zusammenkratzen.
scraper ['skreɪpə*] *n* Kratzer *m*.
scrap heap *n*: **to be on the ~** (*fig*) zum alten Eisen gehören.
scrap merchant (*BRIT*) *n* Schrotthändler(in) *m(f)*.

scrap metal *n* Altmetall *nt*, Schrott *m*.
scrap paper *n* Schmierpapier *nt*.
scrappy ['skræpɪ] *adj* zusammengestoppelt (*inf*).
scrap yard *n* Schrottplatz *m*.
scratch [skrætʃ] *n* Kratzer *m* ♦ *vt* kratzen; (*one's nose etc*) sich kratzen an *+dat*; (*paint, car, record*) verkratzen; (*COMPUT*) löschen ♦ *vi* sich kratzen ♦ *cpd* (*team, side*) zusammengewürfelt; **to start from ~** ganz von vorne anfangen; **to be up to ~** den Anforderungen entsprechen; **to ~ the surface** (*fig*) an der Oberfläche bleiben.
scratch pad (*US*) *n* Notizblock *m*.
scrawl [skrɔːl] *n* Gekritzel *nt*; (*handwriting*) Klaue *f* (*inf*) ♦ *vt* hinkritzeln.
scrawny ['skrɔːnɪ] *adj* dürr.
scream [skriːm] *n* Schrei *m* ♦ *vi* schreien; **to be a ~** (*inf*) zum Schreien sein; **to ~ at sb (to do sth)** jdn anschreien(, etw zu tun).
scree [skriː] *n* Geröll *nt*.
screech [skriːtʃ] *vi* kreischen; (*tyres, brakes*) quietschen ♦ *n* Kreischen *nt*; (*of tyres, brakes*) Quietschen *nt*.
screen [skriːn] *n* (*CINE*) Leinwand *f*; (*TV, COMPUT*) Bildschirm *m*; (*movable barrier*) Wandschirm *m*; (*fig: cover*) Tarnung *f*; (*also*: **windscreen**) Windschutzscheibe *f* ♦ *vt* (*protect*) abschirmen; (*from the wind etc*) schützen; (*conceal*) verdecken; (*film*) zeigen, vorführen; (*programme*) senden; (*candidates etc*) überprüfen; (*for illness*): **to ~ sb for sth** jdn auf etw *acc* (hin) untersuchen.
screen editing *n* (*COMPUT*) Bildschirmaufbereitung *f*.
screening ['skriːnɪŋ] *n* (*MED*) Untersuchung *f*; (*of film*) Vorführung *f*; (*TV*) Sendung *f*; (*for security*) Überprüfung *f*.
screen memory *n* (*COMPUT*) Bildschirmspeicher *m*.
screenplay ['skriːnpleɪ] *n* Drehbuch *nt*.
screen test *n* Probeaufnahmen *pl*.
screw [skruː] *n* Schraube *f* ♦ *vt* schrauben; (*inf!*) bumsen (*!*); **to ~ sth in** etw einschrauben; **to ~ sth to the wall** etw an der Wand festschrauben; **to have one's head ~ed on** (*fig*) ein vernünftiger Mensch sein.
▸**screw up** *vt* (*paper etc*) zusammenknüllen; (*inf: ruin*) vermasseln; **to ~ up one's eyes** die Augen zusammenkneifen.
screwdriver ['skruːdraɪvə*] *n* Schraubenzieher *m*.
screwed-up ['skruːd'ʌp] (*inf*) *adj*: **to be/get ~ about sth** sich wegen etw ganz verrückt machen.
screwy ['skruːɪ] (*inf*) *adj* verrückt.
scribble ['skrɪbl] *n* Gekritzel *nt* ♦ *vt, vi* kritzeln; **to ~ sth down** etw hinkritzeln.
scribe [skraɪb] *n* Schreiber *m*.
script [skrɪpt] *n* (*CINE*) Drehbuch *nt*; (*of speech, play etc*) Text *m*; (*alphabet*) Schrift *f*; (*in exam*) schriftliche Arbeit *f*.
scripted ['skrɪptɪd] *adj* (*speech etc*) vorbereitet.
scripture(s) ['skrɪptʃə(z)] *n(pl)* (heilige) Schrift *f*; **the S~(s)** (*the Bible*) die Heilige Schrift *f*.
scriptwriter ['skrɪptraɪtə*] *n* (*RADIO, TV*) Autor(in) *m(f)*; (*CINE*) Drehbuchautor(in) *m(f)*.
scroll [skrəul] *n* Schriftrolle *f* ♦ *vt* (*COMPUT*) scrollen.
scrotum ['skrəutəm] *n* Hodensack *m*.
scrounge [skraundʒ] (*inf*) *vt*: **to ~ sth off sb** etw bei jdm schnorren ♦ *vi* schnorren ♦ *n*: **on the ~** am Schnorren.
scrounger ['skraundʒə*] (*inf*) *n* Schnorrer(in) *m(f)*.
scrub [skrʌb] *n* Gestrüpp *nt* ♦ *vt* (*floor etc*) schrubben; (*inf: idea, plan*) fallenlassen.
scrubbing brush ['skrʌbɪŋ-] *n* Scheuerbürste *f*.
scruff [skrʌf] *n*: **by the ~ of the neck** am Genick.
scruffy ['skrʌfɪ] *adj* gammelig, verwahrlost.
scrum(mage) ['skrʌm(ɪdʒ)] *n* (*RUGBY*) Gedränge *nt*.
scruple ['skruːpl] *n* (*gen pl*) Skrupel *m*, Bedenken *nt*; **to have no ~s about doing sth** keine Skrupel *or* Bedenken haben, etw zu tun.
scrupulous ['skruːpjuləs] *adj* gewissenhaft; (*honesty*) unbedingt.
scrupulously ['skruːpjuləslɪ] *adv* gewissenhaft; (*honest, fair*) äußerst; (*clean*) peinlich.
scrutinize ['skruːtɪnaɪz] *vt* prüfend ansehen; (*data, records etc*) genau prüfen *or* untersuchen.
scrutiny ['skruːtɪnɪ] *n* genaue Untersuchung *f*; **under the ~ of sb** unter jds prüfendem Blick.
scuba ['skuːbə] *n* (Schwimm)tauchgerät *nt*.
scuba diving *n* Sporttauchen *nt*.
scuff [skʌf] *vt* (*shoes, floor*) abwetzen.
scuffle ['skʌfl] *n* Handgemenge *nt*.
scull [skʌl] *n* Skull *nt*.
scullery ['skʌlərɪ] *n* (*old*) Spülküche *f*.
sculptor ['skʌlptə*] *n* Bildhauer(in) *m(f)*.
sculpture ['skʌlptʃə*] *n* (*art*) Bildhauerei *f*; (*object*) Skulptur *f*.
scum [skʌm] *n* (*on liquid*) Schmutzschicht *f*; (*pej*) Abschaum *m*.
scupper ['skʌpə*] (*BRIT: inf*) *vt* (*plan, idea*) zerschlagen.
scurrilous ['skʌrɪləs] *adj* verleumderisch.
scurry ['skʌrɪ] *vi* huschen.
▸**scurry off** *vi* forthasten.
scurvy ['skəːvɪ] *n* Skorbut *m*.
scuttle ['skʌtl] *n* (*also*: **coal ~**) Kohleneimer *m* ♦ *vt* (*ship*) versenken ♦ *vi*: **to ~ away** *or* **off** verschwinden.
scythe [saɪð] *n* Sense *f*.

SD, S.Dak. (*US*) *abbr* (*POST:* = *South Dakota*).
SDI (*US*) *n abbr* (*MIL:* = *Strategic Defense Initiative*) SDI *f*.
SDLP (*BRIT*) *n abbr* (*POL:* = *Social Democratic and Labour Party*) *sozialdemokratische Partei in Nordirland.*
SDP (*BRIT*) *n abbr* (*POL: formerly:* = *Social Democratic Party*) *sozialdemokratische Partei.*
SE *abbr* (= *south-east*) SO.
sea [siː] *n* Meer *nt*, See *f*; (*fig*) Meer *nt* ♦ *cpd* See-; **by** ~ (*travel*) mit dem Schiff; **beside** *or* **by the** ~ (*holiday*) am Meer, an der See; (*village*) am Meer; **on the** ~ (*boat*) auf See; **at** ~ auf See; **to be all at** ~ (*fig*) nicht durchblicken (*inf*); **out to** ~ aufs Meer (hinaus); **to look out to** ~ aufs Meer hinausblicken; **heavy/rough** ~**(s)** schwere/rauhe See *f*.
sea anemone *n* Seeanemone *f*.
sea bed *n* Meeresboden *m*.
seaboard ['siːbɔːd] *n* Küste *f*.
seafarer ['siːfɛərə*] *n* Seefahrer *m*.
seafaring ['siːfɛərɪŋ] *adj* (*life, nation*) Seefahrer-.
seafood ['siːfuːd] *n* Meeresfrüchte *pl*.
seafront ['siːfrʌnt] *n* Strandpromenade *f*.
seagoing ['siːgəuɪŋ] *adj* hochseetüchtig.
seagull ['siːgʌl] *n* Möwe *f*.
seal [siːl] *n* (*animal*) Seehund *m*; (*official stamp*) Siegel *nt*; (*in machine etc*) Dichtung *f*; (*on bottle etc*) Verschluß *m* ♦ *vt* (*envelope*) zukleben; (*crack, opening*) abdichten; (*with seal*) versiegeln; (*agreement, sb's fate*) besiegeln; **to give sth one's** ~ **of approval** einer Sache *dat* seine offizielle Zustimmung geben.
▸**seal off** *vt* (*place*) abriegeln.
sea level *n* Meeresspiegel *m*; **2,000 ft above/below** ~ 2000 Fuß über/unter dem Meeresspiegel.
sealing wax ['siːlɪŋ-] *n* Siegelwachs *nt*.
sea lion *n* Seelöwe *m*.
sealskin ['siːlskɪn] *n* Seehundfell *nt*.
seam [siːm] *n* Naht *f*; (*lit, fig: where edges join*) Übergang *m*; (*of coal etc*) Flöz *nt*; **the hall was bursting at the** ~**s** der Saal platzte aus allen Nähten.
seaman ['siːmən] (*irreg: like* **man**) *n* Seemann *m*.
seamanship ['siːmənʃɪp] *n* Seemannschaft *f*.
seamless ['siːmlɪs] *adj* (*lit, fig*) nahtlos.
seamy ['siːmɪ] *adj* zwielichtig; **the** ~ **side of life** die Schattenseite des Lebens.
séance ['seɪɔns] *n* spiritistische Sitzung *f*.
seaplane ['siːpleɪn] *n* Wasserflugzeug *nt*.
seaport ['siːpɔːt] *n* Seehafen *m*.
search [səːtʃ] *n* Suche *f*; (*inspection*) Durchsuchung *f*; (*COMPUT*) Suchlauf *m* ♦ *vt* durchsuchen; (*mind, memory*) durchforschen ♦ *vi*: **to** ~ **for** suchen nach; **"~ and replace"** (*COMPUT*) „suchen und ersetzen"; **in** ~ **of** auf der Suche nach.
▸**search through** *vt fus* durchsuchen.
searcher ['səːtʃə*] *n* Suchende(r) *f(m)*.
searching ['səːtʃɪŋ] *adj* (*question*) bohrend; (*look*) prüfend; (*examination*) eingehend.
searchlight ['səːtʃlaɪt] *n* Suchscheinwerfer *m*.
search party *n* Suchtrupp *m*; **to send out a** ~ einen Suchtrupp ausschicken.
search warrant *n* Durchsuchungsbefehl *m*.
searing ['sɪərɪŋ] *adj* (*heat*) glühend; (*pain*) scharf.
seashore ['siːʃɔː*] *n* Strand *m*; **on the** ~ am Strand.
seasick ['siːsɪk] *adj* seekrank.
seasickness ['siːsɪknɪs] *n* Seekrankheit *f*.
seaside ['siːsaɪd] *n* Meer *nt*, See *f*; **to go to the** ~ ans Meer *or* an die See fahren; **at the** ~ am Meer, an der See.
seaside resort *n* Badeort *m*.
season ['siːzn] *n* Jahreszeit *f*; (*AGR*) Zeit *f*; (*SPORT, of films etc*) Saison *f*; (*THEAT*) Spielzeit *f* ♦ *vt* (*food*) würzen; **strawberries are in** ~**/out of** ~ für Erdbeeren ist jetzt die richtige Zeit/nicht die richtige Zeit; **the busy** ~ die Hochsaison *f*; **the open** ~ (*HUNTING*) die Jagdzeit *f*.
seasonal ['siːznl] *adj* (*work*) Saison-.
seasoned ['siːznd] *adj* (*fig: traveller*) erfahren; (*wood*) abgelagert; **she's a** ~ **campaigner** sie ist eine alte Kämpferin.
seasoning ['siːznɪŋ] *n* Gewürz *nt*.
season ticket *n* (*RAIL*) Zeitkarte *f*; (*SPORT*) Dauerkarte *f*; (*THEAT*) Abonnement *nt*.
seat [siːt] *n* (*chair, of government, POL*) Sitz *m*; (*place*) Platz *m*; (*buttocks*) Gesäß *nt*; (*of trousers*) Hosenboden *m*; (*of learning*) Stätte *f* ♦ *vt* setzen; (*have room for*) Sitzplätze bieten für; **are there any** ~**s left?** sind noch Plätze frei?; **to take one's** ~ sich setzen; **please be** ~**ed** bitte nehmen Sie Platz; **to be** ~**ed** sitzen.
seat belt *n* Sicherheitsgurt *m*.
seating arrangements ['siːtɪŋ-] *npl* Sitzordnung *f*.
seating capacity *n* Sitzplätze *pl*.
SEATO ['siːtəu] *n abbr* (= *Southeast Asia Treaty Organization*) SEATO *f*.
sea urchin *n* Seeigel *m*.
sea water *n* Meerwasser *nt*.
seaweed ['siːwiːd] *n* Seetang *m*.
seaworthy ['siːwəːðɪ] *adj* seetüchtig.
SEC (*US*) *n abbr* (= *Securities and Exchange Commission*) *amerikanische Börsenaufsichtsbehörde*.
sec. *abbr* (= *second*) Sek.
secateurs [sɛkə'təːz] *npl* Gartenschere *f*.
secede [sɪ'siːd] *vi* (*POL*): **to** ~ **(from)** sich abspalten (von).
secluded [sɪ'kluːdɪd] *adj* (*place*) abgelegen; (*life*) zurückgezogen.
seclusion [sɪ'kluːʒən] *n* Abgeschiedenheit *f*; **in** ~ zurückgezogen.
second[1] [sɪ'kɔnd] (*BRIT*) *vt* (*employee*)

abordnen.

second[2] ['sɛkənd] *adj* zweite(r, s) ♦ *adv* (*come, be placed*) zweite(r, s); (*when listing*) zweitens ♦ *n* (*time*) Sekunde *f*; (*AUT: also:* ~ **gear**) der zweite Gang; (*COMM: imperfect*) zweite Wahl *f* ♦ *vt* (*motion*) unterstützen; **upper/lower** ~ (*BRIT: UNIV*) ≈ Zwei plus/minus; **Charles the S**~ Karl der Zweite; **just a** ~! einen Augenblick!; ~ **floor** (*BRIT*) zweiter Stock *m*; (*US*) erster Stock *m*; **to ask for a** ~ **opinion** ein zweites Gutachten einholen.

secondary ['sɛkəndərı] *adj* weniger wichtig.

secondary education *n* höhere Schulbildung *f*.

secondary picketing *n* *Aufstellung von Streikposten bei nur indirekt beteiligten Firmen.*

secondary school *n* höhere Schule *f*.

> **Secondary school** *ist in Großbritannien eine weiterführende Schule für Kinder von 11 bis 18 Jahren. Manche Schüler gehen schon mit 16 Jahren, wenn die allgemeine Schulpflicht endet, von der Schule ab. Die meisten secondary schools sind heute Gesamtschulen, obwohl es auch noch selektive Schulen gibt. Siehe auch* **comprehensive school, primary school**.

second-best [sɛkənd'bɛst] *adj* zweitbeste(r, s) ♦ *n*: **as a** ~ als Ausweichlösung; **don't settle for** ~ gib dich nur mit dem Besten zufrieden.

second-class ['sɛkənd'klɑːs] *adj* zweitklassig; (*citizen*) zweiter Klasse; (*RAIL, POST*) Zweite-Klasse- ♦ *adv* (*RAIL, POST*) zweiter Klasse; **to send sth** ~ etw zweiter Klasse schicken; **to travel** ~ zweiter Klasse reisen.

second cousin *n* Cousin *m*/Cousine *f* zweiten Grades.

seconder ['sɛkəndə*] *n* Befürworter(in) *m(f)*.

second-guess ['sɛkənd'ges] *vt* vorhersagen; **to** ~ **sb** vorhersagen, was jd machen wird.

secondhand ['sɛkənd'hænd] *adj* gebraucht; (*clothing*) getragen ♦ *adv* (*buy*) gebraucht; **to hear sth** ~ etw aus zweiter Hand haben; ~ **car** Gebrauchtwagen *m*.

second hand *n* (*on clock*) Sekundenzeiger *m*.

second-in-command ['sɛkəndınkə'mɑːnd] *n* (*MIL*) stellvertretender Kommandeur *m*; (*ADMIN*) stellvertretender Leiter *m*.

secondly ['sɛkəndlı] *adv* zweitens.

secondment [sı'kɔndmənt] (*BRIT*) *n* Abordnung *f*; **to be on** ~ abgeordnet sein.

second-rate ['sɛkənd'reıt] *adj* zweitklassig.

second thoughts *npl*: **on** ~ *or* (*US*) **thought** wenn ich es mir (recht) überlege; **to have** ~ **(about doing sth)** es sich *dat* anders überlegen (und etw doch nicht tun).

Second World War *n*: **the** ~ der Zweite Weltkrieg.

secrecy ['siːkrəsı] *n* Geheimhaltung *f*; (*of person*) Verschwiegenheit *f*; **in** ~ heimlich.

secret ['siːkrıt] *adj* geheim; (*admirer*) heimlich ♦ *n* Geheimnis *nt*; **in** ~ heimlich; ~ **passage** Geheimgang *m*; **to keep sth** ~ **from sb** etw vor jdm geheimhalten; **can you keep a** ~? kannst du schweigen?; **to make no** ~ **of sth** kein Geheimnis *or* keinen Hehl aus etw machen.

secret agent *n* Geheimagent(in) *m(f)*.

secretarial [sɛkrı'tɛərıəl] *adj* (*work*) Büro-; (*course*) Sekretärinnen-; (*staff*) Sekretariats-.

secretariat [sɛkrı'tɛərıət] *n* (*POL, ADMIN*) Sekretariat *nt*.

secretary ['sɛkrətərı] *n* (*COMM*) Sekretär(in) *m(f)*; (*of club*) Schriftführer(in) *m(f)*; **S~ of State (for)** (*BRIT: POL*) Minister(in) *m(f)* (für); **S~ of State** (*US: POL*) Außenminister(in) *m(f)*.

secretary-general ['sɛkrətərı'dʒɛnərl] (*pl* **secretaries-general**) *n* Generalsekretär(in) *m(f)*.

secrete [sı'kriːt] *vt* (*ANAT, BIOL, MED*) absondern; (*hide*) verbergen.

secretion [sı'kriːʃən] *n* (*substance*) Sekret *nt*.

secretive ['siːkrətıv] *adj* verschlossen; (*pej*) geheimnistuerisch.

secretly ['siːkrıtlı] *adv* heimlich; (*hope*) insgeheim.

secret police *n* Geheimpolizei *f*.

secret service *n* Geheimdienst *m*.

sect [sɛkt] *n* Sekte *f*.

sectarian [sɛk'tɛərıən] *adj* (*killing etc*) konfessionell motiviert; ~ **violence** gewalttätige Konfessionsstreitigkeiten *pl*.

section ['sɛkʃən] *n* (*part*) Teil *m*; (*department*) Abteilung *f*; (*of document*) Absatz *m*; (*cross-section*) Schnitt *m* ♦ *vt* (*divide*) teilen; **the business/sport** ~ (*PRESS*) der Wirtschafts-/Sportteil.

sectional ['sɛkʃənl] *adj*: ~ **drawing** Darstellung *f* im Schnitt.

sector ['sɛktə*] *n* Sektor *m*.

secular ['sɛkjulə*] *adj* weltlich.

secure [sı'kjuə*] *adj* sicher; (*firmly fixed*) fest ♦ *vt* (*fix*) festmachen; (*votes etc*) erhalten; (*contract etc*) (sich *dat*) sichern; (*COMM: loan*) (ab)sichern; **to make sth** ~ etw sichern; **to** ~ **sth for sb** jdm etw sichern.

secured creditor [sı'kjuəd-] *n* (*COMM*) abgesicherter Gläubiger *m*.

securely [sı'kjuəlı] *adv* (*firmly*) fest; (*safely*) sicher.

security [sı'kjuərıtı] *n* Sicherheit *f*; (*freedom from anxiety*) Geborgenheit *f*; **securities** *npl* (*STOCK EXCHANGE*) Effekten *pl*, Wertpapiere *pl*; **to increase/tighten** ~ die Sicherheitsvorkehrungen verschärfen; ~ **of tenure** Kündigungsschutz *m*.

Security Council *n* Sicherheitsrat *m*.

security forces *npl* Sicherheitskräfte *pl*.

security guard *n* Sicherheitsbeamte(r) *m*; (*transporting money*) Wachmann *m*.
security risk *n* Sicherheitsrisiko *nt*.
secy. *abbr* = **secretary**.
sedan [sə'dæn] (*US*) *n* (*AUT*) Limousine *f*.
sedate [sɪ'deɪt] *adj* (*person*) ruhig, gesetzt; (*life*) geruhsam; (*pace*) gemächlich ♦ *vt* (*MED*) Beruhigungsmittel geben *+dat*.
sedation [sɪ'deɪʃən] *n* (*MED*) Beruhigungsmittel *pl*; **to be under ~** unter dem Einfluß von Beruhigungsmitteln stehen.
sedative ['sɛdɪtɪv] *n* (*MED*) Beruhigungsmittel *nt*.
sedentary ['sɛdntrɪ] *adj* (*occupation, work*) sitzend.
sediment ['sɛdɪmənt] *n* (*in bottle*) (Boden)satz *m*; (*in lake etc*) Ablagerung *f*.
sedimentary [sɛdɪ'mɛntərɪ] *adj* (*GEOG*) sedimentär; **~ rock** Sedimentgestein *nt*.
sedition [sɪ'dɪʃən] *n* Aufwiegelung *f*.
seduce [sɪ'dju:s] *vt* verführen; **to ~ sb into doing sth** jdn dazu verleiten, etw zu tun.
seduction [sɪ'dʌkʃən] *n* (*attraction*) Verlockung *f*; (*act of seducing*) Verführung *f*.
seductive [sɪ'dʌktɪv] *adj* verführerisch; (*fig: offer*) verlockend.
see [si:] (*pt* **saw**, *pp* **seen**) *vt* sehen; (*look at*) sich *dat* ansehen; (*understand*) verstehen, (ein)sehen; (*doctor etc*) aufsuchen ♦ *vi* sehen ♦ *n* (*REL*) Bistum *nt*; **to ~ that** (*ensure*) dafür sorgen, daß; **to ~ sb to the door** jdn zur Tür bringen; **there was nobody to be ~n** es war niemand zu sehen; **to go and ~ sb** jdn besuchen (gehen); **to ~ a doctor** zum Arzt gehen; **~ you!** tschüs! (*inf*); **~ you soon!** bis bald!; **let me ~** (*show me*) laß mich mal sehen; (*let me think*) laß mich mal überlegen; **I ~** ich verstehe, aha; (*annoyed*) ach so; **you ~** weißt du, siehst du; **~ for yourself** überzeug dich doch selbst; **I don't know what she ~s in him** ich weiß nicht, was sie an ihm findet; **as far as I can ~** so wie ich das sehe.
▸**see about** *vt fus* sich kümmern um *+acc*.
▸**see off** *vt* verabschieden.
▸**see through** *vt fus* durchschauen ♦ *vt*: **to ~ sb through sth** jdm in etw *dat* beistehen; **to ~ sth through to the end** etw zu Ende bringen; **this should ~ you through** das müßte dir reichen.
▸**see to** *vt fus* sich kümmern um *+acc*.
seed [si:d] *n* Samen *m*; (*of fruit*) Kern *m*; (*fig: usu pl*) Keim *m*; (*TENNIS*) gesetzter Spieler *m*, gesetzte Spielerin *f*; **to go to ~** (*plant*) Samen bilden; (*lettuce etc*) schießen; (*fig: person*) herunterkommen.
seedless ['si:dlɪs] *adj* kernlos.
seedling ['si:dlɪŋ] *n* (*BOT*) Sämling *m*.
seedy ['si:dɪ] *adj* (*person, place*) zwielichtig, zweifelhaft.
seeing ['si:ɪŋ] *conj*: **~ as** *or* **that** da.
seek [si:k] (*pt, pp* **sought**) *vt* suchen; **to ~ advice from sb** jdn um Rat fragen; **to ~ help from sb** jdn um Hilfe bitten.
▸**seek out** *vt* ausfindig machen.
seem [si:m] *vi* scheinen; **there ~s to be a mistake** da scheint ein Fehler zu sein; **it ~s (that)** es scheint(, daß); **it ~s to me that ...** mir scheint, daß ...; **what ~s to be the trouble?** worum geht es denn?; (*doctor*) was fehlt Ihnen denn?
seemingly ['si:mɪŋlɪ] *adv* anscheinend.
seemly ['si:mlɪ] *adj* schicklich.
seen [si:n] *pp of* **see**.
seep [si:p] *vi* sickern.
seersucker ['sɪəsʌkə*] *n* Krepp *m*, Seersucker *m*.
seesaw ['si:sɔ:] *n* Wippe *f*.
seethe [si:ð] *vi*: **to ~ with** (*place*) wimmeln von; **to ~ with anger** vor Wut kochen.
see-through ['si:θru:] *adj* durchsichtig.
segment ['sɛgmənt] *n* Teil *m*; (*of orange*) Stück *nt*.
segregate ['sɛgrɪgeɪt] *vt* trennen, absondern.
segregation [sɛgrɪ'geɪʃən] *n* Trennung *f*.
Seine [seɪn] *n*: **the ~** die Seine *f*.
seismic shock *n* Erdstoß *m*.
seize [si:z] *vt* packen, ergreifen; (*fig: opportunity*) ergreifen; (*power, control*) an sich *acc* reißen; (*territory, airfield*) besetzen; (*hostage*) nehmen; (*LAW*) beschlagnahmen.
▸**seize up** *vi* (*engine*) sich festfressen.
▸**seize (up)on** *vt fus* sich stürzen auf *+acc*.
seizure ['si:ʒə*] *n* (*MED*) Anfall *m*; (*of power*) Ergreifung *f*; (*LAW*) Beschlagnahmung *f*.
seldom ['sɛldəm] *adv* selten.
select [sɪ'lɛkt] *adj* exklusiv ♦ *vt* (aus)wählen; (*SPORT*) aufstellen; **a ~ few** wenige Auserwählte.
selection [sɪ'lɛkʃən] *n* (*being chosen*) Wahl *f*; (*range*) Auswahl *f*.
selection committee *n* Auswahlkomitee *nt*.
selective [sɪ'lɛktɪv] *adj* wählerisch; (*not general*) selektiv.
selector [sɪ'lɛktə*] *n* (*SPORT*) Mannschaftsaufsteller(in) *m(f)*; (*TECH*) Wählschalter *m*; (*: button*) Taste *f*.
self [sɛlf] (*pl* **selves**) *n* Selbst *nt*, Ich *nt*; **she was her normal ~ again** sie war wieder ganz die alte.
self... [sɛlf] *pref* selbst-, Selbst-.
self-addressed ['sɛlfə'drɛst] *adj*: **~ envelope** addressierter Rückumschlag *m*.
self-adhesive [sɛlfəd'hi:zɪv] *adj* selbstklebend.
self-appointed [sɛlfə'pɔɪntɪd] *adj* selbsternannt.
self-assertive [sɛlfə'sə:tɪv] *adj* selbstbewußt.
self-assurance [sɛlfə'ʃuərəns] *n* Selbstsicherheit *f*.
self-assured [sɛlfə'ʃuəd] *adj* selbstsicher.
self-catering [sɛlf'keɪtərɪŋ] (*BRIT*) *adj* (*holiday, flat*) für Selbstversorger.
self-centred, (*US*) **self-centered** [sɛlf'sɛntəd]

adj egozentrisch, ichbezogen.
self-cleaning [sɛlf'kliːnɪŋ] *adj* selbstreinigend.
self-confessed [sɛlfkən'fɛst] *adj* erklärt.
self-confidence [sɛlf'kɔnfɪdns] *n* Selbstbewußtsein *nt*, Selbstvertrauen *nt*.
self-confident [sɛlf'kɔnfɪdənt] *adj* selbstbewußt, selbstsicher.
self-conscious [sɛlf'kɔnʃəs] *adj* befangen, gehemmt.
self-contained [sɛlfkən'teɪnd] (*BRIT*) *adj* (*flat*) abgeschlossen; (*person*) selbständig.
self-control [sɛlfkən'trəul] *n* Selbstbeherrschung *f*.
self-defeating [sɛlfdɪ'fiːtɪŋ] *adj* unsinnig.
self-defence, (*US*) **self-defense** [sɛlfdɪ'fɛns] *n* Selbstverteidigung *f*; (*LAW*) Notwehr *f*; **in ~** zu seiner/ihrer *etc* Verteidigung; (*LAW*) in Notwehr.
self-discipline [sɛlf'dɪsɪplɪn] *n* Selbstdisziplin *f*.
self-employed [sɛlfɪm'plɔɪd] *adj* selbständig.
self-esteem [sɛlfɪs'tiːm] *n* Selbstachtung *f*.
self-evident [sɛlf'ɛvɪdnt] *adj* offensichtlich.
self-explanatory [sɛlfɪks'plænətrɪ] *adj* unmittelbar verständlich.
self-financing [sɛlffaɪ'nænsɪŋ] *adj* selbstfinanzierend.
self-governing [sɛlf'gʌvənɪŋ] *adj* selbstverwaltet.
self-help ['sɛlf'hɛlp] *n* Selbsthilfe *f*.
self-importance [sɛlfɪm'pɔːtns] *n* Aufgeblasenheit *f*.
self-indulgent [sɛlfɪn'dʌldʒənt] *adj* genießerisch; **to be ~** sich verwöhnen.
self-inflicted [sɛlfɪn'flɪktɪd] *adj* selbst zugefügt.
self-interest [sɛlf'ɪntrɪst] *n* Eigennutz *m*.
selfish ['sɛlfɪʃ] *adj* egoistisch, selbstsüchtig.
selfishly ['sɛlfɪʃlɪ] *adv* egoistisch, selbstsüchtig.
selfishness ['sɛlfɪʃnɪs] *n* Egoismus *m*, Selbstsucht *f*.
selfless ['sɛlflɪs] *adj* selbstlos.
selflessly ['sɛlflɪslɪ] *adv* selbstlos.
selflessness ['sɛlflɪsnɪs] *n* Selbstlosigkeit *f*.
self-made ['sɛlfmeɪd] *adj*: **~ man** Selfmademan *m*.
self-pity [sɛlf'pɪtɪ] *n* Selbstmitleid *nt*.
self-portrait [sɛlf'pɔːtreɪt] *n* Selbstporträt *nt*, Selbstbildnis *nt*.
self-possessed [sɛlfpə'zɛst] *adj* selbstbeherrscht.
self-preservation ['sɛlfprɛzə'veɪʃən] *n* Selbsterhaltung *f*.
self-raising ['sɛlf'reɪzɪziŋ], (*US*) **self-rising** ['sɛlf'raɪzɪŋ] *adj*: **~- flour** *Mehl mit bereits beigemischtem Backpulver*.
self-reliant [sɛlfrɪ'laɪənt] *adj* selbständig.
self-respect [sɛlfrɪs'pɛkt] *n* Selbstachtung *f*.
self-respecting [sɛlfrɪs'pɛktɪŋ] *adj* mit Selbstachtung; (*genuine*) der/die/das etwas auf sich hält.
self-righteous [sɛlf'raɪtʃəs] *adj* selbstgerecht.
self-rising [sɛlf'raɪzɪŋ] (*US*) *adj* = **self-raising.**
self-sacrifice [sɛlf'sækrɪfaɪs] *n* Selbstaufopferung *f*.
self-same ['sɛlfseɪm] *adj*: **the ~** genau derselbe/dieselbe/dasselbe.
self-satisfied [sɛlf'sætɪsfaɪd] *adj* selbstzufrieden.
self-sealing [sɛlf'siːlɪŋ] *adj* selbstklebend.
self-service [sɛlf'səːvɪs] *adj* (*shop, restaurant etc*) Selbstbedienungs-.
self-styled ['sɛlfstaɪld] *adj* selbsternannt.
self-sufficient [sɛlfsə'fɪʃənt] *adj* (*country*) autark; (*person*) selbständig, unabhängig; **to be ~ in coal** seinen Kohlebedarf selbst decken können.
self-supporting [sɛlfsə'pɔːtɪŋ] *adj* (*business*) sich selbst tragend.
self-taught [sɛlf'tɔːt] *adj*: **to be ~** Autodidakt sein; **he is a ~ pianist** er hat sich das Klavierspielen selbst beigebracht.
self-test ['sɛlftɛst] *n* (*COMPUT*) Selbsttest *m*.
sell [sɛl] (*pt, pp* **sold**) *vt* verkaufen; (*shop: goods*) führen, haben (*inf*); (*fig: idea*) schmackhaft machen *+dat*, verkaufen (*inf*) ♦ *vi* sich verkaufen (lassen); **to ~ at** *or* **for 10 pounds** für 10 Pfund verkauft werden; **to ~ sb sth** jdm etw verkaufen; **to ~ o.s.** sich verkaufen.
►**sell off** *vt* verkaufen.
►**sell out** *vi*: **we/the tickets are sold out** wir/die Karten sind ausverkauft; **we have sold out of ...** wir haben kein ... mehr, ... ist ausverkauft.
►**sell up** *vi* sein Haus/seine Firma *etc* verkaufen.
sell-by date ['sɛlbaɪ-] *n* ≈ Haltbarkeitsdatum *nt*.
seller ['sɛlə*] *n* Verkäufer(in) *m(f)*; **~'s market** Verkäufermarkt *m*.
selling price ['sɛlɪŋ-] *n* Verkaufspreis *m*.
sellotape ® ['sɛləuteɪp] (*BRIT*) *n* Klebeband *nt*, ≈ Tesafilm ® *m*.
sellout ['sɛlaut] *n* (*inf: betrayal*) Verrat *m*; **the match was a ~** das Spiel war ausverkauft.
selves [sɛlvz] *pl of* **self.**
semantic [sɪ'mæntɪk] *adj* semantisch.
semantics [sɪ'mæntɪks] *n* (*LING*) Semantik *f*.
semaphore ['sɛməfɔː*] *n* Flaggenalphabet *nt*.
semblance ['sɛmblns] *n* Anschein *m*.
semen ['siːmən] *n* Samenflüssigkeit *f*, Sperma *nt*.
semester [sɪ'mɛstə*] (*esp US*) *n* Semester *nt*.
semi ['sɛmɪ] *n* = **semidetached (house).**
semi... ['sɛmɪ] *pref* halb-, Halb-.
semibreve ['sɛmɪbriːv] (*BRIT*) *n* (*MUS*) ganze Note *f*.
semicircle ['sɛmɪsəːkl] *n* Halbkreis *m*.
semicircular ['sɛmɪ'səːkjulə*] *adj* halbkreisförmig.
semicolon [sɛmɪ'kəulən] *n* Strichpunkt *m*, Semikolon *nt*.

semiconductor [sɛmɪkən'dʌktə*] *n* Halbleiter *m.*
semiconscious [sɛmɪ'kɔnʃəs] *adj* halb bewußtlos.
semidetached (house) (*BRIT*) *n* Doppelhaushälfte *f.*
semifinal [sɛmɪ'faɪnl] *n* Halbfinale *nt.*
seminar ['sɛmɪnɑː*] *n* Seminar *nt.*
seminary ['sɛmɪnərɪ] *n* (*REL*) Priesterseminar *nt.*
semi-precious stone *n* Halbedelstein *m.*
semiquaver ['sɛmɪkweɪvə*] (*BRIT*) *n* (*MUS*) Sechzehntelnote *f.*
semiskilled [sɛmɪ'skɪld] *adj* (*work*) Anlern-; (*worker*) angelernt.
semi-skimmed [sɛmɪ'skɪmd] *adj* (*milk*) teilentrahmt, Halbfett-.
semitone ['sɛmɪtəun] *n* (*MUS*) Halbton *m.*
semolina [sɛmə'liːnə] *n* Grieß *m.*
SEN (*BRIT*) *n abbr* (*formerly: = State Enrolled Nurse*) staatlich anerkannte Krankenschwester *f*, staatlich anerkannter Krankenpfleger *m.*
Sen., sen. *abbr* (*US*) = **senator;** (*in names: = senior*) sen.
senate ['sɛnɪt] *n* Senat *m.*

> **Senate** *ist das Oberhaus des amerikanischen Kongresses (das Unterhaus ist das* **House of Representatives**). *Der Senat besteht aus 100 Senatoren, 2 für jeden Bundesstaat, die für 6 Jahre gewählt werden, wobei ein Drittel alle zwei Jahre neu gewählt wird. Die Senatoren werden in direkter Wahl vom Volk gewählt. Siehe auch* **congress**.

senator ['sɛnɪtə*] *n* Senator(in) *m(f).*
send [sɛnd] (*pt, pp* **sent**) *vt* schicken; (*transmit*) senden; **to ~ sth by post** *or* (*US*) **mail** etw mit der Post schicken; **to ~ sb for sth** (*for check-up etc*) jdn zu etw schicken; **to ~ word that ...** Nachricht geben, daß ...; **she ~s (you) her love** sie läßt dich grüßen; **to ~ sb to Coventry** (*BRIT*) jdn schneiden (*inf*); **to ~ sb to sleep** jdn einschläfern; **to ~ sth flying** etw umwerfen.
▸**send away** *vt* wegschicken.
▸**send away for** *vt fus* (per Post) anfordern.
▸**send back** *vt* zurückschicken.
▸**send for** *vt fus* (per Post) anfordern; (*doctor, police*) rufen.
▸**send in** *vt* einsenden, einschicken.
▸**send off** *vt* abschicken; (*BRIT: player*) vom Platz weisen.
▸**send on** *vt* (*BRIT: letter*) nachsenden; (*luggage etc*) vorausschicken.
▸**send out** *vt* verschicken; (*light, heat*) abgeben; (*signal*) aussenden.
▸**send round** *vt* schicken; (*circulate*) zirkulieren lassen.
▸**send up** *vt* (*astronaut*) hochschießen; (*price, blood pressure*) hochtreiben; (*BRIT: parody*) verulken (*inf*).
sender ['sɛndə*] *n* Absender(in) *m(f).*
sending-off ['sɛndɪŋɔf] *n* (*SPORT*) Platzverweis *m.*
send-off ['sɛndɔf] *n*: **a good ~** eine große Verabschiedung.
send-up ['sɛndʌp] *n* Verulkung *f* (*inf*).
Senegal [sɛnɪ'gɔːl] *n* Senegal *nt.*
Senegalese [sɛnɪgə'liːz] *adj* senegalesisch ♦ *n inv* Senegalese *m*, Senegalesin *f.*
senile ['siːnaɪl] *adj* senil.
senility [sɪ'nɪlɪtɪ] *n* Senilität *f.*
senior ['siːnɪə*] *adj* (*staff, manager*) leitend; (*officer*) höher; (*post, position*) leitend ♦ *n* (*SCOL*): **the ~s** die Oberstufenschüler *pl*; **to be ~ to sb** jdm übergeordnet sein; **she is 15 years his ~** sie ist 15 Jahre älter als er; **P. Jones ~** P. Jones senior.
senior citizen *n* Senior(in) *m(f).*
senior high school (*US*) *n* Oberstufe *f.*
seniority [siːnɪ'ɔrɪtɪ] *n* (*in service*) (längere) Betriebszugehörigkeit *f*; (*in rank*) (höhere) Position *f.*
sensation [sɛn'seɪʃən] *n* (*feeling*) Gefühl *nt*; (*great success*) Sensation *f*; **to cause a ~** großes Aufsehen erregen.
sensational [sɛn'seɪʃənl] *adj* (*wonderful*) wunderbar; (*result*) sensationell; (*headlines etc*) reißerisch.
sense [sɛns] *n* Sinn *m*; (*feeling*) Gefühl *nt*; (*good sense*) Verstand *m*, gesunder Menschenverstand *m*; (*meaning*) Bedeutung *f*, Sinn *m* ♦ *vt* spüren; **~ of smell** Geruchssinn *m*; **it makes ~** (*can be understood*) es ergibt einen Sinn; (*is sensible*) es ist vernünftig *or* sinnvoll; **there's no ~ in that** das hat keinen Sinn; **there is no ~ in doing that** es hat keinen Sinn, das zu tun; **to come to one's ~s** Vernunft annehmen; **to take leave of one's ~s** den Verstand verlieren.
senseless ['sɛnslɪs] *adj* (*pointless*) sinnlos; (*unconscious*) besinnungslos, bewußtlos.
sense of humour *n* Sinn *m* für Humor.
sensibility [sɛnsɪ'bɪlɪtɪ] *n* Empfindsamkeit *f*; (*sensitivity*) Empfindlichkeit *f*; **to offend sb's sensibilities** jds Zartgefühl verletzen.
sensible ['sɛnsɪbl] *adj* vernünftig; (*shoes, clothes*) praktisch.
sensitive ['sɛnsɪtɪv] *adj* empfindlich; (*understanding*) einfühlsam; (*touchy: person*) sensibel; (*: issue*) heikel; **to be ~ to sth** in bezug auf etw *acc* empfindlich sein; **he is very ~ about it/to criticism** er reagiert sehr empfindlich darauf/auf Kritik.
sensitivity [sɛnsɪ'tɪvɪtɪ] *n* Empfindlichkeit *f*; (*understanding*) Einfühlungsvermögen *nt*; (*of issue etc*) heikle Natur *f*; **an issue of great ~** ein sehr heikles Thema.
sensual ['sɛnsjuəl] *adj* sinnlich; (*person, life*) sinnenfroh.
sensuous ['sɛnsjuəs] *adj* sinnlich.

sent [sɛnt] *pt, pp of* **send.**
sentence ['sɛntns] *n* (*LING*) Satz *m*; (*LAW: judgement*) Urteil *nt*; (: *punishment*) Strafe *f* ♦ *vt*: **to ~ sb to death/to 5 years in prison** jdn zum Tode/zu 5 Jahren Haft verurteilen; **to pass ~ on sb** das Urteil über jdn verkünden; (*fig*) jdn verurteilen; **to serve a life ~** eine lebenslängliche Freiheitsstrafe verbüßen.
sentiment ['sɛntɪmənt] *n* Sentimentalität *f*; (*also pl: opinion*) Ansicht *f*.
sentimental [sɛntɪ'mɛntl] *adj* sentimental.
sentimentality [sɛntɪmɛn'tælɪtɪ] *n* Sentimentalität *f*.
sentry ['sɛntrɪ] *n* Wachtposten *m*.
sentry duty *n*: **to be on ~** auf Wache sein.
Seoul [səul] *n* Seoul *nt*.
separable ['sɛprəbl] *adj*: **to be ~ from** trennbar sein von.
separate ['sɛprɪt] *adj* getrennt; (*occasions*) verschieden; (*rooms*) separat ♦ *vt* trennen ♦ *vi* sich trennen; **~ from** getrennt von; **to go ~ ways** getrennte Wege gehen; **under ~ cover** (*COMM*) mit getrennter Post; **to ~ into** aufteilen in *+acc*; *see also* **separates.**
separately ['sɛprɪtlɪ] *adv* getrennt.
separates ['sɛprɪts] *npl* (*clothes*) kombinierbare Einzelteile *pl*.
separation [sɛpə'reɪʃən] *n* Trennung *f*.
sepia ['si:pjə] *adj* sepiafarben.
Sept. *abbr* (= *September*) Sept.
September [sɛp'tɛmbə*] *n* September *m*; *see also* **July.**
septic ['sɛptɪk] *adj* vereitert, septisch; **to go ~** eitern.
septicaemia, (*US*) **septicemia** [sɛptɪ'si:mɪə] *n* Blutvergiftung *f*.
septic tank *n* Faulbehälter *m*.
sequel ['si:kwl] *n* (*follow-up*) Nachspiel *nt*; (*of film, story*) Fortsetzung *f*.
sequence ['si:kwəns] *n* Folge *f*; (*dance/film sequence*) Sequenz *f*; **in ~** der Reihe nach.
sequential [sɪ'kwɛnʃəl] *adj* aufeinanderfolgend; **~ access** (*COMPUT*) sequentieller Zugriff *m*.
sequestrate [sɪ'kwɛstreɪt] *vt* (*LAW, COMM*) sequestrieren, beschlagnahmen.
sequin ['si:kwɪn] *n* Paillette *f*.
Serbia ['sə:bɪə] *n* Serbien *nt*.
Serbian ['sə:bɪən] *adj* serbisch ♦ *n* Serbier(in) *m(f)*; (*LING*) Serbisch *nt*.
Serbo-Croat ['sə:bəu'krəuæt] *n* (*LING*) Serbokroatisch *nt*.
serenade [sɛrə'neɪd] *n* Serenade *f* ♦ *vt* ein Ständchen *nt* bringen *+dat*.
serene [sɪ'ri:n] *adj* (*landscape etc*) friedlich; (*expression*) heiter; (*person*) gelassen.
serenity [sə'rɛnɪtɪ] *n* (*of landscape*) Friedlichkeit *f*; (*of expression*) Gelassenheit *f*.
sergeant ['sɑ:dʒənt] *n* (*MIL etc*) Feldwebel *m*; (*POLICE*) Polizeimeister *m*.
sergeant-major ['sɑ:dʒənt'meɪdʒə*] *n* Oberfeldwebel *m*.
serial ['sɪərɪəl] *n* (*TV*) Serie *f*; (*RADIO*) Sendereihe *f*; (*in magazine*) Fortsetzungsroman *m* ♦ *adj* (*COMPUT*) seriell.
serialize ['sɪərɪəlaɪz] *vt* in Fortsetzungen veröffentlichen; (*TV, RADIO*) in Fortsetzungen senden.
serial killer *n* Serienmörder(in) *m(f)*.
serial number *n* Seriennummer *f*.
series ['sɪərɪz] *n inv* (*group*) Serie *f*, Reihe *f*; (*of books*) Reihe *f*; (*TV*) Serie *f*.
serious ['sɪərɪəs] *adj* ernst; (*important*) wichtig; (: *illness*) schwer; (: *condition*) bedenklich; **are you ~ (about it)?** meinst du das ernst?
seriously ['sɪərɪəslɪ] *adv* ernst; (*talk, interested*) ernsthaft; (*ill, hurt, damaged*) schwer; (*not jokingly*) im Ernst; **to take sb/sth ~** jdn/etw ernst nehmen; **do you ~ believe that ...** glauben Sie ernsthaft *or* im Ernst, daß ...
seriousness ['sɪərɪəsnɪs] *n* Ernst *m*, Ernsthaftigkeit *f*; (*of problem*) Bedenklichkeit *f*.
sermon ['sə:mən] *n* Predigt *f*; (*fig*) Moralpredigt *f*.
serrated [sɪ'reɪtɪd] *adj* gezackt; **~ knife** Sägemesser *nt*.
serum ['sɪərəm] *n* Serum *nt*.
servant ['sə:vənt] *n* (*lit, fig*) Diener(in) *m(f)*; (*domestic*) Hausangestellte(r) *f(m)*.
serve [sə:v] *vt* dienen *+dat*; (*in shop, with food/drink*) bedienen; (*food, meal*) servieren; (*purpose*) haben; (*apprenticeship*) durchmachen; (*prison term*) verbüßen ♦ *vi* (*at table*) auftragen, servieren; (*TENNIS*) aufschlagen; (*soldier*) dienen; (*be useful*): **to ~ as/for** dienen als ♦ *n* (*TENNIS*) Aufschlag *m*; **are you being ~d?** werden Sie schon bedient?; **to ~ its purpose** seinen Zweck erfüllen; **to ~ sb's purpose** jds Zwecken dienen; **it ~s him right** das geschieht ihm recht; **to ~ on a committee** einem Ausschuß angehören; **to ~ on a jury** Geschworene(r) *f(m)* sein; **it's my turn to ~** (*TENNIS*) ich habe Aufschlag; **it ~s to show/explain ...** das zeigt/erklärt ...
►**serve out** *vt* (*food*) auftragen, servieren.
►**serve up** *vt* = **serve out.**
service ['sə:vɪs] *n* Dienst *m*; (*commercial*) Dienstleistung *f*; (*in hotel, restaurant*) Bedienung *f*, Service *m*; (*also*: **train ~**) Bahnverbindung *f*; (: *generally*) Zugverkehr *m*; (*REL*) Gottesdienst *m*; (*AUT*) Inspektion *f*; (*TENNIS*) Aufschlag *m*; (*plates etc*) Service *nt* ♦ *vt* (*car, machine*) warten; **the Services** *npl* (*army, navy etc*) die Streitkräfte *pl*; **military/national ~** Militärdienst *m*; **to be of ~ to sb** jdm nützen; **to do sb a ~** jdm einen Dienst erweisen; **to put one's car in for a ~** sein Auto zur Inspektion geben; **dinner ~** Eßservice *nt*.

serviceable ['sə:vɪsəbl] *adj* zweckmäßig.
service area *n* (*on motorway*) Raststätte *f*.
service charge (*BRIT*) *n* Bedienungsgeld *nt*.
service industry *n* Dienstleistungsbranche *f*.
serviceman ['sə:vɪsmən] (*irreg: like* **man**) *n* Militärangehörige(r) *m*.
service station *n* Tankstelle *f*.
serviette [sə:vɪ'ɛt] (*BRIT*) *n* Serviette *f*.
servile ['sə:vaɪl] *adj* unterwürfig.
session ['sɛʃən] *n* Sitzung *f*; (*US, SCOT: SCOL*) Studienjahr *nt*; (: : *term*) Semester *nt*; **recording ~** Aufnahme *f*; **to be in ~** tagen.
session musician *n* Session-Musiker(in) *m(f)*.
set [sɛt] (*pt, pp* **set**) *n* (*of saucepans, books, keys etc*) Satz *m*; (*group*) Reihe *f*; (*of cutlery*) Garnitur *f*; (*also*: **radio ~**) Radio(gerät) *nt*; (*also*: **TV ~**) Fernsehgerät *nt*; (*TENNIS*) Satz *m*; (*group of people*) Kreis *m*; (*MATH*) Menge *f*; (*THEAT: stage*) Bühne *f*; (: *scenery*) Bühnenbild *nt*; (*CINE*) Drehort *m*; (*HAIRDRESSING*) (Ein)legen *nt* ♦ *adj* (*fixed*) fest; (*ready*) fertig, bereit ♦ *vt* (*table*) decken; (*place*) auflegen; (*time, price, rules etc*) festsetzen; (*record*) aufstellen; (*alarm, watch, task*) stellen; (*exam*) zusammenstellen; (*TYP*) setzen ♦ *vi* (*sun*) untergehen; (*jam, jelly, concrete*) fest werden; (*bone*) zusammenwachsen; **a ~ of false teeth** ein Gebiß; **a ~ of dining-room furniture** eine Eßzimmergarnitur; **a chess ~** ein Schachspiel; **to be ~ on doing sth** etw unbedingt tun wollen; **to be all ~ to do sth** bereit sein, etw zu tun; **he's ~ in his ways** er ist in seinen Gewohnheiten festgefahren; **a ~ phrase** eine feste Redewendung; **a novel ~ in Rome** ein Roman, der in Rom spielt; **to ~ to music** vertonen; **to ~ on fire** anstecken; **to ~ free** freilassen; **to ~ sail** losfahren.
►**set about** *vt fus* (*task*) anpacken; **to ~ about doing sth** sich daranmachen, etw zu tun.
►**set aside** *vt* (*money etc*) beiseite legen; (*time*) einplanen.
►**set back** *vt*: **to ~ sb back 5 pounds** jdn 5 Pfund kosten; **to ~ sb back (by)** (*in time*) jdn zurückwerfen (um); **a house ~ back from the road** ein Haus, das etwas von der Straße abliegt.
►**set in** *vi* (*bad weather*) einsetzen; (*infection*) sich einstellen; **the rain has ~ in for the day** es hat sich für heute eingeregnet.
►**set off** *vi* (*depart*) aufbrechen ♦ *vt* (*bomb*) losgehen lassen; (*alarm, chain of events*) auslösen; (*show up well*) hervorheben.
►**set out** *vi* (*depart*) aufbrechen ♦ *vt* (*goods etc*) ausbreiten; (*chairs etc*) aufstellen; (*arguments*) darlegen; **to ~ out to do sth** sich *dat* vornehmen, etw zu tun; **to ~ out from home** zu Hause aufbrechen.
►**set up** *vt* (*organization*) gründen; (*monument*) errichten; **to ~ up shop** ein Geschäft eröffnen; (*fig*) sich selbständig machen.
setback ['sɛtbæk] *n* Rückschlag *m*.
set menu *n* Menü *nt*.
set square *n* Zeichendreieck *nt*.
settee [sɛ'ti:] *n* Sofa *nt*.
setting ['sɛtɪŋ] *n* (*background*) Rahmen *m*; (*position*) Einstellung *f*; (*of jewel*) Fassung *f*.
setting lotion *n* (Haar)festiger *m*.
settle ['sɛtl] *vt* (*matter*) regeln; (*argument*) beilegen; (*accounts*) begleichen; (*affairs, business*) in Ordnung bringen; (*colonize: land*) besiedeln ♦ *vi* (*also*: **~ down**) sich niederlassen; (*sand, dust etc*) sich legen; (*sediment*) sich setzen; (*calm down*) sich beruhigen; **to ~ one's stomach** den Magen beruhigen; **that's ~d then!** das ist also abgemacht!; **to ~ down to work** sich an die Arbeit setzen; **to ~ down to watch TV** es sich *dat* vor dem Fernseher gemütlich machen.
►**settle for** *vt fus* sich zufriedengeben mit.
►**settle in** *vi* sich einleben; (*in job etc*) sich eingewöhnen.
►**settle on** *vt fus* sich entscheiden für.
►**settle up** *vi*: **to ~ up with sb** mit jdm abrechnen.
settlement ['sɛtlmənt] *n* (*payment*) Begleichung *f*; (*LAW*) Vergleich *m*; (*agreement*) Übereinkunft *f*; (*of conflict*) Beilegung *f*; (*village etc*) Siedlung *f*, Niederlassung *f*; (*colonization*) Besiedelung *f*; **in ~ of our account** (*COMM*) zum Ausgleich unseres Kontos.
settler ['sɛtlə*] *n* Siedler(in) *m(f)*.
setup, set-up ['sɛtʌp] *n* (*organization*) Organisation *f*; (*system*) System *nt*.
seven ['sɛvn] *num* sieben.
seventeen [sɛvn'ti:n] *num* siebzehn.
seventh ['sɛvnθ] *num* siebte(r, s).
seventy ['sɛvntɪ] *num* siebzig.
sever ['sɛvə*] *vt* durchtrennen; (*fig: relations*) abbrechen; (: *ties*) lösen.
several ['sɛvərl] *adj* einige, mehrere ♦ *pron* einige; **~ of us** einige von uns; **~ times** einige Male, mehrmals.
severance ['sɛvərəns] *n* (*of relations*) Abbruch *m*.
severance pay *n* Abfindung *f*.
severe [sɪ'vɪə*] *adj* (*damage, shortage*) schwer; (*pain*) stark; (*person, expression, dress, winter*) streng; (*punishment*) hart; (*climate*) rauh.
severely [sɪ'vɪəlɪ] *adv* (*damage*) stark; (*punish*) hart; (*wounded, ill*) schwer.
severity [sɪ'vɛrɪtɪ] *n* (*gravity: of punishment*) Härte *f*; (: *of manner, voice, winter*) Strenge *f*; (: *of weather*) Rauheit *f*; (*austerity*) Strenge *f*.
sew [səu] (*pt* **sewed**, *pp* **sewn**) *vt, vi* nähen.
►**sew up** *vt* (zusammen)nähen; **it is all ~n up** (*fig*) es ist unter Dach und Fach.
sewage ['su:ɪdʒ] *n* Abwasser *nt*.
sewage works *n* Kläranlage *f*.
sewer ['su:ə*] *n* Abwasserkanal *m*.

sewing ['səuɪŋ] *n* Nähen *nt*; (*items*) Näharbeit *f*.
sewing machine *n* Nähmaschine *f*.
sewn [səun] *pp of* **sew**.
sex [sɛks] *n* (*gender*) Geschlecht *nt*; (*lovemaking*) Sex *m*; **to have ~ with sb** (Geschlechts)verkehr mit jdm haben.
sex act *n* Geschlechtsakt *m*.
sex appeal *n* Sex-Appeal *m*.
sex education *n* Sexualerziehung *f*.
sexism ['sɛksɪzəm] *n* Sexismus *m*.
sexist ['sɛksɪst] *adj* sexistisch.
sex life *n* Sexualleben *nt*.
sex object *n* Sexualobjekt *nt*.
sextet [sɛks'tɛt] *n* Sextett *nt*.
sexual ['sɛksjuəl] *adj* sexuell; (*reproduction*) geschlechtlich; (*equality*) der Geschlechter.
sexual assault *n* Vergewaltigung *f*.
sexual harassment *n* sexuelle Belästigung *f*.
sexual intercourse *n* Geschlechtsverkehr *m*.
sexually ['sɛksjuəlɪ] *adv* sexuell; (*segregate*) nach Geschlechtern; (*discriminate*) auf Grund des Geschlechts; (*reproduce*) geschlechtlich.
sexual orientation *n* sexuelle Orientierung *f*.
sexy ['sɛksɪ] *adj* sexy; (*pictures, underwear*) sexy, aufreizend.
Seychelles [seɪ'ʃɛl(z)] *npl*: **the ~** die Seychellen *pl*.
SF *n abbr* (= *science fiction*) SF.
SG (*US*) *n abbr* (*MIL, MED*) = **Surgeon General**.
Sgt *abbr* (*POLICE, MIL*) = **sergeant**.
shabbiness ['ʃæbɪnɪs] *n* Schäbigkeit *f*.
shabby ['ʃæbɪ] *adj* schäbig.
shack [ʃæk] *n* Hütte *f*.
▸**shack up** (*inf*) *vi*: **to ~ up (with sb)** (mit jdm) zusammenziehen.
shackles ['ʃæklz] *npl* Ketten *pl*; (*fig*) Fesseln *pl*.
shade [ʃeɪd] *n* Schatten *m*; (*for lamp*) (Lampen)schirm *m*; (*of colour*) (Farb)ton *m*; (*US: also:* **window ~**) Jalousie *f*, Rollo *nt* ♦ *vt* beschatten; (*eyes*) abschirmen; **shades** *npl* (*inf: sunglasses*) Sonnenbrille *f*; **in the ~** im Schatten; **a ~ of blue** ein Blauton; **a ~ (more/too large)** (*small quantity*) etwas *or* eine Spur (mehr/zu groß).
shadow ['ʃædəu] *n* Schatten *m* ♦ *vt* (*follow*) beschatten; **without** *or* **beyond a ~ of a doubt** ohne den geringsten Zweifel.
shadow cabinet (*BRIT*) *n* Schattenkabinett *nt*.
shadowy ['ʃædəuɪ] *adj* schattig; (*figure, shape*) schattenhaft.
shady ['ʃeɪdɪ] *adj* schattig; (*fig: dishonest*) zwielichtig; **~ deals** dunkle Geschäfte.
shaft [ʃɑːft] *n* (*of arrow, spear*) Schaft *m*; (*AUT, TECH*) Welle *f*; (*of mine, lift*) Schacht *m*; (*of light*) Strahl *m*; **ventilation ~** Luftschacht *m*.
shaggy ['ʃægɪ] *adj* zottelig; (*dog, sheep*) struppig.
shake [ʃeɪk] (*pt* **shook**, *pp* **shaken**) *vt* schütteln; (*weaken, upset, surprise*) erschüttern; (*weaken: resolve*) ins Wanken bringen ♦ *vi* zittern, beben; (*building, table*) wackeln; (*earth*) beben ♦ *n* Schütteln *nt*; **to ~ one's head** den Kopf schütteln; **to ~ hands with sb** jdm die Hand schütteln; **to ~ one's fist (at sb)** (jdm) mit der Faust drohen; **give it a good ~** schütteln Sie es gut durch; **a ~ of the head** ein Kopfschütteln.
▸**shake off** *vt* (*lit, fig*) abschütteln.
▸**shake up** *vt* schütteln; (*fig: upset*) erschüttern.
shake-out ['ʃeɪkaut] *n* Freisetzung *f* von Arbeitskräften.
shake-up ['ʃeɪkʌp] *n* (radikale) Veränderung *f*.
shakily ['ʃeɪkɪlɪ] *adv* (*reply*) mit zittriger Stimme; (*walk, stand*) unsicher, wackelig.
shaky ['ʃeɪkɪ] *adj* (*hand, voice*) zittrig; (*memory*) schwach; (*knowledge, prospects, future, start*) unsicher.
shale [ʃeɪl] *n* Schiefer *m*.
shall [ʃæl] *aux vb*: **I ~ go** ich werde gehen; **~ I open the door?** soll ich die Tür öffnen?; **I'll go, ~ I?** soll ich gehen?
shallot [ʃə'lɔt] (*BRIT*) *n* Schalotte *f*.
shallow ['ʃæləu] *adj* flach; (*fig*) oberflächlich; **the shallows** *npl* die Untiefen *pl*.
sham [ʃæm] *n* Heuchelei *f*; (*person*) Heuchler(in) *m(f)*; (*object*) Attrappe *f* ♦ *adj* unecht; (*fight*) Schein- ♦ *vt* vortäuschen.
shambles ['ʃæmblz] *n* heilloses Durcheinander *nt*; **the economy is (in) a complete ~** die Wirtschaft befindet sich in einem totalen Chaos.
shambolic [ʃæm'bɔlɪk] (*inf*) *adj* chaotisch.
shame [ʃeɪm] *n* Scham *f*; (*disgrace*) Schande *f* ♦ *vt* beschämen; **it is a ~ that ...** es ist eine Schande, daß ...; **what a ~!** wie schade!; **to bring ~ on** Schande bringen über *+acc*; **to put sb/sth to ~** jdn/etw in den Schatten stellen.
shamefaced ['ʃeɪmfeɪst] *adj* betreten.
shameful ['ʃeɪmful] *adj* schändlich.
shameless ['ʃeɪmlɪs] *adj* schamlos.
shampoo [ʃæm'puː] *n* Shampoo(n) *nt* ♦ *vt* waschen.
shampoo and set *n* Waschen und Legen *nt*.
shamrock ['ʃæmrɔk] *n* (*plant*) Klee *m*; (*leaf*) Kleeblatt *nt*.
shandy ['ʃændɪ] *n* Bier *nt* mit Limonade, Radler *m*.
shan't [ʃɑːnt] = **shall not**.
shanty town ['ʃæntɪ-] *n* Elendsviertel *nt*.
SHAPE [ʃeɪp] *n abbr* (*MIL:* = *Supreme Headquarters Allied Powers, Europe*) *Hauptquartier der alliierten Streitkräfte in Europa während des 2. Weltkriegs.*
shape [ʃeɪp] *n* Form *f* ♦ *vt* gestalten; (*form*) formen; (*sb's ideas*) prägen; (*sb's life*) bestimmen; **to take ~** Gestalt annehmen; **in the ~ of a heart** in Herzform; **I can't bear**

gardening in any ~ or form ich kann Gartenarbeit absolut nicht ausstehen; **to get (o.s.) into ~** in Form kommen.
▸**shape up** *vi* sich entwickeln.
-shaped [ʃeɪpt] *suff:* **heart-~** herzförmig.
shapeless ['ʃeɪplɪs] *adj* formlos.
shapely ['ʃeɪplɪ] *adj* (*woman*) wohlproportioniert; (*legs*) wohlgeformt.
share [ʃɛə*] *n* (*part*) Anteil *m*; (*contribution*) Teil *m*; (*COMM*) Aktie *f* ♦ *vt* teilen; (*room, bed, taxi*) sich *dat* teilen; (*have in common*) gemeinsam haben; **to ~ in** (*joy, sorrow*) teilen; (*profits*) beteiligt sein an *+dat*; (*work*) sich beteiligen an *+dat*.
▸**share out** *vt* aufteilen.
share capital *n* Aktienkapital *nt*.
share certificate *n* Aktienurkunde *f*.
shareholder ['ʃɛəhəuldə*] *n* Aktionär(in) *m(f)*.
share index *n* Aktienindex *m*; **the 100 Share Index** *Aktienindex der Financial Times*.
share issue *n* Aktienemission *f*.
shark [ʃɑːk] *n* Hai(fisch) *m*.
sharp [ʃɑːp] *adj* scharf; (*point, nose, chin*) spitz; (*pain*) heftig; (*cold*) schneidend; (*MUS*) zu hoch; (*increase*) stark; (*person: quick-witted*) clever; (*: dishonest*) gerissen ♦ *n* (*MUS*) Kreuz *nt* ♦ *adv*: **at 2 o'clock ~** um Punkt 2 Uhr; **turn ~ left** biegen Sie scharf nach links ab; **to be ~ with sb** schroff mit jdm sein; **~ practices** (*COMM*) unsaubere Geschäfte *pl*; **C ~** (*MUS*) Cis *nt*; **look ~!** (ein bißchen) dalli! (*inf*).
sharpen ['ʃɑːpn] *vt* schleifen, schärfen; (*pencil, stick etc*) (an)spitzen; (*fig: appetite*) anregen.
sharpener ['ʃɑːpnə*] *n* (*also*: **pencil ~**) (Bleistift)spitzer *m*; (*also*: **knife ~**) Schleifgerät *nt*.
sharp-eyed [ʃɑːp'aɪd] *adj* scharfsichtig.
sharpish ['ʃɑːpɪʃ] (*inf*) *adj* (*instantly*) auf der Stelle.
sharply ['ʃɑːplɪ] *adv* scharf; (*stop*) plötzlich; (*retort*) schroff.
sharp-tempered [ʃɑːp'tɛmpəd] *adj* jähzornig.
sharp-witted [ʃɑːp'wɪtɪd] *adj* scharfsinnig.
shatter ['ʃætə*] *vt* zertrümmern; (*fig: hopes, dreams*) zunichte machen; (*: confidence*) zerstören ♦ *vi* zerbrechen, zerspringen.
shattered ['ʃætəd] *adj* erschüttert; (*inf: exhausted*) fertig, kaputt.
shattering ['ʃætərɪŋ] *adj* erschütternd, niederschmetternd; (*exhausting*) äußerst anstrengend.
shatterproof ['ʃætəpruːf] *adj* splitterfest, splitterfrei.
shave [ʃeɪv] *vt* rasieren ♦ *vi* sich rasieren ♦ *n*: **to have a ~** sich rasieren.
shaven ['ʃeɪvn] *adj* (*head*) kahlgeschoren.
shaver ['ʃeɪvə*] *n* (*also*: **electric ~**) Rasierapparat *m*.
shaving ['ʃeɪvɪŋ] *n* Rasieren *nt*; **shavings** *npl* (*of wood etc*) Späne *pl*.
shaving brush *n* Rasierpinsel *m*.
shaving cream *n* Rasiercreme *f*.
shaving foam *n* Rasierschaum *m*.
shaving point *n* Steckdose *f* für Rasierapparate.
shaving soap *n* Rasierseife *f*.
shawl [ʃɔːl] *n* (Woll)tuch *nt*.
she [ʃiː] *pron* sie ♦ *pref* weiblich; **~-bear** Bärin *f*; **there ~ is** da ist sie.
sheaf [ʃiːf] (*pl* **sheaves**) *n* (*of corn*) Garbe *f*; (*of papers*) Bündel *nt*.
shear [ʃɪə*] (*pt* **sheared**, *pp* **shorn**) *vt* scheren.
▸**shear off** *vi* abbrechen.
shears ['ʃɪəz] *npl* (*for hedge*) Heckenschere *f*.
sheath [ʃiːθ] *n* (*of knife*) Scheide *f*; (*contraceptive*) Kondom *nt*.
sheathe [ʃiːð] *vt* ummanteln; (*sword*) in die Scheide stecken.
sheath knife *n* Fahrtenmesser *nt*.
sheaves [ʃiːvz] *npl of* **sheaf**.
shed [ʃɛd] (*pt, pp* **shed**) *n* Schuppen *m*; (*INDUSTRY, RAIL*) Halle *f* ♦ *vt* (*tears, blood*) vergießen; (*load*) verlieren; (*workers*) entlassen; **to ~ its skin** sich häuten; **to ~ light on** (*problem*) erhellen.
she'd [ʃiːd] = **she had; she would**.
sheen [ʃiːn] *n* Glanz *m*.
sheep [ʃiːp] *n inv* Schaf *nt*.
sheepdog ['ʃiːpdɔg] *n* Hütehund *m*.
sheep farmer *n* Schaffarmer *m*.
sheepish ['ʃiːpɪʃ] *adj* verlegen.
sheepskin ['ʃiːpskɪn] *n* Schaffell *nt* ♦ *cpd* Schaffell-.
sheer [ʃɪə*] *adj* (*utter*) rein; (*steep*) steil; (*almost transparent*) (hauch)dünn ♦ *adv* (*straight up*) senkrecht; **by ~ chance** rein zufällig.
sheet [ʃiːt] *n* (*on bed*) (Bett)laken *nt*; (*of paper*) Blatt *nt*; (*of glass, metal*) Platte *f*; (*of ice*) Fläche *f*.
sheet feed *n* (*on printer*) Papiereinzug *m*.
sheet lightning *n* Wetterleuchten *nt*.
sheet metal *n* Walzblech *nt*.
sheet music *n* Notenblätter *pl*.
sheik(h) [ʃeɪk] *n* Scheich *m*.
shelf [ʃɛlf] (*pl* **shelves**) *n* Brett *nt*, Bord *nt*; **set of shelves** Regal *nt*.
shelf life *n* Lagerfähigkeit *f*.
shell [ʃɛl] *n* (*on beach*) Muschel *f*; (*of egg, nut etc*) Schale *f*; (*explosive*) Granate *f*; (*of building*) Mauern *pl* ♦ *vt* (*peas*) enthülsen; (*MIL: fire on*) (mit Granaten) beschießen.
▸**shell out** (*inf*) *vt*: **to ~ out (for)** blechen (für).
she'll [ʃiːl] = **she will; she shall**.
shellfish ['ʃɛlfɪʃ] *n inv* Schalentier *nt*; (*scallop etc*) Muschel *f*; (*as food*) Meeresfrüchte *pl*.
shelter ['ʃɛltə*] *n* (*building*) Unterstand *m*; (*refuge*) Schutz *m*; (*also*: **bus ~**) Wartehäuschen *nt*; (*also*: **night ~**) Obdachlosenasyl *nt* ♦ *vt* (*protect*) schützen; (*homeless, refugees*) aufnehmen; (*wanted*

man) Unterschlupf gewähren *+dat* ♦ *vi* sich unterstellen; (*from storm*) Schutz suchen; **to take ~ (from)** (*from danger*) sich in Sicherheit bringen (vor *+dat*); (*from storm etc*) Schutz suchen (vor *+dat*).
sheltered ['ʃɛltəd] *adj* (*life*) behütet; (*spot*) geschützt; ~ **housing** (*for old people*) Altenwohnungen *pl*; (*for handicapped people*) Behindertenwohnungen *pl*.
shelve [ʃɛlv] *vt* (*fig: plan*) ad acta legen.
shelves [ʃɛlvz] *npl of* **shelf**.
shelving ['ʃɛlvɪŋ] *n* Regale *pl*.
shepherd ['ʃɛpəd] *n* Schäfer *m* ♦ *vt* (*guide*) führen.
shepherdess ['ʃɛpədɪs] *n* Schäferin *f*.
shepherd's pie (*BRIT*) *n Auflauf aus Hackfleisch und Kartoffelbrei*.
sherbet ['ʃə:bət] *n* (*BRIT: powder*) Brausepulver *nt*; (*US: water ice*) Fruchteis *nt*.
sheriff ['ʃɛrɪf] (*US*) *n* Sheriff *m*.
sherry ['ʃɛrɪ] *n* Sherry *m*.
she's [ʃi:z] = **she is; she has**.
Shetland ['ʃɛtlənd] *n* (*also*: **the ~ Islands**) die Shetlandinseln *pl*.
Shetland pony *n* Shetlandpony *nt*.
shield [ʃi:ld] *n* (*MIL*) Schild *m*; (*trophy*) Trophäe *f*; (*fig: protection*) Schutz *m* ♦ *vt*: **to ~ (from)** schützen (vor *+dat*).
shift [ʃɪft] *n* (*change*) Änderung *f*; (*work-period, workers*) Schicht *f* ♦ *vt* (*move*) bewegen; (*furniture*) (ver)rücken; (*stain*) herausbekommen ♦ *vi* (*move*) sich bewegen; (*wind*) drehen; **a ~ in demand** (*COMM*) eine Nachfrageverschiebung.
shift key *n* Umschalttaste *f*.
shiftless ['ʃɪftlɪs] *adj* träge.
shift work *n* Schichtarbeit *f*; **to do ~** Schicht arbeiten.
shifty ['ʃɪftɪ] *adj* verschlagen.
Shiite ['ʃi:aɪt] *adj* schiitisch ♦ *n* Schiit(in) *m(f)*.
shilling ['ʃɪlɪŋ] (*BRIT: old*) *n* Shilling *m*.
shilly-shally ['ʃɪlɪʃælɪ] *vi* unschlüssig sein.
shimmer ['ʃɪmə*] *vi* schimmern.
shimmering ['ʃɪmərɪŋ] *adj* schimmernd.
shin [ʃɪn] *n* Schienbein *nt* ♦ *vi*: **to ~ up a tree** einen Baum hinaufklettern.
shindig ['ʃɪndɪg] (*inf*) *n* Remmidemmi *nt*.
shine [ʃaɪn] (*pt, pp* **shone**) *n* Glanz *m* ♦ *vi* (*sun, light*) scheinen; (*eyes*) leuchten; (*hair, fig: person*) glänzen ♦ *vt* (*polish: pt, pp shined*) polieren; **to ~ a torch on sth** etw mit einer Taschenlampe anleuchten.
shingle ['ʃɪŋgl] *n* (*on beach*) Kiesel(steine) *pl*; (*on roof*) Schindel *f*.
shingles ['ʃɪŋglz] *npl* (*MED*) Gürtelrose *f*.
shining ['ʃaɪnɪŋ] *adj* glänzend; (*example*) leuchtend.
shiny ['ʃaɪnɪ] *adj* glänzend.
ship [ʃɪp] *n* Schiff *nt* ♦ *vt* verschiffen; (*send*) versenden; (*water*) übernehmen; **on board ~** an Bord.
shipbuilder ['ʃɪpbɪldə*] *n* Schiffbauer *m*.
shipbuilding ['ʃɪpbɪldɪŋ] *n* Schiffbau *m*.
ship canal *n* Seekanal *m*.
ship chandler [-'tʃɑ:ndlə*] *n* Schiffsausrüster *m*.
shipment ['ʃɪpmənt] *n* (*of goods*) Versand *m*; (*amount*) Sendung *f*.
shipowner ['ʃɪpəunə*] *n* Schiffseigner *m*; (*of many ships*) Reeder *m*.
shipper ['ʃɪpə*] *n* (*person*) Spediteur *m*; (*company*) Spedition *f*.
shipping ['ʃɪpɪŋ] *n* (*transport*) Versand *m*; (*ships*) Schiffe *pl*.
shipping agent *n* Reeder *m*.
shipping company *n* Schiffahrtslinie *f*, Reederei *f*.
shipping lane *n* Schiffahrtsstraße *f*.
shipping line *n* = **shipping company**.
shipshape ['ʃɪpʃeɪp] *adj* tipptopp (*inf*).
shipwreck ['ʃɪprɛk] *n* Schiffbruch *m*; (*ship*) Wrack *nt* ♦ *vt*: **to be ~ed** schiffbrüchig sein.
shipyard ['ʃɪpjɑ:d] *n* Werft *f*.
shire ['ʃaɪə*] (*BRIT*) *n* Grafschaft *f*.
shirk [ʃə:k] *vt* sich drücken vor *+dat*.
shirt [ʃə:t] *n* (Ober)hemd *nt*; (*woman's*) (Hemd)bluse *f*; **in (one's) ~ sleeves** in Hemdsärmeln.
shirty ['ʃə:tɪ] (*BRIT: inf*) *adj* sauer (*inf*).
shit [ʃɪt] (*inf!*) *excl* Scheiße! (*!*)
shiver ['ʃɪvə*] *n* Schauer *m* ♦ *vi* zittern; **to ~ with cold** vor Kälte zittern.
shoal [ʃəul] *n* (*of fish*) Schwarm *m*; (*also*: **~s**, *fig*) Scharen *pl*.
shock [ʃɔk] *n* Schock *m*; (*impact*) Erschütterung *f*; (*also*: **electric ~**) Schlag *m* ♦ *vt* (*upset*) erschüttern; (*offend*) schockieren; **to be suffering from ~** (*MED*) einen Schock haben; **to be in ~** unter Schock stehen; **it gave us a ~** es hat uns erschreckt; **it came as a ~ to hear that ...** wir hörten mit Bestürzung, daß ...
shock absorber *n* (*AUT*) Stoßdämpfer *m*.
shocker ['ʃɔkə*] (*inf*) *n* (*film etc*) Schocker *m*, Reißer *m*; **that's a real ~** (*event etc*) das haut einen echt um.
shocking ['ʃɔkɪŋ] *adj* schrecklich, fürchterlich; (*outrageous*) schockierend.
shockproof ['ʃɔkpru:f] *adj* stoßfest.
shock therapy *n* Schocktherapie *f*.
shock treatment *n* = **shock therapy**.
shock wave *n* (*lit*) Druckwelle *f*; (*fig*) Schockwelle *f*.
shod [ʃɔd] *pt, pp of* **shoe**.
shoddy ['ʃɔdɪ] *adj* minderwertig.
shoe [ʃu:] (*pt, pp* **shod**) *n* Schuh *m*; (*for horse*) Hufeisen *nt*; (*also*: **brake ~**) Bremsbacke *f* ♦ *vt* (*horse*) beschlagen.
shoebrush ['ʃu:brʌʃ] *n* Schuhbürste *f*.
shoehorn ['ʃu:hɔ:n] *n* Schuhanzieher *m*.
shoelace ['ʃu:leɪs] *n* Schnürsenkel *m*.
shoemaker ['ʃu:meɪkə*] *n* Schuhmacher *m*, Schuster *m*.
shoe polish *n* Schuhcreme *f*.

shoe shop *n* Schuhgeschäft *nt.*
shoestring ['ʃuːstrɪŋ] *n* (*fig*): **on a ~** mit ganz wenig Geld.
shoetree ['ʃuːtriː] *n* Schuhspanner *m.*
shone [ʃɔn] *pt, pp of* **shine.**
shoo [ʃuː] *excl* (*to dog etc*) pfui ♦ *vt* (*also*: **~ away, ~ off,** *etc*) verscheuchen; (*somewhere*) scheuchen.
shook [ʃuk] *pt of* **shake.**
shoot [ʃuːt] (*pt, pp* **shot**) *n* (*on branch*) Trieb *m*; (*seedling*) Sämling *m*; (*SPORT*) Jagd *f* ♦ *vt* (*gun*) abfeuern; (*arrow, goal*) schießen; (*kill, execute*) erschießen; (*wound*) anschießen; (*BRIT: game birds*) schießen; (*film*) drehen ♦ *vi*: **to ~ (at)** schießen (auf *+acc*); **to ~ past (sb/sth)** (an jdm/etw) vorbeischießen.
▶**shoot down** *vt* abschießen.
▶**shoot in** *vi* hereingeschossen kommen.
▶**shoot out (of)** *vi* herausgeschossen kommen (aus *+dat*).
▶**shoot up** *vi* (*fig: increase*) in die Höhe schnellen.
shooting ['ʃuːtɪŋ] *n* Schießen *nt*, Schüsse *pl*; (*attack*) Schießerei *f*; (*murder*) Erschießung *f*; (*CINE*) Drehen *nt*; (*HUNTING*) Jagen *nt.*
shooting range *n* Schießplatz *m.*
shooting star *n* Sternschnuppe *f.*
shop [ʃɔp] *n* Geschäft *nt*, Laden *m*; (*workshop*) Werkstatt *f* ♦ *vi* (*also*: **go ~ping**) einkaufen (gehen); **repair ~** Reparaturwerkstatt *f*; **to talk ~** (*fig*) über die Arbeit reden.
▶**shop around** *vi* Preise vergleichen; (*fig*) sich umsehen.
shopaholic ['ʃɔpə'hɔlɪk] (*inf*) *n*: **to be a ~** einen Einkaufsfimmel haben.
shop assistant (*BRIT*) *n* Verkäufer(in) *m(f).*
shop floor (*BRIT*) *n* (*workers*) Arbeiter *pl*; **on the ~** bei *or* unter den Arbeitern.
shopkeeper ['ʃɔpkiːpə*] *n* Geschäftsinhaber(in) *m(f)*, Ladenbesitzer(in) *m(f).*
shoplifter ['ʃɔplɪftə*] *n* Ladendieb(in) *m(f).*
shoplifting ['ʃɔplɪftɪŋ] *n* Ladendiebstahl *m.*
shopper ['ʃɔpə*] *n* Käufer(in) *m(f).*
shopping ['ʃɔpɪŋ] *n* (*goods*) Einkäufe *pl.*
shopping bag *n* Einkaufstasche *f.*
shopping centre, (*US*) **shopping center** *n* Einkaufszentrum *nt.*
shopping mall *n* Shopping-Center *nt.*
shop-soiled ['ʃɔpsɔɪld] *adj* angeschmutzt.
shop steward (*BRIT*) *n* gewerkschaftlicher Vertrauensmann *m.*
shop window *n* Schaufenster *nt.*
shore [ʃɔː*] *n* Ufer *nt*; (*beach*) Strand *m* ♦ *vt*: **to ~ (up)** abstützen; **on ~** an Land.
shore leave *n* (*NAUT*) Landurlaub *m.*
shorn [ʃɔːn] *pp of* **shear; to be ~ of** (*power etc*) entkleidet sein *+gen.*
short [ʃɔːt] *adj* kurz; (*person*) klein; (*curt*) schroff, kurz angebunden (*inf*); (*scarce*) knapp ♦ *n* (*also*: **~ film**) Kurzfilm *m*; **to be ~ of** ... zuwenig ... haben; **I'm 3 ~** ich habe 3 zu wenig, mir fehlen 3; **in ~** kurz gesagt; **to be in ~ supply** knapp sein; **it is ~ for** ... es ist die Kurzform von ...; **a ~ time ago** vor kurzem; **in the ~ term** auf kurze Sicht; **~ of doing sth** außer etw zu tun; **to cut ~** abbrechen; **everything ~ of** ... alles außer ... *+dat*; **to fall ~ of sth** etw nicht erreichen; (*expectations*) etw nicht erfüllen; **to run ~ of** ... nicht mehr viel ... haben; **to stop ~** plötzlich innehalten; **to stop ~ of** haltmachen vor *+dat*; *see also* **shorts.**
shortage ['ʃɔːtɪdʒ] *n*: **a ~ of** ein Mangel *m* an *+dat.*
shortbread ['ʃɔːtbrɛd] *n* Mürbegebäck *nt.*
short-change [ʃɔːt'tʃeɪndʒ] *vt*: **to ~ sb** jdm zuwenig Wechselgeld geben.
short circuit *n* Kurzschluß *m.*
shortcoming ['ʃɔːtkʌmɪŋ] *n* Fehler *m*, Mangel *m.*
shortcrust pastry (*BRIT*) *n* Mürbeteig *m.*
short cut *n* Abkürzung *f*; (*fig*) Schnellverfahren *nt.*
shorten ['ʃɔːtn] *vt* verkürzen.
shortening ['ʃɔːtnɪŋ] *n* (Back)fett *nt.*
shortfall ['ʃɔːtfɔːl] *n* Defizit *nt.*
shorthand ['ʃɔːthænd] *n* Kurzschrift *f*, Stenographie *f*; (*fig*) Kurzform *f*; **to take sth down in ~** etw stenographieren.
shorthand notebook (*BRIT*) *n* Stenoblock *m.*
shorthand typist (*BRIT*) *n* Stenotypist(in) *m(f).*
short list (*BRIT*) *n* Auswahlliste *f*; **to be on the ~** in der engeren Wahl sein.
short-list ['ʃɔːtlɪst] (*BRIT*) *vt* in die engere Wahl ziehen; **to be ~ed** in die engere Wahl kommen.
short-lived ['ʃɔːt'lɪvd] *adj* kurzlebig; **to be ~** nicht von Dauer sein.
shortly ['ʃɔːtlɪ] *adv* bald.
shorts [ʃɔːts] *npl*: **(a pair of) ~** Shorts *pl.*
short-sighted [ʃɔːt'saɪtɪd] (*BRIT*) *adj* (*lit, fig*) kurzsichtig.
short-sightedness [ʃɔːt'saɪtɪdnɪs] *n* Kurzsichtigkeit *f.*
short-staffed [ʃɔːt'stɑːft] *adj*: **to be ~** zuwenig Personal haben.
short story *n* Kurzgeschichte *f.*
short-tempered [ʃɔːt'tɛmpəd] *adj* gereizt.
short-term ['ʃɔːttəːm] *adj* kurzfristig.
short time *n*: **to work ~, to be on ~** kurzarbeiten, Kurzarbeit haben.
short-wave ['ʃɔːtweɪv] (*RADIO*) *adj* auf Kurzwelle ♦ *n* Kurzwelle *f.*
shot [ʃɔt] *pt, pp of* **shoot** ♦ *n* Schuß *m*; (*shotgun pellets*) Schrot *m*; (*injection*) Spritze *f*; (*PHOT*) Aufnahme *f*; **to fire a ~ at sb/sth** einen Schuß auf jdn/etw abgeben; **to have a ~ at (doing) sth** etw mal versuchen; **to get ~ of sb/sth** (*inf*) jdn/etw loswerden; **a big ~** (*inf*) ein hohes Tier; **a good/poor ~** (*person*) ein guter/schlechter Schütze; **like a ~** sofort.
shotgun ['ʃɔtgʌn] *n* Schrotflinte *f.*
should [ʃud] *aux vb*: **I ~ go now** ich sollte jetzt

gehen; **he ~ be there now** er müßte eigentlich schon da sein; **I ~ go if I were you** an deiner Stelle würde ich gehen; **I ~ like to** ich möchte gerne, ich würde gerne; **~ he phone ...** falls er anruft ...
shoulder ['ʃəuldə*] *n* Schulter *f* ♦ *vt* (*fig*) auf sich *acc* nehmen; **to rub ~s with sb** (*fig*) mit jdm in Berührung kommen; **to give sb the cold ~** (*fig*) jdm die kalte Schulter zeigen.
shoulder bag *n* Umhängetasche *f*.
shoulder blade *n* Schulterblatt *nt*.
shoulder strap *n* (*on clothing*) Träger *m*; (*on bag*) Schulterriemen *m*.
shouldn't ['ʃudnt] = **should not.**
shout [ʃaut] *n* Schrei *m*, Ruf *m* ♦ *vt* schreien, rufen ♦ *vi* (*also*: **~ out**) aufschreien; **to give sb a ~** jdn rufen.
▸**shout down** *vt* niederbrüllen.
shouting ['ʃautɪŋ] *n* Geschrei *nt*.
shouting match (*inf*) *n*: **to have a ~** sich gegenseitig anschreien.
shove [ʃʌv] *vt* schieben; (*with one push*) stoßen, schubsen (*inf*) ♦ *n*: **to give sb a ~** jdn stoßen *or* schubsen (*inf*); **to give sth a ~** etw verrücken; (*door*) gegen etw stoßen; **to ~ sth in sth** (*inf*: *put*) etw in etw *acc* stecken; **he ~d me out of the way** er stieß mich zur Seite.
▸**shove off** (*inf*) *vi* abschieben.
shovel ['ʃʌvl] *n* Schaufel *f*; (*mechanical*) Bagger *m* ♦ *vt* schaufeln.
show [ʃəu] (*pt* **showed**, *pp* **shown**) *n* (*exhibition*) Ausstellung *f*, Schau *f*; (*THEAT*) Aufführung *f*; (*TV*) Show *f*; (*CINE*) Vorstellung *f* ♦ *vt* zeigen; (*exhibit*) ausstellen ♦ *vi*: **it ~s** man sieht es; (*is evident*) man merkt es; **to ask for a ~ of hands** um Handzeichen bitten; **without any ~ of emotion** ohne jede Gefühlsregung; **it's just for ~** es ist nur zur Schau; **on ~** ausgestellt, zu sehen; **who's running the ~ here?** (*inf*) wer ist hier verantwortlich?; **to ~ sb to his seat/to the door** jdn an seinen Platz/zur Tür bringen; **to ~ a profit/loss** Gewinn/Verlust aufweisen; **it just goes to ~ that ...** da sieht man's mal wieder, daß ...
▸**show in** *vt* hereinführen.
▸**show off** (*pej*) *vi* angeben ♦ *vt* vorführen.
▸**show out** *vt* hinausbegleiten.
▸**show up** *vi* (*stand out*) sich abheben; (*inf*: *turn up*) auftauchen ♦ *vt* (*uncover*) deutlich erkennen lassen; (*shame*) blamieren.
show biz *n* = **show business.**
show business *n* Showgeschäft *nt*.
showcase ['ʃəukeɪs] *n* Schaukasten *m*; (*fig*) Werbung *f*.
showdown ['ʃəudaun] *n* Kraftprobe *f*.
shower ['ʃauə*] *n* (*of rain*) Schauer *m*; (*of stones etc*) Hagel *m*; (*for bathing in*) Dusche *f*; (*US*: *party*) *Party, bei der jeder ein Geschenk für den Ehrengast mitbringt* ♦ *vi* duschen ♦ *vt*: **to ~ sb with** (*gifts etc*) jdn überschütten mit; (*missiles, abuse etc*) auf jdn niederhageln lassen; **to have** *or* **take a ~** duschen; **a ~ of sparks** ein Funkenregen.
showercap ['ʃauəkæp] *n* Duschhaube *f*.
showerproof ['ʃauəpru:f] *adj* regenfest.
showery ['ʃauərɪ] *adj* regnerisch.
showground ['ʃəugraund] *n* Ausstellungsgelände *nt*.
showing ['ʃəuɪŋ] *n* (*of film*) Vorführung *f*.
show jumping *n* Springreiten *nt*.
showman ['ʃəumən] (*irreg*: *like* **man**) *n* (*at fair*) Schausteller *m*; (*at circus*) Artist *m*; (*fig*) Schauspieler *m*.
showmanship ['ʃəumənʃɪp] *n* Talent *nt* für effektvolle Darbietung.
shown [ʃəun] *pp of* **show.**
show-off ['ʃəuɔf] (*inf*) *n* Angeber(in) *m(f)*.
showpiece ['ʃəupi:s] *n* (*of exhibition etc*) Schaustück *nt*; (*best example*) Paradestück *nt*; (*prime example*) Musterbeispiel *nt*.
showroom ['ʃəurum] *n* Ausstellungsraum *m*.
show trial *n* Schauprozeß *m*.
showy ['ʃəuɪ] *adj* auffallend.
shrank [ʃræŋk] *pt of* **shrink.**
shrapnel ['ʃræpnl] *n* Schrapnell *nt*.
shred [ʃrɛd] *n* (*gen pl*) Fetzen *m*; (*fig*): **not a ~ of truth** kein Fünkchen Wahrheit; **not a ~ of evidence** keine Spur eines Beweises ♦ *vt* zerfetzen; (*CULIN*) raspeln.
shredder ['ʃrɛdə*] *n* (*vegetable shredder*) Raspel *f*; (*document shredder*) Reißwolf *m*; (*garden shredder*) Häcksler *m*.
shrew [ʃru:] *n* (*ZOOL*) Spitzmaus *f*; (*pej*: *woman*) Xanthippe *f*.
shrewd [ʃru:d] *adj* klug.
shrewdness ['ʃru:dnɪs] *n* Klugheit *f*.
shriek [ʃri:k] *n* schriller Schrei *m* ♦ *vi* schreien; **to ~ with laughter** vor Lachen quietschen.
shrift [ʃrɪft] *n*: **to give sb short ~** jdn kurz abfertigen.
shrill [ʃrɪl] *adj* schrill.
shrimp [ʃrɪmp] *n* Garnele *f*.
shrine [ʃraɪn] *n* Schrein *m*; (*fig*) Gedenkstätte *f*.
shrink [ʃrɪŋk] (*pt* **shrank**, *pp* **shrunk**) *vi* (*cloth*) einlaufen; (*profits, audiences*) schrumpfen; (*forests*) schwinden; (*also*: **~ away**) zurückweichen ♦ *vt* (*cloth*) einlaufen lassen ♦ *n* (*inf*: *pej*) Klapsdoktor *m*; **to ~ from sth** vor etw *dat* zurückschrecken; **to ~ from doing sth** davor zurückschrecken, etw zu tun.
shrinkage ['ʃrɪŋkɪdʒ] *n* (*of clothes*) Einlaufen *nt*.
shrink-wrap ['ʃrɪŋkræp] *vt* einschweißen.
shrivel ['ʃrɪvl] (*also*: **~ up**) *vt* austrocknen ♦ *vi* austrocknen, verschrumpeln.
shroud [ʃraud] *n* Leichentuch *nt* ♦ *vt*: **~ed in mystery** von einem Geheimnis umgeben.
Shrove Tuesday ['ʃrəuv-] *n* Fastnachtsdienstag *m*.

shrub [ʃrʌb] *n* Strauch *m*, Busch *m*.
shrubbery ['ʃrʌbəri] *n* Gebüsch *nt*.
shrug [ʃrʌg] *n*: ~ **(of the shoulders)** Achselzucken *nt* ♦ *vi, vt*: **to ~ (one's shoulders)** mit den Achseln zucken.
▸**shrug off** *vt* (*criticism*) auf die leichte Schulter nehmen; (*illness*) abschütteln.
shrunk [ʃrʌŋk] *pp of* **shrink**.
shrunken ['ʃrʌŋkn] *adj* (ein)geschrumpft.
shudder ['ʃʌdə*] *n* Schauder *m* ♦ *vi* schaudern; **I ~ to think of it** (*fig*) mir graut, wenn ich nur daran denke.
shuffle ['ʃʌfl] *vt* (*cards*) mischen ♦ *vi* schlurfen; **to ~ (one's feet)** mit den Füßen scharren.
shun [ʃʌn] *vt* meiden; (*publicity*) scheuen.
shunt [ʃʌnt] *vt* rangieren.
shunting yard ['ʃʌntɪŋ-] *n* Rangierbahnhof *m*.
shush [ʃuʃ] *excl* pst!, sch!
shut [ʃʌt] (*pt, pp* **shut**) *vt* schließen, zumachen (*inf*) ♦ *vi* sich schließen, zugehen; (*shop*) schließen, zumachen (*inf*).
▸**shut down** *vt* (*factory etc*) schließen; (*machine*) abschalten ♦ *vi* schließen, zumachen (*inf*).
▸**shut off** *vt* (*gas, electricity*) abstellen; (*oil supplies etc*) abschneiden.
▸**shut out** *vt* (*person*) aussperren; (*cold, noise*) nicht hereinlassen; (*view*) versperren; (*memory, thought*) verdrängen.
▸**shut up** *vi* (*inf: keep quiet*) den Mund halten ♦ *vt* (*silence*) zum Schweigen bringen.
shutdown ['ʃʌtdaun] *n* Schließung *f*.
shutter ['ʃʌtə*] *n* Fensterladen *m*; (*PHOT*) Verschluß *m*.
shuttle ['ʃʌtl] *n* (*plane*) Pendelflugzeug *nt*; (*train*) Pendelzug *m*; (*space shuttle*) Raumtransporter *m*; (*also*: ~ **service**) Pendelverkehr *m*; (*for weaving*) Schiffchen *nt* ♦ *vi*: **to ~ to and fro** pendeln; **to ~ between** pendeln zwischen ♦ *vt* (*passengers*) transportieren.
shuttlecock ['ʃʌtlkɔk] *n* Federball *m*.
shuttle diplomacy *n* Reisediplomatie *f*.
shy [ʃai] *adj* schüchtern; (*animal*) scheu ♦ *vi*: **to ~ away from doing sth** (*fig*) davor zurückschrecken, etw zu tun; **to fight ~ of** aus dem Weg gehen *+dat*; **to be ~ of doing sth** Hemmungen haben, etw zu tun.
shyly ['ʃaili] *adv* schüchtern, scheu.
shyness ['ʃainis] *n* Schüchternheit *f*, Scheu *f*.
Siam [sai'æm] *n* Siam *nt*.
Siamese [saiə'mi:z] *adj*: ~ **cat** Siamkatze *f*; ~ **twins** siamesische Zwillinge *pl*.
Siberia [sai'biəriə] *n* Sibirien *nt*.
sibling ['sibliŋ] *n* Geschwister *nt*.
Sicilian [si'siliən] *adj* sizilianisch ♦ *n* Sizilianer(in) *m(f)*.
Sicily ['sisili] *n* Sizilien *nt*.
sick [sik] *adj* krank; (*humour, joke*) makaber; **to be ~** (*vomit*) brechen, sich übergeben; **I feel ~** mir ist schlecht; **to fall ~** krank werden; **to be (off) ~** wegen Krankheit fehlen; **a ~ person** ein Kranker, eine Kranke; **to be ~ of** (*fig*) satt haben *+acc*.
sickbag ['sikbæg] *n* Spucktüte *f*.
sickbay ['sikbei] *n* Krankenrevier *nt*.
sickbed ['sikbed] *n* Krankenbett *nt*.
sick building syndrome *n Kopfschmerzen, Allergien etc, die in modernen, vollklimatisierten Bürogebäuden entstehen.*
sicken ['sikn] *vt* (*disgust*) anwidern ♦ *vi*: **to be ~ing for a cold/flu** eine Erkältung/Grippe bekommen.
sickening ['sikniŋ] *adj* (*fig*) widerlich, ekelhaft.
sickle ['sikl] *n* Sichel *f*.
sick leave *n*: **to be on ~** krank geschrieben sein.
sickle-cell anaemia *n* Sichelzellenanämie *f*.
sick list *n*: **to be on the ~** auf der Krankenliste stehen.
sickly ['sikli] *adj* kränklich; (*causing nausea*) widerlich, ekelhaft.
sickness ['siknis] *n* Krankheit *f*; (*vomiting*) Erbrechen *nt*.
sickness benefit *n* Krankengeld *nt*.
sick note *n* Krankmeldung *f*.
sick pay *n* Lohnfortzahlung *f* im Krankheitsfall; (*paid by insurance*) Krankengeld *nt*.
sickroom ['sikru:m] *n* Krankenzimmer *nt*.
side [said] *n* Seite *f*; (*team*) Mannschaft *f*; (*in conflict etc*) Partei *f*, Seite *f*; (*of hill*) Hang *m* ♦ *adj* (*door, entrance*) Seiten-, Neben- ♦ *vi*: **to ~ with sb** jds Partei ergreifen; **by the ~ of** neben *+dat*; **~ by ~** Seite an Seite; **the right/wrong ~** (*of cloth*) die rechte/linke Seite; **they are on our ~** sie stehen auf unserer Seite; **she never left my ~** sie wich mir nicht von der Seite; **to put sth to one ~** etw beiseite legen; **from ~ to ~** von einer Seite zur anderen; **to take ~s (with)** Partei ergreifen (für); **a ~ of beef** ein halbes Rind; **a ~ of bacon** eine Speckseite.
sideboard ['saidbɔ:d] *n* Sideboard *nt*; **sideboards** (*BRIT*) *npl* = **sideburns**.
sideburns ['saidbə:nz] *npl* Koteletten *pl*.
sidecar ['saidka:*] *n* Beiwagen *m*.
side dish *n* Beilage *f*.
side drum *n* kleine Trommel *f*.
side effect *n* (*MED, fig*) Nebenwirkung *f*.
sidekick ['saidkik] (*inf*) *n* Handlanger *m*.
sidelight ['saidlait] *n* (*AUT*) Begrenzungsleuchte *f*.
sideline ['saidlain] *n* (*SPORT*) Seitenlinie *f*; (*fig: job*) Nebenerwerb *m*; **to stand on the ~s** (*fig*) unbeteiligter Zuschauer sein; **to wait on the ~s** (*fig*) in den Kulissen warten.
sidelong ['saidlɔŋ] *adj* (*glance*) Seiten-; (: *surreptitious*) verstohlen; **to give sb a ~ glance** jdn kurz aus den Augenwinkeln ansehen.

side plate *n* kleiner Teller *m*.
side road *n* Nebenstraße *f*.
side-saddle ['saɪdsædl] *adv* (*ride*) im Damensitz.
sideshow ['saɪdʃəu] *n* Nebenattraktion *f*.
sidestep ['saɪdstɛp] *vt* (*problem*) umgehen; (*question*) ausweichen *+dat* ♦ *vi* (*BOXING etc*) seitwärts ausweichen.
side street *n* Seitenstraße *f*.
sidetrack ['saɪdtræk] *vt* (*fig*) ablenken.
sidewalk ['saɪdwɔːk] (*US*) *n* Bürgersteig *m*.
sideways ['saɪdweɪz] *adv* seitwärts; (*lean, look*) zur Seite.
siding ['saɪdɪŋ] *n* Abstellgleis *nt*.
sidle ['saɪdl] *vi*: **to ~ up (to)** sich heranschleichen (an *+acc*).
SIDS *n abbr* (*MED*: = *sudden infant death syndrome*) plötzlicher Kindstod *m*.
siege [siːdʒ] *n* Belagerung *f*; **to be under ~** belagert sein; **to lay ~ to** belagern.
siege economy *n* Belagerungswirtschaft *f*.
siege mentality *n* Belagerungsmentalität *f*.
Sierra Leone [sɪ'ɛrəlɪ'əun] *n* Sierra Leone *f*.
siesta [sɪ'ɛstə] *n* Siesta *f*.
sieve [sɪv] *n* Sieb *nt* ♦ *vt* sieben.
sift [sɪft] *vt* sieben; (*also*: **~ through**) durchgehen.
sigh [saɪ] *n* Seufzer *m* ♦ *vi* seufzen; **to breathe a ~ of relief** erleichtert aufseufzen.
sight [saɪt] *n* (*faculty*) Sehvermögen *nt*, Augenlicht *nt*; (*spectacle*) Anblick *m*; (*on gun*) Visier *nt* ♦ *vt* sichten; **in ~** in Sicht; **on ~** (*shoot*) sofort; **out of ~** außer Sicht; **at ~** (*COMM*) bei Sicht; **at first ~** auf den ersten Blick; **I know her by ~** ich kenne sie vom Sehen; **to catch ~ of sb/sth** jdn/etw sehen; **to lose ~ of sth** (*fig*) etw aus den Augen verlieren; **to set one's ~s on sth** ein Auge auf etw werfen.
sighted ['saɪtɪd] *adj* sehend; **partially ~** sehbehindert.
sightseeing ['saɪtsiːɪŋ] *n* Besichtigungen *pl*; **to go ~** auf Besichtigungstour gehen.
sightseer ['saɪtsiːə*] *n* Tourist(in) *m(f)*.
sign [saɪn] *n* Zeichen *nt*; (*notice*) Schild *nt*; (*evidence*) Anzeichen *nt*; (*also*: **road ~**) Verkehrsschild *nt* ♦ *vt* unterschreiben; (*player*) verpflichten; **a ~ of the times** ein Zeichen unserer Zeit; **it's a good/bad ~** es ist ein gutes/schlechtes Zeichen; **plus/minus ~** Plus-/Minuszeichen *nt*; **there's no ~ of her changing her mind** nichts deutet darauf hin, daß sie es sich anders überlegen wird; **he was showing ~s of improvement** er ließ Anzeichen einer Verbesserung erkennen; **to ~ one's name** unterschreiben; **to ~ sth over to sb** jdm etw überschreiben.
►**sign away** *vt* (*rights etc*) verzichten auf *+acc*.
►**sign in** *vi* sich eintragen.
►**sign off** *vi* (*RADIO, TV*) sich verabschieden; (*in letter*) Schluß machen.
►**sign on** *vi* (*MIL*) sich verpflichten; (*BRIT: as unemployed*) sich arbeitslos melden; (*for course*) sich einschreiben ♦ *vt* (*MIL*) verpflichten; (*employee*) anstellen.
►**sign out** *vi* (*from hotel etc*) sich (aus dem Hotelgästebuch *etc*) austragen.
►**sign up** *vi* (*MIL*) sich verpflichten; (*for course*) sich einschreiben ♦ *vt* (*player, recruit*) verpflichten.
signal ['sɪgnl] *n* Zeichen *nt*; (*RAIL*) Signal *nt* ♦ *vi* (*AUT*) Zeichen/ein Zeichen geben ♦ *vt* ein Zeichen geben *+dat*; **to ~ a right/left turn** (*AUT*) rechts/links blinken.
signal box *n* Stellwerk *nt*.
signalman ['sɪgnlmən] (*irreg: like* **man**) *n* Stellwerkswärter *m*.
signatory ['sɪgnətərɪ] *n* Unterzeichner *m*; (*state*) Signatarstaat *m*.
signature ['sɪgnətʃə*] *n* Unterschrift *f*; (*ZOOL, BIOL*) Kennzeichen *nt*.
signature tune *n* Erkennungsmelodie *f*.
signet ring ['sɪgnət-] *n* Siegelring *m*.
significance [sɪg'nɪfɪkəns] *n* Bedeutung *f*; **that is of no ~** das ist belanglos *or* bedeutungslos.
significant [sɪg'nɪfɪkənt] *adj* bedeutend, wichtig; (*look, smile*) vielsagend, bedeutsam; **it is ~ that ...** es ist bezeichnend, daß ...
significantly [sɪg'nɪfɪkəntlɪ] *adv* bedeutend; (*smile*) vielsagend, bedeutsam.
signify ['sɪgnɪfaɪ] *vt* bedeuten; (*person*) zu erkennen geben.
sign language *n* Zeichensprache *f*.
signpost ['saɪnpəust] *n* (*lit, fig*) Wegweiser *m*.
Sikh [siːk] *n* Sikh *mf* ♦ *adj* (*province etc*) Sikh-.
silage ['saɪlɪdʒ] *n* Silage *f*, Silofutter *nt*.
silence ['saɪləns] *n* Stille *f*; (*of person*) Schweigen *nt* ♦ *vt* zum Schweigen bringen; **in ~** still; (*not talking*) schweigend.
silencer ['saɪlənsə*] *n* (*on gun*) Schalldämpfer *m*; (*BRIT: AUT*) Auspufftopf *m*.
silent ['saɪlənt] *adj* still; (*machine*) ruhig; **~ film** Stummfilm *m*; **to remain ~** still bleiben; (*about sth*) sich nicht äußern.
silently ['saɪləntlɪ] *adv* lautlos; (*not talking*) schweigend.
silent partner *n* stiller Teilhaber *m*.
silhouette [sɪluː'ɛt] *n* Sihouette *f*, Umriß *m* ♦ *vt*: **to be ~d against sth** sich als Silhouette gegen etw abheben.
silicon ['sɪlɪkən] *n* Silizium *nt*.
silicon chip *n* Silikonchip *m*.
silicone ['sɪlɪkəun] *n* Silikon *nt*.
Silicon Valley *n* Silicon Valley *nt*.
silk [sɪlk] *n* Seide *f* ♦ *adj* (*dress etc*) Seiden-.
silky ['sɪlkɪ] *adj* seidig.
sill [sɪl] *n* (*also*: **window ~**) (Fenster)sims *m or nt*; (*of door*) Schwelle *f*; (*AUT*) Türleiste *f*.
silly ['sɪlɪ] *adj* (*person*) dumm; **to do something ~** etwas Dummes tun.
silo ['saɪləu] *n* Silo *nt*; (*for missile*) Raketensilo

nt.
silt [sɪlt] *n* Schlamm *m*, Schlick *m*.
►**silt up** *vi* verschlammen ♦ *vt* verschlämmen.
silver ['sɪlvə*] *n* Silber *nt*; (*coins*) Silbergeld *nt* ♦ *adj* silbern.
silver foil (*BRIT*) *n* Alufolie *f*.
silver paper (*BRIT*) *n* Silberpapier *nt*.
silver-plated [sɪlvə'pleɪtɪd] *adj* versilbert.
silversmith ['sɪlvəsmɪθ] *n* Silberschmied(in) *m(f)*.
silverware ['sɪlvəwɛə*] *n* Silber *nt*.
silver wedding (anniversary) *n* Silberhochzeit *f*.
silvery ['sɪlvrɪ] *adj* silbern; (*sound*) silberhell.
similar ['sɪmɪlə*] *adj*: ~ **(to)** ähnlich (wie *or* +*dat*).
similarity [sɪmɪ'lærɪtɪ] *n* Ähnlichkeit *f*.
similarly ['sɪmɪləlɪ] *adv* ähnlich; (*likewise*) genauso.
simile ['sɪmɪlɪ] *n* (*LING*) Vergleich *m*.
simmer ['sɪmə*] *vi* auf kleiner Flamme kochen.
►**simmer down** (*inf*) *vi* (*fig*) sich abregen.
simper ['sɪmpə*] *vi* geziert lächeln.
simpering ['sɪmprɪŋ] *adj* geziert.
simple ['sɪmpl] *adj* einfach; (*dress*) einfach, schlicht; (*foolish*) einfältig; **the ~ truth is that** ... es ist einfach so, daß ...
simple interest *n* Kapitalzinsen *pl*.
simple-minded [sɪmpl'maɪndɪd] (*pej*) *adj* einfältig.
simpleton ['sɪmpltən] (*pej*) *n* Einfaltspinsel *m*.
simplicity [sɪm'plɪsɪtɪ] *n* Einfachheit *f*; (*of dress*) Schlichtheit *f*.
simplification [sɪmplɪfɪ'keɪʃən] *n* Vereinfachung *f*.
simplify ['sɪmplɪfaɪ] *vt* vereinfachen.
simply ['sɪmplɪ] *adv* (*just, merely*) nur, bloß; (*in a simple way*) einfach.
simulate ['sɪmjuleɪt] *vt* vortäuschen, spielen; (*illness*) simulieren.
simulated ['sɪmjuleɪtɪd] *adj* (*hair, fur*) imitiert; (*TECH*) simuliert.
simulation [sɪmju'leɪʃən] *n* Vortäuschung *f*; (*simulated object*) Imitation *f*; (*TECH*) Simulation *f*.
simultaneous [sɪməl'teɪnɪəs] *adj* gleichzeitig; (*translation, interpreting*) Simultan-.
simultaneously [sɪməl'teɪnɪəslɪ] *adv* gleichzeitig.
sin [sɪn] *n* Sünde *f* ♦ *vi* sündigen.
Sinai ['saɪneɪaɪ] *n* Sinai *m*.
since [sɪns] *adv* inzwischen, seitdem ♦ *prep* seit ♦ *conj* (*time*) seit(dem); (*because*) da; ~ **then, ever** ~ seitdem.
sincere [sɪn'sɪə*] *adj* aufrichtig, offen; (*apology, belief*) aufrichtig.
sincerely [sɪn'sɪəlɪ] *adv* aufrichtig, offen; **yours** ~ (*in letter*) mit freundlichen Grüßen.
sincerity [sɪn'sɛrɪtɪ] *n* Aufrichtigkeit *f*.
sine [saɪn] *n* Sinus *m*.
sine qua non [sɪnɪkwɑː'nɔn] *n* unerläßliche Voraussetzung *f*.
sinew ['sɪnjuː] *n* Sehne *f*.
sinful ['sɪnful] *adj* sündig, sündhaft.
sing [sɪŋ] (*pt* **sang**, *pp* **sung**) *vt, vi* singen.
Singapore [sɪŋgə'pɔː*] *n* Singapur *nt*.
singe [sɪndʒ] *vt* versengen; (*lightly*) ansengen.
singer ['sɪŋə*] *n* Sänger(in) *m(f)*.
Singhalese [sɪŋə'liːz] *adj* = **Sinhalese**.
singing ['sɪŋɪŋ] *n* Singen *nt*, Gesang *m*; **a ~ in the ears** ein Dröhnen in den Ohren.
single ['sɪŋgl] *adj* (*solitary*) einzige(r, s); (*individual*) einzeln; (*unmarried*) ledig, unverheiratet; (*not double*) einfach ♦ *n* (*BRIT: also:* ~ **ticket**) Einzelfahrschein *m*; (*record*) Single *f*; **not a ~ one was left** es war kein einziges mehr übrig; **every ~ day** jeden Tag; ~ **spacing** einfacher Zeilenabstand *m*.
►**single out** *vt* auswählen; **to ~ out for praise** lobend erwähnen.
single bed *n* Einzelbett *nt*.
single-breasted ['sɪŋglbrɛstɪd] *adj* einreihig.
Single European Market *n*: **the** ~ der Europäische Binnenmarkt.
single file *n*: **in** ~ im Gänsemarsch.
single-handed [sɪŋgl'hændɪd] *adv* ganz allein.
single-minded [sɪŋgl'maɪndɪd] *adj* zielstrebig.
single parent *n* Alleinerziehende(r) *f(m)*.
single room *n* Einzelzimmer *nt*.
singles ['sɪŋglz] *npl* (*TENNIS*) Einzel *nt*.
singles bar *n* Singles-Bar *f*.
single-sex school *n* reine Jungen-/Mädchenschule *f*; **education in ~s** nach Geschlechtern getrennte Schulerziehung.
singly ['sɪŋglɪ] *adv* einzeln.
singsong ['sɪŋsɔŋ] *adj* (*tone*) singend ♦ *n*: **to have a** ~ zusammen singen.
singular ['sɪŋgjulə*] *adj* (*odd*) eigenartig; (*outstanding*) einzigartig; (*LING: form etc*) Singular- ♦ *n* (*LING*) Singular *m*, Einzahl *f*; **in the** ~ im Singular.
singularly ['sɪŋgjuləlɪ] *adv* außerordentlich.
Sinhalese [sɪnhə'liːz] *adj* singhalesisch.
sinister ['sɪnɪstə*] *adj* unheimlich.
sink [sɪŋk] (*pt* **sank**, *pp* **sunk**) *n* Spülbecken *nt* ♦ *vt* (*ship*) versenken; (*well*) bohren; (*foundations*) absenken ♦ *vi* (*ship*) sinken, untergehen; (*ground*) sich senken; (*person*) sinken; **to ~ one's teeth/claws into sth** die Zähne/seine Klauen in etw *acc* schlagen; **his heart/spirits sank at the thought** bei dem Gedanken verließ ihn der Mut; **he sank into the mud/a chair** er sank in den Schlamm ein/in einen Sessel.
►**sink back** *vi* (zurück)sinken.
►**sink down** *vi* (nieder)sinken.
►**sink in** *vi* (*fig*) verstanden werden; **it's only just sunk in** ich begreife es erst jetzt.
sinking ['sɪŋkɪŋ] *n* (*of ship*) Untergang *m*; (: *deliberate*) Versenkung *f* ♦ *adj*: ~ **feeling** flaues Gefühl *nt* (im Magen).

sinking fund *n* Tilgungsfonds *m*.
sink unit *n* Spüle *f*.
sinner ['sɪnə*] *n* Sünder(in) *m(f)*.
Sinn Féin [ʃɪn'feɪn] *n republikanisch-nationalistische irische Partei*.
Sino- ['saɪnəu] *pref* chinesisch-.
sinuous ['sɪnjuəs] *adj* (*snake*) gewunden; (*dance*) geschmeidig.
sinus ['saɪnəs] *n* (Nasen)nebenhöhle *f*.
sip [sɪp] *n* Schlückchen *nt* ♦ *vt* nippen an +*dat*.
siphon ['saɪfən] *n* Heber *m*; (*also*: **soda** ~) Siphon *m*.
▶**siphon off** *vt* absaugen; (*petrol*) abzapfen.
SIPS *n abbr* (= *side impact protection system*) Seitenaufprallschutz *m*.
sir [sə*] *n* mein Herr, Herr X; **S~ John Smith** Sir John Smith; **yes,** ~ ja(, Herr X); **Dear S~ (or Madam)** (*in letter*) Sehr geehrte (Damen und) Herren!
siren ['saɪərn] *n* Sirene *f*.
sirloin ['sə:lɔɪn] *n* (*also*: ~ **steak**) Filetsteak *nt*.
sirocco [sɪ'rɔkəu] *n* Schirokko *m*.
sisal ['saɪsəl] *n* Sisal *m*.
sissy ['sɪsɪ] (*inf: pej*) *n* Waschlappen *m* ♦ *adj* weichlich.
sister ['sɪstə*] *n* Schwester *f*; (*nun*) (Ordens)schwester *f*; (*BRIT: nurse*) Oberschwester *f* ♦ *cpd*: ~ **organization** Schwesterorganisation *f*; ~ **ship** Schwesterschiff *nt*.
sister-in-law ['sɪstərɪnlɔ:] *n* Schwägerin *f*.
sit [sɪt] (*pt, pp* **sat**) *vi* (*sit down*) sich setzen; (*be sitting*) sitzen; (*assembly*) tagen; (*for painter*) Modell sitzen ♦ *vt* (*exam*) machen; **to ~ on a committee** in einem Ausschuß sitzen; **to ~ tight** abwarten.
▶**sit about** *vi* herumsitzen.
▶**sit around** *vi* = **sit about.**
▶**sit back** *vi* sich zurücklehnen.
▶**sit down** *vi* sich (hin)setzen; **to be ~ting down** sitzen.
▶**sit in on** *vt fus* dabeisein bei.
▶**sit up** *vi* sich aufsetzen; (*straight*) sich gerade hinsetzen; (*not go to bed*) aufbleiben.
sitcom ['sɪtkɔm] *n abbr* (*TV*) = **situation comedy.**
sit-down ['sɪtdaun] *adj*: **a ~ strike** ein Sitzstreik *m*; **a ~ meal** eine richtige Mahlzeit.
site [saɪt] *n* (*place*) Platz *m*; (*of crime*) Ort *m*; (*also*: **building** ~) Baustelle *f* ♦ *vt* (*factory*) legen; (*missiles*) stationieren.
sit-in ['sɪtɪn] *n* Sit-in *nt*.
siting ['saɪtɪŋ] *n* (*location*) Lage *f*.
sitter ['sɪtə*] *n* (*for painter*) Modell *nt*; (*also*: **baby-~**) Babysitter *m*.
sitting ['sɪtɪŋ] *n* Sitzung *f*; **we have two ~s for lunch** bei uns wird das Mittagessen in zwei Schüben serviert; **at a single ~** auf einmal.
sitting member *n* (*POL*) (derzeitiger) Abgeordnete(r) *m*, (derzeitige) Abgeordnete *f*.
sitting room *n* Wohnzimmer *nt*.
sitting tenant (*BRIT*) *n* (derzeitiger) Mieter *m*.
situate ['sɪtjueɪt] *vt* legen.
situated ['sɪtjueɪtɪd] *adj* gelegen; **to be ~** liegen.
situation [sɪtju'eɪʃən] *n* Situation *f*, Lage *f*; (*job*) Stelle *f*; (*location*) Lage *f*; **"~s vacant"** (*BRIT*) „Stellenangebote".
situation comedy *n* (*TV*) Situationskomödie *f*.
six [sɪks] *num* sechs.
six-pack ['sɪkspæk] *n* Sechserpack *m*.
sixteen [sɪks'ti:n] *num* sechzehn.
sixth [sɪksθ] *num* sechste(r, s); **the upper/lower ~** (*BRIT: SCOL*) ≈ die Ober-/Unterprima.
sixty ['sɪkstɪ] *num* sechzig.
size [saɪz] *n* Größe *f*; (*extent*) Ausmaß *nt*; **I take ~ 14** ich habe Größe 14; **the small/large ~** (*of soap powder etc*) die kleine/große Packung; **it's the ~ of ...** es ist so groß wie ...; **cut to ~** auf die richtige Größe zurechtgeschnitten.
▶**size up** *vt* einschätzen.
sizeable ['saɪzəbl] *adj* ziemlich groß; (*income etc*) ansehnlich.
sizzle ['sɪzl] *vi* brutzeln.
SK (*CANADA*) *abbr* (= *Saskatchewan*).
skate [skeɪt] *n* (*ice skate*) Schlittschuh *m*; (*roller skate*) Rollschuh *m*; (*fish: pl inv*) Rochen *m* ♦ *vi* Schlittschuh laufen.
▶**skate around** *vt fus* (*problem, issue*) einfach übergehen.
▶**skate over** *vt fus* = **skate around.**
skateboard ['skeɪtbɔ:d] *n* Skateboard *nt*.
skater ['skeɪtə*] *n* Schlittschuhläufer(in) *m(f)*.
skating ['skeɪtɪŋ] *n* Eislauf *m*.
skating rink *n* Eisbahn *f*.
skeleton ['skɛlɪtn] *n* Skelett *nt* ♦ *attrib* (*plan, outline*) skizzenhaft.
skeleton key *n* Dietrich *m*, Nachschlüssel *m*.
skeleton staff *n* Minimalbesetzung *f*.
skeptic *etc* ['skɛptɪk] (*US*) = **sceptic** *etc.*
sketch [skɛtʃ] *n* Skizze *f*; (*THEAT, TV*) Sketch *m* ♦ *vt* skizzieren; (*also*: ~ **out**: *ideas*) umreißen.
sketchbook ['skɛtʃbuk] *n* Skizzenbuch *nt*.
sketchpad ['skɛtʃpæd] *n* Skizzenblock *m*.
sketchy ['skɛtʃɪ] *adj* (*coverage*) oberflächlich; (*notes etc*) bruchstückhaft.
skew [skju:] *adj* schief.
skewed [skju:d] *adj* (*distorted*) verzerrt.
skewer ['skju:ə*] *n* Spieß *m*.
ski [ski:] *n* Ski *m*, Schi *m* ♦ *vi* Ski laufen *or* fahren.
ski boot *n* Skistiefel *m*.
skid [skɪd] *n* (*AUT*) Schleudern *nt* ♦ *vi* rutschen; (*AUT*) schleudern; **to go into a ~** ins Schleudern geraten *or* kommen.
skid marks *npl* Reifenspuren *pl*; (*from braking*) Bremsspuren *pl*.
skier ['ski:ə*] *n* Skiläufer(in) *m(f)*,

Skifahrer(in) *m(f)*.
skiing ['ski:ɪŋ] *n* Skilaufen *nt*, Skifahren *nt*; **to go ~** Skilaufen *or* Skifahren gehen.
ski instructor *n* Skilehrer(in) *m(f)*.
ski jump *n* (*event*) Skispringen *nt*; (*ramp*) Sprungschanze *f*.
skilful, (*US*) skillful ['skɪlful] *adj* geschickt.
skilfully *adv* geschickt.
ski lift *n* Skilift *m*.
skill [skɪl] *n* (*ability*) Können *nt*; (*dexterity*) Geschicklichkeit *f*; **skills** (*acquired abilities*) Fähigkeiten *pl*; **computer/language ~s** Computer-/Sprachkenntnisse *pl*; **to learn a new ~** etwas Neues lernen.
skilled [skɪld] *adj* (*skilful*) geschickt; (*trained*) ausgebildet; (*work*) qualifiziert.
skillet ['skɪlɪt] *n* Bratpfanne *f*.
skillful *etc* ['skɪlful] (*US*) = **skilful** *etc*.
skim [skɪm] *vt* (*also*: **~ off**: *cream, fat*) abschöpfen; (*glide over*) gleiten über *+acc* ♦ *vi*: **to ~ through** (*book etc*) überfliegen.
skimmed milk [skɪmd-] *n* Magermilch *f*.
skimp [skɪmp] (*also*: **~ on**) *vt* (*work etc*) nachlässig machen; (*cloth etc*) sparen an *+dat*.
skimpy ['skɪmpɪ] *adj* (*meagre*) dürftig; (*too small*) knapp.
skin [skɪn] *n* Haut *f*; (*fur*) Fell *nt*; (*of fruit*) Schale *f* ♦ *vt* (*animal*) häuten; **wet *or* soaked to the ~** naß bis auf die Haut.
skin cancer *n* Hautkrebs *m*.
skin-deep ['skɪn'di:p] *adj* oberflächlich.
skin diver *n* Sporttaucher(in) *m(f)*.
skin diving *n* Sporttauchen *nt*.
skinflint ['skɪnflɪnt] *n* Geizkragen *m*.
skin graft *n* Hautverpflanzung *f*.
skinhead ['skɪnhɛd] *n* Skinhead *m*.
skinny ['skɪnɪ] *adj* dünn.
skin test *n* Hauttest *m*.
skintight ['skɪntaɪt] *adj* hauteng.
skip [skɪp] *n* Sprung *m*, Hüpfer *m*; (*BRIT: container*) (Müll)container *m* ♦ *vi* springen, hüpfen; (*with rope*) seilspringen ♦ *vt* überspringen; (*miss: lunch, lecture*) ausfallen lassen; **to ~ school** (*esp US*) die Schule schwänzen.
ski pants *npl* Skihose *f*.
ski pole *n* Skistock *m*.
skipper ['skɪpə*] *n* (*NAUT*) Kapitän *m*; (*inf: SPORT*) Mannschaftskapitän *m* ♦ *vt*: **to ~ a boat/team** Kapitän eines Schiffes/einer Mannschaft sein.
skipping rope ['skɪpɪŋ-] (*BRIT*) *n* Sprungseil *nt*.
ski resort *n* Wintersportort *m*.
skirmish ['skə:mɪʃ] *n* (*MIL*) Geplänkel *nt*; (*political etc*) Zusammenstoß *m*.
skirt [skə:t] *n* Rock *m* ♦ *vt* (*fig*) umgehen.
skirting board ['skə:tɪŋ-] (*BRIT*) *n* Fußleiste *f*.
ski run *n* Skipiste *f*.
ski slope *n* Skipiste *f*.
ski suit *n* Skianzug *m*.
skit [skɪt] *n* Parodie *f*.
ski tow *n* Schlepplift *m*.
skittle ['skɪtl] *n* Kegel *m*.
skittles ['skɪtlz] *n* (*game*) Kegeln *nt*.
skive [skaɪv] (*BRIT: inf*) *vi* blaumachen; (*from school*) schwänzen.
skulk [skʌlk] *vi* sich herumdrücken.
skull [skʌl] *n* Schädel *m*.
skullcap ['skʌlkæp] *n* Scheitelkäppchen *nt*.
skunk [skʌŋk] *n* Skunk *m*, Stinktier *nt*; (*fur*) Skunk *m*.
sky [skaɪ] *n* Himmel *m*; **to praise sb to the skies** jdn in den Himmel heben.
sky-blue [skaɪ'blu:] *adj* himmelblau.
skydiving ['skaɪdaɪvɪŋ] *n* Fallschirmspringen *nt*.
sky-high ['skaɪ'haɪ] *adj* (*prices, confidence*) himmelhoch ♦ *adv*: **to blow a bridge ~** eine Brücke in die Luft sprengen.
skylark ['skaɪlɑ:k] *n* Feldlerche *f*.
skylight ['skaɪlaɪt] *n* Dachfenster *nt*.
skyline ['skaɪlaɪn] *n* (*horizon*) Horizont *m*; (*of city*) Skyline *f*, Silhouette *f*.
skyscraper ['skaɪskreɪpə*] *n* Wolkenkratzer *m*.
slab [slæb] *n* (*stone*) Platte *f*; (*of wood*) Tafel *f*; (*of cake, cheese*) großes Stück *nt*.
slack [slæk] *adj* (*loose*) locker; (*rope*) durchhängend; (*skin*) schlaff; (*careless*) nachlässig; (*COMM: market*) flau; (: *demand*) schwach; (*period*) ruhig ♦ *n* (*in rope etc*) durchhängendes Teil *nt*; **slacks** *npl* (*trousers*) Hose *f*; **business is ~** das Geschäft geht schlecht.
slacken ['slækn] *vi* (*also*: **~ off**: *speed, rain*) nachlassen; (: *pace*) langsamer werden; (: *demand*) zurückgehen ♦ *vt* (*grip*) lockern; (*speed*) verringern; (*pace*) verlangsamen.
slag heap [slæg-] *n* Schlackenhalde *f*.
slag off (*BRIT: inf*) *vt* (*criticize*) (he)runtermachen.
slain [sleɪn] *pp of* **slay**.
slake [sleɪk] *vt* (*thirst*) stillen.
slalom ['slɑ:ləm] *n* Slalom *m*.
slam [slæm] *vt* (*door*) zuschlagen, zuknallen (*inf*); (*throw*) knallen (*inf*); (*criticize*) verreißen ♦ *vi* (*door*) zuschlagen, zuknallen (*inf*); **to ~ on the brakes** (*AUT*) auf die Bremse steigen (*inf*).
slammer ['slæmə*] (*inf*) *n* (*prison*) Knast *m*.
slander ['slɑ:ndə*] *n* (*LAW*) Verleumdung *f*; (*insult*) Beleidigung *f* ♦ *vt* verleumden.
slanderous ['slɑ:ndrəs] *adj* verleumderisch.
slang [slæŋ] *n* Slang *m*; (*jargon*) Jargon *m*.
slanging match ['slæŋɪŋ-] *n* gegenseitige Beschimpfungen *pl*.
slant [slɑ:nt] *n* Neigung *f*, Schräge *f*; (*fig: approach*) Perspektive *f* ♦ *vi* (*floor*) sich neigen; (*ceiling*) schräg sein.
slanted ['slɑ:ntɪd] *adj* (*roof*) schräg; (*eyes*) schräggestellt.
slanting ['slɑ:ntɪŋ] *adj* = **slanted**.
slap [slæp] *n* Schlag *m*, Klaps *m* ♦ *vt* schlagen

♦ *adv* (*inf: directly*) direkt; **to ~ sth on sth** etw auf etw *acc* klatschen; **it fell ~(-bang) in the middle** es fiel genau in die Mitte.
slapdash ['slæpdæʃ] *adj* nachlässig, schludrig (*inf*).
slapstick ['slæpstɪk] *n* Klamauk *m*.
slap-up ['slæpʌp] *adj*: **a ~ meal** (*BRIT*) ein Essen mit allem Drum und Dran.
slash [slæʃ] *vt* aufschlitzen; (*fig: prices*) radikal senken; **to ~ one's wrists** sich *dat* die Pulsadern aufschneiden.
slat [slæt] *n* Leiste *f*, Latte *f*.
slate [sleɪt] *n* Schiefer *m*; (*piece*) Schieferplatte *f* ♦ *vt* (*criticize*) verreißen.
slaughter ['slɔːtə*] *n* (*of animals*) Schlachten *nt*; (*of people*) Gemetzel *nt* ♦ *vt* (*animals*) schlachten; (*people*) abschlachten.
slaughterhouse ['slɔːtəhaus] *n* Schlachthof *m*.
Slav [slɑːv] *adj* slawisch ♦ *n* Slawe *m*, Slawin *f*.
slave [sleɪv] *n* Sklave *m*, Sklavin *f* ♦ *vi* (*also*: **~ away**) sich abplagen, schuften (*inf*); **to ~ (away) at sth** sich mit etw herumschlagen.
slave-driver ['sleɪvdraɪvə*] *n* Sklaventreiber(in) *m(f)*.
slave labour *n* Sklavenarbeit *f*; **it's just ~** (*fig*) es ist die reinste Sklavenarbeit.
slaver ['slævə*] *vi* (*dribble*) geifern.
slavery ['sleɪvərɪ] *n* Sklaverei *f*.
Slavic ['slævɪk] *adj* slawisch.
slavish ['sleɪvɪʃ] *adj* sklavisch.
slavishly ['sleɪvɪʃlɪ] *adv* sklavisch.
Slavonic [slə'vɔnɪk] *adj* slawisch.
slay [sleɪ] (*pt* **slew**, *pp* **slain**) *vt* (*liter*) erschlagen.
SLD (*BRIT*) *n abbr* (*POL:* = *Social and Liberal Democratic Party*) *sozialliberale Partei*.
sleazy ['sliːzɪ] *adj* schäbig.
sledge [slɛdʒ] *n* Schlitten *m*.
sledgehammer ['slɛdʒhæmə*] *n* Vorschlaghammer *m*.
sleek [sliːk] *adj* glatt, glänzend; (*car, boat etc*) schnittig.
sleep [sliːp] (*pt, pp* **slept**) *n* Schlaf *m* ♦ *vi* schlafen ♦ *vt*: **we can ~ 4** bei uns können 4 Leute schlafen; **to go to ~** einschlafen; **to have a good night's ~** sich richtig ausschlafen; **to put to ~** (*euph: kill*) einschläfern; **to ~ lightly** einen leichten Schlaf haben; **to ~ with sb** (*euph: have sex*) mit jdm schlafen.
▸**sleep around** *vi* mit jedem/jeder schlafen.
▸**sleep in** *vi* (*oversleep*) verschlafen; (*rise late*) lange schlafen.
sleeper ['sliːpə*] *n* (*train*) Schlafwagenzug *m*; (*berth*) Platz *m* im Schlafwagen; (*BRIT: on track*) Schwelle *f*; (*person*) Schläfer(in) *m(f)*.
sleepily ['sliːpɪlɪ] *adv* müde, schläfrig.
sleeping accommodation *n* (*beds etc*) Schlafgelegenheiten *pl*.
sleeping arrangements *npl* Bettenverteilung *f*.
sleeping bag *n* Schlafsack *m*.
sleeping car *n* Schlafwagen *m*.
sleeping partner (*BRIT*) = **silent partner**.
sleeping pill *n* Schlaftablette *f*.
sleeping sickness *n* Schlafkrankheit *f*.
sleepless ['sliːplɪs] *adj* (*night*) schlaflos.
sleeplessness ['sliːplɪsnɪs] *n* Schlaflosigkeit *f*.
sleepwalk ['sliːpwɔːk] *vi* schlafwandeln.
sleepwalker ['sliːpwɔːkə*] *n* Schlafwandler(in) *m(f)*.
sleepy ['sliːpɪ] *adj* müde, schläfrig; (*fig: village etc*) verschlafen; **to be** *or* **feel ~** müde sein.
sleet [sliːt] *n* Schneeregen *m*.
sleeve [sliːv] *n* Ärmel *m*; (*of record*) Hülle *f*; **to have sth up one's ~** (*fig*) etw in petto haben.
sleeveless ['sliːvlɪs] *adj* (*garment*) ärmellos.
sleigh [sleɪ] *n* (Pferde)schlitten *m*.
sleight [slaɪt] *n*: **~ of hand** Fingerfertigkeit *f*.
slender ['slɛndə*] *adj* schlank, schmal; (*small*) knapp.
slept [slɛpt] *pt, pp of* **sleep**.
sleuth [sluːθ] *n* Detektiv *m*.
slew [sluː] *vi* (*BRIT: also:* **~ round**) herumschwenken; **the bus ~ed across the road** der Bus rutschte über die Straße ♦ *pt of* **slay**.
slice [slaɪs] *n* Scheibe *f*; (*utensil*) Wender *m* ♦ *vt* (in Scheiben) schneiden; **~d bread** aufgeschnittenes Brot *nt*; **the best thing since ~d bread** der/die/das Allerbeste.
slick [slɪk] *adj* professionell; (*pej*) glatt ♦ *n* (*also*: **oil ~**) Ölteppich *m*.
slid [slɪd] *pt, pp of* **slide**.
slide [slaɪd] (*pt, pp* **slid**) *n* (*on ice etc*) Rutschen *nt*; (*fig: to ruin etc*) Abgleiten *nt*; (*in playground*) Rutschbahn *f*; (*PHOT*) Dia *nt*; (*BRIT: also:* **hair ~**) Spange *f*; (*microscope slide*) Objektträger *m*; (*in prices*) Preisrutsch *m* ♦ *vt* schieben ♦ *vi* (*slip*) rutschen; (*glide*) gleiten; **to let things ~** (*fig*) die Dinge schleifen lassen.
slide projector *n* Diaprojektor *m*.
slide rule *n* Rechenschieber *m*.
sliding ['slaɪdɪŋ] *adj* (*door, window etc*) Schiebe-.
sliding roof *n* (*AUT*) Schiebedach *nt*.
sliding scale *n* gleitende Skala *f*.
slight [slaɪt] *adj* zierlich; (*small*) gering; (*error, accent, pain etc*) leicht; (*trivial*) leicht ♦ *n*: **a ~ (on sb/sth)** ein Affront *m* (gegen jdn/etw); **the ~est noise** der geringste Lärm; **the ~est problem** das kleinste Problem; **I haven't the ~est idea** ich habe nicht die geringste Ahnung; **not in the ~est** nicht im geringsten.
slightly ['slaɪtlɪ] *adv* etwas, ein bißchen; **~ built** zierlich.
slim [slɪm] *adj* schlank; (*chance*) gering ♦ *vi* eine Schlankheitskur machen, abnehmen.
slime [slaɪm] *n* Schleim *m*.
slimming ['slɪmɪŋ] *n* Abnehmen *nt*.
slimy ['slaɪmɪ] *adj* (*lit, fig*) schleimig.

sling [slɪŋ] (*pt, pp* **slung**) *n* Schlinge *f*; (*for baby*) Tragetuch *nt*; (*weapon*) Schleuder *f* ♦ *vt* schleudern; **to have one's arm in a ~** den Arm in der Schlinge tragen.
slingshot ['slɪŋʃɔt] *n* Steinschleuder *f*.
slink [slɪŋk] (*pt, pp* **slunk**) *vi*: **to ~ away** *or* **off** sich davonschleichen.
slinky ['slɪŋkɪ] *adj* (*dress*) enganliegend.
slip [slɪp] *n* (*fall*) Ausrutschen *nt*; (*mistake*) Fehler *m*, Schnitzer *m*; (*underskirt*) Unterrock *m*; (*also*: **~ of paper**) Zettel *m* ♦ *vt* (*slide*) stecken ♦ *vi* ausrutschen; (*decline*) fallen; **he had a nasty ~** er ist ausgerutscht und böse gefallen; **to give sb the ~** jdm entwischen; **a ~ of the tongue** ein Versprecher *m*; **to ~ into/out of sth, to ~ sth on/off** in etw *acc*/aus etw schlüpfen; **to let a chance ~ by** eine Gelegenheit ungenutzt lassen; **it ~ped from her hand** es rutschte ihr aus der Hand.
►**slip away** *vi* sich davonschleichen.
►**slip in** *vt* stecken in *+acc*.
►**slip out** *vi* kurz weggehen.
►**slip up** *vi* sich vertun (*inf*).
slip-on ['slɪpɔn] *adj* zum Überziehen; **~ shoes** Slipper *pl*.
slipped disc [slɪpt-] *n* Bandscheibenschaden *m*.
slipper ['slɪpə*] *n* Pantoffel *m*, Hausschuh *m*.
slippery ['slɪpərɪ] *adj* (*lit, fig*) glatt; (*fish etc*) schlüpfrig.
slippy ['slɪpɪ] *adj* (*slippery*) glatt.
slip road (*BRIT*) *n* (*to motorway etc*) Auffahrt *f*; (*from motorway etc*) Ausfahrt *f*.
slipshod ['slɪpʃɔd] *adj* schludrig (*inf*).
slipstream ['slɪpstriːm] *n* (*TECH*) Sog *m*; (*AUT*) Windschatten *m*.
slip-up ['slɪpʌp] *n* Fehler *m*, Schnitzer *m*.
slipway ['slɪpweɪ] *n* (*NAUT*) Ablaufbahn *f*.
slit [slɪt] (*pt, pp* **slit**) *n* Schlitz *m*; (*tear*) Riß *m* ♦ *vt* aufschlitzen; **to ~ sb's throat** jdm die Kehle aufschlitzen.
slither ['slɪðə*] *vi* rutschen; (*snake etc*) gleiten.
sliver ['slɪvə*] *n* (*of glass, wood*) Splitter *m*; (*of cheese etc*) Scheibchen *nt*.
slob [slɔb] (*inf*) *n* Drecksau *f* (*!*).
slog [slɔg] (*BRIT*) *vi* (*work hard*) schuften ♦ *n*: **it was a hard ~** es war eine ganz schöne Schufterei; **to ~ away at sth** sich mit etw abrackern.
slogan ['sləugən] *n* Slogan *m*.
slop [slɔp] *vi* schwappen ♦ *vt* verschütten.
►**slop out** *vi* (*in prison etc*) den Toiletteneimer ausleeren.
slope [sləup] *n* Hügel *m*; (*side of mountain*) Hang *m*; (*ski slope*) Piste *f*; (*slant*) Neigung *f* ♦ *vi*: **to ~ down** abfallen; **to ~ up** ansteigen.
sloping ['sləupɪŋ] *adj* (*upwards*) ansteigend; (*downwards*) abfallend; (*roof, handwriting*) schräg.
sloppy ['slɔpɪ] *adj* (*work*) nachlässig; (*appearance*) schlampig; (*sentimental*) rührselig.
slops [slɔps] *npl* Abfallbrühe *f*.
slosh [slɔʃ] (*inf*) *vi*: **to ~ around** *or* **about** (*person*) herumplanschen; (*liquid*) herumschwappen.
sloshed [slɔʃt] (*inf*) *adj* (*drunk*) blau.
slot [slɔt] *n* Schlitz *m*; (*fig: in timetable*) Termin *m*; (*: RADIO, TV*) Sendezeit *f* ♦ *vt*: **to ~ sth in** etw hineinstecken ♦ *vi*: **to ~ into** sich einfügen lassen in *+acc*.
sloth [sləuθ] *n* (*laziness*) Trägheit *f*, Faulheit *f*; (*ZOOL*) Faultier *nt*.
slot machine *n* (*BRIT*) Münzautomat *m*; (*for gambling*) Spielautomat *m*.
slot meter (*BRIT*) *n* Münzzähler *m*.
slouch [slautʃ] *vi* eine krumme Haltung haben; (*when walking*) krumm gehen ♦ *n*: **he's no ~** er hat etwas los (*inf*); **she was ~ed in a chair** sie hing auf einem Stuhl.
Slovak ['sləuvæk] *adj* slowakisch ♦ *n* Slowake *m*, Slowakin *f*; (*LING*) Slowakisch *nt*; **the ~ Republic** die Slowakische Republik.
Slovakia [sləu'vækɪə] *n* die Slowakei.
Slovakian [sləu'vækɪən] *adj, n* = **Slovak.**
Slovene ['sləuviːn] *n* Slowene *m*, Slowenin *f*; (*LING*) Slowenisch *nt* ♦ *adj* slowenisch.
Slovenia [sləu'viːnɪə] *n* Slowenien *nt*.
Slovenian [sləu'viːnɪən] *adj, n* = **Slovene.**
slovenly ['slʌvənlɪ] *adj* schlampig; (*careless*) nachlässig, schludrig (*inf*).
slow [sləu] *adj* langsam; (*not clever*) langsam, begriffsstutzig ♦ *adv* langsam ♦ *vt* (*also*: **~ down, ~ up**) verlangsamen; (*business*) verschlechtern ♦ *vi* (*also*: **~ down, ~ up**) sich verlangsamen; (*business*) schlechter gehen; **to be ~** (*watch, clock*) nachgehen; **"~"** „langsam fahren"; **at a ~ speed** langsam; **to be ~ to act** sich *dat* Zeit lassen; **to be ~ to decide** lange brauchen, um sich zu entscheiden; **my watch is 20 minutes ~** meine Uhr geht 20 Minuten nach; **business is ~** das Geschäft geht schlecht; **to go ~** (*driver*) langsam fahren; (*BRIT: in industrial dispute*) einen Bummelstreik machen.
slow-acting [sləu'æktɪŋ] *adj* mit Langzeitwirkung.
slowly ['sləulɪ] *adv* langsam.
slow motion *n*: **in ~** in Zeitlupe.
slow-moving [sləu'muːvɪŋ] *adj* langsam; (*traffic*) kriechend.
slowness ['sləunɪs] *n* Langsamkeit *f*.
sludge [slʌdʒ] *n* Schlamm *m*.
slue [sluː] (*US*) *vi* = **slew.**
slug [slʌg] *n* Nacktschnecke *f*; (*US: inf: bullet*) Kugel *f*.
sluggish ['slʌgɪʃ] *adj* träge; (*engine*) lahm; (*COMM*) flau.
sluice [sluːs] *n* Schleuse *f*; (*channel*) (Wasch)rinne *f* ♦ *vt*: **to ~ down** *or* **out** abspritzen.
slum [slʌm] *n* Slum *m*, Elendsviertel *nt*.
slumber ['slʌmbə*] *n* Schlaf *m*.

slump [slʌmp] *n* Rezession *f* ♦ *vi* fallen; ~ **in sales** Absatzflaute *f*; ~ **in prices** Preissturz *m*; **he was ~ed over the wheel** er war über dem Steuer zusammengesackt.
slung [slʌŋ] *pt, pp of* **sling.**
slunk [slʌŋk] *pt, pp of* **slink.**
slur [slə:*] *n* (*fig*): ~ **(on)** Beleidigung *f* (für) ♦ *vt* (*words*) undeutlich aussprechen; **to cast a ~ on** verunglimpfen.
slurp [slə:p] (*inf*) *vt, vi* schlürfen.
slurred [slə:d] *adj* (*speech, voice*) undeutlich.
slush [slʌʃ] *n* (*melted snow*) Schneematsch *m*.
slush fund *n* Schmiergelder *pl*, Schmiergeldfonds *m*.
slushy ['slʌʃɪ] *adj* matschig; (*BRIT, fig*) schmalzig.
slut [slʌt] (*pej*) *n* Schlampe *f*.
sly [slaɪ] *adj* (*smile, expression*) wissend; (*remark*) vielsagend; (*person*) schlau, gerissen; **on the ~** heimlich.
S/M *n abbr* (= *sadomasochism*) S/M.
smack [smæk] *n* Klaps *m*; (*on face*) Ohrfeige *f* ♦ *vt* (*hit*) schlagen; (: *child*) einen Klaps geben *+dat*; (: *on face*) ohrfeigen ♦ *vi*: **to ~ of** riechen nach ♦ *adv*: **it fell ~ in the middle** (*inf*) es fiel genau in die Mitte; **to ~ one's lips** schmatzen.
smacker ['smækə*] (*inf*) *n* (*kiss*) Schmatzer *m*.
small [smɔ:l] *adj* klein ♦ *n*: **the ~ of the back** das Kreuz; **to get** *or* **grow ~er** (*thing*) kleiner werden; (*numbers*) zurückgehen; **to make ~er** (*amount, income*) kürzen; (*object, garment*) kleiner machen; **a ~ shopkeeper** der Inhaber eines kleinen Geschäfts; **a ~ business** ein Kleinunternehmen *nt*.
small ads (*BRIT*) *npl* Kleinanzeigen *pl*.
small arms *n* Handfeuerwaffen *pl*.
small business *n* Kleinunternehmen *nt*.
small change *n* Kleingeld *nt*.
small fry *npl* (*unimportant people*) kleine Fische *pl*.
smallholder ['smɔ:lhəuldə*] (*BRIT*) *n* Kleinbauer *m*.
smallholding ['smɔ:lhəuldɪŋ] (*BRIT*) *n* kleiner Landbesitz *m*.
small hours *npl*: **in the ~** in den frühen Morgenstunden.
smallish ['smɔ:lɪʃ] *adj* ziemlich klein.
small-minded [smɔ:l'maɪndɪd] *adj* engstirnig.
smallpox ['smɔ:lpɔks] *n* Pocken *pl*.
small print *n*: **the ~** das Kleingedruckte.
small-scale ['smɔ:lskeɪl] *adj* (*map, model*) in verkleinertem Maßstab; (*business, farming*) kleinangelegt.
small talk *n* (oberflächliche) Konversation *f*.
small-time ['smɔ:ltaɪm] *adj* (*farmer etc*) klein; **a ~ thief** ein kleiner Ganove.
small-town ['smɔ:ltaun] *adj* kleinstädtisch.
smarmy ['smɑ:mɪ] (*BRIT: pej*) *adj* schmierig.
smart [smɑ:t] *adj* (*neat*) ordentlich, gepflegt; (*fashionable*) schick, elegant; (*clever*) intelligent, clever (*inf*); (*quick*) schnell ♦ *vi* (*sting*) brennen; (*suffer*) leiden; **the ~ set** die Schickeria (*inf*); **and look ~ (about it)!** und zwar ein bißchen plötzlich! (*inf*).
smart card *n* Chipkarte *f*.
smarten up ['smɑ:tn-] *vi* sich feinmachen ♦ *vt* verschönern.
smash [smæʃ] *n* (*also*: **~-up**) Unfall *m*; (*sound*) Krachen *nt*; (*song, play, film*) Superhit *m*; (*TENNIS*) Schmetterball *m* ♦ *vt* (*break*) zerbrechen; (*car etc*) kaputtfahren; (*hopes*) zerschlagen; (*SPORT: record*) haushoch schlagen ♦ *vi* (*break*) zerbrechen; (*against wall, into sth etc*) krachen.
▶**smash up** *vt* (*car*) kaputtfahren; (*room*) kurz und klein schlagen (*inf*).
smash hit *n* Superhit *m*.
smashing ['smæʃɪŋ] (*inf*) *adj* super, toll.
smattering ['smætərɪŋ] *n*: **a ~ of Greek** *etc* ein paar Brocken Griechisch *etc*.
smear [smɪə*] *n* (*trace*) verschmierter Fleck *m*; (*insult*) Verleumdung *f*; (*MED*) Abstrich *m* ♦ *vt* (*spread*) verschmieren; (*make dirty*) beschmieren; **his hands were ~ed with oil/ink** seine Hände waren mit Öl/Tinte beschmiert.
smear campaign *n* Verleumdungskampagne *f*.
smear test *n* Abstrich *m*.
smell [smɛl] (*pt, pp* **smelt** *or* **smelled**) *n* Geruch *m*; (*sense*) Geruchssinn *m* ♦ *vt* riechen ♦ *vi* riechen; (*pej*) stinken; (*pleasantly*) duften; **to ~ of** riechen nach.
smelly ['smɛlɪ] (*pej*) *adj* stinkend.
smelt [smɛlt] *pt, pp of* **smell** ♦ *vt* schmelzen.
smile [smaɪl] *n* Lächeln *nt* ♦ *vi* lächeln.
smiling ['smaɪlɪŋ] *adj* lächelnd.
smirk [smə:k] (*pej*) *n* Grinsen *nt*.
smithy ['smɪðɪ] *n* Schmiede *f*.
smitten ['smɪtn] *adj*: ~ **with** vernarrt in *+acc*.
smock [smɔk] *n* Kittel *m*; (*US: overall*) Overall *m*.
smog [smɔg] *n* Smog *m*.
smoke [sməuk] *n* Rauch *m* ♦ *vi, vt* rauchen; **to have a ~** eine rauchen; **to go up in ~** in Rauch (und Flammen) aufgehen; (*fig*) sich in Rauch auflösen; **do you ~?** rauchen Sie?
smoked [sməukt] *adj* geräuchert, Räucher-; ~ **glass** Rauchglas *nt*.
smokeless fuel ['sməuklɪs-] *n* rauchlose Kohle *f*.
smokeless zone (*BRIT*) *n* rauchfreie Zone *f*.
smoker ['sməukə*] *n* Raucher(in) *m(f)*; (*RAIL*) Raucherabteil *nt*.
smoke screen *n* Rauchvorhang *m*; (*fig*) Deckmantel *m*.
smoke shop (*US*) *n* Tabakladen *m*.
smoking ['sməukɪŋ] *n* Rauchen *nt*; **"no ~"** „Rauchen verboten".
smoking compartment, (*US*) **smoking car** *n* Raucherabteil *nt*.
smoking room *n* Raucherzimmer *nt*.
smoky ['sməukɪ] *adj* verraucht; (*taste*)

rauchig.

smolder ['smәuldә*] (*US*) *vi* = **smoulder**.

smoochy ['smu:tʃɪ] *adj* (*music, tape*) zum Schmusen.

smooth [smu:ð] *adj* (*lit, fig: pej*) glatt; (*flavour, whisky*) weich; (*movement*) geschmeidig; (*flight*) ruhig.

▶**smooth out** *vt* glätten; (*fig: difficulties*) aus dem Weg räumen.

▶**smooth over** *vt*: **to ~ things over** (*fig*) die Sache bereinigen.

smoothly ['smu:ðlɪ] *adv* reibungslos, glatt; **everything went ~** alles ging glatt über die Bühne.

smoothness ['smu:ðnɪs] *n* Glätte *f*; (*of flight*) Ruhe *f*.

smother ['smʌðә*] *vt* (*fire, person*) ersticken; (*repress*) unterdrücken.

smoulder, (*US*) **smolder** ['smәuldә*] *vi* (*lit, fig*) glimmen, schwelen.

smudge [smʌdʒ] *n* Schmutzfleck *m* ♦ *vt* verwischen.

smug [smʌg] (*pej*) *adj* selbstgefällig.

smuggle ['smʌgl] *vt* schmuggeln; **to ~ in/out** einschmuggeln/herausschmuggeln.

smuggler ['smʌglә*] *n* Schmuggler(in) *m(f)*.

smuggling ['smʌglɪŋ] *n* Schmuggel *m*.

smut [smʌt] *n* (*grain of soot*) Rußflocke *f*; (*in conversation etc*) Schmutz *m*.

smutty ['smʌtɪ] *adj* (*fig: joke, book*) schmutzig.

snack [snæk] *n* Kleinigkeit *f* (zu essen); **to have a ~** eine Kleinigkeit essen.

snack bar *n* Imbißstube *f*.

snag [snæg] *n* Haken *m*, Schwierigkeit *f*.

snail [sneɪl] *n* Schnecke *f*.

snake [sneɪk] *n* Schlange *f*.

snap [snæp] *n* Knacken *nt*; (*photograph*) Schnappschuß *m*; (*card game*) ≈ Schnippschnapp *nt* ♦ *adj* (*decision*) plötzlich, spontan ♦ *vt* (*break*) (zer)brechen ♦ *vi* (*break*) (zer)brechen; (*rope, thread etc*) reißen; **a cold ~** ein Kälteeinbruch *m*; **his patience ~ped** ihm riß der Geduldsfaden; **his temper ~ped** er verlor die Beherrschung; **to ~ one's fingers** mit den Fingern schnipsen *or* schnalzen; **to ~ open/shut** auf-/zuschnappen.

▶**snap at** *vt fus* (*dog*) schnappen nach; (*fig: person*) anschnauzen (*inf*).

▶**snap off** *vt* (*break*) abbrechen.

▶**snap up** *vt* (*bargains*) wegschnappen.

snap fastener *n* Druckknopf *m*.

snappy ['snæpɪ] (*inf*) *adj* (*answer*) kurz und treffend; (*slogan*) zündend; **make it ~** ein bißchen dalli!; **he is a ~ dresser** er zieht sich flott an.

snapshot ['snæpʃɔt] *n* Schnappschuß *m*.

snare [snɛә*] *n* Falle *f* ♦ *vt* (*lit, fig*) fangen.

snarl [snɑ:l] *vi* knurren ♦ *vt*: **to get ~ed up** (*plans*) durcheinanderkommen; (*traffic*) stocken.

snarl-up ['snɑ:lʌp] *n* Verkehrschaos *nt*.

snatch [snætʃ] *n* (*of conversation*) Fetzen *m*; (*of song*) paar Takte *pl* ♦ *vt* (*grab*) greifen; (*steal*) stehlen, klauen (*inf*); (*child*) entführen; (*fig: opportunity*) ergreifen; (*: look*) werfen ♦ *vi*: **don't ~!** nicht grapschen!; **to ~ a sandwich** schnell ein Butterbrot essen; **to ~ some sleep** etwas Schlaf ergattern.

▶**snatch up** *vt* schnappen.

snazzy ['snæzɪ] (*inf*) *adj* flott.

sneak [sni:k] (*pt (US) also* **snuck**) *vi*: **to ~ in/out** sich einschleichen/sich hinausschleichen ♦ *vt*: **to ~ a look at sth** heimlich auf etw *acc* schielen ♦ *n* (*inf: pej*) Petze *f*.

▶**sneak up** *vi*: **to ~ up on sb** sich an jdn heranschleichen.

sneakers ['sni:kәz] *npl* Freizeitschuhe *pl*.

sneaking ['sni:kɪŋ] *adj*: **to have a ~ feeling/suspicion that ...** das ungute Gefühl/den leisen Verdacht haben, daß ...

sneaky ['sni:kɪ] (*pej*) *adj* raffiniert.

sneer [snɪә*] *vi* (*smile nastily*) spöttisch lächeln; (*mock*): **to ~ at** verspotten ♦ *n* (*smile*) spöttisches Lächeln *nt*; (*remark*) spöttische Bemerkung *f*.

sneeze [sni:z] *n* Niesen *nt* ♦ *vi* niesen.

▶**sneeze at** *vt fus*: **it's not to be ~d at** es ist nicht zu verachten.

snicker ['snɪkә*] *vi see* **snigger**.

snide [snaɪd] (*pej*) *adj* abfällig.

sniff [snɪf] *n* Schniefen *nt*; (*smell*) Schnüffeln *nt* ♦ *vi* schniefen ♦ *vt* riechen, schnuppern an *+dat*; (*glue*) schnüffeln.

sniffer dog ['snɪfә-] *n* Spürhund *m*.

snigger ['snɪgә*] *vi* kichern.

snip [snɪp] *n* Schnitt *m*; (*BRIT: inf: bargain*) Schnäppchen *nt* ♦ *vt* schnippeln; **to ~ sth off/through sth** etw abschnippeln/durchschnippeln.

sniper ['snaɪpә*] *n* Heckenschütze *m*.

snippet ['snɪpɪt] *n* (*of information*) Bruchstück *nt*; (*of conversation*) Fetzen *m*.

snivelling, (*US*) **sniveling** ['snɪvlɪŋ] *adj* heulend.

snob [snɔb] *n* Snob *m*.

snobbery ['snɔbәrɪ] *n* Snobismus *m*.

snobbish ['snɔbɪʃ] *adj* snobistisch, versnobt (*inf*).

snog [snɔg] (*BRIT: inf*) *n* Knutscherei *f*; **to have a ~ with sb** mit jdm (rum)knutschen ♦ *vi* (rum)knutschen.

snooker ['snu:kә*] *n* Snooker *nt* ♦ *vt* (*BRIT: inf*): **to be ~ed** festsitzen.

snoop [snu:p] *vi*: **to ~ about** herumschnüffeln; **to ~ on sb** jdm nachschnüffeln.

snooper ['snu:pә*] *n* Schnüffler(in) *m(f)*.

snooty ['snu:tɪ] *adj* hochnäsig.

snooze [snu:z] *n* Schläfchen *nt* ♦ *vi* ein Schläfchen machen.

snore [snɔ:*] *n* Schnarchen *nt* ♦ *vi* schnarchen.

snoring ['snɔ:rɪŋ] *n* Schnarchen *nt*.

snorkel ['snɔːkl] *n* Schnorchel *m*.
snort [snɔːt] *n* Schnauben *nt* ♦ *vi* (*animal*) schnauben; (*person*) prusten ♦ *vt* (*inf: cocaine*) schnüffeln.
snotty ['snɔtɪ] (*inf*) *adj* (*handkerchief, nose*) Rotz-; (*pej: snobbish*) hochnäsig.
snout [snaut] *n* Schnauze *f*.
snow [snəu] *n* Schnee *m* ♦ *vi* schneien ♦ *vt*: **to be ~ed under with work** mit Arbeit reichlich eingedeckt sein; **it's ~ing** es schneit.
snowball ['snəubɔːl] *n* Schneeball *m* ♦ *vi* (*fig: problem*) eskalieren; (*: campaign*) ins Rollen kommen.
snowbound ['snəubaund] *adj* eingeschneit.
snow-capped ['snəukæpt] *adj* schneebedeckt.
snowdrift ['snəudrɪft] *n* Schneewehe *f*.
snowdrop ['snəudrɔp] *n* Schneeglöckchen *nt*.
snowfall ['snəufɔːl] *n* Schneefall *m*.
snowflake ['snəufleɪk] *n* Schneeflocke *f*.
snowline ['snəulaɪn] *n* Schneegrenze *f*.
snowman ['snəumæn] (*irreg: like* **man**) *n* Schneemann *m*.
snowplough, (*US*) **snowplow** ['snəuplau] *n* Schneepflug *m*.
snowshoe ['snəuʃuː] *n* Schneeschuh *m*.
snowstorm ['snəustɔːm] *n* Schneesturm *m*.
snowy ['snəuɪ] *adj* schneeweiß; (*covered with snow*) verschneit.
SNP (*BRIT*) *n abbr* (*POL*) = **Scottish National Party.**
snub [snʌb] *vt* (*person*) vor den Kopf stoßen ♦ *n* Abfuhr *f*.
snub-nosed [snʌb'nəuzd] *adj* stupsnasig.
snuff [snʌf] *n* Schnupftabak *m* ♦ *vt* (*also:* ~ **out**: *candle*) auslöschen.
snuff movie *n Pornofilm, in dem jemand tatsächlich stirbt.*
snug [snʌg] *adj* behaglich, gemütlich; (*well-fitting*) gutsitzend; **it's a ~ fit** es paßt genau.
snuggle ['snʌgl] *vi*: **to ~ up to sb** sich an jdn kuscheln; **to ~ down in bed** sich ins Bett kuscheln.
snugly ['snʌglɪ] *adv* behaglich; **it fits ~** (*object in pocket etc*) es paßt genau hinein; (*garment*) es paßt wie angegossen.
SO *n abbr* (*BANKING*) = **standing order.**

KEYWORD

so [səu] *adv* **1** (*thus, likewise*) so; ~ **saying he walked away** mit diesen Worten ging er weg; **if ~** falls ja; **I didn't do it - you did ~!** ich hab es nicht getan - hast du wohl!; ~ **do I,** ~ **am I** *etc* ich auch; **it's 5 o'clock - ~ it is!** es ist 5 Uhr - tatsächlich!; **I hope/think ~** ich hoffe/glaube ja; ~ **far** bis jetzt
2 (*in comparisons etc: to such a degree*) so; ~ **big/quickly (that)** so groß/schnell(, daß); **I'm ~ glad to see you** ich bin ja so froh, dich zu sehen
3: ~ **much** so viel; **I've got ~ much work** ich habe so viel Arbeit; **I love you ~ much** ich liebe dich so sehr; ~ **many** so viele
4 (*phrases*): **10 or** ~ 10 oder so; ~ **long!** (*inf: goodbye*) tschüs!
♦ *conj* **1** (*expressing purpose*): ~ **as to do sth** um etw zu tun; ~ **(that)** damit
2 (*expressing result*) also; ~ **I was right after all** ich hatte also doch recht; ~ **you see, I could have gone** wie Sie sehen, hätte ich gehen können; ~ **(what)?** na und?

soak [səuk] *vt* (*drench*) durchnässen; (*steep*) einweichen ♦ *vi* einweichen; **to be ~ed through** völlig durchnäßt sein.
▸**soak in** *vi* einziehen.
▸**soak up** *vt* aufsaugen.
soaking ['səukɪŋ] *adj* (*also:* ~ **wet**) patschnaß.
so-and-so ['səuənsəu] *n* (*somebody*) Soundso *no art*; **Mr/Mrs** ~ Herr/Frau Soundso; **the little ~!** (*pej*) das Biest!
soap [səup] *n* Seife *f*; (*TV: also:* ~ **opera**) Fernsehserie *f*, Seifenoper *f* (*inf*).
soapbox ['səupbɔks] *n* (*lit*) Seifenkiste *f*; (*fig: platform*) Apfelsinenkiste *f*.
soapflakes ['səupfleɪks] *npl* Seifenflocken *pl*.
soap opera *n* (*TV*) Fernsehserie *f*, Seifenoper *f* (*inf*).
soap powder *n* Seifenpulver *nt*.
soapsuds ['səupsʌds] *npl* Seifenschaum *m*.
soapy ['səupɪ] *adj* seifig; ~ **water** Seifenwasser *nt*.
soar [sɔː*] *vi* aufsteigen; (*price, temperature*) hochschnellen; (*building etc*) aufragen.
soaring ['sɔːrɪŋ] *adj* (*prices*) in die Höhe schnellend; (*inflation*) unaufhaltsam.
sob [sɔb] *n* Schluchzer *m* ♦ *vi* schluchzen.
s.o.b. (*US: inf!*) *n abbr* (= *son of a bitch*) Scheißkerl *m*.
sober ['səubə*] *adj* nüchtern; (*serious*) ernst; (*colour*) gedeckt; (*style*) schlicht.
▸**sober up** *vt* nüchtern machen ♦ *vi* nüchtern werden.
sobriety [sə'braɪətɪ] *n* Nüchternheit *f*; (*seriousness*) Ernst *m*.
sobriquet ['səubrɪkeɪ] *n* Spitzname *m*.
sob story *n* rührselige Geschichte *f*.
Soc. *abbr* (= *society*) Ges.
so-called ['səu'kɔːld] *adj* sogenannt.
soccer ['sɔkə*] *n* Fußball *m*.
soccer pitch *n* Fußballplatz *m*.
soccer player *n* Fußballspieler(in) *m(f)*.
sociable ['səuʃəbl] *adj* gesellig.
social ['səuʃl] *adj* sozial; (*history*) Sozial-; (*structure*) Gesellschafts-; (*event, contact*) gesellschaftlich; (*person*) gesellig; (*animal*) gesellig lebend ♦ *n* (*party*) geselliger Abend *m*; ~ **life** gesellschaftliches Leben *nt*; **to have no ~ life** nicht mit anderen Leuten zusammenkommen.
social class *n* Gesellschaftsklasse *f*.
social climber (*pej*) *n* Emporkömmling *m*, sozialer Aufsteiger *m*.
social club *n* Klub *m* für geselliges

Beisammensein.
Social Democrat *n* Sozialdemokrat(in) *m(f)*.
social insurance (*US*) *n* Sozialversicherung *f*.
socialism ['səuʃəlɪzəm] *n* Sozialismus *m*.
socialist ['səuʃəlɪst] *adj* sozialistisch ♦ *n* Sozialist(in) *m(f)*.
socialite ['səuʃəlaɪt] *n* Angehörige(r) *f(m)* der Schickeria.
socialize ['səuʃəlaɪz] *vi* unter die Leute kommen; **to ~ with** (*meet socially*) gesellschaftlich verkehren mit; (*chat to*) sich unterhalten mit.
socially ['səuʃəlɪ] *adv* (*visit*) privat; (*acceptable*) in Gesellschaft.
social science *n* Sozialwissenschaft *f*.
social security (*BRIT*) *n* Sozialhilfe *f*; **Department of Social Security** Ministerium *nt* für Soziales.
social services *npl* soziale Einrichtungen *pl*.
social welfare *n* soziales Wohl *nt*.
social work *n* Sozialarbeit *f*.
social worker *n* Sozialarbeiter(in) *m(f)*.
society [sə'saɪətɪ] *n* Gesellschaft *f*; (*people, their lifestyle*) die Gesellschaft; (*club*) Verein *m*; (*also*: **high ~**) High-Society *f* ♦ *cpd* (*party, lady*) Gesellschafts-.
socioeconomic ['səusɪəuiːkə'nɔmɪk] *adj* sozioökonomisch.
sociological [səusɪə'lɔdʒɪkl] *adj* soziologisch.
sociologist [səusɪ'ɔlədʒɪst] *n* Soziologe *m*, Soziologin *f*.
sociology [səusɪ'ɔlədʒɪ] *n* Soziologie *f*.
sock [sɔk] *n* Socke *f* ♦ *vt* (*inf: hit*) hauen; **to pull one's ~s up** (*fig*) sich am Riemen reißen.
socket ['sɔkɪt] *n* (*of eye*) Augenhöhle *f*; (*of joint*) Gelenkpfanne *f*; (*BRIT: ELEC: wall socket*) Steckdose *f*; (: : *for light bulb*) Fassung *f*.
sod [sɔd] *n* (*earth*) Sode *f*; (*BRIT: inf!*) Sau *f* (*!*); **the poor ~** das arme Schwein.
▸**sod off** (*BRIT: inf!*) *vi*: **sod off!** verpiß dich!
soda ['səudə] *n* Soda *nt*; (*also*: **~ water**) Soda(wasser) *nt*; (*US: also:* **~ pop**) Brause *f*.
sodden ['sɔdn] *adj* durchnäßt.
sodium ['səudɪəm] *n* Natrium *nt*.
sodium chloride *n* Natriumchlorid *nt*, Kochsalz *nt*.
sofa ['səufə] *n* Sofa *nt*.
Sofia ['səufɪə] *n* Sofia *nt*.
soft [sɔft] *adj* weich; (*not rough*) zart; (*voice, music, light, colour*) gedämpft; (*lenient*) nachsichtig; **~ in the head** (*inf*) nicht ganz richtig im Kopf.
soft-boiled ['sɔftbɔɪld] *adj* (*egg*) weich(gekocht).
soft drink *n* alkoholfreies Getränk *nt*.
soft drugs *npl* weiche Drogen *pl*.
soften ['sɔfn] *vt* weich machen; (*effect, blow*) mildern ♦ *vi* weich werden; (*voice, expression*) sanfter werden.
softener ['sɔfnə*] *n* (*water softener*) Enthärtungsmittel *nt*; (*fabric softener*) Weichspüler *m*.
soft fruit (*BRIT*) *n* Beerenobst *nt*.
soft furnishings *npl* Raumtextilien *pl*.
soft-hearted [sɔft'hɑːtɪd] *adj* weichherzig.
softly ['sɔftlɪ] *adv* (*gently*) sanft; (*quietly*) leise.
softness ['sɔftnɪs] *n* Weichheit *f*; (*gentleness*) Sanftheit *f*.
soft option *n* Weg *m* des geringsten Widerstandes.
soft sell *n* weiche Verkaufstaktik *f*.
soft spot *n*: **to have a ~ for sb** eine Schwäche für jdn haben.
soft target *n* leicht verwundbares Ziel *nt*.
soft toy *n* Stofftier *nt*.
software ['sɔftwεə*] *n* (*COMPUT*) Software *f*.
software package *n* (*COMPUT*) Softwarepaket *nt*.
soft water *n* weiches Wasser *nt*.
soggy ['sɔgɪ] *adj* (*ground*) durchweicht; (*sandwiches etc*) matschig.
soil [sɔɪl] *n* Erde *f*, Boden *m* ♦ *vt* beschmutzen.
soiled [sɔɪld] *adj* schmutzig.
sojourn ['sɔdʒəːn] (*form*) *n* Aufenthalt *m*.
solace ['sɔlɪs] *n* Trost *m*.
solar ['səulə*] *adj* (*eclipse, power station etc*) Sonnen-.
solarium [sə'lεərɪəm] (*pl* **solaria**) *n* Solarium *nt*.
solar panel *n* Sonnenkollektor *m*.
solar plexus [-'plεksəs] *n* (*ANAT*) Solarplexus *m*, Magengrube *f*.
solar power *n* Sonnenenergie *f*.
solar system *n* Sonnensystem *nt*.
solar wind *n* Sonnenwind *m*.
sold [səuld] *pt, pp of* **sell**.
solder ['səuldə*] *vt* löten ♦ *n* Lötmittel *nt*.
soldier ['səuldʒə*] *n* Soldat *m* ♦ *vi*: **to ~ on** unermüdlich weitermachen; **toy ~** Spielzeugsoldat *m*.
sold out *adj* ausverkauft.
sole [səul] *n* Sohle *f*; (*fish: pl inv*) Seezunge *f* ♦ *adj* einzig, Allein-; (*exclusive*) alleinig; **the ~ reason** der einzige Grund.
solely ['səullɪ] *adv* nur, ausschließlich; **I will hold you ~ responsible** ich mache Sie allein dafür verantwortlich.
solemn ['sɔləm] *adj* feierlich; (*person*) ernst.
sole trader *n* (*COMM*) Einzelunternehmer *m*.
solicit [sə'lɪsɪt] *vt* (*request*) erbitten, bitten um ♦ *vi* (*prostitute*) Kunden anwerben.
solicitor [sə'lɪsɪtə*] (*BRIT*) *n* Rechtsanwalt *m*, Rechtsanwältin *f*.
solid ['sɔlɪd] *adj* (*not hollow, pure*) massiv; (*not liquid*) fest; (*reliable*) zuverlässig; (*strong: structure*) stabil; (: *foundations*) solide; (*substantial: advice*) gut; (: *experience*) solide; (*unbroken*) ununterbrochen ♦ *n* (*solid object*) Festkörper *m*; **solids** *npl* (*food*) feste Nahrung *f*; **to be on ~ ground** (*fig*) sich auf festem Boden befinden; **I read for 2 hours ~** ich habe 2 Stunden ununterbrochen gelesen.

solidarity [sɔlɪ'dærɪtɪ] *n* Solidarität *f*.
solid fuel *n* fester Brennstoff *m*.
solidify [sə'lɪdɪfaɪ] *vi* fest werden ♦ *vt* fest werden lassen.
solidity [sə'lɪdɪtɪ] *n* (*of structure*) Stabilität *f*; (*of foundations*) Solidität *f*.
solidly ['sɔlɪdlɪ] *adv* (*built*) solide; (*in favour*) geschlossen, einmütig; **a ~ respectable family** eine durch und durch respektable Familie.
solid-state ['sɔlɪdsteɪt] *adj* (*ELEC: equipment*) Halbleiter-.
soliloquy [sə'lɪləkwɪ] *n* Monolog *m*.
solitaire [sɔlɪ'tɛə*] *n* (*gem*) Solitär *m*; (*game*) Patience *f*.
solitary ['sɔlɪtərɪ] *adj* einsam; (*single*) einzeln.
solitary confinement *n* Einzelhaft *f*.
solitude ['sɔlɪtju:d] *n* Einsamkeit *f*; **to live in ~** einsam leben.
solo ['səuləu] *n* Solo *nt* ♦ *adv* (*fly*) allein; (*play, perform*) solo; **~ flight** Alleinflug *m*.
soloist ['səuləuɪst] *n* Solist(in) *m(f)*.
Solomon Islands ['sɔləmən-] *npl*: **the ~** die Salomoninseln *pl*.
solstice ['sɔlstɪs] *n* Sonnenwende *f*.
soluble ['sɔljubl] *adj* löslich.
solution [sə'lu:ʃən] *n* (*answer, liquid*) Lösung *f*; (*to crossword*) Auflösung *f*.
solve [sɔlv] *vt* lösen; (*mystery*) enträtseln.
solvency ['sɔlvənsɪ] *n* (*COMM*) Zahlungsfähigkeit *f*.
solvent ['sɔlvənt] *adj* (*COMM*) zahlungsfähig ♦ *n* (*CHEM*) Lösungsmittel *nt*.
solvent abuse *n* Lösungsmittelmißbrauch *m*.
Som. (*BRIT*) *abbr* (*POST: = Somerset*).
Somali [sə'mɑ:lɪ] *adj* somalisch ♦ *n* Somalier(in) *m(f)*.
Somalia [sə'mɑ:lɪə] *n* Somalia *nt*.
Somaliland *n* (*formerly*) Somaliland *nt*.
sombre, (*US*) somber ['sɔmbə*] *adj* (*dark*) dunkel, düster; (*serious*) finster.

KEYWORD

some [sʌm] *adj* **1** (*a certain amount or number of*) einige; **~ tea/water/money** etwas Tee/Wasser/Geld; **~ biscuits** ein paar Plätzchen; **~ children came** einige Kinder kamen; **he asked me ~ questions** er stellte mir ein paar Fragen
2 (*certain: in contrasts*) manche(r, s); **~ people say that** ... manche Leute sagen, daß ...; **~ films were excellent** einige *or* manche Filme waren ausgezeichnet
3 (*unspecified*) irgendein(e); **~ woman was asking for you** eine Frau hat nach Ihnen gefragt; **~ day** eines Tages; **~ day next week** irgendwann nächste Woche; **that's ~ house!** das ist vielleicht ein Haus!
♦ *pron* **1** (*a certain number*) einige; **I've got ~** (*books etc*) ich habe welche
2 (*a certain amount*) etwas; **I've got ~** (*money, milk*) ich habe welche(s); **I've read ~ of the book** ich habe das Buch teilweise gelesen
♦ *adv*: **~ 10 people** etwa 10 Leute.

somebody ['sʌmbədɪ] *pron* = **someone**.
someday ['sʌmdeɪ] *adv* irgendwann.
somehow ['sʌmhau] *adv* irgendwie.
someone ['sʌmwʌn] *pron* (irgend) jemand; **there's ~ coming** es kommt jemand; **I saw ~ in the garden** ich habe jemanden im Garten gesehen.
someplace ['sʌmpleɪs] (*US*) *adv* = **somewhere**.
somersault ['sʌməsɔ:lt] *n* Salto *m* ♦ *vi* einen Salto machen; (*vehicle*) sich überschlagen.
something ['sʌmθɪŋ] *pron* etwas; **~ nice** etwas Schönes; **there's ~ wrong** da stimmt etwas nicht; **would you like ~ to eat/drink?** möchten Sie etwas zu essen/trinken?
sometime ['sʌmtaɪm] *adv* irgendwann; **~ last month** irgendwann letzten Monat; **I'll finish it ~** ich werde es irgendwann fertigmachen.
sometimes ['sʌmtaɪmz] *adv* manchmal.
somewhat ['sʌmwɔt] *adv* etwas, ein wenig; **~ to my surprise** ziemlich zu meiner Überraschung.
somewhere ['sʌmwɛə*] *adv* (*be*) irgendwo; (*go*) irgendwohin; **~ (or other) in Scotland** irgendwo in Schottland; **~ else** (*be*) woanders; (*go*) woandershin.
son [sʌn] *n* Sohn *m*.
sonar ['səunɑ:*] *n* Sonar(gerät) *nt*, Echolot *nt*.
sonata [sə'nɑ:tə] *n* Sonate *f*.
song [sɔŋ] *n* Lied *nt*; (*of bird*) Gesang *m*.
songbook ['sɔŋbuk] *n* Liederbuch *nt*.
songwriter ['sɔŋraɪtə*] *n* Liedermacher *m*.
sonic ['sɔnɪk] *adj* (*speed*) Schall-; **~ boom** Überschallknall *m*.
son-in-law ['sʌnɪnlɔ:] *n* Schwiegersohn *m*.
sonnet ['sɔnɪt] *n* Sonett *nt*.
sonny ['sʌnɪ] (*inf*) *n* Junge *m*.
soon [su:n] *adv* bald; (*a short time after*) bald, schnell; (*early*) früh; **~ afterwards** kurz *or* bald danach; **quite ~** ziemlich bald; **how ~ can you finish it?** bis wann haben Sie es fertig?; **how ~ can you come back?** wann können Sie frühestens wiederkommen?; **see you ~!** bis bald!; *see also* **as**.
sooner ['su:nə*] *adv* (*time*) früher, eher; (*preference*) lieber; **I would ~ do that** das würde ich lieber tun; **~ or later** früher oder später; **the ~ the better** je eher, desto besser; **no ~ said than done** gesagt, getan; **no ~ had we left than** ... wir waren gerade gegangen, da ...
soot [sut] *n* Ruß *m*.
soothe [su:ð] *vt* beruhigen; (*pain*) lindern.
soothing ['su:ðɪŋ] *adj* beruhigend; (*ointment etc*) schmerzlindernd; (*drink*) wohltuend; (*bath*) entspannend.
SOP *n abbr* (= *standard operating procedure*) normale Vorgehensweise *f*.
sop [sɔp] *n*: **that's only a ~** das soll nur zur

Beschwichtigung dienen.
sophisticated [sə'fɪstɪkeɪtɪd] *adj* (*woman, lifestyle*) kultiviert; (*audience*) anspruchsvoll; (*machinery*) hochentwickelt; (*arguments*) differenziert.
sophistication [səfɪstɪ'keɪʃən] *n* (*of person*) Kultiviertheit *f*; (*of machine*) hoher Entwicklungsstand *m*; (*of argument etc*) Differenziertheit *f*.
sophomore ['sɔfəmɔː*] (*US*) *n* *Student(in) im 2. Studienjahr*.
soporific [sɔpə'rɪfɪk] *adj* einschläfernd ♦ *n* Schlafmittel *nt*.
sopping ['sɔpɪŋ] *adj*: ~ **(wet)** völlig durchnäßt.
soppy ['sɔpɪ] (*pej*) *adj* (*person*) sentimental; (*film*) schmalzig.
soprano [sə'prɑːnəu] *n* Sopranist(in) *m(f)*.
sorbet ['sɔːbeɪ] *n* Sorbet *nt or m*, Fruchteis *nt*.
sorcerer ['sɔːsərə*] *n* Hexenmeister *m*.
sordid ['sɔːdɪd] *adj* (*dirty*) verkommen; (*wretched*) elend.
sore [sɔː*] *adj* wund; (*esp US: offended*) verärgert, sauer (*inf*) ♦ *n* wunde Stelle *f*; **to have a ~ throat** Halsschmerzen haben; **it's a ~ point** (*fig*) es ist ein wunder Punkt.
sorely ['sɔːlɪ] *adv*: **I am ~ tempted (to)** ich bin sehr in Versuchung(, zu).
soreness ['sɔːnɪs] *n* (*pain*) Schmerz *m*.
sorrel ['sɔrəl] *n* (*BOT*) (großer) Sauerampfer *m*.
sorrow ['sɔrəu] *n* Trauer *f*; **sorrows** *npl* (*troubles*) Sorgen und Nöte *pl*.
sorrowful ['sɔrəuful] *adj* traurig.
sorry ['sɔrɪ] *adj* traurig; (*excuse*) faul; (*sight*) jämmerlich; ~! Entschuldigung!, Verzeihung!; ~? wie bitte?; **I feel ~ for him** er tut mir leid; **I'm ~ to hear that** ... es tut mir leid, daß ...; **I'm ~ about** ... es tut mir leid wegen ...
sort [sɔːt] *n* Sorte *f*; (*make: of car etc*) Marke *f* ♦ *vt* (*also*: ~ **out**) sortieren; (: *problems*) ins reine bringen; (*COMPUT*) sortieren; **all ~s of reasons** alle möglichen Gründe; **what ~ do you want?** welche Sorte möchten Sie?; **what ~ of car?** was für ein Auto?; **I'll do nothing of the ~!** das kommt überhaupt nicht in Frage!; **it's ~ of awkward** (*inf*) es ist irgendwie schwierig; **to ~ sth out** etw in Ordnung bringen.
sort code *n* Bankleitzahl *f*.
sortie ['sɔːtɪ] *n* (*MIL*) Ausfall *m*; (*fig*) Ausflug *m*.
sorting office ['sɔːtɪŋ-] *n* Postverteilstelle *f*.
SOS *n abbr* (= *save our souls*) SOS *nt*.
so-so ['səusəu] *adv, adj* so lala.
soufflé ['suːfleɪ] *n* Soufflé *nt*.
sought [sɔːt] *pt, pp of* **seek**.
sought-after ['sɔːtɑːftə*] *adj* begehrt, gesucht; **a much ~ item** ein vielbegehrtes Stück.
soul [səul] *n* Seele *f*; (*MUS*) Soul *m*; **the poor ~ had nowhere to sleep** der Ärmste hatte keine Unterkunft; **I didn't see a ~** ich habe keine Menschenseele gesehen.
soul-destroying ['sәuldɪstrɔɪɪŋ] *adj* geisttötend.
soulful ['səulful] *adj* (*eyes*) seelenvoll; (*music*) gefühlvoll.
soulless ['səullɪs] *adj* (*place*) seelenlos; (*job*) eintönig.
soul mate *n* Seelenfreund(in) *m(f)*.
soul-searching ['səulsəːtʃɪŋ] *n*: **after much ~** nach reiflicher Überlegung.
sound [saund] *adj* (*healthy*) gesund; (*safe, secure*) sicher; (*not damaged*) einwandfrei; (*reliable*) solide; (*thorough*) gründlich; (*sensible, valid*) vernünftig ♦ *adv*: **to be ~ asleep** tief und fest schlafen ♦ *n* Geräusch *nt*; (*MUS*) Klang *m*; (*on TV etc*) Ton *m*; (*GEOG*) Meerenge *f*, Sund *m* ♦ *vt*: **to ~ the alarm** Alarm schlagen ♦ *vi* (*alarm, horn*) ertönen; (*fig: seem*) sich anhören, klingen; **to be of ~ mind** bei klarem Verstand sein; **I don't like the ~ of it** das klingt gar nicht gut; **to ~ one's horn** (*AUT*) hupen; **to ~ like** sich anhören wie; **that ~s like them arriving** das hört sich so an, als ob sie ankommen; **it ~s as if** ... es klingt *or* es hört sich so an, als ob ...
►**sound off** (*inf*) *vi*: **to ~ off (about)** sich auslassen (über *+acc*).
►**sound out** *vt* (*person*) aushorchen; (*opinion*) herausbekommen.
sound barrier *n* Schallmauer *f*.
sound bite *n* prägnantes Zitat *nt*.
sound effects *npl* Toneffekte *pl*.
sound engineer *n* Toningenieur(in) *m(f)*.
sounding ['saundɪŋ] *n* (*NAUT*) Loten *nt*, Peilung *f*.
sounding board *n* (*MUS*) Resonanzboden *m*; (*fig*): **to use sb as a ~ for one's ideas** seine Ideen an jdm testen.
soundly ['saundlɪ] *adv* (*sleep*) tief und fest; (*beat*) tüchtig.
soundproof ['saundpruːf] *adj* schalldicht ♦ *vt* schalldicht machen.
sound system *n* Verstärkersystem *nt*.
soundtrack ['saundtræk] *n* Filmmusik *f*.
sound wave *n* Schallwelle *f*.
soup [suːp] *n* Suppe *f*; **to be in the ~** (*fig*) in der Tinte sitzen.
soup course *n* Vorsuppe *f*.
soup kitchen *n* Suppenküche *f*.
soup plate *n* Suppenteller *m*.
soupspoon ['suːpspuːn] *n* Suppenlöffel *m*.
sour ['sauə*] *adj* sauer; (*fig: bad-tempered*) säuerlich; **to go** *or* **turn ~** (*milk, wine*) sauer werden; (*fig: relationship*) sich trüben; **it's ~ grapes** (*fig*) die Trauben hängen zu hoch.
source [sɔːs] *n* Quelle *f*; (*fig: of problem, anxiety*) Ursache *f*; **I have it from a reliable ~ that** ... ich habe es aus sicherer Quelle, daß ...
south [sauθ] *n* Süden *m* ♦ *adj* südlich, Süd-

♦ *adv* nach Süden; **(to the)** ~ **of** im Süden *or* südlich von; **to travel** ~ nach Süden fahren; **the S~ of France** Südfrankreich *nt*.
South Africa *n* Südafrika *nt*.
South African *adj* südafrikanisch ♦ *n* Südafrikaner(in) *m(f)*.
South America *n* Südamerika *nt*.
South American *adj* südamerikanisch ♦ *n* Südamerikaner(in) *m(f)*.
southbound ['sauθbaund] *adj* in Richtung Süden; (*carriageway*) Richtung Süden.
south-east [sauθ'i:st] *n* Südosten *m*.
South-East Asia *n* Südostasien *nt*.
southerly ['sʌðəlɪ] *adj* südlich; (*wind*) aus südlicher Richtung.
southern ['sʌðən] *adj* südlich, Süd-; **the** ~ **hemisphere** die südliche Halbkugel *or* Hemisphäre.
South Korea *n* Südkorea *nt*.
South Pole *n* Südpol *m*.
South Sea Islands *npl* Südseeinseln *pl*.
South Seas *npl* Südsee *f*.
southward(s) ['sauθwəd(z)] *adv* nach Süden, in Richtung Süden.
south-west [sauθ'wɛst] *n* Südwesten *m*.
souvenir [su:və'nɪə*] *n* Andenken *nt*, Souvenir *nt*.
sovereign ['sɔvrɪn] *n* Herrscher(in) *m(f)*.
sovereignty ['sɔvrɪntɪ] *n* Oberhoheit *f*, Souveränität *f*.
soviet ['səuvɪət] (*formerly*) *adj* sowjetisch ♦ *n* Sowjetbürger(in) *m(f)*; **the S~ Union** die Sowjetunion *f*.
sow¹ [sau] *n* Sau *f*.
sow² [səu] (*pt* **sowed**, *pp* **sown**) *vt* (*lit, fig*) säen.
soya ['sɔɪə], (*US*) **soy** [sɔɪ] *n:* ~ **bean** Sojabohne *f*; ~ **sauce** Sojasoße *f*.
sozzled ['sɔzld] (*BRIT: inf*) *adj* besoffen.
spa [spɑ:] *n* (*town*) Heilbad *nt*; (*US: also:* **health** ~) Fitneßzentrum *nt*.
space [speɪs] *n* Platz *m*, Raum *m*; (*gap*) Lücke *f*; (*beyond Earth*) der Weltraum; (*interval, period*) Zeitraum *m* ♦ *cpd* Raum- ♦ *vt* (*also:* ~ **out**) verteilen; **to clear a** ~ **for sth** für etw Platz schaffen; **in a confined** ~ auf engem Raum; **in a short** ~ **of time** in kurzer Zeit; **(with)in the** ~ **of an hour** innerhalb einer Stunde.
space bar *n* (*on keyboard*) Leertaste *f*.
spacecraft ['speɪskrɑ:ft] *n* Raumfahrzeug *nt*.
spaceman ['speɪsmæn] (*irreg: like* **man**) *n* Raumfahrer *m*.
spaceship ['speɪsʃɪp] *n* Raumschiff *nt*.
space shuttle *n* Raumtransporter *m*.
spacesuit ['speɪssu:t] *n* Raumanzug *m*.
spacewoman ['speɪswumən] (*irreg: like* **woman**) *n* Raumfahrerin *f*.
spacing ['speɪsɪŋ] *n* Abstand *m*; **single/double** ~ einfacher/doppelter Zeilenabstand.
spacious ['speɪʃəs] *adj* geräumig.
spade [speɪd] *n* Spaten *m*; (*child's*) Schaufel *f*;
spades *npl* (*CARDS*) Pik *nt*.
spadework ['speɪdwə:k] *n* (*fig*) Vorarbeit *f*.
spaghetti [spə'gɛtɪ] *n* Spaghetti *pl*.
Spain [speɪn] *n* Spanien *nt*.
span [spæn] *n* (*of bird, plane, arch*) Spannweite *f*; (*in time*) Zeitspanne *f* ♦ *vt* überspannen; (*fig: time*) sich erstrecken über *+acc*.
Spaniard ['spænjəd] *n* Spanier(in) *m(f)*.
spaniel ['spænjəl] *n* Spaniel *m*.
Spanish ['spænɪʃ] *adj* spanisch ♦ *n* (*LING*) Spanisch *nt*; **the Spanish** *npl* die Spanier *pl*; ~ **omelette** *Omelett mit Paprikaschoten, Zwiebeln, Tomaten etc.*
spank [spæŋk] *vt:* **to** ~ **sb's bottom** jdm den Hintern versohlen (*inf*).
spanner ['spænə*] (*BRIT*) *n* Schraubenschlüssel *m*.
spar [spɑ:*] *n* (*NAUT*) Sparren *m* ♦ *vi* (*BOXING*) ein Sparring *nt* machen.
spare [spɛə*] *adj* (*free*) frei; (*extra: part, fuse etc*) Ersatz- ♦ *n* = **spare part** ♦ *vt* (*save: trouble etc*) (er)sparen; (*make available*) erübrigen; (*afford to give*) (übrig) haben; (*refrain from hurting*) verschonen; **these 2 are going** ~ diese beiden sind noch übrig; **to** ~ (*surplus*) übrig; **to** ~ **no expense** keine Kosten scheuen, an nichts sparen; **can you** ~ **the time?** haben Sie Zeit?; **I've a few minutes to** ~ ich habe ein paar Minuten Zeit; **there is no time to** ~ es ist keine Zeit; ~ **me the details** verschone mich mit den Einzelheiten.
spare part *n* Ersatzteil *nt*.
spare room *n* Gästezimmer *nt*.
spare time *n* Freizeit *f*.
spare tyre *n* Reservereifen *m*.
spare wheel *n* Reserverad *nt*.
sparing ['spɛərɪŋ] *adj:* **to be** ~ **with** sparsam umgehen mit.
sparingly ['spɛərɪŋlɪ] *adv* sparsam.
spark [spɑ:k] *n* (*lit, fig*) Funke *m*.
spark(ing) plug ['spɑ:k(ɪŋ)-] *n* Zündkerze *f*.
sparkle ['spɑ:kl] *n* Funkeln *nt*, Glitzern *nt* ♦ *vi* funkeln, glitzern.
sparkler ['spɑ:klə*] *n* (*firework*) Wunderkerze *f*.
sparkling ['spɑ:klɪŋ] *adj* (*water*) mit Kohlensäure; (*conversation*) vor Geist sprühend; (*performance*) glänzend; ~ **wine** Schaumwein *m*.
sparring partner ['spɑ:rɪŋ-] *n* (*also fig*) Sparringspartner *m*.
sparrow ['spærəu] *n* Spatz *m*.
sparse [spɑ:s] *adj* spärlich; (*population*) dünn.
spartan ['spɑ:tən] *adj* (*fig*) spartanisch.
spasm ['spæzəm] *n* (*MED*) Krampf *m*; (*fig: of anger etc*) Anfall *m*.
spasmodic [spæz'mɔdɪk] *adj* (*fig*) sporadisch.
spastic ['spæstɪk] (*old*) *n* Spastiker(in) *m(f)* ♦ *adj* spastisch.
spat [spæt] *pt, pp of* **spit** ♦ *n* (*US: quarrel*) Krach *m*.

spate [speɪt] *n* (*fig*): **a ~ of** eine Flut von; **to be in full ~** (*river*) Hochwasser führen.
spatial ['speɪʃl] *adj* räumlich.
spatter ['spætə*] *vt* (*liquid*) verspritzen; (*surface*) bespritzen ♦ *vi* spritzen.
spatula ['spætjulə] *n* (*CULIN*) Spachtel *m*; (*MED*) Spatel *m*.
spawn [spɔːn] *vi* laichen ♦ *vt* hervorbringen, erzeugen ♦ *n* Laich *m*.
SPCA (*US*) *n abbr* (= *Society for the Prevention of Cruelty to Animals*) Tierschutzverein *m*.
SPCC (*US*) *n abbr* (= *Society for the Prevention of Cruelty to Children*) Kinderschutzbund *m*.
speak [spiːk] (*pt* **spoke**, *pp* **spoken**) *vt* (*say*) sagen; (*language*) sprechen ♦ *vi* sprechen, reden; (*make a speech*) sprechen; **to ~ one's mind** seine Meinung sagen; **to ~ to sb/of** *or* **about sth** mit jdm/über etw *acc* sprechen *or* reden; **~ up!** sprich lauter!; **to ~ at a conference** bei einer Tagung einen Vortrag halten; **to ~ in a debate** in einer Debatte sprechen; **he has no money to ~ of** er hat so gut wie kein Geld; **so to ~** sozusagen.
▸**speak for** *vt fus*: **to ~ for sb** (*on behalf of*) in jds Namen *dat or* für jdn sprechen; **that picture is already spoken for** (*in shop*) das Bild ist schon verkauft *or* vergeben; **~ for yourself!** das meinst auch nur du!
speaker ['spiːkə*] *n* (*in public*) Redner(in) *m(f)*; (*also*: **loudspeaker**) Lautsprecher *m*; (*POL*): **the S~** (*BRIT, US*) der Sprecher, die Sprecherin; **are you a Welsh ~?** sprechen Sie Walisisch?
speaking ['spiːkɪŋ] *adj* sprechend; **Italian-~ people** Italienischsprechende *pl*; **to be on ~ terms** miteinander reden *or* sprechen; **~ clock** telefonische Zeitansage.
spear [spɪə*] *n* Speer *m* ♦ *vt* aufspießen.
spearhead ['spɪəhɛd] *vt* (*MIL, fig*) anführen.
spearmint ['spɪəmɪnt] *n* grüne Minze *f*.
spec [spɛk] (*inf*) *n*: **on ~** auf Verdacht, auf gut Glück; **to buy/go on ~** auf gut Glück kaufen/hingehen.
spec. *n abbr* (*TECH*) = **specification**.
special ['spɛʃl] *adj* besondere(r, s); (*service, performance, adviser, permission, school*) Sonder- ♦ *n* (*train*) Sonderzug *m*; **take ~ care** paß besonders gut auf; **nothing ~** nichts Besonderes; **today's ~** (*at restaurant*) Tagesgericht *nt*.
special agent *n* Agent(in) *m(f)*.
special correspondent *n* Sonderberichterstatter(in) *m(f)*.
special delivery *n* (*POST*): **by ~** durch Eilzustellung.
special effects *npl* Spezialeffekte *pl*.
specialist ['spɛʃəlɪst] *n* Spezialist(in) *m(f)*; (*MED*) Facharzt *m*, Fachärztin *f*; **heart ~** Facharzt *m*/Fachärztin *f* für Herzkrankheiten.
speciality [spɛʃɪ'ælɪtɪ] *n* Spezialität *f*; (*study*) Spezialgebiet *nt*.
specialize ['spɛʃəlaɪz] *vi*: **to ~ (in)** sich spezialisieren (auf *+acc*).
specially ['spɛʃlɪ] *adv* besonders, extra.
special offer *n* Sonderangebot *nt*.
specialty ['spɛʃəltɪ] (*esp US*) = **speciality**.
species ['spiːʃiːz] *n inv* Art *f*.
specific [spə'sɪfɪk] *adj* (*fixed*) bestimmt; (*exact*) genau; **to be ~ to** eigentümlich sein für.
specifically [spə'sɪfɪklɪ] *adv* (*specially*) speziell; (*exactly*) genau; **more ~** und zwar.
specification [spɛsɪfɪ'keɪʃən] *n* genaue Angabe *f*; (*requirement*) Bedingung *f*; **specifications** *npl* (*TECH*) technische Daten *pl*.
specify ['spɛsɪfaɪ] *vt* angeben; **unless otherwise specified** wenn nicht anders angegeben.
specimen ['spɛsɪmən] *n* Exemplar *nt*; (*MED*) Probe *f*.
specimen copy *n* Belegexemplar *nt*, Probeexemplar *nt*.
specimen signature *n* Unterschriftsprobe *f*.
speck [spɛk] *n* Fleckchen *nt*; (*of dust*) Körnchen *nt*.
speckled ['spɛkld] *adj* gesprenkelt.
specs [spɛks] (*inf*) *npl* Brille *f*.
spectacle ['spɛktəkl] *n* (*scene*) Schauspiel *nt*; (*sight*) Anblick *m*; (*grand event*) Spektakel *nt*; **spectacles** *npl* (*glasses*) Brille *f*.
spectacle case (*BRIT*) *n* Brillenetui *nt*.
spectacular [spɛk'tækjulə*] *adj* sensationell; (*success*) spektakulär ♦ *n* (*THEAT etc*) Show *f*.
spectator [spɛk'teɪtə*] *n* Zuschauer(in) *m(f)*; **~ sport** Publikumssport *m*.
spectra ['spɛktrə] *npl of* **spectrum**.
spectre, (*US*) **specter** ['spɛktə*] *n* Gespenst *nt*; (*fig*) (Schreck)gespenst *nt*.
spectrum ['spɛktrəm] (*pl* **spectra**) *n* (*lit, fig*) Spektrum *nt*.
speculate ['spɛkjuleɪt] *vi* (*FIN*) spekulieren; **to ~ about** spekulieren *or* Vermutungen anstellen über *+acc*.
speculation [spɛkju'leɪʃən] *n* Spekulation *f*.
speculative ['spɛkjulətɪv] *adj* spekulativ.
speculator ['spɛkjuleɪtə*] *n* Spekulant(in) *m(f)*.
sped [spɛd] *pt, pp of* **speed**.
speech [spiːtʃ] *n* Sprache *f*; (*manner of speaking*) Sprechweise *f*; (*enunciation*) (Aus)sprache *f*; (*formal talk: THEAT*) Rede *f*.
speech day (*BRIT*) *n* (*SCOL*) ≈ Schulfeier *f*.
speech impediment *n* Sprachfehler *m*.
speechless ['spiːtʃlɪs] *adj* sprachlos.
speech therapist *n* Logopäde *m*, Logopädin *f*, Sprachtherapeut(in) *m(f)*.
speech therapy *n* Logopädie *f*, Sprachtherapie *f*.
speed [spiːd] (*pt, pp* **sped**) *n* Geschwindigkeit *f*, Schnelligkeit *f* ♦ *vi* (*exceed speed limit*) zu schnell fahren; **to ~ along** dahinsausen; **to ~ by** (*car etc*) vorbeischießen; (*years*) verfliegen; **at ~** (*BRIT*) mit hoher Geschwindigkeit; **at full** *or* **top ~** mit

Höchstgeschwindigkeit; **at a ~ of 70km/h** mit (einer Geschwindigkeit *or* einem Tempo von) 70 km/h; **shorthand/typing ~s** Silben/Anschläge pro Minute; **a five-~ gearbox** ein Fünfganggetriebe *nt*.
►**speed up** (*pt, pp* **speeded up**) *vi* beschleunigen; (*fig*) sich beschleunigen ♦ *vt* beschleunigen.
speedboat ['spi:dbəut] *n* Rennboot *nt*.
speedily ['spi:dılı] *adv* schnell.
speeding ['spi:dıŋ] *n* Geschwindigkeitsüberschreitung *f*.
speed limit *n* Tempolimit *nt*, Geschwindigkeitsbegrenzung *f*.
speedometer [spı'dɔmıtə*] *n* Tachometer *m*.
speed trap *n* Radarfalle *f*.
speedway ['spi:dweı] *n* (*also*: **~ racing**) Speedwayrennen *nt*.
speedy ['spi:dı] *adj* schnell; (*reply, settlement*) prompt.
speleologist [spεlı'ɔlədʒıst] *n* Höhlenkundler(in) *m(f)*.
spell [spεl] (*pt, pp* **spelt** (*BRIT*) *or* **spelled**) *n* (*also*: **magic ~**) Zauber *m*; (*incantation*) Zauberspruch *m*; (*period of time*) Zeit *f*, Weile *f* ♦ *vt* schreiben; (*also*: **~ out**: *aloud*) buchstabieren; (*signify*) bedeuten; **to cast a ~ on sb** jdn verzaubern; **cold ~** Kältewelle *f*; **how do you ~ your name?** wie schreibt sich Ihr Name?; **can you ~ it for me?** können Sie das bitte buchstabieren?; **he can't ~** er kann keine Rechtschreibung.
spellbound ['spεlbaund] *adj* gebannt.
spelling ['spεlıŋ] *n* Schreibweise *f*; (*ability*) Rechtschreibung *f*; **~ mistake** Rechtschreibfehler *m*.
spelt [spεlt] *pt, pp of* **spell**.
spend [spεnd] (*pt, pp* **spent**) *vt* (*money*) ausgeben; (*time, life*) verbringen; **to ~ time/money/effort on sth** Zeit/Geld/Mühe für etw aufbringen.
spending ['spεndıŋ] *n* Ausgaben *pl*; **government ~** öffentliche Ausgaben *pl*.
spending money *n* Taschengeld *nt*.
spending power *n* Kaufkraft *f*.
spendthrift ['spεndθrıft] *n* Verschwender(in) *m(f)*.
spent [spεnt] *pt, pp of* **spend** ♦ *adj* (*patience*) erschöpft; (*cartridge, bullets*) verbraucht; (*match*) abgebrannt.
sperm [spə:m] *n* Samenzelle *f*, Spermium *nt*.
sperm bank *n* Samenbank *f*.
sperm whale *n* Pottwal *m*.
spew [spju:] *vt* (*also*: **~ up**) erbrechen; (*fig*) ausspucken.
sphere [sfıə*] *n* Kugel *f*; (*area*) Gebiet *nt*, Bereich *m*.
spherical ['sfεrıkl] *adj* kugelförmig.
sphinx [sfıŋks] *n* Sphinx *f*.
spice [spaıs] *n* Gewürz *nt* ♦ *vt* würzen.
spick-and-span ['spıkən'spæn] *adj* blitzsauber.
spicy ['spaısı] *adj* stark gewürzt.
spider ['spaıdə*] *n* Spinne *f*; **~'s web** Spinnengewebe *nt*, Spinnennetz *nt*.
spidery ['spaıdərı] *adj* (*handwriting*) krakelig.
spiel [spi:l] (*inf*) *n* Sermon *m*.
spike [spaık] *n* (*point*) Spitze *f*; (*BOT*) Ähre *f*; (*ELEC*) Spannungsspitze *f*; **spikes** *npl* (*SPORT*) Spikes *pl*.
spike heel (*US*) *n* Pfennigabsatz *m*.
spiky ['spaıkı] *adj* stachelig; (*branch*) dornig.
spill [spıl] (*pt, pp* **spilt** *or* **spilled**) *vt* verschütten ♦ *vi* verschüttet werden; **to ~ the beans** (*inf, fig*) alles ausplaudern.
►**spill out** *vi* (*people*) herausströmen.
►**spill over** *vi* überlaufen; (*fig: spread*) sich ausbreiten; **to ~ over into** sich auswirken auf *+acc*.
spillage ['spılıdʒ] *n* (*act*) Verschütten *nt*; (*quantity*) verschüttete Menge *f*.
spin [spın] (*pt* **spun, span,** *pp* **spun**) *n* (*trip*) Spritztour *f*; (*revolution*) Drehung *f*; (*AVIAT*) Trudeln *nt*; (*on ball*) Drall *m* ♦ *vt* (*wool etc*) spinnen; (*ball, coin*) (hoch)werfen; (*wheel*) drehen; (*BRIT: also:* **~-dry**) schleudern ♦ *vi* (*make thread*) spinnen; (*person*) sich drehen; (*car etc*) schleudern; **to ~ a yarn** Seemannsgarn spinnen; **to ~ a coin** (*BRIT*) eine Münze werfen; **my head is ~ning** mir dreht sich alles.
►**spin out** *vt* (*talk*) ausspinnen; (*job, holiday*) in die Länge ziehen; (*money*) strecken.
spina bifida ['spaınə'bıfıdə] *n* offene Wirbelsäule *f*, Spina bifida *f*.
spinach ['spınıtʃ] *n* Spinat *m*.
spinal ['spaınl] *adj* (*injury etc*) Rückgrat-.
spinal column *n* Wirbelsäule *f*.
spinal cord *n* Rückenmark *nt*.
spindly ['spındlı] *adj* spindeldürr.
spin doctor *n* PR-Fachmann *m*, PR-Fachfrau *f*.
spin-dry ['spın'draı] *vt* schleudern.
spin-dryer [spın'draıə*] (*BRIT*) *n* (Wäsche)schleuder *f*.
spine [spaın] *n* (*ANAT*) Rückgrat *nt*; (*thorn*) Stachel *m*.
spine-chilling ['spaıntʃılıŋ] *adj* schaurig, gruselig.
spineless ['spaınlıs] *adj* (*fig*) rückgratlos.
spinner ['spınə*] *n* (*of thread*) Spinner(in) *m(f)*.
spinning ['spınıŋ] *n* (*art*) Spinnen *nt*.
spinning top *n* Kreisel *m*.
spinning wheel *n* Spinnrad *nt*.
spin-off ['spınɔf] *n* (*fig*) Nebenprodukt *nt*.
spinster ['spınstə*] *n* unverheiratete Frau; (*pej*) alte Jungfer.
spiral ['spaıərl] *n* Spirale *f* ♦ *vi* (*fig: prices etc*) in die Höhe klettern; **the inflationary ~** die Inflationsspirale.
spiral staircase *n* Wendeltreppe *f*.
spire ['spaıə*] *n* Turmspitze *f*.
spirit ['spırıt] *n* Geist *m*; (*soul*) Seele *f*; (*energy*) Elan *m*, Schwung *m*; (*courage*) Mut *m*; (*sense*)

Geist *m*, Sinn *m*; (*frame of mind*) Stimmung *f*; **spirits** *npl* (*drink*) Spirituosen *pl*; **in good ~s** guter Laune; **community ~** Gemeinschaftssinn *m*.
spirited ['spɪrɪtɪd] *adj* (*resistance, defence*) mutig; (*performance*) lebendig.
spirit level *n* Wasserwaage *f*.
spiritual ['spɪrɪtjuəl] *adj* geistig, seelisch; (*religious*) geistlich ♦ *n* (*also*: **Negro ~**) Spiritual *nt*.
spiritualism ['spɪrɪtjuəlɪzəm] *n* Spiritismus *m*.
spit [spɪt] (*pt, pp* **spat**) *n* (*for roasting*) Spieß *m*; (*saliva*) Spucke *f* ♦ *vi* spucken; (*fire*) Funken sprühen; (*cooking*) spritzen; (*inf: rain*) tröpfeln.
spite [spaɪt] *n* Boshaftigkeit *f* ♦ *vt* ärgern; **in ~ of** trotz *+gen*.
spiteful ['spaɪtful] *adj* boshaft, gemein.
spitroast ['spɪtrəust] *n* Spießbraten *m*.
spitting ['spɪtɪŋ] *n*: **"~ prohibited"** „Spucken verboten" ♦ *adj*: **to be the ~ image of sb** jdm wie aus dem Gesicht geschnitten sein.
spittle ['spɪtl] *n* Speichel *m*, Spucke *f*.
spiv [spɪv] (*BRIT: inf: pej*) *n* schmieriger Typ *m*.
splash [splæʃ] *n* (*sound*) Platschen *nt*; (*of colour*) Tupfer *m* ♦ *excl* platsch! ♦ *vt* bespritzen ♦ *vi* (*also*: **~ about**) herumplanschen; (*water, rain*) spritzen; **to ~ paint on the floor** den Fußboden mit Farbe bespritzen.
splashdown ['splæʃdaun] *n* (*SPACE*) Wasserung *f*.
splayfooted ['spleɪfutɪd] *adj* mit nach außen gestellten Füßen.
spleen [spliːn] *n* Milz *f*.
splendid ['splɛndɪd] *adj* hervorragend, ausgezeichnet; (*impressive*) prächtig.
splendour, (*US*) splendor ['splɛndə*] *n* Pracht *f*; **splendours** *npl* Pracht *f*.
splice [splaɪs] *vt* spleißen, kleben.
splint [splɪnt] *n* Schiene *f*.
splinter ['splɪntə*] *n* Splitter *m* ♦ *vi* (zer)splittern.
splinter group *n* Splittergruppe *f*.
split [splɪt] (*pt, pp* **split**) *n* (*tear*) Riß *m*; (*fig: division*) Aufteilung *f*; (*: difference*) Kluft *f*; (*POL*) Spaltung *f* ♦ *vt* (*divide*) aufteilen; (*party*) spalten; (*share equally*) teilen ♦ *vi* (*divide*) sich aufteilen; (*tear*) reißen; **to do the ~s** (einen) Spagat machen; **let's ~ the difference** teilen wir uns die Differenz.
▸**split up** *vi* sich trennen; (*meeting*) sich auflösen.
split-level ['splɪtlɛvl] *adj* mit versetzten Geschossen.
split peas *npl* getrocknete (halbe) Erbsen *pl*.
split personality *n* gespaltene Persönlichkeit *f*.
split second *n* Bruchteil *m* einer Sekunde.
splitting ['splɪtɪŋ] *adj*: **a ~ headache** rasende Kopfschmerzen *pl*.
splutter ['splʌtə*] *vi* (*engine etc*) stottern; (*person*) prusten.
spoil [spɔɪl] (*pt, pp* **spoilt** *or* **spoiled**) *vt* verderben; (*child*) verwöhnen; (*ballot paper, vote*) ungültig machen ♦ *vi*: **to be ~ing for a fight** Streit suchen.
spoils [spɔɪlz] *npl* Beute *f*; (*fig*) Gewinn *m*.
spoilsport ['spɔɪlspɔːt] (*pej*) *n* Spielverderber *m*.
spoilt [spɔɪlt] *pt, pp of* **spoil** ♦ *adj* (*child*) verwöhnt; (*ballot paper*) ungültig.
spoke [spəuk] *pt of* **speak** ♦ *n* Speiche *f*.
spoken ['spəukn] *pp of* **speak**.
spokesman ['spəuksmən] (*irreg: like* **man**) *n* Sprecher *m*.
spokesperson ['spəukspəːsn] *n* Sprecher(in) *m(f)*.
spokeswoman ['spəukswumən] (*irreg: like* **woman**) *n* Sprecherin *f*.
sponge [spʌndʒ] *n* Schwamm *m*; (*also*: **~ cake**) Biskuit(kuchen) *m* ♦ *vt* mit einem Schwamm waschen ♦ *vi*: **to ~ off** *or* **on sb** jdm auf der Tasche liegen.
sponge bag (*BRIT*) *n* Waschbeutel *m*, Kulturbeutel *m*.
sponger ['spʌndʒə*] (*pej*) *n* Schmarotzer *m*.
spongy ['spʌndʒɪ] *adj* schwammig.
sponsor ['spɔnsə*] *n* Sponsor(in) *m(f)*, Geldgeber(in) *m(f)*; (*BRIT: for charitable event*) Sponsor(in) *m(f)*; (*for application, bill etc*) Befürworter(in) *m(f)* ♦ *vt* sponsern, finanziell unterstützen; (*fund-raiser*) sponsern; (*applicant*) unterstützen; (*proposal, bill etc*) befürworten; **I ~ed him at 3p a mile** (*in fund-raising race*) ich habe mich verpflichtet, ihm 3 Pence pro Meile zu geben.
sponsorship ['spɔnsəʃɪp] *n* finanzielle Unterstützung *f*.
spontaneity [spɔntə'neɪɪtɪ] *n* Spontaneität *f*.
spontaneous [spɔn'teɪnɪəs] *adj* spontan; **~ combustion** Selbstentzündung *f*.
spoof [spuːf] *n* (*parody*) Parodie *f*; (*hoax*) Ulk *m*.
spooky ['spuːkɪ] (*inf*) *adj* gruselig.
spool [spuːl] *n* Spule *f*.
spoon [spuːn] *n* Löffel *m*.
spoon-feed ['spuːnfiːd] *vt* (mit dem Löffel) füttern; (*fig*) gängeln.
spoonful ['spuːnful] *n* Löffel *m*.
sporadic [spə'rædɪk] *adj* sporadisch, vereinzelt.
sport [spɔːt] *n* Sport *m*; (*type*) Sportart *f*; (*also*: **good ~**: *person*) feiner Kerl *m* ♦ *vt* (*wear*) tragen; **indoor ~s** Hallensport *m*; **outdoor ~s** Sport *m* im Freien.
sporting ['spɔːtɪŋ] *adj* (*event etc*) Sport-; (*generous*) großzügig; **to give sb a ~ chance** jdm eine faire Chance geben.
sport jacket (*US*) *n* = **sports jacket**.
sports car *n* Sportwagen *m*.
sports centre *n* Sportzentrum *nt*.
sports ground *n* Sportplatz *m*.

sports jacket (*BRIT*) *n* Sakko *m*.
sportsman ['spɔːtsmən] (*irreg: like* **man**) *n* Sportler *m*.
sportsmanship ['spɔːtsmənʃɪp] *n* Sportlichkeit *f*.
sports page *n* Sportseite *f*.
sportswear ['spɔːtswɛə*] *n* Sportkleidung *f*.
sportswoman ['spɔːtswumən] (*irreg: like* **woman**) *n* Sportlerin *f*.
sporty ['spɔːtɪ] *adj* sportlich.
spot [spɔt] *n* (*mark*) Fleck *m*; (*dot*) Punkt *m*; (*on skin*) Pickel *m*; (*place*) Stelle *f*, Platz *m*; (*RADIO, TV*) Nummer *f*, Auftritt *m*; (*also*: ~ **advertisement**) Werbespot *m*; (*small amount*): **a ~ of** ein bißchen ♦ *vt* entdecken; **on the ~** (*in that place*) an Ort und Stelle; (*immediately*) auf der Stelle; **to be in a ~** in der Klemme sitzen; **to put sb on the ~** jdn in Verlegenheit bringen; **to come out in ~s** Pickel bekommen.
spot check *n* Stichprobe *f*.
spotless ['spɔtlɪs] *adj* makellos sauber.
spotlight ['spɔtlaɪt] *n* Scheinwerfer *m*; (*in room*) Strahler *m*.
spot-on [spɔt'ɔn] (*BRIT: inf*) *adj* genau richtig.
spot price *n* Kassapreis *m*.
spotted ['spɔtɪd] *adj* gepunktet.
spotty ['spɔtɪ] *adj* pickelig.
spouse [spaus] *n* (*male*) Gatte *m*; (*female*) Gattin *f*.
spout [spaut] *n* (*of jug, teapot*) Tülle *f*; (*of pipe*) Ausfluß *m*; (*of liquid*) Strahl *m* ♦ *vi* spritzen; (*flames*) sprühen.
sprain [spreɪn] *n* Verstauchung *f* ♦ *vt*: **to ~ one's ankle/wrist** sich *dat* den Knöchel/das Handgelenk verstauchen.
sprang [spræŋ] *pt of* **spring.**
sprawl [sprɔːl] *vi* (*person*) sich ausstrecken; (*place*) wild wuchern ♦ *n*: **urban ~** wildwuchernde Ausbreitung des Stadtgebietes; **to send sb ~ing** jdn zu Boden werfen.
spray [spreɪ] *n* (*small drops*) Sprühnebel *m*; (*sea spray*) Gischt *m or f*; (*container*) Sprühdose *f*; (*garden spray*) Sprühgerät *nt*; (*of flowers*) Strauß *m* ♦ *vt* sprühen, spritzen; (*crops*) spritzen ♦ *cpd* (*deodorant*) Sprüh-; ~ **can** Sprühdose *f*.
spread [sprɛd] (*pt, pp* **spread**) *n* (*range*) Spektrum *nt*; (*selection*) Auswahl *f*; (*distribution*) Verteilung *f*; (*for bread*) (Brot)aufstrich *m*; (*inf: food*) Festessen *nt*; (*PRESS, TYP: two pages*) Doppelseite *f* ♦ *vt* ausbreiten; (*butter*) streichen; (*workload, wealth, repayments etc*) verteilen; (*scatter*) verstreuen; (*rumour, disease*) verbreiten ♦ *vi* (*disease, news*) sich verbreiten; (*also*: ~ **out**: *stain*) sich ausbreiten; **to get a middle-age ~** in den mittleren Jahren Speck ansetzen.
▸**spread out** *vi* (*move apart*) sich verteilen.
spread-eagled ['sprɛdiːgld] *adj* mit ausgestreckten Armen und Beinen; **to be** *or* **lie ~** mit ausgestreckten Armen und Beinen daliegen.
spreadsheet ['sprɛdʃiːt] *n* (*COMPUT*) Tabellenkalkulation *f*.
spree [spriː] *n*: **to go on a ~** (*drinking*) eine Zechtour machen; (*spending*) groß einkaufen gehen.
sprig [sprɪg] *n* Zweig *m*.
sprightly ['spraɪtlɪ] *adj* rüstig.
spring [sprɪŋ] (*pt* **sprang**, *pp* **sprung**) *n* (*coiled metal*) Sprungfeder *f*; (*season*) Frühling *m*, Frühjahr *nt*; (*of water*) Quelle *f* ♦ *vi* (*leap*) springen ♦ *vt*: **to ~ a leak** (*pipe etc*) undicht werden; **in ~** im Frühling *or* Frühjahr; **to walk with a ~ in one's step** mit federnden Schritten gehen; **to ~ from** (*result*) herrühren von; **to ~ into action** aktiv werden; **he sprang the news on me** er hat mich mit der Nachricht überrascht.
▸**spring up** *vi* (*building, plant*) aus dem Boden schießen.
springboard ['sprɪŋbɔːd] *n* (*SPORT, fig*) Sprungbrett *nt*.
spring-clean(ing) [sprɪŋ'kliːn(ɪŋ)] *n* Frühjahrsputz *m*.
spring onion (*BRIT*) *n* Frühlingszwiebel *f*.
spring roll *n* Frühlingsrolle *f*.
springtime ['sprɪŋtaɪm] *n* Frühling *m*.
springy ['sprɪŋɪ] *adj* federnd; (*mattress*) weich gefedert.
sprinkle ['sprɪŋkl] *vt* (*liquid*) sprenkeln; (*salt, sugar*) streuen; **to ~ water on, ~ with water** mit Wasser besprengen; **to ~ sugar** *etc* **on, ~ with sugar** *etc* mit Zucker *etc* bestreuen.
sprinkler ['sprɪŋklə*] *n* (*for lawn*) Rasensprenger *m*; (*to put out fire*) Sprinkler *m*.
sprinkling ['sprɪŋklɪŋ] *n*: **a ~ of** (*water*) ein paar Tropfen; (*salt, sugar*) eine Prise; (*fig*) ein paar.
sprint [sprɪnt] *n* Sprint *m* ♦ *vi* rennen; (*SPORT*) sprinten; **the 200 metres ~** der 200-Meter-Lauf.
sprinter ['sprɪntə*] *n* Sprinter(in) *m(f)*.
sprite [spraɪt] *n* Kobold *m*.
spritzer ['sprɪtsə*] *n* Schorle *f*.
sprocket ['sprɔkɪt] *n* Kettenzahnrad *nt*.
sprout [spraut] *vi* sprießen; (*vegetable*) keimen.
sprouts [sprauts] *npl* (*also*: **Brussels ~**) Rosenkohl *m*.
spruce [spruːs] *n inv* Fichte *f* ♦ *adj* gepflegt, adrett.
▸**spruce up** *vt* auf Vordermann bringen (*inf*); **to ~ o.s. up** sein Äußeres pflegen.
sprung [sprʌŋ] *pp of* **spring.**
spry [spraɪ] *adj* rüstig.
SPUC *n abbr* (= *Society for the Protection of the Unborn Child*) *Gesellschaft zum Schutz des ungeborenen Lebens.*
spud [spʌd] (*inf*) *n* Kartoffel *f*.
spun [spʌn] *pt, pp of* **spin.**
spur [spəː*] *n* Sporn *m*; (*fig*) Ansporn *m* ♦ *vt*

(*also*: ~ **on,** *fig*) anspornen; **on the ~ of the moment** ganz spontan.
spurious ['spjuərɪəs] *adj* falsch.
spurn [spə:n] *vt* verschmähen.
spurt [spə:t] *n* (*of blood etc*) Strahl *m*; (*of energy*) Anwandlung *f* ♦ *vi* (*blood*) (heraus)spritzen; **to put on a ~** (*lit, fig*) einen Spurt einlegen.
sputter ['spʌtə*] *vi* = **splutter**.
spy [spaɪ] *n* Spion(in) *m(f)* ♦ *vi*: **to ~ on** nachspionieren *+dat* ♦ *vt* sehen ♦ *cpd* (*film, story*) Spionage-.
spying ['spaɪɪŋ] *n* Spionage *f*.
Sq. *abbr* (*in address: = square*) ≈ Pl.
sq. *abbr* = **square**.
squabble ['skwɔbl] *vi* (sich) zanken ♦ *n* Streit *m*.
squad [skwɔd] *n* (*MIL*) Trupp *m*; (*POLICE*) Kommando *nt*; (: *drug/fraud squad*) Dezernat *nt*; (*SPORT*) Mannschaft *f*; **flying ~** (*POLICE*) Überfallkommando *nt*.
squad car (*BRIT*) *n* (*POLICE*) Streifenwagen *m*.
squaddie ['skwɔdɪ] (*BRIT*) *n* (*private soldier*) Gefreite(r) *m*.
squadron ['skwɔdrn] *n* (*MIL*) Schwadron *f*; (*AVIAT*) Staffel *f*; (*NAUT*) Geschwader *nt*.
squalid ['skwɔlɪd] *adj* verkommen; (*conditions*) elend; (*sordid*) erbärmlich.
squall [skwɔ:l] *n* Bö(e) *f*.
squalor ['skwɔlə*] *n* Elend *nt*.
squander ['skwɔndə*] *vt* verschwenden; (*chances*) vertun.
square [skwɛə*] *n* Quadrat *nt*; (*in town*) Platz *m*; (*US: block of houses*) Block *m*; (*also*: **set ~**) Zeichendreieck *nt*; (*inf: person*) Spießer *m* ♦ *adj* quadratisch; (*inf: ideas, person*) spießig ♦ *vt* (*arrange*) ausrichten; (*MATH*) quadrieren; (*reconcile*) in Einklang bringen ♦ *vi* (*accord*) übereinstimmen; **we're back to ~ one** jetzt sind wir wieder da, wo wir angefangen haben; **all ~** (*SPORT*) unentschieden; (*fig*) quitt; **a ~ meal** eine ordentliche Mahlzeit; **2 metres ~** 2 Meter im Quadrat; **2 ~ metres** 2 Quadratmeter; **I'll ~ it with him** (*inf*) ich mache das mit ihm ab; **can you ~ it with your conscience?** können Sie das mit Ihrem Gewissen vereinbaren?
▸**square up** (*BRIT*) *vi* abrechnen.
square bracket *n* eckige Klammer *f*.
squarely ['skwɛəlɪ] *adv* (*directly*) direkt, genau; (*firmly*) fest; (*honestly*) ehrlich; (*fairly*) gerecht, fair.
square root *n* Quadratwurzel *f*.
squash [skwɔʃ] *n* (*BRIT*): **lemon/orange ~** Zitronen-/Orangensaftgetränk *nt*; (*US: marrow etc*) Kürbis *m*; (*SPORT*) Squash *nt* ♦ *vt* zerquetschen.
squat [skwɔt] *adj* gedrungen ♦ *vi* (*also*: **~ down**) sich (hin)hocken; (*on property*): **to ~ (in a house)** ein Haus besetzen.
squatter ['skwɔtə*] *n* Hausbesetzer(in) *m(f)*.
squawk [skwɔ:k] *vi* kreischen.
squeak [skwi:k] *vi* quietschen; (*mouse etc*) piepsen ♦ *n* Quietschen *nt*; (*of mouse etc*) Piepsen *nt*.
squeaky-clean [skwi:kɪ'kli:n] (*inf*) *adj* blitzsauber.
squeal [skwi:l] *vi* quietschen.
squeamish ['skwi:mɪʃ] *adj* empfindlich.
squeeze [skwi:z] *n* Drücken *nt*; (*ECON*) Beschränkung *f*; (*also*: **credit ~**) Kreditbeschränkung *f* ♦ *vt* drücken; (*lemon etc*) auspressen ♦ *vi*: **to ~ past sth** sich an etw *dat* vorbeidrücken; **to ~ under sth** sich unter etw *dat* durchzwängen; **to give sth a ~** etw drücken; **a ~ of lemon** ein Spritzer Zitronensaft.
▸**squeeze out** *vt* (*juice etc*) (her)auspressen; (*fig: exclude*) hinausdrängen.
squelch [skwɛltʃ] *vi* (*mud etc*) quatschen.
squib [skwɪb] *n* Knallfrosch *m*.
squid [skwɪd] *n* Tintenfisch *m*.
squiggle ['skwɪgl] *n* Schnörkel *m*.
squint [skwɪnt] *vi* (*in the sunlight*) blinzeln ♦ *n* (*MED*) Schielen *nt*; **he has a ~** er schielt.
squire ['skwaɪə*] (*BRIT*) *n* Gutsherr *m*; (*inf*) Chef *m*.
squirm [skwə:m] *vi* (*lit, fig*) sich winden.
squirrel ['skwɪrəl] *n* Eichhörnchen *nt*.
squirt [skwə:t] *vi, vt* spritzen.
Sr *abbr* (*in names: = senior*) sen.; (*REL*) = **sister**.
SRC (*BRIT*) *n abbr* (= *Students' Representative Council*) *studentische Vertretung*.
Sri Lanka [srɪ'læŋkə] *n* Sri Lanka *nt*.
SRN (*BRIT*) *n abbr* (*formerly: = State Registered Nurse*) staatlich geprüfte Krankenschwester *f*, staatlich geprüfter Krankenpfleger *m*.
SRO (*US*) *abbr* (= *standing room only*) nur Stehplätze.
SS *abbr* = **steamship**.
SSA (*US*) *n abbr* (= *Social Security Administration*) *Sozialversicherungsbehörde*.
SST (*US*) *n abbr* (= *supersonic transport*) Überschallverkehr *m*.
ST (*US*) *abbr* = **standard time**.
St *abbr* (= *saint*) St.; (= *street*) Str.
stab [stæb] *n* Stich *m*, Stoß *m*; (*inf: try*): **to have a ~ at sth** etw probieren ♦ *vt* (*person*) niederstechen; (*body*) einstechen auf *+acc*; **a ~ of pain** ein stechender Schmerz; **to ~ sb to death** jdn erstechen.
stabbing ['stæbɪŋ] *n* Messerstecherei *f* ♦ *adj* (*pain*) stechend.
stability [stə'bɪlɪtɪ] *n* Stabilität *f*.
stabilization [steɪbəlaɪ'zeɪʃən] *n* Stabilisierung *f*.
stabilize ['steɪbəlaɪz] *vt* stabilisieren ♦ *vi* sich stabilisieren.
stabilizer ['steɪbəlaɪzə*] *n* (*AVIAT*) Stabilisierungsfläche *f*; (*NAUT, food additive*) Stabilisator *m*.
stable ['steɪbl] *adj* stabil; (*marriage*) dauerhaft

♦ *n* Stall *m*; **riding ~s** Reitstall *m*.
staccato [stə'kɑːtəu] *adv* (*MUS*) stakkato ♦ *adj* abgehackt.
stack [stæk] *n* Stapel *m*; (*of books etc*) Stoß *m* ♦ *vt* (*also*: ~ **up**) aufstapeln; **~s of time** (*BRIT: inf*) jede Menge Zeit; **to ~ with** vollstapeln mit.
stadia ['steɪdɪə] *npl of* **stadium**.
stadium ['steɪdɪəm] (*pl* **stadia** *or* **~s**) *n* Stadion *nt*.
staff [stɑːf] *n* (*workforce, servants*) Personal *nt*; (*BRIT: also:* **teaching ~**) (Lehrer)kollegium *nt*; (*stick: MIL*) Stab *m* ♦ *vt* (mit Personal) besetzen; **one of his ~** einer seiner Mitarbeiter; **a member of ~** ein(e) Mitarbeiter(in) *m(f)*; (*SCOL*) ein(e) Lehrer(in) *m(f)*.
staffroom ['stɑːfruːm] *n* (*SCOL*) Lehrerzimmer *nt*.
Staffs (*BRIT*) *abbr* (*POST:* = *Staffordshire*).
stag [stæg] *n* Hirsch *m*; (*BRIT: STOCK EXCHANGE*) Spekulant *m* (*der junge Aktien aufkauft*); ~ **market** (*BRIT: STOCK EXCHANGE*) Spekulantenmarkt *m*.
stage [steɪdʒ] *n* Bühne *f*; (*platform*) Podium *nt*; (*point, period*) Stadium *nt* ♦ *vt* (*play*) aufführen; (*demonstration*) organisieren; (*perform: recovery etc*) schaffen; **the ~** das Theater, die Bühne; **in ~s** etappenweise; **to go through a difficult ~** eine schwierige Phase durchmachen; **in the early/final ~s** im Anfangs-/Endstadium.
stagecoach ['steɪdʒkəutʃ] *n* Postkutsche *f*.
stage door *n* Bühneneingang *m*.
stage fright *n* Lampenfieber *nt*.
stagehand ['steɪdʒhænd] *n* Bühnenarbeiter(in) *m(f)*.
stage-manage ['steɪdʒmænɪdʒ] *vt* (*fig*) inszenieren.
stage manager *n* Inspizient(in) *m(f)*.
stagger ['stægə*] *vi* schwanken, taumeln ♦ *vt* (*amaze*) die Sprache verschlagen *+dat*; (*hours, holidays*) staffeln.
staggering ['stægərɪŋ] *adj* (*amazing*) atemberaubend.
staging post ['steɪdʒɪŋ-] *n* Zwischenstation *f*.
stagnant ['stægnənt] *adj* (*water*) stehend; (*economy etc*) stagnierend.
stagnate [stæg'neɪt] *vi* (*economy etc*) stagnieren; (*person*) verdummen.
stagnation [stæg'neɪʃən] *n* Stagnation *f*.
stag night, stag party *n* Herrenabend *m*.

> *Als* **stag night** *bezeichnet man eine feuchtfröhliche Männerparty, die kurz vor einer Hochzeit vom Bräutigam und seinen Freunden meist in einem Gasthaus oder Nachtklub abgehalten wird. Diese Feiern sind oft sehr ausgelassen und können manchmal auch zu weit gehen (wenn dem betrunkenen Bräutigam ein Streich gespielt wird). Siehe auch* **hen night**.

staid [steɪd] *adj* gesetzt.
stain [steɪn] *n* Fleck *m*; (*colouring*) Beize *f* ♦ *vt* beflecken; (*wood*) beizen.
stained glass window [steɪnd-] *n* buntes Glasfenster *nt*.
stainless steel ['steɪnlɪs-] *n* (rostfreier) Edelstahl *m*.
stain remover *n* Fleckentferner *m*.
stair [stɛə*] *n* (*step*) Stufe *f*; **stairs** *npl* (*flight of steps*) Treppe *f*; **on the ~s** auf der Treppe.
staircase ['stɛəkeɪs] *n* Treppe *f*.
stairway ['stɛəweɪ] *n* = **staircase**.
stairwell ['stɛəwɛl] *n* Treppenhaus *nt*.
stake [steɪk] *n* (*post*) Pfahl *m*, Pfosten *m*; (*COMM*) Anteil *m*; (*BETTING: gen pl*) Einsatz *m* ♦ *vt* (*money*) setzen; (*also*: ~ **out**: *area*) abstecken; **to be at ~** auf dem Spiel stehen; **to have a ~ in sth** einen Anteil an etw *dat* haben; **to ~ a claim (to sth)** sich *dat* ein Anrecht (auf etw *acc*) sichern; **to ~ one's life on sth** seinen Kopf auf etw *acc* wetten; **to ~ one's reputation on sth** sich für etw verbürgen.
stakeout ['steɪkaut] *n* (*surveillance*) Überwachung *f*.
stalactite ['stæləktaɪt] *n* Stalaktit *m*.
stalagmite ['stæləgmaɪt] *n* Stalagmit *m*.
stale [steɪl] *adj* (*bread*) altbacken; (*food*) alt; (*smell*) muffig; (*air*) verbraucht; (*beer*) schal.
stalemate ['steɪlmeɪt] *n* (*CHESS*) Patt *nt*; (*fig*) Sackgasse *f*.
stalk [stɔːk] *n* Stiel *m* ♦ *vt* sich heranpirschen an *+acc* ♦ *vi*: **to ~ out/off** hinaus-/davonstolzieren.
stall [stɔːl] *n* (*BRIT: in market etc*) Stand *m*; (*in stable*) Box *f* ♦ *vt* (*engine, car*) abwürgen; (*fig: person*) hinhalten; (: *decision etc*) hinauszögern ♦ *vi* (*engine*) absterben; (*car*) stehenbleiben; (*fig: person*) ausweichen; **stalls** *npl* (*BRIT: in cinema, theatre*) Parkett *nt*; **a seat in the ~s** ein Platz im Parkett; **a clothes/flower ~** ein Kleidungs-/Blumenstand; **to ~ for time** versuchen, Zeit zu gewinnen.
stallholder ['stɔːlhəuldə*] (*BRIT*) *n* Standbesitzer(in) *m(f)*.
stallion ['stæljən] *n* Hengst *m*.
stalwart ['stɔːlwət] *adj* treu.
stamen ['steɪmɛn] *n* Staubgefäß *nt*.
stamina ['stæmɪnə] *n* Ausdauer *f*.
stammer ['stæmə*] *n* Stottern *nt* ♦ *vi* stottern; **to have a ~** stottern.
stamp [stæmp] *n* (*lit, fig*) Stempel *m*; (*postage stamp*) Briefmarke *f* ♦ *vi* stampfen; (*also*: ~ **one's foot**) (mit dem Fuß) aufstampfen ♦ *vt* stempeln; (*with postage stamp*) frankieren; **~ed addressed envelope** frankierter Rückumschlag.
►**stamp out** *vt* (*fire*) austreten; (*fig: crime*) ausrotten; (: *opposition*) unterdrücken.
stamp album *n* Briefmarkenalbum *nt*.

stamp collecting *n* Briefmarkensammeln *nt.*
stamp duty (*BRIT*) *n* (Stempel)gebühr *f.*
stampede [stæm'piːd] *n* (*of animals*) wilde Flucht *f*; (*fig*) Massenandrang *m.*
stamp machine *n* Briefmarkenautomat *m.*
stance [stæns] *n* Haltung *f*; (*fig*) Einstellung *f.*
stand [stænd] (*pt, pp* **stood**) *n* (*COMM*) Stand *m*; (*SPORT*) Tribüne *f*; (*piece of furniture*) Ständer *m* ♦ *vi* stehen; (*rise*) aufstehen; (*remain*) bestehenbleiben; (*in election etc*) kandidieren ♦ *vt* stellen; (*tolerate, withstand*) ertragen; **to make a ~ against sth** Widerstand gegen etw leisten; **to take a ~ on sth** einen Standpunkt zu etw vertreten; **to take the ~** (*US: LAW*) in den Zeugenstand treten; **to ~ at** (*value, score etc*) betragen; (*level*) liegen bei; **to ~ for parliament** (*BRIT*) in den Parlamentswahlen kandidieren; **to ~ to gain/lose sth** etw gewinnen/verlieren können; **it ~s to reason** es ist einleuchtend; **as things ~** nach Lage der Dinge; **to ~ sb a drink/meal** jdm einen Drink/ein Essen spendieren; **I can't ~ him** ich kann ihn nicht leiden *or* ausstehen; **we don't ~ a chance** wir haben keine Chance; **to ~ trial** vor Gericht stehen.
►**stand by** *vi* (*be ready*) sich bereithalten; (*fail to help*) (unbeteiligt) danebenstehen ♦ *vt fus* (*opinion, decision*) stehen zu; (*person*) halten zu.
►**stand down** *vi* zurücktreten.
►**stand for** *vt fus* (*signify*) bedeuten; (*represent*) stehen für; (*tolerate*) sich *dat* gefallen lassen.
►**stand in for** *vt fus* vertreten.
►**stand out** *vi* hervorstechen.
►**stand up** *vi* aufstehen.
►**stand up for** *vt fus* eintreten für.
►**stand up to** *vt fus* standhalten *+dat*; (*person*) sich behaupten gegenüber *+dat.*
stand-alone ['stændələun] *adj* (*COMPUT*) selbständig.
standard ['stændəd] *n* (*level*) Niveau *nt*; (*norm*) Norm *f*; (*criterion*) Maßstab *m*; (*flag*) Standarte *f* ♦ *adj* (*size, model, value etc*) Standard-; (*normal*) normal; **standards** *npl* (*morals*) (sittliche) Maßstäbe *pl*; **to be** *or* **to come up to ~** den Anforderungen genügen; **to apply a double ~** mit zweierlei Maß messen.
standardization [stændədaɪ'zeɪʃən] *n* Vereinheitlichung *f.*
standardize ['stændədaɪz] *vt* vereinheitlichen.
standard lamp (*BRIT*) *n* Stehlampe *f.*
standard of living *n* Lebensstandard *m.*
standard time *n* Normalzeit *f.*
stand-by, standby ['stændbaɪ] *n* Reserve *f*; (*also*: **standby ticket**) Standby-Ticket *nt* ♦ *adj* (*generator*) Reserve-, Ersatz-; **to be on ~** (*doctor*) Bereitschaftsdienst haben; (*crew, firemen etc*) in Bereitschaft sein, einsatzbereit sein.
stand-by ticket *n* Standby-Ticket *nt.*
stand-in ['stændɪn] *n* Ersatz *m.*
standing ['stændɪŋ] *adj* (*permanent*) ständig; (*army*) stehend ♦ *n* (*status*) Rang *m*, Stellung *f*; **a ~ ovation** stürmischer Beifall; **of many years' ~** von langjähriger Dauer; **a relationship of 6 months' ~** eine seit 6 Monaten bestehende Beziehung; **a man of some ~** ein angesehener Mann.
standing committee *n* ständiger Ausschuß *m.*
standing joke *n* Standardwitz *m.*
standing order (*BRIT*) *n* (*at bank*) Dauerauftrag *m.*
standing room *n* Stehplätze *pl.*
standoff *n* (*situation*) ausweglose *or* verfahrene Situation *f.*
stand-offish [stænd'ɔfɪʃ] *adj* distanziert.
standpat ['stændpæt] (*US*) *adj* konservativ.
standpipe ['stændpaɪp] *n* Steigrohr *nt.*
standpoint ['stændpɔɪnt] *n* Standpunkt *m.*
standstill ['stændstɪl] *n*: **to be at a ~** stillstehen; (*fig: negotiations*) in eine Sackgasse geraten sein; **to come to a ~** (*traffic*) zum Stillstand kommen.
stank [stæŋk] *pt of* **stink.**
stanza ['stænzə] *n* Strophe *f.*
staple ['steɪpl] *n* (*for papers*) Heftklammer *f*; (*chief product*) Hauptartikel *m* ♦ *adj* (*food, diet*) Grund-, Haupt- ♦ *vt* heften.
stapler ['steɪplə*] *n* Hefter *m.*
star [stɑː*] *n* Stern *m*; (*celebrity*) Star *m* ♦ *vt* (*THEAT, CINE*) in der Hauptrolle zeigen ♦ *vi*: **to ~ in** die Hauptrolle haben in; **the stars** *npl* (*horoscope*) das Horoskop; **4-~ hotel** 4-Sterne-Hotel *nt*; **2-~ petrol** (*BRIT*) Normal(benzin) *nt*; **4-~ petrol** (*BRIT*) Super(benzin) *nt.*
star attraction *n* Hauptattraktion *f.*
starboard ['stɑːbɔːd] *adj* (*side*) Steuerbord-; **to ~** (nach) Steuerbord.
starch [stɑːtʃ] *n* Stärke *f.*
starched [stɑːtʃt] *adj* gestärkt.
starchy ['stɑːtʃɪ] *adj* (*food*) stärkehaltig; (*pej: person*) steif.
stardom ['stɑːdəm] *n* Berühmtheit *f.*
stare [stɛə*] *n* starrer Blick *m* ♦ *vi*: **to ~ at** anstarren.
starfish ['stɑːfɪʃ] *n* Seestern *m.*
stark [stɑːk] *adj* (*bleak*) kahl; (*simplicity*) schlicht; (*colour*) eintönig; (*reality, poverty*) nackt ♦ *adv*: **~ naked** splitternackt.
starkers ['stɑːkəz] (*inf*) *adj* splitter(faser)nackt.
starlet ['stɑːlɪt] *n* (Film)sternchen *nt*, Starlet *nt.*
starlight ['stɑːlaɪt] *n* Sternenlicht *nt.*
starling ['stɑːlɪŋ] *n* Star *m.*
starlit ['stɑːlɪt] *adj* sternklar.
starry ['stɑːrɪ] *adj* sternklar; **~ sky** Sternenhimmel *m.*
starry-eyed [stɑːrɪ'aɪd] *adj* (*innocent*) arglos,

blauäugig; (*from wonder*) verzückt.
Stars and Stripes *n sing* Sternenbanner *nt*.
star sign *n* Sternzeichen *nt*.
star-studded ['stɑːstʌdɪd] *adj*: **a ~ cast** eine Starbesetzung *f*.
START *n abbr* (*MIL*: = *Strategic Arms Reduction Talks*) START.
start [stɑːt] *n* Beginn *m*, Anfang *m*; (*departure*) Aufbruch *m*; (*advantage*) Vorsprung *m* ♦ *vt* anfangen mit; (*panic*) auslösen; (*fire*) anzünden; (*found*) gründen; (: *restaurant etc*) eröffnen; (*engine*) anlassen; (*car*) starten ♦ *vi* anfangen; (*with fright*) zusammenfahren; (*engine etc*) anspringen; **at the ~** am Anfang, zu Beginn; **for a ~** erstens; **to make an early ~** frühzeitig aufbrechen; **to give a ~** zusammenfahren; **to wake up with a ~** aus dem Schlaf hochschrecken; **to ~ doing** *or* **to do sth** anfangen, etw zu tun; **to ~ (off) with ...** (*firstly*) erstens; (*at the beginning*) zunächst.
►**start off** *vi* (*begin*) anfangen; (*begin moving*) losgehen/-fahren.
►**start out** *vi* (*leave*) sich aufmachen.
►**start over** (*US*) *vi* noch einmal von vorn anfangen.
►**start up** *vt* (*business*) gründen; (*restaurant etc*) eröffnen; (*car*) starten; (*engine*) anlassen.
starter ['stɑːtə*] *n* (*AUT*) Anlasser *m*; (*SPORT*: *official, runner, horse*) Starter *m*; (*BRIT*: *CULIN*) Vorspeise *f*; **for ~s** (*inf*) für den Anfang.
starting point ['stɑːtɪŋ-] *n* (*lit, fig*) Ausgangspunkt *m*.
starting price *n* (*at auction*) Ausgangsangebot *nt*.
startle ['stɑːtl] *vt* erschrecken.
startling ['stɑːtlɪŋ] *adj* (*news etc*) überraschend.
star turn (*BRIT*) *n* Sensation *f*, Hauptattraktion *f*.
starvation [stɑː'veɪʃən] *n* Hunger *m*; **to die of/from ~** verhungern.
starve [stɑːv] *vi* hungern; (*to death*) verhungern ♦ *vt* hungern lassen; (*fig*: *deprive*): **to ~ sb of sth** jdm etw vorenthalten; **I'm starving** ich sterbe vor Hunger.
Star Wars *n* Krieg *m* der Sterne.
stash [stæʃ] *vt* (*also*: **~ away**) beiseite schaffen ♦ *n* (*secret store*) geheimes Lager *nt*.
state [steɪt] *n* (*condition*) Zustand *m*; (*POL*) Staat *m* ♦ *vt* (*say*) feststellen; (*declare*) erklären; **the States** *npl* (*GEOG*) die (Vereinigten) Staaten *pl*; **to be in a ~** aufgeregt sein; (*on edge*) nervös sein; (*in a mess*) in einem schrecklichen Zustand sein; **to get into a ~** durchdrehen (*inf*); **in ~** feierlich; **to lie in ~** (feierlich) aufgebahrt sein; **~ of emergency** Notstand *m*; **~ of mind** Verfassung *f*.
state control *n* staatliche Kontrolle *f*.
stated ['steɪtɪd] *adj* erklärt.
State Department (*US*) *n* Außenministerium *nt*.
state education (*BRIT*) *n* staatliche Erziehung *f*; (*system*) staatliches Bildungswesen *nt*.
stateless ['steɪtlɪs] *adj* staatenlos.
stately ['steɪtlɪ] *adj* würdevoll; (*walk*) gemessen; **~ home** Schloß *nt*.
statement ['steɪtmənt] *n* (*thing said*) Feststellung *f*; (*declaration*) Erklärung *f*; (*FIN*) (Konto)auszug *m*; **official ~** (amtliche) Erklärung *f*; **bank ~** Kontoauszug *m*.
state of the art *n*: **the ~** der neueste Stand der Technik ♦ *adj*: **state-of-the-art** auf dem neuesten Stand der Technik; (*technology*) Spitzen-.
state-owned ['steɪtəund] *adj* staatseigen.
state school *n* öffentliche Schule *f*.
state secret *n* Staatsgeheimnis *nt*.
statesman ['steɪtsmən] (*irreg*: *like* **man**) *n* Staatsmann *m*.
statesmanship ['steɪtsmənʃɪp] *n* Staatskunst *f*.
static ['stætɪk] *n* (*RADIO, TV*) atmosphärische Störungen *pl* ♦ *adj* (*not moving*) konstant.
static electricity *n* Reibungselektrizität *f*.
station ['steɪʃən] *n* (*RAIL*) Bahnhof *m*; (*also*: **bus ~**) Busbahnhof *m*; (*also*: **police ~**) (Polizei)wache *f*; (*RADIO*) Sender *m* ♦ *vt* (*guards etc*) postieren; (*soldiers etc*) stationieren; **action ~s** (*MIL*) Stellung *f*; **above one's ~** über seinem Stand.
stationary ['steɪʃnərɪ] *adj* (*vehicle*) haltend; **to be ~** stehen.
stationer ['steɪʃənə*] *n* Schreibwarenhändler(in) *m(f)*.
stationer's (shop) *n* Schreibwarenhandlung *f*.
stationery ['steɪʃnərɪ] *n* Schreibwaren *pl*; (*writing paper*) Briefpapier *nt*.
stationmaster ['steɪʃənmɑːstə*] *n* Bahnhofsvorsteher *m*.
station wagon (*US*) *n* Kombi(wagen) *m*.
statistic [stə'tɪstɪk] *n* Statistik *f*.
statistical [stə'tɪstɪkl] *adj* statistisch.
statistics [stə'tɪstɪks] *n* (*science*) Statistik *f*.
statue ['stætjuː] *n* Statue *f*.
statuesque [stætju'ɛsk] *adj* stattlich.
statuette [stætju'ɛt] *n* Statuette *f*.
stature ['stætʃə*] *n* Wuchs *m*, Statur *f*; (*fig*: *reputation*) Format *nt*.
status ['steɪtəs] *n* Status *m*; (*position*) Stellung *f*; **the ~ quo** der Status quo.
status line *n* (*COMPUT*) Statuszeile *f*.
status symbol *n* Statussymbol *nt*.
statute ['stætjuːt] *n* Gesetz *nt*; **statutes** *npl* (*of club etc*) Satzung *f*.
statute book *n*: **to be on the ~** geltendes Recht sein.
statutory ['stætjutrɪ] *adj* gesetzlich;

~ **declaration** eidesstattliche Erklärung *f.*
staunch [stɔːntʃ] *adj* treu ♦ *vt* (*flow*) stauen; (*blood*) stillen.
stave [steɪv] *n* (*MUS*) Notensystem *nt.*
▸**stave off** *vt* (*attack*) abwehren; (*threat*) abwenden.
stay [steɪ] *n* Aufenthalt *m* ♦ *vi* bleiben; (*with sb, as guest*) wohnen; (*in hotel*) übernachten; ~ **of execution** (*LAW*) Aussetzung *f*; **to ~ put** bleiben; **to ~ with friends** bei Freunden untergebracht sein; **to ~ the night** übernachten.
▸**stay behind** *vi* zurückbleiben.
▸**stay in** *vi* (*at home*) zu Hause bleiben.
▸**stay on** *vi* bleiben.
▸**stay out** *vi* (*of house*) wegbleiben; (*remain on strike*) weiterstreiken.
▸**stay up** *vi* (*at night*) aufbleiben.
staying power ['steɪɪŋ-] *n* Stehvermögen *nt*, Durchhaltevermögen *nt.*
STD *n abbr* (*BRIT: TEL: = subscriber trunk dialling*) Selbstwählferndienst *m*; (*MED: = sexually transmitted disease*) durch Geschlechtsverkehr übertragene Krankheit *f.*
stead [stɛd] *n*: **in sb's ~** an jds Stelle; **to stand sb in good ~** jdm zugute *or* zustatten kommen.
steadfast ['stɛdfɑːst] *adj* standhaft.
steadily ['stɛdɪlɪ] *adv* (*regularly*) regelmäßig; (*constantly*) stetig; (*fixedly*) fest, unverwandt.
steady ['stɛdɪ] *adj* (*job, boyfriend, girlfriend, look*) fest; (*income*) regelmäßig; (*speed*) gleichmäßig; (*rise*) stetig; (*person, character*) zuverlässig, solide; (*voice, hand etc*) ruhig ♦ *vt* (*stabilize*) ruhig halten; (*nerves*) beruhigen; **to ~ o.s. on sth** sich auf etw *acc* stützen; **to ~ o.s. against sth** sich an etw *dat* abstützen.
steak [steɪk] *n* Steak *nt*; (*fish*) Filet *nt.*
steakhouse ['steɪkhaus] *n* Steakrestaurant *nt.*
steal [stiːl] (*pt* **stole**, *pp* **stolen**) *vt* stehlen ♦ *vi* stehlen; (*move secretly*) sich stehlen, schleichen.
▸**steal away** *vi* sich davonschleichen.
stealth [stɛlθ] *n*: **by ~** heimlich.
stealthy ['stɛlθɪ] *adj* heimlich, verstohlen.
steam [stiːm] *n* Dampf *m* ♦ *vt* (*CULIN*) dämpfen, dünsten ♦ *vi* dampfen; **covered with ~** (*window etc*) beschlagen; **under one's own ~** (*fig*) allein, ohne Hilfe; **to run out of ~** (*fig*) den Schwung verlieren; **to let off ~** (*inf, fig*) Dampf ablassen.
▸**steam up** *vi* (*window*) beschlagen; **to get ~ed up about sth** (*inf, fig*) sich über etw *acc* aufregen.
steam engine *n* (*RAIL*) Dampflok(omotive) *f.*
steamer ['stiːmə*] *n* Dampfer *m*; (*CULIN*) Dämpfer *m.*
steam iron *n* Dampfbügeleisen *nt.*
steamroller ['stiːmrəulə*] *n* Dampfwalze *f.*
steamship ['stiːmʃɪp] *n* = **steamer**.
steamy ['stiːmɪ] *adj* (*room*) dampfig; (*window*) beschlagen; (*book, film*) heiß.
steed [stiːd] (*liter*) *n* Roß *nt.*
steel [stiːl] *n* Stahl *m* ♦ *adj* (*girder, wool etc*) Stahl-.
steel band *n* (*MUS*) Steelband *f.*
steel industry *n* Stahlindustrie *f.*
steel mill *n* Stahlwalzwerk *nt.*
steelworks ['stiːlwəːks] *n* Stahlwerk *nt.*
steely ['stiːlɪ] *adj* (*determination*) eisern; (*eyes, gaze*) hart, stählern.
steep [stiːp] *adj* steil; (*increase, rise*) stark; (*price, fees*) gepfeffert ♦ *vt* einweichen; **to be ~ed in history** geschichtsträchtig sein.
steeple ['stiːpl] *n* Kirchturm *m.*
steeplechase ['stiːpltʃeɪs] *n* (*for horses*) Hindernisrennen *nt*; (*for runners*) Hindernislauf *m.*
steeplejack ['stiːpldʒæk] *n* Turmarbeiter *m.*
steeply ['stiːplɪ] *adv* steil.
steer [stɪə*] *vt* steuern; (*car etc*) lenken; (*person*) lotsen ♦ *vi* steuern; (*in car etc*) lenken; **to ~ for** zusteuern auf *+acc*; **to ~ clear of sb** (*fig*) jdm aus dem Weg gehen; **to ~ clear of sth** (*fig*) etw meiden.
steering ['stɪərɪŋ] *n* (*AUT*) Lenkung *f.*
steering column *n* (*AUT*) Lenksäule *f.*
steering committee *n* Lenkungsausschuß *m.*
steering wheel *n* (*AUT*) Lenkrad *nt*, Steuer *nt.*
stellar ['stɛlə*] *adj* stellar.
stem [stɛm] *n* Stiel *m*; (*of pipe*) Hals *m* ♦ *vt* aufhalten; (*flow*) eindämmen; (*bleeding*) zum Stillstand bringen.
▸**stem from** *vt fus* zurückgehen auf *+acc.*
stench [stɛntʃ] (*pej*) *n* Gestank *m.*
stencil ['stɛnsl] *n* Schablone *f* ♦ *vt* mit Schablone zeichnen.
stenographer [stɛ'nɔgrəfə*] (*US*) *n* Stenograph(in) *m(f).*
stenography [stɛ'nɔgrəfɪ] (*US*) *n* Stenographie *f.*
step [stɛp] *n* (*lit, fig*) Schritt *m*; (*of stairs*) Stufe *f* ♦ *vi*: **to ~ forward/back** vor-/zurücktreten; **steps** *npl* (*BRIT*) = **stepladder**; **~ by ~** (*fig*) Schritt für Schritt; **in/out of ~ (with)** im/nicht im Tritt (mit); (*fig*) im/nicht im Gleichklang (mit).
▸**step down** *vi* (*fig: resign*) zurücktreten.
▸**step in** *vi* (*fig*) eingreifen.
▸**step off** *vt fus* aussteigen aus *+dat.*
▸**step on** *vt fus* treten auf *+acc.*
▸**step over** *vt fus* steigen über *+acc.*
▸**step up** *vt* (*efforts*) steigern; (*pace etc*) beschleunigen.
stepbrother ['stɛpbrʌðə*] *n* Stiefbruder *m.*
stepchild ['stɛptʃaɪld] *n* Stiefkind *nt.*
stepdaughter ['stɛpdɔːtə*] *n* Stieftochter *f.*
stepfather ['stɛpfɑːðə*] *n* Stiefvater *m.*
stepladder ['stɛplædə*] (*BRIT*) *n* Trittleiter *f.*

stepmother ['stɛpmʌðə*] *n* Stiefmutter *f*.
stepping stone ['stɛpɪŋ-] *n* Trittstein *m*; (*fig*) Sprungbrett *nt*.
stepsister ['stɛpsɪstə*] *n* Stiefschwester *f*.
stepson ['stɛpsʌn] *n* Stiefsohn *m*.
stereo ['stɛrɪəu] *n* (*system*) Stereoanlage *f* ♦ *adj* (*sound etc*) Stereo-; **in ~** in Stereo.
stereotype ['stɪərɪətaɪp] *n* Klischee *nt*, Klischeevorstellung *f* ♦ *vt* in ein Klischee zwängen; **~d** stereotyp.
sterile ['stɛraɪl] *adj* steril, keimfrei; (*barren*) unfruchtbar; (*fig: debate*) fruchtlos.
sterility [stɛ'rɪlɪtɪ] *n* Unfruchtbarkeit *f*.
sterilization [stɛrɪlaɪ'zeɪʃən] *n* Sterilisation *f*, Sterilisierung *f*.
sterilize ['stɛrɪlaɪz] *vt* sterilisieren.
sterling ['stəːlɪŋ] *adj* (*silver*) Sterling-; (*fig*) gediegen ♦ *n* (*ECON*) das Pfund Sterling, das englische Pfund; **one pound ~** ein Pfund Sterling.
sterling area *n* (*ECON*) Sterlingländer *pl*.
stern [stəːn] *adj* streng ♦ *n* Heck *nt*.
sternum ['stəːnəm] *n* Brustbein *nt*.
steroid ['stɪərɔɪd] *n* Steroid *nt*.
stethoscope ['stɛθəskəup] *n* Stethoskop *nt*.
stevedore ['stiːvədɔː*] *n* Stauer *m*, Schauermann *m*.
stew [stjuː] *n* Eintopf *m* ♦ *vt* schmoren; (*fruit, vegetables*) dünsten ♦ *vi* schmoren; **~ed tea** bitterer Tee *m*; **~ed fruit** (Obst)kompott *nt*.
steward ['stjuːəd] *n* Steward *m*; (*at public event*) Ordner(in) *m(f)*; (*also*: **shop ~**) gewerkschaftliche Vertrauensperson *f*.
stewardess ['stjuədɛs] *n* Stewardeß *f*.
stewardship ['stjuədʃɪp] *n* Verwaltung *f*.
stewing steak, (*US*) **stew meat** ['stjuːɪŋ-] *n* (Rinder)schmorfleisch *nt*.
St. Ex. *abbr* = **stock exchange.**
stg *abbr* = **sterling.**
stick [stɪk] (*pt, pp* **stuck**) *n* Zweig *m*; (*of dynamite*) Stange *f*; (*of chalk etc*) Stück *nt*; (*as weapon*) Stock *m*; (*also*: **walking ~**) (Spazier)stock *m* ♦ *vt* (*with glue etc*) kleben; (*inf: put*) tun, stecken; (: *tolerate*) aushalten; (*thrust*) stoßen ♦ *vi*: **to ~ (to)** kleben (an *+dat*); (*remain*) (hängen)bleiben; (*door etc*) klemmen; (*lift*) steckenbleiben; **to get hold of the wrong end of the ~** (*BRIT, fig*) es falsch verstehen; **to ~ in sb's mind** jdm im Gedächtnis (haften)bleiben.
▸**stick around** (*inf*) *vi* hier-/dableiben.
▸**stick out** *vi* (*ears etc*) abstehen ♦ *vt*: **to ~ it out** (*inf*) durchhalten.
▸**stick to** *vt fus* (*one's word, promise*) halten; (*agreement, rules*) sich halten an *+acc*; (*the truth, facts*) bleiben bei.
▸**stick up** *vi* hochstehen.
▸**stick up for** *vt fus* eintreten für.
sticker ['stɪkə*] *n* Aufkleber *m*.
sticking plaster ['stɪkɪŋ-] *n* Heftpflaster *nt*.
sticking point *n* Hindernis *nt*; (*in discussion etc*) strittiger Punkt *m*.
stickleback ['stɪklbæk] *n* Stichling *m*.
stickler ['stɪklə*] *n*: **to be a ~ for sth** es mit etw peinlich genau nehmen.
stick shift (*US*) *n* Schaltknüppel *m*; (*car*) Wagen *m* mit Handschaltung.
stick-up ['stɪkʌp] (*inf*) *n* Überfall *m*.
sticky ['stɪkɪ] *adj* klebrig; (*label, tape*) Klebe-; (*weather, day*) schwül.
stiff [stɪf] *adj* steif; (*hard, firm*) hart; (*paste, egg-white*) fest; (*door, zip etc*) schwer gehend; (*competition*) hart; (*sentence*) schwer; (*drink*) stark ♦ *adv* (*bored, worried, scared*) zu Tode; **to be** *or* **feel ~** steif sein; **to have a ~ neck** einen steifen Hals haben; **to keep a ~ upper lip** (*BRIT, fig*) die Haltung bewahren.
stiffen ['stɪfn] *vi* steif werden; (*body*) erstarren.
stiffness ['stɪfnɪs] *n* Steifheit *f*.
stifle ['staɪfl] *vt* unterdrücken; (*heat*) erdrücken.
stifling ['staɪflɪŋ] *adj* (*heat*) drückend.
stigma ['stɪgmə] *n* Stigma *nt*; (*BOT*) Narbe *f*, Stigma *nt*; **stigmata** *npl* (*MED*) Wundmal *nt*.
stile [staɪl] *n* Zaunübertritt *m*.
stiletto [stɪ'lɛtəu] (*BRIT*) *n* (*also*: **~ heel**) Bleistiftabsatz *m*.
still [stɪl] *adj* (*motionless*) bewegungslos; (*tranquil*) ruhig; (*air, water*) still; (*BRIT: drink*) ohne Kohlensäure ♦ *adv* (immer) noch; (*yet, even*) noch; (*nonetheless*) trotzdem ♦ *n* (*CINE*) Standfoto *nt*; **to stand ~** stillstehen; **keep ~!** halte still!; **he ~ hasn't arrived** er ist immer noch nicht angekommen.
stillborn ['stɪlbɔːn] *adj* totgeboren.
still life *n* Stilleben *nt*.
stilt [stɪlt] *n* (*pile*) Pfahl *m*; (*for walking on*) Stelze *f*.
stilted ['stɪltɪd] *adj* gestelzt.
stimulant ['stɪmjulənt] *n* Anregungsmittel *nt*.
stimulate ['stɪmjuleɪt] *vt* anregen, stimulieren; (*demand*) ankurbeln.
stimulating ['stɪmjuleɪtɪŋ] *adj* anregend, stimulierend.
stimulation [stɪmju'leɪʃən] *n* Anregung *f*, Stimulation *f*.
stimuli ['stɪmjulaɪ] *npl of* **stimulus.**
stimulus ['stɪmjuləs] (*pl* **stimuli**) *n* (*incentive*) Anreiz *m*; (*BIOL*) Reiz *m*; (*PSYCH*) Stimulus *m*.
sting [stɪŋ] (*pt, pp* **stung**) *n* Stich *m*; (*pain*) Stechen *nt*; (*organ: of insect*) Stachel *m*; (*inf: confidence trick*) Ding *nt* ♦ *vt* stechen; (*fig*) treffen, verletzen ♦ *vi* stechen; (*eyes, ointment, plant etc*) brennen; **my eyes are ~ing** mir brennen die Augen.
stingy ['stɪndʒɪ] (*pej*) *adj* geizig, knauserig.
stink [stɪŋk] (*pt* **stank,** *pp* **stunk**) *n* Gestank *m* ♦ *vi* stinken.
stinker ['stɪŋkə*] (*inf*) *n* (*problem*) harter Brocken *m*; (*person*) Ekel *nt*.
stinking ['stɪŋkɪŋ] (*inf*) *adj* (*fig*) beschissen (*!*);

a ~ cold eine scheußliche Erkältung; **~ rich** stinkreich.
stint [stɪnt] *n* (*period*) Zeit *f*; (*batch of work*) Pensum *nt*; (*share*) Teil *m* ♦ *vi*: **to ~ on** sparen mit.
stipend ['staɪpɛnd] *n* Gehalt *nt*.
stipendiary [staɪ'pɛndɪərɪ] *adj*: **~ magistrate** bezahlter Friedensrichter *m*.
stipulate ['stɪpjuleɪt] *vt* festsetzen; (*condition*) stellen.
stipulation [stɪpju'leɪʃən] *n* Bedingung *f*, Auflage *f*.
stir [stəː*] *n* (*fig*) Aufsehen *nt* ♦ *vt* umrühren; (*fig: emotions*) aufwühlen; (: *person*) bewegen ♦ *vi* sich bewegen; **to give sth a ~** etw umrühren; **to cause a ~** Aufsehen erregen.
►**stir up** *vt*: **to ~ up trouble** Unruhe stiften; **to ~ things up** stänkern.
stir-fry ['stəː'fraɪ] *vt* unter Rühren kurz anbraten ♦ *n* Pfannengericht *nt* (*das unter Rühren kurz angebraten wurde*).
stirring ['stəːrɪŋ] *adj* bewegend.
stirrup ['stɪrəp] *n* Steigbügel *m*.
stitch [stɪtʃ] *n* (*SEWING*) Stich *m*; (*KNITTING*) Masche *f*; (*MED*) Faden *m*; (*pain*) Seitenstiche *pl* ♦ *vt* nähen; **he had to have ~es** er mußte genäht werden.
stoat [stəut] *n* Wiesel *nt*.
stock [stɔk] *n* Vorrat *m*; (*COMM*) Bestand *m*; (*AGR*) Vieh *nt*; (*CULIN*) Brühe *f*; (*descent, origin*) Abstammung *f*, Herkunft *f*; (*FIN*) Wertpapiere *pl*; (*RAIL*: *also*: **rolling ~**) rollendes Material *nt* ♦ *adj* (*reply, excuse etc*) Standard- ♦ *vt* (*in shop*) führen; **in/out of ~** vorrätig/nicht vorrätig; **~s and shares** (Aktien und) Wertpapiere *pl*; **government ~** Staatsanleihe *f*; **to take ~ of** (*fig*) Bilanz ziehen über *+acc*; **well-~ed** (*shop*) mit gutem Sortiment.
►**stock up** *vi*: **to ~ up (with)** sich eindecken (mit).
stockade [stɔ'keɪd] *n* Palisade *f*.
stockbroker ['stɔkbrəukə*] *n* Börsenmakler *m*.
stock control *n* Bestandsüberwachung *f*.
stock cube (*BRIT*) *n* Brühwürfel *m*.
stock exchange *n* Börse *f*.
stockholder ['stɔkhəuldə*] (*esp US*) *n* Aktionär(in) *m(f)*.
Stockholm ['stɔkhəum] *n* Stockholm *nt*.
stocking ['stɔkɪŋ] *n* Strumpf *m*.
stock-in-trade ['stɔkɪn'treɪd] *n* (*fig*): **it's his ~** es gehört zu seinem festen Repertoire.
stockist ['stɔkɪst] (*BRIT*) *n* Händler *m*.
stock market (*BRIT*) *n* Börse *f*.
stock phrase *n* Standardsatz *m*.
stockpile ['stɔkpaɪl] *n* Vorrat *m*; (*of weapons*) Lager *nt* ♦ *vt* horten.
stockroom ['stɔkruːm] *n* Lager *nt*, Lagerraum *m*.
stocktaking ['stɔkteɪkɪŋ] (*BRIT*) *n* Inventur *f*.
stocky ['stɔkɪ] *adj* stämmig.
stodgy ['stɔdʒɪ] *adj* (*food*) pampig (*inf*), schwer.
stoic ['stəuɪk] *n* Stoiker(in) *m(f)*.
stoic(al) ['stəuɪk(l)] *adj* stoisch.
stoke [stəuk] *vt* (*fire*) schüren; (*furnace, boiler*) heizen.
stoker ['stəukə*] *n* Heizer *m*.
stole [stəul] *pt of* **steal** ♦ *n* Stola *f*.
stolen ['stəuln] *pp of* **steal**.
stolid ['stɔlɪd] *adj* phlegmatisch, stur (*inf*).
stomach ['stʌmək] *n* Magen *m*; (*belly*) Bauch *m* ♦ *vt* (*fig*) vertragen.
stomach ache *n* Magenschmerzen *pl*.
stomach pump *n* Magenpumpe *f*.
stomach ulcer *n* Magengeschwür *nt*.
stomp [stɔmp] *vi* stapfen.
stone [stəun] *n* Stein *m*; (*BRIT: weight*) *Gewichtseinheit (= 6,35 kg)* ♦ *adj* (*wall, jar etc*) Stein-, steinern ♦ *vt* (*person*) mit Steinen bewerfen; (*fruit*) entkernen, entsteinen; **within a ~'s throw of the station** nur einen Katzensprung vom Bahnhof entfernt.
Stone Age *n* Steinzeit *f*.
stone-cold ['stəun'kəuld] *adj* eiskalt.
stoned [stəund] (*inf*) *adj* (*on drugs*) stoned; (*drunk*) total zu.
stone-deaf ['stəun'dɛf] *adj* stocktaub.
stonemason ['stəunmeɪsn] *n* Steinmetz *m*.
stonewall [stəun'wɔːl] *vi* mauern; (*in answering questions*) ausweichen.
stonework ['stəunwəːk] *n* Mauerwerk *nt*.
stony ['stəunɪ] *adj* steinig; (*fig: silence etc*) steinern.
stood [stud] *pt, pp of* **stand**.
stooge [stuːdʒ] *n* (*inf*) Handlanger(in) *m(f)*; (*THEAT*) Stichwortgeber(in) *m(f)*.
stool [stuːl] *n* Hocker *m*.
stoop [stuːp] *vi* (*also*: **~ down**) sich bücken; (*walk*) gebeugt gehen; **to ~ to sth** (*fig*) sich zu etw herablassen; **to ~ to doing sth** sich dazu herablassen, etw zu tun.
stop [stɔp] *n* Halt *m*; (*short stay*) Aufenthalt *m*; (*in punctuation*: *also*: **full ~**) Punkt *m*; (*bus stop etc*) Haltestelle *f* ♦ *vt* stoppen; (*car etc*) anhalten; (*block*) sperren; (*prevent*) verhindern ♦ *vi* (*car etc*) anhalten; (*train*) halten; (*pedestrian, watch, clock*) stehenbleiben; (*end*) aufhören; **to come to a ~** anhalten; **to put a ~ to** einen Riegel vorschieben *+dat*; **to ~ doing sth** aufhören, etw zu tun; **to ~ sb (from) doing sth** jdn davon abhalten, etw zu tun; **~ it!** laß das!, hör auf!
►**stop by** *vi* kurz vorbeikommen.
►**stop off** *vi* kurz haltmachen, Zwischenstation machen.
►**stop up** *vt* (*hole*) zustopfen.
stopcock ['stɔpkɔk] *n* Absperrhahn *m*.
stopgap ['stɔpgæp] *n* (*person*) Lückenbüßer *m*; (*thing*) Notbehelf *m*; **~ measure** Überbrückungsmaßnahme *f*.
stop-go [stɔp'gəu] *adj* (*economic cycle etc*) mit

ständigem Auf und Ab.
stoplights ['stɔplaɪts] *npl* (*AUT*) Bremslichter *pl.*
stopover ['stɔpəuvə*] *n* Zwischenaufenthalt *m*; (*AVIAT*) Zwischenlandung *f.*
stoppage ['stɔpɪdʒ] *n* (*strike*) Streik *m*; (*blockage*) Unterbrechung *f*; (*of pay, cheque*) Sperrung *f*; (*deduction*) Abzug *m.*
stopper ['stɔpə*] *n* Stöpsel *m.*
stop press *n* letzte Meldungen *pl.*
stopwatch ['stɔpwɔtʃ] *n* Stoppuhr *f.*
storage ['stɔːrɪdʒ] *n* Lagerung *f*; (*also*: ~ **space**) Stauraum *m*; (*COMPUT*) Speicherung *f.*
storage capacity *n* (*COMPUT*) Speicherkapazität *f.*
storage heater (*BRIT*) *n* (Nacht)speicherofen *m.*
store [stɔː*] *n* Vorrat *m*; (*depot*) Lager *nt*; (*BRIT: large shop*) Geschäft *nt*, Kaufhaus *nt*; (*US: shop*) Laden *m*; (*fig*): **a** ~ **of** eine Fülle an *+dat* ♦ *vt* lagern; (*information etc, COMPUT*) speichern; (*food, medicines etc*) aufbewahren; (*in filing system*) ablegen; **stores** *npl* (*provisions*) Vorräte *pl*; **in** ~ eingelagert; **who knows what's in** ~ **for us?** wer weiß, was uns bevorsteht?; **to set great/little** ~ **by sth** viel/wenig von etw halten.
▸**store up** *vt* einen Vorrat anlegen von; (*memories*) im Gedächtnis bewahren.
storehouse ['stɔːhaus] *n* (*US: COMM*) Lager(haus) *nt*; (*fig*) Fundgrube *f.*
storekeeper ['stɔːkiːpə*] (*US*) *n* Ladenbesitzer(in) *m(f)*.
storeroom ['stɔːruːm] *n* Lagerraum *m.*
storey, (*US*) **story** ['stɔːrɪ] *n* Stock *m*, Stockwerk *nt.*
stork [stɔːk] *n* Storch *m.*
storm [stɔːm] *n* (*lit, fig*) Sturm *m*; (*bad weather*) Unwetter *nt*; (*also*: **electrical** ~) Gewitter *nt* ♦ *vi* (*fig*) toben ♦ *vt* (*attack*) stürmen.
storm cloud *n* Gewitterwolke *f.*
storm door *n* äußere Windfangtür *f.*
stormy ['stɔːmɪ] *adj* (*lit, fig*) stürmisch.
story ['stɔːrɪ] *n* Geschichte *f*; (*PRESS*) Artikel *m*; (*lie*) Märchen *nt*; (*US*) = **storey.**
storybook ['stɔːrɪbuk] *n* Geschichtenbuch *nt.*
storyteller ['stɔːrɪtɛlə*] *n* Geschichtenerzähler(in) *m(f)*.
stout [staut] *adj* (*strong*) stark; (*fat*) untersetzt; (*resolute*) energisch ♦ *n* Starkbier *nt.*
stove [stəuv] *n* Herd *m*; (*small*) Kocher *m*; (*for heating*) (Heiz)ofen *m*; **gas** ~ Gasherd *m.*
stow [stəu] *vt* (*also*: ~ **away**) verstauen.
stowaway ['stəuəweɪ] *n* blinder Passagier *m.*
straddle ['strædl] *vt* (*sitting*) rittlings sitzen auf *+dat*; (*standing*) breitbeinig stehen über *+dat*; (*jumping*) grätschen über *+acc*; (*fig*) überspannen.
strafe [strɑːf] *vt* beschießen.
straggle ['strægl] *vi* (*houses etc*) verstreut liegen; (*people etc*) zurückbleiben.
straggler ['stræglə*] *n* Nachzügler *m.*
straggly ['stræglɪ] *adj* (*hair*) unordentlich.
straight [streɪt] *adj* gerade; (*hair*) glatt; (*honest*) offen, direkt; (*simple*) einfach; (: *fight*) direkt; (*THEAT*) ernst; (*inf: heterosexual*) hetero; (*whisky etc*) pur ♦ *adv* (*in time*) sofort; (*in direction*) direkt; (*drink*) pur ♦ *n* (*SPORT*) Gerade *f*; **to put** *or* **get sth** ~ (*make clear*) etw klären; (*make tidy*) etw in Ordnung bringen; **let's get this** ~ das wollen wir mal klarstellen; **10** ~ **wins** 10 Siege hintereinander; **to win in** ~ **sets** (*TENNIS*) ohne Satzverlust gewinnen; **to go** ~ **home** direkt nach Hause gehen; ~ **out** rundheraus; ~ **away,** ~ **off** sofort, gleich.
straighten ['streɪtn] *vt* (*skirt, sheet etc*) geradeziehen.
▸**straighten out** *vt* (*fig*) klären.
straight-faced [streɪt'feɪst] *adj*: **to be/remain** ~ ernst bleiben ♦ *adv* ohne zu lachen.
straightforward [streɪt'fɔːwəd] *adj* (*simple*) einfach; (*honest*) offen.
straight sets *npl* (*TENNIS*): **to win in** ~ ohne Satzverlust gewinnen.
strain [streɪn] *n* Belastung *f*; (*MED: also*: **back** ~) überanstrengter Rücken *m*; (: *tension*) Überlastung *f*; (*of virus*) Art *f*; (*breed*) Sorte *f* ♦ *vt* (*back etc*) überanstrengen; (*resources*) belasten; (*CULIN*) abgießen ♦ *vi*: **to** ~ **to do sth** sich anstrengen, etw zu tun; **strains** *npl* (*MUS*) Klänge *pl*; **he's been under a lot of** ~ er hat unter großem Streß gestanden.
strained [streɪnd] *adj* (*back*) überanstrengt; (*muscle*) gezerrt; (*forced*) gezwungen; (*relations*) gespannt.
strainer ['streɪnə*] *n* Sieb *nt.*
strait [streɪt] *n* Meerenge *f*, Straße *f*; **straits** *npl* (*fig*): **to be in dire** ~**s** in großen Nöten sein.
straitjacket ['streɪtdʒækɪt] *n* Zwangsjacke *f.*
strait-laced [streɪt'leɪst] *adj* prüde, puritanisch.
strand [strænd] *n* (*lit, fig*) Faden *m*; (*of wire*) Litze *f*; (*of hair*) Strähne *f.*
stranded ['strændɪd] *adj*: **to be** ~ (*traveller*) festsitzen; (*ship, sea creature*) gestrandet.
strange [streɪndʒ] *adj* fremd; (*odd*) seltsam, merkwürdig.
strangely ['streɪndʒlɪ] *adv* seltsam, merkwürdig; *see also* **enough.**
stranger ['streɪndʒə*] *n* Fremde(r) *f(m)*; **I'm a** ~ **here** ich bin hier fremd.
strangle ['stræŋgl] *vt* erwürgen, erdrosseln; (*fig: economy etc*) ersticken.
stranglehold ['stræŋglhəuld] *n* (*fig*) absolute Machtposition *f.*
strangulation [stræŋgju'leɪʃən] *n* Erwürgen *nt*, Erdrosseln *nt.*
strap [stræp] *n* Riemen *m*; (*of dress etc*) Träger *m* ♦ *vt* (*also*: ~ **in**) anschnallen; (*also*: ~ **on**) umschnallen.

straphanging ['stræphæŋɪŋ] *n* Pendeln *nt* (als stehender Fahrgast).
strapless ['stræplɪs] *adj* trägerlos, schulterfrei.
strapped [stræpt] (*inf*) *adj:* ~ **(for cash)** pleite.
strapping ['stræpɪŋ] *adj* stramm.
Strasbourg ['stræzbɜːg] *n* Straßburg *nt*.
strata ['strɑːtə] *npl of* **stratum.**
stratagem ['strætɪdʒəm] *n* List *f*.
strategic [strə'tiːdʒɪk] *adj* strategisch; (*error*) taktisch.
strategist ['strætɪdʒɪst] *n* Stratege *m*, Strategin *f*.
strategy ['strætɪdʒɪ] *n* Strategie *f*.
stratosphere ['strætəsfɪə*] *n* Stratosphäre *f*.
stratum ['strɑːtəm] (*pl* **strata**) *n* Schicht *f*.
straw [strɔː] *n* Stroh *nt*; (*drinking straw*) Strohhalm *m*; **that's the last** ~! das ist der Gipfel!
strawberry ['strɔːbərɪ] *n* Erdbeere *f*.
stray [streɪ] *adj* (*animal*) streunend; (*bullet*) verirrt; (*scattered*) einzeln, vereinzelt ♦ *vi* (*children*) sich verirren; (*animals*) streunen; (*thoughts*) abschweifen.
streak [striːk] *n* Streifen *m*; (*in hair*) Strähne *f*; (*fig: of madness etc*) Zug *m* ♦ *vt* streifen ♦ *vi:* **to** ~ **past** vorbeiflitzen; **a winning/losing** ~ eine Glücks-/Pechsträhne.
streaker ['striːkə*] (*inf*) *n* Blitzer(in) *m(f)*.
streaky ['striːkɪ] *adj* (*bacon*) durchwachsen.
stream [striːm] *n* (*small river*) Bach *m*; (*current*) Strömung *f*; (*of people, vehicles*) Strom *m*; (*of questions, insults etc*) Flut *f*, Schwall *m*; (*of smoke*) Schwaden *m*; (*SCOL*) Leistungsgruppe *f* ♦ *vt* (*SCOL*) in Leistungsgruppen einteilen ♦ *vi* strömen; **against the** ~ gegen den Strom; **to come on** ~ (*new power plant etc*) in Betrieb genommen werden.
streamer ['striːmə*] *n* Luftschlange *f*.
stream feed *n* automatischer Papiereinzug *m*.
streamline ['striːmlaɪn] *vt* Stromlinienform geben *+dat*; (*fig*) rationalisieren.
streamlined ['striːmlaɪnd] *adj* stromlinienförmig; (*AVIAT, AUT*) windschlüpfrig; (*fig*) rationalisiert.
street [striːt] *n* Straße *f*; **the back** ~**s** die Seitensträßchen *pl*; **to be on the** ~**s** (*homeless*) obdachlos sein; (*as prostitute*) auf den Strich gehen.
streetcar ['striːtkɑː*] (*US*) *n* Straßenbahn *f*.
street cred [-krɛd] (*inf*) *n* Glaubwürdigkeit *f*.
street lamp *n* Straßenlaterne *f*.
street lighting *n* Straßenbeleuchtung *f*.
street map *n* Stadtplan *m*.
street market *n* Straßenmarkt *m*.
street plan *n* Stadtplan *m*.
streetwise ['striːtwaɪz] (*inf*) *adj:* **to be** ~ wissen, wo's langgeht.
strength [strɛŋθ] *n* (*lit, fig*) Stärke *f*; (*physical*) Kraft *f*, Stärke *f*; (*of girder etc*) Stabilität *f*; (*of knot etc*) Festigkeit *f*; (*of chemical solution*) Konzentration *f*; (*of wine*) Schwere *f*; **on the** ~ **of** auf Grund *+gen*; **at full** ~ vollzählig; **to be below** ~ nicht die volle Stärke haben.
strengthen ['strɛŋθn] *vt* (*lit, fig*) verstärken; (*muscle*) kräftigen; (*economy, currency, relationship*) festigen.
strenuous ['strɛnjuəs] *adj* anstrengend; (*determined*) unermüdlich.
strenuously ['strɛnjuəslɪ] *adv* energisch; **she** ~ **denied the rumour** sie leugnete das Gerücht hartnäckig.
stress [strɛs] *n* Druck *m*; (*mental*) Belastung *f*, Streß *m*; (*LING*) Betonung *f*; (*emphasis*) Akzent *m*, Gewicht *nt* ♦ *vt* betonen; **to lay great** ~ **on sth** großen Wert auf etw *acc* legen; **to be under** ~ großen Belastungen ausgesetzt sein, unter Streß stehen.
stressful ['strɛsful] *adj* anstrengend, stressig; (*situation*) angespannt.
stretch [strɛtʃ] *n* (*of sand, water etc*) Stück *nt*; (*of time*) Zeit *f* ♦ *vi* (*person, animal*) sich strecken; (*land, area*) sich erstrecken ♦ *vt* (*pull*) spannen; (*fig: job, task*) fordern; **at a** ~ an einem Stück, ohne Unterbrechung; **by no** ~ **of the imagination** beim besten Willen nicht; **to** ~ **to** *or* **as far as the frontier** (*extend*) sich bis zur Grenze erstrecken; **to** ~ **one's legs** sich *dat* die Beine vertreten.
►**stretch out** *vi* sich ausstrecken ♦ *vt* ausstrecken.
►**stretch to** *vt fus* (*be enough*) reichen für.
stretcher ['strɛtʃə*] *n* (Trag)bahre *f*.
stretcher-bearer ['strɛtʃəbɛərə*] *n* Krankenträger *m*.
stretch marks *npl* Dehnungsstreifen *pl*; (*through pregnancy*) Schwangerschafts-streifen *pl*.
strewn [struːn] *adj:* ~ **with** übersät mit.
stricken ['strɪkən] *adj* (*person*) leidend; (*city, industry etc*) notleidend; ~ **with** (*disease*) geschlagen mit; (*fear etc*) erfüllt von.
strict [strɪkt] *adj* streng; (*precise*) genau; **in the** ~**est confidence** streng vertraulich; **in the** ~ **sense of the word** streng genommen.
strictly ['strɪktlɪ] *adv* streng; (*exactly*) genau; (*solely*) ausschließlich; ~ **confidential** streng vertraulich; ~ **speaking** genau genommen; **not** ~ **true** nicht ganz richtig; ~ **between ourselves** ganz unter uns.
strictness ['strɪktnɪs] *n* Strenge *f*.
stridden ['strɪdn] *pp of* **stride.**
stride [straɪd] (*pt* **strode,** *pp* **stridden**) *n* Schritt *m* ♦ *vi* schreiten; **to take sth in one's** ~ (*fig*) mit etw spielend fertig werden.
strident ['straɪdnt] *adj* schrill, durchdringend; (*demands*) lautstark.
strife [straɪf] *n* Streit *m*, Zwietracht *f*.
strike [straɪk] (*pt, pp* **struck**) *n* Streik *m*, Ausstand *m*; (*MIL*) Angriff *m* ♦ *vt* (*hit*) schlagen; (*fig: idea, thought*) in den Sinn kommmen *+dat*; (*oil etc*) finden, stoßen auf

+acc; (*bargain, deal*) aushandeln; (*coin, medal*) prägen ♦ *vi* streiken; (*illness, killer*) zuschlagen; (*disaster*) hereinbrechen; (*clock*) schlagen; **on ~** streikend; **to be on ~** streiken; **to ~ a balance** einen Mittelweg finden; **to be struck by lightning** vom Blitz getroffen werden; **to ~ a match** ein Streichholz anzünden.

▸**strike back** *vi* (*MIL*) zurückschlagen; (*fig*) sich wehren.

▸**strike down** *vt* niederschlagen.

▸**strike off** *vt* (*from list*) (aus)streichen; (*doctor etc*) die Zulassung entziehen *+dat*.

▸**strike out** *vi* losziehen, sich aufmachen ♦ *vt* (*word, sentence*) (aus)streichen.

▸**strike up** *vt* (*MUS*) anstimmen; (*conversation*) anknüpfen; (*friendship*) schließen.

strikebreaker ['straɪkbreɪkə*] *n* Streikbrecher *m*.

strike pay *n* Streikgeld *nt*.

striker ['straɪkə*] *n* Streikende(r) *f(m)*; (*SPORT*) Stürmer *m*.

striking ['straɪkɪŋ] *adj* auffallend; (*attractive*) attraktiv.

strimmer ['strɪmə*] *n* Rasentrimmer *m*.

string [strɪŋ] (*pt, pp* **strung**) *n* Schnur *f*; (*of islands*) Kette *f*; (*of people, cars*) Schlange *f*; (*series*) Serie *f*; (*COMPUT*) Zeichenfolge *f*; (*MUS*) Saite *f* ♦ *vt*: **to ~ together** aneinanderreihen; **the strings** *npl* (*MUS*) die Streichinstrumente *pl*; **to pull ~s** (*fig*) Beziehungen spielen lassen; **with no ~s attached** (*fig*) ohne Bedingungen; **to ~ sth out** etw verteilen.

string bean *n* grüne Bohne *f*.

stringed instrument *n* Saiteninstrument *nt*.

stringent ['strɪndʒənt] *adj* streng; (*measures*) drastisch.

string quartet *n* Streichquartett *nt*.

strip [strɪp] *n* Streifen *m*; (*of metal*) Band *nt*; (*SPORT*) Trikot *nt*, Dreß *m* ♦ *vt* (*undress*) ausziehen; (*paint*) abbeizen; (*also*: **~ down**: *machine etc*) auseinandernehmen ♦ *vi* (*undress*) sich ausziehen.

strip cartoon *n* Comic(strip) *m*.

stripe [straɪp] *n* Streifen *m*; **stripes** *npl* (*MIL, POLICE*) (Ärmel)streifen *pl*.

striped [straɪpt] *adj* gestreift.

strip lighting (*BRIT*) *n* Neonlicht *nt*.

stripper ['strɪpə*] *n* Stripper(in) *m(f)*, Stripteasetänzer(in) *m(f)*.

strip-search ['strɪpsɛːtʃ] *n* Leibesvisitation *f* (*bei der man sich ausziehen muß*) ♦ *vt*: **to be ~ed** sich ausziehen müssen und durchsucht werden.

striptease ['strɪptiːz] *n* Striptease *m or nt*.

strive [straɪv] (*pt* **strove**, *pp* **striven**) *vi*: **to ~ for sth** nach etw streben; **to ~ to do sth** danach streben, etw zu tun.

striven ['strɪvn] *pp of* **strive**.

strobe [strəub] *n* (*also*: **~ lights**) Stroboskoplicht *nt*.

strode [strəud] *pt of* **stride**.

stroke [strəuk] *n* Schlag *m*, Hieb *m*; (*SWIMMING: style*) Stil *m*; (*MED*) Schlaganfall *m*; (*of clock*) Schlag *m*; (*of paintbrush*) Strich *m* ♦ *vt* (*caress*) streicheln; **at a ~** mit einem Schlag; **on the ~ of 5** Punkt 5 (Uhr); **a ~ of luck** ein Glücksfall *m*; **a 2-~ engine** ein Zweitaktmotor *m*.

stroll [strəul] *n* Spaziergang *m* ♦ *vi* spazieren; **to go for a ~, have** *or* **take a ~** einen Spaziergang machen.

stroller ['strəulə*] (*US*) *n* (*pushchair*) Sportwagen *m*.

strong [strɔŋ] *adj* stark; (*person, arms, grip*) stark, kräftig; (*healthy*) kräftig; (*object, material*) solide, stabil; (*letter*) geharnischt; (*measure*) drastisch; (*language*) derb; (*nerves*) gut; (*taste, smell*) streng ♦ *adv*: **to be going ~** (*company*) sehr erfolgreich sein; (*person*) gut in Schuß sein; **I have no ~ feelings about it** es ist mir ziemlich egal; **they are 50 ~** sie sind insgesamt 50.

strong-arm ['strɔŋɑːm] *adj* brutal.

strongbox ['strɔŋbɔks] *n* (Geld)kassette *f*.

stronghold ['strɔŋhəuld] *n* Festung *f*; (*fig*) Hochburg *f*.

strongly ['strɔŋlɪ] *adv* (*solidly*) stabil; (*forcefully*) entschieden; (*deeply*) fest; **to feel ~ that ...** fest davon überzeugt sein, daß ...; **I feel ~ about it** mir liegt sehr viel daran; (*negatively*) ich bin sehr dagegen.

strongman ['strɔŋmæn] (*irreg: like* **man**) *n* (*lit, fig*) starker Mann *m*.

strongroom ['strɔŋruːm] *n* Tresorraum *m*.

stroppy ['strɔpɪ] (*BRIT: inf*) *adj* pampig; (*obstinate*) stur.

strove [strəuv] *pt of* **strive**.

struck [strʌk] *pt, pp of* **strike**.

structural ['strʌktʃrəl] *adj* strukturell; (*damage*) baulich; (*defect*) Konstruktions-.

structurally ['strʌktʃrəlɪ] *adv*: **~ sound** mit guter Bausubstanz.

structure ['strʌktʃə*] *n* Struktur *f*, Aufbau *m*; (*building*) Gebäude *nt*.

struggle ['strʌgl] *n* Kampf *m*; (*difficulty*) Anstrengung *f* ♦ *vi* (*try hard*) sich abmühen; (*fight*) kämpfen; (*in self-defence*) sich wehren; **to have a ~ to do sth** Mühe haben, etw zu tun; **to be a ~ for sb** jdm große Schwierigkeiten bereiten.

strum [strʌm] *vt* (*guitar*) klimpern auf *+dat*.

strung [strʌŋ] *pt, pp of* **string**.

strut [strʌt] *n* Strebe *f*, Stütze *f* ♦ *vi* stolzieren.

strychnine ['strɪkniːn] *n* Strychnin *nt*.

stub [stʌb] *n* (*of cheque, ticket etc*) Abschnitt *m*; (*of cigarette*) Kippe *f* ♦ *vt*: **to ~ one's toe** sich *dat* den Zeh stoßen.

▸**stub out** *vt* (*cigarette*) ausdrücken.

stubble ['stʌbl] *n* Stoppeln *pl*.

stubborn ['stʌbən] *adj* hartnäckig; (*child*) störrisch.

stubby ['stʌbɪ] *adj* kurz und dick.
stucco ['stʌkəu] *n* Stuck *m*.
stuck [stʌk] *pt, pp of* **stick** ♦ *adj:* **to be** ~ (*jammed*) klemmen; (*unable to answer*) nicht klarkommen; **to get** ~ steckenbleiben; (*fig*) nicht weiterkommen.
stuck-up [stʌk'ʌp] (*inf*) *adj* hochnäsig.
stud [stʌd] *n* (*on clothing etc*) Niete *f*; (*on collar*) Kragenknopf *m*; (*earring*) Ohrstecker *m*; (*on boot*) Stollen *m*; (*also:* ~ **farm**) Gestüt *nt*; (*also:* ~ **horse**) Zuchthengst *m* ♦ *vt* (*fig*): ~**ded with** übersät mit; (*with jewels*) dicht besetzt mit.
student ['stju:dənt] *n* Student(in) *m(f)*; (*at school*) Schüler(in) *m(f)* ♦ *cpd* Studenten-; **law/medical** ~ Jura-/Medizinstudent(in) *m(f)*; ~ **nurse** Krankenpflegeschüler(in) *m(f)*; ~ **teacher** Referendar(in) *m(f)*.
student driver (*US*) *n* Fahrschüler(in) *m(f)*.
students' union ['stju:dənts-] (*BRIT*) *n* Studentenvereinigung *f*, ≈ AStA *m*; (*building*) Gebäude *nt* der Studentenvereinigung.
studied ['stʌdɪd] *adj* (*expression*) einstudiert; (*attitude*) berechnet.
studio ['stju:dɪəu] *n* Studio *nt*; (*sculptor's etc*) Atelier *nt*.
studio flat, (*US*) **studio apartment** *n* Einzimmerwohnung *f*.
studious ['stju:dɪəs] *adj* lernbegierig.
studiously ['stju:dɪəslɪ] *adv* (*carefully*) sorgsam.
study ['stʌdɪ] *n* Studium *nt*, Lernen *nt*; (*room*) Arbeitszimmer *nt* ♦ *vt* studieren; (*face*) prüfend ansehen; (*evidence*) prüfen ♦ *vi* studieren, lernen; **studies** *npl* (*studying*) Studien *pl*; **to make a** ~ **of sth** etw untersuchen; (*academic*) etw studieren; **to** ~ **for an exam** sich auf eine Prüfung vorbereiten.
stuff [stʌf] *n* Zeug *nt* ♦ *vt* ausstopfen; (*CULIN*) füllen; (*inf: push*) stopfen; **my nose is** ~**ed up** ich habe eine verstopfte Nase; **get** ~**ed!** (*inf!*) du kannst mich mal!
stuffed toy [stʌft-] *n* Stofftier *nt*.
stuffing ['stʌfɪŋ] *n* Füllung *f*; (*in sofa etc*) Polstermaterial *nt*.
stuffy ['stʌfɪ] *adj* (*room*) stickig; (*person, ideas*) spießig.
stumble ['stʌmbl] *vi* stolpern; **to** ~ **across** *or* **on** (*fig*) (zufällig) stoßen auf *+acc*.
stumbling block ['stʌmblɪŋ-] *n* Hürde *f*, Hindernis *nt*.
stump [stʌmp] *n* Stumpf *m* ♦ *vt:* **to be** ~**ed** überfragt sein.
stun [stʌn] *vt* betäuben; (*news*) fassungslos machen.
stung [stʌŋ] *pt, pp of* **sting.**
stunk [stʌŋk] *pp of* **stink.**
stunning ['stʌnɪŋ] *adj* (*news, event*) sensationell; (*girl, dress*) hinreißend.
stunt [stʌnt] *n* (*in film*) Stunt *m*; (*publicity stunt*) (Werbe)gag *m*.
stunted ['stʌntɪd] *adj* verkümmert.
stuntman ['stʌntmæn] (*irreg: like* **man**) *n* Stuntman *m*.
stupefaction [stju:pɪ'fækʃən] *n* Verblüffung *f*.
stupefy ['stju:pɪfaɪ] *vt* benommen machen; (*fig*) verblüffen.
stupendous [stju:'pɛndəs] *adj* enorm.
stupid ['stju:pɪd] *adj* dumm.
stupidity [stju:'pɪdɪtɪ] *n* Dummheit *f*.
stupidly ['stju:pɪdlɪ] *adv* dumm.
stupor ['stju:pə*] *n* Benommenheit *f*; **in a** ~ benommen.
sturdily ['stə:dɪlɪ] *adv:* ~ **built** (*person*) kräftig gebaut; (*thing*) stabil gebaut.
sturdy ['stə:dɪ] *adj* (*person*) kräftig; (*thing*) stabil.
sturgeon ['stə:dʒən] *n* Stör *m*.
stutter ['stʌtə*] *n* Stottern *nt* ♦ *vi* stottern; **to have a** ~ stottern.
Stuttgart ['stutgɑ:t] *n* Stuttgart *nt*.
sty [staɪ] *n* Schweinestall *m*.
stye [staɪ] *n* Gerstenkorn *nt*.
style [staɪl] *n* Stil *m*; (*design*) Modell *nt*; **in the latest** ~ nach der neuesten Mode; **hair** ~ Frisur *f*.
styli ['staɪlaɪ] *npl of* **stylus.**
stylish ['staɪlɪʃ] *adj* elegant.
stylist ['staɪlɪst] *n* (*hair stylist*) Friseur *m*, Friseuse *f*; (*literary stylist*) Stilist(in) *m(f)*.
stylized ['staɪlaɪzd] *adj* stilisiert.
stylus ['staɪləs] (*pl* **styli** *or* ~**es**) *n* Nadel *f*.
Styrofoam ® ['staɪrəfəum] *n* ≈ Styropor *nt* ®.
suave [swɑ:v] *adj* zuvorkommend.
sub [sʌb] *n abbr* (*NAUT*) = **submarine;** (*ADMIN*) = **subscription;** (*BRIT: PRESS*) = **subeditor.**
sub... [sʌb] *pref* Unter-, unter-.
subcommittee ['sʌbkəmɪtɪ] *n* Unterausschuß *m*.
subconscious [sʌb'kɔnʃəs] *adj* unterbewußt.
subcontinent [sʌb'kɔntɪnənt] *n:* **the (Indian)** ~ der (indische) Subkontinent.
subcontract [*vt* 'sʌbkən'trækt, *n* 'sʌb'kɔntrækt] *vt* (vertraglich) weitervergeben ♦ *n* Nebenvertrag *m*.
subcontractor ['sʌbkən'træktə*] *n* Subunternehmer *m*.
subdivide [sʌbdɪ'vaɪd] *vt* unterteilen.
subdivision ['sʌbdɪvɪʒən] *n* Unterteilung *f*.
subdue [səb'dju:] *vt* unterwerfen; (*emotions*) dämpfen.
subdued [səb'dju:d] *adj* (*light*) gedämpft; (*person*) bedrückt.
subeditor [sʌb'ɛdɪtə*] (*BRIT*) *n* Redakteur(in) *m(f)*.
subject [*n* 'sʌbdʒɪkt, *vt* səb'dʒɛkt] *n* (*matter*) Thema *nt*; (*SCOL*) Fach *nt*; (*of country*) Staatsbürger(in) *m(f)*; (*GRAM*) Subjekt *nt* ♦ *vt:* **to** ~ **sb to sth** jdn einer Sache *dat* unterziehen; (*expose*) jdn einer Sache *dat* aussetzen; **to change the** ~ das Thema wechseln; **to be** ~ **to** (*law, tax*) unterworfen sein *+dat*; (*heart attacks etc*) anfällig sein für;

~ **to confirmation in writing** vorausgesetzt, es wird schriftlich bestätigt.
subjection [səb'dʒɛkʃən] *n* Unterwerfung *f*.
subjective [səb'dʒɛktɪv] *adj* subjektiv.
subject matter *n* Stoff *m*; (*content*) Inhalt *m*.
sub judice [sʌb'dju:dɪsɪ] *adj* (*LAW*): **to be** ~ verhandelt werden.
subjugate ['sʌbdʒugeɪt] *vt* unterwerfen.
subjunctive [səb'dʒʌŋktɪv] *n* Konjunktiv *m*; **in the** ~ im Konjunktiv.
sublet [sʌb'lɛt] *vt* untervermieten.
sublime [sə'blaɪm] *adj* erhaben, vollendet; **that's going from the** ~ **to the ridiculous** das ist ein Abstieg ins Profane.
subliminal [sʌb'lɪmɪnl] *adj* unterschwellig.
submachine gun ['sʌbmə'ʃi:n-] *n* Maschinenpistole *f*.
submarine [sʌbmə'ri:n] *n* Unterseeboot *nt*, U-Boot *nt*.
submerge [səb'mə:dʒ] *vt* untertauchen; (*flood*) überschwemmen ♦ *vi* tauchen; **~d** unter Wasser.
submersion [səb'mə:ʃən] *n* Untertauchen *nt*; (*of submarine*) Tauchen *nt*; (*by flood*) Überschwemmung *f*.
submission [səb'mɪʃən] *n* (*subjection*) Unterwerfung *f*; (*of plan, application etc*) Einreichung *f*; (*proposal*) Vorlage *f*.
submissive [səb'mɪsɪv] *adj* gehorsam; (*gesture*) demütig.
submit [səb'mɪt] *vt* (*proposal*) vorlegen; (*application etc*) einreichen ♦ *vi*: **to** ~ **to sth** sich einer Sache *dat* unterwerfen.
subnormal [sʌb'nɔ:ml] *adj* (*below average*) unterdurchschnittlich; (*old: child etc*) minderbegabt; **educationally** ~ lernbehindert.
subordinate [sə'bɔ:dɪnət] *n* Untergebene(r) *f(m)*; (*LING*): ~ **clause** Nebensatz *m* ♦ *adj* untergeordnet; **to be** ~ **to sb** jdm untergeordnet sein.
subpoena [səb'pi:nə] *n* (*LAW*) Vorladung *f* ♦ *vt* vorladen.
subroutine [sʌbru:'ti:n] *n* (*COMPUT*) Unterprogramm *nt*.
subscribe [səb'skraɪb] *vi* spenden; **to** ~ **to** (*opinion, theory*) sich anschließen *+dat*; (*fund, charity*) regelmäßig spenden an *+acc*; (*magazine etc*) abonnieren.
subscriber [səb'skraɪbə*] *n* (*to magazine*) Abonnent(in) *m(f)*; (*TEL*) Teilnehmer(in) *m(f)*.
subscript ['sʌbskrɪpt] *n* tiefgestelltes Zeichen *nt*.
subscription [səb'skrɪpʃən] *n* (*to magazine etc*) Abonnement *nt*; (*membership dues*) (Mitglieds)beitrag *m*; **to take out a** ~ **to** (*magazine etc*) abonnieren.
subsequent ['sʌbsɪkwənt] *adj* später, nachfolgend; (*further*) weiter; ~ **to** im Anschluß an *+acc*.
subsequently ['sʌbsɪkwəntlɪ] *adv* später.
subservient [səb'sə:vɪənt] *adj* unterwürfig; (*less important*) untergeordnet; **to be** ~ **to** untergeordnet sein *+dat*.
subside [səb'saɪd] *vi* (*feeling, pain*) nachlassen; (*flood*) sinken; (*earth*) sich senken.
subsidence [səb'saɪdns] *n* Senkung *f*.
subsidiarity [səbsɪdɪ'ærɪtɪ] *n* Subsidiarität *f*.
subsidiary [səb'sɪdɪərɪ] *adj* (*question, role, BRIT: SCOL: subject*) Neben- ♦ *n* (*also*: ~ **company**) Tochtergesellschaft *f*.
subsidize ['sʌbsɪdaɪz] *vt* subventionieren.
subsidy ['sʌbsɪdɪ] *n* Subvention *f*.
subsist [səb'sɪst] *vi*: **to** ~ **on sth** sich von etw ernähren.
subsistence [səb'sɪstəns] *n* Existenz *f*; **enough for** ~ genug zum (Über)leben.
subsistence allowance *n* Unterhaltszuschuß *m*.
subsistence level *n* Existenzminimum *nt*.
substance ['sʌbstəns] *n* Substanz *f*, Stoff *m*; (*fig: essence*) Kern *m*; **a man of** ~ ein vermögender Mann; **to lack** ~ (*book*) keine Substanz haben; (*argument*) keine Durchschlagskraft haben.
substance abuse *n* *Mißbrauch von Alkohol, Drogen, Arzneimitteln etc.*
substandard [sʌb'stændəd] *adj* minderwertig; (*housing*) unzulänglich.
substantial [səb'stænʃl] *adj* (*solid*) solide; (*considerable*) beträchtlich, größere(r, s); (*meal*) kräftig.
substantially [səb'stænʃəlɪ] *adv* erheblich; (*in essence*) im wesentlichen.
substantiate [səb'stænʃɪeɪt] *vt* erhärten, untermauern.
substitute ['sʌbstɪtju:t] *n* Ersatz *m* ♦ *vt*: **to** ~ **A for B** B durch A ersetzen.
substitute teacher (*US*) *n* Vertretung *f*.
substitution [sʌbstɪ'tju:ʃən] *n* Ersetzen *nt*; (*FOOTBALL*) Auswechseln *nt*.
subterfuge ['sʌbtəfju:dʒ] *n* Tricks *pl*; (*trickery*) Täuschung *f*.
subterranean [sʌbtə'reɪnɪən] *adj* unterirdisch.
subtitle ['sʌbtaɪtl] *n* Untertitel *m*.
subtle ['sʌtl] *adj* fein; (*indirect*) raffiniert.
subtlety ['sʌtltɪ] *n* Feinheit *f*; (*art of being subtle*) Finesse *f*.
subtly ['sʌtlɪ] *adv* (*change, vary*) leicht; (*different*) auf subtile Weise; (*persuade*) raffiniert.
subtotal [sʌb'təutl] *n* Zwischensumme *f*.
subtract [səb'trækt] *vt* abziehen, subtrahieren.
subtraction [səb'trækʃən] *n* Abziehen *nt*, Subtraktion *f*.
subtropical [sʌb'trɔpɪkl] *adj* subtropisch.
suburb ['sʌbə:b] *n* Vorort *m*.
suburban [sə'bə:bən] *adj* (*train etc*) Vorort-; (*lifestyle etc*) spießig, kleinbürgerlich.
suburbia [sə'bə:bɪə] *n* die Vororte *pl*.
subvention [səb'vɛnʃən] *n* Subvention *f*.
subversion [səb'və:ʃən] *n* Subversion *f*.
subversive [səb'və:sɪv] *adj* subversiv.

subway ['sʌbweɪ] *n* (*US*) Untergrundbahn *f*, U-Bahn *f*; (*BRIT: underpass*) Unterführung *f*.
sub-zero [sʌb'zɪərəu] *adj*: ~ **temperatures** Temperaturen unter Null.
succeed [sək'siːd] *vi* (*plan etc*) gelingen, erfolgreich sein; (*person*) erfolgreich sein, Erfolg haben ♦ *vt* (*in job*) Nachfolger werden *+gen*; (*in order*) folgen *+dat*; **sb ~s in doing sth** es gelingt jdm, etw zu tun.
succeeding [sək'siːdɪŋ] *adj* folgend; ~ **generations** spätere *or* nachfolgende Generationen *pl*.
success [sək'sɛs] *n* Erfolg *m*; **without ~** ohne Erfolg, erfolglos.
successful [sək'sɛsful] *adj* erfolgreich; **to be ~** erfolgreich sein, Erfolg haben; **sb is ~ in doing sth** es gelingt jdm, etw zu tun.
successfully [sək'sɛsfəlɪ] *adv* erfolgreich, mit Erfolg.
succession [sək'sɛʃən] *n* Folge *f*, Serie *f*; (*to throne etc*) Nachfolge *f*; **3 years in ~** 3 Jahre nacheinander *or* hintereinander.
successive [sək'sɛsɪv] *adj* aufeinanderfolgend; **on 3 ~ days** 3 Tage nacheinander *or* hintereinander.
successor [sək'sɛsə*] *n* Nachfolger(in) *m(f)*.
succinct [sək'sɪŋkt] *adj* knapp, prägnant.
succulent ['sʌkjulənt] *adj* saftig ♦ *n* Fettpflanze *f*, Sukkulente *f*.
succumb [sə'kʌm] *vi*: **to ~ to** (*temptation*) erliegen *+dat*; (*illness: become affected by*) bekommen; (: *die of*) erliegen *+dat*.
such [sʌtʃ] *adj* (*of that kind*): ~ **a book** so ein Buch; (*so much*): ~ **courage** so viel Mut; (*emphasizing similarity*): **or some ~ place/name** *etc* oder so ähnlich ♦ *adv* so; ~ **books** solche Bücher; ~ **a lot of** so viel; **she made ~ a noise that ...** sie machte so einen Lärm, daß ...; ~ **books as I have** was ich an Büchern habe; **I said no ~ thing** das habe ich nie gesagt; ~ **a long trip** so eine lange Reise; ~ **as** wie (zum Beispiel); **as ~** an sich.
such-and-such ['sʌtʃənsʌtʃ] *adj* die und die, der und der, das und das.
suchlike ['sʌtʃlaɪk] (*inf*) *pron*: **and ~** und dergleichen.
suck [sʌk] *vt* (*sweet etc*) lutschen; (*ice-lolly*) lutschen an *+dat*; (*baby*) saugen an *+dat*; (*pump, machine*) saugen.
sucker ['sʌkə*] *n* (*ZOOL*) Saugnapf *m*; (*TECH*) Saugfuß *m*; (*BOT*) unterirdischer Ausläufer *m*; (*inf*) Dummkopf *m*.
suckle ['sʌkl] *vt* (*baby*) stillen; (*animal*) säugen.
sucrose ['suːkrəuz] *n* (pflanzlicher) Zucker *m*.
suction ['sʌkʃən] *n* Saugwirkung *f*.
suction pump *n* Saugpumpe *f*.
Sudan [su'dɑːn] *n* der Sudan.
Sudanese [suːdə'niːz] *adj* sudanesisch ♦ *n* Sudanese *m*, Sudanesin *f*.
sudden ['sʌdn] *adj* plötzlich; **all of a ~** ganz plötzlich.
sudden death *n* (*also*: **sudden-death play-off**) Stichkampf *m*.
suddenly ['sʌdnlɪ] *adv* plötzlich.
suds [sʌdz] *npl* Seifenschaum *m*.
sue [suː] *vt* verklagen ♦ *vi* klagen, vor Gericht gehen; **to ~ sb for damages** jdn auf Schadenersatz verklagen; **to ~ for divorce** die Scheidung einreichen.
suede [sweɪd] *n* Wildleder *nt* ♦ *cpd* Wildleder-.
suet ['suɪt] *n* Nierenfett *nt*.
Suez ['suːɪz] *n*: **the ~ Canal** der Suezkanal.
Suff. (*BRIT*) *abbr* (*POST*: = *Suffolk*).
suffer ['sʌfə*] *vt* erleiden; (*rudeness etc*) ertragen ♦ *vi* leiden; **to ~ from** leiden an *+dat*; **to ~ the effects of sth** an den Folgen von etw leiden.
sufferance ['sʌfərns] *n*: **he was only there on ~** er wurde dort nur geduldet.
sufferer ['sʌfərə*] *n* Leidende(r) *f(m)*.
suffering ['sʌfərɪŋ] *n* Leid *nt*.
suffice [sə'faɪs] *vi* genügen.
sufficient [sə'fɪʃənt] *adj* ausreichend; ~ **money** genug Geld.
sufficiently [sə'fɪʃəntlɪ] *adv* genug, ausreichend; ~ **powerful/enthusiastic** mächtig/begeistert genug.
suffix ['sʌfɪks] *n* Suffix *nt*, Nachsilbe *f*.
suffocate ['sʌfəkeɪt] *vi* (*lit, fig*) ersticken.
suffocation [sʌfə'keɪʃən] *n* Ersticken *nt*.
suffrage ['sʌfrɪdʒ] *n* Wahlrecht *nt*.
suffragette [sʌfrə'dʒɛt] *n* Suffragette *f*.
suffused [sə'fjuːzd] *adj*: ~ **with** erfüllt von; ~ **with light** lichtdurchflutet.
sugar ['ʃugə*] *n* Zucker *m* ♦ *vt* zuckern.
sugar beet *n* Zuckerrübe *f*.
sugar bowl *n* Zuckerdose *f*.
sugar cane *n* Zuckerrohr *nt*.
sugar-coated ['ʃugə'kəutɪd] *adj* mit Zucker überzogen.
sugar lump *n* Zuckerstück *nt*.
sugar refinery *n* Zuckerraffinerie *f*.
sugary ['ʃugərɪ] *adj* süß; (*fig: smile, phrase*) süßlich.
suggest [sə'dʒɛst] *vt* vorschlagen; (*indicate*) andeuten, hindeuten auf *+acc*; **what do you ~ I do?** was schlagen Sie vor?
suggestion [sə'dʒɛstʃən] *n* Vorschlag *m*; (*indication*) Anflug *m*; (*trace*) Spur *f*.
suggestive [sə'dʒɛstɪv] (*pej*) *adj* anzüglich.
suicidal [suɪ'saɪdl] *adj* selbstmörderisch; (*person*) selbstmordgefährdet; **to be** *or* **feel ~** Selbstmordgedanken haben.
suicide ['suɪsaɪd] *n* (*lit, fig*) Selbstmord *m*; (*person*) Selbstmörder(in) *m(f)*; *see also* **commit**.
suicide attempt, suicide bid *n* Selbstmordversuch *m*.
suit [suːt] *n* (*man's*) Anzug *m*; (*woman's*) Kostüm *nt*; (*LAW*) Prozeß *m*, Verfahren *nt*; (*CARDS*) Farbe *f* ♦ *vt* passen *+dat*; (*colour, clothes*) stehen *+dat*; **to bring a ~ against sb**

(*LAW*) gegen jdn Klage erheben *or* einen Prozeß anstrengen; **to follow** ~ (*fig*) das Gleiche tun; **to** ~ **sth to** etw anpassen an *+acc*; **to be** ~**ed to do sth** sich dafür eignen, etw zu tun; ~ **yourself!** wie du willst!; **well** ~**ed** (*couple*) gut zusammenpassend.

suitability [su:tə'bɪlɪtɪ] *n* Eignung *f*.

suitable ['su:təbl] *adj* (*convenient*) passend; (*appropriate*) geeignet; **would tomorrow be** ~? würde Ihnen morgen passen?; **Monday isn't** ~ Montag paßt nicht; **we found somebody** ~ wir haben jemand Passenden gefunden.

suitably ['su:təblɪ] *adv* passend; (*impressed*) gebührend.

suitcase ['su:tkeɪs] *n* Koffer *m*.

suite [swi:t] *n* (*of rooms*) Suite *f*, Zimmerflucht *f*; (*MUS*) Suite *f*; **bedroom/dining room** ~ Schlafzimmer-/Eßzimmereinrichtung *f*; **a three-piece** ~ eine dreiteilige Polstergarnitur.

suitor ['su:tə*] *n* Kläger(in) *m(f)*.

sulfate ['sʌlfeɪt] (*US*) *n* = **sulphate.**

sulfur ['sʌlfə*] (*US*) *n* = **sulphur.**

sulfuric [sʌl'fjuərɪk] (*US*) *adj* = **sulphuric.**

sulk [sʌlk] *vi* schmollen.

sulky ['sʌlkɪ] *adj* schmollend.

sullen ['sʌlən] *adj* mürrisch, verdrossen.

sulphate, (*US*) **sulfate** ['sʌlfeɪt] *n* Sulfat *nt*, schwefelsaures Salz *nt*.

sulphur, (*US*) **sulfur** ['sʌlfə*] *n* Schwefel *m*.

sulphur dioxide *n* Schwefeldioxid *nt*.

sulphuric, (*US*) **sulfuric** [sʌl'fjuərɪk] *adj*: ~ **acid** Schwefelsäure *f*.

sultan ['sʌltən] *n* Sultan *m*.

sultana [sʌl'tɑ:nə] *n* Sultanine *f*.

sultry ['sʌltrɪ] *adj* schwül.

sum [sʌm] *n* (*calculation*) Rechenaufgabe *f*; (*amount*) Summe *f*, Betrag *m*.

►**sum up** *vt* zusammenfassen; (*evaluate rapidly*) einschätzen ♦ *vi* zusammenfassen.

Sumatra [su'mɑ:trə] *n* Sumatra *nt*.

summarize ['sʌməraɪz] *vt* zusammenfassen.

summary ['sʌmərɪ] *n* Zusammenfassung *f* ♦ *adj* (*justice, executions*) im Schnellverfahren.

summer ['sʌmə*] *n* Sommer *m* ♦ *cpd* Sommer-; **in** ~ im Sommer.

summer camp (*US*) *n* Ferienlager *nt*.

summer holidays *npl* Sommerferien *pl*.

summerhouse ['sʌməhaus] *n* (*in garden*) Gartenhaus *nt*, Gartenlaube *f*.

summertime ['sʌmətaɪm] *n* Sommer *m*, Sommerszeit *f*.

summer time *n* Sommerzeit *f*.

summery ['sʌmərɪ] *adj* sommerlich.

summing-up [sʌmɪŋ'ʌp] *n* (*LAW*) Resümee *nt*.

summit ['sʌmɪt] *n* Gipfel *m*; (*also*: ~ **conference/meeting**) Gipfelkonferenz *f* /-treffen *nt*.

summon ['sʌmən] *vt* rufen, kommen lassen; (*help*) holen; (*meeting*) einberufen; (*LAW: witness*) vorladen.

►**summon up** *vt* aufbringen.

summons ['sʌmənz] *n* (*LAW*) Vorladung *f*; (*fig*) Aufruf *m* ♦ *vt* (*LAW*) vorladen; **to serve a** ~ **on sb** jdn vor Gericht laden.

sumo (wrestling) ['su:məu] *n* Sumo(-Ringen) *nt*.

sump [sʌmp] (*BRIT*) *n* Ölwanne *f*.

sumptuous ['sʌmptjuəs] *adj* (*meal*) üppig; (*costume*) aufwendig.

Sun. *abbr* (= *Sunday*) So.

sun [sʌn] *n* Sonne *f*; **to catch the** ~ einen Sonnenbrand bekommen; **everything under the** ~ alles Mögliche.

sunbathe ['sʌnbeɪð] *vi* sich sonnen.

sunbeam ['sʌnbi:m] *n* Sonnenstrahl *m*.

sunbed ['sʌnbɛd] *n* (*with sun lamp*) Sonnenbank *f*.

sunburn ['sʌnbə:n] *n* Sonnenbrand *m*.

sunburned ['sʌnbə:nd] *adj* = **sunburnt.**

sunburnt ['sʌnbə:nt] *adj* sonnenverbrannt, sonnengebräunt; **to be** ~ (*painfully*) einen Sonnenbrand haben.

sun-cream ['sʌnkri:m] *n* Sonnencreme *f*.

sundae ['sʌndeɪ] *n* Eisbecher *m*.

Sunday ['sʌndɪ] *n* Sonntag *m*; *see also* **Tuesday.**

Sunday paper *n* Sonntagszeitung *f*.

> *Die* **Sunday papers** *umfassen sowohl Massenblätter als auch seriöse Zeitungen. The Observer ist die älteste überregionale Sonntagszeitung der Welt. Die Sonntagszeitungen sind alle sehr umfangreich mit vielen Farb- und Sonderbeilagen. Zu den meisten Tageszeitungen gibt es parallele Sonntagsblätter, die aber separate Redaktionen haben.*

Sunday school *n* Sonntagsschule *f*.

sundial ['sʌndaɪəl] *n* Sonnenuhr *f*.

sundown ['sʌndaun] (*esp US*) *n* Sonnenuntergang *m*.

sundries ['sʌndrɪz] *npl* Verschiedenes *nt*.

sundry ['sʌndrɪ] *adj* verschiedene; **all and** ~ jedermann.

sunflower ['sʌnflauə*] *n* Sonnenblume *f*.

sunflower oil *n* Sonnenblumenöl *nt*.

sung [sʌŋ] *pp of* **sing.**

sunglasses ['sʌnglɑ:sɪz] *npl* Sonnenbrille *f*.

sunk [sʌŋk] *pp of* **sink.**

sunken ['sʌŋkn] *adj* versunken; (*eyes*) tiefliegend; (*cheeks*) eingefallen; (*bath*) eingelassen.

sunlamp ['sʌnlæmp] *n* Höhensonne *f*.

sunlight ['sʌnlaɪt] *n* Sonnenlicht *nt*.

sunlit ['sʌnlɪt] *adj* sonnig, sonnenbeschienen.

sunny ['sʌnɪ] *adj* sonnig; (*fig*) heiter.

sunrise ['sʌnraɪz] *n* Sonnenaufgang *m*.

sun roof *n* (*AUT*) Schiebedach *nt*; (*on building*) Sonnenterrasse *f*.

sun screen *n* Sonnenschutzmittel *nt*.

sunset ['sʌnsɛt] *n* Sonnenuntergang *m*.

sunshade ['sʌnʃeɪd] *n* Sonnenschirm *m*.
sunshine ['sʌnʃaɪn] *n* Sonnenschein *m*.
sunspot ['sʌnspɔt] *n* Sonnenfleck *m*.
sunstroke ['sʌnstrəuk] *n* Sonnenstich *m*.
suntan ['sʌntæn] *n* (Sonnen)bräune *f*; **to get a ~** braun werden.
suntan lotion *n* Sonnenmilch *f*.
suntanned ['sʌntænd] *adj* braun(gebrannt).
suntan oil *n* Sonnenöl *nt*.
suntrap ['sʌntræp] *n* sonniges Eckchen *nt*.
super ['su:pə*] (*inf*) *adj* phantastisch, toll.
superannuation [su:pərænju'eɪʃən] *n* Beitrag *m* zur Rentenversicherung.
superb [su:'pə:b] *adj* ausgezeichnet, großartig; (*meal*) vorzüglich.
Super Bowl *n* Super Bowl *m*, *American-Football-Turnier zwischen den Spitzenreitern der Nationalligen.*
supercilious [su:pə'sɪlɪəs] *adj* herablassend.
superconductor [su:pəkən'dʌktə*] *n* (*PHYS*) Superleiter *m*.
superficial [su:pə'fɪʃəl] *adj* oberflächlich.
superficially [su:pə'fɪʃəlɪ] *adv* oberflächlich; (*from a superficial point of view*) oberflächlich gesehen.
superfluous [su'pə:fluəs] *adj* überflüssig.
superglue ['su:pəglu:] *n* Sekundenkleber *m*.
superhighway (*US*) *n* ≈ Autobahn *f*; **information ~** Datenautobahn *f*.
superhuman [su:pə'hju:mən] *adj* übermenschlich.
superimpose ['su:pərɪm'pəuz] *vt* (*two things*) übereinanderlegen; **to ~ on** legen auf *+acc*; **to ~ with** überlagern mit.
superintend [su:pərɪn'tɛnd] *vt* beaufsichtigen, überwachen.
superintendent [su:pərɪn'tɛndənt] *n* Aufseher(in) *m(f)*; (*POLICE*) Kommissar(in) *m(f)*.
superior [su'pɪərɪə*] *adj* besser, überlegen *+dat*; (*more senior*) höhergestellt; (*smug*) überheblich; (: *smile*) überlegen ♦ *n* Vorgesetzte(r) *f(m)*; **Mother S~** (*REL*) Mutter Oberin.
superiority [supɪərɪ'ɔrɪtɪ] *n* Überlegenheit *f*.
superlative [su'pə:lətɪv] *n* Superlativ *m* ♦ *adj* überragend.
superman ['su:pəmæn] (*irreg: like* **man**) *n* Übermensch *m*.
supermarket ['su:pəma:kɪt] *n* Supermarkt *m*.
supermodel ['su:pəmɔdl] *n* Supermodell *nt*.
supernatural [su:pə'nætʃərəl] *adj* übernatürlich ♦ *n*: **the ~** das Übernatürliche.
supernova [su:pə'nəuvə] *n* Supernova *f*.
superpower ['su:pəpauə*] *n* Supermacht *f*.
superscript ['su:pəskrɪpt] *n* hochgestelltes Zeichen *nt*.
supersede [su:pə'si:d] *vt* ablösen, ersetzen.
supersonic ['su:pə'sɔnɪk] *adj* (*aircraft etc*) Überschall-.
superstar ['su:pəsta:*] *n* Superstar *m*.
superstition [su:pə'stɪʃən] *n* Aberglaube *m*.
superstitious [su:pə'stɪʃəs] *adj* abergläubisch.
superstore ['su:pəstɔ:*] (*BRIT*) *n* Großmarkt *m*.
supertanker ['su:pətæŋkə*] *n* Supertanker *m*.
supertax ['su:pətæks] *n* Höchststeuer *f*.
supervise ['su:pəvaɪz] *vt* beaufsichtigen.
supervision [su:pə'vɪʒən] *n* Beaufsichtigung *f*; **under medical ~** unter ärztlicher Aufsicht.
supervisor ['su:pəvaɪzə*] *n* Aufseher(in) *m(f)*; (*of students*) Tutor(in) *m(f)*.
supervisory ['su:pəvaɪzərɪ] *adj* beaufsichtigend, Aufsichts-.
supine ['su:paɪn] *adj*: **to be ~** auf dem Rücken liegen ♦ *adv* auf dem Rücken.
supper ['sʌpə*] *n* Abendessen *nt*; **to have ~** zu Abend essen.
supplant [sə'pla:nt] *vt* ablösen, ersetzen.
supple ['sʌpl] *adj* geschmeidig; (*person*) gelenkig.
supplement ['sʌplɪmənt] *n* Zusatz *m*; (*of book*) Ergänzungsband *m*; (*of newspaper etc*) Beilage *f* ♦ *vt* ergänzen.
supplementary [sʌplɪ'mɛntərɪ] *adj* zusätzlich, ergänzend.
supplementary benefit (*BRIT: old*) *n* ≈ Sozialhilfe *f*.
supplier [sə'plaɪə*] *n* Lieferant(in) *m(f)*.
supply [sə'plaɪ] *vt* liefern; (*provide*) sorgen für; (*a need*) befriedigen ♦ *n* Vorrat *m*; (*supplying*) Lieferung *f*; **supplies** *npl* (*food*) Vorräte *pl*; (*MIL*) Nachschub *m*; **to ~ sth to sb** jdm etw liefern; **to ~ sth with sth** etw mit etw versorgen; **it comes supplied with an adaptor** es wird mit einem Adapter geliefert; **office supplies** Bürobedarf *m*; **to be in short ~** knapp sein; **the electricity/water/gas ~** die Strom-/Wasser-/Gasversorgung *f*; **~ and demand** Angebot *nt* und Nachfrage.
supply teacher (*BRIT*) *n* Vertretung *f*.
support [sə'pɔ:t] *n* Unterstützung *f*; (*TECH*) Stütze *f* ♦ *vt* unterstützen, eintreten für; (*financially: family etc*) unterhalten; (: *party etc*) finanziell unterstützen; (*TECH*) (ab)stützen; (*theory etc*) untermauern; **they stopped work in ~ of ...** sie sind in den Streik getreten, um für ... einzutreten; **to ~ o.s.** (*financially*) finanziell unabhängig sein; **to ~ Arsenal** Arsenal-Fan sein.
supporter [sə'pɔ:tə*] *n* (*POL etc*) Anhänger(in) *m(f)*; (*SPORT*) Fan *m*.
supporting [sə'pɔ:tɪŋ] *adj*: **~ role** Nebenrolle *f*; **~ actor** Schauspieler *m* in einer Nebenrolle; **~ film** Vorfilm *m*.
supportive [sə'pɔ:tɪv] *n* hilfreich; **to be ~ of sb/sth** jdn/etw unterstützen.
suppose [sə'pəuz] *vt* annehmen, glauben; (*imagine*) sich *dat* vorstellen; **to be ~d to do sth** etw tun sollen; **it was worse than she'd ~d** es war schlimmer, als sie es sich vorgestellt hatte; **I don't ~ she'll come** ich

glaube kaum, daß sie kommt; **he's about sixty, I ~** er muß wohl so um die Sechzig sein; **he's ~d to be an expert** er ist angeblich ein Experte; **I ~ so/not** ich glaube schon/nicht.
supposedly [sə'pəuzɪdlɪ] *adv* angeblich.
supposing [sə'pəuzɪŋ] *conj* angenommen.
supposition [sʌpə'zɪʃən] *n* Annahme *f*.
suppository [sə'pɔzɪtrɪ] *n* Zäpfchen *nt*.
suppress [sə'prɛs] *vt* unterdrücken; (*publication*) verbieten.
suppression [sə'prɛʃən] *n* Unterdrückung *f*.
suppressor [sə'prɛsə*] *n* (*ELEC etc*) Entstörungselement *nt*.
supremacy [su'prɛməsɪ] *n* Vormachtstellung *f*.
supreme [su'pri:m] *adj* Ober-, oberste(r, s); (*effort*) äußerste(r, s); (*achievement*) höchste(r, s).
Supreme Court (*US*) *n* Oberster Gerichtshof *m*.
supremo [su'pri:məu] (*BRIT: inf*) *n* Boß *m*.
Supt *abbr* (*POLICE*) = **superintendent**.
surcharge ['sə:tʃɑ:dʒ] *n* Zuschlag *m*.
sure [ʃuə*] *adj* sicher; (*reliable*) zuverlässig, sicher ♦ *adv* (*inf: esp US*): **that ~ is pretty, that's ~ pretty** das ist aber schön; **to make ~ of sth** sich einer Sache *gen* vergewissern; **to make ~ that** sich vergewissern, daß; **I'm ~ of it** ich bin mir da sicher; **I'm not ~ how/why/when** ich bin mir nicht sicher *or* ich weiß nicht genau, wie/warum/wann; **to be ~ of o.s.** selbstsicher sein; **~!** klar!; **~ enough** tatsächlich.
sure-fire ['ʃuəfaɪə*] (*inf*) *adj* todsicher.
sure-footed [ʃuə'futɪd] *adj* trittsicher.
surely ['ʃuəlɪ] *adv* sicherlich, bestimmt; **~ you don't mean that!** das meinen Sie doch bestimmt *or* sicher nicht (so)!
surety ['ʃuərətɪ] *n* Bürgschaft *f*, Sicherheit *f*; **to go** *or* **stand ~ for sb** für jdn bürgen.
surf [sə:f] *n* Brandung *f*.
surface ['sə:fɪs] *n* Oberfläche *f* ♦ *vt* (*road*) mit einem Belag versehen ♦ *vi* (*lit, fig*) auftauchen; (*feeling*) hochkommen; (*rise from bed*) hochkommen; **on the ~** (*fig*) oberflächlich betrachtet.
surface area *n* Fläche *f*.
surface mail *n* Post *f* auf dem Land-/Seeweg.
surface-to-surface ['sə:fɪstə'sə:fɪs] *adj* (*missile*) Boden-Boden-.
surfboard ['sə:fbɔ:d] *n* Surfbrett *nt*.
surfeit ['sə:fɪt] *n*: **a ~ of** ein Übermaß an *+dat*.
surfer ['sə:fə*] *n* Surfer(in) *m(f)*.
surfing ['sə:fɪŋ] *n* Surfen *nt*; **to go ~** Surfen gehen.
surge [sə:dʒ] *n* Anstieg *m*; (*fig: of emotion*) Woge *f*; (*ELEC*) Spannungsstoß *m* ♦ *vi* (*water*) branden; (*people*) sich drängen; (*vehicles*) sich wälzen; (*emotion*) aufwallen; (*ELEC: power*) ansteigen; **to ~ forward** nach vorne drängen.
surgeon ['sə:dʒən] *n* Chirurg(in) *m(f)*.
Surgeon General (*US*) *n* (*MED*) ≈ Gesundheitsminister(in) *m(f)*; (*MIL*) Sanitätsinspekteur(in) *m(f)*.
surgery ['sə:dʒərɪ] *n* Chirurgie *f*; (*BRIT: room*) Sprechzimmer *nt*; (: *building*) Praxis *f*; (*also*: **~ hours**: *of doctor, MP etc*) Sprechstunde *f*; **to have ~** operiert werden; **to need ~** operiert werden müssen.
surgical ['sə:dʒɪkl] *adj* chirurgisch; (*treatment*) operativ.
surgical spirit (*BRIT*) *n* Wundbenzin *nt*.
surly ['sə:lɪ] *adj* verdrießlich, mürrisch.
surmise [sə:'maɪz] *vt* vermuten, mutmaßen.
surmount [sə:'maunt] *vt* (*fig*) überwinden.
surname ['sə:neɪm] *n* Nachname *m*.
surpass [sə:'pɑ:s] *vt* übertreffen.
surplus ['sə:pləs] *n* Überschuß *m* ♦ *adj* überschüssig; **it is ~ to our requirements** das benötigen wir nicht.
surprise [sə'praɪz] *n* Überraschung *f* ♦ *vt* überraschen; (*astonish*) erstaunen; (*army*) überrumpeln; (*thief*) ertappen; **to take sb by ~** jdn überraschen.
surprising [sə'praɪzɪŋ] *adj* überraschend; (*situation*) erstaunlich; **it is ~ how/that** es ist erstaunlich, wie/daß.
surprisingly [sə'praɪzɪŋlɪ] *adv* überraschend, erstaunlich; **(somewhat) ~, he agreed** erstaunlicherweise war er damit einverstanden.
surrealism [sə'rɪəlɪzəm] *n* Surrealismus *m*.
surrealist [sə'rɪəlɪst] *adj* surrealistisch.
surrender [sə'rɛndə*] *n* Kapitulation *f* ♦ *vi* sich ergeben ♦ *vt* aufgeben.
surrender value *n* Rückkaufswert *m*.
surreptitious [sʌrəp'tɪʃəs] *adj* heimlich, verstohlen.
surrogate ['sʌrəgɪt] *n* Ersatz *m* ♦ *adj* (*parents*) Ersatz-.
surrogate mother *n* Leihmutter *f*.
surround [sə'raund] *vt* umgeben; (*MIL, POLICE etc*) umstellen.
surrounding [sə'raundɪŋ] *adj* umliegend; **the ~ area** die Umgebung.
surroundings [sə'raundɪŋz] *npl* Umgebung *f*.
surtax ['sə:tæks] *n* Steuerzuschlag *m*.
surveillance [sə:'veɪləns] *n* Überwachung *f*; **to be under ~** überwacht werden.
survey ['sə:veɪ] *n* (*of land*) Vermessung *f*; (*of house*) Begutachtung *f*; (*investigation*) Untersuchung *f*; (*report*) Gutachten *nt*; (*comprehensive view*) Überblick *m* ♦ *vt* (*land*) vermessen; (*house*) inspizieren; (*look at*) betrachten.
surveying [sə'veɪɪŋ] *n* (*of land*) Vermessung *f*.
surveyor [sə'veɪə*] *n* (*of land*) Landvermesser(in) *m(f)*; (*of house*) Baugutachter(in) *m(f)*.
survival [sə'vaɪvl] *n* Überleben *nt*; (*relic*) Überbleibsel *nt*; **~ course/kit** Überlebenstraining *nt*/-ausrüstung *f*; **~ bag**

Expeditionsschlafsack *m*.
survive [sə'vaɪv] *vi* überleben; (*custom etc*) weiterbestehen ♦ *vt* überleben.
survivor [sə'vaɪvə*] *n* Überlebende(r) *f(m)*.
susceptible [sə'sɛptəbl] *adj*: ~ **(to)** anfällig (für); (*influenced by*) empfänglich (für).
suspect ['sʌspɛkt] *adj* verdächtig ♦ *n* Verdächtige(r) *f(m)* ♦ *vt*: **to ~ sb of** jdn verdächtigen *+gen*; (*think*) vermuten; (*doubt*) bezweifeln.
suspected [səs'pɛktɪd] *adj* (*terrorist etc*) mutmaßlich; **he is a ~ member of this organization** er steht im Verdacht, Mitglied dieser Organisation zu sein.
suspend [səs'pɛnd] *vt* (*hang*) (auf)hängen; (*delay, stop*) einstellen; (*from employment*) suspendieren; **to be ~ed (from)** (*hang*) hängen (an *+dat*).
suspended animation [səs'pɛndɪd-] *n* *vorübergehender Stillstand aller Körperfunktionen.*
suspended sentence *n* (*LAW*) zur Bewährung ausgesetzte Strafe *f*.
suspender belt [səs'pɛndə*-] *n* Strumpfhaltergürtel *m*.
suspenders [səs'pɛndəz] *npl* (*BRIT*) Strumpfhalter *pl*; (*US*) Hosenträger *pl*.
suspense [səs'pɛns] *n* Spannung *f*; (*uncertainty*) Ungewißheit *f*; **to keep sb in ~** jdn auf die Folter spannen.
suspension [səs'pɛnʃən] *n* (*from job*) Suspendierung *f*; (*from team*) Sperrung *f*; (*AUT*) Federung *f*; (*of driving licence*) zeitweiliger Entzug *m*; (*of payment*) zeitweilige Einstellung *f*.
suspension bridge *n* Hängebrücke *f*.
suspicion [səs'pɪʃən] *n* Verdacht *m*; (*distrust*) Mißtrauen *nt*; (*trace*) Spur *f*; **to be under ~** unter Verdacht stehen; **arrested on ~ of murder** wegen Mordverdachts festgenommen.
suspicious [səs'pɪʃəs] *adj* (*suspecting*) mißtrauisch; (*causing suspicion*) verdächtig; **to be ~ of** *or* **about sb/sth** jdn/etw mit Mißtrauen betrachten.
suss out [sʌs-] (*BRIT: inf*) *vt* (*discover*) rauskriegen; (*understand*) durchschauen.
sustain [səs'teɪn] *vt* (*continue*) aufrechterhalten; (*food, drink*) bei Kräften halten; (*suffer: injury*) erleiden.
sustainable [səs'teɪnəbl] *adj*: **to be ~** aufrechtzuerhalten sein; ~ **growth** stetiges Wachstum *nt*.
sustained [səs'teɪnd] *adj* (*effort*) ausdauernd; (*attack*) anhaltend.
sustenance ['sʌstɪnəns] *n* Nahrung *f*.
suture ['su:tʃə*] *n* Naht *f*.
SW *abbr* (= *south-west*) SW; (*RADIO: = short-wave*) KW.
swab [swɔb] *n* (*MED*) Tupfer *m* ♦ *vt* (*NAUT: also:* ~ **down**) wischen.
swagger ['swægə*] *vi* stolzieren.
swallow ['swɔləu] *n* (*bird*) Schwalbe *f*; (*of food, drink etc*) Schluck *m* ♦ *vt* (herunter)schlucken; (*fig: story, insult, one's pride*) schlucken; **to ~ one's words** (*speak indistinctly*) seine Worte verschlucken; (*retract*) alles zurücknehmen.
►**swallow up** *vt* verschlingen.
swam [swæm] *pt of* **swim**.
swamp [swɔmp] *n* Sumpf *m* ♦ *vt* (*lit, fig*) überschwemmen.
swampy ['swɔmpɪ] *adj* sumpfig.
swan [swɔn] *n* Schwan *m*.
swank [swæŋk] (*inf*) *vi* angeben.
swan song *n* (*fig*) Schwanengesang *m*.
swap [swɔp] *n* Tausch *m* ♦ *vt*: **to ~ (for)** (ein)tauschen (gegen).
SWAPO ['swɑ:pəu] *n abbr* (= *South-West Africa People's Organization*) SWAPO *f*.
swarm [swɔ:m] *n* Schwarm *m*; (*of people*) Schar *f* ♦ *vi* (*bees, people*) schwärmen; **to be ~ing with** wimmeln von.
swarthy ['swɔ:ðɪ] *adj* (*person, face*) dunkelhäutig; (*complexion*) dunkel.
swashbuckling ['swɔʃbʌklɪŋ] *adj* draufgängerisch; (*hero*) verwegen.
swastika ['swɔstɪkə] *n* Hakenkreuz *nt*.
SWAT (*US*) *n abbr* (= *Special Weapons and Tactics*): ~ **team** ≈ schnelle Eingreiftruppe *f*.
swat [swɔt] *vt* totschlagen ♦ *n* (*BRIT: also:* **fly ~**) Fliegenklatsche *f*.
swathe [sweɪð] *vt*: **to ~ in** wickeln in *+acc*.
swatter ['swɔtə*] *n* (*also*: **fly ~**) Fliegenklatsche *f*.
sway [sweɪ] *vi* schwanken ♦ *vt* (*influence*) beeinflussen ♦ *n*: **to hold ~** herrschen; **to hold ~ over sb** jdn beherrschen *or* in seiner Macht haben.
Swaziland ['swɑ:zɪlænd] *n* Swasiland *nt*.
swear [swɛə*] (*pt* **swore**, *pp* **sworn**) *vi* (*curse*) fluchen ♦ *vt* (*promise*) schwören; **to ~ an oath** einen Eid ablegen.
►**swear in** *vt* vereidigen.
swearword ['swɛəwə:d] *n* Fluch *m*, Kraftausdruck *m*.
sweat [swɛt] *n* Schweiß *m* ♦ *vi* schwitzen; **to be in a ~** schwitzen.
sweatband ['swɛtbænd] *n* Schweißband *nt*.
sweater ['swɛtə*] *n* Pullover *m*.
sweatshirt ['swɛtʃə:t] *n* Sweatshirt *nt*.
sweatshop ['swɛtʃɔp] (*pej*) *n* Ausbeuterbetrieb *m*.
sweaty ['swɛtɪ] *adj* verschwitzt; (*hands*) schweißig.
Swede [swi:d] *n* Schwede *m*, Schwedin *f*.
swede [swi:d] (*BRIT*) *n* Steckrübe *f*.
Sweden ['swi:dn] *n* Schweden *nt*.
Swedish ['swi:dɪʃ] *adj* schwedisch ♦ *n* Schwedisch *nt*.
sweep [swi:p] (*pt, pp* **swept**) *n*: **to give sth a ~** etw fegen *or* kehren; (*curve*) Bogen *m*; (*range*) Bereich *m*; (*also*: **chimney ~**)

Kaminkehrer *m*, Schornsteinfeger *m* ♦ *vt* fegen, kehren; (*current*) reißen ♦ *vi* (*through air*) gleiten; (*wind*) fegen.
▸**sweep away** *vt* hinwegfegen.
▸**sweep past** *vi* vorbeirauschen.
▸**sweep up** *vi* zusammenfegen, zusammenkehren.
sweeper ['swi:pə*] *n* (*FOOTBALL*) Ausputzer *m*.
sweeping ['swi:pɪŋ] *adj* (*gesture*) weit ausholend; (*changes, reforms*) weitreichend; (*statement*) verallgemeinernd.
sweepstake ['swi:psteɪk] *n Pferdewette, bei der der Preis aus der Summe der Einsätze besteht.*
sweet [swi:t] *n* (*candy*) Bonbon *nt or m*; (*BRIT: CULIN*) Nachtisch *m* ♦ *adj* süß; (*air, water*) frisch; (*kind*) lieb ♦ *adv:* **to smell/taste** ~ süß duften/schmecken; ~ **and sour** süß-sauer.
sweetbread ['swi:tbrɛd] *n* Bries *nt*.
sweetcorn ['swi:tkɔ:n] *n* Mais *m*.
sweeten ['swi:tn] *vt* süßen; (*temper*) bessern; (*person*) gnädig stimmen.
sweetener ['swi:tnə*] *n* Süßstoff *m*; (*fig*) Anreiz *m*.
sweetheart ['swi:thɑ:t] *n* Freund(in) *m(f)*; (*in speech, writing*) Schatz *m*, Liebling *m*.
sweetness ['swi:tnɪs] *n* Süße *f*; (*kindness*) Liebenswürdigkeit *f*.
sweet pea *n* (Garten)wicke *f*.
sweet potato *n* Süßkartoffel *f*, Batate *f*.
sweet shop (*BRIT*) *n* Süßwarengeschäft *nt*.
sweet tooth *n:* **to have a** ~ gern Süßes essen.
swell [swɛl] (*pt* **swelled**, *pp* **swollen** *or* **swelled**) *n* Seegang *m* ♦ *adj* (*US: inf*) toll, prima ♦ *vi* (*increase*) anwachsen; (*sound*) anschwellen; (*feeling*) stärker werden; (*also:* ~ **up**) anschwellen.
swelling ['swɛlɪŋ] *n* Schwellung *f*.
sweltering ['swɛltərɪŋ] *adj* (*heat*) glühend; (*weather, day*) glühend heiß.
swept [swɛpt] *pt, pp of* **sweep**.
swerve [swə:v] *vi* (*animal*) ausbrechen; (*driver, vehicle*) ausschwenken; **to** ~ **off the road** ausschwenken und von der Straße abkommen.
swift [swɪft] *n* Mauersegler *m* ♦ *adj* schnell.
swiftly ['swɪftlɪ] *adv* schnell.
swiftness ['swɪftnɪs] *n* Schnelligkeit *f*.
swig [swɪg] (*inf*) *n* Schluck *m* ♦ *vt* herunterkippen.
swill [swɪl] *vt* (*also:* ~ **out**) ausspülen; (*also:* ~ **down**) abspülen ♦ *n* (*for pigs*) Schweinefutter *nt*.
swim [swɪm] (*pt* **swam**, *pp* **swum**) *vi* schwimmen; (*before one's eyes*) verschwimmen ♦ *vt* (*the Channel etc*) durchschwimmen; (*a length*) schwimmen ♦ *n:* **to go for a** ~ schwimmen gehen; **to go** ~**ming** schwimmen gehen; **my head is** ~**ming** mir dreht sich der Kopf.
swimmer ['swɪmə*] *n* Schwimmer(in) *m(f)*.
swimming ['swɪmɪŋ] *n* Schwimmen *nt*.
swimming baths (*BRIT*) *npl* Schwimmbad *nt*.
swimming cap *n* Badekappe *f*, Bademütze *f*.
swimming costume (*BRIT*) *n* Badeanzug *m*.
swimmingly ['swɪmɪŋlɪ] (*inf*) *adv* glänzend.
swimming pool *n* Schwimmbad *nt*.
swimming trunks *npl* Badehose *f*.
swimsuit ['swɪmsu:t] *n* Badeanzug *m*.
swindle ['swɪndl] *n* Schwindel *m*, Betrug *m* ♦ *vt:* **to** ~ **sb (out of sth)** jdn (um etw) betrügen *or* beschwindeln.
swindler ['swɪndlə*] *n* Schwindler(in) *m(f)*.
swine [swaɪn] (*inf!*) *n* Schwein *nt*.
swing [swɪŋ] (*pt, pp* **swung**) *n* (*in playground*) Schaukel *f*; (*movement*) Schwung *m*; (*change*) Umschwung *m*; (*MUS*) Swing *m* ♦ *vt* (*arms, legs*) schwingen (mit); (*also:* ~ **round**) herumschwenken ♦ *vi* schwingen; (*also:* ~ **round**) sich umdrehen; (*vehicle*) herumschwenken; **a** ~ **to the left** (*POL*) ein Linksruck *m*; **to get into the** ~ **of things** richtig reinkommen; **to be in full** ~ (*party etc*) in vollem Gang sein.
swing bridge *n* Drehbrücke *f*.
swing door, (*US*) **swinging door** *n* Pendeltür *f*.
swingeing ['swɪndʒɪŋ] (*BRIT*) *adj* (*blow*) hart; (*attack*) scharf; (*cuts, increases*) extrem.
swinging ['swɪŋɪŋ] *adj* (*music*) schwungvoll; (*movement*) schaukelnd.
swipe [swaɪp] *vt* (*also:* ~ **at**) schlagen nach; (*inf: steal*) klauen ♦ *n* Schlag *m*.
swirl [swə:l] *vi* wirbeln ♦ *n* Wirbeln *nt*.
swish [swɪʃ] *vi* rauschen; (*tail*) schlagen ♦ *n* Rauschen *nt*; (*of tail*) Schlagen *nt* ♦ *adj* (*inf*) schick.
Swiss [swɪs] *adj* schweizerisch, Schweizer ♦ *n inv* Schweizer(in) *m(f)*.
Swiss French *adj* französischschweizerisch.
Swiss German *adj* deutschschweizerisch.
Swiss roll *n* Biskuitrolle *f*.
switch [swɪtʃ] *n* Schalter *m*; (*change*) Änderung *f* ♦ *vt* (*change*) ändern; (*exchange*) tauschen, wechseln; **to** ~ **(round** *or* **over)** vertauschen.
▸**switch off** *vt* abschalten; (*light*) ausschalten ♦ *vi* (*fig*) abschalten.
▸**switch on** *vt* einschalten; (*radio*) anstellen; (*engine*) anlassen.
switchback ['swɪtʃbæk] (*BRIT*) *n* (*road*) auf und ab führende Straße *f*; (*roller-coaster*) Achterbahn *f*.
switchblade ['swɪtʃbleɪd] *n* Schnappmesser *nt*.
switchboard ['swɪtʃbɔ:d] *n* Vermittlung *f*, Zentrale *f*.
switchboard operator *n* Telefonist(in) *m(f)*.
Switzerland ['swɪtsələnd] *n* die Schweiz *f*.
swivel ['swɪvl] *vi* (*also:* ~ **round**) sich (herum)drehen.
swollen ['swəulən] *pp of* **swell** ♦ *adj*

geschwollen; (*lake etc*) angeschwollen.
swoon [swu:n] *vi* beinahe ohnmächtig werden ♦ *n* Ohnmacht *f*.
swoop [swu:p] *n* (*by police etc*) Razzia *f*; (*of bird etc*) Sturzflug *m* ♦ *vi* (*also*: ~ **down**: *bird*) herabstoßen; (*plane*) einen Sturzflug machen.
swop [swɔp] = **swap**.
sword [sɔ:d] *n* Schwert *nt*.
swordfish ['sɔ:dfɪʃ] *n* Schwertfisch *m*.
swore [swɔ:*] *pt of* **swear**.
sworn [swɔ:n] *pp of* **swear** ♦ *adj* (*statement*) eidlich; (*evidence*) unter Eid; (*enemy*) geschworen.
swot [swɔt] *vi* pauken ♦ *n* (*pej*) Streber(in) *m(f)*.
▸**swot up** *vt*: **to** ~ **up (on)** pauken (*+acc*).
swum [swʌm] *pp of* **swim**.
swung [swʌŋ] *pt, pp of* **swing**.
sycamore ['sɪkəmɔ:*] *n* Bergahorn *m*.
sycophant ['sɪkəfænt] *n* Kriecher *m*, Speichellecker *m*.
sycophantic [sɪkə'fæntɪk] *adj* kriecherisch.
Sydney ['sɪdnɪ] *n* Sydney *nt*.
syllable ['sɪləbl] *n* Silbe *f*.
syllabus ['sɪləbəs] *n* Lehrplan *m*; **on the** ~ im Lehrplan.
symbol ['sɪmbl] *n* Symbol *nt*.
symbolic(al) [sɪm'bɔlɪk(l)] *adj* symbolisch; **to be** ~ **of sth** etw symbolisieren, ein Symbol für etw sein.
symbolism ['sɪmbəlɪzəm] *n* Symbolismus *m*.
symbolize ['sɪmbəlaɪz] *vt* symbolisieren.
symmetrical [sɪ'mɛtrɪkl] *adj* symmetrisch.
symmetry ['sɪmɪtrɪ] *n* Symmetrie *f*.
sympathetic [sɪmpə'θɛtɪk] *adj* (*understanding*) verständnisvoll; (*showing pity*) mitfühlend; (*likeable*) sympathisch; (*supportive*) wohlwollend; **to be** ~ **to a cause** (*well-disposed*) einer Sache wohlwollend gegenüberstehen.
sympathetically [sɪmpə'θɛtɪklɪ] *adv* (*showing understanding*) verständnisvoll; (*showing support*) wohlwollend.
sympathize ['sɪmpəθaɪz] *vi*: **to** ~ **with** (*person*) Mitleid haben mit; (*feelings*) Verständnis haben für; (*cause*) sympathisieren mit.
sympathizer ['sɪmpəθaɪzə*] *n* (*POL*) Sympathisant(in) *m(f)*.
sympathy ['sɪmpəθɪ] *n* Mitgefühl *nt*; **sympathies** *npl* (*support, tendencies*) Sympathien *pl*; **with our deepest** ~ mit aufrichtigem *or* herzlichem Beileid; **to come out in** ~ (*workers*) in einen Sympathiestreik treten.
symphonic [sɪm'fɔnɪk] *adj* sinfonisch.
symphony ['sɪmfənɪ] *n* Sinfonie *f*.
symphony orchestra *n* Sinfonieorchester *nt*.
symposia [sɪm'pəuzɪə] *npl of* **symposium**.
symposium [sɪm'pəuzɪəm] (*pl* **~s** *or* **symposia**) *n* Symposium *nt*.
symptom ['sɪmptəm] *n* (*MED, fig*) Symptom *nt*, Anzeichen *nt*.
symptomatic [sɪmptə'mætɪk] *adj*: ~ **of** symptomatisch für.
synagogue ['sɪnəgɔg] *n* Synagoge *f*.
sync [sɪŋk] *n abbr* (= *synchronization*): **in** ~ synchron; **out of** ~ nicht synchron.
synchromesh [sɪŋkrəu'mɛʃ] *n* Synchrongetriebe *nt*.
synchronize ['sɪŋkrənaɪz] *vt* (*watches*) gleichstellen; (*movements*) aufeinander abstimmen; (*sound*) synchronisieren ♦ *vi*: **to** ~ **with** (*sound*) synchron sein mit.
synchronized swimming ['sɪŋkrənaɪzd-] *n* Synchronschwimmen *nt*.
syncopated ['sɪŋkəpeɪtɪd] *adj* synkopiert.
syndicate ['sɪndɪkɪt] *n* Interessengemeinschaft *f*; (*of businesses*) Verband *m*; (*of newspapers*) Pressezentrale *f*.
syndrome ['sɪndrəum] *n* Syndrom *nt*; (*fig*) Phänomen *nt*.
synonym ['sɪnənɪm] *n* Synonym *nt*.
synonymous [sɪ'nɔnɪməs] *adj* (*fig*): ~ **(with)** gleichbedeutend (mit).
synopses [sɪ'nɔpsi:z] *npl of* **synopsis**.
synopsis [sɪ'nɔpsɪs] (*pl* **synopses**) *n* Abriß *m*, Zusammenfassung *f*.
syntactic [sɪn'tæktɪk] *adj* syntaktisch.
syntax ['sɪntæks] *n* Syntax *f*.
syntax error *n* (*COMPUT*) Syntaxfehler *m*.
syntheses ['sɪnθəsi:z] *npl of* **synthesis**.
synthesis ['sɪnθəsɪs] (*pl* **syntheses**) *n* Synthese *f*.
synthesizer ['sɪnθəsaɪzə*] *n* Synthesizer *m*.
synthetic [sɪn'θɛtɪk] *adj* synthetisch; (*speech*) künstlich; **synthetics** *npl* (*man-made fabrics*) Synthetik *f*.
syphilis ['sɪfɪlɪs] *n* Syphilis *f*.
syphon ['saɪfən] = **siphon**.
Syria ['sɪrɪə] *n* Syrien *nt*.
Syrian ['sɪrɪən] *adj* syrisch ♦ *n* Syrer(in) *m(f)*.
syringe [sɪ'rɪndʒ] *n* Spritze *f*.
syrup ['sɪrəp] *n* Sirup *m*; (*also*: **golden** ~) (gelber) Sirup *m*.
syrupy ['sɪrəpɪ] *adj* sirupartig; (*pej, fig: sentimental*) schmalzig.
system ['sɪstəm] *n* System *nt*; (*body*) Körper *m*; (*ANAT*) Apparat *m*, System *nt*; **it was a shock to his** ~ er hatte schwer damit zu schaffen.
systematic [sɪstə'mætɪk] *adj* systematisch.
system disk *n* (*COMPUT*) Systemdiskette *f*.
systems analyst ['sɪstəmz-] *n* Systemanalytiker(in) *m(f)*.

T, t

T, t [tiː] *n* (*letter*) T *nt*, t *nt*; ~ **for Tommy** ≈ T wie Theodor.
TA (*BRIT*) *n abbr* = **Territorial Army**.
ta [tɑː] (*BRIT: inf*) *interj* danke.
tab [tæb] *n abbr* = **tabulator** ♦ *n* (*on drinks can*) Ring *m*; (*on garment*) Etikett *nt*; **to keep ~s on sb/sth** (*fig*) jdn/etw im Auge behalten.
tabby ['tæbɪ] *n* (*also*: ~ **cat**) getigerte Katze *f*.
tabernacle ['tæbənækl] *n* Tabernakel *nt*.
table ['teɪbl] *n* Tisch *m*; (*MATH, CHEM etc*) Tabelle *f* ♦ *vt* (*BRIT: PARL: motion etc*) einbringen; **to lay** *or* **set the** ~ den Tisch decken; **to clear the** ~ den Tisch abräumen; **league** ~ (*BRIT: SPORT*) Tabelle *f*.
tablecloth ['teɪblklɔθ] *n* Tischdecke *f*.
table d'hôte [tɑːbl'dəut] *adj* (*menu, meal*) Tagesmenü *nt*.
table lamp *n* Tischlampe *f*.
tablemat ['teɪblmæt] *n* (*of cloth*) Set *nt or m*; (*for hot dish*) Untersatz *m*.
table of contents *n* Inhaltsverzeichnis *nt*.
table salt *n* Tafelsalz *nt*.
tablespoon ['teɪblspuːn] *n* Eßlöffel *m*; (*also*: **~ful**) Eßlöffel(voll) *m*.
tablet ['tæblɪt] *n* (*MED*) Tablette *f*; (*HIST: for writing*) Tafel *f*; (*plaque*) Plakette *f*; ~ **of soap** (*BRIT*) Stück *nt* Seife.
table tennis *n* Tischtennis *nt*.
table wine *n* Tafelwein *m*.
tabloid ['tæblɔɪd] *n* (*newspaper*) Boulevardzeitung *f*; **the ~s** die Boulevardpresse.

Der Ausdruck **tabloid press** *bezieht sich auf kleinformatige Zeitungen (ca 30 × 40cm); die sind in Großbritannien fast ausschließlich Massenblätter. Im Gegensatz zur* **quality press** *verwenden diese Massenblätter viele Fotos und einen knappen, oft reißerischen Stil. Sie kommen den Lesern entgegen, die mehr Wert auf Unterhaltung legen.*

taboo [tə'buː] *n* Tabu *nt* ♦ *adj* tabu; **a** ~ **subject/word** ein Tabuthema/Tabuwort.
tabulate ['tæbjuleɪt] *vt* tabellarisieren.
tabulator ['tæbjuleɪtə*] *n* (*on typewriter*) Tabulator *m*.
tachograph ['tækəgrɑːf] *n* Fahrtenschreiber *m*.
tachometer [tæ'kɔmɪtə*] *n* Tachometer *m*.
tacit ['tæsɪt] *adj* stillschweigend.
taciturn ['tæsɪtəːn] *adj* schweigsam.
tack [tæk] *n* (*nail*) Stift *m* ♦ *vt* (*nail*) anheften; (*stitch*) heften ♦ *vi* (*NAUT*) kreuzen; **to change** ~ (*fig*) den Kurs ändern; **to** ~ **sth on to (the end of) sth** etw (hinten) an etw *acc* anheften.
tackle ['tækl] *n* (*for fishing*) Ausrüstung *f*; (*for lifting*) Flaschenzug *m*; (*FOOTBALL, RUGBY*) Angriff *m* ♦ *vt* (*deal with: difficulty*) in Angriff nehmen; (*challenge: person*) zur Rede stellen; (*physically, also SPORT*) angreifen.
tacky ['tækɪ] *adj* (*sticky*) klebrig; (*pej: cheap-looking*) schäbig.
tact [tækt] *n* Takt *m*.
tactful ['tæktful] *adj* taktvoll; **to be** ~ taktvoll sein.
tactfully ['tæktfəlɪ] *adv* taktvoll.
tactical ['tæktɪkl] *adj* taktisch; ~ **error** taktischer Fehler; ~ **voting** taktische Stimmabgabe.
tactician [tæk'tɪʃən] *n* Taktiker(in) *m(f)*.
tactics ['tæktɪks] *npl* Taktik *f*.
tactless ['tæktlɪs] *adj* taktlos.
tactlessly ['tæktlɪslɪ] *adv* taktlos.
tadpole ['tædpəul] *n* Kaulquappe *f*.
taffy ['tæfɪ] (*US*) *n* (*toffee*) Toffee *nt*, Sahnebonbon *nt*.
tag [tæg] *n* (*label*) Anhänger *m*; **price/name** ~ Preis-/Namensschild *nt*.
▸**tag along** *vi* sich anschließen.
Tahiti [tɑː'hiːtɪ] *n* Tahiti *nt*.
tail [teɪl] *n* (*of animal*) Schwanz *m*; (*of plane*) Heck *nt*; (*of shirt, coat*) Schoß *m* ♦ *vt* (*follow*) folgen *+dat*; **tails** *npl* (*formal suit*) Frack *m*; **to turn** ~ die Flucht ergreifen; *see also* **head**.
▸**tail off** *vi* (*in size etc*) abnehmen; (*voice*) schwächer werden.
tailback ['teɪlbæk] (*BRIT*) *n* (*AUT*) Stau *m*.
tail coat *n* = **tails**.
tail end *n* Ende *nt*.
tailgate ['teɪlgeɪt] *n* (*AUT*) Heckklappe *f*.
taillight ['teɪllaɪt] *n* (*AUT*) Rücklicht *nt*.
tailor ['teɪlə*] *n* Schneider(in) *m(f)* ♦ *vt*: **to** ~ **sth (to)** etw abstimmen (auf *+acc*); **~'s shop** Schneiderei *f*.
tailoring ['teɪlərɪŋ] *n* (*craft*) Schneiderei *f*; (*cut*) Verarbeitung *f*.
tailor-made ['teɪlə'meɪd] *adj* (*also fig*) maßgeschneidert.
tailwind ['teɪlwɪnd] *n* Rückenwind *m*.
taint [teɪnt] *vt* (*meat, food*) verderben; (*fig: reputation etc*) beschmutzen.
tainted ['teɪntɪd] *adj* (*food, water, air*) verdorben; (*fig: profits, reputation etc*): ~ **with** behaftet mit.
Taiwan ['taɪ'wɑːn] *n* Taiwan *nt*.
Tajikistan [tɑːdʒɪkɪ'stɑːn] *n* Tadschikistan *nt*.
take [teɪk] (*pt* **took**, *pp* **taken**) *vt* nehmen; (*photo, notes*) machen; (*decision*) fällen; (*require: courage, time*) erfordern; (*tolerate: pain etc*) ertragen; (*hold: passengers etc*) fassen; (*accompany: person*) begleiten; (*carry, bring*) mitnehmen; (*exam, test*) machen; (*conduct: meeting*) leiten; (*: class*)

unterrichten ♦ *vi* (*have effect: drug*) wirken; (*: dye*) angenommen werden ♦ *n* (*CINE*) Aufnahme *f*; **to ~ sth from** (*drawer etc*) etw nehmen aus *+dat*; **I ~ it (that)** ich nehme an(, daß); **I took him for a doctor** (*mistake*) ich hielt ihn für einen Arzt; **to ~ sb's hand** jds Hand nehmen; **to ~ sb for a walk** mit jdm spazierengehen; **to be ~n ill** krank werden; **to ~ it upon o.s. to do sth** es auf sich nehmen, etw zu tun; **~ the first (street) on the left** nehmen Sie die erste Straße links; **to ~ Russian at university** Russisch studieren; **it won't ~ long** es dauert nicht lange; **I was quite ~n with her/it** (*attracted to*) ich war von ihr/davon recht angetan.

▸**take after** *vt fus* (*resemble*) ähneln *+dat*, ähnlich sein *+dat*.

▸**take apart** *vt* auseinandernehmen.

▸**take away** *vt* wegnehmen; (*carry off*) wegbringen; (*MATH*) abziehen ♦ *vi*: **to ~ away from** (*detract from*) schmälern, beeinträchtigen.

▸**take back** *vt* (*return*) zurückbringen; (*one's words*) zurücknehmen.

▸**take down** *vt* (*write down*) aufschreiben; (*dismantle*) abreißen.

▸**take in** *vt* (*deceive: person*) hereinlegen, täuschen; (*understand*) begreifen; (*include*) einschließen; (*lodger*) aufnehmen; (*orphan, stray dog*) zu sich nehmen; (*dress, waistband*) enger machen.

▸**take off** *vi* (*AVIAT*) starten; (*go away*) sich absetzen ♦ *vt* (*clothes*) ausziehen; (*glasses*) abnehmen; (*make-up*) entfernen; (*time*) frei nehmen; (*imitate: person*) nachmachen.

▸**take on** *vt* (*work, responsibility*) übernehmen; (*employee*) einstellen; (*compete against*) antreten gegen.

▸**take out** *vt* (*invite*) ausgehen mit; (*remove: tooth*) herausnehmen; (*licence*) erwerben; **to ~ sth out of sth** (*drawer, pocket etc*) etw aus etw nehmen; **don't ~ it out on me!** laß es nicht an mir aus!

▸**take over** *vt* (*business*) übernehmen; (*country*) Besitz ergreifen von ♦ *vi* (*replace*): **to ~ over from sb** jdn ablösen.

▸**take to** *vt fus* (*person, thing*) mögen; (*activity*) Gefallen finden an *+dat*; (*form habit of*): **to ~ to doing sth** sich *dat* angewöhnen, etw zu tun.

▸**take up** *vt* (*hobby, sport*) anfangen mit; (*job*) antreten; (*idea etc*) annehmen; (*time, space*) beanspruchen; (*continue: task, story*) fortfahren mit; (*shorten: hem, garment*) kürzer machen ♦ *vi* (*befriend*): **to ~ up with sb** sich mit jdm anfreunden; **to ~ sb up on an offer/a suggestion** auf jds Angebot/Vorschlag eingehen.

takeaway ['teɪkəweɪ] (*BRIT*) *n* (*shop, restaurant*) ≈ Schnellimbiß *m*; (*food*) Imbiß *m* (*zum Mitnehmen*).

take-home pay ['teɪkhəum-] *n* Nettolohn *m*.

taken ['teɪkən] *pp of* **take**.

takeoff ['teɪkɔf] *n* (*AVIAT*) Start *m*.

takeout ['teɪkaut] (*US*) *n* = **takeaway**.

takeover ['teɪkəuvə*] *n* (*COMM*) Übernahme *f*; (*of country*) Inbesitznahme *f*.

takeover bid *n* Übernahmeangebot *nt*.

takings ['teɪkɪŋz] *npl* Einnahmen *pl*.

talc [tælk] *n* (*also*: **talcum powder**) Talkumpuder *nt*.

tale [teɪl] *n* Geschichte *f*; **to tell ~s (to sb)** (*child*) (jdm) Geschichten erzählen.

talent ['tælnt] *n* Talent *nt*.

talented ['tæləntɪd] *adj* talentiert, begabt.

talent scout *n* Talentsucher(in) *m(f)*.

talisman ['tælɪzmən] *n* Talisman *m*.

talk [tɔːk] *n* (*speech*) Vortrag *m*; (*conversation, discussion*) Gespräch *nt*; (*gossip*) Gerede *nt* ♦ *vi* (*speak*) sprechen; (*chat*) reden; (*gossip*) klatschen; **talks** *npl* (*POL etc*) Gespräche *pl*; **to give a ~** einen Vortrag halten; **to ~ about** (*discuss*) sprechen *or* reden über; **~ing of films, have you seen ...?** da wir gerade von Filmen sprechen: hast du ... gesehen?; **to ~ sb into doing sth** jdn zu etw überreden; **to ~ sb out of doing sth** jdm etw ausreden.

▸**talk over** *vt* (*problem etc*) besprechen, bereden.

talkative ['tɔːkətɪv] *adj* gesprächig.

talker ['tɔːkə*] *n*: **to be a good/entertaining/fast** *etc* **~** gut/amüsant/schnell *etc* reden können.

talking point ['tɔːkɪŋ-] *n* Gesprächsthema *nt*.

talking-to ['tɔːkɪŋtu] *n*: **to give sb a (good) ~** jdm eine (ordentliche) Standpauke halten (*inf*).

talk show *n* Talkshow *f*.

tall [tɔːl] *adj* (*person*) groß; (*glass, bookcase, tree, building*) hoch; (*ladder*) lang; **to be 6 feet ~** (*person*) ≈ 1,80m groß sein; **how ~ are you?** wie groß bist du?

tallboy ['tɔːlbɔɪ] (*BRIT*) *n* Kommode *f*.

tallness ['tɔːlnɪs] *n* (*of person*) Größe *f*; (*of tree, building etc*) Höhe *f*.

tall story *n* unglaubliche Geschichte *f*.

tally ['tælɪ] *n* (*of marks, amounts etc*) aktueller Stand *m* ♦ *vi*: **to ~ (with)** (*figures, stories etc*) übereinstimmen mit; **to keep a ~ of sth** über etw *acc* Buch führen.

talon ['tælən] *n* Kralle *f*.

tambourine [tæmbə'riːn] *n* Tamburin *nt*.

tame [teɪm] *adj* (*animal, bird*) zahm; (*fig: story, party, performance*) lustlos, lahm (*inf*).

Tamil ['tæmɪl] *adj* tamilisch ♦ *n* Tamile *m*, Tamilin *f*; (*LING*) Tamil *nt*.

tamper ['tæmpə*] *vi*: **to ~ with sth** an etw *dat* herumpfuschen (*inf*).

tampon ['tæmpɔn] *n* Tampon *m*.

tan [tæn] *n* (*also*: **suntan**) (Sonnen)bräune *f* ♦ *vi* (*person, skin*) braun werden ♦ *vt* (*hide*) gerben; (*skin*) bräunen ♦ *adj* (*colour*) hellbraun; **to get a ~** braun werden.

tandem ['tændəm] *n* Tandem *nt*; (*together*): **in**

~ (*fig*) zusammen.
tandoori [tæn'duərɪ] *n:* ~ **oven** Tandoori-Ofen *m*; ~ **chicken** *im Tandoori-Ofen gebratenes Huhn.*
tang [tæŋ] *n* (*smell*) Geruch *m*; (*taste*) Geschmack *m.*
tangent ['tændʒənt] *n* (*MATH*) Tangente *f*; **to go off at a** ~ (*fig*) vom Thema abschweifen.
tangerine [tændʒə'ri:n] *n* (*fruit*) Mandarine *f*; (*colour*) Orangerot *nt.*
tangible ['tændʒəbl] *adj* greifbar; ~ **assets** (*COMM*) Sachanlagevermögen *nt.*
Tangier [tæn'dʒɪə*] *n* Tanger *nt.*
tangle ['tæŋgl] *n* (*of branches, wire etc*) Gewirr *nt*; **to be in a** ~ verheddert sein; (*fig*) durcheinander sein; **to get in a** ~ sich verheddern; (*fig*) durcheinandergeraten.
tango ['tæŋgəu] *n* Tango *m.*
tank [tæŋk] *n* Tank *m*; (*for photographic processing*) Wanne *f*; (*also*: **fish** ~) Aquarium *nt*; (*MIL*) Panzer *m.*
tankard ['tæŋkəd] *n* Bierkrug *m.*
tanker ['tæŋkə*] *n* (*ship*) Tanker *m*; (*truck*) Tankwagen *m.*
tanned [tænd] *adj* (*person*) braungebrannt; (*hide*) gegerbt.
tannin ['tænɪn] *n* Tannin *nt.*
tanning ['tænɪŋ] *n* (*of leather*) Gerben *nt.*
Tannoy ® ['tænɔɪ] (*BRIT*) *n* Lautsprechersystem *nt*; **over the** ~ über Lautsprecher.
tantalizing ['tæntəlaɪzɪŋ] *adj* (*smell*) verführerisch; (*possibility*) verlockend.
tantamount ['tæntəmaunt] *adj:* ~ **to** gleichbedeutend mit.
tantrum ['tæntrəm] *n* Wutanfall *m*; **to throw a** ~ einen Wutanfall bekommen.
Tanzania [tænzə'nɪə] *n* Tansania *nt.*
Tanzanian [tænzə'nɪən] *adj* tansanisch ♦ *n* (*person*) Tansanier(in) *m(f).*
tap [tæp] *n* (*on sink, gas tap*) Hahn *m*; (*gentle blow*) leichter Schlag *m*, Klaps *m* ♦ *vt* (*hit gently*) klopfen; (*exploit: resources, energy*) nutzen; (*telephone*) abhören, anzapfen; **on** ~ (*fig: resources, information*) zur Verfügung; (*beer*) vom Faß.
tap-dancing ['tæpdɑ:nsɪŋ] *n* Steptanz *m.*
tape [teɪp] *n* (*also*: **magnetic** ~) Tonband *nt*; (*cassette*) Kassette *f*; (*also*: **sticky** ~) Klebeband *nt*; (*for tying*) Band *nt* ♦ *vt* (*record, conversation*) aufnehmen, aufzeichnen; (*stick with tape*) mit Klebeband befestigen; **on** ~ (*song etc*) auf Band.
tape deck *n* Tapedeck *nt.*
tape measure *n* Bandmaß *nt.*
taper ['teɪpə*] *n* (*candle*) lange, dünne Kerze ♦ *vi* sich verjüngen.
tape recorder *n* Tonband(gerät) *nt.*
tape recording *n* Tonbandaufnahme *f.*
tapered ['teɪpəd] *adj* (*skirt, jacket*) nach unten enger werdend.
tapering ['teɪpərɪŋ] *adj* spitz zulaufend.
tapestry ['tæpɪstrɪ] *n* (*on wall*) Wandteppich *m*; (*fig*) Kaleidoskop *nt.*
tapeworm ['teɪpwə:m] *n* Bandwurm *m.*
tapioca [tæpɪ'əukə] *n* Tapioka *f.*
tappet ['tæpɪt] *n* (*AUT*) Stößel *m.*
tar [tɑ:] *n* Teer *m*; **low/middle** ~ **cigarettes** Zigaretten mit niedrigem/mittlerem Teergehalt.
tarantula [tə'ræntjulə] *n* Tarantel *f.*
tardy ['tɑ:dɪ] *adj* (*reply, letter*) verspätet; (*progress*) langsam.
target ['tɑ:gɪt] *n* Ziel *nt*; (*fig: of joke, criticism etc*) Zielscheibe *f*; **to be on** ~ (*project, work*) nach Plan verlaufen.
target practice *n* Zielschießen *nt.*
tariff ['tærɪf] *n* (*tax on goods*) Zoll *m*; (*BRIT: in hotels etc*) Preisliste *f.*
tariff barrier *n* Zollschranke *f.*
tarmac ® ['tɑ:mæk] *n* (*BRIT: on road*) Asphalt *m*; (*AVIAT*): **on the** ~ auf dem Rollfeld ♦ *vt* (*BRIT: road etc*) asphaltieren.
tarn [tɑ:n] *n* Bergsee *m.*
tarnish ['tɑ:nɪʃ] *vt* (*silver, brass etc*) stumpf werden lassen; (*fig: reputation etc*) beflecken, in Mitleidenschaft ziehen.
tarot ['tærəu] *n* Tarot *nt or m.*
tarpaulin [tɑ:'pɔ:lɪn] *n* Plane *f.*
tarragon ['tærəgən] *n* Estragon *m.*
tart [tɑ:t] *n* (*CULIN*) Torte *f*; (: *small*) Törtchen *nt*; (*BRIT: inf: prostitute*) Nutte *f* ♦ *adj* (*apple, grapefruit etc*) säuerlich.
►**tart up** (*BRIT: inf*) *vt* (*room, building*) aufmotzen; **to** ~ **o.s. up** sich feinmachen; (*pej*) sich auftakeln.
tartan ['tɑ:tn] *n* Tartan *m*, Schottenstoff *m* ♦ *adj* (*scarf etc*) mit Schottenmuster.
tartar ['tɑ:tə*] *n* (*on teeth*) Zahnstein *m*; (*pej: person*) Tyrann(in) *m(f).*
tartar(e) sauce ['tɑ:tə-] *n* Remouladensoße *f.*
task [tɑ:sk] *n* Aufgabe *f*; **to take sb to** ~ jdn ins Gebet nehmen.
task force *n* (*MIL*) Sonderkommando *nt*; (*POLICE*) Spezialeinheit *f.*
taskmaster ['tɑ:skmɑ:stə*] *n:* **a hard** ~ ein strenger Lehrmeister.
Tasmania [tæz'meɪnɪə] *n* Tasmanien *nt.*
tassel ['tæsl] *n* Quaste *f.*
taste [teɪst] *n* Geschmack *m*; (*sample*) Kostprobe *f*; (*fig: of suffering, freedom etc*) Vorgeschmack *m* ♦ *vt* (*get flavour of*) schmecken; (*test*) probieren, versuchen ♦ *vi:* **to** ~ **of/like sth** nach/wie etw schmecken; **sense of** ~ Geschmackssinn *m*; **to have a** ~ **of sth** (*sample*) etw probieren; **to acquire a** ~ **for sth** (*liking*) Geschmack an etw *dat* finden; **to be in good/bad** ~ (*joke etc*) geschmackvoll/geschmacklos sein; **you can** ~ **the garlic (in it)** (*detect*) man schmeckt den Knoblauch durch; **what does it** ~ **like?** wie schmeckt es?
taste buds *npl* Geschmacksknospen *pl.*
tasteful ['teɪstful] *adj* geschmackvoll.
tastefully ['teɪstfəlɪ] *adv* geschmackvoll.

tasteless ['teɪstlɪs] *adj* geschmacklos.
tasty ['teɪstɪ] *adj* schmackhaft.
tattered ['tætəd] *adj* (*clothes, paper etc*) zerrissen; (*fig: hopes etc*) angeschlagen.
tatters ['tætəz] *npl*: **to be in ~** (*clothes*) in Fetzen sein.
tattoo [tə'tuː] *n* (*on skin*) Tätowierung *f*; (*spectacle*) Zapfenstreich *m* ♦ *vt*: **to ~ sth on sth** etw auf etw *acc* tätowieren.
tatty ['tætɪ] (*BRIT: inf*) *adj* schäbig.
taught [tɔːt] *pt, pp of* **teach.**
taunt [tɔːnt] *n* höhnische Bemerkung *f* ♦ *vt* (*person*) verhöhnen.
Taurus ['tɔːrəs] *n* Stier *m*; **to be ~** (ein) Stier sein.
taut [tɔːt] *adj* (*skin, thread etc*) straff.
tavern ['tævən] *n* Taverne *f*.
tawdry ['tɔːdrɪ] *adj* (*jewellery, clothes etc*) billig.
tawny ['tɔːnɪ] *adj* gelbbraun.
tawny owl *n* Waldkauz *m*.
tax [tæks] *n* Steuer *f* ♦ *vt* (*earnings, goods etc*) besteuern; (*fig: memory, knowledge*) strapazieren; (: *patience etc*) auf die Probe stellen; **before/after ~** vor/nach Abzug der Steuern; **free of ~** steuerfrei.
taxable ['tæksəbl] *adj* steuerpflichtig; (*income*) steuerbar.
tax allowance *n* Steuerfreibetrag *m*.
taxation [tæk'seɪʃən] *n* (*system*) Besteuerung *f*; (*money paid*) Steuern *pl*.
tax avoidance *n* Steuerumgehung *f*.
tax collector *n* Steuerbeamte(r) *m*, Steuerbeamtin *f*.
tax disc (*BRIT*) *n* (*AUT*) Steuerplakette *f*.
tax evasion *n* Steuerhinterziehung *f*.
tax exemption *n* Steuerbefreiung *f*.
tax exile (*person*) *n* Steuerflüchtling *m*.
tax-free ['tæksfriː] *adj* steuerfrei.
tax haven *n* Steuerparadies *nt*.
taxi ['tæksɪ] *n* Taxi *nt* ♦ *vi* (*AVIAT: plane*) rollen.
taxidermist ['tæksɪdəːmɪst] *n* Taxidermist(in) *m(f)*, Tierpräparator(in) *m(f)*.
taxi driver *n* Taxifahrer(in) *m(f)*.
tax inspector (*BRIT*) *n* Steuerinspektor(in) *m(f)*.
taxi rank (*BRIT*) *n* Taxistand *m*.
taxi stand *n* = **taxi rank.**
taxpayer ['tækspeɪə*] *n* Steuerzahler(in) *m(f)*.
tax rebate *n* Steuerrückvergütung *f*.
tax relief *n* Steuernachlaß *m*.
tax return *n* Steuererklärung *f*.
tax shelter *n* (*COMM*) *System zur Verhinderung von Steuerbelastung*.
tax year *n* Steuerjahr *nt*.
TB *n abbr* (= *tuberculosis*) Tb *f*, Tbc *f*.
TD (*US*) *n abbr* = **Treasury Department;** (*FOOTBALL*) = **touchdown.**
tea [tiː] *n* (*drink*) Tee *m*; (*BRIT: evening meal*) Abendessen *nt*; **afternoon ~** (*BRIT*) Nachmittagstee *m*.
tea bag *n* Teebeutel *m*.
tea break (*BRIT*) *n* Teepause *f*.
teacake ['tiːkeɪk] (*BRIT*) *n* Rosinenbrötchen *nt*.
teach [tiːtʃ] (*pt, pp* **taught**) *vt*: **to ~ sb sth, ~ sth to sb** (*instruct*) jdm etw beibringen; (*in school*) jdn in etw *dat* unterrichten ♦ *vi* unterrichten; **it taught him a lesson** (*fig*) er hat seine Lektion gelernt.
teacher ['tiːtʃə*] *n* Lehrer(in) *m(f)*; **German ~** Deutschlehrer(in) *m(f)*.
teacher training college *n* (*for primary schools*) ≈ pädagogische Hochschule *f*; (*for secondary schools*) ≈ Studienseminar *nt*.
teaching ['tiːtʃɪŋ] *n* (*work of teacher*) Unterricht *m*.
teaching aids *npl* Lehrmittel *pl*.
teaching hospital (*BRIT*) *n* Ausbildungskrankenhaus *nt*.
teaching staff (*BRIT*) *n* Lehrerkollegium *nt*.
tea cosy *n* Teewärmer *m*.
teacup ['tiːkʌp] *n* Teetasse *f*.
teak [tiːk] *n* Teak *nt*.
tea leaves *npl* Teeblätter *pl*.
team [tiːm] *n* (*of experts etc*) Team *nt*; (*SPORT*) Mannschaft *f*, Team *nt*; (*of horses, oxen*) Gespann *nt*.
►**team up** *vi*: **to ~ up (with)** sich zusammentun (mit).
team game *n* Mannschaftsspiel *nt*.
team spirit *n* Teamgeist *m*.
teamwork ['tiːmwəːk] *n* Teamwork *nt*, Teamarbeit *f*.
tea party *n* Teegesellschaft *f*.
teapot ['tiːpɔt] *n* Teekanne *f*.
tear[1] [tɛə*] (*pt* **tore,** *pp* **torn**) *n* (*hole*) Riß *m* ♦ *vt* (*rip*) zerreißen ♦ *vi* (*become torn*) reißen; **to ~ sth to pieces** *or* **bits** *or* **shreds** (*lit, fig*) etw in Stücke reißen; **to ~ sb to pieces** jdn fertigmachen.
►**tear along** *vi* (*rush: driver, car*) entlangrasen.
►**tear apart** *vt* (*book, clothes, people*) auseinanderreißen; (*upset: person*) hin- und herreißen.
►**tear away** *vt*: **to ~ o.s. away (from sth)** (*fig*) sich (von etw) losreißen.
►**tear out** *vt* (*sheet of paper etc*) herausreißen.
►**tear up** *vt* (*sheet of paper etc*) zerreißen.
tear[2] [tɪə*] *n* (*in eye*) Träne *f*; **in ~s** in Tränen; **to burst into ~s** in Tränen ausbrechen.
tearaway ['tɛərəweɪ] (*BRIT: inf*) *n* Rabauke *m*.
teardrop ['tɪədrɔp] *n* Träne *f*.
tearful ['tɪəful] *adj* (*person*) weinend; (*face*) tränenüberströmt.
tear gas *n* Tränengas *nt*.
tearing ['tɛərɪŋ] *adj*: **to be in a ~ hurry** es unheimlich eilig haben.
tearoom ['tiːruːm] *n* = **teashop.**
tease [tiːz] *vt* necken; (*unkindly*) aufziehen ♦ *n*: **she's a real ~** sie zieht einen ständig auf.
tea set *n* Teeservice *nt*.
teashop ['tiːʃɔp] (*BRIT*) *n* Teestube *f*.
Teasmade ® ['tiːzmeɪd] *n* Teemaschine *f* (*mit Zeiteinstellung*).

teaspoon ['ti:spu:n] *n* Teelöffel *m*; (*also*: **~ful**: *measure*) Teelöffel(voll) *m*.
tea strainer *n* Teesieb *nt*.
teat [ti:t] *n* (*on bottle*) Sauger *m*.
teatime ['ti:taɪm] *n* Teestunde *f*.
tea towel (*BRIT*) *n* Geschirrtuch *nt*.
tea urn *n* Teespender *m*.
tech [tɛk] (*inf*) *n abbr* = **technical college; technology.**
technical ['tɛknɪkl] *adj* technisch; (*terms, language*) Fach-.
technical college (*BRIT*) *n* Technische Fachschule *f*.
technicality [tɛknɪ'kælɪtɪ] *n* (*point of law*) Formalität *f*; (*detail*) technische Einzelheit *f*; **on a (legal)** ~ aufgrund einer (juristischen) Formalität.
technically ['tɛknɪklɪ] *adv* (*strictly speaking*) genau genommen; (*regarding technique*) technisch (gesehen).
technician [tɛk'nɪʃən] *n* Techniker(in) *m(f)*.
technique [tɛk'ni:k] *n* Technik *f*.
techno ['tɛknəu] *n* (*MUS*) Techno *nt*.
technocrat ['tɛknəkræt] *n* Technokrat(in) *m(f)*.
technological [tɛknə'lɔdʒɪkl] *adj* technologisch.
technologist [tɛk'nɔlədʒɪst] *n* Technologe *m*, Technologin *f*.
technology [tɛk'nɔlədʒɪ] *n* Technologie *f*.
technology college *n Oberstufenkolleg mit technischem Schwerpunkt.*
teddy (bear) ['tɛdɪ(-)] *n* Teddy(bär) *m*.
tedious ['ti:dɪəs] *adj* langweilig.
tedium ['ti:dɪəm] *n* Langeweile *f*.
tee [ti:] *n* (*GOLF*) Tee *nt*.
►tee off *vi* (vom Tee) abschlagen.
teem [ti:m] *vi*: **to ~ with** (*tourists etc*) wimmeln von; **it is ~ing down** es gießt in Strömen.
teenage ['ti:neɪdʒ] *adj* (*fashions etc*) Jugend-; (*children*) im Teenageralter.
teenager ['ti:neɪdʒə*] *n* Teenager *m*, Jugendliche(r) *f(m)*.
teens [ti:nz] *npl*: **to be in one's** ~ im Teenageralter sein.
tee shirt *n* = **T-shirt.**
teeter ['ti:tə*] *vi* (*also fig*) schwanken, taumeln.
teeth [ti:θ] *npl of* **tooth.**
teethe [ti:ð] *vi* Zähne bekommen, zahnen.
teething ring ['ti:ðɪŋ-] *n* Beißring *m*.
teething troubles *npl* (*fig*) Kinderkrankheiten *pl*.
teetotal ['ti:'təutl] *adj* (*person*) abstinent.
teetotaller, (*US*) teetotaler ['ti:'təutlə*] *n* Abstinenzler(in) *m(f)*, Antialkoholiker(in) *m(f)*.
TEFL ['tɛfl] *n abbr* (= *Teaching of English as a Foreign Language*) *Unterricht in Englisch als Fremdsprache.*
Teflon ® ['tɛflɔn] *n* Teflon ® *nt*.
Teheran [tɛə'rɑ:n] *n* Teheran *nt*.
tel. *abbr* (= *telephone*) Tel.
Tel Aviv [tɛlə'vi:v] *n* Tel Aviv *nt*.
telecast ['tɛlɪkɑ:st] *n* Fernsehsendung *f*.
telecommunications ['tɛlɪkəmju:nɪ'keɪʃənz] *n* Nachrichtentechnik *f*.
telegram ['tɛlɪgræm] *n* Telegramm *nt*.
telegraph ['tɛlɪgrɑ:f] *n* (*system*) Telegraf *m*.
telegraphic [tɛlɪ'græfɪk] *adj* (*equipment*) telegrafisch.
telegraph pole *n* Telegrafenmast *m*.
telegraph wire *n* Telegrafenleitung *f*.
telepathic [tɛlɪ'pæθɪk] *adj* telepathisch.
telepathy [tə'lɛpəθɪ] *n* Telepathie *f*.
telephone ['tɛlɪfəun] *n* Telefon *nt* ♦ *vt* (*person*) anrufen ♦ *vi* anrufen, telefonieren; **to be on the** ~ (*talking*) telefonieren; (*possessing phone*) ein Telefon haben.
telephone box, (*US*) telephone booth *n* Telefonzelle *f*.
telephone call *n* Anruf *m*.
telephone directory *n* Telefonbuch *nt*.
telephone exchange *n* Telefonzentrale *f*.
telephone number *n* Telefonnummer *f*.
telephone operator *n* Telefonist(in) *m(f)*.
telephone tapping *n* Abhören *nt* von Telefonleitungen.
telephonist [tə'lɛfənɪst] (*BRIT*) *n* Telefonist(in) *m(f)*.
telephoto ['tɛlɪ'fəutəu] *adj*: ~ **lens** Teleobjektiv *nt*.
teleprinter ['tɛlɪprɪntə*] *n* Fernschreiber *m*.
Teleprompter ® ['tɛlɪprɔmptə*] (*US*) *n* Teleprompter *m*.
telesales ['tɛlɪseɪlz] *n* Verkauf *m* per Telefon.
telescope ['tɛlɪskəup] *n* Teleskop *nt* ♦ *vi* (*fig*: *bus, lorry*) sich ineinanderschieben ♦ *vt* (*make shorter*) zusammenschieben.
telescopic [tɛlɪ'skɔpɪk] *adj* (*legs, aerial*) ausziehbar; ~ **lens** Fernrohrlinse *f*.
Teletext ® ['tɛlɪtɛkst] *n* Videotext *m*.
telethon ['tɛlɪθɔn] *n Spendenaktion für wohltätige Zwecke in Form einer vielstündigen Fernsehsendung.*
televise ['tɛlɪvaɪz] *vt* (im Fernsehen) übertragen.
television ['tɛlɪvɪʒən] *n* Fernsehen *nt*; (*set*) Fernseher *m*, Fernsehapparat *m*; **to be on** ~ im Fernsehen sein.
television licence (*BRIT*) *n* Fernsehgenehmigung *f*.
television programme *n* Fernsehprogramm *nt*.
television set *n* Fernseher *m*, Fernsehapparat *m*.
telex ['tɛlɛks] *n* (*system, machine, message*) Telex *nt* ♦ *vt* (*message*) telexen; (*person*) ein Telex schicken +*dat* ♦ *vi* telexen.
tell [tɛl] (*pt, pp* **told**) *vt* (*say*) sagen; (*relate*: *story*) erzählen; (*distinguish*): **to ~ sth from** etw unterscheiden von; (*be sure*) wissen ♦ *vi* (*have an effect*) sich auswirken; **to ~ sb to do sth** jdm sagen, etw zu tun; **to ~ sb of** *or*

about sth jdm von etw erzählen; **to be able to ~ the time** (*know how to*) die Uhr kennen; **can you ~ me the time?** können Sie mir sagen, wie spät es ist?; **(I) ~ you what, let's go to the cinema** weißt du was? Laß uns ins Kino gehen!; **I can't ~ them apart** ich kann sie nicht unterscheiden.
▸**tell off** *vt*: **to ~ sb off** jdn ausschimpfen.
▸**tell on** *vt fus* (*inform against*) verpetzen.
teller ['tɛlə*] *n* (*in bank*) Kassierer(in) *m(f)*.
telling ['tɛlɪŋ] *adj* (*remark etc*) verräterisch.
telltale ['tɛlteɪl] *adj* verräterisch ♦ *n* (*pej*) Petzer *m*, Petze *f*.
telly ['tɛlɪ] (*BRIT*: *inf*) *n abbr* = **television**.
temerity [tə'mɛrɪtɪ] *n* Unverschämtheit *f*.
temp [tɛmp] (*BRIT*: *inf*) *n abbr* (= *temporary office worker*) Zeitarbeitskraft *f* ♦ *vi* als Zeitarbeitskraft arbeiten.
temper ['tɛmpə*] *n* (*nature*) Naturell *nt*; (*mood*) Laune *f* ♦ *vt* (*moderate*) mildern; **a (fit of) ~** ein Wutanfall; **to be in a ~** gereizt sein; **to lose one's ~** die Beherrschung verlieren.
temperament ['tɛmprəmənt] *n* Temperament *nt*.
temperamental [tɛmprə'mɛntl] *adj* (*person, car*) launisch.
temperate ['tɛmprət] *adj* gemäßigt.
temperature ['tɛmprətʃə*] *n* Temperatur *f*; **to have** *or* **run a ~** Fieber haben; **to take sb's ~** bei jdm Fieber messen.
temperature chart *n* (*MED*) Fiebertabelle *f*.
tempered ['tɛmpəd] *adj* (*steel*) gehärtet.
tempest ['tɛmpɪst] *n* Sturm *m*.
tempestuous [tɛm'pɛstjuəs] *adj* (*also fig*) stürmisch; (*person*) leidenschaftlich.
tempi ['tɛmpiː] *npl of* **tempo**.
template ['tɛmplɪt] *n* Schablone *f*.
temple ['tɛmpl] *n* (*building*) Tempel *m*; (*ANAT*) Schläfe *f*.
tempo ['tɛmpəu] (*pl* **~s** *or* **tempi**) *n* (*MUS, fig*) Tempo *nt*.
temporal ['tɛmpərl] *adj* (*non-religious*) weltlich; (*relating to time*) zeitlich.
temporarily ['tɛmpərərɪlɪ] *adv* vorübergehend; (*unavailable, alone etc*) zeitweilig.
temporary ['tɛmpərərɪ] *adj* (*arrangement*) provisorisch; (*worker, job*) Aushilfs-; **~ secretary** Sekretärin zur Aushilfe; **~ teacher** Aushilfslehrer(in) *m(f)*.
temporize ['tɛmpəraɪz] *vi* ausweichen.
tempt [tɛmpt] *vt* in Versuchung führen; **to ~ sb into doing sth** jdn dazu verleiten, etw zu tun; **to be ~ed to do sth** versucht sein, etw zu tun.
temptation [tɛmp'teɪʃən] *n* Versuchung *f*.
tempting ['tɛmptɪŋ] *adj* (*offer*) verlockend; (*food*) verführerisch.
ten [tɛn] *num* zehn ♦ *n*: **~s of thousands** Zehntausende *pl*.
tenable ['tɛnəbl] *adj* (*argument, position*) haltbar.
tenacious [tə'neɪʃəs] *adj* zäh, hartnäckig.
tenacity [tə'næsɪtɪ] *n* Zähigkeit *f*, Hartnäckigkeit *f*.
tenancy ['tɛnənsɪ] *n* (*of room*) Mietverhältnis *nt*; (*of land*) Pachtverhältnis *nt*.
tenant ['tɛnənt] *n* (*of room*) Mieter(in) *m(f)*; (*of land*) Pächter(in) *m(f)*.
tend [tɛnd] *vt* (*crops, sick person*) sich kümmern um ♦ *vi*: **to ~ to do sth** dazu neigen *or* tendieren, etw zu tun.
tendency ['tɛndənsɪ] *n* (*of person*) Neigung *f*; (*of thing*) Tendenz *f*.
tender ['tɛndə*] *adj* (*person, care*) zärtlich; (*heart*) gut; (*sore*) empfindlich; (*meat, age*) zart ♦ *n* (*COMM*) Angebot *nt*; (*money*): **legal ~** gesetzliches Zahlungsmittel *nt* ♦ *vt* (*offer*) vorlegen; (*resignation*) einreichen; (*apology*) anbieten; **to put in a ~ (for)** ein Angebot vorlegen (für); **to put work out to ~** (*BRIT*) Arbeiten ausschreiben.
tenderize ['tɛndəraɪz] *vt* (*meat*) zart machen.
tenderly ['tɛndəlɪ] *adv* zärtlich, liebevoll.
tenderness ['tɛndənɪs] *n* (*affection*) Zärtlichkeit *f*; (*of meat*) Zartheit *f*.
tendon ['tɛndən] *n* Sehne *f*.
tendril ['tɛndrɪl] *n* (*BOT*) Ranke *f*; (*of hair etc*) Strähne *f*.
tenement ['tɛnəmənt] *n* Mietshaus *nt*.
Tenerife [tɛnə'riːf] *n* Teneriffa *nt*.
tenet ['tɛnət] *n* Prinzip *nt*.
Tenn. (*US*) *abbr* (*POST*: = *Tennessee*).
tenner ['tɛnə*] (*BRIT*: *inf*) *n* Zehner *m*.
tennis ['tɛnɪs] *n* Tennis *nt*.
tennis ball *n* Tennisball *m*.
tennis club *n* Tennisclub *m*.
tennis court *n* Tennisplatz *m*.
tennis elbow *n* (*MED*) Tennisell(en)bogen *m*.
tennis match *n* Tennismatch *nt*.
tennis player *n* Tennisspieler(in) *m(f)*.
tennis racket *n* Tennisschläger *m*.
tennis shoes *npl* Tennisschuhe *pl*.
tenor ['tɛnə*] *n* (*MUS*) Tenor *m*; (*of speech etc*) wesentlicher Gehalt *m*.
tenpin bowling ['tɛnpɪn-] (*BRIT*) *n* Bowling *nt*.
tense [tɛns] *adj* (*person, muscle*) angespannt; (*smile*) verkrampft; (*period, situation*) gespannt ♦ *n* (*LING*) Zeit *f*, Tempus *nt* ♦ *vt* (*muscles*) anspannen.
tenseness ['tɛnsnɪs] *n* Gespanntheit *f*.
tension ['tɛnʃən] *n* (*nervousness*) Angespanntheit *f*; (*between ropes etc*) Spannung *f*.
tent [tɛnt] *n* Zelt *nt*.
tentacle ['tɛntəkl] *n* (*ZOOL*) Fangarm *m*; (*fig*) Klaue *f*.
tentative ['tɛntətɪv] *adj* (*person, smile*) zögernd; (*step*) unsicher; (*conclusion, plans*) vorläufig.
tentatively ['tɛntətɪvlɪ] *adv* (*suggest*) versuchsweise; (*wave etc*) zögernd.
tenterhooks ['tɛntəhuks] *npl*: **to be on ~** wie auf glühenden Kohlen sitzen.

tenth [tɛnθ] *num* zehnte(r, s) ♦ *n* Zehntel *nt*.
tent peg *n* Hering *m*.
tent pole *n* Zeltstange *f*.
tenuous ['tɛnjuəs] *adj* (*hold, links etc*) schwach.
tenure ['tɛnjuə*] *n* (*of land etc*) Nutzungsrecht *nt*; (*of office*) Amtszeit *f*; (*UNIV*): **to have ~** eine Dauerstellung haben.
tepid ['tɛpɪd] *adj* (*also fig*) lauwarm.
Ter. *abbr* (*in street names: = terrace*) ≈ Str.
term [tə:m] *n* (*word*) Ausdruck *m*; (*period in power etc*) Amtszeit *f*; (*SCOL: three per year*) Trimester *nt* ♦ *vt* (*call*) nennen; **terms** *npl* (*also COMM*) Bedingungen *pl*; **in economic/political ~s** wirtschaftlich/politisch gesehen; **in ~s of business** was das Geschäft angeht *or* betrifft; **~ of imprisonment** Gefängnisstrafe *f*; **"easy ~s"** (*COMM*) „günstige Bedingungen"; **in the short/long ~** auf kurze/lange Sicht; **to be on good ~s with sb** sich mit jdm gut verstehen; **to come to ~s with** (*problem*) sich abfinden mit.
terminal ['tə:mɪnl] *adj* (*disease, patient*) unheilbar ♦ *n* (*AVIAT, COMM, COMPUT*) Terminal *nt*; (*ELEC*) Anschluß *m*; (*BRIT: also:* **bus ~**) Endstation *f*.
terminate ['tə:mɪneɪt] *vt* beenden ♦ *vi*: **to ~ in** enden in *+dat*.
termination [tə:mɪ'neɪʃən] *n* Beendigung *f*; (*expiry: of contract*) Ablauf *m*; (*MED: of pregnancy*) Abbruch *m*.
termini ['tə:mɪnaɪ] *npl of* **terminus**.
terminology [tə:mɪ'nɔlədʒɪ] *n* Terminologie *f*.
terminus ['tə:mɪnəs] (*pl* **termini**) *n* (*for buses, trains*) Endstation *f*.
termite ['tə:maɪt] *n* Termite *f*.
term paper (*US*) *n* (*UNIV*) ≈ Semesterarbeit *f*.
Terr. *abbr* (*in street names: = terrace*) ≈ Str.
terrace ['tɛrəs] *n* (*BRIT: row of houses*) Häuserreihe *f*; (*AGR, patio*) Terrasse *f*; **the terraces** *npl* (*BRIT: SPORT*) die Ränge *pl*.
terraced ['tɛrəst] *adj* (*house*) Reihen-; (*garden*) terrassenförmig angelegt.
terracotta ['tɛrə'kɔtə] *n* (*clay*) Terrakotta *f*; (*colour*) Braunrot *nt* ♦ *adj* (*pot, roof etc*) Terrakotta-.
terrain [tɛ'reɪn] *n* Gelände *nt*, Terrain *nt*.
terrible ['tɛrɪbl] *adj* schrecklich, furchtbar.
terribly ['tɛrɪblɪ] *adv* (*very*) furchtbar; (*very badly*) entsetzlich.
terrier ['tɛrɪə*] *n* Terrier *m*.
terrific [tə'rɪfɪk] *adj* (*very great: thunderstorm, speed*) unheimlich; (*time, party*) sagenhaft.
terrify ['tɛrɪfaɪ] *vt* erschrecken; **to be terrified** schreckliche Angst haben.
terrifying ['tɛrɪfaɪɪŋ] *adj* entsetzlich, grauenvoll.
territorial [tɛrɪ'tɔ:rɪəl] *adj* (*boundaries, dispute*) territorial, Gebiets-; (*waters*) Hoheits- ♦ *n* (*MIL*) Soldat *m* der Territorialarmee.
Territorial Army (*BRIT*) *n* (*MIL*): **the ~** die Territorialarmee.
territorial waters *npl* Hoheitsgewässer *pl*.
territory ['tɛrɪtərɪ] *n* (*also fig*) Gebiet *nt*.
terror ['tɛrə*] *n* (*great fear*) panische Angst *f*.
terrorism ['tɛrərɪzəm] *n* Terrorismus *m*.
terrorist ['tɛrərɪst] *n* Terrorist(in) *m(f)*.
terrorize ['tɛrəraɪz] *vt* terrorisieren.
terse [tə:s] *adj* knapp.
tertiary ['tə:ʃərɪ] *adj* tertiär; **~ education** (*BRIT*) Universitätsausbildung *f*.
Terylene ® ['tɛrɪli:n] *n* Terylen ® *nt* ♦ *adj* Terylen-.
TESL ['tɛsl] *n abbr* (= *Teaching of English as a Second Language*) *Unterricht in Englisch als Zweitsprache.*
TESSA ['tɛsə] (*BRIT*) *n abbr* (= *Tax Exempt Special Savings Account*) *steuerfreies Sparsystem mit begrenzter Einlagehöhe.*
test [tɛst] *n* Test *m*; (*of courage etc*) Probe *f*; (*SCOL*) Prüfung *f*; (*also*: **driving ~**) Fahrprüfung *f* ♦ *vt* testen; (*check, SCOL*) prüfen; **to put sth to the ~** etw auf die Probe stellen; **to ~ sth for sth** etw auf etw *acc* prüfen.
testament ['tɛstəmənt] *n* Zeugnis *nt*; **the Old/New T~** das Alte/Neue Testament; **last will and ~** Testament *nt*.
test ban *n* (*also*: **nuclear ~**) Teststopp *m*.
test card *n* (*TV*) Testbild *nt*.
test case *n* (*LAW*) Musterfall *m*; (*fig*) Musterbeispiel *nt*.
testes ['tɛsti:z] *npl* Testikel *pl*, Hoden *pl*.
test flight *n* Testflug *m*.
testicle ['tɛstɪkl] *n* Hoden *m*.
testify ['tɛstɪfaɪ] *vi* (*LAW*) aussagen; **to ~ to sth** (*LAW, fig*) etw bezeugen.
testimonial [tɛstɪ'məunɪəl] *n* (*BRIT: reference*) Referenz *f*; (*SPORT: also:* **~ match**) *Benefizspiel, dessen Erlös einem verdienten Spieler zugute kommt.*
testimony ['tɛstɪmənɪ] *n* (*statement*) Aussage *f*; (*clear proof*): **to be (a) ~ to** ein Zeugnis sein für.
testing ['tɛstɪŋ] *adj* schwierig.
test match *n* (*CRICKET, RUGBY*) Test Match *nt*, Länderspiel *nt*.
testosterone [tɛs'tɔstərəun] *n* Testosteron *nt*.
test paper *n* (*SCOL*) Klassenarbeit *f*.
test pilot *n* Testpilot(in) *m(f)*.
test tube *n* Reagenzglas *nt*.
test-tube baby ['tɛsttju:b-] *n* Retortenbaby *nt*.
testy ['tɛstɪ] *adj* gereizt.
tetanus ['tɛtənəs] *n* Tetanus *m*, Wundstarrkrampf *m*.
tetchy ['tɛtʃɪ] *adj* gereizt.
tether ['tɛðə*] *vt* (*animal*) festbinden ♦ *n*: **to be at the end of one's ~** völlig am Ende sein.
Tex. (*US*) *abbr* (*POST: = Texas*).
text [tɛkst] *n* Text *m*.
textbook ['tɛkstbuk] *n* Lehrbuch *nt*.

textiles ['tɛkstaɪlz] *npl* Textilien *pl.*
textual ['tɛkstjuəl] *adj* (*analysis etc*) Text-.
texture ['tɛkstʃə*] *n* Beschaffenheit *f*, Struktur *f.*
TGWU (*BRIT*) *n abbr* (= *Transport and General Workers' Union*) *Transportarbeitergewerkschaft.*
Thai [taɪ] *adj* thailändisch ♦ *n* Thailänder(in) *m(f).*
Thailand ['taɪlænd] *n* Thailand *nt.*
thalidomide ® [θə'lɪdəmaɪd] *n* Contergan ® *nt.*
Thames [tɛmz] *n*: **the** ~ die Themse.
than [ðæn] *conj* (*in comparisons*) als; **more** ~ **10** mehr als 10; **she is older** ~ **you think** sie ist älter als Sie denken; **more** ~ **once** mehr als einmal.
thank [θæŋk] *vt* danken *+dat*; ~ **you** danke; ~ **you very much** vielen Dank; ~ **God!** Gott sei Dank!
thankful ['θæŋkful] *adj*: ~ **(for/that)** dankbar (für/, daß).
thankfully ['θæŋkfəlɪ] *adv* dankbar; ~ **there were few victims** zum Glück gab es nur wenige Opfer.
thankless ['θæŋklɪs] *adj* undankbar.
thanks [θæŋks] *npl* Dank *m* ♦ *excl* (*also*: **many** ~, ~ **a lot**) danke, vielen Dank; ~ **to** dank *+gen.*
Thanksgiving (Day) ['θæŋksgɪvɪŋ(-)] (*US*) *n* Thanksgiving Day *m.*

> **Thanksgiving (Day)** *ist ein Feiertag in den USA, der auf den vierten Donnerstag im November fällt. Er soll daran erinnern, wie die Pilgerväter die gute Ernte im Jahre 1621 feierten. In Kanada gibt es einen ähnlichen Erntedanktag (der aber nichts mit den Pilgervätern zu tun hat) am zweiten Montag im Oktober.*

KEYWORD

that [ðæt] (*pl* **those**) *adj* (*demonstrative*) der/die/das; ~ **man** der Mann; ~ **woman** die Frau; ~ **book** das Buch; ~ **one** der/die/das da; **I want this one, not** ~ **one** ich will dieses (hier), nicht das (da)
♦ *pron* **1** (*demonstrative*) das; **who's/what's** ~**?** wer/was ist das?; **is** ~ **you?** bist du das?; **will you eat all** ~**?** ißt du das alles?; **that's what he said** das hat er gesagt; **what happened after** ~**?** was geschah danach?; ~ **is (to say)** das heißt; **and that's that!** und damit Schluß!
2 (*relative: subject*) der/die/das; (: : *pl*) die; (: *direct object*) den/die/das; (: : *pl*) die; (: *indirect object*) dem/der/dem; (: : *pl*) denen; **the man** ~ **I saw** der Mann, den ich gesehen habe; **all** ~ **I have** alles, was ich habe; **the people** ~ **I spoke to** die Leute, mit denen ich geredet habe
3 (*relative: of time*) **the day** ~ **he came** der Tag, an dem er kam; **the winter** ~ **he came to see us** der Winter, in dem er uns besuchte
♦ *conj* daß; **he thought** ~ **I was ill** er dachte, daß ich krank sei, er dachte, ich sei krank
♦ *adv* (*demonstrative*) so; **I can't work** ~ **much** ich kann nicht so viel arbeiten; ~ **high** so hoch.

thatched [θætʃt] *adj* (*roof, cottage*) strohgedeckt.
Thatcherism ['θætʃərɪzəm] *n* Thatcherismus *m.*
Thatcherite ['θætʃəraɪt] *adj* thatcheristisch ♦ *n* Thatcher-Anhänger(in) *m(f).*
thaw [θɔː] *n* Tauwetter *nt* ♦ *vi* (*ice*) tauen; (*food*) auftauen ♦ *vt* (*also*: ~ **out**) auftauen; **it's** ~**ing** es taut.

KEYWORD

the [ðiː, ðə] *def art* **1** (*before masculine noun*) der; (*before feminine noun*) die; (*before neuter noun*) das; (*before plural noun*) die; **to play** ~ **piano/violin** Klavier/Geige spielen; **I'm going to** ~ **butcher's/the cinema** ich gehe zum Metzger/ins Kino
2 (*+ adj to form noun*): ~ **rich and** ~ **poor** die Reichen und die Armen; **to attempt** ~ **impossible** das Unmögliche versuchen
3 (*in titles*): **Elizabeth** ~ **First** Elisabeth die Erste; **Peter** ~ **Great** Peter der Große
4 (*in comparisons*): ~ **more he works** ~ **more he earns** je mehr er arbeitet, desto mehr verdient er; ~ **sooner** ~ **better** je eher, desto besser.

theatre, (*US*) **theater** ['θɪətə*] *n* Theater *nt*; (*also*: **lecture** ~) Hörsaal *m*; (*also*: **operating** ~) Operationssaal *m.*
theatre-goer ['θɪətəgəuə*] *n* Theaterbesucher(in) *m(f).*
theatrical [θɪ'ætrɪkl] *adj* (*event, production*) Theater-; (*gestures etc*) theatralisch.
theft [θɛft] *n* Diebstahl *m.*
their [ðɛə*] *adj* ihr.
theirs [ðɛəz] *pron* ihre(r, s); **it is** ~ es gehört ihnen; **a friend of** ~ ein Freund/eine Freundin von ihnen; *see also* **my, mine**[1].
them [ðɛm] *pron* (*direct*) sie; (*indirect*) ihnen; **I see** ~ ich sehe sie; **give** ~ **the book** gib ihnen das Buch; **give me a few of** ~ geben Sie mir ein paar davon; **with** ~ mit ihnen; **without** ~ ohne sie; *see also* **me.**
theme [θiːm] *n* (*also MUS*) Thema *nt.*
theme park *n* Themenpark *m.*
theme song *n* Titelmusik *f.*
theme tune *n* Titelmelodie *f.*
themselves [ðəm'sɛlvz] *pl pron* (*reflexive, after prep*) sich; (*emphatic, alone*) selbst; **between** ~ unter sich.
then [ðɛn] *adv* (*at that time*) damals; (*next,*

later) dann ♦ *conj* (*therefore*) also ♦ *adj:* **the ~ president** der damalige Präsident; **by ~** (*past*) bis dahin; (*future*) bis dann; **from ~ on** von da an; **before ~** davor; **until ~** bis dann; **and ~ what?** und was dann?; **what do you want me to do ~?** was soll ich dann machen?; ... **but ~ (again) he's the boss** ... aber er ist ja der Chef.

theologian [θɪə'ləudʒən] *n* Theologe *m*, Theologin *f*.
theological [θɪə'lɔdʒɪkl] *adj* theologisch.
theology [θɪ'ɔlədʒɪ] *n* Theologie *f*.
theorem ['θɪərəm] *n* Lehrsatz *m*.
theoretical [θɪə'rɛtɪkl] *adj* theoretisch.
theorize ['θɪəraɪz] *vi* theoretisieren.
theory ['θɪərɪ] *n* Theorie *f*; **in ~** theoretisch.
therapeutic [θɛrə'pju:tɪk] *adj* therapeutisch.
therapist ['θɛrəpɪst] *n* Therapeut(in) *m(f)*.
therapy ['θɛrəpɪ] *n* Therapie *f*.

KEYWORD

there [ðɛə*] *adv* **1**: **~ is/are** da ist/sind; (*there exist(s)*) es gibt; **~ are 3 of them** es gibt 3 davon; **~ has been an accident** da war ein Unfall; **~ will be a meeting tomorrow** morgen findet ein Treffen statt
2 (*referring to place*) da, dort; **down/over ~** da unten/drüben; **put it in/on ~** leg es dort hinein/hinauf; **I want that book ~** ich möchte das Buch da; **~ he is!** da ist er ja!
3: **~, ~** (*esp to child*) ist ja gut.

thereabouts ['ðɛərə'bauts] *adv:* **or ~** (*place*) oder dortherum; (*amount, time*) oder so.
thereafter [ðɛər'ɑ:ftə*] *adv* danach.
thereby ['ðɛəbaɪ] *adv* dadurch.
therefore ['ðɛəfɔ:*] *adv* daher, deshalb.
there's ['ðɛəz] = **there is; there has.**
thereupon [ðɛərə'pɔn] *adv* (*at that point*) darauf(hin).
thermal ['θə:ml] *adj* (*springs*) Thermal-; (*underwear, paper, printer*) Thermo-.
thermodynamics ['θə:mədaɪ'næmɪks] *n* Thermodynamik *f*.
thermometer [θə'mɔmɪtə*] *n* Thermometer *nt*.
thermonuclear ['θə:məu'nju:klɪə*] *adj* thermonuklear.
Thermos ® ['θə:məs] *n* (*also:* **~ flask**) Thermosflasche ® *f*.
thermostat ['θə:məustæt] *n* Thermostat *m*.
thesaurus [θɪ'sɔ:rəs] *n* Synonymwörterbuch *nt*.
these [ði:z] *pl adj, pl pron* diese.
theses ['θi:si:z] *npl of* **thesis.**
thesis ['θi:sɪs] (*pl* **theses**) *n* These *f*; (*for doctorate etc*) Dissertation *f*, Doktorarbeit *f*.
they [ðeɪ] *pl pron* sie; **~ say that** ... (*it is said that*) man sagt, daß ...
they'd [ðeɪd] = **they had; they would.**
they'll [ðeɪl] = **they shall; they will.**
they're [ðɛə*] = **they are.**
they've [ðeɪv] = **they have.**
thick [θɪk] *adj* dick; (*sauce etc*) dickflüssig; (*fog, forest, hair etc*) dicht; (*inf: stupid*) blöd ♦ *n:* **in the ~ of the battle** mitten im Gefecht; **it's 20 cm ~** es ist 20 cm dick.
thicken ['θɪkn] *vi* (*fog etc*) sich verdichten ♦ *vt* (*sauce etc*) eindicken; **the plot ~s** die Sache wird immer verwickelter.
thicket ['θɪkɪt] *n* Dickicht *nt*.
thickly ['θɪklɪ] *adv* (*spread, cut*) dick; **~ populated** dicht bevölkert.
thickness ['θɪknɪs] *n* (*of rope, wire*) Dicke *f*; (*layer*) Lage *f*.
thickset [θɪk'sɛt] *adj* (*person, body*) gedrungen.
thick-skinned [θɪk'skɪnd] *adj* (*also fig*) dickhäutig.
thief [θi:f] (*pl* **thieves**) *n* Dieb(in) *m(f)*.
thieves [θi:vz] *npl of* **thief.**
thieving ['θi:vɪŋ] *n* Stehlen *nt*.
thigh [θaɪ] *n* Oberschenkel *m*.
thighbone ['θaɪbəun] *n* Oberschenkelknochen *m*.
thimble ['θɪmbl] *n* Fingerhut *m*.
thin [θɪn] *adj* dünn; (*fog*) leicht; (*hair, crowd*) spärlich ♦ *vt:* **to ~ (down)** (*sauce, paint*) verdünnen ♦ *vi* (*fog, crowd*) sich lichten; **his hair is ~ning** sein Haar lichtet sich.
thing [θɪŋ] *n* Ding *nt*; (*matter*) Sache *f*; (*inf*): **to have a ~ about sth** (*be fascinated by*) wie besessen sein von etw; (*hate*) etw nicht ausstehen können; **things** *npl* (*belongings*) Sachen *pl*; **to do sth first ~ (every morning/tomorrow morning)** etw (morgens/morgen früh) als erstes tun; **I look awful first ~ in the morning** ich sehe frühmorgens immer furchtbar aus; **to do sth last ~ (at night)** etw als letztes (am Abend) tun; **the ~ is** ... die Sache ist die: ...; **for one ~** zunächst mal; **don't worry about a ~** du brauchst dir überhaupt keine Sorgen zu machen; **you'll do no such ~!** das läßt du schön bleiben!; **poor ~** armes Ding; **the best ~ would be to** ... das Beste wäre, zu ...; **how are ~s?** wie geht's?
think [θɪŋk] (*pt, pp* **thought**) *vi* (*reflect*) nachdenken; (*reason*) denken ♦ *vt* (*be of the opinion*) denken; (*believe*) glauben; **to ~ of** denken an *+acc*; (*recall*) sich erinnern an *+acc*; **what did you ~ of them?** was hielten Sie von ihnen?; **to ~ about sth/sb** (*ponder*) über etw/jdn nachdenken; **I'll ~ about it** ich werde es mir überlegen; **to ~ of doing sth** daran denken, etw zu tun; **to ~ highly of sb** viel von jdm halten; **to ~ aloud** laut nachdenken; **~ again!** denk noch mal nach!; **I ~ so/not** ich glaube ja/nein.
▸**think over** *vt* (*offer, suggestion*) überdenken; **I'd like to ~ things over** ich möchte mir die Sache noch einmal überlegen.
▸**think through** *vt* durchdenken.
▸**think up** *vt* sich *dat* ausdenken.

thinking ['θɪŋkɪŋ] *n* Denken *nt*; **to my (way of)** ~ meiner Meinung *or* Ansicht nach.
think-tank ['θɪŋktæŋk] *n* Expertengremium *nt*.
thinly ['θɪnlɪ] *adv* dünn; (*disguised, veiled*) kaum.
thinness ['θɪnnɪs] *n* Dünne *f*.
third [θəːd] *num* dritte(r, s) ♦ *n* (*fraction*) Drittel *nt*; (*AUT: also:* ~ **gear**) dritter Gang *m*; (*BRIT: SCOL: degree*) ≈ Ausreichend *nt*; **a** ~ **of** ein Drittel *+gen*.
third-degree burns ['θəːddɪgriː-] *npl* Verbrennungen *pl* dritten Grades.
thirdly ['θəːdlɪ] *adv* drittens.
third party insurance (*BRIT*) *n* ≈ Haftpflichtversicherung *f*.
third-rate ['θəːd'reɪt] (*pej*) *adj* drittklassig.
Third World *n*: **the** ~ die Dritte Welt ♦ *adj* der Dritten Welt.
thirst [θəːst] *n* Durst *m*.
thirsty ['θəːstɪ] *adj* durstig; **to be** ~ Durst haben; **gardening is** ~ **work** Gartenarbeit macht durstig.
thirteen [θəː'tiːn] *num* dreizehn.
thirteenth ['θəː'tiːnθ] *num* dreizehnte(r, s).
thirtieth ['θəːtɪɪθ] *num* dreißigste(r, s).
thirty ['θəːtɪ] *num* dreißig.

KEYWORD

this [ðɪs] (*pl* **these**) *adj* (*demonstrative*) diese(r, s); ~ **man** dieser Mann; ~ **woman** diese Frau; ~ **book** dieses Buch; ~ **one** diese(r, s) (hier)
♦ *pron* (*demonstrative*) dies, das; **who/what is** ~**?** wer/was ist das?; ~ **is where I live** hier wohne ich; ~ **is what he said** das hat er gesagt; ~ **is Mr Brown** (*in introductions, photo*) das ist Herr Brown; (*on telephone*) hier ist Herr Brown
♦ *adv* (*demonstrative*): ~ **high/long** *etc* so hoch/lang *etc*.

thistle ['θɪsl] *n* Distel *f*.
thong [θɔŋ] *n* Riemen *m*.
thorn [θɔːn] *n* Dorn *m*.
thorny ['θɔːnɪ] *adj* dornig; (*fig: problem*) heikel.
thorough ['θʌrə] *adj* gründlich.
thoroughbred ['θʌrəbrɛd] *n* (*horse*) Vollblüter *m*.
thoroughfare ['θʌrəfɛə*] *n* (*road*) Durchgangsstraße *f*; **"no ~"** (*BRIT*) „Durchfahrt verboten".
thoroughgoing ['θʌrəgəuɪŋ] *adj* (*changes, reform*) grundlegend; (*investigation*) gründlich.
thoroughly ['θʌrəlɪ] *adv* gründlich; (*very*) äußerst; **I** ~ **agree** ich stimme vollkommen zu.
thoroughness ['θʌrənɪs] *n* Gründlichkeit *f*.
those [ðəuz] *pl adj, pl pron* die (da); ~ **(of you) who ...** diejenigen (von Ihnen), die ...
though [ðəu] *conj* obwohl ♦ *adv* aber; **even** ~ obwohl; **it's not easy,** ~ es ist aber nicht einfach.
thought [θɔːt] *pt, pp of* **think** ♦ *n* Gedanke *m*; **thoughts** *npl* (*opinion*) Gedanken *pl*; **after much** ~ nach langer Überlegung; **I've just had a** ~ mir ist gerade etwas eingefallen; **to give sth some** ~ sich *dat* Gedanken über etw *acc* machen.
thoughtful ['θɔːtful] *adj* (*deep in thought*) nachdenklich; (*considerate*) aufmerksam.
thoughtfully ['θɔːtfəlɪ] *adv* (*look etc*) nachdenklich; (*behave etc*) rücksichtsvoll; (*provide*) rücksichtsvollerweise.
thoughtless ['θɔːtlɪs] *adj* gedankenlos.
thoughtlessly ['θɔːtlɪslɪ] *adv* gedankenlos.
thoughtlessness ['θɔːtlɪsnɪs] *n* Gedankenlosigkeit *f*.
thought-out [θɔːt'aut] *adj* durchdacht.
thought-provoking ['θɔːtprəvəukɪŋ] *adj*: **to be** ~ Denkanstöße geben.
thousand ['θauzənd] *num* (ein)tausend; **two** ~ zweitausend; ~**s of** Tausende von.
thousandth ['θauzəntθ] *num* tausendste(r, s).
thrash [θræʃ] *vt* (*beat*) verprügeln; (*defeat*) (vernichtend) schlagen.
▸**thrash about** *vi* um sich schlagen.
▸**thrash around** *vi* = **thrash about.**
▸**thrash out** *vt* (*problem*) ausdiskutieren.
thrashing ['θræʃɪŋ] *n*: **to give sb a** ~ jdn verprügeln.
thread [θrɛd] *n* (*yarn*) Faden *m*; (*of screw*) Gewinde *nt* ♦ *vt* (*needle*) einfädeln; **to** ~ **one's way between** sich hindurchschlängeln zwischen.
threadbare ['θrɛdbɛə*] *adj* (*clothes*) abgetragen; (*carpet*) abgelaufen.
threat [θrɛt] *n* Drohung *f*; (*fig*): ~ **(to)** Gefahr *f* (für); **to be under** ~ **of** (*closure etc*) bedroht sein von.
threaten ['θrɛtn] *vi* bedrohen ♦ *vt*: **to** ~ **sb with sth** jdm mit etw drohen; **to** ~ **to do sth** (damit) drohen, etw zu tun.
threatening ['θrɛtnɪŋ] *adj* drohend, bedrohlich.
three [θriː] *num* drei.
three-dimensional [θriːdɪ'mɛnʃənl] *adj* dreidimensional.
threefold ['θriːfəuld] *adv*: **to increase** ~ dreifach *or* um das Dreifache ansteigen.
three-piece suit ['θriːpiːs-] *n* dreiteiliger Anzug *m*.
three-piece suite *n* dreiteilige Polstergarnitur *f*.
three-ply [θriː'plaɪ] *adj* (*wool*) dreifädig; (*wood*) dreilagig.
three-quarters [θriː'kwɔːtəz] *npl* Dreiviertel *nt*; ~ **full** dreiviertel voll.
three-wheeler ['θriː'wiːlə*] *n* (*car*) Dreiradwagen *m*.
thresh [θrɛʃ] *vt* dreschen.
threshing machine ['θrɛʃɪŋ-] *n*

Dreschmaschine *f*.

threshold ['θrɛʃhəuld] *n* Schwelle *f*; **to be on the ~ of sth** (*fig*) an der Schwelle zu etw sein *or* stehen.

threshold agreement *n* (*ECON*) *Tarifvereinbarung über der Inflationsrate angeglichene Lohnerhöhungen.*

threw [θruː] *pt of* **throw.**

thrift [θrɪft] *n* Sparsamkeit *f*.

thrifty ['θrɪftɪ] *adj* sparsam.

thrill [θrɪl] *n* (*excitement*) Aufregung *f*; (*shudder*) Erregung *f* ♦ *vi* zittern ♦ *vt* (*person, audience*) erregen; **to be ~ed** (*with gift etc*) sich riesig freuen.

thriller ['θrɪlə*] *n* Thriller *m*.

thrilling ['θrɪlɪŋ] *adj* (*ride, performance etc*) erregend; (*news*) aufregend.

thrive [θraɪv] (*pt* **thrived** *or* **throve,** *pp* **thrived**) *vi* gedeihen; **to ~ on sth** von etw leben.

thriving ['θraɪvɪŋ] *adj* (*business, community*) blühend, florierend.

throat [θrəut] *n* Kehle *f*; **to have a sore ~** Halsschmerzen haben.

throb [θrɔb] *n* (*of heart*) Klopfen *nt*; (*pain*) Pochen *nt*; (*of engine*) Dröhnen *nt* ♦ *vi* (*heart*) klopfen; (*pain*) pochen; (*machine*) dröhnen; **my head is ~bing** ich habe rasende Kopfschmerzen.

throes [θrəuz] *npl*: **in the ~ of** (*war, moving house etc*) mitten in *+dat*; **death ~** Todeskampf *m*.

thrombosis [θrɔm'bəusɪs] *n* Thrombose *f*.

throne [θrəun] *n* Thron *m*; **on the ~** auf dem Thron.

throng ['θrɔŋ] *n* Masse *f* ♦ *vt* (*streets etc*) sich drängen in *+dat* ♦ *vi*: **to ~ to** strömen zu; **a ~ of people** eine Menschenmenge; **to be ~ed with** wimmeln von.

throttle ['θrɔtl] *n* (*in car*) Gaspedal *nt*; (*on motorcycle*) Gashebel *m* ♦ *vt* (*strangle*) erdrosseln.

through [θruː] *prep* durch; (*time*) während; (*owing to*) infolge *+gen* ♦ *adj* (*ticket, train*) durchgehend ♦ *adv* durch; **(from) Monday ~ Friday** (*US*) von Montag bis Freitag; **to be ~** (*TEL*) verbunden sein; **to be ~ with sb/sth** mit jdm/etw fertig sein; **we're ~!** es ist aus zwischen uns!; **"no ~ road** *or* (*US*) **traffic"** „keine Durchfahrt“; **to let sb ~** jdn durchlassen; **to put sb ~ to sb** (*TEL*) jdn mit jdm verbinden.

throughout [θruː'aut] *adv* (*everywhere*) überall; (*the whole time*) die ganze Zeit über ♦ *prep* (*place*) überall in *+dat*; (*time*): **~ the morning/afternoon** während des ganzen Morgens/Nachmittags; **~ her life** ihr ganzes Leben lang.

throughput ['θruːput] *n* (*also COMPUT*) Durchsatz *m*.

throve [θrəuv] *pt of* **thrive.**

throw [θrəu] (*pt* **threw,** *pp* **thrown**) *n* Wurf *m* ♦ *vt* werfen; (*rider*) abwerfen; (*fig: confuse*) aus der Fassung bringen; (*pottery*) töpfern; **to ~ a party** eine Party geben; **to ~ open** (*doors, windows*) aufreißen; (*debate*) öffnen.

▸**throw about** *vt* (*money*) herumwerfen mit.

▸**throw around** *vt* = **throw about.**

▸**throw away** *vt* wegwerfen; (*waste*) verschwenden.

▸**throw off** *vt* (*get rid of: burden*) abwerfen.

▸**throw out** *vt* (*rubbish*) wegwerfen; (*idea*) verwerfen; (*person*) hinauswerfen.

▸**throw together** *vt* (*meal*) hinhauen; (*clothes*) zusammenpacken.

▸**throw up** *vi* (*vomit*) sich übergeben.

throwaway ['θrəuəweɪ] *adj* (*cutlery etc*) Einweg-; (*line, remark*) beiläufig.

throwback ['θrəubæk] *n*: **it's a ~ to** (*reminder*) es erinnert an *+acc*.

throw-in ['θrəuɪn] *n* (*FOOTBALL*) Einwurf *m*.

thrown [θrəun] *pp of* **throw.**

thru [θruː] (*US*) *prep, adj, adv* = **through.**

thrush [θrʌʃ] *n* (*bird*) Drossel *f*; (*MED: esp in children*) Soor *m*; (: *BRIT: in women*) vaginale Pilzerkrankung *f*.

thrust [θrʌst] (*pt, pp* **thrust**) *n* (*TECH*) Schubkraft *f*; (*push*) Stoß *m*; (*fig: impetus*) Stoßkraft *f* ♦ *vt* stoßen.

thud [θʌd] *n* dumpfes Geräusch *nt*.

thug [θʌg] *n* Schlägertyp *m*.

thumb [θʌm] *n* Daumen *m* ♦ *vt*: **to ~ a lift** per Anhalter fahren; **to give sb/sth the ~s up** (*approve*) jdm/etw *dat* grünes Licht geben; **to give sb/sth the ~s down** (*disapprove*) jdn/etw ablehnen.

▸**thumb through** *vt fus* (*book*) durchblättern.

thumb index *n* Daumenregister *nt*.

thumbnail ['θʌmneɪl] *n* Daumennagel *m*.

thumbnail sketch *n* kurze Darstellung *f*.

thumbtack ['θʌmtæk] (*US*) *n* Heftzwecke *f*.

thump [θʌmp] *n* (*blow*) Schlag *m*; (*sound*) dumpfer Schlag *m* ♦ *vt* schlagen auf *+acc* ♦ *vi* (*heart etc*) heftig pochen.

thumping ['θʌmpɪŋ] *adj* (*majority, victory etc*) Riesen-; (*headache, cold*) fürchterlich.

thunder ['θʌndə*] *n* Donner *m* ♦ *vi* donnern; (*shout angrily*) brüllen; **to ~ past** (*train etc*) vorbeidonnern.

thunderbolt ['θʌndəbəult] *n* Blitzschlag *m*.

thunderclap ['θʌndəklæp] *n* Donnerschlag *m*.

thunderous ['θʌndrəs] *adj* donnernd.

thunderstorm ['θʌndəstɔːm] *n* Gewitter *nt*.

thunderstruck ['θʌndəstrʌk] *adj*: **to be ~** (*shocked*) wie von Donner gerührt sein.

thundery ['θʌndərɪ] *adj* (*weather*) gewitterig.

Thur(s). *abbr* (= *Thursday*) Do.

Thursday ['θəːzdɪ] *n* Donnerstag *m*; *see also* **Tuesday.**

thus [ðʌs] *adv* (*in this way*) so; (*consequently*) somit.

thwart [θwɔːt] *vt* (*person*) einen Strich durch die Rechnung machen *+dat*; (*plans*) vereiteln.

thyme [taɪm] *n* Thymian *m*.

thyroid ['θaɪrɔɪd] *n* (*also*: ~ **gland**) Schilddrüse *f*.
tiara [tɪ'ɑːrə] *n* Diadem *nt*.
Tiber ['taɪbə*] *n*: **the** ~ der Tiber.
Tibet [tɪ'bɛt] *n* Tibet *nt*.
Tibetan [tɪ'bɛtən] *adj* tibetanisch ♦ *n* (*person*) Tibetaner(in) *m(f)*; (*LING*) Tibetisch *nt*.
tibia ['tɪbɪə] *n* Schienbein *nt*.
tic [tɪk] *n* nervöse Zuckung *f*, Tic *m*.
tick [tɪk] *n* (*sound*) Ticken *nt*; (*mark*) Häkchen *nt*; (*ZOOL*) Zecke *f*; (*BRIT*: *inf*: *moment*) Augenblick *m*; (: *credit*): **to buy sth on** ~ etw auf Pump kaufen ♦ *vi* (*clock, watch*) ticken ♦ *vt* (*item on list*) abhaken; **to put a** ~ **against sth** etw abhaken; **what makes him** ~**?** was ist er für ein Mensch?
►**tick off** *vt* (*item on list*) abhaken; (*person*) rüffeln.
►**tick over** *vi* (*engine*) im Leerlauf sein; (*fig*: *business etc*) sich über Wasser halten.
ticker tape ['tɪkəteɪp] *n* Lochstreifen *m*; (*US*: *in celebrations*) ≈ Luftschlangen *pl*.
ticket ['tɪkɪt] *n* (*for public transport*) Fahrkarte *f*; (*for theatre etc*) Eintrittskarte *f*; (*in shop*: *on goods*) Preisschild *nt*; (: *from cash register*) Kassenbon *m*; (*for raffle*) Los *nt*; (*for library*) Ausweis *m*; (*also*: **parking** ~: *fine*) Strafzettel *m*; (*US*: *POL*) Wahlliste *f*; **to get a (parking)** ~ (*AUT*) einen Strafzettel bekommen.
ticket agency *n* (*THEAT*) Vorverkaufsstelle *f*.
ticket collector *n* (*RAIL*: *at station*) Fahrkartenkontrolleur(in) *m(f)*; (*on train*) Schaffner(in) *m(f)*.
ticket holder *n* Karteninhaber(in) *m(f)*.
ticket inspector *n* Fahrkartenkontrolleur(in) *m(f)*.
ticket office *n* (*RAIL*) Fahrkartenschalter *m*; (*THEAT*) Theaterkasse *f*.
tickle ['tɪkl] *vt* kitzeln; (*fig*: *amuse*) amüsieren ♦ *vi* kitzeln; **it** ~**s!** das kitzelt!
ticklish ['tɪklɪʃ] *adj* (*person, situation*) kitzlig.
tidal ['taɪdl] *adj* (*force*) Gezeiten-, der Gezeiten; (*river*) Tide-.
tidal wave *n* Flutwelle *f*.
tidbit ['tɪdbɪt] (*US*) *n* = **titbit**.
tiddlywinks ['tɪdlɪwɪŋks] *n* Flohhüpfen *nt*.
tide [taɪd] *n* (*in sea*) Gezeiten *pl*; (*fig*: *of events, opinion etc*) Trend *m*; **high** ~ Flut *f*; **low** ~ Ebbe *f*; **the** ~ **is in/out** es ist Flut/Ebbe; **the** ~ **is coming in** die Flut kommt.
►**tide over** *vt* über die Runden helfen *+dat*.
tidily ['taɪdɪlɪ] *adv* ordentlich.
tidiness ['taɪdɪnɪs] *n* Ordentlichkeit *f*.
tidy ['taɪdɪ] *adj* (*room, desk*) ordentlich, aufgeräumt; (*person*) ordnungsliebend; (*sum, income*) ordentlich ♦ *vt* (*also*: ~ **up**) aufräumen.
tie [taɪ] *n* (*BRIT*: *also*: **necktie**) Krawatte *f*; (*string etc*) Band *nt*; (*fig*: *link*) Verbindung *f*; (*SPORT*: *match*) Spiel *nt*; (*in competition*: *draw*) Unentschieden *nt* ♦ *vt* (*parcel*) verschnüren; (*shoelaces*) zubinden; (*ribbon*) binden ♦ *vi* (*SPORT etc*): **to** ~ **with sb for first place** sich mit jdm den ersten Platz teilen; **"black** ~**"** „Abendanzug"; **"white** ~**"** „Frackzwang"; **family** ~**s** familiäre Bindungen; **to** ~ **sth in a bow** etw zu einer Schleife binden; **to** ~ **a knot in sth** einen Knoten in etw *acc* machen.
►**tie down** *vt* (*fig*: *restrict*) binden; (: : *to date, price etc*) festlegen.
►**tie in** *vi*: **to** ~ **in with** zusammenpassen mit.
►**tie on** *vt* (*BRIT*) anbinden.
►**tie up** *vt* (*parcel*) verschnüren; (*dog*) anbinden; (*boat*) festmachen; (*person*) fesseln; (*arrangements*) unter Dach und Fach bringen; **to be** ~**d up** (*busy*) zu tun haben, beschäftigt sein.
tie-break(er) ['taɪbreɪk(ə*)] *n* (*TENNIS*) Tie-break *m*; (*in quiz*) Entscheidungsfrage *f*.
tie-on ['taɪɔn] (*BRIT*) *adj* (*label*) Anhänge-.
tiepin ['taɪpɪn] (*BRIT*) *n* Krawattennadel *f*.
tier [tɪə*] *n* (*of stadium etc*) Rang *m*; (*of cake*) Lage *f*.
tie-tack ['taɪtæk] (*US*) *n* = **tiepin**.
tiff [tɪf] *n* Krach *m*.
tiger ['taɪgə*] *n* Tiger *m*.
tight [taɪt] *adj* (*screw, knot, grip*) fest; (*shoes, clothes, bend*) eng; (*security*) streng; (*budget, money*) knapp; (*schedule*) gedrängt; (*inf*: *drunk*) voll; (: *stingy*) knickerig ♦ *adv* fest; **to be packed** ~ (*suitcase*) prallvoll sein; (*room*) gerammelt voll sein; **everybody hold** ~**!** alle festhalten!
tighten ['taɪtn] *vt* (*rope, strap*) straffen; (*screw, bolt*) anziehen; (*grip*) festigen; (*security*) verschärfen ♦ *vi* (*grip*) sich festigen; (*rope etc*) sich spannen.
tightfisted [taɪt'fɪstɪd] *adj* knickerig (*inf*).
tight-lipped ['taɪt'lɪpt] *adj* (*fig*: *silence*) eisern; **to be** ~ **about sth** über etw *acc* schweigen.
tightly ['taɪtlɪ] *adv* fest.
tightrope ['taɪtrəup] *n* Seil *nt*; **to be on** *or* **walking a** ~ (*fig*) einen Balanceakt vollführen.
tightrope walker *n* Seiltänzer(in) *m(f)*.
tights [taɪts] (*BRIT*) *npl* Strumpfhose *f*.
tigress ['taɪgrɪs] *n* Tigerin *f*.
tilde ['tɪldə] *n* Tilde *f*.
tile [taɪl] *n* (*on roof*) Ziegel *m*; (*on floor*) Fliese *f*; (*on wall*) Kachel *f* ♦ *vt* (*floor*) mit Fliesen auslegen; (*bathroom*) kacheln.
tiled [taɪld] *adj* (*floor*) mit Fliesen ausgelegt; (*wall*) gekachelt.
till [tɪl] *n* (*in shop etc*) Kasse *f* ♦ *vt* (*land*) bestellen ♦ *prep, conj* = **until**.
tiller ['tɪlə*] *n* (*NAUT*) Ruderpinne *f*.
tilt [tɪlt] *vt* neigen ♦ *vi* sich neigen ♦ *n* (*slope*) Neigung *f*; **to wear one's hat at a** ~ den Hut schief aufhaben; **(at) full** ~ mit Volldampf.
timber ['tɪmbə*] *n* (*material*) Holz *nt*; (*trees*) Nutzholz *nt*.
time [taɪm] *n* Zeit *f*; (*occasion*) Gelegenheit *f*, Mal *nt*; (*MUS*) Takt *m* ♦ *vt* (*measure time of*) die Zeit messen bei; (*runner*) stoppen; (*fix*

moment for: visit etc) den Zeitpunkt festlegen für; **a long** ~ eine lange Zeit; **for the** ~ **being** vorläufig; **4 at a** ~ 4 auf einmal; **from** ~ **to** ~ von Zeit zu Zeit; ~ **after** ~, ~ **and again** immer (und immer) wieder; **at** ~**s** manchmal, zuweilen; **in** ~ (*soon enough*) rechtzeitig; (*eventually*) mit der Zeit; (*MUS*) im Takt; **in a week's** ~ in einer Woche; **in no** ~ im Handumdrehen; **any** ~ jederzeit; **on** ~ rechtzeitig; **to be 30 minutes behind/ahead of** ~ 30 Minuten zurück/voraus sein; **by the** ~ **he arrived** als er ankam; **5** ~**s 5** 5 mal 5; **what** ~ **is it?** wie spät ist es?; **to have a good** ~ sich amüsieren; **we/they** *etc* **had a hard** ~ wir/sie *etc* **hatten es schwer;** ~**'s up!** die Zeit ist um!; **I've no** ~ **for it** (*fig*) dafür habe ich nichts übrig; **he'll do it in his own (good)** ~ (*without being hurried*) er macht es, ohne sich hetzen zu lassen; **he'll do it in** *or* (*US*) **on his own** ~ (*out of working hours*) er macht es in seiner Freizeit; **to be behind the** ~**s** rückständig sein; **to** ~ **sth well/badly** den richtigen/falschen Zeitpunkt für etw wählen; **the bomb was** ~**d to go off 5 minutes later** die Bombe war so eingestellt, daß sie 5 Minuten später explodieren sollte.

time-and-motion study ['taɪmənd'məʊʃən-] *n* Arbeitsstudie *f*.

time bomb *n* (*also fig*) Zeitbombe *f*.

time card *n* Stechkarte *f*.

time clock *n* (*in factory etc*) Stechuhr *f*.

time-consuming ['taɪmkənsjuːmɪŋ] *adj* zeitraubend.

time difference *n* Zeitunterschied *m*.

time frame *n* zeitlicher Rahmen *m*.

time-honoured, (*US*) **time-honored** ['taɪmɔnəd] *adj* althergebracht.

timekeeper ['taɪmkiːpə*] *n*: **she's a good** ~ sie erfüllt ihr Zeitsoll.

time-lag ['taɪmlæg] *n* Verzögerung *f*.

timeless ['taɪmlɪs] *adj* zeitlos.

time limit *n* zeitliche Grenze *f*.

timely ['taɪmlɪ] *adj* (*arrival*) rechtzeitig; (*reminder*) zur rechten Zeit.

time off *n*: **to take** ~ sich *dat* frei nehmen.

timer ['taɪmə*] *n* (*time switch*) Schaltuhr *f*; (*on cooker*) Zeitmesser *m*; (*on video*) Timer *m*.

time-saving ['taɪmseɪvɪŋ] *adj* zeitsparend.

timescale ['taɪmskeɪl] (*BRIT*) *n* Zeitspanne *f*.

time-share ['taɪmʃɛə*] *n* Ferienwohnung *f* auf Timesharing-Basis.

time-sharing ['taɪmʃɛərɪŋ] *n* (*of property, COMPUT*) Timesharing *nt*.

time sheet *n* = **time card.**

time signal *n* (*RADIO*) Zeitzeichen *nt*.

time switch *n* Zeitschalter *m*.

timetable ['taɪmteɪbl] *n* (*RAIL etc*) Fahrplan *m*; (*SCOL*) Stundenplan *m*; (*programme of events*) Programm *nt*.

time zone *n* Zeitzone *f*.

timid ['tɪmɪd] *adj* (*person*) schüchtern; (*animal*) scheu.

timidity [tɪ'mɪdɪtɪ] *n* (*shyness*) Schüchternheit *f*.

timing ['taɪmɪŋ] *n* (*SPORT*) Timing *nt*; **the** ~ **of his resignation** der Zeitpunkt seines Rücktritts.

timing device *n* (*on bomb*) Zeitzünder *m*.

timpani ['tɪmpənɪ] *npl* Kesselpauken *pl*.

tin [tɪn] *n* (*metal*) Blech *nt*; (*container*) Dose *f*; (: *for baking*) Form *f*; (: *BRIT: can*) Büchse *f*, Dose *f*; **two** ~**s of paint** zwei Dosen Farbe.

tinfoil ['tɪnfɔɪl] *n* Alufolie *f*.

tinge [tɪndʒ] *n* (*of colour*) Färbung *f*; (*fig: of emotion etc*) Anflug *m*, Anstrich *m* ♦ *vt*: ~**d with blue/red** leicht blau/rot gefärbt; **to be** ~**d with sth** (*fig: emotion etc*) einen Anstrich von etw haben.

tingle ['tɪŋgl] *vi* prickeln; (*from cold*) kribbeln; **I was tingling with excitement** ich zitterte vor Aufregung.

tinker ['tɪŋkə*] *n* (*gipsy*) Kesselflicker *m*.

▸**tinker with** *vt fus* herumbasteln an *+dat*.

tinkle ['tɪŋkl] *vi* klingeln ♦ *n* (*inf*): **to give sb a** ~ (*TEL*) bei jdm anklingeln.

tin mine *n* Zinnbergwerk *nt*.

tinned [tɪnd] (*BRIT*) *adj* (*food, peas*) Dosen-, in Dosen.

tinnitus ['tɪnɪtəs] *n* Tinnitus *m*, Ohrensummen *nt*.

tinny ['tɪnɪ] (*pej*) *adj* (*sound*) blechern; (*car etc*) Schrott-.

tin-opener ['tɪnəupnə*] (*BRIT*) *n* Dosenöffner *m*.

tinsel ['tɪnsl] *n* Rauschgoldgirlanden *pl*.

tint [tɪnt] *n* (*colour*) Ton *m*; (*for hair*) Tönung *f* ♦ *vt* (*hair*) tönen.

tinted ['tɪntɪd] *adj* getönt.

tiny ['taɪnɪ] *adj* winzig.

tip [tɪp] *n* (*end*) Spitze *f*; (*gratuity*) Trinkgeld *nt*; (*BRIT: for rubbish*) Müllkippe *f*; (: *for coal*) Halde *f*; (*advice*) Tip *m*, Hinweis *m* ♦ *vt* (*waiter*) ein Trinkgeld geben *+dat*; (*tilt*) kippen; (*also*: ~ **over**: *overturn*) umkippen; (*also*: ~ **out**: *empty*) leeren; (*predict: winner etc*) tippen *or* setzen auf *+acc*; **he** ~**ped out the contents of the box** er kippte den Inhalt der Kiste aus.

▸**tip off** *vt* einen Tip *or* Hinweis geben *+dat*.

tip-off ['tɪpɔf] *n* Hinweis *m*.

tipped ['tɪpt] *adj* (*BRIT: cigarette*) Filter-; **steel-**~ mit Stahlspitze.

Tipp-Ex® ['tɪpɛks] *n* Tipp-Ex® *nt*.

tipple ['tɪpl] (*BRIT*) *vi* picheln ♦ *n*: **to have a** ~ einen trinken.

tipster ['tɪpstə*] *n jd, der bei Pferderennen, Börsengeschäften etc Tips gegen Bezahlung weitergibt.*

tipsy ['tɪpsɪ] (*inf*) *adj* beschwipst.

tiptoe ['tɪptəu] *n*: **on** ~ auf Zehenspitzen.

tip-top ['tɪp'tɔp] *adj*: **in** ~ **condition** tipptopp.

tirade [taɪ'reɪd] *n* Tirade *f*.

tire ['taɪə*] *n* (*US*) = **tyre** ♦ *vt* müde machen, ermüden ♦ *vi* (*become tired*) müde werden;

to ~ of sth genug von etw haben.
▸**tire out** *vt* erschöpfen.
tired ['taɪəd] *adj* müde; **to be/look** ~ müde sein/aussehen; **to feel** ~ sich müde fühlen; **to be** ~ **of sth** etw satt haben; **to be** ~ **of doing sth** es satt haben, etw zu tun.
tiredness ['taɪədnɪs] *n* Müdigkeit *f.*
tireless ['taɪəlɪs] *adj* unermüdlich.
tiresome ['taɪəsəm] *adj* lästig.
tiring ['taɪərɪŋ] *adj* ermüdend, anstrengend.
tissue ['tɪʃuː] *n* (*ANAT, BIOL*) Gewebe *nt*; (*paper handkerchief*) Papiertaschentuch *nt.*
tissue paper *n* Seidenpapier *nt.*
tit [tɪt] *n* (*bird*) Meise *f*; (*inf: breast*) Titte *f*; ~ **for tat** wie du mir, so ich dir.
titanium [tɪ'teɪnɪəm] *n* Titan *nt.*
titbit, (*US*) **tidbit** ['tɪtbɪt] *n* (*food, news*) Leckerbissen *m.*
titillate ['tɪtɪleɪt] *vt* erregen, reizen.
titivate ['tɪtɪveɪt] *vt* feinmachen.
title ['taɪtl] *n* Titel *m*; (*LAW*): ~ **to** Anspruch auf *+acc.*
title deed *n* Eigentumsurkunde *f.*
title page *n* Titelseite *f.*
title role *n* Titelrolle *f.*
title track *n* Titelstück *nt.*
titter ['tɪtə*] *vi* kichern.
tittle-tattle ['tɪtltætl] (*inf*) *n* Klatsch *m*, Gerede *nt.*
tizzy ['tɪzɪ] *n*: **to be in a** ~ aufgeregt sein; **to get in a** ~ sich aufregen.
T-junction ['tiː'dʒʌŋkʃən] *n* T-Kreuzung *f.*
TM *abbr* (= *trademark*) Wz; = **transcendental meditation.**
TN (*US*) *abbr* (*POST:* = *Tennessee*).
TNT *n abbr* (= *trinitrotoluene*) TNT *nt.*

KEYWORD

to [tuː] *prep* **1** (*direction*) nach *+dat*, zu *+dat*; **to go** ~ **France/London/school/the station** nach Frankreich/nach London/zur Schule/zum Bahnhof gehen; ~ **the left/right** nach links/rechts; **I have never been** ~ **Germany** ich war noch nie in Deutschland
2 (*as far as*) bis; **to count** ~ **10** bis 10 zählen
3 (*with expressions of time*) vor *+dat*; **a quarter** ~ **5** (*BRIT*) Viertel vor 5
4 (*for, of*): **the key** ~ **the front door** der Schlüssel für die Haustür; **a letter** ~ **his wife** ein Brief an seine Frau
5 (*expressing indirect object*): **to give sth** ~ **sb** jdm etw geben; **to talk** ~ **sb** mit jdm sprechen; **I sold it** ~ **a friend** ich habe es an einen Freund verkauft; **you've done something** ~ **your hair** du hast etwas mit deinem Haar gemacht
6 (*in relation to*) zu; **A is** ~ **B as C is** ~ **D** A verhält sich zu B wie C zu D; **3 goals** ~ **2** 3 zu 2 Tore; **40 miles** ~ **the gallon** 40 Meilen pro Gallone
7 (*purpose, result*) zu; **to sentence sb to death** jdn zum Tode verurteilen; ~ **my surprise** zu meiner Überraschung
♦ *with vb* **1** (*simple infinitive*): ~ **go** gehen; ~ **eat** essen
2 (*following another vb*): **to want** ~ **do sth** etw tun wollen; **to try/start** ~ **do sth** versuchen/anfangen, etw zu tun
3 (*with vb omitted*): **I don't want** ~ ich will nicht; **you ought** ~ du solltest es tun
4 (*purpose, result*) (um ...) zu; **I did it** ~ **help you** ich habe es getan, um dir zu helfen
5 (*equivalent to relative clause*) zu; **he has a lot** ~ **lose** er hat viel zu verlieren; **the main thing is** ~ **try** die Hauptsache ist, es zu versuchen
6 (*after adjective etc*): **ready** ~ **use** gebrauchsfertig; **too old/young** ~ ... zu alt/jung, um zu ...; **it's too heavy** ~ **lift** es ist zu schwer zu heben
♦ *adv*: **to push/pull the door** ~ die Tür zudrücken/zuziehen; ~ **and fro** hin und her.

toad [təud] *n* Kröte *f.*
toadstool ['təudstuːl] *n* Giftpilz *m.*
toady ['təudɪ] (*pej*) *vi*: **to** ~ **to sb** vor jdm kriechen.
toast [təust] *n* (*CULIN, drink*) Toast *m* ♦ *vt* (*bread etc*) toasten; (*drink to*) einen Toast *or* Trinkspruch ausbringen auf *+acc*; **a piece** *or* **slice of** ~ eine Scheibe Toast.
toaster ['təustə*] *n* Toaster *m.*
toastmaster ['təustmɑːstə*] *n* Zeremonienmeister *m.*
toast rack *n* Toastständer *m.*
tobacco [tə'bækəu] *n* Tabak *m*; **pipe** ~ Pfeifentabak *m.*
tobacconist [tə'bækənɪst] *n* Tabakhändler(in) *m(f).*
tobacconist's (shop) [tə'bækənɪsts-] *n* Tabakwarenladen *m.*
Tobago [tə'beɪgəu] *n see* **Trinidad.**
toboggan [tə'bɔgən] *n* Schlitten *m.*
today [tə'deɪ] *adv, n* heute; **what day is it** ~? welcher Tag ist heute?; **what date is it** ~? der wievielte ist heute?; ~ **is the 4th of March** heute ist der 4. März; **a week ago** ~ heute vor einer Woche; ~**'s paper** die Zeitung von heute.
toddle ['tɔdl] (*inf*) *vi*: **to** ~ **in/off/along** herein-/davon-/entlangwatscheln.
toddler ['tɔdlə*] *n* Kleinkind *nt.*
to-do [tə'duː] *n* Aufregung *f*, Theater *nt.*
toe [təu] *n* Zehe *f*, Zeh *m*; (*of shoe, sock*) Spitze *f*; **to** ~ **the line** (*fig*) auf Linie bleiben; **big/little** ~ großer/kleiner Zeh.
toehold ['təuhəuld] *n* (*in climbing*) Halt *m* für die Fußspitzen; (*fig*): **to get/gain a** ~ **(in)** einen Einstieg bekommen/sich *dat* einen Einstieg verschaffen (in *+dat*).
toenail ['təuneɪl] *n* Zehennagel *m.*
toffee ['tɔfɪ] *n* Toffee *m.*
toffee apple (*BRIT*) *n* ≈ kandierter Apfel *m.*
tofu ['təufuː] *n* Tofu *m.*

toga ['təugə] *n* Toga *f*.
together [tə'gɛðə*] *adv* zusammen; (*at the same time*) gleichzeitig; ~ **with** gemeinsam mit.
togetherness [tə'gɛðənıs] *n* Beisammensein *nt*.
toggle switch ['tɔgl-] *n* (*COMPUT*) Toggle-Schalter *m*.
Togo ['təugəu] *n* Togo *nt*.
togs [tɔgz] (*inf*) *npl* Klamotten *pl*.
toil [tɔıl] *n* Mühe *f* ♦ *vi* sich abmühen.
toilet ['tɔılət] *n* Toilette *f* ♦ *cpd* (*kit, accessories etc*) Toiletten-; **to go to the** ~ auf die Toilette gehen.
toilet bag (*BRIT*) *n* Kulturbeutel *m*.
toilet bowl *n* Toilettenbecken *nt*.
toilet paper *n* Toilettenpapier *nt*.
toiletries ['tɔılətrız] *npl* Toilettenartikel *pl*.
toilet roll *n* Rolle *f* Toilettenpapier.
toilet soap *n* Toilettenseife *f*.
toilet water *n* Toilettenwasser *nt*.
to-ing and fro-ing ['tu:ıŋən'frəuıŋ] (*BRIT*) *n* Hin und Her *nt*.
token ['təukən] *n* (*sign, souvenir*) Zeichen *nt*; (*substitute coin*) Wertmarke *f* ♦ *adj* (*strike, payment etc*) symbolisch; **by the same** ~ (*fig*) in gleicher Weise; **book/record/gift** ~ (*BRIT*) Bücher-/Platten-/Geschenkgutschein *m*.
tokenism ['təukənızəm] *n*: **to be (pure)** ~ (nur) eine Alibifunktion haben.
Tokyo ['təukjəu] *n* Tokio *nt*.
told [təuld] *pt, pp of* **tell**.
tolerable ['tɔlərəbl] *adj* (*bearable*) erträglich; (*fairly good*) passabel.
tolerably ['tɔlərəblı] *adv*: ~ **good** ganz annehmbar *or* passabel.
tolerance ['tɔlərns] *n* Toleranz *f*.
tolerant ['tɔlərnt] *adj* tolerant; **to be** ~ **of sth** tolerant gegenüber etw sein.
tolerate ['tɔləreıt] *vt* (*pain, noise*) erdulden, ertragen; (*injustice*) tolerieren.
toleration [tɔlə'reıʃən] *n* (*of person, pain etc*) Duldung *f*; (*REL, POL*) Toleranz *f*.
toll [təul] *n* (*of casualties, deaths*) (Gesamt)zahl *f*; (*tax, charge*) Gebühr *f* ♦ *vi* (*bell*) läuten; **the work took its** ~ **on us** die Arbeit blieb nicht ohne Auswirkungen auf uns.
tollbridge ['təulbrıdʒ] *n* gebührenpflichtige Brücke *f*, Mautbrücke *f*.
toll call (*US*) *n* Ferngespräch *nt*.
toll-free ['təulfri:] (*US*) *n* gebührenfrei.
toll road *n* gebührenpflichtige Straße *f*, Mautstraße *f*.
tomato [tə'mɑ:təu] (*pl* ~**es**) *n* Tomate *f*.
tomato purée *n* Tomatenmark *nt*.
tomb [tu:m] *n* Grab *nt*.
tombola [tɔm'bəulə] *n* Tombola *f*.
tomboy ['tɔmbɔı] *n* Wildfang *m*.
tombstone ['tu:mstəun] *n* Grabstein *m*.
tomcat ['tɔmkæt] *n* Kater *m*.
tome [təum] (*form*) *n* Band *m*.
tomorrow [tə'mɔrəu] *adv* morgen ♦ *n* morgen; (*future*) Zukunft *f*; **the day after** ~ übermorgen; **a week** ~ morgen in einer Woche; ~ **morning** morgen früh.
ton [tʌn] *n* (*BRIT*) (britische) Tonne *f*; (*US: also:* **short** ~) (US-)Tonne *f* (*ca. 907 kg*); (*metric ton*) (metrische) Tonne *f*; ~**s of** (*inf*) Unmengen von.
tonal ['təunl] *adj* (*MUS*) klanglich, tonal.
tone [təun] *n* Ton *m* ♦ *vi* (*also:* ~ **in**: *colours*) (farblich) passen.
▸**tone down** *vt* (*also fig*) abschwächen.
▸**tone up** *vt* (*muscles*) kräftigen.
tone-deaf [təun'dɛf] *adj* ohne Gefühl für Tonhöhen.
toner ['təunə*] *n* (*for photocopier*) Toner *m*.
Tonga [tɔŋə] *n* Tonga *nt*.
tongs [tɔŋz] *npl* Zange *f*; (*also:* **curling** ~) Lockenstab *m*.
tongue [tʌŋ] *n* Zunge *f*; (*form: language*) Sprache *f*; ~**-in-cheek** (*speak, say*) ironisch.
tongue-tied ['tʌŋtaıd] *adj* (*fig*) sprachlos.
tongue-twister ['tʌŋtwıstə*] *n* Zungenbrecher *m*.
tonic ['tɔnık] *n* (*MED*) Tonikum *nt*; (*fig*) Wohltat *f*; (*also:* ~ **water**) Tonic *nt*; (*MUS*) Tonika *f*, Grundton *m*.
tonight [tə'naıt] *adv* (*this evening*) heute abend; (*this night*) heute nacht ♦ *n* (*this evening*) der heutige Abend; (*this night*) die kommende Nacht; **(I'll) see you** ~! bis heute abend!
tonnage ['tʌnıdʒ] *n* Tonnage *f*.
tonne [tʌn] (*BRIT*) *n* (*metric ton*) Tonne *f*.
tonsil ['tɔnsl] *n* Mandel *f*; **to have one's** ~**s out** sich *dat* die Mandeln herausnehmen lassen.
tonsillitis [tɔnsı'laıtıs] *n* Mandelentzündung *f*.
too [tu:] *adv* (*excessively*) zu; (*also*) auch; **it's** ~ **sweet** es ist zu süß; **I went** ~ ich bin auch mitgegangen; ~ **much** (*adj*) zuviel; (*adv*) zu sehr; ~ **many** zu viele; ~ **bad!** das ist eben Pech!
took [tuk] *pt of* **take**.
tool [tu:l] *n* (*also fig*) Werkzeug *nt*.
tool box *n* Werkzeugkasten *m*.
tool kit *n* Werkzeugsatz *m*.
toot [tu:t] *n* (*of horn*) Hupton *m*; (*of whistle*) Pfeifton *m* ♦ *vi* (*with car-horn*) hupen.
tooth [tu:θ] (*pl* **teeth**) *n* (*also TECH*) Zahn *m*; **to have a** ~ **out** *or* (*US*) **pulled** sich *dat* einen Zahn ziehen lassen; **to brush one's teeth** sich *dat* die Zähne putzen; **by the skin of one's teeth** (*fig*) mit knapper Not.
toothache ['tu:θeık] *n* Zahnschmerzen *pl*; **to have** ~ Zahnschmerzen haben.
toothbrush ['tu:θbrʌʃ] *n* Zahnbürste *f*.
toothpaste ['tu:θpeıst] *n* Zahnpasta *f*.
toothpick ['tu:θpık] *n* Zahnstocher *m*.
tooth powder *n* Zahnpulver *nt*.
top [tɔp] *n* (*of mountain, tree, ladder*) Spitze *f*; (*of cupboard, table, box*) Oberseite *f*; (*of street*) Ende *nt*; (*lid*) Verschluß *m*; (*AUT: also:* ~ **gear**) höchster Gang *m*; (*also:* **spinning** ~:

toy) Kreisel *m*; (*blouse etc*) Oberteil *nt*; (*of pyjamas*) Jacke *f* ♦ *adj* höchste(r, s); (*highest in rank*) oberste(r, s); (: *golfer etc*) Top- ♦ *vt* (*poll, vote, list*) anführen; (*estimate etc*) übersteigen; **at the ~ of the stairs/page** oben auf der Treppe/Seite; **at the ~ of the street** am Ende der Straße; **on ~ of** (*above*) auf *+dat*; (*in addition to*) zusätzlich zu; **from ~ to bottom** von oben bis unten; **from ~ to toe** (*BRIT*) von Kopf bis Fuß; **at the ~ of the list** oben auf der Liste; **at the ~ of his voice** so laut er konnte; **over the ~** (*inf: behaviour etc*) übertrieben; **to go over the ~** (*inf*) übertreiben; **at ~ speed** bei Höchstgeschwindigkeit.

▸**top up** , (*US*) **top off** *vt* (*drink*) nachfüllen; (*salary*) aufbessern.

topaz ['təupæz] *n* Topas *m*.

top-class ['tɔp'klɑːs] *adj* erstklassig; (*hotel, player etc*) Spitzen-.

topcoat ['tɔpkəut] *n* (*overcoat*) Mantel *m*; (*of paint*) Deckanstrich *m*.

top floor *n* oberster Stock *m*.

top hat *n* Zylinder *m*.

top-heavy [tɔp'hɛvɪ] *adj* (*also fig*) kopflastig.

topic ['tɔpɪk] *n* Thema *nt*.

topical ['tɔpɪkl] *adj* (*issue etc*) aktuell.

topless ['tɔplɪs] *adj* (*waitress*) Oben-ohne-; (*bather*) barbusig ♦ *adv* oben ohne.

top-level ['tɔplɛvl] *adj* auf höchster Ebene.

topmost ['tɔpməust] *adj* oberste(r, s).

top-notch ['tɔp'nɔtʃ] *adj* erstklassig.

topography [tə'pɔgrəfɪ] *n* Topographie *f*.

topping ['tɔpɪŋ] *n* (*CULIN*) Überzug *m*.

topple ['tɔpl] *vt* (*government etc*) stürzen ♦ *vi* (*person*) stürzen; (*object*) fallen.

top-ranking ['tɔpræŋkɪŋ] *adj* (*official*) hochgestellt.

top-secret ['tɔp'siːkrɪt] *adj* streng geheim.

top-security ['tɔpsə'kjuərɪtɪ] (*BRIT*) *adj* (*prison, wing*) Hochsicherheits-.

topsy-turvy ['tɔpsɪ'təːvɪ] *adj* auf den Kopf gestellt ♦ *adv* durcheinander; (*fall, land*) verkehrt herum.

top-up ['tɔpʌp] *n*: **would you like a ~?** darf ich Ihnen nachschenken?

top-up loan *n* Ergänzungsdarlehen *nt*.

torch [tɔːtʃ] *n* Fackel *f*; (*BRIT: electric*) Taschenlampe *f*.

tore [tɔː*] *pt of* **tear**.

torment [*n* tɔːmɛnt, *vt* tɔː'mɛnt] *n* Qual *f* ♦ *vt* quälen; (*annoy*) ärgern.

torn [tɔːn] *pp of* **tear¹** ♦ *adj*: **~ between** (*fig*) hin- und hergerissen zwischen.

tornado [tɔː'neɪdəu] (*pl* **~es**) *n* (*storm*) Tornado *m*.

torpedo [tɔː'piːdəu] (*pl* **~es**) *n* Torpedo *m*.

torpedo boat *n* Torpedoboot *nt*.

torpor ['tɔːpə*] *n* Trägheit *f*.

torrent ['tɔrnt] *n* (*flood*) Strom *m*; (*fig*) Flut *f*.

torrential [tɔ'rɛnʃl] *adj* (*rain*) wolkenbruchartig.

torrid ['tɔrɪd] *adj* (*weather, love affair*) heiß.

torso ['tɔːsəu] *n* Torso *m*.

tortoise ['tɔːtəs] *n* Schildkröte *f*.

tortoiseshell ['tɔːtəʃɛl] *adj* (*jewellery, ornaments*) aus Schildpatt; (*cat*) braun-gelb-schwarz.

tortuous ['tɔːtjuəs] *adj* (*path*) gewunden; (*argument, mind*) umständlich.

torture ['tɔːtʃə*] *n* Folter *f*; (*fig*) Qual *f* ♦ *vt* foltern; (*fig: torment*) quälen; **it was ~** (*fig*) es war eine Qual.

torturer ['tɔːtʃərə*] *n* Folterer *m*.

Tory ['tɔːrɪ] (*BRIT: POL*) *adj* konservativ ♦ *n* Tory *m*, Konservative(r) *f(m)*.

toss [tɔs] *vt* (*throw*) werfen; (*one's head*) zurückwerfen; (*salad*) anmachen; (*pancake*) wenden ♦ *n*: **with a ~ of her head** mit einer Kopfbewegung; **to ~ a coin** eine Münze werfen; **to win/lose the ~** die Entscheidung per Münzwurf gewinnen/verlieren; **to ~ up for sth** etw per Münzwurf entscheiden; **to ~ and turn** (*in bed*) sich hin und her wälzen.

tot [tɔt] *n* (*BRIT: drink*) Schluck *m*; (*child*) Knirps *m*.

▸**tot up** (*BRIT*) *vt* (*figures*) zusammenzählen.

total ['təutl] *adj* (*number etc*) gesamt; (*failure, wreck etc*) völlig, total ♦ *n* Gesamtzahl *f* ♦ *vt* (*add up*) zusammenzählen; (*add up to*) sich belaufen auf; **in ~** insgesamt.

totalitarian [təutælɪ'tɛərɪən] *adj* totalitär.

totality [təu'tælɪtɪ] *n* Gesamtheit *f*.

totally ['təutəlɪ] *adv* völlig.

totem pole ['təutəm-] *n* Totempfahl *m*.

totter ['tɔtə*] *vi* (*person*) wanken, taumeln; (*fig: government*) im Wanken sein.

touch [tʌtʃ] *n* (*sense of touch*) Gefühl *nt*; (*contact*) Berührung *f*; (*skill: of pianist etc*) Hand *f* ♦ *vt* berühren; (*tamper with*) anrühren; (*emotionally*) rühren ♦ *vi* (*make contact*) sich berühren; **the personal ~** die persönliche Note; **to put the finishing ~es to sth** letzte Hand an etw *acc* legen; **a ~ of** (*fig: frost etc*) etwas, ein Hauch von; **in ~ with** (*person, group*) in Verbindung mit; **to get in ~ with sb** mit jdm in Verbindung treten; **I'll be in ~** ich melde mich; **to lose ~** (*friends*) den Kontakt verlieren; **to be out of ~ with sb** keine Verbindung mehr zu jdm haben; **to be out of ~ with events** nicht auf dem laufenden sein; **~ wood!** hoffen wir das Beste!

▸**touch on** *vt fus* (*topic*) berühren.

▸**touch up** *vt* (*car etc*) ausbessern.

touch-and-go ['tʌtʃən'gəu] *adj* (*situation*) auf der Kippe; **it was ~ whether we'd succeed** es war völlig offen, ob wir Erfolg haben würden.

touchdown ['tʌtʃdaun] *n* (*of rocket, plane*) Landung *f*; (*US: FOOTBALL*) Touchdown *m*.

touched [tʌtʃt] *adj* (*moved*) gerührt; (*inf: mad*) plemplem.

touching ['tʌtʃɪŋ] *adj* rührend.

touchline ['tʌtʃlaɪn] *n* (*SPORT*) Seitenlinie *f*.
touch-sensitive ['tʌtʃ'sɛnsɪtɪv] *adj* berührungsempfindlich; (*switch*) Kontakt-.
touch-type ['tʌtʃtaɪp] *vi* blindschreiben.
touchy ['tʌtʃɪ] *adj* (*person, subject*) empfindlich.
tough [tʌf] *adj* (*strong, firm, difficult*) hart; (*resistant*) widerstandsfähig; (*meat, animal, person*) zäh; (*rough*) rauh; ~ **luck**! Pech!
toughen ['tʌfn] *vt* (*sb's character*) hart machen; (*glass etc*) härten.
toughness ['tʌfnɪs] *n* Härte *f*.
toupee ['tu:peɪ] *n* Toupet *nt*.
tour ['tuə*] *n* (*journey*) Reise *f*, Tour *f*; (*of factory, museum etc*) Rundgang *m*; (: *also*: **guided** ~) Führung *f*; (*by pop group etc*) Tournee *f* ♦ *vt* (*country, factory etc: on foot*) ziehen durch; (: *in car*) fahren durch; **to go on a ~ of a museum/castle** an einer Museums-/Schloßführung teilnehmen; **to go on a ~ of the Highlands** die Highlands bereisen; **to go/be on** ~ (*pop group, theatre company etc*) auf Tournee gehen/sein.
touring ['tuərɪŋ] *n* Umherreisen *nt*.
tourism ['tuərɪzm] *n* Tourismus *m*.
tourist ['tuərɪst] *n* Tourist(in) *m(f)* ♦ *cpd* (*attractions, season*) Touristen-; **the ~ trade** die Tourismusbranche.
tourist class *n* Touristenklasse *f*.
tourist information centre (*BRIT*) *n* Touristen-Informationszentrum *nt*.
tourist office *n* Verkehrsamt *nt*.
tournament ['tuənəmənt] *n* Turnier *nt*.
tourniquet ['tuənɪkeɪ] *n* Aderpresse *f*.
tour operator (*BRIT*) *n* Reiseveranstalter *m*.
tousled ['tauzld] *adj* (*hair*) zerzaust.
tout [taut] *vi*: **to ~ for business** die Reklametrommel schlagen; **to ~ for custom** auf Kundenfang gehen ♦ *n* (*also*: **ticket** ~) *Schwarzhändler, der Eintrittskarten zu überhöhten Preisen verkauft.*
tow [təu] *vt* (*vehicle*) abschleppen; (*caravan, trailer*) ziehen ♦ *n*: **to give sb a** ~ (*AUT*) jdn abschleppen; **"on** *or* (*US*) **in ~"** „Fahrzeug wird abgeschleppt".
▸ **tow away** *vt* (*vehicle*) abschleppen.
toward(s) [tə'wɔ:d(z)] *prep* (*direction*) zu; (*attitude*) gegenüber *+dat*; (*purpose*) für; (*in time*) gegen; ~ **noon/the end of the year** gegen Mittag/Ende des Jahres; **to feel friendly ~ sb** jdm freundlich gesinnt sein.
towel ['tauəl] *n* Handtuch *nt*; **to throw in the** ~ (*fig*) das Handtuch werfen.
towelling ['tauəlɪŋ] *n* Frottee *nt or m*.
towel rail, (*US*) **towel rack** *n* Handtuchstange *f*.
tower ['tauə*] *n* Turm *m* ♦ *vi* aufragen; **to ~ above** *or* **over sb/sth** über jdm/etw aufragen.
tower block (*BRIT*) *n* Hochhaus *nt*.
towering ['tauərɪŋ] *adj* hoch aufragend.
towline ['təulaɪn] *n* Abschleppseil *nt*.
town [taun] *n* Stadt *f*; **to go (in)to** ~ in die Stadt gehen; **to go to ~ on sth** (*fig*) sich bei etw ins Zeug legen; **in** ~ in der Stadt; **to be out of** ~ (*person*) nicht in der Stadt sein.
town centre *n* Stadtzentrum *nt*.
town clerk *n* Stadtdirektor(in) *m(f)*.
town council *n* Stadtrat *m*.
town crier [-'kraɪə*] *n* Ausrufer *m*.
town hall *n* Rathaus *nt*.
town house *n* (städtisches) Wohnhaus *nt*; (*US: in a complex*) Reihenhaus *nt*.
townie ['taunɪ] (*inf*) *n* (*town-dweller*) Städter(in) *m(f)*.
town plan *n* Stadtplan *m*.
town planner *n* Stadtplaner(in) *m(f)*.
town planning *n* Stadtplanung *f*.
township ['taunʃɪp] *n* Stadt(gemeinde) *f*; (*formerly: in South Africa*) Township *f*.
townspeople ['taunzpi:pl] *npl* Stadtbewohner *pl*.
towpath ['təupɑ:θ] *n* Leinpfad *m*.
towrope ['təurəup] *n* Abschleppseil *nt*.
tow truck (*US*) *n* Abschleppwagen *m*.
toxic ['tɔksɪk] *adj* giftig, toxisch.
toxin ['tɔksɪn] *n* Gift *nt*, Giftstoff *m*.
toy [tɔɪ] *n* Spielzeug *nt*.
▸**toy with** *vt fus* (*object, idea*) spielen mit.
toyshop ['tɔɪʃɔp] *n* Spielzeugladen *m*.
trace [treɪs] *n* (*sign, small amount*) Spur *f* ♦ *vt* (*draw*) nachzeichnen; (*follow*) verfolgen; (*locate*) aufspüren; **without** ~ (*disappear*) spurlos; **there was no ~ of it** es war spurlos verschwunden.
trace element *n* Spurenelement *nt*.
tracer ['treɪsə*] *n* (*MIL: also:* ~ **bullet**) Leuchtspurgeschoß *nt*; (*MED*) Indikator *m*.
trachea [trə'kɪə] *n* Luftröhre *f*.
tracing paper ['treɪsɪŋ-] *n* Pauspapier *nt*.
track [træk] *n* Weg *m*; (*of comet, SPORT*) Bahn *f*; (*of suspect, animal*) Spur *f*; (*RAIL*) Gleis *nt*; (*on tape, record*) Stück *nt*, Track *m* ♦ *vt* (*follow*) verfolgen; **to keep ~ of sb/sth** (*fig*) jdn/etw im Auge behalten; **to be on the right** ~ (*fig*) auf der richtigen Spur sein.
▸**track down** *vt* aufspüren.
tracker dog ['trækə-] (*BRIT*) *n* Spürhund *m*.
track events *npl* Laufwettbewerbe *f*.
tracking station ['trækɪŋ-] *n* Bodenstation *f*.
track meet (*US*) *n* (*SPORT*) Leichtathletikwettkampf *m*.
track record *n*: **to have a good** ~ (*fig*) gute Leistungen vorzuweisen haben.
tracksuit ['træksu:t] *n* Trainingsanzug *m*.
tract [trækt] *n* (*GEOG*) Gebiet *nt*; (*pamphlet*) Traktat *m or nt*; **respiratory** ~ Atemwege *pl*.
traction ['trækʃən] *n* (*power*) Zugkraft *f*; (*AUT: grip*) Bodenhaftung *f*; (*MED*): **in** ~ im Streckverband.
traction engine *n* Zugmaschine *f*.
tractor ['træktə*] *n* Traktor *m*.
trade [treɪd] *n* (*activity*) Handel *m*; (*skill, job*) Handwerk *nt* ♦ *vi* (*do business*) handeln ♦ *vt*:

to ~ sth (for sth) etw (gegen etw) eintauschen; **foreign ~** Außenhandel *m*; **Department of T~ and Industry** (*BRIT*) ≈ Wirtschaftsministerium *nt*; **to ~ with** Handel treiben mit; **to ~ in** (*merchandise*) handeln in *+dat*.

▸**trade in** *vt* in Zahlung geben.

trade barrier *n* Handelsschranke *f*.

trade deficit *n* Handelsdefizit *nt*.

Trade Descriptions Act (*BRIT*) *n* *Gesetz über korrekte Warenbeschreibungen.*

trade discount *n* Händlerrabatt *m*.

trade fair *n* Handelsmesse *f*.

trade figures *npl* Handelsziffern *pl*.

trade-in ['treɪdɪn] *n*: **to take sth as a ~** etw in Zahlung nehmen.

trade-in value *n* Gebrauchtwert *m*.

trademark ['treɪdmɑːk] *n* Warenzeichen *nt*.

trade mission *n* Handelsmission *f*.

trade name *n* Handelsname *m*.

trade-off ['treɪdɔf] *n* Handel *m*; **there's bound to be a ~ between speed and quality** es gibt entweder Einbußen bei der Schnelligkeit oder bei der Qualität.

trader ['treɪdə*] *n* Händler(in) *m(f)*.

trade secret *n* (*also fig*) Betriebsgeheimnis *nt*.

tradesman ['treɪdzmən] (*irreg: like* **man**) *n* (*shopkeeper*) Händler *m*.

trade union *n* Gewerkschaft *f*.

trade unionist [-'juːnjənɪst] *n* Gewerkschaftler(in) *m(f)*.

trade wind *n* Passat *m*.

trading ['treɪdɪŋ] *n* Handel *m*.

trading estate (*BRIT*) *n* Industriegelände *nt*.

trading stamp *n* Rabattmarke *f*.

tradition [trə'dɪʃən] *n* Tradition *f*.

traditional [trə'dɪʃənl] *adj* traditionell.

traditionally [trə'dɪʃnəlɪ] *adv* traditionell.

traffic ['træfɪk] *n* Verkehr *m*; (*in drugs etc*) Handel *m* ♦ *vi*: **to ~ in** handeln mit.

traffic calming *n* Verkehrsberuhigung *f*.

traffic circle (*US*) *n* Kreisverkehr *m*.

traffic island *n* Verkehrsinsel *f*.

traffic jam *n* Verkehrsstauung *f*, Stau *m*.

trafficker ['træfɪkə*] *n* Händler(in) *m(f)*.

traffic lights *npl* Ampel *f*.

traffic offence (*BRIT*) *n* Verkehrsdelikt *nt*.

traffic sign *n* Verkehrszeichen *nt*.

traffic violation (*US*) *n* = **traffic offence**.

traffic warden *n* *Verkehrspolizist für Parkvergehen*; (*woman*) ≈ Politesse *f*.

tragedy ['trædʒədɪ] *n* Tragödie *f*.

tragic ['trædʒɪk] *adj* tragisch.

tragically ['trædʒɪkəlɪ] *adv* tragisch.

trail [treɪl] *n* (*path*) Weg *m*; (*track*) Spur *f*; (*of smoke, dust*) Wolke *f* ♦ *vt* (*drag*) schleifen; (*follow*) folgen *+dat* ♦ *vi* (*hang loosely*) schleifen; (*in game, contest*) zurückliegen; **to be on sb's ~** jdm auf der Spur sein.

▸**trail away** *vi* (*sound, voice*) sich verlieren.

▸**trail behind** *vi* hinterhertrotten.

▸**trail off** *vi* = **trail away**.

trailer ['treɪlə*] *n* (*AUT*) Anhänger *m*; (*US: caravan*) Caravan *m*, Wohnwagen *m*; (*CINE, TV*) Trailer *m*.

trailer truck (*US*) *n* Sattelschlepper *m*.

train [treɪn] *n* (*RAIL*) Zug *m*; (*of dress*) Schleppe *f* ♦ *vt* (*apprentice etc*) ausbilden; (*dog*) abrichten; (*athlete*) trainieren; (*mind*) schulen; (*plant*) ziehen; (*point: camera, gun etc*): **to ~ on** richten auf *+acc* ♦ *vi* (*learn a skill*) ausgebildet werden; (*SPORT*) trainieren; **~ of thought** Gedankengang *m*; **to go by ~** mit dem Zug fahren; **~ of events** Ereignisfolge *f*; **to ~ sb to do sth** jdn dazu ausbilden, etw zu tun.

train attendant (*US*) *n* Schlafwagenschaffner *m*.

trained [treɪnd] *adj* (*worker*) gelernt; (*teacher*) ausgebildet; (*animal*) dressiert; (*eye*) geschult.

trainee [treɪ'niː] *n* Auszubildende(r) *f(m)*.

trainer ['treɪnə*] *n* (*SPORT: coach*) Trainer(in) *m(f)*; (*: shoe*) Trainingsschuh *m*; (*of animals*) Dresseur(in) *m(f)*.

training ['treɪnɪŋ] *n* (*for occupation*) Ausbildung *f*; (*SPORT*) Training *nt*; **in ~** (*SPORT*) im Training.

training college *n* (*for teachers*) ≈ Pädagogische Hochschule *f*.

training course *n* Ausbildungskurs *m*.

traipse [treɪps] *vi*: **to ~ in/out** hinein-/herauslatschen.

trait [treɪt] *n* Zug *m*, Eigenschaft *f*.

traitor ['treɪtə*] *n* Verräter(in) *m(f)*.

trajectory [trə'dʒɛktərɪ] *n* Flugbahn *f*.

tram [træm] (*BRIT*) *n* (*also*: **~car**) Straßenbahn *f*.

tramline ['træmlaɪn] *n* Straßenbahnschiene *f*.

tramp [træmp] *n* Landstreicher *m*; (*pej: woman*) Flittchen *nt* ♦ *vi* stapfen ♦ *vt* (*walk through: town, streets*) latschen durch.

trample ['træmpl] *vt*: **to ~ (underfoot)** niedertrampeln ♦ *vi* (*also fig*): **to ~ on** herumtrampeln auf *+dat*.

trampoline ['træmpəliːn] *n* Trampolin *nt*.

trance [trɑːns] *n* Trance *f*; **to go into a ~** in Trance verfallen.

tranquil ['træŋkwɪl] *adj* ruhig, friedlich.

tranquillity, (*US*) **tranquility** [træŋ'kwɪlɪtɪ] *n* Ruhe *f*.

tranquillizer, (*US*) **tranquilizer** ['træŋkwɪlaɪzə*] *n* Beruhigungsmittel *nt*.

transact [træn'zækt] *vt* (*business*) abwickeln.

transaction [træn'zækʃən] *n* Geschäft *nt*; **cash ~** Bargeldtransaktion *f*.

transatlantic ['trænzət'læntɪk] *adj* transatlantisch; (*phone-call*) über den Atlantik.

transcend [træn'sɛnd] *vt* überschreiten.

transcendental [trænsɛn'dɛntl] *adj*: **~ meditation** transzendentale Meditation *f*.

transcribe [træn'skraɪb] *vt* transkribieren.

transcript ['trænskrɪpt] *n* Niederschrift *f*, Transkription *f*.
transcription [træn'skrɪpʃən] *n* Transkription *f*.
transept ['trænsɛpt] *n* Querschiff *nt*.
transfer ['trænsfə*] *n* (*of employees*) Versetzung *f*; (*of money*) Überweisung *f*; (*of power*) Übertragung *f*; (*SPORT*) Transfer *m*; (*picture, design*) Abziehbild *nt* ♦ *vt* (*employees*) versetzen; (*money*) überweisen; (*power, ownership*) übertragen; **by bank ~** per Banküberweisung; **to ~ the charges** (*BRIT: TEL*) ein R-Gespräch führen.
transferable [træns'fɜːrəbl] *adj* übertragbar; **"not ~"** „nicht übertragbar".
transfix [træns'fɪks] *vt* aufspießen; **~ed with fear** (*fig*) starr vor Angst.
transform [træns'fɔːm] *vt* umwandeln.
transformation [trænsfə'meɪʃən] *n* Umwandlung *f*.
transformer [træns'fɔːmə*] *n* (*ELEC*) Transformator *m*.
transfusion [træns'fjuːʒən] *n* (*also*: **blood ~**) Bluttransfusion *f*.
transgress [træns'grɛs] *vt* (*go beyond*) überschreiten; (*violate: rules, law*) verletzen.
transient ['trænzɪənt] *adj* vorübergehend.
transistor [træn'zɪstə*] *n* (*ELEC*) Transistor *m*; (*also*: **~ radio**) Transistorradio *nt*.
transit ['trænzɪt] *n*: **in ~** unterwegs.
transit camp *n* Durchgangslager *nt*.
transition [træn'zɪʃən] *n* Übergang *m*.
transitional [træn'zɪʃənl] *adj* (*period, stage*) Übergangs-.
transitive ['trænzɪtɪv] *adj* (*verb*) transitiv.
transit lounge *n* Transithalle *f*.
transitory ['trænzɪtərɪ] *adj* (*emotion, arrangement etc*) vorübergehend.
transit visa *n* Transitvisum *nt*.
translate [trænz'leɪt] *vt* übersetzen; **to ~ (from/into)** übersetzen (aus/in *+acc*).
translation [trænz'leɪʃən] *n* Übersetzung *f*; **in ~** als Übersetzung.
translator [trænz'leɪtə*] *n* Übersetzer(in) *m(f)*.
translucent [trænz'luːsnt] *adj* (*object*) lichtdurchlässig.
transmission [trænz'mɪʃən] *n* (*also TV*) Übertragung *f*; (*of information*) Übermittlung *f*; (*AUT*) Getriebe *nt*.
transmit [trænz'mɪt] *vt* (*also TV*) übertragen; (*message, signal*) übermitteln.
transmitter [trænz'mɪtə*] *n* (*TV, RADIO*) Sender *m*.
transparency [træns'pɛərnsɪ] *n* (*of glass etc*) Durchsichtigkeit *f*; (*BRIT: PHOT*) Dia *nt*.
transparent [træns'pærnt] *adj* durchsichtig; (*fig: obvious*) offensichtlich.
transpire [træns'paɪə*] *vi* (*turn out*) bekannt werden; (*happen*) passieren; **it finally ~d that** ... schließlich sickerte durch, daß ...
transplant [*vt* træns'plɑːnt, *n* 'trɑːnsplɑːnt] *vt* (*organ, seedlings*) verpflanzen ♦ *n* (*MED*) Transplantation *f*; **to have a heart ~** sich einer Herztransplantation unterziehen.
transport ['trænspɔːt] *n* Transport *m*, Beförderung *f* ♦ *vt* transportieren; **do you have your own ~?** haben Sie ein Auto?; **public ~** öffentliche Verkehrsmittel *pl*; **Department of T~** (*BRIT*) Verkehrsministerium *nt*.
transportation ['trænspɔː'teɪʃən] *n* Transport *m*, Beförderung *f*; (*means of transport*) Beförderungsmittel *nt*; **Department of T~** (*US*) Verkehrsministerium *nt*.
transport café (*BRIT*) *n* Fernfahrerlokal *nt*.
transpose [træns'pəuz] *vt* versetzen.
transsexual [trænz'sɛksuəl] *adj* transsexuell ♦ *n* Transsexuelle(r) *f(m)*.
transverse ['trænzvəːs] *adj* (*beam etc*) Quer-.
transvestite [trænz'vɛstaɪt] *n* Transvestit *m*.
trap [træp] *n* (*also fig*) Falle *f*; (*carriage*) zweirädriger Pferdewagen *m* ♦ *vt* (*animal*) (mit einer Falle) fangen; (*person: trick*) in die Falle locken; (: *confine*) gefangen halten; (*immobilize*) festsetzen; (*capture: energy*) stauen; **to set** *or* **lay a ~ (for sb)** (jdm) eine Falle stellen; **to shut one's ~** (*inf*) die Klappe halten; **to ~ one's finger in the door** sich *dat* den Finger in der Tür einklemmen.
trap door *n* Falltür *f*.
trapeze [trə'piːz] *n* Trapez *nt*.
trapper ['træpə*] *n* Fallensteller *m*, Trapper *m*.
trappings ['træpɪŋz] *npl* äußere Zeichen *pl*; (*of power*) Insignien *pl*.
trash [træʃ] *n* (*rubbish*) Abfall *m*, Müll *m*; (*pej: nonsense*) Schund *m*, Mist *m*.
trash can (*US*) *n* Mülleimer *m*.
trashy ['træʃɪ] *adj* (*goods*) minderwertig, wertlos; (*novel etc*) Schund-.
trauma ['trɔːmə] *n* Trauma *nt*.
traumatic [trɔː'mætɪk] *adj* traumatisch.
traumatize ['trɔːmətaɪz] *vt* traumatisieren.
travel ['trævl] *n* (*travelling*) Reisen *nt* ♦ *vi* reisen; (*short distance*) fahren; (*move: car, aeroplane*) sich bewegen; (*sound etc*) sich fortpflanzen; (*news*) sich verbreiten ♦ *vt* (*distance*) zurücklegen; **travels** *npl* (*journeys*) Reisen *pl*; **this wine doesn't ~ well** dieser Wein verträgt den Transport nicht.
travel agency *n* Reisebüro *nt*.
travel agent *n* Reisebürokaufmann *m*, Reisebürokauffrau *f*.
travel brochure *n* Reiseprospekt *m*.
traveling *etc* (*US*) = **travelling** *etc*.
traveller, (*US*) **traveler** ['trævlə*] *n* Reisende(r) *f(m)*; (*COMM*) Vertreter(in) *m(f)*.
traveller's cheque, (*US*) **traveler's check** *n* Reisescheck *m*.
travelling, (*US*) **traveling** ['trævlɪŋ] *n* Reisen *nt* ♦ *cpd* (*circus, exhibition*) Wander-; (*bag, clock*) Reise-; **~ expenses** Reisespesen *pl*.
travelling salesman *n* Vertreter *m*.
travelogue ['trævəlɔg] *n* Reisebericht *m*.
travel sickness *n* Reisekrankheit *f*.

traverse ['trævəs] *vt* durchqueren.
travesty ['trævəstɪ] *n* Travestie *f*.
trawler ['trɔːlə*] *n* Fischdampfer *m*.
tray [treɪ] *n* (*for carrying*) Tablett *nt*; (*also*: **in-~/out-~**: *on desk*) Ablage *f* für Eingänge/Ausgänge.
treacherous ['trɛtʃərəs] *adj* (*person, look*) verräterisch; (*ground, tide*) tückisch; **road conditions are ~** die Straßen sind in gefährlichem Zustand.
treachery ['trɛtʃərɪ] *n* Verrat *m*.
treacle ['triːkl] *n* Sirup *m*.
tread [trɛd] (*pt* **trod**, *pp* **trodden**) *n* (*of tyre*) Profil *nt*; (*footstep*) Schritt *m*; (*of stair*) Stufe *f* ♦ *vi* gehen.
▶**tread on** *vt fus* treten auf *+acc*.
treadle ['trɛdl] *n* Pedal *nt*.
treas. *abbr* = **treasurer.**
treason ['triːzn] *n* Verrat *m*.
treasure ['trɛʒə*] *n* (*also fig*) Schatz *m* ♦ *vt* schätzen; **treasures** *npl* (*art treasures etc*) Schätze *pl*, Kostbarkeiten *pl*.
treasure hunt *n* Schatzsuche *f*.
treasurer ['trɛʒərə*] *n* Schatzmeister(in) *m(f)*.
treasury ['trɛʒərɪ] *n*: **the T~**, (*US*) **the T~ Department** das Finanzministerium.
treasury bill *n* kurzfristiger Schatzwechsel *m*.
treat [triːt] *n* (*present*) (besonderes) Vergnügen *nt* ♦ *vt* (*also MED, TECH*) behandeln; **it came as a ~** es war eine besondere Freude; **to ~ sth as a joke** etw als Witz ansehen; **to ~ sb to sth** jdm etw spendieren.
treatment ['triːtmənt] *n* Behandlung *f*; **to have ~ for sth** wegen etw in Behandlung sein.
treaty ['triːtɪ] *n* Vertrag *m*.
treble ['trɛbl] *adj* (*triple*) dreifach; (*MUS: voice, part*) (Knaben)sopran-; (*instrument*) Diskant- ♦ *n* (*singer*) (Knaben)sopran *m*; (*on hi-fi, radio etc*) Höhen *pl* ♦ *vt* verdreifachen ♦ *vi* sich verdreifachen; **to be ~ the amount/size of sth** dreimal soviel/so groß wie etw sein.
treble clef *n* Violinschlüssel *m*.
tree [triː] *n* Baum *m*.
tree-lined ['triːlaɪnd] *adj* baumbestanden.
treetop ['triːtɔp] *n* Baumkrone *f*.
tree trunk *n* Baumstamm *m*.
trek [trɛk] *n* Treck *m*; (*tiring walk*) Marsch *m* ♦ *vi* trecken.
trellis ['trɛlɪs] *n* Gitter *nt*.
tremble ['trɛmbl] *vi* (*voice, body, trees*) zittern; (*ground*) beben.
trembling ['trɛmblɪŋ] *n* (*of ground*) Beben *nt*, Erschütterung *f*; (*of trees*) Zittern *nt* ♦ *adj* (*hand, voice etc*) zitternd.
tremendous [trɪ'mɛndəs] *adj* (*amount, success etc*) gewaltig, enorm; (*holiday, view etc*) phantastisch.
tremendously [trɪ'mɛndəslɪ] *adv* (*difficult, exciting*) ungeheuer; **he enjoyed it ~** es hat ihm ausgezeichnet gefallen.
tremor ['trɛmə*] *n* Zittern *nt*; (*also*: **earth ~**) Beben *nt*, Erschütterung *f*.
trench [trɛntʃ] *n* Graben *m*.
trench coat *n* Trenchcoat *m*.
trench warfare *n* Stellungskrieg *m*.
trend [trɛnd] *n* Tendenz *f*; (*fashion*) Trend *m*; **a ~ towards/away from sth** eine Tendenz zu/weg von etw; **to set a/the ~** richtungsweisend sein.
trendy ['trɛndɪ] *adj* modisch.
trepidation [trɛpɪ'deɪʃən] *n* (*apprehension*) Beklommenheit *f*; **in ~** beklommen.
trespass ['trɛspəs] *vi*: **to ~ on** (*private property*) unbefugt betreten; **"no ~ing"** „Betreten verboten".
trespasser ['trɛspəsə*] *n* Unbefugte(r) *f(m)*; **"~s will be prosecuted"** „widerrechtliches Betreten wird strafrechtlich verfolgt".
tress [trɛs] *n* (*of hair*) Locke *f*.
trestle ['trɛsl] *n* Bock *m*.
trestle table *n* Klapptisch *m*.
trial ['traɪəl] *n* (*LAW*) Prozeß *m*; (*test: of machine, drug etc*) Versuch *m*; (*worry*) Plage *f*; **trials** *npl* (*unpleasant experiences*) Schwierigkeiten *pl*; **~ by jury** Schwurgerichtsverfahren *nt*; **to be sent for ~** vor Gericht gestellt werden; **to be/go on ~** (*LAW*) angeklagt sein/werden; **by ~ and error** durch Ausprobieren.
trial balance *n* Probebilanz *f*.
trial basis *n*: **on a ~** probeweise.
trial period *n* Probezeit *f*.
trial run *n* Versuch *m*.
triangle ['traɪæŋgl] *n* Dreieck *nt*; (*US: set square*) (Zeichen)dreieck *nt*; (*MUS*) Triangel *f*.
triangular [traɪ'æŋgjulə*] *adj* dreieckig.
triathlon [traɪ'æθlən] *n* Triathlon *nt*.
tribal ['traɪbl] *adj* (*warrior, warfare, dance*) Stammes-.
tribe [traɪb] *n* Stamm *m*.
tribesman ['traɪbzmən] (*irreg: like* **man**) *n* Stammesangehörige(r) *m*.
tribulations [trɪbju'leɪʃənz] *npl* Kümmernisse *pl*.
tribunal [traɪ'bjuːnl] *n* Gericht *nt*.
tributary ['trɪbjutərɪ] *n* (*of river*) Nebenfluß *m*.
tribute ['trɪbjuːt] *n* Tribut *m*; **to pay ~ to** Tribut zollen *+dat*.
trice [traɪs] *n*: **in a ~** im Handumdrehen.
trick [trɪk] *n* Trick *m*; (*CARDS*) Stich *m* ♦ *vt* hereinlegen; **to play a ~ on sb** jdm einen Streich spielen; **it's a ~ of the light** das Licht täuscht; **that should do the ~** das müßte hinhauen; **to ~ sb into doing sth** jdn (mit einem Trick) dazu bringen, etw zu tun; **to ~ sb out of sth** jdn um etw prellen.
trickery ['trɪkərɪ] *n* Tricks *pl*, Betrügerei *f*.
trickle ['trɪkl] *n* (*of water etc*) Rinnsal *nt* ♦ *vi* (*water, rain etc*) rinnen; (*people*) sich langsam bewegen.
trick photography *n* Trickfotografie *f*.

trick question *n* Fangfrage *f*.
trickster ['trɪkstə*] *n* Betrüger(in) *m(f)*.
tricky ['trɪkɪ] *adj* (*job, problem*) schwierig.
tricycle ['traɪsɪkl] *n* Dreirad *nt*.
trifle ['traɪfl] *n* (*detail*) Kleinigkeit *f*; (*CULIN*) Trifle *nt* ♦ *adv*: **a ~ long** ein bißchen lang ♦ *vi*: **to ~ with sb/sth** jdn/etw nicht ernst nehmen; **he is not (someone) to be ~d with** mit ihm ist nicht zu spaßen.
trifling ['traɪflɪŋ] *adj* (*detail*) unbedeutend.
trigger ['trɪgə*] *n* Abzug *m*.
▸**trigger off** *vt fus* auslösen.
trigonometry [trɪgə'nɔmətrɪ] *n* Trigonometrie *f*.
trilby ['trɪlbɪ] (*BRIT*) *n* (*also*: **~ hat**) Filzhut *m*.
trill [trɪl] *n* (*MUS*) Triller *m*; (*of birds*) Trillern *nt*.
trilogy ['trɪlədʒɪ] *n* Trilogie *f*.
trim [trɪm] *adj* (*house, garden*) gepflegt; (*figure, person*) schlank ♦ *n* (*haircut etc*): **to have a ~** sich *dat* die Haare nachschneiden lassen; (*on clothes, car*) Besatz *m* ♦ *vt* (*hair, beard*) nachschneiden; (*decorate*): **to ~ (with)** besetzen (mit); (*NAUT: a sail*) trimmen mit; **to keep o.s. in (good) ~** (gut) in Form bleiben.
trimmings ['trɪmɪŋz] *npl* (*CULIN*): **with all the ~** mit allem Drum und Dran; (*cuttings: of pastry etc*) Reste *pl*.
Trinidad and Tobago ['trɪnɪdæd-] *n* Trinidad und Tobago *nt*.
trinity ['trɪnɪtɪ] *n* (*REL*) Dreieinigkeit *f*.
trinket ['trɪŋkɪt] *n* (*ornament*) Schmuckgegenstand *m*; (*piece of jewellery*) Schmuckstück *nt*.
trio ['tri:əu] *n* Trio *nt*.
trip [trɪp] *n* (*journey*) Reise *f*; (*outing*) Ausflug *m* ♦ *vi* (*stumble*) stolpern; (*go lightly*) trippeln; **on a ~** auf Reisen.
▸**trip over** *vt fus* stolpern über *+acc*.
▸**trip up** *vi* stolpern ♦ *vt* (*person*) zu Fall bringen.
tripartite [traɪ'pɑ:taɪt] *adj* (*agreement, talks*) dreiseitig.
tripe [traɪp] *n* (*CULIN*) Kaldaunen *pl*; (*pej: rubbish*) Stuß *m*.
triple ['trɪpl] *adj* dreifach ♦ *adv*: **~ the distance/the speed** dreimal so weit/schnell; **~ the amount** dreimal soviel.
triple jump *n* Dreisprung *m*.
triplets ['trɪplɪts] *npl* Drillinge *pl*.
triplicate ['trɪplɪkət] *n*: **in ~** in dreifacher Ausfertigung.
tripod ['traɪpɔd] *n* (*PHOT*) Stativ *nt*.
Tripoli ['trɪpəlɪ] *n* Tripolis *nt*.
tripper ['trɪpə*] (*BRIT*) *n* Ausflügler(in) *m(f)*.
tripwire ['trɪpwaɪə*] *n* Stolperdraht *m*.
trite [traɪt] (*pej*) *adj* (*comment, idea etc*) banal.
triumph ['traɪʌmf] *n* Triumph *m* ♦ *vi*: **to ~ (over)** triumphieren (über *+acc*).
triumphal [traɪ'ʌmfl] *adj* (*return*) triumphal.
triumphant [traɪ'ʌmfənt] *adj* triumphal; (*victorious*) siegreich.
triumphantly [traɪ'ʌmfəntlɪ] *adv* triumphierend.
trivia ['trɪvɪə] (*pej*) *npl* Trivialitäten *pl*.
trivial ['trɪvɪəl] *adj* trivial.
triviality [trɪvɪ'ælɪtɪ] *n* Trivialität *f*.
trivialize ['trɪvɪəlaɪz] *vt* trivialisieren.
trod [trɔd] *pt of* **tread**.
trodden [trɔdn] *pp of* **tread**.
trolley ['trɔlɪ] *n* (*for luggage*) Kofferkuli *m*; (*for shopping*) Einkaufswagen *m*; (*table on wheels*) Teewagen *m*; (*also*: **~ bus**) Oberleitungsomnibus *m*, Obus *m*.
trollop ['trɔləp] (*pej*) *n* (*woman*) Schlampe *f*.
trombone [trɔm'bəun] *n* Posaune *f*.
troop [tru:p] *n* (*of people, monkeys etc*) Gruppe *f* ♦ *vi*: **to ~ in/out** hinein-/hinausströmen; **troops** *npl* (*MIL*) Truppen *pl*.
troop carrier *n* Truppentransporter *m*; (*NAUT: also*: **troopship**) Truppentransportschiff *nt*.
trooper ['tru:pə*] *n* (*MIL*) Kavallerist *m*; (*US: policeman*) Polizist *m*.
trooping the colour ['tru:pɪŋ-] (*BRIT*) *n* (*ceremony*) Fahnenparade *f*.
troopship ['tru:pʃɪp] *n* Truppentransportschiff *nt*.
trophy ['trəufɪ] *n* Trophäe *f*.
tropic ['trɔpɪk] *n* Wendekreis *m*; **the tropics** *npl* die Tropen *pl*; **T~ of Cancer/Capricorn** Wendekreis des Krebses/Steinbocks.
tropical ['trɔpɪkl] *adj* tropisch.
trot [trɔt] *n* (*fast pace*) Trott *m*; (*of horse*) Trab *m* ♦ *vi* (*horse*) traben; (*person*) trotten; **on the ~** (*BRIT, fig*) hintereinander.
▸**trot out** *vt* (*facts, excuse etc*) vorbringen.
trouble ['trʌbl] *n* Schwierigkeiten *pl*; (*bother, effort*) Umstände *pl*; (*unrest*) Unruhen *pl* ♦ *vt* (*worry*) beunruhigen; (*disturb: person*) belästigen ♦ *vi*: **to ~ to do sth** sich *dat* die Mühe machen, etw zu tun; **troubles** *npl* (*personal*) Probleme *pl*; (*POL etc*) Unruhen *pl*; **to be in ~** in Schwierigkeiten sein; **to have ~ doing sth** Schwierigkeiten *or* Probleme haben, etw zu tun; **to go to the ~ of doing sth** sich *dat* die Mühe machen, etw zu tun; **it's no ~!** das macht mir nichts aus!; **the ~ is ...** das Problem ist ...; **what's the ~?** wo fehlt's?; **stomach** *etc* **~** Probleme mit dem Magen *etc*; **please don't ~ yourself** bitte bemühen Sie sich nicht.
troubled [trʌbld] *adj* (*person*) besorgt; (*country, life, era*) von Problemen geschüttelt.
trouble-free ['trʌblfri:] *adj* problemlos.
troublemaker ['trʌblmeɪkə*] *n* Unruhestifter(in) *m(f)*.
troubleshooter ['trʌblʃu:tə*] *n* Vermittler(in) *m(f)*.
troublesome ['trʌblsəm] *adj* (*child*) schwierig; (*cough etc*) lästig.
trouble spot *n* (*MIL*) Unruheherd *m*.

troubling ['trʌblɪŋ] *adj* (*question etc*) beunruhigend.
trough [trɔf] *n* (*also*: **drinking ~**) Wassertrog *m*; (*also*: **feeding ~**) Futtertrog *m*; (*channel*) Rinne *f*; (*low point*) Tief *nt*; **a ~ of low pressure** ein Tiefdruckkeil *m*.
trounce [trauns] *vt* (*defeat*) vernichtend schlagen.
troupe [tru:p] *n* Truppe *f*.
trouser press ['trauzə-] *n* Hosenpresse *f*.
trousers ['trauzəz] *npl* Hose *f*; **short ~** kurze Hose; **a pair of ~** eine Hose.
trouser suit (*BRIT*) *n* Hosenanzug *m*.
trousseau ['tru:səu] (*pl* **~x** *or* **~s**) *n* Aussteuer *f*.
trout [traut] *n inv* Forelle *f*.
trowel ['trauəl] *n* (*garden tool*) Pflanzkelle *f*; (*builder's tool*) (Maurer)kelle *f*.
truant ['truənt] (*BRIT*) *n*: **to play ~** die Schule schwänzen.
truce [tru:s] *n* Waffenstillstand *m*.
truck [trʌk] *n* (*lorry*) Lastwagen *m*; (*RAIL*) Güterwagen *m*; (*for luggage*) Gepäckwagen *m*; **to have no ~ with sb** nichts mit jdm zu tun haben.
truck driver *n* Lkw-Fahrer(in) *m(f)*.
trucker ['trʌkə*] (*US*) *n* Lkw-Fahrer(in) *m(f)*.
truck farm (*US*) *n* Gemüsefarm *f*.
trucking ['trʌkɪŋ] (*US*) *n* Transport *m*.
trucking company (*US*) *n* Spedition *f*.
truculent ['trʌkjulənt] *adj* aufsässig.
trudge [trʌdʒ] *vi* (*also*: **~ along**) sich dahinschleppen.
true [tru:] *adj* wahr; (*accurate*) genau; (*genuine*) echt; (*faithful: friend*) treu; (*wall, beam*) gerade; (*circle*) rund; **to come ~** wahr werden; **~ to life** lebensecht.
truffle ['trʌfl] *n* (*fungus, sweet*) Trüffel *f*.
truly ['tru:lɪ] *adv* wahrhaft, wirklich; (*truthfully*) wirklich; **yours ~** (*in letter*) mit freundlichen Grüßen.
trump [trʌmp] *n* (*also*: **~ card, also fig**) Trumpf *m*; **to turn up ~s** (*fig*) sich als Retter in der Not erweisen.
trumped-up *adj*: **a ~ charge** eine erfundene Anschuldigung.
trumpet ['trʌmpɪt] *n* Trompete *f*.
truncated [trʌŋ'keɪtɪd] *adj* (*message, object*) verstümmelt.
truncheon ['trʌntʃən] (*BRIT*) *n* Gummiknüppel *m*.
trundle ['trʌndl] *vt* (*trolley etc*) rollen ♦ *vi*: **to ~ along** (*person*) dahinschlendern; (*vehicle*) dahinrollen.
trunk [trʌŋk] *n* (*of tree*) Stamm *m*; (*of person*) Rumpf *m*; (*of elephant*) Rüssel *m*; (*case*) Schrankkoffer *m*; (*US: AUT*) Kofferraum *m*; **trunks** *npl* (*also*: **swimming ~s**) Badehose *f*.
trunk call (*BRIT*) *n* Ferngespräch *nt*.
trunk road (*BRIT*) *n* Fernstraße *f*.
truss [trʌs] *n* (*MED*) Bruchband *nt*.
▸**truss (up)** *vt* (*CULIN*) dressieren; (*person*) fesseln.
trust [trʌst] *n* Vertrauen *nt*; (*COMM: for charity etc*) Stiftung *f* ♦ *vt* vertrauen *+dat*; **to take sth on ~** (*advice etc*) etw einfach glauben; **to be in ~** (*LAW*) treuhänderisch verwaltet werden; **to ~ (that)** (*hope*) hoffen(, daß).
trust company *n* Trust *m*.
trusted ['trʌstɪd] *adj* (*friend, servant*) treu.
trustee [trʌs'ti:] *n* (*LAW*) Treuhänder(in) *m(f)*; (*of school etc*) Aufsichtsratsmitglied *nt*.
trustful ['trʌstful] *adj* vertrauensvoll.
trust fund *n* Treuhandvermögen *nt*.
trusting ['trʌstɪŋ] *adj* vertrauensvoll.
trustworthy ['trʌstwə:ðɪ] *adj* (*person*) vertrauenswürdig.
trusty ['trʌstɪ] *adj* getreu.
truth [tru:θ] (*pl* **~s**) *n*: **the ~** die Wahrheit *f*.
truthful ['tru:θful] *adj* (*person*) ehrlich; (*answer etc*) wahrheitsgemäß.
truthfully ['tru:θfəlɪ] *adv* (*answer*) wahrheitsgemäß.
truthfulness ['tru:θfəlnɪs] *n* Ehrlichkeit *f*.
try [traɪ] *n* (*also RUGBY*) Versuch *m* ♦ *vt* (*attempt*) versuchen; (*test*) probieren; (*LAW*) vor Gericht stellen; (*strain: patience*) auf die Probe stellen ♦ *vi* es versuchen; **to have a ~** es versuchen, einen Versuch machen; **to ~ to do sth** versuchen, etw zu tun; **to ~ one's (very) best** *or* **hardest** sein Bestes versuchen *or* tun.
▸**try on** *vt* (*clothes*) anprobieren; **she's ~ing it on** (*fig*) sie probiert, wie weit sie gehen kann.
▸**try out** *vt* ausprobieren.
trying ['traɪɪŋ] *adj* (*person*) schwierig; (*experience*) schwer.
tsar [zɑ:*] *n* Zar *m*.
T-shirt ['ti:ʃə:t] *n* T-Shirt *nt*.
T-square ['ti:skwɛə*] *n* (*TECH*) Reißschiene *f*.
TT *adj abbr* (*BRIT: inf*) = **teetotal** ♦ *abbr* (*US: POST:* = *Trust Territories*) *der US-Verwaltungshoheit unterstellte Gebiete*.
tub [tʌb] *n* (*container*) Kübel *m*; (*bath*) Wanne *f*.
tuba ['tju:bə] *n* Tuba *f*.
tubby ['tʌbɪ] *adj* rundlich.
tube [tju:b] *n* (*pipe*) Rohr *nt*; (*container*) Tube *f*; (*BRIT: underground*) U-Bahn *f*; (*US: inf*): **the ~** (*television*) die Röhre.
tubeless ['tju:blɪs] *adj* (*tyre*) schlauchlos.
tuber ['tju:bə*] *n* (*BOT*) Knolle *f*.
tuberculosis [tjubə:kju'ləusɪs] *n* Tuberkulose *f*.
tube station (*BRIT*) *n* U-Bahn-Station *f*.
tubing ['tju:bɪŋ] *n* Schlauch *m*; **a piece of ~** ein Schlauch.
tubular ['tju:bjulə*] *adj* röhrenförmig.
TUC (*BRIT*) *n abbr* (= *Trades Union Congress*) *britischer Gewerkschafts-Dachverband*.
tuck [tʌk] *vt* (*put*) stecken ♦ *n* (*SEWING*) Biese *f*.
▸**tuck away** *vt* (*money*) wegstecken; **to be ~ed away** (*building*) versteckt liegen.

▸**tuck in** *vt* (*clothing*) feststecken; (*child*) zudecken ♦ *vi* (*eat*) zulangen.
▸**tuck up** *vt* (*invalid, child*) zudecken.
tuck shop *n* Süßwarenladen *m*.
Tue(s). *abbr* (= *Tuesday*) Di.
Tuesday ['tjuːzdɪ] *n* Dienstag *m*; **it is ~ 23rd March** heute ist Dienstag, der 23. März; **on ~** am Dienstag; **on ~s** dienstags; **every ~** jeden Dienstag; **every other ~** jeden zweiten Dienstag; **last/next ~** letzten/nächsten Dienstag; **the following ~** am Dienstag darauf; **~'s newspaper** die Zeitung von Dienstag; **a week/fortnight on ~** Dienstag in einer Woche/in vierzehn Tagen; **the ~ before last** der vorletzte Dienstag; **the ~ after next** der übernächste Dienstag; **~ morning/lunchtime/afternoon/evening** Dienstag morgen/mittag/nachmittag/abend; **~ night** (*overnight*) Dienstag nacht.
tuft [tʌft] *n* Büschel *nt*.
tug [tʌg] *n* (*ship*) Schlepper *m* ♦ *vt* zerren.
tug of love *n* Tauziehen *nt* (*um das Sorgerecht für Kinder*).
tug-of-war [tʌgəv'wɔː*] *n* (*also fig*) Tauziehen *nt*.
tuition [tjuː'ɪʃən] *n* (*BRIT*) Unterricht *m*; (*US: school fees*) Schulgeld *nt*.
tulip ['tjuːlɪp] *n* Tulpe *f*.
tumble ['tʌmbl] *n* (*fall*) Sturz *m* ♦ *vi* (*fall*) stürzen.
▸**tumble to** (*inf*) *vt fus* kapieren.
tumbledown ['tʌmbldaun] *adj* (*building*) baufällig.
tumble dryer (*BRIT*) *n* Wäschetrockner *m*.
tumbler ['tʌmblə*] *n* (*glass*) Trinkglas *nt*.
tummy ['tʌmɪ] (*inf*) *n* Bauch *m*.
tumour, (*US*) **tumor** ['tjuːmə*] *n* (*MED*) Tumor *m*, Geschwulst *f*.
tumult ['tjuːmʌlt] *n* Tumult *m*.
tumultuous [tjuː'mʌltjuəs] *adj* (*welcome, applause etc*) stürmisch.
tuna ['tjuːnə] *n inv* (*also*: **~ fish**) Thunfisch *m*.
tune [tjuːn] *n* (*melody*) Melodie *f* ♦ *vt* (*MUS*) stimmen; (*RADIO, TV, AUT*) einstellen; **to be in/out of ~** (*instrument*) richtig gestimmt/verstimmt sein; (*singer*) richtig/falsch singen; **to be in/out of ~ with** (*fig*) in Einklang/nicht in Einklang stehen mit; **she was robbed to the ~ of 10,000 pounds** sie wurde um einen Betrag in Höhe von 10.000 Pfund beraubt.
▸**tune in** *vi* (*RADIO, TV*) einschalten; **to ~ in to BBC1** BBC1 einschalten.
▸**tune up** *vi* (*MUS*) (das Instrument/die Instrumente) stimmen.
tuneful ['tjuːnful] *adj* melodisch.
tuner ['tjuːnə*] *n*: **piano ~** Klavierstimmer(in) *m(f)*; (*radio set*) Tuner *m*.
tuner amplifier *n* Steuergerät *nt*.
tungsten ['tʌŋstən] *n* Wolfram *nt*.
tunic ['tjuːnɪk] *n* Hemdbluse *f*.
tuning fork ['tjuːnɪŋ-] *n* Stimmgabel *f*.
Tunis ['tjuːnɪs] *n* Tunis *nt*.
Tunisia [tjuː'nɪzɪə] *n* Tunesien *nt*.
Tunisian [tjuː'nɪzɪən] *adj* tunesisch ♦ *n* (*person*) Tunesier(in) *m(f)*.
tunnel ['tʌnl] *n* Tunnel *m*; (*in mine*) Stollen *m* ♦ *vi* einen Tunnel bauen.
tunnel vision *n* (*MED*) Gesichtsfeldeinengung *f*; (*fig*) Engstirnigkeit *f*.
tunny ['tʌnɪ] *n* Thunfisch *m*.
turban ['təːbən] *n* Turban *m*.
turbid ['təːbɪd] *adj* (*water*) trüb; (*air*) schmutzig.
turbine ['təːbaɪn] *n* Turbine *f*.
turbo ['təːbəu] *n* Turbo *m*; **~ engine** Turbomotor *m*.
turbojet [təːbəu'dʒɛt] *n* Düsenflugzeug *nt*.
turboprop [təːbəu'prɔp] *n* (*engine*) Turbo-Prop-Turbine *f*.
turbot ['təːbət] *n inv* Steinbutt *m*.
turbulence ['təːbjuləns] *n* (*AVIAT*) Turbulenz *f*.
turbulent ['təːbjulənt] *adj* (*water, seas*) stürmisch; (*fig: career, period*) turbulent.
tureen [tə'riːn] *n* Terrine *f*.
turf [təːf] *n* (*grass*) Rasen *m*; (*clod*) Sode *f* ♦ *vt* (*area*) mit Grassoden bedecken; **the T~** (*horse-racing*) der Pferderennsport.
▸**turf out** (*inf*) *vt* (*person*) rausschmeißen.
turf accountant (*BRIT*) *n* Buchmacher *m*.
turgid ['təːdʒɪd] *adj* geschwollen.
Turin ['tjuə'rɪn] *n* Turin *nt*.
Turk [təːk] *n* Türke *m*, Türkin *f*.
Turkey ['təːkɪ] *n* die Türkei *f*.
turkey ['təːkɪ] *n* (*bird*) Truthahn *m*, Truthenne *f*; (*meat*) Puter *m*.
Turkish ['təːkɪʃ] *adj* türkisch ♦ *n* (*LING*) Türkisch *nt*.
Turkish bath *n* türkisches Bad *nt*.
Turkish delight *n geleeartige Süßigkeit, mit Puderzucker oder Schokolade überzogen.*
turmeric ['təːmərɪk] *n* Kurkuma *f*.
turmoil ['təːmɔɪl] *n* Aufruhr *m*; **in ~** in Aufruhr.
turn [təːn] *n* (*change*) Wende *f*; (*in road*) Kurve *f*; (*rotation*) Drehung *f*; (*performance*) Nummer *f*; (*inf: MED*) Anfall *m* ♦ *vt* (*handle, key*) drehen; (*collar, steak*) wenden; (*page*) umblättern; (*shape: wood*) drechseln; (*: metal*) drehen ♦ *vi* (*object*) sich drehen; (*person*) sich umdrehen; (*change direction*) abbiegen; (*milk*) sauer werden; **to do sb a good ~** jdm einen guten Dienst erweisen; **a ~ of events** eine Wendung der Dinge; **it gave me quite a ~** (*inf*) das hat mir einen schönen Schrecken eingejagt; **"no left ~"** (*AUT*) „Linksabbiegen verboten"; **it's your ~** du bist dran; **in ~** der Reihe nach; **to take ~s (at)** sich abwechseln (bei); **at the ~ of the century/year** zur Jahrhundertwende/Jahreswende; **to take a ~ for the worse** (*events*) sich zum Schlechten wenden; **his**

health *or* **he has taken a ~ for the worse** sein Befinden hat sich verschlechtert; **to ~ nasty/forty/grey** unangenehm/vierzig/grau werden.
▸**turn against** *vt fus* sich wenden gegen.
▸**turn around** *vi* sich umdrehen; (*in car*) wenden.
▸**turn away** *vi* sich abwenden ♦ *vt* (*applicants*) abweisen; (*business*) zurückweisen.
▸**turn back** *vi* umkehren ♦ *vt* (*person, vehicle*) zurückweisen.
▸**turn down** *vt* (*request*) ablehnen; (*heating*) kleiner stellen; (*radio etc*) leiser stellen; (*bedclothes*) aufschlagen.
▸**turn in** *vi* (*inf: go to bed*) sich hinhauen ♦ *vt* (*to police*) anzeigen; **to ~ o.s. in** sich stellen.
▸**turn into** *vt fus* (*change*) sich verwandeln in *+acc* ♦ *vt* machen zu.
▸**turn off** *vi* (*from road*) abbiegen ♦ *vt* (*light, radio etc*) ausmachen; (*tap*) zudrehen; (*engine*) abstellen.
▸**turn on** *vt* (*light, radio etc*) anmachen; (*tap*) aufdrehen; (*engine*) anstellen.
▸**turn out** *vt* (*light*) ausmachen; (*gas*) abstellen ♦ *vi* (*appear, attend*) erscheinen; **to ~ out to be** (*prove to be*) sich erweisen als; **to ~ out well/badly** (*situation*) gut/schlecht enden.
▸**turn over** *vi* (*person*) sich umdrehen ♦ *vt* (*object*) umdrehen, wenden; (*page*) umblättern; **to ~ sth over to** (*to sb*) etw übertragen *+dat*; (*to sth*) etw verlagern zu.
▸**turn round** *vi* sich umdrehen; (*vehicle*) wenden.
▸**turn up** *vi* (*person*) erscheinen; (*lost object*) wieder auftauchen ♦ *vt* (*collar*) hochklappen; (*heater*) höher stellen; (*radio etc*) lauter stellen.
turnabout ['tə:nəbaut] *n* (*fig*) Kehrtwendung *f*.
turnaround ['tə:nəraund] *n* = **turnabout.**
turncoat ['tə:nkəut] *n* Überläufer(in) *m(f)*.
turned-up ['tə:ndʌp] *adj*: **~ nose** Stupsnase *f*.
turning ['tə:nıŋ] *n* (*in road*) Abzweigung *f*; **the first ~ on the right** die erste Straße rechts.
turning circle (*BRIT*) *n* (*AUT*) Wendekreis *m*.
turning point *n* (*fig*) Wendepunkt *m*.
turning radius (*US*) *n* = **turning circle.**
turnip ['tə:nıp] *n* Rübe *f*.
turnout ['tə:naut] *n* (*of voters etc*) Beteiligung *f*.
turnover ['tə:nəuvə*] *n* (*COMM: amount of money*) Umsatz *m*; (*: of staff*) Fluktuation *f*; (*CULIN*): **apple ~** Apfeltasche *f*; **there is a rapid ~ in staff** der Personalbestand wechselt ständig.
turnpike ['tə:npaık] (*US*) *n* gebührenpflichtige Autobahn *f*.
turnstile ['tə:nstaıl] *n* Drehkreuz *nt*.
turntable ['tə:nteıbl] *n* (*on record player*) Plattenteller *m*.
turn-up ['tə:nʌp] (*BRIT*) *n* (*on trousers*) Aufschlag *m*; **that's a ~ for the books!** (*inf*) das ist eine echte Überraschung!
turpentine ['tə:pəntaın] *n* (*also*: **turps**) Terpentin *nt*.
turquoise ['tə:kwɔız] *n* (*stone*) Türkis *m* ♦ *adj* (*colour*) türkis.
turret ['tʌrıt] *n* Turm *m*.
turtle ['tə:tl] *n* Schildkröte *f*.
turtleneck (sweater) ['tə:tlnɛk(-)] *n* Pullover *m* mit rundem Kragen.
Tuscan ['tʌskən] *adj* toskanisch ♦ *n* (*person*) Toskaner(in) *m(f)*.
Tuscany ['tʌskənı] *n* die Toskana.
tusk [tʌsk] *n* (*of elephant*) Stoßzahn *m*.
tussle ['tʌsl] *n* Gerangel *nt*.
tutor ['tju:tə*] *n* Tutor(in) *m(f)*; (*private tutor*) Privatlehrer(in) *m(f)*.
tutorial [tju:'tɔ:rıəl] *n* Kolloquium *nt*.
tuxedo [tʌk'si:dəu] (*US*) *n* Smoking *m*.
TV [ti:'vi:] *n abbr* (= *television*) TV *nt*.
TV dinner *n* Fertiggericht *nt*.
twaddle ['twɔdl] (*inf*) *n* dummes Zeug *nt*.
twang [twæŋ] *n* (*of instrument*) singender Ton *m*; (*of voice*) näselnder Ton *m* ♦ *vi* einen singenden Ton von sich geben ♦ *vt* (*guitar*) zupfen.
tweak [twi:k] *vt* kneifen.
tweed [twi:d] *n* Tweed *m* ♦ *adj* (*jacket, skirt*) Tweed-.
tweezers ['twi:zəz] *npl* Pinzette *f*.
twelfth [twɛlfθ] *num* zwölfte(r, s) ♦ *n* Zwölftel *nt*.
Twelfth Night *n* ≈ Dreikönige *nt*.
twelve [twɛlv] *num* zwölf; **at ~ (o'clock)** (*midday*) um zwölf Uhr (mittags); (*midnight*) um zwölf Uhr nachts.
twentieth ['twɛntııθ] *num* zwanzigste(r, s).
twenty ['twɛntı] *num* zwanzig.
twerp [twə:p] (*inf*) *n* Schwachkopf *m*.
twice [twaıs] *adv* zweimal; **~ as much** zweimal soviel; **~ a week** zweimal die Woche; **she is ~ your age** sie ist doppelt so alt wie du.
twiddle ['twıdl] *vt* drehen an *+dat* ♦ *vi*: **to ~ (with)** herumdrehen (an *+dat*); **to ~ one's thumbs** (*fig*) Däumchen drehen.
twig [twıg] *n* Zweig *m* ♦ *vi, vt* (*BRIT: inf: realize*) kapieren.
twilight ['twaılaıt] *n* Dämmerung *f*; **in the ~** in der Dämmerung.
twill [twıl] *n* (*cloth*) Köper *m*.
twin [twın] *adj* (*sister, brother*) Zwillings-; (*towers*) Doppel- ♦ *n* Zwilling *m*; (*room in hotel etc*) Zweibettzimmer *nt* ♦ *vt* (*towns etc*): **to be ~ned with ...** ... als Partnerstadt haben.
twin-bedded room ['twın'bɛdıd-] *n* Zweibettzimmer *nt*.
twin beds *npl* zwei (gleiche) Einzelbetten *pl*.
twin-carburettor ['twınka:bju'rɛtə*] *adj* Doppelvergaser-.

twine [twaɪn] *n* Bindfaden *m* ♦ *vi* sich winden.
twin-engined [twɪn'ɛndʒɪnd] *adj* zweimotorig.
twinge [twɪndʒ] *n* (*of pain*) Stechen *nt*; **a ~ of conscience** Gewissensbisse *pl*; **a ~ of fear/guilt** ein Angst-/Schuldgefühl *nt*.
twinkle ['twɪŋkl] *vi* funkeln ♦ *n* Funkeln *nt*.
twin town *n* Partnerstadt *f*.
twirl [twə:l] *vt* herumwirbeln ♦ *vi* wirbeln ♦ *n* Wirbel *m*.
twist [twɪst] *n* (*action*) Drehung *f*; (*in road*) Kurve; (*in coil, flex*) Biegung *f*; (*in story*) Wendung *f* ♦ *vt* (*turn*) drehen; (*injure: ankle etc*) verrenken; (*twine*) wickeln; (*fig: meaning etc*) verdrehen ♦ *vi* (*road, river*) sich winden; **~ my arm!** (*inf*) überreden Sie mich einfach!
twisted ['twɪstɪd] *adj* (*wire, rope*) gedreht; (*ankle*) verrenkt; (*fig: logic, mind*) verdreht.
twit [twɪt] (*inf*) *n* Trottel *m*.
twitch [twɪtʃ] *n* (*jerky movement*) Zucken *nt* ♦ *vi* zucken.
two [tu:] *num* zwei; **~ by ~, in ~s** zu zweit; **to put ~ and ~ together** (*fig*) zwei und zwei zusammenzählen.
two-bit [tu:'bɪt] (*inf*) *adj* (*worthless*) mies.
two-door [tu:'dɔ:*] *adj* zweitürig.
two-faced [tu:'feɪst] (*pej*) *adj* scheinheilig.
twofold ['tu:fəuld] *adv*: **to increase ~** um das Doppelte ansteigen ♦ *adj* (*increase*) um das Doppelte; (*aim, value etc*) zweifach.
two-piece (suit) ['tu:pi:s-] *n* Zweiteiler *m*.
two-piece (swimsuit) *n* zweiteiliger Badeanzug *m*.
two-ply ['tu:plaɪ] *adj* (*wool*) zweifädig; (*tissues*) zweilagig.
two-seater ['tu:'si:tə*] *n* (*car*) Zweisitzer *m*.
twosome ['tu:səm] *n* (*people*) Paar *nt*.
two-stroke ['tu:strəuk] *n* (*also*: **~ engine**) Zweitakter *m* ♦ *adj* (*engine*) Zweitakt-.
two-tone ['tu:'təun] *adj* (*in colour*) zweifarbig.
two-way ['tu:weɪ] *adj*: **~ traffic** Verkehr *m* in beiden Richtungen; **~ radio** Funksprechgerät *nt*.
TX (*US*) *abbr* (*POST*: = *Texas*).
tycoon [taɪ'ku:n] *n* Magnat *m*.
type [taɪp] *n* (*category, model, example*) Typ *m*; (*TYP*) Schrift *f* ♦ *vt* (*letter etc*) tippen, mit der Maschine schreiben; **a ~ of** eine Art von; **what ~ do you want?** welche Sorte möchten Sie?; **in bold/italic ~** in Fett-/Kursivdruck.
typecast ['taɪpkɑ:st] (*irreg: like* **cast**) *vt* (*actor*) (auf eine Rolle) festlegen.
typeface ['taɪpfeɪs] *n* Schrift *f*, Schriftbild *nt*.
typescript ['taɪpskrɪpt] *n* (maschinengeschriebenes) Manuskript *nt*.
typeset ['taɪpsɛt] (*irreg: like* **set**) *vt* setzen.
typesetter ['taɪpsɛtə*] *n* Setzer(in) *m(f)*.
typewriter ['taɪpraɪtə*] *n* Schreibmaschine *f*.
typewritten ['taɪprɪtn] *adj* maschine(n)-geschrieben.
typhoid ['taɪfɔɪd] *n* Typhus *m*.
typhoon [taɪ'fu:n] *n* Taifun *m*.
typhus ['taɪfəs] *n* Fleckfieber *nt*.
typical ['tɪpɪkl] *adj* typisch; **~ (of)** typisch (für); **that's ~!** das ist typisch!
typify ['tɪpɪfaɪ] *vt* typisch sein für.
typing ['taɪpɪŋ] *n* Maschine(n)schreiben *nt*.
typing error *n* Tippfehler *m*.
typing pool *n* Schreibzentrale *f*.
typist ['taɪpɪst] *n* Schreibkraft *f*.
typo ['taɪpəu] (*inf*) *n abbr* (= *typographical error*) Druckfehler *m*.
typography [tɪ'pɔgrəfɪ] *n* Typographie *f*.
tyranny ['tɪrənɪ] *n* Tyrannei *f*.
tyrant ['taɪərnt] *n* Tyrann(in) *m(f)*.
tyre, (*US*) **tire** ['taɪə*] *n* Reifen *m*.
tyre pressure *n* Reifendruck *m*.
Tyrol [tɪ'rəul] *n* Tirol *nt*.
Tyrolean [tɪrə'li:ən] *adj* Tiroler ♦ *n* (*person*) Tiroler(in) *m(f)*.
Tyrolese [tɪrə'li:z] = **Tyrolean**.
Tyrrhenian Sea [tɪ'ri:nɪən-] *n*: **the ~** das Tyrrhenische Meer.
tzar [zɑ:*] *n* = **tsar**.

U, u

U¹, u [ju:] *n* (*letter*) U *nt*, u *nt*; **~ for Uncle** ≈ U wie Ulrich.
U² [ju:] (*BRIT*) *n abbr* (*CINE*: = *universal*) *Klassifikation für jugendfreie Filme*.
UAW (*US*) *n abbr* (= *United Automobile Workers*) *Automobilarbeitergewerkschaft*.
UB40 (*BRIT*) *n abbr* (= *unemployment benefit form 40*) Arbeitslosenausweis *m*.
U-bend ['ju:bɛnd] *n* (*in pipe*) U-Krümmung *f*.
ubiquitous [ju:'bɪkwɪtəs] *adj* allgegenwärtig.
UCCA ['ʌkə] (*BRIT*) *n abbr* (= *Universities Central Council on Admissions*) *akademische Zulassungsstelle*, ≈ ZVS *f*.
UDA (*BRIT*) *n abbr* (= *Ulster Defence Association*) *paramilitärische protestantische Organisation in Nordirland*.
UDC (*BRIT*) *n abbr* (= *Urban District Council*) Stadtverwaltung *f*.
udder ['ʌdə*] *n* Euter *nt*.
UDI (*BRIT*) *n abbr* (*POL*: = *unilateral declaration of independence*) einseitige Unabhängigkeitserklärung *f*.
UDR (*BRIT*) *n abbr* (= *Ulster Defence Regiment*) *Regiment aus Teilzeitsoldaten zur Unterstützung der britischen Armee und Polizei in Nordirland*.
UEFA [ju:'eɪfə] *n abbr* (= *Union of European Football Associations*) UEFA *f*.
UFO ['ju:fəu] *n abbr* (= *unidentified flying object*)

Ufo *nt*.

Uganda [juː'gændə] *n* Uganda *nt*.

Ugandan [juː'gændən] *adj* ugandisch ♦ *n* Ugander(in) *m(f)*.

UGC (*BRIT*) *n abbr* (= *University Grants Committee*) *Ausschuß zur Verteilung von Geldern an Universitäten*.

ugh [əːh] *excl* igitt.

ugliness ['ʌglɪnɪs] *n* Häßlichkeit *f*.

ugly ['ʌglɪ] *adj* häßlich; (*nasty*) schlimm.

UHF *abbr* (= *ultrahigh frequency*) UHF.

UHT *abbr* (= *ultra heat treated*): ~ **milk** H-Milch *f*.

UK *n abbr* = **United Kingdom**.

Ukraine [juː'kreɪn] *n* Ukraine *f*.

Ukrainian [juː'kreɪnɪən] *adj* ukrainisch ♦ *n* Ukrainer(in) *m(f)*; (*LING*) Ukrainisch *nt*.

ulcer ['ʌlsə*] *n* (*stomach ulcer etc*) Geschwür *nt*; (*also*: **mouth** ~) Abszeß *m* im Mund.

Ulster ['ʌlstə*] *n* Ulster *nt*.

ulterior [ʌl'tɪərɪə*] *adj*: ~ **motive** Hintergedanke *m*.

ultimata [ʌltɪ'meɪtə] *npl of* **ultimatum**.

ultimate ['ʌltɪmət] *adj* (*final*) letztendlich; (*greatest*) größte(r, s); (: *deterrent*) äußerste(r, s); (: *authority*) höchste(r, s) ♦ *n*: **the** ~ **in luxury** das Äußerste *or* Höchste an Luxus.

ultimately ['ʌltɪmətlɪ] *adv* (*in the end*) schließlich, letzten Endes; (*basically*) im Grunde (genommen).

ultimatum [ʌltɪ'meɪtəm] (*pl* ~**s** *or* **ultimata**) *n* Ultimatum *nt*.

ultrasonic [ʌltrə'sɔnɪk] *adj* (*sound*) Ultraschall-.

ultrasound ['ʌltrəsaund] *n* Ultraschall *m*.

ultraviolet ['ʌltrə'vaɪəlɪt] *adj* ultraviolett.

umbilical cord [ʌm'bɪlɪkl-] *n* Nabelschnur *f*.

umbrage ['ʌmbrɪdʒ] *n*: **to take** ~ **at** Anstoß nehmen an *+dat*.

umbrella [ʌm'brɛlə] *n* (*for rain*) (Regen)schirm *m*; (*for sun*) Sonnenschirm *m*; (*fig*): **under the** ~ **of** unter der Leitung von.

umlaut ['umlaut] *n* Umlaut *m*; (*mark*) Umlautzeichen *nt*.

umpire ['ʌmpaɪə*] *n* Schiedsrichter(in) *m(f)* ♦ *vt* (*game*) als Schiedsrichter leiten.

umpteen [ʌmp'tiːn] *adj* zig.

umpteenth [ʌmp'tiːnθ] *adj*: **for the** ~ **time** zum x-ten Mal.

UMWA *n abbr* (= *United Mineworkers of America*) *amerikanische Bergarbeitergewerkschaft*.

UN *n abbr* (= *United Nations*) UNO *f*.

unabashed [ʌnə'bæʃt] *adj*: **to be/seem** ~ unbeeindruckt sein/scheinen.

unabated [ʌnə'beɪtɪd] *adj* unvermindert ♦ *adv*: **to continue** ~ nicht nachlassen.

unable [ʌn'eɪbl] *adj*: **to be** ~ **to do sth** etw nicht tun können.

unabridged [ʌnə'brɪdʒd] *adj* ungekürzt.

unacceptable [ʌnək'sɛptəbl] *adj* unannehmbar, nicht akzeptabel.

unaccompanied [ʌnə'kʌmpənɪd] *adj* (*child, song*) ohne Begleitung; (*luggage*) unbegleitet.

unaccountably [ʌnə'kauntəblɪ] *adv* unerklärlich.

unaccounted [ʌnə'kauntɪd] *adj*: **to be** ~ **for** (*passengers, money etc*) (noch) fehlen.

unaccustomed [ʌnə'kʌstəmd] *adj*: **to be** ~ **to** nicht gewöhnt sein an *+acc*.

unacquainted [ʌnə'kweɪntɪd] *adj*: **to be** ~ **with** nicht vertraut sein mit.

unadulterated [ʌnə'dʌltəreɪtɪd] *adj* rein.

unaffected [ʌnə'fɛktɪd] *adj* (*person, behaviour*) natürlich, ungekünstelt; **to be** ~ **by sth** etw nicht berührt werden.

unafraid [ʌnə'freɪd] *adj*: **to be** ~ keine Angst haben.

unaided [ʌn'eɪdɪd] *adv* ohne fremde Hilfe.

unanimity [juːnə'nɪmɪtɪ] *n* Einstimmigkeit *f*.

unanimous [juː'nænɪməs] *adj* einstimmig.

unanimously [juː'nænɪməslɪ] *adv* einstimmig.

unanswered [ʌn'ɑːnsəd] *adj* unbeantwortet.

unappetizing [ʌn'æpɪtaɪzɪŋ] *adj* (*food*) unappetitlich.

unappreciative [ʌnə'priːʃɪətɪv] *adj* (*person*) undankbar; (*audience*) verständnislos.

unarmed [ʌn'ɑːmd] *adj* unbewaffnet; ~ **combat** Nahkampf *m* ohne Waffen.

unashamed [ʌnə'ʃeɪmd] *adj* (*pleasure, greed etc*) unverhohlen.

unassisted [ʌnə'sɪstɪd] *adv* ohne fremde Hilfe.

unassuming [ʌnə'sjuːmɪŋ] *adj* bescheiden.

unattached [ʌnə'tætʃt] *adj* (*single: person*) ungebunden; (*unconnected*) ohne Verbindung.

unattended [ʌnə'tɛndɪd] *adj* (*car, luggage, child*) unbeaufsichtigt.

unattractive [ʌnə'træktɪv] *adj* unattraktiv.

unauthorized [ʌn'ɔːθəraɪzd] *adj* (*visit, use*) unbefugt; (*version*) nicht unautorisiert.

unavailable [ʌnə'veɪləbl] *adj* (*article, room*) nicht verfügbar; (*person*) nicht zu erreichen; ~ **for comment** nicht zu sprechen.

unavoidable [ʌnə'vɔɪdəbl] *adj* unvermeidlich.

unavoidably [ʌnə'vɔɪdəblɪ] *adv* (*delayed etc*) auf unvermeidliche Weise.

unaware [ʌnə'wɛə*] *adj*: **he was** ~ **of it** er war sich *dat* dessen nicht bewußt.

unawares [ʌnə'wɛəz] *adv* (*catch, take*) unerwartet.

unbalanced [ʌn'bælənst] *adj* (*report*) unausgewogen; **(mentally)** ~ geistig gestört.

unbearable [ʌn'bɛərəbl] *adj* unerträglich.

unbeatable [ʌn'biːtəbl] *adj* unschlagbar.

unbeaten [ʌn'biːtn] *adj* ungeschlagen.

unbecoming [ʌnbɪ'kʌmɪŋ] *adj* (*language, behaviour*) unpassend; (*garment*) unvorteilhaft.

unbeknown(st) [ʌnbɪ'nəun(st)] *adv*: ~ **to me/**

Peter ohne mein/Peters Wissen.
unbelief [ʌnbɪˈliːf] *n* Ungläubigkeit *f*.
unbelievable [ʌnbɪˈliːvəbl] *adj* unglaublich.
unbelievably [ʌnbɪˈliːvəblɪ] *adv* unglaublich.
unbend [ʌnˈbɛnd] (*irreg: like* **bend**) *vi* (*relax*) aus sich herausgehen ♦ *vt* (*wire etc*) geradebiegen.
unbending [ʌnˈbɛndɪŋ] *adj* (*person, attitude*) unnachgiebig.
unbias(s)ed [ʌnˈbaɪəst] *adj* unvoreingenommen.
unblemished [ʌnˈblɛmɪʃt] *adj* (*also fig*) makellos.
unblock [ʌnˈblɔk] *vt* (*pipe*) frei machen.
unborn [ʌnˈbɔːn] *adj* ungeboren.
unbounded [ʌnˈbaundɪd] *adj* grenzenlos.
unbreakable [ʌnˈbreɪkəbl] *adj* (*object*) unzerbrechlich.
unbridled [ʌnˈbraɪdld] *adj* ungezügelt.
unbroken [ʌnˈbrəukən] *adj* (*seal*) unversehrt; (*silence*) ununterbrochen; (*record, series*) ungebrochen.
unbuckle [ʌnˈbʌkl] *vt* aufschnallen.
unburden [ʌnˈbəːdn] *vt*: **to ~ o.s. (to sb)** (jdm) sein Herz ausschütten.
unbusinesslike [ʌnˈbɪznɪslaɪk] *adj* ungeschäftsmäßig.
unbutton [ʌnˈbʌtn] *vt* aufknöpfen.
uncalled-for [ʌnˈkɔːldfɔː*] *adj* (*remark etc*) unnötig.
uncanny [ʌnˈkænɪ] *adj* unheimlich.
unceasing [ʌnˈsiːsɪŋ] *adj* (*search, flow etc*) unaufhörlich; (*loyalty*) unermüdlich.
unceremonious [ʌnsɛrɪˈməunɪəs] *adj* (*abrupt, rude*) brüsk, barsch.
uncertain [ʌnˈsəːtn] *adj* (*person*) unsicher; (*future, outcome*) ungewiß; **to be ~ about sth** unsicher über etw *acc* sein; **in no ~ terms** unzweideutig.
uncertainty [ʌnˈsəːtntɪ] *n* Ungewißheit *f*; **uncertainties** *npl* (*doubts*) Unsicherheiten *pl*.
unchallenged [ʌnˈtʃælɪndʒd] *adj* unbestritten ♦ *adv* (*walk, enter*) ungehindert; **to go ~** unangefochten bleiben.
unchanged [ʌnˈtʃeɪndʒd] *adj* unverändert.
uncharitable [ʌnˈtʃærɪtəbl] *adj* (*remark, behaviour etc*) unfreundlich.
uncharted [ʌnˈtʃɑːtɪd] *adj* (*land, sea*) unverzeichnet.
unchecked [ʌnˈtʃɛkt] *adv* (*grow, continue*) ungehindert.
uncivil [ʌnˈsɪvɪl] *adj* (*person*) grob.
uncivilized [ʌnˈsɪvɪlaɪzd] *adj* unzivilisiert.
uncle [ˈʌŋkl] *n* Onkel *m*.
unclear [ʌnˈklɪə*] *adj* unklar; **I'm still ~ about what I'm supposed to do** mir ist immer noch nicht klar, was ich tun soll.
uncoil [ʌnˈkɔɪl] *vt* (*rope, wire*) abwickeln ♦ *vi* (*snake*) sich strecken.
uncomfortable [ʌnˈkʌmfətəbl] *adj* (*person, chair*) unbequem; (*room*) ungemütlich; (*nervous*) unbehaglich; (*unpleasant: situation, fact*) unerfreulich.
uncomfortably [ʌnˈkʌmfətəblɪ] *adv* (*sit*) unbequem; (*smile*) unbehaglich.
uncommitted [ʌnkəˈmɪtɪd] *adj* nicht engagiert; **~ to** nicht festgelegt auf *+acc*.
uncommon [ʌnˈkɔmən] *adj* ungewöhnlich.
uncommunicative [ʌnkəˈmjuːnɪkətɪv] *adj* (*person*) schweigsam.
uncomplicated [ʌnˈkɔmplɪkeɪtɪd] *adj* unkompliziert.
uncompromising [ʌnˈkɔmprəmaɪzɪŋ] *adj* (*person, belief*) kompromißlos.
unconcerned [ʌnkənˈsəːnd] *adj* (*person*) unbekümmert; **to be ~ about sth** sich nicht um etw kümmern.
unconditional [ʌnkənˈdɪʃənl] *adj* bedingungslos; (*acceptance*) vorbehaltlos.
uncongenial [ʌnkənˈdʒiːnɪəl] *adj* (*surroundings*) unangenehm.
unconnected [ʌnkəˈnɛktɪd] *adj* (*unrelated*) ohne Verbindung; **to be ~ with sth** nicht mit etw in Beziehung stehen.
unconscious [ʌnˈkɔnʃəs] *adj* (*in faint*) bewußtlos; (*unaware*): **~ of** nicht bewußt *+gen* ♦ *n*: **the ~** das Unbewußte; **to knock sb ~** jdn bewußtlos schlagen.
unconsciously [ʌnˈkɔnʃəslɪ] *adv* unbewußt.
unconsciousness [ʌnˈkɔnʃəsnɪs] *n* Bewußtlosigkeit *f*.
unconstitutional [ˈʌnkɔnstɪˈtjuːʃənl] *adj* verfassungswidrig.
uncontested [ʌnkənˈtɛstɪd] *adj* (*POL: seat, election*) ohne Gegenkandidat; (*divorce*) ohne Einwände der Gegenseite.
uncontrollable [ʌnkənˈtrəuləbl] *adj* unkontrollierbar; (*laughter*) unbändig.
uncontrolled [ʌnkənˈtrəuld] *adj* (*behaviour*) ungezähmt; (*price rises etc*) ungehindert.
unconventional [ʌnkənˈvɛnʃənl] *adj* unkonventionell.
unconvinced [ʌnkənˈvɪnst] *adj*: **to be/remain ~** nicht überzeugt sein/bleiben.
unconvincing [ʌnkənˈvɪnsɪŋ] *adj* nicht überzeugend.
uncork [ʌnˈkɔːk] *vt* (*bottle*) entkorken.
uncorroborated [ʌnkəˈrɔbəreɪtɪd] *adj* (*evidence*) unbestätigt.
uncouth [ʌnˈkuːθ] *adj* (*person, behaviour*) ungehobelt.
uncover [ʌnˈkʌvə*] *vt* aufdecken.
unctuous [ˈʌŋktjuəs] (*form*) *adj* (*person, behaviour*) salbungsvoll.
undamaged [ʌnˈdæmɪdʒd] *adj* unbeschädigt.
undaunted [ʌnˈdɔːntɪd] *adj* (*person*) unverzagt; **~, she struggled on** sie kämpfte unverzagt weiter.
undecided [ʌndɪˈsaɪdɪd] *adj* (*person*) unentschlossen; (*question*) unentschieden.
undelivered [ʌndɪˈlɪvəd] *adj* (*goods*) nicht geliefert; (*letters*) nicht zugestellt; **if ~ return to sender** (*on envelope*) falls unzustellbar, zurück an Absender.

undeniable [ʌndɪ'naɪəbl] *adj* unbestreitbar.
undeniably [ʌndɪ'naɪəblɪ] *adv* (*true*) zweifellos; (*handsome*) unbestreitbar.
under ['ʌndə*] *prep* (*position*) unter *+dat*; (*motion*) unter *+acc*; (*according to: law etc*) nach, gemäß *+dat* ♦ *adv* (*go, fly etc*) darunter; **to come from ~ sth** unter etw *dat* hervorkommen; **~ there** darunter; **in ~ 2 hours** in weniger als 2 Stunden; **~ anaesthetic** unter Narkose; **to be ~ discussion** diskutiert werden; **~ repair** in Reparatur; **~ the circumstances** unter den Umständen.
under... ['ʌndə*] *pref* Unter-, unter-.
underage [ʌndər'eɪdʒ] *adj* (*person*) minderjährig; **~ drinking** Alkoholgenuß durch Minderjährige.
underarm ['ʌndərɑːm] *adv* (*bowl, throw*) von unten ♦ *adj* (*throw, shot*) von unten; (*deodorant*) Achselhöhlen-.
undercapitalized ['ʌndə'kæpɪtəlaɪzd] *adj* unterkapitalisiert.
undercarriage ['ʌndəkærɪdʒ] *n* (*AVIAT*) Fahrgestell *nt*.
undercharge [ʌndə'tʃɑːdʒ] *vt* zu wenig berechnen *+dat*.
underclass ['ʌndəklɑːs] *n* Unterklasse *f*.
underclothes ['ʌndəkləuðz] *npl* Unterwäsche *f*.
undercoat ['ʌndəkəut] *n* (*paint*) Grundierung *f*.
undercover [ʌndə'kʌvə*] *adj* (*duty, agent*) Geheim- ♦ *adv* (*work*) insgeheim.
undercurrent ['ʌndəkʌrnt] *n* (*also fig*) Unterströmung *f*.
undercut [ʌndə'kʌt] (*irreg: like* **cut**) *vt* (*person, prices*) unterbieten.
underdeveloped ['ʌndədɪ'vɛləpt] *adj* unterentwickelt.
underdog ['ʌndədɔg] *n*: **the ~** der/die Benachteiligte.
underdone [ʌndə'dʌn] *adj* (*food*) nicht gar; (*: meat*) nicht durchgebraten.
underemployment ['ʌndərɪm'plɔɪmənt] *n* Unterbeschäftigung *f*.
underestimate ['ʌndər'ɛstɪmeɪt] *vt* unterschätzen.
underexposed ['ʌndərɪks'pəuzd] *adj* (*PHOT*) unterbelichtet.
underfed [ʌndə'fɛd] *adj* unterernährt.
underfoot [ʌndə'fut] *adv*: **to crush sth ~** etw am Boden zerdrücken; **to trample sth ~** auf etw *dat* herumtrampeln.
underfunded ['ʌndə'fʌndɪd] *adj* unterfinanziert.
undergo [ʌndə'gəu] (*irreg: like* **go**) *vt* (*change*) durchmachen; (*test, operation*) sich unterziehen; **the car is ~ing repairs** das Auto wird gerade repariert.
undergraduate [ʌndə'grædjuɪt] *n* Student(in) *m(f)* ♦ *cpd*: **~ courses** Kurse *pl* für nichtgraduierte Studenten.
underground ['ʌndəgraund] *adj* unterirdisch; (*POL: newspaper, activities*) Untergrund- ♦ *adv* (*work*) unterirdisch; (*: miners*) unter Tage; (*POL*): **to go ~** untertauchen ♦ *n*: **the ~** (*BRIT*) die U-Bahn; (*POL*) die Untergrundbewegung; **~ car park** Tiefgarage *f*.
undergrowth ['ʌndəgrəuθ] *n* Unterholz *nt*.
underhand(ed) [ʌndə'hænd(ɪd)] *adj* (*fig: behaviour, person*) hinterhältig.
underinsured [ʌndərɪn'ʃuəd] *adj* unterversichert.
underlay [ʌndə'leɪ] *n* Unterlage *f*.
underlie [ʌndə'laɪ] (*irreg: like* **lie**) *vt* (*fig: be basis of*) zugrunde liegen *+dat*; **the underlying cause** der eigentliche Grund.
underline [ʌndə'laɪn] *vt* unterstreichen; (*fig: emphasize*) betonen.
underling ['ʌndəlɪŋ] (*pej*) *n* Befehlsempfänger(in) *m(f)*.
undermanning [ʌndə'mænɪŋ] *n* Personalmangel *m*.
undermentioned [ʌndə'mɛnʃənd] *adj* untengenannt.
undermine [ʌndə'maɪn] *vt* unterminieren, unterhöhlen.
underneath [ʌndə'niːθ] *adv* darunter ♦ *prep* (*position*) unter *+dat*; (*motion*) unter *+acc*.
undernourished [ʌndə'nʌrɪʃt] *adj* unterernährt.
underpaid [ʌndə'peɪd] *adj* unterbezahlt.
underpants ['ʌndəpænts] *npl* Unterhose *f*.
underpass ['ʌndəpɑːs] (*BRIT*) *n* Unterführung *f*.
underpin [ʌndə'pɪn] *vt* (*argument*) untermauern.
underplay [ʌndə'pleɪ] (*BRIT*) *vt* herunterspielen.
underpopulated [ʌndə'pɔpjuleɪtɪd] *adj* unterbevölkert.
underprice [ʌndə'praɪs] *vt* (*goods*) zu billig anbieten.
underprivileged [ʌndə'prɪvɪlɪdʒd] *adj* unterprivilegiert.
underrate [ʌndə'reɪt] *vt* unterschätzen.
underscore [ʌndə'skɔː*] *vt* unterstreichen.
underseal [ʌndə'siːl] (*BRIT*) *vt* (*car*) mit Unterbodenschutz versehen ♦ *n* (*of car*) Unterbodenschutz *m*.
undersecretary ['ʌndə'sɛkrətərɪ] *n* (*POL*) Staatssekretär(in) *m(f)*.
undersell [ʌndə'sɛl] (*irreg: like* **sell**) *vt* (*competitors*) unterbieten.
undershirt ['ʌndəʃəːt] (*US*) *n* Unterhemd *nt*.
undershorts ['ʌndəʃɔːts] (*US*) *npl* Unterhose *f*.
underside ['ʌndəsaɪd] *n* Unterseite *f*.
undersigned ['ʌndə'saɪnd] *adj* unterzeichnet ♦ *n*: **the ~** der/die Unterzeichnete; **we the ~ agree that ...** wir, die Unterzeichneten, kommen überein, daß ...
underskirt ['ʌndəskəːt] (*BRIT*) *n* Unterrock *m*.
understaffed [ʌndə'stɑːft] *adj* unterbesetzt.

understand [ʌndəˈstænd] (*irreg: like* **stand**) *vt, vi* verstehen; **I ~ (that) you have ...** (*believe*) soweit ich weiß, haben Sie ...; **to make o.s. understood** sich verständlich machen.
understandable [ʌndəˈstændəbl] *adj* verständlich.
understanding [ʌndəˈstændɪŋ] *adj* verständnisvoll ♦ *n* Verständnis *nt*; **to come to an ~ with sb** mit jdm übereinkommen; **on the ~ that ...** unter der Voraussetzung, daß ...
understate [ʌndəˈsteɪt] *vt* herunterspielen.
understatement [ˈʌndəsteɪtmənt] *n* Understatement *nt*, Untertreibung *f*; **that's an ~!** das ist untertrieben!
understood [ʌndəˈstud] *pt, pp of* **understand** ♦ *adj* (*agreed*) abgemacht; (*implied*) impliziert.
understudy [ˈʌndəstʌdɪ] *n* zweite Besetzung *f*.
undertake [ʌndəˈteɪk] (*irreg: like* **take**) *vt* (*task*) übernehmen ♦ *vi*: **to ~ to do sth** es übernehmen, etw zu tun.
undertaker [ˈʌndəteɪkə*] *n* (Leichen)bestatter *m*.
undertaking [ˈʌndəteɪkɪŋ] *n* (*job*) Unternehmen *nt*; (*promise*) Zusicherung *f*.
undertone [ˈʌndətəun] *n* (*of criticism etc*) Unterton *m*; **in an ~** mit gedämpfter Stimme.
undervalue [ʌndəˈvæljuː] *vt* (*person, work etc*) unterbewerten.
underwater [ˈʌndəˈwɔːtə*] *adv* (*swim etc*) unter Wasser ♦ *adj* (*exploration, camera etc*) Unterwasser-.
underwear [ˈʌndəwɛə*] *n* Unterwäsche *f*.
underweight [ʌndəˈweɪt] *adj*: **to be ~** Untergewicht haben.
underworld [ˈʌndəwəːld] *n* Unterwelt *f*.
underwrite [ʌndəˈraɪt] *vt* (*FIN*) garantieren; (*INSURANCE*) versichern.
underwriter [ˈʌndəraɪtə*] *n* (*INSURANCE*) Versicherer(in) *m(f)*.
undeserved [ʌndɪˈzəːvd] *adj* unverdient.
undesirable [ʌndɪˈzaɪərəbl] *adj* unerwünscht.
undeveloped [ʌndɪˈvɛləpt] *adj* (*land*) unentwickelt; (*resources*) ungenutzt.
undies [ˈʌndɪz] (*inf*) *npl* Unterwäsche *f*.
undiluted [ˈʌndaɪˈluːtɪd] *adj* (*substance*) unverdünnt; (*emotion*) unverfälscht.
undiplomatic [ˈʌndɪpləˈmætɪk] *adj* undiplomatisch.
undischarged [ˈʌndɪsˈtʃɑːdʒd] *adj*: **~ bankrupt** nicht entlasteter Konkursschuldner *m*, nicht entlastete Konkursschuldnerin *f*.
undisciplined [ʌnˈdɪsɪplɪnd] *adj* undiszipliniert.
undiscovered [ˈʌndɪsˈkʌvəd] *adj* unentdeckt.
undisguised [ˈʌndɪsˈgaɪzd] *adj* (*dislike, amusement etc*) unverhohlen.
undisputed [ˈʌndɪsˈpjuːtɪd] *adj* unbestritten.
undistinguished [ˈʌndɪsˈtɪŋgwɪʃt] *adj* (*career, person*) mittelmäßig; (*appearance*) durchschnittlich.
undisturbed [ʌndɪsˈtəːbd] *adj* ungestört; **to leave sth ~** etw unberührt lassen.
undivided [ʌndɪˈvaɪdɪd] *adj*: **you have my ~ attention** Sie haben meine ungeteilte Aufmerksamkeit.
undo [ʌnˈduː] (*irreg: like* **do**) *vt* (*unfasten*) aufmachen; (*spoil*) zunichte machen.
undoing [ʌnˈduːɪŋ] *n* Verderben *nt*.
undone [ʌnˈdʌn] *pp of* **undo** ♦ *adj*: **to come ~** (*shoelaces etc*) aufgehen.
undoubted [ʌnˈdautɪd] *adj* unzweifelhaft.
undoubtedly [ʌnˈdautɪdlɪ] *adv* zweifellos.
undress [ʌnˈdrɛs] *vi* sich ausziehen ♦ *vt* ausziehen.
undrinkable [ʌnˈdrɪŋkəbl] *adj* (*unpalatable*) ungenießbar; (*poisonous*) nicht trinkbar.
undue [ʌnˈdjuː] *adj* (*excessive*) übertrieben.
undulating [ˈʌndjuleɪtɪŋ] *adj* (*movement*) Wellen-; (*hills*) sanft.
unduly [ʌnˈdjuːlɪ] *adv* (*excessively*) übermäßig.
undying [ʌnˈdaɪɪŋ] *adj* (*love, loyalty etc*) ewig.
unearned [ʌnˈəːnd] *adj* (*praise*) unverdient; **~ income** Kapitaleinkommen *nt*.
unearth [ʌnˈəːθ] *vt* (*skeleton etc*) ausgraben; (*fig: secrets etc*) ausfindig machen.
unearthly [ʌnˈəːθlɪ] *adj* (*eerie*) unheimlich; **at some ~ hour** zu nachtschlafender Zeit.
unease [ʌnˈiːz] *n* Unbehagen *nt*.
uneasy [ʌnˈiːzɪ] *adj* (*person*) unruhig; (*feeling*) unbehaglich; (*peace, truce*) unsicher; **to feel ~ about doing sth** ein ungutes Gefühl dabei haben, etw zu tun.
uneconomic [ˈʌniːkəˈnɔmɪk] *adj* unwirtschaftlich.
uneconomical [ˈʌniːkəˈnɔmɪkl] *adj* unwirtschaftlich.
uneducated [ʌnˈɛdjukeɪtɪd] *adj* ungebildet.
unemployed [ʌnɪmˈplɔɪd] *adj* arbeitslos ♦ *npl*: **the ~** die Arbeitslosen *pl*.
unemployment [ʌnɪmˈplɔɪmənt] *n* Arbeitslosigkeit *f*.
unemployment benefit (*BRIT*) *n* Arbeitslosenunterstützung *f*.
unemployment compensation (*US*) *n* = **unemployment benefit**.
unending [ʌnˈɛndɪŋ] *adj* endlos.
unenviable [ʌnˈɛnvɪəbl] *adj* (*task, conditions etc*) wenig beneidenswert.
unequal [ʌnˈiːkwəl] *adj* ungleich; **to feel ~ to** sich nicht gewachsen fühlen *+dat*.
unequalled, (*US*) **unequaled** [ʌnˈiːkwəld] *adj* unübertroffen.
unequivocal [ʌnɪˈkwɪvəkl] *adj* (*answer*) unzweideutig; **to be ~ about sth** eine klare Haltung zu etw haben.
unerring [ʌnˈəːrɪŋ] *adj* unfehlbar.
UNESCO [juːˈnɛskəu] *n abbr* (= *United Nations Educational, Scientific and Cultural Organization*) UNESCO *f*.
unethical [ʌnˈɛθɪkl] *adj* (*methods*) unlauter; (*doctor's behaviour*) unethisch.

uneven [ʌn'iːvn] *adj* (*teeth, road etc*) uneben; (*performance*) ungleichmäßig.
uneventful [ʌnɪ'vɛntful] *adj* ereignislos.
unexceptional [ʌnɪk'sɛpʃənl] *adj* durchschnittlich.
unexciting [ʌnɪk'saɪtɪŋ] *adj* (*film, news*) wenig aufregend.
unexpected [ʌnɪks'pɛktɪd] *adj* unerwartet.
unexpectedly [ʌnɪks'pɛktɪdlɪ] *adv* unerwartet.
unexplained [ʌnɪks'pleɪnd] *adj* (*mystery, failure*) ungeklärt.
unexploded [ʌnɪks'pləudɪd] *adj* nicht explodiert.
unfailing [ʌn'feɪlɪŋ] *adj* (*support, energy*) unerschöpflich.
unfair [ʌn'fɛə*] *adj* unfair, ungerecht; (*advantage*) ungerechtfertigt; ~ **to** unfair *or* ungerecht zu.
unfair dismissal *n* ungerechtfertigte Entlassung *f*.
unfairly [ʌn'fɛəlɪ] *adv* (*treat*) unfair, ungerecht; (*dismiss*) ungerechtfertigt.
unfaithful [ʌn'feɪθful] *adj* (*lover, spouse*) untreu.
unfamiliar [ʌnfə'mɪlɪə*] *adj* ungewohnt; (*person*) fremd; **to be ~ with sth** mit etw nicht vertraut sein.
unfashionable [ʌn'fæʃnəbl] *adj* (*clothes, ideas*) unmodern; (*place*) unbeliebt.
unfasten [ʌn'fɑːsn] *vt* (*seat belt, strap*) lösen.
unfathomable [ʌn'fæðəməbl] *adj* unergründlich.
unfavourable, (*US*) unfavorable [ʌn'feɪvrəbl] *adj* (*circumstances, weather*) ungünstig; (*opinion, report*) negativ.
unfavourably, (*US*) unfavorably [ʌn'feɪvrəblɪ] *adv*: **to compare ~ (with sth)** im Vergleich (mit etw) ungünstig sein; **to compare ~ (with sb)** im Vergleich (mit jdm) schlechter abschneiden; **to look ~ on** (*suggestion etc*) ablehnend gegenüberstehen *+dat*.
unfeeling [ʌn'fiːlɪŋ] *adj* gefühllos.
unfinished [ʌn'fɪnɪʃt] *adj* unvollendet.
unfit [ʌn'fɪt] *adj* (*physically*) nicht fit; (*incompetent*) unfähig; ~ **for work** arbeitsunfähig; ~ **for human consumption** zum Verzehr ungeeignet.
unflagging [ʌn'flægɪŋ] *adj* (*attention, energy*) unermüdlich.
unflappable [ʌn'flæpəbl] *adj* unerschütterlich.
unflattering [ʌn'flætərɪŋ] *adj* (*dress, hairstyle*) unvorteilhaft; (*remark*) wenig schmeichelhaft.
unflinching [ʌn'flɪntʃɪŋ] *adj* unerschrocken.
unfold [ʌn'fəuld] *vt* (*sheets, map*) auseinanderfalten ♦ *vi* (*situation, story*) sich entfalten.
unforeseeable [ʌnfɔː'siːəbl] *adj* unvorhersehbar.
unforeseen ['ʌnfɔː'siːn] *adj* unvorhergesehen.
unforgettable [ʌnfə'gɛtəbl] *adj* unvergeßlich.
unforgivable [ʌnfə'gɪvəbl] *adj* unverzeihlich.
unformatted [ʌn'fɔːmætɪd] *adj* (*disk, text*) unformatiert.
unfortunate [ʌn'fɔːtʃənət] *adj* (*unlucky*) unglücklich; (*regrettable*) bedauerlich; **it is ~ that ...** es ist bedauerlich, daß ...
unfortunately [ʌn'fɔːtʃənətlɪ] *adv* leider.
unfounded [ʌn'faundɪd] *adj* (*allegations, fears*) unbegründet.
unfriendly [ʌn'frɛndlɪ] *adj* unfreundlich.
unfulfilled [ʌnful'fɪld] *adj* (*ambition, prophecy*) unerfüllt; (*person*) unausgefüllt.
unfurl [ʌn'fəːl] *vt* (*flag etc*) entrollen.
unfurnished [ʌn'fəːnɪʃt] *adj* unmöbliert.
ungainly [ʌn'geɪnlɪ] *adj* (*person*) unbeholfen.
ungodly [ʌn'gɔdlɪ] *adj* (*annoying*) heillos; **at some ~ hour** zu nachtschlafender Zeit.
ungrateful [ʌn'greɪtful] *adj* undankbar.
unguarded [ʌn'gɑːdɪd] *adj*: **in an ~ moment** in einem unbedachten Augenblick.
unhappily [ʌn'hæpɪlɪ] *adv* (*miserably*) unglücklich; (*unfortunately*) leider.
unhappiness [ʌn'hæpɪnɪs] *n* Traurigkeit *f*.
unhappy [ʌn'hæpɪ] *adj* unglücklich; ~ **about/with** (*dissatisfied*) unzufrieden über *+acc*/mit.
unharmed [ʌn'hɑːmd] *adj* (*person, animal*) unversehrt.
UNHCR *n abbr* (= *United Nations High Commission for Refugees*) *Flüchtlingskommission der Vereinten Nationen*.
unhealthy [ʌn'hɛlθɪ] *adj* (*person*) nicht gesund; (*place*) ungesund; (*fig: interest*) krankhaft.
unheard-of [ʌn'həːdɔv] *adj* (*unknown*) unbekannt; (*outrageous*) unerhört.
unhelpful [ʌn'hɛlpful] *adj* (*person*) nicht hilfreich; (*advice*) nutzlos.
unhesitating [ʌn'hɛzɪteɪtɪŋ] *adj* (*loyalty*) bereitwillig; (*reply, offer*) prompt.
unholy [ʌn'həulɪ] (*inf*) *adj* (*fig: alliance*) übel; (: *mess*) heillos; (: *row*) furchtbar.
unhook [ʌn'huk] *vt* (*unfasten*) losmachen.
unhurt [ʌn'həːt] *adj* unverletzt.
unhygienic ['ʌnhaɪ'dʒiːnɪk] *adj* unhygienisch.
UNICEF ['juːnɪsɛf] *n abbr* (= *United Nations International Children's Emergency Fund*) UNICEF *f*.
unicorn ['juːnɪkɔːn] *n* Einhorn *nt*.
unidentified [ʌnaɪ'dɛntɪfaɪd] *adj* (*unknown*) unbekannt; (*unnamed*) ungenannt; *see also* **UFO**.
unification [juːnɪfɪ'keɪʃən] *n* Vereinigung *f*.
uniform ['juːnɪfɔːm] *n* Uniform *f* ♦ *adj* (*length, width etc*) einheitlich.
uniformity [juːnɪ'fɔːmɪtɪ] *n* Einheitlichkeit *f*.
unify ['juːnɪfaɪ] *vt* vereinigen.
unilateral [juːnɪ'lætərəl] *adj* einseitig.
unimaginable [ʌnɪ'mædʒɪnəbl] *adj* unvorstellbar.
unimaginative [ʌnɪ'mædʒɪnətɪv] *adj* phantasielos.

unimpaired [ʌnɪm'pɛəd] *adj* unbeeinträchtigt.
unimportant [ʌnɪm'pɔːtənt] *adj* unwichtig.
unimpressed [ʌnɪm'prɛst] *adj* unbeeindruckt.
uninhabited [ʌnɪn'hæbɪtɪd] *adj* unbewohnt.
uninhibited [ʌnɪn'hɪbɪtɪd] *adj* (*person*) ohne Hemmungen; (*behaviour*) hemmungslos.
uninjured [ʌn'ɪndʒəd] *adj* unverletzt.
uninspiring [ʌnɪn'spaɪərɪŋ] *adj* wenig aufregend; (*person*) trocken, nüchtern.
unintelligent [ʌnɪn'tɛlɪdʒənt] *adj* unintelligent.
unintentional [ʌnɪn'tɛnʃənəl] *adj* unbeabsichtigt.
unintentionally [ʌnɪn'tɛnʃnəlɪ] *adv* unabsichtlich.
uninvited [ʌnɪn'vaɪtɪd] *adj* (*guest*) ungeladen.
uninviting [ʌnɪn'vaɪtɪŋ] *adj* (*food*) unappetitlich; (*place*) wenig einladend.
union ['juːnjən] *n* (*unification*) Vereinigung *f*; (*also*: **trade ~**) Gewerkschaft *f* ♦ *cpd* (*activities, leader etc*) Gewerkschafts-; **the U~** (*US*) die Vereinigten Staaten.
unionize ['juːnjənaɪz] *vt* (*employees*) gewerkschaftlich organisieren.
Union Jack *n* Union Jack *m*.
union shop *n* gewerkschaftspflichtiger Betrieb *m*.
unique [juː'niːk] *adj* (*object etc*) einmalig; (*ability, skill*) einzigartig; **to be ~ to** charakteristisch sein für.
unisex ['juːnɪsɛks] *adj* (*clothes*) Unisex-; (*hairdresser*) für Damen und Herren.
UNISON ['juːnɪsn] *n Gewerkschaft der Angestellten im öffentlichen Dienst*.
unison ['juːnɪsn] *n*: **in ~** (*say, sing*) einstimmig; (*act*) in Übereinstimmung.
unit ['juːnɪt] *n* Einheit *f*; **production ~** Produktionsabteilung *f*; **kitchen ~** Küchen-Einbauelement *nt*.
unitary ['juːnɪtrɪ] *adj* (*state, system etc*) einheitlich.
unit cost *n* (*COMM*) Stückkosten *pl*.
unite [juː'naɪt] *vt* vereinigen ♦ *vi* sich zusammenschließen.
united [juː'naɪtɪd] *adj* (*agreed*) einig; (*country, party*) vereinigt.
United Arab Emirates *npl*: **the ~** die Vereinigten Arabischen Emirate *pl*.
United Kingdom *n*: **the ~** das Vereinigte Königreich.
United Nations *npl*: **the ~** die Vereinten Nationen *pl*.
United States (of America) *n*: **the ~** die Vereinigten Staaten *pl* (von Amerika).
unit price *n* (*COMM*) Einzelpreis *m*.
unit trust (*BRIT*) *n* (*COMM*) Investmenttrust *m*.
unity ['juːnɪtɪ] *n* Einheit *f*.
Univ. *abbr* = **university**.
universal [juːnɪ'vəːsl] *adj* allgemein.
universe ['juːnɪvəːs] *n* Universum *nt*.
university [juːnɪ'vəːsɪtɪ] *n* Universität *f* ♦ *cpd* (*student, professor*) Universitäts-; (*education, year*) akademisch.
university degree *n* Universitätsabschluß *m*.
unjust [ʌn'dʒʌst] *adj* ungerecht; (*society*) unfair.
unjustifiable ['ʌndʒʌstɪ'faɪəbl] *adj* nicht zu rechtfertigen.
unjustified [ʌn'dʒʌstɪfaɪd] *adj* (*belief, action*) ungerechtfertigt; (*text*) nicht bündig.
unkempt [ʌn'kɛmpt] *adj* ungepflegt.
unkind [ʌn'kaɪnd] *adj* (*person, comment etc*) unfreundlich.
unkindly [ʌn'kaɪndlɪ] *adv* unfreundlich.
unknown [ʌn'nəun] *adj* unbekannt; **~ to me, ...** ohne daß ich es wußte, ...; **~ quantity** (*fig*) unbekannte Größe.
unladen [ʌn'leɪdn] *adj* (*ship*) ohne Ladung; (*weight*) Leer-.
unlawful [ʌn'lɔːful] *adj* gesetzwidrig.
unleaded ['ʌn'lɛdɪd] *adj* (*petrol*) bleifrei, unverbleit; **I use ~** ich fahre bleifrei.
unleash [ʌn'liːʃ] *vt* (*fig: feeling, forces etc*) entfesseln.
unleavened [ʌn'lɛvnd] *adj* (*bread*) ungesäuert.
unless [ʌn'lɛs] *conj* es sei denn; **~ he comes** wenn er nicht kommt; **~ otherwise stated** wenn nicht anders angegeben; **~ I am mistaken** wenn ich mich nicht irre; **there will be a strike ~ ...** es wird zum Streik kommen, es sei denn, ...
unlicensed [ʌn'laɪsnst] (*BRIT*) *adj* (*restaurant*) ohne Schankkonzession.
unlike [ʌn'laɪk] *adj* (*not alike*) unähnlich ♦ *prep* (*different from*) verschieden von; **~ me, she is very tidy** im Gegensatz zu mir ist sie sehr ordentlich.
unlikelihood [ʌn'laɪklɪhud] *adj* Unwahrscheinlichkeit *f*.
unlikely [ʌn'laɪklɪ] *adj* unwahrscheinlich; (*combination etc*) merkwürdig; **in the ~ event of/that ...** im unwahrscheinlichen Fall *+gen*/daß ....
unlimited [ʌn'lɪmɪtɪd] *adj* unbeschränkt.
unlisted ['ʌn'lɪstɪd] *adj* (*STOCK EXCHANGE*) nicht notiert; (*US: TEL*): **to be ~** nicht im Telefonbuch stehen.
unlit [ʌn'lɪt] *adj* (*room etc*) unbeleuchtet.
unload [ʌn'ləud] *vt* (*box etc*) ausladen; (*car etc*) entladen.
unlock [ʌn'lɔk] *vt* aufschließen.
unlucky [ʌn'lʌkɪ] *adj* (*object*) unglückbringend; (*number*) Unglücks-; **to be ~** (*person*) Pech haben.
unmanageable [ʌn'mænɪdʒəbl] *adj* (*tool, vehicle*) kaum zu handhaben; (*person, hair*) widerspenstig; (*situation*) unkontrollierbar.
unmanned [ʌn'mænd] *adj* (*station, spacecraft etc*) unbemannt.
unmarked [ʌn'mɑːkt] *adj* (*unstained*) fleckenlos; (*unscarred*) nicht gezeichnet; (*unblemished*) makellos; **~ police car** nicht gekennzeichneter Streifenwagen *m*.

unmarried [ʌn'mærɪd] *adj* unverheiratet.
unmarried mother *n* ledige Mutter *f*.
unmask [ʌn'mɑːsk] *vt* (*reveal*) enthüllen.
unmatched [ʌn'mætʃt] *adj* unübertroffen.
unmentionable [ʌn'mɛnʃnəbl] *adj* (*topic, word*) Tabu-; **to be ~** tabu sein.
unmerciful [ʌn'məːsɪful] *adj* erbarmungslos.
unmistak(e)able [ʌnmɪs'teɪkəbl] *adj* unverkennbar.
unmistak(e)ably [ʌnmɪs'teɪkəblɪ] *adv* unverkennbar.
unmitigated [ʌn'mɪtɪgeɪtɪd] *adj* (*disaster etc*) total.
unnamed [ʌn'neɪmd] *adj* (*nameless*) namenlos; (*anonymous*) ungenannt.
unnatural [ʌn'nætʃrəl] *adj* unnatürlich; (*against nature: habit*) widernatürlich.
unnecessarily [ʌn'nɛsəsərɪlɪ] *adv* (*worry etc*) unnötigerweise; (*severe etc*) übertrieben.
unnecessary [ʌn'nɛsəsərɪ] *adj* unnötig.
unnerve [ʌn'nəːv] *vt* entnerven.
unnoticed [ʌn'nəutɪst] *adj*: **to go** *or* **pass ~** unbemerkt bleiben.
UNO ['juːnəu] *n abbr* (= *United Nations Organization*) UNO *f*.
unobservant [ʌnəb'zəːvnt] *adj* unaufmerksam.
unobtainable [ʌnəb'teɪnəbl] *adj* (*item*) nicht erhältlich; **this number is ~** (*TEL*) kein Anschluß unter dieser Nummer.
unobtrusive [ʌnəb'truːsɪv] *adj* unauffällig.
unoccupied [ʌn'ɔkjupaɪd] *adj* (*seat*) frei; (*house*) leer(stehend).
unofficial [ʌnə'fɪʃl] *adj* inoffiziell.
unopened [ʌn'əupənd] *adj* ungeöffnet.
unopposed [ʌnə'pəuzd] *adj*: **to be ~** (*suggestion*) nicht auf Widerstand treffen; (*motion, bill*) ohne Gegenstimmen angenommen werden.
unorthodox [ʌn'ɔːθədɔks] *adj* (*also REL*) unorthodox.
unpack [ʌn'pæk] *vt, vi* auspacken.
unpaid [ʌn'peɪd] *adj* unbezahlt.
unpalatable [ʌn'pælətəbl] *adj* (*meal*) ungenießbar; (*truth*) bitter.
unparalleled [ʌn'pærəlɛld] *adj* beispiellos.
unpatriotic ['ʌnpætrɪ'ɔtɪk] *adj* unpatriotisch.
unplanned [ʌn'plænd] *adj* ungeplant.
unpleasant [ʌn'plɛznt] *adj* unangenehm; (*person, manner*) unfreundlich.
unplug [ʌn'plʌg] *vt* (*iron, record player etc*) den Stecker herausziehen *+gen*.
unpolluted [ʌnpə'luːtɪd] *adj* unverschmutzt.
unpopular [ʌn'pɔpjulə*] *adj* unpopulär; **to make o.s. ~ (with)** sich unbeliebt machen (bei).
unprecedented [ʌn'prɛsɪdɛntɪd] *adj* noch nie dagewesen; (*decision*) einmalig.
unpredictable [ʌnprɪ'dɪktəbl] *adj* (*person, weather*) unberechenbar; (*reaction*) unvorhersehbar.
unprejudiced [ʌn'prɛdʒudɪst] *adj* unvoreingenommen.
unprepared [ʌnprɪ'pɛəd] *adj* unvorbereitet.
unprepossessing ['ʌnpriːpə'zɛsɪŋ] *adj* (*person, place*) unattraktiv.
unpretentious [ʌnprɪ'tɛnʃəs] *adj* (*building, person*) schlicht.
unprincipled [ʌn'prɪnsɪpld] *adj* (*person*) charakterlos.
unproductive [ʌnprə'dʌktɪv] *adj* (*land*) unfruchtbar, ertragsarm; (*discussion*) unproduktiv.
unprofessional [ʌnprə'fɛʃənl] *adj* unprofessionell.
unprofitable [ʌn'prɔfɪtəbl] *adj* nicht profitabel, unrentabel.
UNPROFOR *n abbr* (= *United Nations Protection Force*) UNPROFOR *f*; **~ troops** UNPROFOR-Truppen, UNO-Schutztruppen.
unprotected ['ʌnprə'tɛktɪd] *adj* ungeschützt.
unprovoked [ʌnprə'vəukt] *adj* (*attack*) grundlos.
unpunished [ʌn'pʌnɪʃt] *adj*: **to go ~** straflos bleiben.
unqualified [ʌn'kwɔlɪfaɪd] *adj* unqualifiziert; (*disaster, success*) vollkommen.
unquestionably [ʌn'kwɛstʃənəblɪ] *adv* fraglos.
unquestioning [ʌn'kwɛstʃənɪŋ] *adj* bedingungslos.
unravel [ʌn'rævl] *vt* (*also fig*) entwirren.
unreal [ʌn'rɪəl] *adj* (*artificial*) unecht; (*peculiar*) unwirklich.
unrealistic ['ʌnrɪə'lɪstɪk] *adj* unrealistisch.
unreasonable [ʌn'riːznəbl] *adj* (*person, attitude*) unvernünftig; (*demand, length of time*) unzumutbar.
unrecognizable [ʌn'rɛkəgnaɪzəbl] *adj* nicht zu erkennen.
unrecognized [ʌn'rɛkəgnaɪzd] *adj* (*talent etc*) unerkannt; (*POL: regime*) nicht anerkannt.
unreconstructed ['ʌnriːkən'strʌktɪd] (*esp US*) *adj* (*unwilling to accept change*) unverbesserlich.
unrecorded [ʌnrə'kɔːdɪd] *adj* (*piece of music etc*) nicht aufgenommen; (*incident, statement*) nicht schriftlich festgehalten.
unrefined [ʌnrə'faɪnd] *adj* (*sugar, petroleum*) nicht raffiniert.
unrehearsed [ʌnrɪ'həːst] *adj* (*THEAT etc*) nicht geprobt; (*spontaneous*) spontan.
unrelated [ʌnrɪ'leɪtɪd] *adj* (*incidents*) ohne Beziehung; (*people*) nicht verwandt.
unrelenting [ʌnrɪ'lɛntɪŋ] *adj* (*person, behaviour etc*) unnachgiebig.
unreliable [ʌnrɪ'laɪəbl] *adj* unzuverlässig.
unrelieved [ʌnrɪ'liːvd] *adj* ungemindert.
unremitting [ʌnrɪ'mɪtɪŋ] *adj* (*efforts, attempts*) unermüdlich.
unrepeatable [ʌnrɪ'piːtəbl] *adj* (*offer*) einmalig; (*comment*) nicht wiederholbar.
unrepentant [ʌnrɪ'pɛntənt] *adj*: **to be ~ about**

sth etw nicht bereuen; **he's an ~ Marxist** er bereut es nicht, nach wie vor Marxist zu sein.
unrepresentative ['ʌnrɛprɪ'zɛntətɪv] *adj:* **~ (of)** nicht repräsentativ (für).
unrepresented ['ʌnrɛprɪ'zɛntɪd] *adj* nicht vertreten.
unreserved [ʌnrɪ'zə:vd] *adj* (*seat*) unreserviert; (*approval etc*) uneingeschränkt, vorbehaltlos.
unreservedly [ʌnrɪ'zə:vɪdlɪ] *adv* ohne Vorbehalt.
unresponsive [ʌnrɪs'pɔnsɪv] *adj* unempfänglich.
unrest [ʌn'rɛst] *n* Unruhen *pl.*
unrestricted [ʌnrɪ'strɪktɪd] *adj* unbeschränkt; **to have ~ access to** ungehinderten Zugang haben zu.
unrewarded [ʌnrɪ'wɔ:dɪd] *adj* unbelohnt.
unripe [ʌn'raɪp] *adj* unreif.
unrivalled, (*US*) **unrivaled** [ʌn'raɪvəld] *adj* unübertroffen.
unroll [ʌn'rəul] *vt* entrollen ♦ *vi* sich entrollen.
unruffled [ʌn'rʌfld] *adj* unbewegt; (*hair*) unzerzaust.
unruly [ʌn'ru:lɪ] *adj* (*child, behaviour*) ungebärdig; (*hair*) widerspenstig.
unsafe [ʌn'seɪf] *adj* unsicher; (*machine, bridge, car etc*) gefährlich; **~ to eat/drink** ungenießbar.
unsaid [ʌn'sɛd] *adj:* **to leave sth ~** etw ungesagt lassen.
unsaleable, (*US*) **unsalable** [ʌn'seɪləbl] *adj* unverkäuflich.
unsatisfactory ['ʌnsætɪs'fæktərɪ] *adj* unbefriedigend.
unsatisfied [ʌn'sætɪsfaɪd] *adj* unzufrieden.
unsavoury, (*US*) **unsavory** [ʌn'seɪvərɪ] *adj* (*fig: person, place*) widerwärtig.
unscathed [ʌn'skeɪðd] *adj* unversehrt.
unscientific ['ʌnsaɪən'tɪfɪk] *adj* unwissenschaftlich.
unscrew [ʌn'skru:] *vt* losschrauben.
unscrupulous [ʌn'skru:pjuləs] *adj* skrupellos.
unseat [ʌn'si:t] *vt* (*rider*) abwerfen; (*from office*) aus dem Amt drängen.
unsecured ['ʌnsɪ'kjuəd] *adj:* **~ creditor** nicht gesicherter Gläubiger *m*; **~ loan** Blankokredit *m*.
unseeded [ʌn'si:dɪd] *adj* (*player*) nicht gesetzt.
unseemly [ʌn'si:mlɪ] *adj* unschicklich.
unseen [ʌn'si:n] *adj* (*person, danger*) unsichtbar.
unselfish [ʌn'sɛlfɪʃ] *adj* selbstlos.
unsettled [ʌn'sɛtld] *adj* (*person*) unruhig; (*future*) unsicher; (*question*) ungeklärt; (*weather*) unbeständig.
unsettling [ʌn'sɛtlɪŋ] *adj* beunruhigend.
unshak(e)able [ʌn'ʃeɪkəbl] *adj* unerschütterlich.
unshaven [ʌn'ʃeɪvn] *adj* unrasiert.
unsightly [ʌn'saɪtlɪ] *adj* unansehnlich.
unskilled [ʌn'skɪld] *adj* (*work, worker*) ungelernt.
unsociable [ʌn'səuʃəbl] *adj* ungesellig.
unsocial [ʌn'səuʃl] *adj:* **to work ~ hours** außerhalb der normalen Arbeitszeit arbeiten.
unsold [ʌn'səuld] *adj* unverkauft.
unsolicited [ʌnsə'lɪsɪtɪd] *adj* unerbeten.
unsophisticated [ʌnsə'fɪstɪkeɪtɪd] *adj* (*person*) anspruchslos; (*method, device*) simpel.
unsound [ʌn'saund] *adj* (*floor, foundations*) unsicher; (*policy, advice*) unklug; **of ~ mind** unzurechnungsfähig.
unspeakable [ʌn'spi:kəbl] *adj* (*indescribable*) unsagbar; (*awful*) abscheulich.
unspoken [ʌn'spəukn] *adj* (*word*) unausgesprochen; (*agreement etc*) stillschweigend.
unstable [ʌn'steɪbl] *adj* (*piece of furniture*) nicht stabil; (*government*) instabil; (*person: mentally*) labil.
unsteady [ʌn'stɛdɪ] *adj* (*step, voice, legs*) unsicher; (*ladder*) wack(e)lig.
unstinting [ʌn'stɪntɪŋ] *adj* (*support*) vorbehaltlos; (*generosity*) unbegrenzt.
unstuck [ʌn'stʌk] *adj:* **to come ~** (*label etc*) sich lösen; (*fig: plan, idea etc*) versagen.
unsubstantiated ['ʌnsəb'stænʃɪeɪtɪd] *adj* (*rumour*) unbestätigt; (*accusation*) unbegründet.
unsuccessful [ʌnsək'sɛsful] *adj* erfolglos; (*marriage*) gescheitert; **to be ~** keinen Erfolg haben.
unsuccessfully [ʌnsək'sɛsfəlɪ] *adv* ohne Erfolg, vergeblich.
unsuitable [ʌn'su:təbl] *adj* (*time*) unpassend; (*clothes, person*) ungeeignet.
unsuited [ʌn'su:tɪd] *adj:* **to be ~ for** *or* **to sth** für etw ungeeignet sein.
unsung ['ʌnsʌŋ] *adj:* **an ~ hero** ein unbesungener Held.
unsure [ʌn'ʃuə*] *adj* unsicher; **to be ~ of o.s.** unsicher sein.
unsuspecting [ʌnsəs'pɛktɪŋ] *adj* ahnungslos.
unsweetened [ʌn'swi:tnd] *adj* ungesüßt.
unswerving [ʌn'swə:vɪŋ] *adj* unerschütterlich.
unsympathetic ['ʌnsɪmpə'θɛtɪk] *adj* (*showing little understanding*) abweisend; (*unlikeable*) unsympathisch; **to be ~ to(wards) sth** einer Sache *dat* ablehnend gegenüberstehen.
untangle [ʌn'tæŋgl] *vt* entwirren.
untapped [ʌn'tæpt] *adj* (*resources*) ungenutzt.
untaxed [ʌn'tækst] *adj* (*goods, income*) steuerfrei.
unthinkable [ʌn'θɪŋkəbl] *adj* undenkbar.
unthinking [ʌn'θɪŋkɪŋ] *adj* (*uncritical*) bedenkenlos; (*thoughtless*) gedankenlos.
untidy [ʌn'taɪdɪ] *adj* unordentlich.
untie [ʌn'taɪ] *vt* (*knot, parcel*) aufschnüren; (*prisoner, dog*) losbinden.
until [ən'tɪl] *prep* bis *+acc*; (*after negative*) vor

+dat ♦ *conj* bis; (*after negative*) bevor; ~ **now** bis jetzt; ~ **then** bis dann; **from morning** ~ **night** von morgens bis abends; ~ **he comes** bis er kommt.
untimely [ʌn'taɪmlɪ] *adj* (*moment*) unpassend; (*arrival*) ungelegen; (*death*) vorzeitig.
untold [ʌn'təuld] *adj* (*joy, suffering, wealth*) unermeßlich; **the** ~ **story** die Hintergründe.
untouched [ʌn'tʌtʃt] *adj* unberührt; (*undamaged*) unversehrt; ~ **by** (*unaffected*) unberührt von.
untoward [ʌntə'wɔːd] *adj* (*events, effects etc*) ungünstig.
untrained ['ʌn'treɪnd] *adj* unausgebildet; (*eye, hands*) ungeschult.
untrammelled [ʌn'træmld] *adj* (*person*) ungebunden; (*behaviour*) unbeschränkt.
untranslatable [ʌntrænz'leɪtəbl] *adj* unübersetzbar.
untried [ʌn'traɪd] *adj* (*policy, remedy*) unerprobt; (*prisoner*) noch nicht vor Gericht gestellt.
untrue [ʌn'truː] *adj* unwahr.
untrustworthy [ʌn'trʌstwəːðɪ] *adj* unzuverlässig.
unusable [ʌn'juːzəbl] *adj* (*object*) unbrauchbar; (*room*) nicht benutzbar.
unused[1] [ʌn'juːzd] *adj* (*new*) unbenutzt.
unused[2] [ʌn'juːst] *adj*: **to be** ~ **to sth** an etw *acc* nicht gewöhnt sein; **to be** ~ **to doing sth** nicht daran gewöhnt sein, etw zu tun.
unusual [ʌn'juːʒuəl] *adj* ungewöhnlich; (*exceptional*) außergewöhnlich.
unusually [ʌn'juːʒuəlɪ] *adv* (*large, high etc*) ungewöhnlich.
unveil [ʌn'veɪl] *vt* (*also fig*) enthüllen.
unwanted [ʌn'wɔntɪd] *adj* unerwünscht.
unwarranted [ʌn'wɔrəntɪd] *adj* ungerechtfertigt.
unwary [ʌn'wɛərɪ] *adj* unachtsam.
unwavering [ʌn'weɪvərɪŋ] *adj* (*faith, support*) unerschütterlich; (*gaze*) fest.
unwelcome [ʌn'wɛlkəm] *adj* (*guest*) unwillkommen; (*news*) unerfreulich; **to feel** ~ sich nicht willkommen fühlen.
unwell [ʌn'wɛl] *adj*: **to be** ~, **to feel** ~ sich nicht wohl fühlen.
unwieldy [ʌn'wiːldɪ] *adj* (*object*) unhandlich; (*system*) schwerfällig.
unwilling [ʌn'wɪlɪŋ] *adj*: **to be** ~ **to do sth** etw nicht tun wollen.
unwillingly [ʌn'wɪlɪŋlɪ] *adv* widerwillig.
unwind [ʌn'waɪnd] (*irreg: like* **wind**) *vt* abwickeln ♦ *vi* sich abwickeln; (*relax*) sich entspannen.
unwise [ʌn'waɪz] *adj* unklug.
unwitting [ʌn'wɪtɪŋ] *adj* (*accomplice*) unwissentlich; (*victim*) ahnungslos.
unworkable [ʌn'wəːkəbl] *adj* (*plan*) undurchführbar.
unworthy [ʌn'wəːðɪ] *adj* unwürdig; **to be** ~ **of sth** einer Sache *gen* nicht wert *or* würdig sein; **to be** ~ **to do sth** es nicht wert sein, etw zu tun; **that remark is** ~ **of you** diese Bemerkung ist unter deiner Würde.
unwrap [ʌn'ræp] *vt* auspacken.
unwritten [ʌn'rɪtn] *adj* (*law*) ungeschrieben; (*agreement*) stillschweigend.
unzip [ʌn'zɪp] *vt* aufmachen.

KEYWORD

up [ʌp] *prep*: **to be** ~ **sth** (oben) auf etw *dat* sein; **to go** ~ **sth** (auf) etw *acc* hinaufgehen; **go** ~ **that road and turn left** gehen Sie die Straße hinauf und biegen Sie links ab
♦ *adv* **1** (*upwards, higher*) oben; **put it a bit higher** ~ stelle es etwas höher; ~ **there** dort oben; ~ **above** hoch oben
2: **to be** ~ (*out of bed*) auf sein; (*prices, level*) gestiegen sein; (*building, tent*) stehen; **time's** ~ die Zeit ist um *or* vorbei
3: ~ **to** (*as far as*) bis; ~ **to now** bis jetzt
4: **to be** ~ **to** (*depending on*) abhängen von; **it's** ~ **to you** das hängt von dir ab; **it's not** ~ **to me to decide** es liegt nicht bei mir, das zu entscheiden
5: **to be** ~ **to** (*equal to*) gewachsen sein *+dat*; **he's not** ~ **to it** (*job, task etc*) er ist dem nicht gewachsen; **his work is not** ~ **to the required standard** seine Arbeit entspricht nicht dem gewünschten Niveau
6: **to be** ~ **to** (*inf: be doing*) vorhaben; **what is he** ~ **to?** (*showing disapproval, suspicion*) was führt er im Schilde?
♦ *n*: ~**s and downs** (*in life, career*) Höhen und Tiefen *pl* ♦ *vi* (*inf*): **she** ~**ped and left** sie sprang auf und rannte davon
♦ *vt* (*inf: price*) heraufsetzen.

up-and-coming [ʌpənd'kʌmɪŋ] *adj* (*actor, company etc*) kommend.
upbeat ['ʌpbiːt] *n* (*MUS*) Auftakt *m*; (*in economy etc*) Aufschwung *m* ♦ *adj* (*optimistic*) optimistisch.
upbraid [ʌp'breɪd] *vt* tadeln.
upbringing ['ʌpbrɪŋɪŋ] *n* Erziehung *f*.
upcoming ['ʌpkʌmɪŋ] (*esp US*) *adj* kommend.
update [ʌp'deɪt] *vt* aktualisieren.
upend [ʌp'ɛnd] *vt* auf den Kopf stellen.
upfront [ʌp'frʌnt] *adj* (*person*) offen ♦ *adv*: **20%** ~ 20% (als) Vorschuß, 20% im voraus.
upgrade [ʌp'greɪd] *vt* (*house*) Verbesserungen durchführen in *+dat*; (*job*) verbessern; (*employee*) befördern; (*COMPUT*) nachrüsten.
upheaval [ʌp'hiːvl] *n* Unruhe *f*.
uphill ['ʌp'hɪl] *adj* bergaufwärts (führend); (*fig: task*) mühsam ♦ *adv* (*push, move*) bergaufwärts; (*go*) bergauf.
uphold [ʌp'həuld] (*irreg: like* **hold**) *vt* (*law, principle*) wahren; (*decision*) unterstützen.
upholstery [ʌp'həulstərɪ] *n* Polsterung *f*.
upkeep ['ʌpkiːp] *n* (*maintenance*) Instandhaltung *f*.

up-market [ʌp'mɑːkɪt] *adj* anspruchsvoll.
upon [ə'pɔn] *prep* (*position*) auf *+dat*; (*motion*) auf *+acc*.
upper ['ʌpə*] *adj* obere(r, s) ♦ *n* (*of shoe*) Oberleder *nt*.
upper class *n*: **the ~** die Oberschicht.
upper-class ['ʌpə'klɑːs] *adj* vornehm.
uppercut ['ʌpəkʌt] *n* Uppercut *m*.
upper hand *n*: **to have the ~** die Oberhand haben.
Upper House *n* (*POL*) Oberhaus *nt*.
uppermost ['ʌpəməust] *adj* oberste(r, s); **what was ~ in my mind** woran ich in erster Linie dachte.
Upper Volta [-'vɔltə] *n* Obervolta *nt*.
upright ['ʌpraɪt] *adj* (*vertical*) vertikal; (*fig: honest*) rechtschaffen ♦ *adv* (*sit, stand*) aufrecht ♦ *n* (*CONSTR*) Pfosten *m*.
uprising ['ʌpraɪzɪŋ] *n* Aufstand *m*.
uproar ['ʌprɔː*] *n* Aufruhr *m*.
uproarious [ʌp'rɔːrɪəs] *adj* (*laughter*) brüllend; (*joke*) brüllend komisch; (*mirth*) überwältigend.
uproot [ʌp'ruːt] *vt* (*tree*) entwurzeln; (*fig: people*) aus der gewohnten Umgebung reißen; (*: in war etc*) entwurzeln.
upset [*vt, adj* ʌp'sɛt, *n* 'ʌpsɛt] (*irreg: like* **set**) *vt* (*knock over*) umstoßen; (*person: offend, make unhappy*) verletzen; (*routine, plan*) durcheinanderbringen ♦ *adj* (*unhappy*) aufgebracht; (*stomach*) verstimmt ♦ *n*: **to have/get a stomach ~** (*BRIT*) eine Magenverstimmung haben/bekommen; **to get ~** sich aufregen.
upset price ['ʌpsɛt-] (*US, SCOT*) *n* Mindestpreis *m*.
upsetting [ʌp'sɛtɪŋ] *adj* (*distressing*) erschütternd.
upshot ['ʌpʃɔt] *n* Ergebnis *nt*; **the ~ of it all was that ...** es lief schließlich darauf hinaus, daß ...
upside down ['ʌpsaɪd-] *adv* verkehrt herum; **to turn a room ~** (*fig*) ein Zimmer auf den Kopf stellen.
upstage ['ʌp'steɪdʒ] *adv* (*THEAT*) im Bühnenhintergrund ♦ *vt*: **to ~ sb** (*fig*) jdn ausstechen, jdm die Schau stehlen (*inf*).
upstairs [ʌp'stɛəz] *adv* (*be*) oben; (*go*) nach oben ♦ *adj* (*room*) obere(r, s); (*window*) im oberen Stock ♦ *n* oberes Stockwerk *nt*; **there's no ~** das Haus hat kein Obergeschoß.
upstart ['ʌpstɑːt] (*pej*) *n* Emporkömmling *m*.
upstream [ʌp'striːm] *adv, adj* flußaufwärts.
upsurge ['ʌpsəːdʒ] *n* (*of enthusiasm etc*) Schwall *m*.
uptake ['ʌpteɪk] *n*: **to be quick on the ~** schnell kapieren; **to be slow on the ~** schwer von Begriff sein.
uptight [ʌp'taɪt] (*inf*) *adj* nervös.
up-to-date ['ʌptə'deɪt] *adj* (*modern*) modern; (*person*) up to date.
upturn ['ʌptəːn] *n* (*in economy*) Aufschwung *m*.
upturned ['ʌptəːnd] *adj*: **~ nose** Stupsnase *f*.
upward ['ʌpwəd] *adj* (*movement*) Aufwärts-; (*glance*) nach oben gerichtet.
upwardly mobile ['ʌpwədlɪ-] *adj*: **to be ~** ein Aufsteigertyp *m* sein.
upwards ['ʌpwədz] *adv* (*move*) aufwärts; (*glance*) nach oben; **upward(s) of** (*more than*) über *+acc*.
URA (*US*) *n abbr* (= *Urban Renewal Administration*) *Stadtsanierungsbehörde*.
Ural Mountains ['juərəl-] *n*: **the ~** (*also*: **the Urals**) der Ural.
uranium [juə'reɪnɪəm] *n* Uran *nt*.
Uranus [juə'reɪnəs] *n* Uranus *m*.
urban ['əːbən] *adj* städtisch; (*unemployment*) in den Städten.
urbane [əː'beɪn] *adj* weltgewandt.
urbanization ['əːbənaɪ'zeɪʃən] *n* Urbanisierung *f*, Verstädterung *f*.
urchin ['əːtʃɪn] (*pej*) *n* Gassenkind *nt*.
Urdu ['uəduː] *n* Urdu *nt*.
urge [əːdʒ] *n* (*need, desire*) Verlangen *nt* ♦ *vt*: **to ~ sb to do sth** jdn eindringlich bitten, etw zu tun; **to ~ caution** zur Vorsicht mahnen.
►**urge on** *vt* antreiben.
urgency ['əːdʒənsɪ] *n* Dringlichkeit *f*.
urgent ['əːdʒənt] *adj* dringend; (*voice*) eindringend.
urgently ['əːdʒəntlɪ] *adv* dringend.
urinal ['juərɪnl] *n* (*building*) Pissoir *nt*; (*vessel*) Urinal *nt*.
urinate ['juərɪneɪt] *vi* urinieren.
urine ['juərɪn] *n* Urin *m*.
urn [əːn] *n* Urne *f*; (*also*: **tea ~**) Teekessel *m*.
Uruguay ['juərəgwaɪ] *n* Uruguay *nt*.
Uruguayan [juərə'gwaɪən] *adj* uruguayisch ♦ *n* (*person*) Uruguayer(in) *m(f)*.
US *n abbr* (= *United States*) USA *pl*.
us [ʌs] *pl pron* uns; (*emphatic*) wir; *see also* **me**.
USA *n abbr* (= *United States of America*) USA *f*; (*MIL*: = *United States Army*) US-Armee *f*.
usable ['juːzəbl] *adj* brauchbar.
USAF *n abbr* (= *United States Air Force*) US-Luftwaffe *f*.
usage ['juːzɪdʒ] *n* (*LING*) (Sprach)gebrauch *m*.
USCG *n abbr* (= *United States Coast Guard*) *Küstenwache der USA*.
USDA *n abbr* (= *United States Department of Agriculture*) *US-Landwirtschaftsministerium*.
USDAW ['ʌzdɔː] (*BRIT*) *n abbr* (= *Union of Shop, Distributive and Allied Workers*) *Einzelhandelsgewerkschaft*.
USDI *n abbr* (= *United States Department of the Interior*) *US-Innenministerium*.
use [*n* juːs, *vt* juːz] *n* (*using*) Gebrauch *m*, Verwendung *f*; (*usefulness, purpose*) Nutzen *m* ♦ *vt* benutzen, gebrauchen; (*phrase*) verwenden; **in ~** in Gebrauch; **out of ~**

außer Gebrauch; **to be of ~** nützlich *or* von Nutzen sein; **to make ~ of sth** Gebrauch von etw machen; **it's no ~** es hat keinen Zweck; **to have the ~ of sth** über etw *acc* verfügen können; **what's this ~d for?** wofür wird das gebraucht?; **to be ~d to sth** etw gewohnt sein; **to get ~d to sth** sich an etw *acc* gewöhnen; **she ~d to do it** sie hat es früher gemacht.

▶**use up** *vt* (*food, leftovers*) aufbrauchen; (*money*) verbrauchen.

used [juːzd] *adj* gebraucht; (*car*) Gebraucht-.

useful ['juːsful] *adj* nützlich; **to come in ~** sich als nützlich erweisen.

usefulness ['juːsfəlnɪs] *n* Nützlichkeit *f.*

useless ['juːslɪs] *adj* nutzlos; (*person: hopeless*) hoffnungslos.

user ['juːzə*] *n* Benutzer(in) *m(f)*; (*of petrol, gas etc*) Verbraucher(in) *m(f)*.

user-friendly ['juːzə'frɛndlɪ] *adj* benutzerfreundlich.

usher ['ʌʃə*] *n* (*at wedding*) Platzanweiser *m* ♦ *vt:* **to ~ sb in** jdn hineinführen.

usherette [ʌʃə'rɛt] *n* Platzanweiserin *f.*

USIA *n abbr* (= *United States Information Agency*) *US-Informations- und Kulturinstitut.*

USM *n abbr* (= *United States Mint*) *US-Münzanstalt*; (= *United States Mail*) *US-Postbehörde.*

USN *n abbr* (= *United States Navy*) US-Marine *f.*

USPHS *n abbr* (= *United States Public Health Service*) *US-Gesundheitsbehörde.*

USPO *n abbr* (= *United States Post Office*) *US-Postbehörde.*

USS *abbr* (= *United States Ship*) *Namensteil von Schiffen der Kriegsmarine.*

USSR *n abbr* (*formerly:* = *Union of Soviet Socialist Republics*) UdSSR *f.*

usu. *abbr* = **usually.**

usual ['juːʒuəl] *adj* üblich, gewöhnlich; **as ~** wie gewöhnlich.

usually ['juːʒuəlɪ] *adv* gewöhnlich.

usurer ['juːʒərə*] *n* Wucherer *m.*

usurp [juː'zəːp] *vt* (*title, position*) an sich *acc* reißen.

usury ['juːʒurɪ] *n* Wucher *m.*

UT (*US*) *abbr* (*POST:* = *Utah*).

utensil [juː'tɛnsl] *n* Gerät *nt*; **kitchen ~s** Küchengeräte *pl.*

uterus ['juːtərəs] *n* Gebärmutter *f*, Uterus *m.*

utilitarian [juːtɪlɪ'tɛərɪən] *adj* (*building, object*) praktisch; (*PHILOSOPHY*) utilitaristisch.

utility [juː'tɪlɪtɪ] *n* (*usefulness*) Nützlichkeit *f*; (*public utility*) Versorgungsbetrieb *m.*

utility room *n* ≈ Hauswirtschaftsraum *m.*

utilization [juːtɪlaɪ'zeɪʃən] *n* Verwendung *f.*

utilize ['juːtɪlaɪz] *vt* verwenden.

utmost ['ʌtməust] *adj* äußerste(r, s) ♦ *n:* **to do one's ~** sein möglichstes tun; **of the ~ importance** von äußerster Wichtigkeit.

utter ['ʌtə*] *adj* (*amazement*) äußerste(r, s); (*rubbish, fool*) total ♦ *vt* (*sounds, words*) äußern.

utterance ['ʌtərəns] *n* Äußerung *f.*

utterly ['ʌtəlɪ] *adv* (*totally*) vollkommen.

U-turn ['juː'təːn] *n* (*also fig*) Kehrtwendung *f.*

Uzbekistan [ʌzbɛkɪ'stɑːn] *n* Usbekistan *nt.*

V, v

V[1], v [viː] *n* (*letter*) V *nt*, v *nt*; **~ for Victor** ≈ V wie Viktor.

V[2] *abbr* (= *volt*) V.

v. *abbr* = **verse;** (= *versus*) vs.; (= *vide*) s.

VA (*US*) *abbr* (*POST:* = *Virginia*).

vac [væk] (*BRIT: inf*) *n abbr* = **vacation.**

vacancy ['veɪkənsɪ] *n* (*BRIT: job*) freie Stelle *f*; (*room in hotel etc*) freies Zimmer *nt*; **"no vacancies"** „belegt“; **have you any vacancies?** (*hotel*) haben Sie Zimmer frei?; (*office*) haben Sie freie Stellen?

vacant ['veɪkənt] *adj* (*room, seat, job*) frei; (*look*) leer.

vacant lot (*US*) *n* unbebautes Grundstück *nt.*

vacate [və'keɪt] *vt* (*house*) räumen; (*one's seat*) frei machen; (*job*) aufgeben.

vacation [və'keɪʃən] (*esp US*) *n* (*holiday*) Urlaub *m*; (*SCOL*) Ferien *pl*; **to take a ~** Urlaub machen; **on ~** im Urlaub.

vacation course *n* Ferienkurs *m.*

vaccinate ['væksɪneɪt] *vt:* **to ~ sb (against sth)** jdn (gegen etw) impfen.

vaccination [væksɪ'neɪʃən] *n* Impfung *f.*

vaccine ['væksiːn] *n* Impfstoff *m.*

vacuum ['vækjum] *n* (*empty space*) Vakuum *nt.*

vacuum cleaner *n* Staubsauger *m.*

vacuum flask (*BRIT*) *n* Thermosflasche ® *f.*

vacuum-packed ['vækjum'pækt] *adj* vakuumverpackt.

vagabond ['vægəbɔnd] *n* Vagabund *m.*

vagary ['veɪgərɪ] *n:* **the vagaries of** die Launen *+gen.*

vagina [və'dʒaɪnə] *n* Scheide *f*, Vagina *f.*

vagrancy ['veɪgrənsɪ] *n* Landstreicherei *f*; (*in towns, cities*) Stadtstreicherei *f.*

vagrant ['veɪgrənt] *n* Landstreicher(in) *m(f)*; (*in town, city*) Stadtstreicher(in) *m(f)*.

vague [veɪg] *adj* (*memory*) vage; (*outline*) undeutlich; (*look, idea, instructions*) unbestimmt; (*person: not precise*) unsicher; (*: evasive*) unbestimmt; **to look ~** (*absent-minded*) zerstreut aussehen; **I haven't the ~st idea** ich habe nicht die leiseste Ahnung.

vaguely ['veɪglɪ] *adv* (*unclearly*) vage,

unbestimmt; (*slightly*) in etwa.
vagueness ['veɪgnɪs] *n* Unbestimmtheit *f*.
vain [veɪn] *adj* (*person*) eitel; (*attempt, action*) vergeblich; **in** ~ vergebens; **to die in** ~ umsonst sterben.
vainly ['veɪnlɪ] *adv* vergebens.
valance ['væləns] *n* (*of bed*) Volant *m*.
valedictorian [vælɪdɪk'tɔːrɪən] (*US*) *n* (*SCOL*) *Abschiedsredner(in) bei der Schulentlassungsfeier*.
valedictory [vælɪ'dɪktərɪ] *adj* (*speech*) Abschieds-; (*remarks*) zum Abschied.
valentine ['væləntaɪn] *n* (*also*: ~ **card**) Valentinsgruß *m*; (*person*) *Freund/Freundin, dem/der man am Valentinstag einen Gruß schickt*.
valet ['vælɪt] *n* Kammerdiener *m*.
valet parking *n* Einparken *nt* (*durch Hotelangestellte etc*).
valet service *n* Reinigungsdienst *m*.
valiant ['vælɪənt] *adj* (*effort*) tapfer.
valid ['vælɪd] *adj* (*ticket, document*) gültig; (*argument, reason*) stichhaltig.
validate ['vælɪdeɪt] *vt* (*contract, document*) für gültig erklären; (*argument, claim*) bestätigen.
validity [və'lɪdɪtɪ] *n* (*soundness*) Gültigkeit *f*.
valise [və'liːz] *n* kleiner Koffer *m*.
valley ['vælɪ] *n* Tal *nt*.
valour, (*US*) **valor** ['vælə*] *n* Tapferkeit *f*.
valuable ['væljuəbl] *adj* wertvoll; (*time*) kostbar.
valuables ['væljuəblz] *npl* Wertsachen *pl*.
valuation [vælju'eɪʃən] *n* (*of house etc*) Schätzung *f*; (*judgement of quality*) Einschätzung *f*.
value ['væljuː] *n* Wert *m*; (*usefulness*) Nutzen *m* ♦ *vt* schätzen; **values** *npl* (*principles, beliefs*) Werte *pl*; **you get good** ~ **(for money) in that shop** in dem Laden bekommt man etwas für sein Geld; **to lose (in)** ~ an Wert verlieren; **to gain (in)** ~ im Wert steigen; **to be of great** ~ **(to sb)** (*fig*) von großem Wert (für jdn) sein.
value-added tax [væljuː'ædɪd-] (*BRIT*) *n* Mehrwertsteuer *f*.
valued ['væljuːd] *adj* (*customer, advice*) geschätzt.
valuer ['væljuə*] *n* Schätzer(in) *m(f)*.
valve [vælv] *n* Ventil *nt*; (*MED*) Klappe *f*.
vampire ['væmpaɪə*] *n* Vampir *m*.
van [væn] *n* (*AUT*) Lieferwagen *m*; (*BRIT: RAIL*) Waggon *m*.
V and A (*BRIT*) *n abbr* (= *Victoria and Albert Museum*) *Londoner Museum*.
vandal ['vændl] *n* Rowdy *m*.
vandalism ['vændəlɪzəm] *n* Vandalismus *m*.
vandalize ['vændəlaɪz] *vt* mutwillig zerstören.
vanguard ['vængɑːd] *n* (*fig*): **in the** ~ **of** an der Spitze *+gen*.
vanilla [və'nɪlə] *n* Vanille *f*.
vanilla ice cream *n* Vanilleeis *nt*.
vanish ['vænɪʃ] *vi* verschwinden.
vanity ['vænɪtɪ] *n* (*of person*) Eitelkeit *f*.
vanity case *n* Kosmetikkoffer *m*.
vantage point ['vɑːntɪdʒ-] *n* Aussichtspunkt *m*; (*fig*): **from our** ~ aus unserer Sicht.
vaporize ['veɪpəraɪz] *vt* verdampfen ♦ *vi* verdunsten.
vapour, (*US*) **vapor** ['veɪpə*] *n* (*gas, steam*) Dampf *m*; (*mist*) Dunst *m*.
vapour trail *n* (*AVIAT*) Kondensstreifen *m*.
variable ['vɛərɪəbl] *adj* (*likely to change: mood, quality, weather*) veränderlich, wechselhaft; (*able to be changed: temperature, height, speed*) variabel ♦ *n* veränderlicher Faktor *m*; (*MATH*) Variable *f*.
variance ['vɛərɪəns] *n*: **to be at** ~ **(with)** nicht übereinstimmen (mit).
variant ['vɛərɪənt] *n* Variante *f*.
variation [vɛərɪ'eɪʃən] *n* (*change*) Veränderung *f*; (*different form: of plot, theme etc*) Variation *f*.
varicose ['værɪkəus] *adj*: ~ **veins** Krampfadern *pl*.
varied ['vɛərɪd] *adj* (*diverse*) unterschiedlich; (*full of changes*) abwechslungsreich.
variety [və'raɪətɪ] *n* (*diversity*) Vielfalt *f*; (*varied collection*) Auswahl *f*; (*type*) Sorte *f*; **a wide** ~ **of** ... eine Vielfalt an *+acc* ...; **for a** ~ **of reasons** aus verschiedenen Gründen.
variety show *n* Varietévorführung *f*.
various ['vɛərɪəs] *adj* (*reasons, people*) verschiedene; **at** ~ **times** (*different*) zu verschiedenen Zeiten; (*several*) mehrmals, mehrfach.
varnish ['vɑːnɪʃ] *n* Lack *m* ♦ *vt* (*wood, one's nails*) lackieren.
vary ['vɛərɪ] *vt* verändern ♦ *vi* (*be different*) variieren; **to** ~ **with** (*weather, season etc*) sich ändern mit.
varying ['vɛərɪɪŋ] *adj* unterschiedlich.
vase [vɑːz] *n* Vase *f*.
vasectomy [væ'sɛktəmɪ] *n* Vasektomie *f*.
Vaseline ® ['væsɪliːn] *n* Vaseline *f*.
vast [vɑːst] *adj* (*knowledge*) enorm; (*expense, area*) riesig.
vastly ['vɑːstlɪ] *adv* (*superior, improved*) erheblich.
vastness ['vɑːstnɪs] *n* ungeheure Größe *f*.
VAT [væt] (*BRIT*) *n abbr* (= *value-added tax*) MWSt *f*.
vat [væt] *n* Faß *nt*.
Vatican ['vætɪkən] *n*: **the** ~ der Vatikan.
vatman ['vætmæn] (*inf*: *irreg*: *like* **man**) *n* ≈ Fiskus *m* (*bezüglich Einbehaltung der Mehrwertsteuer*).
vaudeville ['vəudəvɪl] *n* Varieté *nt*.
vault [vɔːlt] *n* (*of roof*) Gewölbe *nt*; (*tomb*) Gruft *f*; (*in bank*) Tresorraum *m*; (*jump*) Sprung *m* ♦ *vt* (*also*: ~ **over**) überspringen.
vaunted ['vɔːntɪd] *adj*: **much-**~ vielgepriesen.
VC *n abbr* = **vice-chairman**; (*BRIT*: = *Victoria Cross*) Viktoriakreuz *nt*, *höchste britische*

Tapferkeitsauszeichnung.
VCR *n abbr* = **video cassette recorder.**
VD *n abbr* = **venereal disease.**
VDU *n abbr* (*COMPUT*) = **visual display unit.**
veal [viːl] *n* Kalbfleisch *nt.*
veer [vɪə*] *vi* (*wind*) sich drehen; (*vehicle*) ausscheren.
veg (*BRIT: inf*) *n abbr* = **vegetable(s).**
vegan ['viːgən] *n* Veganer(in) *m(f)* ♦ *adj* radikal vegetarisch.
vegeburger ['vɛdʒɪbəːgə*] *n* vegetarischer Hamburger *m.*
vegetable ['vɛdʒtəbl] *n* (*plant*) Gemüse *nt;* (*plant life*) Pflanzen *pl* ♦ *cpd* (*oil etc*) Pflanzen-; (*garden, plot*) Gemüse-.
vegetarian [vɛdʒɪ'tɛərɪən] *n* Vegetarier(in) *m(f)* ♦ *adj* vegetarisch.
vegetate ['vɛdʒɪteɪt] *vi* (*fig: person*) dahinvegetieren.
vegetation [vɛdʒɪ'teɪʃən] *n* (*plants*) Vegetation *f.*
vegetative ['vɛdʒɪtətɪv] *adj* vegetativ.
veggieburger ['vɛdʒɪbəːgə*] *n* = **vegeburger.**
vehemence ['viːɪməns] *n* Vehemenz *f,* Heftigkeit *f.*
vehement ['viːɪmənt] *adj* heftig.
vehicle ['viːɪkl] *n* (*machine*) Fahrzeug *nt;* (*fig: means*) Mittel *nt.*
vehicular [vɪ'hɪkjulə*] *adj:* **"no ~ traffic"** „kein Fahrzeugverkehr".
veil [veɪl] *n* Schleier *m* ♦ *vt* (*also fig*) verschleiern; **under a ~ of secrecy** unter einem Schleier von Geheimnissen.
veiled [veɪld] *adj* (*also fig: threat*) verschleiert.
vein [veɪn] *n* Ader *f;* (*fig: mood, style*) Stimmung *f.*
Velcro ® ['vɛlkrəu] *n* (*also:* **~ fastener** *or* **fastening**) Klettverschluß *m.*
vellum ['vɛləm] *n* (*writing paper*) Pergament *nt.*
velocity [vɪ'lɔsɪtɪ] *n* Geschwindigkeit *f.*
velours *n* Velours *m.*
velvet ['vɛlvɪt] *n* Samt *m* ♦ *adj* (*skirt, jacket*) Samt-.
vendetta [vɛn'dɛtə] *n* Vendetta *f;* (*between families*) Blutrache *f.*
vending machine ['vɛndɪŋ-] *n* Automat *m.*
vendor ['vɛndə*] *n* Verkäufer(in) *m(f);* **street ~** Straßenhändler(in) *m(f).*
veneer [və'nɪə*] *n* (*on furniture*) Furnier *nt;* (*fig*) Anstrich *m.*
venerable ['vɛnərəbl] *adj* ehrwürdig; (*REL*) hochwürdig.
venereal [vɪ'nɪərɪəl] *adj:* **~ disease** Geschlechtskrankheit *f.*
Venetian [vɪ'niːʃən] *adj* (*GEOG*) venezianisch ♦ *n* (*person*) Venezianer(in) *m(f).*
Venetian blind *n* Jalousie *f.*
Venezuela [vɛnɛ'zweɪlə] *n* Venezuela *nt.*
Venezuelan [vɛnɛ'zweɪlən] *adj* venezolanisch ♦ *n* (*person*) Venezolaner(in) *m(f).*
vengeance ['vɛndʒəns] *n* Rache *f;* **with a ~** (*fig: fiercely*) gewaltig; **he broke the rules with a ~** er verstieß die Regeln - und nicht zu knapp.
vengeful ['vɛndʒful] *adj* rachsüchtig.
Venice ['vɛnɪs] *n* Venedig *nt.*
venison ['vɛnɪsn] *n* Rehfleisch *nt.*
venom ['vɛnəm] *n* (*poison*) Gift *nt;* (*bitterness, anger*) Gehässigkeit *f.*
venomous ['vɛnəməs] *adj* (*snake, insect*) giftig; (*look*) gehässig.
vent [vɛnt] *n* (*also:* **air ~**) Abzug *m;* (*in jacket*) Schlitz *m* ♦ *vt* (*fig: feelings*) abreagieren.
ventilate ['vɛntɪleɪt] *vt* (*building*) belüften; (*room*) lüften.
ventilation [vɛntɪ'leɪʃən] *n* Belüftung *f.*
ventilation shaft *n* Luftschacht *m.*
ventilator ['vɛntɪleɪtə*] *n* (*TECH*) Ventilator *m;* (*MED*) Beatmungsgerät *nt.*
ventriloquist [vɛn'trɪləkwɪst] *n* Bauchredner(in) *m(f).*
venture ['vɛntʃə*] *n* Unternehmung *f* ♦ *vt* (*opinion*) zu äußern wagen ♦ *vi* (*dare to go*) sich wagen; **a business ~** ein geschäftliches Unternehmen; **to ~ to do sth** es wagen, etw zu tun.
venture capital *n* Risikokapital *nt.*
venue ['vɛnjuː] *n* (*for meeting*) Treffpunkt *m;* (*for big events*) Austragungsort *m.*
Venus ['viːnəs] *n* Venus *f.*
veracity [və'ræsɪtɪ] *n* (*of person*) Aufrichtigkeit *f;* (*of evidence etc*) Richtigkeit *f.*
veranda(h) [və'rændə] *n* Veranda *f.*
verb [vəːb] *n* Verb *nt.*
verbal ['vəːbl] *adj* verbal; (*skills*) sprachlich; (*translation*) wörtlich.
verbally ['vəːbəlɪ] *adv* (*communicate etc*) mündlich, verbal.
verbatim [vəː'beɪtɪm] *adj* wörtlich ♦ *adv* Wort für Wort.
verbose [vəː'bəus] *adj* (*person*) wortreich; (*writing*) weitschweifig.
verdict ['vəːdɪkt] *n* (*LAW, fig*) Urteil *nt;* **~ of guilty/not guilty** Schuld-/Freispruch *m.*
verge [vəːdʒ] (*BRIT*) *n* (*of road*) Rand *m,* Bankett *nt;* **"soft ~s"** (*BRIT: AUT*) „Seitenstreifen nicht befahrbar"; **to be on the ~ of doing sth** im Begriff sein, etw zu tun.
►**verge on** *vt fus* grenzen an *+acc.*
verger ['vəːdʒə*] *n* (*REL*) Küster *m.*
verification [vɛrɪfɪ'keɪʃən] *n* (*see vt*) Bestätigung *f;* Überprüfung *f.*
verify ['vɛrɪfaɪ] *vt* (*confirm*) bestätigen; (*check*) überprüfen.
veritable ['vɛrɪtəbl] *adj* (*real*) wahr.
vermin ['vəːmɪn] *npl* Ungeziefer *nt.*
vermouth ['vəːməθ] *n* Wermut *m.*
vernacular [və'nækjulə*] *n* (*of country*) Landessprache *f;* (*of region*) Dialekt *m.*
versatile ['vəːsətaɪl] *adj* vielseitig.
versatility [vəːsə'tɪlɪtɪ] *n* Vielseitigkeit *f.*

verse [vəːs] *n* (*poetry*) Poesie *f*; (*stanza*) Strophe *f*; (*in bible*) Vers *m*; **in ~** in Versform.
versed [vəːst] *adj*: **(well-)~ in** (gut) bewandert in *+dat*.
version ['vəːʃən] *n* Version *f*.
versus ['vəːsəs] *prep* gegen.
vertebra ['vəːtɪbrə] (*pl* **~e**) *n* Rückenwirbel *m*.
vertebrae ['vəːtɪbriː] *npl of* **vertebra**.
vertebrate ['vəːtɪbrɪt] *n* Wirbeltier *nt*.
vertical ['vəːtɪkl] *adj* vertikal, senkrecht ♦ *n* Vertikale *f*.
vertically ['vəːtɪklɪ] *adv* vertikal.
vertigo ['vəːtɪgəu] *n* Schwindelgefühle *pl*; **to suffer from ~** leicht schwindlig werden.
verve [vəːv] *n* Schwung *m*.
very ['vɛrɪ] *adv* sehr ♦ *adj*: **the ~ book which ...** genau das Buch, das ...; **the ~ last** der/die/das allerletzte; **at the ~ least** allerwenigstens; **~ well/little** sehr gut/wenig; **~ much** sehr viel; (*like, hope*) sehr; **the ~ thought (of it) alarms me** der bloße Gedanke (daran) beunruhigt mich; **at the ~ end** ganz am Ende.
vespers ['vɛspəz] *npl* (*REL*) Vesper *f*.
vessel ['vɛsl] *n* Gefäß *nt*; (*NAUT*) Schiff *nt*; *see* **blood**.
vest [vɛst] *n* (*BRIT: underwear*) Unterhemd *nt*; (*US: waistcoat*) Weste *f* ♦ *vt*: **to ~ sb with sth, ~ sth in sb** jdm etw verleihen.
vested interest ['vɛstɪd-] *n* (*COMM*) finanzielles Interesse *nt*; **to have a ~ in doing sth** ein besonderes Interesse daran haben, etw zu tun.
vestibule ['vɛstɪbjuːl] *n* Vorhalle *f*.
vestige ['vɛstɪdʒ] *n* Spur *f*.
vestment ['vɛstmənt] *n* (*REL*) Ornat *nt*.
vestry ['vɛstrɪ] *n* Sakristei *f*.
Vesuvius [vɪ'suːvɪəs] *n* Vesuv *m*.
vet [vɛt] (*BRIT*) *n abbr* = **veterinary surgeon** ♦ *vt* (*examine*) überprüfen.
veteran ['vɛtərn] *n* Veteran(in) *m(f)* ♦ *adj*: **she's a ~ campaigner for ...** sie ist eine altgediente Kämpferin für ...
veteran car *n* Oldtimer *m* (*vor 1919 gebaut*).
veterinarian [vɛtrɪ'nɛərɪən] (*US*) *n* = **veterinary surgeon**.
veterinary ['vɛtrɪnərɪ] *adj* (*practice, medicine*) Veterinär-; (*care, training*) tierärztlich.
veterinary surgeon (*BRIT*) *n* Tierarzt *m*, Tierärztin *f*.
veto ['viːtəu] (*pl* **~es**) *n* Veto *nt* ♦ *vt* ein Veto einlegen gegen; **to put a ~ on sth** gegen etw ein Veto einlegen.
vetting ['vɛtɪŋ] *n* Überprüfung *f*.
vex [vɛks] *vt* (*irritate, upset*) ärgern.
vexed [vɛkst] *adj* (*upset*) verärgert; (*question*) umstritten.
VFD (*US*) *n abbr* (= *volunteer fire department*) ≈ freiwillige Feuerwehr *f*.
VG (*BRIT*) *n abbr* (*SCOL etc: = very good*) ≈ Sehr Gut *nt*.
VHF *abbr* (*RADIO: = very high frequency*) VHF.
VI (*US*) *abbr* (*POST: = Virgin Islands*).
via ['vaɪə] *prep* über *+acc*.
viability [vaɪə'bɪlɪtɪ] *n* (*see adj*) Durchführbarkeit *f*; Rentabilität *f*.
viable ['vaɪəbl] *adj* (*project*) durchführbar; (*company*) rentabel.
viaduct ['vaɪədʌkt] *n* Viadukt *m*.
vial ['vaɪəl] *n* Fläschchen *nt*.
vibes [vaɪbz] *npl* (*MUS*) *see* **vibraphone**; (*inf: vibrations*): **I get good/bad ~ from it/him** das/er/macht mich an/nicht an.
vibrant ['vaɪbrnt] *adj* (*lively*) dynamisch; (*bright*) lebendig; (*full of emotion: voice*) volltönend.
vibraphone ['vaɪbrəfəun] *n* Vibraphon *nt*.
vibrate [vaɪ'breɪt] *vi* (*house*) zittern, beben; (*machine, sound etc*) vibrieren.
vibration [vaɪ'breɪʃən] *n* (*act of vibrating*) Vibrieren *nt*; (*instance*) Vibration *f*.
vibrator [vaɪ'breɪtə*] *n* Vibrator *m*.
vicar ['vɪkə*] *n* Pfarrer *m*.
vicarage ['vɪkərɪdʒ] *n* Pfarrhaus *nt*.
vicarious [vɪ'kɛərɪəs] *adj* (*pleasure, experience*) indirekt.
vice [vaɪs] *n* (*moral fault*) Laster *nt*; (*TECH*) Schraubstock *m*.
vice- [vaɪs] *pref* Vize-.
vice-chairman [vaɪs'tʃɛəmən] *n* stellvertretender Vorsitzender *m*.
vice chancellor (*BRIT*) *n* (*of university*) ≈ Rektor *m*.
vice president *n* Vizepräsident(in) *m(f)*.
viceroy ['vaɪsrɔɪ] *n* Vizekönig *m*.
vice squad *n* (*POLICE*) Sittendezernat *nt*.
vice versa ['vaɪsɪ'vəːsə] *adv* umgekehrt.
vicinity [vɪ'sɪnɪtɪ] *n*: **in the ~ (of)** in der Nähe *or* Umgebung (*+gen*).
vicious ['vɪʃəs] *adj* (*attack, blow*) brutal; (*words, look*) gemein; (*horse, dog*) bösartig.
vicious circle *n* Teufelskreis *m*.
viciousness ['vɪʃəsnɪs] *n* Bösartigkeit *f*, Gemeinheit *f*.
vicissitudes [vɪ'sɪsɪtjuːdz] *npl* Wechselfälle *pl*.
victim ['vɪktɪm] *n* Opfer *nt*; **to be the ~ of an attack** einem Angriff zum Opfer fallen.
victimization ['vɪktɪmaɪ'zeɪʃən] *n* Schikanierung *f*.
victimize ['vɪktɪmaɪz] *vt* schikanieren.
victor ['vɪktə*] *n* Sieger(in) *m(f)*.
Victorian [vɪk'tɔːrɪən] *adj* viktorianisch.
victorious [vɪk'tɔːrɪəs] *adj* (*team*) siegreich; (*shout*) triumphierend.
victory ['vɪktərɪ] *n* Sieg *m*; **to win a ~ over sb** einen Sieg über jdn erringen.
video ['vɪdɪəu] *n* (*film, cassette, recorder*) Video *nt* ♦ *cpd* Video-.
video camera *n* Videokamera *f*.
video cassette *n* Videokassette *f*.
video cassette recorder *n* Videorekorder *m*.
videodisc, videodisk ['vɪdɪəudɪsk] *n* Bildplatte *f*.

video game *n* Videospiel *nt*, Telespiel *nt*.
video nasty *n* *Video mit übertriebenen Gewaltszenen und/oder pornographischem Inhalt.*
videophone ['vɪdɪəufəun] *n* Bildtelefon *nt*.
video recorder *n* Videorekorder *m*.
video recording *n* Videoaufnahme *f*.
video tape *n* Videoband *nt*.
vie [vaɪ] *vi*: **to ~ with sb/for sth** mit jdm/um etw wetteifern.
Vienna [vɪ'ɛnə] *n* Wien *nt*.
Viennese [vɪə'ni:z] *adj* Wiener.
Vietnam ['vjɛt'næm] *n* Vietnam *nt*.
Viet Nam ['vjɛt'næm] *n* = **Vietnam.**
Vietnamese [vjɛtnə'mi:z] *adj* vietnamesisch ♦ *n inv* (*person*) Vietnamese *m*, Vietnamesin *f*; (*LING*) Vietnamesisch *nt*.
view [vju:] *n* (*from window etc*) Aussicht *f*; (*sight*) Blick *m*; (*outlook*) Sicht *f*; (*opinion*) Ansicht *f* ♦ *vt* betrachten; (*house*) besichtigen; **to be on ~** (*in museum etc*) ausgestellt sein; **in full ~ of** vor den Augen *+gen*; **to take the ~ that** ... der Ansicht sein, daß ...; **in ~ of the weather/the fact that** in Anbetracht des Wetters/der Tatsache, daß ...; **in my ~** meiner Ansicht nach; **an overall ~ of the situation** ein allgemeiner Überblick über die Lage; **with a ~ to doing sth** mit der Absicht, etw zu tun.
viewdata ® ['vju:deɪtə] (*BRIT*) *n* Bildschirmtext *m*.
viewer ['vju:ə*] *n* (*person*) Zuschauer(in) *m(f)*; (*viewfinder*) Sucher *m*.
viewfinder ['vju:faɪndə*] *n* Sucher *m*.
viewpoint ['vju:pɔɪnt] *n* (*attitude*) Standpunkt *m*; (*place*) Aussichtspunkt *m*.
vigil ['vɪdʒɪl] *n* Wache *f*; **to keep ~** Wache halten.
vigilance ['vɪdʒɪləns] *n* Wachsamkeit *f*.
vigilance committee (*US*) *n* Bürgerwehr *f*.
vigilant ['vɪdʒɪlənt] *adj* wachsam.
vigilante [vɪdʒɪ'læntɪ] *n Mitglied einer Selbstschutzorganisation oder Bürgerwehr* ♦ *adj* (*group, patrol*) Bürgerwehr-, Selbstschutz-.
vigorous ['vɪgərəs] *adj* (*action, campaign*) energisch, dynamisch; (*plant*) kräftig.
vigour, (*US*) **vigor** ['vɪgə*] *n* (*of person, campaign*) Energie *f*, Dynamik *f*.
vile [vaɪl] *adj* abscheulich.
vilify ['vɪlɪfaɪ] *vt* diffamieren.
villa ['vɪlə] *n* Villa *f*.
village ['vɪlɪdʒ] *n* Dorf *nt*.
villager ['vɪlɪdʒə*] *n* Dorfbewohner(in) *m(f)*.
villain ['vɪlən] *n* (*scoundrel*) Schurke *m*; (*in novel etc*) Bösewicht *m*; (*BRIT: criminal*) Verbrecher(in) *m(f)*.
VIN (*US*) *n abbr* (= *vehicle identification number*) amtliches Kennzeichen *nt*.
vinaigrette [vɪneɪ'grɛt] *n* Vinaigrette *f*.
vindicate ['vɪndɪkeɪt] *vt* (*person*) rehabilitieren; (*action*) rechtfertigen.
vindication [vɪndɪ'keɪʃən] *n* Rechtfertigung *f*.
vindictive [vɪn'dɪktɪv] *adj* (*person*) nachtragend; (*action*) aus Rache.
vine [vaɪn] *n* (*BOT: producing grapes*) Weinrebe *f*; (: *in jungle*) Rebengewächs *nt*.
vinegar ['vɪnɪgə*] *n* Essig *m*.
vine grower *n* Weinbauer *m*.
vine-growing ['vaɪngrəuɪŋ] *adj* (*region*) Weinbau- ♦ *n* Weinbau *m*.
vineyard ['vɪnjɑ:d] *n* Weinberg *m*.
vintage ['vɪntɪdʒ] *n* (*of wine*) Jahrgang *m* ♦ *cpd* (*classic*) klassisch; **the 1980 ~** (*of wine*) der Jahrgang 1980.
vintage car *n* Oldtimer *m* (*zwischen 1919 und 1930 gebaut*).
vintage wine *n* erlesener Wein *m*.
vinyl ['vaɪnl] *n* Vinyl *nt*; (*records*) Schallplatten *pl*.
viola [vɪ'əulə] *n* Bratsche *f*.
violate ['vaɪəleɪt] *vt* (*agreement*) verletzen; (*peace*) stören; (*graveyard*) schänden.
violation [vaɪə'leɪʃən] *n* (*of agreement etc*) Verletzung *f*; **in ~ of** (*rule, law*) unter Verletzung *+gen*.
violence ['vaɪələns] *n* Gewalt *f*; (*strength*) Heftigkeit *f*.
violent ['vaɪələnt] *adj* (*behaviour*) gewalttätig; (*death*) gewaltsam; (*explosion, criticism, emotion*) heftig; **a ~ dislike of sb/sth** eine heftige Abneigung gegen jdn/etw.
violently ['vaɪələntlɪ] *adv* heftig; (*ill*) schwer; (*angry*) äußerst.
violet ['vaɪələt] *adj* violett ♦ *n* (*colour*) Violett *nt*; (*plant*) Veilchen *nt*.
violin [vaɪə'lɪn] *n* Geige *f*, Violine *f*.
violinist [vaɪə'lɪnɪst] *n* Violinist(in) *m(f)*, Geiger(in) *m(f)*.
VIP *n abbr* (= *very important person*) VIP *m*.
viper ['vaɪpə*] *n* Viper *f*.
viral ['vaɪərəl] *adj* (*disease, infection*) Virus-.
virgin ['və:dʒɪn] *n* Jungfrau *f* ♦ *adj* (*snow, forest etc*) unberührt; **she is a ~** sie ist Jungfrau; **the Blessed V~** die Heilige Jungfrau.
virgin birth *n* unbefleckte Empfängnis *f*; (*BIOL*) Jungfernzeugung *f*.
virginity [və:'dʒɪnɪtɪ] *n* (*of person*) Jungfräulichkeit *f*.
Virgo ['və:gəu] *n* (*sign*) Jungfrau *f*; **to be ~** Jungfrau sein.
virile ['vɪraɪl] *adj* (*person*) männlich.
virility [vɪ'rɪlɪtɪ] *n* (*masculine qualities*) Männlichkeit *f*.
virtual ['və:tjuəl] *adj* (*COMPUT, PHYS*) virtuell; **it's a ~ impossibility** es ist so gut wie unmöglich; **to be the ~ leader** eigentlich *or* praktisch der Führer sein.
virtually ['və:tjuəlɪ] *adv* praktisch, nahezu; **it is ~ impossible** es ist so gut wie unmöglich.
virtual reality *n* virtuelle Realität *f*.
virtue ['və:tju:] *n* Tugend *f*; (*advantage*) Vorzug *m*; **by ~ of** aufgrund *+gen*.
virtuosi [və:tju'əuzɪ] *npl of* **virtuoso.**

virtuosity [vəːtju'ɔsɪtɪ] *n* Virtuosität *f*.
virtuoso [vəːtju'əuzəu] (*pl* **~s** *or* **virtuosi**) *n* Virtuose *m*.
virtuous ['vəːtjuəs] *adj* tugendhaft.
virulence ['vɪruləns] *n* (*of disease*) Bösartigkeit *f*; (*hatred*) Feindseligkeit *f*.
virulent ['vɪrulənt] *adj* (*disease*) bösartig; (*actions, feelings*) feindselig.
virus ['vaɪərəs] *n* (*MED, COMPUT*) Virus *m or nt*.
visa ['viːzə] *n* Visum *nt*.
vis-à-vis [viːzə'viː] *prep* gegenüber.
viscose ['vɪskəus] *n* (*also CHEM*) Viskose *f*.
viscount ['vaɪkaunt] *n* Viscount *m*.
viscous ['vɪskəs] *adj* zähflüssig.
vise [vaɪs] (*US*) *n* (*TECH*) = **vice.**
visibility [vɪzɪ'bɪlɪtɪ] *n* (*range of vision*) Sicht(weite) *f*.
visible ['vɪzəbl] *adj* sichtbar; **~ exports/imports** sichtbare Ausfuhren/Einfuhren.
visibly ['vɪzəblɪ] *adv* sichtlich.
vision ['vɪʒən] *n* (*sight*) Sicht *f*; (*foresight*) Weitblick *m*; (*in dream*) Vision *f*.
visionary ['vɪʒənrɪ] *adj* (*with foresight*) vorausblickend.
visit ['vɪzɪt] *n* Besuch *m* ♦ *vt* besuchen; **a private/official ~** ein privater/offizieller Besuch.
visiting ['vɪzɪtɪŋ] *adj* (*speaker, team*) Gast-.
visiting card *n* Visitenkarte *f*.
visiting hours *npl* Besuchszeiten *pl*.
visiting professor *n* Gastprofessor(in) *m(f)*.
visitor ['vɪzɪtə*] *n* Besucher(in) *m(f)*.
visitors' book ['vɪzɪtəz-] *n* Gästebuch *nt*.
visor ['vaɪzə*] *n* (*of helmet etc*) Visier *nt*.
VISTA ['vɪstə] (*US*) *n abbr* (= *Volunteers in Service to America*) *staatliches Förderprogramm für strukturschwache Gebiete*.
vista ['vɪstə] *n* Aussicht *f*.
visual ['vɪzjuəl] *adj* (*image etc*) visuell; **the ~ arts** die darstellenden Künste.
visual aid *n* Anschauungsmaterial *nt*.
visual display unit *n* (Daten)sichtgerät *nt*.
visualize ['vɪzjuəlaɪz] *vt* sich *dat* vorstellen.
visually ['vɪzjuəlɪ] *adv* visuell; **~ appealing** optisch ansprechend; **~ handicapped** sehbehindert.
vital ['vaɪtl] *adj* (*essential*) unerläßlich; (*organ*) lebenswichtig; (*full of life*) vital; **of ~ importance (to sb/sth)** von größter Wichtigkeit (für jdn/etw).
vitality [vaɪ'tælɪtɪ] *n* (*liveliness*) Vitalität *f*.
vitally ['vaɪtəlɪ] *adv*: **~ important** äußerst wichtig.
vital statistics *npl* (*fig: of woman*) Körpermaße *pl*; (*of population*) Bevölkerungsstatistik *f*.
vitamin ['vɪtəmɪn] *n* Vitamin *nt* ♦ *cpd* (*pill, deficiencies*) Vitamin-.
vitiate ['vɪʃɪeɪt] *vt* (*spoil*) verunreinigen.
vitreous ['vɪtrɪəs] *adj*: **~ china** Porzellanemail *nt*; **~ enamel** Glasemail *nt*.
vitriolic [vɪtrɪ'ɔlɪk] *adj* (*fig: language, behaviour*) haßerfüllt.
viva ['vaɪvə] *n* (*SCOL: also:* **~ voce** [-'vəutʃɪ]) mündliche Prüfung *f*.
vivacious [vɪ'veɪʃəs] *adj* lebhaft.
vivacity [vɪ'væsɪtɪ] *n* Lebendigkeit *f*.
vivid ['vɪvɪd] *adj* (*description*) lebendig; (*memory, imagination*) lebhaft; (*colour*) leuchtend; (*light*) hell.
vividly ['vɪvɪdlɪ] *adv* (*describe*) lebendig; (*remember*) lebhaft.
vivisection [vɪvɪ'sɛkʃən] *n* Vivisektion *f*.
vixen ['vɪksn] *n* (*ZOOL*) Füchsin *f*; (*pej: woman*) Drachen *m*.
viz [vɪz] *abbr* (= *videlicet*) nämlich.
VLF *abbr* (*RADIO: = very low frequency*) VLF.
V-neck ['viːnɛk] *n* (*also:* **~ jumper** *or* **pullover**) Pullover *m* mit V-Ausschnitt.
VOA *n abbr* (= *Voice of America*) Stimme *f* Amerikas.
vocabulary [vəu'kæbjulərɪ] *n* (*words known*) Vokabular *nt*, Wortschatz *m*.
vocal ['vəukl] *adj* (*of the voice*) stimmlich; (*articulate*) lautstark.
vocal cords *npl* Stimmbänder *pl*.
vocalist ['vəukəlɪst] *n* Sänger(in) *m(f)*.
vocals ['vəuklz] *npl* (*MUS*) Gesang *m*, Vocals *pl*.
vocation [vəu'keɪʃən] *n* (*calling*) Berufung *f*; (*profession*) Beruf *m*.
vocational [vəu'keɪʃənl] *adj* (*training, guidance etc*) Berufs-.
vociferous [və'sɪfərəs] *adj* (*protesters, demands*) lautstark.
vodka ['vɔdkə] *n* Wodka *m*.
vogue [vəug] *n* (*fashion*) Mode *f*; (*popularity*) Popularität *f*; **in ~** in Mode.
voice [vɔɪs] *n* (*also fig*) Stimme *f* ♦ *vt* (*opinion*) zum Ausdruck bringen; **in a loud/soft ~** mit lauter/leiser Stimme; **to give ~ to** Ausdruck verleihen *+dat*.
voice-over ['vɔɪsəuvə*] *n* (Film)kommentar *m*.
void [vɔɪd] *n* (*hole*) Loch *nt*; (*fig: emptiness*) Leere *f* ♦ *adj* (*invalid*) ungültig; **~ of** (*empty*) ohne.
voile [vɔɪl] *n* Voile *m*.
vol. *abbr* (= *volume*) Bd.
volatile ['vɔlətaɪl] *adj* (*person*) impulsiv; (*situation*) unsicher; (*liquid etc*) flüchtig.
volcanic [vɔl'kænɪk] *adj* (*rock, eruption*) vulkanisch, Vulkan-.
volcano [vɔl'keɪnəu] (*pl* **~es**) *n* Vulkan *m*.
volition [və'lɪʃən] *n*: **of one's own ~** aus freiem Willen.
volley ['vɔlɪ] *n* (*of gunfire*) Salve *f*; (*of stones, questions*) Hagel *m*; (*TENNIS etc*) Volley *m*.
volleyball ['vɔlɪbɔːl] *n* Volleyball *m*.
volt [vəult] *n* Volt *nt*.
voltage ['vəultɪdʒ] *n* Spannung *f*; **high/low ~** Hoch-/Niederspannung *f*.
volte-face ['vɔlt'fɑːs] *n* Kehrtwendung *f*.
voluble ['vɔljubl] *adj* (*person*) redselig;

(*speech*) wortreich.
volume ['vɔljuːm] *n* (*space*) Volumen *nt*; (*amount*) Umfang *m*, Ausmaß *nt*; (*book*) Band *m*; (*sound level*) Lautstärke *f*; ~ **one/two** (*of book*) Band eins/zwei; **his expression spoke ~s** sein Gesichtsausdruck sprach Bände.
volume control *n* (*RADIO, TV*) Lautstärkeregler *m*.
volume discount *n* (*COMM*) Mengenrabatt *m*.
voluminous [və'luːmɪnəs] *adj* (*clothes*) sehr weit; (*correspondence, notes*) umfangreich.
voluntarily ['vɔləntrɪlɪ] *adv* freiwillig.
voluntary ['vɔləntərɪ] *adj* freiwillig.
voluntary liquidation *n* freiwillige Liquidation *f*.
volunteer [vɔlən'tɪə*] *n* Freiwillige(r) *f(m)* ♦ *vt* (*information*) vorbringen ♦ *vi* (*for army etc*) sich freiwillig melden; **to ~ to do sth** sich anbieten, etw zu tun.
voluptuous [və'lʌptjuəs] *adj* sinnlich, wollüstig.
vomit ['vɔmɪt] *n* Erbrochene(s) *nt* ♦ *vt* erbrechen ♦ *vi* sich übergeben.
voracious [və'reɪʃəs] *adj* (*person*) gefräßig; ~ **appetite** Riesenappetit *m*.
vote [vəut] *n* Stimme *f*; (*votes cast*) Stimmen *pl*; (*right to vote*) Wahlrecht *nt*; (*ballot*) Abstimmung *f* ♦ *vt* (*elect*): **to be ~d chairman** *etc* zum Vorsitzenden *etc* gewählt werden; (*propose*): **to ~ that** vorschlagen, daß ♦ *vi* (*in election etc*) wählen; **to put sth to the ~, (take a) ~ on sth** über etw *acc* abstimmen; ~ **of censure** Tadelsantrag *m*; **to pass a ~ of confidence/no confidence** ein Vertrauens-/Mißtrauensvotum annehmen; **to ~ to do sth** dafür stimmen, etw zu tun; **to ~ yes/no** mit Ja/Nein stimmen; **to ~ Labour/Green** *etc* Labour/die Grünen *etc* wählen; **to ~ for** *or* **in favour of sth/against sth** für/gegen etw stimmen.
vote of thanks *n* Danksagung *f*.
voter ['vəutə*] *n* Wähler(in) *m(f)*.
voting ['vəutɪŋ] *n* Wahl *f*.
voting paper (*BRIT*) *n* Stimmzettel *m*.
voting right *n* Stimmrecht *nt*.
vouch [vautʃ]: ~ **for** *vt fus* bürgen für.
voucher ['vautʃə*] *n* Gutschein *m*; (*receipt*) Beleg *m*; **gift** ~ Geschenkgutschein *m*; **luncheon** ~ Essensmarke *f*; **travel** ~ Reisegutschein *m*.
vow [vau] *n* Versprechen *nt* ♦ *vt*: **to ~ to do sth/that** geloben, etw zu tun/daß; **to take** *or* **make a ~ to do sth** geloben, etw zu tun.
vowel ['vauəl] *n* Vokal *m*.
voyage ['vɔɪɪdʒ] *n* Reise *f*.
voyeur [vwɑː'jəː*] *n* Voyeur(in) *m(f)*.
voyeurism [vwɑː'jəːrɪzəm] *n* Voyeurismus *m*.
VP *n abbr* = **vice president**.
vs *abbr* (= *versus*) vs.
V-sign ['viːsaɪn] (*BRIT*) *n*: **to give sb the ~** ≈ jdm den Vogel zeigen.
VSO (*BRIT*) *n abbr* (= *Voluntary Service Overseas*) *britischer Entwicklungsdienst*.
VT (*US*) *abbr* (*POST*: = *Vermont*).
vulgar ['vʌlgə*] *adj* (*remarks, gestures*) vulgär; (*decor, ostentation*) geschmacklos.
vulgarity [vʌl'gærɪtɪ] *n* (*see adj*) Vulgarität *f*; Geschmacklosigkeit *f*.
vulnerability [vʌlnərə'bɪlɪtɪ] *n* Verletzlichkeit *f*.
vulnerable ['vʌlnərəbl] *adj* (*person, position*) verletzlich.
vulture ['vʌltʃə*] *n* (*also fig*) Geier *m*.
vulva ['vʌlvə] *n* Vulva *f*.

W, w

W¹, w ['dʌbljuː] *n* (*letter*) W *nt*, w *nt*; ~ **for William** ≈ W wie Wilhelm.
W² ['dʌbljuː] *abbr* (*ELEC*: = *watt*) W; (= *west*) W.
WA *abbr* (*US: POST*: = *Washington*); (*AUSTRALIA*: = *Western Australia*).
wad [wɔd] *n* (*of cotton wool*) Bausch *m*; (*of paper, banknotes*) Bündel *nt*.
wadding ['wɔdɪŋ] *n* Füllmaterial *nt*.
waddle ['wɔdl] *vi* watscheln.
wade [weɪd] *vi*: **to ~ across** (*a river, stream*) waten durch; **to ~ through** (*fig: a book*) sich durchkämpfen durch.
wafer ['weɪfə*] *n* (*biscuit*) Waffel *f*.
wafer-thin ['weɪfə'θɪn] *adj* hauchdünn.
waffle ['wɔfl] *n* (*CULIN*) Waffel *f*; (*inf: empty talk*) Geschwafel *nt* ♦ *vi* (*in speech etc*) schwafeln.
waffle iron *n* Waffeleisen *nt*.
waft [wɔft] *vt, vi* wehen.
wag [wæg] *vt* (*tail*) wedeln mit; (*finger*) drohen mit ♦ *vi* (*tail*) wedeln; **the dog ~ged its tail** der Hund wedelte mit dem Schwanz.
wage [weɪdʒ] *n* (*also*: **~s**) Lohn *m* ♦ *vt*: **to ~ war** Krieg führen; **a day's ~s** ein Tageslohn.
wage claim *n* Lohnforderung *f*.
wage differential *n* Lohnunterschied *m*.
wage earner [-əːnə*] *n* Lohnempfänger(in) *m(f)*.
wage freeze *n* Lohnstopp *m*.
wage packet *n* Lohntüte *f*.
wager ['weɪdʒə*] *n* Wette *f* ♦ *vt* wetten.
waggle ['wægl] *vt* (*ears etc*) wackeln mit ♦ *vi* wackeln.
wag(g)on ['wægən] *n* (*horse-drawn*) Fuhrwerk *nt*; (*BRIT: RAIL*) Waggon *m*.
wail [weɪl] *n* (*of person*) Jammern *nt*; (*of siren*) Heulen *nt* ♦ *vi* (*person*) jammern; (*siren*) heulen.

waist [weɪst] *n* (*ANAT, of clothing*) Taille *f*.
waistcoat ['weɪskəut] (*BRIT*) *n* Weste *f*.
waistline ['weɪstlaɪn] *n* Taille *f*.
wait [weɪt] *n* Wartezeit *f* ♦ *vi* warten; **to lie in ~ for sb** jdm auflauern; **to keep sb ~ing** jdn warten lassen; **I can't ~ to ...** (*fig*) ich kann es kaum erwarten, zu ...; **to ~ for sb/sth** auf jdn/etw warten; **~ a minute!** Moment mal!; **"repairs while you ~"** „Reparaturen sofort".
►**wait behind** *vi* zurückbleiben.
►**wait on** *vt fus* (*serve*) bedienen.
►**wait up** *vi* aufbleiben; **don't ~ up for me** warte nicht auf mich.
waiter ['weɪtə*] *n* Kellner *m*.
waiting ['weɪtɪŋ] *n*: **"no ~"** (*BRIT: AUT*) „Halten verboten".
waiting list *n* Warteliste *f*.
waiting room *n* (*in surgery*) Wartezimmer *nt*; (*in railway station*) Wartesaal *m*.
waitress ['weɪtrɪs] *n* Kellnerin *f*.
waive [weɪv] *vt* (*rule*) verzichten auf *+acc*.
waiver ['weɪvə*] *n* Verzicht *m*.
wake [weɪk] (*pt* **woke, waked**, *pp* **woken, waked**) *vt* (*also*: **~ up**) wecken ♦ *vi* (*also*: **~ up**) aufwachen ♦ *n* (*for dead person*) Totenwache *f*; (*NAUT*) Kielwasser *nt*; **to ~ up to** (*fig*) sich *dat* bewußt werden *+gen*; **in the ~ of** (*fig*) unmittelbar nach, im Gefolge *+gen*; **to follow in sb's ~** (*fig*) hinter jdm herziehen.
waken ['weɪkn] *vt* = **wake**.
Wales [weɪlz] *n* Wales *nt*; **the Prince of ~** der Prinz von Wales.
walk [wɔːk] *n* (*hike*) Wanderung *f*; (*shorter*) Spaziergang *m*; (*gait*) Gang *m*; (*path*) Weg *m*; (*in park, along coast etc*) (Spazier)weg *m* ♦ *vi* gehen; (*instead of driving*) zu Fuß gehen; (*for pleasure, exercise*) spazierengehen ♦ *vt* (*distance*) gehen, laufen; (*dog*) ausführen; **it's 10 minutes' ~ from here** es ist 10 Minuten zu Fuß von hier; **to go for a ~** spazierengehen; **to slow to a ~** im Schrittempo weitergehen; **people from all ~s of life** Leute aus allen Gesellschaftsschichten; **to ~ in one's sleep** schlafwandeln; **I'd rather ~ than take the bus** ich gehe lieber zu Fuß, als mit dem Bus zu fahren; **I'll ~ you home** ich bringe dich nach Hause.
►**walk out** *vi* (*audience*) den Saal verlassen; (*workers*) in Streik treten.
►**walk out on** (*inf*) *vt fus* (*family etc*) verlassen.
walkabout ['wɔːkəbaut] *n*: **the Queen/president went on a ~** die Königin/der Präsident mischte sich unters Volk *or* nahm ein Bad in der Menge.
walker ['wɔːkə*] *n* (*person*) Spaziergänger(in) *m(f)*.
walkie-talkie ['wɔːkɪ'tɔːkɪ] *n* Walkie-talkie *nt*.
walking ['wɔːkɪŋ] *n* Wandern *nt*; **it's within ~ distance** es ist zu Fuß erreichbar.
walking holiday *n* Wanderurlaub *m*.
walking shoes *npl* Wanderschuhe *pl*.
walking stick *n* Spazierstock *m*.
Walkman ® ['wɔːkmən] *n* Walkman ® *m*.
walk-on ['wɔːkɔn] *adj* (*THEAT*): **~ part** Statistenrolle *f*.
walkout ['wɔːkaut] *n* (*of workers*) Streik *m*.
walkover ['wɔːkəuvə*] (*inf*) *n* (*competition, exam etc*) Kinderspiel *nt*.
walkway ['wɔːkweɪ] *n* Fußweg *m*.
wall [wɔːl] *n* Wand *f*; (*exterior, city wall etc*) Mauer *f*; **to go to the ~** (*fig: firm etc*) kaputtgehen.
►**wall in** *vt* (*enclose*) ummauern.
wall cupboard *n* Wandschrank *m*.
walled [wɔːld] *adj* von Mauern umgeben.
wallet ['wɔlɪt] *n* Brieftasche *f*.
wallflower ['wɔːlflauə*] *n* (*BOT*) Goldlack *m*; **to be a ~** (*fig*) ein Mauerblümchen sein.
wall hanging *n* Wandbehang *m*.
wallop ['wɔləp] (*BRIT: inf*) *vt* verprügeln.
wallow ['wɔləu] *vi* (*in mud, water*) sich wälzen; (*in guilt, grief*) schwelgen.
wallpaper ['wɔːlpeɪpə*] *n* Tapete *f* ♦ *vt* tapezieren.
wall-to-wall ['wɔːltə'wɔːl] *adj*: **~ carpeting** Teppichboden *m*.
wally [wɔlɪ] (*inf*) *n* Trottel *m*.
walnut ['wɔːlnʌt] *n* (*nut*) Walnuß *f*; (*tree*) Walnußbaum *m*; (*wood*) Nußbaumholz *nt*.
walrus ['wɔːlrəs] (*pl* **~** *or* **~es**) *n* Walroß *nt*.
waltz [wɔːlts] *n* Walzer *m* ♦ *vi* Walzer tanzen.
wan [wɔn] *adj* bleich; (*smile*) matt.
wand [wɔnd] *n* (*also*: **magic ~**) Zauberstab *m*.
wander ['wɔndə*] *vi* (*person*) herumlaufen; (*mind, thoughts*) wandern ♦ *vt* (*the streets, the hills etc*) durchstreifen.
wanderer ['wɔndərə*] *n* Wandervogel *m*.
wandering ['wɔndrɪŋ] *adj* (*tribe*) umherziehend; (*minstrel, actor*) fahrend.
wane [weɪn] *vi* (*moon*) abnehmen; (*influence etc*) schwinden.
wangle ['wæŋgl] (*BRIT: inf*) *vt* sich *dat* verschaffen.
wanker ['wæŋkə*] (*inf!*) *n* Wichser *m*.
wannabe(e) ['wɔnəbiː] (*inf*) *n* Möchtegern *m*; **James Bond ~** Möchtegern-James-Bond *m*.
want [wɔnt] *vt* (*wish for*) wollen; (*need*) brauchen ♦ *n* (*lack*): **for ~ of** aus Mangel an *+dat*; **wants** *npl* (*needs*) Bedürfnisse *pl*; **to ~ to do sth** etw tun wollen; **to ~ sb to do sth** wollen, daß jd etw tut; **to ~ in/out** herein-/hinauswollen; **you're ~ed on the phone** Sie werden am Telefon verlangt; **he is ~ed by the police** er wird von der Polizei gesucht; **a ~ of foresight** ein Mangel an Voraussicht.
want ads (*US*) *npl* Kaufgesuche *pl*.
wanted ['wɔntɪd] *adj* (*criminal etc*) gesucht; **"cook ~"** „Koch/Köchin gesucht".
wanting ['wɔntɪŋ] *adj*: **to be found ~** sich als

unzulänglich erweisen.
wanton ['wɔntn] *adj* (*violence*) mutwillig; (*promiscuous: woman*) schamlos.
war [wɔː*] *n* Krieg *m*; **to go to ~** (*start*) einen Krieg anfangen; **to be at ~ (with)** sich im Kriegszustand befinden (mit); **to make ~ (on)** Krieg führen (gegen); **a ~ on drugs/crime** ein Feldzug gegen Drogen/das Verbrechen.
warble ['wɔːbl] *n* Trällern *nt* ♦ *vi* trällern.
war cry *n* Kriegsruf *m*; (*fig: slogan*) Schlachtruf *m*.
ward [wɔːd] *n* (*in hospital*) Station *f*; (*POL*) Wahlbezirk *m*; (*LAW: also:* ~ **of court**) Mündel *nt* unter Amtsvormundschaft.
►**ward off** *vt* (*attack, enemy, illness*) abwehren.
warden ['wɔːdn] *n* (*of park etc*) Aufseher(in) *m(f)*; (*of jail*) Wärter(in) *m(f)*; (*BRIT: of youth hostel*) Herbergsvater *m*, Herbergsmutter *f*; (: *in university*) Wohnheimleiter(in) *m(f)*; (:*also*: **traffic ~**) Verkehrspolizist(in) *m(f)*.
warder ['wɔːdə*] (*BRIT*) *n* Gefängniswärter(in) *m(f)*.
wardrobe ['wɔːdrəub] *n* (*for clothes*) Kleiderschrank *m*; (*collection of clothes*) Garderobe *f*; (*CINE, THEAT*) Kostüme *pl*.
warehouse ['wɛəhaus] *n* Lager *nt*.
wares [wɛəz] *npl* Waren *pl*.
warfare ['wɔːfɛə*] *n* Krieg *m*.
war game *n* Kriegsspiel *nt*.
warhead ['wɔːhɛd] *n* Sprengkopf *m*.
warily ['wɛərɪlɪ] *adv* vorsichtig.
Warks (*BRIT*) *abbr* (*POST:* = *Warwickshire*).
warlike ['wɔːlaɪk] *adj* kriegerisch.
warm [wɔːm] *adj* warm; (*thanks, applause, welcome, person*) herzlich; **it's ~** es ist warm; **I'm ~** mir ist warm; **to keep sth ~** etw warm halten; **with my ~est thanks/congratulations** mit meinem herzlichsten Dank/meinen herzlichsten Glückwünschen.
►**warm up** *vi* warm werden; (*athlete*) sich aufwärmen ♦ *vt* aufwärmen.
warm-blooded ['wɔːm'blʌdɪd] *adj* warmblütig.
war memorial *n* Kriegerdenkmal *nt*.
warm-hearted [wɔːm'hɑːtɪd] *adj* warmherzig.
warmly ['wɔːmlɪ] *adv* (*applaud, welcome*) herzlich; (*dress*) warm.
warmonger ['wɔːmʌŋgə*] (*pej*) *n* Kriegshetzer *m*.
warmongering ['wɔːmʌŋgrɪŋ] (*pej*) *n* Kriegshetze *f*.
warmth [wɔːmθ] *n* Wärme *f*; (*friendliness*) Herzlichkeit *f*.
warm-up ['wɔːmʌp] *n* Aufwärmen *nt*; ~ **exercise** Aufwärmübung *f*.
warn [wɔːn] *vt*: **to ~ sb that ...** jdn warnen, daß ...; **to ~ sb of sth** jdn vor etw *dat* warnen; **to ~ sb not to do sth** *or* **against doing sth** jdn davor warnen, etw zu tun.
warning ['wɔːnɪŋ] *n* Warnung *f*; **without (any) ~** (*suddenly*) unerwartet; (*without notifying*) ohne Vorwarnung; **gale ~** Sturmwarnung *f*.
warning light *n* Warnlicht *nt*.
warning triangle *n* (*AUT*) Warndreieck *nt*.
warp [wɔːp] *vi* (*wood etc*) sich verziehen ♦ *vt* (*fig: character*) entstellen ♦ *n* (*TEXTILES*) Kette *f*.
warpath ['wɔːpɑːθ] *n*: **to be on the ~** auf dem Kriegspfad sein.
warped [wɔːpt] *adj* (*wood*) verzogen; (*fig: character, sense of humour etc*) abartig.
warrant ['wɔrnt] *n* (*LAW: for arrest*) Haftbefehl *m*; (:*also*: **search ~**) Durchsuchungsbefehl *m* ♦ *vt* (*justify, merit*) rechtfertigen.
warrant officer *n* (*MIL*) *Dienstgrad zwischen Offizier und Unteroffizier*.
warranty ['wɔrəntɪ] *n* Garantie *f*; **under ~** (*COMM*) unter Garantie.
warren ['wɔrən] *n* (*of rabbits*) Bau *m*; (*fig: of passages, streets*) Labyrinth *nt*.
warring ['wɔːrɪŋ] *adj* (*nations*) kriegführend; (*interests*) gegensätzlich; (*factions*) verfeindet.
warrior ['wɔrɪə*] *n* Krieger *m*.
Warsaw ['wɔːsɔː] *n* Warschau *nt*.
warship ['wɔːʃɪp] *n* Kriegsschiff *nt*.
wart [wɔːt] *n* Warze *f*.
wartime ['wɔːtaɪm] *n*: **in ~** im Krieg.
wary ['wɛərɪ] *adj* (*person*) vorsichtig; **to be ~ about** *or* **of doing sth** Bedenken haben, etw zu tun.
was [wɔz] *pt of* **be**.
wash [wɔʃ] *vt* waschen; (*dishes*) spülen, abwaschen; (*remove grease, paint etc*) ausspülen ♦ *vi* (*person*) sich waschen ♦ *n* (*clothes etc*) Wäsche *f*; (*washing programme*) Waschgang *m*; (*of ship*) Kielwasser *nt*; **he was ~ed overboard** er wurde über Bord gespült; **to ~ over/against sth** (*sea etc*) über/gegen etw *acc* spülen; **to have a ~** sich waschen; **to give sth a ~** etw waschen.
►**wash away** *vt* wegspülen.
►**wash down** *vt* (*wall, car*) abwaschen; (*food: with wine etc*) hinunterspülen.
►**wash off** *vi* sich herauswaschen ♦ *vt* abwaschen.
►**wash out** *vt* (*stain*) herauswaschen.
►**wash up** *vi* (*BRIT: wash dishes*) spülen, abwaschen; (*US: have a wash*) sich waschen.
Wash. (*US*) *abbr* (*POST:* = *Washington*).
washable ['wɔʃəbl] *adj* (*fabric*) waschbar; (*wallpaper*) abwaschbar.
washbasin ['wɔʃbeɪsn], (*US*) **washbowl** ['wɔʃbəul] *n* Waschbecken *nt*.
washcloth ['wɔʃklɔθ] (*US*) *n* Waschlappen *m*.
washer ['wɔʃə*] *n* (*on tap etc*) Dichtungsring *m*.
washing ['wɔʃɪŋ] *n* Wäsche *f*.
washing line (*BRIT*) *n* Wäscheleine *f*.
washing machine *n* Waschmaschine *f*.
washing powder (*BRIT*) *n* Waschpulver *nt*.
Washington ['wɔʃɪŋtən] *n* Washington *nt*.

washing-up [wɔʃɪŋ'ʌp] *n* Abwasch *m*; **to do the ~** spülen, abwaschen.
washing-up liquid (*BRIT*) *n* (Geschirr)spülmittel *nt*.
wash-out ['wɔʃaut] (*inf*) *n* (*failed event*) Reinfall *m*.
washroom ['wɔʃrum] (*US*) *n* Waschraum *m*.
wasn't ['wɔznt] = **was not.**
WASP, Wasp [wɔsp] (*US: inf*) *n abbr* (= *White Anglo-Saxon Protestant*) weißer angelsächsischer Protestant *m*.
wasp [wɔsp] *n* Wespe *f*.
waspish ['wɔspɪʃ] *adj* giftig.
wastage ['weɪstɪdʒ] *n* Verlust *m*; **natural ~** natürliche Personalreduzierung.
waste [weɪst] *n* Verschwendung *f*; (*rubbish*) Abfall *m* ♦ *adj* (*material*) Abfall-; (*left over: paper etc*) ungenutzt ♦ *vt* verschwenden; (*opportunity*) vertun; **wastes** *npl* (*area of land*) Wildnis *f*; **it's a ~ of money** das ist Geldverschwendung; **to go to ~** umkommen; **to lay ~** (*area, town*) verwüsten.
►**waste away** *vi* verkümmern.
wastebasket ['weɪstbɑːskɪt] (*US*) *n* = **wastepaper basket.**
waste disposal unit (*BRIT*) *n* Müllschlucker *m*.
wasteful ['weɪstful] *adj* (*person*) verschwenderisch; (*process*) aufwendig.
waste ground (*BRIT*) *n* unbebautes Grundstück *nt*.
wasteland ['weɪstlənd] *n* Ödland *nt*; (*in town*) ödes Gebiet *nt*; (*fig*) Einöde *f*.
wastepaper basket ['weɪstpeɪpə-] (*BRIT*) *n* Papierkorb *m*.
waste pipe *n* Abflußrohr *nt*.
waste products *npl* Abfallprodukte *pl*.
waster ['weɪstə*] *n* Verschwender(in) *m(f)*; (*good-for-nothing*) Taugenichts *m*.
watch [wɔtʃ] *n* (*also*: **wristwatch**) (Armband)uhr *f*; (*surveillance*) Bewachung *f*; (*MIL, NAUT: group of guards*) Wachmannschaft *f*; (*NAUT: spell of duty*) Wache *f* ♦ *vt* (*look at*) betrachten; (: *match, programme*) sich *dat* ansehen; (*spy on, guard*) beobachten; (*be careful of*) aufpassen auf *+acc* ♦ *vi* (*look*) zusehen; **to be on ~** Wache halten; **to keep a close ~ on sb/sth** jdn/etw genau im Auge behalten; **to ~ TV** fernsehen; **~ what you're doing!** paß auf!; **~ how you drive!** fahr vorsichtig!
►**watch out** *vi* aufpassen; **~ out!** Vorsicht!
watchband ['wɔtʃbænd] (*US*) *n* = **watchstrap.**
watchdog ['wɔtʃdɔg] *n* (*dog*) Wachhund *m*; (*fig*) Aufpasser(in) *m(f)*.
watchful ['wɔtʃful] *adj* wachsam.
watchmaker ['wɔtʃmeɪkə*] *n* Uhrmacher(in) *m(f)*.
watchman ['wɔtʃmən] (*irreg: like* **man**) *n see* **night watchman.**
watch stem (*US*) *n* (*winder*) Krone *f*, Aufziehrädchen *nt*.
watchstrap ['wɔtʃstræp] *n* Uhrarmband *nt*.
watchword ['wɔtʃwəːd] *n* Parole *f*.
water ['wɔːtə*] *n* Wasser *nt* ♦ *vt* (*plant*) gießen; (*garden*) bewässern ♦ *vi* (*eyes*) tränen; **a drink of ~** ein Schluck Wasser; **in British ~s** in britischen (Hoheits)gewässern; **to pass ~** (*urinate*) Wasser lassen; **my mouth is ~ing** mir läuft das Wasser im Mund zusammen; **to make sb's mouth ~** jdm den Mund wäßrig machen.
►**water down** *vt* (*also fig*) verwässern.
water biscuit *n* Kräcker *m*.
water cannon *n* Wasserwerfer *m*.
water closet (*BRIT: old*) *n* Wasserklosett *nt*.
watercolour, (*US*) watercolor ['wɔːtəkʌlə*] *n* (*picture*) Aquarell *nt*; **watercolours** *npl* (*paints*) Wasserfarben *pl*.
water-cooled ['wɔːtəkuːld] *adj* wassergekühlt.
watercress ['wɔːtəkrɛs] *n* Brunnenkresse *f*.
waterfall ['wɔːtəfɔːl] *n* Wasserfall *m*.
waterfront ['wɔːtəfrʌnt] *n* (*at seaside*) Ufer *nt*; (*at docks*) Hafengegend *f*.
water heater *n* Heißwassergerät *nt*.
water hole *n* Wasserloch *nt*.
water ice *n* Fruchteis *nt* (*auf Wasserbasis*).
watering can ['wɔːtərɪŋ-] *n* Gießkanne *f*.
water level *n* Wasserstand *m*; (*of flood*) Pegelstand *m*.
water lily *n* Seerose *f*.
water line *n* Wasserlinie *f*.
waterlogged ['wɔːtəlɔgd] *adj* (*ground*) unter Wasser.
water main *n* Hauptwasserleitung *f*.
watermark ['wɔːtəmɑːk] *n* (*on paper*) Wasserzeichen *nt*.
watermelon ['wɔːtəmɛlən] *n* Wassermelone *f*.
waterproof ['wɔːtəpruːf] *adj* (*trousers, jacket etc*) wasserdicht.
water-repellent ['wɔːtərɪ'pɛlnt] *adj* wasserabstoßend.
watershed ['wɔːtəʃɛd] *n* (*GEOG*) Wasserscheide *f*; (*fig*) Wendepunkt *m*.
water-skiing ['wɔːtəskiːɪŋ] *n* Wasserski *nt*.
water softener *n* Wasserenthärter *m*.
water tank *n* Wassertank *m*.
watertight ['wɔːtətaɪt] *adj* wasserdicht; (*fig: excuse, case, agreement etc*) hieb- und stichfest.
water vapour *n* Wasserdampf *m*.
waterway ['wɔːtəweɪ] *n* Wasserstraße *f*.
waterworks ['wɔːtəwəːks] *n* Wasserwerk *nt*; (*inf, fig: bladder*) Blase *f*.
watery ['wɔːtərɪ] *adj* (*coffee, soup etc*) wäßrig; (*eyes*) tränend.
watt [wɔt] *n* Watt *nt*.
wattage ['wɔtɪdʒ] *n* Wattleistung *f*.
wattle ['wɔtl] *n* Flechtwerk *nt*.
wattle and daub *n* Lehmgeflecht *nt*.
wave [weɪv] *n* (*also fig*) Welle *f*; (*of hand*) Winken *nt* ♦ *vi* (*signal*) winken; (*branches*)

sich hin- und herbewegen; (*grass*) wogen; (*flag*) wehen ♦ *vt* (*hand, flag etc*) winken mit; (*gun, stick*) schwenken; (*hair*) wellen; **short/medium/long** ~ (*RADIO*) Kurz-/Mittel-/Langwelle *f*; **the new** ~ (*CINE, MUS*) die Neue Welle *f*; **he ~d us over to his table** er winkte uns zu seinem Tisch hinüber; **to** ~ **goodbye to sb** jdm zum Abschied winken.

▸**wave aside** *vt* (*fig: suggestion etc*) zurückweisen.

waveband ['weɪvbænd] *n* (*RADIO*) Wellenbereich *m*.

wavelength ['weɪvlɛŋθ] *n* (*RADIO*) Wellenlänge *f*; **on the same** ~ (*fig*) auf derselben Wellenlänge.

waver ['weɪvə*] *vi* (*voice*) schwanken; (*eyes*) zucken; (*love, person*) wanken.

wavy ['weɪvɪ] *adj* (*line*) wellenförmig; (*hair*) wellig.

wax [wæks] *n* Wachs *nt*; (*for sealing*) Siegellack *m*; (*in ear*) Ohrenschmalz *nt* ♦ *vt* (*floor*) bohnern; (*car, skis*) wachsen ♦ *vi* (*moon*) zunehmen.

waxed [wækst] *adj* (*jacket*) gewachst.

waxen [wæksn] *adj* (*face*) wachsbleich.

waxworks ['wækswə:ks] *npl* (*models*) Wachsfiguren *pl* ♦ *n* (*place*) Wachsfigurenkabinett *nt*.

way [weɪ] *n* Weg *m*; (*distance*) Strecke *f*; (*direction*) Richtung *f*; (*manner*) Art *f*; (*method*) Art und Weise *f*; (*habit*) Gewohnheit *f*; **which ~ to ...?** wo geht es zu ...?; **this ~, please** hier entlang, bitte; **on the** ~ (*en route*) auf dem Weg, unterwegs; **to be on one's** ~ auf dem Weg sein; **to fight one's** ~ **through a crowd** sich *acc* durch die Menge kämpfen; **to lie one's ~ out of sth** sich aus etw herauslügen; **to keep out of sb's** ~ jdm aus dem Weg gehen; **it's a long ~ away** es ist weit entfernt; (*event*) das ist noch lange hin; **the village is rather out of the** ~ das Dorf ist recht abgelegen; **to go out of one's ~ to do sth** sich sehr bemühen, etw zu tun; **to be in the** ~ im Weg sein; **to lose one's** ~ sich verirren; **under** ~ (*project etc*) im Gang; **the ~ back** der Rückweg; **to make ~ (for sb/sth)** (für jdn/etw) Platz machen; **to get one's own** ~ seinen Willen bekommen; **put it the right ~ up** (*BRIT*) stell es richtig herum hin; **to be the wrong ~ round** verkehrt herum sein; **he's in a bad** ~ ihm geht es schlecht; **in a** ~ in gewisser Weise; **in some ~s** in mancher Hinsicht; **no ~!** (*inf*) kommt nicht in Frage!; **by the ~ ...** übrigens ...; **"~ in"** (*BRIT*) „Eingang“; **"~ out"** (*BRIT*) „Ausgang“; **"give ~"** (*BRIT: AUT*) „Vorfahrt beachten“; **~ of life** Lebensstil *m*.

waybill ['weɪbɪl] *n* Frachtbrief *m*.

waylay [weɪ'leɪ] (*irreg: like* **lay**) *vt* auflauern *+dat*; **to get waylaid** (*fig*) abgefangen werden.

wayside ['weɪsaɪd] *adj* am Straßenrand ♦ *n* Straßenrand *m*; **to fall by the** ~ (*fig*) auf der Strecke bleiben.

way station (*US*) *n* (*RAIL*) kleiner Bahnhof *m*; (*fig*) Zwischenstation *f*.

wayward ['weɪwəd] *adj* (*behaviour*) eigenwillig; (*child*) eigensinnig.

WC (*BRIT*) *n abbr* (= *water closet*) WC *nt*.

WCC *n abbr* (= *World Council of Churches*) Weltkirchenrat *m*.

we [wi:] *pl pron* wir; **here ~ are** (*arriving*) da sind wir; (*finding sth*) na bitte.

weak [wi:k] *adj* schwach; (*tea, coffee*) dünn; **to grow ~(er)** schwächer werden.

weaken ['wi:kn] *vi* (*resolve, person*) schwächer werden; (*influence, power*) nachlassen ♦ *vt* schwächen.

weak-kneed ['wi:k'ni:d] *adj* (*fig*) schwächlich.

weakling ['wi:klɪŋ] *n* Schwächling *m*.

weakly ['wi:klɪ] *adv* schwach.

weakness ['wi:knɪs] *n* Schwäche *f*; **to have a ~ for** eine Schwäche haben für.

wealth [wɛlθ] *n* Reichtum *m*; (*of details, knowledge etc*) Fülle *f*.

wealth tax *n* Vermögenssteuer *f*.

wealthy ['wɛlθɪ] *adj* wohlhabend, reich.

wean [wi:n] *vt* (*also fig*) entwöhnen.

weapon ['wɛpən] *n* Waffe *f*.

wear [wɛə*] (*pt* **wore**, *pp* **worn**) *vt* (*clothes, shoes, beard*) tragen; (*put on*) anziehen ♦ *vi* (*last*) halten; (*become old: carpet, jeans*) sich abnutzen ♦ *n* (*damage*) Verschleiß *m*; (*use*): **I got a lot of/very little ~ out of the coat** der Mantel hat lange/nicht sehr lange gehalten; **baby~** Babykleidung *f*; **sports~** Sportkleidung *f*; **town/evening** ~ Kleidung für die Stadt/den Abend; **to ~ a hole in sth** (*coat etc*) etw durchwetzen.

▸**wear away** *vt* verschleißen ♦ *vi* (*inscription etc*) verwittern.

▸**wear down** *vt* (*heels*) abnutzen; (*person, strength*) zermürben.

▸**wear off** *vi* (*pain etc*) nachlassen.

▸**wear on** *vi* sich hinziehen.

▸**wear out** *vt* (*shoes, clothing*) verschleißen; (*person, strength*) erschöpfen.

wearable ['wɛərəbl] *adj* tragbar.

wear and tear [-tɛə*] *n* Verschleiß *m*.

wearer ['wɛərə*] *n* Träger(in) *m(f)*.

wearily ['wɪərɪlɪ] *adv* (*say, sit*) lustlos, müde.

weariness ['wɪərɪnɪs] *n* (*tiredness*) Müdigkeit *f*.

wearisome ['wɪərɪsəm] *adj* (*boring*) langweilig; (*tiring*) ermüdend.

weary ['wɪərɪ] *adj* (*tired*) müde; (*dispirited*) lustlos ♦ *vi*: **to ~ of sb/sth** jds/etw *gen* überdrüssig werden.

weasel ['wi:zl] *n* Wiesel *nt*.

weather ['wɛðə*] *n* Wetter *nt* ♦ *vt* (*storm, crisis*) überstehen; (*rock, wood*) verwittern; **what's the ~ like?** wie ist das Wetter?; **under the** ~

(*fig: ill*) angeschlagen.
weather-beaten ['wɛðəbi:tn] *adj* (*face*) vom Wetter gegerbt; (*building, stone*) verwittert.
weathercock ['wɛðəkɔk] *n* Wetterhahn *m*.
weather forecast *n* Wettervorhersage *f*.
weatherman ['wɛðəmæn] (*irreg: like* **man**) *n* Mann *m* vom Wetteramt, Wetterfrosch *m* (*hum inf*).
weatherproof ['wɛðəpru:f] *adj* wetterfest.
weather report *n* Wetterbericht *m*.
weather vane [-veɪn] *n* = **weathercock**.
weave [wi:v] (*pt* **wove**, *pp* **woven**) *vt* (*cloth*) weben; (*basket*) flechten ♦ *vi* (*fig: pt, pp* **weaved**: *move in and out*) sich schlängeln.
weaver ['wi:və*] *n* Weber(in) *m(f)*.
weaving ['wi:vɪŋ] *n* Weberei *f*.
web [wɛb] *n* (*also fig*) Netz *nt*; (*on duck's foot*) Schwimmhaut *f*.
webbed ['wɛbd] *adj* (*foot*) Schwimm-.
webbing ['wɛbɪŋ] *n* (*on chair*) Gewebe *nt*.
wed [wɛd] (*pt, pp* **wedded**) *vt, vi* heiraten ♦ *n*: **the newly-~s** die Jungvermählten *pl*.
Wed. *abbr* (= *Wednesday*) Mi.
we'd [wi:d] = **we had; we would**.
wedded ['wɛdɪd] *pt, pp of* **wed** ♦ *adj*: **to be ~ to sth** (*idea etc*) mit etw eng verbunden sein.
wedding [wɛdɪŋ] *n* Hochzeit *f*; **silver/golden ~** silberne/goldene Hochzeit.
wedding day *n* Hochzeitstag *m*.
wedding dress *n* Hochzeitskleid *nt*.
wedding present *n* Hochzeitsgeschenk *nt*.
wedding ring *n* Trauring *m*.
wedge [wɛdʒ] *n* Keil *m*; (*of cake*) Stück *nt* ♦ *vt* (*fasten*) festklemmen; (*pack tightly*) einkeilen.
wedge-heeled shoes ['wɛdʒhi:ld-] *npl* Schuhe *pl* mit Keilabsätzen.
wedlock ['wɛdlɔk] *n* Ehe *f*.
Wednesday ['wɛdnzdɪ] *n* Mittwoch *m*; *see also* **Tuesday**.
wee [wi:] (*SCOT*) *adj* klein.
weed [wi:d] *n* (*BOT*) Unkraut *nt*; (*pej: person*) Schwächling *m* ♦ *vt* (*garden*) jäten.
▸**weed out** *vt* (*fig*) aussondern.
weedkiller ['wi:dkɪlə*] *n* Unkrautvertilger *m*.
weedy ['wi:dɪ] *adj* (*person*) schwächlich.
week [wi:k] *n* Woche *f*; **once/twice a ~** einmal/zweimal die Woche; **in two ~s' time** in zwei Wochen; **a ~ today/on Friday** heute/Freitag in einer Woche.
weekday ['wi:kdeɪ] *n* Wochentag *m*; (*COMM: Monday to Saturday*) Werktag *m*; **on ~s** an Wochentagen/Werktagen.
weekend [wi:k'ɛnd] *n* Wochenende *nt*; **this/next/last ~** an diesem/am nächsten/am letzten Wochenende; **what are you doing at the ~?** was machen Sie am Wochenende?; **open at ~s** an Wochenenden geöffnet.
weekly ['wi:klɪ] *adv* wöchentlich ♦ *adj* (*newspaper*) Wochen- ♦ *n* (*newspaper*) Wochenzeitung *f*; (*magazine*) Wochenzeitschrift *f*.
weep [wi:p] (*pt, pp* **wept**) *vi* (*person*) weinen; (*wound*) nässen.
weeping willow ['wi:pɪŋ-] *n* (*tree*) Trauerweide *f*.
weepy ['wi:pɪ] *adj* (*person*) weinerlich; (*film*) rührselig ♦ *n* (*film etc*) Schmachtfetzen *m*.
weft [wɛft] *n* Schußfaden *m*.
weigh [weɪ] *vt* wiegen; (*fig: evidence, risks*) abwägen ♦ *vi* wiegen; **to ~ anchor** den Anker lichten.
▸**weigh down** *vt* niederdrücken.
▸**weigh out** *vt* (*goods*) auswiegen.
▸**weigh up** *vt* (*person, offer, risk*) abschätzen.
weighbridge ['weɪbrɪdʒ] *n* Brückenwaage *f*.
weighing machine ['weɪɪŋ-] *n* Waage *f*.
weight [weɪt] *n* Gewicht *nt* ♦ *vt* (*fig*): **to be ~ed in favour of sb/sth** jdn/etw begünstigen; **to be sold by ~** nach Gewicht verkauft werden; **to lose ~** abnehmen; **to put on ~** zunehmen; **~s and measures** Maße und Gewichte.
weighting ['weɪtɪŋ] *n* (*allowance*) Zulage *f*.
weightlessness ['weɪtlɪsnɪs] *n* Schwerelosigkeit *f*.
weightlifter ['weɪtlɪftə*] *n* Gewichtheber *m*.
weight limit *n* Gewichtsbeschränkung *f*.
weight training *n* Krafttraining *nt*.
weighty ['weɪtɪ] *adj* schwer; (*fig: important*) gewichtig.
weir [wɪə*] *n* (*in river*) Wehr *nt*.
weird [wɪəd] *adj* (*object, situation, effect*) komisch; (*person*) seltsam.
weirdo ['wɪədəu] (*inf*) *n* verrückter Typ *m*.
welcome ['wɛlkəm] *adj* willkommen ♦ *n* Willkommen *nt* ♦ *vt* begrüßen, willkommen heißen; **~ to London!** willkommen in London!; **to make sb ~** jdn freundlich aufnehmen; **you're ~ to try** du kannst es gern versuchen; **thank you - you're ~!** danke - nichts zu danken!
welcoming ['wɛlkəmɪŋ] *adj* (*smile, room*) einladend; (*person*) freundlich.
weld [wɛld] *n* Schweißnaht *f* ♦ *vt* schweißen.
welder ['wɛldə*] *n* (*person*) Schweißer(in) *m(f)*.
welding ['wɛldɪŋ] *n* Schweißen *nt*.
welfare ['wɛlfɛə*] *n* (*well-being*) Wohl *nt*; (*social aid*) Sozialhilfe *f*.
welfare state *n* Wohlfahrtsstaat *m*.
welfare work *n* Fürsorgearbeit *f*.
well [wɛl] *n* (*for water*) Brunnen *m*; (*oil well*) Quelle *f* ♦ *adv* gut; (*for emphasis with adj*) durchaus ♦ *adj*: **to be ~** (*person*) gesund sein ♦ *excl* nun!, na!; **as ~** (*in addition*) ebenfalls; **you might as ~ tell me** sag es mir ruhig; **he did as ~ as he could** er machte es so gut er konnte; **pretty as ~ as rich** sowohl hübsch als auch reich; **~ done!** gut gemacht!; **to do ~** (*person*) gut vorankommen; (*business*) gut gehen; **~ before dawn** lange vor Tagesanbruch; **~ over 40** weit über 40; **I don't feel ~** ich fühle mich nicht gut *or* wohl; **get ~ soon!** gute Besserung!; **~, as I**

was saying ... also, wie ich bereits sagte, ...
▸**well up** *vi* (*tears, emotions*) aufsteigen.
we'll [wiːl] = **we will; we shall.**
well-behaved ['wɛlbɪ'heɪvd] *adj* wohlerzogen.
well-being ['wɛl'biːɪŋ] *n* Wohl(ergehen) *nt.*
well-bred ['wɛl'brɛd] *adj* (*person*) gut erzogen.
well-built ['wɛl'bɪlt] *adj* gut gebaut.
well-chosen ['wɛl'tʃəuzn] *adj* gut gewählt.
well-deserved ['wɛldɪ'zəːvd] *adj* wohlverdient.
well-developed ['wɛldɪ'vɛləpt] *adj* gut entwickelt.
well-disposed ['wɛl'dɪspəuzd] *adj:* ~ **to(wards)** freundlich gesonnen +*dat*.
well-dressed ['wɛl'drɛst] *adj* gut gekleidet.
well-earned ['wɛl'əːnd] *adj* (*rest*) wohlverdient.
well-groomed ['wɛl'gruːmd] *adj* gepflegt.
well-heeled ['wɛl'hiːld] (*inf*) *adj* betucht.
well-informed ['wɛlɪn'fɔːmd] *adj* gut informiert.
Wellington ['wɛlɪŋtən] *n* (*GEOG*) Wellington *nt.*
wellingtons ['wɛlɪŋtənz] *npl* (*also:* **wellington boots**) Gummistiefel *pl.*
well-kept ['wɛl'kɛpt] *adj* (*house, grounds*) gepflegt; (*secret*) gut gehütet.
well-known ['wɛl'nəun] *adj* wohlbekannt.
well-mannered ['wɛl'mænəd] *adj* wohlerzogen.
well-meaning ['wɛl'miːnɪŋ] *adj* (*person*) wohlmeinend; (*offer etc*) gutgemeint.
well-nigh ['wɛl'naɪ] *adv:* ~ **impossible** geradezu unmöglich.
well-off ['wɛl'ɔf] *adj* (*rich*) begütert.
well-read ['wɛl'rɛd] *adj* belesen.
well-spoken ['wɛl'spəukn] *adj:* **to be** ~ sich gut *or* gewandt ausdrücken.
well-stocked ['wɛl'stɔkt] *adj* gut bestückt.
well-timed ['wɛl'taɪmd] *adj* gut abgepaßt.
well-to-do ['wɛltə'duː] *adj* wohlhabend.
well-wisher ['wɛlwɪʃə*] *n* (*friend, admirer*) wohlmeinender Mensch *m*; **scores of ~s had gathered** eine große Gefolgschaft hatte sich versammelt; **letters from ~s** Briefe von Leuten, die es gut meinen.
well-woman clinic ['wɛlwumən-] *n* ≈ Frauensprechstunde *f.*
Welsh [wɛlʃ] *adj* walisisch ♦ *n* (*LING*) Walisisch *nt*; **the Welsh** *npl* die Waliser *pl.*
Welshman ['wɛlʃmən] (*irreg: like* **man**) *n* Waliser *m.*
Welsh rarebit *n* überbackenes Käsebrot *nt.*
Welshwoman ['wɛlʃwumən] (*irreg: like* **woman**) *n* Waliserin *f.*
welter ['wɛltə*] *n:* **a** ~ **of** eine Flut von.
went [wɛnt] *pt of* **go.**
wept [wɛpt] *pt, pp of* **weep.**
were [wəː*] *pt of* **be.**
we're [wɪə*] = **we are.**
weren't [wəːnt] = **were not.**
werewolf ['wɪəwulf] (*pl* **werewolves**) *n* Werwolf *m.*
werewolves ['wɪəwulvz] *npl of* **werewolf.**
west [wɛst] *n* Westen *m* ♦ *adj* (*wind, side, coast*) West-, westlich ♦ *adv* (*to or towards the west*) westwärts; **the W~** (*POL*) der Westen.
westbound ['wɛstbaund] *adj* (*traffic, carriageway*) in Richtung Westen.
West Country (*BRIT*) *n:* **the** ~ Südwestengland *nt.*
westerly ['wɛstəlɪ] *adj* westlich.
western ['wɛstən] *adj* westlich ♦ *n* (*CINE*) Western *m.*
westerner ['wɛstənə*] *n* Abendländer(in) *m(f).*
westernized ['wɛstənaɪzd] *adj* (*society etc*) verwestlicht.
West German *adj* westdeutsch ♦ *n* (*person*) Westdeutsche(r) *f(m).*
West Germany *n* (*formerly*) Bundesrepublik *f* Deutschland.
West Indian *adj* westindisch ♦ *n* (*person*) Westinder(in) *m(f).*
West Indies [-'ɪndɪz] *npl:* **the** ~ Westindien *nt.*
Westminster ['wɛstmɪnstə*] *n* Westminster *nt*; (*parliament*) das britische Parlament.
westward(s) ['wɛstwəd(z)] *adv* westwärts.
wet [wɛt] *adj* naß ♦ *n* (*BRIT: POL*) Gemäßigte(r) *f(m)*, Waschlappen *m* (*pej*); **to get** ~ naß werden; **"~ paint"** „frisch gestrichen"; **to be a** ~ **blanket** (*fig: pej: person*) ein(e) Spielverderber(in) *m(f)* sein; **to** ~ **one's pants/o.s.** sich *dat* in die Hosen machen.
wetness ['wɛtnɪs] *n* Nässe *f*; (*of climate*) Feuchtigkeit *f.*
wet suit *n* Taucheranzug *m.*
we've [wiːv] = **we have.**
whack [wæk] *vt* schlagen.
whacked [wækt] (*BRIT: inf*) *adj* (*exhausted*) erschlagen.
whale [weɪl] *n* Wal *m.*
whaler ['weɪlə*] *n* Walfänger *m.*
whaling ['weɪlɪŋ] *n* Walfang *m.*
wharf [wɔːf] (*pl* **wharves**) *n* Kai *m.*
wharves [wɔːvz] *npl of* **wharf.**

KEYWORD

what [wɔt] *adj* **1** (*in direct/indirect questions*) welche(r, s); ~ **colour/shape is it?** welche Farbe/Form hat es?; **for** ~ **reason?** aus welchem Grund?
2 (*in exclamations*) was für ein(e); ~ **a mess!** was für ein Durcheinander!; ~ **a fool I am!** was bin ich doch (für) ein Idiot! ♦ *pron* (*interrogative, relative*) was; ~ **are you doing?** was machst du?; ~ **are you talking about?** wovon redest du?; ~ **is it called?** wie heißt das?; ~ **about me?** und ich?; ~ **about a cup of tea?** wie wär's mit einer Tasse Tee?; ~ **about going to the cinema?** sollen wir ins Kino gehen?; **I saw** ~ **you did/what was on the table** ich habe gesehen, was du getan hast/was auf dem Tisch war; **tell me**

~ **you're thinking about** sag mir, woran du denkst
♦ *excl* (*disbelieving*) was, wie; ~, **no coffee!** was *or* wie, kein Kaffee?

whatever [wɔt'ɛvə*] *adj:* ~ **book** welches Buch auch immer ♦ *pron:* **do ~ is necessary/ you want** tun Sie, was nötig ist/was immer Sie wollen; ~ **happens** was auch passiert; **no reason ~** *or* **whatsoever** überhaupt kein Grund; **nothing ~** *or* **whatsoever** überhaupt nichts.
whatsoever [wɔtsəu'ɛvə*] *adj* = **whatever.**
wheat [wi:t] *n* Weizen *m.*
wheatgerm ['wi:tdʒə:m] *n* Weizenkeim *m.*
wheatmeal ['wi:tmi:l] *n* Weizenmehl *nt.*
wheedle ['wi:dl] *vt:* **to ~ sb into doing sth** jdn beschwatzen, etw zu tun; **to ~ sth out of sb** jdm etw abluchsen.
wheel [wi:l] *n* Rad *nt*; (*also:* **steering ~**) Lenkrad *nt*; (*NAUT*) Steuer *nt* ♦ *vt* (*pram etc*) schieben ♦ *vi* (*birds*) kreisen; (*also:* ~ **round:** *person*) sich herumdrehen.
wheelbarrow ['wi:lbærəu] *n* Schubkarre *f.*
wheelbase ['wi:lbeɪs] *n* Radstand *m.*
wheelchair ['wi:ltʃɛə*] *n* Rollstuhl *m.*
wheel clamp *n* Parkkralle *f.*
wheeler-dealer ['wi:lə'di:lə*] (*pej*) *n* Geschäftemacher(in) *m(f).*
wheelie-bin ['wi:lɪbɪn] *n* Mülltonne *f* auf Rädern.
wheeling ['wi:lɪŋ] *n:* ~ **and dealing** (*pej*) Geschäftemacherei *f.*
wheeze [wi:z] *vi* (*person*) keuchen ♦ *n* (*idea, joke etc*) Scherz *m.*
wheezy ['wi:zɪ] *adj* (*person*) mit pfeifendem Atem; (*cough*) keuchend; (*breath*) pfeifend; (*laugh*) asthmatisch.

KEYWORD

when [wɛn] *adv* wann
♦ *conj* **1** (*at, during, after the time that*) wenn; **she was reading ~ I came in** als ich hereinkam, las sie gerade; **be careful ~ you cross the road** sei vorsichtig, wenn du die Straße überquerst
2 (*on, at which*) als; **on the day ~ I met him** am Tag, als ich ihn traf
3 (*whereas*) wo ... doch, obwohl; **why did you buy that ~ you can't afford it?** warum hast du das gekauft, obwohl du es dir nicht leisten kannst?

whenever [wɛn'ɛvə*] *adv, conj* (*any time that*) wann immer; (*every time that*) (jedesmal,) wenn; **I go ~ I can** ich gehe, wann immer ich kann.
where [wɛə*] *adv, conj* wo; **this is ~ ...** hier ...; ~ **possible** soweit möglich; ~ **are you from?** woher kommen Sie?
whereabouts [wɛərə'bauts] *adv* wo ♦ *n:* **nobody knows his ~** keiner weiß, wo er ist.
whereas [wɛər'æz] *conj* während.
whereby [wɛə'baɪ] (*form*) *adv* wonach.
whereupon [wɛərə'pɔn] *conj* worauf.
wherever [wɛər'ɛvə*] *conj* (*position*) wo (auch) immer; (*motion*) wohin (auch) immer ♦ *adv* (*surprise*) wo (um alles in der Welt); **sit ~ you like** nehmen Sie Platz, wo immer Sie wollen.
wherewithal ['wɛəwɪðɔ:l] *n:* **the ~ (to do sth)** (*money*) das nötige Kleingeld(, um etw zu tun).
whet [wɛt] *vt* (*appetite*) anregen; (*tool*) schleifen.
whether ['wɛðə*] *conj* ob; **I don't know ~ to accept or not** ich weiß nicht, ob ich annehmen soll oder nicht; ~ **you go or not** ob du gehst oder nicht; **it's doubtful ~ ...** es ist zweifelhaft, ob ...
whey ['weɪ] *n* Molke *f.*

KEYWORD

which [wɪtʃ] *adj* **1** (*interrogative: direct, indirect*) welche(r, s); ~ **picture?** welches Bild?; ~ **books?** welche Bücher?; ~ **one?** welche(r,s)?
2: **in ~ case** in diesem Fall; **by ~ time** zu dieser Zeit
♦ *pron* **1** (*interrogative*) welche(r, s); ~ **of you are coming?** wer von Ihnen kommt?; **I don't mind ~** mir ist gleich, welche(r,s)
2 (*relative*) der/die/das; **the apple ~ you ate/ which is on the table** der Apfel, den du gegessen hast/der auf dem Tisch liegt; **the chair on ~ you are sitting** der Stuhl, auf dem Sie sitzen; **the book of ~ you spoke** das Buch, wovon *or* von dem Sie sprachen; **he said he saw her, ~ is true** er sagte, er habe sie gesehen, was auch stimmt; **after ~** wonach.

whichever [wɪtʃ'ɛvə*] *adj:* **take ~ book you want** nehmen Sie irgendein *or* ein beliebiges Buch; ~ **book you take** welches Buch Sie auch nehmen.
whiff [wɪf] *n* (*of perfume*) Hauch *m*; (*of petrol, smoke*) Geruch *m*; **to catch a ~ of sth** den Geruch von etw wahrnehmen.
while [waɪl] *n* Weile *f* ♦ *conj* während; **for a ~** eine Weile (lang); **in a ~** gleich; **all the ~** die ganze Zeit (über); **I'll/we'll** *etc* **make it worth your ~** es wird sich für Sie lohnen.
►**while away** *vt* (*time*) sich *dat* vertreiben.
whilst [waɪlst] *conj* = **while.**
whim [wɪm] *n* Laune *f.*
whimper ['wɪmpə*] *n* (*cry, moan*) Wimmern *nt* ♦ *vi* wimmern.
whimsical ['wɪmzɪkəl] *adj* wunderlich, seltsam; (*story*) kurios.
whine [waɪn] *n* (*of pain*) Jammern *nt*; (*of engine, siren*) Heulen *nt* ♦ *vi* (*person*) jammern; (*dog*) jaulen; (*engine, siren*) heulen.

whip [wɪp] *n* Peitsche *f*; (*POL*) ≈ Fraktionsführer *m* ♦ *vt* (*person, animal*) peitschen; (*cream, eggs*) schlagen; (*move quickly*): **to ~ sth out/off** etw blitzschnell hervorholen/wegbringen.

> *Der Ausdruck* **whip** *bezieht sich in der Politik auf einen Abgeordneten, der für die Einhaltung der Parteidisziplin zuständig ist, besonders für die Anwesenheit und das Wahlverhalten der Abgeordneten im Unterhaus. Die whips fordern die Abgeordneten ihrer Partei schriftlich zur Anwesenheit auf und deuten die Wichtigkeit der Abstimmungen durch ein-, zwei-, oder dreimaliges Unterstreichen an, wobei dreimaliges Unterstreichen (3-line whip) strengsten Fraktionszwang bedeutet.*

►**whip up** *vt* (*cream*) schlagen; (*inf: meal*) hinzaubern; (*arouse: support*) anheizen; (: *people*) mitreißen.
whiplash ['wɪplæʃ] *n* Peitschenhieb *m*; (*MED: also:* ~ **injury**) Schleudertrauma *nt*.
whipped cream [wɪpt-] *n* Schlagsahne *f*.
whipping boy ['wɪpɪŋ-] *n* (*fig*) Prügelknabe *m*.
whip-round ['wɪpraund] (*BRIT: inf*) *n* (Geld)sammlung *f*.
whirl [wəːl] *vt* (*arms, sword etc*) herumwirbeln ♦ *vi* wirbeln ♦ *n* (*of activity, pleasure*) Wirbel *m*; **to be in a** ~ (*mind, person*) völlig verwirrt sein.
whirlpool ['wəːlpuːl] *n* (*lit*) Strudel *m*.
whirlwind ['wəːlwɪnd] *n* (*lit*) Wirbelwind *m*.
whirr [wəː*] *vi* (*motor etc*) surren.
whisk [wɪsk] *n* (*CULIN*) Schneebesen *m* ♦ *vt* (*cream, eggs*) schlagen; **to ~ sb away** *or* **off** jdn in Windeseile wegbringen.
whiskers ['wɪskəz] *npl* (*of animal*) Barthaare *pl*; (*of man*) Backenbart *m*.
whisky, (*US, Ireland*) **whiskey** ['wɪskɪ] *n* Whisky *m*.
whisper ['wɪspə*] *n* Flüstern *nt*; (*fig: of wind*) Wispern *nt* ♦ *vt, vi* flüstern; **to ~ sth to sb** jdm etw zuflüstern.
whispering ['wɪspərɪŋ] *n* Geflüster *nt*.
whist [wɪst] (*BRIT*) *n* Whist *nt*.
whistle ['wɪsl] *n* (*sound*) Pfiff *m*; (*object*) Pfeife *f* ♦ *vi* pfeifen ♦ *vt* **to ~ a tune** eine Melodie pfeifen.
whistle-stop ['wɪslstɔp] *adj*: **to make a ~ tour of** (*fig*) eine Rundreise machen durch; (*POL*) eine Wahlkampfreise machen durch.
Whit [wɪt] *n* = **Whitsun.**
white [waɪt] *adj* weiß ♦ *n* (*colour*) Weiß *nt*; (*person*) Weiße(r) *f(m)*; (*of egg, eye*) Weiße(s) *nt*; **to turn** *or* **go** ~ (*person: with fear*) weiß *or* bleich werden; (: *with age*) weiße Haare bekommen; (*hair*) weiß werden; **the ~s** (*washing*) die Weißwäsche *f*; **tennis/cricket ~s** weiße Tennis-/Krickettrikots.
whitebait ['waɪtbeɪt] *n eßbare Jungfische (Heringe, Sprotten etc).*
white coffee (*BRIT*) *n* Kaffee *m* mit Milch.
white-collar worker ['waɪtkɔlə-] *n* Schreibtischarbeiter(in) *m(f)*.
white elephant *n* (*fig: venture*) Fehlinvestition *f*.
white goods *npl* (*appliances*) große Haushaltsgeräte *pl*; (*linen etc*) Weißwaren *pl*.
white-hot [waɪt'hɔt] *adj* (*metal*) weißglühend.

> **White House**, *eine weiß gestrichene Villa in Washington, ist der offizielle Wohnsitz des amerikanischen Präsidenten. Im weiteren Sinne bezieht sich dieser Begriff auf die Exekutive der amerikanischen Regierung.*

white lie *n* Notlüge *f*.
whiteness ['waɪtnɪs] *n* Weiß *nt*.
white noise *n* weißes Rauschen *nt*.
whiteout ['waɪtaut] *n* starkes Schneegestöber *nt*.
white paper *n* (*POL*) Weißbuch *nt*.
whitewash ['waɪtwɔʃ] *n* (*paint*) Tünche *f*; (*inf: SPORT*) totale Niederlage *f* ♦ *vt* (*building*) tünchen; (*fig: incident, reputation*) reinwaschen.
white water *n*: **white-water rafting** Wildwasserflößen *nt*.
whiting ['waɪtɪŋ] *n inv* (*fish*) Weißling *m*.
Whit Monday *n* Pfingstmontag *m*.
Whitsun ['wɪtsn] *n* Pfingsten *nt*.
whittle ['wɪtl] *vt*: **to ~ away** *or* **down** (*costs etc*) verringern.
whizz [wɪz] *vi*: **to ~ past** *or* **by** vorbeisausen.
whizz kid (*inf*) *n* Senkrechtstarter(in) *m(f)*.
WHO *n abbr* (= *World Health Organization*) Weltgesundheitsorganisation *f*, WHO *f*.

KEYWORD

who [huː] *pron* **1** (*interrogative*) wer; (: *acc*) wen; (: *dat*) wem; ~ **is it?, who's there?** wer ist da?; ~ **did you give it to?** wem hast du es gegeben?
2 (*relative*) der/die/das; **the man/woman ~ spoke to me** der Mann, der/die Frau, die mit mir gesprochen hat.

whodunit, whodunnit [huː'dʌnɪt] (*inf*) *n* Krimi *m*.
whoever [huː'ɛvə*] *pron*: ~ **finds it** wer (auch immer) es findet; **ask ~ you like** fragen Sie, wen Sie wollen; ~ **he marries** ganz gleich *or* egal, wen er heiratet; ~ **told you that?** wer um alles in der Welt hat dir das erzählt?
whole [həul] *adj* (*entire*) ganz; (*not broken*) heil ♦ *n* Ganze(s) *nt*; **the ~ lot (of it)** alles; **the ~ lot (of them)** alle; **the ~ (of the) time** die ganze Zeit; ~ **villages were destroyed** ganze Dörfer wurden zerstört; **the ~ of** der/die/das ganze; **the ~ of Glasgow/Europe** ganz Glasgow/Europa; **the ~ of the town** die ganze Stadt; **on the ~** im ganzen (gesehen).

wholefood(s) ['həulfu:d(z)] *n(pl)* Vollwertkost *f*.
wholefood shop *n* ≈ Reformhaus *nt*.
wholehearted [həul'ha:tɪd] *adj* (*agreement etc*) rückhaltlos.
wholeheartedly [həul'ha:tɪdlɪ] *adv* (*agree etc*) rückhaltlos.
wholemeal ['həulmi:l] (*BRIT*) *adj* (*bread, flour*) Vollkorn-.
whole note (*US*) *n* ganze Note *f*.
wholesale ['həulseɪl] *n* (*business*) Großhandel *m* ♦ *adj* (*price*) Großhandels-; (*destruction etc*) umfassend ♦ *adv* (*buy, sell*) im Großhandel.
wholesaler ['həulseɪlə*] *n* Großhändler *m*.
wholesome ['həulsəm] *adj* (*food*) gesund; (*effect*) zuträglich; (*attitude*) positiv.
wholewheat ['həulwi:t] *adj* = **wholemeal**.
wholly ['həulɪ] *adv* ganz und gar.

KEYWORD

whom [hu:m] *pron* **1** (*interrogative: acc*) wen; (: *dat*) wem; ~ **did you see?** wen hast du gesehen?; **to ~ did you give it?** wem hast du es gegeben?
2 (*relative: acc*) den/die/das; (: *dat*) dem/der/dem; **the man ~ I saw/to ~ I spoke** der Mann, den ich gesehen habe/mit dem ich gesprochen habe.

whooping cough ['hu:pɪŋ-] *n* Keuchhusten *m*.
whoosh [wuʃ] *vi*: **to ~ along/past/down** entlang-/vorbei-/hinuntersausen ♦ *n* Sausen *nt*; **the skiers ~ed past, skiers came by with a ~** die Skifahrer sausten vorbei.
whopper ['wɔpə*] (*inf*) *n* (*lie*) faustdicke Lüge *f*; (*large thing*) Mordsding *nt*.
whopping ['wɔpɪŋ] (*inf*) *adj* Riesen-, riesig.
whore [hɔ:*] (*inf: pej*) *n* Hure *f*.

KEYWORD

whose [hu:z] *adj* **1** (*possessive: interrogative*) wessen; ~ **book is this?, ~ is this book?** wessen Buch ist das?, wem gehört das Buch?; **I don't know ~ it is** ich weiß nicht, wem es gehört
2 (*possessive: relative*) dessen/deren/dessen; **the man ~ son you rescued** der Mann, dessen Sohn du gerettet hast; **the woman ~ car was stolen** die Frau, deren Auto gestohlen worden war
♦ *pron* ~ **is this?** wem gehört das?; **I know ~ it is** ich weiß, wem es gehört.

Who's Who ['hu:z'hu:] *n* (*book*) Who's Who *nt*.

KEYWORD

why [waɪ] *adv* warum; ~ **not?** warum nicht?
♦ *conj* warum; **I wonder ~ he said that** ich frage mich, warum er das gesagt hat; **that's not ~ I'm here** ich bin nicht deswegen hier; **the reason ~** der Grund, warum *or* weshalb
♦ *excl* (*expressing surprise, shock*) na so was; (*expressing annoyance*) ach; **~, yes (of course)** aber ja doch; **~, it's you!** na so was, du bist's!

WI *n abbr* (*BRIT: = Women's Institute*) *britischer Frauenverband* ♦ *abbr* = **West Indies**; (*US: POST: = Wisconsin*).
wick [wɪk] *n* Docht *m*; **he gets on my ~** (*BRIT: inf*) er geht mir auf den Geist.
wicked ['wɪkɪd] *adj* (*crime, person*) böse; (*smile, wit*) frech; (*inf: prices*) unverschämt; (: *weather*) schrecklich.
wicker ['wɪkə*] *adj* (*chair etc*) Korb-; (*basket*) Weiden-.
wickerwork ['wɪkə*wə:k] *adj* (*chair etc*) Korb-; (*basket*) Weiden- ♦ *n* (*objects*) Korbwaren *pl*.
wicket ['wɪkɪt] *n* (*CRICKET: stumps*) Tor *nt*, Wicket *nt*; (: *grass area*) Spielbahn *f*.
wicket-keeper ['wɪkɪtki:pə*] *n* Torwächter *m*.
wide [waɪd] *adj* breit; (*area*) weit; (*publicity*) umfassend ♦ *adv*: **to open sth ~** etw weit öffnen; **it is 3 metres ~** es ist 3 Meter breit; **to go ~** vorbeigehen.
wide-angle lens ['waɪdæŋgl-] *n* Weitwinkelobjektiv *nt*.
wide-awake [waɪdə'weɪk] *adj* hellwach.
wide-eyed [waɪd'aɪd] *adj* mit großen Augen; (*fig*) unschuldig, naiv.
widely ['waɪdlɪ] *adv* (*differ, vary*) erheblich; (*travel*) ausgiebig, viel; (*spaced*) weit; (*believed, known*) allgemein; **to be ~ read** (*reader*) sehr belesen sein.
widen ['waɪdn] *vt* (*road, river*) verbreitern; (*one's experience*) erweitern ♦ *vi* sich verbreitern.
wideness ['waɪdnɪs] *n* (*of road, river, gap*) Breite *f*.
wide open *adj* (*window, eyes, mouth*) weit geöffnet.
wide-ranging [waɪd'reɪndʒɪŋ] *adj* (*effects*) weitreichend; (*interview, survey*) umfassend.
widespread ['waɪdsprɛd] *adj* weitverbreitet.
widow ['wɪdəu] *n* Witwe *f*.
widowed ['wɪdəud] *adj* verwitwet.
widower ['wɪdəuə*] *n* Witwer *m*.
width [wɪdθ] *n* Breite *f*; (*in swimming pool*) (Quer)bahn *f*; **it's 7 metres in ~** es ist 7 Meter breit.
widthways ['wɪdθweɪz] *adv* der Breite nach.
wield [wi:ld] *vt* (*sword*) schwingen; (*power*) ausüben.
wife [waɪf] (*pl* **wives**) *n* Frau *f*.
wig [wɪg] *n* Perücke *f*.
wigging ['wɪgɪŋ] (*BRIT: inf*) *n* Standpauke *f*.
wiggle ['wɪgl] *vt* wackeln mit.
wiggly ['wɪglɪ] *adj*: **~ line** Schlangenlinie *f*.
wigwam ['wɪgwæm] *n* Wigwam *m*.
wild [waɪld] *adj* wild; (*weather*) rauh, stürmisch; (*person, behaviour*) ungestüm; (*idea*) weithergeholt; (*applause*) stürmisch ♦ *n*: **the ~** (*natural surroundings*) die freie

Natur *f*; **the wilds** *npl* die Wildnis; **I'm not ~ about it** ich bin nicht versessen *or* scharf darauf.
wild card *n* (*COMPUT*) Wildcard *f*, Ersatzzeichen *nt*.
wildcat ['waɪldkæt] *n* Wildkatze *f*.
wildcat strike *n* wilder Streik *m*.
wilderness ['wɪldənɪs] *n* Wildnis *f*.
wildfire ['waɪldfaɪə*] *n*: **to spread like ~** sich wie ein Lauffeuer ausbreiten.
wild-goose chase [waɪld'gu:s-] *n* aussichtslose Suche *f*.
wildlife ['waɪldlaɪf] *n* (*animals*) die Tierwelt *f*.
wildly ['waɪldlɪ] *adv* wild; (*very: romantic*) wild-; (*: inefficient*) furchtbar.
wiles [waɪlz] *npl* List *f*.
wilful, (*US*) **willful** ['wɪlful] *adj* (*obstinate*) eigensinnig; (*deliberate*) vorsätzlich.

KEYWORD

will [wɪl] (*vt: pt, pp* **willed**) *aux vb* **1** (*forming future tense*): **I ~ finish it tomorrow** ich werde es morgen fertigmachen, ich mache es morgen fertig; **~ you do it? - yes I ~/no I won't** machst du es? - ja/nein
2 (*in conjectures, predictions*): **that ~ be the postman** das ist bestimmt der Briefträger
3 (*in commands, requests, offers*): **~ you sit down** (*politely*) bitte nehmen Sie Platz; (*angrily*) nun setz dich doch; **~ you be quiet!** seid jetzt still!; **~ you help me?** hilfst du mir?; **~ you have a cup of tea?** möchten Sie eine Tasse Tee?; **I won't put up with it!** das lasse ich mir nicht gefallen! ♦ *vt*: **to ~ sb to do sth** jdn durch Willenskraft dazu bewegen, etw zu tun; **he ~ed himself to go on** er zwang sich dazu, weiterzumachen ♦ *n* (*volition*) Wille *m*; (*testament*) Testament *nt*; **he did it against his ~** er tat es gegen seinen Willen.

willful ['wɪlful] (*US*) *adj* = **wilful.**
willing ['wɪlɪŋ] *adj* (*having no objection*) gewillt; (*enthusiastic*) bereitwillig; **he's ~ to do it** er ist bereit, es zu tun; **to show ~** guten Willen zeigen.
willingly ['wɪlɪŋlɪ] *adv* bereitwillig.
willingness ['wɪlɪŋnɪs] *n* (*readiness*) Bereitschaft *f*; (*enthusiasm*) Bereitwilligkeit *f*.
will-o'-the-wisp ['wɪləðə'wɪsp] *n* Irrlicht *nt*; (*fig*) Trugbild *nt*.
willow ['wɪləu] *n* (*tree*) Weide *f*; (*wood*) Weidenholz *nt*.
willpower ['wɪl'pauə*] *n* Willenskraft *f*.
willy-nilly ['wɪlɪ'nɪlɪ] *adv* (*willingly or not*) wohl oder übel.
wilt [wɪlt] *vi* (*plant*) welken.
Wilts [wɪlts] (*BRIT*) *abbr* (*POST:* = *Wiltshire*).
wily ['waɪlɪ] *adj* listig, raffiniert.
wimp [wɪmp] (*inf: pej*) *n* Waschlappen *m*.
wimpish ['wɪmpɪʃ] (*inf*) *adj* weichlich.
win [wɪn] (*pt, pp* **won**) *n* Sieg *m* ♦ *vt* gewinnen ♦ *vi* siegen, gewinnen.
►**win over** *vt* (*persuade*) gewinnen.
►**win round** (*BRIT*) *vt* = **win over.**
wince [wɪns] *vi* zusammenzucken.
winch [wɪntʃ] *n* Winde *f*.
Winchester disk ['wɪntʃɪstə-] *n* Winchesterplatte *f*.
wind¹ [wɪnd] *n* (*air*) Wind *m*; (*MED*) Blähungen *pl*; (*breath*) Atem *m* ♦ *vt* (*take breath away from*) den Atem nehmen *+dat*; **the winds** *npl* (*MUS*) die Bläser *pl*; **into** *or* **against the ~** gegen den Wind; **to get ~ of sth** (*fig*) von etw Wind bekommen; **to break ~** Darmwind entweichen lassen.
wind² [waɪnd] (*pt, pp* **wound**) *vt* (*thread, rope, bandage*) wickeln; (*clock, toy*) aufziehen ♦ *vi* (*road, river*) sich winden.
►**wind down** *vt* (*car window*) herunterdrehen; (*fig: production*) zurückschrauben.
►**wind up** *vt* (*clock, toy*) aufziehen; (*debate*) abschließen.
windbreak ['wɪndbreɪk] *n* Windschutz *m*.
windbreaker ['wɪndbreɪkə*] (*US*) *n* = **windcheater.**
windcheater ['wɪndtʃi:tə*] *n* Windjacke *f*.
winder ['waɪndə*] (*BRIT*) *n* (*on watch*) Krone *f*, Aufziehrädchen *nt*.
windfall ['wɪndfɔ:l] *n* (*money*) unverhoffter Glücksfall *m*; (*apple*) Fallobst *nt*.
winding ['waɪndɪŋ] *adj* gewunden.
wind instrument ['wɪnd-] *n* Blasinstrument *nt*.
windmill ['wɪndmɪl] *n* Windmühle *f*.
window ['wɪndəu] *n* (*also COMPUT*) Fenster *nt*; (*in shop*) Schaufenster *nt*.
window box *n* Blumenkasten *m*.
window cleaner *n* Fensterputzer(in) *m(f)*.
window dresser *n* Schaufensterdekorateur(in) *m(f)*.
window envelope *n* Fensterumschlag *m*.
window frame *n* Fensterrahmen *m*.
window ledge *n* Fenstersims *m*.
window pane *n* Fensterscheibe *f*.
window-shopping ['wɪndəuʃɔpɪŋ] *n* Schaufensterbummel *m*; **to go ~** einen Schaufensterbummel machen.
windowsill ['wɪndəusɪl] *n* Fensterbank *f*.
windpipe ['wɪndpaɪp] *n* Luftröhre *f*.
wind power ['wɪnd-] *n* Windkraft *f*, Windenergie *f*.
windscreen ['wɪndskri:n] *n* Windschutzscheibe *f*.
windscreen washer *n* Scheibenwaschanlage *f*.
windscreen wiper [-waɪpə*] *n* Scheibenwischer *m*.
windshield ['wɪndʃi:ld] (*US*) *n* = **windscreen.**
windsurfing ['wɪndsə:fɪŋ] *n* Windsurfen *nt*.
windswept ['wɪndswɛpt] *adj* (*place*) vom Wind gepeitscht; (*person*) vom Wind zerzaust.

wind tunnel ['wɪnd-] *n* Windkanal *m*.
windy ['wɪndɪ] *adj* windig; **it's ~** es ist windig.
wine [waɪn] *n* Wein *m* ♦ *vt*: **to ~ and dine sb** jdm zu einem guten Essen ausführen.
wine bar *n* Weinlokal *nt*.
wine cellar *n* Weinkeller *m*.
wine glass *n* Weinglas *nt*.
wine list *n* Weinkarte *f*.
wine merchant *n* Weinhändler(in) *m(f)*.
wine tasting [-teɪstɪŋ] *n* Weinprobe *f*.
wine waiter *n* Weinkellner *m*.
wing [wɪŋ] *n* (*of bird, insect, plane*) Flügel *m*; (*of building*) Trakt *m*; (*of car*) Kotflügel *m*; **the wings** *npl* (*THEAT*) die Kulissen *pl*.
winger ['wɪŋə*] *n* (*SPORT*) Flügelspieler(in) *m(f)*.
wing mirror (*BRIT*) *n* Seitenspiegel *m*.
wing nut *n* Flügelmutter *f*.
wingspan ['wɪŋspæn] *n* Flügelspannweite *f*.
wingspread ['wɪŋsprɛd] *n* = **wingspan**.
wink [wɪŋk] *n* (*of eye*) Zwinkern *m* ♦ *vi* (*with eye*) zwinkern; (*light etc*) blinken.
winkle [wɪŋkl] *n* Strandschnecke *f*.
winner ['wɪnə*] *n* (*of race, competition*) Sieger(in) *m(f)*; (*of prize*) Gewinner(in) *m(f)*.
winning ['wɪnɪŋ] *adj* (*team, entry*) siegreich; (*shot, goal*) entscheidend; (*smile*) einnehmend; *see also* **winnings**.
winning post *n* (*lit*) Zielpfosten *m*; (*fig*) Ziel *nt*.
winnings ['wɪnɪŋz] *npl* Gewinn *m*.
winsome ['wɪnsəm] *adj* (*expression*) gewinnend; (*person*) reizend.
winter ['wɪntə*] *n* Winter *m* ♦ *vi* (*birds*) überwintern; **in ~** im Winter.
winter sports *npl* Wintersport *m*.
wintry ['wɪntrɪ] *adj* (*weather, day*) winterlich, Winter-.
wipe [waɪp] *vt* wischen; (*dry*) abtrocknen; (*clean*) abwischen; (*erase: tape*) löschen; **to ~ one's nose** sich *dat* die Nase putzen ♦ *n*: **to give sth a ~** etw abwischen.
►**wipe off** *vt* abwischen.
►**wipe out** *vt* (*destroy: city etc*) auslöschen.
►**wipe up** *vt* (*mess*) aufwischen.
wire ['waɪə*] *n* Draht *m*; (*US: telegram*) Telegramm *nt* ♦ *vt* (*US*): **to ~ sb** jdm telegrafieren; (*also*: **~ up**: *electrical fitting*) anschließen.
wire brush *n* Drahtbürste *f*.
wire cutters *npl* Drahtschere *f*.
wireless ['waɪəlɪs] (*BRIT: old*) *n* Funk *m*; (*set*) Rundfunkgerät *nt*.
wire netting *n* Maschendraht *m*.
wire service (*US*) *n* Nachrichtenagentur *f*.
wire-tapping ['waɪə'tæpɪŋ] *n* Anzapfen *nt* von Leitungen.
wiring ['waɪərɪŋ] *n* elektrische Leitungen *pl*.
wiry ['waɪərɪ] *adj* (*person*) drahtig; (*hair*) borstig.
Wis. (*US*) *abbr* (*POST:* = *Wisconsin*).
wisdom ['wɪzdəm] *n* (*of person*) Weisheit *f*; (*of action, remark*) Klugheit *f*.
wisdom tooth *n* Weisheitszahn *m*.
wise *adj* (*person*) weise; (*action, remark*) klug; **I'm none the ~r** ich bin genauso klug wie vorher.
►**wise up** (*inf*) *vi*: **to ~ up to sth** hinter etw *acc* kommen.
...wise [waɪz] *suff*: **timewise/moneywise** *etc* zeitmäßig/geldmäßig *etc*.
wisecrack ['waɪzkræk] *n* Witzelei *f*.
wisely ['waɪzlɪ] *adv* klug, weise.
wish [wɪʃ] *n* Wunsch *m* ♦ *vt* wünschen; **best ~es** (*for birthday etc*) herzliche Grüße, alle guten Wünsche; **with best ~es** (*in letter*) mit den besten Wünschen *or* Grüßen; **give her my best ~es** grüßen Sie sie herzlich von mir; **to make a ~** sich *dat* etw wünschen; **to ~ sb goodbye** jdm auf Wiedersehen sagen; **he ~ed me well** er wünschte mir alles Gute; **to ~ to do sth** etw tun wollen; **to ~ sth on sb** jdm etw wünschen; **to ~ for sth** sich *dat* etw wünschen.
wishbone ['wɪʃbəun] *n* Gabelbein *nt*.
wishful ['wɪʃful] *adj*: **it's ~ thinking** das ist reines Wunschdenken.
wishy-washy ['wɪʃɪ'wɔʃɪ] (*inf*) *adj* (*colour*) verwaschen; (*person*) farblos; (*ideas*) nichtssagend.
wisp [wɪsp] *n* (*of grass*) Büschel *nt*; (*of hair*) Strähne *f*; (*of smoke*) Fahne *f*.
wistful ['wɪstful] *adj* wehmütig.
wit [wɪt] *n* (*wittiness*) geistreiche Art *f*; (*person*) geistreicher Mensch *m*; (*presence of mind*) Verstand *m*; **wits** *npl* (*intelligence*) Verstand *m*; **to be at one's ~s' end** mit seinem Latein am Ende sein; **to have one's ~s about one** einen klaren Kopf haben; **to ~** (*namely*) und zwar.
witch [wɪtʃ] *n* Hexe *f*.
witchcraft ['wɪtʃkrɑːft] *n* Hexerei *f*.
witch doctor *n* Medizinmann *m*.
witch-hunt ['wɪtʃhʌnt] *n* (*fig*) Hexenjagd *f*.

KEYWORD

with [wɪð] *prep* **1** (*accompanying, in the company of*) mit; **we stayed ~ friends** wir wohnten bei Freunden; **I'll be ~ you in a minute** einen Augenblick, ich bin sofort da; **I'm ~ you** (*I understand*) ich verstehe; **to be ~ it** (*inf: up-to-date*) auf dem laufenden sein; (*: alert*) da sein
2 (*descriptive, indicating manner*) mit; **the man ~ the grey hat/blue eyes** der Mann mit dem grauen Hut/den blauen Augen; **~ tears in her eyes** mit Tränen in den Augen; **red ~ anger** rot vor Wut.

withdraw [wɪθ'drɔː] (*irreg: like* **draw**) *vt* (*object, offer*) zurückziehen; (*remark*) zurücknehmen ♦ *vi* (*troops*) abziehen; (*person*) sich zurückziehen; **to ~ money** (*from bank*) Geld abheben; **to ~ into o.s.** sich in sich *acc* selbst

zurückziehen.
withdrawal [wɪθ'drɔːəl] *n* (*of offer, remark*) Zurücknahme *f*; (*of troops*) Abzug *m*; (*of participation*) Ausstieg *m*; (*of services*) Streichung *f*; (*of money*) Abhebung *f*.
withdrawal symptoms *npl* Entzugserscheinungen *pl*.
withdrawn [wɪθ'drɔːn] *pp of* **withdraw** ♦ *adj* (*person*) verschlossen.
wither ['wɪðə*] *vi* (*plant*) verwelken.
withered ['wɪðəd] *adj* (*plant*) verwelkt; (*limb*) verkümmert.
withhold [wɪθ'həuld] (*irreg: like* **hold**) *vt* vorenthalten.
within [wɪð'ɪn] *prep* (*place*) innerhalb *+gen*; (*time, distance*) innerhalb von ♦ *adv* innen; ~ **reach** in Reichweite; ~ **sight (of)** in Sichtweite (*+gen*); ~ **the week** vor Ende der Woche; ~ **a mile of** weniger als eine Meile entfernt von; ~ **an hour** innerhalb einer Stunde; ~ **the law** im Rahmen des Gesetzes.
without [wɪð'aut] *prep* ohne; ~ **a coat** ohne Mantel; ~ **speaking** ohne zu sprechen; **it goes** ~ **saying** das versteht sich von selbst; ~ **anyone knowing** ohne daß jemand davon wußte.
withstand [wɪθ'stænd] (*irreg: like* **stand**) *vt* widerstehen *+dat*.
witness ['wɪtnɪs] *n* Zeuge *m*, Zeugin *f* ♦ *vt* (*event*) sehen, Zeuge/Zeugin sein *+gen*; (*fig*) miterleben; **to bear** ~ **to sth** Zeugnis für etw ablegen; ~ **for the prosecution/defence** Zeuge/Zeugin der Anklage/Verteidigung; **to** ~ **to sth** etw bezeugen; **to** ~ **having seen sth** bezeugen, etw gesehen zu haben.
witness box *n* Zeugenstand *m*.
witness stand (*US*) *n* = **witness box**.
witticism ['wɪtɪsɪzəm] *n* geistreiche Bemerkung *f*.
witty ['wɪtɪ] *adj* geistreich.
wives [waɪvz] *npl of* **wife**.
wizard ['wɪzəd] *n* Zauberer *m*.
wizened ['wɪznd] *adj* (*person*) verhutzelt; (*fruit, vegetable*) verschrumpelt.
wk *abbr* = **week**.
Wm. *abbr* (= *William*).
WO *n abbr* (*MIL*) = **warrant officer**.
wobble ['wɔbl] *vi* wackeln; (*legs*) zittern.
wobbly ['wɔblɪ] *adj* (*hand, voice*) zitt(e)rig; (*table, chair*) wack(e)lig; **to feel** ~ sich wack(e)lig fühlen.
woe [wəu] *n* (*sorrow*) Jammer *m*; (*misfortune*) Kummer *m*.
woeful ['wəuful] *adj* traurig.
wok [wɔk] *n* Wok *m*.
woke [wəuk] *pt of* **wake**.
woken ['wəukn] *pp of* **wake**.
wolf [wulf] (*pl* **wolves**) *n* Wolf *m*.
wolves [wulvz] *npl of* **wolf**.
woman ['wumən] (*pl* **women**) *n* Frau *f*; ~ **friend** Freundin *f*; ~ **teacher** Lehrerin *f*; **young** ~ junge Frau; **women's page** Frauenseite *f*.
woman doctor *n* Ärztin *f*.
womanize ['wumənaɪz] (*pej*) *vi* hinter Frauen her sein.
womanly ['wumənlɪ] *adj* (*virtues etc*) weiblich.
womb [wuːm] *n* Mutterleib *m*; (*MED*) Gebärmutter *f*.
women ['wɪmɪn] *npl of* **woman**.
women's lib ['wɪmɪnz-] (*inf*) *n* Frauenbefreiung *f*.
Women's (Liberation) Movement *n* Frauenbewegung *f*.
won [wʌn] *pt, pp of* **win**.
wonder ['wʌndə*] *n* (*miracle*) Wunder *nt*; (*awe*) Verwunderung *f* ♦ *vi*: **to** ~ **whether/why** *etc* sich fragen, ob/warum *etc*; **it's no** ~ **(that)** es ist kein Wunder(, daß); **to** ~ **at** (*marvel at*) staunen über *+acc*; **to** ~ **about** sich *dat* Gedanken machen über *+acc*; **I** ~ **if you could help me** könnten Sie mir vielleicht helfen.
wonderful ['wʌndəful] *adj* wunderbar.
wonderfully ['wʌndəfəlɪ] *adv* wunderbar.
wonky ['wɔŋkɪ] (*BRIT: inf*) *adj* wack(e)lig.
wont [wəunt] *n*: **as is his** ~ wie er zu tun pflegt.
won't [wəunt] = **will not**.
woo [wuː] *vt* (*woman, audience*) umwerben.
wood [wud] *n* (*timber*) Holz *nt*; (*forest*) Wald *m* ♦ *cpd* Holz-.
woodcarving ['wudkɑːvɪŋ] *n* (*act, object*) Holzschnitzerei *f*.
wooded ['wudɪd] *adj* bewaldet.
wooden ['wudn] *adj* (*also fig*) hölzern.
woodland ['wudlənd] *n* Waldland *nt*.
woodpecker ['wudpɛkə*] *n* Specht *m*.
wood pigeon *n* Ringeltaube *f*.
woodwind ['wudwɪnd] *adj* (*instrument*) Holzblasinstrument *nt*; **the** ~ die Holzbläser *pl*.
woodwork ['wudwəːk] *n* (*skill*) Holzarbeiten *pl*.
woodworm ['wudwəːm] *n* Holzwurm *m*.
woof [wuf] *n* (*of dog*) Wau *nt* ♦ *vi* kläffen; ~, ~! wau, wau!
wool [wul] *n* Wolle *f*; **to pull the** ~ **over sb's eyes** (*fig*) jdn hinters Licht führen.
woollen, (*US*) **woolen** ['wulən] *adj* (*hat*) Woll-, wollen.
woollens ['wulənz] *npl* Wollsachen *pl*.
woolly, (*US*) **wooly** ['wulɪ] *adj* (*socks, hat etc*) Woll-; (*fig: ideas*) schwammig; (*person*) verworren ♦ *n* (*pullover*) Wollpullover *m*.
woozy ['wuːzɪ] (*inf*) *adj* duselig.
Worcs (*BRIT*) *abbr* (*POST:* = *Worcestershire*).
word [wəːd] *n* Wort *nt*; (*news*) Nachricht *f* ♦ *vt* (*letter, message*) formulieren; ~ **for** ~ Wort für Wort, (wort)wörtlich; **what's the** ~ **for "pen" in German?** was heißt „pen" auf deutsch?; **to put sth into** ~**s** etw in Worte fassen; **in other** ~**s** mit anderen Worten; **to break/keep one's** ~ sein Wort brechen/

halten; **to have ~s with sb** eine Auseinandersetzung mit jdm haben; **to have a ~ with sb** mit jdm sprechen; **I'll take your ~ for it** ich verlasse mich auf Sie; **to send ~ of sth** etw verlauten lassen; **to leave ~ (with sb/for sb) that ...** (bei jdm/für jdn) die Nachricht hinterlassen, daß ...; **by ~ of mouth** durch mündliche Überlieferung.

wording ['wəːdɪŋ] *n* (*of message, contract etc*) Wortlaut *m*, Formulierung *f*.

word-perfect ['wəːd'pəːfɪkt] *adj*: **to be ~** den Text perfekt beherrschen.

word processing *n* Textverarbeitung *f*.

word processor [-prəusɛsə*] *n* Textverarbeitungssystem *nt*.

wordwrap ['wəːdræp] *n* (*COMPUT*) (automatischer) Zeilenumbruch *m*.

wordy ['wəːdɪ] *adj* (*book*) langatmig; (*person*) wortreich.

wore [wɔː*] *pt of* **wear**.

work [wəːk] *n* Arbeit *f*; (*ART, LITER*) Werk *nt* ♦ *vi* arbeiten; (*mechanism*) funktionieren; (*be successful: medicine etc*) wirken ♦ *vt* (*clay, wood, land*) bearbeiten; (*mine*) arbeiten in; (*machine*) bedienen; (*create: effect, miracle*) bewirken; **to go to ~** zur Arbeit gehen; **to set to ~, to start ~** sich an die Arbeit machen; **to be at ~ (on sth)** (an etw *dat*) arbeiten; **to be out of ~** arbeitslos sein; **to be in ~** eine Stelle haben; **to ~ hard** hart arbeiten; **to ~ loose** (*part, knot*) sich lösen; **to ~ on the assumption that ...** von der Annahme ausgehen, daß ...

►**work on** *vt fus* (*task*) arbeiten an *+dat*; (*person: influence*) bearbeiten; **he's ~ing on his car** er arbeitet an seinem Auto.

►**work out** *vi* (*plans etc*) klappen; (*SPORT*) trainieren ♦ *vt* (*problem*) lösen; (*plan*) ausarbeiten; **it ~s out at 100 pounds** es ergibt 100 Pfund.

►**work up** *vt*: **to get ~ed up** sich aufregen.

workable ['wəːkəbl] *adj* (*system*) durchführbar; (*solution*) brauchbar.

workaholic [wəːkə'hɔlɪk] *n* Arbeitstier *nt*.

workbench ['wəːkbɛntʃ] *n* Werkbank *f*.

worker ['wəːkə*] *n* Arbeiter(in) *m(f)*; **office ~** Büroarbeiter(in) *m(f)*.

workforce ['wəːkfɔːs] *n* Arbeiterschaft *f*.

work-in ['wəːkɪn] (*BRIT*) *n* Fabrikbesetzung *f*.

working ['wəːkɪŋ] *adj* (*day, conditions*) Arbeits-; (*population*) arbeitend; (*mother*) berufstätig; **a ~ knowledge of English** (*adequate*) Grundkenntnisse in Englisch.

working capital *n* Betriebskapital *nt*.

working class *n* Arbeiterklasse *f*.

working-class ['wəːkɪŋ'klɑːs] *adj* (*family, town*) Arbeiter-.

working man *n* Arbeiter *m*.

working order *n*: **in ~** in betriebsfähigem Zustand.

working party (*BRIT*) *n* Ausschuß *m*.

working relationship *n* Arbeitsbeziehung *f*.

working week *n* Arbeitswoche *f*.

work-in-progress ['wəːkɪn'prəugrɛs] *n* laufende Arbeiten *pl*.

workload ['wəːkləud] *n* Arbeitsbelastung *f*.

workman ['wəːkmən] (*irreg: like* **man**) *n* Arbeiter *m*.

workmanship ['wəːkmənʃɪp] *n* Arbeitsqualität *f*.

workmate ['wəːkmeɪt] *n* Arbeitskollege *m*, Arbeitskollegin *f*.

workout ['wəːkaut] *n* Fitneßtraining *nt*.

work permit *n* Arbeitserlaubnis *f*.

works [wəːks] (*BRIT*) *n* (*factory*) Fabrik *f*, Werk *nt* ♦ *npl* (*of clock*) Uhrwerk *nt*; (*of machine*) Getriebe *nt*.

work sheet *n* Arbeitsblatt *nt*.

workshop ['wəːkʃɔp] *n* (*building*) Werkstatt *f*; (*practical session*) Workshop *nt*.

work station *n* Arbeitsplatz *m*; (*COMPUT*) Workstation *f*.

work-study ['wəːkstʌdɪ] *n* Arbeitsstudie *f*.

worktop ['wəːktɔp] *n* Arbeitsfläche *f*.

work-to-rule ['wəːktə'ruːl] (*BRIT*) *n* Dienst *m* nach Vorschrift.

world [wəːld] *n* Welt *f* ♦ *cpd* (*champion, power, war*) Welt-; **all over the ~** auf der ganzen Welt; **to think the ~ of sb** große Stücke auf jdn halten; **what in the ~ is he doing?** was um alles in der Welt macht er?; **to do sb a** *or* **the ~ of good** jdm unwahrscheinlich gut tun; **W~ War One/Two** der Erste/Zweite Weltkrieg; **out of this ~** phantastisch.

World Cup *n*: **the ~** (*FOOTBALL*) die Fußballweltmeisterschaft *f*.

world-famous [wəːld'feɪməs] *adj* weltberühmt.

worldly ['wəːldlɪ] *adj* weltlich; (*knowledgeable*) weltgewandt.

world music *n* World Music *f*, *Richtung der Popmusik, die musikalische Stilelemente der Dritten Welt verwendet.*

World Series (*US*) *n Endrunde der Baseball-Weltmeisterschaft zwischen den Tabellenführern der Spitzenligen.*

worldwide ['wəːld'waɪd] *adj, adv* weltweit.

worm [wəːm] *n* Wurm *m*.

►**worm out** *vt*: **to ~ sth out of sb** jdm etw entlocken.

worn [wɔːn] *pp of* **wear** ♦ *adj* (*carpet*) abgenutzt; (*shoe*) abgetragen.

worn-out ['wɔːnaut] *adj* (*object*) abgenutzt; (*person*) erschöpft.

worried ['wʌrɪd] *adj* besorgt; **to be ~ about sth** sich wegen etw Sorgen machen.

worrier ['wʌrɪə*] *n*: **to be a ~** sich ständig Sorgen machen.

worrisome ['wʌrɪsəm] *adj* besorgniserregend.

worry ['wʌrɪ] *n* Sorge *f* ♦ *vt* beunruhigen ♦ *vi* sich *dat* Sorgen machen; **to ~ about** *or* **over sth/sb** sich um etw/jdn Sorgen machen.

worrying ['wʌrɪɪŋ] *adj* beunruhigend.

worse [wəːs] *adj* schlechter, schlimmer ♦ *adv*

schlechter ♦ *n* Schlechtere(s) *nt*, Schlimmere(s) *nt*; **to get ~** (*situation etc*) sich verschlechtern *or* verschlimmern; **he is none the ~ for it** er hat keinen Schaden dabei erlitten; **so much the ~ for you!** um so schlimmer für dich!; **a change for the ~** eine Wendung zum Schlechten.

worsen ['wəːsn] *vt* verschlimmern ♦ *vi* sich verschlechtern.

worse off *adj* (*also fig*) schlechter dran; **he is now ~ than before** er ist jetzt schlechter dran als zuvor.

worship ['wəːʃɪp] *n* (*act*) Verehrung *f* ♦ *vt* (*god*) anbeten; (*person, thing*) verehren; **Your W~** (*BRIT: to mayor*) verehrter Herr Bürgermeister; (*: to judge*) Euer Ehren.

worshipper ['wəːʃɪpə*] *n* (*in church etc*) Kirchgänger(in) *m(f)*; (*fig*) Anbeter(in) *m(f)*, Verehrer(in) *m(f)*.

worst [wəːst] *adj* schlechteste(r, s), schlimmste(r, s) ♦ *adv* am schlimmsten ♦ *n* Schlimmste(s) *nt*; **at ~** schlimmstenfalls; **if the ~ comes to the ~** wenn alle Stricke reißen.

worst-case scenario ['wəːstkeɪs-] *n* Schlimmstfallszenario *nt*.

worsted ['wustɪd] *n* Kammgarn *nt*.

worth [wəːθ] *n* Wert *m* ♦ *adj*: **to be ~** wert sein; **£2 ~ of apples** Äpfel für £ 2; **how much is it ~?** was *or* wieviel ist es wert?; **it's ~ it** (*effort, time*) es lohnt sich; **it's ~ every penny** es ist sein Geld wert.

worthless ['wəːθlɪs] *adj* wertlos.

worthwhile ['wəːθ'waɪl] *adj* lohnend.

worthy [wəːðɪ] *adj* (*person*) würdig; (*motive*) ehrenwert; **~ of** wert *+gen*.

KEYWORD

would [wud] *aux vb* **1** (*conditional tense*): **if you asked him he ~ do it** wenn du ihn fragtest, würde er es tun; **if you had asked him he ~ have done it** wenn du ihn gefragt hättest, hätte er es getan

2 (*in offers, invitations, requests*): **~ you like a biscuit?** möchten Sie ein Plätzchen?; **~ you ask him to come in?** würden Sie ihn bitten, hereinzukommen?

3 (*in indirect speech*): **I said I ~ do it** ich sagte, ich würde es tun

4 (*emphatic*): **it WOULD have to snow today!** ausgerechnet heute mußte es schneien!

5 (*insistence*): **she ~n't behave** sie wollte sich partout nicht benehmen

6 (*conjecture*): **it ~ have been midnight** es mochte etwa Mitternacht gewesen sein; **it ~ seem so** so scheint es wohl

7 (*indicating habit*): **he ~ go there on Mondays** er ging montags immer dorthin; **he ~ spend every day on the beach** er verbrachte jeden Tag am Strand.

would-be ['wudbiː] *adj* (*singer, writer*) Möchtegern-.

wouldn't ['wudnt] = **would not**.

wound¹ [waund] *pt, pp of* **wind²**.

wound² [wuːnd] *n* Wunde *f* ♦ *vt* verwunden; **~ed in the leg** am Bein verletzt.

wove [wəuv] *pt of* **weave**.

woven ['wəuvn] *pp of* **weave**.

WP *n abbr* = **word processing; word processor** ♦ *abbr* (*BRIT: inf: = weather permitting*) bei günstiger Witterung.

WPC (*BRIT*) *n abbr* (= *woman police constable*) Polizistin *f*.

wpm *abbr* (= *words per minute*) Worte pro Minute (*beim Maschineschreiben*).

WRAC (*BRIT*) *n abbr* (= *Women's Royal Army Corps*) *Frauenkorps der Armee*.

WRAF (*BRIT*) *n abbr* (= *Women's Royal Air Force*) *Frauenkorps der Luftwaffe*.

wrangle ['ræŋgl] *n* Gerangel *nt* ♦ *vi*: **to ~ with sb over sth** sich mit jdm um etw zanken.

wrap [ræp] *n* (*shawl*) Umhang *m*; (*cape*) Cape *nt* ♦ *vt* einwickeln; (*also*: **~ up**: *pack*) einpacken; (*wind: tape etc*) wickeln; **under ~s** (*fig: plan*) geheim.

wrapper ['ræpə*] *n* (*on chocolate*) Papier *nt*; (*BRIT: of book*) Umschlag *m*.

wrapping paper ['ræpɪŋ-] *n* (*brown*) Packpapier *nt*; (*fancy*) Geschenkpapier *nt*.

wrath [rɔθ] *n* Zorn *m*.

wreak [riːk] *vt*: **to ~ havoc (on)** verheerenden Schaden anrichten (bei); **to ~ vengeance** *or* **revenge on sb** Rache an jdm üben.

wreath [riːθ] (*pl* **~s**) *n* Kranz *m*.

wreck [rɛk] *n* Wrack *nt*; (*vehicle*) Schrotthaufen *m* ♦ *vt* kaputtmachen; (*car*) zu Schrott fahren; (*chances*) zerstören.

wreckage ['rɛkɪdʒ] *n* (*of car, plane, building*) Trümmer *pl*; (*of ship*) Wrackteile *pl*.

wrecker ['rɛkə*] (*US*) *n* (*breakdown van*) Abschleppwagen *m*.

Wren (*BRIT*) *n abbr* *weibliches Mitglied der britischen Marine*.

wren [rɛn] *n* (*ZOOL*) Zaunkönig *m*.

wrench [rɛntʃ] *n* (*TECH*) Schraubenschlüssel *m*; (*tug*) Ruck *m*; (*fig*) schmerzhaftes Erlebnis *nt* ♦ *vt* (*pull*) reißen; (*injure: arm, back*) verrenken; **to ~ sth from sb** jdm etw entreißen.

wrest [rɛst] *vt*: **to ~ sth from sb** jdm etw abringen.

wrestle ['rɛsl] *vi*: **to ~ (with sb)** (mit jdm) ringen; **to ~ with a problem** mit einem Problem kämpfen.

wrestler ['rɛslə*] *n* Ringer(in) *m(f)*.

wrestling ['rɛslɪŋ] *n* Ringen *nt*; (*also*: **all-in ~**) Freistilringen *nt*.

wrestling match *n* Ringkampf *m*.

wretch [rɛtʃ] *n*: **poor ~** (*man*) armer Schlucker *m*; (*woman*) armes Ding *nt*; **little ~!** (*often humorous*) kleiner Schlingel!

wretched ['rɛtʃɪd] *adj* (*poor*) erbärmlich; (*unhappy*) unglücklich; (*inf: damned*) elend.

wriggle ['rɪgl] *vi* (*also*: ~ **about**: *person*) zappeln; (*fish*) sich winden; (*snake etc*) sich schlängeln ♦ *n* Zappeln *nt*.
wring [rɪŋ] (*pt, pp* **wrung**) *vt* (*wet clothes*) auswringen; (*hands*) wringen; (*neck*) umdrehen; **to ~ sth out of sth/sb** (*fig*) etw/jdm etw abringen.
wringer ['rɪŋə*] *n* Mangel *f*.
wringing ['rɪŋɪŋ] *adj* (*also*: ~ **wet**) tropfnaß.
wrinkle ['rɪŋkl] *n* Falte *f* ♦ *vt* (*nose, forehead etc*) runzeln ♦ *vi* (*skin, paint etc*) sich runzeln.
wrinkled ['rɪŋkld] *adj* (*fabric, paper*) zerknittert; (*surface*) gekräuselt; (*skin*) runzlig.
wrinkly ['rɪŋklɪ] *adj* = **wrinkled.**
wrist [rɪst] *n* Handgelenk *nt*.
wristband ['rɪstbænd] (*BRIT*) *n* (*of shirt*) Manschette *f*; (*of watch*) Armband *nt*.
wristwatch ['rɪstwɔtʃ] *n* Armbanduhr *f*.
writ [rɪt] *n* (*LAW*) (gerichtliche) Verfügung *f*; **to issue a ~ against sb, serve a ~ on sb** eine Verfügung gegen jdn erlassen.
write [raɪt] (*pt* **wrote**, *pp* **written**) *vt* schreiben; (*cheque*) ausstellen ♦ *vi* schreiben; **to ~ to sb** jdm schreiben.
►**write away** *vi*: **to ~ away for sth** etw anfordern.
►**write down** *vt* aufschreiben.
►**write off** *vt* (*debt, project*) abschreiben; (*wreck: car etc*) zu Schrott fahren ♦ *vi* = **write away.**
►**write out** *vt* (*put in writing*) schreiben; (*cheque, receipt etc*) ausstellen.
►**write up** *vt* (*report etc*) schreiben.
write-off ['raɪtɔf] *n* (*AUT*) Totalschaden *m*.
write-protected ['raɪtprə'tɛktɪd] *adj* (*COMPUT*) schreibgeschützt.
writer ['raɪtə*] *n* (*author*) Schriftsteller(in) *m(f)*; (*of report, document etc*) Verfasser(in) *m(f)*.
write-up ['raɪtʌp] *n* (*review*) Kritik *f*.
writhe [raɪð] *vi* sich krümmen.
writing ['raɪtɪŋ] *n* Schrift *f*; (*of author*) Arbeiten *pl*; (*activity*) Schreiben *nt*; **in ~** schriftlich; **in my own ~** in meiner eigenen Handschrift.
writing case *n* Schreibmappe *f*.
writing desk *n* Schreibtisch *m*.
writing paper *n* Schreibpapier *nt*.
written ['rɪtn] *pp of* **write.**
WRNS (*BRIT*) *n abbr* (= *Women's Royal Naval Service*) *Frauenkorps der Marine*.
wrong [rɔŋ] *adj* falsch; (*morally bad*) unrecht; (*unfair*) ungerecht ♦ *adv* falsch ♦ *n* (*injustice*) Unrecht *nt*; (*evil*): **right and ~** Gut und Böse ♦ *vt* (*treat unfairly*) Unrecht tun *+dat*; **to be ~** (*answer*) falsch sein; (*in doing, saying sth*) unrecht haben; **you are ~ to do it** es ist ein Fehler von dir, das zu tun; **it's ~ to steal, stealing is ~** Stehlen ist unrecht; **you are ~ about that, you've got it ~** da hast du unrecht; **what's ~?** wo fehlt's?; **there's nothing ~** es ist alles in Ordnung; **to go ~** (*person*) einen Fehler machen; (*plan*) schiefgehen; (*machine*) versagen; **to be in the ~** im Unrecht sein.
wrongdoer ['rɔŋduə*] *n* Übeltäter(in) *m(f)*.
wrong-foot [rɔŋ'fut] *vt*: **to ~ sb** (*SPORT*) jdn auf dem falschen Fuß erwischen; (*fig*) jdn im falschen Moment erwischen.
wrongful ['rɔŋful] *adj* unrechtmäßig.
wrongly ['rɔŋlɪ] *adv* falsch; (*unjustly*) zu Unrecht.
wrong number *n* (*TEL*): **you've got the ~** Sie sind falsch verbunden.
wrong side *n*: **the ~** (*of material*) die linke Seite.
wrote [rəut] *pt of* **write.**
wrought [rɔːt] *adj*: ~ **iron** Schmiedeeisen *nt*.
wrung [rʌŋ] *pt, pp of* **wring.**
WRVS (*BRIT*) *n abbr* (= *Women's Royal Voluntary Service*) *karitativer Frauenverband*.
wry [raɪ] *adj* (*smile, humour*) trocken.
wt. *abbr* = **weight.**
WV (*US*) *abbr* (*POST*: = *West Virginia*).
W.Va. (*US*) *abbr* (*POST*: = *West Virginia*).
WY, Wyo. (*US*) *abbr* (*POST*: = *Wyoming*).
WYSIWYG ['wɪzɪwɪg] *abbr* (*COMPUT*: = *what you see is what you get*) WYSIWYG *nt*.

X, x

X, x [ɛks] *n* (*letter*) X *nt*, x *nt*; (*BRIT*: *CINE*: *formerly*) *Klassifikation für nicht jugendfreie Filme*; ~ **for Xmas** ≈ X wie Xanthippe.
Xerox ® ['zɪərɔks] *n* (*also*: ~ **machine**) Xerokopierer *m*; (*photocopy*) Xerokopie *f* ♦ *vt* xerokopieren.
XL *abbr* (= *extra large*) XL.
Xmas ['ɛksməs] *n abbr* = **Christmas.**
X-rated ['ɛks'reɪtɪd] (*US*) *adj* (*film*) nicht jugendfrei.
X-ray [ɛks'reɪ] *n* Röntgenstrahl *m*; (*photo*) Röntgenbild *nt* ♦ *vt* röntgen; **to have an ~** sich röntgen lassen.
xylophone ['zaɪləfəun] *n* Xylophon *nt*.

Y, y

Y, y [waɪ] *n* (*letter*) Y *nt*, y *nt*; ~ **for Yellow,** (*US*) ~ **for Yoke** ≈ Y wie Ypsilon.
yacht [jɔt] *n* Jacht *f*.
yachting ['jɔtɪŋ] *n* Segeln *nt*.
yachtsman ['jɔtsmən] (*irreg: like* **man**) *n* Segler *m*.
yam [jæm] *n* Yamswurzel *f*.
Yank [jæŋk] (*pej*) *n* Ami *m*.
yank [jæŋk] *vt* reißen ♦ *n* Ruck *m*; **to give sth a** ~ mit einem Ruck an etw *dat* ziehen.
Yankee ['jæŋkɪ] (*pej*) *n* = **Yank.**
yap [jæp] *vi* (*dog*) kläffen.
yard [jɑːd] *n* (*of house etc*) Hof *m*; (*US: garden*) Garten *m*; (*measure*) Yard *nt* (= *0,91 m*); **builder's** ~ Bauhof *m*.
yardstick ['jɑːdstɪk] *n* (*fig*) Maßstab *m*.
yarn [jɑːn] *n* (*thread*) Garn *nt*; (*tale*) Geschichte *f*.
yawn [jɔːn] *n* Gähnen *nt* ♦ *vi* gähnen.
yawning ['jɔːnɪŋ] *adj* (*gap*) gähnend.
yd *abbr* = **yard.**
yeah [jɛə] (*inf*) *adv* ja.
year [jɪə*] *n* Jahr *nt*; (*referring to wine*) Jahrgang *m*; **every** ~ jedes Jahr; **this** ~ dieses Jahr; **a** *or* **per** ~ pro Jahr; ~ **in,** ~ **out** jahrein, jahraus; **to be 8 ~s old** 8 Jahre alt sein; **an eight-~-old child** ein achtjähriges Kind.
yearbook ['jɪəbuk] *n* Jahrbuch *nt*.
yearling ['jɪəlɪŋ] *n* (*horse*) Jährling *m*.
yearly ['jɪəlɪ] *adj, adv* (*once a year*) jährlich; **twice** ~ zweimal jährlich *or* im Jahr.
yearn [jəːn] *vi*: **to** ~ **for sth** sich nach etwas sehnen; **to** ~ **to do sth** sich danach sehnen, etw zu tun.
yearning ['jəːnɪŋ] *n*: **to have a** ~ **for sth** ein Verlangen nach etw haben; **to have a** ~ **to do sth** ein Verlangen danach haben, etw zu tun.
yeast [jiːst] *n* Hefe *f*.
yell [jɛl] *n* Schrei *m* ♦ *vi* schreien.
yellow ['jɛləu] *adj* gelb ♦ *n* Gelb *nt*.
yellow fever *n* Gelbfieber *nt*.
yellowish ['jɛləuɪʃ] *adj* gelblich.
Yellow Pages ® *npl*: **the** ~ die Gelben Seiten *pl*, das Branchenverzeichnis.
Yellow Sea *n*: **the** ~ das Gelbe Meer.
yelp [jɛlp] *n* Jaulen *nt* ♦ *vi* jaulen.
Yemen ['jɛmən] *n*: **(the)** ~ (der) Jemen.
Yemeni ['jɛmənɪ] *adj* jemenitisch ♦ *n* Jemenit(in) *m(f)*.
yen [jɛn] *n* (*currency*) Yen *m*; (*craving*): **to have a** ~ **for** Lust auf etw haben; **to have a** ~ **to do sth** Lust darauf haben, etw zu tun.
yeoman ['jəumən] (*irreg: like* **man**) *n*: **Y~ of the Guard** (königlicher) Leibgardist *m*.
yes [jɛs] *adv* ja; (*in reply to negative*) doch ♦ *n* Ja *nt*; **to say** ~ ja sagen; **to answer** ~ mit ja antworten.
yes-man ['jɛsmæn] (*irreg: like* **man**) (*pej*) *n* Jasager *m*.
yesterday ['jɛstədɪ] *adv* gestern ♦ *n* Gestern *nt*; ~ **morning/evening** gestern morgen/ abend; **~'s paper** die Zeitung von gestern; **the day before** ~ vorgestern; **all day** ~ gestern den ganzen Tag (lang).
yet [jɛt] *adv* noch ♦ *conj* jedoch; **it is not finished** ~ es ist noch nicht fertig; **must you go just ~?** mußt du schon gehen?; **the best** ~ der/die/das bisher beste; **as** ~ bisher; **it'll be a few days** ~ es wird noch ein paar Tage dauern; **not for a few days** ~ nicht in den nächsten paar Tagen; ~ **again** wiederum.
yew [juː] *n* (*tree*) Eibe *f*; (*wood*) Eibenholz *nt*.
Y-fronts ® ['waɪfrʌnts] *npl* (Herren-)Slip *m* (*mit Y-förmiger Vorderseite*).
YHA (*BRIT*) *n abbr* (= *Youth Hostels Association*) *britischer Jugendherbergsverband.*
Yiddish ['jɪdɪʃ] *n* Jiddisch *nt*.
yield [jiːld] *n* (*AGR*) Ertrag *m*; (*COMM*) Gewinn *m* ♦ *vt* (*surrender: control etc*) abtreten; (*produce: results, profit*) hervorbringen ♦ *vi* (*surrender, give way*) nachgeben; (*US: AUT*) die Vorfahrt achten; **a** ~ **of 5%** ein Ertrag *or* Gewinn von 5%.
YMCA *n abbr* (*organization:* = *Young Men's Christian Association*) CVJM *m*.
yob(bo) ['jɔb(əu)] (*BRIT: inf: pej*) *n* Rowdy *m*.
yodel ['jəudl] *vi* jodeln.
yoga ['jəugə] *n* Yoga *m or nt*.
yog(h)ourt ['jəugət] *n* Joghurt *m or nt*.
yog(h)urt ['jəugət] *n* = **yog(h)ourt.**
yoke [jəuk] *n* (*also fig*) Joch *nt* ♦ *vt* (*also:* ~ **together**: *oxen*) einspannen.
yolk [jəuk] *n* (*of egg*) Dotter *m*, Eigelb *nt*.
yonder ['jɔndə*] *adv*: **(over)** ~ dort drüben ♦ *adj*: **from** ~ **house** von dem Haus dort drüben.
yonks [jɔŋks] (*inf*) *n*: **for** ~ seit einer Ewigkeit.
Yorks [jɔːks] (*BRIT*) *abbr* (*POST:* = *Yorkshire*).

KEYWORD

you [juː] *pron* **1** (*subject: familiar: singular*) du; (: : *plural*) ihr; (: *polite*) Sie; ~ **Germans enjoy your food** ihr Deutschen eßt gern gut
2 (*object: direct: familiar: singular*) dich; (: : : *plural*) euch; (: : *polite*) Sie; (: *indirect: familiar: singular*) dir; (: : : *plural*) euch; (: : *polite*) Ihnen; **I know** ~ ich kenne dich/euch/Sie; **I gave it to** ~ ich habe es dir/euch/Ihnen gegeben; **if I were** ~ **I would ...** an deiner/ eurer/Ihrer Stelle würde ich ...
3 (*after prep, in comparisons*): **it's for** ~ es ist

für dich/euch/Sie; **she's younger than ~** sie ist jünger als du/ihr/Sie
4 (*impersonal: one*) man; **~ never know** man weiß nie.

you'd [juːd] = **you had; you would.**
you'll [juːl] = **you will; you shall.**
young [jʌŋ] *adj* jung; **the young** *npl* (*of animal*) die Jungen *pl*; (*people*) die jungen Leute *pl*; **a ~ man** ein junger Mann; **a ~ lady** eine junge Dame.
younger [jʌŋgə*] *adj* jünger; **the ~ generation** die jüngere Generation.
youngish ['jʌŋɪʃ] *adj* recht jung.
youngster ['jʌŋstə*] *n* Kind *nt*.
your [jɔː*] *adj* (*familiar: sing*) dein/deine/dein; (: *pl*) euer/eure/euer; (*polite*) Ihr/Ihre/Ihr; (*one's*) sein; **you mustn't eat with ~ fingers** man darf nicht mit den Fingern essen; *see also* **my.**
you're [juə*] = **you are.**
yours [jɔːz] *pron* (*familiar: sing*) deiner/deine/dein(e)s; (: *pl*) eurer/eure/eures; (*polite*) Ihrer/Ihre/Ihres; **a friend of ~** ein Freund von dir/Ihnen; **is it ~?** gehört es dir/Ihnen?; **~ sincerely/faithfully** mit freundlichen Grüßen; *see also* **mine**[1].
yourself [jɔː'sɛlf] *pron* (*reflexive: familiar: sing: acc*) dich; (: : : *dat*) dir; (: : *pl*) euch; (: *polite*) sich; (*emphatic*) selbst; **you ~ told me** das haben Sie mir selbst gesagt.
yourselves [jɔː'sɛlvz] *pl pron* (*reflexive: familiar*) euch; (: *polite*) sich; (*emphatic*) selbst; *see also* **oneself.**
youth [juːθ] *n* Jugend *f*; (*young man: pl youths*) Jugendliche(r) *m*; **in my ~** in meiner Jugend.
youth club *n* Jugendklub *m*.
youthful ['juːθful] *adj* jugendlich.
youthfulness ['juːθfəlnɪs] *n* Jugendlichkeit *f*.
youth hostel *n* Jugendherberge *f*.
youth movement *n* Jugendbewegung *f*.
you've [juːv] = **you have.**
yowl [jaul] *n* (*of animal*) Jaulen *nt*; (*of person*) Heulen *nt*.
yr *abbr* (= *year*) J.
YT (*CANADA*) *abbr* (= *Yukon Territory*).
Yugoslav ['juːgəuslaːv] (*formerly*) *adj* jugoslawisch ♦ *n* Jugoslawe *m*, Jugoslawin *f*.
Yugoslavia ['juːgəu'slaːvɪə] (*formerly*) *n* Jugoslawien *nt*.
Yugoslavian ['juːgəu'slaːvɪən] (*formerly*) *adj* jugoslawisch.
Yule log [juːl-] *n* *Biskuitrolle mit Überzug, die zu Weihnachten gegessen wird.*
yuppie ['jʌpɪ] (*inf*) *n* Yuppie *m* ♦ *adj* yuppiehaft; (*job, car*) Yuppie-.
YWCA *n abbr* (*organization:* = *Young Women's Christian Association*) CVJF *m*.

Z, z

Z, z [zɛd, (*US*) ziː] *n* (*letter*) Z *nt*, z *nt*; **~ for Zebra** ≈ Z wie Zacharias.
Zaire [zaː'iːə*] *n* Zaire *nt*.
Zambia ['zæmbɪə] *n* Sambia *nt*.
Zambian ['zæmbɪən] *adj* sambisch ♦ *n* Sambier(in) *m(f)*.
zany ['zeɪnɪ] *adj* verrückt.
zap [zæp] *vt* (*COMPUT: delete*) löschen.
zeal [ziːl] *n* Eifer *m*.
zealot ['zɛlət] *n* Fanatiker(in) *m(f)*.
zealous ['zɛləs] *adj* eifrig.
zebra ['ziːbrə] *n* Zebra *nt*.
zebra crossing (*BRIT*) *n* Zebrastreifen *m*.
zenith ['zɛnɪθ] *n* (*also fig*) Zenit *m*.
zero ['zɪərəu] *n* (*number*) Null *f* ♦ *vi*: **to ~ in on sth** (*target*) etw einkreisen; **5 degrees below ~** 5 Grad unter Null.
zero hour *n* die Stunde X.
zero option *n* (*esp POL*) Nullösung *f*.
zero-rated ['ziːrəureɪtɪd] (*BRIT*) *adj* (*TAX*) mehrwertsteuerfrei.
zest [zɛst] *n* (*for life*) Begeisterung *f*; (*of orange*) Orangenschale *f*.
zigzag ['zɪgzæg] *n* Zickzack *m* ♦ *vi* sich im Zickzack bewegen.
Zimbabwe [zɪm'baːbwɪ] *n* Zimbabwe *nt*.
Zimbabwean [zɪm'baːbwɪən] *adj* zimbabwisch.
zimmer ® ['zɪmə*] *n* (*also*: **~ frame**) Laufgestell *nt*.
zinc [zɪŋk] *n* Zink *nt*.
Zionism ['zaɪənɪzəm] *n* Zionismus *m*.
Zionist ['zaɪənɪst] *adj* zionistisch ♦ *n* Zionist(in) *m(f)*.
zip [zɪp] *n* (*also*: **~ fastener**) Reißverschluß *m* ♦ *vt* (*also*: **~ up**: *dress etc*) den Reißverschluß zumachen an *+dat*.
zip code (*US*) *n* Postleitzahl *f*.
zipper ['zɪpə*] (*US*) *n* = **zip.**
zither ['zɪðə*] *n* Zither *f*.
zodiac ['zəudɪæk] *n* Tierkreis *m*.
zombie ['zɔmbɪ] *n* (*fig*) Schwachkopf *m*.
zone [zəun] *n* (*also MIL*) Zone *f*, Gebiet *nt*; (*in town*) Bezirk *m*.
zonked [zɔŋkt] (*inf*) *adj* (*tired*) total geschafft; (*high on drugs*) high; (*drunk*) voll.
zoo [zuː] *n* Zoo *m*.
zoological [zuə'lɔdʒɪkl] *adj* zoologisch.
zoologist [zu'ɔlədʒɪst] *n* Zoologe *m*, Zoologin *f*.
zoology [zuː'ɔlədʒɪ] *n* Zoologie *f*.
zoom [zuːm] *vi*: **to ~ past** vorbeisausen; **to ~ in (on sth/sb)** (*PHOT, CINE*) (etw/jdn)

näher heranholen.
zoom lens *n* Zoomobjektiv *nt*.
zucchini [zu:'ki:nɪ] (*US*) *n(pl)* Zucchini *pl*.
Zulu ['zu:lu:] *adj* (*tribe, culture*) Zulu- ♦ *n* (*person*) Zulu *m/f*; (*LING*) Zulu *nt*.
Zürich ['zjuərɪk] *n* Zürich *nt*.